LES ROIS MAUDITS

MAURICE DRUON

de l'Académie française

LES ROIS MAUDITS

Roman historique

PLON

ISBN 2-259-18122-8

I

LE ROI DE FER

« L'histoire est un roman qui a été. »

Edmond et Jules
de Goncourt

PROLOGUE

Au début du quatorzième siècle, Philippe IV, roi d'une beauté légendaire, régnait sur la France en maître absolu. Il avait vaincu l'orgueil guerrier des grands barons, vaincu les Flamands révoltés, vaincu l'Anglais en Aquitaine, vaincu même la Papauté qu'il avait installée de force en Avignon. Les Parlements étaient à ses ordres et les conciles à sa solde.

Trois fils majeurs assuraient sa descendance. Sa fille était mariée au roi Édouard II d'Angleterre. Il comptait six autres rois parmi ses vassaux, et le réseau de ses alliances s'étendait jusqu'à la Russie.

Aucune richesse n'échappait à sa main. Il avait tour à tour taxé les biens de l'Église, spolié les Juifs, frappé les compagnies de banquiers lombards. Pour faire face aux besoins du Trésor, il pratiquait l'altération des monnaies. Du jour au lendemain, l'or pesait moins lourd et valait plus cher. Les impôts étaient écrasants; la police foisonnait. Les crises économiques engendraient ruines et pénuries qui, elles-mêmes, engendraient des émeutes étouffées dans le sang. Les révoltes s'achevaient aux fourches des gibets. Tout devait s'incliner, plier ou rompre devant l'autorité royale.

Mais l'idée nationale logeait dans la tête de ce prince calme et cruel pour qui la raison d'État dominait toutes les autres. Sous son règne, la France était grande et les Français malheureux.

Un seul pouvoir avait osé lui tenir tête : l'Ordre souverain des chevaliers du Temple. Cette colossale organisation, à la fois militaire, religieuse et financière, devait aux croisades, dont elle était issue, sa gloire et sa richesse.

L'indépendance des Templiers inquiétait Philippe le Bel, en même temps que leurs biens immenses excitaient sa convoitise. Il monta contre eux le plus vaste procès dont l'Histoire ait gardé le souvenir, puisque ce procès pesa sur près de quinze mille inculpés. Toutes les infamies y furent perpétrées, et il dura sept ans.

C'est au terme de cette septième année que commence notre récit.

PREMIÈRE PARTIE

LA MALÉDICTION

I

LA REINE SANS AMOUR

Un tronc entier, couché sur un lit de braises incandescentes, flambait dans la cheminée. Les vitraux verdâtres, cloisonnés de plomb, filtraient un jour de mars avare en lumière.

Assise dans un haut siège de chêne au dossier surmonté des trois lions d'Angleterre, la reine Isabelle, le menton sur la paume, contemplait vaguement les lueurs du foyer.

Elle avait vingt-deux ans. Ses cheveux d'or, tordus en longues tresses relevées, formaient comme deux anses d'amphore.

Elle écoutait une de ses dames françaises lui lire un poème du duc Guillaume d'Aquitaine.

— *D'amour ne dois plus dire bien*
  Car je n'en ai ni peu ni rien,
  Car plus n'en ai qui me convient...

La voix chantante de la dame de parage se perdait dans cette salle trop grande pour que des femmes y puissent vivre heureuses.

— *Il m'a toujours été ainsi.*
  De ce que j'aime n'ai pas joui,
  Ne le ferai ni ne le fis...

La reine sans amour soupira.

— Que voilà donc touchantes paroles, dit-elle, et qu'on croirait tout juste faites pour moi. Ah ! le temps n'est plus où les grands seigneurs comme ce duc Guillaume étaient aussi exercés à la poésie qu'à la guerre. Quand m'avez-vous dit qu'il vivait? Deux cents années? On jugerait de ce lai qu'il est écrit d'hier *[1].

Et pour elle-même elle répéta:

— *D'amour ne dois plus dire bien*
   Car je n'en ai ni peu ni rien...

Elle demeura un moment songeuse.

— Poursuivrai-je, Madame? demanda la lectrice, le doigt posé sur la page enluminée.

— Non, ma mie, répondit la reine. Je me suis assez fait pleurer l'âme pour aujourd'hui.

Elle se redressa et, changeant de ton:

— Mon cousin Monseigneur d'Artois m'a fait annoncer sa venue. Veillez à ce qu'on le conduise ici aussitôt qu'il se présentera.

— Il arrive de France? Alors vous allez être contente, Madame.

— Je souhaite l'être... si les nouvelles qu'il me porte sont bonnes.

Une autre dame de parage entra vivement, le visage animé d'un grand air de joie. Elle s'appelait de naissance Jeanne de Joinville et était l'épouse de sir Roger Mortimer, l'un des premiers barons d'Angleterre.

— Madame, Madame! s'écria-t-elle, il a parlé.

— Vraiment, Madame? répondit la reine. Et qu'a-t-il dit?

— Il a frappé la table, Madame, et il a dit: « Veux! »

Une expression d'orgueil passa sur le beau visage d'Isabelle.

— Conduisez-le devers moi, dit-elle.

Lady Mortimer sortit, toujours courant, et revint un instant après, portant un enfant de quinze mois, rond, rose et gras, qu'elle déposa aux pieds de la reine. Il était vêtu d'une robe grenat, brodée d'or, et fort lourde pour un si petit être.

— Alors, messire mon fils, vous avez dit: « Je veux », dit Isabelle en se penchant pour lui caresser la joue. J'aime que cela ait été votre premier mot: c'est parole de roi.

L'enfant lui souriait, en dodelinant la tête.

— Et pourquoi l'a-t-il dit? reprit la reine.

— Parce que je lui refusais un morceau de galette, répondit lady Mortimer.

Isabelle eut un sourire vite effacé.

— Puisqu'il commence à parler, dit-elle, je demande qu'on ne l'encourage point à bégayer et prononcer des niaiseries, comme on fait

---

* Les numéros dans le texte renvoient aux « Notes historiques » page 221.
Le lecteur trouvera en fin de volume, page 817, le « Répertoire biographique » des personnages.

d'ordinaire avec les enfants. Peu importe qu'il dise «papa» ou
« maman », je préfère qu'il connaisse les mots de «roi» et de «reine».

Elle avait dans la voix une grande autorité naturelle.

— Vous savez, ma mie, continua-t-elle, quelles raisons m'ont fait
vous choisir pour gouverner mon fils. Vous êtes petite-nièce de messire
Joinville le grand, qui fut à la croisade auprès de mon aïeul
Monseigneur Saint Louis. Vous saurez enseigner à cet enfant qu'il est
de France autant que d'Angleterre.

Lady Mortimer s'inclina. A ce moment, la première dame française
revint, annonçant Monseigneur le comte Robert d'Artois.

La reine s'adossa, bien droite, à son siège et croisa les mains sur la
poitrine, dans une attitude d'idole. Le souci d'être toujours royale ne
parvenait pas à la vieillir.

Un pas de deux cents livres ébranla le plancher.

L'homme qui entra avait six pieds de haut, des cuisses comme des
troncs de chêne, des poings comme des masses d'armes. Ses bottes
rouges, de cuir cordouan, étaient souillées d'une boue mal brossée ; le
manteau qui lui pendait aux épaules était assez vaste pour couvrir un
lit. Il suffisait qu'il eût une dague au côté pour avoir la mine de s'en
aller en guerre. Dès qu'il apparaissait, tout semblait autour de lui
devenir faible, fragile, friable. Il avait le menton rond, le nez court, la
mâchoire large, l'estomac fort. Il lui fallait plus d'air à respirer qu'au
commun des hommes. Ce géant avait vingt-sept ans, mais son âge
disparaissait sous le muscle, et on lui aurait donné tout aussi bien dix
années de plus.

Il ôta ses gants en s'avançant vers la reine, mit un genou en terre avec
une souplesse surprenante chez un tel colosse, et se releva avant qu'on
ait eu le temps de l'y inviter.

— Alors, messire mon cousin, dit Isabelle, avez-vous fait bonne
traversée de mer ?

— Exécrable, Madame, horrifique, répondit Robert d'Artois. Une
tempête à rendre les tripes et l'âme. J'ai cru ma dernière heure venue,
au point que je me suis mis à confesser mes péchés à Dieu. Par chance
il y en avait si grand nombre que le temps d'en dire la moitié, nous
étions arrivés. J'en garde assez pour le retour.

Il éclata de rire, ce qui fit trembler les vitraux.

— Mais par la mordieu, continua-t-il, je suis mieux fait pour courir
les terres que pour chevaucher l'eau salée. Et si ce n'était pour l'amour
de vous, Madame ma cousine, et pour les choses d'urgence que j'ai à
vous dire...

— Vous permettrez que j'achève, mon cousin, dit Isabelle l'interrompant.

Elle montra l'enfant.

— Mon fils commence à parler aujourd'hui.

Puis à lady Mortimer :

— J'entends qu'il soit accoutumé aux noms de sa parenté, et qu'il sache, dès que se pourra, que son grand-père Philippe est le beau roi de France. Commencez à dire devant lui le *Pater* et l'*Ave*, et aussi la prière à Monseigneur Saint Louis. Ce sont choses qu'il faut lui installer dans le cœur avant même qu'il les comprenne par la raison.

Elle n'était pas mécontente de montrer à l'un de ses parents, lui-même descendant d'un frère de Saint Louis, la manière dont elle veillait à l'éducation de son fils.

— C'est bel enseignement que vous allez donner à ce jeune homme, dit Robert d'Artois.

— On n'apprend jamais assez tôt à régner, répondit Isabelle.

L'enfant s'essayait à marcher, du pas précautionneux et titubant qu'ont les bébés.

— Se peut-il que nous ayons nous-mêmes été ainsi ! dit d'Artois.

— A vous regarder, mon cousin, dit la reine en souriant, on l'imagine mal.

Un instant, contemplant Robert d'Artois, elle songea au sentiment que pouvait connaître la femme, petite et menue, qui avait engendré cette forteresse humaine ; puis elle reporta les yeux sur son fils.

L'enfant avançait, les mains tendues vers le foyer, comme s'il eût voulu saisir une flamme dans son poing minuscule.

Robert d'Artois lui barra le chemin en avançant la jambe. Nullement effrayé, le petit prince saisit cette botte rouge dont ses bras arrivaient à peine à faire le tour, et s'y assit à califourchon. Le géant se mit à balancer le pied, élevant et abaissant l'enfant qui, ravi de ce jeu imprévu, riait.

— Ah ! messire Édouard, dit d'Artois, oserai-je plus tard, quand vous serez puissant seigneur, vous rappeler que je vous ai fait ainsi chevaucher ma botte ?

— Vous le pourrez, mon cousin, vous le pourrez toujours, si toujours vous vous montrez notre loyal ami... Qu'on nous laisse maintenant, dit Isabelle.

— Alors, veuillez reprendre terre, messire, dit d'Artois en posant le pied.

Les dames françaises se retirèrent dans la pièce attenante, emmenant l'enfant qui, si le destin suivait un cours naturel, deviendrait un jour le roi d'Angleterre.

D'Artois attendit un instant.

— Eh bien ! Madame, dit-il, pour parfaire les leçons que vous donnez à votre fils, vous pourrez lui enseigner que Marguerite de Bourgogne, petite-fille de Saint Louis, reine de Navarre et future reine de France, est en bon chemin d'être appelée par son peuple Marguerite la Putain.

— En vérité? dit Isabelle. Ce que nous pensions était donc vrai?

— Oui, ma cousine. Et point seulement pour Marguerite. Pour vos deux autres belles-sœurs pareillement.

— Jeanne et Blanche?...

— Blanche, j'en suis assuré. Jeanne...

Robert d'Artois, de son immense main, fit un geste d'incertitude.

— Elle est plus matoise que les autres, dit-il ; mais j'ai toutes raisons de la croire aussi fieffée garce.

Il bougea de trois pas, et se campa pour lancer :

— Vos trois frères sont cocus, Madame, cocus comme des manants !

La reine s'était levée, les joues un peu colorées.

— Si ce que vous m'annoncez est sûr, je ne le tolérerai pas. Je ne tolérerai pas semblable honte, et que ma famille soit objet de risée.

— Les barons de France, croyez-le, ne le supporteront pas non plus.

— Avez-vous les noms, les preuves?

D'Artois respira un grand coup.

— Quand vous vîntes en France, l'été passé, avec messire votre époux, pour ces fêtes qui furent données où j'eus l'honneur d'être armé chevalier en même temps que vos frères... car vous savez qu'on ne marchande pas les honneurs qui ne coûtent rien... à ce moment-là, je vous ai confié mes soupçons et vous m'avez dit les vôtres. Vous m'avez demandé de veiller et de vous renseigner. Je suis votre allié ; j'ai fait l'un et je viens accomplir l'autre.

— Alors? Qu'avez-vous appris? demanda Isabelle impatiente.

— D'abord, que certains joyaux disparaissaient de la cassette de votre douce belle-sœur Marguerite. Or, quand une femme se défait secrètement de ses bijoux, c'est ou bien pour combler un galant, ou bien pour s'acheter un complice. Sa gueuserie est claire, ne trouvez-vous pas?

— Elle peut prétendre en avoir fait l'aumône à l'Église.

— Pas toujours. Pas si certain fermail, par exemple, a été échangé chez un certain marchand lombard contre un certain poignard de Damas...

— Et vous avez découvert à quelle ceinture était pendu ce poignard?

— Hélas! non, répondit d'Artois. J'ai cherché, mais j'ai perdu la trace. Nos belles sont habiles. Je n'ai jamais couru cerfs dans mes forêts de Conches qui s'entendissent mieux à brouiller leur voie et à prendre les faux-fuyants.

Isabelle eut une mine déçue. Robert d'Artois prévint ce qu'elle allait dire en étendant les bras.

— Attendez, attendez, s'écria-t-il. Je suis bon veneur et manque rarement mon animal d'attaque... L'honnête, la pure, la chaste Marguerite s'est fait aménager en petit logis la vieille tour de l'hôtel de Nesle, afin, selon son dire, de s'y retirer pour oraison. Mais il paraît bien qu'elle y fait oraison tout particulièrement les nuits où votre frère Louis de Navarre est absent. Et la lumière y brille assez tard. Sa cousine Blanche, parfois sa cousine Jeanne, l'y viennent rejoindre. Rouées, les donzelles! Si l'on venait à questionner l'une, elle aurait beau jeu de dire: « Comment? De quoi m'accusez-vous? Mais j'étais avec l'autre. » Une femme fautive, cela se défend mal. Trois catins acoquinées, c'est un château fort. Seulement, voilà; ces mêmes nuits où Louis est absent, ces mêmes nuits où la tour de Nesle est éclairée, il se fait sur la berge, au pied de la Tour, en cet endroit ordinairement désert à pareille heure, un peu trop de mouvement. On a vu sortir des hommes qui n'étaient pas habillés en moines, et qui, s'ils venaient de chanter le salut, seraient passés par une autre porte. La cour se tait, mais le peuple commence à jaser, parce que les valets bavardent avant les maîtres...

Tout en parlant, il s'agitait, gesticulait, marchait, faisait vibrer le sol et battait l'air à grands coups de manteau. L'étalage de son excès de force était, chez Robert d'Artois, un moyen de persuasion. Il cherchait à convaincre avec ses muscles autant qu'avec ses mots; il enfermait l'interlocuteur dans un tourbillon; et la grossièreté de son langage, si bien en rapport avec toute son apparence, semblait la preuve d'une rude bonne foi. Pourtant, à y regarder de plus près, on pouvait se demander si tout ce mouvement n'était pas parade de bateleur et jeu de comédien. Une haine attentive, tenace, luisait dans ses yeux gris. La jeune reine s'appliquait à bien garder sa clarté de jugement.

— En avez-vous parlé au roi mon père? dit-elle.

— Ma bonne cousine, vous connaissez le roi Philippe mieux que je ne le connais. Il croit tant à la vertu des femmes qu'il faudrait lui montrer vos belles-sœurs vautrées avec leurs galants pour qu'il consentît à m'entendre. Et je ne suis pas si bien en cour, depuis que j'ai perdu mon procès...

— Je sais, mon cousin, qu'on vous a fait tort; s'il ne tenait qu'à moi, ce tort vous serait réparé.

Robert d'Artois se précipita sur la main de la reine pour y poser les lèvres.

— Mais précisément en raison de ce procès, reprit doucement Isabelle, ne pourrait-on pas croire que vous agissez à présent par vengeance?

Le géant se redressa vivement.

— Mais bien sûr, Madame, j'agis par vengeance!

Il était d'une franchise désarmante. On pensait lui tendre un piège, le prendre en défaut, et il s'ouvrait à vous, tout largement, comme une fenêtre.

— On m'a volé l'héritage de mon comté d'Artois, s'écria-t-il, pour le donner à ma tante Mahaut de Bourgogne... la chienne, la gueuse, qu'elle crève! Que la lèpre lui mange la bouche, que la poitrine lui

tombe en charogne! Et pourquoi a-t-on fait cela? Parce qu'à force de
ruser, d'intriguer et de fourrer la páume en belles livres sonnantes aux
conseillers de votre père, elle est parvenue à marier vos trois frères à
ses deux catins de filles et son autre catin de cousine.

Il se mit à contrefaire un discours imaginaire de sa tante Mahaut,
comtesse de Bourgogne et d'Artois, au roi Philippe le Bel.

— «Mon cher seigneur, mon parent, mon compère, si nous
unissions ma chère petite Jeanne à votre fils Louis?...Non, cela ne vous
convient plus. Vous préférez lui réserver Margot. Alors, donnez donc
Jeanne à Philippe, et puis ma douce Blanchette à votre beau Charles.
Le plaisir que ce sera qu'ils s'aiment tous ensemble! Et puis, si l'on
m'accorde l'Artois qu'avait mon défunt père, alors ma Comté-Franche
de Bourgogne ira à l'une de ses oiselles, à Jeanne, si vous le voulez;
ainsi votre second fils devient comte palatin de Bourgogne et vous
pouvez le pousser vers la couronne d'Allemagne. Mon neveu Robert?
Qu'on donne un os à ce chien! Le château de Conches, la terre de
Beaumont, cela suffira bien à ce rustre.» Et je souffle malice dans
l'oreille de Nogaret, et j'envoie mille merveilles à Marigny... et j'en
marie une, et j'en marie deux, et j'en marie trois. Et pas plus tôt fait,
mes petites garces se mettent à comploter, à s'envoyer messages, à se
fournir d'amants, et s'emploient à bien hausser de cornes la couronne
de France... Ah! si elles étaient irréprochables, Madame, je rongerais
mon frein. Mais à se conduire si bassement après m'avoir autant nui,
les filles de Bourgogne sauront ce qu'il en coûte, et je me vengerai sur
elles de ce que la mère m'a fait[2].

Isabelle demeurait songeuse sous cet ouragan de paroles. D'Artois
se rapprocha d'elle et, baissant la voix:

— Elles vous haïssent.

— Il est vrai que pour ma part, je ne les ai guère aimées, dès le début,
et sans savoir pourquoi, répondit Isabelle.

— Vous ne les aimez point parce qu'elles sont fausses, ne pensent
qu'au plaisir et n'ont point le sens de leur devoir. Mais elles, elles vous
haïssent parce qu'elles vous jalousent.

— Mon sort n'a pourtant rien de bien enviable, dit Isabelle en
soupirant, et leur place me semble plus douce que la mienne.

— Vous êtes une reine, Madame; vous l'êtes dans l'âme et dans le
sang; vos belles-sœurs peuvent bien porter la couronne, elles ne le
seront jamais. C'est pour cela qu'elles vous traiteront toujours en
ennemie.

Isabelle leva vers son cousin ses beaux yeux bleus, et d'Artois, cette
fois, sentit qu'il avait touché juste. Isabelle était définitivement de son
côté.

— Avez-vous les noms de... des hommes auxquels mes belles-
sœurs...

Elle n'avait pas le langage cru de son cousin, et se refusait à prononcer certains mots.

— Je ne peux rien faire sans cela, poursuivit-elle. Obtenez-les, et je vous promets bien, alors, de me rendre aussitôt à Paris sous un quelconque prétexte, pour y faire cesser ce désordre. En quoi puis-je vous aider ? Avez-vous prévenu mon oncle Valois ?

— Je m'en suis bien gardé, répondit d'Artois. Monseigneur de Valois est mon plus fidèle protecteur et mon meilleur ami ; mais il ne sait rien taire. Il irait clabauder partout ce que nous voulons cacher ; il donnerait l'éveil trop tôt, et quand nous voudrions pincer les ribaudes, nous les trouverions sages comme des nonnes...

— Que proposez-vous ?

— Deux actions, dit d'Artois. La première, c'est de nous faire nommer auprès de Madame Marguerite une nouvelle dame de parage qui soit tout à notre discrétion et qui nous puisse renseigner fidèlement. J'ai pensé à madame de Comminges qui vient d'être veuve et à qui l'on doit des égards. Pour cela, votre oncle Valois va pouvoir nous servir. Faites-lui tenir une lettre lui exprimant votre souhait. Il a grande influence sur votre frère Louis, et fera promptement entrer madame de Comminges à l'hôtel de Nesle. Nous aurons ainsi une créature à nous dans la place ; et, comme nous disons entre gens de guerre, un espion dans les murs vaut mieux qu'une armée dehors.

— Je ferai cette lettre et vous l'emporterez, dit Isabelle. Ensuite ?

— Il faudrait dans le même temps endormir la défiance de vos belles-sœurs à votre endroit, et leur faire douce mine en leur envoyant d'aimables cadeaux, poursuivit d'Artois. Des présents qui puissent convenir aussi bien à des hommes qu'à des femmes, et que vous leur feriez parvenir secrètement, sans en avertir ni père ni époux, comme un petit mystère d'amitié entre vous. Marguerite pille sa cassette pour un bel inconnu ; ce serait vraiment malchance si, la munissant d'un présent dont elle n'aura point de compte à rendre, nous ne retrouvions notre objet agrafé sur le gaillard que nous cherchons. Fournissons-les d'occasions d'imprudence.

Isabelle réfléchit une seconde, puis elle frappa des mains. La première dame française parut.

— Ma mie, dit la reine, veuillez quérir cette aumônière que le marchand Albizzi m'a mandée ce matin.

Pendant la brève attente, Robert d'Artois sortit enfin de ses machinations et de ses complots, et prit le temps de regarder la salle où il se trouvait, les fresques religieuses peintes sur les murs, l'immense plafond boisé en forme de carène. Tout était assez neuf, triste et froid. Le mobilier était beau, mais peu abondant.

— Ce n'est guère riant, le lieu où vous vivez, ma cousine, dit-il. On se croirait plutôt dans une cathédrale que dans un château.

— Plaise encore à Dieu, répondit Isabelle à mi-voix, que ceci ne me devienne pas une prison. Comme la France me manque, souvent !

La dame française revint, apportant une grande bourse de soie, brodée au fil d'or et d'argent de figures en relief, et ornée au rabat de trois pierres cabochons grosses comme des noix.

— Merveille ! s'écria d'Artois. Tout juste ce qu'il nous faut. Un peu lourd pour être parure de dame, un peu léger pour moi, à qui une giberne sied mieux qu'une bougette[3] ; voilà bien l'objet qu'un jouvenceau de cour rêve de s'accrocher à la ceinture pour se faire valoir...

— Vous allez commander au marchand Albizzi, deux autres aumônières semblables, dit Isabelle à sa suivante, et le presser de me les envoyer.

Puis, quand la dame de parage fut sortie, elle ajouta :

— Ainsi pourrez-vous, mon cousin, les rapporter en France.

— Et nul ne saura qu'elles auront passé par mes mains.

On entendit du bruit à l'extérieur, des cris et des rires. Robert d'Artois s'approcha d'une fenêtre. Dans la cour, une équipe de maçons était en train de hisser une lourde clef de voûte. Des hommes tiraient sur des cordes à poulies ; d'autres, juchés sur un échafaudage, s'apprêtaient à saisir le bloc de pierre, et tout ce travail semblait s'exécuter dans une extrême bonne humeur.

— Eh bien ! dit Robert d'Artois, il paraît que le roi Édouard aime toujours la maçonnerie.

Il venait de reconnaître, parmi les ouvriers, Édouard II, le mari d'Isabelle, assez bel homme d'une trentaine d'années, aux cheveux ondulés, aux larges épaules, aux hanches souples. Ses vêtements de velours étaient souillés de plâtre.

— Il y a plus de quinze ans qu'on a commencé de rebâtir Westmoutiers ! dit Isabelle avec colère.

Comme toute la cour, elle prononçait Westmoutiers pour Westminster, à la française.

— Depuis six ans que je suis mariée, reprit-elle, je vis dans les truelles et le mortier. On ne cesse de défaire ce qu'on a fait le mois d'avant. Ce n'est pas la maçonnerie qu'il aime, ce sont les maçons ! Croyez-vous seulement qu'ils lui disent « Sire » ? Ils l'appellent Édouard, ils le moquent, et lui s'en trouve ravi. Tenez, regardez-le !

Dans la cour, Édouard II donnait des ordres tout en s'appuyant à un jeune ouvrier qu'il tenait par le cou. Il régnait autour de lui une familiarité suspecte.

— Je croyais, reprit Isabelle, avoir connu le pire avec le chevalier de Gaveston. Ce Béarnais insolent et vantard gouvernait si bien mon époux qu'il s'était mis à gouverner le royaume. Édouard lui donnait tous les joyaux de ma cassette de mariage. C'est décidément une coutume dans nos familles que de voir, de façon ou d'autre, les bijoux des femmes finir en parure d'hommes !

Ayant auprès d'elle un parent, un ami, Isabelle s'abandonnait à avouer ses peines et ses humiliations. En vérité, les mœurs du roi Édouard II étaient connues de toute l'Europe.

— Les barons et moi, l'autre année, sommes parvenus à abattre Gaveston ; il a eu la tête tranchée et je me réjouissais que son corps fût à pourrir chez les dominicains, à Oxford. Eh bien ! j'en arrive, mon cousin, à regretter le chevalier de Gaveston, car, depuis, comme pour se venger de moi, Édouard attire au palais tout ce qu'il y a de plus bas et de plus infâme dans les hommes de son peuple. On le voit courir les bouges du port de Londres, s'asseoir avec les truands, rivaliser à la lutte avec les débardeurs, et à la course avec les palefreniers. Les beaux tournois, en vérité, qu'il nous donne là ! Pendant ce temps, commande qui veut son royaume, pourvu qu'on organise ses plaisirs et qu'on les partage. Pour l'heure, ce sont les barons Despenser qui ont sa faveur, le père gouvernant le fils, qui sert de femme à mon époux. Quant à moi, Édouard ne m'approche plus, et s'il lui arrive de s'aventurer dans ma couche, j'en éprouve une telle honte que j'en reste toute froide.

Elle avait baissé le front.

— Une reine est la plus misérable des sujettes du royaume, si son mari ne l'aime point, ajouta-t-elle. Il suffit qu'elle ait assuré la descendance ; sa vie ensuite ne compte plus. Quelle femme de baron, quelle femme de bourgeois ou de vilain supporterait ce que je dois tolérer... parce que je suis reine ! La dernière lavandière du royaume a plus de droits que moi : elle peut venir me demander appui.

— Ma cousine, ma belle cousine, moi, je veux vous servir d'appui ! dit d'Artois avec chaleur.

Elle leva tristement les épaules, comme pour dire : « Que pouvez-vous pour moi ? » Ils étaient face à face. Il avança les mains, la prit par les coudes, aussi doucement qu'il put, en murmurant :

— Isabelle...

Elle posa les mains sur les bras du géant. Ils se regardèrent et furent saisis d'un trouble qu'ils n'avaient pas prévu. D'Artois semblait soudain étrangement ému, et gêné d'une force qu'il craignait d'utiliser avec maladresse. Il souhaita brusquement dévouer son temps, son corps, sa vie, à cette reine fragile. Il la désirait, d'un désir immédiat et robuste, qu'il ne savait comment exprimer. Ses goûts ne le portaient pas, ordinairement, vers les femmes de qualité, et il excellait peu aux grâces de galanterie.

— Ce qu'un roi dédaigne, faute d'en reconnaître la perfection, dit-il, bien d'autres hommes en remercieraient le ciel à deux genoux. A votre âge, si fraîche, si belle, se peut-il que vous soyez privée des joies de nature ? Se peut-il que ces lèvres ne soient jamais baisées ? Que ces bras... ce doux corps... Ah! prenez un homme, Isabelle, et que cet homme soit moi.

Il y allait assez rudement pour dire ce qu'il espérait, et son éloquence ressemblait peu à celle des poèmes du duc Guillaume d'Aquitaine. Mais Isabelle ne détachait pas son regard du sien. Il la dominait, l'écrasait de toute sa stature. Il sentait la forêt, le cuir, le cheval et l'armure. Il n'avait ni la voix ni l'apparence d'un séducteur, et, pourtant, elle était séduite. Il était un homme, vraiment, un mâle rude et violent, au souffle profond. Isabelle sentait toute volonté la fuir, et n'avait plus qu'une envie : appuyer sa tête à sa poitrine de buffle et s'abandonner... étancher cette grande soif... Elle tremblait un peu. Elle se dégagea d'un coup.

— Non, Robert, s'écria-t-elle, je ne vais point faire ce que je reproche à mes belles-sœurs. Je ne le veux pas, je ne le dois pas. Mais quand je songe à ce que je m'impose et me refuse, alors que ces carognes, elles, ont telle chance d'être à des maris qui bien les aiment... Ah! non! Il faut qu'elles soient châtiées, fort châtiées!

Sa pensée s'acharnait sur les coupables, faute de s'autoriser à être coupable elle-même. Elle revint s'asseoir dans la grande cathèdre de chêne. Robert d'Artois la rejoignit.

— Non, Robert, répéta-t-elle en étendant les bras. Ne profitez point de ma défaillance ; vous me fâcheriez.

L'extrême beauté inspire le respect autant que la majesté ; le géant obéit.

Mais l'instant écoulé ne s'effacerait plus de leur mémoire.

« Je puis donc être aimée », se disait Isabelle, et elle en éprouvait comme de la reconnaissance pour l'homme qui venait de lui donner cette certitude.

— Était-ce là tout ce que vous aviez à m'apprendre, mon cousin, et ne m'apportez-vous pas d'autres nouvelles ? dit-elle en faisant effort pour se reprendre.

Robert d'Artois, qui se demandait s'il n'aurait pas dû poursuivre son avantage, mit un temps à répondre.

— Si, Madame, dit-il, j'ai aussi un message de votre oncle Valois.

Le lien nouveau qui s'était noué entre eux donnait à leurs paroles une autre résonance, et ils ne pouvaient être complètement attentifs à ce qu'ils disaient.

— Les dignitaires du Temple vont être jugés bientôt, continua d'Artois, et l'on craint fort que votre parrain, le grand-maître Jacques de Molay, ne soit mis à mort. Monseigneur de Valois vous demande d'écrire au roi pour l'inviter à la clémence.

Isabelle ne répondit pas. Elle avait repris sa pose coutumière, le menton dans la paume.

— Comme vous lui ressemblez, ainsi! dit d'Artois.

— A qui?

— Au roi Philippe, votre père...

Elle leva les yeux et demeura songeuse.

— Ce que décide le roi mon père est bien décidé, répondit-elle enfin. Je puis agir pour ce qui tient à l'honneur de la famille, mais non pour ce qui touche au gouvernement du royaume.

— Jacques de Molay est un vieil homme. Il fut noble et il fut grand. S'il a commis des fautes, il les a assez expiées. Rappelez-vous qu'il vous a tenue sur les fonts du baptême... Croyez-moi, c'est grand méfait qu'on va encore commettre là, et qu'on doit une fois de plus à Nogaret et à Marigny! En frappant le Temple, c'est toute la chevalerie et les hauts barons que ces hommes sortis de rien ont voulu frapper.

La reine demeurait perplexe; l'affaire visiblement la dépassait.

— Je n'en puis pas juger, dit-elle, je n'en puis pas juger.

— Vous savez que j'ai grande dette envers votre oncle; il me saurait gré si j'obtenais cette lettre de vous. Et puis la pitié ne messied jamais à une reine; c'est sentiment de femme, et vous n'en pourrez être que louée. D'aucuns vous reprochent d'avoir le cœur dur; vous leur donnerez là bonne réplique. Faites-le pour vous, Isabelle, et faites-le pour moi.

Elle lui sourit.

— Vous êtes bien habile, mon cousin Robert, sous vos airs de loup-garou. Allez, je vous ferai cette lettre que vous désirez, et vous pourrez l'emporter aussi. Quand repartirez-vous?

— Quand vous me l'ordonnerez, ma cousine.

— Les aumônières, je pense, seront livrées demain. C'est bientôt.

Il y avait du regret dans la voix de la reine. Ils se regardèrent à nouveau et, à nouveau, Isabelle se troubla.

— J'attendrai un messager de vous pour savoir s'il faut me mettre en route pour la France. Adieu, mon cousin. Nous nous reverrons au souper.

D'Artois prit congé, et la pièce, après qu'il fut sorti, parut à la reine étrangement calme, comme une vallée de montagne après le passage d'une tornade. Isabelle ferma les yeux et resta un grand moment immobile.

Les hommes appelés à jouer un rôle décisif dans l'histoire des nations ignorent le plus souvent quels destins collectifs s'incarnent en eux. Les deux personnages qui venaient d'avoir cette longue entrevue, un après-midi de mars 1314, au château de Westminster, ne pouvaient pas imaginer qu'ils seraient, par l'enchaînement de leurs actes, les premiers artisans d'une guerre qui durerait, entre la France et l'Angleterre, plus de cent ans.

II

LES PRISONNIERS DU TEMPLE

La muraille était couverte de salpêtre. Une clarté fumeuse, jaunâtre, commençait à descendre dans la salle voûtée, creusée en sous-sol.

Le prisonnier qui sommeillait, les bras repliés sous la barbe, frissonna et se dressa brusquement, hagard, le cœur battant. Il vit la brume du matin qui coulait par le soupirail. Il écouta. Distinctes, bien qu'étouffées par l'épaisseur des murs, il percevait les cloches annonçant les premières messes, cloches parisiennes de Saint-Martin, de Saint-Merry, de Saint-Germain-l'Auxerrois, de Saint-Eustache et de Notre-Dame; cloches campagnardes des villages de la Courtille, de Clignancourt et du Mont-Martre.

Le prisonnier n'entendit aucun bruit qui pût l'inquiéter. C'était l'angoisse qu'il retrouvait à chaque réveil, comme dans chaque sommeil il retrouvait un cauchemar.

Il prit, sur le sol, une écuelle de bois et y but une longue gorgée d'eau pour calmer cette fièvre qui ne le quittait pas depuis des jours et des jours. Ayant bu, il laissa l'eau reposer et se pencha sur elle comme sur un miroir. L'image qu'il parvint à saisir, imprécise et sombre, était celle d'un centenaire. Il demeura ainsi quelques instants, cherchant ce qui pouvait rester de son ancienne apparence dans ce visage flottant, cette barbe d'ancêtre, ces lèvres avalées par la bouche édentée, ce long nez amaigri, qui tremblaient au fond de l'écuelle.

Puis il se leva, lentement, et fit deux pas jusqu'à ce qu'il sentît se tendre la chaîne qui le liait à la muraille. Alors il se mit brusquement à hurler:

— Jacques de Molay! Jacques de Molay! Je suis Jacques de Molay!

Rien ne lui répondit; rien, il le savait, ne devait lui répondre. Mais il avait besoin de crier son propre nom, pour empêcher son esprit de se dissoudre, pour se rappeler qu'il avait commandé des armées, gouverné des provinces, qu'il avait détenu une puissance égale à celle des souverains, et que, tant qu'il garderait un souffle de vie, il continuerait d'être, même dans ce cachot, le grand-maître de l'Ordre des chevaliers du Temple.

Par un surcroît de cruauté, ou de dérision, il s'était vu assigner pour prison une salle basse de la grande tour de l'hôtel du Temple, la maison mère de l'Ordre.

— Et c'est moi qui ai fait rénover cette tour! murmura le grand-maître avec colère, en frappant du poing la muraille.

Son geste lui arracha un cri. Il avait oublié son pouce écrasé par les tortures. Mais quelle était la place de son corps qui ne fût pas une plaie, ou le siège d'une douleur? Le sang circulait mal dans ses membres, et il souffrait d'abominables crampes depuis qu'on l'avait soumis au supplice des brodequins... Les jambes enfermées dans les planches de chêne, que les « tourmenteurs » resserraient en enfonçant des coins à coups de maillet, il entendait la voix froide, insistante de Guillaume de Nogaret, le garde des Sceaux du royaume, qui l'engageait à avouer. A avouer quoi?... Il s'était évanoui.

Sur ses chairs lacérées, déchirées, la crasse, l'humidité, le manque de nourriture avaient fait leur œuvre.

Mais de toutes les tortures endurées, la plus horrible, certainement, avait été celle de « l'étirement ». Un poids de cent quatre-vingts livres attaché au pied droit, on l'avait hissé, par une corde à poulie, jusqu'au plafond. Et toujours la voix sinistre de Guillaume de Nogaret: « Mais avouez donc, messire... » Et comme il s'obstinait à nier, on avait tiré, toujours plus fort, toujours plus vite, du sol aux voûtes. Sentant ses membres se disjoindre, ses articulations s'arracher, son ventre, sa poitrine éclater, il avait fini par crier qu'il avouait, oui, tout, n'importe quel crime, tous les crimes du monde. Oui, les Templiers se livraient entre eux à la sodomie; oui, pour entrer dans l'Ordre, ils devaient cracher sur la Croix; oui, ils adoraient une idole à tête de chat; oui, ils s'adonnaient à la magie, à la sorcellerie, au culte du Diable; oui, ils avaient fomenté un complot contre le pape et le roi... Et quoi d'autre encore?

Jacques de Molay se demandait comment il avait pu survivre à tout cela. Sans doute parce que les tourments, savamment dosés, n'avaient jamais été poussés jusqu'au point qu'il en dût mourir, et aussi parce qu'un vieux chevalier, entraîné aux armes et à la guerre, avait plus de résistance qu'il ne l'eût cru lui-même.

Il s'agenouilla, les yeux tournés vers le rayon de clarté du soupirail.

— Seigneur mon Dieu, prononça-t-il, pourquoi m'avez-vous mis moins de force dans l'âme que dans la carcasse? Étais-je bien digne de commander l'Ordre? Vous ne m'avez pas évité de tomber dans la lâcheté; épargnez-moi, Seigneur Dieu, de tomber dans la folie. Je ne saurai guère tenir davantage, je ne saurai guère.

Enchaîné depuis sept années, il ne sortait que pour être traîné devant les commissions d'enquête, et subir toutes les menaces des légistes, toutes les pressions des théologiens. On pouvait bien, à pareil régime, craindre de devenir fou. Souvent le grand-maître perdait la notion du temps. Pour se distraire, il avait essayé d'apprivoiser un couple de rats qui venaient chaque nuit ronger les restes de son pain. Il passait de la colère aux larmes, des crises de dévotion aux désirs de violence, de l'hébétude à la fureur.

— Ils en crèveront, ils en crèveront, se répétait-il.

Qui crèverait? Clément, Guillaume, Philippe... Le pape, le garde des Sceaux, le roi. Ils mourraient, Molay ne savait comment, mais sûrement dans des souffrances abominables, pour expier leurs crimes. Et il remâchait sans cesse leurs trois noms abhorrés.

Toujours à genoux, et la barbe vers le soupirail, le grand-maître murmura:

— Merci, Seigneur mon Dieu, de m'avoir laissé la haine. C'est la seule force qui me soutienne encore.

Il se releva avec peine et regagna le banc de pierre, cimenté à la muraille, et qui lui servait à la fois de siège et de lit.

Qui aurait pu jamais imaginer qu'il en arriverait là? Sa pensée le reportait constamment vers sa jeunesse, vers l'adolescent qu'il avait été, cinquante ans plus tôt, et qui descendait les pentes de son Jura natal pour courir la grande aventure.

Comme tous les cadets de noblesse à cette époque, il avait rêvé d'endosser le long manteau blanc à croix rouge qui constituait l'uniforme du Temple. Le seul nom de Templier évoquait alors l'Orient et l'épopée, les navires aux voiles gonflées cinglant sur des mers toujours bleues, les charges au galop dans des pays de sable, les trésors d'Arabie, les captifs rançonnés, les villes enlevées et pillées, les châteaux forts gigantesques. On racontait même que les Templiers avaient des ports secrets d'où ils s'embarquaient pour des continents inconnus... [4]

Et Jacques de Molay avait vécu son rêve; il avait navigué, il avait combattu, et habité de grandes forteresses blondes; il avait marché fièrement, dans des rues qui sentaient les épices et l'encens, vêtu du superbe manteau dont les plis tombaient jusqu'à ses éperons d'or.

Il s'était élevé dans la hiérarchie de l'Ordre plus haut qu'il n'eût jamais osé l'espérer, franchissant toutes les dignités pour être enfin porté, par le choix de ses frères, à la fonction suprême de grand-maître de France et d'Outre-Mer, et au commandement de quinze mille chevaliers.

Et tout cela aboutissait à cette cave, cette pourriture, ce dénuement. Peu de destins montraient une si prodigieuse fortune suivie d'un si grand abaissement...

Jacques de Molay, à l'aide d'un maillon de sa chaîne, traçait dans le salpêtre du mur de vagues traits qui figuraient les lettres de «Jérusalem», lorsqu'il entendit des pas lourds et des bruits d'armes dans l'étroit escalier qui descendait à son cachot.

L'angoisse à nouveau l'étreignit, mais cette fois motivée.

La porte grinça en s'ouvrant; Molay aperçut, derrière le geôlier, quatre archers en tunique de cuir et la pique à la main. Leur haleine s'épanouissait, blanche, autour de leurs visages.

— Nous venons vous chercher, messire, dit l'un d'eux.

Molay se leva sans prononcer un mot. Le geôlier s'approcha et, à grands coups de marteau et de burin, fit sauter le rivet qui reliait la chaîne aux bracelets de fer dans lesquels étaient enfermées les chevilles du prisonnier.

Celui-ci serra sur ses épaules décharnées son manteau de gloire, qui n'était plus maintenant qu'une guenille grisâtre; la croix, sur l'épaule, s'en allait en lambeaux.

Dans ce vieillard épuisé, chancelant, qui gravissait, les pieds alourdis par les fers, les marches de la tour, il restait encore quelque chose du chef de guerre qui, de Chypre, commandait à tous les chrétiens d'Orient.

«Seigneur mon Dieu, donnez-moi la force... murmurait-il intérieurement; donnez-moi un peu de force.» Et pour trouver cette force, il se répétait les noms de ses trois ennemis: Clément, Guillaume, Philippe...

La brume emplissait la vaste cour du Temple, encapuchonnait les tourelles du mur d'enceinte, se glissait entre les créneaux, ouatait la flèche de l'église de l'Ordre.

Une centaine de soldats se tenaient l'arme au pied, entourant un grand chariot ouvert et carré.

Par-delà les murailles, on entendait la rumeur de Paris, et parfois le hennissement d'un cheval s'élevait avec une tristesse déchirante.

Au milieu de la cour, messire Alain de Pareilles, capitaine des archers du roi, l'homme qui assistait à toutes les exécutions, qui accompagnait tous les condamnés vers les jugements et les supplices, marchait à pas lents, le visage fermé par un grand air d'ennui. Ses cheveux couleur d'acier retombaient en mèches courtes sur son front carré. Il portait la cotte de mailles, une épée au côté, et tenait son casque au creux du bras.

Il se retourna en entendant sortir le grand-maître, et celui-ci, l'apercevant, se sentit pâlir, si pâlir lui était encore possible.

D'ordinaire, pour les interrogatoires, on ne déployait pas si grand appareil; il n'y avait ni ce chariot ni tous ces hommes d'armes. Quelques sergents royaux venaient quérir les accusés pour les passer en barque de l'autre côté de la Seine, le plus souvent à la nuit tombante.

— Alors, c'est chose jugée? demanda Molay au capitaine des archers.

— Ce l'est, messire, répondit celui-ci.

— Et savez-vous, mon fils, dit Molay après une hésitation, ce que contient le jugement?

— Je l'ignore, messire; j'ai ordre de vous conduire à Notre-Dame pour en entendre lecture.

Il y eut un silence, puis Jacques de Molay dit encore:

— Quel jour nous trouvons-nous?

— Le lundi après la Saint-Grégoire.

Ce qui correspondait au 18 mars, le 18 mars 1314[5].

« Est-ce à la mort que l'on me mène? » se demanda Molay.

La porte de la tour s'ouvrit à nouveau et, escortés de gardes, trois autres dignitaires apparurent: le visiteur général, le précepteur de Normandie, le commandeur d'Aquitaine.

Les cheveux blancs, eux aussi, la barbe broussailleuse, le corps flottant dans leurs manteaux en haillons, ils restèrent immobiles un moment, les paupières battantes, et pareils à de grands oiseaux de nuit que la lumière empêche de voir.

Ce fut le précepteur de Normandie, Geoffroy de Charnay, qui, le premier, s'empêtrant dans ses fers, se précipita vers le grand-maître et l'étreignit. Une longue amitié unissait les deux hommes; Jacques de Molay avait fait toute la carrière de Charnay, de dix ans son cadet et dans lequel il voyait son successeur.

Charnay avait le front entaillé d'une profonde cicatrice, et le nez dévié, restes d'un combat ancien où un coup d'épée avait entamé son heaume. Cet homme rude, au visage modelé par la guerre, vint enfoncer son front dans l'épaule du grand-maître, pour cacher ses larmes.

— Courage, mon frère, courage, dit Molay en le serrant dans ses bras. Courage, mes frères, répéta-t-il en donnant ensuite l'accolade aux deux autres dignitaires.

Un geôlier s'approcha.

— Vous avez le droit d'être défergés, messires, dit-il.

Le grand-maître écarta les mains d'un geste amer et las.

— Je n'ai pas le denier, répondit-il.

Car, pour qu'on leur ôtât leurs fers, à chaque sortie, les Templiers devaient donner un denier, sur le sou qui leur était journellement alloué et avec lequel ils étaient censés payer leur ignoble nourriture, la paille de leur geôle et le lavage de leur chemise. Supplémentaire cruauté, et bien dans la manière procédurière de Nogaret!... Ils étaient inculpés, non condamnés; ils avaient droit à une indemnité d'entretien, mais calculée de telle sorte qu'ils jeûnaient quatre jours sur huit, dormaient sur la pierre et pourrissaient dans la crasse.

Geoffroy de Charnay prit dans une vieille bourse de cuir pendue à sa ceinture les deux deniers qui lui restaient et les jeta sur le sol, un pour ses fers, un pour ceux du grand-maître.

— Mon frère! dit Jacques de Molay avec un geste de refus.

— Pour le service qu'il me ferait, à présent..., répondit Charnay. Acceptez, mon frère; je n'y ai même pas de mérite.

— Si l'on nous déferge, c'est peut-être bon signe, dit le visiteur général. Peut-être le pape a-t-il décidé notre grâce.

Les dents qui lui restaient, inégalement brisées, rendaient sa parole chuintante, et il avait les mains gonflées et tremblantes.

Le grand-maître haussa les épaules et montra les cent archers alignés.

— Préparons-nous à mourir, mon frère, répondit-il.

— Voyez, voyez ce qu'ils m'ont fait, gémit le commandeur d'Aquitaine en relevant sa manche.

— Nous avons tous été tourmentés, dit le grand-maître.

Il détourna les yeux, comme chaque fois qu'on lui rappelait les tortures. Il avait cédé, il avait signé de faux aveux et ne se le pardonnait pas.

Il parcourut du regard l'immense enceinte qui avait été le siège et le symbole de la puissance du Temple.

« Pour la dernière fois... », pensa-t-il.

Pour la dernière fois, il contemplait cet ensemble formidable, avec son donjon, son église, ses palais, ses maisons, ses cours et ses vergers, véritable ville forte en plein Paris[6].

C'était là que les Templiers depuis deux siècles avaient vécu, prié, dormi, jugé, compté, décidé de leurs expéditions lointaines; c'était là que le Trésor du royaume de France, confié à leur garde et à leur gérance, avait été longtemps déposé; et là aussi, après les désastreuses expéditions de Saint Louis, après la perte de la Palestine et de Chypre, qu'ils étaient rentrés, traînant à leur suite leurs écuyers, leurs mulets chargés d'or, leur cavalerie de chevaux arabes, leurs esclaves noirs...

Jacques de Molay revoyait ce retour de vaincus qui conservait encore une allure d'épopée.

« Nous étions devenus inutiles, et nous ne le savions pas, pensait le grand-maître. Nous parlions toujours de nouvelles croisades et de reconquêtes... Nous avions peut-être gardé trop de morgue et de privilèges, sans plus les justifier. »

De milice permanente de la Chrétienté, ils étaient devenus les banquiers tout-puissants de l'Église et des rois. A entretenir beaucoup de débiteurs, on se crée beaucoup d'ennemis.

Ah! certes, la manœuvre royale avait été bien conduite! On pouvait dater l'origine du drame, en vérité, du jour où Philippe le Bel avait demandé à faire partie de l'Ordre dans l'intention évidente d'en devenir le grand-maître. Le chapitre avait répondu par un refus distant et sans appel.

« Ai-je eu tort ? se demandait Jacques de Molay pour la centième fois. N'ai-je pas été trop jaloux de mon autorité ? Mais non ; je ne pouvais agir autrement. Notre règle était formelle et nous interdisait d'admettre aucun prince souverain dans nos commanderies. »

Le roi Philippe n'avait jamais oublié cet échec. Il avait commencé par ruser, continuant d'accabler Jacques de Molay de faveurs et d'amitiés. Le grand-maître n'était-il pas le parrain d'un de ses enfants ? Le grand-maître n'était-il pas le soutien du royaume ?

Mais bientôt une ordonnance transférait le Trésor royal de la tour du Temple à la tour du Louvre. En même temps une sourde, une venimeuse campagne de dénigrement était montée contre les Templiers. On disait et faisait dire, dans les lieux publics et les marchés, qu'ils spéculaient sur les grains, qu'ils étaient responsables des famines, qu'ils songeaient davantage à grossir leurs biens qu'à reprendre aux païens le Tombeau du Christ. Comme ils avaient le rude langage des militaires, on les accusait d'être blasphémateurs. On avait fait locution d'usage du terme « jurer comme un Templier. » De blasphémateur à hérétique, la distance est brève. On affirmait qu'ils avaient des mœurs hors nature et que leurs esclaves noirs étaient des sorciers...

« Bien sûr, tous nos frères ne se conduisaient pas en saints et, à beaucoup, l'inaction ne valait guère. »

On disait surtout qu'au cours des cérémonies de réception, on obligeait les néophytes à renier le Christ, à cracher sur la Croix, et qu'on les soumettait à des pratiques obscènes.

Sous le prétexte de mettre fin à ces rumeurs, Philippe avait offert au grand-maître, pour l'honneur de l'Ordre, d'ouvrir une enquête.

« Et j'ai accepté..., pensait Molay. J'ai été abominablement abusé, j'ai été trompé. »

Car, un jour d'octobre 1307... Ah ! comme Molay se souvenait de ce jour-là... « C'était un vendredi 13... La veille encore il m'embrassait et m'appelait son frère, en me donnant la première place aux obsèques de sa belle-sœur l'impératrice de Constantinople... »

Donc, le vendredi 13 octobre 1307, le roi Philippe, par un gigantesque coup de filet policier préparé de longue main, faisait arrêter à l'aube tous les Templiers de France, au nom de l'Inquisition, sous l'inculpation d'hérésie. Et le garde des Sceaux Nogaret venait lui-même se saisir de Jacques de Molay et des cent quarante chevaliers de la maison mère...

Un ordre fut lancé qui fit sursauter le grand-maître. Les archers serraient les rangs. Messire Alain de Pareilles avait coiffé son casque ; un soldat tenait son cheval et lui présentait l'étrier.

— Allons, dit le grand-maître.

Les prisonniers furent poussés vers le chariot. Molay y monta le premier. Le commandeur d'Aquitaine, l'homme qui avait repoussé les Turcs à Saint-Jean-d'Acre, semblait frappé d'hébétude. Il fallut le hisser. Le visiteur général remuait les lèvres, sans arrêt. Lorsque Geoffroy de Charnay grimpa à son tour dans la voiture, un chien invisible se mit à hurler, quelque part du côté des écuries.

Puis, tiré par quatre chevaux de file, le lourd chariot s'ébranla. Le grand portail s'ouvrit et une immense clameur s'éleva. Plusieurs centaines de personnes, tous les habitants du quartier du Temple et des quartiers voisins, s'écrasaient contre les murs. Les archers de tête durent s'ouvrir chemin à coups de manches de pique.

— Place aux gens du roi! criaient les archers.

Droit sur son cheval, l'air impassible et toujours ennuyé, Alain de Pareilles dominait le tumulte.

Mais quand les Templiers parurent, la clameur tomba d'un coup. Devant ces quatre vieux hommes décharnés, que le cahot des roues pleines jetait les uns contre les autres, les Parisiens eurent un moment de stupeur muette, de compassion spontanée.

Puis il y eut des cris: «A mort! A mort, les hérétiques!» lancés par des sergents royaux mêlés à la foule. Alors, les gens qui sont toujours prêts à crier avec le pouvoir et à faire les orageux quand ils ne risquent rien commencèrent un beau concert de gueule:

— A mort!

— Voleurs!

— Idolâtres!

— Voyez-les! Ils ne sont plus si fiers, aujourd'hui, ces païens! A mort!

Insultes, moqueries, menaces s'élevaient le long du cortège. Mais cette fureur restait maigre. La plus grande partie de la foule continuait à se taire, et son silence, pour prudent qu'il fût, n'en était pas moins significatif.

Car, en sept ans, le sentiment populaire s'était modifié. On savait comment avait été conduit le procès. On avait vu des Templiers, à la porte des églises, montrer aux passants les os qui leur étaient tombés du pied après les tortures. On avait vu, dans plusieurs villes de France, mourir les chevaliers par dizaines sur les bûchers. On savait que certaines commissions ecclésiastiques s'étaient refusées à prononcer les condamnations, et qu'il avait fallu y nommer de nouveaux prélats, comme le frère du premier ministre Marigny, pour accomplir cette besogne. On disait que le pape Clément V lui-même n'avait cédé que contre son gré, parce qu'il était dans la dépendance du roi, et qu'il avait craint de subir le même sort que son prédécesseur, le pape Boniface, giflé sur son trône. Et puis, en ces sept ans, le blé ne s'était pas fait plus abondant, le pain avait encore enchéri, et il fallait bien admettre que ce n'était plus la faute des Templiers...

Vingt-cinq archers, l'arc en bandoulière et la pique sur l'épaule, marchaient devant le chariot, vingt-cinq allaient sur chaque flanc, et autant fermaient le cortège.

« Ah ! si seulement il nous restait un peu de force au corps ! » pensait le grand-maître. A vingt ans, il eût sauté sur un soldat, lui eût arraché sa pique et eût tenté de s'échapper, ou bien se fût battu sur place jusqu'à la mort.

Derrière lui, le frère visiteur marmonnait entre ses dents cassées :

— . Ils ne nous condamneront pas. Je ne peux pas croire qu'ils nous condamnent. Nous ne sommes plus dangereux.

Et le commandeur d'Aquitaine, émergeant de son hébétude, disait :

— C'est bonne chose de sortir ; c'est bonne chose de respirer l'air frais. N'est-ce pas, mon frère ?

Le précepteur de Normandie toucha le bras du grand-maître.

— Messire mon frère, dit-il à voix basse, je vois des gens pleurer dans cette foule et d'autres faire le signe de la croix. Nous ne sommes point seuls dans notre calvaire.

— Ces gens-là peuvent nous plaindre, mais ils ne peuvent rien pour nous sauver, répondit Jacques de Molay. Ce sont d'autres visages que je cherche.

Le précepteur comprit l'espérance ultime, insensée, à laquelle le grand-maître se raccrochait. Instinctivement, il se mit lui aussi à scruter la multitude.

Car, parmi les quinze mille chevaliers du Temple, un nombre appréciable avaient échappé aux arrestations de 1307. Les uns s'étaient réfugiés dans les couvents, d'autres s'étaient défroqués et vivaient clandestins, dans les campagnes ou les villes ; d'autres encore avaient gagné l'Espagne où le roi d'Aragon, refusant d'obéir aux injonctions du roi de France et du pape, avait laissé aux Templiers leurs commanderies et fondé avec eux un nouvel Ordre. Il y avait ceux également que certains tribunaux relativement cléments avaient confiés à la garde des Hospitaliers. Beaucoup de ces anciens chevaliers, demeurés en liaison, avaient constitué une sorte de réseau secret.

Et Jacques de Molay se disait que peut-être...

Peut-être un complot s'était-il monté... Peut-être qu'en un point du parcours, au coin de la rue des Blancs-Manteaux, ou de la rue de la Bretonnerie, ou du cloître Saint-Merry, un groupe d'hommes allait surgir et, sortant des armes de dessous leur cotte, fondre sur les archers, tandis que d'autres conjurés, postés aux fenêtres, lanceraient des projectiles. Avec une charrette, poussée en travers de la chaussée, on pouvait bloquer la voie et compléter la panique...

« Et pourquoi nos anciens frères feraient-ils cela ? pensa Molay. Pour délivrer leur grand-maître qui les a trahis, qui a renié l'Ordre, qui a cédé aux tortures... »

Pourtant, il s'obstinait à observer la foule, le plus loin qu'il pouvait, et il n'apercevait que des pères de famille qui avaient hissé leurs petits enfants sur leurs épaules, des enfants qui, plus tard, quand on prononcerait devant eux le nom de Templiers, ne se souviendraient que de quatre vieillards barbus et grelottants, encadrés de gens d'armes comme des malfaiteurs publics.

Le visiteur général continuait de parler tout seul, en chuintant, et le héros de Saint-Jean-d'Acre de répéter qu'il faisait bon se promener matin.

Le grand-maître sentit se former en lui une de ces colères à demi démentes qui le saisissaient si souvent dans sa prison et le faisaient hurler en frappant les murs. Il allait sûrement accomplir quelque chose de violent et de terrible... il ne savait quoi... mais il avait besoin de l'accomplir.

Il acceptait sa mort, presque comme une délivrance; mais il n'acceptait pas de mourir injustement, ni de mourir déshonoré. La longue habitude de la guerre remuait une dernière fois son vieux sang. Il voulait mourir en se battant.

Il chercha la main de Geoffroy de Charnay, son ami, son compagnon, le dernier homme fort qu'il eût à côté de lui, et il étreignit cette main.

Le précepteur de Normandie, vit, sur les tempes creusées du grand-maître, les artères qui se gonflaient comme des couleuvres bleues.

Le cortège atteignait le pont Notre-Dame.

III

LES BRUS DU ROI

Une savoureuse odeur de farine, de beurre chaud et de miel flottait autour de l'éventaire.

— Chaudes, chaudes les oublies ! Tout le monde n'en aura pas. Allez, bourgeois, mangez ! Chaudes les oublies ! criait le marchand qui s'agitait derrière un fourneau en plein air.

Il faisait tout à la fois, étalait la pâte, retirait du feu les crêpes cuites, rendait la monnaie, surveillait les gamins pour les empêcher de chaparder.

— Chaudes les oublies !

Il était si affairé qu'il ne remarqua pas le client dont la main blanche laissa glisser une piécette de cuivre, en paiement d'une crêpe dorée, croustillante et roulée en cornet. Il vit seulement la même main reposer l'oublie dans laquelle on n'avait mordu qu'une bouchée.

— En voilà bien un dégoûté, dit le marchand en tisonnant son feu. On leur en baillera : pur froment et beurre de Vaugirard...

A ce moment, il se releva et resta bouche bée, son dernier mot arrêté dans la gorge, en apercevant le client auquel il s'adressait. Cet homme de très haute taille, aux yeux immenses et pâles, qui portait chaperon blanc et tunique demi-longue...

Avant que le marchand ait pu amorcer une courbette ou balbutier une excuse, l'homme au chaperon blanc s'était déjà éloigné, et l'autre, bras ballants tandis que sa nouvelle fournée d'oublies était en train de brûler, le regardait s'enfoncer dans la foule.

Les rues marchandes de la Cité, au dire des voyageurs qui avaient parcouru l'Afrique et l'Orient, ressemblaient assez aux souks d'une ville arabe. Même grouillement incessant, mêmes échoppes minuscules tassées les unes contre les autres, mêmes senteurs de graisse cuite, d'épices et de cuir, même marche lente des chalands gênant le passage des ânes et des portefaix. Chaque rue, chaque venelle, avait sa spécialité, son métier particulier; ici les tisserands dont on apercevait les métiers dans les arrière-boutiques, là les savetiers tapant sur les pieds de fer, et plus loin les selliers tirant sur l'alène, et ensuite les menuisiers tournant les pieds d'escabelles.

Il y avait la rue aux Oiseaux, la rue aux Herbes et aux Légumes, la rue des Forgerons toute résonnante du bruit des enclumes. Les orfèvres, installés le long du quai qui portait leur nom, travaillaient devant leurs petits réchauds.

On apercevait de minces bandes de ciel entre les maisons de bois et de torchis, aux pignons rapprochés. Le sol était couvert d'une fange assez malodorante où les gens traînaient, selon leur condition, leurs pieds nus, leurs patins de bois ou leurs souliers de cuir.

L'homme aux hautes épaules et au chaperon blanc continuait d'avancer lentement dans la cohue, les mains derrière le dos, insoucieux semblait-il de se faire bousculer. Beaucoup de passants, d'ailleurs, s'effaçaient devant lui et le saluaient. Il leur répondait d'un bref signe de tête. Il avait une carrure d'athlète; ses cheveux blond roux, soyeux, terminés en rouleaux, lui tombaient presque jusqu'au col, encadrant un visage régulier et d'une rare beauté de traits.

Trois sergents royaux, en habit bleu, et portant au creux du bras un bâton sommé d'une fleur de lis, suivaient ce promeneur à quelque distance mais sans jamais le perdre des yeux, s'arrêtant lorsqu'il s'arrêtait, se remettant en marche en même temps que lui[7].

Soudain, un jeune homme en justaucorps serré, entraîné par trois grands lévriers qu'il menait en laisse, déboucha d'une ruelle et vint se jeter contre le flâneur, manquant de le renverser. Les chiens se mêlèrent, hurlèrent.

— Mais prenez donc garde où vous cheminez! s'écria le jeune homme avec un fort accent italien. Pour un peu, vous tombiez sur mes chiens. Il m'aurait plu qu'ils vous mordissent.

Dix-huit ans au plus, bien pris dans sa petite taille, les yeux noirs et le menton fin, il forçait la voix pour faire l'homme.

Tout en dépêtrant la laisse, il continuait:

— *Non si puo vedere un cretino peggiore...* *

Mais déjà les trois sergents l'encadraient; l'un d'eux le prit par le bras et lui dit un mot à l'oreille. Aussitôt le jeune homme ôta son bonnet et s'inclina avec un grand geste de respect.

Un rassemblement discret s'était formé.

— Voilà de beaux chiens de courre; à qui sont-ils? demanda le promeneur en dévisageant le garçon de ses yeux immenses et froids.

— A mon oncle, le banquier Tolomei... pour vous servir, répondit le jeune homme en s'inclinant une seconde fois.

---

* On ne peut voir pire crétin...

Sans rien ajouter, l'homme au chaperon blanc poursuivit son chemin. Quand il se fut un peu éloigné, ainsi que les sergents, les gens s'esclaffèrent autour du jeune Italien. Celui-ci n'avait pas bougé de place et semblait avoir quelque peine à digérer sa méprise ; les chiens eux-mêmes se tenaient cois.

— Eh bien ! Il n'est plus tout faraud ! disait-on en riant.

— Regardez-le ! Il a manqué jeter le roi par terre, et de surcroît il l'a injurié.

— Tu peux t'apprêter à coucher cette nuit en prison, mon garçon, avec trente coups de fouet.

L'Italien fit front aux badauds.

— Eh quoi ! Je ne l'avais jamais vu ; comment le pouvais-je reconnaître ? Et puis apprenez, bonnes gens, que je suis d'un pays où il n'y a pas de roi pour qui l'on doive se coller contre les murs. Dans ma ville de Sienne, chaque citoyen peut être roi à son tour. Et qui veut prendre en gire Guccio Baglioni n'a qu'à le dire !

Il avait lancé son nom comme un défi. L'orgueil susceptible des Toscans assombrissait son regard. Il portait au côté une dague ciselée. Personne n'insista ; le jeune homme claqua des doigts pour relancer ses chiens et continua sa route, moins assuré qu'il ne voulait le paraître, en se demandant si sa sottise n'aurait pas de fâcheuses conséquences.

Car c'était bien le roi Philippe le Bel qu'il venait de bousculer. Ce souverain que nul n'égalait en puissance aimait ainsi marcher à travers sa ville, comme un simple bourgeois, se renseignant sur les prix, goûtant les fruits, tâtant les étoffes, écoutant les propos. Il prenait le pouls de son peuple. Des étrangers, parfois, s'adressaient à lui pour trouver leur chemin. Un soldat, un jour, l'avait arrêté lui réclamant un arriéré de paye. Aussi avare de paroles que d'argent, il lui arrivait rarement, au cours de sa promenade, de prononcer plus de trois phrases, ou de dépenser plus de trois sols.

Le roi passait par le marché à la viande, lorsque le bourdon de Notre-Dame se mit à sonner, en même temps qu'une grande rumeur s'élevait.

— Les voilà ! Les voilà ! cria-t-on dans la rue.

La rumeur se rapprochait ; des passants se mirent à courir dans sa direction.

Un gros boucher sortit de derrière son étal, le tranchet à la main, en hurlant :

— A mort les hérétiques !

Sa femme l'accrocha par la manche.

— Hérétiques ? Pas plus que toi, dit-elle. Reste donc ici à servir la pratique, tu seras plus utile, grand fainéant.

Ils se prirent de bec. Aussitôt un attroupement se fit autour d'eux.

— Ils ont avoué devant les juges ! continuait le boucher.

— Les juges? répliqua quelqu'un. On n'en connaît que d'une sorte. Ils jugent à la commande de ceux qui les payent.

Chacun voulut alors faire entendre son avis.

— Les Templiers sont de saints hommes. Ils ont toujours bien fait l'aumône.

— Il fallait leur prendre leur argent, mais point les torturer.

— C'était le roi leur plus fort débiteur. Plus de Templiers, plus de dette.

— Le roi a bien fait.

— Le roi ou les Templiers, dit un apprenti, c'est du pareil au même. Faut laisser les loups se manger entre eux; pendant ce temps-là, ils ne nous dévorent pas.

Une femme, à ce moment, se retourna, pâlit, et fit signe aux autres de se taire. Philippe le Bel était derrière eux et les observait de son regard glacial. Les sergents s'étaient insensiblement rapprochés, prêts à intervenir. En un instant l'attroupement se dispersa, et ceux qui le composaient partirent au pas de course en criant bien fort:

— Vive le roi! A mort les hérétiques!

On aurait pu croire que le roi n'avait pas entendu. Rien dans son visage n'avait bougé, rien n'y avait paru. S'il prenait plaisir à surprendre les gens, c'était un plaisir secret.

La clameur grossissait toujours. Le cortège des Templiers passait à l'extrémité de la rue, et le roi put voir un instant, par l'échappée entre les maisons, le chariot et ses quatre occupants. Le grand-maître se tenait droit; il avait l'air d'un martyr, mais non d'un vaincu.

Laissant la foule se précipiter au spectacle, Philippe le Bel, d'un pas égal, par les rues brusquement vidées, revint vers son palais.

Le peuple pouvait bien maugréer un peu, et le grand-maître redresser son vieux corps torturé. Dans une heure tout serait terminé, et la sentence dans l'ensemble bien accueillie. Dans une heure, l'œuvre de sept années serait accomplie, parachevée. Le Tribunal épiscopal avait statué: les archers étaient nombreux; les sergents gardaient les rues. Dans une heure, l'affaire des Templiers serait effacée des soucis publics, et le pouvoir royal en sortirait grandi et renforcé.

« Même ma fille Isabelle sera satisfaite. J'aurai fait droit à sa prière, et de la sorte contenté tout le monde. Mais il était temps d'en finir », se disait le roi Philippe.

Il rentra dans sa demeure par la Galerie mercière.

Tant de fois remanié, au cours des siècles, sur ses vieilles fondations romaines, le Palais venait d'être entièrement rénové par Philippe, et sensiblement agrandi.

L'époque était à la construction, et les princes rivalisaient sur ce point. Ce qui se faisait à Westminster était, à Paris, déjà terminé.

Des édifices anciens, Philippe n'avait gardé intacte que la Sainte-

Chapelle bâtie par son grand-père Saint Louis. Le nouvel ensemble de la Cité, avec ses grandes tours blanches se reflétant dans la Seine, était imposant, massif, ostentatoire.

Fort regardant à la petite dépense, le roi Philippe ne lésinait pas dès lors qu'il s'agissait d'affirmer la puissance de l'État. Mais comme il ne négligeait aucun profit, il avait concédé aux merciers, moyennant redevance annuelle, le privilège de tenir boutique dans la grande galerie du Palais, qu'on appelait de ce fait la Galerie mercière, avant de l'appeler la Galerie marchande[8].

Cet immense vestibule, haut et vaste comme une cathédrale à deux nefs, faisait l'admiration des voyageurs. Sur les chapiteaux des piliers se dressaient quarante statues figurant les quarante rois qui, depuis Pharamond et Mérovée, s'étaient succédé à la tête du royaume franc. Face à l'effigie de Philippe le Bel avait été placée celle d'Enguerrand de Marigny, coadjuteur et recteur du royaume, qui avait inspiré et dirigé les travaux.

Ouverte à tout venant, la Galerie constituait un lieu de promenade, de négoce et de rencontres galantes. On y pouvait faire ses emplettes et en même temps y côtoyer les princes. La mode se décidait là. Une foule incessamment déambulait entre les éventaires, au-dessous des grandes statues royales. Broderies, dentelles, soieries, velours et camelins, passementeries, articles de parure et de petite joaillerie s'entassaient, chatoyaient, miroitaient sur les comptoirs de chêne dont le soir on relevait l'abattant, ou chargeaient des tables à tréteaux, ou pendaient à des perches. Dames de la cour, bourgeoises, servantes allaient d'un étalage à l'autre. On palpait, on discutait, on rêvait, on flânait. L'endroit bruissait de discussions, de marchandages, de conversations, de rires, dominés par le boniment des vendeurs racolant la pratique. Nombreuses étaient les voix aux accents étrangers, surtout des accents d'Italie et de Flandre.

Un gaillard efflanqué proposait des mouchoirs brodés, disposés sur une bâche de chanvre, à même le sol.

— Ah! n'est-ce point pitié, belles dames, criait-il, que de se moucher dans ses doigts ou dans sa manche, quand vous avez pour ce faire des toiles si finement adornées, que vous pouvez nouer avec grâce autour de votre bras ou de votre aumônière!

Un autre amuseur, à quelques pas, jonglait avec des bandes de dentelles de Malines et les lançait si haut que leurs arabesques blanches montaient jusqu'aux éperons de pierre de Louis le Gros.

— On brade, on donne! Six deniers l'aune. Laquelle de vous n'a six deniers pour se faire les tétons aguicheurs?

Philippe le Bel traversa la Galerie dans toute la longueur. La plupart des hommes, sur son passage, s'inclinaient; les femmes amorçaient une révérence.

Sans qu'il le montrât, le roi aimait l'animation de la Galerie mercière et les marques de déférence qu'il y recueillait.

Le bourdon de Notre-Dame continuait à tinter; mais le son n'en parvenait ici qu'atténué, assourdi.

A l'extrémité de la Galerie, non loin des degrés du grand escalier, se tenaient un groupe de trois personnes, deux très jeunes femmes, un jeune homme, dont la beauté, la mise et aussi l'assurance attiraient l'attention discrète des passants.

Les jeunes femmes étaient deux des belles-filles du roi, celles qu'on appelait «les sœurs de Bourgogne». Elles se ressemblaient peu. L'aînée, Jeanne, mariée au second fils de Philippe le Bel, le comte de Poitiers, avait à peine vingt et un ans. Elle était grande, élancée, avec des cheveux blond cendré, un maintien un peu composé, et un long œil oblique de lévrier. Elle se vêtait avec une simplicité qui était presque une recherche. Ce jour-là, elle portait une robe de velours gris clair, aux manches collantes, sur laquelle était passé un surcot bordé d'hermine qui s'arrêtait aux hanches.

Sa sœur Blanche, épouse de Charles de France, le cadet des princes royaux, était plus petite, plus ronde, plus rose, plus spontanée. Agée de dix-huit ans, elle gardait aux joues les fossettes de l'enfance. Elle avait une blondeur chaude, des yeux marron clair, très brillants, et de petites dents transparentes. S'habiller était pour elle plus qu'un jeu, une passion. Elle s'y livrait avec une extravagance qui ne relevait pas forcément du meilleur goût. Elle s'ornait le front, le col, les manches, la ceinture du plus de bijoux qu'elle pouvait. Sa robe était brodée de perles et de fils d'or. Mais elle avait tant de grâce et semblait si contente d'elle-même qu'on lui pardonnait volontiers cette profusion naïve.

Le jeune homme qui se trouvait auprès des deux princesses était vêtu comme il convenait à un officier de maison souveraine.

Il était question dans ce petit groupe d'une affaire de cinq jours dont on discutait à mi-voix avec une agitation contenue.

— Est-il raisonnable de se mettre en telle peine pour cinq jours? disait la comtesse de Poitiers.

Le roi surgit de derrière une colonne qui avait masqué son approche.

— Bonjour, mes filles, dit-il.

Les jeunes gens se turent brusquement. Le beau garçon salua très bas et s'écarta d'un pas, gardant les yeux à terre. Les deux jeunes femmes, après qu'elles eurent fléchi le genou, demeurèrent muettes, rougissantes, un peu embarrassées. Ils avaient l'air tous trois pris en faute.

— Eh bien! mes filles, demanda le roi, ne dirait-on pas que je suis de trop dans votre babil? Que contiez-vous donc?

Il n'était nullement surpris de cet accueil car il avait accoutumé de voir les gens, et même ses familiers ou ses plus proches parents, intimidés par sa présence. Une sorte de mur de glace le séparait d'autrui. Il ne s'en étonnait plus, mais s'en affligeait. Il croyait faire tout le nécessaire pour se rendre avenant et aimable.

Ce fut la jeune Blanche qui reprit le plus rapidement assurance.

— Il faut nous pardonner, Sire, dit-elle, mais nos paroles ne sont guère aisées à vous répéter !

— Pourquoi cela ?

— C'est que... nous disions du mal de vous.

— En vérité ? dit Philippe le Bel, ne sachant comment il devait entendre la plaisanterie.

Il arrêta son regard sur le jeune homme, qui demeurait en retrait, et, le désignant du menton :

— Qui est ce damoiseau ? demanda-t-il.

— Messire Philippe d'Aunay, écuyer de notre oncle Valois, répondit la comtesse de Poitiers.

Le jeune homme salua de nouveau.

— N'avez-vous pas un frère ? dit le roi s'adressant à l'écuyer.

— Oui, Sire, un frère qui est à Monseigneur de Poitiers, répondit le jeune d'Aunay, rougissant et la voix mal assurée.

— C'est cela ; je vous confonds toujours, dit le souverain.

Puis revenant à Blanche :

— Alors, quel mal disiez-vous de moi, ma fille ?

— Jeanne et moi étions d'accord pour vous en vouloir beaucoup, Sire mon père, car voici cinq nuits de suite que nos maris ne nous sont point de service, tant vous les retenez tard aux séances du Conseil, ou les envoyez loin pour les affaires du royaume.

— Mes filles, mes filles, ce ne sont point paroles à prononcer tout haut ! dit le roi.

Il était pudique de nature, et on le disait observer une stricte chasteté depuis neuf ans qu'il était veuf.

Mais il semblait qu'il ne pût sévir contre Blanche. La vivacité de celle-ci, sa gaieté, son audace à tout dire, le désarmaient. Il était à la fois amusé et choqué. Il sourit, ce qui ne lui arrivait pas une fois le mois.

— Et la troisième, que dit-elle ? ajouta-t-il.

Par la troisième, il entendait Marguerite de Bourgogne, cousine de Jeanne et de Blanche, et mariée à l'héritier du trône, Louis, roi de Navarre.

— Marguerite ? s'écria Blanche. Elle s'enferme, elle fait son œil noir, et elle dit que vous êtes aussi méchant que vous êtes beau.

Cette fois encore, le roi resta un peu indécis, comme s'il s'interrogeait sur la manière de prendre ce dernier trait. Mais le regard de Blanche était si limpide, si candide ! Elle était la seule personne qui osât lui parler d'un tel ton et qui ne tremblât pas en sa présence.

— Eh bien ! rassurez Marguerite, et rassurez-vous, Blanche. Mes fils Louis et Charles pourront vous tenir compagnie ce soir. Aujourd'hui est une bonne journée pour le royaume, dit Philippe le Bel. Il n'y aura pas conseil ce soir. Quant à votre époux, Jeanne, qui est allé à Dole et à Salins veiller aux affaires de votre comté, je ne pense pas qu'il demeure encore absent plus d'une semaine.

— Alors je m'apprête à fêter son retour, dit Jeanne en courbant son beau cou.

C'était pour le roi Philippe une très longue conversation que celle qu'il venait de tenir. Il tourna les talons brusquement, sans dire adieu, et gagna le grand escalier qui menait à ses appartements.

— Dieu soit loué! dit Blanche, la main sur la poitrine, en le regardant disparaître. Nous l'avons échappé belle.

— J'ai cru défaillir de peur, dit Jeanne.

Philippe d'Aunay était rouge jusqu'aux cheveux, non plus de confusion à présent, mais de colère.

— Grand merci, dit-il sèchement à Blanche. Ce sont choses agréables à entendre que celles que vous avez dites.

— Et que vouliez-vous que je fisse? s'écria Blanche. Avez-vous trouvé mieux, vous? Vous êtes resté court et tout bredouillant. Il nous arrive sus sans qu'on l'ait vu. Il a l'oreille la plus fine du royaume. Si jamais il a surpris nos propos, c'était bien la seule façon de lui donner le change. Et plutôt que de récriminer encore, Philippe, vous feriez mieux de me féliciter.

— Ne recommencez point, dit Jeanne. Marchons, rapprochons-nous des boutiques; quittons cet air de complot.

Ils avancèrent, répondant aux saluts dont on les honorait.

— Messire, reprit Jeanne à mi-voix, je vous ferai remarquer que c'est vous, par votre sotte jalousie, qui êtes cause de cette alarme. Si vous ne vous étiez pas mis à si fort vous plaindre au propos de Marguerite, nous n'eussions point couru le risque que le roi en entendît trop.

Philippe d'Aunay gardait la mine sombre.

— En vérité, dit Blanche, votre frère est plus agréable que vous.

— C'est sans doute qu'il est mieux traité, et j'en suis heureux pour lui, répondit le jeune homme. En effet, je suis un bien grand sot de me laisser humilier par une femme qui me traite en valet, m'appelle dans son lit quand l'envie lui en prend, m'éloigne quand l'envie lui passe, me laisse des jours sans me donner signe de vie, et qui feint de ne pas me reconnaître quand elle me croise. Quel jeu joue-t-elle, à la parfin?

Philippe d'Aunay, écuyer de Monseigneur de Valois, était depuis quatre ans l'amant de Marguerite de Bourgogne, l'aînée des belles-filles de Philippe le Bel. S'il osait en parler de la sorte devant Blanche de Bourgogne, épouse de Charles de France, c'était parce que Blanche se trouvait être la maîtresse de son frère, Gautier d'Aunay, écuyer du comte de Poitiers. Et s'il pouvait s'en ouvrir devant Jeanne de

Bourgogne, comtesse de Poitiers, c'était parce que celle-ci, bien qu'elle ne fût encore la maîtresse de personne, favorisait pourtant, moitié par faiblesse, moitié par amusement, l'intrigue des deux autres brus royales, combinait les rendez-vous, facilitait les rencontres.

Ainsi, en cet avant-printemps 1314, le jour même où l'on allait juger les Templiers et où cette grave affaire était le principal souci de la couronne, deux fils de France, l'aîné, Louis, et le puîné, Charles, portaient les cornes par la grâce de deux écuyers appartenant l'un à la maison de leur oncle, l'autre à la maison de leur frère, et ceci sous la garde de leur belle-sœur Jeanne, épouse constante mais entremetteuse bénévole, qui prenait un trouble plaisir à vivre les amours d'autrui.

— En tout cas, ce soir, point de tour de Nesle, dit Blanche.

— Pour moi, cela ne fera guère de différence avec les jours précédents, répondit Philippe d'Aunay. Mais j'enrage à penser que cette nuit, entre les bras de Louis de Navarre, Marguerite aura sans doute les même mots...

— Ah! mon ami, c'est aller trop loin, dit Jeanne avec beaucoup de hauteur. Tout à l'heure vous accusiez Marguerite, sans raison, d'avoir d'autres amants. Maintenant vous voudriez empêcher qu'elle ait un époux. Les faveurs qu'elle vous consent vous font trop oublier qui vous êtes. Je pense que demain je vais conseiller à notre oncle de vous envoyer quelques mois dans son comté de Valois, où sont vos terres, pour vous mettre l'esprit en repos.

Du coup, le beau Philippe d'Aunay se trouva calmé.

— Oh! Madame, murmura-t-il. Je crois que j'en mourrais.

Il était bien plus séduisant ainsi que dans la colère. On l'eût effrayé à plaisir, rien que pour voir s'abaisser ses longs cils soyeux et trembler légèrement son menton blanc. Il était soudain si malheureux, si pitoyable, que les deux jeunes femmes, oubliant leurs alertes, ne purent s'empêcher de sourire.

— Vous direz à votre frère Gautier que ce soir je soupirerai bien après lui, dit Blanche de la plus douce façon du monde.

On ne pouvait savoir si elle parlait sincèrement.

— Ne faudrait-il pas... dit d'Aunay un peu hésitant, prévenir Marguerite de ce que nous venons d'apprendre dans le cas où pour ce soir elle aurait prévu...

— Que Blanche en décide; moi, je ne me charge plus de rien, dit Jeanne. J'ai eu trop peur. Je ne veux plus être mêlée à vos affaires. Un jour cela finira mal, et vraiment c'est me compromettre à plaisir, pour rien.

— Il est vrai, dit Blanche, que tu ne profites guère des aubaines. De nos trois maris, c'est le tien qui s'absente le plus souvent. Si Marguerite et moi avions cette chance...

— Mais je n'en ai pas le goût, répliqua Jeanne.

— Ou pas le courage, dit Blanche.

— Il est vrai que même si je le voulais, je n'ai pas ton habileté à dissimuler, ma sœur, et je suis sûre que je me trahirais tout de suite.

Ayant dit cela, Jeanne resta songeuse un instant. Non, certes, elle n'avait pas envie de tromper Philippe de Poitiers ; mais elle était lasse de passer pour prude...

— Madame, lui dit Philippe, ne pourriez-vous me charger... d'un message pour votre cousine ?

Jeanne considéra le jeune homme, de biais, avec une indulgence attendrie.

— Vous ne pouvez donc plus vivre sans la belle Marguerite ? répondit-elle. Allons, je vais être bonne. Je vais acheter pour Marguerite quelque pièce de parure que vous irez lui porter de ma part. Mais c'est la dernière fois.

Ils s'approchèrent d'un éventaire. Tandis que les deux jeunes femmes se consultaient, Blanche allant tout droit aux objets les plus chers, Philippe d'Aunay repensait à la brusque apparition du roi.

« Chaque fois qu'il me voit, il me demande mon nom. Cela fait bien la sixième fois. Et toujours il fait allusion à mon frère. »

Il eut une sourde appréhension et se demanda pourquoi il éprouvait toujours un si vif malaise devant le souverain. A cause de son regard sans doute, à cause de ces yeux trop grands, immobiles, et de leur étrange couleur incertaine, entre le gris et le bleu pâle, pareille à celle de la glace des étangs les matins d'hiver, des yeux qu'on ne cessait de revoir pendant des heures après les avoir rencontrés.

Aucun des trois jeunes gens n'avait remarqué un seigneur d'immense stature, portant des bottes rouges, et qui, arrêté à mi-marches, sur le grand escalier, les observait depuis un moment.

— Messire Philippe, je n'ai point assez d'argent sur moi ; voulez-vous payer ?

C'était Jeanne qui venait de parler, tirant Philippe d'Aunay de ses réflexions. L'écuyer s'exécuta avec empressement. Jeanne avait choisi pour Marguerite une ceinture de velours sur laquelle étaient cousus des motifs d'argent filigrané.

— Oh ! je voudrais la même, dit Blanche.

Mais elle non plus n'avait pas d'argent, et Philippe régla également son achat.

Il en était toujours ainsi lorsqu'il les accompagnait. Elles l'assuraient de le rembourser, mais elles oubliaient aussitôt, et il était trop gentilhomme pour le leur rappeler.

— Prends garde, mon fils, lui avait dit un jour messire Gautier d'Aunay le père ; les femmes les plus riches sont celles qui coûtent le plus cher.

Il en faisait la constatation à ses dépens. Mais il s'en moquait. Les d'Aunay pouvaient se dispenser de compter; leurs domaines de Vémars et d'Aunay-lès-Bondy, entre Pontoise et Luzarches, leur assuraient d'importants revenus.

A présent, Philippe d'Aunay tenait son prétexte à courir vers l'hôtel de Nesle, où demeuraient le roi et la reine de Navarre, de l'autre côté de l'eau. En passant par le pont Saint-Michel, il n'en avait que pour quelques minutes.

Il salua les deux princesses et se dirigea vers les portes de la Galerie mercière.

Le seigneur aux bottes rouges le suivit du regard, un regard de chasseur. Ce seigneur était Robert d'Artois, revenu depuis quelques jours d'Angleterre. Il parut réfléchir; puis il descendit l'escalier et, à son tour, gagna la rue.

Dehors, le bourdon de Notre-Dame s'était tu, et il régnait sur l'île de la Cité un silence inhabituel, impressionnant. Que se passait-il à Notre-Dame?

IV

NOTRE-DAME ÉTAIT BLANCHE

Les archers s'étaient formés en cordon pour maintenir la foule en deçà de l'étroit parvis. A toutes les fenêtres, des têtes curieuses se pressaient.

La brume s'était levée et un pâle soleil éclairait les pierres blanches de Notre-Dame de Paris. Car la cathédrale n'était achevée que depuis soixante-dix ans, et l'on travaillait sans cesse à l'embellir. Elle avait encore l'éclat du neuf, et la lumière faisait ressortir l'arc des ogives, la dentelle de la rosace centrale, accentuait le fourmillement des statues au-dessus des porches.

On avait repoussé contre les maisons les marchands de poulets qui, chaque matin, vendaient devant l'église. Le criaillement d'une volaille étouffant dans son cageot déchirait le silence, cet anormal silence qui venait de surprendre le comte d'Artois à la sortie de la Galerie mercière.

Le capitaine Alain de Pareilles se tenait immobile devant ses soldats.

En haut des marches qui montaient du parvis, les quatre dignitaires du Temple étaient debout, dos à la foule et face au Tribunal ecclésiastique installé entre les vantaux ouverts du grand portail. Évêques, chanoines, clercs siégeaient alignés sur deux rangs.

La curiosité de la foule se portait principalement sur les trois cardinaux spécialement envoyés par le pape pour bien signifier que la sentence serait sans appel ni recours devant le Saint-Siège, ainsi que sur Monseigneur Jean de Marigny, le jeune archevêque de Sens, frère du recteur du royaume, et qui, avec le grand inquisiteur de France, avait conduit toute l'affaire.

Les robes brunes ou blanches d'une trentaine de moines apparaissaient derrière les membres du Tribunal. Seul laïc de cette assemblée, le prévôt de Paris, Jean Ployebouche, personnage d'une cinquantaine d'années, courtaud, au visage contracté, paraissait peu satisfait de se trouver là. Il représentait le pouvoir royal et était chargé du maintien de l'ordre. Ses yeux allaient de la foule au capitaine des archers, et du capitaine à l'archevêque de Sens.

Le faible soleil jouait sur les mitres, les crosses, la pourpre des robes cardinalices, l'amarante des capes épiscopales, l'hermine des camails, l'or des croix pectorales, l'acier des cottes de mailles, des casques et des armes. Ces scintillements, ces couleurs, cet éclat rendaient plus violent le contraste avec les accusés pour lesquels tout ce grand appareil avait été commandé, les quatre vieux Templiers guenilleux, serrés les uns contre les autres, et dont le groupe semblait sculpté dans la cendre.

Monseigneur Arnaud d'Auch, cardinal d'Albano, premier légat, lisait debout les attendus du jugement. Il le faisait avec lenteur et emphase, savourant sa propre voix, satisfait de lui-même et de se donner en spectacle devant un auditoire populaire. Par instants, il jouait à l'homme horrifié par l'énormité des crimes qu'il avait à énoncer; puis il reprenait une majesté onctueuse pour relater un nouveau grief, un nouveau forfait.

— ... Entendu les frères Géraud du Passage et Jean de Cugny qui affirment après maints autres qu'on leur fit force, à leur réception dans l'Ordre, de cracher sur la Croix, pour ce, leur dit-on, que c'était un morceau de bois et que le vrai Dieu était au ciel... Entendu le frère Guy Dauphin à qui il fut enjoint, si l'un de ses frères supérieurs était tourmenté par la chair et se voulait satisfaire sur lui, de consentir à tout ce qui lui serait demandé... Entendu le grand-maître Jacques de Molay qui, sous la question, a reconnu et avoué...

La foule devait tendre l'oreille pour saisir les mots déformés par un débit emphatique. Le légat en faisait trop et il était trop long. Le peuple commençait à s'impatienter.

A la relation des accusations, des faux témoignages, des aveux extorqués, Jacques de Molay murmurait pour lui-même :

« Mensonge... mensonge... mensonge... »

La colère qui l'avait saisi pendant le trajet ne faisait que croître. Le sang battait de plus en plus fort à ses tempes décharnées.

Rien ne s'était produit qui vînt arrêter le déroulement du cauchemar. Aucun groupe d'anciens Templiers n'avait surgi de la foule.

— ... Entendu le frère Hugues de Payraud qui reconnaît avoir fait obligation aux novices de renier le Christ par trois fois...

Le visiteur général tourna vers Jacques de Molay un visage douloureux et prononça :

— Mon frère, mon frère, est-ce jamais moi qui ai dit cela ?

Les quatre dignitaires étaient seuls, abandonnés du ciel et des hommes, pris comme dans une tenaille géante entre les troupes et le Tribunal, entre la force royale et la force de l'Église. Chaque parole du cardinal-légat resserrait l'étau.

Comment les commissions d'enquête, bien qu'on le leur eût expliqué cent fois, n'avaient-elles pas voulu admettre, voulu comprendre que cette épreuve du reniement n'était imposée aux novices que pour assurer leur attitude s'ils étaient pris par les musulmans et sommés d'abjurer ?

Le grand-maître avait une envie furieuse de sauter à la gorge du prélat, de le gifler, l'étrangler. Et ce n'était pas seulement le légat qu'il eût voulu étriper, mais aussi le jeune Marigny, ce bellâtre mitré qui prenait des poses alanguies. Et surtout il eût voulu atteindre ses trois vrais ennemis, ceux qui n'étaient pas là : le roi, le garde des Sceaux, le pape.

La rage de l'impuissance lui faisait danser un voile rouge devant les yeux. Il fallait qu'il arrivât quelque chose... Un vertige si fort le saisit qu'il craignit de s'abattre sur la pierre. Il ne voyait pas qu'une fureur égale avait gagné son compagnon Geoffroy de Charnay, et que la cicatrice du précepteur de Normandie était devenue toute blanche au milieu d'un front cramoisi.

Le légat prit un temps dans sa déclamation, abaissa le grand parchemin, inclina légèrement la tête à droite et à gauche vers ses assesseurs, rapprocha le parchemin de son visage, y souffla comme pour en chasser une poussière.

— ... Considérant que les accusés ont avoué et reconnu, les condamnons... au mur et au silence pour le reste de leurs jours, afin qu'ils obtiennent la rémission de leurs fautes par les larmes du repentir. *In nomine Patris...*

Le légat fit un lent signe de croix et s'assit, plein de superbe, en roulant le parchemin, qu'il tendit ensuite à un clerc.

La foule demeura d'abord sans réaction. Après une telle énumération de crimes, la peine de mort était si évidemment attendue que la condamnation au mur — c'est-à-dire la prison à perpétuité, le cachot, les chaînes, le pain et l'eau — paraissait une mesure de clémence.

Philippe le Bel avait bien ajusté son coup. L'opinion populaire allait admettre sans difficulté, presque platement, ce point final à une tragédie qui l'avait agitée pendant sept ans. Le premier légat et le jeune archevêque de Sens échangèrent un imperceptible sourire de connivence.

— Mes frères, mes frères, bredouilla le visiteur général, ai-je bien entendu ? On ne nous tue point ! On nous fait grâce !

Il avait les yeux pleins de larmes, et sa bouche aux dents cassées s'ouvrait comme s'il allait rire.

Ce fut cette affreuse joie qui déclencha tout.

Soudain on entendit une voix proférer du haut des marches :

— Je proteste !

Et cette voix était si puissante que l'on ne crut pas d'abord qu'elle appartenait au grand-maître.

— Je proteste contre une sentence inique, et j'affirme que les crimes dont on nous charge sont crimes inventés!

Une sorte d'immense soupir s'éleva de la foule. Le Tribunal s'agita. Les cardinaux se regardèrent, stupéfaits. Personne ne s'attendait à cela. Jean de Marigny s'était levé d'un bond. C'en était fini des poses alanguies; il était blême et tremblant de colère.

— Vous mentez! cria-t-il au grand-maître. Vous avez avoué devant la commission.

Les archers, d'instinct, s'étaient resserrés, attendant un ordre.

— Je ne suis coupable, répondit Jacques de Molay, que d'avoir cédé à vos cajoleries, menaces et tourments. J'affirme, devant Dieu qui nous entend, que l'Ordre est innocent et saint.

Et Dieu semblait l'entendre en effet. Car la voix du grand-maître, lancée vers l'intérieur de la cathédrale et répercutée par les voûtes, revenait en écho, comme si une autre voix plus profonde, au fond de la nef, avait repris chaque parole.

— Vous avez avoué la sodomie! dit Jean de Marigny.

— Dans la torture! répliqua Molay.

« ... dans la torture... », relança la voix qui paraissait se former dans le Tabernacle.

— Vous avez confessé l'hérésie!

— Dans la torture!

« ... dans la torture... », répéta le Tabernacle.

— Je retire tout! dit le grand-maître.

« ... tout... », répondit en grondant la cathédrale entière.

Un nouvel interlocuteur entra dans cet étrange dialogue. Geoffroy de Charnay, à son tour, s'en prenait à l'archevêque de Sens.

— On a abusé de notre affaiblissement, disait-il. Nous sommes victimes de vos complots et de vos fausses promesses. C'est votre haine et votre vindicte qui nous perdent! Mais je l'affirme aussi devant Dieu, nous sommes innocents, et ceux qui disent autrement en ont menti par la bouche.

Alors les moines qui se tenaient derrière le Tribunal se mirent à crier:

— Hérétiques! Au feu! Au feu, les hérétiques!

Mais leurs invectives n'eurent pas le résultat escompté. Avec ce mouvement d'indignation généreuse qui le porte souvent au secours du courage malheureux, le peuple en majorité prenait parti pour les Templiers.

On montrait le poing aux juges. Des bagarres éclataient à tous les coins de la place. On hurlait aux fenêtres. L'affaire menaçait de tourner à l'émeute.

Sur un commandement d'Alain de Pareilles, la moitié des archers s'étaient formés en chaîne, se tenant par les bras pour résister à la poussée de la foule, tandis que les autres, piques abaissées, faisaient face.

Les sergents royaux, de leurs bâtons à fleur de lis, frappaient à l'aveuglette dans la presse. Les cageots des marchands de poulets avaient été renversés, et les cris de la volaille piétinée se mêlaient à ceux du public.

Le Tribunal était debout. Jean de Marigny se concertait avec le prévôt de Paris.

— N'importe quoi, Monseigneur, décidez n'importe quoi, disait le prévôt; mais il ne faut point les laisser là. Nous allons tous être emportés. Vous ne connaissez point les Parisiens lorsqu'ils s'agitent.

Jean de Marigny leva sa crosse épiscopale pour signifier qu'il allait parler. Mais personne ne voulait plus l'entendre. On l'accablait d'insultes.

— Tourmenteur! Faux évêque! Dieu te punira!

— Parlez, Monseigneur, parlez, lui disait le prévôt.

Il craignait pour sa situation et pour sa peau; il se souvenait des émeutes de 1306 où l'on avait pillé les hôtels des bourgeois.

— Deux des condamnés sont déclarés relaps! dit l'archevêque forçant vainement la voix. Ils sont retombés dans leurs hérésies. Ils ont rejeté la justice de l'Église; l'Église les rejette et les remet à la justice du roi.

Ses paroles se perdirent dans le vacarme. Puis tout le Tribunal, comme un troupeau de pintades affolées, rentra dans Notre-Dame dont le portail fut aussitôt fermé.

Sur un geste du prévôt à Alain de Pareilles, un groupe d'archers se précipita vers les marches; le chariot fut amené et les condamnés poussés dedans à coups de manches de pique. Ils se laissèrent faire avec une grande docilité. Le grand-maître et le précepteur de Normandie se sentaient à la fois épuisés et détendus. Ils étaient enfin en paix avec eux-mêmes. Les deux autres ne comprenaient plus rien.

Les archers ouvrirent le chemin au chariot, tandis que le prévôt Ployebouche donnait des instructions à ses sergents pour qu'on nettoyât la place au plus vite. Il virait sur lui-même, complètement débordé.

— Ramenez les prisonniers au Temple! cria-t-il à Alain de Pareilles. Pour moi, je cours en aviser le roi.

V

MARGUERITE DE BOURGOGNE, REINE DE NAVARRE

Pendant ce temps, Philippe d'Aunay était arrivé à l'hôtel de Nesle. On l'avait prié d'attendre dans l'antichambre des appartements de la reine de Navarre. Les minutes n'en finissaient plus. Philippe se demandait si Marguerite était retenue par des importuns ou si, simplement, elle prenait plaisir à le laisser languir. Elle avait des tours de cette manière. Et peut-être au bout d'une heure à piétiner, s'asseoir, se relever, s'entendrait-il dire qu'elle n'était pas visible. Il enrageait.

Voilà quelque quatre années, dans les débuts de leur liaison, elle n'eût pas agi de la sorte. Ou peut-être si. Il ne se souvenait plus. Tout à l'émerveillement d'une aventure commençante où la vanité avait autant de part que l'amour, il eût alors fait volontiers le pied de grue cinq heures de rang pour seulement apercevoir sa maîtresse, lui effleurer les doigts ou recevoir d'elle, d'un mot chuchoté, la promesse d'un autre rendez-vous.

Les temps avaient changé. Les difficultés qui font la saveur d'un amour naissant deviennent intolérables à un amour de quatre ans ; et souvent la passion meurt de ce qui l'a fait naître. La perpétuelle incertitude des rencontres, les entrevues décommandées, les obligations de la cour, à quoi s'ajoutaient les étrangetés du caractère de Marguerite, avaient poussé Philippe à un sentiment exaspéré qui ne s'exprimait plus guère que par la revendication et la colère.

Marguerite paraissait mieux prendre les choses. Elle savourait le double plaisir de tromper son mari et d'irriter son amant. Elle était de ces femmes qui ne trouvent de renouvellement dans le désir qu'au spectacle des souffrances qu'elles infligent, jusqu'à ce que ce spectacle même leur devienne lassant.

Il ne se passait pas de jour que Philippe ne se dît qu'un grand amour n'avait pas d'accomplissement dans l'adultère, et qu'il ne se jurât de rompre un lien devenu si blessant.

Mais il était faible, il était lâche, il était pris. Pareil au joueur qui s'enferre en courant après sa mise, il courait après ses rêves de naguère, ses vains présents, son temps dilapidé, son bonheur enfui. Il n'avait pas le courage de se lever de la table en disant: « J'ai assez perdu. »

Et il était là, tout morfondu de dépit et de chagrin, à attendre qu'on voulût bien lui dire d'entrer.

Pour distraire son impatience, il s'assit sur un banc de pierre, dans l'embrasure d'une fenêtre, et regarda le mouvement des palefreniers qui sortaient les chevaux de selle pour aller les détendre sur le Petit-Pré-aux-Clercs, l'entrée des portefaix chargés de quartiers de viande et de ballots de légumes.

L'hôtel de Nesle se composait de deux monuments accolés, mais distincts; d'une part l'Hôtel proprement dit, qui était de construction récente, et d'autre part la Tour, antérieure d'un bon siècle, qui appartenait au système des remparts de Philippe Auguste. Philippe le Bel avait acquis l'ensemble, six ans plus tôt, du comte Amaury de Nesle, pour le donner comme résidence au roi de Navarre, son fils aîné[9].

La Tour, dans le passé, n'avait guère servi que de corps de garde ou de resserre. C'était Marguerite qui, récemment, avait décidé d'y faire installer des pièces de séjour, afin, prétendait-elle, de s'y retirer et d'y méditer sur ses livres d'heures. Elle affirmait avoir besoin de solitude. Comme elle était réputée de caractère fantasque, Louis de Navarre ne s'en était pas étonné. En fait, elle n'avait décidé de cet aménagement que pour pouvoir recevoir plus aisément le beau d'Aunay.

Ce dernier en avait conçu une inégalable fierté. Une reine, pour lui, avait transformé une forteresse en chambre d'amour.

Puis, quand son frère aîné Gautier était devenu l'amant de Blanche, la Tour avait également servi d'asile au nouveau couple. Le prétexte était aisé; Blanche venait rendre visite à sa cousine et belle-sœur; et Marguerite ne demandait qu'à être tout à la fois complaisante et complice.

Mais maintenant, lorsque Philippe regardait le grand édifice sombre, au toit crénelé, aux étroites et rares ouvertures en hauteur, il ne pouvait s'empêcher de se demander si d'autres hommes n'y connaissaient pas auprès de sa maîtresse les mêmes nuits tumultueuses... Ces cinq jours qui venaient de s'écouler sans qu'il eût reçu aucune nouvelle, alors que les soirées se fussent si bien prêtées à rencontres, n'autorisaient-ils pas tous les doutes?

Une porte s'ouvrit et une chambrière invita Philippe à la suivre. Il était décidé cette fois à ne pas s'en laisser conter. Il traversa plusieurs salles; puis la chambrière s'effaça, et Philippe entra dans une pièce basse, encombrée de meubles, et où flottait un entêtant parfum qu'il connaissait bien, une essence de jasmin que les marchands recevaient d'Orient.

Il fallut un instant à Philippe pour s'habituer à la pénombre et à la chaleur. Un grand feu aux braises épaisses ardait dans la cheminée de pierre.

— Madame... dit-il.

Une voix vint du fond de la pièce, une voix un peu rauque, comme endormie.

— Approchez, messire.

Marguerite osait-elle le recevoir dans sa chambre, sans témoin? Philippe d'Aunay fut bien vite tranquillisé et déçu; la reine de Navarre n'était pas seule. A demi cachée par la courtine du lit, une dame de parage, le menton et les cheveux emprisonnés dans la guimpe blanche des veuves, brodait. Marguerite, pour sa part, était allongée sur le lit, dans une robe de maison doublée de fourrure d'où sortaient ses pieds nus, petits et potelés. Recevoir un homme en pareille tenue et pareille posture était en soi une audace.

Philippe s'avança et prit un ton de cour, que démentait l'expression de son visage, pour dire que la comtesse de Poitiers l'envoyait prendre nouvelles de la reine de Navarre, lui porter compliment, et lui remettre un présent.

Marguerite écouta, sans bouger ni tourner les yeux.

Elle était petite, de cheveu noir, de teint ambré. On disait qu'elle avait le plus beau corps du monde et elle n'était pas la dernière à le faire savoir.

Philippe regardait cette bouche ronde, sensuelle, ce menton court, partagé d'une fossette, cette gorge charnue qui soulevait l'échancrure de la robe, ce bras replié et haut recouvert par la large emmanchure. Philippe se demanda si Marguerite était entièrement nue sous la fourrure.

— Posez ce présent sur la table, dit-elle, je vais le voir dans un instant.

Elle s'étira, bâilla, montrant ses courtes dents blanches, sa langue effilée, son palais rose et plissé; elle bâillait comme font les chats.

Elle n'avait pas encore une seule fois regardé le jeune homme. En revanche, il se sentait observé par la dame de parage. Il ne connaissait pas, parmi les suivantes de Marguerite, cette veuve au visage long et aux yeux trop rapprochés. Il fit effort pour contenir une irritation qui ne cessait de croître.

— Dois-je transmettre, demanda-t-il, une réponse à Madame de Poitiers?

Marguerite consentit enfin à regarder Philippe. Elle avait des yeux admirables, sombres et veloutés, qui caressaient les choses et les êtres.

— Dites à ma belle-sœur de Poitiers... prononça-t-elle.

Philippe, s'étant un peu déplacé, fit un geste nerveux, du bout des doigts, pour inviter Marguerite à écarter la veuve. Mais Marguerite ne sembla pas comprendre; elle souriait, non pas particulièrement à Philippe; elle souriait dans le vide.

— Ou bien non, reprit-elle. Je vais lui écrire un message que vous lui remettrez.

Puis, à la dame de parage:

— Ma bonne, il va être temps de me vêtir. Veuillez vous assurer que ma robe est apprêtée.

La veuve passa dans la pièce voisine, mais sans fermer la porte.

Marguerite se leva, découvrant un beau genou lisse; et passant auprès de Philippe, elle lui chuchota dans un souffle:

— Je t'aime.

— Pourquoi ne t'ai-je pas vue depuis cinq jours? demanda-t-il de la même façon.

— Oh! la belle chose! s'écria-t-elle en déployant la ceinture qu'il lui avait apportée. Que Jeanne a donc de goût, et comme ce présent me ravit!

— Pourquoi ne t'ai-je pas vue? répéta Philippe à voix basse.

— Elle va convenir à merveille pour y pendre ma nouvelle aumônière, reprit Marguerite bien fort. Messire d'Aunay, avez-vous le temps d'attendre que j'écrive ce mot de merci?

Elle s'assit à une table, prit une plume d'oie, une feuille de papier, et ne traça qu'un mot[10]. Elle fit signe à Philippe de s'approcher, et il put lire sur la feuille: « Prudence. »

Puis, elle cria, en direction de la pièce voisine:

— Madame de Comminges, allez chercher ma fille; je ne l'ai point embrassée de tout le matin.

On entendit la dame de parage sortir.

— La prudence, dit alors Philippe, est une bonne excuse pour éloigner un amant et en accueillir d'autres. Je sais bien que vous me mentez.

Elle eut une expression à la fois de lassitude et d'énervement.

— Et moi, je vois bien que vous ne comprenez rien, répondit-elle. Je vous prie de prendre mieux garde à vos paroles, et même à vos regards. C'est toujours quand deux amants commencent à se quereller ou à se lasser qu'ils trahissent leur secret devant leur entourage. Contrôlez-vous mieux.

Marguerite, ce disant, ne jouait pas. Depuis quelques jours elle sentait autour d'elle un vague parfum de soupçon. Louis de Navarre avait fait allusion devant elle, à ses succès, aux passions qu'elle allumait; plaisanterie de mari où le rire sonnait faux. Les impatiences de Philippe avaient-elles été remarquées? Du portier et de la chambrière de la tour de Nesle, deux domestiques qui venaient de Bourgogne et qu'elle terrorisait en même temps qu'elle les couvrait d'or, Marguerite pouvait se croire sûre autant que d'elle-même. Mais nul n'est jamais à l'abri d'une imprudence de langage. Et puis il y avait cette dame de Comminges, qu'on lui avait imposée pour complaire à Monseigneur de Valois, et qui rôdait partout dans ses tristes atours...

— Vous avouez donc que vous êtes lassée? dit Philippe d'Aunay.

— Oh! Vous êtes ennuyeux, vous savez, répliqua-t-elle. On vous aime et vous ne cessez de gronder.

— Eh bien! ce soir, je n'aurai pas lieu d'être ennuyeux, répondit Philippe. Il n'y aura pas conseil; le roi nous l'a dit lui-même Vous pourrez ainsi rassurer votre époux tout à votre aise.

Au visage qu'elle montra, Philippe, s'il n'avait pas été aveuglé par la colère, aurait pu comprendre que sa jalousie, de ce côté au moins, n'avait pas à s'alarmer.

— Et moi, j'irai chez les ribaudes! ajouta-t-il.

— Fort bien, dit Marguerite. Ainsi vous me raconterez comment font ces filles. J'y prendrai plaisir.

Son regard s'était allumé; elle se lissait les lèvres du bout de la langue, ironiquement.

«Garce! Garce! Garce!» pensa Philippe. Il ne savait comment la prendre; tout coulait sur elle comme l'eau sur un vitrail.

Elle alla vers un coffret ouvert, et y prit une bourse que Philippe ne lui connaissait pas.

— Cela va faire merveille, dit Marguerite en glissant la ceinture dans les passants, et en allant se poser, la bourse contre la taille, devant un grand miroir d'étain.

— Qui t'a donné cette aumônière? demanda Philippe.

— C'est...

Elle allait répondre ingénument la vérité. Mais elle le vit si crispé, si soupçonneux, qu'elle ne put résister à s'amuser de lui.

— C'est... quelqu'un.

— Qui?

— Devinez.

— Le roi de Navarre?

— Mon époux n'a pas de ces générosités!

— Alors, qui?

— Cherchez.

— Je veux savoir, j'ai le droit de savoir, dit Philippe s'emportant. C'est un présent d'homme, et d'homme riche, et d'homme amoureux... parce qu'il a des raisons de l'être, j'imagine.

Marguerite continuait de se regarder dans le miroir, essayant l'aumônière sur une hanche, puis sur l'autre, puis au milieu de la ceinture, tandis que, dans ce mouvement balancé, la robe fourrée lui couvrait et lui découvrait la jambe.

— C'est Monseigneur d'Artois, dit Philippe.

— Oh! quel mauvais goût vous me prêtez, messire! dit-elle. Ce grand butor, qui sent toujours le gibier...

— Le sire de Fiennes, alors, qui tourne autour de vous, comme de toutes les femmes? reprit Philippe.

Marguerite pencha la tête de côté, prenant une pose songeuse.

— Le sire de Fiennes? dit-elle. Je n'avais pas remarqué qu'il me portât intérêt. Mais puisque vous me le dites... Merci de m'en aviser.

— Je finirai bien par savoir.

— Quand vous aurez cité toute la cour de France...

Elle allait ajouter: «Vous penserez peut-être à la cour d'Angleterre»; mais elle fut interrompue par le retour de madame de Comminges qui poussait devant elle la princesse Jeanne. La petite fille âgée de trois ans marchait lentement, engoncée dans une robe brodée de perles. Elle ne tenait de sa mère que son front bombé, rond, presque buté. Mais elle était blonde, avec un nez mince, de longs cils battant sur des yeux clairs, et elle pouvait être aussi bien de Philippe d'Aunay que du roi de Navarre. Sur ce sujet non plus, Philippe n'avait jamais pu connaître la vérité; et Marguerite était trop habile pour se trahir en une question si grave.

Chaque fois que Philippe voyait l'enfant, il se demandait: «Est-elle de moi?» Il se remémorait les dates, cherchait des indices. Et il pensait que plus tard il aurait à s'incliner bien bas devant une princesse qui était peut-être sa fille, et qui peut-être aussi monterait sur les deux trônes et de Navarre et de France, puisque Louis et Marguerite n'avaient pour l'instant d'autre descendance.

Marguerite souleva la petite Jeanne, la baisa au front, constata qu'elle avait la mine fraîche, et la remit à la dame de parage en disant:

— Voilà, je l'ai embrassée; vous pouvez la reconduire.

Elle lut dans les yeux de madame de Comminges que celle-ci n'était pas dupe. «Il faut me débarrasser de cette veuve» se dit-elle.

Une autre dame entra, demandant si le roi de Navarre était là.

— Ce n'est point chez moi habituellement qu'on le trouve à cette heure, répondit Marguerite.

— C'est qu'on le cherche par tout l'hôtel. Le roi le fait mander dans l'instant.

— Et sait-on pour quel motif?

— J'ai cru comprendre, Madame, que les Templiers ont rejeté la sentence. Le peuple s'agite autour de Notre-Dame, et partout la garde est doublée. Le roi a convoqué conseil...

Marguerite et Philippe échangèrent un regard. La même idée leur était venue, qui n'avait rien à voir avec les affaires du royaume. Les événements obligeraient peut-être Louis de Navarre à passer une partie de la nuit au Palais.

— Il se peut que la journée ne s'achève point comme prévu, dit Philippe.

Marguerite l'observa un instant et jugea qu'elle l'avait assez fait souffrir. Il avait repris un maintien respectueux et distant; mais son regard mendiait le bonheur. Elle en fut émue, et se sentit du désir pour lui.

— Il se peut, messire, dit-elle.

La complicité, entre eux, était rétablie.

Elle alla prendre le papier où elle avait écrit « prudence » et le jeta au feu en ajoutant :

— Ce message ne convient point. J'en ferai tenir un autre, plus tard, à la comtesse de Poitiers; j'espère avoir de meilleures choses à lui dire. Adieu, messire.

Le Philippe d'Aunay qui sortit de l'hôtel de Nesle n'était plus le même que celui qui y était entré. Pour une seule parole d'espoir, il avait repris confiance en sa maîtresse, en lui-même, en l'existence entière, et cette fin de matinée lui semblait radieuse.

« Elle m'aime toujours; je suis injuste envers elle », pensait-il.

En franchissant le corps de garde, il se heurta à Robert d'Artois. On aurait pu croire que le géant suivait le jeune écuyer à la piste. Il n'en était rien. D'Artois, pour l'heure, avait d'autres problèmes.

— Monseigneur de Navarre est-il en sa demeure? demanda-t-il à Philippe.

— Je sais qu'on le cherche pour le Conseil du roi, dit Philippe.

— Le veniez-vous prévenir?

— Oui, répondit Philippe pris de court.

Et aussitôt il pensa que ce mensonge, trop aisément vérifiable, était une sottise.

— Je le cherche pour le même motif, dit l'Artois. Monseigneur de Valois voudrait l'entretenir auparavant.

Ils se séparèrent. Mais cette rencontre fortuite donna l'éveil au géant. « Serait-ce lui? » se demanda-t-il tandis qu'il traversait la grande cour pavée. Il avait aperçu Philippe une heure plus tôt dans la Galerie mercière, en compagnie de Jeanne et de Blanche. Il le retrouvait maintenant à la porte de Marguerite... « Ce damoiseau leur sert-il de messager, ou bien est-il l'amant d'une des trois? Si cela est, je ne tarderai pas à en être averti. »

Car madame de Comminges ne manquerait pas de le renseigner. En outre, il avait un homme à lui chargé de surveiller, la nuit, les abords de la tour de Nesle. Les filets étaient tendus. Tant pis pour cet oiseau au joli plumage s'il venait à s'y faire prendre!

VI

LE CONSEIL DU ROI

Le prévôt de Paris, accourant tout essoufflé chez le roi, avait trouvé celui-ci de bonne humeur. Philippe le Bel était occupé à admirer trois grands lévriers qui venaient de lui être envoyés avec la lettre suivante, où se reconnaissait sans peine une plume italienne :

« Moult aimé et redouté roi, notre Sire,

Un mien neveu, tout pénitent de son forfait, m'est venu confesser que ces trois chiens à lièvre qu'il guidait ont heurté Votre Seigneurie dans son passage. Si indignes qu'ils soient de Lui être présentés, je ne me sens point suffisance de mérite pour les conserver davantage, maintenant qu'ils ont touché si haute et puissante personne telle qu'Elle est. Ils me sont arrivés depuis peu, par la trafique de Venise. Adoncques, je requiers en grâce Votre Seigneurie de les recevoir et les tenir, pour ce qu'il Lui plaira, en gage de très dévotieuse humilité.

SPINELLO TOLOMEI,
Siennois. »

— L'habile homme que ce Tolomei ! avait dit Philippe le Bel.

Lui qui refusait tout présent ne résistait pas à accepter des chiens. Il possédait les plus belles meutes du monde, et c'était flatter sa seule passion que de lui faire don de chiens de courre aussi magnifiques que ceux qu'il avait devant les yeux.

Tandis que le prévôt lui expliquait ce qui s'était passé à Notre-Dame, Philippe le Bel avait continué de s'intéresser aux trois lévriers, de leur relever les babines pour examiner leurs crocs blancs et leur gueule noire, de palper leur poitrine profonde au pelage couleur de sable. Des bêtes directement importées d'Orient, sans aucun doute.

Entre le roi et les animaux, les chiens surtout, il existait un accord immédiat, secret, silencieux. A la différence des hommes, les chiens n'avaient point peur de lui. Et déjà le plus grand des trois lévriers était venu poser la tête sur le genou de son nouveau maître.

— Bouville! avait appelé Philippe le Bel.

Hugues de Bouville, le premier chambellan, homme d'une cinquantaine d'années, aux cheveux curieusement partagés en mèches blanches et en mèches noires qui le faisaient ressembler à un cheval pie, était apparu.

— Bouville, qu'on assemble sur l'heure le Conseil étroit.

Puis congédiant le prévôt, en lui laissant entendre qu'il jouait sa vie s'il se produisait le moindre trouble dans la ville, Philippe le Bel était resté à méditer en compagnie de ses chiens.

— Alors, mon Lombard, qu'allons-nous faire? avait-il murmuré en caressant la tête du grand lévrier, lui donnant ainsi son nouveau nom.

Car on appelait Lombards, indistinctement, tous les banquiers ou marchands originaires d'Italie. Et puisque ce chien venait de l'un d'eux, le mot s'était imposé au roi, comme allant de soi, pour le désigner.

Maintenant, le Conseil étroit était réuni, non pas dans la vaste Chambre de Justice, qui pouvait contenir plus de cent personnes et qu'on utilisait seulement pour les Grands Conseils, mais dans une petite pièce attenante, où un feu brûlait.

Autour d'une table longue, les membres de ce Conseil restreint avaient pris place, pour décider du sort des Templiers. Le roi siégeait au haut bout, le coude appuyé au bras de sa cathèdre, et le menton dans la main. A sa droite étaient assis Enguerrand de Marigny, coadjuteur et recteur du royaume, puis Guillaume de Nogaret, garde des Sceaux, Raoul de Presles, maître au Parlement de Justice, et trois autres légistes, Guillaume Dubois, Michel de Bourdenai, et Nicole Le Loquetier; à sa gauche, son fils aîné, le roi de Navarre, qu'on avait enfin trouvé, Hugues de Bouville, le grand chambellan, et le secrétaire privé Maillard. Deux places resteraient vides: celle du comte de Poitiers qui était en Bourgogne, et celle du prince Charles, le dernier fils du roi, parti le matin pour la chasse et qui n'avait pu être joint. Il manquait encore Monseigneur de Valois, qu'on avait envoyé quérir à son hôtel et qui devait y comploter, comme à son habitude avant chaque conseil. Le roi avait décidé qu'on commencerait sans lui.

Enguerrand de Marigny parla le premier. Ce tout-puissant ministre, et tout-puissant de par son entente profonde avec le souverain, n'était pas né noble. C'était un bourgeois normand, qui s'appelait Le Portier avant de devenir sire de Marigny; il avait suivi une carrière prodigieuse qui lui valait autant de jalousie que de respect. Le titre de coadjuteur, créé pour lui, en avait fait l'*alter ego* du roi. Il avait quarante-neuf ans, une carrure solide, le menton large, la peau grumeleuse, et il vivait avec magnificence sur l'immense fortune qu'il s'était acquise. Il passait pour avoir la parole la plus habile du royaume et possédait une intelligence politique qui dominait de très haut son époque.

Il ne lui fallut que quelques minutes pour fournir un tableau complet de la situation ; il venait d'ouïr plusieurs rapports, dont celui de son frère l'archevêque de Sens.

— Le grand-maître et le précepteur de Normandie ont été remis, Sire, entre vos mains, par la commission de l'Église, dit-il. Il vous est désormais loisible de disposer d'eux totalement, sans en référer à personne, fût-ce au pape. N'est-ce pas ce que nous pouvions espérer de mieux ?

Il s'interrompit ; la porte venait de s'ouvrir sur Monseigneur de Valois, frère du roi et ex-empereur de Constantinople, qui faisait une entrée en coup de vent. Ayant seulement esquissé une inclinaison de tête en direction du souverain, et sans prendre la peine de s'informer de ce qui avait été dit en son absence, le nouvel arrivant s'écria :

— Qu'entends-je, Sire mon frère ? Messire Le Portier de Marigny (il avait bien insisté sur Le Portier) trouve que tout va pour le mieux ? Eh bien ! mon frère, vos conseillers se contentent de peu. Je me demande quel jour ils trouveront que tout va mal !

De deux ans le cadet de Philippe le Bel, mais paraissant l'aîné, et aussi agité que son frère était calme, Charles de Valois, le nez gras, les joues couperosées par la vie des camps et les excès de table, poussait devant lui une arrogante panse, et s'habillait avec une somptuosité orientale qui, sur tout autre, eût paru ridicule. Il avait été beau.

Né au plus près du trône de France, et ne se consolant pas de ne pas l'occuper, ce prince brouillon s'était employé à courir l'univers pour trouver un autre trône où s'asseoir. Il avait, dans son adolescence, reçu, mais sans pouvoir la garder, la couronne d'Aragon. Puis il avait tenté de reconstituer à son profit le royaume d'Arles. Puis il s'était porté candidat à l'empire d'Allemagne, mais avait échoué assez piteusement à l'élection. Veuf d'une princesse d'Anjou-Sicile, il était, par son remariage avec Catherine de Courtenay, héritière de l'Empire latin d'Orient, devenu empereur de Constantinople, mais empereur titulaire seulement, car un véritable souverain, Andronic II Paléologue, régnait alors à Byzance. Or même ce sceptre illusoire, par suite d'un second veuvage, venait de lui échapper l'année précédente pour passer à l'un de ses gendres, le prince de Tarente.

Ses meilleurs titres de gloire étaient sa campagne éclair de Guyenne en 1297, et sa campagne de Toscane en 1301, où, soutenant les Guelfes contre les Gibelins, il avait ravagé Florence et exilé le poète Dante. Ce pourquoi le pape Boniface VIII l'avait fait comte de Romagne.

Valois menait train royal, avait sa cour et son chancelier. Il détestait Enguerrand de Marigny pour vingt raisons, pour l'extraction roturière de celui-ci, pour sa dignité de coadjuteur, pour sa statue dressée parmi celles des rois dans la Galerie mercière, pour sa politique hostile aux grands féodaux, pour tout. Valois ne parvenait pas à admettre, lui petit-fils de Saint Louis, que le royaume fût gouverné par un homme sorti du commun.

Ce jour-là il était vêtu de bleu et d'or, depuis le chaperon jusqu'aux souliers.

— Quatre vieillards à demi morts, reprit-il, dont on nous avait assuré que le sort était réglé... de quelle façon, hélas!... tiennent en échec l'autorité royale, et tout est pour le mieux. Le peuple crache sur le tribunal... quel tribunal! recruté pour le besoin, convenons-en; mais enfin, c'est une assemblée d'Église... et tout est pour le mieux. La foule hurle à la mort, mais contre qui? Contre les prélats, contre le prévôt, contre les archers, contre vous, mon frère!... et tout va pour le mieux. Eh bien! soit, réjouissons-nous; tout est au mieux.

Il éleva les mains, qu'il avait belles et toutes chargées de bagues, et puis s'assit, non point à la place qui lui avait été réservée, mais sur le premier siège à sa portée, au bas bout de la table, comme pour bien affirmer, par cet exil, son désaccord.

Enguerrand de Marigny était resté debout, un pli d'ironie cernant son large menton.

— Monseigneur de Valois doit être mal renseigné, dit-il calmement. Sur les quatre vieillards dont il parle, deux seulement ont protesté contre la sentence qui les condamnait. Quant au peuple, tous les rapports m'assurent qu'il est fort partagé d'opinion.

— Partagé! s'écria Charles de Valois. Mais c'est scandale déjà qu'il puisse être partagé! Qui demande au peuple son opinion? Vous, messire de Marigny, et l'on comprend pourquoi. Voilà tout le résultat de votre belle invention d'avoir assemblé les bourgeois, les vilains et autres manants pour leur faire approuver les décisions du roi. A présent le peuple s'arroge le droit de juger.

En toute époque et tout pays, il y eut toujours deux partis: celui de la réaction et celui du progrès. Deux tendances s'affrontaient au Conseil du roi. Charles de Valois, se considérant comme le chef naturel des grands barons, incarnait la réaction féodale. Son évangile politique tenait à quelques principes qu'il défendait avec acharnement: droit de guerre privée entre les seigneurs, droit, pour les grands feudataires, de battre monnaie sur leurs territoires, maintien de l'ordre moral et légal de la chevalerie, soumission au Saint-Siège considéré comme suprême puissance arbitrale. Toutes institutions ou coutumes héritées des siècles passés, mais que Philippe le Bel, inspiré par Marigny, avait abolies, ou qu'il travaillait à abolir.

Enguerrand de Marigny représentait le progrès. Ses grandes idées étaient la décentralisation du pouvoir et de l'administration, l'unification des monnaies, l'indépendance du gouvernement vis-à-vis de l'Église, la paix extérieure par la fortification des villes clefs et l'établissement de garnisons permanentes, la paix intérieure par un renforcement général de l'autorité royale, l'augmentation de la production par la sécurité des échanges et du trafic marchand. On appelait les dispositions prises ou promues par lui les « novelletés ». Mais ces médailles avaient leur revers. La police, qui proliférait, coûtait cher à nourrir, et les forteresses cher à construire.

Battu en brèche par le parti féodal, Enguerrand s'était efforcé de donner au roi l'appui d'une classe qui, en se développant, prenait conscience de son importance : la bourgeoisie. Il avait en plusieurs occasions difficiles, et particulièrement à propos de conflits avec le Saint-Siège, convoqué au palais de la Cité les bourgeois de Paris en même temps que les barons et les prélats. Il avait fait de même dans les villes de province. L'Angleterre, où depuis un demi-siècle déjà fonctionnait régulièrement une Chambre des Communes, lui servait d'exemple.

Il n'était pas encore question, pour les assemblées françaises, de discuter les décisions royales, mais seulement d'en entendre les raisons et de les approuver [11].

Valois, tout brouillon qu'il fût, était le contraire d'un sot. Il ne manquait pas une occasion de tenter de discréditer Marigny. Leur opposition, sourde pendant longtemps, s'était muée, dans les mois récents, en lutte ouverte.

— Si les hauts barons, dont vous êtes le plus haut, Monseigneur, dit Marigny, s'étaient soumis de meilleur gré aux ordonnances royales, nous n'aurions pas eu besoin de nous appuyer sur le peuple.

— Bel appui en vérité ! cria Valois. Les émeutes de 1306, où le roi et vous-même avez dû, contre Paris soulevé, vous réfugier au Temple... oui, je vous le rappelle, au Temple !... ne vous ont guère servi de leçon. Je vous prédis qu'avant qu'il soit longtemps, si l'on continue de ce train, les bourgeois se passeront de roi pour gouverner, et ce seront vos assemblées qui feront les ordonnances.

Le roi se taisait, le menton dans la main, et les yeux grands ouverts fixés droit devant lui. Il ne battait que très rarement des paupières ; ses cils restaient en place, immuablement, pendant de longues minutes ; et c'était cela qui donnait à son regard l'étrange fixité dont tant de gens s'effrayaient.

Marigny se tourna vers lui, comme s'il lui demandait d'user de son autorité pour arrêter une discussion qui s'égarait.

Philippe le Bel souleva légèrement la tête et dit :

— Mon frère, ce ne sont point des assemblées, mais des Templiers que, ce jour, nous nous occupons.

— Soit, dit Valois en tapotant la table. Occupons-nous des Templiers.

— Nogaret! murmura le roi.

Le garde des Sceaux se leva. Depuis le début du conseil, il était brûlé d'une colère qui n'attendait que l'instant d'éclater. Fanatique du bien public et de la raison d'État, l'affaire des Templiers était *son* affaire, et il y apportait une passion qui ne connaissait ni limite ni repos. C'était d'ailleurs à ce procès du Temple que Guillaume de Nogaret devait, depuis la Saint-Maurice de l'an 1307, sa haute charge dans l'État.

Ce jour-là, au cours d'un conseil qui se tenait à Maubuisson, l'archevêque de Narbonne, Gilles Aycelin, alors garde des Sceaux royaux, s'était refusé, tragiquement, à apposer ceux-ci sur l'ordonnance d'arrestation des Templiers. Philippe le Bel, sans un mot, avait pris les sceaux des mains de l'archevêque pour les mettre devant Nogaret, faisant de ce légiste le second personnage de l'administration royale.

Nogaret était ardent, austère, et implacable comme la faux de la mort. Osseux, noir, le visage en longueur, il tripotait sans cesse quelque partie de son vêtement ou bien rongeait l'ongle d'un de ses doigts plats.

— Sire, la chose monstrueuse, la chose horrible à penser et terrible à entendre qui vient de se produire, commença-t-il d'un ton à la fois emphatique et précipité, prouve que toute indulgence, toute clémence accordée à des suppôts du Diable, est une faiblesse qui se renverse contre vous.

— Il est vrai, dit Philippe le Bel en se tournant vers Valois, que la clémence que vous m'avez conseillée, mon frère, et que ma fille d'Angleterre m'a demandée par message, ne semble guère porter de bons fruits... Continuez, Nogaret.

— On laisse à ces chiens pourris une vie qu'ils ne méritent pas; au lieu de bénir leurs juges, ils en profitent pour insulter aussitôt et l'Église et le roi. Les Templiers sont des hérétiques...

— Étaient... laissa tomber Charles de Valois.

— Vous dites, Monseigneur? demanda Nogaret, impatient.

— Je dis *étaient*, messire, car si j'ai bonne mémoire, sur les milliers qu'ils se comptaient en France, et que vous avez bannis, ou claustrés, ou roués, ou rôtis, il ne vous en reste plus que quatre entre les mains... assez embarrassants, je vous l'accorde, puisque après sept ans de procédure ils viennent encore clamer leur innocence! Il semble que naguère, messire de Nogaret, vous alliez plus vite en besogne, lorsque vous saviez, d'un seul soufflet, faire disparaître un pape.

Nogaret frémit, et la peau de son visage devint plus foncée sous le poil bleu de sa barbe. Car il demeurait l'homme qui avait conduit, jusqu'au cœur du Latium, la sinistre expédition destinée à déposer le vieux Boniface VIII, et au bout de laquelle ce pape de quatre-vingt-huit ans avait été giflé sous la tiare pontificale. Nogaret s'était vu, en retour, frappé d'excommunication, et il avait fallu tout le pouvoir de Philippe le Bel sur Clément V, deuxième successeur de Boniface, pour obtenir la levée de la sentence. Cette pénible affaire n'était pas tellement ancienne ; elle ne datait que de onze ans ; et les adversaires de Nogaret ne manquaient jamais l'occasion de la lui rappeler.

— Nous savons, Monseigneur, répliqua-t-il, que vous avez toujours appuyé les Templiers. Sans doute comptiez-vous sur eux pour reconquérir, fût-ce à la grand-ruine de la France, ce trône fantôme de Constantinople sur lequel il apparaît que vous ne vous êtes guère assis.

Il avait rendu outrage pour outrage, et son teint reprit une meilleure couleur.

— Tonnerre ! s'écria Valois en se dressant et en renversant son siège derrière lui.

Un aboiement, parti de dessous la table, fit sursauter les assistants, sauf Philippe le Bel, et éclater de rire nerveusement Louis de Navarre. L'aboiement venait du grand lévrier que le roi avait gardé près de lui, et qui n'était pas encore habitué à ces éclats.

— Louis... taisez-vous, dit Philippe le Bel en posant sur son fils un regard glacé.

Puis il claqua des doigts en disant : « Lombard... à bas ! » et ramena contre sa cuisse la tête du chien.

Louis de Navarre, que l'on commençait à surnommer Louis Hutin, c'est-à-dire le Disputeur et le Confus, Louis la Brouille, baissa le nez pour étouffer son fou rire. Il avait vingt-cinq ans, mais pour la cervelle il n'en comptait pas quinze. Il montrait quelques traits de ressemblance physique avec son père, mais son regard était fuyant, et ses cheveux sans lustre.

— Sire, dit Charles de Valois solennellement, après que le grand chambellan lui eut relevé son siège, Sire mon frère, Dieu m'est témoin que je n'ai jamais songé qu'à vos intérêts et à votre gloire.

Philippe le Bel tourna les yeux vers lui, et Charles de Valois se sentit moins assuré dans sa parole. Néanmoins il poursuivit :

— C'est à vous seulement, mon frère, que je pense encore lorsque je vois détruire à plaisir ce qui a fait la force du royaume. Sans le Temple, refuge de la chevalerie, comment pourrez-vous entreprendre une nouvelle croisade, s'il vous fallait la faire ?

Ce fut Marigny qui se chargea de répondre.

— Sous le sage règne de notre roi, dit-il, nous n'avons pas eu croisade, justement parce que la chevalerie était calme, Monseigneur, et qu'il n'était point nécessaire de la conduire outre la mer dépenser ses ardeurs.

— Et la foi, messire ?

— L'or repris aux Templiers a grossi davantage le Trésor, Monseigneur, que tout ce grand commerce qui se trafiquait sous les oriflammes de la foi; et les marchandises circulent aussi bien sans croisades.

— Messire, vous parlez comme un mécréant!

— Je parle comme un serviteur du royaume, Monseigneur!

Le roi frappa légèrement la table.

— Mon frère, c'est des Templiers qu'il s'agit ce jour... Je vous demande votre conseil.

— Mon conseil... mon conseil? répéta Valois, pris de court.

Il était toujours prêt à réformer l'univers, mais jamais à fournir un avis précis.

— Eh bien! mon frère, que ceux qui ont si bien conduit l'affaire (il désigna Nogaret et Marigny) vous inspirent comment la terminer. Pour moi...

Et il fit le geste de Pilate.

— Louis... votre conseil, demanda le roi.

Louis de Navarre tressaillit, et mit un moment à répondre.

— Si l'on confiait ces Templiers au pape? dit-il enfin.

— Louis... taisez-vous, dit le roi.

Et il échangea avec Marigny un regard de commisération.

Renvoyer le grand-maître devant le pape, c'était tout recommencer depuis le début, tout remettre en cause, le fond et la forme, effacer les dessaisissements si durement arrachés à plusieurs conciles, annuler sept années d'efforts, rouvrir la voie à toutes les contestations.

« Faut-il que ce soit ce sot, ce pauvre esprit incompétent, qui doive me succéder sur le trône, pensait Philippe le Bel. Enfin, espérons que d'ici là il aura mûri. »

Une averse de mars vint crépiter sur les vitres enchâssées de plomb.

— Bouville? dit le roi.

Le grand chambellan n'était que dévouement, obéissance, fidélité, souci de plaire, mais n'avait pas la pensée tournée à l'initiative. Il se demandait quelle réponse le souverain souhaitait.

— Je réfléchis, Sire, je réfléchis... répondit-il.

— Nogaret... votre conseil?

— Que ceux qui sont retombés dans l'hérésie subissent le châtiment des hérétiques, et sans délai, répondit le garde des Sceaux.

— Le peuple?... demanda Philippe le Bel en déplaçant son regard vers Marigny.

— Son agitation, Sire, tombera aussitôt que ceux qui en sont la cause auront cessé d'exister, dit le coadjuteur.

Charles de Valois tenta un dernier effort.

— Mon frère, dit-il, considérez que le grand-maître avait rang de prince souverain, et que toucher à sa tête, c'est attenter au respect qui protège les têtes royales...

Le regard du roi lui coupa la parole.

Il y eut un temps de silence pesant, puis Philippe le Bel prononça :

— Jacques de Molay et Geoffroy de Charnay seront brûlés ce soir dans l'île aux Juifs, face au jardin du Palais. La rébellion a été publique ; le châtiment sera public. Messire de Nogaret rédigera l'arrêt. J'ai dit.

Il se leva et tous les assistants l'imitèrent.

— J'entends que tous ici vous assistiez au supplice, mes seigneurs, et que notre fils Charles y soit présent aussi. Qu'on l'en avertisse, ajouta-t-il.

Puis il appela :

— Lombard !

Et il sortit, le chien marchant dans ses pas.

A ce conseil auquel avaient participé deux rois, un ex-empereur, un vice-roi et plusieurs dignitaires, deux grands seigneurs à la fois de guerre et d'Église venaient d'être condamnés à mourir par le feu. Mais pas un instant, on n'avait eu le sentiment qu'il fût question de vies et de chairs humaines ; il ne s'était agi que de principes.

— Mon neveu, dit Charles de Valois à Louis Hutin, nous aurons assisté ce jour à la fin de la chevalerie.

VII

LA TOUR DES AMOURS

La nuit était tombée. Un vent faible charriait des odeurs de terre mouillée, de vase, de sève en travail, et chassait de gros nuages noirs dans le ciel sans étoiles.

Une barque qui venait de quitter la rive, à hauteur de la tour du Louvre, avançait sur la Seine dont l'eau luisait comme un bouclier bien graissé.

Deux passagers étaient assis à l'arrière de la barque, le pan de leur manteau rejeté sur l'épaule.

— Un vrai temps de mécréant, ce jour d'hui, dit le batelier qui pesait lentement sur ses rames. Au matin on se réveille avec une brume qu'on n'y voyait pas à deux toises. Et puis sur tierce [12], voilà le soleil qui se montre ; alors on pense : le printemps est en route. Pas plus tôt dit, c'est les giboulées qui recommencent pour toute la vesprée. A présent, le vent vient de se lever, et qui va forcer, pour sûr... Un temps de mécréant.

— Plus vite, bonhomme, dit l'un des passagers.

— On fait du mieux qu'on peut. C'est que je suis vieux, vous savez ; cinquante-trois à la Saint-Michel, j'aurai. Je ne suis plus fort comme vous l'êtes, mes jeunes seigneurs, répondit le batelier.

Il était vêtu de loques et paraissait se complaire à prendre un ton geignard.

A distance, vers la gauche, on voyait des lumières sautiller sur l'îlot des Juifs, et, plus loin, les fenêtres allumées du Palais de la Cité. Il y avait grand mouvement de barques de ce côté-là.

— Alors, mes gentilshommes, vous n'allez donc point voir griller les Templiers ? reprit le batelier. Il paraît que le roi y sera, avec ses fils. C'est-il vrai ?

— Il paraît, fit le passager.

— Et les princesses, y seront-elles de même ?

— Je ne sais pas... sans doute, dit le passager en détournant la tête pour signifier qu'il ne tenait pas à poursuivre la conversation.

Puis, à son compagnon, il dit à voix basse:

— Ce bonhomme ne me plaît pas, il parle trop.

Le second passager haussa les épaules avec indifférence. Puis, après un silence, il chuchota:

— Comment as-tu été prévenu?

— Par Jeanne, comme toujours.

— Chère comtesse Jeanne, que de grâces nous lui devons.

A chaque coup de rame, la tour de Nesle se rapprochait, haute masse noire dressée contre le ciel noir.

— Gautier, reprit le premier passager en posant la main sur le bras de son voisin, ce soir je suis heureux. Et toi?

— Moi aussi, Philippe, je me sens bien aise.

Ainsi parlaient les deux frères d'Aunay, se dirigeant vers le rendez-vous que Blanche et Marguerite leur avaient donné aussitôt qu'elles avaient su que leurs époux seraient absents pour la soirée. Et c'était la comtesse de Poitiers, serviable une fois de plus aux amours des autres, qui s'était chargée du message.

Philippe d'Aunay avait peine à contenir sa joie. Toutes ses alarmes du matin étaient effacées, tous ses soupçons lui paraissaient vains. Marguerite l'avait appelé; Marguerite l'attendait; dans quelques instants il tiendrait Marguerite entre ses bras, et il se jurait d'être l'amant le plus tendre, le plus gai, le plus ardent qui se puisse trouver.

La barque aborda au talus dans lequel s'enfonçaient les assises de la Tour. La dernière crue du fleuve y avait laissé une couche de vase.

Le passeur tendit le bras aux deux jeunes gens pour les aider à prendre pied.

— Alors, bonhomme, c'est bien convenu, lui dit Gautier d'Aunay; tu nous attends sans t'éloigner, et sans te laisser voir.

— Toute la vie si vous voulez, mon jeune seigneur, du moment que vous me payez pour cela, répondit le passeur.

— La moitié de la nuit sera assez, dit Gautier.

Il lui donna un sou d'argent, douze fois plus que ne valait la course, et lui en promit autant pour le retour. Le passeur salua bien bas.

Prenant garde à ne pas glisser ni trop se crotter, les deux frères franchirent les quelques pas qui les séparaient d'une poterne à laquelle ils frappèrent selon un signal convenu. La porte s'entrouvrit. Une chambrière qui tenait un lumignon au poing leur livra passage et, après avoir rebarricadé la porte, les précéda dans un escalier à vis.

La grande pièce ronde où elle les fit pénétrer n'était éclairée que par les lueurs du feu, dans la cheminée à hotte. Et ces lueurs allaient se perdre dans la croisée d'ogive d'un plafond à voûte.

Ici, comme dans la chambre de Marguerite, flottait une odeur d'essence de jasmin; tout en était imprégné, les étoffes brochées d'or tendues sur la muraille, les tapis, les fourrures fauves répandues en abondance sur des lits bas, à la mode orientale.

Les princesses n'étaient pas là. La chambrière sortit en disant qu'elle allait les avertir.

Les deux jeunes gens, ayant ôté leurs manteaux, s'approchèrent de la cheminée et tendirent machinalement les mains à la flamme.

Gautier d'Aunay était d'une vingtaine de mois l'aîné de son frère Philippe, auquel il ressemblait fort, mais en plus court, plus solide et plus blond. Il avait le cou large, les joues roses, et prenait la vie avec amusement. Il ne semblait pas, comme Philippe, tour à tour ravagé ou exalté par la passion. Il était marié, et bien marié, à une Montmorency, dont il avait déjà trois enfants.

— Je me demande toujours, dit-il, en se chauffant, pourquoi Blanche m'a pris pour amant, et pourquoi même elle a un amant. De la part de Marguerite, cela s'explique sans peine. Il suffit de voir le Hutin, avec son regard bas, et sa poitrine creuse, et de te contempler à côté, pour comprendre aussitôt. Et puis il y a tout le reste que nous savons...

Il faisait allusion, par là, à des secrets d'alcôve, au peu de vigueur amoureuse du jeune roi de Navarre et à la discorde sourde qui existait entre les époux.

— Mais Blanche, je ne comprends point, reprit Gautier d'Aunay. Son mari est beau, bien plus que je ne le suis... Mais non, mon frère, ne proteste pas; Charles est plus beau; il a toute l'apparence du roi Philippe. Blanche est aimée de lui, et je pense bien, quoi qu'elle m'en dise, qu'elle l'aime aussi. Alors pourquoi? Je savoure ma chance, mais n'en vois point la raison. Serait-ce simplement parce que Blanche veut agir en tout comme sa cousine?

Il y eut de légers bruits de pas et de chuchotements dans la galerie qui reliait la Tour à l'Hôtel, et les deux princesses apparurent.

Philippe s'élança vers Marguerite, mais s'arrêta net dans son mouvement. A la ceinture de sa maîtresse, il avait aperçu l'aumônière qui l'avait tant irrité, le matin.

— Qu'as-tu, mon beau Philippe? demanda Marguerite, les bras tendus et la bouche offerte. N'es-tu pas heureux?

— Je le suis, Madame, répondit-il froidement.

— Que se passe-t-il encore? Quelle nouvelle mouche...

— Est-ce... pour me narguer? dit Philippe en désignant l'aumônière. Elle eut un beau rire chaud.

— Que tu es sot, que tu es jaloux, que tu me plais! Tu n'as donc pas compris que j'agissais par jeu? Mais je te la donne, cette bourse, si cela doit t'apaiser.

Elle détacha prestement l'aumônière de sa ceinture. Philippe eut un geste pour protester.

— Voyez-moi ce fol, continua-t-elle, qui prend feu au moindre propos.

Et grossissant la voix, elle s'amusa à contrefaire la colère de Philippe.

— Un homme! Quel est cet homme? Je veux savoir!... C'est Robert d'Artois... c'est le sire de Fiennes...

A nouveau son beau rire roula dans sa gorge.

— C'est une parente qui me l'a envoyée, messire l'ombrageux, puisque vous voulez tout savoir, reprit-elle. Et Blanche a reçu la même, et Jeanne aussi. Si c'était un présent d'amour, songerais-je à te l'offrir? C'en est un, à présent, pour toi.

A la fois penaud et comblé, Philippe d'Aunay admirait l'aumônière que Marguerite lui avait mise presque de force dans la main.

Se tournant vers sa cousine, Marguerite ajouta:

— Blanche, montre ton aumônière à Philippe. Je lui ai donné la mienne.

Et à l'oreille de Philippe, elle murmura:

— Je gage fort qu'avant qu'il soit longtemps, ton frère aura reçu même présent.

Blanche était allongée sur l'un des lits bas; et Gautier un genou en terre, auprès d'elle, lui couvrait de baisers la gorge et les mains. Se soulevant à demi, elle demanda, la voix rendue un peu lointaine par l'attente du plaisir:

— N'est-ce pas bien imprudent, Marguerite, ce que tu fais là?

— Mais non, répondit Marguerite. Personne ne sait, et nous ne les avons pas encore portées. Il suffira d'avertir Jeanne. Et puis le don d'une bourse n'est-il pas la meilleure manière de remercier de bons gentilshommes du service qu'ils nous font?

— Alors, s'écria Blanche, je ne veux pas que mon bel amant soit moins aimé et moins paré que le tien.

Et elle délia son aumônière, que Gautier accepta sans peine ni gêne, puisque son frère l'avait fait.

Marguerite regarda Philippe d'un air qui signifiait: «Ne te l'avais-je pas dit?»

Philippe lui sourit. Il ne pourrait jamais la deviner, ni se l'expliquer. Était-ce la même femme qui, le matin, cruelle, coquette, perfide, s'ingéniait à le faire défaillir de jalousie, et qui maintenant, lui offrant un cadeau de vingt livres, se tenait entre ses bras, soumise, tendre, presque tremblante?

— Si je t'aime si fort, murmura-t-il, je crois bien que c'est parce que je ne te comprends pas.

Aucun compliment ne pouvait toucher davantage Marguerite. Elle en remercia Philippe en enfouissant les lèvres dans son cou. Puis, se dégageant, et l'oreille soudain attentive, elle s'écria :

— Entendez-vous ? Les Templiers... On les amène au bûcher.

Le regard brillant, le visage animé d'une curiosité trouble, elle entraîna Philippe vers la fenêtre, haute meurtrière taillée en biais dans l'épaisseur du mur, et elle ouvrit l'étroit vitrail.

Une grande rumeur de foule pénétra dans la pièce.

— Blanche, Gautier, venez voir ! dit Marguerite.

Mais Blanche répondit, dans un gémissement heureux :

— Ah ! non, je ne veux bouger d'ici ; je suis trop bien.

Entre les deux princesses et leurs amants, toute pudeur était depuis longtemps abolie, et ils avaient accoutumé de se livrer les uns devant les autres à tous les jeux de la passion. Si Blanche parfois détournait les yeux, et réfugiait sa nudité dans les coins d'ombre, Marguerite, au contraire, prenait un surcroît de plaisir à contempler l'amour des autres, comme à s'offrir à leurs regards.

Mais pour l'instant, collée à la fenêtre, elle était retenue par le spectacle qui se déroulait au milieu de la Seine. Là-bas, sur l'île aux Juifs, cent archers disposés en cercle élevaient des torches allumées ; et la flamme de toutes ces torches, vacillant dans le vent, formait une grotte de clarté où l'on voyait nettement l'immense bûcher et les aides-bourreaux qui escaladaient les piles de rondins. En deçà des archers, l'îlot, simple prairie où l'on menait d'ordinaire paître vaches et chèvres, était couvert d'une foule pressée ; et une nuée de barques sillonnaient le fleuve, chargées de gens qui voulaient assister au supplice.

Partie de la rive droite, une barque, plus lourde que les autres et montée par des hommes d'armes debout, venait d'accoster à l'îlot. Deux hautes silhouettes grises, coiffées d'étranges chapeaux, en descendirent. Devant elles, se profilait une croix. Alors la rumeur de la foule grossit, devint clameur.

Presque au même instant, une loggia s'éclaira dans une tour, dite de l'Eau, bâtie à la pointe du jardin du Palais. Bientôt l'on vit des ombres se profiler dans cette loggia. Le roi et son Conseil venaient d'y prendre place.

Marguerite éclata de rire, d'un long rire modulé, cascadant, qui n'en finissait pas.

— Pourquoi ris-tu ? demanda Philippe.

— Parce que Louis est là-bas, répondit-elle, et que, s'il faisait jour, il pourrait me voir.

Ses yeux luisaient ; ses boucles noires dansaient sur son front bombé. D'un mouvement rapide, elle fit surgir hors de sa robe ses belles épaules ambrées, et laissa choir ses vêtements à terre comme si elle avait voulu, à travers la distance et la nuit, narguer le mari qu'elle détestait. Elle attira sur ses hanches les mains de Philippe.

Au fond de la salle, Blanche et Gautier étaient étendus l'un·près de l'autre, dans un enlacement indistinct, et le corps de Blanche avait des reflets de nacre.

Là-bas, au milieu du fleuve, la clameur croissait. On liait les Templiers sur le bûcher auquel, dans un instant, on mettrait le feu.

Marguerite frissonna sous l'air nocturne, et se rapprocha de la cheminée. Elle resta un moment à regarder fixement le foyer, s'exposant à l'ardeur des braises jusqu'à ce que la caresse de la chaleur devînt insupportable. Les flammes moiraient sa peau de lueurs dansantes.

— Ils vont brûler, ils vont griller, dit-elle d'une voix haletante et rauque, et nous pendant ce temps...

Ses yeux cherchaient dans le cœur du feu d'infernales images pour nourrir son plaisir.

Elle se retourna brusquement, faisant face à Philippe, et s'offrit à lui, debout, comme les nymphes de la légende s'offraient au désir des faunes.

Sur le mur, leur ombre se projetait, immense, jusqu'aux voûtes du plafond.

VIII

« JE CITE AU TRIBUNAL DE DIEU... »

Le jardin du Palais n'était séparé de l'île aux Juifs que par un mince bras du fleuve[13]. Le bûcher avait été dressé de manière à faire face à la loggia royale de la tour de l'Eau.

Les curieux ne cessaient d'affluer sur les deux berges boueuses de la Seine, et l'îlot lui-même disparaissait sous le piétinement de la foule. Les passeurs, ce soir, faisaient fortune.

Mais les archers étaient bien alignés ; les sergents truffaient les rassemblements ; des piquets d'hommes d'armes avaient été postés sur les ponts et aux issues de toutes les rues qui aboutissaient à la rive.

— Marigny, vous pourrez complimenter le prévôt, dit le roi à son coadjuteur.

L'agitation, dont on avait pu redouter le màtin qu'elle ne tournât à la révolte, s'achevait en fête populaire, en liesse foraine, en divertissement tragique offert par le roi à sa capitale. Il régnait une atmosphère de kermesse. Des truands se mêlaient aux bourgeois qui s'étaient dérangés en famille ; les « filles follieuses » étaient accourues, fardées et teintes, des ruelles, derrière Notre-Dame, où elles exerçaient leur commerce. Des gamins se faufilaient entre les pieds des gens pour gagner les premiers rangs. Quelques Juifs, serrés en groupes timides, la rouelle jaune sur leur manteau, étaient venus regarder ce supplice dont, pour une fois, ils ne faisaient pas les frais. Et de belles dames en surcots fourrés, quêteuses d'émotions fortes, se serraient contre leurs galants en poussant de petits cris nerveux.

L'air était presque froid ; le vent soufflait par courtes rafales. La lueur des torches répandait sur le fleuve des marbrures rouges.

Messire Alain de Pareilles, chapeau de fer en tête, l'air ennuyé comme toujours, se tenait à cheval, en avant de ses archers.

Autour du bûcher, dont la hauteur dépassait la taille d'un homme, les bourreaux et leurs aides, encapuchonnés de rouge, s'affairaient, rectifiaient l'alignement des rondins, préparaient les fagots de réserve, avec le souci du travail bien fait.

Au sommet du bûcher, le grand-maître des Templiers et le précepteur de Normandie étaient déjà liés, côte à côte, à leurs poteaux. On leur avait mis sur la tête l'infamante mitre de papier des hérétiques.

Un moine tendait vers leurs visages un crucifix à longue hampe, et leur adressait ses dernières exhortations. La foule fit silence, pour entendre le moine.

— Dans un instant vous allez comparaître devant Dieu. Il est temps encore de confesser vos fautes et de vous repentir... Je vous en adjure pour la dernière fois...

Là-haut, les condamnés, immobiles entre ciel et terre et la barbe tordue par le vent, ne répondirent pas.

— Ils refusent de se confesser ; ils ne se repentent point, murmurat-on dans l'assistance.

Le silence devint plus dense, plus profond. Le moine s'était agenouillé au pied du bûcher, et récitait les prières en latin. Le maître bourreau prit de la main d'un de ses aides le brandon d'étoupe allumée qu'il fit tournoyer plusieurs fois pour en aviver la flamme.

Un enfant se mit à pleurer et l'on entendit claquer le bruit d'une gifle.

Alain de Pareilles se tourna vers la loggia royale comme s'il demandait un ordre ; tous les regards, toutes les têtes se dirigèrent du même côté. Et toutes les respirations restèrent en suspens.

Philippe le Bel était debout contre la balustrade, avec les membres de son Conseil alignés de part et d'autre de sa personne, et formant sous la lumière des torches comme un bas-relief au flanc de la tour.

Les condamnés eux-mêmes avaient levé les yeux vers la loggia. Le regard du roi et celui du grand-maître se croisèrent, se mesurèrent, s'accrochèrent, se retinrent.

Personne ne pouvait savoir quelles pensées, quels sentiments, quels souvenirs roulaient sous le front des deux ennemis. Mais la foule perçut instinctivement que quelque chose de grandiose, de terrible, de surhumain était en train de se jouer dans cet affrontement muet entre ces deux princes de la terre, l'un tout-puissant, l'autre qui l'avait été.

Le grand-maître du Temple allait-il enfin s'humilier et demander pitié ? Et le roi Philippe le Bel allait-il, dans un mouvement d'ultime clémence, gracier les condamnés ?

Le roi fit un geste de la main, et l'on vit étinceler une bague à son doigt. Alain de Pareilles répéta le geste à l'intention du bourreau et celui-ci enfonça le brandon d'étoupe dans les fagots. Un immense soupir s'échappa de milliers de poitrines, soupir de soulagement et d'horreur, de trouble joie et d'épouvante, d'angoisse, de répulsion et de plaisir mêlés.

Plusieurs femmes hurlèrent. Des enfants se cachèrent la tête dans les vêtements de leurs parents. Une voix d'homme cria :

— Je t'avais bien dit de ne pas venir !

La fumée commença de s'élever en spirales épaisses qu'une rafale de vent rabattit vers la loggia.

Monseigneur de Valois toussa, y mettant le plus d'ostentation qu'il put. Il recula entre Guillaume de Nogaret et Marigny et dit :

— Si cela continue, nous serons étouffés avant que vos Templiers ne brûlent. Vous auriez pu, au moins, faire prendre du bois sec.

Nul ne fit écho à sa remarque. Nogaret, les muscles tendus, l'œil ardent, savourait âprement son triomphe. Ce bûcher, c'était l'aboutissement de sept années de luttes, de voyages épuisants, de milliers de paroles prononcées pour convaincre, de milliers de pages écrites pour prouver. « Allez, grillez, flambez, pensait-il. Vous m'avez assez tenu en échec. J'avais raison, et vous êtes vaincus. »

Enguerrand de Marigny, copiant son attitude sur celle du roi, se forçait à demeurer impassible et à considérer ce supplice comme une nécessité du pouvoir. «Il le fallait, il le fallait», se répétait-il. Mais il ne pouvait éviter, en voyant des hommes mourir, de songer à la mort, de songer à *sa* mort. Les deux condamnés cessaient d'être, enfin, des abstractions politiques.

Hugues de Bouville priait sans se faire remarquer.

Le vent vira, et la fumée, de seconde en seconde plus épaisse et plus haute, environna les condamnés, les cachant presque à la foule. On entendit les deux vieux hommes tousser et hoqueter contre leurs poteaux.

Louis de Navarre se mit à rire niaisement, en frottant ses yeux rougis.

Son frère Charles, le cadet des fils du roi, détournait la tête. Le spectacle, visiblement, lui était pénible. Il avait vingt ans ; il était élancé, blond et rose, et ceux qui avaient connu son père au même âge disaient qu'il lui ressemblait de manière saisissante, mais en moins vigoureux, en moins imposant aussi, comme une copie affaiblie d'un grand modèle. L'apparence était là, mais la trempe manquait, et les dons de l'esprit également.

— Je viens de voir apparaître des lumières chez toi, dans la tour de Nesle, dit-il à Louis, à mi-voix.

— Ce sont les gardiens sans doute qui veulent se régaler l'œil, eux aussi.

— Je leur céderais volontiers ma place, murmura Charles.

— Quoi ? Cela ne t'amuse-t-il donc pas de voir rôtir le parrain d'Isabelle ? dit Louis de Navarre.

— Il est vrai que messire Jacques fut le parrain de notre sœur... murmura Charles.

— Louis... taisez-vous, fit le roi.

Le jeune prince Charles, pour dissiper le malaise qui le gagnait, s'efforça d'occuper sa pensée d'un objet rassurant. Il se mit à songer à sa femme Blanche, à se représenter le merveilleux sourire de Blanche, les bras légers de Blanche entre lesquels, tout à l'heure, il irait demander l'oubli de cette atroce vision. Mais il ne put éviter que s'interposât un souvenir malheureux, le souvenir des deux enfants que Blanche lui avait donnés et qui étaient morts presque aussitôt qu'apparus, deux petites créatures qu'il revoyait, inertes, dans leurs langes brodés. Le sort lui accorderait-il d'avoir de Blanche d'autres enfants, et qui vécussent?...

Le hurlement de la foule le fit sursauter. Les flammes venaient de jaillir du bûcher. Sur un ordre d'Alain de Pareilles, les archers éteignirent leurs torches dans l'herbe, et la nuit ne fut plus éclairée que par le brasier.

Le précepteur de Normandie fut atteint le premier. Il eut un pathétique mouvement de recul quand le feu courut vers lui, et ses lèvres s'ouvrirent largement comme s'il cherchait en vain à aspirer un air qui lui fuyait. Son corps, malgré la corde, se plia presque en deux; sa mitre de papier tomba et fut en un instant consumée. Le feu tournait autour de lui. Puis une vague de fumée l'enveloppa. Quand elle se dissipa, Geoffroy de Charnay était en flammes, hurlant et haletant, et tentant de s'arracher au poteau qui tremblait sur sa base. Le grand-maître inclinait le visage vers son compagnon, et lui parlait; mais la foule grondait si fort, à présent, pour surmonter son horreur, que l'on ne put rien entendre sinon le mot de «frère» par deux fois lancé.

Les aides-bourreaux couraient en se bousculant, puisant dans la réserve de bûches et attisant le foyer avec de longs crocs de fer.

Louis de Navarre, dont la pensée avait des retours assez lents, demanda à son frère:

— Es-tu bien sûr d'avoir vu des lumières dans la tour de Nesle? Je n'en aperçois point.

Et un souci, un moment, sembla l'habiter.

Enguerrand de Marigny s'était mis la main devant les yeux, comme pour se protéger de l'éclat des flammes.

— Belle image de l'Enfer que vous nous donnez là, messire de Nogaret! dit le comte de Valois. Est-ce à votre vie future que vous songez?

Guillaume de Nogaret ne répondit pas.

Geoffroy de Charnay n'était plus qu'un objet qui noircissait, crépitait, se gonflait de bulles, s'effondrait lentement dans la cendre, devenait cendre.

Des femmes s'évanouirent. D'autres s'approchaient de la berge, à la hâte, pour aller vomir dans l'eau, presque sous le nez du roi. La foule, d'avoir tant hurlé, s'était calmée, et l'on commençait à crier au miracle parce que le vent, s'obstinant à souffler dans le même sens, couchait les flammes devant le grand-maître, et que celui-ci n'avait pas encore été atteint. Comment pouvait-il tenir si longtemps? Le bûcher de son côté paraissait intact.

Puis, soudain, il y eut un effondrement du brasier et, ravivées, les flammes bondirent devant le condamné.

— Ça y est, lui aussi! s'écria Louis de Navarre.

Les vastes yeux froids de Philippe le Bel, même en ce moment, ne cillaient pas.

Et tout à coup, la voix du grand-maître s'éleva à travers le rideau de feu et, comme si elle se fût adressée à chacun, atteignit chacun en plein visage. Avec une force stupéfiante, ainsi qu'il l'avait fait devant Notre-Dame, Jacques de Molay criait:

— Honte! Honte! Vous voyez des innocents qui meurent. Honte sur vous tous! Dieu vous jugera.

La flamme le flagella, brûla sa barbe, calcina en une seconde sa mitre de papier et alluma ses cheveux blancs.

La foule terrifiée s'était tue. On eût dit qu'on brûlait un prophète fou.

De ce visage en feu, la voix effrayante proféra:

— Pape Clément!... Chevalier Guillaume!... Roi Philippe!... Avant un an, je vous cite à paraître au tribunal de Dieu pour y recevoir votre juste châtiment! Maudits! Maudits! tous maudits jusqu'à la treizième génération de vos races!...

Les flammes entrèrent dans la bouche du grand-maître, et y étouffèrent son dernier cri. Puis, pendant un temps qui parut interminable, il se battit contre la mort.

Enfin il se plia. La corde se rompit. Il s'effondra dans la fournaise, et l'on vit sa main qui demeurait levée entre les flammes. Elle resta ainsi jusqu'à ce qu'elle fût toute noire.

La foule demeurait sur place, et n'était que murmures, attente sans raison, consternation, angoisse. Tout le poids de la nuit et de l'horreur était tombé sur elle; les derniers craquements des braises la faisaient tressaillir. Les ténèbres gagnaient sur les lueurs déclinantes du bûcher.

Les archers voulurent repousser les gens; mais ceux-ci ne se décidaient pas à partir. Ils chuchotaient:

— Ce n'est pas nous qu'il a maudits; c'est le roi, n'est-ce pas... c'est le pape, c'est Nogaret...

Les regards se levaient vers la loggia. Le roi était toujours contre la balustrade. Il regardait la main noire du grand-maître plantée dans la cendre rouge. Une main brûlée; tout ce qui restait de l'Ordre illustre des chevaliers du Temple. Mais cette main était immobilisée dans le geste de l'anathème.

— Eh bien! mon frère, dit Monseigneur de Valois, avec un mauvais sourire; vous voici content, je pense?

Philippe le Bel se retourna.

— Non, mon frère, dit-il. Je ne le suis point. J'ai commis une erreur.

Valois se gonfla, déjà prêt à triompher.

— Vraiment, vous en convenez?

— Oui, mon frère, dit le roi. J'aurais dû leur faire arracher la langue avant de les brûler.

Suivi de Nogaret, de Marigny et de Bouville, il descendit l'escalier de la tour, pour regagner ses appartements.

Maintenant, le bûcher était gris, avec quelques étoiles de feu qui sautaient encore et s'éteignaient vite. La loggia restait emplie d'une amère odeur de chair brûlée.

— Cela pue, dit Louis de Navarre. Je trouve vraiment que cela pue trop. Allons-nous-en.

Le jeune prince Charles se demandait si, même entre les bras de Blanche, il parviendrait à oublier.

IX

LES TIRE-LAINE

Indécis, les frères d'Aunay, qui venaient de sortir de la tour de Nesle, piétinaient dans la vase et scrutaient l'obscurité.

Leur passeur avait disparu.

— Je m'en doutais. Ce batelier ne me plaisait guère, dit Philippe. Nous aurions dû nous méfier.

— Je lui ai donné trop d'argent, répondit Gautier. Le maraud aura jugé sa journée faite et il sera allé assister au supplice.

— Tant mieux s'il ne s'agit que de cela.

— Et de quoi voudrais-tu qu'il s'agît?

— Je ne sais... Ce bonhomme vient se proposer pour nous passer, en geignant qu'il n'avait rien gagné de tout le jour. On lui dit d'attendre; il s'en va.

— Et que voulais-tu faire? Nous n'avions pas le choix. Il était seul.

— Précisément, dit Philippe. Et aussi, il posait un peu trop de questions.

Il prêta l'oreille, guettant un bruit de rames; mais on n'entendait rien d'autre que le clapotement du fleuve et la rumeur dispersée des gens qui regagnaient leur demeure dans Paris. Là-bas, sur l'île aux Juifs, qu'on commencerait, dès demain, à appeler l'îlot des Templiers, tout s'était éteint. Une odeur de fumée se mêlait à la fade odeur de la Seine.

— Il ne nous reste qu'à rentrer à pied, dit Gautier. Nous aurons les chausses crottées jusqu'aux cuisses. Ce n'est que petit mal pour grand plaisir.

Ils avancèrent le long des fossés de Nesle, se donnant le bras pour éviter de glisser.

— Je me demande de qui elles les ont reçues, dit soudain Philippe.

— Quelles choses?

— Les aumônières.

— Est-ce encore à cela que tu penses? répondit Gautier. Moi, je t'avoue que je ne m'en soucie guère. Qu'importe la provenance si le don est plaisant!

En même temps, il caressait l'aumônière à sa ceinture, et sentait sous ses doigts le relief des pierres précieuses.

— Une parente... Ce ne peut être quelqu'un de la cour, reprit Philippe. Marguerite et Blanche ne sauraient risquer qu'on reconnaisse ces bourses sur nous. A moins... à moins qu'elles n'aient feint qu'on les leur ait données, alors qu'elles les ont payées de leur cassette.

Il était disposé, maintenant, à attribuer à Marguerite toutes les délicatesses d'âme.

— Que préfères-tu? dit Gautier. Savoir ou avoir?

A ce moment quelqu'un siffla, non loin d'eux. Ils sursautèrent et, d'un même mouvement, mirent la main à leur dague. Une rencontre, à cette heure, en ce lieu, avait toute chance d'être une mauvaise rencontre.

— Qui va là? dit Gautier.

Ils entendirent un nouveau sifflement, et n'eurent même pas le temps de se mettre en garde.

Six hommes, jaillis de la nuit, s'étaient jetés sur eux. Trois des assaillants, s'attaquant à Philippe, le collèrent au mur en lui maintenant les bras, de manière à l'empêcher de se servir de son arme. Les trois autres s'y étaient moins bien pris avec Gautier. Celui-ci avait jeté à terre l'un de ses agresseurs, ou plus exactement l'un des agresseurs s'était étalé en esquivant un coup de dague. Mais les deux derniers, ceinturant Gautier, lui tordaient le poignet pour le forcer de lâcher sa lame.

Philippe sentit qu'on cherchait à lui dérober son aumônière.

Impossible d'appeler à l'aide. Les secours n'eussent pu venir que de l'hôtel de Nesle. Les deux frères eurent le même réflexe de se taire. Il leur fallait se tirer de là par leurs seuls moyens, ou ne point s'en tirer.

Arc-bouté au mur, Philippe se débattait furieusement. Il ne voulait pas qu'on lui prît l'aumônière. Cet objet était devenu d'un coup ce qu'il possédait de plus précieux dans l'univers, et il était décidé à tout pour le sauver. Gautier était plus près de parlementer. Qu'on les vole, mais qu'on leur laisse la vie. A savoir si on la leur laisserait et si, une fois dépouillés, on n'expédierait pas leurs cadavres à la Seine.

A ce moment une nouvelle ombre sortit de la nuit. Un des agresseurs poussa un cri:

— Alerte, compagnons, alerte!

L'arrivant s'était abattu dans la mêlée, et l'on vit briller l'éclair d'une épée courte.

— Ah! Marauds! Pendards! Butors! s'écria-t-il d'une voix puissante, en distribuant les coups à la volée.

Les escarpes s'écartèrent comme mouches devant ses moulinets.

L'un des tire-laine passant à sa portée, il l'empoigna par le col et le jeta contre le mur. Toute la troupe détala sans demander son reste, et le bruit d'une course précipitée décrut le long des fossés. Puis ce fut le silence.

Philippe d'Aunay, haletant, avança vers son frère.

— Blessé? demanda-t-il.

— Non, dit Gautier, hors d'haleine lui aussi, en se frottant l'épaule. Et toi?

— Non plus. Mais c'est miracle d'en être sortis.

Ensemble, ils se tournèrent vers leur sauveur qui revenait vers eux, rengainant son épée. Il était de grande taille, large, puissant; un souffle brutal s'échappait de ses narines.

— Eh bien! messire, lui cria Gautier, nous vous devons un beau cierge. Sans vous, nous n'aurions pas tardé à flotter le ventre en l'air. A qui sommes-nous redevables...

L'homme riait, d'un rire large et gras, un peu forcé. Le vent poussait les nuages et les effilochait devant la lune. Les deux frères reconnurent le comte Robert d'Artois.

— Eh! Par dieu, Monseigneur, c'était donc vous! s'écria Philippe.

— Eh! Par diable, mes damoiseaux, répondit l'homme, mais je vous reconnais aussi! Les frères d'Aunay! s'écria-t-il. Les plus jolis garçons de la cour. Du diable si je m'attendais... Je passais sur la rive, j'entends la rumeur qui s'y faisait; je me dis: « Voici sûrement quelque paisible bourgeois qu'on détrousse. » Il est vrai que Paris est infesté de coupe-jarrets, et que ce Ployebouche de prévôt... Ployecul devrait-on l'appeler... est plus occupé à lécher les orteils de Marigny qu'à assainir sa ville.

— Monseigneur, dit Philippe, nous ne savons comment vous assurer d'assez de grâces...

— Petite affaire! dit Robert d'Artois en abattant sa patte sur l'épaule de Philippe, qui en chancela. Un plaisir pour moi. C'est le mouvement naturel de tout gentilhomme que de se porter au secours des gens qu'on attaque. Mais l'agrément est double lorsqu'il s'agit de seigneurs de connaissance, et je suis bien aise d'avoir conservé à mes cousins Valois et Poitiers leurs meilleurs écuyers. Mon seul regret est qu'il ait fait si sombre. Ah! si la lune s'était plus tôt montrée, j'aurais aimé découdre quelques-uns de ces trousse-gousset. Je n'ai point osé piquer vraiment, de crainte de vous trouer... Mais dites-moi, mes damoiseaux, qu'aviez-vous à muser dans ce fangeux réduit?

— Nous... nous promenions, dit Philippe d'Aunay, gêné.

Le géant éclata de rire.

— Vous vous promeniez! Le bel endroit, et la belle heure pour ce faire! Vous vous promeniez... dans la boue jusqu'aux fesses. Ils vous ont de ces dires! Et ils veulent qu'on les croie! Ah! jeunesse! dit-il jovialement en écrasant de nouveau l'épaule de Philippe. Toujours en quête d'amour, et le haut-de-chausses en feu! Il est beau d'avoir votre âge.

Soudain il aperçut leurs aumônières qui scintillaient.

— Mâtin! s'écria-t-il. Le haut-de-chausses en feu, mais joliment décoré! Bel ornement, mes damoiseaux, bel ornement.

Il soupesait l'aumônière de Gautier.

— Habile travail... Précieuse matière. Et brillant neuf... Ce ne sont point des payes d'écuyers qui permettent de s'offrir de pareilles bougettes. Les tire-laine n'auraient pas fait mauvaise affaire.

.Il s'agitait, gesticulait, tout roussâtre dans la demi-clarté, énorme, tapageur et graveleux. Il commençait à irriter sérieusement les nerfs des deux frères. Mais comment dire à qui vient de vous sauver la vie qu'il se veuille mêler de ce qui le regarde?

— L'amour paie, mes gentillets, continua-t-il tout en marchant entre eux. Il faut croire que vos maîtresses sont de bien hautes dames, et bien généreuses. Les jeunes d'Aunay! Qui aurait pu croire cela!...

— Monseigneur se trompe, dit Gautier assez froidement. Ces bourses nous viennent de famille.

— Tout juste, j'en étais sûr, dit d'Artois. D'une famille qu'on vient visiter, à près de minuit, sous les murs de la tour de Nesle!... Bon, bon, on se taira. Pour l'honneur de vos belles. Je vous approuve, mes gentillets. Les dames qu'on baise, il en faut préserver la renommée! Dieu vous assiste, damoiseaux. Et ne sortez plus de nuit avec toute votre joaillerie.

Il partit d'un nouvel éclat de rire, cogna les deux frères l'un contre l'autre dans un grand geste d'embrassade, et puis les planta là, inquiets, contrariés, sans leur laisser le temps de lui renouveler des remerciements. Il franchit le ponceau qui enjambait les fossés, et s'éloigna par les champs, en direction de Saint-Germain-des-Prés. Les frères d'Aunay remontèrent vers la porte de Buci.

— Il vaudrait mieux qu'il n'allât pas raconter à toute la cour où il nous a trouvés, dit Philippe. Le crois-tu capable de fermer sa large gueule?

— Je pense, dit Gautier. Ce n'est point un méchant gaillard. Sans sa large gueule, comme tu dis, et ses larges bras, nous ne serions pas là. Ne nous montrons pas ingrats, pas si vite.

— D'ailleurs, nous aurions pu lui demander ce qu'il faisait lui-même dans ce coin.

— Il cherchait des ribaudes, j'en jurerais! Et à présent, il doit s'en aller vers quelque bordeau, dit Philippe.

Il se trompait. Robert d'Artois n'avait fait qu'un détour par le Pré-aux-Clercs. Après un moment il revint vers la berge, aux abords de la Tour. Il siffla, de ce même sifflement léger qui avait précédé la bagarre.

Et six ombres, comme précédemment, se détachèrent de la nuit, plus une septième qui se leva d'une barque. Mais les ombres cette fois se tenaient dans une attitude respectueuse.

— C'est bon, vous avez bien accompli votre travail, dit d'Artois, et tout s'est passé comme je vous l'avais demandé. Tiens, Carl-Hans! ajouta-t-il en appelant le chef des gredins; partagez-vous cela.

Et il lui jeta une bourse.

— Vous m'avez flanqué un rude coup à l'épaule, Monseigneur, dit le tire-laine.

— Bah! C'était compris dans le marché, répondit d'Artois en riant. Disparaissez à présent. Si j'ai derechef besoin de vous, je vous en avertirai.

Puis il monta dans la barque arrêtée à l'angle du fleuve et du fossé, et qui s'enfonça sous son poids. L'homme qui se mit aux rames était celui qui avait fait traverser les frères d'Aunay.

— Êtes-vous satisfait, Monseigneur? demanda-t-il.

Il avait perdu son ton geignard, semblait rajeuni de dix ans et ne ménageait plus sa vigueur.

— Pleinement, mon brave Lormet! Tu leur as joué ton tour à merveille, dit le géant. Maintenant je sais ce que je voulais savoir.

Il se renversa en arrière dans la barque, étendit ses jambes monumentales et laissa pendre sa grande patte dans l'eau noire.

DEUXIÈME PARTIE

LES PRINCESSES ADULTÈRES

I

LA BANQUE TOLOMEI

Messer Spinello Tolomei prit un grand air de réflexion puis, baissant la voix comme s'il avait craint qu'on n'écoutât aux portes, il dit:

— Deux milles livres, en avance? Est-ce bonne somme vous convenant, Monseigneur?

Son œil gauche était clos; son œil droit brillait, innocent et tranquille.

Bien qu'il fût depuis de longues années installé en France, il n'avait pu se défaire de son accent italien. C'était un gros homme, au menton double, au teint brun. Ses cheveux grisonnants, soigneusement taillés, retombaient sur le col de sa robe de drap fin, bordée de fourrure, et tendue à la ceinture sur son ventre en poire. Quand il parlait, il élevait des mains grasses et pointues, et les frottait doucement l'une contre l'autre. Ses ennemis assuraient que son œil ouvert était celui du mensonge, et qu'il tenait fermé l'œil de la vérité.

Ce banquier, l'un des plus puissants de Paris, avait des manières d'évêque. En cet instant tout au moins, où il s'adressait à un prélat.

Le prélat était Jean de Marigny, homme jeune et mince, élégant, celui-là même qui, la veille, au Tribunal épiscopal, devant le portail de Notre-Dame, s'était fait remarquer par ses poses alanguies avant de s'emporter si fort contre le grand-maître. Archevêque de Sens, dont dépendait le diocèse de Paris, et frère d'Enguerrand de Marigny, il touchait du plus près aux affaires du royaume [14].

— Deux mille livres? fit-il.

Il feignit de déplisser sur son genou la précieuse étoffe de sa robe violette, pour cacher l'heureuse surprise que lui causait le chiffre énoncé par le banquier.

— Ma foi, cette somme me convient assez, reprit-il en affectant un air détaché. J'aimerais donc que les choses fussent réglées au plus vite.

Le banquier le guettait comme un gros chat guette un bel oiseau.

— Mais nous pouvons les régler céans, répondit-il.

— Fort bien, dit le jeune archevêque. Et quand voulez-vous que vous soient apportés les ...

Il s'interrompit, car il avait cru entendre du bruit derrière la porte. Mais non. Tout était tranquille. On percevait seulement les rumeurs habituelles du matin dans la rue des Lombards, les cris des repasseurs de lames, des marchands d'eau, d'herbes, d'oignons, de cresson de fontaine, de fromage blanc et de charbon de bois. « Au lait, commères, au lait... J'ai du bon fromage de Champagne!... Charbon! Un sac pour un denier...» Par les fenêtres à trois ogives, faites selon la mode siennoise, la lumière venait éclairer doucement les riches tapisseries, les crédences de chêne, le grand coffre bardé de fer.

— Les... articles? dit Tolomei, achevant la phrase de l'archevêque. A votre convenance, Monseigneur, à votre convenance.

Il ouvrit le coffre et en sortit deux sacs qu'il posa sur un meuble à écrire encombré de plumes d'oie, de parchemins, de tablettes et de stylets.

— Mille dans chacun, dit-il. Prenez-les dès à présent si vous le désirez. Ils étaient apprêtés pour vous. Vous voudrez bien, Monseigneur, me signer cette décharge...

Et il tendit à Jean de Marigny un feuillet et une plume d'oie.

— Volontiers, dit l'archevêque en prenant la plume, sans se déganter.

Mais comme il allait signer, il eut une hésitation. Sur la décharge étaient énumérés les «articles» qu'il devait remettre à Tolomei pour que celui-ci les négociât : matériel d'église, ciboires en or, croix précieuses, armes rares, toutes choses provenant de biens saisis naguère dans les commanderies de Templiers, et gardés à l'archidiocèse. Or ces biens eussent dû revenir, partie au Trésor royal, et partie à l'ordre des Hospitaliers. C'était un détournement, une belle malversation que le jeune prélat commettait là, et sans perdre de temps. Apposer une signature au bas de cette liste, alors que le grand-maître était juste grillé de la nuit...

— J'aimerais mieux..., dit-il.

— Que les articles ne soient pas vendus en France? dit Tolomei. Cela va de soi, Monseigneur. *Non sono pazzo*, comme on dit en mon pays; je ne suis pas fou.

— Je voulais dire... cette décharge...

— Personne d'autre que moi ne la verra jamais. Ce n'est pas plus mon intérêt que le vôtre. Nous autres banquiers sommes un peu comme les prêtres, Monseigneur. Vous confessez les âmes ; nous confessons les bourses, et sommes nous aussi tenus au secret. Et bien que je sache que ces fonds ne serviront qu'à fournir votre inépuisable charité, je n'en soufflerai mot. C'est seulement dans le cas où il nous arriverait malheur, à l'un ou l'autre... que Dieu nous en garde.

Il se signa, et puis rapidement, derrière la table, il fit les cornes avec les doigts de la main gauche.

— Ce ne sera pas trop lourd? poursuivit-il en désignant les sacs, comme si pour lui l'affaire ne souffrait plus discussion.

— J'ai mes serviteurs en bas, répondit l'archevêque.

— Alors... ici, je vous prie, dit Tolomei, en marquant du doigt, sur le feuillet, la place où l'archevêque devait signer.

Celui-ci ne pouvait plus reculer. Quand on est forcé de prendre des complices, on est bien obligé de leur faire confiance...

— Vous voyez d'ailleurs, Monseigneur, reprit le banquier, qu'à pareille somme, je ne puis guère attendre de profit. J'aurai les peines et point de bénéfices. Mais je veux vous avantager parce que vous êtes un homme puissant, et que l'amitié des hommes puissants est plus précieuse que l'or.

Il avait prononcé cela d'un ton débonnaire, mais son œil gauche était toujours fermé.

« Après tout, le bonhomme dit vrai », pensa Jean de Marigny.

Et il signa la décharge.

— A propos, Monseigneur, dit Tolomei, savez-vous comment le roi... que Dieu le préserve... a reçu les chiens à lièvre que je lui ai envoyés hier?

— Ah! Comment? C'est donc de vous que vient ce grand lévrier qui ne le quitte plus et qu'il appelle Lombard?

— Il l'a appelé Lombard? Je suis content de l'apprendre. Le roi notre Sire a bien de l'esprit, dit Tolomei en riant. Figurez-vous qu'hier matin, Monseigneur...

Il allait raconter l'histoire lorsqu'on frappa à la porte. Un commis parut, annonçant que le comte Robert d'Artois demandait à être reçu.

— Bien. Je vais le voir, dit Tolomei en renvoyant du geste son commis.

Jean de Marigny s'était rembruni.

— Je préférerais... ne pas le rencontrer, dit-il.

— Certes, certes, répondit le banquier avec douceur. Monseigneur d'Artois est un grand parleur.

Il agita une clochette. Une tenture s'écarta aussitôt et un jeune homme en justaucorps serré pénétra dans la pièce. C'était le garçon qui, la veille, avait failli renverser le roi de France.

— Mon neveu, lui dit le banquier, reconduis Monseigneur sans passer par la galerie, en veillant à ce qu'il ne rencontre personne. Et porte-lui ceci jusqu'à la rue, ajouta-t-il en lui mettant les deux sacs d'or dans les bras. A vous revoir, Monseigneur!

Messer Spinello Tolomei s'inclina bien bas pour baiser l'améthyste au doigt du prélat. Puis il souleva la tenture.

Lorsque Jean de Marigny fut sorti, le Siennois revint vers la table, prit le reçu signé, le plia soigneusement.

— *Coglione* ! murmura-t-il. *Vanesio, ladro, ma sopratutto coglione* *.

Son œil gauche un instant s'était ouvert. Ayant serré le document dans le coffre, il quitta la pièce à son tour, pour accueillir son autre visiteur.

Il descendit au rez-de-chaussée et traversa la grande galerie, éclairée par six fenêtres, où étaient installés ses comptoirs ; car Tolomei n'était pas seulement banquier, mais aussi importateur et marchand de denrées rares, depuis les épices et les cuirs de Cordoue jusqu'aux draps de Flandre, aux tapis de Chypre brodés d'or, aux essences d'Arabie.

Une dizaine de commis s'occupaient des clients qui entraient et sortaient sans cesse ; les comptables faisaient leurs calculs, à l'aide d'échiquiers spéciaux sur les cases desquels ils empilaient des jetons de cuivre ; et la galerie entière résonnait du sourd bourdonnement du commerce.

Tout en avançant rapidement, le gros Siennois saluait quelqu'un, rectifiait un chiffre, houspillait un employé ou faisait refuser, d'un *niente* prononcé entre les dents, une demande de crédit.

Robert d'Artois était penché sur un comptoir d'armes du Levant et soupesait un lourd poignard damasquiné.

Le géant se retourna d'un mouvement brusque quand le banquier lui posa la main sur le bras, et prit cet air rustre et jovial qu'il affectait généralement.

— Alors, Monseigneur, lui dit Tolomei, besoin de moi ?

— Ouais, fit le géant. Deux choses à vous demander.

— La première, j'imagine, c'est de l'argent ?

— Chut ! grogna d'Artois. Est-ce que tout un chacun doit savoir, usurier de mes tripes, que je vous dois des fortunes ? Allons causer chez vous.

Ils sortirent de la galerie. Une fois dans son cabinet, au premier étage, et la porte refermée, Tolomei dit :

— Monseigneur, si c'est pour un nouveau prêt, je crains que ce ne soit plus possible.

— Pourquoi ?

— Cher Monseigneur Robert, répliqua posément Tolomei, quand vous avez fait procès à votre tante Mahaut pour l'héritage du comté d'Artois, c'est moi qui ai payé les frais. Ce procès, vous l'avez perdu.

— Mais je l'ai perdu par infamie, vous le savez bien ! s'écria d'Artois. Je l'ai perdu par les intrigues de cette chienne de Mahaut...

---

* Couillon... Vaniteux, voleur, mais surtout couillon !

qu'elle en crève!... On lui a donné l'Artois, pour que la Franche-Comté, par sa fille, revienne à la couronne. Marché de coquins. Mais en vraie justice, je devrais être pair du royaume et le plus riche baron de France. Et je le serai, vous m'entendez Tolomei, je le serai!

Et, de son poing énorme, il frappait la table.

— Je vous le souhaite, dit Tolomei toujours calme. Mais en attendant, vous avez perdu votre procès.

Il avait abandonné ses manières d'église, et en usait avec d'Artois bien plus familièrement qu'avec l'archevêque.

— J'ai quand même reçu la châtellenie de Conches et la promesse du comté de Beaumont-le-Roger, avec cinq mille livres de revenus, répondit le géant.

— Mais votre comté n'est toujours pas constitué, et vous ne m'avez rien remboursé. Au contraire.

— Je n'arrive point à me faire verser mes revenus. Le Trésor me doit les arrérages de plusieurs années...

— ... dont vous m'avez engagé une bonne part. Il vous a fallu de l'argent pour réparer les toitures de Conches et les écuries...

— Elles avaient brûlé, dit Robert.

— Bon. Et puis il vous a fallu encore de l'argent pour entretenir vos partisans en Artois...

— Et que ferais-je sans eux? C'est grâce à ces féaux amis, à Fiennes, à Souastre, à Caumont et aux autres, que je gagnerai ma cause un jour, et les armes à la main s'il le faut... Et puis dites-moi, messer banquier...

Et le géant changea de ton, comme s'il en avait assez de jouer les écoliers qu'on semonce. Il prit le banquier par la robe, entre le pouce et l'index, et commença de le soulever, doucement.

— ... Dites-moi donc... vous m'avez payé mon procès, mes écuries, mes partisans, soit. Mais n'avez-vous pas fait quelques bonnes petites recettes grâce à moi? Qui donc vous a annoncé voici sept ans que les Templiers allaient être piégés comme lapins en garenne, et vous a conseillé de leur faire quelques emprunts que vous n'avez jamais eu à leur rendre? Qui donc vous a averti des rognages de monnaie, ce qui vous a permis de mettre tout votre or en marchandises, que vous avez revendues avec un tiers de gain? Hein! qui donc?

Les traditions de la finance sont éternelles, et toujours la haute banque eut ses informateurs auprès des gouvernements. Le principal informateur de messer Spinello Tolomei était le comte Robert d'Artois, parce que celui-ci était l'ami et le commensal de Monseigneur le frère du roi, Charles de Valois, qui siégeait au Conseil étroit et lui racontait tout.

Tolomei se dégagea, défroissa le pli de sa robe, sourit, et dit, la paupière gauche toujours close:

— Je reconnais, Monseigneur, je reconnais. Vous m'avez quelquefois bien utilement renseigné. Mais hélas...

— Quoi, hélas?

— Hélas! les bénéfices que vous m'avez fait faire sont loin de couvrir les sommes que je vous ai avancées.

— Est-ce vrai?

— C'est vrai, Monseigneur, dit Tolomei de l'air le plus innocent et le plus profondément désolé.

Il mentait, et il était sûr de pouvoir le faire impunément, car Robert d'Artois, s'il était habile à l'intrigue, s'entendait peu aux calculs d'argent.

— Ah! fit ce dernier, dépité.

Il se gratta la couenne, balança le menton de droite à gauche.

— Tout de même, les Templiers... Vous devez être bien content, ce matin? demanda-t-il.

— Oui et non, Monseigneur; oui et non. Depuis longtemps déjà ils ne faisaient plus tort à notre négoce. A qui va-t-on s'en prendre, maintenant? A nous autres, aux Lombards, comme on dit... Le métier de marchand d'or n'est point facile. Et pourtant, sans nous, rien ne pourrait se faire... A propos, ajouta Tolomei, Monseigneur de Valois vous a-t-il appris si l'on allait encore changer le cours de la livre parisis comme je l'ai entendu assurer?

— Non, non; rien de tel... Mais cette fois, dit d'Artois qui suivait son idée, je tiens Mahaut. Je tiens Mahaut parce que je tiens ses filles et sa cousine. Et je vais les étrangler... crac... comme de malfaisantes belettes!

La haine lui durcissait les traits et lui dessinait un masque presque beau. Il s'était de nouveau rapproché de Tolomei. Celui-ci pensait: «Cet homme-là, pour sa vengeance, est capable de n'importe quoi... De toute façon, je suis décidé à lui prêter encore cinq cents livres...» Puis il dit:

— De quoi s'agit-il?

Robert d'Artois baissa la voix. Ses yeux brillaient.

— Les petites catins ont des amants, et depuis cette nuit j'en sais les noms. Mais silence! Je ne veux point donner l'éveil... pas encore.

Le Siennois se mit à réfléchir. On le lui avait déjà dit; il ne l'avait pas cru.

— En quoi cela peut-il vous servir? demanda-t-il.

— Me servir? s'écria d'Artois. Mais voyons, banquier, vous imaginez la honte? La future reine de France et ses belles-sœurs, pincées comme des ribaudes avec leurs freluquets... C'est scandale jamais ouï! Les deux familles de Bourgogne sont plongées dans cette crotte jusqu'à la gueule; Mahaut perd tout crédit à la cour; les mariages sont dissous;

les héritages disparaissent des espoirs de la couronne ; je requiers alors reprise de mon procès, et je le gagne !

Il marchait de long en large et ses pas faisaient vibrer le plancher, les meubles, les objets.

— Et c'est vous, dit Tolomei, qui allez découvrir la honte ? Vous irez trouver le roi...

— Mais non, messer, pas moi. Moi, on ne m'entendrait pas. Quelqu'un d'autre de bien mieux désigné... Mais qui n'est pas en France... Et c'est précisément la seconde chose que je venais vous demander. Il me faudrait un homme sûr et peu voyant pour aller en Angleterre porter un message.

— A qui, Monseigneur ?

— A la reine Isabelle.

— Ah ! bah !... murmura le banquier.

Puis il y eut un silence, pendant lequel on n'entendit que les bruits de la rue.

— Il est vrai que Madame Isabelle ne passe pas pour chérir beaucoup ses belles-sœurs de France, dit enfin Tolomei qui n'avait pas besoin d'en entendre davantage pour comprendre comment d'Artois avait monté son complot. Vous êtes fort son ami, je crois, et vous fûtes là-bas il y a peu de jours ?

— J'en suis revenu la semaine passée, et j'ai été assez vite en besogne.

— Mais pourquoi n'envoyez-vous pas à Madame Isabelle un homme à vous, ou bien un chevaucheur de Monseigneur de Valois ?

— Mes hommes sont connus et ceux de Monseigneur de Valois aussi, dans ce pays où tout le monde surveille tout le monde ; on aurait tôt fait de me gâcher mon affaire. J'ai pensé qu'un marchand, mais un marchand en qui l'on puisse se fier, conviendrait mieux. Vous ne manquez pas de gens qui voyagent pour vous... D'ailleurs, le message n'aura rien qui puisse faire inquiéter le porteur...

Tolomei regarda le géant dans les yeux, médita un moment, puis, enfin, il secoua sa clochette de bronze.

— Je vais essayer de vous rendre encore une fois service, dit-il.

La tenture s'écarta et le même jeune homme qui avait accompagné l'archevêque reparut. Le banquier le présenta.

— Guccio Baglioni, mon neveu, nouvellement arrivé de Sienne. Je ne crois point que les prévôts et sergents de notre ami Marigny le connaissent encore... Bien qu'hier matin, ajouta Tolomei à mi-voix en regardant le jeune homme avec une feinte sévérité, il se soit distingué par une belle prouesse au vu du roi de France... Comment le trouvez-vous ?

Robert d'Artois considéra Guccio.

— Joli garçon, dit-il en riant; bien tourné, mollet sec, taille mince, yeux de troubadour. Est-ce lui que vous dépêcheriez, messire Tolomei?

— C'est un autre moi-même, dit le banquier... en moins gros et en plus jeune. J'ai été comme lui, figurez-vous, mais je suis seul à m'en souvenir.

— Si le roi Édouard le voit, bougre comme on le connaît, vous risquez fort que ce jouvenceau ne vous revienne jamais.

Et, là-dessus, le géant partit d'un grand rire auquel se joignirent l'oncle et le neveu.

— Guccio, dit Tolomei, tu vas connaître l'Angleterre. Tu partiras demain à l'aube crevant; tu te rendras à Londres chez notre cousin Albizzi...

— Albizzi, je connais ce nom, interrompit d'Artois. Ah! mais oui, c'est le fournisseur de la reine Isabelle...

— Vous voyez, Monseigneur... Donc tu te rendras chez Albizzi, et là, avec son aide, tu iras à Wesmoutiers délivrer à la reine, et à elle seule, le message que Monseigneur va écrire. Je te dirai tout à l'heure plus longuement ce que tu devras faire.

— Je préférerais dicter, dit d'Artois; je me sers mieux d'un épieu que de vos satanées plumes d'oie.

Tolomei pensa: « Et méfiant en plus, le gaillard; il ne veut pas laisser de traces. »

— A votre guise, Monseigneur. Je vous écoute.

Et il prit lui-même sous la dictée la lettre suivante:

« Madame,

Les choses que nous avions devinées sont véridiques et plus honteuses encore qu'il se pouvait croire. Je sais les personnes et les ai si bien découvertes qu'elles ne sauraient échapper si nous faisons hâte. Mais vous seule avez puissance assez pour accomplir ce que nous escomptons, et mettre terme par votre venue à tant de vilenie qui noircit moult l'honneur de vos parents. Je n'ai d'autre désir que d'être en tout votre serviteur de corps et d'âme. »

— La signature, Monseigneur? demanda Tolomei.

— La voici, répondit d'Artois en sortant de sa bourse une énorme bague d'argent qu'il tendit au jeune homme.

Il en portait une semblable au pouce, mais en or.

— Tu remettras ceci à Madame Isabelle; elle saura... Mais es-tu sûr, troubadour, de te faire accorder audience dès ton arrivée?

— Bah! Monseigneur, dit Tolomei, nous ne sommes pas trop mal placés auprès des souverains d'Angleterre. Quand le roi Édouard est venu l'année passée, avec Madame Isabelle, il a emprunté à nos compagnies vingt mille livres que nous nous sommes associés pour lui fournir, et qu'il ne nous a pas encore rendues.

— Lui aussi? s'écria d'Artois. A propos, banquier, et cette... première chose que je venais vous demander?

— Ah! je ne vous résisterai jamais, Monseigneur, dit Tolomei en soupirant.

Et il alla prendre dans le coffre un sac qu'il remit à d'Artois en ajoutant:

— Cinq cents livres. C'est tout ce que je puis. Nous marquerons cela à votre compte, ainsi que le voyage de votre messager.

— Ah! banquier, banquier, s'écria d'Artois, avec un grand sourire qui illumina son visage, tu es un ami. Quand j'aurai repris mon comté paternel, je ferai de toi mon argentier.

— J'y compte bien, Monseigneur, dit l'autre en s'inclinant.

— Et sinon, je t'emmènerai avec moi dans l'Enfer pour que tu m'achètes les faveurs du Diable.

Et le géant sortit, trop large pour la porte, en faisant sauter le sac d'or comme une balle dans sa paume.

— Vous lui avez encore donné de l'argent, mon oncle? dit Guccio en hochant la tête avec réprobation. Vous aviez pourtant bien dit...

— *Guccio mio, Guccio mio,* répondit doucement le banquier (et maintenant il avait les deux yeux bien ouverts), rappelle-toi toujours ceci: les secrets des grands de ce monde sont l'intérêt de l'argent que nous leur prêtons. Dans ce même matin, Monseigneur Jean de Marigny et Monseigneur d'Artois m'ont donné sur eux des lettres de crédit qui valent plus que de l'or, et que nous saurons négocier en leur temps. Quant à l'or... nous allons en rattraper un peu.

Il resta pensif un instant et reprit:

— En revenant d'Angleterre, tu feras un détour. Tu passeras par Neauphle-le-Vieux.

— Bien, mon oncle, répondit Guccio sans enthousiasme.

— Notre commis de là-bas n'arrive pas à recouvrir une créance que nous avons sur les châtelains de Cressay. Le père vient de mourir. Les héritiers refusent de payer. Il semble qu'ils n'aient plus rien.

— Et comment faire, s'ils n'ont plus rien?

— Bah! Ils ont des murs, ils ont une terre, ils ont peut-être des parents. Ils n'ont qu'à emprunter ailleurs de quoi nous rendre. S'ils ne peuvent, tu vas voir le prévôt de Montfort, tu fais saisir, tu fais vendre. C'est dur, je sais. Mais un banquier doit s'habituer à être dur. Pas de pitié pour les petits clients, sinon nous ne pourrions plus servir les gros. A quoi penses-tu, *figlio mio*?

— A l'Angleterre, mon oncle, répondit Guccio.

Le retour par Neauphle lui paraissait une corvée, mais qu'il acceptait de bon gré; toute sa curiosité, tous ses rêves d'adolescent étaient déjà

tournés vers Londres. Il allait traverser la mer pour la première fois...
La vie de marchand lombard était décidément une vie agréable, et qui
ménageait de belles surprises. Partir, courir les routes, porter aux
princes des messages secrets...

Le vieil homme contempla son neveu avec un air de profonde
tendresse. Guccio était la seule affection de ce cœur rusé et usé.

— Tu vas faire un beau voyage, et je t'envie, dit-il. Peu de gens à
ton âge ont l'occasion de voir autant de pays. Instruis-toi, fouine,
furète, regarde tout, fais parler et parle peu. Prends garde à qui t'offre
à boire; ne donne pas aux filles plus d'argent qu'elles ne valent, et veille
bien à te découvrir devant les processions... Et si tu croises un roi sur
ton chemin, fais en sorte qu'il ne m'en coûte pas cette fois un cheval
ou un éléphant.

— Est-il vrai, mon oncle, demanda Guccio en souriant, que
Madame Isabelle est aussi belle qu'on le dit?

II

LA ROUTE DE LONDRES

Certaines gens rêvent toujours de départs et d'aventures pour se donner, aux yeux des autres et d'eux-mêmes, des manières de héros. Puis, quand ils sont au milieu de l'affaire et qu'un péril survient, ils se mettent à penser: «Quelle sottise m'a donc poussé, et qu'avais-je besoin de venir me fourrer où je suis?» C'était tout juste le cas du jeune Guccio Baglioni. Il n'avait rien tant désiré que de connaître la mer. Mais maintenant qu'il était dessus, il aurait payé fort cher pour être ailleurs.

On se trouvait en pleines marées d'équinoxe, et les navires n'avaient guère été nombreux ce jour-là à lever l'ancre. Faisant un peu le fendant sur les quais de Calais, la dague au côté et le manteau rejeté sur l'épaule, Guccio avait enfin trouvé un patron de bateau qui voulût bien l'embarquer. Ils étaient partis au soir, et la tempête s'était levée presque à la sortie du port. Enfermé dans un réduit ménagé sous le pont, près du grand mât... «c'est l'endroit où cela bouge le moins», avait dit le patron... et où un bat-flanc de bois servait de couchette, Guccio était en train de passer la pire nuit de sa vie.

Les vagues frappaient comme à coups de bélier contre le bateau, et Guccio sentait le monde basculer autour de lui. Il roulait du bat-flanc sur le plancher et se débattait longuement dans une obscurité totale, tantôt heurtant la charpente et tantôt les paquets de cordages durcis par l'eau. La coque semblait sur le point d'éclater. Entre deux halètements de la tempête, Guccio entendait les voiles claquer et des masses d'eau s'effondrer sur le pont. Il se demandait si tout l'équipage n'avait pas été balayé, et s'il n'était pas seul survivant à bord d'un navire désemparé que le flot lançait contre le ciel pour le rejeter aussitôt vers les abîmes.

«Sûrement je vais mourir, se disait Guccio. Comme c'est sot de mourir de la sorte, à mon âge, englouti au milieu de la mer. Jamais je ne reverrai Paris, ni Sienne, ni ma famille, jamais je ne reverrai le soleil. Si seulement j'avais attendu un jour ou deux à Calais ! Quelle sottise ! Mais si j'en ressors, par la Madone, je reste à Londres, je me fais débardeur, faquin, n'importe quoi, mais jamais je ne repose le pied sur un bateau. »

Enfin, il entoura des deux bras le pied du grand mât et, à genoux dans le noir, cramponné, tremblant, l'estomac malade, les vêtements trempés, il attendit sa fin en promettant des ex-voto à Santa Maria delle Nevi, à Santa Maria della Scala, à Santa Maria dei Servi, à Santa Maria del Carmine, autant dire à toutes les églises de Sienne qu'il connaissait.

Avec l'aube, la tempête se calma. Guccio, épuisé, regarda autour de lui : les caisses, les voiles, les prélarts, les ancres et les cordages s'entassaient dans un effrayant désordre ; au fond du bateau, sous le plancher disjoint, une nappe d'eau clapotait.

La trappe qui donnait accès au pont s'ouvrit, et une voix rude cria :

— Holà ! Signor ! Avez-vous pu dormir ?

— Dormir ? répondit Guccio sur un ton plein de rancune. Je pourrais aussi bien être mort.

On lui lança une échelle de corde et on l'aida à se hisser sur le pont. Un grand souffle froid l'enveloppa et le fit frissonner sous ses vêtements mouillés.

— Vous ne pouviez donc pas m'avertir qu'on aurait une tempête ? dit Guccio au patron du bâtiment.

— Bah ! mon gentilhomme, il est vrai que nous avons eu une mauvaise nuit. Mais vous sembliez si pressé... Et puis pour nous, vous savez, c'est chose courante, répondit le patron. Maintenant nous sommes près de la côte.

C'était un vieil homme robuste, au poil gris ; il regardait Guccio de manière un peu goguenarde.

Tendant le bras vers une ligne blanchâtre qui sortait de la brume, il ajouta :

— C'est Douvres, là-bas.

Guccio soupira, en serrant contre lui son manteau.

— Dans combien de temps arriverons-nous ?

L'autre haussa les épaules et répondit :

— Deux ou trois heures, pas plus, car le vent souffle du Levant.

Sur le pont, trois matelots étaient étendus, recrus de fatigue. Un autre, accroché au timon du gouvernail, mordait dans un morceau de viande salée, sans quitter des yeux la proue du navire et la côte d'Angleterre.

Guccio s'assit auprès du vieux marin, à l'abri d'une petite cloison de planches qui coupait le vent, et, malgré le jour, le froid et la houle, il tomba endormi.

Lorsqu'il se réveilla, le port de Douvres étalait devant lui son bassin rectangulaire et ses rangées de maisons basses aux murs grossiers, aux toits chargés de pierres. A droite de la passe se détachait la demeure du shérif, gardée par des hommes en armes. Le quai, encombré de marchandises empilées sous des auvents, grouillait d'une foule bruyante. La brise charriait des odeurs de poisson, de goudron et de bois pourri. Des pêcheurs circulaient, traînant leurs filets et portant leurs lourdes rames sur l'épaule. Des enfants tiraient sur le pavé des sacs plus gros qu'eux.

Le bateau, voiles amenées, entra dans le bassin.

La jeunesse a vite fait de récupérer à la fois ses forces et ses illusions. Les dangers surmontés ne servent qu'à lui donner davantage confiance en elle-même et à la pousser vers d'autres entreprises. Il avait suffi à Guccio d'un sommeil de deux heures pour oublier ses frayeurs de la nuit. Il n'était pas loin de s'attribuer tout le mérite d'avoir dominé la tempête ; il y voyait un signe de sa bonne étoile. Debout sur le pont, dans une pose de conquérant, la main serrée sur un cordage, il regardait avec une curiosité passionnée venir à lui le royaume d'Isabelle.

Le message de Robert d'Artois cousu dans son vêtement et la bague d'argent enfermée dans sa bougette lui semblaient les gages d'un grand avenir. Il allait entrer dans l'intimité du pouvoir, connaître des rois et des reines, savoir le contenu des traités les plus secrets. Avec ivresse, il devançait le temps ; il se voyait déjà un prestigieux ambassadeur, confident écouté des puissants de la terre, devant qui les plus hauts personnages s'inclinaient. Il participerait aux conseils des princes... N'avait-il pas l'exemple de ses compatriotes Biccio et Musciato Guardi, les deux fameux financiers toscans que les Français appelaient Biche et Mouche, et qui avaient été pendant plus de dix ans les trésoriers, les ambassadeurs, les familiers de l'austère Philippe le Bel ? Il ferait mieux qu'eux, et un jour on raconterait l'histoire de l'illustre Guccio Baglioni débutant dans la vie en manquant de renverser le roi de France au coin d'une rue... La rumeur du port lui parvenait comme déjà une acclamation.

Le vieux marin jeta une planche entre le bateau et le quai. Guccio paya le prix de son passage et quitta la mer pour la terre ferme.

Ne transportant pas de marchandises, il n'eut point à passer par les « traites », c'est-à-dire les douanes. Au premier gamin qu'il rencontra, il demanda d'être conduit chez le Lombard du lieu.

Les banquiers et marchands italiens de cette époque possédaient leur propre organisation de courrier et de fret. Formés en « compagnies » qui portaient le nom de leur fondateur, ils avaient des comptoirs dans toutes les villes principales et dans les ports ; ces comptoirs étaient à la fois une succursale de banque, un bureau de poste privé et une agence de voyage.

Le Lombard de Douvres appartenait à la compagnie Albizzi. Il fut heureux de recevoir le neveu du chef de la compagnie Tolomei, et le traita du mieux qu'il put. Chez lui, Guccio trouva à se laver; ses vêtements furent séchés et repassés; il changea son or français contre de l'or anglais, et prit un fort repas tandis qu'on lui apprêtait un cheval.

Tout en mangeant, Guccio raconta la tempête qu'il avait essuyée, en s'y donnant un rôle avantageux.

Il y avait là un homme arrivé de la veille, qui s'appelait Boccacio, ou Boccace, et qui était voyageur pour le compte de la compagnie Bardi. Il venait lui aussi de Paris, et avait assisté avant son départ au supplice de Jacques de Molay; il avait, de ses oreilles, entendu la malédiction, et il se servait, pour décrire cette tragédie, d'une ironie précise et macabre qui enchanta la tablée italienne. C'était un personnage d'une trentaine d'années au visage intelligent et vif, avec des lèvres minces, et un regard qui semblait s'amuser de tout. Comme il se rendait également à Londres, Guccio et lui décidèrent de faire chemin ensemble.

Ils partirent au milieu du jour.

Se souvenant des conseils de son oncle, Guccio fit parler son compagnon, qui d'ailleurs ne demandait que cela. Le signor Boccace semblait avoir beaucoup vu. Il était allé partout, en Sicile, en Vénétie, en Espagne, en Flandre, en Allemagne, jusqu'en Orient, et s'était tiré avec habileté de bien des aventures; il connaissait les mœurs de tous ces pays, avait son opinion personnelle sur la valeur comparée des religions, méprisait assez les moines et détestait l'Inquisition. Il paraissait aussi s'intéresser aux femmes; il laissait entendre qu'il en avait pratiqué beaucoup, et connaissait sur une foule d'entre elles, illustres ou obscures, de curieuses anecdotes. Il faisait peu de cas de leur vertu, et son langage s'épiçait, à leur propos, d'images qui rendaient Guccio songeur. Un esprit libre, ce signor Boccace, et tout à fait au-dessus du commun.

— J'aurais aimé écrire tout cela si j'avais eu le temps, dit-il à Guccio, toute cette moisson d'histoires et d'idées que j'ai récoltées au long de mes voyages.

— Que ne le faites-vous, signor? répondit Guccio.

L'autre soupira, comme s'il avouait quelque rêve inexaucé.

— Trop tard... On ne devient pas clerc à mon âge, dit-il. Quand on a pour métier de gagner de l'or, après trente ans on ne peut plus rien faire d'autre. Et puis si j'écrivais tout ce que je sais, je risquerais d'être brûlé.

Cette marche au botte à botte avec un compagnon plein d'intérêt, à travers une belle campagne verte, enchanta Guccio. Il aspirait avec plaisir l'air printanier; les fers des chevaux chantaient à ses oreilles une chanson heureuse, et il prenait aussi bonne opinion de lui-même que s'il avait partagé toutes les aventures de son voisin.

Au soir, ils s'arrêtèrent dans une auberge. Les haltes du voyage disposent aux confidences. Tout en buvant devant le feu des pichets de godale, forte bière épicée au genièvre, au piment et aux clous de girofle, le signor Boccace raconta à Guccio qu'il avait une maîtresse française, dont lui était né, l'an passé, un garçon baptisé Giovanni.

— On dit que les enfants nés hors mariage sont plus vifs et plus vigoureux que les autres, remarqua sentencieusement Guccio, qui avait quelques bonnes banalités à sa disposition pour nourrir la conversation.

— Sans doute Dieu leur fait-il des dons d'esprit et de corps pour compenser ce qu'il leur ôte d'héritage et de respect, répondit le signor Boccace.

— Celui-là, en tout cas, aura un père qui pourra lui apprendre beaucoup.

— A moins qu'il n'en veuille à son père de l'avoir mis au jour dans de si mauvaises conditions, dit le voyageur des Bardi.

Ils dormirent dans la même chambre. Au petit matin, ils reprirent la route. Des lambeaux de brume collaient encore à la terre. Le signor Boccace se taisait ; il n'était pas un homme de l'aube.

Le temps était frais, et le ciel s'éclaircit bientôt. Guccio découvrait une contrée dont la grâce le ravissait. Les arbres étaient encore nus, mais l'air sentait la sève, et la terre était déjà verte d'une herbe fraîche et tendre. D'innombrables haies découpaient les champs et les collines. Le paysage vallonné, ourlé de forêts, l'éclat vert et bleu de la Tamise aperçue du haut d'une côte, une meute filant à travers prés, suivie par des cavaliers, tout séduisit Guccio. «La reine Isabelle a un beau royaume», se disait-il.

A mesure que les lieues passaient, cette reine prenait de plus en plus de place dans ses pensées. Tout en accomplissant sa mission, pourquoi n'essaierait-il pas de plaire ? L'histoire des princes et des empires offrait maints exemples de choses plus étonnantes. «Pour être reine, elle n'en est pas moins femme ; elle a vingt-deux ans et son époux ne l'aime pas. Les seigneurs anglais ne doivent pas oser la courtiser, de peur de déplaire au roi. Tandis que moi j'arrive, je suis messager secret ; pour venir j'ai bravé la tempête... je mets un genou en terre, je la salue d'un grand coup de bonnet, je baise le bas de sa robe... »

Déjà il polissait les mots par lesquels il allait placer son cœur au service de la jeune souveraine blonde... «Madame, je ne suis point noble, mais je suis libre citoyen de Sienne, et je vaux bien mon gentilhomme. J'ai dix-huit ans, et ne connais pas de plus cher désir que celui de contempler votre beauté, et de vous faire offre de mon âme et de mon sang... »

— Nous voici bientôt arrivés, dit le signor Boccace.

Ils avaient atteint les faubourgs de Londres sans que Guccio s'en fût aperçu. Les maisons se rapprochaient le long de la route ; la bonne odeur de forêt avait disparu ; l'air sentait la tourbe brûlée.

Guccio regardait autour de lui avec surprise. Son oncle Tolomei lui avait annoncé une ville extraordinaire, et il ne voyait qu'une interminable succession de villages faits de masures aux murs noirs, avec des ruelles sales où passaient des femmes chargées de lourds fardeaux, des enfants en guenilles et des soldats de mauvaise mine.

Soudain, dans un grand concours de gens, de chevaux et de charrois, les voyageurs se trouvèrent devant le pont de Londres. Deux tours carrées en fortifiaient l'entrée, entre lesquelles, le soir, on tendait des chaînes et l'on fermait d'énormes portes. La première chose que remarqua Guccio, ce fut une tête humaine, toute sanglante, plantée sur l'une des piques qui hérissaient ces portes. Les corbeaux tournaient autour de ce visage aux yeux crevés.

— La justice du roi des Anglais a fonctionné ce matin, dit le signor Boccace. C'est ainsi que finissent ici les criminels, ou ceux qu'on dit tels pour s'en débarrasser.

— Curieuse enseigne pour accueillir les étrangers, dit Guccio.

— Une manière de leur faire connaître qu'ils n'arrivent point dans une ville de fleurette et de tendresse.

Ce pont était le seul qui fût alors jeté sur la Tamise ; il formait une véritable rue construite au-dessus de l'eau et dont les maisons de bois, pressées les unes contre les autres, abritaient toutes sortes de négoces.

Vingt arches de soixante pieds de haut soutenaient cet extraordinaire édifice. Il avait fallu près de cent ans pour le bâtir, et les Londoniens en étaient fort orgueilleux.

Une eau trouble bouillonnait autour des arches ; du linge séchait aux fenêtres ; des femmes vidaient des seaux dans le fleuve.

En comparaison du pont de Londres, le Ponte Vecchio, à Florence, ne semblait qu'un jouet, et l'Arno, auprès de la Tamise, qu'un ruisselet. Guccio en fit la remarque à son compagnon.

— C'est quand même nous qui apprenons tout aux autres peuples, répondit celui-ci.

Il leur fallut presque un tiers d'heure pour passer de l'autre côté, tant la foule était dense, et tenaces les mendiants qui les accrochaient par la botte.

En arrivant sur l'autre rive, Guccio aperçut, à main droite, la tour de Londres dont l'énorme masse blanche se détachait sur le ciel gris ; puis, à la suite du signor Boccace, il s'enfonça dans la Cité. Le bruit et l'agitation qui régnaient dans les rues, la rumeur des voix étrangères, le ciel plombé, la lourde odeur de fumée qui imprégnait la ville, les cris qui sortaient des tavernes, l'audace des filles effrontées, la brutalité des soldats braillards, surprirent Guccio.

Au bout de trois cents pas, les voyageurs tournèrent à gauche dans

Lombard Street, où toutes les banques italiennes avaient leur établissement. Maisons de peu de mine sur l'extérieur, à un étage, deux au plus, mais fort bien entretenues, avec des portes cirées et des grilles aux fenêtres. Le signor Boccace laissa Guccio devant la banque Albizzi. Les deux compagnons de route se séparèrent avec beaucoup de chaleur, se félicitèrent mutuellement de leur amitié naissante, et se promirent de se revoir très vite, à Paris.

III

WESTMINSTER

Messer Albizzi était un homme grand, sec, au long visage brun, avec des sourcils épais et des touffes de cheveux noirs qui sortaient de dessous son bonnet. Il montra au visiteur une affabilité tranquille et seigneuriale. Debout, le corps serré dans une robe de velours bleu sombre, la main posée sur son écritoire, Albizzi avait l'allure d'un prince toscan.

Tandis que s'échangeaient les compliments d'usage, le regard de Guccio allait des hauts sièges de chêne aux tentures de Damas, des tabourets incrustés d'ivoire aux riches tapis qui couvraient le sol, de la cheminée monumentale aux flambeaux d'argent massif. Et le jeune homme ne pouvait s'empêcher de faire une évaluation rapide : « Ces tapis... quarante livres, sûrement... ces flambeaux, le double... La maison, si chaque chambre est à la mesure de celle-ci, vaut trois fois plus que celle de mon oncle. » Car pour se rêver ambassadeur secret et chevalier servant, Guccio n'en était pas moins marchand, fils, petit-fils et arrière-petit-fils de marchands.

— Vous auriez dû embarquer sur un de mes navires... car nous sommes aussi armateurs... et prendre par Boulogne, dit messer Albizzi, et ainsi, mon cousin, vous auriez fait plus confortable traversée.

Il fit servir de l'hypocras, vin aromatisé qu'on buvait en mangeant des dragées. Guccio expliqua le but de son voyage.

— Votre oncle Tolomei, que j'estime fort, a été avisé de vous envoyer à moi, dit Albizzi en jouant avec le gros rubis qu'il portait à la main droite. Hugh Le Despenser est de mes principaux clients, et obligés. Nous allons par lui arranger l'entrevue.

— N'est-ce pas l'ami du cœur du roi Édouard ? interrogea Guccio.

— La maîtresse vous voulez dire, la favorite, le pique-bouquet du roi ! Non ; je parle de Hugh Le Despenser le père. Son influence est plus secrète, mais elle est grande. Il se sert habilement de la bougrerie de son fils, et si les choses continuent comme elles vont, il est en passe de commander au royaume.

— Mais, dit Guccio, c'est la reine qu'il me faut voir, non le roi.

— Mon jeune cousin, répondit Albizzi avec un sourire, ici comme ailleurs se trouvent des gens qui, n'appartenant ni à un parti ni à l'adverse, profitent des deux en jouant de l'un sur l'autre. Je sais ce que je puis faire.

Il appela son secrétaire et écrivit rapidement quelques lignes sur un papier qu'il scella.

— Vous irez à Westmoutiers ce jour d'hui, après dîner, mon cousin, dit-il une fois qu'il eut expédié le secrétaire porteur du billet. Je pense que la reine vous donnera audience. Vous serez pour tous un marchand de pierres précieuses et d'orfèvrerie, venu exprès d'Italie et recommandé par moi. En présentant vos bijoux à la reine, vous pourrez lui remettre votre message.

Il alla vers un coffre, l'ouvrit, et en tira une grande boîte plate de bois précieux à ferrures de cuivre.

— Voici vos lettres de créance, ajouta-t-il.

Guccio souleva le couvercle. Des bagues, des agrafes et fermaux, des perles montées en pendentifs, un collier d'émeraudes et de rubis reposaient sur un lit de velours.

— Et si la reine voulait acquérir un de ces joyaux, que ferais-je?

Albizzi sourit.

— La reine ne vous achètera rien directement, car elle n'a pas d'argent avoué, et l'on surveille sa dépense. Si elle désire une chose, elle me le laissera savoir. Je lui ai fait confectionner, le mois passé, trois aumônières qui me sont dues encore.

Après le repas, dont Albizzi s'excusa qu'il fût menu d'ordinaire mais qui était digne d'une table de baron, Guccio se rendit à Westminster. Il était accompagné d'un valet de la banque, sorte de garde du corps, taillé en buffle, et qui portait le coffret lié à sa ceinture par une chaîne de fer.

Guccio avançait, le menton levé, avec un grand air de fierté, et contemplait la ville comme s'il allait le lendemain en être propriétaire.

Le palais, imposant par ses proportions gigantesques, mais surchargé de fioritures, lui parut d'assez mauvais goût comparé à ce qui se construisait en Toscane, et particulièrement à Sienne, dans ces années-là. «Ces gens manquent déjà de soleil, et il semble qu'ils fassent tout pour empêcher de passer le peu qu'ils en ont», pensa-t-il.

Il arriva par l'entrée d'honneur. Les hommes du corps de garde se chauffaient autour de grosses bûches. Un écuyer s'approcha.

— Signor Baglioni? Vous êtes attendu. Je vais vous conduire, dit-il en français.

Toujours escorté du valet qui portait le coffret à bijoux, Guccio suivit l'écuyer. Ils traversèrent une cour entourée d'arcades, puis une autre, puis gravirent un large escalier de pierre et pénétrèrent dans les appartements. Les voûtes étaient très hautes, étrangement sonores. A mesure qu'il avançait à travers une succession de salles glacées et sombres, Guccio s'efforçait en vain de conserver sa belle assurance, mais il avait l'impression de rapetisser. Il vit un groupe de jeunes hommes dont il distingua les riches costumes brodés, les cottes garnies de fourrure ; au flanc gauche de chacun brillait la poignée d'une épée. C'était la garde de la reine.

L'écuyer dit à Guccio de l'attendre et le laissa là, parmi les gentilshommes qui le considéraient d'un air narquois et échangeaient des remarques qu'il n'entendait pas.

Soudain Guccio se sentit gagné par une inquiétude sourde. Si quelque imprévu allait se produire ? Si dans cette cour qu'il savait déchirée d'intrigues, il allait passer pour suspect ? Si, avant qu'il n'ait vu la reine, on se saisissait de lui, on le fouillait, on découvrait le message ?

Quand l'écuyer, revenant le chercher, lui toucha la manche, il sursauta. Il prit le coffret des mains du serviteur d'Albizzi ; mais, dans sa hâte, il oublia que le coffret était attaché à la ceinture du porteur, lequel fut projeté en avant. La chaîne s'embrouilla. Il y eut des rires, et Guccio éprouva l'irritation du ridicule. Si bien qu'il entra chez la reine humilié, empêtré, confus, et qu'il se trouva devant elle avant même de l'avoir vue.

Isabelle était assise. Une jeune femme au visage étroit, au maintien raide, se tenait debout auprès d'elle. Guccio mit un genou à terre et chercha un compliment qui ne vint point. La présence d'une tierce personne augmentait son désarroi. Mais par quelle sotte illusion s'était-il figuré que la reine serait seule pour le recevoir ?

Ce fut elle qui parla.

— Lady Le Despenser, voyons les bijoux que nous porte ce jeune Italien, et si ce sont vraiment les merveilles qu'on dit.

Ce nom de Despenser acheva de troubler Guccio. Quel pouvait être le rôle d'une Despenser dans l'intimité de la reine ?

S'étant relevé sur un geste d'Isabelle, il ouvrit le coffret et le présenta. Lady Le Despenser, y ayant à peine jeté un regard, dit d'une voix brève et sèche :

— Ces bijoux sont fort beaux en effet ; mais nous n'en avons que faire. Nous ne pouvons pas les acheter, Madame.

La reine eut un mouvement d'humeur :

— Alors pourquoi votre beau-père m'a-t-il pressée de voir ce marchand ?

— Pour obliger Albizzi, je pense ; mais nous devons déjà trop à ce dernier pour acquérir encore.

— Je sais, Madame, dit alors la reine, que vous, votre époux et tous vos parents avez si grand soin des deniers du royaume qu'on pourrait croire que ce sont les vôtres. Mais ici, vous tolérerez que je dispose de ma cassette ou, à tout le moins, de ce qu'on m'en a laissé... J'admire d'ailleurs, Madame, que lorsqu'il vient au palais quelque étranger ou marchand, on éloigne toujours, comme par accident, mes dames françaises, afin que votre belle-mère ou vous-même me teniez une compagnie qui ressemble plutôt à une garde. J'imagine que si ces mêmes joyaux sont présentés à mon époux et au vôtre, ceux-ci en trouveront bien l'usage pour s'en parer l'un l'autre comme femmes ne l'oseraient point.

Le ton était uni et froid; mais en chaque parole éclatait le ressentiment d'Isabelle contre cette famille qui, en même temps qu'elle déshonorait la couronne, mettait le Trésor au pillage. Car non seulement les Despenser, père et mère, s'enrichissaient de l'amour que le roi portait à leur fils, mais l'épouse elle-même consentait au scandale et y prêtait la main.

Vexée de l'algarade, Eleanor le Despenser se retira dans un coin de l'immense pièce, mais sans cesser d'observer la reine et le jeune Siennois.

Guccio, reprenant un peu de cet aplomb qui d'ordinaire lui était naturel et aujourd'hui lui faisait si malencontreusement défaut, osa enfin regarder la reine. C'était l'instant ou jamais de faire comprendre à celle-ci qu'il plaignait ses malheurs et souhaitait la servir. Mais il rencontra une telle froideur, une telle indifférence, qu'il en eut le cœur gelé. Les yeux bleus d'Isabelle avaient la même fixité que ceux de Philippe le Bel. Le moyen d'aller déclarer à une telle femme : « Madame, on vous fait souffrir et je veux vous aimer » ?

Tout ce que put Guccio fut de désigner l'énorme bague d'argent, qu'il avait placée dans un coin du coffret, et de dire :

— Madame, me ferez-vous la faveur de considérer ce cachet et d'en remarquer la ciselure?

La reine prit la bague, y reconnut les trois châteaux d'Artois gravés dans le métal, releva son regard sur Guccio.

— Ceci me plaît à voir, dit-elle. Avez-vous d'autres objets qui soient travail de même main?

Guccio sortit de son vêtement le message en disant :

— Les prix en sont inscrits ici.

— Approchons-nous du jour, que je les voie mieux, répondit Isabelle.

Elle se leva et, accompagnée de Guccio, gagna l'embrasure d'une fenêtre où elle put lire le message tout à loisir.

— Retournez-vous à Paris? murmura-t-elle.

— Aussitôt qu'il vous plaira de me l'ordonner, Madame, répondit Guccio du même ton.

— Dites alors à Monseigneur d'Artois que je me rendrai en France dans les proches semaines, et que j'agirai comme j'en suis convenue avec lui.

Son visage s'était un peu animé; mais son attention se portait tout entière sur le message, et nullement sur le messager.

Un souci royal de bien payer ceux qui la servaient lui fit cependant ajouter:

— Je dirai à Monseigneur d'Artois qu'il vous récompense de votre peine mieux que je ne saurais le faire en cet instant.

— L'honneur de vous voir et de vous obéir, Madame, est certes la plus belle récompense.

Isabelle remercia d'un bref mouvement de tête, et Guccio comprit qu'entre une arrière-petite-fille de Monseigneur Saint Louis et le neveu d'un banquier toscan il y avait des distances qui ne se franchissaient point.

A voix bien haute, afin que la Despenser entendît, Isabelle prononça:

— Je vous ferai connaître par Albizzi ce que je déciderai concernant ce fermail. Adieu, messer.

Et elle le congédia du geste.

IV

LA CRÉANCE

En dépit de la courtoisie d'Albizzi, qui lui offrait de demeurer quelques jours, Guccio quitta Londres dès le lendemain, assez mécontent de lui-même. Il avait pourtant parfaitement rempli sa mission, et sur ce point ne méritait que des éloges. Mais il ne se pardonnait pas, lui, libre citoyen de Sienne, et qui par là se jugeait l'égal de tout gentilhomme sur la terre, de s'être à ce point laissé troubler par une présence royale. Car il aurait beau faire, il ne pourrait jamais se cacher que la parole lui avait manqué lorsqu'il s'était trouvé devant la reine d'Angleterre, laquelle ne l'avait même pas honoré d'un sourire. « C'est une femme comme une autre après tout ! Qu'avais-je donc à si fort trembler ? » se répétait-il avec humeur. Mais il se disait cela alors qu'il était bien loin de Westminster.

N'ayant pas, comme à l'aller, rencontré de compagnon, il cheminait seul, remâchant son dépit. Cet état d'esprit ne le quitta pas de tout le voyage, et ne fit même que s'exaspérer, à mesure que les lieues passaient.

Parce qu'il n'avait pas reçu à la cour d'Angleterre l'accueil qu'il escomptait, parce qu'on ne lui avait pas, sur sa seule mine, rendu des honneurs de prince, il s'était fait l'opinion, lorsqu'il remit le pied en France, que les Anglais constituaient une nation barbare. Quant à la reine Isabelle, si elle était malheureuse, si son mari la bafouait, elle ne recevait là qu'à proportion de son mérite. « Comment ? On traverse la mer, on risque sa vie pour elle, et l'on n'est pas plus remercié que si l'on était un valet ! Ces gens-là ont de grands airs appris, mais point de manières de cœur, et ils rebutent les meilleurs dévouements. Ils n'ont point à s'étonner d'être si mal aimés et si bien trahis. »

La jeunesse ne renonce pas aisément à ses désirs d'importance. Sur les mêmes routes où, quatre jours plus tôt, il s'était cru déjà ambassadeur et amant royal, Guccio se disait rageusement : « J'aurai ma revanche. » Comment ? Sur qui ? Il n'en savait rien. Mais il lui fallait une revanche.

Et d'abord, puisque le destin et le dédain des rois voulaient le maintenir dans sa condition de Lombard il allait se montrer un Lombard comme on en avait rarement vu. Un banquier puissant, audacieux et retors ; un prêteur impitoyable. Son oncle l'avait chargé de passer par le comptoir de Neauphle pour recouvrer une créance ? Eh bien ! les débiteurs ignoraient quelle foudre allait s'abattre sur leur dos !

Prenant par Pontoise pour bifurquer à travers l'Ile-de-France, Guccio arriva à Neauphle-le-Vieux le jour de la Saint-Hugues.

Le comptoir Tolomei occupait une maison proche de l'église, sur la place du bourg. Guccio y entra d'un pas de maître, se fit montrer les registres, houspilla son monde. A quoi le commis principal était-il bon ? Faudrait-il que lui, Guccio Baglioni, propre neveu du chef de la Compagnie, se dérangeât pour chaque créance en souffrance ? Et d'abord, qui étaient ces châtelains de Cressay qui devaient trois cents livres ? On le renseigna. Le père était mort ; oui, cela Guccio le savait. Et puis ? Il y avait deux fils, vingt et vingt-deux ans. Que faisaient-ils ? Ils chassaient... Des fainéants, évidemment. Il y avait aussi une fille, seize ans... laide certainement, décida Guccio. Et une mère, qui faisait marcher la maison depuis le décès du sire de Cressay. Des gens de bonne noblesse, mais sans un sou vaillant... Combien valaient leur château, leurs champs ? Huit cents, neuf cents livres. Ils avaient un moulin, et une trentaine de serfs sur leurs terres.

— Et vous n'arrivez pas à les faire payer ? s'écria Guccio. Vous allez voir, avec moi, si cela va durer longtemps ! Comment s'appelle le prévôt de Montfort ? Portefruit ? Très bien. Si ce soir ils n'ont pas remboursé, je vais trouver le prévôt[15] et je les fais saisir. Voilà !

Il se remit en selle et partit au grand trot pour Cressay, comme s'il allait enlever une place forte à lui tout seul. « Mon or ou la saisie... mon or ou la saisie. Et ils iront s'adresser à Dieu ou à ses saints. »

Cressay, à une demi-lieue de Neauphle, était un hameau bâti à flanc de val au bord de la Mauldre, rivière qu'on pouvait franchir d'un bon saut de cheval.

Le château qu'aperçut Guccio n'était en vérité qu'un petit manoir assez délabré, sans fossé d'enceinte puisque la rivière lui servait de défense, avec des tourelles basses et des abords boueux. Tout y montrait la pauvreté et le mauvais entretien. Les toitures s'affaissaient en plusieurs places ; le pigeonnier paraissait peu garni ; les murs moussus avaient des lézardes, et les bois voisins présentaient des saignées profondes.

« Tant pis. Mon or ou la saisie », se répétait Guccio en passant la porte.

Mais quelqu'un avait eu la même idée un peu avant lui, et c'était précisément le prévôt Portefruit.

Dans la cour, il y avait grand remue-ménage. Trois sergents royaux, bâton à fleur de lis en main, affolant de leurs ordres quelques serfs guenilleux, faisaient rassembler le bétail, lier les bœufs par couple, et monter du moulin des sacs de grain qu'on jetait dans un chariot de la prévôté. Les cris des sergents, les galopades des paysans terrifiés, les bêlements d'une vingtaine de brebis, les cris de la volaille, produisaient un beau vacarme.

Personne ne se soucia de Guccio; personne ne vint lui prendre son cheval dont il attacha lui-même la bride à un anneau. Un vieux paysan passant auprès de lui dit simplement :

— Le malheur est sur cette maison. Le maître serait présent qu'il en crèverait une deuxième fois. C'est pas justice !

La porte de la demeure était ouverte et il en venait les éclats d'une violente discussion.

« Il paraît que je n'arrive pas le bon jour », pensa Guccio, dont la mauvaise humeur ne faisait que grandir.

Il monta les marches du seuil et, se guidant sur les voix, pénétra dans une salle sombre, aux murs de pierre et au plafond à poutres.

Une jeune fille, qu'il ne prit pas la peine de regarder, vint à sa rencontre.

— Je viens pour affaire et voudrais parler aux maîtres de Cressay, dit-il.

— Je suis Marie de Cressay. Mes frères sont là, et ma mère aussi, répondit la jeune fille d'une voix hésitante, en montrant le fond de la pièce. Mais ils sont fort retenus pour l'heure...

— N'importe, j'attendrai, dit Guccio.

Et, pour affirmer sa volonté, il alla se planter devant la cheminée et tendit sa botte au feu.

Au bout de la salle, on criait ferme. Encadrée de ses deux fils, l'un barbu, l'autre glabre, mais tous deux grands et rougeauds, la dame de Cressay s'efforçait de tenir tête à un quatrième personnage dont Guccio comprit bientôt qu'il était le prévôt lui-même.

Madame de Cressay, ou dame Éliabel pour le voisinage, avait l'œil brillant, la poitrine forte, et portait une quarantaine généreuse en chair dans ses vêtements de veuve [16].

— Messire prévôt, criait-elle, mon époux s'est endetté à s'équiper pour la guerre du roi où il a gagné plus de meurtrissures que de profits, tandis que le domaine, sans homme, allait comme il pouvait. Nous avons toujours payé la taille et les aides, et donné l'aumône à Dieu. Qui a mieux fait dans la province, qu'on me le dise ? Et c'est pour engraisser des gens de votre sorte, messire Portefruit, dont les grands-pères allaient nu-pieds dans les ruisseaux, qu'on vient nous piller !

Guccio regarda autour de lui. Quelques escabeaux rustiques, deux chaises à dossier, des bancs scellés au mur, des coffres, et un grand bat-flanc à courtine qui laissait apercevoir sa paillasse, constituaient l'ameublement. Au-dessus de la cheminée était accroché un vieil écu aux couleurs déteintes, le bouclier de bataille du feu sire de Cressay.

— Je ferai plainte au comte de Dreux, continuait dame Éliabel.

— Le comte de Dreux n'est point le roi, et ce sont les ordres du roi que j'accomplis, répondit le prévôt.

— Je ne vous crois point, messire. Je ne veux point croire que le roi ordonne de traiter comme malfaiteurs des gens qui ont la chevalerie depuis deux cents années. Ou bien alors le royaume ne va plus guère.

— Au moins laissez-nous du temps ! dit le fils barbu. Nous paierons par petites sommes.

— Finissons ces palabres. Du temps, je vous en ai donné et vous n'avez point payé, coupa le prévôt.

Il avait les bras courts, la face ronde et le ton tranchant.

— Mon labeur n'est point d'entendre vos griefs, mais de faire rentrer les dettes, continua-t-il. Vous devez encore au Trésor trois cent trente livres. Si vous ne les avez point, tant pis ; je saisis et je vends.

Guccio pensa : « Ce gaillard a tout juste le langage que je m'apprêtais à tenir, et quand il sera passé il ne restera guère à prendre. Mauvais voyage, décidément. Faut-il me mettre tout de suite de la partie ? »

Et il se sentit de la hargne envers ce prévôt mal venu qui lui coupait l'herbe sous le pied.

La jeune fille qui l'avait accueilli était demeurée non loin de lui. Il la regarda mieux. Elle était blonde, avec de belles ondes de cheveux qui sortaient de sa coiffe, une peau lumineuse, un corps fin, droit et bien formé. Guccio dut reconnaître qu'il avait trop hâtivement médit d'elle.

Marie de Cressay, pour sa part, semblait fort gênée qu'un inconnu assistât à la scène. Il n'arrivait pas tous les jours qu'un jeune cavalier d'agréable visage, et dont le vêtement disait assez la richesse, passât par ces campagnes ; c'était vraiment malchance que cela se produisît justement quand la famille se montrait sous son plus mauvais jour.

Là-bas, au bout de la salle, la discussion se poursuivait.

— N'est-ce pas assez de perdre son époux, qu'on doive encore payer six cents livres pour conserver son toit ? Je ferai plainte au comte de Dreux, répétait dame Éliabel.

— Nous vous en avons déjà versé deux cent septante, que nous avons dû emprunter, dit le fils barbu.

— Nous saisir, c'est nous réduire à famine, et nous vendre, c'est nous vouloir morts, dit le second fils.

— Les ordonnances sont les ordonnances, répliqua le prévôt ; je sais mon droit ; je fais la saisie et je ferai la vente.

Vexé comme un acteur dépossédé de son rôle, Guccio dit à la jeune fille:

— Ce prévôt m'est bien odieux. Que vous veut-il?

— Je ne sais, et mes frères guère davantage; nous comprenons peu à ces choses, répondit-elle. Il s'agit de la taille de mutation, après le trépas de notre père.

— Et c'est pour cela qu'il réclame six cents livres? dit Guccio en plissant le front.

— Ah! messire, nous avons le malheur sur nous, murmura-t-elle.

Leurs regards se rencontrèrent, se retinrent un instant, et Guccio crut que la jeune fille allait pleurer. Mais non; elle tenait bon contre l'adversité, et ce ne fut que par pudeur qu'elle détourna ses belles prunelles bleu sombre.

Guccio réfléchissait. Soudain, par une grande volte à travers la salle, il vint se planter devant l'agent de l'autorité et lança:

— Permettez, messire prévôt! Ne seriez-vous point un peu en train de voler?

Stupéfait, le prévôt lui fit face et lui demanda qui il était.

— Il n'importe, répliqua Guccio, et souhaitez ne point l'apprendre trop vite, si par malchance vos comptes n'étaient pas justes. Mais j'ai, moi aussi, quelque raison de m'intéresser aux hoirs du sire de Cressay. Veuillez me dire à combien vous estimez ce domaine.

Comme l'autre essayait de le prendre de haut et menaçait d'appeler ses sergents, Guccio continua:

— Prenez garde! Vous parlez à un homme qui, voici cinq jours, était l'hôte de Madame la reine d'Angleterre, et qui a le pouvoir, demain, de faire savoir à messire Enguerrand de Marigny comment ses prévôts se comportent. Alors répondez, messire: que vaut ce domaine?

Ces paroles firent grand effet. Au nom de Marigny, le prévôt s'était troublé; la famille se taisait, attentive, étonnée; et Guccio se sentit comme grandi de deux pouces.

— Cressay est porté aux estimations du bailliage pour trois mille livres, répondit enfin le prévôt.

— Trois mille, vraiment? s'écria Guccio. Trois mille livres, ce manoir de campagne, alors que l'hôtel de Nesle, qui est l'un des plus beaux de Paris et la demeure de Monseigneur le roi de Navarre, est inscrit pour cinq mille livres aux registres de la taille? On estime cher dans votre bailliage.

— Il y a les terres.

— Le tout en vaut neuf cents, au mieux compté, et je le sais de source sûre.

Le prévôt avait au front, entourant l'œil gauche, une large tache de naissance couleur lie-de-vin. Et Guccio, tout en parlant, fixait cette envie, ce qui achevait de décontenancer le prévôt.

— Voulez-vous me dire maintenant, reprit Guccio, quelle est la taille de mutation?

— Quatre sols à la livre, dans le bailliage.

— Vous mentez gros, messire Portefruit. La taille est de deux sols pour les nobles, en tous bailliages. Vous n'êtes pas seul à connaître la loi, nous sommes deux... Cet homme se sert de votre ignorance pour vous gruger comme un coquin, dit Guccio en s'adressant à la famille Cressay. Car il vient vous effrayer en vous parlant au nom du roi, mais il ne vous dit pas qu'il a les impôts et tailles en fermage, qu'il versera au Trésor ce qui est prescrit par les ordonnances, et que tout le surplus, il se le mettra en poche. Et s'il vous fait vendre, qui donc achètera, non pas pour trois mille, mais pour neuf cents, ou cinq cents, ou juste pour la dette, le château de Cressay? Ne serait-ce pas vous, messire prévôt, qui auriez ce beau dessein?

Toute l'irritation de Guccio, ses dépits, sa colère, trouvaient leur emploi et leur exutoire. Il s'échauffait en parlant. Il avait enfin l'occasion d'être important, de se faire respecter, de jouer les hommes forts. Passant allégrement dans le camp qu'il venait attaquer, il prenait la défense des plus faibles et se posait à présent en redresseur de torts.

Quant au prévôt, sa grosse face ronde avait pâli et seule son envie violette au-dessus de l'œil gardait une teinte foncée. Il agitait ses bras trop courts d'un mouvement de canard. Il protestait de sa bonne foi. Ce n'était pas lui qui tenait les comptes. On pouvait avoir fait une erreur... ses commis, ou bien ceux du bailliage.

— Eh bien! nous allons les refaire, vos comptes, dit Guccio.

En quelques instants, il lui démontra que les Cressay ne devaient pas, tout additionné, principal et intérêts, plus de cent livres et quelques sols.

— Alors, maintenant, venez donner ordre à vos sergents de délier les bœufs, de reporter le blé au moulin et de laisser en paix d'honnêtes gens!

Et, empoignant le prévôt par l'emmanchure, il l'amena jusqu'à la porte. L'autre s'exécuta et cria aux sergents qu'il y avait erreur, qu'il fallait vérifier, qu'on reviendrait une autre fois, et que, pour l'instant, on remît tout en place. Il croyait en avoir fini, mais Guccio le ramena vers le milieu de la salle, en lui disant:

— Et à présent, rendez-nous cent septante livres.

Car Guccio avait si bien pris le parti des Cressay qu'il commençait à dire «nous» en défendant leur cause.

Là, le prévôt s'étrangla de fureur, mais Guccio le calma vite.

— N'ai-je pas entendu tout à l'heure, demanda-t-il, que vous aviez déjà perçu, par le passé, deux cents et septante livres?

Les deux frères acquiescèrent.

— Alors, messire prévôt... cent septante, dit Guccio en tendant la main.

Le gros Portefruit voulut ergoter. Ce qui était versé était versé. Il faudrait voir aux comptes de la prévôté. D'ailleurs, il n'avait pas une telle somme sur lui. Il reviendrait.

— Mieux vaudrait que vous eussiez cet or en votre sac. Êtes-vous bien sûr de n'avoir rien récolté aujourd'hui?... Les enquêteurs de messire de Marigny sont rapides, déclara Guccio, et votre intérêt vous commande de clore cette affaire sur-le-champ.

Le prévôt balança un instant. Appeler ses sergents? Mais le jeune homme avait l'air singulièrement vif, et il portait une bonne dague au côté. Et puis il y avait les deux frères Cressay, solidement taillés, et dont les épieux de chasse étaient à portée de main, sur un coffre. Les paysans prendraient sûrement la cause de leurs maîtres. Mauvaise affaire dans laquelle il valait mieux ne pas s'aventurer, surtout si elle devait venir aux oreilles de Marigny... Il se rendit et, sortant une grosse bougette de dessous son vêtement, il compta le trop-perçu. Seulement alors Guccio le laissa partir.

— Nous nous souviendrons de votre nom, messire prévôt, lui cria-t-il sur la porte.

Et il revint, riant largement, en découvrant toutes ses dents qu'il avait belles, blanches et serrées.

Aussitôt la famille l'entoura, l'accablant de bénédictions, le traitant en sauveur. Dans l'élan général, la belle Marie de Cressay saisit la main de Guccio et y posa ses lèvres; puis elle parut effrayée de ce qu'elle avait osé.

Guccio, enchanté de lui-même, s'installait à merveille dans son nouveau rôle. Il venait de se conduire selon l'idéal des preux; il était le chevalier errant arrivant dans un château inconnu pour secourir la jeune fille en détresse, délivrer des méchants la veuve et les orphelins.

— Mais enfin, qui êtes-vous, messire, à qui nous devons tant? demanda Jean de Cressay, celui qui portait barbe.

— Je m'appelle Guccio Baglioni; je suis le neveu de la banque Tolomei, et je viens pour la créance.

Le silence se fit dans la pièce. Toute la famille s'entre-regarda avec angoisse et consternation. Et Guccio eut l'impression qu'on le dépouillait d'une belle armure.

Dame Éliabel se reprit la première. Elle rafla prestement l'or laissé par le prévôt et, montrant un sourire de façade, elle dit d'un ton enjoué qu'elle tenait avant toute chose à ce que leur bienfaiteur partageât leur dîner.

Elle commença de s'affairer, expédia ses enfants vers diverses tâches, puis, les réunissant à la cuisine, elle leur dit:

— Soyons sur nos gardes, c'est tout de même un Lombard. Il faut toujours se méfier de ces gens-là, surtout quand ils vous ont rendu service. Il est bien regrettable que votre pauvre père ait dû recourir à eux. Montrons à celui-ci, qui d'ailleurs a fort bonne mine, que nous n'avons point d'argent ; mais faisons en sorte qu'il n'oublie point que nous sommes nobles.

Par chance, les deux fils avaient, la veille, rapporté de la chasse assez de gibier ; on tordit le cou à quelques volailles, et l'on put ainsi accommoder les deux services à quatre plats que commandait l'étiquette seigneuriale. Le premier service fut composé d'un brouet d'Allemagne surmonté d'œufs frits, d'une oie, d'un civet de lapin et d'un lièvre rôti ; le second, d'une queue de sanglier en sauce, d'un chapon, de lait lardé et de blanc-manger.

Petit menu, mais qui tranchait toutefois sur l'ordinaire de bouillies de farine et de lentilles au gras dont la famille se contentait le plus souvent.

Tout cela prit du temps à accommoder. Du cellier, on monta de l'hydromel, du cidre, et même les dernières fioles d'un vin un peu piqué. La table fut dressée sur des tréteaux dans la grande salle, contre l'un des bancs. Une nappe blanche tombait jusqu'à terre, que les convives remontèrent sur leurs genoux, afin de pouvoir s'y essuyer les mains. Il y avait une écuelle d'étain pour deux. Les plats étaient posés au milieu de la table, et chacun y piquait avec la main.

Trois paysans qui, à l'accoutumée, s'occupaient de la basse-cour, avaient été appelés pour assurer le service. Ils fleuraient un peu le porc et le clapier.

— Notre écuyer tranchant ! dit dame Éliabel avec une mimique d'excuse et d'ironie, en désignant le boiteux qui coupait les rouelles de pain, épaisses comme des meules, sur lesquelles on mangeait les viandes. Il faut vous dire, messire Baglioni, qu'il s'entend surtout à fendre le bois. Cela explique...

Guccio mangea et but beaucoup. L'échanson avait la main lourde, et l'on eût dit qu'il versait à boire aux chevaux.

La famille poussa Guccio à parler, ce qu'il fit volontiers. Il raconta sa tempête sur la Manche de telle façon que ses hôtes en laissèrent tomber la queue de sanglier dans la sauce. Il disserta de tout, des événements, de l'état des routes, des Templiers, du pont de Londres, de l'Italie, de l'administration de Marigny. A l'entendre, il était l'intime de la reine d'Angleterre, et il insista si fort sur le mystère de sa mission qu'on eût pu croire qu'il allait y avoir la guerre entre les deux pays. « Je ne saurais vous en dire davantage, car ceci est secret du royaume et ne m'appartient point. » A faire étalage de soi devant autrui, on se persuade aisément soi-même ; et Guccio, voyant les choses d'autre façon que le matin, considérait son voyage comme une grande réussite.

Les deux frères Cressay, braves jeunes gens, mais pas très déliés de cervelle, et qui n'avaient jamais poussé plus loin que Dreux, contemplaient avec admiration et envie ce garçon qui était leur cadet et avait déjà tant vu et tant fait.

Dame Éliabel, un peu à l'étroit dans sa robe, se laissait aller à regarder tendrement le jeune Toscan, et, en dépit de sa prévention contre les Lombards, elle trouvait bien du charme aux cheveux bouclés, aux dents éclatantes, au noir regard, et même à l'accent zézayant de Guccio. Elle lui servait le compliment avec adresse.

« Méfie-toi des flatteries, avait dit souvent Tolomei à son neveu. La flatterie est le pire péril pour un banquier. On résiste mal à écouter dire du bien.de soi, et mieux vaut pour nous un voleur qu'un flatteur. »

Mais Guccio buvait la louange comme il buvait l'hydromel. En vérité, c'était surtout pour Marie de Cressay qu'il parlait, pour cette jeune fille qui ne le quittait pas des yeux en levant ses beaux cils dorés. Elle avait une manière d'écouter, les lèvres entrouvertes comme une grenade mûre, qui donnait envie à Guccio de parler, de parler encore.

L'éloignement ennoblit facilement les gens. Pour Marie, Guccio figurait exactement le prince étranger en voyage. Il était l'imprévu, l'inespéré, le rêve trop souvent fait, inaccessible, et qui soudain frappe à la porte avec un vrai visage, un corps bellement vêtu, une voix.

L'émerveillement qu'il lisait dans le regard de Marie fit que Guccio la trouva bientôt la plus belle fille qu'il ait vue au monde, et la plus désirable. Auprès d'elle la reine d'Angleterre lui semblait froide comme la pierre d'un tombeau. « Si elle paraissait à la cour, et vêtue pour cela, se disait-il, elle y serait dans la semaine la plus admirée. »

Lorsqu'on se rinça les mains, chacun était un peu ivre, et le jour venait de tomber.

Dame Éliabel décida que le jeune homme ne pouvait pas repartir à cette heure et le pria d'accepter le coucher, si modeste qu'il fût.

Elle l'assura aussi que sa monture avait été bien soignée et conduite aux écuries. L'existence du chevalier d'aventure continuait, et Guccio trouvait cette vie exaltante.

Bientôt dame Éliabel et sa fille se retirèrent. Les frères Cressay conduisirent le voyageur dans la chambre réservée aux hôtes de passage, et qui semblait n'avoir pas servi depuis longtemps. A peine couché, Guccio coula dans le sommeil, en pensant à une bouche, pareille à une grenade mûre, sur laquelle il buvait tout l'amour du monde.

V

LA ROUTE DE NEAUPHLE

Il fut réveillé par une main qui lui pesait doucement sur l'épaule. Il faillit prendre cette main et la presser contre son visage... Ouvrant l'œil, il vit, au-dessus de lui, l'abondant poitrail et le visage souriant de dame Éliabel.

— Avez-vous bien dormi, messire?

Il faisait grand jour. Guccio, un peu embarrassé, assura qu'il avait passé une excellente nuit, et qu'il voulait se hâter maintenant de faire toilette.

— C'est honte que d'être ainsi devant vous, dit-il.

Dame Éliabel appela le paysan boiteux qui, la veille, avait servi à table ; elle lui commanda de ranimer le feu, et aussi d'apporter un bassin d'eau chaude et des « toiles », c'est-à-dire des serviettes.

— Autrefois, nous avions au château une bonne étuve avec une chambre à bains et une chambre à suer. Mais tout y tombait en pièces, car elle datait de l'aïeul de mon défunt, et nous n'avons jamais eu assez pour la remettre en état. Aujourd'hui, elle sert à remiser le bois. Ah! la vie n'est point aisée pour nous, gens de campagne!

« Elle commence à prêcher pour la créance », pensa Guccio.

Il se sentait la tête un peu lourde des boissons du dîner. Il demanda nouvelles de Pierre et Jean de Cressay; ils étaient partis pour la chasse dès l'aube. Plus hésitant, il s'enquit de Marie. Dame Éliabel répondit que sa fille avait dû se rendre à Neauphle pour quelques achats de ménage.

— J'y vais tout à l'heure, dit Guccio. Si j'avais su, j'aurais pu la conduire sur mon cheval et lui éviter la peine du chemin.

Il se demanda si la châtelaine n'avait pas fait exprès d'éloigner toute sa famille pour demeurer seule avec lui. D'autant que lorsque le boiteux eut apporté le bassin, dont il répandit un bon quart sur le sol, dame Éliabel resta là, chauffant les toiles devant le feu. Guccio attendait qu'elle se retirât.

— Lavez-vous donc, mon jeune messire, dit-elle. Nos servantes sont si balourdes qu'elles vous écorcheraient en vous séchant. Et c'est bien le moins que j'aie soin de vous.

Bredouillant un remerciement, Guccio se résolut à se mettre nu jusqu'à la taille; évitant de regarder la dame, il s'aspergea d'eau tiède la tête et le torse. Il était assez maigre, comme on l'est à son âge, mais bien tourné dans sa petite taille. « Encore heureux qu'elle ne m'ait point fait porter une cuve où j'aurais dû tout entier me dépouiller sous ses yeux. Ces gens de campagne ont de curieuses façons. »

Quand il eut fini, dame Éliabel vint à lui avec les serviettes chaudes, et se mit à l'essuyer. Guccio pensait qu'en partant vite, et en poussant un temps de galop, il aurait des chances de rattraper Marie sur la route de Neauphle ou de la retrouver dans le bourg.

— Quelle jolie peau vous avez, messire, dit soudain dame Éliabel d'une voix qui tremblait un peu. Les femmes pourraient être jalouses d'une aussi douce peau... et j'imagine qu'il en est beaucoup qui doivent en être friandes. Cette belle couleur brune doit leur sembler plaisante.

En même temps, elle lui caressait le dos, du bout des doigts, tout le long des vertèbres. Cela chatouilla Guccio qui se retourna en riant.

Dame Éliabel avait le regard troublé, la poitrine agitée, et un singulier sourire lui modifiait le visage. Guccio enfila prestement sa chemise.

— Ah! que c'est belle chose, la jeunesse! reprit dame Éliabel. A vous voir, je gage que vous la goûtez bien, et que vous faites profit de toutes les permissions qu'elle donne.

Elle se tut un instant; puis, du même ton, elle reprit:

— Alors, mon gentil messire, qu'allez-vous faire pour notre créance?

« Nous y voici », pensa Guccio.

— Vous pouvez bien nous demander ce qu'il vous plaît, continua-t-elle; vous êtes notre bienfaiteur et nous vous bénissons. Si vous voulez l'or que vous avez fait rendre à ce coquin de prévôt, il est à vous, emportez-le; cent livres, si vous voulez. Mais vous voyez notre état, et vous nous avez montré que vous aviez du cœur.

En même temps, elle le regardait lacer ses chausses. Ce n'était pas, pour Guccio, les bonnes conditions d'une discussion d'affaires.

— Celui qui nous sauve va-t-il être celui qui nous perd? poursuivit-elle. Vous autres, gens de ville, ne savez point comme notre position est malaisée. Si nous n'avons point encore payé votre banque, c'est que nous ne le pouvions pas. Les gens du roi nous grugent; vous l'avez constaté. Les serfs ne travaillent point comme par le passé. Depuis les ordonnances du roi Philippe, qui les encouragent à se racheter, l'idée de franchise leur travaille en tête ; on n'en obtient plus rien, et ces manants seraient tout près de se considérer de même race que vous et moi.

Elle marqua un léger arrêt, afin de permettre au jeune Lombard d'apprécier tout ce que ce « vous et moi » contenait de flatteur pour lui.

— Ajoutez à cela que nous avons eu deux mauvaises années pour les champs. Mais il suffit, ce qu'à Dieu plaise, que la prochaine récolte soit bonne...

Guccio, qui ne songeait qu'à partir à la recherche de Marie, essaya d'éluder.

— Ce n'est point moi ; c'est mon oncle qui décide, dit-il.

Mais déjà il se savait vaincu.

— Vous pourrez remontrer à votre oncle qu'il fait avec nous sage et sûr placement ; je lui souhaite de n'avoir jamais pires débiteurs. Donnez-nous encore une année ; nous vous payerons bien les intérêts. Faites cela pour moi ; je vous en aurai grandement gré, dit dame Éliabel en lui saisissant les mains.

Puis avec une légère confusion, elle ajouta :

— Savez-vous, gentil messire, que dès votre venue, hier... peut-être dame ne devrait point dire cela... je me suis senti de l'amitié pour vous, et qu'il n'est chose qui dépende de moi que je ne voudrais faire pour votre contentement ?...

Guccio n'eut pas la présence d'esprit de répondre :

« Eh bien ! remboursez donc votre dette et je serai content. »

De toute évidence, la veuve paraissait plutôt prête à payer de sa personne, et l'on pouvait juste se demander si elle se disposait au sacrifice pour faire reculer la créance, ou si elle se servait de la créance pour avoir l'occasion de se sacrifier.

En bon Italien, Guccio pensa que la chose serait plaisante de séduire à la fois et la fille et la mère. Dame Éliabel avait encore des charmes ; ses mains dodues ne manquaient pas de douceur, et sa gorge, tout abondante qu'elle fût, semblait avoir conservé de la fermeté. Mais ce ne pouvait être qu'un amusement de surcroît, et qui ne valait pas de manquer l'autre proie.

Guccio se dégagea des empressements de dame Éliabel, en l'assurant qu'il allait s'efforcer d'arranger l'affaire ; mais il lui fallait courir à Neauphle, et en conférer avec ses commis.

Il sortit dans la cour, pressa le boiteux de seller son cheval, et partit pour le bourg. Point de Marie sur le chemin. Tout en galopant, Guccio se demandait si vraiment la jeune fille était aussi belle qu'il l'avait vue la veille, s'il ne s'était pas mépris sur les promesses qu'il avait cru lire dans ses yeux, et si tout cela, qui n'était peut-être qu'illusions de fin de dîner, méritait tant de hâte. Car il existe des femmes qui, lorsqu'elles vous regardent, semblent se donner à vous dans le premier instant ;

mais c'est leur air naturel; elles regardent un meuble, un arbre, de la même façon et, finalement, ne donnent rien du tout...

Guccio n'aperçut pas Marie sur la place de Neauphle. Il jeta un coup d'œil sur les rues avoisinantes, entra dans l'église, n'y resta que le temps d'un signe de croix, puis se rendit au comptoir. Là, il accusa les commis de l'avoir mal renseigné. Les Cressay étaient gens de qualité, tout à fait honorables et solvables. Il fallait prolonger leur créance. Quant au prévôt, c'était une franche canaille... Tout en parlant, Guccio ne cessait de regarder par la fenêtre. Les employés hochaient la tête en contemplant ce jeune fou qui se déjugeait du lendemain sur la veille, et ils pensaient que ce serait grande pitié si la banque lui tombait tout à fait entre les mains.

— Il se peut que je revienne assez souvent; ce comptoir a besoin d'être surveillé, leur dit-il en guise d'adieu.

Il sauta en selle, et les cailloux volèrent sous les fers de son cheval. «Sans doute a-t-elle emprunté un sentier de raccourci, se disait-il. Je la rejoindrai au château, mais il sera malaisé de la voir seule... »

Peu après la sortie du bourg, il distingua une silhouette qui se hâtait vers Cressay, et il reconnut Marie. Alors, brusquement, il entendit que les oiseaux chantaient, il découvrit que le soleil brillait, qu'on était en avril, et que de petites feuilles tendres couvraient les arbres. A cause de cette robe qui avançait entre deux prairies, le printemps, auquel Guccio depuis trois jours n'avait pas accordé attention, venait de lui apparaître.

Il ralentit son cheval en arrivant à la hauteur de Marie. Elle le regarda, pas tellement surprise de sa présence, mais comme si elle venait de recevoir le plus beau cadeau du monde. La marche lui avait coloré le visage, et Guccio reconnut qu'elle était plus belle encore qu'il n'en avait jugé la veille.

Il s'offrit à l'emmener en croupe. Elle sourit pour acquiescer, et ses lèvres de nouveau s'entrouvrirent comme un fruit. Guccio fit ranger son cheval contre le talus, et se pencha, présentant à Marie son bras et son épaule. La jeune fille était légère; elle se hissa lestement, et ils partirent au pas. Un moment ils allèrent en silence. La parole manquait à Guccio. Ce hâbleur, soudain, ne trouvait rien à dire.

Il sentit que Marie osait à peine se tenir à lui. Il lui demanda si elle était accoutumée à aller ainsi à cheval.

— Avec mon père ou mes frères... seulement, répondit-elle.

Jamais encore elle n'avait cheminé de la sorte, flanc contre dos, avec un étranger. Elle s'enhardit un peu et assura mieux son étreinte.

— Êtes-vous en hâte de rentrer? demanda-t-il.

Elle ne répondit pas, et il engagea son cheval dans un sentier de traverse.

— Votre pays est beau, reprit-il après un nouveau silence; aussi beau que ma Toscane.

Ce n'était pas seulement compliment d'amoureux. Guccio découvrait avec ravissement la douceur de l'Ile-de-France, ses collines, brodées de forêts, ses horizons bleutés, ses rideaux de peupliers partageant de grasses prairies, et le vert plus laiteux, plus fragile des seigles récemment levés, et ses haies d'aubépine où s'ouvraient des bourgeons gommeux.

Quelles étaient ces tours qu'on apercevait au lointain, noyées dans une brume légère, vers le couchant? Marie eu beaucoup de peine à répondre que c'étaient les tours de Montfort-l'Amaury.

Elle éprouvait un mélange d'angoisse et de bonheur qui l'empêchait de parler, qui l'empêchait de penser. Où conduisait ce sentier? Elle ne le savait plus. Vers quoi la menait ce cavalier? Elle ne le savait pas davantage. Elle obéissait à quelque chose qui n'avait pas encore de nom, qui était plus fort que la crainte de l'inconnu, plus fort que les préceptes enseignés et les mises en garde des confesseurs. Elle se sentait livrée entièrement à une volonté étrangère. Ses mains se crispaient un peu plus sur ce manteau, sur ce dos d'homme qui constituait en l'instant, au milieu du chavirement de tout, la seule certitude de l'univers.

Le cheval qui allait, rênes longues, s'arrêta de lui-même pour manger une jeune pousse.

Guccio descendit, prit Marie dans ses bras et la posa sur le sol. Mais il ne la lâcha point et garda les mains autour de sa taille, qu'il s'étonna de trouver si étroite et si mince. La jeune fille demeurait sans bouger, prisonnière, inquiète, mais consentante, entre ces doigts qui l'enserraient. Guccio sentit qu'il fallait parler; et ce furent les paroles italiennes pour exprimer l'amour qui lui vinrent aux lèvres:

— *Ti voglio bene, ti voglio tanto bene.*

Elle parut les comprendre, tellement la voix suffisait à en donner le sens.

A contempler ainsi Marie, sous le soleil, Guccio vit que les cils de la jeune fille n'étaient pas dorés comme il l'avait cru, ni ses cheveux vraiment blonds. Elle était une châtaine à reflets roux, avec une carnation de blonde et de grands yeux bleu foncé, largement dessinés sous le sourcil. D'où venait alors cet éclat doré qui émanait d'elle? D'instant en instant, Marie devenait pour Guccio plus exacte, plus réelle, et elle était parfaitement belle dans cette réalité. Il l'étreignit plus étroitement, glissa la main lentement, doucement le long de la hanche, puis du corsage, continuant d'apprendre la vérité de ce corps.

— Non... murmura-t-elle éloignant cette main.

Mais comme si elle craignait de le décevoir, elle renversa un peu le visage vers le sien. Elle avait entrouvert les lèvres, et ses yeux étaient clos. Guccio se pencha vers cette bouche, vers ce beau fruit qu'il convoitait tant. Et ils restèrent ainsi de longues secondes, parmi le pépiement des oiseaux, les lointains aboiements des chiens, et toute la grande respiration de la nature qui semblait soulever la terre sous leurs pieds.

Quand leurs lèvres se furent séparées, Guccio remarqua le tronc verdâtre et tordu d'un gros pommier qui croissait là, et cet arbre lui parut étonnamment beau et vivant, comme il n'en avait jamais vu de pareil jusqu'à ce jour. Une pie sautillait dans le seigle nouveau ; et le garçon des villes demeurait tout surpris de ce baiser en plein champ.

— Vous êtes venu ; vous êtes enfin venu, murmura Marie.

On eût dit qu'elle l'attendait depuis le fond des âges, depuis le fond des nuits. Elle ne le quittait plus du regard.

Il voulut reprendre sa bouche, mais cette fois elle refusa.

— Non, il faut retourner, dit-elle.

Elle avait la certitude que l'amour était apparu dans sa vie, et pour l'instant elle était comblée. Elle ne souhaitait rien de plus.

Quand elle fut de nouveau assise sur le cheval, derrière Guccio, elle passa les bras autour de la poitrine du jeune Siennois, posa la tête contre son épaule, et se laissa aller ainsi, au rythme de la monture, liée à l'homme que Dieu lui avait envoyé.

Elle avait le goût du miracle et le sens de l'absolu. Pas un instant elle n'imagina que Guccio pût être dans une disposition d'âme différente de la sienne, ni que le baiser qu'ils avaient échangé pût avoir pour lui une signification moins grave que celle qu'elle y attachait.

Elle ne se redressa, et ne reprit le maintien qui convenait, que lorsque les toits de Cressay apparurent dans le val.

Les deux frères étaient rentrés de la chasse. Dame Éliabel vit sans plaisir Marie revenir en compagnie de Guccio. Quoi qu'ils fissent pour ne rien laisser paraître, les jeunes gens avaient un air de bonheur qui donna du dépit à la grasse châtelaine et lui inspira des pensées de sévérité envers sa fille. Mais elle n'osa aucune remarque en présence du jeune banquier.

— J'ai fait rencontre de damoiselle Marie, et lui ai demandé de me montrer les alentours de votre domaine, dit Guccio. C'est belle terre que vous possédez.

Puis il ajouta :

— J'ai ordonné qu'on reporte votre créance à l'an prochain ; mon oncle, j'espère, m'approuvera. Peut-on rien refuser à si noble dame !

Alors dame Éliabel gloussa et prit un air de discret triomphe.

On fit à Guccio force remerciements ; pourtant, quand il annonça qu'il allait repartir, on n'insista pas trop pour le garder. Il était bien charmant cavalier, ce jeune Lombard, et il avait rendu grand service... mais on ne le connaissait guère, après tout. La créance était prolongée, c'était l'essentiel. Dame Éliabel n'aurait pas de mal à se persuader que ses charmes y avaient aidé.

La seule personne qui désirait vraiment que Guccio restât ne pouvait ni n'osait rien dire.

Pour dissiper la vague gêne qui s'installait, on força Guccio d'emporter un quartier du chevreuil que les frères avaient tué, et on lui fit promettre de revenir. Il promit, en regardant Marie.

— Pour les intérêts de la créance, je reviendrai, soyez certains, dit-il d'un ton jovial qui voulait donner le change.

Son bagage bouclé, il se remit en selle.

Le voyant s'éloigner en descendant vers la Mauldre, madame de Cressay eut un fort soupir et déclara à ses fils, moins pour eux que pour donner du fil à ses illusions :

— Mes enfants, votre mère sait encore parler aux damoiseaux. J'ai fait bonne manœuvre avec celui-là, et vous l'eussiez trouvé plus âpre si je ne l'avais point pris à part.

De peur de se trahir, Marie était déjà rentrée dans la maison.

Sur la route de Paris, Guccio, galopant, se considérait comme un séducteur irrésistible qui n'avait qu'à paraître dans les châteaux pour y moissonner les cœurs. L'image de Marie dans le clos des pommiers, auprès de la rivière, ne le quittait pas. Et il se promettait de revenir à Neauphle, très vite, dans quelques jours peut-être...

Il arriva pour le souper rue des Lombards et, jusqu'à une heure avancée, s'entretint avec son oncle Tolomei. Celui-ci accepta sans peine les explications que Guccio lui donna au sujet de la créance ; il avait d'autres soucis en tête. Mais il parut s'intéresser spécialement aux agissements du prévôt Portefruit.

Toute la nuit, Guccio eut l'impression que Marie habitait son sommeil. Le lendemain il y pensait déjà un peu moins.

Il connaissait, à Paris, deux femmes de marchands, jolies bourgeoises de vingt ans, qui ne lui étaient pas cruelles. Au bout de quelques jours, il avait oublié sa conquête de Neauphle.

Mais les destins se forment lentement et nul ne sait, parmi tous nos actes semés au hasard, lesquels germeront pour s'épanouir, comme des arbres. Nul ne pouvait imaginer que le baiser échangé au bord de la Mauldre conduirait la belle Marie jusqu'au berceau d'un roi.

A Cressay, Marie commençait d'attendre.

VI

LA ROUTE DE CLERMONT

Vingt jours plus tard, la petite cité de Clermont-de-l'Oise connaissait une animation fort inhabituelle. Des portes jusqu'au château royal, de l'église à la prévôté, il y avait grand mouvement de peuple. On se bousculait dans les rues et dans les tavernes, avec une rumeur joyeuse, et les tentures de procession flottaient aux fenêtres. Car les crieurs publics avaient annoncé, tôt le matin, que Monseigneur de Poitiers, second fils du roi, et son oncle, Monseigneur de Valois, venaient accueillir, au nom du souverain, leur sœur et nièce, la reine Isabelle d'Angleterre.

Celle-ci, débarquée trois jours plus tôt sur le sol de France, faisait route à travers la Picardie. Elle avait quitté Amiens le matin; si tout allait bien, elle parviendrait à Clermont en fin d'après-midi. Elle y dormirait et, le lendemain, son escorte d'Angleterre jointe à celle de France, elle se rendrait au château de Maubuisson, près Pontoise, où son père, Philippe le Bel, l'attendait.

Peu avant vêpres, prévenus de l'approche des princes français, le prévôt, le capitaine de ville et les échevins passèrent la porte de Paris pour présenter les clefs. Philippe de Poitiers et Charles de Valois, qui chevauchaient en tête, reçurent leur bienvenue et pénétrèrent dans Clermont.

Derrière eux s'avançaient plus de cent gentilshommes, écuyers, valets et gens d'armes, dont les chevaux soulevaient grande poussière.

Une tête dominait toutes les autres, celle de Robert d'Artois. A cavalier géant, monture géante. Ce colossal seigneur, assis sur un énorme percheron rouan, et portant bottes rouges, manteau rouge, cotte d'armes de soie rouge, attirait forcément les regards. Alors que, chez maint cavalier, la fatigue était visible, lui restait droit en selle comme s'il venait juste d'y monter.

En vérité, depuis le départ de Pontoise, Robert d'Artois avait, pour se soutenir et se rafraîchir, le sentiment aigu de la vengeance. Il était seul à savoir le but véritable du voyage de la jeune reine d'Angleterre, seul à en deviner les développements. Et il en tirait d'avance une jouissance âpre et secrète.

Pendant tout le trajet, il n'avait cessé de surveiller Gautier et Philippe d'Aunay qui faisaient partie du cortège, le premier comme écuyer de la maison de Poitiers, et le cadet comme écuyer de celle de Valois. Les deux jeunes gens étaient ravis du déplacement et de tout ce train royal. Pour mieux briller, ils avaient, dans leur innocence et leur vanité, accroché sur leurs vêtements d'apparat les belles aumônières données par leurs maîtresses. En voyant ces objets étinceler à leurs ceintures, Robert d'Artois sentit passer dans sa poitrine les ondes d'une énorme joie cruelle, et il eut peine à s'empêcher de rire. « Allez, mes gentillets, mes oisons, mes coquebins, se disait-il, souriez donc en pensant aux beaux seins de vos dames. Pensez-y bien, car vous n'y toucherez plus guère ; et respirez le jour qu'il fait, car je crois fort que vous n'en aurez plus beaucoup d'autres. »

En même temps, gros tigre jouant, griffes rentrées, avec sa proie, il adressait aux frères d'Aunay des saluts cordiaux ou leur lançait quelque joyeuseté sonore.

Depuis qu'il les avait sauvés du faux guet-apens de la tour de Nesle, les deux garçons se considéraient comme ses obligés et se sentaient tenus de lui témoigner de l'amitié. Quand le cortège s'arrêta ils invitèrent d'Artois à vider en leur compagnie un broc de vin gris, sur le seuil d'une auberge.

— A vos amours, leur dit-il en levant son gobelet. Et gardez bien le goût de ce petit vin.

Dans la grand-rue coulait une foule dense, qui ralentissait l'avance des chevaux. La brise agitait légèrement les draperies multicolores qui ornaient les fenêtres. Un chevaucheur arriva au galop, annonçant que le train de la reine d'Angleterre était en vue ; aussitôt se refit un grand branle-bas.

— Pressez nos gens, cria Philippe de Poitiers à Gautier d'Aunay.

Puis, se tournant vers Charles de Valois :

— Nous sommes à l'heure qu'il faut, mon oncle.

Charles de Valois, tout de bleu vêtu, et un peu congestionné par la fatigue, se contenta d'incliner la tête. Il se serait bien passé de cette chevauchée ; son humeur était morose.

Le cortège avança sur la route d'Amiens.

Robert d'Artois s'approcha des princes et se mit au botte à botte avec Valois. Bien que dépossédé de l'héritage d'Artois, Robert n'en était pas moins cousin du roi, et sa place était sur le rang des premières couronnes de France. Regardant la main gantée de Philippe de Poitiers fermée sur les rênes de son cheval noir, Robert pensait : « C'est pour toi, mon maigre cousin, c'est pour te donner la Comté-Franche que l'on m'a ôté mon Artois. Mais avant que demain soit achevé, tu vas recevoir une blessure dont ni l'honneur ni la fortune d'un homme ne se remettent aisément. »

Philippe, comte de Poitiers et mari de Jeanne de Bourgogne, était âgé de vingt et un ans. Par le physique autant que par la manière d'être, il différait du reste de la famille royale. Il n'avait pas la beauté majestueuse et froide de son père, ni le turbulent embonpoint de son oncle. Il tenait de sa mère, la Navarraise. Long de visage, de corps et de membres, très grand, ses gestes étaient toujours mesurés, sa voix précise, un peu sèche ; tout en lui, le regard, la simplicité du vêtement, la courtoisie contrôlée de ses propos, disait une nature réfléchie, décidée, où la tête l'emportait sur les impulsions du cœur. Il était déjà dans le royaume une force avec laquelle il fallait compter.

La rencontre des deux cortèges se fit à une demi-lieue de Clermont. Quatre hérauts de la maison de France, groupés au milieu du chemin, levèrent leurs longues trompettes et lancèrent quelques sonneries graves. Les sonneurs anglais répondirent en soufflant dans des instruments semblables, mais d'une tonalité plus aiguë. Les princes s'avancèrent, et la reine Isabelle, mince et droite sur sa haquenée blanche, reçut la brève bienvenue que lui adressa son frère, Philippe de Poitiers. Charles de Valois vint ensuite baiser la main de sa nièce ; puis ce fut le tour du comte d'Artois qui, dans la grande inclinaison de tête et le regard qu'il adressa à la jeune reine, sut assurer celle-ci qu'il n'y avait ni obstacle ni imprévu dans le déroulement de leur machination.

Pendant que s'échangeaient compliments, questions et nouvelles, les deux escortes attendaient et s'observaient. Les chevaliers français jugeaient les costumes des Anglais. Ceux-ci, immobiles et dignes, le soleil dans l'œil, portaient avec fierté, brodées sur leur cotte, les armes d'Angleterre ; encore qu'ils fussent, pour la plupart, français d'origine et de nom, on les sentait soucieux de faire belle figure en terre étrangère [17].

De la grande litière bleu et or qui suivait la reine, s'éleva un cri d'enfant.

— Ma sœur, dit Philippe, vous avez donc amené derechef notre petit neveu en ce voyage ? N'est-ce pas bien éprouvant pour un enfant d'un si jeune âge ?

— Je n'aurais garde de le laisser à Londres sans moi, répondit Isabelle.

Philippe de Poitiers et Charles de Valois lui demandèrent quel était le but de sa venue ; elle leur déclara simplement qu'elle voulait voir son père, et ils comprirent qu'ils n'en sauraient pas plus, au moins pour l'instant.

Un peu lassée par la longueur de l'étape, elle descendit de sa jument blanche, et prit place dans la grande litière portée par deux mules caparaçonnées de velours. Les escortes se remirent en marche vers Clermont.

Profitant de ce que Poitiers et Valois reprenaient la tête du cortège, d'Artois poussa son cheval auprès de la litière.

— Vous êtes plus belle à chaque fois qu'on vous voit, ma cousine, lui dit-il.

— Ne mentez point. Je ne puis certes être belle après une semaine de chemin et de poussière, répondit la reine.

— Quand on vous a aimée de souvenir pendant de longues semaines, on ne voit point la poussière, on ne voit que vos yeux.

Isabelle se renfonça un peu dans les coussins. De nouveau, elle se sentait reprise de cette singulière faiblesse qui l'avait saisie à Westminster en face de Robert. « Est-il donc vrai qu'il m'aime, pensait-elle, ou bien seulement me fait-il compliments comme il en doit faire à toute femme ? » Entre les rideaux de la litière, elle voyait au flanc du cheval pommelé l'immense botte rouge et l'éperon doré ; elle voyait cette cuisse de géant dont les muscles roulaient contre l'arçon de la selle ; et elle se demandait si, chaque fois qu'elle se trouverait en présence de cet homme, elle éprouverait ce même trouble, ce même désir d'abandon... Elle fit effort pour se dominer. Elle n'était point là pour elle-même.

— Mon cousin, dit-elle, profitons de ce que nous pouvons parler, et mettez-moi au fait de ce que vous avez à m'apprendre.

Rapidement, et feignant de lui commenter le paysage, il lui raconta ce qu'il savait et ce qu'il avait fait, la surveillance dont il avait entouré les princesses royales, le guet-apens de la tour de Nesle.

— Quels sont ces hommes qui déshonorent la couronne de France ? demanda Isabelle.

— Ils marchent à vingt pas de vous. Ils sont de l'escorte qui vous fait conduite.

Et il donna les renseignements essentiels sur les frères d'Aunay, leurs fiefs, leur parenté, leurs alliances.

— Je veux les voir, dit Isabelle.

A grands signes, d'Artois appela les deux jeunes gens.

— La reine vous a remarqués, dit-il en leur faisant un gros clin d'œil.

Les visages des deux garçons s'épanouirent d'orgueil et de plaisir.

D'Artois les poussa vers la litière, comme s'il était en train de faire leur fortune, et tandis qu'ils saluaient plus bas que l'encolure de leurs montures, il dit, jouant la jovialité :

— Madame, voici messires Gautier et Philippe d'Aunay, les plus loyaux écuyers de votre frère et de votre oncle. Je les recommande à votre bienveillance. Ils sont un peu mes protégés.

Isabelle examina froidement les deux jeunes hommes, se demandant ce qu'ils avaient dans le visage et l'allure qui pût détourner de leur devoir des filles de roi. Ils étaient beaux, à coup sûr, et la beauté des hommes gênait toujours un peu Isabelle. Soudain, elle aperçut les aumônières à la ceinture des deux cavaliers, et ses yeux aussitôt cherchèrent ceux de Robert. Ce dernier eut un bref sourire.

Désormais il pouvait rentrer dans l'ombre. Il n'aurait même pas à assumer devant la cour le rôle déplaisant de délateur. «Beau labeur, Robert, beau labeur», se disait-il.

Les frères d'Aunay, la tête pleine de rêves, allèrent reprendre leur place dans le défilé.

Les cloches de toutes les églises de Clermont, de toutes les chapelles, de tous les couvents, sonnaient à la volée, et, de la petite ville en liesse, montaient déjà de longues clameurs de bienvenue vers cette reine de vingt-deux ans qui apportait à la cour de France le plus surprenant des malheurs.

VII

TEL PÈRE, TELLE FILLE

Un chandelier d'argent niellé, sommé d'un gros cierge entouré d'une couronne de chandelles, éclairait sur la table la liasse de parchemins dont le roi venait d'achever l'examen. De l'autre côté des fenêtres, le parc se dissolvait dans le crépuscule; Isabelle, le visage tourné vers la nuit, regardait l'ombre prendre les arbres un à un.

Depuis Blanche de Castille, Maubuisson, aux abords de Pontoise, était demeure royale et Philippe le Bel en avait fait l'une de ses résidences habituelles. Il avait du goût pour ce domaine silencieux, clos de hautes murailles, pour son parc, et pour son abbaye où des sœurs bénédictines menaient une vie paisible rythmée par les offices religieux. Le château lui-même n'était pas grand; mais Philippe le Bel en appréciait le calme.

— C'est là que je prends conseil de moi, avait-il déclaré un jour.

Il y habitait avec sa famille et une cour réduite.

Isabelle était arrivée l'après-midi, au terme de son voyage. Elle avait abordé ses trois belles-sœurs, Marguerite, Jeanne et Blanche, avec un visage parfaitement souriant, et répondu d'un ton de circonstance à leurs paroles d'accueil.

Le souper avait été bref. Et maintenant Isabelle était enfermée tête à tête avec son père dans la pièce où il aimait à s'isoler. Le roi Philippe l'observait de ce regard glacé dont il contemplait toute créature humaine, fût-ce sa propre enfant. Il attendait qu'elle parlât; elle n'osait pas. « Je vais lui faire tant de mal », pensait-elle. Et soudain, à cause de cette présence, de ce parc, de ces arbres, de ce silence, il vint à Isabelle une grande bouffée de souvenirs d'enfance, en même temps que de pitié pour elle-même.

— Mon père, dit-elle, mon père, je suis malheureuse. Ah! comme la France me semble loin depuis que je suis reine d'Angleterre! Et comme j'ai le regret des jours qui ne sont plus!

Elle eut à se défendre contre la tentation des larmes.

— Est-ce pour m'informer de ceci, Isabelle, que vous avez entrepris ce long voyage? demanda le roi d'une voix sans chaleur.

— Si ce n'est à mon père, à qui dirai-je que je n'ai pas de bonheur? répondit-elle.

Le roi regarda la fenêtre, maintenant obscure, et dont le vent faisait vibrer les vitraux; puis il regarda les chandelles, puis le feu.

— Le bonheur... dit-il lentement. Qu'est-ce donc que le bonheur, ma fille, sinon de convenir à notre destinée?

Ils étaient assis face à face sur des sièges de chêne.

— Je suis reine, il est vrai, dit-elle à voix basse. Mais est-ce qu'on me traite en reine là-bas?

— Vous fait-on du tort?

Il avait mis peu de surprise dans sa question, sachant trop ce qu'elle allait répondre.

— Ignorez-vous à qui vous m'avez mariée? dit-elle. Est-ce un mari, celui qui déserte mon lit depuis le premier jour? A qui ni les soins, ni les égards, ni les sourires qui lui viennent de moi, n'arrachent un mot? Qui me fuit comme si j'étais affligée de la lèpre et distribue, non pas même à des favorites, mais à des hommes, mon père, à des hommes, les faveurs qu'il m'a ôtées?

Philippe le Bel connaissait tout cela depuis longtemps, et depuis longtemps aussi sa réponse était prête.

— Je ne vous ai point mariée à un homme, Isabelle, mais à un roi. Je ne vous ai point sacrifiée par erreur. Est-ce à vous que je dois apprendre ce que nous devons à nos États, et que nous ne sommes point nés pour nous laisser aller à nos douleurs de personnes? Nous ne vivons point nos propres vies, mais celles de nos royaumes, et c'est par là seulement que nous pouvons trouver notre contentement... si nous convenons à notre destinée.

En parlant, il s'était rapproché du chandelier. La lumière accusait les reliefs ivoirins de son beau visage.

«Je n'aurais pu aimer qu'un homme qui lui ressemblât, pensa Isabelle. Et jamais je n'aimerai, car jamais je ne trouverai d'homme à sa semblance.»

Puis à haute voix:

— Ce n'est point pour pleurer sur mes maux que je suis venue en France, mon père. Mais je suis aise que vous m'ayez rappelé ce respect de soi qui convient aux personnes royales, et aussi que le bonheur n'est point ce que nous devons poursuivre. J'aimerais seulement qu'autour de vous chacun en pensât autant.

— Pourquoi êtes-vous venue?

Elle prit son souffle:

— Parce que mes frères ont épousé des garces, mon père, que je l'ai su, et que je suis aussi âpre que vous à défendre l'honneur.

Philippe le Bel soupira.

— Vous n'aimez pas, je le sais, vos belles-sœurs. Mais ce qui vous en sépare...

— Ce qui m'en sépare, mon père, c'est l'honnêteté. Je sais des choses que l'on vous a cachées. Écoutez-moi, car je ne vous apporte point seulement des mots. Connaissez-vous le jeune messire Gautier d'Aunay?

— Ils sont deux frères que je confonds toujours. Leur père fut avec moi en Flandre. Celui dont vous me parlez a épousé une Montmorency, n'est-il pas vrai? Et il est à mon fils Poitiers, comme écuyer...

— Il est également à votre bru Blanche, mais d'une autre façon. Son frère cadet Philippe, qui est à mon oncle Valois...

— Oui, dit le roi, oui...

Un léger pli horizontal partageait son front ordinairement dépourvu de toute ride.

— ... Eh bien! celui-là est à Marguerite, que vous avez choisie pour être un jour reine de France. Quant à Jeanne, on ne lui nomme pas d'amant; mais on sait au moins qu'elle couvre les plaisirs de sa sœur et de sa cousine, protège les visites de leurs galants à la tour de Nesle, et s'acquitte très bien d'un métier qui a un fort vieux nom... Et apprenez que toute la cour en parle, sauf à vous.

Philippe le Bel leva la main.

— Vos preuves, Isabelle?

— Vous les trouverez à la ceinture des frères d'Aunay. Vous y verrez pendre des aumônières que j'ai envoyées l'autre mois à mes belles-sœurs et que j'ai reconnues hier, sur ces gentilshommes, dans l'escorte qui m'a menée ici. Je ne m'offense pas du peu de cas que vos brus font de mes présents. Mais de tels joyaux accordés à des écuyers ne peuvent être que le paiement d'un service. Cherchez le service. S'il vous faut d'autres faits, je crois pouvoir facilement vous les fournir.

Philippe le Bel regardait sa fille.

Elle avait porté son accusation sans hésiter, sans faiblir, avec au fond des yeux quelque chose de déterminé, d'irréductible où il se retrouvait. Elle était vraiment sa fille.

Il se leva, et resta un long moment debout devant la fenêtre.

— Venez, dit-il enfin. Allons chez elles.

Il ouvrit la porte, traversa une pièce sombre, poussa une seconde porte qui donnait sur le chemin de ronde. D'un coup, le vent de la nuit les enveloppa, faisant battre et flotter derrière eux leurs amples vêtements. De courtes rafales secouaient les ardoises du toit. D'en bas, montait l'odeur de la terre humide. Devant les pas du roi et de sa fille, des archers se levaient le long des créneaux.

Les trois brus avaient leurs appartements dans l'autre aile du château de Maubuisson. Quand il se trouva devant la porte des princesses, Philippe le Bel s'arrêta un instant. Il écouta. Des rires et de petits cris de joie lui parvenaient à travers le vantail de chêne. Il regarda Isabelle.

— Il faut, dit-il.

Isabelle inclina la tête sans répondre. Le roi ouvrit la porte.

Marguerite, Jeanne et Blanche poussèrent un cri de surprise, et leurs rires se cassèrent net.

Elles étaient en train de jouer avec des marionnettes ; elles reconstituaient une scène inventée par elles et qui, réglée par un maître jongleur, les avait fort diverties un jour, à Vincennes, mais dont le roi s'était irrité.

Les marionnettes étaient faites à l'image des principaux personnages de la cour. Le petit décor représentait la chambre du roi, où celui-ci figurait, couché dans un lit paré d'un drap d'or. Monseigneur de Valois frappait à la porte et demandait à parler à son frère. Hugues de Bouville, le grand chambellan, répondait que le roi ne voulait parler à personne, et avait défendu qu'on le dérangeât. Monseigneur de Valois s'en repartait tout en colère. Venaient ensuite cogner à l'huis les marionnettes de Louis de Navarre et du prince Charles. Bouville faisait aux fils du roi la même réponse. Enfin, précédé de trois sergents massiers, se présentait Enguerrand de Marigny ; aussitôt on lui ouvrait la porte tout grand, en lui disant : « Monseigneur, soyez le bienvenu. Le roi a désir de vous voir. »

Cette satire avait paru déplacée à Philippe le Bel ; il avait interdit qu'on la répétât. Mais les jeunes princesses passaient outre, en secret, y prenant d'autant plus de plaisir que c'était amusement défendu.

Elles variaient le texte et renchérissaient de trouvailles et de moqueries, surtout quand elles maniaient les marionnettes qui représentaient leurs maris.

Elles furent, à l'entrée du roi et d'Isabelle, comme trois écolières prises en faute. En hâte, Marguerite ramassa un surcot qui traînait sur un siège et le revêtit pour couvrir sa gorge trop dénudée. Blanche releva ses tresses qu'elle avait dérangées en simulant le courroux de l'oncle Valois.

Jeanne, qui gardait le mieux son calme, dit vivement :

— Nous avons fini, Sire, nous avons juste fini ; mais vous auriez pu tout entendre sans qu'il y eût motif à vous courroucer. Nous allons tout ranger.

Elle frappa dans ses mains.

— Holà ! Beaumont, Comminges, mes bonnes...

— Inutile d'appeler vos dames, dit brièvement le roi.

Il avait à peine regardé leur jeu ; il les regardait, elles. La plus jeune,

Blanche, avait dix-huit ans, les deux autres vingt et un. Il les avait vues grandir, embellir, depuis qu'elles étaient arrivées, chacune environ sa douzième ou treizième année, pour épouser l'un de ses fils. Mais elles ne semblaient pas avoir acquis plus de cervelle qu'elles n'en possédaient alors. Elles jouaient encore avec des marionnettes... Se pouvait-il que si grande malice de femme logeât dans ces êtres-là, qui lui semblaient toujours des enfants? « Peut-être, pensa-t-il, je ne connais rien aux femmes. »

— Où sont vos époux? demanda-t-il.

— Dans la salle d'armes, Sire mon père, dit Jeanne.

— Vous le voyez, je ne suis pas venu seul, reprit-il. Vous dites souvent que votre belle-sœur ne vous aime point. Et pourtant on me rapporte qu'elle vous a fait à chacune un fort beau présent...

Isabelle vit comme une lueur s'éteindre dans les yeux de Marguerite et de Blanche.

— Voulez-vous, poursuivit lentement Philippe le Bel, me montrer ces aumônières que vous avez reçues d'Angleterre?

Le silence qui suivit sépara le monde en deux. Il y avait d'un côté le roi de France, la reine d'Angleterre, la cour, les barons, les royaumes; et puis, de l'autre, trois femmes fautives et découvertes pour lesquelles commençait un long cauchemar.

— Eh bien mes filles! dit le roi. Pourquoi ne répondez-vous?

Il continuait de les regarder fixement, de ses yeux immenses, dont les paupières ne battaient pas.

— J'ai laissé mon aumônière à Paris, dit Jeanne.

— Moi de même, moi de même, dirent aussitôt les deux autres.

Philippe le Bel, lentement, se dirigea vers la porte. Ses belles-filles, blêmes, observaient ses gestes.

La reine Isabelle s'était adossée au mur, et respirait à petits coups.

Le roi dit, sans se retourner:

— Puisque ces aumônières sont à Paris, nous enverrons deux écuyers les prendre sur-le-champ.

Il ouvrit la porte, appela un homme de garde et lui commanda d'aller quérir les frères d'Aunay.

Blanche n'y résista pas. Elle se laissa choir sur un tabouret, la tête vidée de sang, le cœur arrêté et son front s'inclina de côté, comme si elle défaillait. Jeanne la secoua par le bras pour l'obliger à se ressaisir.

Marguerite, de ses petites mains brunes, tordait machinalement le cou d'une marionnette.

Isabelle ne bougeait pas. Elle sentait sur elle les regards de Marguerite et de Jeanne; son rôle de délatrice lui devenait lourd à porter. Elle éprouva soudain une grande fatigue. « J'irai jusqu'au bout », pensa-t-elle.

Les frères d'Aunay entrèrent, empressés, confus, se bousculant presque dans leur désir de bien servir et de se faire valoir.

Isabelle étendit la main.

— Mon père, dit-elle, ces gentilshommes semblent avoir prévenu votre souhait, puisque voici qu'ils apportent, pendues à leurs ceintures, les aumônières que vous demandiez à voir.

Philippe le Bel se tourna vers ses brus.

— Pouvez-vous me faire connaître comment ces écuyers se trouvent pourvus des présents que vous a faits votre belle-sœur?

Aucune ne répondit.

Philippe d'Aunay regarda Isabelle avec étonnement, tel un chien qui ne comprend pas pourquoi on le bat, puis tourna les yeux vers son aîné, en cherchant protection. Gautier avait la bouche entrouverte.

— Gardes! Au roi! cria Philippe le Bel.

Sa voix fit passer le froid dans l'échine des assistants, et se répercuta, insolite, terrible, à travers le château et la nuit. Depuis plus de dix ans, depuis la bataille de Mons-en-Pévèle exactement, où il avait rameuté ses troupes et forcé la victoire, on ne l'avait jamais entendu crier, et l'on ne se rappelait plus qu'il pût avoir cette force dans la gorge. Ce furent d'ailleurs les seuls mots qu'il prononça ainsi.

— Appelez votre capitaine, dit-il à l'un des hommes qui accouraient.

Aux autres, il commanda de se tenir sur la porte. On entendit une lourde galopade le long du chemin de ronde, et, un moment après, messire Alain de Pareilles entra, tête nue, achevant de se harnacher.

— Messire Alain, lui dit le roi, saisissez-vous de ces deux écuyers. Au cachot et aux fers. Ils auront à répondre devant ma justice.

Gautier d'Aunay voulut s'élancer.

— Sire, balbutia-t-il, Sire...

— Il suffit, dit Philippe le Bel. C'est à messire de Nogaret que vous devrez parler à présent... Messire Alain, reprit-il, les princesses seront gardées ici par vos hommes, jusqu'à nouvel avis. Défense à elles de sortir. Défense à quiconque, à leurs servantes, à leurs parents, même à leurs époux, de pénétrer céans, ou de parler avec elles. Vous m'en répondrez.

Si surprenants que fussent ces ordres, Alain de Pareilles les entendit sans broncher. Rien ne pouvait étonner l'homme qui avait arrêté le grand-maître des Templiers. La volonté du roi était sa seule loi.

— Allons, messires, dit-il aux deux frères en leur désignant la porte.

Gautier, se mettant en marche, murmura:

— Prions Dieu, Philippe; tout est fini...

Leurs pas, couverts par ceux des hommes d'armes, décrurent sur les dalles.

Marguerite et Blanche écoutèrent ce roulement de semelles qui emportait leurs amours, leur honneur, leur fortune, leur vie tout entière. Jeanne se demandait si elle parviendrait jamais à se disculper. Marguerite, brusquement, jeta dans le feu la marionnette déchirée. Blanche, de nouveau, était au bord de s'évanouir.

— Viens, Isabelle, dit le roi.

Ils sortirent. La jeune reine d'Angleterre avait vaincu; mais elle se sentait lasse, et étrangement émue parce que son père lui avait dit: « Viens, Isabelle. » C'était la première fois qu'il la tutoyait depuis le temps de sa petite enfance.

Ils reprirent, l'un suivant l'autre, le chemin de ronde. Le vent d'est poussait dans le ciel d'énormes nuages sombres. Le roi repassa par son cabinet, se saisit du chandelier d'argent, et partit à la recherche de ses fils. Sa grande ombre s'enfonça dans un escalier à vis. Son cœur lui semblait pesant, et il ne sentait pas les gouttes de cire qui coulaient sur ses doigts.

VIII

MAHAUT DE BOURGOGNE

Vers le milieu de la même nuit, deux cavaliers, qui avaient fait partie de l'escorte d'Isabelle, s'éloignèrent du château de Maubuisson. C'étaient Robert d'Artois et son serviteur Lormet, à la fois valet, confident, compagnon d'armes et de route, et fidèle exécuteur de toutes besognes.

Transfuge, pour quelque pendable raison, de la maison des comtes de Bourgogne, Lormet le Dolois, depuis que Robert se l'était attaché, n'avait pratiquement pas quitté ce dernier d'une minute ni d'une semelle. C'était merveille que de voir ce petit homme rond, râblé et déjà grisonnant, s'inquiéter en toute occasion de son jeune géant de maître, et le suivre pas à pas pour le seconder en toute entreprise, comme il l'avait fait récemment dans le guet-apens tendu aux frères d'Aunay.

Le jour se levait lorsque les deux cavaliers arrivèrent aux portes de Paris. Ils mirent au pas leurs chevaux fumants, et Lormet bâilla une bonne dizaine de fois. A cinquante ans passés, il résistait mieux qu'un jeune écuyer aux longues courses à cheval, mais le manque de sommeil l'accablait.

Sur la place de Grève se faisait le rassemblement habituel des manœuvres en quête de travail. Contremaîtres des chantiers du roi et patrons mariniers circulaient entre les groupes pour embaucher aides, débardeurs, et commissionnaires. Robert d'Artois traversa la place et s'engagea dans la rue Mauconseil où habitait sa tante, Mahaut d'Artois.

— Vois-tu, Lormet, dit le géant, je veux que cette chienne trop grasse entende son malheur de ma propre bouche. Voici un grand moment de plaisir, en ma vie, qui s'approche. Je veux voir la mauvaise gueule de ma tante, lorsque je vais lui conter ce qui se passe à Maubuisson. Et je veux qu'elle vienne à Pontoise ; et je veux qu'elle aide à sa ruine en allant braire devant le roi, et je veux qu'elle en crève de dépit.

Lormet bâilla un bon coup.

— Elle crèvera, Monseigneur, elle crèvera, soyez-en sûr, vous faites bien tout ce qu'il faut pour cela, dit-il.

Ils atteignaient l'imposant hôtel des comtes d'Artois.

— N'est-ce point vilenie qu'elle soit à se goberger en ce gros logis que mon grand-père a fait bâtir! reprit Robert. C'est moi qui devrais y vivre!

— Vous y vivrez, Monseigneur, vous y vivrez.

— Et je t'en ferai concierge, avec cent livres par an.

— Merci, Monseigneur, répondit Lormet comme s'il avait déjà la haute fonction, et l'argent en poche.

D'Artois sauta au bas de son percheron, lança la bride à Lormet, et saisit le heurtoir dont il frappa quelques coups à fendre la porte.

Le battant clouté s'ouvrit, livrant passage à un gardien de belle taille, fort éveillé, et qui tenait à la main une masse grosse comme le bras.

— Qui va là? demanda le gardien, indigné d'un pareil vacarme.

Mais Robert d'Artois le poussa de côté et pénétra dans l'hôtel. Une dizaine de valets et de servantes s'affairaient au nettoyage matinal des cours, des couloirs et des escaliers. Robert, bousculant tout le monde, gagna l'étage des appartements.

— Holà!

Un valet accourut, tout effaré, un seau à la main.

— Ma tante, Picard! Il me faut voir ma tante dans l'instant.

Picard, la tête plate et le cheveu rare, posa son seau et répondit:

— Elle mange, Monseigneur.

— Eh bien! je n'en suis point dérangé! Préviens-la de ma venue, et fais vite!

S'étant rapidement composé une mine de douleur et d'émotion, Robert d'Artois suivit le valet jusqu'à la chambre.

Mahaut, comtesse d'Artois, pair du royaume, ex-régente de Franche-Comté, était une puissante femme entre quarante et quarante-cinq ans, à la carcasse haute et solide, aux flancs massifs. Son visage, au masque engraissé, donnait une impression de force et de volonté. Elle avait le front large et bombé, le cheveu encore bien châtain, la lèvre un peu trop duvetée, la bouche rouge.

Tout était grand chez cette femme, les traits, les membres, l'appétit, les colères, l'avidité à posséder, les ambitions, le goût du pouvoir. Avec l'énergie d'un homme de guerre et la ténacité d'un légiste, elle menait sa cour d'Arras comme elle avait mené sa cour de Dole, surveillant l'administration de ses territoires, exigeant l'obéissance de ses vassaux, ménageant la force d'autrui, mais frappant sans pitié l'ennemi découvert.

Douze ans de lutte avec son neveu lui avaient appris à le bien connaître. Chaque fois qu'une difficulté survenait, chaque fois que les seigneurs d'Artois regimbaient, chaque fois qu'une ville protestait contre l'impôt, Mahaut ne tardait pas à déceler quelque action de Robert, en sous main.

« C'est un loup sauvage, un grand loup cruel et faux, disait-elle en parlant de lui. Mais je suis plus solide de tête, et il finira par se briser lui-même à force d'en trop faire. »

Ils se parlaient à peine depuis de longs mois et ne se voyaient que par obligation, à la cour.

Ce matin-là, assise devant une petite table dressée au pied de son lit, la comtesse Mahaut mâchait, tranche après tranche, un pâté de lièvre qui constituait le début de son menu de réveil.

De même que Robert s'appliquait à feindre l'émoi et le chagrin, elle s'appliqua, quand elle le vit entrer, à feindre le naturel et l'indifférence.

— Eh! Vous voilà bien vif à l'aurore, mon neveu. Vous arrivez comme la tempête! D'où vient cette hâte?

— Madame ma tante, s'écria Robert, tout est perdu!

Sans changer d'attitude, Mahaut s'arrosa tranquillement le gosier d'une pleine timbale de vin d'Arbois, à la belle couleur de rubis, et qu'elle préférait à tout autre.

— Qu'avez-vous perdu, Robert? Un autre procès? demanda-t-elle.

— Ma tante, je vous jure que ce n'est point l'instant de nous larder de traits. Le malheur qui s'abat sur notre famille ne souffre pas qu'on plaisante.

— Quel malheur pour l'un de nous pourrait être un malheur pour l'autre? dit Mahaut avec un calme cynisme.

— Ma tante, nous sommes dans la main du roi.

Mahaut laissa paraître un peu d'inquiétude dans son regard. Elle se demandait quel piège on pouvait bien lui tendre, et ce que signifiait tout ce préambule.

D'un geste qui lui était familier, elle retroussa ses manches sur ses avant-bras fort gras et charnus. Puis elle plaqua la main sur la table et appela:

— Thierry!

— Je ne saurais parler devant personne d'autre que vous, s'écria Robert. Ce que je viens vous apprendre touche à notre honneur.

— Bah! Tu peux tout dire devant mon chancelier.

Elle se méfiait et voulait un témoin.

Un court instant, ils se mesurèrent du regard, elle attentive, lui se délectant de la comédie qu'il jouait. « Appelle donc ton monde, pensait-il. Appelle, et que chacun entende. »

C'était chose singulière que de voir s'observer, se jauger, s'affronter ces deux êtres qui avaient tant de traits en commun, ces deux taureaux de même espèce et de même sang, qui se ressemblaient si fort et se détestaient si bien.

La porte s'ouvrit et Thierry d'Hirson parut. Chanoine capitulaire de la cathédrale d'Arras, chancelier de Mahaut et un peu aussi son amant, ce petit homme bouffi, au visage rond, au nez pointu et blanc, ne manquait pas d'assurance ni d'autorité.

Il salua Robert et lui dit, le regardant par-dessous les paupières, ce qui le forçait à tenir la tête très en arrière :

— C'est chose rare que votre visite, Monseigneur.

— Mon neveu a, paraît-il, un grave malheur à m'apprendre, dit Mahaut.

— Hélas ! fit Robert en se laissant choir sur un siège.

Il prit un temps ; Mahaut commençait à trahir quelque impatience.

— Nous avons eu ensemble des différends, ma tante... reprit-il.

— Bien plus, mon neveu ; de très vilaines querelles, et qui se sont terminées sans avantage pour vous.

— Certes, certes, et Dieu m'est témoin que je vous ai souhaité tout le mal possible.

Il reprenait sa ruse favorite, la bonne grosse franchise avec l'aveu de ses mauvaises intentions, pour dissimuler l'arme qu'il tenait en main.

— Mais jamais je ne vous aurais souhaité cela, continua-t-il. Car vous me savez bon chevalier, et ferme sur tout ce qui touche à l'honneur.

— Mais qu'est-ce, à la fin ? Parle donc ! s'écria Mahaut.

— Vos filles, mes cousines, sont convaincus d'adultère, et arrêtées sur l'ordre du roi, et Marguerite avec elles.

Mahaut n'accusa pas tout de suite le coup. Elle n'y croyait pas.

— De qui tiens-tu cette fable ?

— De moi-même, ma tante ; et toute la cour à Maubuisson en sait autant. Cela s'est passé à la nuit tombée.

Il prit plaisir à user les nerfs de Mahaut, ne lui livrant l'affaire que bribe après bribe, ou tout au moins ce qu'il voulait lui en laisser savoir.

— Ont-elles avoué ? demanda Thierry d'Hirson, toujours regardant par-dessous ses paupières.

— Je ne sais, répondit Robert. Mais les jeunes d'Aunay sont, en ce moment, en train d'avouer pour elles entre les mains de votre ami Nogaret.

— Mon ami Nogaret... répéta lentement Thierry d'Hirson. Seraient-elles innocentes, avec lui elles sortiront plus noires que la poix.

— Ma tante, reprit Robert, j'ai fait en pleine nuit les dix lieues de Pontoise à Paris pour venir vous avertir, car personne ne songeait à le faire. Croyez-vous encore que ce soient de mauvais sentiments qui m'amènent ?

Mahaut observa son neveu un instant, et dans le drame où elle se trouvait, pensa : « Peut-être est-il capable parfois d'un bon mouvement. »

Puis, d'un ton bourru, elle lui dit :

— Veux-tu manger ?

A ce seul mot, Robert comprit qu'elle était vraiment frappée.

Il saisit sur la table un faisan froid qu'il rompit en deux, avec les mains, et dans lequel il commença de mordre. Soudain, il vit sa tante changer étrangement de couleur. D'abord le haut de sa gorge, au-dessus de la robe bordée d'hermine, devint rouge écarlate, puis le cou, puis le bas du visage. On voyait le sang lui envahir la face, atteindre le front et le faire virer au cramoisi. La comtesse Mahaut porta la main à sa poitrine.

« Nous y sommes, pensa Robert. Elle en crève. Elle va crever ! »

Il fut bientôt déçu, car la comtesse se dressa, balayant d'un grand geste du bras pâté de lièvre, timbales et plats d'argent qui allèrent rouler au sol avec fracas.

— Les garces ! hurla-t-elle. Après tout ce que j'ai fait pour elles, après les mariages que je leur ai arrangés... Se faire pincer comme des ribaudes. Eh bien ! qu'elles perdent tout ! Qu'on les enferme, qu'on les empale, qu'on les pende !

Le chanoine-chancelier ne bougeait pas. Il avait l'habitude des fureurs de la comtesse.

— Voyez-vous, c'est tout juste ce que je pensais, ma tante, dit Robert la bouche pleine. C'est bien mal vous remercier de toute votre peine...

— Il faut que j'aille à Pontoise sur l'heure, dit Mahaut sans l'entendre. Il faut que je les voie et leur souffle ce qu'elles doivent répondre.

— Je doute que vous y parveniez, ma tante. Elles sont au secret, et nul ne peut...

— Alors, je parlerai au roi. Béatrice ! Béatrice ! appela-t-elle.

Une tenture se souleva ; une grande fille d'une vingtaine d'années, brune, la poitrine ronde et ferme, la hanche marquée, la jambe longue, entra sans se presser. Dès qu'il l'aperçut, Robert d'Artois se sentit de l'appétit pour elle.

— Béatrice, tu as tout entendu, n'est-ce pas ? demanda Mahaut.

— Oui... Madame... répondit la jeune fille d'une voix un peu narquoise, qui traînait sur la fin des mots. J'étais derrière la porte... comme de coutume...

Cette curieuse lenteur qu'elle avait dans la voix, dans les gestes, elle l'avait aussi dans la manière de se déplacer et de regarder. Elle donnait une impression de mollesse onduleuse et d'anormale placidité ; mais l'ironie lui brillait aux yeux, entre de longs cils noirs. Le malheur des autres, leurs luttes et leurs drames devaient sûrement la réjouir.

— C'est la nièce de Thierry, dit Mahaut à Robert, en la désignant. J'en ai fait ma première demoiselle de parage.

Béatrice d'Hirson dévisageait Robert d'Artois avec une sournoise impudeur. Elle était visiblement curieuse de connaître ce géant dont elle avait tant entendu parler comme d'un être malfaisant.

— Béatrice, reprit Mahaut, fais atteler ma litière et seller six chevaux. Nous partons pour Pontoise.

Béatrice continuait de regarder Robert dans les yeux, et l'on eût pu croire qu'elle n'avait pas écouté. Il y avait chez cette belle fille quelque chose d'irritant et de trouble. Elle établissait avec les hommes, dès le premier abord, une relation d'immédiate complicité, comme si elle ne devait leur opposer aucune résistance. Mais en même temps, elle leur faisait se demander si elle était complètement stupide ou si elle se moquait paisiblement d'eux.

«Belle gueuse... J'en ferais bien mon passe-temps d'un soir», pensa Robert tandis qu'elle sortait sans hâte.

Du faisan, il ne restait qu'un os qu'il jeta dans le feu. A présent, Robert avait soif. Il prit sur une crédence l'aiguière dont Mahaut s'était servie, et se versa une grande rasade dans la gorge.

La comtesse marchait de long en large, retroussant ses manches.

— Je ne vous laisserai pas seule de ce jour, ma tante, dit d'Artois. Je vous accompagne. C'est un devoir de famille.

Mahaut leva les yeux vers lui, encore un peu soupçonneuse. Puis elle se décida enfin à lui tendre les mains.

— Tu m'as été souvent à nuisance, Robert, et je gage que tu me le seras encore. Mais aujourd'hui, je dois le reconnaître, tu te conduis comme un brave garçon.

IX

LE SANG DES ROIS

Dans la cave longue et basse du vieux château de Pontoise, où Nogaret venait d'interroger les frères d'Aunay, le jour commençait à pénétrer faiblement. Un coq chanta, puis deux, et un vol de passereaux fila au ras des soupiraux que l'on avait ouverts pour renouveler l'air. Une torche fixée au mur grésillait, ajoutant son odeur âcre à celle des corps torturés. Guillaume de Nogaret dit, d'une voix lasse :

— La torche.

L'un des bourreaux se détacha du mur où il s'appuyait pour se reposer, et alla prendre dans un coin de la cave une torche neuve ; il l'enflamma aux braises d'un trépied où rougissaient les fers, maintenant inutiles, de la torture. Il ôta de son support la torche usée qu'il éteignit, et la remplaça par la torche neuve. Puis il regagna sa place, auprès de son compagnon. Les deux « tourmenteurs », comme on les appelait, avaient les yeux cernés de rouge par la fatigue. Leurs avant-bras musclés et velus, maculés de sang, pendaient le long de leurs tabliers de cuir. Ils sentaient fort.

Nogaret se leva du tabouret sur lequel il était resté assis pendant l'interrogatoire, et sa silhouette maigre se doubla d'une ombre tremblante sur les pierres grisâtres.

De l'extrémité de la cave venait un halètement coupé de sanglots ; les frères d'Aunay gémissaient d'une seule voix.

Nogaret se pencha sur eux. Les deux visages avaient une étrange ressemblance. La peau était du même gris, avec des traînées humides, et les cheveux, collés par la sueur et le sang, révélaient la forme des crânes. Un tressaillement accompagnait la plainte continue qui sortait des lèvres déchirées.

Gautier et Philippe d'Aunay avaient été des enfants, puis de jeunes hommes heureux. Ils avaient vécu pour leurs désirs et leurs plaisirs, leurs ambitions, leurs vanités. Ils s'étaient, comme tous les garçons de leur rang, entraînés au métier des armes; mais ils n'avaient jamais souffert que de petits maux ou de ceux que s'invente l'esprit. Hier encore, ils faisaient partie du cortège de la puissance, et toutes les espérances leur semblaient légitimes. Une seule nuit avait passé; ils n'étaient plus rien maintenant que des bêtes brisées, et, s'ils pouvaient encore souhaiter quelque chose, ils souhaitaient l'anéantissement.

Sans qu'aucune pitié non plus qu'aucun dégoût se marquassent sur ses traits, Nogaret observa un moment les deux jeunes gens, se redressa. La souffrance des autres, le sang des autres, les insultes de ses victimes, leur haine ou leur désespoir, ne l'atteignaient pas. Cette insensibilité qui était une disposition naturelle l'aidait à servir les intérêts supérieurs du royaume. Il avait la vocation du bien public comme d'autres ont la vocation de l'amour.

Une vocation, c'est le nom noble d'une passion. Cette âme de plomb et de fer ne connaissait ni doute ni limites lorsqu'il s'agissait de satisfaire à la raison d'État. Les individus comptaient pour rien à ses yeux, et lui-même se comptait pour peu.

Il y a dans l'Histoire une singulière lignée, toujours renouvelée, de fanatiques de l'ordre. Voués à une idole abstraite et absolue, pour eux les vies humaines ne sont d'aucune valeur si elles attentent au dogme des institutions; et l'on dirait qu'ils ont oublié que la collectivité qu'ils servent est composée d'hommes.

Nogaret torturant les frères d'Aunay n'entendait pas leurs plaintes; il réduisait des causes de désordre.

— Les Templiers ont été plus durs, dit-il seulement.

Encore n'avait-il eu pour l'assister que les tourmenteurs locaux et non ceux de l'Inquisition de Paris.

Ses reins étaient lourds et une douleur lui barrait le dos. « C'est le froid », pensa-t-il.

Il fit fermer les soupiraux et s'approcha du trépied où la braise vivait encore. Il étendit les mains, les frotta l'une contre l'autre, puis se massa les reins en grognant.

Les deux tourmenteurs, toujours appuyés au mur, semblaient somnoler.

A la table étroite où il avait écrit lui-même toute la nuit — car le roi avait souhaité qu'il n'eût pas de secrétaire ni de greffier — il collationna les feuillets de l'interrogatoire, les rangea dans une chemise de vélin. Puis, avec un soupir, il se dirigea vers la porte et sortit.

Alors les tourmenteurs vinrent à Gautier et à Philippe d'Aunay qu'ils essayèrent de mettre debout. Comme ils ne pouvaient y parvenir, ils prirent dans leurs bras, ainsi qu'on prend des enfants malades, ces corps qu'ils avaient torturés et les portèrent jusqu'au cachot voisin.

Le vieux château de Pontoise, qui ne servait plus que de capitainerie et de prison, se trouvait à une demi-lieue environ de la résidence royale de Maubuisson. Nogaret franchit cette distance à pied, escorté de deux sergents de la prévôté. Il marchait rapidement, dans l'air froid du matin chargé des parfums de la forêt humide.

Sans répondre au salut des archers, il traversa la cour de Maubuisson et pénétra dans le logis, n'accordant attention ni aux chuchotements sur son passage, ni aux airs de veillée mortuaire des chambellans et des gentilshommes dans la salle des gardes.

— Le roi, demanda-t-il.

Un écuyer se précipita pour le guider vers les appartements, et le garde des Sceaux se trouva face à face avec la famille royale.

Philippe le Bel était assis, le coude appuyé au bras de son siège, le menton dans la main. Des poches bleues se dessinaient sous ses yeux. Auprès de lui se tenait Isabelle ; les deux nattes dorées qui encadraient son visage en accentuaient la dureté. Elle était l'ouvrière du malheur. Elle partageait au regard des autres la responsabilité du drame et, par cet étrange lien qui unit le délateur au coupable, elle se sentait presque en accusation.

Monseigneur de Valois tapotait nerveusement le bord d'une table et balançait la tête comme si quelque chose l'eût gêné au col. Le second frère du roi, ou plus précisément son demi-frère, Monseigneur Louis de France, comte d'Évreux, au maintien calme, aux vêtements sans éclat, était présent également.

Enfin se trouvaient groupés, dans leur commune infortune, les principaux intéressés, les trois fils du roi, les trois époux, sur lesquels venait de s'abattre la catastrophe en même temps que le ridicule : Louis de Navarre, secoué de quintes nerveuses ; Philippe de Poitiers roidi par l'effort de calme qu'il s'imposait ; Charles enfin, ses beaux traits adolescents ravagés par le premier chagrin.

— Est-ce chose avouée, Nogaret ? demanda Philippe le Bel.

— Hélas, Sire, c'est chose honteuse, affreuse et avouée.

— Faites-nous lecture.

Nogaret ouvrit la chemise de vélin et commença :

— « Nous, Guillaume de Nogaret, chevalier, secrétaire général du royaume et gardien des Sceaux de France par la grâce de notre bien-aimé Sire, le roi Philippe quatrième, avons, sur l'ordre d'icelui, ce jour, vingt-cinquième d'avril mille trois cent quatorze, entre minuit et prime, au château de Pontoise, ouï sous la question donnée avec l'assistance des tourmenteurs de la prévôté de ladite ville les sires Gautier d'Aunay, bachelier de Monseigneur Philippe, comte de Poitiers, et Philippe d'Aunay, écuyer de Monseigneur Charles, comte de Valois... »

Nogaret aimait le travail bien fait. Certes, les deux d'Aunay avaient d'abord nié ; mais le garde des Sceaux avait une manière de conduire les interrogatoires devant laquelle les scrupules de galanterie ne pouvaient tenir longtemps. Il avait obtenu des jeunes gens des aveux complets et circonstanciés. Le temps où les aventures des princesses avaient commencé, les dates des rencontres, les nuits à la tour de Nesle, les noms des serviteurs complices, et tout ce qui, pour les coupables, avait représenté passion, fièvre et plaisir, était énuméré, consigné, détaillé, étalé dans les minutes de l'interrogatoire.

Isabelle osait à peine regarder ses frères, et eux-mêmes hésitaient à se regarder entre eux. Pendant près de quatre ans, ils avaient été ainsi bernés, roulés, enfarinés; chaque parole de Nogaret les accablait de malheur et de honte.

L'énoncé des dates posait à Louis de Navarre une question terrible : « Pendant les six premières années de notre mariage, nous n'avons pas eu d'enfant. Il ne nous en est venu qu'après que ce d'Aunay est entré dans le lit de Marguerite... Alors la petite Jeanne... » Et il n'entendait plus rien, parce qu'il ne faisait que se répéter, dans un grand bourdonnement de sang qui lui bruissait aux oreilles : « Ma fille n'est pas de moi... Ma fille n'est pas de moi... »

Le comte de Poitiers, lui, s'efforçait de ne rien perdre de la lecture. Nogaret n'avait pu faire dire aux frères d'Aunay que la comtesse de Poitiers ait eu un amant, ni leur arracher un nom. Or, après tout ce qu'ils avaient avoué, on pouvait bien penser que ce nom, s'ils l'avaient connu, cet amant, s'il avait existé, ils l'eussent livré. Que la comtesse Jeanne ait joué un rôle de complicité assez infâme n'était pas douteux... Philippe de Poitiers réfléchissait.

— « Considérant avoir suffisamment éclairé la cause, et la voix des prisonniers devenant inaudible, nous avons décidé de clore la question, pour en faire rapport au roi notre Sire. »

Le garde des Sceaux avait achevé. Il rangea ses feuillets et attendit.

Au bout de quelques instants, Philippe le Bel souleva le menton de dessus sa paume.

— Messire Guillaume, dit-il, vous nous avez clairement instruit de choses douloureuses. Quand nous aurons jugé, vous détruirez ceci...

Il désigna la chemise de vélin.

— ... afin qu'il n'en demeure trace que dans le secret de nos mémoires.

Nogaret s'inclina et sortit.

Il y eut un long silence, puis quelqu'un, soudain, cria :

— Non !

C'était le prince Charles qui s'était levé. Il répéta : « Non ! » comme si la vérité lui était impossible à admettre. Ses mains tremblaient; ses joues étaient marbrées de rose, et il n'arrivait pas à retenir ses larmes.

— Les Templiers... dit-il, l'air égaré.

— Que dites-vous, Charles ? demanda Philippe le Bel.

Il n'aimait pas qu'on rappelât ce souvenir trop récent. Il avait encore dans l'oreille, comme chacun ici à l'exception d'Isabelle, la voix du grand-maître... «Maudits jusqu'à la treizième génération de vos races...»

Mais Charles ne songeait pas à la malédiction.

— Cette nuit-là, bredouilla-t-il, cette nuit-là, ils étaient ensemble.

— Charles, dit le roi, vous avez été un bien faible époux; feignez au moins d'être un prince fort.

Ce fut le seul mot de soutien que le jeune homme reçut de son père.

Monseigneur de Valois n'avait encore rien dit, et c'était pour lui une pénitence que de rester si longtemps silencieux. Il profita de l'instant pour exploser.

— Par le sang Dieu, s'écria-t-il, il se passe d'étranges choses dans le royaume, et jusque sous le toit du roi! La chevalerie se meurt, Sire mon frère, et tout honneur avec elle...

Sur quoi il se lança dans une grande diatribe dont l'enflure brouillonne était nourrie d'assez de perfidie. Pour Valois, tout se tenait. Les conseillers du roi, Marigny en tête, avaient voulu abattre les ordres chevaleresques; mais la bonne morale s'écroulait du même coup. Les légistes «nés dans le tout-venant» inventaient on ne sait quel nouveau droit, tiré des institutes romaines, pour remplacer le bon vieux droit féodal. Le résultat ne se laissait point attendre. Au temps des croisades, les femmes demeuraient esseulées pendant de longues années; elles savaient garder l'honneur, et nul vassal ne se fût hasardé à le leur ravir. Maintenant, tout n'était que honte et licence. Comment? Deux écuyers...

— L'un de ces écuyers appartient à votre hôtel, mon frère, dit sèchement le roi.

— Tout comme l'autre, mon frère, est bachelier [18] de votre fils, répliqua Valois en montrant le comte de Poitiers.

Celui-ci écarta ses longues mains.

— Chacun de nous, dit-il, peut être dupe de la créature à laquelle il a accordé foi.

— C'est bien pour ce, s'écria Valois qui tirait argument de tout, c'est bien pour ce qu'il n'est pire crime de vassal que d'entendre séduction et rapt d'honneur sur la femme de son suzerain. Les d'Aunay ont failli...

— Considérez-les pour morts, mon frère, interrompit le roi.

Il eut de la main un geste à la fois négligent et tranchant qui valait la plus longue sentence, et poursuivit :

— Ce qu'il nous faut régler, c'est le sort des princesses adultères... Souffrez, mon frère, que j'interroge d'abord mes fils... Parlez, Louis.

Au moment d'ouvrir la bouche, Louis de Navarre fut pris d'une quinte de toux et deux plaques rouges lui vinrent aux pommettes. On respecta son étouffement. Lorsqu'il eut enfin reprit son souffle, il s'écria :

— On va dire bientôt que ma fille est une bâtarde. Voilà ce qu'on va dire ! Une bâtarde !

— Si vous êtes le premier à le clamer, Louis, répondit le roi, certes d'autres ne se priveront point de le répéter.

— En vérité... dit Charles de Valois qui n'avait pas encore songé à la chose, et dont le gros œil bleu brilla brusquement d'une bizarre lumière.

— Et pourquoi ne pas le crier, si cela est vrai ? reprit Louis, perdant tout contrôle.

— Taisez-vous, Louis... dit le roi de France en frappant sur l'accoudoir de son siège. Veuillez seulement dire votre conseil sur le châtiment qu'il faut réserver à votre épouse.

— Qu'on lui ôte la vie ! répondit le Hutin. A elle, et aux deux autres. Toutes trois. La mort, la mort, la mort !

Il répéta : « La mort ! », les dents serrées, et sa main dans le vide abattait des têtes.

Alors Philippe de Poitiers, ayant du regard demandé la parole à son père, dit :

— La douleur vous égare, Louis. Jeanne n'a point sur l'âme si gros péché que Marguerite et Blanche. Certes, elle est grandement coupable d'avoir servi leurs entraînements, et par cela elle a fort démérité. Mais messire de Nogaret n'a point obtenu de preuves qu'elle ait trahi le mariage.

— Faites-la donc tourmenter par lui, et vous verrez si elle n'avoue pas ! cria Louis. Elle a aidé à souiller mon honneur et celui de Charles ; si vous nous aimez, vous lui ferez même mesure qu'aux deux autres trompeuses.

Philippe de Poitiers prit un temps.

— Votre honneur m'est cher, Louis, dit-il ; mais la Comté-Franche ne me l'est pas moins.

Les assistants se regardèrent, et Philippe enchaîna :

— Vous avez la Navarre en propre, Louis, qui vous vient de notre mère ; vous êtes déjà roi, et vous aurez, le plus tard possible, à Dieu plaise, la France. Devers moi, je n'ai que Poitiers, que notre père m'a fait grâce de me donner, et je ne suis même pas pair de France. Mais par Jeanne ma femme, je suis comte palatin de Bourgogne, et sire de Salins dont les mines de sel produisent le plus gros de mes revenus. Que donc Jeanne soit close dans un couvent, pour le temps que se fasse l'oubli, et pour toujours s'il est nécessaire à votre honneur, c'est là ce que je propose ; mais qu'on n'attente point à sa vie.

Monseigneur Louis d'Évreux, qui s'était tu jusque-là, approuva Philippe.

— Mon neveu a raison, et tant devant Dieu que devant le royaume, dit-il d'une voix pénétrée mais sans emphase. La mort est chose grave, dont nous avons grand tourment, pour nous-mêmes, et que nous ne devons pas décider pour autrui dans la colère.

Louis de Navarre lui jeta un mauvais regard.

Il y avait deux clans dans la famille, et cela de longue date. Valois possédait l'affection de ses neveux Louis et Charles, qui étaient faibles, influençables, et béaient un peu devant sa faconde, sa vie d'aventures, et ses trônes perdus. Philippe de Poitiers, en revanche, tenait du côté de son oncle d'Évreux, personnage calme, droit, réfléchi, qui n'encombrait pas le siècle avec ses ambitions, et se contentait fort bien de ses terres normandes qu'il administrait sagement.

Les assistants ne furent donc pas étonnés de le voir appuyer son neveu préféré; on connaissait leurs affinités.

Plus surprenante fut l'attitude de Valois qui, après le discours furibond qu'il venait de faire, laissa Louis de Navarre sans soutien, et se prononça, lui aussi, contre la peine de mort. Le couvent lui paraissait un châtiment trop doux pour les coupables; mais la prison, la forteresse à vie, et il insista bien sur ce dernier mot, voilà ce qu'il conseillait.

Une telle mansuétude, chez l'ex-empereur titulaire de Constantinople, n'était pas l'expression d'une disposition naturelle. Elle ne pouvait résulter que d'un calcul, calcul qui s'était immédiatement opéré quand Louis de Navarre avait prononcé le mot de bâtarde. En effet...

En effet, quel était l'état actuel de la descendance royale? Louis de Navarre n'avait d'autre héritière que cette petite Jeanne, depuis un instant entachée d'un grave soupçon d'illégitimité, ce qui pouvait mettre obstacle à son accession éventuelle au trône. Charles était sans postérité, sa femme Blanche n'ayant mis au monde que des enfants mort-nés. Philippe de Poitiers avait trois filles, mais sur lesquelles le scandale pourrait éventuellement rejaillir... Or, si l'on exécutait les épouses coupables, les trois princes se hâteraient de reprendre femme, avec ainsi toutes chances d'avoir d'autres enfants. Tandis que si l'on enfermait leurs épouses *à vie*, ils allaient demeurer mariés, empêchés de contracter d'autres unions, et donc de mieux assurer leur lignée.

Charles de Valois était un prince imaginatif. Pareil à ces capitaines qui, partant pour la guerre, rêvent de l'éventualité où tous les officiers, au-dessus d'eux, seraient tués, et se voient déjà portés à la tête de l'armée, le frère du roi, regardant la poitrine creuse de son neveu Louis Hutin et la maigreur de son neveu Philippe de Poitiers, pensait que la maladie pouvait faire des ravages bien imprévus. Il y avait aussi les accidents de chasse, les lances qui se rompent dans les tournois, les chevaux qui se renversent; et il n'était pas rare que des oncles survécussent à leurs neveux...

— Charles! dit l'homme aux paupières immobiles qui pour l'instant était le seul et vrai roi de France.

Valois tressaillit, comme s'il craignait d'avoir été deviné. Mais ce n'était pas à lui, c'était à son troisième fils que Philippe le Bel s'adressait.

Le jeune prince écarta les mains de devant sa figure. Il pleurait.

— Blanche, Blanche! Comment est-il possible, mon père? Comment a-t-elle pu?... gémit-il. Elle me disait si fort qu'elle m'aimait; elle me le prouvait si bellement...

Isabelle eut un mouvement d'impatience et de mépris. « Cet amour des hommes pour les corps qu'ils ont possédés, pensa-t-elle, et cette aisance avec laquelle ils croient le mensonge, pourvu qu'ils aient le ventre qu'ils désirent! »

— Charles... insista le roi, comme s'il parlait à un faible d'esprit. Que conseillez-vous qu'on fasse de votre épouse?

— Je ne sais, mon père, je ne sais. Je veux me cacher, je peux partir, je veux entrer dans un couvent.

C'était lui bientôt qui allait demander châtiment parce que sa femme l'avait trompé.

Philippe le Bel comprit qu'il n'en tirerait rien de plus. Il regardait ses enfants comme s'il ne les avait jamais vus; il réfléchissait sur l'ordre de primogéniture, et se disait que la nature, parfois, servait bien mal le trône. Que de sottises pourrait accomplir à la tête du royaume cet irréfléchi, impulsif et cruel, qu'était Louis, son aîné? Et de quel soutien pourrait lui être le puîné, qui s'effondrait dès son premier drame? Le mieux doué pour régner était à coup sûr Philippe de Poitiers. Mais Louis ne l'écouterait guère, cela se devinait.

— Ton conseil, Isabelle? demanda-t-il à sa fille, assez bas, en se penchant vers elle.

— Femme qui a failli, répondit-elle, doit être à jamais écartée de transmettre le sang des rois. Et le châtiment doit être connu du peuple, afin qu'on sache que le crime est puni sur femme ou fille de roi plus durement que sur la femme d'un serf.

— C'est bien pensé, dit le roi.

De tous ses enfants, c'était elle, en vérité, qui eût fait le meilleur souverain.

— Justice sera rendue avant vêpres, dit le roi en se levant.

Et il se retira pour aller, comme toujours, consulter sa décision dernière avec Marigny et Nogaret.

X

LE JUGEMENT

Durant tout le trajet de Paris à Pontoise, la comtesse Mahaut, dans sa litière, chercha des arguments propres à fléchir le courroux du roi. Mais elle parvenait mal à fixer ses idées. Trop de pensées l'habitaient, trop de craintes, trop de colère aussi contre la folie de ses filles, contre la bêtise de leurs maris, contre l'imprudence de leurs amants, contre tous ceux qui par légèreté, aveuglement ou quête sensuelle, risquaient de ruiner le laborieux édifice de sa puissance. Mère de princesses répudiées, que deviendrait Mahaut? Elle était bien décidée à noircir autant qu'elle le pourrait la reine de Navarre, et à rejeter sur celle-ci toute la culpabilité. Marguerite n'était pas sa fille. Pour ses propres enfants Mahaut plaiderait l'entraînement, le mauvais exemple...

Robert d'Artois avait mené la troupe bon train, comme s'il voulait faire montre de zèle. Il prenait plaisir à voir le chanoine-chancelier rebondir sur sa selle, et surtout à entendre les gémissements de sa tante. Chaque fois que de la grande litière secouée par les mules s'échappait une plainte, Robert, comme par hasard, faisait forcer l'allure. Aussi, la comtesse eut-elle un râle de soulagement quand apparurent enfin, au-dessus d'une ligne d'arbres, les tourelles de Maubuisson.

Bientôt, l'équipage pénétra dans la cour du château. Un grand silence y régnait, rompu seulement par le pas des archers.

Mahaut descendit de litière et, à l'officier de garde, demanda où était le roi.

— Il rend justice, Madame, dans la salle capitulaire.

Suivie de Robert, de Thierry d'Hirson et de Béatrice, Mahaut se dirigea vers l'abbaye. En dépit de sa fatigue, elle marchait vite et ferme.

La salle capitulaire offrait ce jour-là un spectacle inhabituel. Sous les voûtes froides qui abritaient d'ordinaire des assemblées de nonnes, toute la cour de France se tenait figée devant son roi.

Quelques rangs de visages se tournèrent, à l'entrée de la comtesse Mahaut, et un murmure courut. Une voix, qui était celle de Nogaret, s'arrêta de lire.

Mahaut vit le roi, couronne en tête et sceptre en main, l'œil grand ouvert, immobile.

Dans la terrible fonction de justice qu'il remplissait, Philippe le Bel semblait absent du monde, ou plutôt il semblait communiquer avec un univers plus vaste que le monde visible.

La reine Isabelle, Marigny, Charles de Valois, Louis d'Évreux, ainsi que les trois princes et plusieurs grands barons, étaient assis à ses côtés. Au pied de l'estrade, trois petits moines agenouillés inclinaient vers les dalles leurs crânes rasés. Alain de Pareilles se tenait un peu en retrait, debout, les mains croisées sur la garde de son épée.

« Dieu soit loué, pensa Mahaut. J'arrive à temps. On juge quelque affaire de sorcellerie ou de sodomie. » Elle s'apprêtait à gagner l'estrade où son rang de pair du royaume lui donnait place. Soudain, elle sentit ses jambes se dérober. L'un des pénitents agenouillés avait levé la tête ; Mahaut reconnut sa fille Blanche. Les trois princesses avaient été rasées et vêtues de bure. Mahaut chancela sous le coup avec un cri sourd, comme si on l'avait frappée au ventre. Machinalement, elle s'accrocha au bras de son neveu, parce que c'était le premier bras qui se trouvait là.

— Trop tard, ma tante. Hélas ! nous arrivons trop tard, dit Robert d'Artois qui savourait pleinement sa vengeance.

Le roi fit un signe au garde des Sceaux qui reprit la lecture du jugement.

— «... et par lesdits témoignages et aveux ayant été prouvées adultères, lesdites dames Marguerite, épouse de Monseigneur le roi de Navarre, et Blanche, épouse de Monseigneur Charles, seront emprisonnées dans la forteresse de Château-Gaillard, et ce, pour le restant des jours qu'il plaira à Dieu de leur accorder. »

— A vie, murmura Mahaut, elles sont condamnées à vie.

— « Aussi dame Jeanne, comtesse palatine de Bourgogne et épouse de Monseigneur de Poitiers, étant considéré qu'elle n'a point été convaincue d'avoir forfait le mariage et que ce crime ne peut lui être imputé, mais étant établies les complaisances coupables qu'elle eut, sera enfermée en le donjon de Dourdan, pour autant qu'il sera nécessaire à sa repentance et qu'il plaira au roi. »

Il y eut un temps de silence pendant lequel Mahaut pensa, en regardant Nogaret : « C'est lui, c'est ce chien qui a tout fait, avec sa rage d'épier, de dénoncer et de tourmenter. Il me le paiera. Il me le paiera de sa peau. » Mais le garde des Sceaux n'avait pas achevé sa lecture.

— « Aussi les sires Gautier et Philippe d'Aunay, ayant forfait à l'honneur et trahi le lien féodal en commettant l'adultère avec personnes de majesté royale, seront roués, écorchés vifs, châtrés, décapités et pendus au gibet public de Pontoise, au matin du jour à suivre celui-ci. Ainsi notre très sage, très puissant et très aimé roi notre Sire en a jugé. »

Les épaules des princesses avaient frissonné pendant l'énoncé des supplices qui attendaient leurs amants. Nogaret roula son parchemin, et le roi se leva. La salle commença de se vider, dans un long murmure qui résonnait entre ces murs habitués à la prière. La comtesse Mahaut vit qu'on s'écartait d'elle et qu'on évitait son regard. Elle voulut aller vers ses filles, mais Alain de Pareilles lui barra le passage.

— Non, Madame, dit-il. Le roi n'autorise que ses fils, s'ils le désirent, à entendre l'adieu de leurs épouses, et leur repentir.

Elle chercha aussitôt à se retourner vers le roi, mais celui-ci était déjà sorti, de même que Louis de Navarre et Philippe de Poitiers.

Seul des trois époux, Charles était resté. Il s'approcha de Blanche.

— Je ne savais pas... Je ne voulais pas... Charles ! dit celle-ci en éclatant en sanglots.

Le rasoir avait laissé sur sa tête chauve de petites plaques rouges.

Mahaut se tenait à quelques pas, soutenue par son chancelier et sa demoiselle de parage.

— Ma mère, lui cria Blanche, dites à Charles que je ne savais pas, et qu'il m'accorde pitié !

Jeanne de Poitiers se passait les mains sur les oreilles, qu'elle avait un peu décollées, comme si elle ne s'habituait pas à les sentir nues.

Adossé contre un pilier près de la porte, Robert d'Artois, les bras croisés, contemplait son œuvre.

— Charles, Charles ! répétait Blanche.

A ce moment s'éleva la voix dure d'Isabelle d'Angleterre.

— Point de faiblesse, Charles. Restez prince, dit-elle.

Ces mots provoquèrent un sursaut de fureur chez la troisième condamnée, Marguerite de Bourgogne.

— Point de faiblesse, Charles ! Point de pitié ! s'écria-t-elle. Imitez votre sœur Isabelle qui ne peut comprendre les élans d'amour. Elle n'a que haine et fiel dans le cœur. Sans elle, vous n'auriez jamais rien appris. Mais elle me hait, elle vous hait, elle nous hait tous.

Isabelle considéra Marguerite avec une colère froide.

— Dieu vous pardonne vos crimes, dit-elle.

— Il me pardonnera plus vite mes crimes qu'il ne fera de toi une femme heureuse, lui lança Marguerite.

— Je suis reine, répliqua Isabelle. Si je n'ai pas le bonheur, au moins j'ai un sceptre et un royaume, que je respecte.

— Moi, si je n'ai pas eu le bonheur, au moins j'ai eu le plaisir, qui vaut toutes les couronnes du monde, et je ne regrette rien.

Dressée en face de sa belle-sœur qui portait diadème, Marguerite, le crâne dénudé, le visage ravagé par l'angoisse et les larmes, trouvait encore la force d'insulter, de blesser, et de plaider pour son corps.

— Il y avait le printemps, dit-elle d'une voix pressée, haletante, il y avait l'amour d'un homme, la chaleur et la force d'un homme, la joie de prendre et d'être prise... tout ce que tu ne connais pas, que tu crèves de connaître et que tu ne connaîtras jamais. Ah ! tu ne dois guère être attirante au lit pour que ton mari préfère chercher son plaisir auprès des garçons !

Blême, mais incapable de répondre, Isabelle fit un signe à Alain de Pareilles.

— Non, cria Marguerite. Tu n'as rien à dire à messire de Pareilles. Je l'ai déjà commandé, et je le commanderai peut-être de nouveau quelque jour. Il souffrira bien encore une fois de partir à mon ordre.

Elle tourna le dos et indiqua d'un signe au chef des archers qu'elle était prête. Les trois condamnées sortirent, traversèrent sous escorte la cour de Maubuisson, et regagnèrent la chambre qui leur servait de cellule.

Quand Alain de Pareilles eut refermé la porte sur elles, Marguerite courut au lit et s'y jeta en mordant les draps.

— Mes cheveux, mes beaux cheveux, sanglotait Blanche.

Jeanne de Poitiers cherchait à se rappeler l'aspect du donjon de Dourdan.

XI

LE SUPPLICE

L'aube fut lente à venir pour ceux qui avaient traversé la nuit sans repos, sans espérance et sans oubli.

Couchés côte à côte sur une brassée de paille, dans une cellule de la prévôté de Pontoise, les frères d'Aunay attendaient la mort. Sur l'ordre du garde des Sceaux, ils avaient été soignés; ainsi leurs plaies ne saignaient plus, leur cœur battait mieux, et dans leurs chairs écrasées il était revenu un peu de force afin qu'ils pussent mieux éprouver les supplices auxquels ils étaient promis.

A Maubuisson, ni les princesses condamnées, ni leurs époux, ni Mahaut, ni le roi lui-même n'avaient pu trouver le sommeil. Et Isabelle non plus n'avait dormi, obsédée par les paroles de Marguerite.

En revanche Robert d'Artois, après ses vingt grandes lieues de chevauchée, s'était écroulé sans même ôter ses bottes sur la première couche venue, dans le logis d'accueil. Lormet, un peu avant prime, dut le secouer pour qu'il ne manquât pas le plaisir d'assister au départ de ses victimes.

Dans la cour de l'abbaye, trois grands chariots bâchés de noir venaient de se ranger, et messire Alain de Pareilles faisait aligner, sous la clarté rose du petit matin, les soixante cavaliers en gambison de cuir, cotte de mailles et chapeau de fer, qui formeraient l'escorte du convoi, vers Dourdan d'abord, puis la Normandie.

Derrière l'une des fenêtres du château, la comtesse Mahaut regardait, le front appuyé au vitrail, et ses larges épaules secouées de soubresauts.

— Pleurez-vous... Madame?... demanda Béatrice d'Hirson, de sa voix traînante.

— Cela peut m'arriver aussi, répondit rudement Mahaut.

Puis, comme Béatrice était déjà tout habillée, robe, coiffe et chape, elle ajouta :

— Sors-tu donc?

— Oui, Madame; je vais voir le supplice... si vous le permettez...

La place du Martroy, à Pontoise, où allait avoir lieu l'exécution des frères d'Aunay, était emplie par la foule lorsque Beatrice y arriva. Bourgeois, paysans et soldats y affluaient depuis l'aube. Les propriétaires des maisons qui donnaient sur la place avaient loué à bon prix leurs fenêtres de façade, où les têtes se pressaient sur plusieurs rangs.

Les crieurs publics, la veille, avaient publié le jugement aux quatre coins de la ville... «roués, écorchés vifs, châtrés, décapités...». Le fait que les condamnés fussent jeunes, qu'ils fussent nobles et riches, et surtout que leur crime fût un grand scandale d'amour éclaté dans la famille royale, excitait les curiosités et les imaginations.

L'échafaud avait été monté dans la nuit. Il s'élevait à une toise du sol et supportait deux roues placées horizontalement, ainsi qu'un billot de chêne. En arrière se dressait le gibet.

Deux bourreaux, ceux-là mêmes qui avaient infligé la question aux d'Aunay, mais à présent vêtus de bonnets et de surcots rouges, escaladèrent la petite échelle qui menait à la plate-forme. Deux aides les suivaient, chargés des coffrets noirs qui contenaient les outils. L'un des bourreaux fit tourner les roues qui grincèrent. Alors la foule se mit à rire, comme devant un tour de bateleur. On lança des plaisanteries; on se cogna du coude; on fit circuler de bras en bras une cruche de vin qu'on tendit aux bourreaux. Ils y burent, et la foule applaudit.

Lorsque apparut, entourée d'archers, la charrette qui amenait les frères d'Aunay, un grand tumulte monta de la place, et s'amplifia à mesure qu'on distinguait mieux les condamnés. Ni Gautier ni Philippe ne bougeaient. Des cordes les liaient aux montants de la charrette, sans lesquelles ils eussent été incapables de tenir debout. Les aumônières brillaient à leur ceinture, sur leurs chausses déchirées.

Un prêtre, venu recueillir leur confession bredouillée et leurs dernières volontés, les accompagnait. Épuisés, pantelants, hébétés, ils semblaient n'avoir plus vraiment conscience de ce qui se passait. Les aides-bourreaux les hissèrent sur la plate-forme et les dévêtirent.

A les voir nus entre les mains des bourreaux, la foule alors fut prise de transe et poussa des hurlements. Quolibets et remarques obscènes s'échangeaient à travers la place. Les deux gentilshommes furent couchés et liés sur les roues, la face tournée vers le ciel. Puis on attendit.

De longues minutes passèrent ainsi. L'un des bourreaux s'était assis sur le billot; l'autre éprouvait du pouce le tranchant de la hache. La foule s'impatientait, posait des questions, commençait à devenir houleuse.

Soudain l'on comprit la raison de cette attente. Trois chariots dont on avait à demi relevé les bâches noires se présentaient à l'entrée de la grand-rue. Par un suprême raffinement dans le châtiment, Nogaret, en accord avec le roi, avait ordonné que les princesses assistassent au supplice.

L'intérêt des spectateurs se trouva partagé entre les deux condamnés nus sous les nuages, et les princesses royales prisonnières et rasées. Il s'ensuivit quelques mouvements de masse que les archers durent contenir.

En apercevant l'échafaud, Blanche s'était évanouie.

Jeanne, agrippée aux ridelles de son chariot, criait aux gens:

— Dites à mon époux, dites à Monseigneur Philippe que je suis innocente!

Jusque-là elle avait tenu ferme; mais sa résistance venait de céder. Les badauds se la montraient en riant, telle une bête de ménagerie dans sa cage. Des mégères l'insultaient.

Seule, Marguerite de Bourgogne avait le courage de regarder, et ceux qui l'observaient d'assez près purent se demander si elle n'éprouvait pas un atroce, un affreux plaisir à voir exposé aux yeux de tous l'homme qui allait mourir de l'avoir possédée.

Lorsque les bourreaux levèrent leurs masses pour rompre les os des condamnés, elle hurla: «Philippe!» d'un ton qui n'était point celui de la douleur.

On entendit des craquements, et le ciel, pour les frères d'Aunay, s'éteignit. D'abord leurs jambes et leurs cuisses furent brisées: ensuite les bourreaux firent pivoter les roues d'un demi-tour, et les masses frappèrent les avant-bras et les bras des condamnés. Les rayons et les moyeux répercutaient les coups, et les bois craquaient autant que les os.

Puis les bourreaux, appliquant les peines dans l'ordre prescrit, se munirent d'instruments de fer à plusieurs crocs et arrachèrent par grands lambeaux la peau des deux corps.

Le sang giclait, ruisselait sur la plate-forme; l'un des bourreaux dut s'essuyer les yeux. Cette sorte de supplice prouvait assez que la couleur rouge, réglementaire pour les vêtements des exécuteurs, répondait à une nécessité.

«... roués, écorchés vifs, châtrés, décapités...» S'il restait encore quelque vie dans les deux frères d'Aunay, tout sentiment, toute conscience s'était retirée d'eux.

Une vague d'hystérie agita l'assistance lorsque les bourreaux, à l'aide de longs couteaux de boucher que leur tendirent leurs aides, mutilèrent les amants coupables. Les gens se bousculaient pour mieux voir. Des femmes criaient à leurs maris:

— Tu en mériterais bien autant, gros paillard!

— Tu vois ce qui t'arrivera, si tu me fais la pareille!

Les bourreaux avaient rarement l'occasion de donner si complète démonstration de leurs talents, et devant un si chaleureux public. Ils échangèrent un coup d'œil, et ensemble, d'un mouvement bien réglé de jongleurs, ils lancèrent en l'air, les objets de la faute.

Un plaisantin cria, montrant les princesses du doigt :

— C'est à elles qu'il faut les donner !

Et la foule éclata de rire.

Les suppliciés furent descendus des roues et traînés vers le billot. La lueur de la hache brilla, par deux fois. Puis les aides portèrent jusqu'aux potences ce qui restait de Gautier et de Philippe d'Aunay, de ces deux beaux écuyers qui l'autre avant-veille caracolaient sur la route de Clermont, deux corps rompus, sanguinolents, sans tête et sans sexe, qui furent hissés et accrochés par les aisselles aux fourches du gibet.

Aussitôt après, sur un ordre d'Alain de Pareilles, les trois chariots noirs, encadrés par les cavaliers en chapeau de fer, se remirent en marche ; et les sergents de la prévôté commencèrent à faire évacuer la place.

La foule s'écoula lentement, chacun voulant passer au plus près de l'échafaud afin d'y jeter un dernier regard. Puis les gens, par petits groupes et se livrant leurs commentaires, s'en retournèrent, qui vers sa forge ou son étal, qui vers son échoppe, qui vers son jardin, pour y reprendre, avec tranquillité, le travail quotidien.

Car en ces siècles où la moitié des femmes mouraient en couches, et les deux tiers des enfants au berceau, où les épidémies ravageaient l'âge adulte, où l'enseignement de l'Église préparait surtout à quitter la vie, et où les œuvres d'art, crucifixions, martyres, mises au tombeau, jugements derniers, offraient constamment la représentation du trépas, l'idée de la mort était familière aux esprits, et seule une manière exceptionnelle de mourir pouvait, un moment, les émouvoir.

Devant une poignée de badauds obstinés, et tandis que les aides lavaient les outils du supplice, les deux exécuteurs se partageaient les dépouilles de leurs victimes. En effet, ils avaient droit, par coutume, à tout ce qu'ils trouvaient sur les condamnés, de la ceinture aux pieds. Cela faisait partie des profits de leur charge.

Ainsi les aumônières envoyées par la reine d'Angleterre allaient finir, aubaine rare, aux mains des bourreaux de Pontoise.

Une belle créature brune, vêtue en fille de noblesse, s'approcha de ces derniers et, à mi-voix, d'un ton un peu traînant, leur demanda la langue de l'un des suppliciés.

— On dit que c'est bon pour les maux de femme... expliqua-t-elle. La langue de n'importe lequel des deux... cela m'est égal...

Les bourreaux la regardèrent d'un air soupçonneux. N'y avait-il pas quelque tour de sorcellerie là-dessous ? Car il était bien connu que la langue d'un pendu, surtout un pendu du jour de vendedi, servait à évoquer le Diable. Mais une langue de décapité pouvait-elle faire même usage?

Comme Béatrice d'Hirson avait une belle pièce d'or brillante dans le creux de la main, ils acceptèrent, et, feignant de mieux assujettir l'une des têtes fichées sur le gibet, y prélevèrent ce qui leur était demandé.

— C'est seulement la langue que vous voulez? dit, goguenard, le plus gras des deux bourreaux. Parce que, pour marché égal, on pourrait aussi bien vous fournir le reste.

Rien, décidément, n'était ordinaire dans cette exécution...

Sur la route de Poissy, trois chariots noirs s'en allaient lentement. Dans le dernier, une femme au crâne rasé, en chaque village traversé, s'obstinait à crier aux paysans surgis sur leurs portes:

— Dites à Monseigneur Philippe que je suis innocente! Dites-lui que je ne l'ai pas honni!

XII

LE CHEVAUCHEUR DU CRÉPUSCULE

Cependant que le sang des frères d'Aunay séchait sur la terre jaune de la place du Martroy où les chiens venaient renifler en grognant, Maubuisson sortait lentement du drame.

Les trois fils du roi restèrent invisibles pendant tout le jour. Personne ne leur fit visite, hors les gentilshommes attachés à leur service.

Mahaut avait tenté vainement d'être reçue par Philippe le Bel. Nogaret vint lui déclarer que le roi travaillait et souhaitait n'être pas troublé. « C'est lui, c'est ce dogue, pensa Mahaut, qui a tout machiné et qui maintenant m'empêche d'arriver à son maître. » Tout persuadait à la comtesse de voir dans le garde des Sceaux le principal artisan de la perte de ses filles et de sa disgrâce personnelle.

— A la pitié de Dieu, messire de Nogaret, à la pitié de Dieu ! lui dit-elle d'un ton de menace, avant de remonter en litière pour regagner Paris.

D'autres passions, d'autres intérêts s'agitaient à Maubuisson. Les familiers des princesses exilées cherchaient à renouer les fils invisibles de la puissance et de l'intrigue, fût-ce en reniant les amitiés dont la veille ils se paraient. Les navettes de la peur, de la vanité et de l'ambition s'étaient mises en marche pour retisser, sur un nouveau dessin, la toile brutalement déchirée.

Robert d'Artois avait l'habileté de ne pas afficher son triomphe ; il attendait d'en récolter les fruits. Mais déjà les égards qu'on avait d'ordinaire pour le clan de Bourgogne se déplaçaient vers lui.

Le soir, il fut convié au souper du roi ; et l'on vit bien à cela qu'il remontait en faveur.

Petit souper, presque souper de deuil, et qui réunissait seulement les frères de Philippe le Bel, sa fille, Marigny, Nogaret et Bouville. Le silence pesait dans la salle étroite et longue où le repas était servi. Charles de Valois lui-même se taisait ; et le lévrier Lombard, comme s'il ressentait la gêne des convives, avait quitté les pieds de son maître pour aller s'allonger devant la cheminée.

Robert d'Artois cherchait avec insistance à rencontrer les yeux d'Isabelle ; mais celle-ci mettait la même persévérance à dérober son regard. Elle ne voulait donner aucun signe à son géant cousin, ayant avec lui pourchassé des passions coupables, d'être accessible aux mêmes tentations. Elle n'acceptait de complicité que dans la justice.

« L'amour n'est pas mon lot, se disait-elle. Je m'y dois résigner. » Mais il lui fallait s'avouer qu'elle se résignait mal.

Aμ moment où les écuyers, entre deux services, changeaient les tranches de pain, lady Mortimer entra, portant le petit prince Édouard, pour qu'il donnât à sa mère le baiser de bonsoir.

— Madame de Joinville, dit le roi en appelant lady Mortimer par son nom de naissance, approchez-moi mon seul petit-fils.

Les assistants notèrent la façon dont il avait prononcé le mot « seul ».

Philippe le Bel prit l'enfant et le tint un grand moment devant ses yeux, étudiant ce petit visage innocent, rond et rose, où les fossettes marquaient des ombres. De qui montrerait-il les traits et la nature ? De son père, changeant, influençable et débauché, ou de sa mère Isabelle ? « Pour l'honneur de mon sang, pensait le roi, j'aimerais que tu sois à la semblance de ta mère ; mais pour le bonheur de la France, fasse le Ciel que tu sois seulement le fils de ton faible père ! » Car les questions successorales se posaient forcément à lui. Qu'arriverait-il si un prince d'Angleterre se trouvait un jour en position de réclamer le trône de France ?

— Édouard ! Souriez à Sire votre grand-père, dit Isabelle.

Le petit prince ne paraissait avoir aucune peur du regard loyal. Soudain, avançant son poing minuscule, il le plongea dans les cheveux dorés du souverain, et tira sur une mèche qui bouclait. Ce fut Philippe le Bel qui sourit.

Alors, il y eut chez tous les convives un soupir de soulagement ; chacun s'empressa de rire, et l'on osa enfin parler.

Le repas achevé, le roi congédia ses hôtes, à l'exception de Marigny et de Nogaret. Il vint s'asseoir près de la cheminée, et fut un grand moment sans rien dire. Ses conseillers respectèrent son silence.

— Les chiens sont créatures de Dieu. Mais ont-ils conscience de Dieu ? demanda-t-il subitement.

— Sire, répondit Nogaret, nous savons beaucoup des hommes parce que nous sommes hommes nous-mêmes ; mais nous connaissons bien peu du reste de la nature...

Philippe le Bel se tut à nouveau, interrogeant les yeux fauves cernés de noir du grand lévrier allongé devant lui, le museau sur les pattes. Le chien battait par instants des paupières ; le roi pas.

Comme il arrive souvent aux hommes de pouvoir, lorsqu'ils

viennent d'assumer de tragiques responsabilités, le roi Philippe méditait autour de problèmes universels et vagues, quêtant dans l'invisible la certitude d'un ordre où s'inscrivissent sans erreur sa vie et ses actions.

Enfin, il se redressa et dit :

— Enguerrand, je pense que nous avons bien jugé. Mais où va le royaume ? Mes fils n'ont point d'héritiers.

Marigny répondit :

— Ils en auront s'ils reprennent femme, Sire.

— Ils ont femme devant Dieu.

— Dieu peut les en délivrer.

— Dieu n'obéit pas aux seigneurs de la terre.

— Le pape peut délier, dit Marigny.

Le regard du roi se tourna vers Nogaret.

— L'adultère n'est point motif d'annulation du mariage, dit aussitôt le garde des Sceaux.

— Nous n'avons pourtant pas d'autre recours, dit Philippe le Bel. Et je n'ai point à considérer la loi commune, fût-elle aux mains du pape. Un roi doit prévoir qu'il peut mourir à toute heure. Je ne puis m'en remettre à d'éventuels veuvages pour assurer la lignée royale.

Nogaret leva sa grande main maigre et plate.

— Alors, Sire, dit-il, que n'avez-vous fait exécuter vos brus, deux tout au moins ?

— Je l'eusse fait à coup sûr, répondit froidement Philippe le Bel, si par cela je ne me fusse, d'évidence, aliéné les deux Bourgognes. La succession au trône est certes chose importante ; mais l'unité du royaume ne l'est pas moins.

Marigny approuva du front, silencieusement.

— Messire Guillaume, poursuivit le roi, vous allez donc vous rendre auprès du pape Clément, et vous saurez lui représenter qu'une union de roi n'est pas union d'homme ordinaire. Mon fils Louis est mon successeur ; il doit être le premier délié.

— J'y emploierai mon zèle, Sire, répondit Nogaret. Mais ne doutez pas que la duchesse de Bourgogne ne mette tout en œuvre pour nous faire obstacle auprès du Saint-Père.

On entendit un bruit de galop aux abords du château, puis les grincements des barres et des ferrures de la porte principale. Marigny s'approcha de la fenêtre, tout en disant :

— Le Saint-Père nous doit trop, et d'abord sa tiare, pour ne pas entendre nos raisons. Le droit canon offre assez de motifs...

Les fers d'un cheval sonnèrent sur les pavés de la cour.

— Un chevaucheur, Sire, dit Marigny. Il semble avoir parcouru un long chemin.

— De qui vient-il ? dit le roi.

— Je ne sais pas ; je ne distingue point ses armes [19]... Il conviendrait aussi, continua Marigny, de chapitrer un peu Monseigneur Louis, pour qu'il n'allât pas, par quelque démarche mal ordonnée, gâcher sa propre affaire.

— J'y veillerai, Enguerrand, dit le roi.

A ce moment Hugues de Bouville entra.

— Sire, un messager de Carpentras. Il demande à être reçu par vous-même.

— Qu'il vienne.

— Le courrier du pape, dit Nogaret.

La coïncidence n'avait rien qui dût les surprendre. Entre le Saint-Siège et la cour, la correspondance était fréquente, sinon quotidienne.

Le chevaucheur, un garçon de vingt-cinq ans environ, de grande taille et large d'épaules, était couvert de poussière et de boue. La croix et la clef, largement brodées sur sa cotte jaune et noir, désignaient un serviteur de la papauté. Il tenait à la main gauche son couvre-chef et son bâton de fonction. Il s'avança vers le roi, mit le genou en terre, et détacha de sa ceinture la boîte d'ébène et d'argent qui contenait le message.

— Sire, dit-il, le pape Clément est mort.

Les assistants eurent le même sursaut. Le roi et Nogaret, particulièrement, se regardèrent et pâlirent. Le roi ouvrit la boîte d'ébène, sortit une lettre dont il brisa le sceau qui était celui du cardinal Arnaud d'Auch. Il lut avec attention, comme pour bien s'assurer de la vérité de la nouvelle.

— Le pape que nous avions fait est maintenant à Dieu, murmura-t-il en tendant le parchemin à Marigny.

— Quand a-t-il passé ? demanda Nogaret.

— Voilà six jours francs, répondit Marigny. Dans la nuit du 19 au 20.

— Un mois après, dit le roi.

— Oui, Sire, un mois après... dit Nogaret.

Ils avaient fait, ensemble, le même calcul. Le 18 mars, au milieu des flammes, le grand-maître des Templiers leur avait crié : « Pape Clément, chevalier Guillaume, roi Philippe, avant un an, je vous cite à paraître au tribunal de Dieu... » Et voici que le premier déjà était mort.

— Dis-moi, reprit le roi s'adressant au chevaucheur et lui faisant signe de se relever ; comment est mort notre Saint-Père ?

— Sire, le pape Clément était chez son neveu, messire de Got, à Carpentras, quand il fut saisi de fièvres et d'angoisses. Alors il dit qu'il voulait retourner en Guyenne, pour y mourir au lieu de sa naissance, à Villandraut. Mais il ne put aller plus loin que la première étape, et dut se fermer à Roquemaure près Châteauneuf. Ses physiciens ont tout essayé pour le garder en vie, jusques à lui faire manger des émeraudes pilées en poudre, qui sont remède le meilleur, à ce qu'il paraît, pour le mal qu'il avait. Mais rien n'a fait. L'étouffement l'a pris. Les cardinaux étaient autour de lui. Je ne sais rien d'autre.

Il se tut.

— Va, dit le roi.

Le chevaucheur sortit. Il n'y eut plus, dans la salle, d'autre bruit que le souffle du grand lévrier qui dormait devant le feu.

Le roi et Nogaret n'osaient se regarder. « Serait-il possible vraiment, pensaient-ils, que nous soyons maudits?... Auquel de nous deux, maintenant? »

Le monarque était d'une pâleur impressionnante, et il avait, dans sa longue robe royale, la raideur glacée des gisants.

TROISIÈME PARTIE

LA MAIN DE DIEU

I

LA RUE DES BOURDONNAIS

Le peuple de Paris ne mit que huit jours à construire, autour de la condamnation des princesses adultères, une légende de débauche et de cruauté. Imaginations de carrefours et vantardises de boutiques : tel affirmait tenir la vérité, de première bouche, d'un sien compère qui livrait les épices à l'hôtel de Nesle ; tel autre avait un cousin à Pontoise... L'affabulation populaire s'était surtout emparée de Marguerite de Bourgogne et lui faisait tenir un rôle extravagant. Ce n'était plus un amant qu'on attribuait à la reine de Navarre, mais dix, mais cinquante ; un par soirée... On se montrait, avec force récits et une sorte de fascination craintive, la tour de Nesle devant laquelle des gardes veillaient à présent, de jour et de nuit, afin d'écarter les curiosités. Car l'affaire n'était pas terminée. Plusieurs cadavres avaient été repêchés dans les parages. On affirmait que l'héritier du trône, enfermé dans son hôtel, tourmentait ses serviteurs pour leur faire avouer ce qu'ils savaient de l'inconduite de sa femme, et ensuite expédiait leurs corps à la Seine.

Un matin, vers tierce, la belle Béatrice d'Hirson sortit de l'hôtel d'Artois. On était au début de mai et le soleil jouait sur les vitres des maisons. Sans se hâter, Béatrice avançait, satisfaite de sentir le vent tiède lui caresser le front. Elle savourait l'odeur du printemps naissant, et prenait plaisir à provoquer le regard des hommes, surtout lorsqu'ils étaient de petite condition.

Elle gagna le quartier Saint-Eustache et s'engagea dans la rue des Bourdonnais. Les écrivains publics y avaient leurs échoppes, et aussi les marchands de cire qui fabriquaient les tablettes à écrire, en même temps que les chandelles et encaustiques. Mais il s'y pratiquait d'autres trafics. Au fond de certaines maisons, on cédait à prix d'or, avec des précautions extrêmes, les ingrédients nécessaires à toutes sorcelleries : poudre de serpent, crapauds pilés, cervelles de chats, poils de ribaudes, ainsi que les plantes, cueillies au juste temps de la lune, avec lesquelles on fabriquait les philtres d'amour ou les poisons destinés à « enherber » un ennemi. Et l'on appelait souvent la « rue aux Sorcières » cette voie étroite où le Diable tenait marché autour de la cire d'abeille, matière première des envoûtements.

L'air détaché, le regard glissant, Béatrice d'Hirson entra dans une boutique qui avait pour enseigne un grand cierge de tôle peinte.

La boutique, étroite de façade, était longue et sombre. Au plafond pendaient des cierges de toutes tailles et, sur les casiers qui garnissaient les murs, des chandelles étaient empilées, ainsi que les pains bruns, rouges ou verts utilisés pour les sceaux. L'air sentait fortement la cire, et tout objet était un peu collant sous le doigt.

Le marchand, vieil homme coiffé d'un gros bonnet de laine écrue, faisait ses comptes à l'aide d'un boulier. A l'arrivée de Béatrice, son visage s'ouvrit d'un sourire édenté.

— Maître Engelbert... dit Béatrice, je viens vous payer la dépense de l'hôtel d'Artois...

— Ah! c'est une bonne action, ma noble dame, c'est une bonne action. Car l'argent, ces temps-ci, court plus vite à sortir qu'à rentrer. Chacun qui nous fournit veut être payé sur l'heure. Et puis surtout, c'est la maltôte qui nous étrangle! Quand je vous vends pour une livre, je dois verser un denier. Le roi gagne plus que moi sur mon travail[20].

Il chercha parmi ses tablettes de comptes celle qui concernait l'hôtel d'Artois, et l'approcha de ses yeux de souris.

— Alors nous avons quatre livres huit sous, sauf à m'être trompé. Et quatre deniers, se hâta-t-il d'ajouter, car il avait pris l'habitude de faire supporter à l'acheteur cette maltôte dont il se plaignait tant.

— Moi... j'ai compté six livres... dit doucement Béatrice en posant deux écus sur le comptoir.

— Ah! voilà une bonne pratique, comme il nous en faudrait grand nombre!

Il porta les pièces à ses lèvres, puis ajouta, la mine complice:

— Vous voulez sans doute voir votre protégé? J'en suis bien satisfait. Il est fort serviable; il parle peu... Maître Évrard!

L'homme qui entra, venant de l'arrière-boutique, boitait. Il avait une trentaine d'années; il était maigre, mais solidement bâti, avec le visage osseux, la paupière creuse et sombre.

Aussitôt, maître Engelbert se souvint d'une livraison urgente.

— Mettez la clenche derrière moi. Je serai absent une petite heure, dit-il au boiteux.

Celui-ci, dès qu'il fut seul avec Béatrice, la prit par les poignets.

— Venez, dit-il.

Elle le suivit vers le fond de la boutique, passa sous un rideau qu'il souleva, et se trouva dans la resserre où l'on entreposait les pains de cire brute, les tonnelets de suif, les paquets de mèches. On y voyait aussi une étroite paillasse coincée entre un vieux coffre et le mur salpêtré.

— Mon château, mes domaines, la commanderie du chevalier Évrard ! dit le boiteux avec une ironie amère en désignant ce misérable habitacle. Mais cela vaut mieux que la mort, n'est-ce pas ?

Et, saisissant Béatrice aux épaules :

— Et toi, souffla-t-il, tu vaux mieux que l'éternité.

Autant la voix de Béatrice était lente et calme, autant celle d'Évrard était précipitée.

Béatrice souriait, de cet air qu'elle avait de toujours se moquer vaguement des choses et des gens. Elle éprouvait une délectation perverse à sentir les êtres dépendre d'elle. Or, cet homme était doublement à sa merci.

Elle l'avait découvert un matin, et pareil à une bête traquée, dans un coin d'écurie à l'hôtel d'Artois. Il tremblait et défaillait de peur et de faim. Ancien Templier d'une commanderie du nord de la France, cet Évrard était parvenu à s'évader de prison, la veille d'être brûlé. Il avait échappé au bûcher, mais non aux tortures. De la question trois fois appliquée, il gardait la jambe à jamais tordue, et aussi la raison un peu dérangée. Parce qu'on lui avait brisé les os pour lui faire confesser des pratiques démoniaques dont il était innocent, il avait décidé, par représailles, de se convertir au Diable. En apprenant la haine, il avait désappris la foi.

Il ne rêvait que sorcellerie, sabbats et hosties profanées. La rue des Bourdonnais pour cela était une résidence de choix. Béatrice l'avait placé chez Engelbert qui le nourrissait, le logeait, et surtout lui fournissait un alibi au regard de la prévôté. Ainsi Évrard, dans son antre suiffé, se prenant pour une véritable incarnation des puissances sataniques, s'entretenait d'espoirs de vengeance et de visions de luxure.

Sans un tic qui par instants lui déformait brusquement le visage, il n'eût pas été dépourvu d'une certaine et rude séduction. Son regard avait de l'ardeur et de l'éclat. Tandis qu'il parcourait Béatrice des mains, fébrilement, et qu'elle le laissait faire, toujours placide, elle dit :

— Tu dois être content... Le pape est mort...

— Oui ! oui ! dit Évrard avec une joie méchante. Ses physiciens lui ont fait digérer des émeraudes pilées. Bon remède, qui tranche les boyaux. Quels qu'ils soient, ces médecins-là sont de mes amis. La malédiction de maître Jacques commence à s'accomplir. Un de crevé déjà ! La main de Dieu frappe vite, quand la main des hommes y aide.

— Et aussi celle du Diable, dit-elle en souriant.

Il avait relevé sa jupe sans qu'elle eût le moins du monde protesté. Les doigts gantés de cire de l'ancien Templier caressaient une belle cuisse ferme, lisse et chaude.

— Veux-tu l'aider à frapper encore ? reprit-elle.

— Qui?

— Ton pire ennemi... à qui tu dois ton pied brisé...

— Nogaret..., murmura Évrard.

Il recula un peu, et son tic par trois fois lui tordit le visage.

Ce fut elle qui se rapprocha.

— Tu peux te venger... si tu le désires... N'est-ce point ici qu'il se fournit en lumière? Vous lui vendez ses chandelles?

— Oui, dit-il.

— Comment sont-elles faites?

— Des chandelles très longues, en cire blanche, avec des mèches traitées à part qui donnent peu de fumée. Pour son hôtel il use de grands cierges jaunes qu'il ne prend pas chez nous. Ces chandelles-là, qu'on appelle des chandelles à légiste, il les emploie seulement lorsqu'il est à écrire dans son cabinet, et il en brûle deux douzaines la semaine.

— En es-tu sûr?

— Son concierge les vient quérir par grosses.

Il désigna un casier.

— Sa prochaine provision est déjà apprêtée, et celle de Marigny à côté, et celle de Maillard, le secrétaire du roi. C'est avec cela qu'ils éclairent tous les crimes que fabriquent leurs cervelles. Je voudrais pouvoir cracher dessus le venin du Diable.

Béatrice continuait de sourire.

— Je peux te donner aussi bien... dit-elle. Moi, je sais le moyen d'empoisonner une chandelle...

— Est-ce possible? demanda Évrard.

— Si on en respire la flamme une heure, on n'en regarde plus jamais d'autre... sinon celle de l'Enfer. C'est un moyen qui ne laisse point de trace et n'a pas de remède.

— Comment le connais-tu?

— Ah... Voilà... fit Béatrice en ondulant des épaules et en baissant les paupières. Une poudre qu'il suffit de mêler à la cire...

— Et pourquoi désires-tu frapper Nogaret? demanda Évrard.

Toujours se dandinant comme par coquetterie, elle répondit:

— Peut-être parce que d'autres gens que toi veulent aussi s'en venger. Tu ne risques rien...

Évrard réfléchit un instant. Son regard se faisait plus aigu, plus luisant.

— Alors, il ne faudrait pas tarder, dit-il en précipitant ses mots. Il se pourrait que j'aie à partir bientôt. Ne le répète point, surtout; mais le neveu du grand-maître, messire Jean de Longwy, a commencé de nous compter. Il a juré, lui aussi, de venger messire de Molay. Nous ne sommes point tous morts, malgré le maudit qui nous occupe. J'ai reçu l'autre jour un de mes anciens frères, Jean du Pré, qui me portait un message, m'informant de me tenir prêt à m'en aller vers Langres.

Ce serait belle chose que d'amener en présent à messire de Longwy l'âme de Nogaret... Quand pourrai-je avoir cette poudre?

— Je l'ai là... dit calmement Béatrice en ouvrant son aumônière.

Elle tendit à Évrard un sachet, qu'il ouvrit avec prudence, et qui contenait deux matières mal mêlées, l'une grise, l'autre cristalline et blanchâtre.

— C'est de la cendre, dit Évrard en montrant la poudre grise.

— Oui... la cendre de la langue d'un homme que Nogaret a fait périr... Je l'ai mise à dessécher dans un four, à la minuit... C'est pour appeler le Diable...

Puis elle désigna la poudre blanche:

— Et là, c'est du serpent de Pharaon [21]... Cela ne tue qu'en brûlant.

— Et tu dis qu'en mettant les deux dans une chandelle?...

Béatrice abaissa le front avec assurance. Évrard fut un moment hésitant; son regard allait du sachet à Béatrice.

— Mais il faut que ce soit fait devant moi, ajouta-t-elle.

L'ancien Templier alla chercher un réchaud dont il attisa les chardons. Puis il tira une chandelle de la provision préparée pour le garde des Sceaux, la plaça dans un moule et la mit à mollir. Ensuite il la fendit avec une lame et versa le long de la mèche le contenu du sachet.

Béatrice tournait autour de lui, en marmonnant des paroles de conjuration où revint trois fois le prénom de Guillaume. Le moule fut remis au feu, puis refroidi dans un bac rempli d'eau.

La chandelle ressoudée ne gardait aucune trace de l'opération.

— Pour un homme qu'on a plutôt habitué à manier l'épée, ce n'est point mauvais travail, dit Évrard, l'air cruel et content de lui.

Et il alla remettre la chandelle où il l'avait prise, en ajoutant:

— Qu'elle soit bonne messagère d'éternité.

La chandelle empoisonnée, au milieu du paquet, et sans qu'on pût la distinguer des autres, était maintenant comme le gros lot d'une abominable loterie. Quel jour le valet chargé de garnir les chandeliers du garde des Sceaux la tirerait-il? Béatrice eut un petit rire. Mais déjà Évrard revenait vers elle et la saisissait à pleins bras.

— Il se peut que nous nous voyions pour la dernière fois.

— Peut-être oui... peut-être non... dit-elle.

Il l'entraîna vers le grabat.

— Comment faisais-tu... quand tu étais Templier... pour rester chaste? demanda-t-elle.

— Je n'ai jamais pu le demeurer, répondit-il d'une voix sourde.

Alors, la belle Béatrice leva les yeux vers les solives, où pendaient les cierges d'église, et elle se laissa pénétrer de l'illusion d'être prise par le Diable. Au reste, Évrard n'était-il pas boiteux?

II

LE TRIBUNAL DES OMBRES

Chaque nuit, messire de Nogaret, chevalier, légiste et garde des Sceaux, travaillait fort tard en son cabinet, comme il l'avait fait toute sa vie. Et chaque matin la comtesse d'Artois apprenait que son ennemi avait été vu en parfaite santé, semblait-il, et se rendant d'un bon pied, ses portefeuilles sous le bras, à l'hôtel du roi. La comtesse posait alors un regard lourd sur sa demoiselle de parage.

— Patientez, Madame... Une grosse, cela fait douze douzaines. A raison de deux douzaines la semaine...

Mais la patience n'était pas le fort de Mahaut, qui commençait à prendre très petite opinion des vertus mortifères du serpent de Pharaon. A savoir seulement si la chandelle empoisonnée était bien allée chez son destinataire, s'il n'y avait pas eu échange ou erreur, ou si quelque valet n'avait pas laissé choir précisément cette chandelle-là. Pour être certain de réussir, il eût fallu pouvoir la planter soi-même dans le candélabre.

— La langue ne peut pas se tromper, Madame... assurait Béatrice.

Mahaut croyait peu à la sorcellerie.

— Coûteuses manigances, pour piètres résultats. D'abord un bon poison, décrétait-elle, s'administre par la bouche et non par fumée.

Néanmoins, lorsque Béatrice lui portait son bougeoir, le soir, elle ne manquait pas de lui demander avec un peu d'inquiétude ;

— Ce ne sont point des chandelles à légiste ?

— Mais non... Madame... répondait Béatrice.

Or un matin de la fin mai, Nogaret, contrairement à ses habitudes, arriva en retard au Conseil ; il pénétra dans la salle alors que déjà le roi était assis.

Nogaret s'inclina très bas en offrant ses excuses ; ce faisant, un vertige le saisit et il dut se rattraper à la table.

La plus urgente affaire était l'élection papale.

Le siège pontifical était vacant maintenant depuis quatre semaines, et les cardinaux, réunis en conclave à Carpentras selon les instructions dernières de Clément V, se livraient un combat qui ne paraissait pas près de finir.

On connaissait fort bien la position et la pensée du roi de France. Philippe le Bel voulait que la papauté restât en Avignon, là où il l'avait installée, à portée de sa main ; il voulait que le pape si possible fût français ; il voulait que l'énorme organisation politique que constituait l'Église ne pût jouer, comme elle l'avait fait souvent, contre le royaume.

Les vingt-trois cardinaux assemblés à Carpentras, et qui venaient de partout, d'Italie, de France, d'Espagne, de Sicile, d'Allemagne, étaient déchirés en presque autant de camps qu'il y avait de chapeaux.

Les disputes théologiques, les rivalités d'intérêt, les rancunes de famille alimentaient leurs luttes. Chez les cardinaux italiens surtout, entre les Caëtani, les Colonna et les Orsini, existaient des haines inexpiables.

— Ces huit cardinaux italiens, dit Marigny, ne sont accordés que dans leur volonté de ramener à Rome la papauté. Par bonheur, ils ne le sont sur le nom d'aucun papable.

— Cet accord peut se faire avec le temps, remarqua Monseigneur de Valois.

— C'est pourquoi il ne faut point leur en donner, répondit Marigny.

Nogaret sentit à ce moment comme une nausée qui lui alourdissait l'estomac et gênait sa respiration. Il voulut se redresser sur son siège et il éprouva de la difficulté pour commander à ses muscles. Puis, son malaise disparut ; il respira largement et s'essuya le front.

— Rome est la ville du pape pour tous les chrétiens, dit Charles de Valois. Le centre du monde est à Rome.

— Chose qui convient aux Italiens, sans doute, mais non au roi de France, dit Marigny.

— Vous ne pouvez tout de même refaire l'œuvre des siècles, messire Enguerrand, et empêcher que le trône de saint Pierre ne soit là où il l'a fondé.

— Mais quand le pape veut se tenir à Rome, il ne peut y rester ! s'écria Marigny. Il est forcé de fuir devant les factions qui déchirent la ville, et doit s'aller réfugier dans quelque château sous la protection de troupes qui ne lui appartiennent point. Il se trouve beaucoup mieux veillé par notre bonne forteresse de Villeneuve, de l'autre côté du Rhône.

— Le pape demeurera en son établissement d'Avignon, dit le roi.

— Je connais bien Francesco Caëtani, reprit Charles de Valois. C'est un homme de grand savoir et de grand mérite sur qui je puis avoir de l'influence.

— Je ne souhaite point ce Caëtani, dit le roi. Il est de la famille de Boniface, et reprendrait les errements de la bulle *Unam Sanctam*[22].

Philippe de Poitiers, penchant son long buste, montra qu'il approuvait pleinement son père.

— Je pense qu'il y a dans cette affaire, dit-il, assez d'intrigues pour qu'elles s'anéantissent l'une l'autre. A nous d'être les plus tenaces et les plus fermes.

Après un instant de silence, Philippe le Bel se tourna vers Nogaret. Celui-ci, le visage très pâle, respirait avec peine.

— Votre conseil, Nogaret?

— Oui... Sire, dit le garde des Sceaux avec effort.

Il passa une main tremblante sur son front.

— Veuillez me pardonner... Cette lourde chaleur...

— Mais il ne fait pas chaud, dit Hugues de Bouville.

Nogaret, à grand effort, prononça d'une voix lointaine:

— L'intérêt du royaume et celui de la foi commandent d'agir en ce sens.

Puis il se tut; on s'étonna qu'il eût parlé si peu, et pour exprimer une pensée si vague.

— Votre conseil, Marigny?

— Je proposerais, Sire, qu'on prît prétexte de ramener en Guyenne les restes du pape Clément, selon la volonté qu'il en a montrée, pour aller presser un peu le conclave. Messire de Nogaret pourrait être chargé de cette pieuse mission, nanti des pouvoirs nécessaires, et accompagné d'une bonne escorte, armée comme il convient. L'escorte garantira les pouvoirs.

Charles de Valois détourna la tête; il désapprouvait cette épreuve de force.

— Mon annulation en sera-t-elle hâtée? demanda Louis de Navarre.

— Taisez-vous, Louis... dit le roi. C'est aussi à cela que nous travaillons.

— Oui, Sire... dit Nogaret sans même avoir conscience de parler.

Sa voix était rauque et basse. Il éprouvait un grand trouble dans l'esprit, et les choses se déformèrent devant ses yeux. Les voûtes de la salle lui parurent devenir hautes comme celles de la Sainte-Chapelle; puis, soudain, elles se rapprochèrent jusqu'à devenir aussi basses que celles des caveaux où il avait coutume d'interroger les prisonniers.

— Qu'advient-il? demanda-t-il en essayant de desserrer son surcot.

Il s'était brusquement ramassé sur lui-même, les genoux contre le ventre, la tête baissée, les mains crispées sur la poitrine. Le roi se leva, imité de tous les assistants... Nogaret poussa un cri étouffé et s'écroula en vomissant.

Ce fut Hugues de Bouville, le grand chambellan, qui le ramena à son hôtel où il fut aussitôt visité par les médecins du roi.

Ceux-ci consultèrent longuement. Rien ne fut révélé de leur rapport au souverain. Mais bientôt, à la cour et dans toute la ville, on parla d'une maladie inconnue. Le poison ? On affirmait avoir essayé des plus puissants antidotes.

Les affaires du royaume, ce jour-là, restèrent comme suspendues.

Lorsque la comtesse Mahaut apprit la nouvelle, elle dit seulement :
— Bon ! Il paie.

Et elle se mit à table. Mais elle promit à Béatrice une robe complète, c'est-à-dire les six pièces, chemise, robe de dessous, robe de dessus, surcot, manteau et chape, le tout de la plus fine étoffe, avec en plus une belle bourse pendue à la ceinture, si le garde des Sceaux trépassait.

Nogaret, effectivement, payait. Depuis plusieurs heures, il ne reconnaissait plus personne. Il était sur son lit, le corps secoué de spasmes, et il crachait du sang. Il n'avait même plus la force de se pencher au-dessus d'un bassin ; le sang coulait de sa bouche sur un gros drap plié qu'un valet changeait de temps en temps.

La chambre était pleine. Amis et serviteurs se relayaient auprès du malade. Dans un coin, petit groupe sournois et chuchotant, quelques parents pensaient à la curée en évaluant le mobilier.

Nogaret ne les distinguait que comme de vagues spectres qui s'agitaient très loin, sans raison et sans but. D'autres présences, visibles de lui seul, étaient en train de l'assaillir.

Au curé de la paroisse, qui vint l'administrer, il ne confessa que des râles ou des paroles inintelligibles.

— Arrière, arrière ! hurla-t-il d'une voix épouvantée quand on l'oignit des saintes huiles.

Les médecins se précipitèrent. Nogaret, hagard, se tordait sur sa couche, les yeux révulsés, repoussant des ombres... Il était entré dans les affres.

Sa mémoire, qui n'aurait plus à lui faire de service, se vidait d'un coup comme une bouteille retournée qu'on va jeter, et lui présentait toutes les agonies auxquelles il avait assisté, tous les trépas qu'il avait ordonnés. Morts pendant les interrogatoires, morts dans les prisons, morts dans les flammes, morts sur la roue, morts aux cordes des gibets, se bousculaient en lui et venaient y mourir une deuxième fois.

Les mains à la gorge, il s'efforçait d'écarter les fers rougis dont il avait vu brûler tant de poitrines nues. Ses jambes furent saisies de crampes ; on l'entendit crier :

— Les tenailles ! Otez-les, par pitié !

L'odeur du sang qu'il vomissait lui semblait l'odeur du sang de ses victimes.

Il arrivait à Nogaret, pour sa dernière heure, de se sentir enfin à la place des autres ; et c'était cela son châtiment.

— Je n'ai rien fait en mon nom ! Le roi seul... j'ai servi le roi...

Ce légiste, devant le tribunal de l'agonie, tentait une ultime procédure.

Les assistants, avec moins d'émotion que de curiosité, et plus de dégoût que de compassion, regardaient s'enfoncer dans l'au-delà l'un des vrais maîtres du royaume.

Vers le soir la chambre se vida. Un barbier et un frère de saint Dominique restèrent seuls auprès de Nogaret. Les serviteurs se couchèrent à même le sol, dans l'antichambre, et la tête sous leurs manteaux.

Bouville eut à les enjamber, lorsqu'il vint dans la nuit, de la part du roi. Il interrogea le barbier.

— Rien n'a pu agir, dit celui-ci à voix basse. Il vomit moins, mais ne cesse de délirer. Nous n'avons plus qu'à attendre que Dieu le prenne !

Râlant faiblement, Nogaret était seul à voir les Templiers morts qui l'attendaient au fond des ténèbres. La croix cousue sur l'épaule, ils se tenaient le long d'une route nue, bordée de précipices, et qu'éclairait la lueur des bûchers.

— Aymon de Barbonne... Jean de Furnes... Pierre Suffet... Brintinhiac... Ponsard de Gizy...

Les morts se servaient de sa voix, qu'il ne reconnaissait plus, pour se faire reconnaître de lui.

— Oui, Sire... Je partirai demain...

Bouville, vieux serviteur de la couronne, eut le cœur serré en percevant ce murmure qu'il se promit de rapporter au roi.

Mais soudain Nogaret se dressa, le menton en avant, le cou tendu, et lui cria, effrayant :

— Fils de Cathare !

Bouville regarda le dominicain, et tous deux se signèrent.

— Fils de Cathare ! répéta Nogaret.

Et il retomba sur ses oreillers. Dans l'immense, le tragique paysage de montagnes et de vallées qu'il portait en lui et qui le conduisait vers le jugement dernier, Nogaret était reparti pour sa grande expédition. Il chevauchait, un jour de septembre, sous l'éblouissant soleil d'Italie, à la tête de six cents cavaliers et d'un millier de fantassins, vers le rocher d'Anagni. Sciarra Colonna, l'ennemi mortel du pape Boniface VIII, l'homme qui avait préféré ramer trois ans au banc d'une galère barbaresque plutôt que risquer d'être rendu à la papauté, marchait à côté de lui. Et Thierry d'Hirson était de l'expédition. La petite cité d'Anagni ouvrait d'elle-même ses portes ; les assaillants, passant par l'intérieur de la cathédrale, envahissaient le palais Caëtani et les appartements pontificaux. Là, le vieux pape de quatre-vingt-huit ans, tiare en tête, croix en main, seul dans une immense salle désertée, voyait entrer cette horde en armures. Sommé d'abdiquer, il répondait : « Voilà mon cou, voilà ma tête; je mourrai, mais je mourrai pape.» Sciarra Colonna le giflait de son gantelet de fer. Et Boniface lançait à Nogaret: «Fils de Cathare! Fils de Cathare!».

— J'ai empêché qu'on ne le tuât, gémit Nogaret.

Il plaidait encore. Mais bientôt il se mit à sangloter, comme avait sangloté Boniface jeté au bas de son trône; il était de nouveau à la place de *l'autre*...

La raison du vieux pape n'avait pas résisté à l'attentat et à l'outrage. Tandis qu'on le ramenait à Rome, Boniface continuait de pleurer comme un enfant. Puis il était tombé dans une démence furieuse, insultant quiconque l'approchait, et se traînant à quatre pattes dans la chambre où on le gardait. Un mois plus tard il mourait en repoussant, dans une crise de rage, les derniers sacrements...

Penché sur Nogaret et multipliant les signes de croix, le frère dominicain ne comprenait pas pourquoi l'ancien excommunié s'obstinait à refuser une extrême-onction qu'il avait reçue quelques heures plus tôt.

Bouville partit. Le barbier, se sachant inutile jusqu'au moment où il aurait à procéder à la toilette funéraire, s'était endormi sur son siège et dodelinait la tête. Le dominicain de temps à autre abandonnait son chapelet pour moucher la chandelle.

Vers quatre heures du matin les lèvres de Nogaret articulèrent faiblement:

— Pape Clément... chevalier Guillaume... roi Philippe...

Ses grands doigts bruns et plats grattaient le drap.

— Je brûle, dit-il encore.

Puis les fenêtres devinrent grises de la timide lueur de l'aube, et une cloche tinta, de l'autre côté de la Seine. Les serviteurs remuèrent dans le vestibule. L'un deux entra, traînant les pieds, et vint ouvrir une croisée. Paris sentait le printemps et les feuilles. La ville s'éveillait dans une rumeur confuse.

Nogaret était mort et un filet de sang séchait sous ses narines. Le frère de saint Dominique dit:

— Dieu l'a pris!

III

LES DOCUMENTS D'UN RÈGNE

Une heure après que Nogaret eut rendu l'âme, messire Alain de Pareilles, accompagné de Maillard, le secrétaire du roi, vint se saisir de tous les documents, pièces et dossiers qui se trouvaient en la demeure du garde des Sceaux.

Puis le roi lui-même fit une dernière visite à son ministre. Il ne resta devant le corps qu'un temps assez bref. Ses yeux pâles fixaient le mort, sans ciller, comme lorsqu'il lui posait sa question habituelle: «Votre conseil, Nogaret?» Et il semblait déçu de ne plus avoir réponse.

Philippe le Bel, ce matin-là, n'accomplit point sa quotidienne promenade à travers les rues et les marchés. Il rentra directement au Palais où il commença, aidé de Maillard, l'examen des dossiers pris chez Nogaret et qu'on avait déposés dans son cabinet.

Bientôt, Enguerrand de Marigny se présenta chez le roi. Le souverain et son coadjuteur se regardèrent, et le secrétaire sortit.

— Le pape, au bout d'un mois... dit le roi. Et un mois après, Nogaret...

Il y avait de l'angoisse, presque de la détresse, dans la façon dont il avait prononcé ces mots. Marigny s'assit sur le siège que le souverain lui désignait. Il resta un moment silencieux, puis dit:

— Certes, ce sont d'étranges coïncidences, Sire. Mais de semblables choses arrivent sans doute chaque jour, dont nous ne sommes pas frappés parce que nous les ignorons.

— Nous avançons en âge, Enguerrand. C'est une malédiction suffisante.

Il avait quarante-six ans, Marigny quarante-neuf. Peu d'hommes, à cette époque, atteignaient la cinquantaine.

— Il faut faire tri de tout ceci, reprit le roi en montrant les dossiers.

Ils se mirent au travail. Une partie des pièces seraient déposées aux Archives du royaume, dans le Palais même[23]. D'autres, qui concernaient des affaires en cours, seraient conservées par Marigny ou remises à ses légistes ; d'autres enfin, par prudence, iraient au feu.

Le silence régnait dans le cabinet, à peine troublé par les cris lointains des marchands et la rumeur de Paris.

Le roi se penchait sur les liasses ouvertes. C'était tout son règne qu'il voyait repasser devant lui, vingt-neuf années pendant lesquelles il avait administré le sort de millions d'hommes, et imposé son influence à l'Europe entière.

Et brusquement cette suite d'événements, de problèmes, de conflits, de décisions, lui parut comme étrangère à sa propre vie, à sa propre destin. Une autre lumière éclairait ce qui avait fait le travail de ses jours et le souci de ses nuits.

Car il découvrait soudain ce que les autres pensaient et écrivaient de lui ; il se voyait de l'extérieur. Nogaret avait gardé des lettres d'ambassadeurs, des minutes d'interrogatoires, des rapports de police. Toutes ces lignes faisaient apparaître un portrait du roi que celui-ci ne reconnaissait pas, l'image d'un être lointain, dur, étranger à la peine des hommes, inaccessible aux sentiments, une figure abstraite incarnant l'autorité au-dessus et à l'écart de ses semblables. Plein d'étonnement, il lisait deux phrases de Bernard de Saisset, cet évêque qui avait été à l'origine de la grande querelle avec Boniface VIII : « Il a beau être le plus bel homme du monde, il ne sait que regarder les gens sans rien dire. Ce n'est ni un homme ni une bête, c'est une statue. »

Et il lut aussi ces mots, d'un autre témoin de son règne : « Rien ne le fera ployer, c'est un roi de fer. »

— Un roi de fer, murmura Philippe le Bel. Ai-je donc su si bien cacher mes faiblesses ? Comme les autres nous connaissent peu, et comme je serai mal jugé !

Un nom rencontré le fit se souvenir de l'extraordinaire ambassade qu'il avait reçue tout au début de son règne. Rabban Kaumas, évêque nestorien chinois, était venu lui proposer de la part du grand Khan de Perse, descendant de Gengis Khan, la conclusion d'une alliance, une armée de cent mille hommes et la guerre contre les Turcs.

Philippe le Bel avait alors vingt ans. Quelle griserie, pour un jeune homme, que la perspective d'une croisade où participeraient l'Europe et l'Asie, quelle entreprise digne d'Alexandre ! Ce jour-là pourtant, il avait choisi une autre voie. Plus de croisades, plus d'aventures guerrières ; c'était sur la France et la paix qu'il avait résolu d'exercer ses efforts. Avait-il eu raison ? Quelle eût été sa vie, et quel empire eût-il fondé s'il avait accepté l'alliance avec le Khan de Perse ? Il rêva, un instant, d'une gigantesque conquête des terres chrétiennes qui aurait assuré sa gloire dans la suite des siècles... Mais Louis VII, mais Saint Louis avaient poursuivi de semblables rêves, qui s'étaient tournés en désastres.

Il revint au réel, souleva une nouvelle pile de parchemins. Sur le dossier, il lisait une date: 1305. C'était l'année de la mort de son épouse la reine Jeanne, qui avait apporté la Navarre au royaume, et à lui le seul amour qu'il eût connu. Il n'avait jamais désiré d'autre femme; depuis neuf ans qu'elle était disparue, il n'en avait plus regardé d'autre. Or, à peine avait-il dépouillé l'habit de deuil, qu'il devait affronter les émeutes. Paris, soulevé contre ses ordonnances, le forçait à se réfugier au Temple. Et l'année suivante, il faisait arrêter ces mêmes Templiers qui lui avaient fourni asile et protection... Nogaret avait conservé ses notes concernant la conduite du procès.

Et maintenant? Après tant d'autres, le visage de Nogaret allait s'effacer du monde. Il ne restait de lui que ces liasses d'écriture, témoignages de son labeur.

« Que de choses promises à l'oubli dorment ici, pensa le roi. Tant de procédures, de tortures, de morts... »

Les yeux fixes, il méditait.

« Pourquoi? se demandait-il encore. Pour quelle fin? Où sont mes victoires? Gouverner est une œuvre qui ne connaît point d'achèvement. Peut-être n'ai-je que quelques semaines à vivre. Et qu'ai-je fait qui soit assuré de durer après moi... »

Il ressentait la grande vanité d'agir qu'éprouve l'homme assailli par l'idée de sa propre mort.

Marigny, le poing sous son large menton, restait immobile, inquiet de la gravité du roi. Tout était relativement aisé au coadjuteur dans l'exercice de ses charges et tâches, sauf de comprendre les silences du souverain.

— Nous avons fait canoniser mon grand-père le roi Louis par le pape Boniface, dit Philippe le Bel; mais était-il vraiment un saint?

— Sa canonisation était utile au royaume, Sire, répondit Marigny. Une famille de rois est mieux respectée si elle compte un saint.

— Mais fallait-il, dans la suite, employer la force contre Boniface?

— Il était sur le point de vous excommunier, Sire, parce que vous ne pratiquiez point dans vos États la politique qu'il voulait. Vous n'avez pas manqué au devoir des rois. Vous êtes resté à la place où Dieu vous avait mis, et vous avez proclamé que vous ne teniez votre royaume de personne, fors de Dieu.

Philippe le Bel désigna un long parchemin.

— Et les Juifs? N'en avons-nous pas brûlé trop? Ils sont créatures humaines, souffrantes et mortelles comme nous. Dieu ne l'ordonnait pas.

— Vous avez suivi l'exemple de Saint Louis, Sire; et le royaume avait besoin de leurs richesses.

Le royaume, le royaume, sans cesse le royaume. « Il le fallait, pour le royaume... Nous le devons, pour le royaume... »

— Saint Louis aimait la foi et la grandeur de Dieu. Moi, qu'ai-je donc aimé? dit Philippe le Bel à voix basse.

— La justice, Sire, la justice qui est nécessaire au commun bien, et qui frappe tous ceux qui ne suivent pas le train du monde.

— Ceux qui ne suivent pas le train du monde ont été nombreux le long de mon règne, et ils seront nombreux encore si tous les siècles se ressemblent.

Il soulevait les dossiers de Nogaret et les reposait sur la table, l'un après l'autre.

— Le pouvoir est chose amère, dit-il.

— Rien n'est grand, Sire, qui n'ait sa part de fiel, répondit Marigny, et le Seigneur Christ l'a su. Vous avez régné grandement. Songez que vous avez réuni à la couronne Chartres, Beaugency, la Champagne, la Bigorre, Angoulême, la Marche, Douai, Montpellier, la Comté-Franche, Lyon, et une part de Guyenne. Vous avez fortifié vos villes, comme votre père Monseigneur Philippe III le souhaitait, pour qu'elles ne soient plus à la merci d'autrui, du dehors comme du dedans... Vous avez refait la loi d'après les lois de l'ancienne Rome. Vous avez donné au Parlement sa règle pour qu'il rende de meilleurs arrêts. Vous avez octroyé à beaucoup de vos sujets la bourgeoisie du roi[24]. Vous avez affranchi des serfs dans maints bailliages et sénéchaussées. Non, Sire, c'est à tort que vous craignez d'avoir erré. D'un royaume partagé, vous avez fait un pays qui commence à n'avoir qu'un seul cœur.

Philippe le Bel se leva. La conviction sans faille de son coadjuteur le rassurait, et il s'appuyait sur elle pour lutter contre une faiblesse qui n'était pas dans sa nature.

— Peut-être dites-vous vrai, Enguerrand. Mais si le passé vous satisfait, que dites-vous du présent? Hier des gens ont dû être tenus au calme par les archers, rue Saint-Merri. Lisez ce qu'écrivent les baillis de Champagne, de Lyon et d'Orléans. Partout on crie, partout on se plaint du renchérissement du blé et des maigres salaires. Et ceux-là qui crient, Eguerrand, ne peuvent comprendre que ce qu'ils réclament, et que je voudrais leur donner, dépend du temps et non de ma volonté. Ils oublieront mes victoires pour ne se souvenir que de mes impôts, et l'on m'accablera de ne point les avoir nourris, du temps qu'ils vivaient...

Marigny écoutait, plus inquiet maintenant des paroles du roi que de ses silences. Jamais il ne l'avait entendu avouer de semblables incertitudes, ni manifester un tel découragement.

— Sire, dit-il, il faut que nous décidions en plusieurs matières.

Philippe le Bel regarda encore un instant, épars sur la table, les documents de son règne. Puis il se redressa, comme s'il venait de se donner un ordre.

— Oui, Enguerrand, dit-il, il faut.

Le propre des hommes forts n'est pas d'ignorer les hésitations et les doutes qui sont le fonds commun de la nature humaine, mais seulement de les surmonter plus rapidement.

IV

L'ÉTÉ DU ROI

Avec la mort de Nogaret, Philippe le Bel parut avoir pénétré dans un pays où personne ne pouvait le rejoindre. Le printemps réchauffait la terre et les maisons; Paris vivait dans le soleil; mais le roi était comme exilé dans un hiver intérieur. La prophétie du grand-maître ne quittait plus guère son esprit.

Souvent, il partait pour l'une de ses résidences de campagne, où il suivait de longues chasses, sa seule distraction apparente. Mais il était vite rappelé à Paris par des rapports alarmants. La situation alimentaire, dans le royaume, était mauvaise. Le coût des vivres augmentait; les régions prospères n'acceptaient pas de diriger leurs excédents vers les régions pauvres. On disait volontiers: «Trop de sergents, et pas assez de froment.» On refusait de payer les impôts, et l'on se révoltait contre les prévôts et les receveurs de finances. A la faveur de cette crise, les ligues de barons, en Bourgogne et en Champagne, se reconstituaient pour soutenir de vieilles prétentions féodales. Robert d'Artois, mettant à profit le scandale des princesses royales et le mécontentement général, recommençait à fomenter des troubles sur les terres de la comtesse Mahaut.

— Mauvais printemps pour le royaume, dit un jour Philippe le Bel devant Monseigneur de Valois.

— Nous sommes dans la quatorzième année du siècle, mon frère, répondit Valois, une année que le sort a toujours marquée pour le malheur.

Il rappelait par là une troublante constatation faite à propos des années 14, au cours des âges: 714, invasion des musulmans d'Espagne; 814, mort de Charlemagne et déchirement de son empire; 914, invasion des Hongrois, accompagnée de la grande famine; 1114, perte de la Bretagne; 1214, la coalition d'Othon IV, vaincue de justesse à

Bouvines... une victoire au bord de la catastrophe. Seule, l'année 1014 manquait à l'appel des drames.

Philippe le Bel regarda son frère comme s'il ne le voyait pas. Il laissa tomber la main sur le cou du lévrier Lombard, qu'il caressa à rebrousse-poil.

— Or le malheur cette fois, mon frère, est le produit de votre mauvais entourage, reprit Charles de Valois. Marigny ne connaît plus de mesure. Il use de la confiance que vous lui faites pour vous tromper, et vous engager toujours plus avant dans la voie qui le sert mais qui nous perd. Si vous aviez écouté mon conseil dans la question de Flandre...

Philippe le Bel haussa les épaules, d'un mouvement qui voulait dire : « A cela, je ne puis rien. »

Les difficultés avec la Flandre resurgissaient, périodiquement. Bruges la riche, irréductible, encourageait les soulèvements communaux. Le comté de Flandre, de statut mal défini, refusait d'appliquer la loi générale. De traités en dérobades, de négociations en révoltes, cette affaire flamande était une plaie inguérissable à l'épaule du royaume. Que restait-il de la victoire de Mons-en-Pévèle ? Une fois encore, il allait falloir employer la force.

Mais la levée d'une armée exigeait des fonds. Et si l'on repartait en campagne, le compte du Trésor dépasserait sans doute celui de 1299, demeuré dans les mémoires comme le plus élevé que le royaume eût connu : 1 642 649 livres de dépenses, accusant un déficit de près de 70 000 livres. Or, depuis quelques années, les recettes ordinaires s'équilibraient autour de 500 000 livres. Où trouver la différence ?

Marigny, contre l'avis de Charles de Valois, fit alors convoquer une assemblée populaire pour le 1er août 1314, à Paris. Il avait déjà eu recours à de pareilles consultations, mais surtout à l'occasion des conflits avec la papauté. C'était en aidant le pouvoir royal à se dégager de l'obédience au Saint-Siège que la bourgeoisie avait conquis son droit de parole. Maintenant, on demandait son approbation en matière de finances.

Marigny prépara cette réunion avec le plus grand soin, envoyant dans les villes messagers et secrétaires, multipliant entrevues, démarches, promesses.

L'Assemblée se tint dans la Galerie mercière dont les boutiques, ce jour-là, furent fermées. Une grande estrade avait été dressée où s'installèrent le roi, les membres de son Conseil, ainsi que les pairs et les principaux barons.

Marigny prit la parole, debout, non loin de son effigie de marbre, et sa voix semblait plus assurée encore qu'à l'accoutumée, plus certaine d'exprimer la vérité du royaume. Il était sobrement vêtu ; il avait, de l'orateur, la prestance et le geste. Son discours, dans la forme, s'adressait au roi; mais il le prononçait tourné vers la foule qui, de ce fait, se sentait un peu souveraine. Dans l'immense nef à deux voûtes, plusieurs centaines d'hommes, venus de toute la France, écoutaient.

Marigny expliqua que si les vivres se faisaient rares, donc plus chers, on ne devait point s'en montrer trop surpris. La paix qu'avait maintenue le roi Philippe favorisait l'accroissement en nombre de ses sujets. « Nous mangeons le même blé, mais nous sommes plus à le partager. » Il fallait donc semer davantage; et pour semer, il fallait la tranquillité de l'État, l'obéissance aux ordonnances, la participation de chaque région à la prospérité de tous.

Or qui menaçait la paix? La Flandre. Qui refusait de contribuer au bien général? La Flandre. Qui gardait ses blés et ses draps, préférant les vendre à l'étranger plutôt que de les diriger vers l'intérieur du royaume où sévissait la pénurie? La Flandre. En refusant d'acquitter les tailles et droits de « traites », les villes flamandes aggravaient forcément la proportion des charges, pour les autres sujets du roi. La Flandre devait céder; on l'y contraindrait par la force. Mais pour cela, il fallait des subsides; toutes les villes, ici représentées par leurs bourgeois, devaient donc, dans leur propre intérêt, accepter une levée exceptionnelle d'impôts.

— Ainsi se feront voir, acheva Marigny, ceux qui donneront aide à aller contre les Flamands.

Une rumeur s'éleva, bientôt dominée par la voix d'Étienne Barbette.

Barbette, maître de la Monnaie de Paris, échevin, prévôt des marchands, et fort riche d'un commerce de toiles et de chevaux, était l'allié de Marigny. Son intervention avait été préparée. Au nom de la première ville du royaume, Barbette promit l'aide requise. Il entraîna l'assistance, et les députés de quarante-trois « bonnes villes » acclamèrent d'une même voix le roi, Marigny, et Barbette.

Si l'Assemblée avait été une victoire, les résultats financiers se montrèrent assez décevants. L'armée fut mise sur pied avant que la subvention ait été recouvrée.

Le roi et son coadjuteur souhaitaient faire une démonstration rapide d'autorité plutôt que conduire une vraie guerre. L'expédition fut une imposante promenade militaire. Marigny, à peine les troupes en marche, fit connaître à l'adversaire qu'il était prêt à négocier, et se hâta de conclure, les premiers jours de septembre, la convention de Marquette.

Mais aussitôt l'armée partie, Louis de Nevers, fils de Robert de Béthune, comte de Flandre, dénonça la convention. Pour Marigny, c'était l'échec. Valois, qui en venait à se réjouir d'une défaite pour le royaume si cette défaite nuisait au coadjuteur, accusait ce dernier, publiquement, de s'être laissé acheter par les Flamands.

La note de la campagne demeurait à payer; et les officiers royaux continuaient donc de percevoir, à grand-peine et au vif mécontentement des provinces, l'aide exceptionnelle consentie pour une entreprise déjà close, et par l'insuccès.

Le Trésor s'épuisait et Marigny devait envisager de nouveaux expédients.

Les Juifs avaient été spoliés par deux fois ; les tondre à nouveau donnerait peu de laine. Les Templiers n'existaient plus, et leur or était depuis longtemps fondu. Restaient les Lombards.

Déjà, en 1311, on les avait décrétés d'expulsion, sans intention véritable d'exécuter l'ordonnance, mais pour les obliger de racheter, fort cher, leur droit de séjour. Cette fois, il ne pouvait s'agir de rachat ; c'était la saisie de tous leurs biens, et leur renvoi de France, que Marigny méditait. Le trafic qu'ils maintenaient avec la Flandre, au mépris des instructions royales, et l'appui financier qu'ils apportaient aux ligues seigneuriales, justifiaient la mesure en préparation.

Mais le morceau était de taille. Les banquiers et négociants italiens, bourgeois du roi, avaient réussi à très solidement s'organiser, en «compagnies», avec à leur tête un «capitaine général» élu. Ils contrôlaient le commerce vers l'étranger et régnaient sur le crédit. Les transports, le courrier privé et même certains recouvrements d'impôts passaient par leurs mains. Ils prêtaient aux barons, aux villes, aux rois. Ils faisaient même l'aumône, lorsqu'il le fallait.

Aussi Marigny passa-t-il plusieurs semaines à mettre au point son projet. Il était homme tenace, et la nécessité l'aiguillonnait.

Mais Nogaret n'était plus là. D'autre part, les Lombards de Paris, gens bien informés et instruits par l'expérience, payaient cher les secrets du pouvoir.

Tolomei, de son seul œil ouvert, veillait.

V

L'ARGENT ET LE POUVOIR

Un soir de la mi-octobre, une trentaine d'hommes tenaient réunion, toutes portes closes, chez messer Spinello Tolomei.

Le plus jeune, Guccio Baglioni, neveu de la maison, avait dix-huit ans. Le plus âgé en comptait soixante-quinze; c'était Boccanegra, capitaine général des compagnies lombardes. Si différents qu'ils fussent d'âge et de traits, il y avait entre tous ces personnages une curieuse ressemblance dans l'attitude, la mobilité de visage et de geste, la manière de porter le vêtement.

Éclairés par de gros cierges fichés dans des candélabres forgés, ces hommes de teint brun formaient une famille au langage commun. Une tribu en guerre aussi, et dont la puissance était égale à celle des grandes ligues de noblesse ou des assemblées de bourgeois.

Il y avait là les Peruzzi, les Albizzi, les Guardi, les Bardi avec leur principal commis et voyageur Boccace, les Pucci, les Casinelli, tous originaires de Florence comme le vieux Boccanegra. Il y avait les Salimbene, les Buonsignori, les Allerani et les Zaccaria, de Gênes; il y avait les Scotti, de Piacenza; il y avait le clan siennois autour de Tolomei. Entre tous ces hommes existaient des rivalités de prestige, des concurrences commerciales, et même parfois des haines solides pour raisons de famille ou affaires d'amour. Mais dans le péril ils se retrouvaient comme frères.

Tolomei venait d'exposer la situation avec calme, sans en dissimuler la gravité. Ce n'était d'ailleurs pour personne une totale surprise. Il y avait peu d'imprévoyants parmi ces hommes de banque, et la plupart avaient déjà mis à l'abri, hors de France, une partie de leur fortune. Mais il est des choses qui ne se peuvent emporter et chacun songeait avec angoisse ou colère ou déchirement à ce qu'il allait devoir abandonner: la belle demeure, les biens fonciers, les marchandises en magasin, la situation acquise, la clientèle, les habitudes, les amitiés, la jolie maîtresse, le fils naturel...

— Je possède peut-être, dit alors Tolomei, un moyen d'enchaîner le Marigny, sinon même de l'abattre.

— Alors, n'hésite pas: *ammazzalo*! * dit Buonsignori, le chef de la plus grosse compagnie génoise.

— Quel est ton moyen? questionna le représentant des Scotti.

Tolomei secoua la tête:

— Je ne puis le dire encore.

— Des dettes sans doute? s'écria Zaccaria. Et après? Est-ce que cela a jamais gêné cette sorte de gens? Au contraire! Ils auront, s'ils nous expulsent, une bonne occasion d'oublier ce qu'ils nous doivent...

Zaccaria était amer; il ne possédait qu'une petite compagnie et enviait à Tolomei sa clientèle de grands seigneurs. Tolomei se tourna vers lui et, sur un ton de profonde conviction, répondit:

— Beaucoup plus que des dettes, Zaccaria! Une arme empoisonnée, et dont je ne veux pas éventer le venin. Mais, pour l'utiliser, j'ai besoin de vous tous, mes amis. Car il me faudra traiter avec le coadjuteur de force à force. Je tiens une menace; il me faut pouvoir l'assortir d'une offre... afin que Marigny choisisse ou l'entente ou le combat.

Il développa son idée. Si l'on voulait spolier les Lombards, c'était pour combler le déficit des finances publiques. Marigny devait à tout prix remplir le Trésor. Les Lombards allaient feindre de se montrer bons sujets, et proposer spontanément un prêt très important à faible intérêt. Si Marigny refusait, Tolomei sortait l'arme du fourreau.

— Tolomei, il faut nous éclairer, dit l'aîné des Bardi. Quelle est cette arme dont tu parles tant?

Après un instant d'hésitation, Tolomei dit:

— Si vous y tenez, je puis la révéler à notre capitano, mais à lui seul.

Un murmure courut, et l'on se consulta du regard.

— *Si... d'accordo, facciamo cosi...* ** entendit-on.

Tolomei attira Boccanegra dans un coin de la pièce. Les autres guettaient le visage au nez mince, aux lèvres rentrées, aux yeux usés, du vieux Florentin; ils saisirent seulement les mots de *fratello*, et *d'arcivescovo* ***.

— Deux mille livres, bien placées, n'est-ce pas? murmura enfin Tolomei. Je savais qu'elles me serviraient un jour.

Boccanegra eut un petit rire gargouillant au fond de sa vieille gorge; puis il reprit sa place et dit simplement en désignant du doigt Tolomei:

---

* Assomme-le
** Oui... d'accord... faisons ainsi...
*** Frère... archevêque.

— *Abbiate fiducia* *.

Alors Tolomei, tablette et stylet en mains, commença d'interroger chacun sur le chiffre de la subvention qu'il pouvait consentir.

Boccanegra s'inscrivit le premier pour une somme considérable : dix mille et treize livres.

— Pourquoi les treize livres ? lui demanda-t-on.

— *Per portar loro scarogna* **.

— Peruzzi, combien peux-tu faire ? demanda Tolomei.

Peruzzi calculait.

— Je vais te dire... dans un moment, répondit-il.

— Et toi, Salimbene ?

Les Génois, autour de Salimbene et de Buonsignori, avaient la mine d'hommes à qui l'on arrache un morceau de chair. Ils étaient connus pour être les plus retors en affaires. On disait d'eux : « Si un Génois te regarde seulement la bourse, elle est déjà vide. » Pourtant, ils s'exécutèrent. Certains des assistants se confiaient :

— Si Tolomei réussit à nous tirer de là, c'est lui un jour qui succédera à Boccanegra.

Tolomei s'approcha des deux Bardi qui parlaient bas avec Boccace.

— Combien faites-vous, pour votre compagnie ?

L'aîné des Bardi sourit :

— Autant que toi, Spinello.

L'œil gauche du Siennois s'ouvrit.

— Alors, ce sera le double de ce que tu pensais.

— Ce serait encore bien plus lourd de tout perdre, dit le Bardi en haussant les épaules. N'est-ce pas vrai, Boccacio ?

Celui-ci inclina la tête. Mais il se leva pour prendre Guccio à part. Leur rencontre sur la route de Londres avait établi entre eux des liens d'amitié.

— Est-ce que ton oncle a vraiment le moyen de briser le cou d'Enguerrand ?

Guccio, de son air le plus sérieux, répondit :

— Je n'ai jamais entendu mon oncle faire une promesse qu'il ne pouvait tenir.

Quand on leva la séance, le Salut était achevé dans les églises, et la nuit tombait sur Paris. Les trente banquiers sortirent de l'hôtel Tolomei. Éclairés par les torches que tenaient leurs valets, ils se raccompagnèrent de porte en porte, à travers le quartier des Lombards, formant dans les rues sombres une étrange procession de la fortune menacée, la procession des pénitents de l'or.

Dans son cabinet, Spinello Tolomei, seul avec Guccio, faisait le total

---

* Ayez confiance.
** Pour leur porter malheur.

des sommes promises, comme on compte des troupes avant une bataille. Quand il eut terminé, il sourit. L'œil mi-clos, les mains nouées sur les reins, regardant le feu où les bûches devenaient cendre, il murmura :

— Messire de Marigny, vous n'avez pas encore vaincu.

Puis, à Guccio :

— Et si nous réussissons, nous demanderons de nouveaux privilèges en Flandre.

Car, si près du désastre, Tolomei songeait déjà, s'il l'évitait, à en tirer profit. Il se dirigea vers son coffre, l'ouvrit.

— La décharge signée par l'archevêque, dit-il en prenant le document. Si l'on venait à nous faire ce qu'on fit aux Templiers, je préférerais que les sergents de messire Enguerrand ne la puissent trouver ici. Tu vas sauter sur le meilleur cheval, et partir aussitôt pour Neauphle, où tu mettras ceci en cache, dans notre comptoir. Tu resteras là-bas.

Il regarda Guccio bien en face, et ajouta gravement :

— S'il m'arrivait quelque malheur...

Tous deux firent les cornes avec leurs doigts, et touchèrent du bois.

— ... tu remettrais cette pièce à Monseigneur d'Artois, pour qu'il la remette au comte de Valois, lequel en saurait faire bon usage. Sois défiant, car le comptoir de Neauphle ne sera pas non plus à l'abri des archers...

— Mon oncle, mon oncle, dit vivement Guccio, j'ai une idée. Plutôt que de loger au comptoir, je pourrais aller à Cressay dont les châtelains restent nos obligés. Je leur ai naguère été fort secourable, et nous avons toujours créance sur eux. J'imagine que la fille, si les choses n'ont point changé, ne refusera pas de m'aider.

— C'est bien pensé, dit Tolomei. Tu mûris, mon garçon ! Chez un banquier, le bon cœur doit toujours servir à quelque chose... Fais donc ainsi. Mais puisque tu as besoin de ces gens, il te faut arriver avec des cadeaux. Emporte quelques aunes d'étoffe, et de la dentelle de Bruges, pour les femmes. Il y a aussi deux garçons, m'as-tu dit ? Et qui aiment à chasser ? Prends les deux faucons qui nous sont arrivés de Milan.

Il retourna au coffre.

— Voici quelques billets souscrits par Monseigneur d'Artois, reprit-il. Je pense qu'il ne refuserait pas de t'aider, si le besoin s'en faisait sentir. Mais son appui sera encore plus sûr si tu lui présentes ta requête d'une main et ses comptes de l'autre... Et voici la créance du roi Édouard... Je ne sais pas, mon neveu, si tu seras riche avec tout cela, mais au moins tu pourras te rendre redoutable. Allons ! Ne t'attarde plus maintenant. Va faire seller ton cheval, et préparer ton bagage. Ne prends qu'un seul valet d'escorte, pour n'être point remarqué. Mais dis-lui de s'armer.

Il glissa les documents dans un étui de plomb qu'il remit à Guccio, en même temps qu'un sac d'or.

— Le sort de nos compagnies est à présent moitié entre tes mains, moitié entre les miennes, ajouta-t-il. Ne l'oublie pas.

Guccio embrassa son oncle avec émotion. Il n'avait pas besoin, cette fois, de se créer un personnage ni de s'inventer un rôle ; le rôle venait à lui.

Une heure plus tard, il quittait la rue des Lombards.

Alors, messer Spinello Tolomei mit son manteau doublé de fourrure, car l'octobre était frais ; il appela un serviteur auquel il fit prendre torche et dague, et se rendit à l'hôtel de Marigny.

Il attendit un long moment, d'abord dans la conciergerie, puis dans une salle des gardes qui servait d'antichambre. Le coadjuteur menait train royal, et il y avait grand mouvement en sa demeure, jusque fort tard. Messer Tolomei était homme patient. Il rappela sa présence, à plusieurs reprises, en insistant sur la nécessité qu'il avait d'entretenir le coadjuteur en personne.

— Venez, messer, lui dit enfin un secrétaire.

Tolomei traversa trois grandes salles et se trouva en face d'Enguerrand de Marigny qui, seul dans son cabinet, finissait de souper tout en travaillant.

— Voici une visite imprévue, dit Marigny froidement. Quelle est votre affaire ?

Tolomei répondit d'une voix aussi froide :

— Affaire du royaume, Monseigneur.

Marigny lui désigna un siège.

— Éclairez-moi, dit-il.

— Il est bruit depuis quelques jours, Monseigneur, d'une certaine mesure qui se préparerait en Conseil du roi, et qui toucherait aux privilèges des compagnies lombardes. Le bruit, à se répandre, nous inquiète, et gêne fort le commerce. La confiance est suspendue, les acheteurs se font rares ; les fournisseurs exigent paiement sur l'heure ; nos débiteurs diffèrent de s'acquitter.

— Cela n'est point affaire du royaume, répondit Marigny.

— A voir, Monseigneur, à voir. Beaucoup de gens, ici et ailleurs, s'émeuvent. On en parle même hors de France...

Marigny se frotta le menton et la joue.

— On parle trop. Vous êtes un homme raisonnable, messer Tolomei, et vous ne devez pas accorder foi à ces bruits, dit-il en regardant tranquillement un des hommes qu'il s'apprêtait à abattre.

— Si vous me l'affirmez, Monseigneur... Mais la guerre flamande a coûté fort cher, et le Trésor peut se trouver en nécessité d'or frais. Aussi avons-nous préparé un projet...

— Votre commerce, je le répète, n'est point affaire qui me concerne.

Tolomei leva la main comme pour dire : « Patience, vous ne savez pas tout... » et poursuivit :

— Si nous n'avons pas pris parole à la grande Assemblée, nous n'en sommes pas moins désireux de fournir aide à notre roi bien-aimé. Nous sommes disposés à un gros prêt auquel participeraient toutes les compagnies lombardes, sans limite de temps, et au plus faible intérêt. Je suis ici pour vous en donner avis.

Puis Tolomei se pencha et murmura un chiffre. Marigny tressaillit, mais aussitôt pensa : « S'ils sont prêts à s'amputer de cette somme, c'est qu'il y a vingt fois plus à prendre. »

A lire beaucoup et à veiller ainsi qu'il le faisait, ses yeux se fatiguaient et il avait les paupières rouges.

— C'est bonne pensée et louable intention dont je vous sais gré, dit-il après un silence. Il convient toutefois que je vous témoigne ma surprise... Il m'est venu aux oreilles que certaines compagnies auraient dirigé vers l'Italie des convois d'or... Cet or ne saurait être en même temps ici et là-bas.

Tolomei ferma tout à fait l'œil gauche.

— Vous êtes un homme raisonnable, Monseigneur, et vous ne devez pas accorder foi à ces bruits-là, dit-il en reprenant les propres paroles du coadjuteur. Notre offre n'est-elle pas la preuve de notre bonne foi ?

— Je souhaite pouvoir donner croyance à ce que vous m'assurez.

— Car, si cela n'était, le roi ne saurait souffrir ces brèches à la fortune de la France, et il lui faudrait y mettre terme...

Tolomei ne broncha pas. La fuite des capitaux lombards avait commencé du fait de la menace de spoliation, et cet exode allait servir à Marigny pour justifier la mesure. C'était le cercle vicieux.

— Je vois qu'en cela au moins, vous considérez notre négoce comme affaire du royaume, répondit le banquier.

— Nous nous sommes dit, je crois, ce qu'il fallait, messer Tolomei, conclut Marigny.

— Certes, Monseigneur...

Tolomei se leva et fit un pas. Puis, soudain, comme si quelque chose lui revenait en mémoire :

— Monseigneur l'archevêque de Sens est-il en la ville ? demanda-t-il.

— Il y est.

Tolomei hocha la tête, pensivement.

— Vous avez plus que moi occasion de le voir. Votre Seigneurie aurait-elle l'obligeance de lui faire savoir que je souhaiterais l'entretenir dès demain, et quelle que soit l'heure, du sujet qu'il sait. Mon avis lui importera.

— Qu'avez-vous à lui dire ? J'ignorais qu'il eût affaire avec vous !

— Monseigneur, dit Tolomei en s'inclinant, la première vertu d'un banquier, c'est de savoir se taire. Toutefois, comme vous êtes frère à

Monseigneur de Sens, je puis vous confier qu'il s'agit de son bien, du nôtre... et de celui de notre Sainte-Mère l'Église.

Puis, comme il allait sortir, il répéta sèchement :

— Dès demain, s'il lui plaît.

TOLOMEI GAGNE

Tolomei, cette nuit-là, ne dormit pour ainsi dire pas. « Marigny aura-t-il averti son frère ? se demandait-il. Et l'archevêque lui aura-t-il avoué ce qu'il a laissé en mes mains ? Ne vont-ils pas se hâter d'obtenir dans la nuit le seing du roi, afin de me devancer ? Ou bien ne vont-ils pas se concerter pour m'assassiner ? »

Se retournant dans son insomnie, Tolomei pensait avec amertume à sa seconde patrie qu'il considérait avoir si bien servie de son travail et de son argent. Parce qu'il s'y était enrichi, il tenait à la France plus qu'à sa Toscane natale et l'aimait vraiment, à sa manière. Ne plus sentir sous ses semelles le pavé de la rue des Lombards, ne plus entendre à midi le bourdon de Notre-Dame, ne plus respirer l'odeur de la Seine, ne plus se rendre aux réunions du Parloir aux Bourgeois [25], tous ces renoncements lui déchiraient le cœur. « Aller recommencer une fortune ailleurs, à mon âge... si encore on me laisse la vie pour recommencer ! »

Il ne s'assoupit qu'avec l'aube, pour être bientôt réveillé par des coups de heurtoir et des bruits de pas dans sa cour. Il crut qu'on venait l'arrêter, et se jeta dans ses vêtements. Un valet tout effaré parut.

— Monseigneur l'archevêque est en bas, dit-il.

— Qui l'accompagne ?

— Quatre serviteurs en froc, mais qui ressemblent plus à des sergents de prévôté qu'à des clercs de chapitre.

Tolomei fit une moue.

— Ote les volets de mon cabinet, dit-il.

Monseigneur Jean de Marigny montait déjà l'escalier. Tolomei l'attendit, debout sur le palier. Mince, une croix d'or lui battant la poitrine, l'archevêque affronta aussitôt le banquier.

— Que veut dire, messer, cet étrange message que mon frère m'a fait tenir dans la soirée?

Tolomei éleva ses mains grasses et pointues, d'un geste apaisant.

— Rien qui vous doive troubler, Monseigneur, ni qui méritait votre dérangement. Je me serais rendu à votre convenance au palais épiscopal... Voulez-vous entrer dans mon cabinet?

Le valet achevait de décrocher les volets intérieurs, ornementés de peintures. Il mit du bois menu sur les braises du foyer, et bientôt des flammes montèrent avec un pétillement. Tolomei avança un siège à son visiteur.

— Vous êtes venu en compagnie, Monseigneur, dit-il. Était-ce bien utile? N'avez-vous point confiance en moi? Pensez-vous courir ici quelque péril? Vous m'aviez, je dois dire, habitué à d'autres manières...

Sa voix s'efforçait d'être cordiale, mais son accent toscan était plus prononcé que de coutume.

Jean de Marigny s'assit en face du feu vers lequel il tendit sa main baguée.

«Cet homme-là n'est pas sûr de lui et ne sait comment me prendre, pensa Tolomei. Il arrive avec un grand fracas, comme s'il allait tout briser, et puis maintenant il se regarde les ongles.»

— Votre hâte à me voir m'a donné sujet d'inquiétude, dit enfin l'archevêque. J'aurais préféré choisir le temps de ma visite.

— Mais vous l'avez choisi, Monseigneur, vous l'avez choisi... Vous vous rappelez avoir reçu de moi deux mille livres, en avance sur des... articles, fort précieux, qui provenaient des biens du Temple, et que vous m'avez confiés à la vente.

— Ont-ils été vendus? demanda l'archevêque.

— En partie, Monseigneur, en bonne partie. Ils ont été envoyés hors de France, comme nous en étions convenus, puisque nous ne pouvions les écouler ici... J'attends l'avis de compte. J'espère qu'il y aura dessus argent à vous revenir.

Tolomei, son gros corps bien campé, les mains croisées sur le ventre, hochait la tête avec bonhomie.

— La décharge que je vous ai signée ne vous est donc plus nécessaire? dit Jean de Marigny.

Il cachait son inquiétude, mais il la cachait mal.

— N'avez-vous pas froid, Monseigneur? Vous avez le visage bien blanc, dit Tolomei qui se baissa pour mettre une bûche dans le feu.

Puis, comme s'il avait oublié la question posée par l'archevêque, il reprit:

— Que pensez-vous, Monseigneur, de la question dont on a cette semaine débattu en Conseil? Est-il possible qu'on projette de nous voler nos biens, de nous réduire à la misère, à l'exil, à la mort?...

— Je n'ai pas d'avis, dit l'archevêque. Ce sont affaires du royaume.
Tolomei secoua le front.

— J'ai transmis, hier, à Monseigneur le coadjuteur, une proposition
dont il ne me semble pas qu'il ait bien aperçu l'avantage. C'est
regrettable. On se dispose à nous spolier parce que le royaume est à
court de monnaie. Or, nous offrons de servir le royaume par un prêt
énorme, Monseigneur, et votre frère reste muet. Ne vous en a-t-il point
touché mot? C'est regrettable, bien regrettable, en vérité!

Jean de Marigny se déplaça un peu sur son siège.

— Je n'ai pas titre à discuter les décisions du roi, dit-il.

— Ce ne sont point encore décisions, répliqua Tolomei. Ne pouvez-
vous remontrer au coadjuteur que les Lombards, sommés de donner
leur vie, qui est toute au roi croyez-le, et leur or, qui est à lui tout
également, voudraient, s'il se peut, garder la vie? J'entends par la vie
leur droit à demeurer en ce royaume. Ils offrent l'or, de bon gré, alors
qu'on le leur veut prendre de force. Pourquoi ne pas les entendre? C'est
à cette fin, Monseigneur, que je souhaitais vous voir.

Un silence se fit. Jean de Marigny, immobile, semblait regarder au-
delà des murs.

— Que me disiez-vous tout à l'heure? reprit Tolomei. Ah oui... cette
décharge.

— Vous allez me la rendre, dit l'archevêque.

Tolomei se passa la langue sur les lèvres.

— Qu'en feriez-vous, Monseigneur, si vous étiez à ma place?
Imaginez un instant... ce n'est qu'étrange imagination, assurément...
mais imaginez que l'on menace de vous ruiner, et que vous possédiez...
quelque chose... un talisman, c'est cela, un talisman! qui puisse vous
servir à éviter cette ruine...

Il alla vers la fenêtre, car il entendait du bruit dans la cour. Des
porteurs délivraient des caisses et des ballots d'étoffes. Tolomei évalua
machinalement le montant des marchandises qui allaient entrer chez
lui ce jour-là, et soupira.

— Oui... un talisman contre la ruine, murmura-t-il.

— Vous ne voulez pas dire...

— Si, Monseigneur, je veux le dire et je le dis, prononça nettement
Tolomei. Cette décharge témoigne que vous avez trafiqué des biens du
Temple, qui étaient sous séquestre royal. Elle témoigne que vous avez
volé, et volé le roi.

Il regardait l'archevêque bien en face. «Cette fois, pensa-t-il, tout est
fait. C'est à qui fléchira le premier.»

— Vous serez tenu pour mon complice! dit Jean de Marigny.

— Alors, nous nous balancerons ensemble à Montfaucon, comme
deux larrons, répondit Tolomei froidement. Mais je ne me balancerai
pas seul...

— Vous êtes un bien fort coquin ! s'écria Jean de Marigny.

Tolomei haussa les épaules.

— Je ne suis pas archevêque, Monseigneur, et ce n'est pas moi qui ai détourné les ostensoirs d'or où les Templiers présentaient le corps du Christ. Je ne suis qu'un marchand, et en ce moment nous traitons un marché, que cela vous convienne ou non. Voilà la seule vérité de toutes nos paroles. Point de spoliation des Lombards, et point de scandale sur vous. Mais si je tombe, Monseigneur, vous tomberez aussi. Et de plus haut. Et votre frère, qui a trop de fortune pour n'avoir que des amis, sera entraîné à votre suite.

L'archevêque s'était levé. Il avait les lèvres blanches ; son menton, ses mains et tout son corps tremblaient.

— Rendez-moi la décharge, dit-il, en saisissant le bras de Tolomei.

Celui-ci se dégagea doucement.

— Non, dit-il.

— Je vous rembourse les deux mille livres que vous m'avez données, dit Jean de Marigny, et vous gardez tous les fruits de la vente.

— Non.

— Je vous donne d'autres objets pour même valeur.

— Non.

— Cinq mille livres ! Je vous donne cinq mille livres contre cette décharge !

Tolomei sourit.

— Et où les prendriez-vous ? Il faudrait encore que je vous les prête !

Jean de Marigny, les poings serrés, répéta :

— Cinq mille livres ! Je les trouverai. Mon frère m'aidera.

— Mais qu'il vous aide donc comme je vous en requiers, dit Tolomei en ouvrant les mains. J'offre pour ma seule quote-part dix-sept mille livres au Trésor royal !

L'archevêque comprit qu'il lui fallait changer de tactique.

— Et si j'obtiens de mon frère que vous soyez excepté de l'ordonnance ? On vous laisse emporter toute votre fortune, on vous rachète vos biens immeubles...

Tolomei réfléchit un instant. On lui donnait le moyen de se sauver seul. Tout homme sensé, à qui l'on fait une proposition de cette sorte, la considère, et n'en a que plus de mérite lorsqu'il la repousse.

— Non, Monseigneur, répondit-il. Je subirai le sort qui sera fait à tous. Je ne veux point recommencer ailleurs, et n'ai point de raison de le faire. Je suis de France, maintenant, autant que vous l'êtes. Je suis bourgeois du roi. Je veux rester dans cette maison que j'ai construite, à Paris. J'y ai passé trente-deux ans de ma vie, Monseigneur, et, si Dieu veut, c'est ici que ma vie s'achèvera... Du reste, ajouta-t-il, eussé-je le désir de vous restituer la décharge, je ne le pourrais pas ; je ne l'ai plus en main.

— Vous mentez! s'écria l'archevêque.

— Non, Monseigneur.

Jean de Marigny porta la main à sa croix pectorale et la serra comme s'il allait la briser. Il eut un regard vers la fenêtre, puis vers la porte.

— Vous pouvez appeler votre escorte et faire fouiller ma demeure, dit Tolomei. Vous pouvez même me mettre les pieds à rôtir dans la cheminée, ainsi que cela se pratique dans vos tribunaux d'Inquisition. Vous causerez grand tapage et scandale, mais vous repartirez tel que vous êtes venu, que je sois mort ou vif. Mais si d'aventure j'étais mort, sachez que cela ne vous rapporterait guère. Car mes parents de Sienne ont ordre, s'il m'arrivait de trépasser trop tôt, d'avoir à faire connaître cette décharge au roi et aux grands barons.

Dans son corps gras, le cœur battait vite, et la sueur lui coulait sur les reins.

— A Sienne? dit l'archevêque. Mais vous m'aviez assuré que cette pièce ne sortirait pas de vos coffres?

— Elle n'en est pas sortie, Monseigneur. Ma famille et moi, c'est tout un.

L'archevêque fléchissait. Tolomei sentit en ce moment précis qu'il avait gagné, et que les choses allaient à présent s'enchaîner comme il le souhaitait.

— Alors? demanda Marigny.

— Alors, Monseigneur, dit Tolomei calmement, je n'ai rien d'autre à vous dire que ce que je vous ai déclaré tout à l'heure. Parlez au coadjuteur et pressez-le d'accepter l'offre que je lui ai faite, pendant qu'il en est temps. Sinon...

Le banquier, sans achever sa phrase, alla vers la porte et l'ouvrit.

La scène qui, le jour même, opposa l'archevêque à son frère, fut terrible. Mis brusquement face à face, dans la nudité de leurs natures, les deux Marigny qui, jusqu'alors, avaient marché d'un même pas, se déchiraient.

Le coadjuteur accabla son cadet de reproches et de mépris, et le cadet se défendit comme il put, avec lâcheté.

— Vous avez bonne mine de m'écraser! s'écria-t-il. D'où vous est venue votre richesse? De quels Juifs écorchés? De quels Templiers grillés? Je n'ai fait que vous imiter. Je vous ai assez servi dans vos manœuvres; servez-moi à votre tour.

— Si j'avais su qui vous étiez, je ne vous aurais point fait archevêque, dit Enguerrand.

— Vous ne trouviez personne qui acceptât de condamner le grand-maître!

Oui, le coadjuteur savait que l'exercice du pouvoir oblige à des collusions indignes. Mais il était écrasé soudain d'en voir l'effet dans sa propre famille. Un homme qui acceptait de vendre sa conscience contre une mitre pouvait aussi bien voler, aussi bien trahir. Cet homme était son frère, voilà tout...

Enguerrand de Marigny prit son projet d'ordonnance contre les Lombards et, de rage, le jeta dans le feu.

— Tant de travail pour rien, dit-il, tant de travail!

VII

LES SECRETS DE GUCCIO

Cressay, dans la lumière du printemps, avec ses arbres aux feuilles transparentes et le frémissement argenté de la Mauldre, était resté pour Guccio une vision heureuse. Mais quand, ce matin d'octobre, le jeune Siennois, qui se retournait sans cesse pour s'assurer qu'il n'avait pas d'archers à ses trousses, arriva sur les hauteurs de Cressay, il se demanda un instant s'il ne s'était pas trompé. Il semblait que l'automne eût rapetissé le manoir. « Les tourelles étaient-elles donc si basses ? se disait Guccio. Et suffit-il d'une demi-année pour vous changer à ce point la mémoire ? » La cour était devenue une mare boueuse où son cheval enfonçait jusqu'au paturon. « Au moins, pensa Guccio, il y a peu de chances qu'on me vienne trouver ici. » Il jeta les rênes à son valet.

— Qu'on bouchonne les chevaux et qu'on leur donne à manger !

La porte du manoir s'ouvrit et Marie de Cressay apparut.

L'émotion la força de s'appuyer au chambranle.

« Comme elle est belle ! pensa Guccio ; et elle n'a point cessé de m'aimer. » Alors les lézardes des murs s'effacèrent, et les tours du manoir reprirent pour Guccio les proportions du souvenir.

Mais déjà Marie criait vers l'intérieur de la maison :

— Mère ! C'est messire Guccio qui est revenu !

Dame Éliabel fit grande fête au jeune homme, le baisa aux joues et le serra contre sa forte poitrine. L'image de Guccio avait souvent peuplé ses nuits. Elle le prit par les mains, le fit asseoir, commanda qu'on lui apportât du cidre et des pâtés.

Guccio accepta de bon cœur cet accueil, et il expliqua sa venue de la façon qu'il avait méditée. Il arrivait à Neauphle pour remettre en ordre le comptoir qui souffrait d'une mauvaise gestion. Les commis ne faisaient pas rentrer à temps les créances... Aussitôt dame Éliabel s'inquiéta.

— Vous nous aviez donné toute une année, dit-elle. L'hiver vient après une bien chétive récolte et nous n'avons pas encore...

Guccio resta dans le vague. Les châtelains de Cressay étant de ses amis, il ne permettrait pas qu'on les inquiétât. Mais il se rappelait leur invitation à séjourner... Dame Éliabel s'en réjouit. Nulle part au bourg, assura-t-elle, il ne trouverait plus d'aises ni meilleure compagnie. Guccio réclama son porte-manteau, qui chargeait le cheval de son valet.

— J'ai là, dit-il, quelques étoffes qui vous plairont, j'espère... Quant à Pierre et Jean, j'ai pour eux deux faucons bien dressés, qui leur feront faire meilleures chasses, s'il est possible.

Les étoffes, les dentelles, les faucons éblouirent la maison et furent reçus avec des cris de gratitude. Pierre et Jean, leurs vêtements toujours imprégnés d'une forte odeur de terre, de cheval et de gibier, posèrent à Guccio cent questions. Ce compagnon miraculeusement surgi, alors qu'ils se préparaient au long ennui des mauvais mois, leur parut encore plus digne d'affection qu'à son premier passage. On eût dit qu'ils se connaissaient depuis toujours.

— Et notre ami le prévôt Portefruit, que devient-il? demanda Guccio.

— Il continue de piller autant qu'il peut, mais plus chez nous, grâce à Dieu... et grâce à vous.

Marie glissait dans la pièce, ployant le buste devant le feu qu'elle attisait, ou disposant de la paille fraîche sur le bat-flanc à courtine où dormaient ses frères. Elle ne parlait pas, mais ne cessait de regarder Guccio. Celui-ci, au premier instant qu'il fut seul avec elle, la prit doucement par les coudes et l'attira vers lui.

— N'y a-t-il rien dans mes yeux pour vous rappeler le bonheur? dit-il, empruntant sa phrase à un récit de chevalerie qu'il avait lu récemment.

— Oh! si, messire! répondit Marie d'une voix tremblante. Je n'ai point cessé de vous voir ici, aussi loin que vous fussiez. Je n'ai rien oublié, ni rien défait.

Il se chercha une excuse à n'être pas revenu de six mois, et à n'avoir donné aucun message. Mais, à sa surprise, Marie, loin de lui faire reproche, le remercia d'un retour plus prompt qu'elle ne le prévoyait.

— Vous aviez dit que vous reviendrez au bout de l'an, pour les intérêts, dit-elle. Je ne vous espérais point avant. Mais vous ne seriez point venu que je vous aurais attendu toute ma vie.

Guccio avait emporté de Cressay le léger regret d'une aventure inachevée à laquelle, pour être bien franc, il avait peu songé pendant tous ces mois. Or, il retrouvait un amour ébloui, qui avait grandi, pareil à une plante, au long du printemps et de l'été. «Que j'ai de chance! pensait-il. Elle pourrait m'avoir oublié, s'être mariée... »

Les hommes de nature infidèle, si infatués qu'ils paraissent, sont souvent assez modestes en amour, parce qu'ils imaginent les autres d'après eux-mêmes. Guccio s'émerveillait d'avoir inspiré, l'entretenant si peu, un sentiment aussi puissant, et aussi rare.

— Moi non plus, Marie, je n'ai cessé de vous voir, et rien ne m'a délié de vous, dit-il avec toute la chaleur que réclamait un si gros mensonge.

Ils se tenaient l'un devant l'autre, également émus, également embarrassés de leurs paroles et de leurs gestes.

— Marie, reprit Guccio, je ne suis point venu ici pour le comptoir, ni pour aucune créance. Mais à vous je ne peux ni ne puis rien cacher. Ce serait offenser l'amour qui nous lie. Le secret que je vais vous confier engage la vie de beaucoup, et la mienne propre... Mon oncle et des amis puissants m'ont chargé de dissimuler en lieu sûr des pièces écrites qui importent au royaume et à leur propre salut... A cette heure, des archers sont sûrement à ma recherche.

Cédant à son penchant, il recommençait à gonfler un peu son personnage.

— J'avais vingt places où chercher un refuge, mais c'est vers vous, Marie, que je suis venu. Ma vie dépend de votre silence.

— C'est moi, dit Marie, qui dépends de vous, mon seigneur. Je n'ai foi qu'en Dieu, et en celui qui le premier m'a tenue dans ses bras. Ma vie est votre vie. Votre secret est le mien. Je cèlerai ce que vous voudrez celer, je tairai ce que vous voudrez taire, et le secret mourra avec moi.

Des larmes embuaient ses prunelles bleu sombre.

— Ce que je dois cacher, dit Guccio, est contenu dans un coffret de plomb à peine grand comme les deux mains. Y a-t-il quelque place ici?

Marie réfléchit un instant.

— Dans le four de la vieille étuve, peut-être... répondit-elle. Non; je sais un meilleur endroit. Dans la chapelle. Nous irons demain matin. Mes frères quittent la maison à l'aube, pour la chasse. Demain, ma mère les suivra de peu, car elle doit se rendre au bourg. Si elle voulait m'emmener, je me plaindrais de douleurs au gosier. Feignez de dormir longtemps.

Guccio fut logé à l'étage, dans la grande pièce propre et froide qu'il avait déjà occupée. Il se coucha, sa dague au flanc, et la boîte de plomb sous la tête. Il ignorait qu'à la même heure les deux frères Marigny avaient déjà eu leur dramatique entrevue, et que l'ordonnance contre les Lombards n'était plus que cendre.

Il fut réveillé par le départ des deux frères. S'étant approché de la croisée, il vit Pierre et Jean de Cressay, montés sur de mauvais bidets, qui passaient le porche leurs faucons sur le poing. Puis des portes battirent. Un peu plus tard, une jument grise, assez fatiguée par l'âge, fut amenée à dame Éliabel qui s'éloigna à son tour, escortée du valet boiteux. Alors Guccio enfila ses bottes et attendit.

Quelques instants après, Marie l'appela du rez-de-chaussée. Guccio descendit, le coffret glissé sous sa cotte.

La chapelle était une petite pièce voûtée, à l'intérieur du manoir, et dans la partie tournée vers l'est. Les murs en étaient blanchis à la chaux.

Marie alluma un cierge à la lampe à huile qui brûlait devant une statue de bois, assez grossière, de saint Jean l'Évangéliste. Dans la famille Cressay, l'aîné des fils portait toujours le prénom de Jean.

Elle amena Guccio sur le côté de l'autel.

— Cette pierre se soulève, dit-elle en désignant une dalle de petite dimension, munie d'un anneau rouillé.

Guccio eut quelque peine à déplacer la dalle. A la lueur du cierge, il aperçut un crâne et quelques débris d'ossements.

— Qui est-ce? demanda-t-il en faisant les cornes avec les doigts.

— Un aïeul, dit Marie. Je ne sais pas lequel.

Guccio déposa dans le trou, près du crâne blanchâtre, la boîte de plomb. Puis la pierre fut remise en place.

— Notre secret est scellé auprès de Dieu, dit Marie.

Guccio la prit dans ses bras et voulut l'embrasser.

— Non, pas ici, dit-elle avec un accent de crainte, pas dans la chapelle.

Ils regagnèrent la grand-salle où une servante achevait de placer sur la table le lait et le pain du premier repas. Guccio se mit dos à la cheminée jusqu'à ce que, la servante partie, Marie vînt auprès de lui.

Alors ils nouèrent leurs mains; Marie posa la tête sur l'épaule de Guccio, et elle demeura ainsi un long moment à apprendre, à deviner ce corps d'homme, auquel il était décidé, entre elle et Dieu, qu'elle appartiendrait.

— Je vous aimerai toujours, même si vous deviez ne plus m'aimer, dit-elle.

Puis elle alla verser le lait chaud dans les écuelles et y rompit le pain. Chacun de ses gestes était un geste heureux.

Quatre jours passèrent. Guccio accompagna les frères à la chasse et n'y fut pas maladroit. Il fit au comptoir de Neauphle plusieurs visites, afin de justifier son séjour. Une fois, il rencontra le prévôt Portefruit qui le reconnut et le salua avec servilité. Ce salut rassura Guccio. Si quelque mesure avait été décrétée contre les Lombards, messire Portefruit n'eût pas usé de tant de politesse. «Et si c'est lui qui doit un prochain jour venir m'arrêter, pensa Guccio, l'or que j'ai emporté m'aidera bien à lui fourrer la paume.»

Dame Éliabel, apparemment, ne soupçonnait rien de l'aventure de sa fille avec le jeune Siennois. Guccio en fut convaincu par une conversation qu'il surprit, un soir, entre la châtelaine et son fils cadet. Guccio était dans sa chambre à l'étage; dame Éliabel et Pierre de

Cressay parlaient auprès du feu, dans la grand-salle, et leurs voix montaient par la cheminée.

— Il est dommage en vérité que Guccio ne soit point noble, disait Pierre. Il fournirait un bon époux à ma sœur. Il est bien fait, instruit, et placé avantageusement dans le monde... Je me demande si ce n'est point chose à considérer.

Dame Éliabel prit fort mal la suggestion.

— Jamais! s'écria-t-elle. L'argent te fait perdre la tête, mon fils. Nous sommes pauvres présentement, mais notre sang nous donne droit aux meilleures alliances, et je n'irai point donner ma fille à un garçon de roture qui, par surcroît, n'est même pas de France. Ce damoiseau, certes, est plaisant, mais qu'il ne s'avise point de fleureter avec Marie. J'y mettrais bon ordre... Un Lombard! D'ailleurs il n'y songe. Si l'âge ne me rendait modeste, je t'avouerais qu'il a plus d'yeux pour moi que pour elle, et que c'est la raison pour laquelle le voilà installé ici comme un greffon sur l'arbre.

Guccio, s'il sourit des illusions de la châtelaine, fut blessé du mépris dans lequel elle tenait et sa naissance et son métier. « Ces gens-là vous empruntent de quoi manger, ne vous payent point ce qu'ils vous doivent, mais ils vous considèrent pour moins que leurs manants. Et comment feriez-vous, bonne dame, sans les Lombards? se disait Guccio fort agacé. Eh bien! essayez donc de marier votre fille à un grand seigneur et voyez comment elle acceptera. »

Mais en même temps, il se sentait assez fier d'avoir si bien séduit une fille de noblesse; et ce fut ce soir-là qu'il décida de l'épouser, en dépit de tous les obstacles qu'on pourrait y mettre.

Au repas qui suivit, il regardait Marie en pensant: « Elle est à moi; elle est à moi! » Tout dans ce visage, les beaux cils relevés, les lèvres entrouvertes, tout semblait lui répondre: « Je suis à vous. » Et Guccio se demandait: « Mais comment les autres ne voient-ils pas? »

Le lendemain, Guccio reçut à Neauphle un message de son oncle où celui-ci lui faisait savoir que le péril était pour l'heure conjuré, et l'invitait à rentrer aussitôt.

Le jeune homme dut donc annoncer qu'une affaire importante le rappelait à Paris. Dame Éliabel, Pierre et Jean montrèrent de vifs regrets. Marie ne dit rien et continua l'ouvrage de broderie auquel elle était occupée. Mais, lorsqu'elle fut seule avec Guccio, elle laissa paraître son angoisse. Était-il arrivé un malheur? Guccio était-il menacé?

Il la rassura. Au contraire, grâce à lui, grâce à elle, les hommes qui voulaient la perte des financiers italiens étaient vaincus.

Alors Marie éclata en sanglots parce que Guccio allait partir.

— Vous me quittez, dit-elle, et c'est comme si je mourais.

— Je reviendrai, aussitôt que je pourrai, dit Guccio.

En même temps, il couvrait de baisers le visage de Marie. Le salut des compagnies lombardes ne le réjouissait qu'à moitié. Il eût voulu que le danger durât encore.

— Je reviendrai, belle Marie, répéta-t-il, je vous le jure, car je n'ai point au monde plus grand désir que de vous.

Et cette fois il était sincère. Il était arrivé cherchant un refuge; il repartait avec un amour au cœur.

Comme son oncle, dans le message, ne lui parlait point des documents cachés, Guccio feignit de comprendre qu'il devait les laisser à Cressay. Il ménageait ainsi le prétexte à un retour.

VIII

LE RENDEZ-VOUS
DE PONT-SAINTE-MAXENCE

Le 4 novembre, Philippe le Bel devait chasser en forêt de Pont-Sainte-Maxence. Avec son premier chambellan, Hugues de Bouville, son secrétaire Maillard et quelques familiers, il avait dormi au château de Clermont, à deux lieues du rendez-vous.

Le roi semblait détendu et de meilleure humeur qu'on ne l'avait vu depuis longtemps. Les affaires du royaume le laissaient en repos. Le prêt consenti par les Lombards avait remis le Trésor à flot. L'hiver allait ramener au calme les seigneurs agités de Champagne ainsi que les communaux de Flandre.

La neige était tombée dans la nuit, première neige de l'année, précoce, presque insolite; le gel de l'aube avait fixé cette poudre blanche sur les champs et les bois, transformant le paysage en une immense étendue givrée, et inversant les couleurs du monde.

Le souffle des hommes, des chiens et des chevaux s'épanouissait dans l'air gelé en grosses fleurs cotonneuses.

Lombard trottait derrière la monture du roi. Bien que ce fût un chien à lièvre, il participait aussi aux courres de cerf, travaillant à son compte, mais remettant souvent la meute sur la voie. Les lévriers, s'ils sont appréciés pour leur œil et leur train, sont généralement réputés pour ne sentir rien; or celui-là avait du nez comme un chien poitevin.

Dans la clairière du rendez-vous, au milieu des aboiements, des hennissements, des claquements de fouets, le roi passa un bon moment à regarder sa magnifique meute, à demander des nouvelles des lices qui avaient mis bas, et à *parler* à ses chiens.

— Oh! mes valets! Holà, mes beaux! Haoh, haoh!

Le maître des chasses vint lui faire le rapport. On avait rembuché plusieurs cerfs, dont un grand dix-cors qui, au dire des valets de limiers, portait ses douze andouillers, un dix-cors royal, le plus noble animal de forêt qui se pût rencontrer. De surcroît, il semblait que ce fût un de ces cerfs dits «pèlerins» qui vont, sans harde, de forêt en forêt, plus forts et plus sauvages d'être seuls.

— Qu'on l'attaque, dit le roi.

Les chiens, découplés, furent conduits à la brisée et mis à la voie; les chasseurs s'égaillèrent vers les points où le cerf pouvait sauter.

— Taille-hors! Taille-hors![26] entendit-on bientôt crier.

Le cerf avait été aperçu; la forêt s'emplit de la voix des chiens, des appels de cors, et de grands fracas de galopades et de branches rompues.

D'ordinaire, les cerfs se font chasser un certain temps autour de l'endroit où on les a levés, tournent en forêt, rusent, brouillent leurs voies, cherchent un cerf plus jeune pour faire change et tromper le nez des chiens, reviennent à l'enceinte d'attaque.

Celui-ci surprit son monde et, sans buissonner, courut droit vers le nord. Sentant le danger, il repartait d'instinct vers la lointaine forêt des Ardennes d'où sans doute il venait.

Il emmena ainsi la chasse une heure, deux heures, sans trop se hâter, maintenant juste le train qu'il fallait pour distancer les chiens. Puis quand il sentit que la meute commençait à fléchir, il força brusquement son allure et disparut.

Le roi, fort animé, coupa à travers bois pour prendre les grands devants, gagner la lisière et attendre le cerf à sa sortie en plaine.

Or rien ne se perd plus vite qu'une chasse. On se croit à cent toises des chiens et des autres veneurs qu'on entend clairement; et l'instant d'après on se trouve dans un silence total, une solitude absolue, au milieu d'une cathédrale d'arbres, sans savoir où s'est évanouie cette meute qui criait si fort, ni quelle fée, quel sortilège a effacé vos compagnons.

De plus, ce jour-là, l'air portait mal les sons, et les chiens chassaient difficilement, à cause du givre partout répandu qui refroidissait les odeurs.

Le roi était perdu. Il contemplait une grande plaine blanche, où tout, jusqu'à l'horizon, les prairies, les haies courtes, les chaumes de la récolte passée, les toits d'un village, les lointains moutonnements de la forêt suivante, tout était recouvert d'une même couche scintillante immaculée. Le soleil avait percé.

Le roi se sentit soudain comme étranger à l'univers; il éprouva une sorte d'étourdissement, de vacillement sur sa selle. Il n'y prit pas garde, car il était robuste et ses forces ne l'avaient jamais trahi.

Tout préoccupé de savoir si son cerf avait débuché ou non, il suivit la lisière du bois, au pas, cherchant à distinguer sur le sol le pied de l'animal. «Dans ce givre, je le devrais voir aisément», se disait-il.

Il aperçut un paysan qui marchait non loin.

— Holà, l'homme!

Le paysan se retourna et vint vers lui. C'était un manant d'une cinquantaine d'années; il avait les jambes protégées par des guêtres de grosse toile et tenait un gourdin dans la main droite. Il ôta son bonnet, découvrant des cheveux grisonnants.

— N'as-tu pas vu un grand cerf fuyant? lui demanda le roi.

L'homme hocha la tête et répondit:

— Oui-da, mon Sire. Un animal comme vous le dites m'a passé au nez, tout à l'heure. Il portait la hotte et tirait la langue. C'est sûrement votre bête. Vous n'aurez point long à courir; comme il était, il cherchait l'eau. N'en trouvera qu'aux étangs des Fontaines.

— Avait-il les chiens après lui?

— Point de chiens, mon Sire. Mais vous reprendrez sa voie, auprès de ce grand hêtre, là-bas. Il va aux étangs.

Le roi s'étonna.

— Tu as l'air de savoir le pays et la chasse, dit-il.

Le visage du manant se fendit d'un bon sourire. De petits yeux marron et malins fixaient le roi.

— Je sais le pays et la chasse, un peu, dit l'homme, et je souhaite qu'un aussi grand roi que vous êtes y goûte longtemps son plaisir, tant que Dieu veuille.

— Tu m'as donc reconnu?

L'autre hocha la tête de nouveau et dit fièrement:

— Je vous ai vu passer, lors d'autres chasses, et aussi Monseigneur de Valois votre frère, quand il est venu affranchir les serfs du comté.

— Tu es homme libre?

— Grâce à vous, mon Sire, et point serf comme je suis né. Je sais mes chiffres, et tenir le stylet pour compter s'il le faut.

— Es-tu content d'être libre?

— Content... sûr qu'on l'est. C'est-à-dire qu'on se sent autrement, on cesse d'être comme des morts en notre vivant. Et nous savons bien, nous autres, que c'est à vous qu'on doit les ordonnances. On se les répète souvent, comme notre prière sur la terre: «*Attendu que toute créature humaine qui est formée à l'image de Notre-Seigneur doit généralement être franche par droit naturel...*» C'est bon d'entendre ça, quand on se croyait pour toujours ni plus ni moins que les bêtes.

— Combien as-tu payé ta franchise?

— Soixante-cinq livres.

— Tu les possédais?

— Le travail d'une vie, mon Sire.

— Comment te nommes-tu?

— André... l'André du bois, on m'appelle, parce que c'est par là que j'habite.

Le roi, qui n'était point ordinairement généreux, éprouva le désir de donner quelque chose à cet homme. Point une aumône, un présent.

— Sois toujours bon serviteur du royaume, André du bois, lui dit-il, et garde ceci qui te fera souvenir de moi.

Il détacha son cor, un beau morceau d'ivoire sculpté, serti d'or, et d'un prix plus élevé que celui dont l'homme avait acheté sa liberté.

Les mains du paysan tremblèrent d'orgueil et d'émotion.

— Oh! ça... oh! ça... murmura-t-il. Je le mettrai sous la statue de Madame la Vierge, pour qu'il protège la maison. Que Dieu vous ait en garde, mon Sire.

Le roi s'éloigna, empli d'une joie comme il n'en avait pas connu depuis bien des mois. Un homme lui avait parlé dans la solitude des champs, un homme qui, grâce à lui, était libre et heureux. La lourde traîne du pouvoir et des années s'en trouvait allégée d'un coup. Il avait bien fait son travail de roi. « On sait toujours, du haut d'un trône, qui l'on frappe, se disait-il ; mais on ne sait jamais si le bien qu'on a voulu est vraiment fait, ni à qui. » Cette approbation qui lui venait, inattendue, des profondeurs de son peuple, lui était plus précieuse et plus douce que toutes les louanges de cour. « J'aurais dû étendre la franchise à tous les bailliages... Cet homme que je viens de voir, si on l'avait instruit au jeune âge, aurait pu faire un prévôt ou un capitaine de ville meilleur que beaucoup. »

Il songeait à tous les André du bois, du val ou du pré, les Jean-Louis des champs, les Jacques du hamel ou bien du clos, dont les enfants, sortis de la condition serve, constitueraient une grande réserve d'hommes et de forces pour le royaume. « Je vais voir avec Enguerrand à reprendre les ordonnances. »

A ce moment, il entendit un « raou... raou » rauque, bref, sur sa droite, et il reconnut la voix de Lombard.

— Beau, mon valet, beau! Rallie là-haut, rallie là-haut! s'écria-t-il.

Lombard était sur la voie, courant d'une foulée longue, le nez à quelques pouces du sol. Ce n'était point le roi qui avait perdu la chasse, mais tout le reste de la compagnie. Philippe le Bel ressentit un plaisir de jeune homme à penser qu'il allait forcer le grand dix-cors, seul avec son chien préféré.

Il remit son cheval au galop et, sans notion du temps, à travers champs et vallons, sautant les talus et les barrières, il suivit Lombard. Il avait chaud et la sueur lui ruisselait tout le long du dos.

Soudain, il aperçut une masse sombre qui fuyait sur la plaine blanche.

— Taille-hors! hurla le roi. A la tête, mon Lombard, à la tête!

C'était bien le cerf d'attaque, un grand animal noir à ventre beige. Il n'avait plus son allure légère du début de la chasse ; son échine dessinait cette forme de hotte dont avait parlé le paysan, et qui décelait la fatigue ; il s'arrêtait, regardait en arrière, repartait d'un bond pesant.

Lombard aboyait plus fort de chasser à vue, et gagnait du terrain.

La ramure du dix-cors intriguait le roi. Quelque chose y brillait par instants, puis s'éteignait. Le cerf n'avait rien pourtant des bêtes fabuleuses dont les légendes étaient pleines, tel le cerf de saint Hubert, infatigable, avec sa croix d'église plantée sur le front. Celui-ci n'était qu'un grand animal épuisé, qui avait fait une chasse sans finesse, filant droit devant sa peur à travers la campagne, et qui serait bientôt aux abois.

' Ayant Lombard aux jarrets, il pénétra dans un boqueteau de hêtres et n'en ressortit point. Et bientôt la voix de Lombard prit cette sonorité plus longue, plus haute, à la fois furieuse et poignante, que les chiens émettent quand l'animal qu'ils poursuivent est hallali.

Le roi à son tour entra dans le boqueteau ; à travers les branches passaient les rayons d'un soleil sans chaleur qui rosissait le givre.

Le roi s'arrêta, dégagea la poignée de sa courte épée ; il sentait entre ses jambes cogner le cœur de son cheval ; lui-même était haletant et aspirait l'air froid à grandes goulées. Lombard ne cessait de hurler. Le grand cerf était là, adossé à un arbre, la tête basse et le mufle presque à ras du sol ; son pelage ruisselait et fumait. Entre ses bois immenses, il portait une croix, un peu de travers, et qui brillait. Ce fut la vision qu'eut le roi l'espace d'un instant, car aussitôt sa stupeur tourna au pire effroi : son corps avait cessé de lui obéir. Il voulait descendre, mais son pied ne quittait pas l'étrier ; ses jambes étaient devenues deux bottes de marbre. Ses mains, laissant échapper les rênes, restaient inertes. Il tenta d'appeler, mais aucun son ne sortit de sa gorge.

Le cerf, la langue pendante, le regardait de ses grands yeux tragiques. Dans ses ramures, la croix s'éteignit, puis brilla de nouveau. Les arbres, le sol et l'ensemble du monde se déformèrent devant les yeux du roi, qui ressentit comme un effroyable éclatement dans la tête ; puis un noir total se fit en lui.

Quelques moments plus tard, quand le reste de la chasse arriva, on découvrit le roi de France gisant aux pieds de son cheval. Lombard aboyait toujours le grand cerf pèlerin dont on remarqua que les andouillers étaient chargés de deux branches mortes, accrochées dans quelque sous-bois, et qui luisaient au soleil sous leur vernis de givre.

Mais on ne perdit point de temps à se soucier du cerf. Tandis que les piqueurs arrêtaient la meute, il prit la fuite, un peu reposé, suivi seulement de quelques chiens acharnés qui erreraient avec lui, jusqu'à la nuit, ou le conduiraient se noyer dans un étang.

Hugues de Bouville, penché sur Philippe le Bel, s'écria :

— Le roi vit !

Avec deux baliveaux taillés sur place à coups d'épée, et entre lesquels on noua ceintures et manteaux, on fabriqua une civière de fortune, où l'on étendit le roi. Celui-ci ne remua un peu que pour vomir et se vider de toutes parts comme un canard qu'on étouffe. Il avait les yeux vitreux et mi-clos.

On le porta ainsi jusqu'à Clermont où, dans la nuit, il recouvra partiellement l'usage de la parole. Les médecins, aussitôt mandés, l'avaient saigné.

A Bouville, qui le veillait, son premier mot péniblement articulé fut :
— La croix... la croix...

Et Bouville, pensant que le roi voulait prier, alla lui chercher un crucifix.

Puis Philippe le Bel dit :
— J'ai soif.

A l'aube, il demanda en bégayant d'être conduit à Fontainebleau, où il était né. Le pape Clément V lui aussi, se sentant mourir, avait voulu revenir vers le lieu de sa naissance.

On décida de faire voyager le roi par eau, pour qu'il fût moins secoué ; on l'installa dans une grande barque plate qui descendit l'Oise. Les familiers, les serviteurs et les archers d'escorte suivaient dans d'autres barques, ou bien à cheval le long des berges.

La nouvelle devançait l'étrange cortège, et les riverains accouraient pour voir passer la grande statue abattue. Les paysans ôtaient leurs coiffures, comme lorsque la procession des Rogations traversait leurs champs. A chaque village, des archers allaient quérir des bassines de braises qu'on déposait dans la barque, pour réchauffer l'air autour du roi. Le ciel était uniformément gris, lourd de nuées neigeuses.

Le sire de Vauréal vint de son manoir, qui commandait une boucle de l'Oise, pour saluer le roi ; il lui trouva un teint de mort répandu sur le visage. Le roi ne lui répondit que des paupières. Où était l'athlète qui naguère faisait ployer deux hommes d'armes rien qu'en leur pesant sur les épaules ?

Le jour finissait tôt. On alluma de grandes torches, à l'avant des barques, dont la lumière rouge et dansante se projetait sur les berges ; et l'on eût dit du cortège une grotte de flammes qui traversait la nuit.

On arriva ainsi au confluent de la Seine et, de là, jusqu'à Poissy. Le roi fut porté au château.

Il demeura là une dizaine de jours, au bout desquels il parut un peu rétabli. La parole lui était revenue. Il pouvait se tenir debout, avec des gestes encore gourds. Il insista pour continuer vers Fontainebleau, et, faisant un grand effort de volonté, il exigea qu'on le mît à cheval. Il alla de la sorte, prudemment, jusqu'à Essonne ; mais là, il dut abandonner ; le corps n'obéissait plus au vouloir.

Il acheva le trajet dans une litière. La neige tombait à nouveau, le pas des chevaux s'y étouffait.

A Fontainebleau, la cour était déjà rassemblée. Des feux flambaient dans toutes les cheminées du château.

Le roi, quand il entra, murmura :

— Le soleil, Bouville, le soleil...

IX

UNE GRANDE OMBRE SUR LE ROYAUME

Pendant une douzaine de jours, le roi erra en lui-même comme un voyageur perdu. Par moments, encore qu'il se fatiguât très vite, il paraissait reprendre son activité, s'inquiétait des affaires du royaume, exigeait de contrôler les comptes, demandait avec une impatience autoritaire qu'on présentât toutes les lettres et ordonnances à sa signature: il n'avait jamais montré un tel appétit de signer. Puis, brusquement, il retombait dans l'hébétude, prononçant de rares mots sans suite et sans objet. Il passait sur son front une main amollie dont les doigts pliaient mal.

On disait à la cour qu'il était absent de soi. En fait, il commençait d'être absent du monde.

De cet homme de quarante-six ans, la maladie, en trois semaines, avait fait un vieillard aux traits effondrés qui ne vivait plus qu'à demi au fond d'une chambre du château de Fontainebleau.

Et toujours cette soif qui le poignait et lui faisait réclamer à boire !

Les médecins assuraient qu'il n'en réchapperait pas, et l'astrologue Martin, en termes prudents, annonça une terrible épreuve à subir vers le bout du mois par un puissant monarque d'Occident, épreuve qui coïnciderait avec une éclipse de soleil. « Il se fera ce jour-là, écrivait maître Martin, une grande ombre sur le royaume... »

Et soudain, un soir, Philippe le Bel éprouva de nouveau sous le crâne ce terrible éclatement noir et cette chute dans les ténèbres qu'il avait connus dans la forêt de Pont-Sainte-Maxence. Cette fois, il n'y avait plus ni cerf ni croix. Il n'y avait qu'un grand corps prostré dans un lit, et sans aucun sentiment des soins qu'on lui prodiguait.

Lorsqu'il émergea de cette nuit de la conscience, dont il était incapable de savoir si elle avait duré une heure ou deux jours, la première chose que distingua le roi fut une large forme blanche surmontée d'une étroite couronne noire, et qui se penchait sur lui. Il entendit aussi une voix qui lui parlait.

— Ah! Frère Renaud, dit le roi faiblement, je vous reconnais bien... Mais vous me paraissez comme entouré de brume.

Et puis aussitôt, il ajouta:

— J'ai soif.

Frère Renaud, des dominicains de Poissy, humecta les lèvres du malade d'un peu d'eau bénite.

— A-t-on mandé l'évêque Pierre? Est-il arrivé? demanda alors le roi.

Par un de ces mouvements de l'esprit fréquents chez les mourants et·qui les reportent vers leurs plus lointains souvenirs, ç'avait été l'obsession du roi dans les derniers jours que de réclamer à son chevet l'un de ses compagnons d'enfance, Pierre de Latille, évêque de Châlons et membre de son Conseil. On s'interrogeait sur ce désir, auquel on cherchait des motifs cachés, alors qu'on aurait dû n'y voir qu'un accident de la mémoire.

— Oui, Sire, on l'a fait mander, répondit frère Renaud.

Il avait effectivement dépêché un chevaucheur vers Châlons, mais le plus tard possible, avec l'espoir que l'évêque n'arriverait pas à temps.

Car frère Renaud avait un rôle à jouer dont il n'entendait se dessaisir au profit d'aucun autre ecclésiastique. En effet, le confesseur du roi était en même temps le grand inquisiteur de France; leurs consciences partageaient les mêmes lourds secrets. Le monarque tout-puissant ne pouvait requérir l'ami de son choix pour l'assister au grand passage.

— Me parliez-vous depuis longtemps, frère Renaud? demanda le roi.

Frère Renaud, le menton effacé dans la chair, l'œil attentif, était chargé, à présent, sous le couvert des volontés divines, d'obtenir du roi ce que les vivants attendaient encore de lui.

— Sire, dit-il, Dieu vous saurait gré de laisser bien en ordre les affaires du royaume.

Le roi resta un instant sans répondre.

— Frère Renaud, ai-je dit ma confession? demanda-t-il.

— Mais oui, Sire, avant-hier, répondit le dominicain. Une belle confession, et qui a fait notre grande admiration et fera celle de tous vos sujets. Vous vous êtes repenti d'avoir harassé votre peuple, et surtout l'Église, de trop d'impôts; et aussi vous avez déclaré que vous n'aviez point à implorer pardon des morts ordonnées par votre justice, parce que la Foi et la Justice se doivent assistance.

Le grand inquisiteur avait élevé la voix pour que les assistants l'entendissent bien.

— Ai-je dit cela? demanda le roi.

Il ne savait plus. Avait-il vraiment prononcé ces paroles, ou bien frère Renaud était-il en train de lui inventer cette fin édifiante que doit faire tout grand personnage ? Il murmura simplement :

— Les morts...

— Il faudrait que vous nous instruisiez de vos volontés dernières, Sire, insista frère Renaud.

Il s'écarta un peu, et le roi s'aperçut que la chambre était pleine.

— Ah ! dit-il, je vous reconnais bien, vous tous qui êtes ici.

Il paraissait surpris d'avoir conservé cette faculté d'identifier les visages.

Ils étaient tous là autour de lui, ses physiciens, son chambellan, son frère Charles à la stature avantageuse, son frère Louis un peu en retrait, le col penché, et Enguerrand, et Philippe le Convers, son légiste, et son secrétaire Maillard, le seul assis, à une petite table, contre les draps... tous immobiles, et tellement silencieux, et tellement estompés qu'ils semblaient arrêtés dans une irréalité éternelle.

— Oui, oui, répéta-t-il, je vous reconnais bien.

Ce géant, au loin, dont la tête émergeait au-dessus de tous les fronts, c'était Robert d'Artois, son turbulent parent... Une haute femme, à quelque distance, retroussait ses manches d'un geste d'accoucheuse. La vue de la comtesse Mahaut rappela au roi les princesses condamnées.

— Le pape est-il élu ? demanda-t-il.

— Non, Sire.

Plusieurs problèmes se bousculaient, s'enchevêtraient dans son esprit épuisé.

Chaque homme, parce qu'il croit un peu que le monde est né en même temps que lui, souffre, au moment de quitter la vie, de laisser l'univers inachevé. A plus forte raison un roi.

Philippe le Bel chercha du regard son fils aîné.

Louis de Navarre, Philippe de Poitiers, Charles de France se tenaient au chevet du lit, flanc à flanc, et comme soudés devant l'agonie de leur géniteur. Le roi dut renverser la tête pour les voir.

— Pesez, Louis, pesez, murmura-t-il, ce que c'est que d'être le roi de France ! Sachez au plus tôt l'état de votre royaume.

La comtesse Mahaut manœuvrait pour se rapprocher, et l'on devinait bien quels pardons ou quelles grâces elle se disposait à arracher au mourant.

Frère Renaud adressa au comte de Valois un regard qui signifiait : « Monseigneur, intervenez. »

Louis de Navarre dans quelques moments serait roi de France, et nul n'ignorait que Valois le dominait complètement. Aussi l'autorité de ce dernier croissait-elle à proportion, et le grand inquisiteur se tournait vers lui comme vers la puissance véritable.

Valois, coupant la route à Mahaut, vint se placer entre elle et le lit.

— Mon frère, dit-il, n'avez-vous rien à changer dans votre testament de 1311 ?

— Nogaret est mort, répondit le roi.

Valois hocha le front, tristement, vers le grand inquisiteur, lequel, aussi tristement, écarta les mains comme pour déplorer qu'on eût trop attendu. Mais le roi ajouta :

— Il était exécuteur de mes volontés.

— Il vous faut alors dicter un codicille pour nommer à nouveau vos exécuteurs, mon frère, dit Valois.

— J'ai soif, murmura Philippe le Bel.

On lui remit un peu d'eau bénite sur les lèvres.

Valois reprit :

— Vous désirez toujours, je pense, que je veille au respect de vos volontés.

— Certes... Et vous aussi, Louis, mon frère, dit le roi en regardant le comte d'Évreux.

Maillard avait commencé d'écrire, prononçant à mi-voix les formules rituelles des testaments royaux.

Après Louis d'Évreux, le roi désigna ses autres exécuteurs testamentaires, à mesure que ses yeux, plus impressionnants encore maintenant que leur large pâleur se troublait, rencontraient certains visages autour de lui. Il nomma ainsi Philippe le Convers, et puis Pierre de Chambly, qui était un familier de son second fils, et encore Hugues de Bouville.

Alors, Enguerrand de Marigny s'avança et fit en sorte que sa massive personne fût bien en vue du mourant.

Le coadjuteur savait que, depuis deux semaines, Charles de Valois ressassait devant le souverain affaibli ses griefs et ses accusations. «C'est Marigny, mon frère, qui est cause de votre souci... C'est Marigny qui a mis le Trésor au pillage... C'est Marigny qui a déshonnêtement marchandé la paix de Flandre... C'est Marigny qui vous a conseillé de brûler le grand-maître... »

Philippe le Bel allait-il, comme chacun d'évidence s'y attendait, citer Marigny parmi ses exécuteurs, lui donnant par là même une ultime confirmation de sa confiance ?

Maillard, la plume levée, observait le roi. Mais Valois dit très vite :

— Le nombre y est, je crois, mon frère.

Et il eut pour Maillard un geste impératif qui signifiait de clore la liste. Marigny, blême, serra les poings sur sa ceinture et, forçant la voix, prononça :

— Sire !... Je vous ai toujours fidèlement servi. Je vous demande de me recommander à Monseigneur votre fils.

Entre ces deux rivaux qui se disputaient son esprit, entre Valois et Marigny, entre son frère et son premier ministre, le roi eut un moment de flottement. Comme ils pensaient à eux-mêmes, et bien peu à lui !

— Louis, dit-il avec lassitude, qu'on ne lèse point Marigny s'il prouve qu'il a été fidèle.

Alors Marigny comprit que les calomnies avaient porté. Devant un abandon si flagrant, il se demanda si Philippe le Bel l'avait jamais aimé. Mais Marigny connaissait les pouvoirs dont il disposait. Il avait en main l'administration, les finances, l'armée. Il savait, lui, «l'état du royaume», et qu'on ne pouvait, sans lui, gouverner. Il croisa les bras, releva son large menton et, regardant Valois et Louis de Navarre de l'autre côté du lit où agonisait son souverain, il parut défier le règne suivant.

— Sire, avez-vous d'autres désirs? dit frère Renaud.

Hugues de Bouville replantait sur un candélabre un cierge qui menaçait de s'effondrer.

— Pourquoi fait-il si sombre? demanda le roi. Est-ce encore la nuit, et le jour ne s'est-il point levé?

Bien qu'on fût au milieu de la journée, une obscurité rapide, anormale, angoissante, enveloppait le château. L'éclipse annoncée était en cours et, maintenant totale, couvrait de son ombre le royaume de France.

— Je rends à ma fille Isabelle, dit brusquement le roi, la bague dont elle me fit présent et qui porte le gros rubis qu'on nomme la Cerise.

Il s'interrompit un instant, puis demanda une nouvelle fois :

— Pierre de Latille est-il arrivé?

Comme personne ne répondait, il ajouta :

— Je lui donne ma belle émeraude.

Il continua en léguant à diverses églises, à Notre-Dame de Boulogne, parce que sa fille s'y était mariée, à Saint-Martin de Tours, à Saint-Denis, des fleurs de lis d'or, «d'un prix de mille livres», précisa-t-il pour chacune.

Frère Renaud se pencha et lui dit à l'oreille :

— Sire, n'oubliez point notre prieuré de Poissy.

Sur le visage effondré de Philippe le Bel, on vit passer une expression d'agacement.

— Frère Renaud, dit-il, je donne à votre couvent la belle bible que j'ai annotée de ma main. Elle vous sera bien utile, à vous et à tous les confesseurs des rois de France.

Le grand inquisiteur, bien qu'il attendît davantage, sut cacher son dépit.

— A vos sœurs de saint Dominique, à Poissy, je lègue la grande croix des Templiers. Et mon cœur aussi y sera porté.

Le roi avait terminé la liste de ses dons. Maillard relut à haute voix le codicille. Quand il arriva aux derniers mots : «de par le roi», Valois attirant à lui l'héritier du trône et lui serrant fermement le bras, dit :

— Ajoutez : «et du consentement du roi de Navarre».

Philippe le Bel abaissa le menton, presque imperceptiblement, d'un mouvement d'approbation résignée. Son règne était clos.

Il fallut lui guider la main pour qu'il signât au bas du parchemin. Il murmura :

— Est-ce tout ?

Non ; la dernière journée d'un roi de France n'était pas encore achevée.

— Il faut maintenant, Sire, que vous remettiez le miracle royal, dit frère Renaud.

Il invita l'assistance à se retirer afin que le roi transmît à son fils le pouvoir, mystérieusement attaché à la personne royale, de guérir les écrouelles.

Renversé sur ses coussins, Philippe le Bel gémit :

— Frère Renaud, regardez ce que vaut le monde. Voici le roi de France !

A l'instant qu'il mourait, on exigeait encore de lui un effort pour qu'il investît son successeur de la capacité, réelle ou supposée, de soulager une affection bénigne.

Ce ne fut point Philippe le Bel qui enseigna les formules et prières du miracle ; il les avait oubliées. Ce fut frère Renaud. Et Louis de Navarre, agenouillé auprès de son père, ses mains trop chaudes jointes aux mains glacées du roi, recueillit l'héritage secret.

Ce rite accompli, la cour fut à nouveau admise dans la chambre, et frère Renaud commença de réciter les prières des agonisants.

La cour reprenait le verset « *In manus tuas, Domine...* Entre tes mains, Seigneur, je remets mon esprit... », lorsqu'une porte s'ouvrit ; l'évêque Pierre de Latille, l'ami d'enfance du roi, arrivait. Tous les regards se dirigèrent vers lui, tandis que toutes les lèvres continuaient de marmonner.

— *In manus tuas, Domine*, dit l'évêque Pierre reprenant avec les autres.

On se retourna vers le lit, et les prières s'arrêtèrent dans les gorges ; le Roi de fer était mort.

Frère Renaud s'approcha pour lui fermer les yeux. Mais les paupières qui n'avaient jamais battu se relevèrent d'elles-mêmes. Par deux fois, le grand inquisiteur essaya vainement de les abaisser. On dut couvrir d'un bandeau le regard de ce monarque qui entrait les yeux ouverts dans l'Éternité.

NOTES HISTORIQUES

1. — Premier en date des poètes français de langue romane, le duc Guillaume IX d'Aquitaine (22 octobre 1071-1127) est l'une des figures les plus importantes et les plus attachantes du Moyen Age.

Grand seigneur, grand amant, grand lettré, il eut une manière de vivre et de penser tout à fait exceptionnelle pour son époque. Le faste raffiné avec lequel il vivait en ses châteaux est à l'origine des fameuses «cours d'amour».

Se voulant totalement affranchi de l'autorité de l'Église, il refusa au pape Urbain II, venu exprès le visiter dans ses États, de participer à la croisade. Il profita de l'absence de son voisin, le comte de Toulouse, pour mettre la main sur les terres de ce dernier. Mais les récits d'aventures l'incitèrent, un peu plus tard, à prendre le chemin de l'Orient, à la tête d'une armée de 30 000 hommes qu'il conduisit jusqu'à Jérusalem.

Ses *Vers*, dont onze poèmes seulement ont été conservés, introduisirent dans la littérature romane et, plus généralement, française, une conception idéalisée de la femme et de l'amour qui n'existait pas avant lui; ils sont la source du grand courant de lyrisme amoureux qui traverse, irrigue et féconde toute notre littérature. Ce prince-troubadour n'était pas sans avoir subi quelque peu l'influence des poètes hispano-arabes.

2. — L'affaire de la succession d'Artois, l'un des plus grands drames d'héritage de l'histoire de France — et dont il sera souvent question dans ce volume et les suivants — se présentait de la manière que voici:

Saint Louis avait donné, en 1237, la comté-pairie d'Artois en apanage à son frère Robert. Ce Robert Ier d'Artois eut un fils, Robert II, qui épousa Amicie de Courtenay, dame de Conches. Robert II eut deux enfants: Philippe, mort en 1298 de blessures reçues à la bataille de Furnes, et Mahaut qui épousa Othon, comte palatin de Bourgogne.

A la mort de Robert II, tué en 1302 (donc quatre ans après son fils Philippe) à la bataille de Courtrai, l'héritage du comté fut réclamé à la fois par Robert III, fils de Philippe, — notre héros — et par Mahaut, sa tante, laquelle invoquait une disposition du droit coutumier artésien.

Philippe le Bel, en 1309, trancha en faveur de Mahaut. Celle-ci, devenue régente du comté de Bourgogne par la mort de son mari, avait marié ses deux filles, Jeanne et Blanche, au second et au troisième fils de Philippe le Bel, Philippe et Charles; la décision qui la favorisa fut grandement inspirée par ces alliances qui apportaient notamment à la couronne la comté de Bourgogne, ou Comté-Franche, remise en dot à Jeanne. Mahaut devint donc comtesse-pair d'Artois.

Robert ne devait pas se tenir pour battu, et, pendant vingt ans, avec une âpreté rare, soit par action juridique, soit par action directe, il allait poursuivre contre sa tante une lutte où tous les procédés furent employés de part et d'autre: délation, calomnie, usage de faux, sorcellerie, empoisonnements, agitation politique, et qui, comme on le verra, se termina tragiquement pour Mahaut, tragiquement pour Robert, tragiquement pour l'Angleterre et pour la France.

D'autre part, en ce qui concerne la maison, ou plutôt les maisons de Bourgogne, liées comme à toutes les grandes affaires du royaume à cette affaire d'Artois, nous rappelons au lecteur qu'il y avait à l'époque deux Bourgognes absolument distinctes l'une de l'autre: la Bourgogne-Duché qui était terre vassale de la couronne de France, et la Bourgogne-Comté qui formait un palatinat relevant du Saint Empire. Le duché avait Dijon pour capitale, et le comté, Dole.

La fameuse Marguerite de Bourgogne appartenait à la famille ducale; ses cousine et belle-sœur, Jeanne et Blanche, à la maison comtale.

3. — On appelait au Moyen Age du terme imagé de *bougette* ou *bolgète* la bourse qu'on portait à la ceinture, ou le sac qu'on pendait à l'arçon de la selle, et qui y « bougeait ». Le mot, passé en Angleterre et prononcé « boudgett », désigna également le sac du trésorier du royaume, et par extension le contenu. Ceci est l'origine du terme « budget » qui nous est revenu d'Outre-Manche.

4. — L'Ordre souverain des Chevaliers du Temple de Jérusalem fut fondé en 1128 pour assurer la garde des Lieux saints de Palestine, et protéger les routes des pèlerinages. Sa règle, reçue de saint Bernard, était sévère. Elle imposait aux chevaliers la chasteté, la pauvreté, l'obéissance. Ils ne devaient « trop regarder face de femme... ni... baiser

femelle, ni veuve, ni pucelle, ni mère, ni sœur, ni tante, ni nulle autre femme ». Ils étaient tenus, à la guerre, d'accepter le combat à un contre trois et ne pouvaient pas se racheter par rançon. Il ne leur était permis de chasser que le lion.

Seule force militaire bien organisée, ces moines-soldats servirent d'encadrement aux bandes souvent désordonnées qui formaient les armées des croisades. Placés en avant-garde de toutes les attaques, en arrière-garde de toutes les retraites, gênés par l'incompétence ou les rivalités des princes qui commandaient ces armées d'aventure, ils perdirent en deux siècles plus de vingt mille des leurs sur les champs de batailles, chiffre considérable par rapport aux effectifs de l'Ordre. Ils n'en commirent pas moins, vers la fin, quelques funestes erreurs stratégiques.

Ils s'étaient montrés, pendant tout ce temps, bons administrateurs. Comme on avait grand besoin d'eux, l'or de l'Europe afflua dans leurs coffres. On remit à leur garde des provinces entières. Pendant cent ans, ils assurèrent le gouvernement effectif du royaume latin de Constantinople. Ils se déplaçaient en maîtres dans le monde, n'ayant à payer ni impôts, ni tribut, ni péage. Ils ne relevaient que du pape. Ils avaient des commanderies dans toute l'Europe et le Moyen-Orient ; mais le centre de leur organisation était à Paris. Ils furent amenés par la force des choses à faire de la grande banque. Le Saint-Siège et les principaux souverains d'Europe avaient chez eux leurs comptes courants. Ils prêtaient sur garantie, et avançaient les rançons des prisonniers. L'empereur Baudouin leur engagea « la vraie Croix ».

Expéditions, conquêtes, fortune, tout est démesuré dans l'histoire des Templiers, jusqu'à la procédure même qui fut employée pour parvenir à leur suppression. Le rouleau de parchemin qui contient la transcription des interrogatoires de 1307 mesure à lui seul 22 m 20.

Depuis ce prodigieux procès, les controverses n'ont jamais cessé ; certains historiens ont pris parti contre les accusés, d'autres contre Philippe le Bel. Il n'est pas douteux que les accusations portées contre les Templiers étaient, en grande partie, exagérées ou mensongères ; mais il n'est pas douteux non plus qu'il y ait eu chez eux d'assez profondes déviations dogmatiques. Leurs longs séjours en Orient les avaient mis en contact avec certains rites perpétués de la religion chrétienne primitive, avec la religion islamique qu'ils combattaient, voire avec les traditions ésotériques de l'Égypte ancienne. C'est à propos de leurs cérémonies initiatiques que se forma, par une confusion très habituelle à l'Inquisition médiévale, l'accusation d'adoration d'idoles, de pratiques démoniaques et de sorcellerie.

L'affaire des Templiers nous intéresserait moins si elle n'avait des prolongements jusque dans l'histoire du monde moderne. Il est connu que l'Ordre du Temple, aussitôt après sa destruction officielle, se reconstitua sous la forme d'une société secrète internationale, et l'on a les noms de grands-maîtres occultes jusqu'au XVIIIe siècle.

Les Templiers sont à l'origine du Compagnonnage, institution qui existe encore aujourd'hui. Ils avaient besoin, dans leurs commanderies lointaines, d'ouvriers chrétiens. Ils les organisèrent et leur donnèrent une règle nommée « devoir ». Ces ouvriers, qui ne portaient pas l'épée, étaient vêtus de blanc ; ils firent les croisades et bâtirent au Moyen-Orient ces formidables citadelles, construites selon ce qu'on appelle en architecture « l'appareil des croisés ». Ils acquirent là-bas un certain nombre de méthodes de travail héritées de l'Antiquité et qui leur servirent à édifier en Occident les églises gothiques. A Paris, ces compagnons vivaient soit dans l'enceinte du Temple, soit dans le quartier avoisinant, où ils jouissaient de « franchises », et qui demeura pendant cinq cents ans le centre des ouvriers initiés.

Par le truchement des sociétés de compagnons, l'Ordre du Temple se rattache aux origines de la franc-maçonnerie. On retrouve en celle-ci les « épreuves » des cérémonies initiatiques et jusqu'à des emblèmes très précis qui non seulement sont ceux des anciennes compagnies d'ouvriers, mais, fait plus étonnant encore, figurent sur les murs de certaines tombes d'architectes de l'Égypte pharaonique. Tout donne donc à penser que ces rites, ces emblèmes, ces procédés de travail, furent rapportés en Europe par les Templiers.

5. — La datation utilisée au Moyen Age n'était pas la même que celle employée de nos jours, et en outre elle changeait d'un pays à l'autre.

L'année officielle commençait, en Allemagne, en Suisse, en Espagne et au Portugal, le jour de Noël ; à Venise, le 1er mars ; en Angleterre, le 25 mars ; à Rome, tantôt le 25 janvier et tantôt le 25 mars ; en Russie, à l'équinoxe de printemps.

En France, le début de l'année légale était le jour de Pâques. C'est ce qu'on appelle le « style de Pâques », ou « style français », ou « ancien style ». Cette singulière coutume de prendre une fête mobile comme point de départ de datation amenait à avoir des années qui variaient entre trois cent trente et quatre cents jours. Certaines années avaient deux printemps, l'un au début, l'autre à la fin.

Cet ancien style est la source d'une infinité de confusions, et il en surgit de grandes difficultés dans l'établissement d'une date exacte. Ainsi selon l'ancien style, la fin du procès des Templiers se plaçait en 1313, puisque Pâques, l'année 1314, tomba le 7 avril.

C'est seulement en décembre 1564, sous le règne de Charles IX, avant-dernier roi de la dynastie Valois, que le début de l'année légale fut fixé au premier janvier.

La Russie n'adopta le « nouveau style » qu'en 1725, l'Angleterre en 1752, et Venise, la dernière, à la conquête de Bonaparte.

Les dates données dans ce récit sont naturellement accordées sur le nouveau style.

6. — L'hôtel des Templiers, ses annexes, ses « cultures », et toutes les rues avoisinantes formaient le quartier du Temple dont le nom s'est perpétué jusqu'à nous. C'est dans la grande tour qui avait servi de geôle pour Jacques de Molay que Louis XVI fut enfermé quatre siècles et demi plus tard. Il n'en sortit que pour être conduit à la guillotine. Cette tour disparut en 1811.

7. — Les *sergents* étaient des fonctionnaires subalternes chargés de différentes tâches d'ordre public et de justice. Leur rôle se confondait sensiblement avec celui des huissiers (gardiens des portes) et des massiers. Il était parmi leurs attributions d'escorter ou de précéder le roi, les ministres, les maîtres du Parlement et de l'Université.

Le bâton de nos *sergents de ville* actuels est une lointaine survivance du bâton des sergents d'autrefois, de même que la *masse* que portent encore les massiers dans les cérémonies universitaires

Il y avait, en 1254, soixante sergents spécialement affectés à la police de Paris.

8. — Cette concession, faite à certaines corporations marchandes, de vendre aux abords ou dans la demeure du souverain semble venir d'Orient. A Byzance, c'étaient les marchands de parfums qui avaient droit de tenir boutique devant l'entrée du palais impérial, leurs essences étant la chose la plus agréable qui pût parvenir aux narines du *Basileus*.

9. — La *tour de Nesle*, d'abord tour Hamelin du nom du prévôt de Paris qui avait présidé à sa construction, et *l'hôtel de Nesle* occupaient l'emplacement actuel de l'Institut de France et de la Monnaie. Le jardin était bordé au couchant par le rempart de Philippe Auguste, dont les fossés, qu'on appelait sur cette partie les « fossés de Nesle », ont servi de tracé à la rue Mazarine. L'ensemble fut scindé en Grand Nesle, Petit Nesle, et séjour de Nesle ; sur ses diverses parties s'élevèrent ultérieurement les hôtels de Nevers, de Guénégaud, de Conti, des Monnaies. La Tour ne fut détruite qu'en 1663 pour permettre la construction du collège Mazarin ou des Quatre Nations, affecté depuis 1805 à l'Institut.

10. — Le papier de coton, qu'on pense d'invention chinoise, et qui s'appela d'abord « parchemin grec » parce que les Vénitiens l'avaient trouvé en usage en Grèce, fit son apparition en Europe vers le xe siècle. Le papier de lin (ou de chiffe) fut importé d'Orient un peu plus tard

par les Sarrasins d'Espagne. Les premières fabriques de papier s'établirent en Europe au cours du XIIIᵉ siècle. Pour des raisons de conservation et de résistance, le papier n'était jamais utilisé dans les documents officiels qui devaient supporter des «sceaux pendants».

11. — C'est à partir de ces assemblées instituées sous Philippe le Bel que les rois de France prirent l'habitude de recourir à des consultations nationales qui, par la suite, reçurent le nom d'États généraux, et d'où sont issues, à leur tour, après 1789, nos premières institutions parlementaires.

12. — La notion du temps étant, au Moyen Age, beaucoup moins précise qu'aujourd'hui, on employait pour désigner les différentes parties de la journée, la division ecclésiastique en *prime, tierce, none* et *vêpres.*

Prime commençait environ à six heures du matin. *Tierce* s'appliquait aux heures de la matinée. *None* au temps de midi et au milieu de la journée. Et *vêpres* ou la *vêprée* (avec une distinction entre haute et basse vêprée) à toute la fin du jour jusqu'au coucher du soleil.

13. — Primitivement appelé l'*île aux Chèvres*, cet îlot, en aval et à la pointe de l'île de la Cité, avait pris le nom d'*île aux Juifs* depuis qu'on y avait procédé aux exécutions de Juifs parisiens.

Réuni à un autre îlot voisin et à l'île même, pour permettre la construction du Pont Neuf, il forme aujourd'hui le jardin du Vert-Galant.

14. — Dans la répartition des juridictions religieuses établie au très haut Moyen Age, Paris ne figurait que comme évêché. De ce fait, il n'apparaît pas dans la liste des vingt et une «métropoles» de l'Empire énumérées au testament de Charlemagne. Paris relevait, et continua de relever jusqu'au XVIIᵉ siècle, de l'archidiocèse de Sens. L'évêque de Paris était suffragant de l'archevêque de Sens, c'est-à-dire que les décisions ou sentences prononcées par le premier venaient en appel devant l'officialité du second.

Paris ne prit rang d'archevêché que sous le règne de Louis XIII.

15. — *Les prévôts* étaient des fonctionnaires royaux qui cumulaient les fonctions aujourd'hui réparties entre les préfets, les chefs de subdivisions militaires, les commissaires divisionnaires, les agents du Trésor, du fisc et de l'enregistrement. C'est assez dire qu'ils étaient rarement aimés. Mais déjà, à cette époque, en certaines régions, ils commençaient de partager leurs attributions avec des *receveurs de finance.*

16. — La tenue des veuves de la noblesse, assez semblable au vêtement des religieuses, se composait d'une longue robe noire, sans ornement ni bijoux, d'une guimpe blanche enfermant le cou et le menton, et d'un voile blanc posé sur les cheveux.

17. — Depuis la fin du XIᵉ siècle et l'établissement de la dynastie normande, la noblesse d'Angleterre était en majeure partie de souche française. Constituée d'abord par les barons normands compagnons de Guillaume le Conquérant, renouvelée avec les Angevins et les Aquitains des Plantagenets, cette aristocratie conservait sa langue et ses habitudes d'origine.

Au XIVᵉ siècle, le français était toujours le parler habituel de la cour, ainsi qu'en témoigne le *Honni soit qui mal y pense* prononcé par le roi Édouard III à Calais en rattachant la jarretière de la comtesse de Salisbury, parole qui devint la devise de l'ordre de la Jarretière.

La correspondance des rois était rédigée en français. De nombreux seigneurs anglais avaient d'ailleurs des fiefs dans les deux pays.

Notons aussi, à ce point de notre récit, que le roi Édouard III dans les deux premières années de sa vie, vint deux fois en France. Au cours du premier voyage, en 1313, il avait failli périr étouffé dans son berceau par la fumée d'un incendie qui s'était déclaré à Maubuisson. C'est son second voyage, fait avec sa mère seule, que nous relatons ici.

18. — Le *bachelier*, dans la hiérarchie féodale, tenait le rang intermédiaire entre le chevalier et l'écuyer. Ce titre s'appliquait soit aux gentilshommes qui n'avaient pas les moyens de lever une bannière, c'est-à-dire une troupe personnelle, soit à de jeunes seigneurs en attente de recevoir la chevalerie. L'*écuyer*, au sens littéral, portait l'écu du chevalier, mais le mot était souvent employé comme terme générique pour désigner bacheliers et varlets.

19. — On appelait *chevaucheurs* les courriers chargés des messages officiels. Les princes souverains, les papes, les grands seigneurs et les principaux dignitaires civils ou ecclésiastiques avaient chacun leurs propres chevaucheurs qui portaient costume à leurs armes. Les chevaucheurs royaux avaient droit de réquisition par priorité pour se procurer des montures de rechange en cours de route. Les chevaucheurs pouvaient facilement, en relayant, franchir cent kilomètres par jour.

20. — Le terme de *maltôte* — du bas latin *mala tolta*, mauvaise prise, mauvaise levée — fut adopté par le peuple pour désigner un impôt sur les transactions institué par Philippe le Bel, et qui consistait

en une taxe d'un denier à la livre sur le prix des marchandises vendues. Ce fut cette taxe de 0,50 %, si l'on comptait en livres tournois, et de 0,33 %, si l'on comptait en livres parisis, qui déclencha de graves émeutes et laissa le souvenir d'une mesure financière écrasante.

21. — Le poison ainsi désigné était vraisemblablement le sulfocyanure de mercure. Ce sel donne, par combustion, de l'acide sulfureux, des vapeurs mercurielles et des composés cyanhydriques pouvant déclencher une intoxication à la fois cyanhydrique et mercurielle.

Presque tous les poisons du Moyen Age étaient d'ailleurs à base de mercure, matière de prédilection des alchimistes. Le nom de «serpent de Pharaon» est passé ultérieurement à un jouet d'enfant dans la fabrication duquel ce sel était utilisé.

22. — Philippe le Bel peut être considéré comme le premier roi gallican. Boniface VIII, par la bulle *Unam Sanctam*, avait déclaré : «... que toute créature humaine est soumise au Pontife romain, et que cette soumission est une nécessité de son salut. » Philippe le Bel lutta constamment pour l'indépendance du pouvoir civil en matière temporelle. Au contraire, son frère Charles de Valois était résolument ultramontain.

23. — Les Archives, au temps de Philippe le Bel, étaient une institution relativement récente. La fondation n'en remontait qu'à Saint Louis qui avait voulu qu'on groupât et classât toutes les pièces intéressant les droits et coutumes du royaume. Jusque-là les pièces étaient gardées, quand elles l'étaient, par les seigneurs ou par les communes ; le roi ne conservait par devers lui que les traités, ou les documents concernant les propriétés de la couronne. Sous les premiers capétiens, ces pièces étaient placées dans un fourgon qui suivait tous les déplacements du roi.

24. — Institués vers le milieu du XIIIe siècle, les *bourgeois du roi* constituaient une catégorie particulière de sujets qui, en réclamant la justice du roi, se détachaient, soit de leurs liens de sujétion envers un seigneur, soit de leurs obligations de résidence dans une ville, et dès lors ne relevaient plus que du pouvoir central.

Cette institution prit un grand développement sous Philippe le Bel. On peut dire que les bourgeois du roi furent les premiers Français à avoir un statut juridique comparable à celui du citoyen moderne.

25. — La première «maison commune» de Paris, appelée d'abord *Maison de la marchandise*, puis, à partir du XIe siècle, *Parloir aux*

Bourgeois, était située aux parages du Châtelet. Ce fut Étienne Marcel, en 1357, qui transféra les services municipaux et le lieu d'assemblée des bourgeois dans une maison de la place de Grève, à l'emplacement actuel de l'Hôtel de Ville de Paris.

26. — Ce cri de *taille-hors* est l'origine du mot *taïaut*, toujours employé en vénerie, pour signaler qu'on voit l'animal, qu'il est « hors taille » ou « hors taillis ».

27. — D'après les documents et rapports d'ambassadeurs que l'on possède, on peut conclure que Philippe le Bel fut frappé d'un ictus qui s'était produit dans une zone non motrice du cerveau. Il fit une rechute mortelle le 26 ou le 27 novembre.

II

LA REINE
ÉTRANGLÉE

« *Toute l'histoire de ce temps est dans le combat à mort du légiste et du baron.* »

Michelet

PROLOGUE

Le 29 novembre 1314, deux heures après vêpres, vingt-quatre chevaucheurs sous la livrée de France sortaient au galop du château de Fontainebleau. La neige blanchissait les chemins de la forêt ; le ciel était plus sombre que la terre ; il faisait déjà nuit, ou plutôt, par suite d'une éclipse de soleil, il n'avait pas cessé de faire nuit depuis la veille.

Les vingt-quatre chevaucheurs ne prendraient pas de repos avant le matin, et ils galoperaient encore tout le lendemain et les journées suivantes, qui vers la Flandre, qui vers l'Angoumois et la Guyenne, qui vers Dole en Comté, qui vers Rennes et Nantes, qui vers Toulouse, vers Lyon, Aigues-Mortes, réveillant sur leurs routes baillis et sénéchaux, prévôts, échevins, capitaines, pour annoncer à chaque ville ou bourgade du royaume que le roi Philippe IV le Bel était mort.

Dans chaque clocher, le glas se mettrait à retentir ; une grande onde sonore, sinistre, irait s'élargissant jusqu'à ce qu'elle ait atteint toutes les frontières.

Après vingt-neuf années d'un gouvernement sans faiblesse, le Roi de fer venait de trépasser, frappé au cerveau. Il avait quarante-six ans. Sa mort suivait, à moins de six mois, celle du garde des Sceaux Guillaume de Nogaret, et, à sept mois, celle du pape Clément V. Ainsi semblait se vérifier la malédiction lancée le 18 mars, du haut du bûcher, par le grand-maître des Templiers, et qui les citait tous trois à comparaître au tribunal de Dieu avant qu'un an soit écoulé.

Souverain tenace, hautain, intelligent et secret, le roi Philippe avait si bien empli son règne et dominé son temps qu'on eut l'impression, ce soir-là, que le cœur du royaume s'était arrêté de battre.

Mais les nations ne meurent jamais de la mort des hommes, si grands qu'ils aient été ; leur naissance et leur fin obéissent à d'autres raisons.

Le nom de Philippe le Bel ne serait guère éclairé dans la nuit des siècles que par les flammes des brasiers où ce monarque jetait ses ennemis, et par le scintillement des pièces d'or qu'il faisait rogner. On oublierait vite qu'il avait muselé les puissants, maintenu la paix autant qu'il était possible, réformé les lois, bâti des forteresses afin qu'on pût semer à l'abri, unifié les provinces, convié les bourgeois à s'assembler, veillé en toutes choses à l'indépendance de la France.

A peine sa main refroidie, à peine éteinte cette grande volonté, les intérêts privés, les ambitions déçues, les rancunes, les appétits d'honneurs, d'importance, de richesse, longtemps bridés ou contrariés, n'allaient pas manquer de se déchaîner.

Deux groupes s'apprêtaient à se combattre sans merci pour la possession du pouvoir : d'un côté, le clan de la réaction baronniale conduit par Charles de Valois, frère de Philippe le Bel ; de l'autre le parti de la haute administration dirigé par Enguerrand de Marigny, coadjuteur du roi défunt.

Pour éviter le conflit qui couvait depuis des mois, ou pour l'arbitrer, il eût fallu un souverain fort. Or le prince de vingt-cinq ans qui accédait au trône, Louis de Navarre, paraissait aussi mal doué pour régner que mal servi par la fortune. Il arrivait précédé d'une réputation de mari trompé et du triste surnom de Hutin.

La vie de son épouse, Marguerite de Bourgogne, emprisonnée pour adultère, allait servir d'enjeu aux deux factions rivales.

Mais les frais de la lutte seraient également supportés par ceux qui ne possédaient rien, étaient sans action sur les événements, et n'avaient même pas de rêves à faire... De plus, cet hiver de 1314-1315 s'annonçait comme un hiver de famine.

PREMIÈRE PARTIE

DÉBUTS D'UN RÈGNE

I

CHÂTEAU-GAILLARD

Planté sur un éperon crayeux, au-dessus du bourg du Petit-Andelys, Château-Gaillard dominait, commandait toute la Haute-Normandie.

La Seine, à cet endroit, décrit une large boucle dans les prairies grasses ; Château-Gaillard surveillait dix lieues de fleuve, aval et amont.

Richard Cœur de Lion l'avait fait bâtir, cent vingt ans plus tôt, au mépris des traités, pour défier le roi de France. Le voyant achevé, dressé sur la falaise, à six cents pieds de hauteur, et tout blanc dans sa pierre fraîchement taillée, avec ses deux enceintes, ses ouvrages avancés, ses herses, ses créneaux, ses barbacanes, ses treize tours, son gros donjon, Richard s'était écrié :

— Ah ! Ceci me paraît un château bien gaillard.

Et l'édifice ainsi avait reçu son nom.

Tout était prévu dans les défenses de ce gigantesque modèle d'architecture militaire, l'assaut, l'attaque frontale ou tournante, l'investissement, l'escalade, le siège, tout, sauf la trahison.

Sept ans seulement après sa construction, la forteresse tombait aux mains de Philippe Auguste, en même temps que celui-ci enlevait au souverain anglais le duché de Normandie.

Depuis lors, Château-Gaillard avait été utilisé moins comme place de guerre que comme prison. Le pouvoir y enfermait des adversaires dont la liberté était intolérable pour l'État, mais dont la mise à mort eût pu susciter des troubles, ou créer des conflits avec d'autres puissances. Qui franchissait le pont-levis de cette citadelle avait peu de chances de revoir le monde.

Les corbeaux tout le jour croassaient sous les toitures ; la nuit les loups venaient hurler jusqu'au pied des murs.

En novembre 1314, Château-Gaillard, ses remparts et sa garnison d'archers ne servaient qu'à garder deux femmes, l'une de vingt et un ans, l'autre de dix-huit, Marguerite et Blanche de Bourgogne, deux princesses de France, belles-filles de Philippe le Bel, décrétées de réclusion perpétuelle pour crime d'infidélité envers leurs époux.

C'était le dernier matin du mois, et l'heure de la messe.

La chapelle se trouvait dans la deuxième enceinte. Elle prenait assise sur la roche. Il y faisait sombre, il y faisait froid ; les murs, sans aucun ornement, suintaient.

Trois sièges seulement y étaient disposés, deux à gauche qu'occupaient les princesses, un à droite pour le capitaine de la forteresse, Robert Bersumée.

Derrière, les hommes d'armes se tenaient debout, alignés, montrant le même ennui, la même indifférence que s'ils avaient été rassemblés pour la corvée de fourrage. La neige qu'ils transportaient à leurs semelles fondait autour d'eux, en flaques jaunâtres

Le chapelain tardait à commencer l'office. Dos à l'autel, il frottait ses doigts gourds, aux ongles ébréchés. Un imprévu, visiblement, perturbait sa pieuse routine.

— Mes frères, dit-il, il nous faut ce jour élever nos prières avec grand-ferveur et grand-solennité.

Il s'éclaircit la voix et hésita, troublé par l'importance même de ce qu'il avait à annoncer.

— Messire Dieu vient de rappeler à lui l'âme de notre bien-aimé roi Philippe. C'est dure affliction pour tout le royaume...

Les deux princesses tournèrent l'une vers l'autre leurs visages enserrés dans les béguins de grosse toile bise.

— Que ceux qui lui firent tort ou injure en aient pénitence au cœur, continua le chapelain ; que ceux qui lui gardaient grief en son vivant implorent pour lui la miséricorde dont chaque homme qui meurt, grand ou petit, a égal besoin devant le tribunal de Notre-Seigneur...

Les deux princesses étaient tombées à genoux, courbant la tête pour cacher leur joie. Elles ne sentaient plus le froid, elles ne sentaient plus leur angoisse ni leur misère. Une immense onde d'espérance les parcourait ; et si, dans leur silence, elles s'adressaient à Dieu, c'était pour le remercier de les avoir délivrées de leur terrible beau-père. Depuis sept mois qu'on les avait enfermées à Château-Gaillard, le monde leur envoyait enfin une bonne nouvelle.

Les hommes d'armes, dans le fond de la chapelle, chuchotaient, s'agitaient, remuaient les pieds.

— Est-ce qu'on va donner à chacun de nous un sou d'argent ?

— Parce que le roi est mort ?

— Cela se fait, à ce qu'on m'a dit.

— Mais non, pas pour la mort ; pour le sacre du nouveau roi, peut-être bien.

— Et comment va-t-il s'appeler maintenant, le roi ?

— Est-ce qu'il va faire la guerre, qu'on change un peu de pays?...

Le capitaine de la forteresse se retourna et leur lança d'une voix rude:

— Priez!

La nouvelle lui posait des problèmes. Car l'aînée des prisonnières était l'épouse du prince qui devenait roi aujourd'hui. «Me voilà donc gardien de la reine de France», se disait le capitaine.

Ce ne fut jamais une situation aisée que d'être le geôlier de personnes royales. Robert Bersumée devait à ces deux condamnées qui lui étaient arrivées vers la fin d'avril, la tête rasée, dans des chariots tendus de noir et sous l'escorte de cent archers, les plus mauvais moments de sa vie. Deux femmes jeunes, trop jeunes pour qu'on n'eût pas pitié d'elles... belles, trop belles, même sous leurs informes robes de bure, pour qu'on pût se défendre d'être ému en les approchant, jour après jour, pendant sept mois... Qu'elles allassent séduire un sergent de la garnison, s'évader, ou bien que l'une d'elles se pendît ou gagnât une maladie mortelle, ou encore que leur survînt un retour de fortune, et ce serait toujours lui, Bersumée, qui serait en tort, réprimandé pour trop de faiblesse ou trop de rigueur; et, dans tous les cas, cela ne lui vaudrait rien pour son avancement. Or, pas plus que ses prisonnières, il n'avait envie de terminer ses jours dans une citadelle battue des vents, mouillée des brumes, construite pour contenir deux mille soldats et qui n'en comptait plus que cent cinquante, au-dessus de cette vallée de Seine par où la guerre, depuis beau temps, ne passait plus.

L'office se déroulait; mais personne ne pensait ni à Dieu ni au roi; chacun ne pensait qu'à soi.

— *Requiem æternam dona ei Domine...*, entonnait le chapelain.

Dominicain en disgrâce, qu'un sort contraire et le goût du vin avaient fait échouer à cette desserte de prison, le chapelain, tout en chantant, se demandait si le changement de règne n'apporterait pas quelque modification dans sa propre destinée. Il résolut de ne plus boire pendant une semaine, pour mettre la Providence dans son jeu et se préparer à accueillir un événement favorable.

— *Et lux perpetua luceat ei*, répondait le capitaine.

En même temps il pensait: «On ne saurait me faire de reproches. J'ai appliqué les ordres que j'ai reçus, voilà tout; mais je n'ai point infligé de sévices.»

— *Requiem æternam...* reprenait le chapelain.

— Alors on va point même nous bailler un setier de vin? chuchotait le soldat Gros-Guillaume au sergent Lalaine.

Quant aux deux prisonnières, elles se contentaient de remuer les lèvres, mais n'osaient prononcer le moindre répons; elles eussent chanté trop haut et trop joyeusement.

Certes, ce jour-là, dans les églises de France, il se trouvait beaucoup de gens pour pleurer le roi Philippe, ou croire qu'ils le pleuraient. Mais en vérité l'émotion, même chez ceux-là, n'était qu'une forme d'apitoiement sur eux-mêmes. Ils s'essuyaient les yeux, reniflaient, hochaient le front, parce que, avec Philippe le Bel, c'était leur temps vécu qui s'effaçait, toutes les années passées sous son sceptre, presque un tiers de siècle dont son nom resterait la référence. Ils pensaient à leur jeunesse, prenaient conscience de leur vieillissement, et les lendemains soudain leur semblaient incertains. Un roi, même à l'heure qu'il trépasse, reste pour les autres une représentation et un symbole.

La messe achevée, Marguerite de Bourgogne, passant pour sortir devant le capitaine de forteresse, lui dit :

— Messire, je souhaite vous entretenir de choses importantes, et qui vous concernent.

Bersumée éprouvait une gêne chaque fois que Marguerite de Bourgogne, lui parlant, le regardait dans les yeux.

— Je viendrai vous entendre, Madame, répondit-il, aussitôt que j'aurai fait ma ronde.

Il ordonna au sergent Lalaine de reconduire les prisonnières, en lui conseillant à voix basse un redoublement tout à la fois d'égards et de prudence.

La tour où Marguerite et Blanche étaient recluses ne se composait que de trois grandes chambres rondes, superposées et identiques, une par étage, avec chacune une cheminée à hotte et un plafond voûté. Ces pièces étaient reliées par un escalier en escargot qui tournait dans l'épaisseur du mur. Un détachement de gardes occupait en permanence la chambre du rez-de-chaussée. Marguerite logeait dans la pièce du premier étage, et Blanche dans celle du second. La nuit, les princesses étaient séparées par des portes épaisses qu'on cadenassait ; dans la journée, elles avaient le droit de communiquer.

Lorsque le sergent les eut raccompagnées, elles attendirent que les gonds et les verrous eussent grincé au bas des marches.

Puis elles se regardèrent et, du même mouvement, coururent l'une vers l'autre en s'écriant :

— Il est mort, il est mort !

Elles s'étreignaient, dansaient, riaient et pleuraient tout ensemble, et inlassablement elles répétaient :

— Il est mort !

Elles arrachèrent leurs béguins de toile et libérèrent leurs cheveux courts, leurs cheveux de sept mois.

— Un miroir ! La première chose que je veux, c'est un miroir, s'écria Blanche comme si elle allait être libérée sur l'heure et déjà n'avait plus à se soucier que de son apparence.

Marguerite était casquée de petites boucles noires, tassées et crépues. Les cheveux de Blanche avaient repoussé inégalement, par mèches drues et pâles, pareilles à du chaume. Les deux femmes se passaient les doigts, instinctivement, sur la nuque.

— Crois-tu que je pourrai être jolie à nouveau ? demanda Blanche.

— Comme je dois avoir vieilli, pour que tu me poses pareille question ! répondit Marguerite.

Ce que les deux princesses avaient subi depuis le printemps, le drame de Maubuisson, le jugement du roi, le monstrueux supplice infligé devant elles à leurs amants, sur la grand-place de Pontoise, les cris orduriers de la foule, et puis cette demi-année de forteresse, cette touffeur de l'été surchauffant les pierres, ce froid glacial depuis qu'était arrivé l'automne, ce vent qui gémissait sans répit dans les charpentes, cette noire bouillie de sarrasin qu'on leur servait aux repas, ces chemises aussi rugueuses que du crin qui ne leur étaient changées que tous les deux mois, ces jours interminables derrière une embrasure mince comme une meurtrière et par laquelle, de quelque manière qu'elles missent la tête, elles ne pouvaient rien apercevoir que le casque d'un invisible archer passant et repassant sur le chemin de ronde... tout cela avait trop fortement altéré le caractère de Marguerite, elle le sentait, elle le savait, pour ne pas lui avoir aussi modifié le visage.

Blanche, avec ses dix-huit ans et son étrange légèreté qui la faisait glisser en un instant de la désolation aux espoirs insensés, Blanche qui pouvait soudain s'arrêter de sangloter, parce qu'un oiseau chantait de l'autre côté du mur, et s'écrier, émerveillée : « Marguerite ! Tu entends ? Un oiseau ! »... Blanche qui croyait aux signes, à tous les signes, et qui faisait des rêves sans arrêt, comme d'autres femmes font des ourlets, Blanche, peut-être, si on la sortait de cette geôle, serait capable de retrouver son teint, son regard et son cœur d'autrefois ; Marguerite, jamais.

Depuis le début de sa captivité, elle n'avait pas versé une seule larme, ni exprimé non plus une seule pensée de remords. Le chapelain, qui la confessait chaque semaine, était effrayé de la dureté de cette âme.

Pas un moment Marguerite n'avait consenti à se reconnaître responsable de son malheur ; pas un moment elle n'avait admis que, lorsqu'on était petite-fille de Saint Louis, fille du duc de Bourgogne, reine de Navarre et future reine de France, se faire la maîtresse d'un écuyer constituait un jeu périlleux, répréhensible, qui pouvait coûter l'honneur et la liberté. Elle s'était fait justice d'avoir été mariée à un homme qu'elle n'aimait point.

Elle ne se reprochait pas d'avoir joué ; elle haïssait ses adversaires ; et c'était uniquement contre eux qu'elle tournait ses inutiles colères, contre sa belle-sœur d'Angleterre qui l'avait dénoncée, contre sa famille de Bourgogne qui ne l'avait point défendue, contre le royaume et ses lois, contre l'Église et ses commandements. Et quand elle rêvait de la liberté, elle rêvait aussitôt de vengeance.

Blanche lui passa le bras autour du cou.

— Je suis sûre, ma mie, que nos malheurs sont finis.

— Ils le seront, répondit Marguerite, à condition que nous agissions habilement et promptement.

Elle avait un vague projet en tête, qui lui était venu pendant la messe, et dont elle ne savait pas où il la mènerait. Elle voulait, de toute manière, mettre la situation à profit.

— Tu me laisseras parler seule à ce grand éhanché de Bersumée, dont j'aimerais mieux voir la tête au bout d'une pique que sur ses épaules, ajouta-t-elle.

Un moment après, les deux femmes entendirent qu'on déverrouillait les portes. Elles recoiffèrent leurs béguins. Blanche alla se placer dans l'ébrasement de l'étroite fenêtre; Marguerite s'assit sur un escabeau, seul siège dont elle disposât. Le capitaine de forteresse entra.

— Je viens, Madame, ainsi que vous m'en avez prié, dit-il.

Marguerite prit son temps, le regarda de la tête aux pieds, et dit:

— Messire Bersumée, savez-vous qui, désormais, vous gardez?

Bersumée détourna les yeux comme s'il cherchait un objet autour de lui.

— Je le sais, Madame, je le sais, répondit-il, et ne cesse d'y penser, depuis ce matin que le chevaucheur qui allait vers Criquebœuf et Rouen m'a fait éveiller.

— Voilà sept mois que je suis recluse ici; je n'ai point de linge, point de meubles, point de draps; je mange la même bouillie que vos archers, et je n'ai qu'une heure de feu par jour.

— J'ai obéi aux ordres de messire de Nogaret, Madame, répondit Bersumée.

— Guillaume de Nogaret est mort.

— Il m'avait envoyé les instructions du roi.

— Le roi Philippe est mort.

Devinant où Marguerite voulait en venir, Bersumée répliqua:

— Mais Monseigneur de Marigny est toujours vivant, Madame, qui commande la justice et les prisons comme il commande toutes choses au royaume, et de qui je dépends pour tout.

— Le chevaucheur de ce matin ne vous a donc point porté de nouveaux ordres?

— Aucun, Madame.

— Vous n'allez point tarder à en recevoir.

— Je les attends, Madame.

Robert Bersumée paraissait plus âgé que ses trente-cinq ans. Il offrait cette mine soucieuse, bougonne, que prennent volontiers les soldats de carrière et qui, à force d'être affectée, leur devient naturelle. Pour le service ordinaire dans la forteresse, il portait un bonnet de peau de loup et une vieille cotte de mailles un peu lâche, noircie par la graisse, et qui blousait autour du ceinturon. Ses sourcils se rejoignaient au-dessus du nez.

Marguerite, au début de sa captivité, s'était presque sans détours offerte à lui, dans l'espoir de s'en faire un allié. Il avait esquivé devant chaque avance, moins par vertu que par prudence. Mais il conservait rancune à Marguerite pour le mauvais rôle qu'elle lui avait fait tenir. Aujourd'hui, il se demandait si cette sage conduite lui vaudrait personnellement faveur ou représailles.

— Cela ne m'a point été plaisir, Madame, reprit-il, que d'avoir à infliger tels traitements à des femmes... et de si haut rang que vous l'êtes.

— Je l'imagine, messire, je l'imagine, répondit Marguerite, car on sent en vous le chevalier, et les choses qu'on vous a commandées ont dû fort vous répugner.

Le capitaine de forteresse sortait du commun peuple ; aussi n'entendit-il pas sans quelque plaisir ce mot de chevalier.

— Seulement, messire, poursuivit la prisonnière, je suis lasse de mâcher du bois pour me garder les dents blanches et de m'oindre les mains du lard de ma soupe pour que ma peau n'éclate pas de froid.

— Je comprends, Madame, je comprends.

— Je vous saurais gré de me faire désormais tenir à l'abri du gel, de la vermine et de la faim.

Bersumée baissa la tête.

— Je n'ai point d'ordres, Madame.

— Je ne suis ici que par la haine que me vouait le roi Philippe, et son trépas va tout changer, reprit Marguerite avec une belle assurance. Allez-vous attendre qu'on vous commande de m'ouvrir les portes pour témoigner quelque égard à la reine de France ? Ne croyez-vous pas que ce serait agir assez sottement contre votre fortune ?

Les militaires sont souvent de naturel indécis, ce qui les prédispose à l'obéissance et leur fait perdre beaucoup de batailles. Bersumée, s'il avait pour ses subordonnés l'injure prompte et le poing leste, ne possédait pas de grandes dispositions à l'initiative devant les situations imprévues.

Entre le ressentiment d'une femme qui, selon ce qu'elle affirmait, serait toute-puissante demain, et la colère de Monseigneur de Marigny qui était tout-puissant aujourd'hui, quel risque devait-il choisir ?

— Je voudrais aussi que Madame Blanche et moi, dit Marguerite, puissions sortir une heure ou deux de cette enceinte, sous votre conduite si vous le croyez bon, et voir autre chose que les créneaux de ces murs et les piques de vos archers.

C'était aller trop vite, et trop loin. Bersumée éventa la ruse. Ses prisonnières cherchaient à communiquer avec l'extérieur, et peut-être même à lui filer entre les doigts. Donc, elles n'étaient pas tellement assurées de leur retour en cour.

— Puisque vous êtes reine, Madame, vous comprendrez que je sois fidèle au service du royaume, dit-il, et que je ne puisse enfreindre les règlements qui m'ont été donnés.

Il sortit là-dessus, pour éviter d'avoir à discuter davantage.

— C'est un chien, s'écria Marguerite lorsqu'il eut disparu, un chien de garde qui n'est bon qu'à aboyer et à mordre.

Elle avait fait une fausse manœuvre et rageait en parcourant la chambre ronde.

Bersumée, de son côté, n'était guère plus satisfait. « Il faut s'attendre à tout, quand on est le geôlier d'une reine », se disait-il. Or s'attendre à tout, pour un soldat de métier, c'est d'abord s'attendre à une inspection.

II

MONSEIGNEUR ROBERT D'ARTOIS

La neige fondante s'égouttait des toits. Partout on balayait, partout on fourbissait. Le logis de garde retentissait de grandes claques d'eau jetée par seaux sur le dallage. On graissait les chaînes du pont-levis. On sortait les fourneaux à faire bouillir la poix, comme si la citadelle allait être attaquée sur l'heure. Depuis Richard Cœur de Lion, Château-Gaillard n'avait pas connu pareil branle-bas.

Redoutant une visite impromptue, le capitaine Bersumée avait décidé de mettre sa garnison sur pied de parade. Les poings aux hanches et le gueuloir ouvert, il parcourait le casernement, s'emportait devant les épluchures qui souillaient les cuisines, montrait d'un menton furieux les toiles d'araignées qui pendaient des poutres, se faisait présenter les équipements. Tel archer avait perdu son carquois. Où était-il, ce carquois? Et ces cottes de mailles rouillées aux emmanchures? Allez, qu'on prenne du sable à pleines mains, et qu'on frotte, et que cela brille!

— Si messire de Pareilles vient à nous tomber sur le dos, hurlait Bersumée, je ne tiens point à lui montrer une troupe de mendiants! Mouvez-vous!

Et malheur à qui ne courait pas assez vite! Le soldat Gros-Guillaume, celui qui espérait une ration de vin supplémentaire, prit un bon coup de pied dans les tibias. Le sergent Lalaine était exténué.

A piétiner la boue neigeuse, les hommes rapportaient dans les bâtiments autant de saleté qu'ils en ôtaient. Les portes battaient; Château-Gaillard ressemblait à une maison qu'on déménage. Si les princesses avaient voulu s'évader, c'eût été le moment à choisir entre tous.

Au soir Bersumée n'avait plus de voix, et ses archers somnolaient sur les créneaux.

Mais quand le surlendemain, aux premières heures de la matinée, les guetteurs aperçurent dans le paysage blanc, le long de la Seine, une troupe de cavaliers qui approchait bannière en tête, sur la route de Paris, le capitaine de forteresse se félicita des dispositions qu'il avait prises.

Il enfila rapidement sa meilleure cotte de mailles, noua sur ses bottes des éperons longs de trois pouces, se coiffa de son chapeau de fer et sortit dans la cour. Il eut quelques instants pour regarder, avec une satisfaction inquiète, la garnison alignée dont les armes luisaient dans la lumière laiteuse de l'hiver.

«Au moins, on ne pourra point me reprendre sur le chapitre de l'ordonnance, se dit-il. Et cela me rendra plus fort pour me plaindre de la maigreur de ma solde, et des retards qu'on met à me bailler l'argent avec lequel je dois nourrir mes gens.»

Déjà les trompettes sonnaient au pied de la falaise, et l'on entendait les sabots des chevaux frapper le sol crayeux.

— Les herses! Le pont!

Les chaînes du pont-levis tremblèrent dans leurs glissières et, une minute plus tard, quinze écuyers aux armes royales, entourant un grand cavalier rouge posé sur sa monture comme s'il figurait sa propre statue équestre, franchissaient en trombe la voûte du corps de garde et débouchaient dans la seconde enceinte de Château-Gaillard.

«Est-ce le nouveau roi? pensa Bersumée en se précipitant. Seigneur! Est-ce déjà le roi qui vient chercher sa femme?»

Son souffle était tranché par l'émotion. Il fut un moment avant de pouvoir distinguer clairement l'homme au manteau sang de bœuf qui avait mis pied à terre et, colosse de drap, de fourrure, de cuir et d'argent, se fendait un chemin parmi les écuyers. Une large buée fumante montait du poil des chevaux.

— Service du roi! dit l'immense cavalier en agitant sous le nez de Bersumée, sans lui laisser le temps de lire, un parchemin auquel pendait un sceau. Je suis le comte Robert d'Artois.

Les salutations furent brèves. Monseigneur Robert d'Artois fit fléchir Bersumée en lui posant la main sur l'épaule afin de marquer qu'il n'était point hautain. Puis il réclama du vin chaud pour lui et toute son escorte, d'une voix qui fit se retourner les guetteurs sur les chemins de ronde.

Depuis la veille, Bersumée s'était préparé à briller, à se montrer le gouverneur parfait d'une forteresse sans défaut, et à se conduire en sorte qu'on se souvînt de lui. Il avait même une harangue toute prête; elle lui resta dans la gorge pour jamais. Il s'entendit bredouiller de pauvres flagorneries, se trouva invité à boire le vin qu'on lui demandait et fut poussé vers les quatre pièces de son logement dont les proportions lui parurent rapetissées. Jusque-là, Bersumée s'était toujours jugé homme de belle taille; devant ce visiteur, il se sentait nain.

— Comment se portent les prisonnières? dit Robert d'Artois.

— Fort bien, Monseigneur, elles se portent fort bien, je vous en remercie, répondit Bersumée sottement, comme si on lui demandait nouvelles de sa famille.

Et il avala de travers le contenu de son gobelet.

Mais déjà Robert d'Artois sortait, à grandes enjambées, et l'instant d'après Bersumée escaladait derrière lui l'escalier de la tour où logeaient les recluses.

Sur un signe, le sergent Lalaine, dont les doigts tremblaient, tira les verrous.

Marguerite et Blanche attendaient, debout au milieu de la pièce ronde. Elles eurent le même mouvement instinctif pour se rapprocher l'une de l'autre et se prendre la main.

— Vous, mon cousin! dit Marguerite.

D'Artois s'était arrêté dans l'encadrement de la porte qu'il bouchait complètement. Il clignait des yeux. Comme il ne répondait rien, tout occupé à contempler les deux femmes, Marguerite reprit, la voix vite affermie:

— Regardez-nous, oui, regardez-nous bien! Et voyez la misère où l'on nous a réduites. Cela doit vous changer du spectacle de la cour, et du souvenir que vous aviez de nous. Point de linge. Point de robes. Point de nourriture. Et point de siège à offrir à un aussi gros seigneur que vous!

«Savent-elles?» se demandait d'Artois en avançant lentement. «Savent-elles la part que j'ai prise dans leur perte, et que c'est moi qui ai tendu le piège où elles sont tombées?»

— Robert, est-ce notre délivrance que vous nous apportez? s'écria Blanche de Bourgogne.

Elle venait vers le géant, les mains tendues, les yeux brillants d'espérance.

«Non, elles ne savent rien, pensa d'Artois, et cela va rendre ma mission plus aisée.»

Il se retourna d'un bloc.

— Bersumée, dit-il, il n'y a donc point de feu ici?

— Non, Monseigneur.

— Qu'on en fasse! Et point de meubles?

— Non, Monseigneur; les ordres que j'avais...

— Des meubles! Qu'on ôte ce grabat! Qu'on mette un lit, des chaises à s'asseoir, des tentures, des flambeaux. Ne me dis pas que tu n'as rien. J'ai vu ce qu'il faut dans ta demeure.

Il avait empoigné le capitaine par le bras.

— Et à manger, dit Marguerite. Dites à notre bon gardien, qui nous fait servir une chère que les porcs laisseraient au fond de leur auge, de nous bailler enfin un repas.

— Et à manger, bien sûr, Madame! dit d'Artois. Des pâtés et des rôts. Des légumes frais. De bonnes poires d'hiver et des confitures. Et du vin, Bersumée, beaucoup de vin!

— Mais, Monseigneur... gémit le capitaine.

— Tu m'as compris, je t'en sais gré! dit d'Artois en le poussant dehors.

Il claqua l'huis d'un coup de botte.

— Mes bonnes cousines, reprit-il, je m'attendais au pire, en vérité. Mais je vois avec soulagement que ce triste séjour n'aura point entamé les deux plus beaux visages de France.

— Nous nous lavons encore, dit Marguerite. Nous avons de l'eau à suffisance.

D'Artois s'était assis sur l'escabeau et continuait d'observer les prisonnières. « Ah! mes oiselles, se chantait-il intérieurement, voilà ce qu'il en est d'avoir voulu se tailler des parures de reines dans l'héritage de Robert d'Artois! » Il essayait de deviner si, sous la bure de leurs robes, les corps des deux jeunes femmes avaient perdu leurs belles courbes de naguère. Il était pareil à un gros chat s'apprêtant à jouer avec des souris en cage.

— Marguerite, demanda-t-il, en quel point sont vos cheveux? Sont-ils bien fournis à nouveau?

Marguerite de Bourgogne sursauta comme sous une piqûre.

— Debout, Monseigneur d'Artois! s'écria-t-elle d'une voix de colère. Si réduite à misère que vous me trouviez ici, je ne tolère pas encore qu'un homme soit assis en ma présence, quand je ne le suis pas!

Il se releva lentement, ôta son chaperon et salua, d'un large mouvement ironique. Marguerite se détourna vers la fenêtre; dans la lame de lumière qui en venait, Robert put mieux distinguer le visage de sa victime. Les traits avaient conservé leur beauté; mais toute douceur en était disparue. Le nez était plus maigre, les yeux plus enfoncés. Les fossettes qui le printemps dernier se creusaient au coin des joues ambrées étaient devenues de toutes petites rides. « Allons, se dit d'Artois, elle a gardé de la défense. Le jeu n'en sera que plus divertissant. » Il aimait avoir à lutter pour triompher.

— Ma cousine, dit-il avec une feinte bonhomie, je n'avais point dessein de vous insulter; vous vous êtes méprise. Je voulais savoir simplement si vos cheveux étaient redevenus assez longs pour que vous puissiez vous présenter au monde.

Marguerite ne put refréner un mouvement de joie.

« ... Me présenter au monde... Cela veut donc dire que je vais sortir. Suis-je graciée? Est-ce le trône qu'il m'apporte? Non, ce n'est point cela, il me l'aurait annoncé aussitôt... » ~

Elle pensait trop vite et se sentait vaciller.

— Robert, dit-elle, ne me faites point languir. Ne soyez pas cruel. Qu'êtes-vous venu me dire?

— Ma cousine, je suis venu vous délivrer...

Blanche poussa un cri, et Robert pensa qu'elle allait tomber en pâmoison. Il avait laissé sa phrase en suspens.

— ... un message, acheva-t-il.

Il prit plaisir à voir s'affaisser les épaules des deux femmes, et à entendre deux soupirs de déception.

— Un message de qui? demanda Marguerite.

— De Louis, votre époux, notre roi désormais. Et de notre bon cousin Monseigneur de Valois. Mais je ne puis parler qu'à vous seule. Blanche veut-elle se retirer?

— Certes, dit Blanche avec soumission, je vais me retirer. Mais avant, mon cousin, laissez-moi savoir... Charles, mon mari?

— La mort de son père l'a fort blessé.

— Et de moi... que pense-t-il? Parle-t-il de moi?

— Je crois qu'il vous regrette, en dépit de ce qu'il a souffert par vous. Depuis Pontoise, on ne l'a jamais vu gai comme il était avant.

Blanche fondit en larmes.

— Croyez-vous, demanda-t-elle, qu'il me donne mon pardon?

— Cela dépend beaucoup de votre cousine, répondit d'Artois en désignant Marguerite.

Il alla ouvrir la porte, suivit Blanche des yeux tandis qu'elle montait vers le second étage, referma. Puis il vint s'asseoir sur un étroit siège de pierre maçonné dans le flanc de la cheminée, en disant:

— Vous permettez à présent, ma cousine?... Il faut avant tout que je vous instruise des choses de la cour, comme elles vont en ce moment.

Le courant d'air glacial qui venait par la hotte le fit se relever.

— C'est vrai qu'on gèle ici, dit-il.

Et il alla se replanter sur l'escabeau, tandis que Marguerite s'asseyait, jambes repliées, sur le bat-flanc couvert de paille qui lui servait de couche. D'Artois reprit:

— Depuis ces derniers jours que le roi Philippe agonisait, Louis, votre époux, paraît en pleine confusion. S'éveiller roi, quand on a dormi prince, demande un peu d'accoutumance. Son trône de Navarre, il ne l'occupait guère que de nom, et tout s'y commandait sans lui. Vous me direz que Louis a vingt-cinq ans et qu'à cet âge on peut régner; mais vous savez tout comme moi que le jugement, sans lui faire injure, n'est point la qualité par laquelle il brille. Donc, en ce premier temps, son oncle Charles de Valois le seconde en tout, et dirige les affaires avec Enguerrand de Marigny. L'ennui, c'est que ces deux puissants esprits s'aiment peu, et entendent mal ce que l'un dit à l'autre. On voit même que bientôt ils ne s'entendront plus du tout, ce qui ne saurait durer beaucoup, car le chariot du royaume ne peut être tiré par deux chevaux qui se battent dans les traits.

D'Artois avait complètement changé de ton. Il parlait posément, nettement, montrant par là que dans la turbulence de ses entrées il mettait une bonne part de comédie.

— Pour moi, vous le savez, reprit-il, je n'aime pas fort Enguerrand, qui m'a beaucoup nui, et je soutiens de plein cœur mon cousin Valois, dont je suis l'ami et l'allié en tout.

Marguerite s'appliquait à saisir ces intrigues dans lesquelles d'Artois la replongeait brusquement. Elle n'était plus au courant de rien, et il lui semblait sortir d'un long sommeil de la pensée.

— Louis me hait-il toujours?

— Ah! ça oui, je ne vous le cache pas, il vous hait bien! Avouez qu'il y a de quoi. La paire de cornes dont vous lui avez décoré la tête le gêne assez pour mettre par-dessus la couronne de France. Remarquez, ma cousine, si c'était à moi qu'on en eût fait autant, je n'aurais point été le clabauder dans tout le royaume. J'aurais agi de sorte que je pusse feindre que mon honneur était sauf. Mais enfin votre époux et feu le roi votre beau-père en jugeaient autrement, et les choses en sont au point qu'elles sont.

Il avait bel aplomb à déplorer un scandale qu'il s'était ingénié, par tous les moyens, à faire éclater. Il poursuivit:

— La première idée de Louis, après qu'il ait vu son père froid, et la seule qu'il ait en tête pour le moment, c'est de sortir de l'embarras où il est par votre faute, et d'effacer la honte dont vous l'avez couvert.

— Que veut Louis? demanda Marguerite.

D'Artois souleva sa jambe monumentale et frappa le dallage, deux ou trois fois, du talon.

— Il veut demander l'annulation de votre mariage, répondit-il, et vous voyez qu'il la souhaite rapidement puisqu'il n'a pas traîné à me dépêcher vers vous.

«Ainsi, je ne serai jamais reine de France», pensa Marguerite. Les rêves insensés dont elle avait voulu se bercer depuis la veille étaient déjà anéantis. Une journée de rêve pour sept mois de prison... et pour toute la vie!

A ce moment deux soldats entrèrent chargés de bois et de fagots, et allumèrent le feu.

Dès qu'ils furent sortis, Marguerite, avidement, vint tendre les mains aux flammes qui s'élevaient, couleur de géranium, sous la grande hotte de pierre. Elle demeura silencieuse quelques instants, se laissant pénétrer du bienfait de la chaleur.

— Eh bien, dit-elle enfin avec un soupir, qu'il demande l'annulation; qu'y puis-je?

— Eh! ma cousine, vous y pouvez beaucoup justement, et l'on est prêt à vous savoir gré de quelques paroles qui ne vous coûteraient guère. Il se trouve que l'adultère n'est point motif d'annulation; c'est absurde, mais c'est ainsi. Vous pourriez avoir eu cent amants au lieu d'un, et même être allée vous rouler en bordeau, vous n'en seriez pas moins toujours indissolublement mariée à l'homme auquel vous vous êtes unie par-devant Dieu. Interrogez le chapelain, ou qui vous plaira. Moi-même, je me suis fait expliquer ces choses, car je ne suis guère savant en droit canon. Un mariage ne se rompt point, et si l'on veut le casser, il faut prouver qu'il y avait empêchement à ce qu'il fût contracté, ou bien encore qu'il n'a pas été consommé. Vous suivez mon propos?

— Oui, oui, je vous entends, dit Marguerite.

— Alors voici, reprit le géant, ce que Monseigneur de Valois a imaginé pour tirer Louis d'affaire.

Il prit un temps, se racla la gorge.

— Vous acceptez de reconnaître que votre fille Jeanne n'est point de Louis; vous reconnaissez que vous vous êtes toujours refusée de corps à votre époux, et qu'ainsi il n'y a pas eu vraiment mariage. Vous déclarez cela tout benoîtement devant moi et devant votre chapelain qui contresigne. On trouvera sans peine, parmi vos anciens serviteurs ou familiers, quelques témoins de complaisance pour certifier la chose. De la sorte le lien ne peut plus être défendu, et l'annulation va de soi.

— Et que m'offre-t-on en échange?

— En échange? répéta d'Artois. En échange, ma cousine, on vous offre d'être conduite dans quelque couvent du duché de Bourgogne, jusqu'à ce que l'annulation soit prononcée, et ensuite de vivre comme il vous siéra ou comme il siéra à votre famille.

Dans le premier mouvement, Marguerite faillit répondre: «J'accepte; je déclare et signe tout ce qu'on veut, à condition que je sorte d'ici.» Mais elle vit d'Artois qui l'épiait, paupières mi-closes sur ses yeux gris, avec une dureté fort peu accordée au ton débonnaire qu'il s'efforçait de prendre. «Je vais signer, pensa-t-elle, et ensuite on me maintiendra en geôle.» Puisqu'on venait lui proposer un marché, on avait besoin d'elle.

— C'est vouloir me faire professer un gros mensonge, dit-elle.

D'Artois éclata de rire.

— Eh là, ma cousine! Vous en avez professé quelques autres, il me semble, et sans trop de scrupules!

— Il se peut que j'aie changé, et me sois repentie. Il me faut réfléchir avant de décider.

Robert d'Artois fit une curieuse grimace, tordant les lèvres de droite à gauche.

— Soit, dit-il, mais réfléchissez vite. Car je dois être à Paris le matin d'après demain, pour la grand-messe de funérailles du roi Philippe, à Notre-Dame. Vingt-trois lieues à me caler dans les bottes. Avec ces chemins où l'on enfonce de deux pouces dans la crotte, le jour qui tombe tôt et se lève tard, je ne puis guère muser. Je m'en vais dormir une heure et vous viendrai retrouver pour manger avec vous. Il ne sera pas dit que je vous laisserai seule, ma cousine, le premier jour où vous ferez bonne chère. Vous aurez décidé comme il faut, j'en suis sûr.

Il sortit vivement, et manqua de renverser dans l'escalier l'archer Gros-Guillaume qui montait, suant et courbé sous un énorme coffre. D'autres meubles s'entassaient au bas des marches.

D'Artois s'engouffra dans le logement dévasté du capitaine de forteresse et se jeta sur la seule couche qui y restât.

— Bersumée, mon ami, que le dîner soit prêt dans une heure, dit-il. Et appelle mon valet Lormet, qui doit être parmi les écuyers, pour qu'il vienne veiller mon sommeil.

Car ce colosse ne craignait rien, sinon de s'offrir sans défense à ses ennemis pendant qu'il dormait. Et à tout varlet ou bachelier, il préférait, comme garde, le serviteur trapu, carré, grisonnant, qui le suivait partout et le servait en tout, aussi habile à le pourvoir de filles qu'à poignarder silencieusement un gêneur si quelque affaire tournait mal dans une taverne. Avec cela malicieux, mais jouant à merveille les niais, et d'autant plus dangereux qu'il ne payait pas de mine, Lormet était un espion excellent. Quand on lui demandait ce qui l'attachait si fort à Monseigneur Robert, le bonhomme, ses joues rondes traversées d'un sourire auquel manquaient trois dents, répondait :

— C'est parce que dans chacun de ses vieux manteaux, je peux m'en tailler deux.

Dès que Lormet fut entré, Robert ferma les yeux et s'endormit dans l'instant, bras ouverts, pieds écartés, le ventre soulevé d'un bon souffle d'ogre.

Lormet s'assit sur un tabouret, sa dague posée en travers des genoux, et se mit en surveillance devant le sommeil du géant.

Une heure plus tard Robert d'Artois s'éveilla de lui-même, s'étira comme un gros tigre, et se dressa, reposé de muscles et frais d'esprit.

— A toi d'aller dormir maintenant, mon bon Lormet, dit-il ; mais auparavant, va me quérir le chapelain.

III

LA DERNIÈRE CHANCE D'ÊTRE REINE

Le dominicain en disgrâce arriva aussitôt, tout agité d'être mandé en particulier par un si haut baron.

— Mon frère, lui dit d'Artois, vous connaissez bien Madame Marguerite puisque vous la confessez. Quel est le faible de sa nature?

— La chair, Monseigneur, répondit le chapelain en baissant modestement les yeux.

— Grande nouvelle en vérité! Mais encore... Y a-t-il quelque sentiment chez elle sur lequel on puisse peser, pour lui faire entendre certaines choses qui sont dans son intérêt comme dans celui du royaume?

— Je ne vois pas, Monseigneur. Je ne vois rien en elle qui puisse fléchir... sauf sur le point que je vous ai dit. Cette princesse a l'âme dure comme une épée, et même la prison n'en a pas émoussé le tranchant. Ah! Ce n'est point, croyez-le, une pénitente facile!

Les mains dans les manches, le front incliné, il essayait de se montrer à la fois pieux et habile. Il n'avait pas été tondu récemment, et son crâne, au-dessus de la couronne de cheveux, se couvrait d'une rase fourrure beige. Son froc blanc était marbré de taches de vin mal effacées au lavage.

D'Artois resta silencieux un instant, se frottant la joue parce que la tonsure du chapelain le faisait songer à sa barbe qui commençait à pousser.

— Et sur le point que vous m'avez dit, reprit-il, qu'a-t-elle trouvé ici pour satisfaire... sa faiblesse, puisque c'est ainsi que vous nommez cette sorte de vigueur?

— A ma connaissance, rien, Monseigneur.

— Bersumée? Il ne lui fait jamais de visite un peu longue.

— Jamais, Monseigneur; je puis en répondre, s'écria le chapelain.

— Et... avec vous?

— Oh! Monseigneur!

— Allons, allons! dit l'Artois. Cela s'est déjà vu, et l'on connaît plus d'un de vos pareils qui, son froc ôté, se sent homme autant qu'un autre. Pour ma part je n'y vois pas offense, et même, pour vous dire franc, j'y verrais plutôt matière à louange... Et avec sa cousine? Les deux dames ne se consolent point un peu entre elles?

— Monseigneur! dit le chapelain, affectant de plus en plus un pieux effarouchement. C'est un secret de confession que vous me demandez là!

D'Artois lui adressa une bourrade amicale.

— Allons, allons, messire chapelain, ne plaisantez point. Si l'on vous a mis desservant de prison, ce n'est pas pour garder les secrets, c'est pour les répéter... à qui de droit.

— Ni Madame Marguerite, ni Madame Blanche, ne se sont jamais accusées à moi d'être coupables de rien de semblable, sinon en rêve, dit le chapelain en baissant les yeux.

— Ce qui ne prouve pas qu'elles sont innocentes, mais qu'elles sont prudentes. Savez-vous écrire?

— Certes, Monseigneur.

— Ah bah! fit d'Artois d'un air étonné. Tous les moines ne sont donc pas d'aussi fieffés ignorants qu'on le dit!... Alors, mon petit frère, vous allez prendre du parchemin, des plumes, et tous les ingrédients qu'il faut pour gratter une lettre, et vous tenir au bas de la tour des princesses, prêt à grimper dès que je vous appellerai.

Le chapelain s'inclina. Il avait quelque chose à ajouter, mais d'Artois, s'enveloppant de son grand manteau d'écarlate, sortait. Le chapelain courut derrière lui.

— Monseigneur, Monseigneur, dit-il d'une voix pleine d'onction, auriez-vous la grande bonté, si ce n'est point vous offenser que de vous faire pareille requête, auriez-vous l'immense bonté...

— Quoi donc? Quelle bonté?

— Eh bien, Monseigneur, de dire à frère Renaud, le grand inquisiteur, s'il vous arrive de le voir, que je suis toujours son bien obéissant fils, et aussi qu'il ne m'oublie pas trop longtemps dans ce château fort, où je sers de mon mieux puisque Dieu m'y a mis; mais j'ai quelques mérites, Monseigneur, ainsi que vous l'avez pu voir, et je souhaiterais qu'on leur donnât un autre emploi.

— J'y penserai, je lui dirai, répondit d'Artois qui savait déjà qu'il n'en ferait rien.

Dans la chambre de Marguerite, les deux princesses achevaient leur toilette. Elles venaient de se laver longuement devant le feu, faisant durer ce plaisir retrouvé. Leurs courts cheveux étaient encore emperlés de gouttelettes; et elles avaient juste revêtu de grandes chemises blanches, raides d'empois, trop vastes et fermées au col par une coulisse. Quand la porte s'ouvrit, les deux femmes eurent un même mouvement de recul pudique.

— Oh! mes cousines, dit Robert, ne vous souciez point. Restez donc ainsi. Je suis de la famille. Et puis ces chemises vous cachent mieux que les robes dans lesquelles vous vous montriez naguère. Vous avez tout juste l'air de petites nonnains. Mais vous offrez meilleur aspect que tout à l'heure, et les couleurs commencent à vous revenir. Avouez que votre sort n'a pas tardé à changer, depuis que je suis arrivé!

— Oh! oui, merci, mon cousin! s'écria Blanche.

La pièce était transformée. On y avait installé un lit, deux coffres qui formaient bancs, une chaise à dossier, des tréteaux et une table sur laquelle étaient disposés les écuelles, les gobelets et le vin de Bersumée. Un cierge était allumé, car bien que midi n'eût pas encore sonné à la grêle cloche de la chapelle, la lumière de ce jour neigeux n'éclairait déjà plus l'intérieur de la tour. Dans la cheminée flambaient de lourdes bûches dont l'humidité s'échappait par les bouts, en petites bulles, avec un bruit chuintant.

Aussitôt après Robert entrèrent le sergent Lalaine, l'archer Gros-Guillaume et un autre soldat, qui montaient un potage épais et fumant, un gros pain briais rond comme une tourte, un pâté de cinq livres dans une croûte dorée, un lièvre rôti, des quartiers d'oie confite et quelques poires crassanes que Bersumée, en menaçant de faire raser le bourg, avait pu dénicher dans les Andelys.

— Comment, s'écria d'Artois, est-ce tout ce que vous nous portez quand j'avais demandé bonne chère?

— C'est miracle encore, Monseigneur, qu'on ait pu trouver cela, par ce temps de famine, répondit Lalaine.

— Temps de famine pour les gueux, peut-être, qui sont si fainéants qu'ils voudraient que la terre produise sans qu'ils aient à la creuser; mais non pour les gens de bien! Je n'aurai jamais fait si petit menu depuis le temps que je tétais au sein.

Les prisonnières regardaient avec des yeux de jeunes fauves ces victuailles étalées que d'Artois affectait de mépriser. Blanche en avait les larmes au bord des paupières. Et les trois soldats aussi contemplaient la table, avec des yeux de convoitise émerveillée.

Gros-Guillaume, qui n'était gras que de seigle bouilli, s'approcha prudemment pour tailler le pain, car il servait ordinairement le dîner du capitaine.

— Non! hurla d'Artois, ne touche point mon pain de tes sales pattes. Nous trancherons nous-mêmes. Fuyez, avant que je ne me fâche!

Une fois les archers disparus il ajouta, se voulant facétieux:

— Allons! Je vais m'habituer un peu à la vie de prison. Qui sait?...

Il invita Marguerite à s'asseoir sur la chaise à dossier.

— Blanche et moi nous siégerons sur ce banc, dit-il.

Il versa le vin et, levant son gobelet devant Marguerite, lança :

— Vive la reine !

— Ne vous moquez point de moi, mon cousin, dit Marguerite de Bourgogne. C'est manquer de charité.

— Je ne me moque point. Entendez mes paroles pour ce qu'elles veulent dire. Vous êtes reine de fait, ce jour encore... et je vous souhaite de vivre, tout simplement.

Là-dessus le silence tomba, car ils se mirent à dîner. Tout autre que Robert se fût ému de voir les deux femmes se jeter sur les mets comme des pauvresses. Elles ne cherchaient même pas à feindre la retenue, et lampaient le potage et mordaient au pâté sans presque prendre le temps de respirer.

D'Artois avait piqué le lièvre au bout de sa dague, et le présentait aux braises de la cheminée pour le réchauffer. Ce faisant, il continuait d'observer ses cousines, et un rire gras lui montait à la gorge. « Je poserais leurs écuelles à terre qu'elles se mettraient à quatre pattes pour les lécher. »

Elles buvaient le vin du capitaine comme si elles avaient voulu compenser d'un coup sept mois d'eau de citerne ; le sang leur montait aux joues. « Elles vont être malades, pensait d'Artois, et finir cette belle journée en vomissant leurs tripes. »

Lui-même mangeait pour une escouade. Son prodigieux appétit, qu'il tenait de famille, n'était pas légende, et il aurait fallu couper en quatre chacune de ses bouchées pour les offrir à un gosier normal. Il dévorait l'oie confite ainsi que d'ordinaire on grignote les grives, en mâchant les os. Il s'excusa, modeste, de n'en pas user de même avec la carcasse du lièvre.

— Les os de lièvre, expliqua-t-il, se brisent en biseau et déchirent les entrailles.

Quand enfin chacun fut repu, d'Artois fit un signe à Blanche, l'invitant à se retirer. Elle se leva sans se faire prier, encore qu'elle eût les jambes un peu fléchissantes. La tête lui tournait, et elle semblait en grand besoin de trouver un lit. Robert eut alors, exceptionnellement, une pensée charitable. « Si elle sort ainsi au froid, elle va crever. »

— A-t-on fait aussi du feu chez vous ? demanda-t-il.

— Oui, merci, mon cousin, répondit Blanche. Notre vie est vraiment toute changée, grâce à vous. Ah ! je vous aime, mon cousin... vraiment je vous aime bien... Vous le direz à Charles, n'est-ce pas... vous lui direz que je l'aime... qu'il me pardonne puisque je l'aime.

Elle aimait tout le monde dans le moment présent. Elle était gentiment saoule, et manqua s'étaler dans l'escalier. « Si je ne cherchais ici que mon divertissement, pensa d'Artois, celle-là ne me ferait guère de résistance. Donnez du vin en suffisance à une princesse ; vous ne tarderez point à la voir se conduire en ribaude. Mais l'autre aussi me paraît cuite à point. »

Il rechargea le feu d'une grande bûche, remplit les gobelets pour Marguerite et pour lui-même.

— Alors, ma cousine, dit-il, avez-vous réfléchi?

Marguerite semblait tout amollie par la chaleur autant que par le vin.

— J'ai réfléchi, Robert, j'ai réfléchi. Et je crois bien que je vais refuser, répondit-elle en rapprochant sa chaise du foyer.

— Allons, ma cousine, vous ne parlez pas de bon sens! s'écria Robert.

— Mais si, mais si. Je crois bien que je vais refuser, répéta-t-elle d'une voix douce.

Le géant eut un mouvement d'impatience.

— Marguerite, écoutez-moi. Vous avez tout avantage à accepter maintenant. Louis est impatient de nature, prêt à céder n'importe quoi pour obtenir sur-le-champ ce qu'il désire. Jamais plus vous ne pourrez en tirer si bon parti. Consentez à déclarer ce qu'on vous demande. Votre affaire n'a pas besoin d'aller devant le Saint-Siège; elle peut être jugée par le tribunal épiscopal de Paris. Avant trois mois, vous aurez repris pleine liberté de vous-même.

— Sinon?...

Elle se tenait un peu penchée vers le feu, les paumes offertes à la flamme, et dodelinant la tête. Le cordonnet qui fermait le col de sa longue chemise s'était dénoué, et elle offrait sa gorge, profondément, aux regards de son cousin. « La mâtine a gardé de beaux seins, pensait d'Artois, et ne semble pas avare de les montrer... »

— Sinon?... répéta-t-elle.

— Sinon l'annulation sera prononcée de toute manière, ma mie, car on trouve toujours un motif pour annuler le mariage d'un roi. Aussitôt qu'il y aura un pape...

— Ah! il n'y a donc toujours pas de pape? dit Marguerite.

Robert d'Artois se pinça les lèvres; il avait fait une faute. Il n'avait pas songé que Marguerite de Bourgogne pouvait ignorer, au fond de sa prison, ce dont le monde entier était informé, à savoir que, depuis la mort de Clément V, le conclave ne réussissait pas à élire un nouveau pontife. Il venait de fournir une bonne arme à son adversaire, laquelle, s'il en jugeait par la vitesse de la réaction, n'était pas aussi alanguie qu'elle voulait le paraître.

Cette bévue commise, il tenta de la tourner à son avantage en jouant le jeu de la fausse franchise, où il était maître.

— Mais c'est bien là votre chance! s'écria-t-il, et c'est justement ce que je veux vous faire entendre. Dès que ces pendards de cardinaux, qui tiennent marché de promesses comme s'ils étaient en foire, auront assez vendu leurs voix pour consentir à se mettre d'accord, Louis n'aura plus besoin de vous. Vous aurez seulement obtenu qu'il vous haïsse un peu plus, et qu'il vous tienne enfermée ici à jamais.

— Je vous comprends bien. Mais je comprends également qu'aussi longtemps qu'il n'y a point de pape, on ne peut rien sans moi.

— C'est bêtise que de vous obstiner, ma mie.

Il vint près d'elle, lui posa sur le cou sa lourde patte, et se mit à lui caresser l'épaule, sous la chemise.

Le contact de cette grande main musclée parut troubler Marguerite.

— Quel si grand intérêt, Robert, dit-elle doucement, avez-vous à ce que j'accepte?

Il se pencha jusqu'à effleurer des lèvres ses bouclettes noires. Il sentait le cuir et la sueur de cheval; il sentait la fatigue, il sentait la boue; il sentait le gibier et les nourritures fortes. Marguerite était comme enveloppée dans cette épaisse odeur de mâle.

— Je vous aime bien, Marguerite, répondit-il; je vous ai toujours bien aimée, vous le savez. Et maintenant nos intérêts sont unis. Il vous faut retrouver votre liberté. Et moi je veux satisfaire Louis, afin qu'il me favorise. Vous voyez bien que nous devons être alliés.

En même temps il plongeait la main fort avant dans le corsage de Marguerite, sans que celle-ci lui opposât aucune résistance. Au contraire, elle appuyait la tête contre le poignet de son cousin, et semblait s'abandonner.

— N'est-ce pas pitié, reprit Robert, que si beau corps, si doux et alléchant, soit privé des plaisirs de nature?... Acceptez, Marguerite, et je vous emmène avec moi ce jour même, loin de cette prison; je vous conduis d'abord en quelque douillette hôtellerie de couvent, où je pourrai vous aller visiter souvent et veiller sur vous... Que vous importe, en vérité, de déclarer que votre fille n'est pas de Louis, puisque vous n'avez jamais aimé cette enfant?

Elle leva les yeux.

— Si je n'aime point ma fille, dit-elle, n'est-ce pas la preuve justement qu'elle est bien de mon époux?

Elle demeura rêveuse un moment, le regard en l'air. Les bûches s'écroulèrent dans l'âtre, illuminant la pièce d'un grand jaillissement d'étincelles. Et Marguerite soudain se mit à rire.

— Qu'est-ce donc qui vous amuse? lui demanda Robert.

— Le plafond, répondit-elle. Je viens de voir qu'il ressemble à celui de la tour de Nesle.

D'Artois se redressa, stupéfait. Il ne pouvait se défendre d'une certaine admiration pour tant de cynisme mêlé à tant de rouerie. «Cela, au moins, c'est une femme!» pensait-il.

Elle le regardait, gigantesque devant la cheminée, campé sur ses cuisses solides comme des troncs d'arbre. Les flammes faisaient luire ses bottes rouges et scintiller sa boucle de ceinture.

Elle se leva, et il l'attira contre lui.

— Ah! ma cousine, dit-il. Si c'était moi qu'on vous eût fait épouser... ou bien si vous m'aviez choisi pour amant en place de ce jeune niais d'écuyer, les choses ne se seraient point passées de même pour vous... et nous aurions été bien heureux.

— Peut-être, murmura-t-elle.

Il la tenait aux reins, et il avait l'impression que dans un instant elle ne serait plus capable de penser.

— Il n'est pas trop tard, Marguerite, murmura-t-il.

— Peut-être pas... répondit-elle d'une voix étouffée, consentante.

— Alors délivrons-nous d'abord de cette lettre à écrire, pour n'être plus ensuite occupés que de nous aimer. Faisons monter le chapelain qui attend en bas...

Elle se dégagea d'un bond, les yeux brillants de colère.

— Il attend en bas, vraiment? Ah! mon cousin, m'avez-vous crue si sotte que de me laisser prendre à vos câlineries? Vous venez d'en user avec moi comme les catins font d'ordinaire avec les hommes, leur irritant les sens pour les mieux soumettre à leurs volontés. Mais vous oubliez qu'à ce métier-là, les femmes sont plus fortes, et vous n'y êtes qu'un apprenti.

Elle le défaisait, nerveuse, dressée, et renouait le col de sa chemise.

Il l'assura qu'elle se trompait du tout, qu'il ne souhaitait que son bien, qu'il était sincèrement épris d'elle...

Marguerite le considérait d'un air narquois. Il la reprit dans ses bras, encore que maintenant elle se défendît, et la porta vers le lit.

— Non, je ne signerai point! criait-elle. Violez-moi si vous le voulez, car vous êtes trop lourd pour que je puisse résister; mais je dirai au chapelain, je dirai à Bersumée, je ferai savoir à Marigny quel bel ambassadeur vous faites, et comment vous avez abusé de moi.

Il la lâcha, furieux.

— Jamais, entendez-vous, poursuivit-elle, vous ne me ferez avouer que ma fille n'est pas de Louis; parce que si Louis venait à mourir, ce que je souhaite de toute mon âme, alors c'est ma fille qui deviendrait la reine de France, et il faudrait bien compter avec moi, comme reine-mère.

D'Artois resta interdit un instant. « Elle pense droit, la fieffée garce, se dit-il, et le sort pourrait lui donner raison... » Il était maté.

— C'est petite chance que vous courez là, répliqua-t-il enfin.

— Je n'en ai point d'autre; je la garde.

— Comme vous voudrez, ma cousine, dit-il en gagnant la porte.

Son échec lui avait mis la rage au cœur. Sans autre adieu, il dévala l'escalier et trouva le chapelain, cramoisi de froid sous ses cheveux beiges, qui battait la semelle, ses plumes d'oie à la main.

— Vous êtes un bel âne, mon petit frère, lui cria-t-il, et je ne sais point diable où vous découvrez des faiblesses chez vos pénitentes!

Puis il appela:

— Écuyers! Aux chevaux!

Bersumée surgit, toujours coiffé de son chapeau de fer.

— Monseigneur, souhaitez-vous visiter la place?

— Grand merci. Ce que j'en ai vu me suffit.

— Les ordres, Monseigneur?

— Quels ordres! Obéis à ceux que tu as reçus.

On amenait à d'Artois son cheval, et Lormet déjà présentait l'étrier.

— Et la dépense du repas, Monseigneur? demanda encore Bersumée.

— Tu te la feras compter par messire de Marigny. Allez, abaissez le pont!

D'un coup de reins, d'Artois se mit en selle et enleva sa monture de pied ferme au galop. Suivi de son escorte, il franchit le corps de garde. Bersumée, sourcils joints, bras ballants, regarda la chevauchée dévaler vers la Seine dans un grand jaillissement de boue.

IV

SAINT-DENIS

Les flammes de centaines de cierges, disposés en buissons autour des piliers, projetaient leurs lueurs mouvantes sur les tombeaux des rois. Les longs gisants de pierre semblaient parcourus de frémissements, comme en rêve, et l'on eût dit une armée de chevaliers endormis par magie au milieu d'une forêt en feu.

Dans la basilique de Saint-Denis, nécropole royale, la cour assistait à l'ensevelissement de Philippe le Bel. Faisant face à la nouvelle tombe, toute la tribu capétienne, en vêtements sombres et somptueux, se tenait alignée dans la nef centrale: princes du sang, pairs laïcs, pairs ecclésiastiques, membres du Conseil étroit, grands aumôniers, connétable, dignitaires[1] *

Accompagné de cinq officiers de l'hôtel, le souverain maître de la maison du roi s'avança d'un pas solennel au bord du caveau où le cercueil était déjà descendu; il jeta dans la fosse le bâton sculpté qui était l'insigne de sa charge, et prononça la formule qui marquait officiellement le passage d'un règne à l'autre:

— Le roi est mort! Vive le roi!

L'assistance aussitôt répéta:

— Le roi est mort! Vive le roi!

Et ce cri de cent poitrines, répercuté de travée en travée, d'ogive en ogive, alla rouler longuement dans les hauteurs des voûtes.

Le prince aux yeux fuyants, aux épaules étroites et à la poitrine creuse qui, en cette minute, devenait le roi de France, éprouva une étrange sensation dans la nuque, comme si des étoiles venaient d'y

---

* Les numéros dans le texte renvoient aux « Notes historiques », page 409. Le lecteur trouvera en fin de volume, page 817, le « Répertoire biographique » des personnages.

éclater. L'angoisse le saisit, au point qu'il craignit de tomber en défaillance.

A sa droite ses deux frères, Philippe, comte de Poitiers, et Charles, qui n'avait pas encore d'apanage, regardaient intensément la tombe.

A sa gauche se tenaient ses deux oncles, le comte de Valois et le comte d'Évreux, deux hommes de forte carrure. Le premier avait franchi la quarantaine, le second en approchait.

Le comte d'Évreux était assailli d'images anciennes. « Il y a vingt-neuf ans, nous étions trois fils nous aussi, à cette même place, devant la fosse de notre père... Et voilà maintenant que le premier de nous s'en va. La vie est déjà passée. »

Son regard se posa sur le gisant immédiatement voisin, qui était celui du roi Philippe III. « Père, pria intensément Louis d'Évreux, accueillez dans l'autre royaume mon frère Philippe, car il vous a bien succédé. »

Plus loin, se trouvaient la tombe de Saint Louis et les lourdes effigies des grands ancêtres. De l'autre côté de la nef, on apercevait les espaces vides qui s'ouvriraient un jour pour le jeune homme, dixième à porter le nom de Louis, qui accédait au trône, et après lui, règne après règne, pour tous les rois futurs. « Il y a de la place encore pour beaucoup de siècles », pensa Louis d'Évreux.

Monseigneur de Valois, les bras croisés, le menton haut, observait toute chose et veillait à ce que la cérémonie se déroulât comme elle devait.

— Le roi est mort! Vive le roi!...

Cinq fois encore, le cri retentit à travers la basilique, à mesure que défilaient, jetant leur bâton de fonction, les maîtres de l'hôtel. Le dernier bâton rebondit sur le cercueil, et le silence tomba.

Louis X fut pris à ce moment d'un violent accès de toux qu'il ne put, quelque effort qu'il fît, dominer. Un flux de sang lui vint aux joues, et il demeura une bonne minute secoué par sa quinte, comme s'il allait cracher l'âme devant la tombe de son père.

Les assistants se regardèrent; les mitres se penchèrent vers les mitres, et les couronnes vers les couronnes; il y eut des chuchotements d'inquiétude et de pitié. Chacun pensait: « Et si celui-là aussi mourait dans quelques semaines? »

Parmi les pairs laïcs, la puissante comtesse Mahaut d'Artois, haute, large, couperosée, observait son neveu Robert, dont les mâchoires émergeaient au-dessus de tous les fronts. Elle se demandait pourquoi, la veille, il était arrivé à Notre-Dame, au beau milieu de l'office funèbre, la barbe pas rasée et crotté jusqu'aux reins. D'où venait-il, qu'était-il allé faire? Dès que Robert apparaissait, il y avait de l'intrigue dans l'air. Il semblait fort en cour, ces temps-ci, ce qui ne laissait pas d'inquiéter Mahaut, elle-même tenue en défaveur depuis que ses deux filles étaient enfermées, l'une à Dourdan, l'autre à Château-Gaillard.

Entouré des légistes du Conseil, Enguerrand de Marigny, coadjuteur du souverain qu'on enterrait, portait un deuil de prince. Marigny était de ces rares hommes qui peuvent avoir la certitude d'être entrés en leur vivant dans l'Histoire, parce qu'ils l'ont faite. « Sire Philippe, mon roi... » songeait-il en s'adressant au cercueil. « Tant de journées où nous avons travaillé côte à côte ! Nous pensions de même en toutes choses. Nous avons commis des erreurs, nous les avons corrigées... Dans vos derniers jours, vous vous êtes un peu éloigné de moi, parce que votre esprit était affaibli et que les envieux cherchaient à nous séparer. Je vais être tout seul à l'ouvrage, maintenant. Je vous jure de bien défendre ce que nous avons accompli ensemble. »

Il fallait à Marigny se représenter sa prodigieuse carrière, considérer d'où il était parti et où il était parvenu, pour mesurer en cet instant sa puissance à la fois et sa solitude. « L'œuvre de gouverner n'est jamais achevée », se disait-il. Il y avait de la ferveur chez ce grand politique, et vraiment il pensait au royaume comme un second roi.

L'abbé de Saint-Denis, Égidius de Chambly, à genoux au bord de la fosse, traça un dernier signe de croix, puis se releva, et six moines poussèrent la lourde pierre plate qui devait fermer le tombeau.

Plus jamais Louis de Navarre, à présent Louis X, n'entendrait la terrible voix de son père lui dire, pendant les conseils :

— Taisez-vous, Louis !

Mais loin d'être délivré, il éprouvait une faiblesse panique. Il sursauta, parce que l'on prononçait à côté de lui :

— Allez, Louis !

C'était Charles de Valois qui l'invitait à avancer. Louis X se tourna vers son oncle et murmura :

— Vous l'avez vu devenir roi. Qu'a-t-il fait ? Qu'a-t-il dit ?

— Il a pris sa charge d'un coup, répondit Charles de Valois.

« Et il avait dix-huit ans... sept ans de moins que moi », pensa Louis X. Tous les regards étaient arrêtés sur lui. Il eut à fournir un effort pour marcher. A sa suite, la tribu capétienne, princes, pairs, barons, prélats, dignitaires, entre les buissons de cierges et les gisants des rois, traversa la sépulture de famille. Les moines de Saint-Denis fermaient le cortège, les mains dans les manches et chantant un psaume.

On passa ainsi de la basilique dans la salle capitulaire de l'abbaye où était servi le repas qui clôturait les funérailles...

— Sire, dit l'abbé Égidius, nous ferons désormais deux prières, l'une pour le roi que Dieu nous a pris, l'autre pour celui qu'il nous donne.

— Je vous en remercie, mon père, dit Louis X d'une voix mal assurée.

Puis il s'assit avec un soupir de lassitude et demanda aussitôt un gobelet d'eau qu'il vida d'un trait. Durant tout le repas il resta silencieux. Il se sentait fiévreux, fourbu d'âme et de corps.

« Il faut être robuste pour être roi », disait autrefois Philippe le Bel à ses fils, lorsque ceux-ci rechignaient aux exercices équestres ou à l'apprentissage des armes. « Il faut être robuste pour être roi », se répétait Louis X en ce premier moment de son règne. Chez lui la fatigue engendrait l'irritation, et il pensait avec humeur que celui qui héritait d'un trône eût bien dû hériter aussi la force de s'y tenir droit.

De fait, ce que le cérémonial exigeait du souverain, pour son entrée en fonctions, était proprement accablant.

Louis, après avoir assisté à l'agonie de son père, avait eu à prendre ses repas pendant deux jours auprès du cadavre embaumé. En effet, le principe royal ne souffrant ni chevauchement ni césure dans son incarnation, le roi mort était supposé régner jusqu'à son ensevelissement, et son successeur, à côté de sa dépouille, mangeait en quelque sorte *pour lui*, à sa place.

Plus encore que la présence de la grande forme cireuse, vidée de ses entrailles et revêtue des vêtements d'apparat, avait été pénible pour Louis la vue du cœur de son père, placé près de la couche funéraire dans un coffret de cristal et de bronze doré. Chacun qui voyait ce cœur, les artères tranchées à ras, derrière la vitre, demeurait stupéfait de sa petitesse ; « un cœur d'enfant... ou d'oiseau », murmuraient les visiteurs. Et l'on avait peine à croire qu'un si minuscule viscère eût animé un si terrible monarque[2].

Puis s'était effectué le transport du corps, par voie d'eau, de Fontainebleau à Paris ; puis, dans la capitale même, s'étaient succédé chevauchées, veilles, offices religieux et processions interminables, tout cela par un affreux temps d'hiver où l'on pataugeait dans la boue glacée, où une mauvaise petite neige vous giflait le visage.

Louis X enviait son oncle Valois, qui, constamment à ses côtés, décidant de tout, tranchant des problèmes de préséance, infatigable, volontaire, semblait, lui, avoir des nerfs de roi.

Déjà, parlant à l'abbé Égidius, Valois commençait à s'inquiéter du sacre de Louis, qui prendrait place l'été suivant. Car l'abbaye de Saint-Denis avait la garde non seulement des tombes royales, non seulement de la bannière de France, mais aussi des vêtements et attributs portés par les rois lors du couronnement. Valois tenait à savoir si tout était en ordre. Le grand manteau, depuis vingt-neuf ans, n'avait-il pas subi de dommages ? Les écrins, pour transporter à Reims le sceptre, les éperons et la main de justice, étaient-ils en bon état ? Et la couronne d'or ? Il faudrait que les orfèvres au plus tôt missent la coiffe à la nouvelle mesure.

L'abbé Égidius observait le jeune roi que la toux continuait de secouer, et pensait : « Certes, on va tout préparer ; mais tiendra-t-il jusque-là ? »

Quand le repas fut achevé, Hugues de Bouville, grand chambellan de Philippe le Bel, vint casser devant Louis X son bâton doré, et signifier par là qu'il avait terminé son office. Le gros Bouville avait les yeux emplis de larmes ; ses mains tremblaient, et il dut s'y prendre à trois fois pour briser son sceptre de bois, image et délégation du grand sceptre d'or. Puis au premier chambellan de Louis, Mathieu de Trye, qui allait lui succéder dans la fonction, il murmura :

— A vous maintenant, messire.

Alors la tribu capétienne sortit de table et se dirigea vers la cour où attendaient les montures.

Dehors, la foule était maigre, pour crier : « Vive le roi ! » Les gens s'étaient assez gelés, la veille, à regarder le grand cortège qui comprenait les troupes, le clergé de Paris, les maîtres de l'Université, les corporations ; celui d'aujourd'hui n'offrait plus rien qui pût émerveiller. Il tombait une sorte de grésil qui perçait les vêtements jusqu'à la peau ; et seuls saluaient le nouveau roi quelques acharnés de la badauderie, ou les riverains qui pouvaient crier du pas de leur porte sans se mouiller.

Depuis l'enfance, le Hutin attendait de régner. A chaque semonce, échec ou contrariété que lui attirait sa médiocrité d'esprit et de caractère, il se disait rageusement : « Le jour où je serai roi... » Et cent fois, il avait souhaité que le sort hâtât la disparition de son père.

Or voilà que sonnait l'heure qui l'exauçait ; voilà qu'il venait d'être proclamé. Il sortait de Saint-Denis... Mais rien ne l'avertissait, intérieurement, qu'aucun changement se fût produit en lui. Il se sentait seulement plus faible que la veille, et pensait davantage à ce père qu'il avait si peu aimé.

La tête basse, les épaules frissonnantes, il poussait son cheval entre les champs déserts où des restes de chaume perçaient des restes de neige. Le crépuscule s'assombrissait rapidement. A la porte de Paris, le cortège fit halte pour permettre aux archers d'escorte d'allumer des torches.

Le peuple de la capitale ne fut guère plus enthousiaste que celui de Saint-Denis. Quelles raisons d'ailleurs aurait-il eues de se montrer joyeux ? L'hiver précoce entravait les transports et multipliait les décès. Les dernières récoltes avaient été mauvaises ; les denrées enchérissaient à mesure qu'elles se raréfiaient ; il y avait de la disette dans l'air. Et le peu qu'on connaissait du nouveau roi n'incitait pas à l'espoir.

On le disait brouillon, querelleur et cruel ; et le public, qui déjà le désignait par son surnom, ne pouvait citer de lui aucun acte important ou généreux. Sa seule renommée lui venait de son infortune conjugale.

« C'est à cause de cela que le peuple ne me témoigne point

d'affection, se disait Louis X; à cause de cette catin qui m'a bafoué devant tous... Mais s'ils ne veulent point m'aimer, je ferai tant qu'ils trembleront et crieront Noël en me voyant comme s'ils m'aimaient bien fort. Et d'abord je veux reprendre épouse, avoir une reine à côté de moi... pour que mon déshonneur soit effacé. »

Hélas ! Le rapport que lui avait fait la veille son cousin Robert d'Artois, retour de Château-Gaillard, ne laissait pas paraître l'entreprise aisée. « La garce cédera ; je la ferai mettre à tels régimes et tourments qu'elle cédera ! »

Comme il s'était dit dans le petit peuple que le roi jetterait des pièces de monnaie sur son passage, des groupes de pauvres se tenaient au coin des rues. Les torches des archers éclairaient un instant leurs visages maigres, leurs yeux avides et leurs mains tendues. Mais aucune piécette ne tomba.

Par le Châtelet et le Pont au Change le cortège atteignit ainsi le palais de la Cité.

La comtesse Mahaut donna le signal de la dispersion en déclarant que chacun avait maintenant besoin de chaleur et de repos, et qu'elle rentrait à l'hôtel d'Artois. Prélats et barons prirent chacun le chemin de sa demeure. Les frères du nouveau roi eux-mêmes se retirèrent. Si bien que lorsqu'il eut mis pied à terre, Louis X ne se trouva plus entouré, en dehors de ses serviteurs et écuyers personnels, que par ses deux oncles Évreux et Valois, Robert d'Artois, Marigny et Mathieu de Trye.

Ils passèrent par la Galerie mercière, immense et presque déserte à cette heure. Quelques marchands, qui finissaient de cadenasser leurs éventaires, ôtèrent leur bonnet.

Le Hutin avançait lentement, les jambes raides dans des bottes trop lourdes, le corps chaud de fièvre. Il regardait, à sa droite, à sa gauche, les quarante statues de rois, haut placées sur de larges consoles sculptées, et que Philippe le Bel avait choisi de dresser là, dans le vestibule de l'habitation royale, telles des répliques debout des gisants de Saint-Denis, afin que le souverain vivant apparût à chaque visiteur comme le continuateur d'une race sacrée, désignée par Dieu pour exercer le pouvoir.

Cette colossale famille de pierre, aux yeux blancs sous la lueur des torches, ne faisait qu'accabler davantage le pauvre prince de chair qui en recueillait la succession.

Un mercier dit à sa femme :

— Il n'a pas bien fière mine, notre nouveau roi.

La marchande, en ricanant, répondit :

— Il a surtout une bonne mine de cocu.

Elle n'avait pas parlé fort, mais sa voix aiguë résonna dans le silence. Le Hutin tressaillit, la face brusquement coléreuse, cherchant à distinguer l'auteur de l'insulte. Chacun, dans l'escorte, détournait les yeux et feignait de n'avoir pas entendu.

De part et d'autre de l'arc en accolade qui surmontait l'accès à l'escalier principal, se faisaient pendant les statues de Philippe le Bel et d'Enguerrand de Marigny; car le coadjuteur connaissait cet honneur unique d'avoir son effigie dans la galerie des rois. Honneur justifié au demeurant par le fait que la reconstitution et l'embellissement du Palais étaient essentiellement son œuvre.

Or la statue d'Enguerrand irritait plus que tout Charles de Valois qui, chaque fois qu'il avait à passer devant, s'indignait de ce qu'on eût élevé jusque-là ce bourgeois. « L'astuce et l'intrigue l'ont conduit à tant d'impudence qu'il se donne des airs d'être de notre sang. Mais tout beau, messire, pensait Valois : nous vous descendrons de ce socle, j'en fais serment, et nous vous apprendrons bien vite que le temps de vos mauvaises grandeurs est passé. »

— Messire Enguerrand, dit-il avec hauteur à son ennemi, je pense que le roi désire à présent demeurer en famille.

Marigny, afin d'éviter un éclat, ne fit pas montre d'avoir senti le trait. Mais voulant bien signifier, en revanche, qu'il ne prendrait ses ordres que du roi, il dit, s'adressant à ce dernier :

— Sire, maintes affaires sont pendantes qui me requièrent. Puis-je me retirer?

Louis avait la pensée ailleurs; le mot lancé par la mercière lui tournait en tête.

— Faites, messire, faites, répondit-il avec impatience.

V

LE ROI, SES ONCLES ET LES DESTINS

La mère de Louis X, la reine Jeanne, héritière de la Navarre, était morte en 1305. A partir de 1307, c'est-à-dire du moment où, âgé de dix-huit ans, il avait été investi officiellement de la couronne navarraise, Louis avait reçu l'hôtel de Nesle pour résidence personnelle. Jamais donc il n'avait habité le Palais depuis les rénovations ordonnées par son père, dans les récentes années.

Aussi, ce soir de décembre, au retour du Saint-Denis, Louis, entrant dans les appartements royaux pour en prendre possession, n'y trouvait rien qui lui rappelât son enfance. Aucune cassure du pavement, connue de toujours, aucun grincement particulier à telle porte, et de toujours entendu, ne pouvait l'émouvoir ou l'attendrir; son regard ne rencontrait rien qui lui permît de se dire: «Ma mère devant cette cheminée me prenait sur ses genoux... de cette fenêtre, j'ai aperçu le printemps pour la première fois... » Les fenêtres avaient d'autres proportions, les cheminées étaient neuves.

Souverain économe, presque avare en ce qui concernait sa dépense personnelle, Philippe le Bel ne connaissait pas de mesure quand il s'agissait de magnifier l'idée royale. Il avait voulu que le Palais fût imposant, écrasant, d'intérieur comme d'extérieur, et fît équilibre en quelque sorte, au cœur de la capitale, à Notre-Dame. Là-bas, la gloire de Dieu; ici, celle du roi.

Pour Louis, c'était la demeure du père, un père silencieux, distant, terrible. De toutes les pièces, la seule familière lui paraissait la chambre du Conseil, où tant de fois, à peine osait-il un avis, il avait entendu: «Taisez-vous, Louis!»

Il avançait de salle en salle. Des valets, feutrant leurs pas, glissaient le long des murs; des secrétaires s'effaçaient dans les escaliers; tout le monde observait encore un silence de veillée mortuaire.

Ce fut dans la pièce où Philippe le Bel se tenait d'ordinaire pour travailler que Louis finalement s'arrêta. Elle était de dimensions modestes, mais avec une énorme cheminée où brûlait un feu à faire rôtir un bœuf. Pour qu'on pût profiter de la chaleur sans souffrir de l'ardeur des flammes, des écrans d'osier tressé, qu'un valet venait mouiller de temps à autre, étaient disposés devant le foyer. Des chandeliers en forme de couronne, à six chandelles, fournissaient une bonne lumière.

Louis se dépouilla de sa robe, qu'il posa sur l'un des écrans. Ses oncles, son cousin et son chambellan l'imitèrent ; bientôt les lourdes étoffes trempées d'eau, les velours, les fourrures, les broderies, se mirent à fumer, tandis que les cinq hommes, en chemise et hauts-de-chausses, se chauffaient reins au feu, pareils à cinq paysans rentrant d'un enterrement de campagne.

Soudain, de l'angle où se trouvait la table à écrire de Philippe le Bel, vint un long soupir, presque un gémissement. Louis X s'écria d'une voix aiguë :

— Qu'est ceci ?

— C'est Lombard, Sire, dit le valet chargé de mouiller les écrans.

— Lombard ? Mais ce chien était à Fontainebleau, avec la meute. Comment est-il parvenu ici ?

— De lui-même, il faut croire, Sire. Il est rentré tout crotté la nuit d'avant-hier, en même temps qu'on amenait le corps de notre feu Sire à Notre-Dame. Il est allé se mucher sous ce meuble et n'en veut plus bouger.

— Qu'on le chasse ; qu'on l'enferme aux écuries !

A l'opposé de son père, Louis détestait les chiens ; il en avait peur depuis qu'enfant il avait été mordu par l'un d'eux.

Le valet se baissa et tira par le collier un grand lévrier beige, au poil collé sur les côtes, aux yeux fiévreux.

C'était le chien, cadeau du banquier Tolomei, qui n'avait pas quitté le roi Philippe pendant les derniers mois. Comme il résistait à partir, raclant le pavage de ses ongles, Louis X lui allongea un coup de pied dans le flanc.

— Cet animal porte malheur. D'abord il est arrivé ici le jour où l'on a brûlé les Templiers, le jour où...

Des voix s'élevèrent dans la pièce voisine. Le valet et le chien croisèrent sur la porte une petite fille, engoncée dans une robe de deuil, et qu'une dame de parage poussait en disant :

— Allez, Madame Jeanne ; allez saluer Messire le roi, votre père.

Cette petite fille d'à peine quatre ans, aux joues pâles, aux yeux trop grands, était pour l'instant l'héritière du trône de France.

Elle avait le front rond et bombé de Marguerite de Bourgogne, mais son teint et ses cheveux étaient clairs. Elle avançait, regardant droit devant elle avec cette expression butée qu'ont les enfants mal aimés.

Louis X, d'un geste, empêcha qu'elle vînt jusqu'à lui.

— Pourquoi l'a-t-on conduite ici? Je ne veux point l'y voir! Qu'on la ramène sans tarder à l'hôtel de Nesle; c'est là qu'elle doit loger, puisque c'est là...

— Mon neveu, contenez-vous, dit le comte d'Évreux.

Louis attendit que la dame de parage et la petite princesse, la première apparemment plus effrayée que l'autre, fussent sorties.

— Je ne veux plus voir cette bâtarde! dit-il.

— Êtes-vous si certain qu'elle le soit, Louis? dit le comte d'Évreux en éloignant du feu ses vêtements pour qu'ils ne roussissent pas.

— Il suffit pour moi qu'il y ait doute, et je ne veux rien reconnaître d'une femme qui m'a trahi.

— Cette enfant est blonde, pourtant, comme nous le sommes tous.

— Philippe d'Aunay lui aussi était blond, répliqua amèrement le Hutin.

Le comte de Valois vint porter appui au jeune roi.

— Louis doit avoir de bonnes raisons, mon frère, pour parler comme il le fait, dit-il avec autorité.

— Et puis, reprit Louis X en criant, je ne veux plus entendre ce mot qu'on m'a lancé tout à l'heure au passage; je ne veux plus le deviner sans cesse dans la tête des gens; je ne veux plus donner d'occasions qu'on le pense en me regardant.

Louis d'Évreux se retint de répondre: «Si tu avais meilleure nature, mon garçon, et plus de bonté au cœur, ta femme t'eût peut-être aimé...» Il songeait à la malheureuse petite fille qui allait vivre, entourée seulement de serviteurs indifférents, dans l'immense hôtel de Nesle désert. Et soudain, il entendit Louis prononcer:

— Ah! je vais être bien seul ici!

D'Évreux, avec une stupéfaction apitoyée, contempla ce neveu qui conservait ses ressentiments comme un avare son or, chassait les chiens parce qu'il avait été mordu, chassait sa fille parce qu'il avait été trompé, et se plaignait de solitude.

— Toute créature est seule, Louis, dit-il gravement. Chacun de nous subit dans la solitude l'instant de son trépas; et c'est vanité de croire qu'il n'en est pas ainsi des instants de la vie. Même le corps d'épouse avec lequel nous dormons demeure un corps étranger; même les enfants que nous avons engendrés nous sont personnes étrangères. Sans doute le Créateur l'a voulu ainsi pour que nous n'ayons chacun communion qu'avec lui et tous ensemble qu'en lui... Il n'est de remède à cet isolement que dans la compassion et la charité, c'est-à-dire dans le savoir que les autres souffrent même mal que nous.

Les cheveux humides et pendants, le regard vague, la chemise collée sur ses flancs maigres, le Hutin avait l'air d'un noyé qu'on vient de sortir de Seine. Il resta un moment silencieux. Certains mots, comme ceux justement de charité ou de compassion, ne faisaient pas de sens pour lui, et il ne les entendait guère plus que le latin des prêtres. Il se tourna vers Robert d'Artois.

— Ainsi, Robert, vous êtes certain qu'elle ne cédera pas?

Le géant, toujours à se sécher, et dont les chausses fumaient comme un chaudron, secoua la tête.

— Sire mon cousin, comme je vous l'ai dit hier soir, j'ai pressé votre épouse de toutes manières, et usé sur elle mes plus solides arguments. Je me suis heurté à telle dureté de refus que je puis bien vous assurer qu'on n'en obtiendra rien... Savez-vous sur quoi elle compte? ajouta d'Artois avec perfidie. Elle espère que vous mourrez avant elle.

Louis X toucha instinctivement, à travers sa chemise, le petit reliquaire qu'il portait au cou; puis, s'adressant au comte de Valois:

— Eh bien! mon oncle, vous voyez que tout n'est point aisé comme vous l'aviez promis, et que l'annulation ne paraît pas pour demain!

— Je le vois, mon neveu, et j'y pense fort, répondit Valois.

— Mon cousin, si vous craignez de jeûner, dit alors Robert d'Artois, je pourrai toujours fournir votre couche de douces femelles, que la vanité de servir aux plaisirs d'un roi rendra bien accueillantes...

Il parlait de cela avec gourmandise, comme d'un rôti à point ou d'un bon plat en sauce.

Charles de Valois agita ses doigts chargés de bagues.

— Mais d'abord, à quoi vous servirait-il, Louis, d'avoir votre mariage annulé, dit-il, tant que vous n'aurez pas choisi la nouvelle femme que vous voulez épouser? Ne vous inquiétez point tant de cette annulation; un souverain finit toujours par l'obtenir. Ce qu'il vous faut, c'est choisir dès à présent l'épouse qui fera auprès de vous belle figure de reine et vous donnera descendance.

Monseigneur de Valois avait cette manière, quand un obstacle se présentait, de le mépriser et de sauter aussitôt à la prochaine étape; à la guerre, il négligeait les îlots de résistance, les contournait et allait attaquer la citadelle suivante. Cela lui réussissait parfois.

— Mon frère, dit d'Évreux, croyez-vous donc la chose si aisée, dans la situation où se trouve Louis, et s'il ne veut pas prendre femme qui soit indigne d'un trône?

— Allons donc! Je vous nomme dix princesses en Europe qui passeraient sur de plus grandes difficultés pour l'espoir de ceindre la couronne de France... Tenez, sans chercher davantage, ma nièce Clémence de Hongrie... dit Valois comme si l'idée venait de germer en lui alors qu'il la mûrissait depuis une bonne semaine.

Il attendit que sa proposition ait produit effet. Le Hutin avait relevé la tête, intéressé.

— Elle est de notre sang puisqu'elle est Anjou, poursuivit Valois. Son père, Carlo-Martello, qui avait renoncé au trône de Naples-Sicile pour revendiquer celui de Hongrie, est mort depuis longtemps; c'est sans doute pourquoi elle n'a pas encore d'état. Mais son frère Caroberto règne maintenant en Hongrie et son oncle est roi de Naples. Certes, elle a un peu dépassé l'âge ordinaire du mariage...

— Quel âge a-t-elle? demanda Louis X inquiet.

— Vingt-deux ans. Mais cela ne vaut-il pas mieux que ces fillettes qu'on amène à l'autel alors qu'elles jouent encore à la poupée et qui, lorsqu'elles grandissent, se révèlent pleines de vilenie, mensongères et débauchées? Et puis, mon neveu, vous n'en serez plus à vos premières noces!

«Tout cela sonne trop bien; il doit y avoir un vice qu'on me cache, pensait le Hutin. Cette Clémence doit être borgne, ou bien bossue.»

— Et comment se présente-t-elle... pour la figure? demanda-t-il.

— Mon neveu, c'est la plus belle femme de Naples, et les peintres, m'assure-t-on, s'efforcent d'imiter ses traits lorsqu'ils peignent aux églises le visage de la Vierge. Déjà dans son enfance, il m'en souvient, elle promettait d'être remarquable en beauté, et tout laisse à penser qu'elle a tenu promesse.

— Il paraît, en effet, qu'elle est fort belle, dit Louis d'Évreux.

— Et vertueuse, ajouta Valois. J'attends qu'on retrouve en elle toutes les qualités qui ornaient sa tante Marguerite d'Anjou, ma première femme, que Dieu garde. J'ajouterai... mais qui de vous l'ignore?... qu'un autre de ses oncles, et mien beau-frère, Louis d'Anjou, fut ce saint évêque de Toulouse qui avait renoncé à régner pour entrer en religion, et dont la tombe à présent produit des miracles.

— Ainsi nous aurons bientôt deux saints Louis dans la famille, remarqua Robert d'Artois.

— Mon oncle, votre idée est heureuse, cela me semble, dit Louis X. Fille de roi, sœur de roi, nièce de roi et de saint, belle et vertueuse... Ah! Elle n'est point brune au moins, comme la bourguignonne? Car alors je ne pourrais point!

— Non, non, mon neveu, s'empressa de répondre Valois. Soyez sans crainte; elle est blonde, de bonne race franque.

— Et vous pensez, Charles, que cette famille, pieuse ainsi que vous la décrivez, irait consentir aux fiançailles avant l'annulation? demanda Louis d'Évreux.

Monseigneur de Valois se gonfla, torse et panse.

— Je suis trop bon allié de mes parents de Naples pour qu'ils aient rien à me refuser, répliqua-t-il; et les deux entreprises peuvent se conduire de pair. La reine Marie, qui a jadis tenu à honneur de me donner une de ses filles, m'accordera bien sa petite-fille pour le plus cher de mes neveux, et pour qu'elle soit reine au plus beau royaume du monde. J'en fais mon affaire.

— Alors ne laissons pas d'agir, mon oncle, dit Louis X. Envoyons une ambassade à Naples. Qu'en pensez-vous, Robert?

Robert d'Artois s'avança d'un pas, paumes ouvertes, comme s'il se proposait à partir sur-le-champ pour l'Italie.

Le comte d'Évreux intervint encore. Il n'avait aucune hostilité au projet; mais pareille décision était affaire de royaume autant que de famille, et il demandait qu'elle soit débattue en Conseil.

— Mathieu, dit aussitôt Louis X s'adressant à son chambellan, faites savoir à Marigny qu'il ait à convoquer le Conseil demain matin.

A s'écouter prononcer ces paroles, le Hutin éprouva un certain plaisir; brusquement il se sentait roi.

— Pourquoi Marigny? dit Valois. Je puis bien, si vous le souhaitez, m'en charger moi-même ou en charger mon chancelier. Marigny cumule trop de tâches et prépare hâtivement des Conseils qui n'ont rôle que de l'approuver, sans regarder de bien près ses trafics. Mais nous allons changer cela, Sire mon neveu, et je m'en vais vous réunir un Conseil mieux digne de vous servir.

— C'est fort juste. Eh bien, faites, mon oncle, faites ainsi, répondit Louis X avec un regain d'assurance et comme si l'initiative venait de lui.

Les vêtements étaient secs, et chacun se rhabilla.

«Belle et vertueuse, belle et vertueuse...», se répétait Louis X. Il fut à ce moment repris d'un accès de toux, et entendit à peine les adieux qu'on lui faisait.

Descendant l'escalier, d'Artois dit à Valois:

— Ah! mon cousin, comme vous la lui avez bien vendue, votre nièce Clémence! J'en connais un ce soir que ses draps vont brûler.

— Robert! fit Valois d'un ton de feinte réprimande; n'oubliez pas que c'est du roi que vous parlez désormais.

Le comte d'Évreux les suivait en silence. Il songeait à la princesse qui vivait dans un château de Naples et dont le sort, à son insu, venait peut-être de se décider aujourd'hui. Monseigneur d'Évreux était toujours frappé de la manière fortuite, mystérieuse, dont s'agençaient les destinées humaines.

Parce qu'un grand souverain était mort avant son heure, parce qu'un jeune roi supportait mal le célibat, parce que son oncle était impatient de le satisfaire pour affirmer l'empire qu'il exerçait sur lui, parce qu'un nom lancé avait été retenu, une jeune fille aux cheveux blonds et qui, à cinq cents lieues de distance, devant une mer éternellement bleue, pensait vivre un jour comme les autres, se trouvait devenir le centre des préoccupations de la cour de France...

Louis d'Évreux eut un nouvel accès de scrupule.

— Mon frère, dit-il à Valois, cette petite Jeanne, croyez-vous vraiment qu'elle soit bâtarde?

— Aujourd'hui je n'en suis pas encore certain, mon frère, dit Valois en lui posant sur l'épaule sa main baguée. Mais je vous assure bien qu'avant longtemps tout le monde la tiendra pour telle !

A partir de quoi le méditatif comte d'Évreux aurait pu se dire également : « Parce qu'une princesse de France prit un amant, parce que sa belle-sœur d'Angleterre la dénonça, parce qu'un roi justicier rendit le scandale public, parce qu'un mari humilié reporta sa vindicte sur une enfant qu'il voulut déclarer illégitime... » Les conséquences appartenaient au futur, à ce déroulement d'une fatalité en constante création par la combinaison continue de la force des choses et des actes des hommes.

VI

LA LINGÈRE EUDELINE

Le ciel de lit, tendu d'un samit bleu sombre semé de fleurs de lis d'or, paraissait un morceau de firmament nocturne. Les rideaux de la courtine, faits de même étoffe, frémissaient sous le faible éclairage de la veilleuse à huile suspendue par trois chaînes de bronze[3]; la courtepointe de brocart d'or, tombant en plis raides jusqu'au sol, scintillait de phosphorescences étranges.

Depuis deux heures, Louis X cherchait vainement le sommeil sur cette couche qui avait été celle de son père. Il étouffait sous les couvertures doublées de fourrure, et grelottait aussitôt qu'il en sortait.

Bien que Philippe le Bel fût décédé à Fontainebleau, Louis éprouvait un malaise à se trouver dans ce lit, comme s'il y percevait la présence du cadavre.

Toutes les images des dernières journées, toutes les hantises des jours à venir, s'entrechoquaient en sa pensée... Quelqu'un criait «cocu» parmi la foule... Clémence de Hongrie refusait, ou bien elle était déjà fiancée;... l'austère visage de l'abbé Égidius se penchait sur la tombe... «Nous ferons désormais deux prières...»... «Savez-vous sur quoi elle compte? Elle espère que vous mourrez avant elle!»... Un coffret de cristal emprisonnait un cœur aux artères tranchées, aussi petit qu'un cœur d'agneau...

Il se releva brusquement, son propre cœur battant comme une horloge dont le poids se fût décroché. Pourtant le physicien de l'hôtel, examinant le roi avant son coucher, ne lui avait pas trouvé les humeurs mauvaises. Le sommeil réparerait une fatigue bien explicable; si la toux persistait, on verrait le lendemain à prescrire quelque tisane au miel, ou à poser des sangsues... Mais Louis n'avait pas avoué les deux défaillances ressenties pendant la cérémonie à Saint-Denis, ce froid qui lui avait saisi les membres, et ce grand vacillement du monde autour de lui. Voilà que le même mal, auquel il ne pouvait pas donner de nom, le reprenait.

Torturé par ses hantises, le Hutin, dans une longue chemise blanche sur laquelle il avait jeté une robe fourrée, marchait à travers la chambre, comme chassé devant lui-même et comme s'il risquait, au moindre arrêt, que la vie l'abandonnât.

N'allait-il pas succomber de la même façon que son père, frappé à la tête par la main de Dieu? «Moi aussi, pensait-il avec effroi, j'étais présent quand on a brûlé les Templiers, devant ce Palais...» Sait-on jamais la nuit qu'on doit mourir? Sait-on jamais la nuit qu'on devient fou? Et s'il parvenait à franchir cette abominable nuit, s'il voyait se lever la tardive aube d'hiver, dans quel état d'épuisement ne serait-il pas le lendemain pour présider son premier Conseil? Il dirait: «Messires...» Quelles paroles, au fait, devait-il dire?... «Chacun de nous, mon neveu, subit dans la solitude l'instant du trépas, et c'est vanité de croire qu'il n'en est pas ainsi des instants de la vie...»

— Ah! mon oncle, prononça tout haut le Hutin, pourquoi m'avoir dit cela!

Sa propre voix lui parut étrangère. Il continuait d'errer, haletant et frissonnant, autour du grand lit drapé d'ombre.

C'était ce meuble qui l'épouvantait. C'était ce lit qui était maudit, et jamais il ne parviendrait à y dormir. Le lit du mort. «Passerai-je donc ainsi toutes les nuits de mon règne à marcher en rond pour ne pas trépasser?» se demandait-il. Mais le moyen d'aller coucher ailleurs, d'appeler ses gens pour qu'on lui préparât une autre chambre? Où puiser le courage d'avouer: «Je ne puis loger ici parce que j'ai peur», et de se présenter aux maîtres de l'hôtel, aux chambellans, ainsi défait, tremblant et désemparé?

Il était roi et ne savait comment régner; il était homme et ne savait comment vivre; il était marié et n'avait point de femme... Et si même Madame de Hongrie acceptait, combien de semaines, de mois lui faudrait-il attendre avant qu'une présence humaine vînt rassurer ses nuits? «Et voudra-t-elle m'aimer, celle-là? Ne fera-t-elle point comme l'autre?»

Soudain il prit sa résolution. Il ouvrit la porte, et alla secouer le premier chambellan qui dormait tout vêtu dans l'antichambre.

— Est-ce toujours dame Eudeline qui veille au linge du Palais?

— Oui, Sire... Je crois, Sire... répondit Mathieu de Trye.

— Eh bien, sachez-le. Et si c'est elle, faites-la quérir aussitôt.

Surpris, somnolent... «Il dort, lui!» pensa le Hutin avec haine... le chambellan demanda au roi s'il désirait qu'on changeât ses draps.

Le Hutin eut un geste d'impatience.

— Oui, c'est cela. Allez la quérir, vous dis-je!

Puis il entra dans la chambre et reprit sa ronde anxieuse, en se disant : « Loge-t-elle toujours ici ? Va-t-on la trouver ? »

Dix minutes plus tard, dame Eudeline entra, portant une pile de draps, et Louis X aussitôt sentit qu'il cessait d'avoir froid.

— Monseigneur Louis... je veux dire, Sire ! s'écria la lingère. Je savais bien qu'il ne fallait point vous mettre de draps neufs. On y dort mal. C'est messire de Trye qui l'a voulu ; il affirmait que c'était l'usage. Moi, je voulais donner des draps souvent lavés et bien fins.

C'était une grande femme blonde, épanouie, avec de larges seins, et une belle carrure nourricière qui faisait penser à la paix, à la tiédeur et au repos. Elle avait un peu plus de trente ans, mais son visage exprimait une sorte d'étonnement adolescent et tranquille. De dessous le bonnet blanc qu'elle mettait pour dormir s'échappaient de longues tresses qui avaient la couleur de l'or et qui se dénouaient sur l'épaule de son vêtement de nuit. Elle s'était hâtivement couverte d'une chape.

Louis la regarda un moment sans parler, le temps que Mathieu de Trye, prêt à se rendre utile, comprît qu'on n'avait plus besoin de lui.

— Ce n'est point pour les draps que je vous ai fait venir ici, dit enfin le roi.

Une douce rougeur de confusion monta aux joues de la lingère.

— Oh ! Monseigneur... Sire, je veux dire ! D'être revenu au Palais vous a-t-il fait vous souvenir de moi ?...

Elle avait été sa première maîtresse, dix années plus tôt. Lorsque Louis, âgé de quinze ans, avait appris qu'on allait bientôt le marier à une princesse de Bourgogne, il avait été saisi d'une grande frénésie de découvrir l'amour, en même temps que d'une grande panique à l'idée de ne pas savoir comment se comporter auprès de son épouse. Et tandis que Philippe le Bel et Marigny pesaient les avantages politiques de cette alliance, le jeune prince ne pensait à rien d'autre qu'au mystère de nature. La nuit, il imaginait toutes les dames de la cour succombant à ses ardeurs ; mais le jour, il restait muet en face d'elles, mains tremblantes et regard fuyant.

Et puis, un après-midi d'été, il s'était rué brusquement sur cette belle fille qui, le long d'une galerie déserte, allait devant lui d'un pas calme, les bras chargés de linge. Il s'était lancé contre elle avec violence, avec colère, comme s'il lui en voulait de la peur qu'il avait. C'était elle ou aucune, maintenant ou jamais... Il ne l'avait point violée, d'ailleurs ; son agitation, son anxiété, sa maladresse l'en eussent rendu bien incapable. Il avait exigé d'Eudeline qu'elle lui apprît l'amour. A défaut d'une assurance d'homme, il entendait user de prérogatives de prince. Il avait eu de la chance ; Eudeline ne s'était pas moquée de lui, et dans une pièce de resserre, elle avait mis quelque honneur à se rendre aux désirs de ce fils de roi, lui laissant même croire qu'elle y trouvait de l'agrément. Par la suite, il s'était toujours senti homme devant elle.

Certains matins, lorsqu'il était à se vêtir pour la chasse ou pour aller s'exercer aux armes de tournoi, Louis la faisait appeler ; et Eudeline avait vite compris que le besoin d'aimer ne lui venait que lorsqu'il avait peur. Pendant plusieurs mois, avant l'arrivée de Marguerite de Bourgogne, et même encore après, Eudeline avait ainsi aidé Louis Hutin à surmonter ses terreurs.

— Votre fille, où est-elle à présent ? demanda-t-il.

— Elle demeure chez ma mère, qui l'élève. Je n'ai point voulu qu'elle reste ici avec moi ; elle ressemble trop à son père, répondit Eudeline en souriant à demi.

— De celle-là, au moins, dit Louis, je puis penser qu'elle est de moi.

— Oh ! certes, Monseigneur ! Elle est bien de vous !... Sire, je veux dire... Son visage chaque jour est plus pareil au vôtre. Et cela serait vous gêner que de la laisser voir aux gens du Palais.

Car une enfant, qui devait être baptisée Eudeline, comme sa mère, avait été conçue de ces amours de hâte. Toute femme un peu douée pour l'intrigue eût assuré sa fortune sur l'état de son ventre, et fait souche de barons. Mais le Hutin tremblait si fort d'avouer la chose au roi Philippe, qu'Eudeline, apitoyée une fois de plus, s'était tue.

Elle avait un mari qui, dans ce temps-là, petit greffier de messire de Nogaret, trottait beaucoup derrière le légiste sur les chemins de France et d'Italie. Trouvant, au retour, sa femme près d'accoucher, il se mit à compter les mois sur ses doigts et commença de s'emporter. Mais ce sont généralement des hommes de même nature qu'une même femme attire. Le greffier ne possédait pas une âme très fortement trempée. Et dès que sa femme lui eut confessé d'où venait le cadeau, la crainte éteignit sa colère comme le vent souffle une bougie. Ayant choisi de prendre lui aussi le parti du silence, il était mort peu après, moins de chagrin d'ailleurs que d'un pernicieux mal d'entrailles rapporté des marais romains.

Et dame Eudeline avait continué de surveiller les lessives du Palais, pour cinq sous le cent de nappes lavées. Elle était devenue première fille lingère, ce qui dans la maison royale était une belle position bourgeoise.

Pendant ce temps, Eudeline la petite grandissait, non sans témoigner de cette position des enfants adultérins à présenter d'évidence sur leurs visages les traits hérités de leur ascendance illégitime ; et dame Eudeline espérait qu'un jour Louis se souviendrait. Il lui avait si fort promis, si solennellement juré que du jour qu'il serait roi il couvrirait sa fille d'or et de titres !

Elle pensait, ce soir, qu'elle avait eu raison de le croire, et s'émerveillait qu'il eût mis tant de promptitude à tenir ses serments. « Il n'est point mauvais de cœur, songeait-elle. Il est hutin de manières, mais il n'est point mauvais. »

Émue par les souvenirs, par le sentiment du temps enfui, par les étrangetés du destin, elle contemplait ce souverain qui avait trouvé naguère entre ses bras le premier accomplissement d'une virilité inquiète, et qui était là, en longue chemise, assis sur une cathèdre, les cheveux tombant jusqu'au menton et les bras autour des genoux.

« Pourquoi, se disait-elle, pourquoi est-ce à moi que cela est arrivé ? »

— Quel âge a ta fille, aujourd'hui ? demanda Louis X. Neuf ans, n'est-ce pas ?

— Neuf ans tout juste, Sire.

— Je lui ferai une position de princesse aussitôt qu'elle sera en âge d'être mariée. Je le veux. Et toi, que désires-tu ?

Il avait besoin d'elle. C'eût été l'instant ou jamais d'en profiter. La discrétion ne vaut rien avec les grands de la terre, et il faut se hâter d'exprimer un besoin, une exigence, un souhait, fût-ce à s'en inventer, lorsqu'ils se proposent à les satisfaire. Car ensuite ils se sentent déliés de reconnaissance simplement pour avoir offert, et ils négligent de donner. Le Hutin aurait volontiers passé la nuit à préciser ses largesses, pour qu'Eudeline lui tînt compagnie jusqu'à l'aube. Mais, surprise par la question, elle se contenta de répondre :

— Ce qu'il vous plaira, Sire.

Aussitôt, il ramena ses pensées sur lui-même.

— Ah ! Eudeline, Eudeline, s'écria-t-il, j'aurais dû t'appeler à l'hôtel de Nesle où j'ai été bien en peine ces mois-ci.

— Je sais, Monseigneur Louis, que vous avez été fort mal aimé de votre épouse... Mais je n'aurais point osé venir à vous ; j'ignorais si vous auriez eu joie ou honte à me revoir.

Il la regardait, mais ne l'écoutait plus. Ses yeux avaient pris une fixité trouble. Eudeline savait bien ce que signifiait ce regard ; elle le lui connaissait déjà quand il avait quinze ans.

— Veuille t'étendre, ordonna-t-il brusquement.

— Là, Monseigneur... Je veux dire, Sire ? murmura-t-elle avec un peu d'effroi en désignant le lit de Philippe le Bel.

— Oui, là, justement ! répondit le Hutin d'une voix sourde.

Un instant elle hésita devant ce qui lui paraissait un sacrilège. Après tout, Louis était le roi maintenant, et ce lit était devenu le sien. Elle ôta son bonnet, laissa choir sa chape et sa chemise ; ses nattes d'or se dénouèrent complètement. Elle était un peu plus grasse qu'autrefois, mais elle avait toujours sa belle courbe de reins, ce dos ample et tranquille, cette hanche au toucher de soie où jouait la lumière... Ses gestes semblaient dociles, et c'était de docilité précisément que le Hutin était avide. De même qu'on bassinait le lit pour en chasser le froid, ce beau corps allait en chasser les démons.

Un peu inquiète, un peu éblouie, Eudeline se glissa sous la couverture d'or.

— J'avais raison, dit-elle aussitôt, ils grattent, ces draps neufs ! Je le savais bien.

Louis s'était fébrilement dépouillé de sa chemise ; maigre, les épaules osseuses, et lourd par maladresse, il se jeta sur elle avec une précipitation désespérée comme si l'urgence ne pouvait tolérer le moindre atermoiement.

Hâte vaine. Les rois ne commandent point à tout et sont, en certaines choses, exposés à mêmes mécomptes que les autres hommes. Les désirs du Hutin étaient surtout de tête. Accroché aux épaules d'Eudeline ainsi qu'un noyé à une bouée, il s'évertuait, par simulacre, à surmonter une défaillance qui donnait peu d'espoir. « Certes, s'il n'honorait pas autrement Madame Marguerite, se disait Eudeline, on comprend mieux qu'elle l'ait trompé. »

Tous les encouragements silencieux qu'elle lui prodigua, tous les efforts qu'il fit et qui n'étaient point d'un prince allant à la victoire, demeurèrent sans succès. Il s'écarta d'elle, défait, honteux ; il tremblait, au bord de la rage ou des sanglots.

Elle essaya de le calmer :

— Vous avez tant cheminé aujourd'hui ! Vous avez eu si froid, et vous devez avoir le cœur si triste ! C'est bien naturel le soir qu'on a enterré son père, et cela peut arriver à tout un chacun, vous savez.

Le Hutin contemplait cette belle femme blonde, offerte et inaccessible, étendue là comme pour incarner quelque châtiment infernal, et qui le regardait avec compassion.

— C'est la faute de cette gueuse, de cette catin... dit-il.

Eudeline recula, croyant que l'injure s'adressait à elle.

— Je voulais qu'on la mît à mort après son forfait, continua-t-il les dents serrées. Mon père a refusé ; mon père ne m'a point vengé. Et maintenant, c'est moi qui suis comme mort... dans ce lit où je sens mon malheur, où je ne pourrai jamais dormir !

— Mais si, Monseigneur Louis, dit Eudeline doucement en l'attirant contre elle. Mais si c'est un bon lit ; mais c'est un lit de roi. Et pour chasser ce qui vous empêche, c'est une reine qu'il vous faut mettre dedans.

Elle était émue, modeste, sans reproches, ni dépit.

— Crois-tu vraiment, Eudeline ?

— Mais oui, Monseigneur Louis, je vous assure : dans un lit de roi, c'est une reine qu'il faut, répéta-t-elle.

— Peut-être en aurai-je une bientôt. Il paraît qu'elle est blonde, comme toi.

— C'est grand compliment que vous me faites là, répondit Eudeline.

— On dit qu'elle est très belle, continua le Hutin, et de grande vertu ; elle vit à Naples...

— Mais oui, Monseigneur Louis, mais oui, je suis sûre qu'elle vous rendra heureux. Maintenant il vous faut reposer.

Maternelle, elle lui offrait l'appui d'une épaule tiède qui sentait la lavande, et elle l'écoutait rêver tout haut à cette femme inconnue, à cette princesse lointaine dont elle tenait, cette nuit, si vainement la place. Il se consolait, dans les mirages de l'avenir, de ses infortunes passées et de ses défaites présentes.

— Mais oui, Monseigneur Louis, c'est tout juste une épouse comme cela qu'il vous faut. Vous verrez comme vous vous sentirez bien fort auprès d'elle...

Il se tut enfin. Et Eudeline demeura sans oser bouger, les yeux grands ouverts sur les trois chaînes de la veilleuse, attendant l'aube pour se retirer.

Le roi de France dormait.

DEUXIÈME PARTIE

LES LOUPS
SE MANGENT ENTRE EUX

I

LOUIS HUTIN
TIENT SON PREMIER CONSEIL

Pendant seize ans, Marigny avait siégé au Conseil étroit, dont sept à la droite du roi. Pendant seize ans, il y avait servi le même prince, et pour faire prévaloir la même politique. Pendant seize ans il avait été certain d'y retrouver des amis fidèles et des subordonnés diligents. Il sut bien, ce matin-là, dès qu'il eut passé le seuil de la chambre du Conseil, que tout était changé.

Autour de la longue table, les conseillers se tenaient en même nombre à peu près que de coutume et la cheminée répandait dans la pièce la même odeur de chêne brûlé. Mais les places étaient différemment distribuées, ou occupées par des personnages nouveaux.

Auprès des membres de droit ou de tradition, tels les princes du sang ou le connétable Gaucher de Châtillon, Marigny n'apercevait ni Raoul de Presles, ni Nicole le Loquetier, ni Guillaume Dubois, légistes éminents, serviteurs fidèles de Philippe le Bel. Ils avaient été remplacés par des hommes tels qu'Étienne de Mornay, chancelier du comte de Valois, ou Béraud de Mercœur, grand seigneur turbulent et l'un des plus violemment hostiles, depuis des années, à l'administration royale.

Quant à Charles de Valois lui-même, il s'était attribué le siège habituel de Marigny.

Des vieux serviteurs du Roi de fer, seul demeurait, en dehors du connétable, l'ex-chambellan Hugues de Bouville, sans doute parce qu'il appartenait à la haute noblesse. Les conseillers issus de la bourgeoisie avaient été écartés.

Marigny saisit d'un seul regard toutes les intentions d'offense et de défi dont témoignaient à son égard la composition et la disposition d'un tel Conseil. Il resta un moment immobile, la main gauche au collet de sa robe, sous son large menton, le coude droit serré sur son sac à documents, comme s'il pensait : « Allons ! Il va falloir nous battre ! » et rassemblait ses forces.

Puis, s'adressant à Hugues de Bouville, mais de façon à être entendu de tous, il demanda :

— Messire de Presles est-il malade ? Messires de Bourdenai, de Briançon et Dubois ont-ils été empêchés, que je ne vois aucun d'eux ? Ont-ils fait tenir excuse de leur absence ?

Le gros Bouville eut un instant d'hésitation et répondit, baissant les yeux :

— Je n'ai pas eu charge de réunir le Conseil. C'est messire de Mornay qui y a pourvu.

Se renversant un peu sur le siège qu'il venait de s'approprier, Valois dit alors, avec une insolence à peine voilée :

— Vous n'avez pas oublié, messire de Marigny, que le roi appelle au Conseil qui il veut, comme il veut, et quand il veut. C'est droit de souverain.

Marigny fut au bord de répondre que si c'était, en effet, le droit du roi de convier à son Conseil qui lui plaisait, c'était aussi son devoir de choisir des hommes qui s'entendissent aux affaires, et que les compétences ne se formaient pas du soir au matin.

Mais il préféra réserver ses arguments pour un meilleur débat et s'installa, apparemment calme, en face de Valois, sur la chaise laissée vide à gauche du fauteuil royal.

Il ouvrit son sac à documents, en sortit parchemins et tablettes qu'il rangea devant lui. Ses mains contrastaient, par leur finesse nerveuse, avec la lourdeur de sa personne. Il chercha machinalement, sous le plateau de la table, le crochet auquel d'ordinaire il pendait son sac, ne le trouva pas, et réprima un mouvement d'irritation.

Valois conversait, d'un air de mystère, avec son neveu Charles de France. Philippe de Poitiers lisait, l'approchant de ses yeux myopes, une pièce que lui avait tendue le connétable et qui concernait un de ses vassaux. Louis d'Évreux se taisait. Tous étaient habillés de noir. Mais Monseigneur de Valois, en dépit du deuil de cour, était aussi superbement vêtu que jamais ; sa robe de velours s'ornait de broderies d'argent et de queues d'hermine qui le paraient comme un cheval de corbillard. Il n'avait devant lui ni parchemin ni tablette, et laissait à son chancelier le soin subalterne de lire et d'écrire ; lui se contentait de parler.

La porte qui donnait accès aux appartements s'ouvrit, et Mathieu de Trye parut, annonçant :

— Messires, le roi.

Valois se leva le premier et s'inclina avec une déférence si marquée qu'elle en devenait majestueusement protectrice. Le Hutin dit :

— Excusez, messires, mon retard...

Il s'interrompit aussitôt, mécontent de cette sotte déclaration. Il avait oublié qu'il était le roi, et qu'il lui appartenait d'entrer le dernier au Conseil. Il fut à nouveau saisi d'un malaise anxieux, comme la veille à Saint-Denis, et comme la nuit précédente dans le lit paternel.

L'heure était venue, vraiment, de se montrer roi. Mais la vertu royale n'est pas une disposition qui se manifeste par miracle. Louis, les bras ballants, les yeux rouges, ne bougeait pas ; il négligeait de s'asseoir et de faire asseoir le Conseil.

Les secondes passaient ; le silence devenait pénible.

Mathieu de Trye eut le geste qu'il fallait ; il tira ostensiblement le fauteuil royal. Louis s'assit et murmura :

— Siégez, messires.

Il revit en pensée son père à cette même place et prit machinalement sa pose, les deux mains à plat sur les accoudoirs du fauteuil. Cela lui rendit un peu d'assurance. Se tournant alors vers le comte de Poitiers, il dit :

— Mon frère, ma première décision vous regarde. J'entends, lorsque le deuil de cour aura pris fin, vous conférer la pairie pour votre comté de Poitiers, afin que vous soyez au nombre des pairs et m'aidiez à soutenir le poids de la couronne.

Puis, s'adressant à son second frère :

— A vous, Charles, j'ai vouloir de donner en fief et apanage le comté de la Marche, avec les droits et les revenus qui s'y attachent.

Les deux princes se levèrent et vinrent, de part et d'autre du siège royal, baiser chacun l'une des mains de leur aîné, en signe de merci. Les mesures qui les touchaient n'étaient ni exceptionnelles ni inattendues. L'attribution de la pairie au premier frère du roi constituait une sorte d'usage ; et d'autre part, il était su depuis longtemps que le comté de la Marche, racheté par Philippe le Bel aux Lusignan, irait au jeune Charles[4].

Monseigneur de Valois ne s'en rengorgea pas moins, comme si l'initiative lui en revenait ; et il eut à l'adresse des deux princes un petit geste qui voulait exprimer : « Vous voyez, j'ai bien travaillé pour vous. »

Mais Louis X, pour sa part, n'était pas aussi satisfait, car il avait omis de commencer par rendre hommage à la mémoire de son père et de parler de la continuité du pouvoir. Les deux belles phrases qu'il avait préparées lui étaient sorties de l'esprit ; à présent il ne savait plus comment enchaîner.

Un silence s'établit à nouveau, gênant et pesant. Quelqu'un manquait trop évidemment à cette assemblée : le mort.

Enguerrand de Marigny regardait le jeune roi et attendait visiblement que celui-ci prononçât : « Messire, je vous confirme en vos charges de coadjuteur et recteur général du royaume... »

Rien ne venant, Marigny fit comme si cela avait été dit, et demanda :

— De quelles affaires, Sire, désirez-vous être informé? De la rentrée des aides et tailles, de l'état du Trésor, des arrêts du Parlement, de la disette qui sévit dans les provinces, de la position des garnisons, de la situation en Flandre, des requêtes présentées par vos barons de Bourgogne et de Champagne?

Ce qui signifiait en clair: «Sire, voilà les questions dont je m'occupe, et bien d'autres encore, dont je pourrais vous égrener plus longtemps le chapelet. Pensez-vous être capable de vous passer de moi?»

Le Hutin se tourna vers son oncle Valois d'un air qui mendiait appui.

— Messire de Marigny, le roi ne nous a pas réunis pour ces affaires, dit Valois; il les entendra plus tard.

— Si l'on ne m'avertit pas de l'objet du Conseil, Monseigneur, je ne puis le deviner, répondit Marigny.

— Le roi, messires, poursuivit Valois sans paraître attacher la moindre importance à la remarque, le roi souhaite vous entendre sur le premier souci qu'en bon souverain il doit avoir: celui de sa descendance et de la succession au Trône.

— C'est tout juste cela, messires, dit le Hutin en essayant un ton de grandeur. Mon premier devoir est de pourvoir à la succession, et pour cela il me faut une femme...

Et puis il resta court. Valois reprit la parole.

— Le roi considère donc qu'il doit, dès à présent, s'apprêter à rechoisir épouse, et son attention s'est portée sur Madame Clémence de Hongrie, fille du roi Carlo-Martello et nièce du roi de Naples. Nous souhaitons ouïr votre conseil avant d'envoyer ambassade.

Ce «nous souhaitons» frappa désagréablement plusieurs membres de l'assistance. Était-ce donc Monseigneur de Valois qui régnait?

Philippe de Poitiers inclina le visage vers le comte d'Évreux.

— Voilà donc, murmura-t-il, pourquoi l'on a commencé par me beurrer l'oreille avec la pairie.

Puis, à voix haute:

— Quel est sur ce projet l'avis de messire de Marigny? demanda-t-il.

Ce faisant, il commettait sciemment une incorrection envers son frère aîné, car il appartenait au souverain, et seulement à lui, d'inviter ses conseillers à donner leur opinion. Personne ne se fût aventuré à pareil manquement dans un conseil du roi Philippe. Mais aujourd'hui, chacun paraissait commander; et puisque l'oncle du nouveau roi se donnait les gants de dominer le Conseil, le frère pouvait bien prendre les mêmes libertés.

Marigny avança un peu son buste massif.

— Madame de Hongrie a sûrement de grandes qualités pour être reine, dit-il, puisque la pensée du roi s'est arrêtée sur elle. Mais à part qu'elle est la nièce de Monseigneur de Valois, ce qui bien sûr suffit à nous la faire aimer, je ne vois pas trop ce que son alliance apporterait au royaume. Son père Charles-Martel est mort voici longtemps, n'étant roi de Hongrie que de nom ; son frère Charobert...

A la différence de Charles de Valois il prononçait les noms à la française...

— ... son frère Charobert est enfin parvenu l'autre année, après quinze ans de brigue et d'expéditions, à coiffer cette couronne magyare qui ne lui tient pas trop fort à la tête. Tous les fiefs et principautés de la maison d'Anjou sont déjà distribués parmi cette famille si nombreuse qu'elle s'étend sur le monde comme l'huile sur la nappe ; et l'on croirait bientôt que la famille de France n'est qu'une branche de la lignée d'Anjou [5]. On ne peut attendre d'un semblable mariage aucun agrandissement du domaine, comme le souhaitait toujours le roi Philippe, ni aucune aide de guerre, car tous ces princes lointains sont assez occupés à se maintenir dans leurs possessions. En d'autres mots, Sire, je suis certain que votre père se fût opposé à une union dont la dot serait composée de plus de nuages que de terres.

Monseigneur de Valois était devenu rouge, et son genou s'agitait sous la table. Chacune des phrases de Marigny contenait une perfidie à son endroit.

— Vous avez beau jeu, messire, s'écria-t-il, à porter parole pour qui est au tombeau. Je vous opposerai, moi, que la vertu d'une reine vaut mieux qu'une province. Les belles alliances de Bourgogne que vous aviez si bien ourdies n'ont pas tourné à tel avantage qu'il faille vous prendre encore pour juge en la matière. Honte et chagrin, voilà ce qu'il en est résulté.

— Oui, cela est ainsi ! déclara brusquement le Hutin.

— Sire, répondit Marigny avec une nuance de lassitude et de mépris, vous étiez bien jeune quand votre mariage fut décidé par votre père ; et Monseigneur de Valois n'y paraissait point tellement hostile alors, ni non plus par la suite, puisque voici moins de deux ans il a choisi de marier son propre fils à la propre sœur de votre épouse, pour se rendre ainsi plus proche de vous.

Valois accusa le coup, et sa couperose se marqua davantage. Il avait cru, en effet, fort habile d'unir son fils aîné, Philippe, à la sœur cadette de Marguerite, celle qu'on appelait Jeanne la Petite, ou la Boiteuse, parce qu'elle avait une jambe plus courte que l'autre [6].

Marigny poursuivait :

— La vertu des femmes est chose incertaine, Sire, autant que leur beauté est chose passagère ; mais les provinces restent. Le royaume, ces temps-ci, a gagné plus d'accroissement par les mariages que par les guerres. Ainsi Monseigneur de Poitiers détient la Comté-Franche ; ainsi...

— Ce conseil, dit brutalement Valois, va-t-il se passer à écouter messire de Marigny chanter sa propre louange, ou bien à pousser avant les volontés du roi?

— Pour ce faire, Monseigneur, répliqua Marigny aussi vivement, il conviendrait de ne pas placer le chariot devant l'attelage. On peut rêver pour le roi de toutes les princesses de la terre, et je comprends bien que l'impatience le gagne; encore faut-il commencer par le démarier de l'épouse qu'il a. Monseigneur d'Artois ne paraît pas vous avoir rapporté de Château-Gaillard les réponses que vous attendiez. L'annulation requiert donc qu'il y ait un pape...

— ... ce pape que vous nous promettez depuis six mois, Marigny, mais qui n'est pas encore sorti d'un conclave introuvable. Vos envoyés ont si bien brimé et défenestré les cardinaux à Carpentras que ceux-ci se sont enfuis, soutanes retroussées, à travers la campagne. Vous n'avez pas là sujet d'afficher beaucoup votre gloire! Si vous aviez marqué plus de modération, et un respect pour les ministres de Dieu qui vous est fort étranger, nous serions moins en peine.

— J'ai évité jusqu'à ce jour qu'on élise un pape qui ne fût que la créature des princes de Rome, ou de ceux de Naples, pour ce que le roi Philippe voulait justement un pape qui fût serviable à la France.

Les hommes épris de puissance sont avant tout poussés par la volonté d'agir sur l'univers, de faire les événements, et d'avoir eu raison. Richesse, honneurs, distinctions ne sont à leurs yeux que des outils pour leur action. Marigny et Valois appartenaient à cette espèce-là.

Ils s'étaient toujours affrontés, et seul Philippe le Bel avait su tenir à bout de bras ces deux adversaires, se servant au mieux de l'intelligence politique du légiste, et des qualités militaires du prince du sang. Mais Louis X était dépassé par le débat et totalement impuissant à l'arbitrer.

Le comte d'Évreux intervint, tâchant à ramener les esprits au calme, et avança une suggestion qui pût concilier les deux partis.

— Si en même temps qu'une promesse de mariage avec Madame Clémence, nous obtenions du roi de Naples qu'il acceptât pour pape un cardinal français?

— Alors certes, Monseigneur, dit Marigny plus posément, un tel accord aurait un sens; mais je doute fort qu'on y parvienne.

— Nous ne risquons rien à essayer. Envoyons une ambassade à Naples, si tel est le vœu du roi.

— Assurément, Monseigneur.

— Bouville, votre conseil? dit brusquement le Hutin pour se donner l'air de prendre l'affaire en main.

Le gros Bouville sursauta. Il avait été excellent chambellan, attentif à la dépense et majordome exact, mais son esprit ne volait pas très haut ; et Philippe le Bel ne s'adressait guère à lui, en Conseil, que pour lui commander de faire ouvrir les fenêtres.

— Sire, dit-il, c'est une noble famille, où vous iriez prendre épouse, et où l'on maintient fort les traditions de chevalerie. Nous aurions honneur à servir une reine...

Il s'arrêta, interrompu par un regard de Marigny qui semblait dire : « Tu me trahis, Bouville ! »

Entre Bouville et Marigny existaient de vieux et solides liens d'amitié. C'était chez le père de Bouville, Hugues II, grand chambellan d'alors, et qui devait être tué sous les yeux de Philippe le Bel à Mons-en-Pévèle, que Marigny avait commencé de servir en qualité d'écuyer ; et, au long de son extraordinaire ascension, il s'était toujours montré fidèle au fils de son premier seigneur.

Les Bouville appartenaient à la très haute noblesse. La fonction de chambellan, sinon celle de grand chambellan, était chez eux, depuis un siècle, quasi héréditaire. Hugues III, qui avait succédé à son frère Jean, qui lui-même avait succédé à leur père, Hugues II, était, par nature et par atavisme, si dévoué serviteur de la couronne, et si ébloui de la grandeur royale, que lorsque le roi lui parlait, il ne savait qu'approuver. Que le Hutin fût un sot et un brouillon ne faisait pas de différence ; et, dès l'instant qu'il était *le roi*, Bouville s'apprêtait à reporter sur lui tout le zèle qu'il avait témoigné à Philippe le Bel.

Cet empressement reçut immédiatement sa récompense, car Louis X décida que ce serait Bouville qu'on enverrait à Naples. Le choix surprit, mais ne suscita point d'opposition. Valois, s'imaginant qu'il réglerait tout secrètement par lettres, estimait qu'un homme médiocre, mais docile, était juste l'ambassadeur qui lui convenait. Tandis que Marigny pensait : « Envoyez donc Bouville. Il a autant d'aptitude à négocier qu'en aurait un enfant de cinq ans. Vous verrez bien les résultats. »

Le bon serviteur, tout rougissant, se trouva ainsi chargé d'une haute mission, qu'il n'attendait pas.

— Rappelez-vous, Bouville, que nous sommes en besoin d'un pape, dit le jeune roi.

— Sire, je n'aurai que cette idée en tête.

Louis X prenait soudain de l'autorité ; il aurait voulu que son messager fût déjà en route. Il poursuivit :

— Au retour vous passerez en Avignon, et ferez en sorte de hâter ce conclave. Et puisque les cardinaux, paraît-il, sont gens qu'on doit acheter, vous vous ferez pourvoir d'or par messire de Marigny.

— Où prélèverai-je cet or, Sire ? demanda ce dernier.

— Eh mais... sur le Trésor, bien évidemment !

— Le Trésor est vide, Sire, c'est-à-dire qu'il y reste à peine suffisance pour honorer les paiements d'ici la Saint-Nicolas, et attendre de nouvelles rentrées, mais rien de plus.

— Comment, le Trésor est vide, messire? s'écria Valois. Et vous ne l'avez pas dit plus tôt?

— Je voulais commencer par là, Monseigneur, mais vous m'en avez empêché.

— Et pourquoi, à votre avis, sommes-nous dans cette pénurie?

— Parce que les tailles d'impôt rentrent mal quand on les prend sur un peuple en disette. Parce que les barons, comme vous le savez le premier, Monseigneur, rechignent à payer les aides. Parce que le prêt consenti par les compagnies lombardes a servi pour régler aux mêmes barons les soldes de la dernière expédition de Flandre, cette expédition que vous aviez si fort conseillée...

— ... et que vous avez voulu clore de votre chef, messire, avant que nos chevaliers aient pu y trouver gloire, et nos finances profit. Si le royaume n'a pas tiré avantage des hâtifs traités que vous êtes allé conclure à Lille, j'imagine qu'il n'en fut pas de même pour vous, car votre habitude n'est point de vous oublier dans les marchés que vous passez. J'en ai subi l'apprentissage à mon détriment.

Ces derniers mots faisaient allusion à l'échange de leurs seigneuries respectives de Gaillefontaine et de Champrond auquel ils avaient procédé, quatre ans plus tôt, à la demande de Valois d'ailleurs, et dans lequel celui-ci s'était jugé dupé. Leur grande brouille datait de là.

— Il n'empêche, dit Louis X, que messire de Bouville doit être mis en chemin au plus tôt.

Marigny ne parut pas avoir entendu que le roi parlait. Il se leva, et l'on eut la certitude que quelque chose d'irréparable allait se produire.

— Sire, j'aimerais que Monseigneur de Valois éclairât ce qu'il vient de dire au sujet des conventions de Lille et de Marquette, ou bien qu'il retirât ses paroles.

Quelques secondes s'écoulèrent sans qu'il y eût aucun bruit dans la chambre du Conseil. Puis Monseigneur de Valois à son tour se leva, faisant tressauter les queues d'hermine qui lui ornaient les épaules et la taille.

— Je déclare devant vous, messire, ce que chacun prononce dans votre dos, à savoir que les Flamands vous ont acheté le retrait de nos bannières, et que vous avez ensaché pour vous des sommes qui eussent dû revenir au Trésor.

Les mâchoires contractées, son visage grumeleux blanchi par la colère, et les yeux regardant comme au-delà des murs, Marigny ressemblait à sa statue de la Galerie mercière.

— Sire, dit-il, j'ai entendu aujourd'hui plus qu'un homme d'honneur ne saurait entendre en toute sa vie. Je ne tiens mes biens que des bontés du roi votre père, dont je fus en toutes choses le serviteur et le second pendant seize années. Je viens d'être devant vous accusé de détournement, et de commerce avec les ennemis du royaume. Puisque nulle voix ici, et la vôtre avant toutes, Sire, ne s'élève pour me défendre contre pareille vilenie, je vous demande de nommer commission afin de faire vérifier mes comptes, desquels je suis responsable devant vous, et devant vous seul.

Les princes médiocres ne tolèrent qu'un entourage de flatteurs qui leur dissimulent leur médiocrité. L'attitude de Marigny, son ton, sa présence même, rappelaient trop évidemment au jeune roi qu'il était inférieur à son père.

S'emportant lui aussi, Louis X s'écria:

— Soit! Cette commission sera nommée, messire, puisque c'est vous-même qui le demandez.

Par cette parole, il se séparait du seul homme capable de gouverner à sa place et de diriger son règne. La France allait payer pendant de longues années ce mouvement d'humeur.

Marigny ramassa son sac à documents, le remplit, et se dirigea vers la porte. Son geste irrita un peu plus le Hutin, qui lui lança:

— Et jusque-là, vous voudrez bien ne plus avoir affaire avec notre Trésor.

— Je m'en garderai bien, Sire, dit Marigny depuis le seuil.

Et l'on entendit ses pas décroître dans l'antichambre.

Valois triomphait, presque surpris de la rapidité de cette exécution.

— Vous avez eu tort, mon frère, lui dit le comte d'Évreux; on ne force point un tel homme, et de telle sorte.

— J'ai eu grand-raison, mon frère, répliqua Valois, et bientôt vous m'en saurez gré. Ce Marigny est un mal sur le visage du royaume, qu'il fallait se hâter de faire crever.

— Mon oncle, demanda Louis X revenant impatiemment à son seul souci, quand mettrez-vous en chemin notre ambassade auprès de la cour de Naples?

Aussitôt que Valois lui eut promis que Bouville partirait dans la semaine, il leva le conseil. Il était mécontent de tout et de tous, parce qu'en vérité, il était mécontent de lui-même.

II

ENGUERRAND DE MARIGNY

Précédé comme à l'ordinaire de deux sergents massiers portant bâton à fleur de lis, escorté de secrétaires et d'écuyers, Enguerrand de Marigny, regagnant sa demeure, étouffait de fureur. « Ce coquin, ce brochet, m'accuser de trafiquer des traités ! Le reproche est pour le moins plaisant venant de lui, qui a passé sa vie à se vendre au plus offrant... Et ce petit roi qui a de la cervelle comme une mouche et de la hargne comme une guêpe, n'a pas dit un mot à mon adresse, sinon pour m'ôter la gestion du Trésor ! »

Il marchait sans rien voir des rues ni des gens. Il gouvernait les hommes de si haut depuis si longtemps qu'il avait perdu l'habitude de les regarder. Les Parisiens s'écartaient devant lui, s'inclinaient, lui tiraient de grands coups de bonnet, et puis le suivaient des yeux en échangeant quelque remarque amère. Il n'était pas aimé, ou ne l'était plus.

Parvenu à son hôtel de la rue des Fossés-Saint-Germain, il traversa la cour d'un pas pressé, jeta son manteau au premier bras qui se tendait et, toujours tenant son sac à documents, gravit l'escalier tournant.

Gros coffres, gros chandeliers, tapis épais, lourdes tentures, l'hôtel n'était meublé que de choses solides et faites pour durer. Une armée de valets y veillait au service du maître, et une armée de clercs y travaillait au service du royaume.

Enguerrand poussa la porte de la pièce où il savait trouver sa femme. Celle-ci brodait au coin du feu ; sa sœur, madame de Chanteloup, une veuve bavarde, était auprès d'elle. Deux levrettes d'Italie, naines et frileuses, sautillaient à leurs pieds.

Au visage que montrait son mari, madame de Marigny aussitôt s'inquiéta.

— Bon ami, que s'est-il produit ? demanda-t-elle.

Alips de Marigny, née de Mons, vivait depuis bientôt cinq ans dans l'admiration de l'homme qui l'avait épousée, en secondes noces, et brûlait pour lui d'un dévouement constant et passionné.

— Il se produit, répondit Marigny, que, maintenant que le roi Philippe n'est plus là pour les tenir sous le fouet, les chiens se sont lancés après moi.

— Puis-je vous aider d'aucune sorte?

Il la remercia, mais si durement, ajoutant qu'il savait assez bien se conduire seul, que les larmes vinrent aux yeux de la jeune femme. Enguerrand alors se pencha pour la baiser au front, et murmura :

— Je ne méconnais point, Alips, que je n'ai que vous pour m'aimer!

Puis il passa dans son cabinet de travail, jeta son sac à documents sur un coffre. Il marcha un moment d'une fenêtre à l'autre, pour donner à sa raison le temps de prendre le pas sur sa colère. « Vous m'avez ôté le Trésor, jeune Sire, mais vous avez omis le reste. Attendez donc ; vous ne me briserez pas si aisément. »

Il agita une clochette.

— Quatre sergents, promptement, dit-il à l'huissier qui se présenta.

Les sergents demandés montèrent de la salle des gardes. Marigny leur distribua les ordres :

— Toi, va quérir messire Alain de Pareilles, au Louvre. Toi, va quérir mon frère l'archevêque, qui doit ce jour être au palais épiscopal. Toi, messires Dubois et Raoul de Presles ; toi, messire Le Loquetier. S'ils ne sont point en leurs hôtels, affairez-vous à les rembûcher. Et dites à tous que je les attends céans.

Les quatre hommes partis, il écarta une tenture et ouvrit la porte de communication avec la chambre des secrétaires privés.

— Quelqu'un pour la dictée.

Un clerc arriva, portant pupitre et plumes.

Marigny, le dos au feu, commença :

— « A très puissant, très aimé et très redouté Sire, le roi Édouard d'Angleterre, duc d'Aquitaine... Sire, en l'état que me trouve le retour à Dieu de mon seigneur, maître et suzerain, le très pleuré roi Philippe et le plus grand que le royaume ait connu, je me tourne devers vous pour vous instruire de choses qui regardent le bien des deux nations... »

Il s'interrompit pour agiter à nouveau la clochette. L'huissier reparut. Marigny lui commanda de faire chercher Louis de Marigny, son fils. Puis il continua sa lettre.

Depuis 1308, date du mariage d'Isabelle de France avec Édouard II d'Angleterre, Marigny avait eu l'occasion de rendre à ce dernier maints services politiques ou personnels.

La situation, dans le duché d'Aquitaine, était toujours difficile et tendue, de par le statut singulier de cet immense fief français tenu par un souverain étranger. Cent ans et plus de guerre, de disputes incessantes, de traités contestés ou reniés, y avaient laissé leurs séquelles. Quand les vassaux guyennais, selon leurs intérêts et leurs rivalités, s'adressaient à l'un ou l'autre des souverains, Marigny, toujours, s'appliquait à éviter les conflits. D'autre part, Édouard et Isabelle ne formaient guère un ménage harmonieux. Quand Isabelle se plaignait des mœurs anormales de son mari et lui reprochait des favoris avec lesquels elle vivait en lutte déclarée, Marigny prêchait le calme et la patience pour le bien des royaumes. Enfin la trésorerie d'Angleterre connaissait des difficultés fréquentes. Quand Édouard se trouvait trop à court de monnaie, Marigny s'arrangeait pour lui faire consentir un prêt.

En remerciement de tant d'interventions, Édouard, l'année précédente, avait gratifié le coadjuteur d'une pension à vie de mille livres[7].

Aujourd'hui, c'était au tour de Marigny d'en appeler au roi anglais et de lui demander soutien. Il importait aux bonnes relations entre les deux royaumes que les affaires de France ne changeassent point de direction.

— «... Il y va, Sire, plus que de ma faveur ou de ma fortune ; vous saurez voir qu'il y va de la paix des empires, pour laquelle je suis et je serai toujours votre très fidèle servant. »

Il se fit relire la lettre, y apporta quelques corrections.

— Recopiez, et présentez-moi à signer.

— Cela doit-il partir aux chevaucheurs, Monseigneur ? demanda le secrétaire.

— Non point. Et je scellerai de mon petit sceau.

Le secrétaire sortit. Marigny dégrafa le haut de sa robe ; l'action lui faisait gonfler le cou.

« Pauvre royaume, pensait-il. En quelle brouille et misère vont-ils le mettre, si je ne m'y oppose ! N'aurai-je donc autant fait que pour voir mes efforts ruinés ? »

Les hommes qui pendant un temps très long ont exercé le pouvoir finissent par s'identifier à leur charge et par considérer toute atteinte faite à leur personne comme une atteinte directe aux intérêts de l'État. Marigny en était à ce point, et donc prêt, sans nullement s'en rendre compte, à agir contre le royaume, dès l'instant qu'on lui limitait la faculté de le diriger.

Ce fut dans cette disposition qu'il accueillit son frère l'archevêque.

Jean de Marigny, long et serré dans son manteau violet, avait une attitude constamment étudiée que n'aimait pas le coadjuteur. Enguerrand avait envie de dire à son cadet : « Prends cette mine pour tes chanoines, si cela te plaît, mais non pas devant moi qui t'ai vu baver ta soupe et te moucher dans tes doigts. »

En dix phrases il lui raconta le conseil dont il sortait et lui communiqua ses directives, du même ton sans réplique qu'il avait pour parler à ses commis.

— Je ne désire point de pape pour l'instant, car aussi longtemps qu'il n'y a point de pape, ce méchant petit roi est dans ma main. Donc pas de cardinaux bien rassemblés et prêts à entendre Bouville quand celui-ci reviendra de Naples. Pas de paix en Avignon. Qu'on s'y dispute, qu'on s'y déchire. Vous ferez ce qu'il convient, mon frère, pour qu'il en soit ainsi.

Jean de Marigny, qui avait commencé par se montrer tout indigné de ce que lui rapportait Enguerrand, se rembrunit aussitôt qu'il fut question du conclave. Il réfléchit un moment, contemplant son anneau pastoral.

— Alors, mon frère? J'attends votre acquiescement, dit Enguerrand.

— Mon frère, vous savez que je ne veux que vous servir en tout; et je pense que je pourrais mieux le faire encore si je deviens quelque jour cardinal. Or, à semer dans le conclave plus de discorde qu'il n'en pousse déjà, je risque fort de m'aliéner l'amitié de tel ou tel papable, Francesco Caëtani par exemple, qui, s'il se trouvait plus tard élu, me refuserait alors le chapeau...

Enguerrand éclata.

— Votre chapeau! Voilà bien l'heure d'en parler! Votre chapeau, si jamais vous devez l'avoir, mon pauvre Jean, c'est moi qui vous en coifferai comme je vous ai déjà tissé votre mitre. Mais si de sots calculs vous font ménager mes adversaires, comme ce Caëtani, je vous dis que bientôt vous irez, non seulement sans chapeau, mais sans souliers, en misérable moine qu'on reléguera dans quelque couvent. Vous oubliez trop vite, Jean, ce que vous me devez, et de quel mauvais pas encore je vous ai tiré, voici deux mois à peine, pour ce trafic que vous aviez fait des biens du Temple. A ce propos, ajouta-t-il...

Son regard devint plus étincelant, plus aigu, sous ses sourcils épais.

— ... à ce propos, avez-vous bien pu détruire les preuves laissées imprudemment par vous au banquier Tolomei, et dont les Lombards se sont servis pour me faire plier?

L'archevêque eut un hochement de tête qui pouvait être interprété comme une affirmation; mais aussitôt il se montra plus docile, et pria son frère de lui préciser ses instructions.

— Envoyez en Avignon, reprit Enguerrand, deux émissaires, hommes d'Église d'une sûreté absolue, je veux dire des gens à votre merci. Faites-les se promener à Carpentras, à Châteauneuf, à Orange, partout où les cardinaux sont éparpillés, et répandre avec autorité, comme venant de la cour de France, des assurances tout à fait opposées. L'un annoncera aux cardinaux français que le nouveau roi permettrait le retour du Saint-Siège à Rome; l'autre dira aux Italiens que nous inclinons à établir la papauté plus près encore de Paris, pour qu'elle soit mieux sous notre dépendance. Ce qui n'est rien que vérité, après tout, et des deux parts, puisque le roi est incapable de juger de ces choses, que Valois veut le pape à Rome et que je le veux en France. Le roi n'a en tête que l'annulation de son mariage et ne voit pas plus loin. Il l'obtiendra, mais seulement à l'heure que je le voudrai, et d'un pontife à ma convenance... Pour l'instant donc, retardons l'élection. Veillez à ce que vos deux envoyés n'aient pas de lien entre eux ; il serait même souhaitable qu'ils ne se connussent point.

Sur ces paroles, il congédia son frère pour recevoir son fils Louis, qui attendait dans l'antichambre. Mais quand le jeune homme fut entré, Marigny resta un moment silencieux. Il pensait tristement, amèrement : « Jean me trahira dès qu'il y croira trouver son profit... »

Louis de Marigny était un petit garçon mince, de belle tournure, et qui s'habillait avec recherche. Il ressemblait assez, pour les traits de figure, à l'archevêque son oncle.

Fils d'un personnage devant qui le royaume entier s'inclinait, et de plus filleul du nouveau roi, le jeune Marigny ne connaissait ni la lutte ni l'effort. S'il faisait montre, certes, d'admiration et de respect pour son père, il souffrait en secret de l'autorité brutale de celui-ci et de ses rudes manières qui disaient l'homme parvenu par l'action. Pour un peu, il aurait reproché à son père de n'être pas assez bien né.

— Louis, équipez-vous, dit Enguerrand ; vous partez tout à l'heure pour Londres délivrer une lettre.

Le visage du jeune homme se rembrunit.

— Cela ne saurait-il attendre après-demain, mon père, ou bien n'avez-vous personne qui me puisse remplacer ? Je dois chasser demain dans le bois de Boulogne... petite chasse parce que c'est deuil, mais...

— Chasser ! Vous ne pensez donc qu'à chasser ! s'écria Marigny. Ne demanderai-je jamais la moindre aide aux miens, pour qui je fais tout, sans qu'ils commencent par rechigner ? Apprenez que c'est moi que l'on chasse, présentement, pour m'arracher la peau, et la vôtre avec... S'il me suffisait d'un quelconque chevaucheur, j'y aurais songé tout seul ! C'est au roi d'Angleterre que je vous envoie, afin que ma lettre lui soit remise de main à main, et qu'il n'aille pas en circuler copies que le vent pourrait rabattre par ici. Le roi d'Angleterre ! Cela flatte-t-il assez votre orgueil pour que vous renonciez à une chasse ?

— Pardonnez-moi, mon père, dit Louis de Marigny ; je vous obéirai.

— En donnant ma lettre au roi Édouard, auquel vous rappellerez qu'il vous a distingué l'autre année, à Maubuisson, vous ajouterez ceci, que je n'ai point écrit, à savoir que Charles de Valois intrigue pour remarier le nouveau roi à une princesse de Naples, ce qui tournerait nos alliances vers le Sud plutôt que vers le Nord. Voilà. Vous m'avez entendu. Et si le roi Édouard vous demande ce qu'il peut faire dans mon sens, dites-lui qu'il m'aiderait bien en me recommandant fortement au roi Louis, son beau-frère... Prenez les écuyers et sommeliers qu'il vous faut ; mais n'ayez pas trop grand train de prince. Et faites-vous bailler cent livres par mon trésorier.

Quelques coups furent frappés à la porte.

— Messire de Pareilles est arrivé, dit l'huissier.

— Qu'il vienne... Adieu, Louis. Mon secrétaire vous portera la lettre. Que le Seigneur veille sur votre chemin.

Enguerrand de Marigny étreignit son fils, geste dont il n'était pas coutumier. Puis il se tourna vers Alain de Pareilles qui entrait, l'empoigna par le bras, et lui montrant un siège devant la cheminée, lui dit :

— Chauffe-toi, Pareilles.

Le capitaine général des archers avait des cheveux couleur d'acier, un visage durement marqué par le temps et la guerre, et ses yeux avaient tant vu de combats, de coups de force, d'émeutes, de tortures, d'exécutions qu'ils ne pouvaient plus s'étonner de rien. Les pendus de Montfaucon lui étaient spectacle habituel. Dans la seule année en cours, il avait conduit le grand-maître des Templiers au bûcher, conduit les frères d'Aunay à la roue, conduit les princesses royales en prison.

Il commandait au corps des archers, aux sergents d'armes de toutes les forteresses ; le maintien de l'ordre dans le royaume était son affaire, ainsi que l'application des arrêts de justice répressive ou criminelle. Marigny, qui ne tutoyait aucun membre de sa famille, tutoyait ce vieux compagnon, instrument exact, sans défaut ni faiblesse, du pouvoir d'État.

— Deux missions pour toi, Pareilles, dit Marigny, et qui relèvent toutes deux de l'inspection des forteresses. D'abord, je te demande de te rendre à Château-Gaillard afin de secouer l'âne qui en est gardien... Comment se nomme-t-il, déjà ?

— Bersumée, Robert Bersumée.

— Tu diras donc à ce Bersumée qu'il se conforme mieux aux instructions reçues. J'ai su que Robert d'Artois était là-bas, et qu'il avait eu accès auprès de Madame de Bourgogne. C'est en contrevenance aux ordres. La reine, pour autant qu'on puisse la dire telle, est condamnée au mur, c'est-à-dire au secret. Aucun sauf-conduit ne vaut pour l'approcher s'il ne porte mon sceau, ou le tien. Seul le roi peut aller la visiter ; je vois petite chance que telle envie le prenne. Donc, ni ambassade, ni message. Et que l'âne sache bien que je lui fendrai les oreilles s'il n'obéit point.

— Que souhaites-tu, Monseigneur, qu'il advienne de Madame Marguerite ? interrogea Pareilles.

— Rien. Qu'elle vive. Elle me sert d'otage et je la veux garder. Qu'on veille bien à sa sûreté. Qu'on adoucisse au besoin sa chère et son logis, s'ils devaient nuire à sa santé... Deuxièmement : aussitôt que revenu de

Château-Gaillard, tu piqueras sur le Midi, avec trois compagnies d'archers que tu iras installer dans le fort de Villeneuve, pour y renforcer notre garnison en face d'Avignon. Je te prie de bien montrer ton arrivée et de faire défiler tes archers six fois de suite devant la forteresse, de sorte que de l'autre rive on puisse croire qu'ils sont deux mille à y pénétrer. C'est aux cardinaux que je destine cette parade de guerre, pour compléter le tour que je leur monte d'autre part. Cela fait, tu reviens au plus tôt ; ton service peut m'être grandement nécessaire ces temps-ci...

— ... où l'air qui souffle à l'environ ne nous plaît guère, n'est-ce pas, Monseigneur ?

— Certes non... Adieu, Pareilles. Je dicterai tes instructions.

Marigny était plus calme. Les diverses pièces de son jeu commençaient à se disposer. Resté seul, il réfléchit un moment. Puis il entra dans la chambre des secrétaires. Des stalles de chêne sculpté couvraient les murs à mi-hauteur, ainsi que dans le chœur d'une église. Chaque stalle était équipée d'une tablette à écrire où pendaient des poids qui maintenaient les parchemins tendus, et de cornes fixées aux accoudoirs pour contenir les encres. Des lutrins tournants, à quatre faces, soutenaient registres et documents. Quinze clercs travaillaient là, en silence. Marigny au passage parapha et scella la lettre au roi Édouard ; et il gagna la salle suivante où les légistes qu'il avait mandés se trouvaient réunis, et d'autres avec eux, tels Bourdenai et Briançon, venus de leur propre chef aux nouvelles.

— Messires, leur dit Enguerrand, on ne vous a pas fait l'honneur de vous convier au conseil de ce matin. Aussi allons-nous tenir entre nous un conseil fort étroit.

— Il n'y manquera que notre Sire le roi Philippe, dit Raoul de Presles avec un sourire triste.

— Prions pour que son âme nous assiste, dit Geoffroy de Briançon.

Et Nicole Le Loquetier ajouta :

— Lui ne doutait pas de nous.

— Siégeons, messires, dit Marigny.

Et quand chacun fut assis :

— Il me faut d'abord vous apprendre que la gestion du Trésor vient de m'être ôtée, et que le roi va commettre à viser les comptes. L'offense vous atteint en même temps que moi. Gardez-vous, messires, de vous indigner ; nous avons mieux à nous employer. Car je désire présenter des comptes bien nets. Pour ce faire...

Il prit un temps, et se renversa un peu sur son siège.

— ... pour ce faire, répéta-t-il, vous voudrez donner ordre à tous prévôts et receveurs de finances, en tous bailliages et sénéchaussées, de payer tout ce qu'on doit, sur-le-champ. Qu'on règle les fournitures, les travaux en cours, et tout ce qui a été commandé par la Couronne, sans omettre ce qui regarde la maison de Navarre. Qu'on paie partout, jusqu'à épuisement de l'or, et même ce qui pouvait souffrir délai. Et pour le solde, on fera l'état des dettes.

Les légistes regardèrent Marigny, se regardèrent entre eux. Ils avaient compris; et quelques-uns ne purent s'empêcher de sourire. Marigny fit craquer ses phalanges, comme s'il cassait des noix.

— Monseigneur de Valois veut s'assurer mainmise sur le Trésor? acheva-t-il. Eh bien! il se retournera les ongles à le racler, et il lui faudra chercher ailleurs la monnaie de ses intrigues!

III

L'HÔTEL DE VALOIS

Or le rude affairement qui régnait rive gauche en l'hôtel de Marigny n'était que petite agitation en regard de ce qui se passait, rive droite, à l'hôtel de Valois. Là, on chantait victoire, on criait triomphe, et l'on eût, pour un peu, mis les pavois aux fenêtres.

« Marigny n'a plus le Trésor! » La nouvelle, d'abord chuchotée, maintenant se clamait. Chacun savait, et voulait montrer qu'il savait; chacun commentait, chacun supputait, chacun prédisait, et cela tissait toute une rumeur de vantardises, de conciliabules, de flatteries quémandeuses. Le moindre bachelier prenait une autorité de connétable pour rabrouer les valets. Les femmes commandaient avec plus d'exigence, les enfants glapissaient avec plus d'énergie. Les chambellans, jouant l'importance, se transmettaient gravement de futiles consignes, et il n'était jusqu'au dernier clerc aux écritures qui ne voulût se donner la mine d'un dignitaire.

Les dames de parage caquetaient autour de la comtesse de Valois, haute, sèche, altière. Le chanoine Étienne de Mornay, chancelier du comte, passait comme un navire entre des vagues de nuques plongeant avec respect. Toute une clientèle effervescente, cauteleuse, entrait, sortait, se tenait dans l'embrasure des fenêtres, donnait son avis sur les affaires publiques. L'odeur du pouvoir s'était répandue dans Paris, et chacun s'empressait à la flairer du plus près.

Il en fut ainsi pendant une entière semaine. On venait, feignant d'avoir été appelé et par espoir de l'être, car Monseigneur de Valois, enfermé dans son cabinet, consultait beaucoup. On vit même apparaître, fantôme de l'autre siècle, que soutenait un écuyer à barbe blanche, le vieux sire de Joinville, croulant et aminci par l'âge. Le sénéchal héréditaire de Champagne, compagnon de Saint Louis durant la croisade de 1248, et qui s'était institué son thuriféraire, avait quatre-vingt-onze ans. A demi aveugle, la paupière mouillée et l'entendement diminué, il apportait au comte de Valois la caution de l'ancienne chevalerie et de la société féodale.

Le parti baronnial, pour la première fois depuis trente ans, l'emportait; et l'on eût dit, devant la grande bousculade de ceux qui se hâtaient de le rallier, que la vraie cour ne se tenait pas au palais de la Cité, mais à l'hôtel de Valois.

Demeure de roi, d'ailleurs. Nulle poutre aux plafonds qui ne fût sculptée, nulle cheminée dont la hotte monumentale ne s'ornât des écus de France, d'Anjou, du Valois, du Perche, du Maine ou de Romagne, et même des armes d'Aragon ou des emblèmes impériaux de Constantinople, puisque Charles de Valois avait, fugitivement et nominalement, porté tour à tour la couronne aragonaise et celle de l'Empire latin d'Orient. Partout les pavements disparaissaient sous les laines de Smyrne, et les murs sous les tapis de Chypre. Les crédences, les dressoirs soutenaient un étincellement d'orfèvrerie, d'émaux, de vermeil ciselé.

Mais cette façade d'opulence et de prestige cachait une lèpre, le mal d'argent. Toutes ces merveilles étaient aux trois quarts engagées pour couvrir la fabuleuse dépense qui se faisait en cette maison. Valois aimait paraître. A moins de soixante convives, sa table lui semblait vide; et à moins de vingt plats par service, il se croyait réduit à menu de pénitence. Comme il en allait à ses yeux des honneurs et des titres, il en allait des bijoux, des vêtements, des chevaux, des meubles, des vaisselles; il lui fallait trop de tout pour lui donner le sentiment d'avoir assez.

Chacun autour de lui profitait de ce faste. Mahaut de Châtillon, la troisième Madame de Valois, s'entendait à accumuler robes et parures, et il n'était princesse en France qui se montrât pareillement cousue de perles et de gemmes. Philippe de Valois, le fils aîné, dont la mère était Anjou-Sicile, aimait les armures padouanes, les bottes de Cordoue, les lances en bois du Nord, les épées d'Allemagne.

Jamais négociant, s'il venait offrir un objet rare ou somptueux, et s'il avait l'habileté de laisser entendre que quelque autre seigneur en pourrait devenir acquéreur, ne remportait sa marchandise.

Les brodeuses attachées à l'hôtel, et celles qu'on employait en ville, ne suffisaient pas à fournir les cottes d'armes, les oriflammes, les tapis de selle, les caparaçons, les robes de Monseigneur, les surcots de Madame.

Le bouteiller volait sur les vins, les écuyers volaient sur le fourrage, les chambellans volaient sur la chandelle et le saucier grattait sur les épices. Comme on pillait à la lingerie, on gaspillait aux cuisines. Et ce n'était là que le train courant.

Car le comte de Valois devait faire face à d'autres nécessités.

Géniteur prolifique, il avait d'innombrables filles qui lui étaient nées de ses trois lits. Chaque fois qu'il en mariait une, Charles se voyait contraint de s'endetter davantage afin que dot et fêtes d'épousailles fussent à la mesure des trônes autour desquels il prenait ses gendres. Sa fortune fondait dans ce réseau d'alliances.

Certes, il possédait d'immenses domaines, les plus grands après ceux du roi. Mais les revenus qu'il en tirait ne couvraient plus qu'à peine les intérêts des emprunts. Les prêteurs, de mois en mois, se faisaient plus difficiles. S'il avait connu moins d'urgence à restaurer son crédit, Monseigneur de Valois eût montré moins de hâte à se saisir des affaires du royaume.

Mais certains combats laissent le vainqueur plus embarrassé que le vaincu. Prenant en main le Trésor, Valois n'empoignait que du vent. Les envoyés qu'il dépêchait dans les bailliages et prévôtés, afin d'y récolter quelques fonds, s'en revenaient la mine piteuse. Tous avaient été précédés par les envoyés de Marigny ; et il ne restait plus un denier aux coffres des prévôts, lesquels avaient soldé les créances autant qu'ils le pouvaient, afin de présenter « des comptes bien nets ».

Et tandis qu'au rez-de-chaussée de son hôtel toute une foule se chauffait et s'abreuvait à ses frais, Valois, dans son cabinet, au premier étage, recevant visiteur après visiteur, cherchait les moyens d'alimenter non plus seulement ses caisses, mais encore celles de l'État.

Une matinée de la fin de cette semaine-là, il était enfermé avec son cousin Robert d'Artois. Ils attendaient un troisième personnage.

— Ce banquier, ce Lombard, vous l'avez bien mandé pour ce matin ? dit Valois. Je vous avoue que j'ai quelque hâte de le voir paraître.

— Eh ! mon cousin, répondit le géant, croyez que mon impatience n'est pas moins grande que la vôtre. Car selon la réponse que vous donnera Tolomei, vieux brigand s'il en est, mais qui s'y entend assez en finances, je m'apprête à vous présenter une requête.

— Laquelle ?

— Mes arrérages, mon cousin, les arrérages des revenus de ce comté de Beaumont qu'on m'a octroyé voici cinq ans pour feindre de me payer l'Artois mais dont je n'ai pas encore vu les lisières[8]. C'est plus de vingt mille livres à cette heure qu'on me doit, et sur quoi ce Tolomei me prête à usure. Mais puisque vous avez maintenant disposition du Trésor...

Valois leva les bras au ciel.

— Mon cousin, dit-il, la tâche d'aujourd'hui consiste à trouver le nécessaire pour expédier Bouville vers Naples, car le roi me rebat l'oreille, sans arrêt, de ce départ. Ensuite, la première affaire dont je m'occuperai sera, je vous en fais la promesse, la vôtre.

A combien de personnes, depuis huit jours, n'avait-il pas donné la même assurance ?

— Mais le tour que Marigny vient de nous jouer sera le dernier, je vous le promets aussi ! Le chien rendra gorge, et vos arrérages, nous les prendrons sur ses biens. Car où croyez-vous que soient passés les revenus de votre comté ? Dans sa cassette, mon cousin, dans sa cassette !

Et Monseigneur de Valois, déambulant à travers son cabinet, exhala une fois de plus ses griefs contre le coadjuteur, ce qui était manière d'éluder les demandes.

Marigny, à ses yeux, portait la responsabilité de tout. Un vol avait-il été commis dans Paris ? Marigny ne tenait point en main les sergents du guet, et peut-être même partageait avec les malfaiteurs. Un arrêt du Parlement défavorisait-il un grand seigneur ? Marigny l'avait dicté.

Petits et grands maux, la voirie boueuse, l'insoumission des Flandres, la pénurie de blé, n'avaient qu'un seul auteur et qu'une seule origine. L'adultère des princesses, la mort du roi et même l'hiver précoce étaient imputables à Marigny ; Dieu punissait le royaume d'avoir si longtemps toléré un si malfaisant ministre !

D'Artois, d'ordinaire bruyant et hâbleur, regardait son cousin en silence et sans un instant se lasser. En vérité, pour quelqu'un dont la nature coulait un peu de même fontaine, Monseigneur de Valois avait de quoi fasciner.

Étonnant personnage que celui de ce prince à la fois impatient et tenace, véhément et retors, courageux de son corps mais faible devant la louange, et toujours animé d'ambitions extrêmes, toujours lancé dans de gigantesques entreprises et toujours échouant par manque d'une appréciation juste des réalités. La guerre était mieux son affaire que l'administration de la paix.

A l'âge de vingt-sept ans, mis par son frère à la tête des armées françaises, il avait ravagé la Guyenne en révolte ; le souvenir de cette expédition le laissait à jamais grisé. A trente et un ans, appelé par le pape Boniface et par le roi de Naples pour combattre les Gibelins et pacifier la Toscane, il s'était fait délivrer des indulgences de croisade, en même temps que les titres de vicaire général de la Chrétienté et de comte de Romagne. Or sa « croisade », il l'avait employée à rançonner les villes italiennes, et à extraire des seuls Florentins deux cent mille florins d'or pour leur consentir la grâce d'aller piller ailleurs.

Ce grand seigneur mégalomane montrait un tempérament d'aventurier, des goûts de parvenu et des volontés de fondateur de dynastie. Aucun sceptre ne se trouvait libre dans le monde, aucun trône vacant, sans qu'aussitôt Valois n'étendît la main. Et sans jamais de succès.

Maintenant, à quarante-quatre ans révolus, Charles de Valois s'écriait volontiers :

— Je ne me suis tant dépensé que pour perdre ma vie. La fortune toujours m'a trahi !

C'est qu'il considérait alors tous ses rêves écroulés, rêve d'Aragon, rêve d'un royaume d'Arles, rêve byzantin, rêve allemand, et les additionnait dans le grand songe d'un empire qui se fût étendu de l'Espagne au Bosphore et pareil au monde romain, mille ans auparavant, sous Constantin.

Il avait échoué à dominer l'univers. Au moins lui restait-il la France où déployer sa turbulence.

— Croyez-vous vraiment qu'il accepte, votre banquier? demanda-t-il brusquement à d'Artois.

— Mais oui; il exigera des gages, mais il acceptera.

— Voilà donc où je suis réduit, mon cousin! dit Valois avec un grand désespoir qui n'était pas feint. A dépendre du bon vouloir d'un usurier siennois pour commencer à remettre quelque ordre en ce royaume.

IV

LE PIED DE SAINT LOUIS

Messer Tolomei fut introduit dans le cabinet, et Robert d'Artois se déplia tout entier pour l'accueillir, paumes ouvertes.

— Ami banquier, je vous ai de grandes dettes, et vous ai toujours promis de vous payer à la première faveur que me ferait le sort. Eh bien! ce moment est venu.

— Heureuse nouvelle, Monseigneur, répondit Spinello Tolomei en s'inclinant.

— Et d'abord, poursuivit d'Artois, je veux commencer par m'acquitter de la reconnaissance que je vous dois en vous procurant un client royal.

Tolomei s'inclina de nouveau, et plus profondément, devant Charles de Valois, en disant:

— Qui ne connaît Monseigneur, au moins de vue et de renommée... Il a laissé de grands souvenirs à Sienne...

Les mêmes qu'à Florence, à ceci près que Sienne étant plus petite, il n'avait pris que dix-sept mille florins pour la « pacifier »!

— J'ai moi aussi gardé bonne impression de votre ville, dit Valois.

— Ma ville, à présent, Monseigneur, c'est Paris.

Le teint bistre, la joue grasse et pendante, l'œil gauche fermé par la malice, Tolomei attendait qu'on l'invitât à s'asseoir, ce que fit Valois en lui désignant un siège. Car messer Tolomei méritait quelques égards. Ses confrères, marchands et banquiers italiens de Paris, l'avaient élu tout récemment, à la mort du vieux Boccanegra, « capitaine général » de leurs compagnies. Cette fonction, qui lui donnait contrôle ou connaissance de la quasi-totalité des opérations de banque dans le pays, lui conférait une puissance secrète, mais primordiale. Tolomei était une sorte de connétable du crédit.

— Vous n'ignorez pas, ami banquier, reprit d'Artois, le grand mouvement qui se fait ces jours-ci. Messire de Marigny, qui n'est pas fort votre ami, je crois, non plus qu'il n'est le nôtre, se trouve en mauvais point...

— Je sais... murmura Tolomei.

— Aussi ai-je conseillé à Monseigneur de Valois, comme il avait besoin d'appeler un homme de finances, de s'adresser à vous dont l'habileté m'est connue autant que le dévouement.

Tolomei remercia d'un petit sourire de courtoisie. Sous sa paupière close, il observait les deux grands barons, et pensait : « Si l'on voulait m'offrir la gérance du Trésor, on ne me ferait point tant de compliments. »

— Que puis-je pour votre service, Monseigneur? demanda-t-il en se tournant vers Valois.

— Eh mais! ce que peut un banquier, messer Tolomei! répondit l'oncle du roi avec cette belle arrogance qu'il avait lorsqu'il s'apprêtait à demander de l'argent.

— Je l'entends bien ainsi, Monseigneur. Avez-vous des fonds à placer en bonnes marchandises qui doubleront de prix dans les six mois à venir? Désirez-vous quelques parts dans le commerce de navigation qui se développe fort en ce moment où l'on doit apporter par mer tant de choses qui manquent? Voilà de tels services que j'aurais honneur à vous rendre.

— Non, il ne s'agit point de cela, dit vivement Valois.

— Je le déplore, Monseigneur; je le déplore pour vous. Les meilleurs gains se font par temps de pénurie...

— Ce que je souhaite, présentement, c'est que vous m'avanciez un peu d'argent frais... pour le Trésor.

Tolomei prit une mine désolée.

— Ah! Monseigneur, ne doutez point du désir que j'ai de vous obliger; mais voilà bien la seule chose en quoi je ne puis vous satisfaire. Nos compagnies ont été fort saignées, ces mois derniers. Nous avons dû consentir au Trésor un gros prêt, qui ne nous rapporte rien, pour solder le coût de la guerre de Flandre...

— Cela, c'était l'affaire de Marigny.

— Certes, Monseigneur, mais c'était notre argent. De ce fait nos coffres sont un peu rouillés aux serrures. A combien se monte votre besoin?

— Dix mille livres.

Dans ce chiffre, Valois avait calculé cinq mille livres pour l'ambassade de Bouville, mille pour Robert d'Artois, et le reste pour faire face à ses propres embarras les plus pressants.

Le banquier joignit les mains devant son visage.

— Sainte Madone! Mais où les trouverais-je? s'écria-t-il.

Ces protestations devaient s'entendre comme préliminaires d'usage.

D'Artois en avait prévenu Valois. Aussi ce dernier prit-il le ton d'autorité qui généralement en imposait à ses interlocuteurs.

— Allons, allons, messer Tolomei! Ne rusons point, ni ne musons. Je vous ai mandé pour que vous fassiez votre métier, comme vous l'avez toujours exercé, avec profit, je pense.

— Mon métier, Monseigneur, répondit tranquillement Tolomei, mon métier est de prêter, il n'est point de donner. Or, depuis quelque temps, j'ai beaucoup donné, sans retour aucun. Je ne fabrique point de monnaie et n'ai pas inventé la pierre philosophale.

— Ne m'aiderez-vous donc point à vous débarrasser de Marigny? C'est votre intérêt, il me semble!

— Monseigneur, payer tribut à son ennemi lorsqu'il est puissant, et puis payer encore pour qu'il ne le soit plus, est une double opération qui, vous en conviendrez, ne rapporte guère. Au moins faudrait-il savoir ce qui va suivre, et si l'on a chance de se rattraper.

Charles de Valois aussitôt entonna le grand couplet qu'il récitait à tout venant depuis huit jours. Il allait, pour peu qu'on lui en procurât les moyens, supprimer toutes les «novelletés» introduites par Marigny et ses légistes bourgeois; il allait rendre l'autorité aux grands barons; il allait rétablir la prospérité dans le royaume en revenant au vieux droit féodal qui avait fait la grandeur du pays de France. Il allait restaurer «l'ordre». Comme tous les brouillons politiques, il n'avait que ce mot à la bouche, et ne lui donnait d'autre contenu que les lois, les souvenirs ou les illusions du passé.

— Avant longtemps, je vous assure qu'on sera retourné aux bonnes coutumes de mon aïeul Saint Louis!

Ce disant il montrait, posé sur une sorte d'autel, un reliquaire en forme de pied et qui contenait un os du talon de son grand-père; ce pied était d'argent avec des ongles d'or.

Car les restes du saint roi avaient été partagés, chaque membre de la famille, chaque chapelle royale voulant en garder une parcelle. La partie supérieure du crâne était conservée dans un beau buste d'orfèvrerie à la Sainte-Chapelle; la comtesse Mahaut d'Artois, dans son château de Hesdin, possédait quelques cheveux ainsi qu'un fragment de mâchoire; et tant de phalanges, d'esquilles, de débris avaient été ainsi répartis qu'on pouvait se demander ce que contenait la tombe de Saint-Denis. Si même la véritable dépouille y avait jamais été déposée... Car une légende tenace courait en Afrique selon laquelle le corps du roi franc avait été enseveli près de Tunis, tandis que son armée ne rapportait en France qu'un cercueil vide ou chargé d'un cadavre de remplacement [9].

Tolomei alla baiser dévotement le pied d'argent, puis demanda:

— Pourquoi vous faut-il au juste ces dix mille livres, Monseigneur?

Force fut à Valois de révéler en partie ses projets immédiats. Le

Siennois écoutait en hochant la tête et disait, comme s'il prenait mentalement des notes:

— Messire de Bouville, à Naples... oui... oui; nous commerçons avec Naples par nos cousins les Bardi... Marier le roi... Oui, oui, je vous entends, Monseigneur... Rassembler le conclave... Ah! Monseigneur, un conclave coûte plus cher à bâtir qu'un palais, et les fondations en sont moins solides... Oui, Monseigneur, oui, je vous écoute.

Quand enfin il eut appris ce qu'il souhaitait savoir, le capitaine général des Lombards déclara:

— Tout cela est certes bien pensé, Monseigneur, et je vous souhaite le succès du fond du cœur; mais rien ne m'assure que vous marierez le roi, ni que vous aurez un pape, ni même, si cela était, que je reverrai mon or, à supposer que je sois en mesure de vous le fournir.

Valois jeta un regard irrité vers d'Artois. «Quel étrange bonhomme m'avez-vous amené là, semblait-il dire, et n'aurai-je tant parlé que pour n'en rien obtenir?»

— Allons, banquier, s'écria d'Artois en se levant, quel intérêt demandes-tu? Quels gages? Quelle franchise ou autre avantage?

— Mais aucun, Monseigneur, aucun gage, protesta Tolomei; pas de vous, vous le savez bien, ni de Monseigneur de Valois dont la protection m'est chère. Je cherche, simplement... je cherche comment je pourrais vous aider.

Puis, se tournant à nouveau vers le pied d'argent, il ajouta doucement:

— Monseigneur de Valois vient de dire qu'on allait rendre au royaume les bonnes coutumes de Monseigneur Saint Louis. Mais qu'entend-il par là? Va-t-on remettre en usage *toutes* les coutumes?

— Certes, répondit Valois sans bien comprendre où l'autre voulait en venir.

— Va-t-on rétablir, par exemple, le droit pour les barons de battre monnaie sur leurs terres? Si telle ordonnance était reprise, alors, Monseigneur, je serais mieux apte à vous appuyer.

Valois et d'Artois se regardèrent. Le banquier pointait droit sur la plus importante des mesures que Valois projetait, et celle qu'il tenait la plus secrète parce qu'elle était la plus préjudiciable au Trésor et pouvait être la plus contestée.

En effet, l'unification de la monnaie dans le royaume, ainsi que le monopole royal de l'émettre, étaient des institutions de Philippe le Bel. Auparavant les grands seigneurs fabriquaient ou faisaient fabriquer, concurremment avec la monnaie royale, leurs propres pièces d'or et d'argent qui avaient cours en leurs fiefs; et ils tiraient de ce privilège une grosse source de profit. En tiraient profit également ceux qui, comme les banquiers lombards, fournissaient le métal brut et jouaient sur la variation de taux d'une région à l'autre. Et Valois comptait bien sur cette « bonne coutume » pour relever sa fortune.

— Voulez-vous dire encore, Monseigneur, poursuivit Tolomei continuant à considérer le reliquaire comme s'il en faisait l'estimation, voulez-vous dire que vous allez restaurer le droit de guerre privée ?

C'était là une autre des prérogatives féodales abolies par le Roi de fer, afin d'empêcher les grands vassaux de lever bannières à leur guise et d'ensanglanter le royaume pour régler leurs différends personnels, étaler gloriole, ou secouer leur ennui.

— Ah ! que ce sain usage nous soit vite rendu, s'écria Robert, et je ne tarderai pas à reprendre le comté d'Artois sur ma tante Mahaut !

— Si vous avez besoin d'équiper des troupes, Monseigneur, dit Tolomei, je puis vous obtenir les meilleurs prix des armuriers toscans.

— Messer Tolomei, vous venez d'exprimer tout juste les choses que je veux accomplir, dit alors Valois se rengorgeant. Aussi, je vous demande de marcher de confiance avec moi.

Les financiers ne sont pas moins imaginatifs que les conquérants, et c'est mal les connaître que de les croire uniquement inspirés par l'appât du gain. Leurs calculs souvent dissimulent des songes abstraits de puissance.

Le capitaine général des Lombards rêvait lui aussi, d'autre manière que le comte de Valois, mais il rêvait ; il se voyait déjà fournissant en or brut les grands barons du royaume, et dirigeant leurs querelles puisqu'il en négocierait l'armement. Or qui tient l'or et tient les armes détient le vrai pouvoir. Messer Tolomei jouait avec des pensées de règne...

— Alors, reprit Valois, êtes-vous décidé maintenant à me procurer la somme que je vous ai demandée ?

— Peut-être, Monseigneur, peut-être. Non que je sois en mesure de vous la donner moi-même ; mais je puis sans doute vous la trouver en Italie, ce qui conviendrait fort bien puisque c'est là justement que se rend votre ambassade. Pour vous, cela ne fait point de différence.

— Certes non, fut obligé de répondre Valois.

Mais l'arrangement était loin de combler ses vœux, lui rendant difficile, sinon même impossible, de puiser dans le prêt pour ses propres nécessités. Voyant Valois se rembrunir, Tolomei poussa le fer plus avant.

— Vous offrirez la garantie du Trésor ; mais chacun sait, chez nous en tout cas, que le Trésor est vide, et ces bruits-là vont vite à courir entre les comptoirs de banque. Je devrai donc engager ma propre garantie, et le ferai de grand cœur, Monseigneur, pour vous servir. Mais il sera nécessaire qu'un homme de ma compagnie, porteur des lettres de change, escorte votre envoyé afin de prendre l'argent en charge et d'en être comptable.

Valois se renfrognait de plus en plus.

— Eh! Monseigneur! dit Tolomei, c'est que je ne vais point agir seul en cette affaire; les compagnies d'Italie sont encore plus méfiantes que les nôtres, et j'ai besoin de leur donner toute assurance qu'elles ne seront point bernées.

En vérité, il voulait avoir un émissaire dans l'expédition, un émissaire qui allait, en son nom et pour son compte, espionner l'ambassadeur, contrôler l'emploi des fonds, se faire instruire des projets d'alliance, connaître les dispositions des cardinaux, et travailler en sous main dans le sens qu'il lui commanderait. Messer Spinello Tolomei régnait déjà, un tout petit peu.

Robert d'Artois avait dit à Valois que le Siennois exigerait un gage; ils n'avaient pas pensé que le gage, ce pouvait être un morceau du pouvoir.

Force était à l'oncle du roi, et pour satisfaire celui-ci, d'en passer par les conditions du banquier.

— Et qui donc allez-vous désigner, qui ne fasse point mauvaise figure auprès de messire de Bouville? demanda Valois.

— Je vais y penser, Monseigneur, je vais y penser. Je n'ai guère de monde en ce moment. Mes deux meilleurs voyageurs sont sur les routes... Quand donc messire de Bouville devrait-il partir?

— Mais demain, s'il se peut, ou le jour d'après.

— Et ce garçon, suggéra Robert d'Artois, qui était allé pour moi en Angleterre...

— Mon neveu Guccio? dit Tolomei.

— C'est cela même, votre neveu. Vous l'avez toujours auprès de vous?... Eh bien! que ne l'envoyez-vous? Il est fin, délié d'esprit, et il a bonne tournure. Il aidera notre ami Bouville, qui ne doit guère parler le langage d'Italie, à se débrouiller sur les chemins. Soyez rassuré, mon cousin, ajouta d'Artois s'adressant à Valois; ce garçon-là est de bonne recrue.

— Il va fort me manquer ici, dit Tolomei. Mais soit, Monseigneur, je vous l'abandonne. Il est dit que vous obtiendrez toujours de moi tout ce que vous souhaitez.

Bientôt après il prit congé.

Dès que Tolomei fut sorti du cabinet, Robert d'Artois s'étira un grand coup, et dit:

— Eh bien, Charles, m'étais-je trompé?

Comme tout emprunteur après une négociation de cette nature, Valois était à la fois content et mécontent; et il se composa une attitude qui ne montrât trop ni son soulagement ni son dépit. S'arrêtant à son tour devant le pied de Saint Louis, il dit:

— C'est cela, voyez-vous cousin, c'est la vue de cette sainte relique qui a décidé votre homme. Allons, tout respect de ce qui est noble n'est point perdu en France, et ce royaume peut être redressé !

— Un miracle, en quelque sorte, dit le géant en clignant de l'œil.

Ils réclamèrent leurs manteaux et leurs escortes pour aller porter au roi la bonne nouvelle du départ de l'ambassade.

Dans le même temps, Tolomei informait son neveu Guccio Baglioni d'avoir à se mettre en route dans les deux jours, et lui énumérait ses instructions. Le jeune homme ne témoigna pas d'un grand enthousiasme.

— *Come sei strano, figlio mio !* * s'écria Tolomei. Le sort te donne l'occasion d'un beau voyage, sans qu'il t'en coûte un denier, puisque c'est le Trésor, au bout du compte, qui paiera. Tu vas connaître Naples, la cour des Angevins, y côtoyer les princes et, si tu es habile, t'y faire des amis. Et peut-être vas-tu assister aux préliminaires d'un conclave. C'est chose passionnante qu'un conclave ! Ambitions, pressions, argent, rivalités... et même la foi chez certains. Tous les intérêts du monde jouent dans la partie. Tu vas voir cela. Et tu me fais la face longue, comme si je t'apprenais un malheur. A ta place et à ton âge, j'aurais sauté de joie, et je serais déjà à boucler mon porte-manteau... Pour prendre cette figure, il faut qu'il y ait une fille que tu regrettes de quitter. Ne serait-ce pas la demoiselle de Cressay, par hasard ?

Le teint couleur d'huile d'olive du jeune Guccio fonça un peu, ce qui était sa façon de rougir.

— Elle t'attendra, si elle t'aime, reprit le banquier. Les femmes sont faites pour attendre. On les retrouve toujours. Et si tu crains qu'elle ne t'oublie, profite donc de celles que tu rencontreras sur ton chemin. La seule chose qu'on ne retrouve pas, c'est la jeunesse, et la force pour courir le monde.

---

* Comme tu es étrange, mon garçon !

V

MESDAMES DE HONGRIE, DANS UN CHÂTEAU DE NAPLES

Il est des villes plus fortes que les siècles ; le temps ne les change pas. Les dominations s'y succèdent ; les civilisations s'y déposent comme des alluvions ; mais elles conservent à travers les âges leur caractère, leur parfum propre, leur rythme et leur rumeur qui les distinguent de toutes les autres cités de la terre. Naples, de toujours, fut de ces villes-là. Telle elle avait été, telle elle restait et resterait au long des âges, à demi africaine et à demi latine, avec ses ruelles serrées, son grouillement criard, son odeur d'huile, de safran et de poisson frit, sa poussière couleur de soleil, son bruit de grelots au cou des mules.

Les Grecs l'avaient organisée, les Romains l'avaient conquise, les Barbares l'avaient ravagée, les Byzantins et les Normands tour à tour s'y étaient installés. Naples avait absorbé, utilisé, fondu leurs arts, leurs lois et leur vocabulaire ; l'imagination de la rue se nourrissait de leurs souvenirs, de leurs rites et de leurs mythes.

Le peuple n'était ni grec, ni romain, ni byzantin ; il était le peuple napolitain de toujours, peuple pareil à nul autre au monde, qui use de la gaîté comme d'un masque de mime pour dissimuler la tragédie de la misère, qui emploie l'emphase pour donner du piment à la monotonie des jours, et dont l'apparente paresse n'est dictée que par la sagesse de ne point feindre l'activité lorsqu'on n'a rien à faire ; un peuple qui toujours aima la vie et la parole, toujours dut ruser avec le destin, et toujours montra grand mépris de l'agitation militaire parce que la paix, qui ne lui fut que rarement dispensée, jamais ne l'ennuya.

En ce temps-là, et depuis un demi-siècle environ, Naples était passée de la domination des Hohenstaufen à celle des princes d'Anjou. L'établissement de ces derniers, appelés par le Saint-Siège, s'était accompli au milieu des meurtres, des répressions et des massacres qui ensanglantaient alors la péninsule. Les apports les plus certains de la nouvelle monarchie se voyaient d'une part aux industries de laine qu'elle avait fondées dans les faubourgs pour en tirer revenus, d'autre part à l'énorme résidence, mi-forteresse et mi-palais, qu'elle s'était fait construire près de la mer par l'architecte français Pierre de Chaulnes, le Château-Neuf, gigantesque donjon rose érigé vers le ciel et que les Napolitains, cédant à leur humour autant qu'à leur attachement aux vieux cultes phalliques, avaient immédiatement surnommé le *Maschio Angioino*, le Mâle Angevin.

Un matin de janvier 1315, dans une pièce haute de ce château, Roberto Oderisi, jeune peintre napolitain élève de Giotto, contemplait le portrait qu'il venait d'achever et qui constituait le centre d'un tableau à trois volets. Immobile devant son chevalet, un pinceau entre les dents, il ne parvenait pas à s'arracher à l'examen du tableau où l'huile encore fraîche avait des reflets mouillés. Il se demandait si une touche de jaune plus pâle, ou au contraire de jaune légèrement orangé, n'aurait pas mieux rendu l'éclat doré des cheveux, si le front était assez clair, si l'œil, ce bel œil bleu un peu rond, avait bien l'expression de la vie. Les traits étaient exactement reproduits, ô certes oui, les traits... mais le regard? A quoi tient le regard? A un point de blanc sur la prunelle? A une ombre un peu plus profonde au coin de la paupière? Comment arriver jamais, avec des couleurs broyées et disposées les unes auprès des autres, à restituer la réalité d'un visage et les étranges variations de la lumière sur le contour des formes! Peut-être n'était-ce pas l'œil, après tout, qui se trouvait en cause, mais la transparence de la narine, ou bien le clair éclat des lèvres...

«Je peins trop de Vierges, avec toujours la même inclinaison de visage, et toujours la même expression d'extase et d'absence... » pensa le peintre.

— Alors, signor Oderisi, est-ce fini? demanda la belle princesse qui lui servait de modèle.

Depuis une semaine, elle passait trois heures chaque jour assise dans cette pièce, posant pour un portrait demandé par la cour de France.

A travers la grande ogive au vitrage ouvert, on apercevait les mâtures des bateaux d'Orient amarrés dans le port et, au-delà, le développement de la baie de Naples, la mer immensément bleue sous le poudroiement du soleil, le profil triangulaire du Vésuve. L'air était doux, et le jour heureux à vivre.

Oderisi ôta son pinceau de sa bouche.

— Hélas! oui, répondit-il, c'est fini.

— Pourquoi hélas?

— Parce que je vais être privé de la félicité de voir chaque matin Donna Clemenza, et qu'il me semblera désormais que le soleil ne se lève plus.

C'était là petit compliment, car déclarer à une femme, qu'elle soit princesse ou servante d'auberge, qu'on va tomber gravement malade de ne pas la revoir ne constitue pour un Napolitain que le minimum obligé de la courtoisie. Et la dame de parage qui brodait, silencieuse, dans un coin de la pièce, avec charge de veiller sur la décence de l'entretien, n'y trouva pas motif à seulement lever la tête.

— Et puis, Madame, et puis... je dis hélas, parce que ce portrait n'est point bon, ajouta Oderisi. Il ne donne pas de vous une image de beauté aussi parfaite que la vérité.

On l'eût approuvé qu'il se fût vexé; mais, se critiquant, il était sincère. Il éprouvait le chagrin de l'artiste devant l'œuvre achevée, à n'avoir pu mieux faire. Ce jeune homme de dix-sept ans présentait déjà les caractères du grand peintre.

— Puis-je voir? demanda Clémence de Hongrie.

— Ah! Madame, ne m'accablez point. Je sais trop que c'est à mon maître qu'aurait dû revenir l'honneur d'accomplir ce portrait.

On avait fait appel, effectivement, à Giotto, lui dépêchant un chevaucheur à travers l'Italie. Mais l'illustre toscan, occupé cette année-là à peindre la vie de saint François d'Assise sur les murs de la Santa-Croce, à Florence, avait répondu, du haut de ses échafaudages, qu'on s'adressât à son jeune disciple de Naples.

Clémence de Hongrie se leva et s'approcha du chevalet. Haute et blonde, elle avait moins de grâce que de grandeur, et moins de féminité peut-être que de noblesse. Mais l'impression un peu sévère que produisait son maintien était balancée par la pureté du visage, l'expression émerveillée du regard.

— Mais, signor Oderisi, s'écria-t-elle, vous m'avez pourtraite plus belle que je ne suis!

— J'ai fidèlement suivi vos traits, Donna Clemenza; et aussi je me suis appliqué à peindre votre âme.

— Alors, j'aimerais que mon miroir eût autant de talent que vous.

Ils se sourirent, se remerciant mutuellement de leurs compliments.

— Espérons que cette image plaira en France... je veux dire à mon oncle de Valois, ajouta-t-elle en montrant un peu de confusion.

Car une fiction, dont personne n'était dupe, voulait que le portrait fût destiné à Charles de Valois, pour la grande affection que celui-ci portait à sa nièce.

Clémence, ce disant, se sentit rougir. A vingt-deux ans, elle rougissait encore facilement et s'en faisait reproche comme d'une faiblesse. Combien de fois sa grand-mère, la reine Marie de Hongrie, ne lui avait-elle pas répété: «Clémence, on ne rougit point lorsqu'on est princesse, et promise à devenir reine!»

Se pouvait-il vraiment qu'elle devînt reine? Les yeux tournés vers la mer, elle rêvait à ce cousin lointain, ce roi inconnu dont on lui avait tant parlé depuis vingt jours qu'était arrivé de Paris un ambassadeur officieux...

Messire de Bouville lui avait représenté le roi Louis X tel qu'un prince malheureux, parce que durement atteint dans ses affections, mais doué de tous les agréments de visage, d'esprit et de cœur qui pouvaient plaire à une dame de haut lignage. Quant à la cour de France, on devait y voir le modèle des cours, offrant un parfait mélange des joies de famille et des grandeurs de la royauté... Or rien n'était mieux fait pour séduire Clémence de Hongrie que la perspective d'avoir à guérir les blessures d'âme d'un homme éprouvé coup sur coup par la trahison d'une épouse indigne et la mort hâtive d'un père adoré. Pour Clémence, l'amour ne se pouvait séparer du dévouement. A cela s'ajoutait l'orgueil d'avoir été choisie par la France... « Certes, j'aurais longuement attendu un établissement, au point que je n'en espérais plus. Et voilà peut-être que Dieu va me donner le meilleur époux et le plus heureux royaume. » Aussi, depuis trois semaines elle vivait dans le sentiment du miracle et débordait de reconnaissance envers le Créateur et l'univers entier.

Une tenture, brodée de lions et d'aigles, se souleva, et un jeune homme de petite taille, au nez maigre, aux yeux ardents et gais, aux cheveux très noirs, entra en s'inclinant.

— Oh ! signor Baglioni, vous voilà... dit Clémence de Hongrie d'un ton joyeux.

Elle aimait bien le jeune Siennois qui servait d'interprète à l'ambassadeur et donc, pour elle, faisait partie des messagers du bonheur.

— Madame, dit-il, messire de Bouville m'envoie vous demander s'il peut venir vous rendre sa visite ?

— J'ai toujours grand plaisir à voir messire de Bouville. Mais approchez, et dites-moi ce que vous pensez de cette image qui est maintenant achevée.

— Je dis, Madame, répondit Guccio après être resté un instant silencieux devant le tableau, je dis que ce portrait vous est fidèle à merveille, et qu'il montre la plus belle dame que mes yeux aient admirée.

Oderisi, les avant-bras tachés d'ocre et de vermillon, buvait la louange.

— Vous n'aimez donc point quelque demoiselle en France, comme je l'avais cru comprendre ? dit Clémence en souriant.

— Certes, j'aime, Madame...

— Alors vous n'êtes point sincère ou devers elle ou devers moi, messire Guccio, car j'ai toujours ouï dire que pour qui aime, il n'est de plus beau visage au monde que celui dont on est épris.

— La dame qui a ma foi et qui me garde la sienne, répliqua Guccio avec élan, est à coup sûr la plus belle qui soit... après vous, Donna Clemenza, et ce n'est point mal aimer que de dire le vrai.

Depuis qu'il était à Naples, et se trouvait mêlé aux projets d'un mariage de roi, le neveu du banquier Tolomei se plaisait à prendre des airs de héros de chevalerie, blessé d'amour pour une belle lointaine. En vérité, sa passion s'accommodait assez bien de l'éloignement, et il n'avait laissé perdre aucune occasion des plaisirs qui s'offrent au voyageur.

La princesse Clémence, pour sa part, se sentait pleine de curiosité et de dispositions affectueuses à l'égard des amours d'autrui ; elle aurait voulu que tous les jeunes gens et toutes les jeunes filles de la terre fussent heureux.

— Si Dieu veut que j'aille un jour en France...

Elle rougit à nouveau.

— ... j'aurai plaisir à connaître celle à qui vous pensez tant, et que vous allez épouser, je le souhaite.

— Ah ! Madame, fasse le ciel que vous veniez ! Vous n'aurez pas de plus fidèle serviteur que moi, et, j'en suis certain, de plus dévouée servante qu'elle.

Et il ploya le genou, avec le meilleur air, comme s'il se fût trouvé en tournoi devant la loge des dames. Elle le remercia d'un geste de la main ; elle avait de beaux doigts fuselés, un peu longs du bout, pareils aux doigts qu'on voyait aux saintes sur les fresques.

« Ah ! le bon peuple, les gentilles gens », pensait Clémence en regardant le petit Italien qui, en ce moment, lui représentait toute la France.

— Pouvez-vous me la nommer, demanda-t-elle encore, ou bien est-ce un secret ?

— Ce n'est point un secret pour vous, s'il vous plaît de le savoir, Donna Clemenza. Elle se nomme Marie... Marie de Cressay. Elle est de noble lignage ; son père était chevalier ; elle m'attend dans son château qui est à dix lieues de Paris... Elle a seize ans.

— Eh bien ! soyez heureux, je vous le souhaite, signor Guccio ; soyez heureux avec votre belle Marie de Cressay.

Guccio sortit et s'élança dans les galeries en dansant. Il voyait déjà la reine de France assister à ses noces. Encore fallait-il, pour qu'un si beau projet vît le jour, que le roi Louis, d'une part, fût en mesure d'épouser Donna Clemenza, et que la famille de Cressay, d'autre part, voulût bien accorder à un Lombard la main de Marie...

Le jeune homme trouva Hugues de Bouville en l'appartement où on l'avait logé. L'ancien grand chambellan, un miroir à la main, cherchait la bonne lumière et tournait sur lui-même pour s'assurer de son apparence et mettre en place les mèches noires et blanches qui le faisaient ressembler à un gros cheval pie. Il en était à se demander s'il n'aurait pas eu avantage à se teindre.

Les voyages enrichissent la jeunesse; mais il arrive aussi qu'ils troublent l'âge mûr. L'air italien avait grisé Bouville. Ce brave seigneur, fort attentif à ses devoirs, n'avait pu résister, dès Florence, à tromper sa femme, et il s'était aussitôt jeté dans une église pour s'en confesser. A Sienne, où Guccio connaissait quelques dames installées dans la galanterie, il avait récidivé, mais avec déjà moins de remords. A Rome, il s'était conduit comme s'il eût rajeuni de vingt ans. Naples, prodigue en voluptés faciles, à condition qu'on fût muni d'un peu d'or, faisait vivre Bouville dans une sorte d'enchantement. Ce qui partout ailleurs eût passé pour vice prenait ici un aspect désarmant de naturel et presque de naïveté. De petits maquereaux de douze ans, guenilleux et dorés, vantaient la croupe de leur sœur aînée avec une éloquence antique, puis restaient sagement assis dans l'antichambre à se gratter les pieds. Et l'on avait en plus le sentiment d'accomplir une bonne action, en permettant à une famille entière de se nourrir pendant une semaine. Et puis le plaisir de se promener au mois de janvier sans manteau! Bouville s'était mis à la dernière mode et portait maintenant des surcots à manches de deux couleurs, rayées en travers. Bien sûr, on l'avait un peu volé au coin de chaque rue. Faible prix, vraiment, pour tant d'agrément!

— Mon ami, dit-il à l'entrée de Guccio, savez-vous que j'ai maigri au point qu'il n'est pas impossible que je reprenne taille fine?

La supposition témoignait de beaucoup d'optimisme.

— Messire, dit le jeune homme, Donna Clemenza est prête à vous recevoir.

— J'espère que le portrait n'est point achevé?

— Il l'est, messire.

Bouville poussa un fort soupir.

— Alors, c'est le signe qu'il nous faut retourner en France. J'en ai regret, je l'avoue, car j'ai pris cette nation en amitié, et j'aurais bien donné quelques florins à ce peintre pour qu'il allongeât un peu son travail. Allons, les meilleures choses ont une fin.

Ils échangèrent un sourire de connivence, et, pour se rendre aux appartements de la princesse, le gros ambassadeur prit affectueusement Guccio par le bras.

Entre ces deux hommes, si différents par l'âge, l'origine et la situation, une véritable amitié avait pris naissance, et s'était, d'étape en étape, affermie. Aux yeux de Bouville, le jeune Toscan semblait l'incarnation même de ce voyage, avec ses libertés, ses découvertes et le sentiment de la jeunesse retrouvée. En outre, le garçon se montrait actif, subtil, discutait avec les fournisseurs, administrait la dépense, aplanissait les difficultés, organisait les plaisirs. Quant à Guccio, il partageait, grâce à Bouville, un train de grand seigneur et vivait dans la familiarité des princes. Ses fonctions mal définies d'interprète, de secrétaire et d'argentier lui valaient des égards. Et puis Bouville n'était pas ménager de ses souvenirs; et pendant les longues chevauchées, ou bien le soir, au souper dans les auberges ou les hôtelleries des monastères, il avait instruit Guccio de bien des choses touchant le roi Philippe le Bel, la cour de France, les familles royales. De la sorte, ils s'ouvraient mutuellement des mondes inconnus et se complétaient à merveille, formant un curieux attelage où l'adolescent, souvent, guidait le barbon.

Ils pénétrèrent ainsi chez Donna Clemenza; mais leur air d'insouciance s'effaça aussitôt qu'ils virent, plantée devant le tableau, la vieille reine mère Marie de Hongrie. Ployés en révérences, ils avancèrent d'un pied prudent.

Madame de Hongrie était âgée de soixante-dix ans. Veuve du roi de Naples Charles II le Boiteux, mère de treize enfants dont elle avait déjà vu mourir près de la moitié, elle gardait de ses maternités un bassin large, et de ses deuils de longues rides qui joignaient ses paupières à sa bouche édentée. Elle était haute de taille, grise de teint, neigeuse de cheveu, avec sur toute la physionomie une expression de force, de décision, d'autorité que la vieillesse n'avait pas atténuée. Elle portait couronne en tête dès son réveil. Apparentée à toute l'Europe et revendiquant pour sa descendance le royaume de Hongrie, elle avait fini, après vingt ans de lutte, par l'obtenir.

Maintenant que son petit-fils Charles-Robert ou Charobert, héritier de son fils aîné Charles-Martel, mort prématurément, occupait le trône de Buda, que la canonisation de son second fils, le défunt évêque de Toulouse, semblait chose assurée, que son troisième fils, Robert, régnait sur Naples et les Pouilles, que le quatrième était prince de Tarente et empereur titulaire de Constantinople, que le cinquième était duc de Durazzo, et que ses filles survivantes se trouvaient mariées l'une au roi de Majorque, l'autre à Frédéric d'Aragon, la reine Marie ne considérait pas encore sa tâche terminée; elle s'occupait de sa petite-fille, Clémence l'orpheline, la sœur de Charobert, qu'elle avait élevée.

Se tournant brusquement vers Bouville, comme un faucon de montagne repère un chapon, elle lui fit signe d'approcher.

— Alors, messire, demanda-t-elle, que vous semble de cette image?

Bouville entra en méditation devant le chevalet. Ce qu'il contemplait, c'était moins le visage de la princesse que les deux volets latéraux destinés à se rabattre pour protéger le tableau, et sur lesquels Oderisi avait peint d'une part le Maschio Angioino et de l'autre, dans une perspective en superposition, le port et la baie de Naples. Regardant la figuration de ce paysage qu'il allait devoir incessamment quitter, Bouville éprouvait déjà de la nostalgie.

— L'art m'en paraît sans reproche, dit-il enfin. Sinon que la bordure est peut-être un peu simple pour encadrer un visage si beau. Ne croyez-vous pas qu'un feston doré...

Il cherchait à gagner un jour ou deux.

— Il n'importe, messire, coupa la vieille reine. Trouvez-vous qu'il ressemble? Oui. Alors voilà l'important. L'art est objet frivole et il m'étonnerait que le roi Louis se souciât beaucoup de guirlandes. C'est le visage qui l'intéresse, n'est-ce pas vrai?

Elle ne mâchait pas ses mots, et, à la différence de toute la cour, ne se souciait pas de dissimuler le motif de l'ambassade. Toutefois, elle congédia Oderisi en lui disant:

— Votre travail est bien fait, jeune homme; vous vous ferez compter votre dû par notre trésorier. Et maintenant retournez peindre notre église, et veillez à ce que le diable y soit bien noir et les anges bien resplendissants.

Et pour se débarrasser aussi de Guccio, elle lui commanda d'aider le peintre à emporter ses pinceaux. Du même ton, elle envoya la dame de parage broder ailleurs.

Puis, les témoins écartés, elle revint à Bouville.

— Ainsi, donc, messire, vous allez repartir pour la France.

— Avec un infini regret, Madame, car toutes les bontés qui m'ont été faites ici...

— Mais enfin, dit-elle en l'interrompant, votre mission est accomplie. Du moins, presque.

Ses yeux noirs étaient plantés dans ceux de Bouville.

— Presque, Madame?

— Je veux dire que cette affaire est réglée dans le principe, puisque le roi mon fils et moi-même donnons accord au projet. Mais cet accord, messire...

Elle eut un mouvement de la mâchoire qui fit saillir les tendons de son cou.

— ... cet accord, ne l'oubliez pas, reste à condition. Car si nous nous tenons pour très hautement honorés par les intentions du roi de France notre cousin, si nous sommes prêts à l'aimer avec une fidélité toute chrétienne et à lui donner nombreuse descendance, car les femmes en notre famille sont fécondes, il n'en est pas moins vrai que notre réponse définitive demeure soumise à ce que votre maître soit libre de Madame de Bourgogne, très promptement et très réellement. Nous ne saurions nous contenter d'une répudiation acceptée par des évêques de complaisance, et que l'Église en haut lieu pourrait contester.

— Nous obtiendrons l'annulation avant peu, Madame, comme j'ai eu l'honneur de vous en assurer.

— Messire, nous sommes entre nous. Ne m'assurez donc point de ce qui n'est pas fait.

Bouville toussota pour cacher son embarras.

— Cette annulation, répondit-il, est le premier souci de Monseigneur de Valois, qui fera tout pour la diligenter, et considère d'ores à présent la chose pour acquise...

— Oui, oui, grommela la vieille reine, je connais mon gendre! En paroles, rien ne lui résiste, et ses chevaux ne se cassent point les jambes tant qu'il ne les a pas jetés dans un ravin.

Bien que sa fille Marguerite fût morte quinze ans auparavant et que Charles de Valois, depuis, se fût remarié deux fois, elle continuait de l'appeler « mon gendre ».

— Il est bien entendu, aussi, que nous ne donnons point de terre. La France m'en paraît avoir à suffisance. Naguère, quand notre fille épousa Charles, elle lui apporta l'Anjou en dot, ce qui était gros. Mais l'autre année, quand une fille du second lit de Charles vint à s'unir à notre fils de Tarente, elle nous apporta Constantinople.

Et la vieille reine, de sa main goutteuse, eut un geste pour signifier que ce beau titre n'était que du vent.

En retrait près de la fenêtre ouverte, et regardant la mer, Clémence se sentait gênée d'assister à ce débat. L'amour devait-il s'accompagner de ces préliminaires qui ressemblaient fort à une discussion de traité? C'était de son bonheur après tout qu'il s'agissait, et de sa vie. On avait refusé pour elle, sans lui demander son avis, tant de partis jugés insuffisants! Et voilà que s'offrait le trône de France, alors qu'un mois plus tôt elle se demandait s'il ne lui faudrait pas entrer en religion! Elle trouvait que sa grand-mère prenait un ton bien cassant. Pour sa part, elle était disposée à traiter plus doucement la chance, et à se montrer moins pointilleuse sur le droit canon... Très loin dans la baie, un navire de haut bord mettait à la voile vers les côtes de Barbarie.

— Sur mon chemin de retour, Madame, disait Bouville, je m'arrête en Avignon, chargé des instructions de Monseigneur de Valois. Et nous aurons avant peu ce pape qui nous fait défaut.

— J'aime à vous croire, répondit Marie de Hongrie. Mais nous désirons que tout soit réglé pour l'été. Nous ne sommes pas en peine de prétendants à la main de Madame Clémence; d'autres princes la souhaitent pour épouse. Nous ne pouvons accorder de longs délais.

Les tendons de son cou saillirent à nouveau.

— Sachez qu'en Avignon, continua-t-elle, le cardinal Duèze est notre candidat. Je souhaite fort qu'il soit aussi celui du roi de France. Vous obtiendrez l'annulation d'autant plus vite, s'il devient pape, qu'il nous doit beaucoup et nous est tout acquis. De plus Avignon est terre angevine, dont nous sommes suzerains, sous le roi de France, bien sûr. Ne l'oubliez pas. Allez présenter vos adieux au roi mon fils et que tout se passe selon vos vœux... Avant l'été, messire, je vous le rappelle, avant l'été!

Bouville, s'étant incliné, se retira.

— Madame ma grand-mère, dit Clémence d'une voix inquiète, croyez-vous que...

La vieille reine lui frappa à petits coups sur le bras.

— Tout cela est dans la main de Dieu, mon enfant, et il ne nous arrive rien que ce qu'Il veut.

Et elle sortit à son tour.

« Le roi Louis a peut-être bien, lui, d'autres princesses en tête, pensa Clémence une fois seule. Est-ce habile de le presser ainsi, et ne va-t-il pas porter ailleurs son choix ? »

Elle se tenait devant le chevalet, les mains croisées sur la taille, ayant repris machinalement l'attitude de son portrait.

« Un roi aura-t-il plaisir, se demanda-t-elle encore, à poser ses lèvres sur ces mains-là ? »

VI

LA CHASSE AUX CARDINAUX

Bouville et Guccio s'embarquèrent le surlendemain matin. Il avait été décidé, en effet, qu'ils rentreraient par mer, pour gagner du temps. Dans leur bagage, ils emportaient un petit coffre serti de métal qui contenait l'or délivré par les Bardi de Naples, et dont Guccio gardait la clef sur sa poitrine. Accoudés à la rambarde du château d'arrière, Bouville et Guccio regardèrent, avec mélancolie, s'éloigner Naples, le Vésuve et les îles. On apercevait des groupes de voiles blanches quittant les rivages pour la pêche de jour. Puis ce fut la haute mer.

La Méditerranée était calme, avec juste ce qu'il fallait de brise pour pousser le navire. Guccio, qui se souvenait de sa détestable traversée de la Manche l'année précédente, et avait conçu quelque alarme à remettre le pied sur un vaisseau, se réjouissait de n'être point malade. Il lui suffit de deux heures pour prendre en estime la belle stabilité du bâtiment, ainsi que sa propre vaillance ; et pour un peu il se fût comparé à messer Marco Polo, le grand navigateur vénitien, dont le *Divisement du Monde*, composé récemment d'après ses voyages, était fort lu et fort célèbre ces années-là. Guccio allait et venait de gaillard en gaillard, s'instruisait des termes de marine et se jouait à lui-même l'homme d'aventures, cependant que l'ancien grand chambellan continuait de regretter la ville merveilleuse à laquelle il avait dû s'arracher.

Après cinq jours, ils abordèrent à Aigues-Mortes. De ce lieu, Saint Louis jadis était parti pour la croisade ; mais la construction du port n'avait été véritablement achevée que sous Philippe le Bel.

— Allons, dit le gros Bouville, s'efforçant de secouer sa nostalgie, il faut maintenant nous mettre aux tâches urgentes.

Les écuyers eurent à trouver chevaux et mules, les valets à arrimer les porte-manteaux, le portrait d'Oderisi emballé dans une caisse, et le coffre des Bardi que Guccio ne quittait point de l'œil.

Le temps était aigre, nuageux, et Naples déjà ne semblait plus que le souvenir d'un rêve.

Une journée et demie de chevauchée, avec un arrêt en Arles, fut nécessaire pour gagner Avignon. Durant ce trajet, messire de Bouville prit froid. Trop habitué au soleil d'Italie, il avait négligé d'assez se couvrir. Or les hivers de Provence sont brefs, mais parfois rudes. Toussant, crachant et mouchant, Bouville pestait sans relâche contre les rigueurs d'un pays qui lui paraissait n'être plus le sien.

L'arrivée en Avignon, sous des rafales de mistral, fut décevante, car il n'y avait pas un seul cardinal dans la ville. Voilà qui était au moins étrange pour une cité où résidait la papauté ! Personne ne put renseigner l'envoyé du roi de France ; personne ne savait, ou ne voulait savoir.

Le palais pontifical était clos, portes et fenêtres, et gardé seulement par un portier muet ou demeuré [10]. Bouville et Guccio décidèrent alors, la nuit venant, d'aller prendre gîte dans la forteresse de Villeneuve, de l'autre côté du pont. Là, un capitaine fort maussade et fort avare de commentaires leur apprit que les cardinaux se trouvaient sans doute à Carpentras, et qu'il fallait les chercher plutôt de ce côté-là. Et il fournit aux voyageurs, mais sans empressement, le repas et le coucher.

— Ce capitaine d'archers, dit Bouville à Guccio, ne se montre guère avenant à qui se présente de la part du roi. J'en ferai remarque en rentrant à Paris.

A l'aube tout le monde était en selle pour franchir les six lieues qui séparent Avignon de Carpentras. Bouville avait repris un peu d'espoir. Car le pape Clément V ayant prescrit par ses volontés dernières que le conclave se réunirait à Carpentras, on pouvait penser, si les cardinaux y étaient retournés, que le conclave siégeait enfin ou se disposait à siéger.

A Carpentras, il fallut déchanter. Pas l'ombre d'un chapeau rouge. En revanche, il gelait, et le vent qui continuait de souffler s'engouffrait dans les ruelles et coupait les hommes au visage. A cela s'ajoutait, pour les voyageurs, un vague sentiment d'insécurité ou de machination ; car, à peine Bouville et les siens étaient-ils sortis d'Avignon, le matin, que deux cavaliers les avaient dépassés, sans leur rendre leur salut, galopant à toute force vers Carpentras.

— C'est étrange, avait remarqué Guccio ; on dirait que ces gens n'ont d'autre souci que d'arriver avant nous où nous allons.

La petite cité était déserte ; les habitants semblaient s'être terrés ou avoir fui.

— Serait-ce notre approche, dit Bouville, qui produit ainsi le vide devant nous ? Notre escorte n'est point si nombreuse qu'elle puisse effrayer.

A la cathédrale ils ne découvrirent qu'un vieux chanoine qui feignit d'abord de comprendre qu'ils voulaient se confesser, et les entraîna vers la sacristie. Il s'exprimait par chuchotements ou par gestes. Guccio, qui craignait un guet-apens et s'inquiétait pour les coffres laissés avec les mules devant le portail de l'église, avançait la main sur sa dague. Le vieux chanoine, après s'être fait répéter six fois les questions, avoir réfléchi, balancé la tête et épousseté son camail pelé, consentit enfin à leur confier que les cardinaux s'étaient retirés à Orange. On l'avait laissé là, tout seul...

— A Orange ? s'écria messire de Bouville.

Là-dessus il fut pris d'éternuements, dont le bruit se répercuta dans la cathédrale entière.

— Mais par le corps-dieu, dit-il quand il eut retrouvé souffle, ce ne sont point des prélats, mais des hirondelles que vos cardinaux ! Êtes-vous sûr au moins qu'ils y soient, à Orange ?

— Sûr... répondit le vieux chanoine, choqué du juron qu'il venait d'entendre. De quoi peut-on être sûr en ce monde, si ce n'est de l'existence de Dieu ? Je pense qu'à Orange, pour tout le moins, vous pourrez joindre les Italiens.

Puis il se tut, comme s'il craignait d'en avoir déjà trop dit. Il avait certainement des rancœurs à assouvir, mais n'osait pas se livrer.

— Eh bien, soit ! Dirigeons-nous sur Orange, décida Bouville avec une lassitude irritée. De combien en sommes-nous distants ? Six lieues également ? Va pour six lieues. Aux montures les valets !

Or, aussitôt Bouville et Guccio engagés sur la route d'Orange, deux cavaliers à nouveau les dépassèrent, allant bride abattue ; et cette fois les voyageurs n'eurent plus à douter que c'était bien pour eux qu'on faisait ces chevauchées.

Bouville, soudain saisi d'une humeur guerrière, voulut qu'on courût sus aux deux cavaliers ; mais Guccio s'y opposa fermement.

— Notre train est trop lourd, messire Hugues, pour que nous puissions jamais rattraper ces hommes ; leurs montures sont fraîches, les nôtres sont lasses ; et surtout, je ne veux point laisser le coffre en arrière.

— Il est vrai, reconnut Bouville, que mon bidet est mauvais ; je le sens s'arrondir sous moi et j'aimerais bien en changer.

Ils ne furent pas autrement étonnés, parvenus à Orange, de constater que les *Monsignori* en étaient absents. Toutefois, Bouville s'emporta quand il s'entendit répondre qu'il fallait plutôt les chercher en Avignon.

— Mais nous sommes passés hier en Avignon, cria-t-il au clerc qui voulait bien les renseigner, et tout y était vide comme ma main ! Et Monseigneur Duèze ? Où est Monseigneur Duèze ?

Le clerc répliqua que Monseigneur Duèze étant évêque d'Avignon, il convenait de le demander à son évêché. La discussion semblait vaine.

Le prévôt d'Orange, par une malheureuse coïncidence, était justement en déplacement ce jour-là, et le commis qui le remplaçait n'avait point d'instructions pour s'occuper du confort des arrivants. Ceux-ci durent passer la nuit dans une auberge fort sale et fort froide, auprès d'un champ de ruines envahi par les herbes et où le vent hurlait. Assis en face d'un Bouville effondré de fatigue, Guccio pensait qu'il allait devoir prendre l'expédition en main si l'on voulait jamais rentrer à Paris, avec ou sans résultat.

Un homme d'escorte, en débâtant, avait eu la jambe cassée d'un coup de pied de mule et il faudrait le laisser là. Deux des montures blessaient au garrot; d'autres avaient besoin d'être referrées. Messire de Bouville enfin coulait du nez que s'en était pitié. Il montra si peu d'énergie, pendant la journée du lendemain, et fut si désespéré en revoyant les murs d'Avignon, qu'il ne fit guère de difficulté pour permettre à Guccio de se substituer à lui.

— Jamais je n'oserai me présenter devant le roi, gémissait-il. Mais le moyen de faire un pape, je vous le demande, quand tout ce qui porte soutane s'enfuit à notre arrivée! Jamais plus je ne siégerai au Conseil, jamais plus. En cette seule mission, je démérite de toute ma vie.

Il s'embarrassait de soucis tatillons. Le portrait de Madame Clémence était-il bien arrimé et n'avait-il pas été gâté par le voyage?

— Laissez-moi faire, messire Hugues, lui répondit Guccio avec autorité. Et d'abord il me faut vous loger au chaud; vous me semblez en avoir grand besoin.

Guccio s'en fut trouver le capitaine de ville, et il eut si bien le ton qu'aurait dû prendre Bouville depuis le début, fit sonner si haut, dans son fort accent italien, les titres de son chef et ceux qu'il s'octroyait à lui-même, mit tant de naturel dans l'expression de ses exigences qu'en moins d'une heure on vida une maison pour qu'il la pût occuper. Guccio installa son monde et coucha Bouville dans un lit bien bassiné. Puis, quand le gros homme, qui prenait hypocritement excuse de son refroidissement pour ne plus rien décider, fut enfoui sous les couvertures, Guccio lui dit:

— Cette odeur de traquenard qui flotte tout autour de nous ne me plaît guère, et maintenant j'aimerais assez abriter notre or. Il y a ici un agent des Bardi; c'est à lui que je vais confier mon dépôt. Après quoi je me sentirai plus à l'aise pour vous rechercher vos damnés cardinaux.

— Mes cardinaux, mes cardinaux! grommela Bouville. Ce ne sont point mes cardinaux, et je suis plus marri que vous l'êtes des tours qu'ils me jouent. Nous conférerons de cela quand j'aurai dormi un peu, si vous le voulez, car je me sens tout frileux. Êtes-vous bien assuré au moins de votre Lombard? Pouvons-nous avoir confiance en lui? Cet argent, après tout, est celui du roi de France...

Guccio le prit d'assez haut.

— Ayez en l'esprit, messire Hugues, que je suis en alarme pour cet argent tout juste, voyez-vous, comme s'il appartenait à quelqu'un de ma famille !

Il se rendit alors à la banque dans le quartier de Saint-Agricol. L'agent des Bardi, qui était un cousin du chef de cette puissante compagnie, reçut Guccio avec la cordialité qu'on doit au neveu d'un grand confrère, et il alla serrer l'or lui-même dans sa chambre-forte. On échangea des signatures ; puis le Lombard conduisit dans la grand-salle son visiteur, afin que celui-ci lui fît le récit de ses difficultés.

Un homme mince, légèrement voûté, qui se tenait devant la cheminée, se retourna à leur entrée, et s'écria :

— *Guccio Baglioni ! Per Bacco, sei tu ? Che piacere di vederti !* *

— *Carissimo Boccacio, che fortuna ! Che faï qua ?* **

Ce sont toujours les mêmes gens qui se rencontrent en chemin, parce que ce sont toujours les mêmes, en fait, qui voyagent. Il n'y avait rien de tellement extraordinaire à ce que le signor Boccace fût là, puisqu'il était voyageur principal pour la compagnie des Bardi.

Mais les amitiés nées au hasard des chemins, entre gens qui se déplacent beaucoup, sont plus rapides, plus enthousiastes et souvent plus solides que celles qui s'établissent entre les sédentaires.

Boccace et Guccio s'étaient connus, un an plus tôt, sur la route de Londres ; Paris les avait à quelques reprises réunis, et ils se regardaient comme s'ils eussent été amis de toujours. Leur joie s'exprima en bonnes invectives toscanes, fort ornées dans la grossièreté. Un auditeur non averti des habitudes florentines n'eût pas compris pourquoi si joyeux compagnons se traitaient mutuellement de bâtards, de chancreux et de sodomites.

Tandis que le Bardi d'Avignon leur versait du vin aux épices, Guccio raconta son expédition, les mésaventures qu'il avait essuyées ces derniers jours en poursuivant les cardinaux, et dépeignit le piteux état du gros messire de Bouville.

Boccace bientôt ne se tint plus de rire.

— *La caccia ai cardinali, la caccia ai cardinali ! Vi hanno preso per il culo, i Monsignori !* ***

Puis, reprenant son sérieux, il fournit à Guccio quelques explications.

— Ne sois point surpris si les cardinaux se cachent, dit-il. On leur a enseigné la prudence, et tout ce qui vient de la cour de France, ou s'annonce comme tel, leur fait prendre la fuite. L'été dernier, Bertrand

---

* Guccio Baglioni ! Par Bacchus, c'est toi ? Quel plaisir de te voir !

** Très cher Boccace, quelle chance ! Que fais-tu ici ?

*** La chasse aux cardinaux, la chasse aux cardinaux ! Ils vous ont bien roulés, les Monseigneurs !

de Got et Guillaume de Budos, les neveux du pape défunt, sont arrivés par ici, envoyés par ton bon ami Marigny, soi-disant pour ramener en Bordelais le corps de leur oncle. Ils n'avaient avec eux que cinq cents hommes d'armes, ce qui fait beaucoup de porteurs pour un seul cadavre ! Leur mission était de préparer l'élection d'un cardinal français, et ce ne fut pas la douceur qui leur servit d'argument. Un beau matin les maisons de Leurs Éminences furent toutes saccagées, tandis qu'on assiégeait le couvent de Carpentras où se tenait le conclave ; et les cardinaux, sautant par une brèche du mur, se sauvèrent dans la campagne pour mettre leur peau à couvert. Sans cette brèche que leur avait ménagée la Providence, leur affaire était mauvaise. Certains ont couru une bonne lieue, la soutane aux genoux. D'autres sont allés se mucher dans des granges. Le souvenir ne leur en est pas encore passé.

— Ajoutez à cela, dit le cousin Bardi, qu'on vient de renforcer la garnison de Villeneuve, et que les cardinaux à tout instant s'attendent à voir les archers passer le pont. On vous a vus aller à Villeneuve, en revenir, cela suffit... Et savez-vous qui sont ces cavaliers qui vous ont à plusieurs reprises dépassés ? Des gens de Marigny l'archevêque, j'en jurerais. Ils grouillent dans les parages, en ce moment. Je n'arrive pas à comprendre au juste le travail qu'ils font, mais certainement pas le vôtre.

— Vous n'obtiendrez rien, Bouville et toi, reprit Boccace, en vous présentant de la part du roi de France, et vous risquez tout au plus quelque soir d'avaler un potage assaisonné de telle façon que vous ne vous réveillerez pas. Il n'est de recommandation pour l'heure auprès des cardinaux... auprès de quelques cardinaux !... que venant du roi de Naples. Vous arrivez de là-bas, m'as-tu dit ?

— Tout droit, répondit Guccio, et nous avons même les bénédictions de la reine Marie de Hongrie pour voir le cardinal Duèze.

— Eh ! que ne le disais-tu ? Nous ne connaissons que lui ! Il est notre client depuis vingt ans. Étrange personne, d'ailleurs, que ce Monseigneur Duèze. Il semblait fort bien placé, à Carpentras, pour être fait pape.

— Alors que ne l'a-t-on laissé élire ? Il est français.

— Il est né français ; mais il a été chancelier de Naples, et c'est pourquoi Marigny n'en veut pas. Je puis te le faire rencontrer quand tu veux, demain si cela te plaît.

— Tu sais donc où le trouver ?

— Il n'a jamais bougé d'ici, dit Boccace en riant. Rentre à ton logis, et je te donnerai nouvelles avant la nuit. Et si vous disposez d'un peu de monnaie, comme tu me le dis, l'entrevue n'en sera que facilitée. Car le bon cardinal est souvent à court et nous doit assez gros.

Trois heures plus tard, le signor Boccace frappait à la porte de la maison où était installé Bouville. Il apportait de bonnes informations.

Le cardinal Duèze irait le lendemain, vers la neuvième heure, faire une promenade de santé, à une lieue au nord d'Avignon, en un endroit nommé le Pontet, à cause d'un petit pont qui se trouvait là. Le cardinal accepterait de rencontrer tout à fait par hasard le seigneur de Bouville si celui-ci venait à passer dans les parages, à condition qu'il ne fût pas accompagné de plus de six hommes. Les escortes devraient rester de part et d'autre d'un grand champ, tandis que Duèze et Bouville s'entretiendraient au milieu, loin de tout regard et de toute oreille. Le cardinal de curie s'entendait à organiser le mystère.

— Guccio, mon enfant, vous me sauvez, et je me souviendrai toujours de vous en savoir gré, dit Bouville dont la santé, avec l'espérance revenue, s'améliorait un peu.

Le lendemain matin donc, Bouville, flanqué de Guccio, du signor Boccace et de quatre écuyers, se rendit au Pontet. L'air était fort brumeux, effaçant les contours et les sons, et l'endroit désert à souhait. Messire de Bouville avait revêtu trois manteaux. On attendit un long moment.

Enfin, un petit groupe de cavaliers surgit du brouillard, entourant un jeune homme qui chevauchait une mule blanche et qui descendit lestement de sa monture. Il portait une chape sombre sous laquelle se devinaient des vêtements rouges, et avait la tête couverte d'un bonnet fourré à oreillettes. Il avança d'un pas vif, presque sautillant, dans l'herbe gelée, et l'on vit alors que ce jeune homme était bien le cardinal Duèze, et que Son Adolescence avait soixante-dix ans. Seul son visage, creux de joues, creux de tempes, avec des sourcils blancs sur une peau sèche, avouait son âge ; mais ses yeux avaient gardé la vivacité attentive de la jeunesse.

Bouville se mit en marche lui aussi et rejoignit le cardinal auprès d'une murette. Les deux hommes demeurèrent un instant à s'observer, mutuellement déroutés par leur apparence. Bouville, avec son respect inné de l'Église, s'attendait à voir un prélat plein de majesté, un peu onctueux, et non ce farfadet sautant dans le brouillard. Le cardinal de curie, qui croyait qu'on lui avait dépêché un capitaine de guerre de l'espèce Nogaret ou Bertrand de Got, considérait ce gros homme couvert comme un oignon et qui se mouchait avec fracas.

Ce fut le cardinal qui attaqua. Sa voix ne pouvait que surprendre qui ne l'avait pas encore entendue. Voilée comme un tambour funèbre, tout à la fois vive, rapide et étouffée, elle ne semblait pas sortir de lui, mais de quelqu'un d'autre qui se fût trouvé dans les parages et qu'on cherchait instinctivement.

— Vous venez donc, messire de Bouville, de la part du roi Robert de Naples, qui me fait l'honneur de sa chrétienne confiance. Le roi de Naples... le roi de Naples, répéta-t-il. C'est fort bien. Mais vous êtes aussi envoyé du roi de France. Vous étiez grand chambellan du roi

Philippe, qui ne m'aimait guère... je ne sais trop pourquoi d'ailleurs, car j'avais agi à sa convenance lors du concile de Vienne, pour faire supprimer les Templiers.

Bouville comprit que l'entretien allait prendre un vrai tour politique, et se sentit, les pieds dans un champ de Provence, comme si on l'interpellait au Conseil étroit. Il bénit sa mémoire de lui fournir un argument de réponse.

— Il me paraît, Monseigneur, que vous vous étiez opposé à ce qu'on décrétât d'hérésie le pape Boniface; et le roi Philippe ne l'avait pas oublié.

— Messire, en vérité, c'était trop me demander. Les rois ne se rendent point compte de ce qu'ils exigent. Quand on appartient au collège dans lequel se recrutent les papes, on répugne à créer de tels précédents. Un roi, lorsqu'il monte au trône, ne fait point proclamer que son père était traître, adultère et pillard, bien que ce soit souvent le cas. Le pape Boniface est mort fou, nous le savons, en refusant les sacrements et en proférant d'horribles blasphèmes. Mais il avait perdu l'esprit parce qu'on l'avait souffleté sur son trône. Qu'aurait gagné l'Église à étaler cette honte? Quant aux bulles publiées par Boniface avant qu'il fût fou, elles présentaient, pour toute hérésie, de déplaire au roi de France. Or en telle matière, le jugement appartient au pape plutôt qu'au roi. Et Clément V, mon vénéré bienfaiteur... Vous savez que je lui dois d'être le peu que je suis... le pape Clément était de cet avis. Monseigneur de Marigny non plus ne m'aime guère; il a tout fait pour s'opposer à moi, depuis que le trône de saint Pierre est vacant. Alors je ne comprends point! Pourquoi souhaitez-vous me voir? Marigny est-il encore aussi puissant en France, ou bien feint-il de l'être encore? On affirme qu'il ne commande plus, et tout continue pourtant à lui obéir.

Étrange homme que ce cardinal qui accumulait les ruses pour éviter un ambassadeur, puis pour le rencontrer, et, dès le premier instant, entrait dans le vif des choses comme s'il connaissait de toujours son interlocuteur.

— La vérité, Monseigneur, répondit Bouville qui ne voulait pas engager le débat sur Marigny, la vérité est que je viens vous exprimer le souhait du roi Louis, et celui de Monseigneur de Valois, d'avoir un pape au plus tôt.

Les blancs sourcils du cardinal se levèrent.

— Le beau désir quand on m'empêche, par cautèle, par argent ou par force, d'être élu depuis neuf mois! Non que je m'estime digne d'une si haute mission... mais qui l'est, je vous le demande?... ni que je sois plus avide qu'un autre d'une tiare dont je sais bien le poids. L'évêché d'Avignon m'occupe suffisamment, et aussi les traités auxquels je consacre toutes mes ressources de temps. J'ai entrepris un *Thesaurus pauperum*, un *Art transmutatoire* sur les recettes d'alchimie, et aussi un *Élixir des Philosophes* qui sont fort avancés et que je voudrais bien voir achevés avant que de mourir... A-t-on changé de décision à Paris en ce qui me regarde? Est-ce moi maintenant que l'on souhaite pour pape?

Bouville constata en cet instant que les instructions de Monseigneur de Valois étaient, comme toujours, aussi impératives que vagues. On lui avait dit: «Un pape.»

— Mais certes, Monseigneur, répondit-il mollement. Pourquoi pas vous?

— Alors, c'est qu'on a quelque grave chose à me demander... je veux dire: à obtenir de qui sera élu. Quel service attend-on?

— Il se trouve, Monseigneur, que le roi est en besoin de faire annuler son mariage...

— ... pour pouvoir se remarier avec Madame Clémence de Hongrie? dit le cardinal.

— Vous savez donc le projet?

— N'avez-vous pas séjourné trois grandes semaines à Naples, et n'apportez-vous pas un portrait de Madame Clémence?

— Je vous vois bien renseigné, Monseigneur.

Le cardinal ne répondit pas et se mit à observer le ciel comme s'il y regardait passer des anges.

— Annuler... dit-il de sa voix feutrée qui se dissolvait dans le brouillard. Certes on peut toujours annuler. Les portes de l'église étaient-elles bien ouvertes le jour du mariage? Vous y assistiez... et vous ne vous souvenez pas. Il se peut que d'autres se rappellent qu'elles aient été par mégarde fermées. Votre roi est cousin bien proche de son épouse! On a peut-être omis de demander la dispense. On pourrait démarier à peu près tous les princes d'Europe pour ce motif; ils sont cousins de tous les côtés, et il n'est que de voir les produits de leurs unions pour s'en rendre compte. Celui-ci boite, cet autre est sourd, tel encore s'évertue sans succès à l'œuvre de chair. S'il ne se glissait de temps à autre parmi eux quelque péché ou quelque mésalliance, on les verrait bientôt s'éteindre de scrofule et de langueur.

— La famille de France, répondit Bouville blessé, se porte fort bien, et nos princes du sang sont robustes comme des charrons.

— Oui, oui... mais quand la maladie ne les prend pas au corps, elle les prend à la tête. Et puis les enfants y meurent beaucoup en bas âge... Non, vraiment, je ne suis point pressé d'être pape.

— Mais si vous le deveniez, Monseigneur, dit Bouville tâchant à reprendre le fil, l'annulation vous semblerait-elle chose possible... avant l'été?

— Annuler est moins difficile, dit amèrement Jacques Duèze, que de retrouver les voix qu'on m'a fait perdre.

L'entretien tournait en rond. Bouville, apercevant ses hommes qui battaient la semelle au bout du champ, regrettait de ne pouvoir appeler Guccio, ou bien ce signor Boccace qui semblait si habile. La brume était moins dense et laissait deviner, très pâle, la présence du soleil. Un jour sans vent. Bouville appréciait ce répit; mais il était las de se tenir debout et ses trois manteaux commençaient à lui peser. Il s'assit machinalement sur la murette, faite de pierres plates superposées, et demanda :

— Enfin, Monseigneur, à quel point en est le conclave?

— Le conclave? Mais il n'y en a point. Le cardinal d'Albano...

— Vous voulez parler de messire Arnaud d'Auch, qui vint à Paris l'an dernier...

— ... en tant que légat, pour condamner le grand-maître du Temple. C'est cela même. Étant cardinal camerlingue, c'est à lui de nous réunir; or il s'arrange pour n'en rien faire depuis que messire de Marigny, dont il passe pour être la créature, le lui a interdit.

— Mais si, à la parfin...

A ce moment, Bouville se rendit compte qu'il était assis, alors que le prélat demeurait debout, et il se releva brusquement en s'excusant.

— Non, non, messire, je vous prie..., dit Duèze en le forçant à se rasseoir.

Et il vint lui-même, d'un geste léger, se poser sur la murette.

— Si le conclave était enfin réuni, reprit Bouville, à quoi arriverait-on?

— A rien. Ceci est fort simple à comprendre.

Fort simple, assurément, pour le cardinal qui, comme tout candidat à une élection, reprenait chaque jour le compte des suffrages éventuels; moins simple pour Bouville qui eut quelque mal à entendre la suite, toujours débitée de la même voix de confessionnal.

— Le pape doit être élu aux deux tiers des votants. Nous sommes vingt-trois : quinze Français et huit Italiens. De ces huit, cinq sont pour le cardinal Caëtani, neveu de Boniface... irréductibles. Nous ne les aurons jamais pour nous. Ils veulent venger Boniface, haïssent la couronne de France et tous ceux qui, directement ou à travers le pape Clément, mon vénéré bienfaiteur, l'ont pu servir.

— Et les trois autres?

— ... haïssent Caëtani; il s'agit des deux Colonna et de l'Orsini. Rivalités ancestrales. Aucun de ces trois n'ayant lieu d'espérer pour soi, ils me sont favorables dans la mesure où je fais obstacle à Francesco Caëtani; à moins que... à moins qu'on ne leur promette de ramener le Saint-Siège à Rome, ce qui pourrait remettre un instant tous les Italiens d'accord, quitte ensuite à les faire s'assassiner entre eux.

— Et les quinze Français?

— Ah! si les Français votaient ensemble, vous auriez un pape depuis beau temps! Au début, six m'étaient acquis, envers lesquels le roi de Naples, par mon entremise, s'était montré généreux.

— Six Français, compta Bouville, et trois Italiens cela nous fait neuf.

— Eh oui, messire... Cela fait neuf, et il nous faut seize voix pour avoir le compte. Notez que les neuf autres Français ne sont pas assez nombreux non plus pour avoir tel pape que voudrait Marigny.

— Il s'agit donc de vous gagner sept voix. Pensez-vous que certaines puissent être obtenues par argent? J'ai moyen de vous laisser quelques fonds. Combien comptez-vous par cardinal?

Bouville crut avoir amené la chose fort habilement. A sa surprise, Duèze ne parut pas bondir sur la proposition.

— Je ne crois pas, répondit-il, que les cardinaux français qui nous manquent soient sensibles à l'argument. Ce n'est point que l'honnêteté soit chez tous la majeure vertu, ni qu'ils vivent dans l'austérité; mais la peur que leur inspire messire de Marigny l'emporte pour le moment sur l'attrait des biens de ce monde. Les Italiens sont plus âpres, mais la haine leur tient lieu de conscience.

— Ainsi, dit Bouville, tout repose donc sur Marigny et sur le pouvoir qu'il a auprès de neuf cardinaux français?

— Tout dépend de cela, messire, aujourd'hui... Demain cela peut dépendre d'autre chose. Combien d'or pouvez-vous me remettre?

Bouville écarquilla les yeux.

— Mais vous venez de me dire, Monseigneur, que cet or ne pouvait vous servir de rien!

— C'est mal m'avoir compris, messire. Cet or ne peut point m'aider à conquérir de nouveaux partisans, mais il me serait fort nécessaire pour garder ceux que j'ai et auxquels, tant que je ne suis point élu, je ne puis donner de bénéfices. La belle affaire si, quand vous m'aurez trouvé les voix qui me manquent, j'avais perdu entre temps celles qui me soutiennent!

— De quelle somme souhaitez-vous disposer?

— Si le roi de France est assez riche que de me fournir six mille livres, je me charge de les bien employer.

A ce moment, Bouville eut à nouveau besoin de se moucher. L'autre prit cela pour une finesse et craignit d'avoir avancé un chiffre trop élevé. Ce fut le seul point que marqua Bouville dans tout l'entretien.

— Même avec cinq mille, chuchota Duèze, je serai en mesure de faire face... pour un temps.

Il savait déjà que cet or pour la plus grande part ne quitterait point sa bourse, ou plutôt servirait à étouffer ses dettes.

— La somme, dit Bouville, vous sera remise par les Bardi.

— Qu'ils la gardent en dépôt, répondit le cardinal; j'ai un compte chez eux. J'y puiserai selon les besoins.

Après quoi il se montra soudain pressé de remonter sur sa mule, assura Bouville qu'il ne manquerait point de prier pour lui et qu'il aurait plaisir à le revoir. Il tendit au gros homme son anneau à baiser, et puis s'en repartit, sautillant dans l'herbe, comme il était venu.

« Le curieux pape que nous aurons là, qui s'occupe d'alchimie autant que d'Église, pensait Bouville en le regardant s'éloigner; était-il bien fait pour l'état qu'il a choisi? »

Bouville, au demeurant, n'était pas trop mécontent de soi. On l'avait chargé de voir les cardinaux? Il était arrivé à en approcher un... De trouver un pape? Ce Duèze paraissait ne pas demander mieux que de l'être... De distribuer de l'or? C'était chose faite.

Quand Bouville eut rejoint Guccio et lui eut rapporté d'un air satisfait les résultats de son entrevue, le neveu de Tolomei s'écria:

— Ainsi, messire Hugues, vous êtes donc parvenu à acheter fort cher le seul cardinal qui fût déjà pour nous!

Et l'or que les Bardi de Naples avaient, par Tolomei, prêté au roi de France, retourna aux Bardi d'Avignon pour les rembourser de ce qu'ils avaient prêté au candidat du roi de Naples.

VII

UN QUITUS
EN ÉCHANGE D'UN PONTIFE

La jambe maigre, la tournure héronnière, le menton penché, Philippe de Poitiers se tenait devant Louis Hutin.

— Sire, mon frère, disait-il d'une voix tranchante et froide qui n'était pas sans rappeler celle de Philippe le Bel, je vous ai remis les conclusions de notre examen. Vous ne pouvez pas me demander de nier le vrai quand il éclate.

La commission nommée pour vérifier les comptes d'Enguerrand de Marigny venait d'achever la veille ses travaux.

Pendant plusieurs semaines, Philippe de Poitiers, les comtes de Valois, d'Évreux, et de Saint-Pol, le grand chambrier Louis de Bourbon, l'archevêque Jean de Marigny, le chanoine Étienne de Mornay, et le chambellan Mathieu de Trye, réunis sous la présidence sourcilleuse du comte de Poitiers, avaient étudié ligne par ligne le journal du Trésor, sur une période de seize ans ; ils avaient exigé des explications et s'étaient fait produire justifications et pièces d'archives, sans omettre aucun chapitre. Or cette enquête sévère effectuée dans un climat de rivalité et souvent de haine, puisque la commission se partageait à peu près également entre adversaires et partisans de Marigny, ne faisait rien apparaître qui pût être retenu contre ce dernier. Son administration des biens de la couronne et des deniers publics se révélait exacte et scrupuleuse. S'il était riche, il le devait aux libéralités du feu roi, et à sa propre habileté financière. Mais rien ne permettait d'avancer qu'il eût jamais confondu ses intérêts privés et ceux de l'État, et encore moins qu'il eût volé le Trésor. Valois, en proie à une déception furieuse de joueur qui a mal misé, s'était obstiné jusqu'au bout à nier l'évidence ; et seul son chancelier Mornay l'avait à contrecœur soutenu dans une insoutenable position.

Louis X se trouvait donc en possession des conclusions de la commission, prononcées à six voix contre deux, et pourtant il hésitait à les approuver ; cette hésitation blessait vivement son frère.

— Les comptes de Marigny sont purs ; je vous en produis la preuve, reprit Philippe de Poitiers. Si vous souhaitiez un autre rapport que celui de la vérité, alors il vous fallait désigner un autre rapporteur que moi.

— Les comptes... les comptes... répliqua Louis X. Chacun sait bien qu'on leur fait dire ce que l'on veut. Et chacun sait aussi que vous êtes favorable à Marigny.

Poitiers considéra son frère avec un mépris calme.

— Je ne suis ici favorable à rien, Louis, sinon au royaume et à la justice ; c'est pourquoi je vous présente à signer le quitus qu'il convient de donner à Marigny.

Toutes les oppositions de tempérament qui avaient existé entre Philippe le Bel et Charles de Valois réapparaissaient entre Louis X et Philippe de Poitiers. Mais les rôles, cette fois, étaient inversés. Naguère, le frère régnant possédait vraiment toutes les qualités d'un roi, et Valois auprès de lui jouait les brouillons. A présent c'était le brouillon qui régnait, et son cadet qui montrait des aptitudes de souverain. Pendant vingt-neuf ans, Valois avait pensé : « Ah ! si seulement j'étais né le premier ! » Et maintenant Poitiers commençait à se dire, mais avec plus de justesse : « Je tiendrais certainement mieux la place où la naissance a mis mon frère. »

— Et puis, les comptes ne sont pas tout. D'autres choses ne me plaisent guère, dit Louis. Ainsi cette lettre que j'ai reçue du roi d'Angleterre, me recommandant de reporter sur Marigny la confiance que notre père avait en lui, et vantant les services qu'il avait rendus aux deux royaumes... Je n'aime point qu'on me dicte mes actes.

— Est-ce parce que notre beau-frère vous donne un sage conseil qu'il vous faut aussitôt refuser de le suivre ?

Louis X détourna le regard et s'agita un peu sur son siège. Il répondait à côté des questions et visiblement voulait gagner du temps.

— J'attendrai pour me prononcer d'avoir entendu Bouville, dont le retour m'est annoncé tout à l'heure, dit-il.

— Qu'a donc Bouville à voir dans votre décision ?

— Je veux avoir les nouvelles de Naples, et celles du conclave, répondit le Hutin avec énervement. Je ne souhaite point aller contre notre oncle Charles au moment qu'il me trouve une épouse et qu'il me fait un pape.

— Ainsi vous êtes prêt à sacrifier aux humeurs de notre oncle un ministre intègre, et à éloigner du pouvoir le seul homme qui sache, en ce jour, conduire les affaires. Prenez garde, mon frère ; vous ne pourrez point maintenir demi-mesure. Vous avez bien vu que, tandis que nous étions à éplucher les comptes de Marigny comme ceux d'un mauvais serviteur, tout continuait en France à lui obéir ainsi que par le passé. Il vous faudra, ou bien le restaurer en toute sa puissance, ou bien l'abattre complètement en le tenant coupable de crimes inventés et en le châtiant d'avoir été fidèle. Choisissez. Marigny peut mettre une année encore avant de vous donner un pape ; mais il vous en donnera un conforme aux intérêts du royaume. Notre oncle Charles, lui, va vous promettre un Saint-Père pour chaque lendemain ; il n'ira sans doute pas plus vite, mais il vous sortira quelque Caëtani qui voudra repartir pour Rome, et de là-bas nommer vos évêques et tout régenter chez vous.

Il prit le quitus qu'il avait préparé, et l'approcha de ses yeux, car il était fort myope, pour le relire une dernière fois.

« ... ainsi approuve, loue et reçois les comptes du sire Enguerrand de Marigny et le tiens quitte, lui et ses hoirs, de toutes les recettes faites par l'Administration du Trésor du Temple, du Louvre et de la Chambre du Roi. »

Il ne manquait au parchemin que le paraphe royal et l'apposition du sceau.

— Mon frère, reprit Poitiers, vous m'avez assuré que je serais fait pair à la fin du deuil, et que je devais déjà me regarder comme tel. En tant que pair du royaume je vous donne conseil de signer. C'est accomplir un acte dicté par la justice.

— La justice n'appartient qu'au roi ! s'écria le Hutin avec la soudaine violence qu'il montrait lorsqu'il se sentait en mauvais cas.

— Non, Sire, répliqua calmement Philippe ; non, Sire ; c'est le roi qui appartient à la justice, pour en être l'expression et la faire triompher.

Le même jour et vers la même heure, Bouville et Guccio atteignaient Paris. La capitale commençait à s'engourdir dans le froid et l'ombre tôt venue des soirées d'hiver.

Mathieu de Trye attendait les voyageurs à la porte Saint-Jacques. Il était chargé de saluer Bouville au nom du roi, et de le conduire aussitôt auprès de ce dernier.

— Eh quoi ? sans le moindre repos ? dit Bouville. Je suis aussi rompu que sale, mon bon ami, et je ne tiens debout que par miracle. Je n'ai plus l'âge de telles équipées. Ne pouvait-on m'accorder de faire toilette et de dormir un brin ?

Il était mécontent de la hâte qu'on lui imposait. Il avait imaginé qu'il souperait avec Guccio une dernière fois, dans le cabinet privé de quelque bonne auberge, et qu'ils se diraient alors toutes ces choses qu'on n'a pas trouvé le moyen de se confier, en soixante jours de voyage, et qu'on éprouve le besoin de formuler, l'ultime soir, comme si l'occasion ne s'en devait plus représenter.

Au lieu de cela, ils furent forcés de se séparer en pleine rue, et sans même grande effusion d'amitié, car la présence de Mathieu de Trye les gênait. Bouville avait le cœur gros ; il ressentait la mélancolie des choses qui s'achèvent ; et, regardant Guccio s'en aller, il voyait s'éloigner les beaux jours de Naples, ce miraculeux moment de jeunesse dont le sort venait de gratifier son automne. Maintenant, le regain était fauché et ne repousserait plus.

« Je n'ai point dit assez merci à ce gentil compagnon pour tout le service qu'il m'a rendu et pour l'agrément que j'ai eu de son escorte » pensait Bouville.

Il ne remarqua même pas, tant la chose allait de soi, que Guccio emportait le coffre contenant le restant de l'or des Bardi ; petite somme au demeurant, après tous les frais de l'expédition et l'obole au cardinal, mais qui permettrait au moins à la compagnie Tolomei de percevoir sa commission.

Cela n'empêchait point Guccio d'avoir lui aussi de l'émotion à quitter le gros Bouville ; chez les gens bien doués pour les affaires, le sens de l'intérêt n'entrave nullement le jeu des sentiments.

Bouville, pénétrant au Palais, y nota certains détails qui ne lui plurent pas. Les serviteurs semblaient avoir perdu l'exactitude appliquée qu'il avait su leur imposer, du temps du roi Philippe, et cet air de déférence et de cérémonie, qui prouvait, en leurs moindres gestes, qu'ils appartenaient à la maison royale. Le relâchement était visible.

Toutefois, quand l'ancien grand chambellan se trouva en présence de Louis X, il perdit toute idée critique ; il était devant le roi et ne songeait plus à rien d'autre qu'à s'incliner assez bas.

— Alors, Bouville, demanda le Hutin après avoir accordé à son ambassadeur une brève accolade, alors, comment est Madame de Hongrie ?

— Redoutable, Sire ; elle n'a cessé de me faire trembler. Mais elle est bien étonnante d'esprit, pour son âge.

— Son apparence, sa figure ?

— Fort majestueuse encore, Sire, bien que les dents lui manquent tout à fait.

Louis X eut un recul inquiet ; et Charles de Valois, qui assistait à l'audience, éclata de rire.

— Mais non, Bouville, dit-il ; le roi ne vous interroge point sur la reine Marie, mais sur Madame Clémence.

— Oh ! pardon, Sire ! répondit Bouville en rougissant. Madame Clémence ? Mais je vais vous la montrer.

Et il fit apporter le tableau d'Oderisi qu'on sortit de sa caisse et qu'on posa sur une crédence. Les volets qui protégeaient le portrait furent ouverts ; on approcha des chandelles.

Louis s'avança prudemment, comme s'il craignait la confrontation ; puis il eut un sourire à l'adresse de son oncle.

— Le beau pays que c'est là-bas, Sire, si vous saviez! s'écria Bouville en revoyant Naples sur les deux volets du tableau. Le soleil y luit toute l'année ronde; les gens y sont gais, et partout on entend chanter...

— Alors, mon neveu, vous avais-je trompé? dit Valois. Admirez ce teint, ces cheveux comme du miel, cette belle pose de noblesse! Et la gorge, mon neveu, quelle belle gorge de femme!

Lui-même, qui n'avait pas vu la jeune princesse depuis une dizaine d'années, se sentait rassuré et plein de contentement de soi.

— Et dois-je dire au roi, ajouta Bouville, que Madame Clémence est encore plus avenante à contempler au naturel...

Louis se taisait; il semblait qu'il eût oublié leur présence. Le front en avant, l'échine un peu voûtée, il était absorbé dans un étrange tête-à-tête avec le tableau. Il faisait plus que l'examiner; il l'interrogeait, et s'interrogeait. Dans les yeux bleus de Clémence de Hongrie, il retrouvait quelque chose du regard d'Eudeline, une sorte de patience rêveuse, de bonté apaisante. Et le sourire, les couleurs mêmes n'étaient pas sans suggérer certains rapports de ressemblance avec la belle lingère du palais... Une Eudeline, mais qui fût née de rois, et pour être reine.

Pendant un instant, Louis chercha à superposer au portrait, par souvenir, le visage de Marguerite de Bourgogne, son front rond et bombé, ses cheveux noirs qui frisaient, sa peau de brune, ses yeux facilement hostiles... Et puis ce visage s'effaça; celui de Clémence reparut, triomphant dans sa beauté calme. Et Louis acquit la conviction qu'auprès de cette blonde princesse son corps n'aurait pas à redouter de défaillance.

— Ah! Elle est belle, elle est vraiment belle! dit-il enfin. Mon oncle, c'est bonne idée que vous avez eue, et aussi de commander cette image. Je vous en sais gré, hautement. Et vous, messire de Bouville, je vous donnerai deux cents livres de revenus sur le Trésor... le jour des noces.

— Oh! Sire, murmura Bouville avec reconnaissance, l'honneur de vous servir me récompense bien assez.

Le roi marchait, tout agité.

— Ainsi nous sommes fiancés, reprit-il. Nous sommes fiancés... Il ne me reste plus qu'à être démarié.

— Oui, Sire, et il faut que cela soit fait avant l'été. C'est la condition pour que vous puissiez convoler avec Madame Clémence.

— J'espère bien que je n'aurai pas si longtemps à attendre. Mais qui a posé cette condition?

— La reine Marie, Sire... reprit Bouville. Elle a d'autres partis pour sa petite-fille, et, encore que vous soyez certes le plus glorieux à ses yeux et le plus souhaité, elle n'entend pas s'engager au-delà.

Louis X alors se tourna d'un mouvement interrogateur vers Valois, qui lui-même prit une mine étonnée.

Pendant l'absence de Bouville, Valois, qui, en contact épistolaire avec Naples, se donnait les gants de tout arranger, avait certifié à son neveu que l'engagement était bien en train de se conclure, définitif et sans clause de délai.

— Madame de Hongrie vous a donc exprimé cette condition en dernier instant? dit-il à Bouville.

— Non, Monseigneur; elle en a parlé plusieurs fois; et elle y est revenue au dernier instant.

— Bah! Ce n'est qu'un mot pour nous hâter un peu, et se faire valoir. Si par aventure, tout à fait improbable d'ailleurs, l'annulation tardait davantage, Madame de Hongrie prendrait patience.

— Je ne sais, Monseigneur; la chose était dite de manière bien sérieuse et bien ferme.

Valois ne se sentait pas fort à l'aise, et tapotait du bout des doigts le bras de son siège.

— Avant l'été, murmurait Louis; avant l'été... Et en quel point avez-vous trouvé le conclave?

Bouville fit alors le récit de son expédition en Avignon, sans trop insister sur ses mésaventures personnelles; il rapporta les informations recueillies par Guccio, raconta son entrevue avec le cardinal Duèze, et insista sur le fait que l'élection d'un pape dépendait avant tout de Marigny.

Louis X écoutait avec une grande attention, tout en portant fréquemment les yeux vers le portrait de Clémence de Hongrie.

— Duèze... oui, disait-il. Pourquoi pas Duèze?... Il est prêt à prononcer l'annulation... Il lui manque sept voix françaises... Ainsi vous m'assurez, Bouville, que seul Marigny peut venir à bout de cette affaire?

— C'est mon sentiment absolu, Sire.

Le Hutin se déplaça lentement vers la table où était posé le quitus préparé par Philippe de Poitiers. Il prit une plume d'oie, la trempa dans l'encre.

Charles de Valois pâlit.

— Mon neveu, s'écria-t-il en s'élançant, vous n'allez pas donner décharge à ce coquin?

— D'autres que vous, mon oncle, affirment que ses comptes sont francs. Six des barons désignés pour faire l'examen sont de cet avis; il n'est que votre chancelier pour partager le vôtre.

— Mon neveu, je vous supplie d'attendre... Cet homme vous trompe comme il a trompé votre père! cria Valois.

Bouville aurait voulu être hors de la pièce.

Louis X fixait sur son oncle un regard buté, méchant.

— Je vous avais dit qu'il me fallait un pape, prononça-t-il.

— Mais Marigny est opposé à Duèze!

— Eh bien! Qu'il en choisisse un autre!

Pour couper à toute nouvelle objection, il ajouta hors de propos, mais avec grande autorité de ton:

— Rappelez-vous que le roi appartient à la justice... afin de la faire triompher.

Et il signa le quitus.

Valois prit congé sans cacher son dépit. Il étouffait de rage. « J'aurais mieux fait, pensait-il, de lui trouver une fille torse et mal avenante de visage. Il se montrerait moins pressé. J'ai été joué, et Marigny va revenir en cour grâce aux outils que j'avais forgés pour l'en chasser. »

VIII

LA LETTRE DU DÉSESPOIR

Une rafale de vent gifla l'étroit vitrage, et Marguerite de Bourgogne se rejeta en arrière, comme si quelqu'un du fond du ciel cherchait à la frapper.

Le jour commençait à se lever, incertain, sur la campagne normande. C'était l'heure où la première garde montait aux créneaux de Château-Gaillard. La tempête d'ouest chassait d'énormes nuages portant en leurs flancs sombres des montagnes d'eau ; et les peupliers, le long de la Seine, ployaient leur échine défeuillée.

Le sergent Lalaine déverrouilla les portes qui, dans l'escalier à vis, isolaient les deux princesses ; l'archer Gros-Guillaume déposa dans la chambre de Marguerite deux écuelles de bois emplies de bouillie fumante ; puis il sortit sans avoir rien dit, en traînant les pieds.

— Blanche... appela Marguerite en s'approchant du palier.

Elle n'obtint pas de réponse.

— Blanche ! répéta-t-elle plus fort.

Le silence qui suivit l'emplit d'angoisse. Enfin elle entendit un lent claquement de socques de bois sur les marches. Blanche entra, vacillante, défaite ; ses yeux clairs, dans la lueur grise qui emplissait la pièce, avaient une inquiétante expression d'absence tout à la fois et d'obstination.

— As-tu dormi un peu ? lui demanda Marguerite.

Blanche alla sans rien dire jusqu'à la cruche d'eau posée sur un escabeau, s'agenouilla et, inclinant la cruche vers sa bouche, y but à longs traits. Elle adoptait ainsi depuis quelque temps des poses bizarres pour accomplir les gestes ordinaires de la vie.

Il ne restait plus rien dans la pièce des meubles de Bersumée. Le capitaine de forteresse les avait récupérés trois mois plus tôt, immédiatement après la visite assez brutale que lui avait rendue Alain de Pareilles pour lui rappeler les instructions de Marigny. Partis, les coffres et les chaises apportés en l'honneur de Monseigneur d'Artois; partie, la table où la reine prisonnière avait dîné en face de son cousin. Quelques éléments du grossier mobilier fourni à la troupe garnissaient maigrement la geôle ronde. Le lit était pourvu d'un matelas bourré de cosses de pois séchées. En revanche, Pareilles ayant dit que la santé de Madame Marguerite importait à Marigny, Bersumée veillait depuis lors à ce que les couvertures fussent assez nombreuses. Mais les draps n'avaient pas été changés une seule fois, et l'on n'allumait de feu que lorsqu'il gelait.

Les deux femmes s'assirent côte à côte au bord du lit, les écuelles posées sur leurs genoux.

Blanche commença de laper la bouillie de sarrasin à même l'écuelle, sans se servir de la cuiller. Marguerite ne mangeait pas. Elle se chauffait les doigts autour du bol de bois; c'était là l'une des seules bonnes minutes de sa journée, et la dernière joie sensuelle qui lui restât. Elle fermait les yeux, toute concentrée sur le misérable plaisir de recueillir un peu de chaleur au creux de ses mains.

Soudain, Blanche se leva et jeta son écuelle à travers la pièce. La bouillie se répandit sur le sol, où elle surirait pendant une semaine.

— Qu'as-tu donc? demanda Marguerite.

— Je veux mourir, je veux me tuer! hurla Blanche. Je m'en vais me bouter du haut de l'escalier... Et tu resteras seule... seule!

Marguerite soupira et plongea sa cuiller dans le bol.

— Jamais nous ne sortirons d'ici, à cause de toi, reprit Blanche, parce que tu n'as pas voulu écrire la lettre que te demandait Robert. C'est ta faute, tout est ta faute. Ce n'est pas vivre que de rester ici. Mais je vais mourir. Et tu resteras seule.

L'espérance déçue est funeste aux prisonniers. Blanche avait cru, en apprenant la mort de Philippe le Bel, et surtout en voyant arriver Robert d'Artois, qu'elle allait être libérée. Et puis rien ne s'était produit, sinon le retrait quasi total des adoucissements que le passage de leur cousin avait obtenus quelques jours aux recluses. Depuis ce temps, Blanche semblait une autre personne. Elle avait cessé de se laver; elle maigrissait; elle passait de soudaines fureurs à de soudains accès de larmes qui laissaient de longs traits gris sur ses joues souillées. Ses cheveux un peu plus longs sortaient collés, emmêlés, de son béguin de toile. Elle était pleine de reproches et de griefs envers Marguerite, et les ressassait inlassablement; elle tenait Marguerite pour responsable, l'accusait de l'avoir poussée dans les bras de Gautier d'Aunay, l'insultait puis exigeait en trépignant qu'elle écrivît à Paris pour accepter la propositon qu'on lui avait faite. Et la haine s'installait entre ces deux femmes qui n'avaient chacune que l'autre pour compagnie et pour soutien.

— Eh bien, crève donc, puisque tu n'as plus le cœur de lutter ! répondit Marguerite.

— Pourquoi lutter ? Lutter contre les murs... Pour que tu sois reine ? Parce que tu espères encore que tu seras reine ? La reine ! La reine ! Voyez la reine !

— Mais si j'avais cédé, c'est moi qu'on aurait libérée, peut-être, mais pas toi.

— Seule, seule, tu vas rester seule ! répétait Blanche.

— Tant mieux ! Je ne désire que cela, être seule ! répondit Marguerite.

Chez elle aussi, les récentes semaines avaient causé plus de ravages que toute la première demi-année de réclusion. Son visage était amaigri, durci, marqué de dartres. Les jours s'égrenant sans rien apporter, la même question, continuellement, lui tourmentait l'esprit. N'avait-elle pas eu tort de refuser la proposition ?

Blanche s'élança vers l'escalier. Marguerite pensa : « Qu'elle aille se fracasser ! Que je ne l'entende plus gémir et hurler ! Elle ne se tuera pas, mais au moins on l'emmènera, on l'éloignera. » Et elle courut derrière sa belle-sœur, les mains en avant, comme pour la pousser vers les profondeurs de la vis.

Blanche se retourna. Un instant, elles s'affrontèrent du regard. Soudain Marguerite s'appuya, s'affaissa presque, contre le mur.

— Nous devenons folles toutes les deux... dit-elle. Allons, je pense qu'il faut l'écrire, cette lettre. Moi aussi je suis à bout.

Et se penchant, elle cria :

— Gardes ! Gardes ! Qu'on appelle le chapelain.

Rien ne lui répondit que le vent d'hiver qui décrochait les tuiles dans les toitures.

— Tu vois... dit Marguerite en haussant les épaules. Je le ferai demander quand on nous portera notre dîner.

Mais Blanche dévala les marches et se mit à tambouriner sur la porte, au bas de l'escalier, en hurlant qu'elle voulait voir le capitaine. Les archers de garde s'interrompirent de jouer aux dés dans la salle du rez-de-chaussée, et l'on entendit l'un d'eux sortir.

Bersumée arriva un moment après, son bonnet de peau de loup enfoncé jusqu'aux sourcils. Il écouta la demande de Marguerite.

Le chapelain ? Il se trouvait absent ce jour-là. Des plumes, un parchemin ? Pour quoi faire ? Les prisonnières n'avaient le droit de communiquer avec quiconque, ni par voix, ni par écrit ; tels étaient les ordres de Monseigneur de Marigny.

— Je dois écrire au roi, dit Marguerite.

Au roi ? Ah ! certes, cela posait une question à Bersumée. Le terme de « quiconque » désignait-il aussi le roi ?

Marguerite parla si haut et s'emporta si bien que le capitaine se laissa fléchir.

— Allez, ne différez point, s'écria-t-elle.

Bersumée se rendit à la sacristie, et rapporta lui-même le matériel pour écrire.

Au moment de commencer sa lettre, Marguerite eut une dernière révolte, un dernier mouvement de refus. Jamais plus, si par quelque miracle son procès venait à se rouvrir, jamais plus elle ne pourrait plaider l'innocence et prétendre que les frères d'Aunay avaient fait de faux aveux sous la torture. Et elle ôtait à sa fille tout droit à la couronne...

— Va, va! lui soufflait Blanche.

— Rien en vérité, ne peut être pire que ce qui est, murmura Marguerite.

Et elle rédigea son renoncement.

«... Je reconnais et confesse que ma fille Jeanne n'est point enfant de vous. Je reconnais et confesse m'être à vous refusée de corps, en sorte que l'œuvre de chair ne fut pas accomplie entre nous... Je reconnais et confesse que je n'ai point droit de me regarder pour mariée avec vous... J'attends, comme il m'a été promis de votre part par messire d'Artois, si je faisais l'aveu sincère de mes fautes, que vous preniez en pitié ma peine et ma repentance, et me remettiez en un couvent de Bourgogne...»

Bersumée se tint auprès d'elle, soupçonneux, tout le temps qu'elle écrivit; puis il prit la lettre et l'étudia un moment, ce qui n'était que simulacre car il ne savait pas très bien lire.

— Ceci doit parvenir au plus vite à Monseigneur d'Artois, dit Marguerite.

— Ah! Madame, voilà qui change tout. Vous aviez assuré que c'était pour le roi...

— ... à Monseigneur d'Artois pour qu'il le remette au roi! cria Marguerite. C'est écrit en tête! Êtes-vous si sot que de ne pas le voir?

— Ah! oui... Et qui portera cette lettre?

— Vous-même!

— Je n'ai pas d'ordres.

Il ne put de toute la journée décider de ce qu'il devait faire et attendit que le chapelain fût rentré pour lui demander avis.

La lettre n'étant pas cachetée, le chapelain en prit connaissance.

— Je reconnais et confesse... je reconnais et confesse... Ou bien elle ment quand elle se confesse à moi, ou bien elle ment quand elle écrit, dit-il en grattant son crâne beige.

Il était un peu saoul et fleurait le cidre. Néanmoins, il se rappelait que Monseigneur d'Artois l'avait fait attendre trois heures dans le gel, pour prendre une lettre de Madame Marguerite, et s'en était reparti sans lettre, en lui lançant des insultes au nez... Il persuada à Bersumée de déboucher une bouteille, et, après d'abondants commentaires, conseilla d'acheminer le pli, voyant poindre là quelques espoirs personnels.

Bersumée inclinait dans le même sens, et pour des motifs qui lui étaient également propres. On disait beaucoup, aux Andélys, que Marigny était tombé en disgrâce, et même on prétendait que le roi lui intentait procès. Une chose était certaine : si Marigny continuait d'envoyer des instructions, il n'envoyait plus d'argent. Bersumée avait perçu brusquement ses arriérés de solde, trois mois plus tôt, mais rien depuis ; et l'heure approchait où il n'aurait plus le nécessaire pour nourrir et ses hommes et ses prisonnières. L'occasion n'était pas mauvaise d'aller s'informer sur place de quoi il retournait.

— A ta place, capitaine, disait le chapelain, je ferais remettre la lettre au grand inquisiteur, qui est aussi le confesseur du roi. Elle a écrit : « Je confesse. » C'est une affaire d'Église et une affaire royale... Si cela t'oblige, je veux bien m'en charger. Je connais le frère inquisiteur ; il est de mon couvent de Poissy...

— Non, j'irai moi-même, répondit Bersumée.

— Alors, ne manque pas de parler de moi, si tu vois le frère inquisiteur.

Le lendemain, ayant passé les consignes au sergent Lalaine, Bersumée, coiffé de son chapeau de fer et monté sur son meilleur bidet, prit la route de Paris.

Il arriva le jour suivant, en milieu d'après-midi, alors qu'il pleuvait à torrents. Boueux jusqu'aux yeux, le hoqueton trempé, Bersumée pénétra dans une taverne voisine du Louvre, pour s'y restaurer et y faire réflexion. Car tout le long du chemin l'inquiétude n'avait cessé de lui moudre la tête. Comment savoir s'il faisait bien ou mal, s'il agissait pour ou contre ses intérêts ? Devait-il en référer à Marigny, ou bien se rendre chez Monseigneur d'Artois ? A enfreindre les ordres du premier, que gagnerait-il auprès du second ? Marigny... d'Artois... d'Artois ou Marigny ? Ou bien alors, pourquoi pas le grand inquisiteur ?

La providence parfois veille sur les sots. Tandis que Bersumée se séchait le ventre au feu, une grande claque appliquée sur le dos le tira de ses méditations.

C'était le sergent Quatre-Barbes, un ancien compagnon de garnison, qui venait d'entrer et l'avait reconnu. Ils ne s'étaient pas vus depuis six ans. Ils s'embrassèrent, reculèrent pour s'examiner, s'embrassèrent encore, et à grand bruit réclamèrent du vin afin de célébrer leurs retrouvailles.

Quatre-Barbes, un gaillard maigre aux dents noires et aux prunelles logées dans le coin des yeux, était sergent d'archers à la compagnie du

Louvre ; il avait ses habitudes dans cette taverne. Bersumée l'enviait de résider à Paris. Quatre-Barbes enviait Bersumée d'être monté en grade plus rapidement, et de commander une forteresse. Tout allait donc bien puisque chacun pouvait se croire admiré de l'autre !

— Comment ? C'est toi qui gardes la reine Marguerite ? On dit qu'elle avait cent amants. La cuisse doit lui brûler, et je gage que tu ne t'ennuies guère, vieux pendard ! s'écria Quatre-Barbes.

— Ah ! Ne crois pas cela !

Des gaillardises, ils passèrent aux souvenirs, puis aux problèmes du jour. Qu'y avait-il de vrai dans la prétendue disgrâce de Marigny ? Quatre-Barbes devait savoir, lui qui vivait dans la capitale. Bersumée apprit ainsi que Monseigneur de Marigny avait triomphé des noises qu'on lui voulait chercher, que le roi trois jours plus tôt l'avait rappelé et embrassé devant plusieurs barons, et qu'il était à nouveau aussi puissant que jamais.

« Me voilà fourré dans de bons draps avec cette lettre... », pensait Bersumée.

La langue déliée par le vin, Bersumée glissa vers les confidences, et, demandant à Quatre-Barbes de lui jurer un secret qu'il se montrait lui-même incapable d'observer, lui révéla la raison de son voyage.

— A ma place, comment agirais-tu ?

Le sergent balança un moment son long nez au-dessus du pichet, puis répondit.

— A ta place, j'irais prendre les ordres de messire de Pareilles. Il est ton chef. Au moins tu te seras mis à couvert.

— C'est bien pensé. Ainsi ferai-je.

L'après-midi s'était écoulé à parler et à boire. Bersumée était un peu ivre, et surtout se sentait soulagé puisqu'on avait pris une décision pour lui. Mais l'heure était trop avancée pour qu'il l'exécutât sur-le-champ. Et Quatre-Barbes, ce soir-là, n'était pas de garde. Les deux compagnons soupèrent dans la taverne ; l'aubergiste s'excusa de n'avoir à leur servir que des saucisses aux pois, et se plaignit longuement des difficultés qu'il rencontrait pour se ravitailler. Le vin seul ne lui manquait pas.

— Vous êtes encore logé à meilleure enseigne que nous, dans nos campagnes ; on commence à y vendre l'écorce des arbres, dit Bersumée.

Après quoi, pour que la fête fût complète, Quatre-Barbes entraîna Bersumée dans les ruelles, derrière Notre-Dame, chez les filles follieuses qui, par ordonnance datant de Saint Louis, continuaient à porter les cheveux teints couleur de cuivre, afin qu'on pût les distinguer des femmes honnêtes.

Au petit jour, Quatre-Barbes invita son ami à venir faire toilette dans son casernement du Louvre ; et vers none, brossé, astiqué, rasé jusqu'au sang, Bersumée se présenta au corps de garde du Palais pour y demander messire de Pareilles.

Le capitaine général des archers ne montra aucune hésitation après que Bersumée lui eut expliqué son cas.

— De qui recevez-vous vos instructions?

— De vous, messire.

— Qui, au-dessus de moi, commande à toutes les forteresses royales?

— Monseigneur de Marigny, messire.

— A qui devez-vous en référer pour toutes choses?

— A vous, messire.

— Et par-dessus moi?

— A Monseigneur de Marigny.

Bersumée retrouvait ce sentiment d'honneur à la fois et de protection que connaît le bon militaire devant un homme porteur d'un grade supérieur au sien, et qui lui dicte une conduite.

— Alors, conclut Alain de Pareilles, c'est à Monseigneur de Marigny qu'il vous faut délivrer cette missive. Mais veillez à la lui remettre en main propre.

Une demi-heure plus tard, rue des Fossés-Saint-Germain, on vint annoncer à Enguerrand de Marigny, qui travaillait dans son cabinet, qu'un certain capitaine Bersumée, venant de la part de messire de Pareilles, insistait pour le voir.

— Bersumée... Bersumée... dit Enguerrand. Ah! C'est l'âne qui commande à Château-Gaillard. Qu'il entre.

Tout tremblant d'être introduit devant un si grand personnage, Bersumée eut quelque peine à sortir de dessous son hoqueton et sa cotte la lettre destinée à Monseigneur d'Artois. Marigny la lut aussitôt, fort attentivement, et sans que rien parût sur son visage.

— Quand cela a-t-il été écrit? demanda-t-il.

— Le jour d'avant-hier, Monseigneur.

— Vous avez fort bien agi en me l'apportant. Je vous en complimente. Assurez Madame Marguerite que sa lettre ira où elle doit aller. Et s'il lui vient envie d'en écrire d'autres, faites-leur prendre le même chemin... En quel point se trouve Madame Marguerite?

— Comment on peut se trouver en prison, Monseigneur. Mais elle résiste mieux, à coup sûr, que Madame Blanche, dont l'esprit paraît un peu se déranger.

Marigny fit un geste vague qui signifiait que l'esprit des prisonnières lui importait peu.

— Veillez à leur santé de corps; qu'elles soient nourries et chauffées.

— Monseigneur, je sais que ce sont vos ordres; mais je n'ai que du blé noir à leur servir, parce qu'il m'en reste un peu de réserve. Pour le bois, il me faut envoyer mes archers en couper; or je ne peux exiger trop fréquentes corvées d'hommes qui ne mangent pas à leur suffisance.

— Mais pourquoi cela?

— L'argent me manque à Château-Gaillard. Je n'ai point reçu de quoi aligner mes hommes en solde, ni renouveler les fournitures qui sont au prix que vous savez, par ce temps où la famine sévit.

Marigny haussa les épaules.

— Vous ne m'étonnez point, dit-il. Partout il en va de même. Ce n'est pas moi, ces derniers mois, qui ai gouverné le Trésor. Mais les choses vont revenir en ordre. Le payeur de votre bailliage vous alignera avant une semaine. Combien vous doit-on à vous-même?

— Quinze livres six sols, Monseigneur.

— Vous allez sur-le-champ en recevoir trente.

Et Marigny appela un secrétaire pour qu'on raccompagnât Bersumée et qu'on lui payât le prix de son obéissance.

Demeuré seul, Marigny relut la lettre de Marguerite, réfléchit un moment, et puis la jeta dans le feu; et il resta devant la cheminée tout le temps que le parchemin mit à se consumer.

Il se sentait vraiment en cet instant le plus puissant des personnages du royaume; il tenait en main tous les destins, même celui du roi.

TROISIÈME PARTIE

LE PRINTEMPS DES CRIMES

I

LA FAMINE

La misère des hommes de France fut plus grande cette année-là qu'elle ne l'avait été depuis cent ans, et le fléau des siècles passés, la famine, réapparut.

A Paris, le prix du boisseau de sel atteignit dix sous d'argent et le setier de froment se vendit jusqu'à soixante sous, taux jamais atteints. Cet anormal enchérissement résultait, certes, en premier lieu, de la désastreuse récolte de l'été précédent; mais il était dû aussi pour une bonne part à la désorganisation de l'administration, à l'agitation que les ligues baronniales entretenaient en plusieurs provinces et qui rendaient les échanges difficiles, à la panique des gens qui avaient engrangé par peur de manquer, à l'avidité enfin des spéculateurs.

Février est le plus terrible mois à franchir durant les années de disette. Les dernières provisions de l'automne sont épuisées, de même que la résistance des corps et des âmes. Le froid s'ajoute à la faim. C'est le mois où l'on meurt le plus. Les gens désespèrent de revoir jamais le printemps, et ce désespoir chez les uns se tourne en abattement et chez les autres en haine. A prendre trop souvent le chemin du cimetière chacun se demande quand viendra son tour.

Dans les campagnes, on mangeait les chiens qu'on ne pouvait plus nourrir, et l'on chassait les chats redevenus sauvages. Faute de fourrage, le bétail crevait et l'on se battait autour des rebuts d'équarrissage. Des femmes arrachaient l'herbe gelée pour la dévorer. On savait que l'écorce de hêtre faisait une meilleure farine que l'écorce de chêne. Des adolescents se noyaient chaque jour sous la glace des étangs pour avoir voulu y prendre du poisson. Il n'y avait presque plus de vieillards. Les menuisiers, hâves et surmenés, clouaient sans relâche des cercueils. Les moulins étaient muets. Des mères folles berçaient des cadavres d'enfants. Parfois on assiégeait un monastère; mais l'aumône était sans pouvoir quand il ne restait rien à acheter que des suaires.

Parfois, des hordes titubantes montaient des champs vers les bourgs dans le vain rêve de s'y faire donner du pain; mais elles se heurtaient à d'autres hordes d'affamés qui venaient de la ville et paraissaient avancer vers le Jugement dernier.

Il en était ainsi dans les régions réputées riches comme dans les régions pauvres, en Artois aussi bien qu'en Auvergne, en Poitou comme en Champagne, en Bourgogne comme en Bretagne, et même en Valois, en Normandie, en Beauce, et même en Brie, et même en Ile-de-France. Il en était ainsi à Neauphle et à Cressay.

La malédiction qui depuis un an accablait la famille royale semblait s'être étendue pendant l'hiver au royaume tout entier.

Guccio, lorsqu'il était revenu d'Avignon à Paris en escortant Bouville, avait bien traversé cette affliction. Mais logeant dans les prévôtés ou les châteaux royaux, et muni de bon or pour satisfaire aux prix démesurés des auberges, il avait regardé la disette d'assez haut.

Il ne s'en souciait pas davantage, une semaine après son retour, en trottant sur la route de Paris à Neauphle. Son manteau fourré était chaud, sa monture bien allante, et il courait vers la femme qu'il aimait. Il polissait les phrases par lesquelles il allait raconter à la belle Marie de Cressay comment il avait parlé d'elle avec Madame Clémence de Hongrie, bientôt peut-être reine de France, et comment son souvenir ne l'avait pas quitté un seul jour... ce qui était d'ailleurs la vérité. Car les infidélités fortuites n'empêchent pas de songer, bien au contraire, à qui l'on est infidèle; c'est même la manière la plus fréquente qu'ont les hommes d'être constants. Et puis il décrirait à Marie les splendeurs de Naples... Il se sentait vêtu des prestiges du voyage et des hautes missions; il venait se faire aimer.

Ce ne fut qu'au voisinage de Cressay, parce qu'il connaissait bien le pays et lui vouait tendresse, que Guccio commença d'ouvrir les yeux sur autre chose que sur soi-même.

Le désert des champs, le silence des hameaux, la rareté des fumées qui s'élevaient des masures, l'absence d'animaux, l'état de maigreur et de saleté des quelques hommes rencontrés, et surtout leurs regards, donnèrent au jeune Toscan un sentiment de malaise et d'insécurité. Et lorsqu'il pénétra dans la cour du vieux manoir, au-dessus du ruisseau de la Mauldre, il eut l'intuition du malheur.

Pas un coq sur le fumier, pas un meuglement du côté des étables, pas un aboi de chien. Le jeune homme avança sans que quiconque, serviteur ou maître, parût à son approche. La maison semblait morte. «Sont-ils tous partis? se demanda-t-il. Les a-t-on saisis pendant mon absence? Qu'est-il arrivé? Ou bien la peste aurait-elle sévi par ici?»

Il noua les rênes de son cheval à un anneau du mur et entra dans le corps du logis. Il se trouva en face de madame de Cressay.

— Oh! messire Guccio! s'écria-t-elle. Il me semblait bien... il me semblait bien... Vous voici donc...

Des larmes étaient venues aux yeux de dame Éliabel, et elle prit appui sur un meuble, comme si la surprise la faisait vaciller. Elle avait maigri de vingt livres, et vieilli de dix ans. Elle flottait dans sa robe qui naguère se tendait bien fort sur ses hanches et sa poitrine; elle montrait une mine grise, et des joues affaissées sous sa guimpe de veuve.

Guccio, pour dissimuler sa surprise à la voir si changée, regarda la grand-salle autour de lui. Auparavant on y percevait une certaine dignité de vie seigneuriale maintenue malgré de petits moyens; aujourd'hui, tout y disait la misère sans défense, le dénuement désordonné et poussiéreux.

— Nous ne sommes point dans notre meilleur pour accueillir un hôte, dit tristement dame Éliabel.

— Où sont vos fils?

— A la chasse, comme chaque jour.

— Et mademoiselle Marie? demanda Guccio.

— Hélas! fit dame Éliabel en baissant les yeux.

— Qu'est-il arrivé?

Dame Éliabel haussa les épaules, d'un geste de désolation.

— Elle est si bas, dit-elle, si faible que je n'espère plus qu'elle se relève jamais, ni même qu'elle atteigne Pâques.

— Quel mal a-t-elle? dit Guccio avec une impatience anxieuse.

— Mais le mal dont nous souffrons tous et dont on meurt à foison par ici! La faim, signor Guccio. Pensez donc, si de gros corps comme l'était le mien sont tout épuisés, pensez au ravage que la faim peut faire sur des filles encore à grandir.

— Mais, par Dieu, dame Éliabel, s'écria Guccio, je croyais que la disette ne frappait que les pauvres gens!

— Et qui croyez-vous que nous sommes, sinon de pauvres gens? Ce n'est point parce que nous avons la chevalerie et un manoir qui croule que nous sommes mieux lotis. Tout notre bien, à nous petits seigneurs, est dans nos serfs et dans le labeur que nous en tirons. Comment pourrions-nous attendre qu'ils nous nourrissent, quand ils n'ont pas à manger pour eux-mêmes et viennent mourir devant notre porte en nous tendant la main? Nous avons dû tuer notre bétail pour le partager avec eux. Ajoutez à cela que le prévôt nous a obligés de lui fournir des vivres, d'ordre du roi a-t-il dit, sans doute pour nourrir ses sergents, car ceux-là sont toujours bien gras... Quand tous nos paysans seront morts, que nous restera-t-il, sinon que d'en faire autant? La terre ne vaut rien; elle ne vaut qu'autant qu'on la travaille, et ce ne sont point les cadavres qu'on y enfouit qui la feront produire... Nous n'avons plus ni valets ni servantes. Notre pauvre boiteux...

— Celui que vous appeliez votre écuyer tranchant?

— Oui, notre écuyer tranchant... dit-elle avec un sourire triste. Eh bien, il est parti pour le cimetière l'autre semaine. Et tout à l'avenant.

Guccio hocha la tête, d'un air de compassion. Mais une seule personne, dans tout ce drame, lui importait.

— Où est Marie ? demanda-t-il.

— Là-haut, dans sa chambre.

— Puis-je la voir ?

— Venez.

Guccio la suivit dans l'escalier qu'elle gravit d'un pas lent, marche à marche, en s'aidant de la corde de chanvre qui pendait le long du pivot de la vis.

Marie de Cressay reposait sur un lit étroit, à l'ancienne mode, où les couvertures n'étaient pas bordées et où les matelas et les coussins étaient très élevés sous le buste, en sorte que la personne allongée semblait sur un plan incliné, les pieds piquant vers le sol.

— Messire Guccio... messire Guccio... murmura Marie.

Ses yeux étaient agrandis d'un cerne bleu ; ses longs cheveux châtains et or étaient épars sur un oreiller de velours râpé jusqu'à la trame. Ses joues amincies, son cou fragile, présentaient une transparence inquiétante. L'impression de rayonnement solaire qu'elle donnait auparavant s'était effacée, comme si un grand nuage blanc fût passé au-dessus d'elle.

Dame Éliabel se retira, pour éviter de montrer ses larmes.

— Marie, ma belle Marie, dit Guccio en s'approchant du lit.

— Enfin, vous voilà ; enfin vous êtes de retour. J'ai eu si peur, oh ! si peur de mourir sans vous revoir.

Elle regardait intensément Guccio, et ses yeux contenaient une grande question inquiète. Inclinée comme elle se trouvait par l'étrange entassement des matelas, elle ne semblait pas absolument réelle, mais découpée dans quelque fresque, ou plutôt dans un vitrail aux perspectives redressées.

— De quoi souffrez-vous, Marie ? dit Guccio.

— De faiblesse, mon bien-aimé, de faiblesse. Et puis de la grande crainte que vous m'ayez abandonnée.

— J'ai dû aller en Italie pour le service du roi, et partir si hâtivement que je n'ai pu vous en avertir.

— Pour le service du roi... répéta-t-elle faiblement.

La grande interrogation muette était toujours au fond de son regard. Et Guccio se sentit brusquement honteux de sa bonne santé, de ses vêtements fourrés, des semaines insouciantes passées en voyage, honteux même du soleil de Naples, honteux surtout de la vanité qui l'emplissait jusqu'à l'heure précédente pour avoir vécu parmi les puissants de ce monde.

Marie avança sa belle main amaigrie ; et Guccio prit cette main ; et leurs doigts refirent connaissance, s'interrogèrent et finirent par s'unir, entrecroisés dans ce geste où l'amour se promet plus sûrement que par un baiser, comme si les mains de deux êtres se liaient pour une même prière.

La question muette disparut alors du regard de Marie. Elle ferma les paupières et ils restèrent ainsi un moment sans parler.

— Il me semble, à tenir vos doigts, que j'y puise force, dit-elle enfin.

— Marie, voyez ce que je vous ai rapporté!

Il tira de son aumônière deux plaques d'or fines et gravées, incrustées de perles et de pierres cabochons, comme il était de mode alors dans les classes riches d'en coudre aux cols des manteaux. Marie prit les plaques et les éleva jusqu'à ses lèvres. Guccio eut un serrement de cœur, car, un bijou, fût-il ciselé par le plus habile orfèvre de Florence ou de Venise, n'apaise point la faim. « Un pot de miel ou de fruits confits eût été aujourd'hui un meilleur présent », pensa-t-il. Et une grande hâte d'agir le saisit.

— Je vais aller chercher de quoi vous guérir, s'écria-t-il.

— Que vous soyez là, que vous pensiez à moi, je ne demande rien d'autre... Partez-vous déjà?

— Je serai de retour dans peu d'heures.

Il allait franchir la porte.

— Votre mère... sait-elle? dit-il à mi-voix.

Marie fit des paupières un signe négatif.

— Je n'ai point voulu disposer de vous, répondit-elle. C'est à vous de disposer de moi, si Dieu veut que je vive.

En redescendant dans la grand-salle, Guccio trouva dame Éliabel en compagnie de ses deux fils qui venaient de rentrer. Le visage creux, les yeux brillants de fatigue, les vêtements déchirés et mal rapiécés, Pierre et Jean de Cressay portaient eux aussi les marques de la détresse. Ils témoignèrent à Guccio la joie qu'ils avaient de revoir un ami. Mais ils ne pouvaient se défendre d'un peu d'envie et d'amertume à contempler l'aspect prospère du jeune Lombard. « La banque, décidément, se défend mieux que la noblesse », pensait Jean de Cressay.

— Notre mère vous a raconté et puis vous avez vu Marie... dit Pierre. Admirez notre chasse de ce matin. Un corbeau qui s'était rompu la patte, et un mulot. L'honnête bouillon pour toute une famille que l'on va faire avec cela! Que voulez-vous? Tout est piégé. On a beau promettre le bâton aux paysans s'ils chassent pour eux-mêmes, ils préfèrent recevoir le bâton et manger le gibier. A leur place on en ferait autant. Il ne nous reste que trois chiens...

— Les faucons milanais que je vous ai donnés l'automne passé vous font-ils bon service, au moins? demanda Guccio.

Les deux frères baissèrent les yeux d'un air gêné. Puis Jean, l'aîné, se décida à dire en tirant sur sa barbe:

— Nous avons dû les céder au prévôt Portefruit, pour qu'il consentît à nous laisser notre dernier porc. D'ailleurs, nous n'avions plus de quoi les acharner.

— Vous avez eu grandement raison, répondit Guccio ; à l'occasion, je vous en procurerai d'autres.

— Ce blaireau de prévôt, s'écria Pierre de Cressay, ne s'est point fait meilleur, je vous jure, depuis la fois que vous nous avez tirés de ses griffes. Il est à lui seul pire que la disette, et il en double le mal.

— J'ai vergogne, messire Guccio, de la petite chère que je vais vous offrir à partager, dit la veuve.

Guccio mit à son refus beaucoup de délicatesse, alléguant qu'il était attendu à son comptoir de Neauphle.

— Je vais faire en sorte aussi de vous découvrir quelques victuailles, ajouta-t-il. Vous ne pouvez continuer ainsi, et surtout votre fille.

— Nous vous avons moult grâces de votre pensée, répondit Jean de Cressay, mais vous ne trouverez rien, fors l'herbe au long des chemins.

— Allons donc ! s'écria Guccio en frappant sur sa bourse. Je ne serais point Lombard si je n'y réussissais.

— L'or même n'est plus d'utilité.

— C'est bien ce que nous verrons.

Il était dit que Guccio, à chacun de ses passages dans cette famille, y jouerait le chevalier sauveur et non le créancier. Il ne songeait même plus à la dette de trois cents livres jamais acquittée depuis la mort du sire de Cressay.

Il piqua vers Neauphle, persuadé que les commis du comptoir Tolomei le tireraient d'affaire. « Tels que je les connais, ils ont dû prudemment engranger, ou bien ils savent où se fournir lorsqu'on a les moyens de payer ».

Mais il surprit les trois commis serrés autour d'un feu de tourbe ; ils avaient la mine cireuse et le nez tristement pointé vers le sol.

— Depuis deux semaines, tout trafic est arrêté, signor Guccio, lui déclara le chef de comptoir. On ne fait même point une opération par jour. Les créances ne rentrent pas, et il n'avancerait à rien d'ordonner saisie ; on ne prend pas le néant... Des provisions de bouche ?

Il haussa les épaules.

— Nous allons faire festin tout à l'heure d'une livre de châtaignes, poursuivit-il, et nous en lécher les lèvres pendant trois jours. Vous avez encore du sel à Paris ? C'est le manque de sel surtout qui fait dépérir. Si vous pouviez seulement nous en faire parvenir un boisseau ! Le prévôt de Montfort en a, mais il ne veut point le distribuer. Ah ! celui-là n'est privé de rien, soyez-en certain ; il a rançonné tout l'alentour comme pays en guerre.

— Mais c'est une vraie peste, en vérité, que ce Portefruit ! s'écria

Guccio. Je m'en vais lui parler, moi. Je l'ai déjà maté une fois, ce voleur.

— Signor Guccio... dit le chef du comptoir voulant, engager le jeune homme à la prudence.

Mais Guccio était déjà dehors et remontait à cheval. Un sentiment de haine comme il n'en avait jamais connu lui écartelait la poitrine. Parce que Marie de Cressay était en train de mourir de faim, il passait du côté des pauvres et des souffrants ; et à cela seul il eût pu s'apercevoir que son amour était vrai.

Lui, le Lombard, l'enfant de l'argent, il prenait brusquement parti pour le clan de la misère. Il remarquait à présent que les murs des maisons semblaient suer la mort. Il se sentait solidaire de ces familles chancelantes qui suivaient des cercueils, de ces hommes à la peau collée sur les pommettes et dont les regards étaient devenus des regards de bêtes.

Il allait planter sa dague dans le ventre du prévôt Portefruit ; il y était décidé. Il allait venger Marie, venger toute la province et accomplir un geste de justicier. Il serait arrêté, bien sûr ; il voulait l'être, et l'affaire irait loin. Son oncle Tolomei remuerait ciel et terre ; messire de Bouville et Monseigneur de Valois seraient avertis. Le procès viendrait devant le Parlement de Paris, et même devant le roi. Et alors Guccio s'écrierait : « Sire, voilà pourquoi j'ai tué votre prévôt... »

Une lieue et demie de galop lui calma un peu l'imagination. « Rappelle-toi, mon garçon, qu'un cadavre ne paie pas d'intérêts », avait-il entendu répéter par ses oncles banquiers, depuis sa petite enfance. Au bout du compte, chacun ne se bat bien qu'avec les armes qui lui sont propres ; Guccio, ainsi que tout Toscan aisé, savait assez convenablement manier les lames courtes, mais ce n'était pas là sa spécialité.

Il ralentit donc à l'entrée de Montfort-l'Amaury, mit son cheval et son esprit au calme, et se présenta à la prévôté. Comme le sergent de garde ne lui montrait pas tout l'empressement souhaité, Guccio sortit de dessous son manteau le sauf-conduit, scellé du sceau royal, que Valois lui avait fait établir pour les besoins de sa mission à Naples.

Les termes en étaient assez larges... « Je requiers tous baillis, sénéchaux et prévôts de porter aide et assistance... » pour que Guccio pût l'utiliser encore.

— Service du roi ! dit-il.

A la vue du sceau royal, le sergent de la prévôté devint aussitôt courtois et zélé, et courut ouvrir les portes.

— Tu feras manger mon cheval, lui ordonna Guccio.

Les gens sur lesquels nous avons eu une fois l'avantage se tiennent généralement pour battus d'avance dès qu'ils se retrouvent en notre présence. Veulent-ils regimber, cela ne change rien ; les eaux coulent toujours dans le même sens. Ainsi en était-il entre Portefruit et Guccio.

Les sourcils ronds, les joues rondes, la panse ronde, le prévôt, vaguement inquiet, roula plutôt qu'il ne marcha au-devant de son visiteur.

La lecture du sauf-conduit ne fit que le troubler davantage. Quelles pouvaient bien être les fonctions secrètes de ce jeune Lombard ? Venait-il enquêter, inspecter ? Le roi Philippe le Bel avait ainsi de ces agents mystérieux qui sous le couvert d'un autre métier parcouraient le royaume, faisaient leurs rapports ; et puis soudain, une grille de prison s'ouvrait...

— Ah ! messire Portefruit, avant toute chose je veux vous apprendre, dit Guccio, que je n'ai point parlé en haut lieu de cette affaire de tailles de mutation, pour les sires de Cressay, qui nous donna occasion de nous rencontrer l'autre année. J'ai bien admis qu'il s'agissait d'une erreur. Ceci pour vous tranquilliser.

Belle manière, en effet, de rassurer le prévôt ! C'était lui dire en clair, dès l'abord : « Je vous rappelle que je vous ai pris en flagrant délit de prévarication, et que je puis le faire savoir quand je voudrai. »

La face lunaire du prévôt pâlit un peu, ce qui accentua, par opposition, la couleur vineuse de la tache de naissance qui lui couvrait la tempe et une partie du front.

— Je vous sais gré, messire Baglioni, de votre jugement, répondit-il. En effet, c'était une erreur. D'ailleurs j'ai fait gratter les livres.

— Ils avaient donc besoin d'être grattés ? remarqua Guccio.

L'autre comprit qu'il venait de prononcer une sottise dangereuse. Décidément ce jeune Lombard avait le don de lui brouiller la tête.

— J'allais justement me mettre à dîner, dit-il pour changer au plus vite de sujet. Me ferez-vous l'honneur de partager...

Il commençait de se montrer obséquieux. L'habileté commandait à Guccio d'accepter ; les gens ne se livrent jamais mieux qu'à table. Et puis Guccio depuis le matin avait beaucoup couru sans rien manger. Si bien qu'étant parti de Neauphle pour tuer le prévôt, il se retrouva confortablement assis en face de lui, et ne se servant de sa dague que pour trancher dans un cochon de lait, rôti à point, et qui baignait dans une belle graisse dorée.

La chère que faisait le prévôt au milieu d'un pays en famine était proprement scandaleuse. « Quand je pense, se disait Guccio, que je suis venu quérir de quoi nourrir Marie, et que c'est moi qui suis à goinfrer ! » Chaque bouchée accroissait sa haine ; et comme le prévôt, croyant se concilier son visiteur, présentait ses meilleures provisions et ses vins les plus rares, Guccio, à chaque rasade qu'on le forçait d'accepter, se répétait : « Il rendra compte de tout cela, ce malfaiteur. J'agirai si bien que je l'enverrai se balancer au bout d'une corde. » Jamais repas ne fut dévoré avec plus d'appétit de la part de l'invité, et si peu de bénéfice pour celui qui l'offrait. Guccio ne manquait pas une occasion de mettre son hôte mal à l'aise.

— J'ai appris que vous aviez acquis des faucons, messire Portefruit ? demanda-t-il soudain. Avez-vous donc le droit de chasser comme les seigneurs ?

L'autre s'étrangla dans son gobelet.

— Je chasse avec les seigneurs d'alentour, lorsqu'ils veulent bien m'y convier, répondit-il vivement.

Il chercha une nouvelle fois à dévier le cours de la conversation, et ajouta :

— Vous voyagez beaucoup, il me semble, messire Baglioni ?

— Beaucoup, en effet, répondit Guccio avec détachement. Je reviens d'Italie, où j'avais affaire pour le compte du roi auprès de la reine de Naples.

Portefruit se rappela que, lors de leur première rencontre, c'était d'une mission auprès de la reine d'Angleterre que Guccio revenait. Ce jeune homme devait être bien puissant qui paraissait surtout employé à courir vers les reines. En outre, il savait toujours les choses qu'on eût préféré taire...

— Maître Portefruit, les commis du comptoir que mon oncle possède à Neauphle sont réduits à bien grande misère. Je les ai trouvés malades de faim, et ils m'assurent qu'ils ne peuvent rien acheter, déclara soudain Guccio. Comment expliquez-vous que sur un pays si ravagé par la disette, vous imposiez des dîmes en nature, et passiez prendre et saisir tout ce qu'il y reste à mâcher ?

— Eh ! messire Baglioni, c'est une grave question pour moi, et une grande affliction, je vous le jure. Mais je dois obéir aux ordres de Paris. Je suis tenu d'envoyer chaque semaine trois charrettes de vivres, comme tous les autres prévôts de par ici, parce que Monseigneur de Marigny craint l'émeute et veut tenir sa capitale en main. Comme toujours, c'est la campagne qui souffre.

— Et quand vos sergents ramassent de quoi emplir trois charrettes, ils peuvent aussi bien en remplir quatre et vous en garder une.

L'angoisse afflua au cœur du prévôt. Ah ! le pénible dîner !

— Jamais, messire Baglioni, jamais ! Qu'allez-vous penser ?

— Allons, allons, prévôt ! D'où vient tout ceci ? s'écria Guccio en désignant la table. Les jambons, que je sache, ne viennent pas tout seuls se pendre à votre heurtoir. Et vos sergents ne sont pas prospères comme on les voit, à seulement lécher la fleur de lis de leur bâton ?

« Si j'avais su, pensa Portefruit, je l'aurais moins bien traité. »

— C'est que, voyez-vous, répondit-il, si l'on veut maintenir l'ordre dans le royaume, il faut nourrir honnêtement ceux qui ont charge d'y veiller.

— Assurément, dit Guccio, assurément. Vous parlez comme il faut. Un homme nanti d'un si haut office que le vôtre ne doit point raisonner comme les gens du commun, ni ne saurait agir de leur façon.

Il devenait soudain approbateur, amical, et paraissait se rendre entièrement aux vues de son interlocuteur. Le prévôt, qui avait bu à suffisance pour reprendre courage, donna dans le panneau.

— Ainsi pour les tailles d'impôts... reprit Guccio.

— Les tailles ? dit le prévôt.

— Eh bien, oui ! Vous les avez en fermage. Or il faut que vous viviez, que vous payiez vos commis... Alors forcément vous devez prélever plus que ce qui vous est requis par le Trésor. Comment vous y prenez-vous ? Vous doublez la taille, n'est-ce pas ? C'est ce que font à ma connaissance tous les prévôts.

— A peu près, dit Portefruit se laissant aller parce qu'il pensait avoir affaire à quelqu'un d'averti. Nous y sommes bien obligés. Déjà, pour avoir ma charge, j'ai dû fourrer la paume à l'un des commis de Marigny.

— Un commis de Marigny, vraiment ?

— Eh oui... et je continue de lui glisser une coquette bourse à chaque Saint-Nicolas. Il me faut partager aussi avec mon receveur, sans parler de ce que me regratte le bailli qui est au-dessus de moi. Au bout du compte...

— ... il ne vous reste pas tellement pour vous-même, j'entends bien... Alors, prévôt, vous allez me porter aide, et moi je vais vous proposer un marché où vous ne perdrez point. Je suis en peine pour nourrir mes commis de Neauphle. Chaque semaine vous leur délivrerez en sel, farine, fèves, miel, et viande fraîche ou séchée, ce qui leur est de besoin et qu'ils vous paieront au meilleur prix de Paris, avec encore un petit surcroît de trois sols à la livre. Je me dispose même à vous laisser vingt livres d'avance, dit-il en faisant sonner sa bougette.

Le tintement de l'or acheva d'endormir la défiance du prévôt. Il discuta un peu, pour la forme, les poids et les prix. Il s'étonnait des quantités demandées par Guccio.

— Vos commis ne sont que trois. Leur faut-il vraiment tant de miel et de pruneaux ? Oh ! je peux, je peux fournir...

Comme Guccio souhaitait emporter sur-le-champ quelques provisions, le prévôt le conduisit dans sa réserve qui ressemblait fort à un entrepôt.

Maintenant que le marché était conclu, à quoi bon dissimuler ? Et d'une certaine manière, le prévôt éprouvait de la satisfaction à montrer, impunément croyait-il, ses trésors alimentaires. Le nez en l'air, les bras courts, il s'agitait parmi les sacs de lentilles et de pois secs, humait les fromages, caressait de l'œil les chapelets de saucisses.

Bien qu'il eût passé deux heures à table, il semblait que l'appétit lui fût déjà revenu.

« Le gaillard mériterait qu'on le vienne piller à coups de fourches », pensait Guccio. Un valet prépara un fort paquet de victuailles qu'on dissimula dans une toile, et que Guccio fit accrocher à sa selle.

— Et si d'aventure, dit le prévôt en raccompagnant son hôte, vous manquiez vous-même, à Paris...

— Je vous remercie, prévôt, je m'en souviendrai. Mais sans doute ne tarderez-vous pas à me revoir. Et, de toute façon, soyez sûr que je parlerai de vous comme il faut.

Là-dessus Guccio repartit pour Neauphle, où il remit aux trois commis, éblouis et salivants, la moitié de son butin.

— Il en sera ainsi chaque semaine, leur dit-il. C'est chose convenue avec le prévôt. De ce qu'il vous fournira, vous ferez deux parts, l'une pour vous, l'autre qu'on viendra prendre de Cressay, ou que vous y porterez, bien prudemment. Mon oncle s'intéresse fort à cette famille qui est mieux en cour qu'elle n'en donne l'aspect ; qu'on veille donc à la ravitailler.

— Paieront-ils ces vivres en espèces, ou bien faudra-t-il en augmenter leur créance ? demanda le chef du comptoir.

— Vous tiendrez un compte à part que je surveillerai.

Dix minutes plus tard Guccio arrivait au manoir et posait au chevet de Marie de Cressay miel, fruits séchés et confiseries.

— J'ai remis en bas, à votre mère, du porc salé, des farines, du sel...

Les yeux de la malade s'emplirent de larmes.

— Comment avez-vous réussi ?... Messire Guccio, vous êtes donc magicien ? Du miel... oh ! du miel...

— Je ferais bien plus pour vous voir reprendre forces, et pour la joie d'être aimé de vous. Chaque huit jours vous en recevrez autant par mes commis... Croyez-moi, ajouta-t-il en souriant, c'est ouvrage moins difficile que de débusquer un cardinal en Avignon.

Cela lui rappela qu'il n'était point venu à Cressay uniquement pour y nourrir les affamés ; et, profitant de ce qu'ils étaient seuls, il demanda à Marie si le dépôt qu'il lui avait confié l'automne passé se trouvait toujours à la même place, dans la chapelle.

— Je n'y ai point touché, répondit-elle. J'avais grande inquiétude de mourir sans savoir ce que je devais en faire.

— N'en soyez plus en peine, je vais le reprendre. Et de grâce, si vous m'aimez, ne songez plus à mourir !

— Plus maintenant, dit-elle en souriant à son tour.

Il la laissa puisant dans le pot de miel, à petites cuillerées, et d'un air d'extase.

« Tout l'or du monde, tout l'or du monde pour lui voir ce visage heureux ! Elle vivra, j'en suis sûr. Elle est malade de faim, certes, mais surtout elle était malade de moi », pensait-il avec la belle fatuité de la jeunesse.

Descendu dans la grand-salle il prit dame Éliabel à part pour lui dire qu'il avait rapporté d'Italie d'excellentes reliques, fort efficaces, et qu'il souhaitait prier dessus, seul dans la chapelle, afin d'obtenir la guérison de Marie. La veuve s'émerveilla de ce qu'un jeune homme si dévoué, si allant, si habile, fût en même temps si pieux.

Guccio, ayant reçu la clef, gagna la chapelle où il s'enferma ; il n'eut pas de peine à retrouver la dalle, près de l'autel, la souleva, et, d'entre les ossements effrités d'un lointain sire de Cressay, retira l'étui de plomb qui contenait, outre le double des comptes du roi d'Angleterre et de Monseigneur d'Artois, la pièce attestant les malversations de l'archevêque Jean de Marigny. « Voilà une bonne relique pour guérir le royaume », se dit-il.

Il replaça la dalle, la recouvrit d'un peu de poussière, et sortit, prenant une mine dévote.

Bientôt après, ayant reçu remerciements, embrassades et bénédictions de la châtelaine et de ses fils, il se remit en route.

Il n'avait pas franchi la Mauldre que les Cressay déjà se précipitaient à la cuisine.

— Attendez, mes fils, attendez au moins que je vous apprête un repas ! dit dame Éliabel.

Mais elle ne put empêcher les deux frères de tailler de larges rondelles dans une saucisse séchée.

— Ne pensez-vous pas que Guccio est épris de Marie, pour tant se soucier de nous ? dit Pierre de Cressay. Il ne nous réclame pas nos dettes, ni même les intérêts, et au contraire nous couvre de présents.

— Mais non, répondit vivement dame Éliabel. Il nous aime tous bien, voilà tout, et il est honoré de notre amitié.

— Ce ne serait point un si mauvais parti, dit encore Pierre.

Jean, l'aîné, grogna dans sa barbe. Pour lui, qui était en position de chef de famille, la perspective d'accorder sa sœur à un Lombard heurtait toutes les traditions de noblesse.

— Si telles étaient ses intentions, jamais je n'accepterais...

Mais comme il avait la bouche pleine, il se retint d'achever sa pensée. Certaines circonstances endorment un moment scrupules et principes. Et Jean de Cressay, mâchant, demeura songeur.

Cependant Guccio, trottant vers Paris, se demandait s'il n'avait pas eu tort de partir si vite, et de ne pas saisir l'occasion pour solliciter la main de Marie.

« Non, c'eût été indélicat. On ne présente point pareille requête à des gens affamés. J'aurais paru vouloir profiter de leur misère. J'attendrai que Marie soit guérie. »

En vérité, le courage de la décision lui avait fait défaut, et il cherchait des excuses à son manque d'audace.

La fatigue, à la tombée du jour, l'obligea de s'arrêter. Il dormit quelques heures à Versailles, petit village triste et isolé au milieu de marécages insalubres. Les paysans, là aussi, mouraient de faim.

Le lendemain matin, Guccio arrivait rue des Lombards; aussitôt il s'enferma avec son oncle auquel il raconta, d'un ton indigné, tout ce qu'il venait de voir. Son récit occupa une grande heure. Messer Tolomei, assis devant son feu, écoutait, très calmement.

— J'ai bien fait, pour la famille Cressay? Tu m'approuves, n'est-ce pas, mon oncle?

— Certes, certes, mon ami, je t'approuve. Et d'autant plus volontiers qu'il ne sert de rien de discuter avec un amoureux... Tu as rapporté la décharge de l'archevêque?

— Oui, mon oncle, répondit Guccio en lui tendant l'étui de plomb.

— Tu me dis donc, reprit Tolomei, que le prévôt de Montfort t'a déclaré percevoir le double des tailles, dont il reverse une partie à un commis de Marigny. Sais-tu quel commis?

— Je pourrai le savoir. Ce drôle me croit maintenant très fort son ami.

— Et il affirme que les autres prévôts agissent de même?

— Sans hésiter. N'est-ce point une honte? Et ils font un infâme commerce de la faim, et ils s'engraissent comme porcs, tandis qu'autour d'eux le peuple crève. Le roi ne devrait-il pas en être averti?

L'œil gauche de Tolomei, cet œil qu'on ne voyait jamais, s'était brusquement ouvert, et tout son visage en prenait une expression différente, à la fois ironique et inquiétante. En même temps le banquier frottait l'une contre l'autre, lentement, ses mains grasses et pointues.

— Eh bien! ce sont de fort bonnes nouvelles que tu m'apportes là, mon cher Guccio, de fort bonnes nouvelles, dit-il en souriant.

II

LES COMPTES DU ROYAUME

Spinello Tolomei n'était pas un homme pressé. Il réfléchit deux bonnes journées ; puis, la troisième, ayant mis sa chape par-dessus son manteau fourré, car la pluie tombait en giboulées, il se rendit à l'hôtel de Valois. Il fut reçu rapidement par le comte de Valois lui-même et par Monseigneur d'Artois, tous deux assez meurtris, aigres en leurs propos, avalant mal leur défaite et cherchant à échafauder de vagues plans de vengeance.

L'hôtel paraissait beaucoup plus calme que les mois passés, et l'on sentait bien que le vent de la faveur soufflait de nouveau du côté de Marigny.

— Messeigneurs, dit Tolomei aux deux grands barons, vous vous êtes conduits ces dernières semaines d'une manière qui, si vous teniez banque ou commerce, vous eût menés tout bonnement à fermer comptoir.

Il pouvait se permettre ce ton de semonce ; il s'en était acquis le droit pour dix mille livres, non pas versées de sa poche, mais qu'il avait garanties.

— Vous ne m'avez point demandé d'avis ; je ne vous en ai donc pas donné, reprit-il. Mais j'aurais pu vous certifier qu'un homme aussi puissant et aussi averti que l'est messire Enguerrand ne s'amusait pas à mettre les mains dans les coffres du roi. Des comptes purs ? Bien sûr que ses comptes sont purs. S'il a trafiqué, c'est d'autre manière.

Puis, s'adressant directement au comte de Valois :

— Je vous ai obtenu quelque argent, Monseigneur Charles, afin de vous hisser dans la confiance du roi. Cet argent devait être promptement rendu.

— Mais il le sera, messer Tolomei, il le sera.

— Et quand cela, Monseigneur ? Je n'aurai point l'audace de douter de votre parole. Je suis certain de la créance ; encore m'intéresseraisje à savoir quand et par quels moyens elle sera remboursée. Or vous n'avez plus la gestion du Trésor; la voici repassée à Marigny. D'autre part, je ne vois pas qu'ait été promulguée aucune ordonnance concernant l'émission des monnaies, ce qui nous tenait fort à cœur, ni aucune non plus rétablissant le droit de guerre privée. Marigny y fait obstacle.

— Et qu'avez-vous à proposer pour venir à bout de ce sanglier puant? s'écria Robert d'Artois. Nous y sommes aussi attachés que vous, croyez-le, et si vous pouvez avancer une idée meilleure que les nôtres, elle sera bienvenue. C'est une chasse où nous avons besoin de chiens de relais.

Tolomei lissa les plis de sa robe, croisa les mains sur son ventre.

— Messeigneurs, je ne suis pas chasseur, répondit-il, mais je suis Toscan de naissance, et je sais que, quand on ne peut abattre son ennemi de face, il faut l'attaquer de profil. Vous vous êtes portés trop franchement au combat. Cessez donc d'accuser Marigny et de répandre partout qu'il est un voleur, puisque le roi a certifié qu'il ne l'était point. Paraissez pour un temps accepter qu'il gouverne; feignez même de vous réconcilier avec lui; et puis, par-derrière, faites enquêter dans les provinces. N'en chargez point les officiers royaux, car ils sont les créatures de Marigny, et justement ceux qu'il vous faut viser. Mais dites aux nobles, grands et petits, sur qui vous avez influence, de vous instruire des agissements des prévôts. En bien des lieux, la moitié seulement des tailles perçues parvient au Trésor. Ce qu'on ne prend point en argent, on le prend en vivres que l'on revend à prix prohibés. Faites enquêter, vous dis-je; et d'autre part obtenez du roi qu'il convoque tous les prévôts, receveurs et commis de finances afin que leurs livres soient examinés. Par qui? Par Marigny, assisté bien sûr des barons et des conseillers aux comptes. Et en même temps vous produirez vos enquêteurs. Alors je vous dis qu'il apparaîtra de telles malversations, et si monstrueuses, que vous pourrez sans peine en rejeter la faute sur Marigny, et sans plus vous soucier de savoir s'il est innocent ou coupable. Ce faisant, Monseigneur Charles, vous aurez les nobles pour vous, qui rechignent à voir sur leurs fiefs les sergents de Marigny se mêler à tout; et vous aurez aussi le bas peuple qui crève de famine et cherche des responsables à sa misère. Voilà, Messeigneurs, le conseil que je m'autorise à vous donner, et celui que je porterais au roi si j'étais en votre position... Sachez de surcroît que nos compagnies lombardes, qui tiennent comptoir en de nombreux endroits, peuvent si vous le souhaitez aider à votre enquête.

Valois réfléchit quelques instants.

— Le difficile, dit-il, sera de décider le roi, car il est pour l'heure tout entiché de Marigny et de son frère l'archevêque, dont il attend un pape.

— En ce qui regarde l'archevêque, ne vous inquiétez pas, répliqua le banquier. Je dispose à son usage d'une muselière dont je me suis déjà servi une fois, et que je lui repasserai au nez le moment venu.

Lorsque Tolomei fut sorti, d'Artois dit à Valois:

— Ce bonhomme-là décidément est plus fort que nous.

— Plus fort... plus fort... répondit Valois. C'est-à-dire qu'il nous précise dans son langage de marchand les choses que nous pensions déjà.

Mais il s'empressa, dès le lendemain, de se conformer aux instructions du capitaine général des Lombards, lequel pour une garantie de dix mille livres donnée à ses confrères italiens, s'était offert le luxe de diriger la France.

Un bon mois d'insistance fut nécessaire à Monseigneur de Valois pour convaincre le roi. En vain Valois répétait à son neveu:

— Rappelez-vous les derniers mots de votre père. Rappelez-vous comme il vous a dit: « Louis, sachez au plus tôt l'état de votre royaume. » Eh bien, c'est en convoquant tous les prévôts et receveurs que vous connaîtrez cet état. Et notre saint aïeul dont vous portez le nom vous montre l'exemple en cela aussi. Il ordonna une grande enquête de la sorte, l'an 1247...

Or Marigny n'était pas hostile au principe d'une telle réunion; il y voyait l'occasion de reprendre en main les agents royaux. Car lui aussi constatait des relâchements dans l'administration. Mais il estimait sage de surseoir à la convocation; il affirmait que le moment était mal choisi, alors que la misère aigrissait le peuple et que les ligues de barons s'agitaient, pour éloigner de leurs résidences, d'un seul coup, tous les officiers du roi.

Il était indéniable que, depuis la mort de Philippe le Bel, l'autorité centrale s'affaiblissait. En réalité, deux pouvoirs s'opposaient, s'empêtraient, s'annulaient l'un l'autre. On obéissait ou bien à Marigny, ou bien à Valois. Tiraillé entre les deux partis, mal renseigné, ne sachant distinguer la calomnie de l'information véritable, et incapable par nature de trancher franchement, Louis X accordait sa confiance tantôt à gauche, tantôt à droite, et croyait gouverner alors qu'il ne faisait que subir.

Cédant à la violence des ligues, et sur avis de la majorité de son Conseil, Louis, le 19 mars de cette année 1315, c'est-à-dire après trois mois et demi de règne, signa la charte aux seigneurs normands, qui allait être suivie presque aussitôt des chartes aux Languedociens, aux Bourguignons, aux Champenois, aux Picards, la dernière intéressant tout particulièrement le comte de Valois et Robert d'Artois. Ces édits effaçaient toutes les dispositions, scandaleuses aux yeux des privilégiés, par lesquelles Philippe le Bel avait interdit les tournois, guerres privées et gages de bataille. Il était à nouveau permis aux gentilshommes « *de guerroyer les uns aux autres, chevaucher, aller, venir et porter les armes»...* Autrement dit, la noblesse française retrouvait son droit ancestral et chéri à se ruiner en vraies ou fausses batailles, à se massacrer, et à ravager à l'occasion le royaume pour vider des querelles de personnes. Quel souverain monstrueux, en vérité, et dont la mémoire méritait d'être honnie, que celui qui pendant trente ans l'avait privée de ces honnêtes passe-temps !

Également, les seigneurs redevenaient libres de distribuer des terres et de se créer de nouveaux vassaux, donc souvent de nouveaux profits, sans avoir à en référer au roi. Pour tout litige, les nobles ne devaient désormais comparaître que devant des juridictions nobles. Les sergents et prévôts du roi ne pouvaient plus arrêter les délinquants ou les citer en justice sans en référer d'abord au seigneur du lieu. Les bourgeois et paysans libres n'étaient plus autorisés, sauf en quelques cas exceptionnels, à sortir des terres des seigneurs pour venir se réclamer de la justice du roi. Relativement aux subsides militaires et aux levées de troupes, les barons reprenaient une espèce d'indépendance qui leur permettait de décider s'ils voulaient ou non participer aux guerres nationales, et, dans l'affirmative, combien ils souhaitaient se faire payer.

Marigny parvint à faire inscrire à la fin de ces chartes une formule vague concernant la suprême autorité royale et tout ce qui « *d'ancienne coutume appartenait au souverain prince et à nul autre* ». Cette formule de droit laissait la possibilité à un monarque fort de reprendre pièce par pièce tout ce qui venait d'être cédé. Valois pourtant y consentit, car pour lui, lorsqu'on disait « anciennes coutumes », il entendait « Saint Louis ». Mais Marigny nourrissait peu d'illusions ; en esprit comme en fait, c'étaient toutes les institutions du Roi de fer qui s'effondraient. Marigny sortit de ce conseil du 19 mars en déclarant qu'on y avait creusé le lit pour de grands troubles.

Dans le même temps, la convocation des prévôts, trésoriers et receveurs fut enfin décidée ; on expédia, dans tous les bailliages et sénéchaussées, des enquêteurs officiels qu'on appela des « réformateurs », mais sans leur accorder les délais convenables à une inspection sérieuse, puisque la réunion était fixée au milieu du mois suivant ; et comme on cherchait un lieu où tenir cette assemblée, Charles de Valois proposa Vincennes, en souvenir de Saint Louis.

Donc, au jour dit, Louis Hutin, ses pairs, ses barons, les dignitaires et principaux officiers de la couronne, les membres du Conseil et de la Chambre des Comptes, se rendirent en grand équipage au manoir de Vincennes. Cette belle chevauchée attira les gens sur le pas des portes ; les gamins suivaient en criant : « Vive le Roi ! » dans l'espoir de recevoir une poignée de dragées. Le bruit s'était répandu que le roi allait juger les receveurs d'impôts, et rien, à défaut de pain, ne pouvait davantage satisfaire le peuple.

Le temps d'avril était doux avec des nuages légers qui couraient dans le ciel au-dessus des chênes de la forêt ; un vrai temps de printemps qui redonnait espérance. Si la disette continuait de sévir, au moins en avait-on fini du froid, et l'on se disait que la récolte prochaine serait bonne, si les saints de glace ne tuaient pas les blés nouveaux.

A proximité du manoir royal, une immense tente avait été dressée, comme pour quelque fête ou grand mariage, et deux cents receveurs, trésoriers et prévôts s'y tenaient alignés, les uns sur des bancs de bois, les autres par terre, assis en tailleur.

Sous un dais brodé aux armes de France, le jeune roi, couronne en tête, sceptre en main, vint occuper son faudesteuil, sorte de pliant hérité du siège curule et qui, depuis les origines de la monarchie française, servait de trône au souverain en déplacement. Les accoudoirs du faudesteuil de Louis X étaient sculptés de têtes de lévriers, et le fond garni d'un coussin de soie rouge.

Pairs et barons prirent place de part et d'autre du roi, et les conseillers aux Comptes s'installèrent derrière de longues tables posées sur des tréteaux. Les fonctionnaires royaux, portant leurs registres, furent alors appelés, en même temps que les réformateurs qui avaient circulé dans leurs circonscriptions respectives. Pour hâtives qu'aient été les enquêtes, elles avaient quand même permis de recueillir bon nombre de dénonciations locales dont la plupart se trouvèrent rapidement avérées. Presque tous les comptes présentaient des traces de gaspillages, d'abus et de malversations, surtout dans les derniers mois, surtout depuis la mort de Philippe le Bel, surtout depuis qu'on avait sapé l'autorité de Marigny.

Les barons commençaient à murmurer, comme s'ils eussent tous été eux-mêmes des parangons d'honnêteté, ou comme si les dilapidations eussent atteint leurs biens propres. La peur gagnait les rangs des fonctionnaires, et certains de ceux-ci préférèrent disparaître subrepticement par le fond de la tente, repoussant à plus tard de s'expliquer. Quand on arriva aux prévôts et receveurs des régions de Montfort-l'Amaury, Dourdan et Dreux, sur lesquels Tolomei avait fourni aux réformateurs des éléments fort précis d'accusation, il se fit autour du roi une très vite agitation. Mais le plus indigné de tous les seigneurs, celui qui le plus haut laissa éclater sa colère, fut Marigny. Sa voix couvrit toutes les voix, et il s'adressa à ses subordonnés avec une violence qui leur fit courber le dos. Il exigeait des restitutions, promettait des châtiments. Monseigneur de Valois, se levant, lui coupa soudain la parole.

— C'est beau rôle que vous jouez là devant nous, messire Enguerrand, s'écria-t-il ; mais il ne sert à rien de tonner si fort au nez de ces coquins, car ils sont hommes que vous avez mis en place, dévoués à vous, et tout dénonce que vous avez partagé avec eux.

Un si profond silence suivit cette accusation publique qu'on put entendre un coq chanter dans la campagne. Le Hutin, visiblement surpris, regardait de droite et de gauche. Chacun retenait son souffle, car Marigny marchait sur Charles de Valois.

— Messire, répondit-il d'une voix rauque, s'il se trouve en toute cette chiennaille...

Il désignait de la main ouverte l'assemblée des prévôts.

— ... s'il se trouve un seul, parmi ces mauvais serviteurs du royaume, pour affirmer en conscience et jurer sur la foi qu'il m'a soudoyé en quelque manière, ou remis le moindre profit de ses recettes, je veux qu'il approche.

Alors, poussé par la grande patte de Robert d'Artois, on vit s'avancer le prévôt de Montfort, dont les comptes étaient en cours d'examen.

— Qu'avez-vous à dire ? Vous venez chercher votre corde ? lui lança Marigny.

Tout tremblant, sa face ronde marquée d'une tache lie de vin, le prévôt restait muet. Pourtant, il avait été bien endoctriné, par Guccio d'abord, puis par Robert d'Artois qui, la veille, lui avait promis qu'il échapperait à tout châtiment, à condition de témoigner contre Marigny.

— Alors, qu'avez-vous à dire ? demanda à son tour le comte de Valois. Ne craignez point d'avouer la vérité, car notre bien-aimé roi est là pour l'entendre, et rendre sa justice.

Portefruit mit un genou en terre devant Louis X et, croisant ses bras courts, prononça :

— Sire, je suis un grand fautif ; mais j'y ai été obligé par le commis de Monseigneur de Marigny, qui me réclamait chaque année le quart des tailles, pour le compte de son maître.

— Quel commis ? Nommez-le, et qu'il comparaisse ! cria Enguerrand. Quelles sommes lui avez-vous baillées ?

Le prévôt alors se démonta, chose qu'auraient pu prévoir ceux qui l'employaient, car il était douteux qu'un homme qui avait perdu pied devant Guccio ne s'effondrât point en présence de Marigny. Il prononça le nom d'un commis mort depuis cinq ans, s'enferra en citant un autre complice, mais qui se trouvait appartenir à la maison du comte de Dreux et non à celle de Marigny. Il fut tout à fait incapable d'expliquer par quelle filière mystérieuse les fonds détournés pouvaient parvenir au recteur du royaume. Sa déposition suait la félonie. Marigny y mit terme en disant :

— Sir, comme vous en pouvez juger, il n'y a pas miette de vrai dans ce que bredouille cet homme. C'est un larron qui pour se sauver répète paroles enseignées, et mal enseignées, par mes ennemis. Qu'il me soit reproché d'avoir placé ma confiance en de tels crapauds dont la déshonnêteté vient d'éclater; qu'il me soit reproché ma faiblesse de n'en avoir point fait rouer une bonne douzaine, je souscrirai à la semonce, encore que depuis quatre mois on m'ait beaucoup ôté les moyens d'agir sur eux. Mais qu'on ne me fasse pas grief de vol. C'est la seconde fois que messire de Valois s'y autorise, et cette fois je ne le tolérerai plus.

Seigneurs et magistrats comprirent alors que la grande querelle allait enfin se vider.

Dramatique, une main sur le cœur, l'autre pointée vers Marigny, Valois répliquait, s'adressant au roi:

— Sire mon neveu, nous sommes trompés par un méchant homme qui n'est que trop resté au milieu de nous, et dont les méfaits ont attiré sur notre maison la malédiction. C'est lui qui est cause des extorsions dont on se plaint et qui, pour de l'argent qu'on lui a donné, a fait, à la honte du royaume, obtenir plusieurs trêves aux Flamands. Pour cela votre père est tombé dans une tristesse telle qu'il en est trépassé avant son temps. C'est Enguerrand qui est cause de sa mort. Pour moi, je suis prêt à prouver qu'il est un voleur et qu'il a trahi le royaume, et si vous ne le faites arrêter sur-le-champ, je jure Dieu que je ne paraîtrai plus à votre cour ni dans votre Conseil.

— Vous en avez menti par la gueule! s'écria Marigny.

— Par Dieu, c'est vous qui mentez, Enguerrand, répondit Valois.

La fureur les jeta l'un contre l'autre. Ils s'empoignèrent au col; et l'on vit ces deux princes, ces deux buffles, dont l'un avait porté la couronne de Constantinople, dont l'autre pouvait contempler sa statue dans la Galerie des rois, se battre, vomissant l'injure comme des portefaix, devant toute la cour et toute l'administration du pays.

Les barons s'étaient levés; les prévôts et receveurs avaient reculé, faisant tomber leurs bancs. Louis X eut une réaction inattendue; il se mit, sur son faudesteuil, à tressauter de rire.

Indigné de ce rire autant que du spectacle déshonorant qu'offraient les deux lutteurs, Philippe de Poitiers s'avança et, d'une poigne surprenante chez un homme si maigre, il sépara les adversaires qu'il tint éloignés au bout de ses longs bras. Marigny et Valois haletaient, la face pourpre, les vêtements déchirés.

— Mon oncle, dit Poitiers, comment osez-vous? Marigny, reprenez empire sur vous-même, je vous en donne l'ordre. Veuillez rentrer chez vous, et attendre que le calme soit revenu en chacun.

La décision, la puissance qui émanaient soudain de ce garçon de vingt-quatre ans s'imposèrent à des hommes qui avaient près du double de son âge.

— Partez, Marigny, vous dis-je, insista Philippe de Poitiers. Bouville! Conduisez-le.

Marigny se laissa entraîner par Bouville et gagna la sortie du manoir de Vincennes. On s'écartait devant lui comme devant un taureau de combat qu'on cherche à ramener au toril.

Valois n'avait pas bougé de place ; il tremblait de haine et fépétait :

— Je le ferai pendre ; aussi vrai que je suis, je le ferai pendre !

Louis X avait cessé de rire. L'intervention de son frère venait de lui infliger une leçon d'autorité. De plus, il se rendait compte, brusquement, qu'on l'avait joué. Il se débarrassa du sceptre dans les mains de son chambellan, et dit brutalement à Valois :

— Mon oncle, j'ai à vous entretenir sans attendre ; veuillez me suivre.

III

DE LOMBARD EN ARCHEVÊQUE

— Vous m'aviez assuré, mon oncle, criait Louis Hutin arpentant à grands pas nerveux une des salles du manoir de Vincennes, vous m'aviez bien assuré que vous ne porteriez plus accusation contre Marigny. Et vous l'avez fait! C'est trop se moquer de mon vouloir.

Arrivé au bout de la pièce, il tourna vivement sur lui-même, et le manteau court contre lequel il avait échangé son long manteau d'apparat vola en rond à hauteur de ses mollets.

Valois, encore tout essoufflé de la lutte, le visage tuméfié, le col en lambeaux, répondit:

— Le moyen, mon neveu, le moyen de ne point céder à la colère devant une telle vilenie!

Il était presque de bonne foi, et se persuadait à présent d'avoir cédé à une impulsion spontanée, alors que sa comédie était depuis bien des jours montée.

— Vous savez mieux que personne qu'il nous faut un pape, reprit le Hutin, et vous savez aussi pourquoi nous ne pouvions nous aliéner Marigny. Bouville nous en avait assez averti!

— Bouville! Bouville! Vous ne croyez qu'en ce que vous a rapporté Bouville qui n'a rien vu et qui ne comprend rien. Le petit Lombard qu'on avait mis auprès de lui pour surveiller l'or m'en a plus appris que votre Bouville sur les affaires d'Avignon. Un pape pourrait être élu demain, et disposé à prononcer l'annulation le jour d'après, si Marigny, et Marigny seul, n'y mettait obstacle par tous les moyens. Vous croyez qu'il travaille à diligenter votre affaire? Il la ralentit au contraire, à plaisir, car il a bien compris la raison pourquoi vous le gardiez en place. Il ne veut point d'un pape angevin: il ne veut point que vous preniez une épouse angevine; et pendant qu'il vous trahit en tout, il assure en sa main tous les pouvoirs que lui avait abandonnés votre père. Où serez-vous ce soir, mon neveu?

— J'ai décidé de ne point bouger d'ici, répondit Louis d'un air rogue.

— Alors, avant ce soir, je vous aurai produit certaines preuves qui vont écraser votre Marigny; et je pense qu'alors vous finirez par me le donner.

— Vous ferez bien, mon oncle, qu'il en soit ainsi; car autrement, il vous faudrait tenir votre parole de ne plus paraître ni à ma cour, ni à mon Conseil.

Le ton de Louis X était celui de la rupture. Valois, très alarmé du tour que les choses prenaient, partit pour Paris, entraînant Robert d'Artois et les écuyers qui leur servaient d'escorte.

— Tout à présent dépend de Tolomei, dit-il à Robert en se hissant en selle.

En route ils croisèrent le train de chariots qui apportaient à Vincennes les lits, coffres, tables, vaisselles qui serviraient au roi pour son installation d'une nuit.

Une heure plus tard, tandis que Valois rentrait en son hôtel pour changer de vêtements, Robert d'Artois faisait irruption chez le capitaine général des Lombards.

— Ami banquier, lui dit-il d'entrée, voici le moment venu de me remettre cet écrit dont vous m'avez dit qu'il établissait les malversations commises par Marigny l'archevêque. Vous savez bien; la muselière... Monseigneur de Valois en a besoin sur-le-champ.

— Sur-le-champ, sur-le-champ... Tout beau, Monseigneur Robert. Vous me demandez de me dessaisir d'un outil qui nous a déjà sauvés une fois, moi et tous mes amis. S'il vous donne moyen d'abattre Marigny, j'en suis fort aise. Mais si ensuite par malheur Marigny venait à demeurer, moi je suis un mort. Et puis, et puis, j'ai beaucoup pensé, Monseigneur...

Robert d'Artois bouillait pendant ce palabre, car Valois l'avait supplié de faire diligence, et il savait le prix de chaque instant perdu.

— Oui, j'ai beaucoup pensé, poursuivait Tolomei. Les coutumes et ordonnances de Monseigneur Saint Louis, qu'on est en train de remettre en vigueur, sont excellentes certes pour le royaume; mais j'aimerais toutefois qu'on exceptât les ordonnances sur les Lombards par quoi ceux-ci furent d'abord spoliés, puis pour un temps chassés de Paris. Le souvenir ne s'en est point perdu. Nos compagnies ont mis de longues années à s'en relever. Alors, Saint Louis... Saint Louis... mes amis s'inquiètent, et je voudrais être en mesure de les rassurer.

— Voyons, banquier! Monseigneur de Valois vous l'a dit: il vous soutient; il vous protège!

— Oui, oui, en bonnes paroles, mais nous aimerions mieux que ce fût par écrit. Aussi avons-nous présenté une requête au roi, pour qu'il confirme nos privilèges coutumiers; et dans ce temps que le roi signe toutes les chartes qu'on lui présente, nous voudrions bien qu'il approuvât aussi la nôtre. Après quoi, volontiers, Monseigneur, je vous mettrai en main de quoi envoyer pendre ou brûler ou rouer, comme vous choisirez, Marigny le jeune ou Marigny l'aîné, ou les deux à la fois... Une signature, un sceau ; c'est l'affaire d'une journée, deux au plus, si Monseigneur de Valois consent à s'en soucier. La rédaction est prête...

Le géant abattit sa main sur la table, et tout trembla dans la pièce.

— Assez joué, Tolomei. Je vous ai dit que nous ne pouvions point attendre. Votre charte sera signée demain, je m'y engage. Mais donnez-moi ce soir l'autre parchemin. Nous sommes dans la même partie ; il faudrait bien une fois me faire confiance.

— Monseigneur de Valois n'est point en mesure d'attendre une seule journée ?

— Non.

— Alors, c'est qu'il a fort perdu dans la faveur du roi, et bien soudainement, dit lentement le banquier en hochant la tête. Que s'est-il donc produit à Vincennes ?

Robert d'Artois lui fit une brève relation de l'assemblée et de ses suites. Tolomei écoutait, toujours balançant le front. « Si Valois est écarté de la cour, pensait-il, et si Marigny reste en place, alors adieu charte, franchise et privilèges. Le péril à présent est grave... »

Il se leva et dit :

— Monseigneur, quand un prince brouillon comme l'est le nôtre s'entiche vraiment d'un serviteur, on a beau lui en dénoncer les méfaits, il le pardonnera, il lui trouvera excuse, et s'y attachera davantage qu'il l'aura davantage couvert.

— Sauf à prouver au prince que les méfaits ont été commis à son endroit. Il ne s'agit point de dénoncer l'archevêque ; il s'agit de le faire chanter... la muselière au nez.

— J'entends bien, j'entends bien. Vous voulez vous servir du frère contre le frère. Cela peut réussir. L'archevêque, pour autant que je le connaisse, n'a pas une âme de bronze... Allons ! Il y a des risques qu'il faut prendre.

Et il remit à Robert d'Artois le document que Guccio avait rapporté de Cressay.

Bien qu'archevêque de Sens, Jean de Marigny résidait le plus souvent à Paris, principal diocèse de sa juridiction. Une partie du palais épiscopal lui était réservée. Ce fut là, dans une belle salle voûtée et qui sentait fort l'encens, que le surprit la soudaine entrée du comte de Valois et de Robert d'Artois.

L'archevêque tendit à ses visiteurs son anneau à baiser. Valois fit mine de ne pas remarquer le geste, et d'Artois haussa vers ses lèvres les doigts de l'archevêque avec une si désinvolte impudence qu'on eût cru qu'il allait jeter cette main par-dessus son épaule.

— Monseigneur Jean, dit Charles de Valois, il faudrait bien nous expliquer pour quelles raisons vous et votre frère vous opposez si fort à l'élection du cardinal Duèze, en Avignon, de telle sorte que ce conclave ressemble tout juste à un collège de fantômes.

Jean de Marigny pâlit un peu, et, d'un ton plein d'onction, répondit :

— Je ne comprends point votre reproche, Monseigneur, ni ce qui le motive. Je ne m'oppose à aucune élection. Mon frère agit au mieux, j'en suis sûr, pour aider aux intérêts du royaume, et moi-même je m'emploie à les servir, dans les limites de mon sacerdoce. Mais le conclave dépend des cardinaux, et non de nos désirs.

— C'est ainsi que vous le prenez? Soit! répliqua Valois. Mais puisque la Chrétienté peut se passer de pape, l'archidiocèse de Sens pourrait peut-être aussi se passer d'archevêque !

— Je n'entends rien à vos paroles, Monseigneur, sinon qu'elles sonnent comme une menace contre un ministre de Dieu.

— Serait-ce Dieu par hasard, messire archevêque, qui vous aurait commandé de détourner certains biens des Templiers? dit alors d'Artois. Et pensez-vous que le roi, qui est aussi le représentant de Dieu sur la terre, puisse tolérer en la chaire cathédrale de sa maîtresse ville un prélat déshonnête? Reconnaissez-vous ceci?

Et il tendit, au bout de son poing énorme, la décharge remise par Tolomei.

— C'est un faux ! s'écria l'archevêque.

— Si c'est un faux, répliqua Robert, hâtons-nous alors de faire éclater la justice. Faites donc procès devant le roi pour qu'on découvre le faussaire !

— La majesté de l'Église n'aurait rien à y gagner...

— ... et vous tout à y perdre, j'imagine, Monseigneur.

L'archevêque s'était assis dans une grande cathèdre. «Ils ne reculeront devant rien», pensait-il. Son acte frauduleux remontait à plus d'un an; les profits en étaient mangés. Deux mille livres dont il avait eu besoin... et toute sa vie allait s'écrouler pour cela. Le cœur lui cognait dans la poitrine, et il se sentait ruisseler de sueur sous ses vêtements violets.

— Monseigneur Jean, dit alors Charles de Valois, vous êtes encore bien jeune, et vous avez un bel avenir devant vous, dans les affaires de l'Église comme celles du royaume. Ce que vous avez commis là...

Il cueillit avec superbe le parchemin aux doigts de Robert d'Artois.

— ... est un errement excusable dans ce temps que toute morale se défait; vous avez agi sous de mauvaises incitations. Si l'on ne vous avait pas commandé de condamner les Templiers, vous n'auriez pas eu lieu à trafiquer de leurs biens. Il serait grand dommage qu'une faute, qui n'est après tout que d'argent, ternît l'éclat de votre position et vous obligeât à disparaître du monde. Car si cet écrit venait aux yeux d'un tribunal d'Église, malgré le dépit que nous en aurions, cela vous conduirait tout droit en la cellule d'un couvent... A la vérité, Monseigneur, vous accomplissez un bien plus grave manquement en servant les agissements de votre frère contre les vœux du roi. Pour moi, c'est la faute que je vous reproche avant tout. Et, si vous acceptez de dénoncer cette seconde erreur, je vous tiendrai volontiers quitte de la première.

— Que m'imposez-vous ? demanda l'archevêque.

— Abandonnez le parti de votre frère, qui ne vaut plus rien, et venez révéler au roi Louis tout ce que vous savez de ses méchants ordres touchant le conclave.

Le prélat était de pâte molle. La lâcheté lui venait spontanément dans les heures difficiles. La peur qu'il ressentait ne lui laissa même pas le temps de penser à son frère auquel il devait tout ; il ne songea qu'à lui-même. Et cette absence d'hésitation lui permit de garder une apparente dignité dans le maintien.

— Vous m'avez ouvert la conscience, dit-il, et je suis prêt, Monseigneur, à racheter mon erreur dans le sens que vous me dicterez. J'aimerais seulement que ce parchemin me fût rendu.

— C'est chose faite, dit le comte de Valois en lui remettant le document. Il suffit que Monseigneur d'Artois et moi-même l'ayons vu ; notre témoignage vaut devant tout le royaume. Vous allez nous accompagner dans l'instant à Vincennes ; un cheval vous attend en bas.

L'archevêque se fit donner son manteau, ses gants brodés, son bonnet, et il descendit lentement, majestueusement, précédant les deux barons.

— Jamais, murmura d'Artois à Charles de Valois, jamais je n'ai vu homme au monde ramper avec une telle hauteur.

IV

L'IMPATIENCE D'ÊTRE VEUF

Chaque roi, chaque homme a ses plaisirs qui, mieux que toute autre chose, révèlent les tendances profondes de sa nature. Louis X montrait peu d'inclination à la chasse, aux joutes, aux passes d'armes, et, de façon générale, à aucun exercice où il risquait blessure. Il aimait depuis l'enfance la longue paume qui se jouait avec des balles de cuir; mais il s'y essoufflait et échauffait trop vite. Son divertissement préféré consistait à s'installer, un arc en main, dans un jardin fermé, et à tirer au vol, de fort près, des oiseaux, pigeons ou colombes, qu'un écuyer laissait l'un après l'autre échapper d'un grand panier d'osier.

Profitant de l'allongement du jour, il était occupé à ce délassement cruel, dans une petite cour de Vincennes disposée comme un cloître, lorsque son oncle et son cousin, en fin d'après-midi, lui amenèrent l'archevêque.

L'herbe verte et rase, qui couvrait le sol de la cour, était souillée de plumes et de sang. Une colombe, clouée par l'aile à une poutre du déambulatoire, continuait de se débattre et criait; d'autres, mieux atteintes, gisaient éparses, leurs pattes minces roidies et crispées. Le Hutin poussait une exclamation de joie chaque fois qu'une de ses flèches perçait un oiseau.

— Une autre! lançait-il aussitôt à l'écuyer.

Si la flèche, manquant son but, allait s'épointer sur un mur, Louis reprochait alors à l'écuyer d'avoir lâché la colombe au mauvais instant ou du mauvais côté.

— Sire mon neveu, dit Charles de Valois, vous me paraissez plus habile aujourd'hui que jamais; mais si vous consentiez à interrompre un instant vos exploits, je pourrais vous entretenir des choses bien plus graves que je vous ai annoncées.

— Quoi? Qu'est-ce encore? dit le Hutin avec impatience.

Il avait le front moite et les pommettes rouges. Il aperçut l'archevêque, et fit signe à l'écuyer de s'éloigner.

— Alors, Monseigneur, dit-il en s'adressant au prélat, est-il vrai que vous m'empêchiez d'avoir un pape?

— Hélas, Sire! répondit Jean de Marigny. Je viens vous faire révélation de certaines choses que je croyais commandées par vous et dont je suis durement peiné d'apprendre qu'elles sont contraires à votre volonté.

Là-dessus, avec l'air de la meilleure foi du monde et quelque emphase dans le ton, il rapporta au roi les manœuvres d'Enguerrand pour retarder la réunion du conclave et faire échec à toute candidature, aussi bien celle de Duèze que celle d'un cardinal romain.

— Si dur qu'il soit, Sire, acheva-t-il, d'avoir à vous découvrir les mauvais actes de mon frère, il m'est plus dur encore de le voir agir contre le bien du royaume, en même temps que celui de l'Église, et s'appliquer à trahir tout ensemble son seigneur sur la terre et le Seigneur du ciel. Je ne le tiens plus pour étant de ma famille, puisque, quand on est homme de mon état, on n'a de vraie famille qu'en Dieu et en son roi.

« Le bougre arriverait pour un peu à vous tirer les larmes, pensait Robert d'Artois. Vraiment ce coquin-là sait se servir de sa langue! »

Une colombe oubliée s'était posée sur la toiture de la galerie. Le Hutin tira une flèche qui, traversant l'oiseau, fit bouger les tuiles.

Puis soudain s'emportant il cria:

— A quoi donc cela me sert-il, ce que vous me chantez là? Il est bien temps de dénoncer le mal, quand il est accompli! Fuyez, messire archevêque, car je me courrouce.

Robert d'Artois entraîna l'archevêque, dont la besogne était terminée. Valois resta seul avec le roi.

— Me voici en belle posture à présent! continuait celui-ci. Enguerrand m'a trompé, soit! Et vous triomphez. Mais cela m'avance-t-il, moi, que vous triomphiez? Nous sommes au milieu d'avril; l'été s'approche. Vous vous rappelez, mon oncle, les conditions de Madame de Hongrie: « Avant l'été. » D'ici à huit semaines, m'aurez-vous fait un pape?

— Honnêtement, mon neveu, je ne le crois plus possible.

— Alors, il n'y a point motif à vous faire si gros et tant vous rengorger.

— Je vous avais assez conseillé, depuis l'hiver, de chasser Marigny.

— Mais puisque cela ne fut pas, hurla Louis X, le mieux n'est-il pas encore d'employer Marigny? Je m'en vais l'appeler, le semoncer, le menacer; il faudra bien qu'il obéisse, à la parfin!

Aussi enragé que têtu, le Hutin en revenait toujours à Marigny, comme à l'unique recours. Il arpentait la cour à grands pas désordonnés, des plumes blanches collées sur ses souliers.

En vérité, chacun avait si bien poussé son jeu personnel, le roi, Marigny, Valois, d'Artois, Tolomei, les cardinaux, la reine de Naples elle-même, que tout le monde se retrouvait bloqué dans une impasse, se meurtrissant réciproquement, mais sans plus pouvoir avancer d'un pas. Valois s'en rendait bien compte, comme il se rendait compte aussi qu'il lui fallait, s'il voulait garder l'avantage, fournir à tout prix un moyen d'issue. Et le fournir vite...

— Ah! vraiment, mon neveu, s'écria-t-il, quand je pense que j'ai été veuf par deux fois en ma vie, et de deux épouses exemplaires, je me dis que c'est bien grande pitié que vous ne le soyez point d'une femme éhontée.

— Certes, certes, dit Louis; si cette gueuse pouvait seulement trépasser...

Brusquement il s'arrêta de marcher, regarda Valois, et comprit que celui-ci n'avait pas seulement parlé par boutade, ou pour déplorer les injustices du sort.

— L'hiver fut froid; les prisons sont mauvaises pour la santé des femmes, reprit Charles de Valois, et voici longtemps que Marigny ne nous a point informés de l'état de Marguerite. Je m'étonne qu'elle ait pu résister au régime auquel on l'a soumise... Peut-être Marigny... ce serait bien un tour de sa manière... vous cache-t-il qu'elle est près de sa fin. Il conviendrait d'y aller voir.

Ils furent sensibles, tous deux, au silence qui les environnait. Il est précieux, entre princes, de si bien se comprendre que les paroles cessent d'être nécessaires...

— Vous m'aviez assuré, mon neveu, dit seulement Valois après un moment, que vous me donneriez Marigny le jour que vous auriez un pape.

— Je pourrais vous le donner aussi bien, mon oncle, le jour que je serais veuf, répondit le Hutin en baissant la voix.

Valois passa ses doigts bagués sur ses larges joues couperosées.

— Il faudrait me donner Marigny d'abord, puisqu'il commande toutes les forteresses, et empêche qu'on entre à Château-Gaillard.

— Soit, répondit Louis X. Je lève ma main de dessus lui. Vous pourrez dire à votre chancelier de me présenter à signer tous ordres que vous jugerez utiles.

Ce même soir, après l'heure du souper, Enguerrand de Marigny, enfermé dans son cabinet, rédigeait le mémoire qu'il avait décidé d'adresser au roi pour réclamer, conformément aux nouvelles ordonnances, gage de bataille. En clair, il allait provoquer le comte de Valois en combat singulier, et se trouvait ainsi le premier à demander l'application de ces «chartes aux seigneurs» contre lesquelles il avait tant lutté. Ce fut alors qu'on lui annonça Hugues de Bouville, qu'il reçut aussitôt. L'ancien grand chambellan de Philippe le Bel montrait une mine sombre et semblait tiraillé par des sentiments contraires.

— Enguerrand, je suis venu te prévenir, dit-il en regardant le tapis. Ne dors point cette nuit chez toi, car on veut t'arrêter ; je le sais.

— M'arrêter ? C'est un mot jeté au vent ; ils n'oseront pas, répondit Marigny. Et qui viendrait m'arrêter, je te le demande ? Alain de Pareilles ? Jamais Alain n'accepterait d'exécuter un tel ordre. Il soutiendrait plutôt un siège dans mon hôtel avec ses archers...

— Tu as tort de ne point me croire, Enguerrand ; et tu as eu tort aussi, je t'assure, d'agir comme tu l'as fait ces derniers mois. Quand on est aux places où nous sommes, travailler contre le roi, quel que soit le roi, c'est travailler contre soi-même. Et moi aussi je suis en train de travailler contre le roi en ce moment, pour l'amitié que je te porte, et parce que je voudrais te sauver.

Le gros homme était sincèrement malheureux. Serviteur loyal du souverain, ami fidèle, dignitaire intègre, respectueux des commandements de Dieu et des lois du royaume, les sentiments qui l'animaient, tous également honnêtes, soudain devenaient inconciliables.

— Ce que je viens t'apprendre, Enguerrand, poursuivit-il, je le sais par Monseigneur de Poitiers, qui pour l'heure est ton seul et dernier soutien. Monseigneur de Poitiers voudrait mettre de l'espace entre toi et les barons. Il a conseillé à son frère de t'envoyer gouverner quelque terre lointaine, Chypre par exemple.

— Chypre ? s'écria Marigny... Me laisser enfermer dans cette île au bout de la mer, alors que j'ai commandé le royaume de France ? Est-ce là qu'on veut m'exiler ? Je continuerai à marcher en maître sur la terre de Paris, ou bien j'y mourrai.

Bouville secoua tristement ses mèches noires et blanches.

— Crois-moi, cette nuit ne dors point chez toi, répéta-t-il. Et si tu juges ma maison un assez sûr asile... Fais comme tu voudras ; je t'aurai prévenu.

Aussitôt Bouville sorti, Enguerrand rejoignit dans leur appartement son épouse et sa belle-sœur Chanteloup pour les mettre au courant. Il avait besoin de parler, et de sentir la présence de ses proches. Les deux femmes furent d'avis qu'il fallait partir dans l'instant pour quelqu'une de leurs terres, aux confins normands, et puis, de là, si le danger se précipitait, gagner un port et se réfugier auprès du roi d'Angleterre.

Mais Enguerrand s'emporta.

— Ne suis-je donc environné, s'écria-t-il, que de femelles et de chapons !

Et il s'alla coucher comme les autres soirs. Il caressa son chien favori, se fit déshabiller par son chambellan, et le regarda tirer les poids de l'horloge, objet peu répandu encore, même dans les hôtels nobles, et qu'il avait acquis à grand prix. Il tourna un moment dans sa pensée les dernières phrases de son mémoire au roi, et les nota ; il s'approcha de la fenêtre, écarta le rideau et contempla les toits de la ville éteinte.

Les sergents du guet passaient dans la rue des Fossés-Saint-Germain, répétant tous les vingt pas, de leur voix machinale :

— C'est le guet... Il est minuit... Dormez en paix !...

Comme toujours, ils étaient en retard d'un quart d'heure sur l'horloge...

Enguerrand fut réveillé à l'aube par un grand bruit de bottes dans la cour, et de coups frappés aux portes. Un écuyer, tout affolé, vint l'avertir que les archers étaient en bas. Il demanda ses vêtements, s'habilla en hâte et, dans l'antichambre, se heurta à sa femme et à son fils qui accouraient, bouleversés.

— Vous aviez raison, Alips, dit-il à madame de Marigny en la baisant au front. Je ne vous ai point assez écoutée. Partez dès ce jour ainsi que Louis.

— Je serais partie avec vous, Enguerrand. Mais maintenant je ne saurais m'éloigner du lieu où l'on vous imposera souffrance.

— Le roi est mon parrain, dit Louis de Marigny ; je m'en vais aussitôt courir à Vincennes...

— Ton parrain est une pauvre cervelle, et sa couronne lui flotte sur la tête, répondit Marigny avec colère.

Puis, comme il faisait sombre dans l'escalier, il cria :

— Holà, mes valets ! De la lumière ! Qu'on m'éclaire !

Et quand ses serviteurs eurent obéi, il fit entre les flambeaux une descente de roi.

La cour était houleuse d'hommes d'armes. Dans l'encadrement de la porte, une haute silhouette en cotte de mailles se découpait sur le matin gris.

— Comment as-tu accepté, Pareilles... Comment as-tu osé ? dit Marigny en élevant les mains.

— Je ne suis pas Alain de Pareilles, répondit l'officier. Messire de Pareilles ne commande plus aux archers.

Il s'effaça pour laisser passer un homme, en vêtements d'Église, qui était le chancelier Étienne de Mornay. Comme Nogaret, huit ans plus tôt, était venu en personne se saisir du grand-maître des Templiers, Mornay venait en personne, aujourd'hui, se saisir de l'ancien recteur du royaume.

— Messire Enguerrand, dit-il, je vous prie de me suivre au Louvre où j'ai ordre de vous enfermer.

A la même heure, tous les grands légistes bourgeois du règne précédent, Raoul de Presles, Michel de Bourdenai, Guillaume Dubois, Geoffroy de Briançon, Nicole Le Loquetier, Pierre d'Orgemont, étaient arrêtés à leurs domiciles et conduits en diverses prisons, tandis qu'un détachement était expédié vers Châlons pour y enlever l'évêque Pierre de Latille, l'ami de jeunesse de Philippe le Bel, que celui-ci avait si fort réclamé à son chevet dans ses derniers instants.

Avec eux, c'était tout le règne du Roi de fer qui entrait en forteresse.

V

LES ASSASSINS DANS LA PRISON

Lorsque, en pleine nuit, Marguerite de Bourgogne entendit s'abaisser le pont-levis de Château-Gaillard et retentir dans l'enceinte les piétinements d'une chevauchée, elle ne crut point d'abord que ces sons étaient vrais. Elle avait tant attendu, tant rêvé cet instant, depuis qu'était partie sa lettre à Robert d'Artois, par laquelle elle souscrivait à sa déchéance, renonçait à tous ses droits comme à ceux de sa fille, en échange d'une libération promise et qui n'arrivait pas!

Nul ne lui avait répondu, ni Robert, ni le roi. Aucun messager n'était apparu. Les semaines s'écoulaient dans un silence plus destructeur que la faim, plus épuisant que le froid, plus dégradant que la vermine. Marguerite, à présent, ne bougeait presque plus de son lit, souffrant d'une fièvre où l'âme avait autant de part que le corps, et qui la maintenait dans un état de conscience trouble. Les yeux grands ouverts sur les ténèbres de la tour, elle passait des heures à écouter son cœur battre à coups trop rapides. Le silence se peuplait de rumeurs inexistantes; l'ombre était envahie de menaces tragiques qui venaient non plus de la terre, mais de l'au-delà. Le délire des insomnies désorganisait sa raison... Philippe d'Aunay, le beau Philippe, n'était pas mort tout à fait; il marchait, jambes brisées, ventre sanglant, à côté d'elle; elle étendait le bras vers lui et ne pouvait le saisir. Pourtant il l'entraînait sur le trajet qui va de la terre à Dieu, sans plus sentir la terre, et sans jamais voir Dieu. Et cette marche atroce durerait jusqu'au fond des temps, jusqu'au Jugement dernier. C'était peut-être, après tout, le Purgatoire...

— Blanche! cria-t-elle, Blanche! Ils arrivent!

Car les cadenas, les verrous, les portes grinçaient vraiment au bas de la tour; des pas nombreux résonnaient sur les marches de pierre.

— Blanche! Tu entends?

Mais la voix affaiblie de Marguerite, arrêtée par les épaisses fermetures qui, la nuit, séparaient les deux geôles, ne parvint pas à l'étage supérieur.

La lumière d'une seule chandelle aveugla la reine prisonnière. Des hommes se pressaient dans l'embrasure de la porte ; Marguerite ne put les dénombrer ; elle ne voyait que le géant au manteau rouge, aux yeux clairs et au poignard d'argent qui s'avançait vers elle.

— Robert ! murmura-t-elle. Robert, enfin vous voici.

Derrière Robert d'Artois, un soldat portait un siège qu'il déposa auprès du lit.

— Alors, ma cousine, alors, dit Robert en s'asseyant, votre santé ne va pas à merveille, à ce qu'on me dit, et à ce que je vois. Vous souffrez ?

— Je souffre de tout, dit Marguerite ; je ne sais plus si je vis.

— Il était grand temps que j'arrive. Tout va bientôt être fini. Vos ennemis sont abattus. Êtes-vous en état d'écrire ?

— Je ne sais, dit Marguerite.

D'Artois, faisant approcher la lumière, observa plus attentivement le visage ravagé, asséché, les lèvres amincies de la prisonnière, et ses yeux noirs anormalement brillants et enfoncés, ses cheveux collés par la fièvre sur le front bombé.

— Au moins, pourrez-vous dicter la lettre que le roi attend. Chapelain ! appela-t-il en claquant des doigts.

Une robe blanche, fripée et maculée, un crâne beige, sortirent de la pénombre.

— L'annulation a-t-elle été prononcée ? demanda Marguerite.

— Comment le serait-elle, ma cousine, puisque vous vous êtes refusée à déclarer ce qu'on vous demandait ?

— Je n'ai pas refusé. J'ai accepté. J'ai tout accepté... Je ne sais plus. Je ne comprends plus.

— Qu'on aille chercher une cruche de vin pour la soutenir, dit d'Artois par-dessus son épaule.

Des pas s'éloignèrent dans la chambre et dans l'escalier.

— Rassemblez vos esprits, ma cousine, reprit d'Artois. C'est maintenant qu'il faut accepter ce que je vais vous conseiller.

— Mais je vous ai écrit, Robert ; je vous ai envoyé une lettre, pour que vous la remettiez à Louis, et où je déclarais... tout ce que vous souhaitiez... que ma fille n'était point de lui...

Les murs, les visages lui semblaient vaciller autour d'elle.

— Quand ? demanda Robert.

— Mais voici longtemps... des semaines, deux mois il me semble, et j'attends depuis d'être délivrée...

— A qui avez-vous confié cette lettre ?

— Mais... à Bersumée.

Et soudain Marguerite pensa, affolée : « Ai-je vraiment écrit ? C'est affreux, je ne sais plus... je ne sais plus rien. »

— Demandez à Blanche, murmura-t-elle.

Il se fit un grand bruit auprès d'elle. Robert d'Artois s'était levé, et secouait quelqu'un par le collet en criant si fort que Marguerite avait peine à comprendre les mots.

— Mais, oui, Monseigneur, moi-même... je l'ai portée... répondait la voix affolée de Bersumée.

— Où l'as-tu remise? A qui?

— Lâchez-moi, Monseigneur, lâchez-moi! Vous m'étouffez. A Monseigneur de Marigny. J'ai obéi aux ordres.

Le capitaine de forteresse ne put esquiver le coup de poing qui l'atteignit en plein visage, un vrai coup de masse sous lequel il gémit et oscilla.

— Est-ce que je m'appelle Marigny? hurlait d'Artois. Quand on te charge d'un pli pour moi, est-ce à un autre que tu dois le remettre?

— Mais il m'avait affirmé, Monseigneur...

— Tais-toi, animal. Je m'occuperai de solder ton compte un peu plus tard; et puisque tu es si fidèle à Marigny, je vais t'envoyer le rejoindre dans son cachot du Louvre, dit d'Artois.

Puis, revenant à Marguerite:

— Je n'ai jamais reçu votre lettre, ma cousine. Marigny l'a gardée pour lui.

— Ah! bien! fit-elle.

Elle était presque rassurée; au moins acquérait-elle la certitude d'avoir vraiment écrit.

A ce moment, le sergent Lalaine entra, apportant la cruche demandée. Robert d'Artois se rassit, et regarda boire Marguerite.

«Que ne me suis-je muni de poison! se dit-il. C'eût été peut-être le moyen le plus facile. Je suis sot de n'y avoir point pensé... Ainsi, elle avait accepté; et nous n'en avons rien su. Oui, tout cela est grande sottise, en vérité. Mais à présent, il est trop tard pour y rien changer. Et de toute manière, dans l'état où je la vois, il ne saurait lui rester de longues journées à vivre.»

Ayant soulagé sa colère contre Bersumée, il se sentait détaché et presque triste. Il se tenait, massif, les mains posées sur les cuisses, et entouré d'hommes de guerre armés jusqu'à la tête, devant ce grabat où gisait une femme épuisée. Pourtant avait-il assez détesté Marguerite lorsqu'elle était reine de Navarre et promise au trône de France! Que n'avait-il tramé pour la perdre, multipliant intrigues, voyages, liguant contre elle et la cour d'Angleterre et la cour de France? L'hiver dernier encore, si puissant baron qu'il fût, si misérable prisonnière qu'elle se trouvât, il l'eût volontiers broyée quand elle lui opposait son refus. Maintenant, son triomphe le conduisait plus loin qu'il n'eût voulu aller. Il n'éprouvait pas de pitié, seulement une espèce d'indifférence écœurée, de lassitude amère. Tant de moyens mobilisés contre un corps amaigri et malade, une pensée sans défense! La haine, en Robert, s'était éteinte soudain, parce qu'il ne rencontrait plus de résistance à la mesure de sa force.

Il se prenait à regretter, oui, sincèrement, que la lettre ne lui fût pas parvenue, et mesurait l'absurdité des enchaînements du sort. Sans le zèle obtus de cet âne de Bersumée, Louis X, à l'heure présente, eût été déjà en mesure de se remarier, Marguerite installée en un couvent tranquille, et Marigny sans doute encore en liberté. Sinon même toujours au pouvoir. Nul n'eût été acculé aux solutions extrêmes, et lui-même, Robert d'Artois, ne se fût pas trouvé là, chargé d'exécuter une mourante.

— Ce veuvage est nécessaire, mais il doit s'accomplir dans le secret de la famille, lui avait dit Charles de Valois.

Et Robert avait accepté la mission, pour cette raison d'abord qu'elle lui donnerait barre désormais et sur Valois et sur le roi. De tels services se payent sans fin... Et puis le sort, à y mieux regarder, n'était absurde qu'en apparence ; chacun, par les actes que lui dictait sa propre nature, avait contribué à ce qu'il ne pût se dérouler autrement. « N'est-ce pas moi qui ai commencé cette affaire l'année dernière à Westminster? Il me revient donc de la terminer. Mais aurais-je eu à la commencer si Marigny, pour conclure les mariages de Bourgogne, ne m'avait pas fait dépouiller du comté d'Artois au profit de ma tante Mahaut? Et Marigny, à cette heure, se morfond au Louvre. » Le destin montrait quelque logique.

Robert s'aperçut que tout le monde dans la pièce le regardait, Marguerite de dessus son grabat, Bersumée qui se frottait la mâchoire, Lalaine qui avait repris la cruche, le valet Lormet adossé contre le mur dans la pénombre, le chapelain serrant une écritoire sur son ventre. Ils semblaient tous stupéfaits de le voir méditer.

Le géant s'ébroua.

— Vous voyez, ma cousine, dit-il, combien Marigny est votre ennemi, comme il est notre ennemi à tous. Cette lettre volée nous en fournit une nouvelle preuve. Sans Marigny, je gage que vous n'auriez jamais été accusée, ni jugée, ni traitée de la sorte. Ce félon s'est ingénié à vous nuire, autant qu'à nuire au roi et au royaume. Mais aujourd'hui, il est arrêté, et je viens recueillir vos griefs contre lui afin de hâter à la fois la justice du roi et votre grâce.

— Que dois-je déclarer? demanda Marguerite.

Le vin qu'elle avait bu lui faisait battre le cœur plus vite encore ; elle respirait de manière hachée, et se tenait la poitrine.

— Je vais dicter pour vous au chapelain, dit Robert.

Le dominicain en disgrâce s'assit par terre, la tablette à écrire posée sur ses genoux ; la chandelle posée à côté de lui éclairait d'en bas les trois visages.

Robert sortit de son aumônière une feuille pliée, portant un texte noté qu'il lut au chapelain.

— « Sire, mon époux, je me meurs de chagrin et de maladie. Je vous supplie de m'accorder pardon, car si vous ne le faites pas vite... »

— Un instant, Monseigneur, je ne puis vous suivre, dit le chapelain ; je n'écris point comme vos clercs de Paris.

« ... car, si vous ne le faites pas vite, je sens que j'ai bien peu à vivre et que l'âme va s'enfuir de moi. Tout est de la faute de messire de Marigny qui m'a voulu perdre dans votre estime et dans celle du feu roi par dénonciation dont je jure la fausseté, et qui m'a fait par odieux traitement réduire... »

— Monseigneur, puis-je... un instant encore.

Le chapelain cherchait son grattoir pour racler une aspérité du vélin. Robert dut attendre un moment, avant de reprendre et de terminer :

— « ... réduire à la misère où je suis. Tout est venu de ce méchant homme. Je vous prie encore de me sauver de l'état où je me voici et vous assure que je n'ai jamais cessé de vous être épouse obéissante dans la volonté de Dieu. »

Marguerite s'était soulevée un peu sur son grabat. Elle ne comprenait rien à l'énorme contradiction par laquelle on voulait maintenant qu'elle se proclamât innocente.

— Mais alors, mon cousin, mais alors, demanda-t-elle, tous les aveux que vous m'aviez demandés ?

— Ils ne sont plus nécessaires, ma cousine, répondit Robert ; ce que vous allez signer ici remplacera tout.

Car l'important à présent, pour Charles de Valois, était de recueillir le plus de témoignages possible, vrais ou faux, contre Enguerrand. Celui-ci était de taille, qui offrait en outre l'avantage de laver, au moins d'apparence, le déshonneur du roi, et surtout de faire annoncer par la reine l'imminence de son propre trépas. En vérité, Messeigneurs de Valois et d'Artois étaient gens d'imagination !

— Et Blanche, que va-t-elle devenir ? A-t-on pensé à Blanche ?

— Ne vous en souciez pas, dit Robert. Tout sera fait pour elle.

Marguerite traça son nom au bas du parchemin.

Robert d'Artois, alors, se leva et se pencha au-dessus d'elle. Les assistants avaient reculé vers le fond de la pièce. Le géant posa la main sur l'épaule de Marguerite.

Au contact de cette large paume, Marguerite sentit une bonne chaleur apaisante lui descendre dans le corps. Elle croisa ses mains décharnées sur les doigts de Robert, comme si elle craignait qu'il les retirât trop vite.

— Adieu, ma cousine, dit-il. Adieu. Je vous souhaite de bien reposer.

— Robert, demanda-t-elle à voix basse en renversant la tête pour chercher son regard, l'autre fois que vous êtes venu et m'avez voulu prendre, me désiriez-vous vraiment?

Nul homme n'est absolument mauvais. Robert d'Artois eut à ce moment l'une des rares paroles de charité qui eussent jamais passé ses lèvres.

— Oui, ma belle cousine, je vous ai bien aimée.

Et il sentit qu'elle se détendait sous sa main, calmée, presque heureuse. Être aimée, être désirée avait été la vraie raison de vivre de cette reine, bien plus qu'aucune couronne.

Elle vit son cousin s'éloigner d'elle en même temps que la lumière; il lui paraissait irréel tant il était grand, et faisait songer, dans cette pénombre, aux héros invincibles des lointaines légendes.

La robe blanche du dominicain, le bonnet de loup de Bersumée disparurent. Robert poussait son monde devant lui. Un instant il demeura sur le seuil, comme s'il éprouvait une hésitation et avait encore quelque chose à dire. Puis la porte se referma, l'obscurité redevint totale, et Marguerite avec émerveillement n'entendit pas l'habituel bruit des verrous.

Ainsi on ne la cadenassait plus, et l'omission de ce geste, pour la première fois depuis trois cent cinquante jours, lui parut la promesse de la délivrance.

Demain on la laisserait descendre, et se promener à sa guise dans Château-Gaillard; et puis, bientôt, une litière viendrait la prendre et l'emporter vers les arbres, les villes et les hommes... «Pourrai-je me mettre debout? se disait-elle. Aurai-je la force? Oh! oui, la force me reviendra!»

Son front, sa gorge, ses bras étaient brûlants; mais elle guérirait, elle savait qu'elle guérirait. Elle savait aussi qu'elle ne pourrait pas dormir du reste de la nuit. Mais elle aurait l'espoir pour compagnie jusqu'à l'aube!

Soudain, elle perçut un bruit infime, pas même un bruit, cette sorte de froissement dans le silence que produit le souffle retenu d'un être vivant. Quelqu'un se tenait dans la pièce.

— Blanche! cria-t-elle. Est-ce toi?

Peut-être avait-on déverrouillé aussi les fermetures du second étage. Pourtant il ne lui semblait pas que la porte se fût rouverte. Et pourquoi sa cousine aurait-elle pris tant de précautions pour avancer? A moins que... Blanche n'était pas devenue folle subitement...

— Blanche! répéta Marguerite d'une voix angoissée.

Le silence retomba, et Marguerite un moment pensa que sa fièvre inventait des présences. Mais, l'instant d'après, elle entendit le même souffle retenu, plus près, et un très léger crissement sur le sol, comme celui que produisent les ongles d'un chien. On respirait à côté d'elle. C'était peut-être vraiment un chien, le chien de Bersumée entré sur les pas de son maître et oublié là. Ou bien des rats... les rats avec leurs petits pas d'hommes, leurs frôlements, leurs complots affairés, leur manière étrange de travailler la nuit à de mystérieuses tâches. A plusieurs reprises, les rats étaient apparus dans la tour, et Bersumée avait amené son chien, justement, pour les tuer. Mais on n'entend pas les rats respirer.

Elle se dressa brusquement sur sa couche, le cœur affolé ; un objet de métal, arme ou boucle, venait de racler la pierre du mur. Les yeux désespérément ouverts, Marguerite interrogeait les ténèbres autour d'elle.

— Qui est là ? cria-t-elle.

De nouveau ce fut le silence. Mais elle savait à présent qu'elle n'était pas seule. Elle retenait elle aussi, inutilement, sa respiration. Une angoisse comme jamais elle n'en avait ressenti l'étreignait. Elle allait mourir dans quelques instants ; elle en avait l'intolérable certitude ; et l'horreur qu'elle éprouvait dans cette attente de l'inadmissible se doublait de l'horreur de ne savoir comment elle allait mourir, ni en quelle place son corps allait être frappé, ni quelle était la présence invisible qui s'approchait d'elle le long du mur.

Une forme ronde, un peu plus noire que la nuit, heurta soudain le lit. Marguerite poussa un hurlement que Blanche de Bourgogne, à l'étage au-dessus, perçut à travers les pierres et qu'elle se souviendrait toujours d'avoir entendu. Le cri fut tranché court.

Deux mains avaient rabattu le drap sur la bouche de Marguerite, et le tordaient autour de sa gorge. Le crâne maintenu contre une épaisse poitrine, les bras battant l'air et tout le corps luttant pour tenter de se délivrer, Marguerite râlait à bruits étouffés. L'étoffe qui lui emprisonnait le cou se resserrait comme un collier de plomb brûlant. La reine suffoquait. Ses yeux s'emplirent de feu ; d'énormes cloches de bronze se mirent à battre dans ses tempes. Mais le tueur possédait un tour de main bien à lui ; la corde des cloches se cassa brusquement, et Marguerite tomba dans le gouffre obscur, sans parois et sans terme.

Quelques minutes plus tard, dans la cour de Château-Gaillard, Robert d'Artois, qui gagnait du temps en buvant un gobelet de vin avec ses écuyers, vit Lormet s'approcher de lui et feindre de resangler son cheval. Les torches avaient été éteintes ; le jour allait poindre. Hommes et montures flottaient dans une brume grise.

— C'est fait, Monseigneur, murmura Lormet.

— Point de traces ? demanda Robert à voix basse.

— Je ne pense pas, Monseigneur. La face ne sera pas noire ; j'ai rompu les os du col. Et j'ai remis le lit en ordre.

— Cela n'était point travail aisé.

— Vous savez bien que je suis comme les chouettes, Monseigneur ; j'y vois la nuit.

D'Artois, s'étant hissé en selle, appela Bersumée.

— J'ai trouvé Madame Marguerite bien mal en point, lui dit-il. Je crains fort, à voir son état, qu'elle ne dure pas la semaine. Si elle venait à trépasser, voici les ordres : tu cours à Paris sans autre allure que le galop, et tu te présentes tout droit chez Monseigneur de Valois, pour lui apprendre la nouvelle à lui le premier, et à lui seul. Chez Monseigneur de Valois, tu m'as bien entendu. Tâche cette fois à ne pas te tromper d'adresse, et sache clore ton bec. Rappelle-toi que ton Monseigneur de Marigny est en prison, et que tu pourrais bien avoir une place dans la fournée qui s'apprête pour les potences du roi.

L'aube commençait à paraître derrière la forêt des Andelys, soulignant d'une mince lueur, entre le gris et le rose, l'horizon des arbres. En bas, le fleuve miroitait faiblement.

Robert d'Artois, descendant de la falaise de Château-Gaillard, sentait sous lui les mouvements réguliers de son cheval dont les flancs tièdes frémissaient contre ses bottes. Il s'emplit les poumons d'un grand coup d'air matinal.

— C'est bon tout de même d'être vivant, murmura-t-il.

— Oui, Monseigneur, c'est bon, répondit Lormet. Pour sûr, ça va être une belle journée de soleil.

VI

LE CHEMIN DE MONTFAUCON

Malgré l'étroitesse du soupirail, Marigny pouvait voir, entre les gros barreaux scellés en croix, le tissu somptueux du ciel où brillaient les étoiles d'avril.

Il ne souhaitait pas dormir. Il épiait les rares rumeurs nocturnes de Paris, le cri des sergents du guet, le roulement des charrettes campagnardes apportant leurs chargements à la halle aux légumes... Cette ville dont il avait élargi les rues, embelli les édifices, calmé les émeutes, cette ville nerveuse, où l'on sentait à tout instant battre le pouls du royaume et qui avait été pendant seize ans au centre de ses pensées et de ses soucis, il s'était mis, depuis deux semaines, à la haïr comme on hait une personne.

Ce ressentiment datait précisément du matin où Charles de Valois, craignant que Marigny ne trouvât au Louvre des complicités, avait décidé de le transférer à la tour du Temple. A cheval, entouré de sergents et d'archers, Marigny, en traversant une partie de la capitale, s'était rendu compte que le peuple, dont il ne voyait depuis tant d'années que les nuques inclinées, le détestait. Les insultes lancées sur son passage, l'explosion de joie dans les rues, les poings tendus, les moqueries, les rires, les menaces de mort, tout cela avait représenté pour l'ancien recteur du royaume un effondrement pire peut-être que son arrestation elle-même.

Celui qui a longtemps gouverné les hommes, s'efforçant d'agir pour le bien général, et qui sait les peines que cette tâche lui a coûtées, lorsqu'il s'aperçoit soudain qu'il n'a jamais été ni aimé ni compris, mais seulement subi, connaît une immense amertume, et se prend à s'interroger sur l'emploi qu'il a fait de sa vie.

« Les honneurs, je les ai eus tous, mais jamais le bonheur, car jamais je ne pensais avoir parfait mon labeur. Valait-il d'œuvrer autant pour des gens qui me tenaient en si grande aversion ? »

La suite n'était pas moins affreuse. Enguerrand avait été ramené à Vincennes, non plus cette fois pour siéger parmi les dignitaires, mais pour comparaître devant un tribunal de barons et de prélats, et entendre le clerc Jean d'Asnières, dans l'office de procureur, faire lecture de l'acte d'accusation.

— *Non nobis, Domine, non nobis, sed nomini tuo* *..., s'était écrié Jean d'Asnières en commençant.

Au nom du Seigneur, il retenait contre Marigny quarante et un chefs d'accusation: concussion, trahison, prévarication, rapports secrets avec les ennemis du royaume, tous griefs fondés sur d'étranges assertions. Il était reproché à Marigny d'avoir fait pleurer de chagrin le roi Philippe le Bel, d'avoir trompé Monseigneur de Valois sur l'estimation de la terre de Gaillefontaine, d'avoir été vu parlant seul à seul, au milieu d'un champ, avec Louis de Nevers, fils du comte de Flandre...

Enguerrand avait demandé la parole; elle lui avait été refusée. Il avait réclamé le gage de bataille; refusé également. On le déclarait coupable sans même le laisser se défendre, et c'était tout juste comme si l'on jugeait un mort.

Or, parmi les membres du tribunal se trouvait Jean de Marigny. Enguerrand ne pouvait que trop facilement imaginer l'ignoble marché conclu par son frère pour conserver l'archidiocèse qu'il lui avait obtenu! Tout le temps de ce procès sans débat, Enguerrand cherchait le regard de son cadet; mais il ne rencontra qu'un visage impassible, des yeux détournés, et de belles mains qui lissaient d'un geste lent les rubans d'une croix pectorale.

— Me regarderas-tu, Judas? Me regarderas-tu, Caïn? grommelait Enguerrand.

Si même son frère se rangeait avec un tel cynisme au nombre de ses accusateurs, comment attendre de quiconque un geste de loyauté ou de gratitude?

Ni le comte de Poitiers, ni le comte d'Évreux ne siégeaient, ne pouvant manifester que par l'absence leur réprobation pour cette parodie de justice.

Les huées populaires avaient de nouveau accompagné Marigny, sur son trajet de retour de Vincennes au Temple où, cette fois, les fers aux pieds, il s'était vu enfermer dans le même cachot qui avait servi pour Jacques de Molay. Sa chaîne avait été rivée au même anneau où l'on rivait naguère la chaîne du grand-maître, et le salpêtre portait encore les marques faites par le vieux chevalier pour compter l'écoulement des jours.

« Sept ans! nous l'avons condamné à passer ici sept ans, pour ensuite

---

* Pas pour nous, Seigneur, pas pour nous, mais en ton nom...

l'envoyer brûler. Et moi qui ne suis emprisonné que depuis une semaine, je comprends déjà tout ce qu'il a souffert. »

Le personnage d'État, des hauteurs où s'exerce son pouvoir, protégé par tout l'appareil des tribunaux, de la police et des armées, ne voit pas l'homme dans le condamné qu'il livre à la prison ou à la mort ; il réduit une opposition. Marigny se souvenait du malaise qu'il avait éprouvé tandis que les Templiers grillaient sur l'île aux Juifs, en comprenant qu'il ne s'agissait plus alors d'abstraites puissances hostiles, mais d'êtres de chair, de semblables. Un bref moment, cette nuit-là, et se reprochant ce mouvement d'âme comme une faiblesse, il s'était senti solidaire des suppliciés. Il se retrouvait tel, au fond de son cachot. « Vraiment, nous avons tous été maudits pour ce que nous avons fait là. »

Et puis, une nouvelle fois, Marigny avait été conduit à Vincennes, et pour y assister au plus sinistre, au plus abject étalage de haine et de bassesse. Comme si toutes les accusations portées contre lui ne suffisaient pas, comme s'il fallait à tout prix anéantir les doutes dans les consciences du royaume, on se complut à le charger de crimes extravagants, certifiés par un stupéfiant défilé de faux témoins.

Monseigneur de Valois se faisait gloire d'avoir découvert un vaste complot de sorcellerie, inspiré bien sûr par Enguerrand. Madame de Marigny et sa sœur, madame de Chanteloup, avaient pratiqué des envoûtements criminels sur des poupées de cire figurant le roi, le comte de Valois lui-même et le comte de Saint-Pol. Ce fut, du moins, ce qu'affirmèrent des individus sortis de la rue des Bourdonnais où ils tenaient officines de magie avec la tolérance de la police. On traîna devant le tribunal royal une boiteuse, d'évidence créature du diable, et un certain Paviot, récemment condamnés dans une affaire similaire. Ils ne firent aucune difficulté pour se déclarer complices de madame de Marigny, mais montrèrent un étonnement douloureux quand leur fut confirmée la sentence qui les envoyait au bûcher. Les faux témoins eux-mêmes, dans ce procès, étaient trompés !

Enfin, l'on annonça le trépas de Marguerite de Bourgogne, et, dans le grand émoi causé par cette nouvelle, on donna lecture de la lettre que la reine, la veille de mourir, avait adressée à son époux.

— On l'a tuée ! s'écria Marigny pour qui toute la machination alors s'éclaira.

Mais les sergents qui l'encadraient l'avaient obligé à se taire, cependant que Jean d'Asnières ajoutait ce nouvel élément à son réquisitoire.

En vain, les jours précédents, le roi d'Angleterre était-il de nouveau intervenu par message auprès de son beau-frère de France, l'adjurant d'épargner Enguerrand. En vain Louis de Marigny s'était-il jeté aux pieds du Hutin, son parrain, le suppliant d'accorder grâce et justice.

Louis X, dès qu'on prononçait le nom de Marigny, ne répondait que par ce seul mot:

— J'ai levé ma main de dessus lui.

Il le répéta publiquement une dernière fois à Vincennes.

Enguerrand s'était alors entendu condamner à la pendaison, tandis que sa femme serait emprisonnée et tous leurs biens confisqués.

Mais Valois continuait de s'agiter; il ne connaîtrait pas de répit aussi longtemps qu'il n'aurait pas vu Enguerrand se balancer au bout d'une corde. Et pour brouiller toute tentative éventuelle d'évasion, il avait assigné à son ennemi une troisième prison, celle du Châtelet.

C'était donc d'un cachot du Châtelet que Marigny, dans la nuit du 30 avril 1315, contemplait le ciel à travers un soupirail.

Il n'avait pas peur de la mort; du moins s'entraînait-il à l'acceptation de l'inévitable. Mais l'idée de la malédiction obsédait sa pensée; car l'iniquité était si totale qu'il lui fallait y voir, à travers et par-dessus la subite rage des hommes, le signe manifesté d'une plus haute volonté. « Était-ce la colère divine, vraiment, qui s'exprimait par la bouche du grand-maître? Pourquoi avons-nous tous été maudits, et ceux même qui n'étaient pas nommés, simplement d'avoir été présents? Pourtant, nous n'avions agi que pour le bien du royaume, la grandeur de l'Église et la pureté de la Foi. Qu'est-ce donc qui a provoqué cet acharnement du Ciel contre chacun de nous? »

Alors que quelques heures seulement le séparaient de son propre supplice, il revenait en esprit sur les étapes du procès des Templiers, comme si c'eût été là, plus qu'en aucune autre de ses actions publiques ou privées, que se cachait l'ultime explication qu'il lui fallait découvrir avant de mourir. Et à remonter lentement les marches de sa mémoire, avec application ainsi qu'il en avait mis toujours à toutes choses, il parvint à une sorte de seuil où soudain la lumière se fit et où il comprit tout.

La malédiction ne venait pas de Dieu. Elle venait de lui-même et ne prenait origine que dans ses propres actes. Et ceci était également vrai pour tous les hommes et pour tous les châtiments.

« Les Templiers ne montraient plus guère d'attachement à leur règle; ils s'étaient détournés du service de la Chrétienté pour ne s'occuper plus que du commerce de l'argent; les vices se glissaient dans leurs rangs et pourrissaient leur grandeur; par cela ils portaient en eux leur malédiction, et il y avait justice à supprimer l'Ordre. Mais pour en finir avec les Templiers, j'ai fait nommer archevêque mon frère, homme ambitieux et lâche, afin qu'il les condamnât pour de faux crimes; il n'est donc point surprenant que mon frère se soit assis au tribunal qui, pour de faux crimes, m'a condamné. Je ne dois pas lui reprocher sa trahison; j'en suis le fauteur... Parce que Nogaret avait torturé trop d'innocents pour en extraire les aveux qu'il croyait nécessaires au bien public, ses ennemis ont fini par l'empoisonner... Parce que Marguerite de Bourgogne avait été mariée par politique à un prince qu'elle n'aimait pas, elle a trahi le mariage; parce qu'elle a trahi, elle a été découverte et emprisonnée. Parce que j'ai brûlé sa lettre qui aurait pu libérer le roi Louis, j'ai perdu Marguerite et je me suis perdu en même temps... Parce que Louis l'a fait assassiner en me chargeant du crime, que lui arrivera-t-il? Qu'arrivera-t-il à Charles de Valois qui ce matin va me faire pendre pour des fautes qu'il m'invente? Qu'arrivera-t-il à Clémence de Hongrie si elle accepte, pour être reine de France, d'épouser un meurtrier?... Même lorsque nous sommes punis pour de faux motifs, il y a toujours une cause véritable à notre punition. Tout acte injuste, même commis pour une juste cause, porte en soi sa malédiction. »

Et quand il eut découvert cela, Enguerrand de Marigny cessa de haïr quiconque et de tenir autrui pour responsable de son sort. C'était son acte de contrition qu'il avait prononcé, mais autrement efficace que par le moyen de prières apprises. Il se sentait en grande paix, et comme d'accord avec Dieu pour accepter que le destin s'achevât de cette façon.

Il demeura fort calme jusqu'à l'aube, et n'eut pas l'impression de redescendre du seuil lumineux où sa méditation venait de le placer.

Vers l'heure de prime, il entendit quelque tumulte par-delà les murailles. Quand il vit entrer le prévôt de Paris, le lieutenant criminel et le procureur, il se mit debout lentement et attendit qu'on lui ôtât ses fers. Il prit le manteau d'écarlate qu'il portait le jour de son arrestation et s'en couvrit les épaules. Il éprouvait une étrange sensation de force, et se répétait constamment cette vérité qui lui était apparue : « Tout acte injuste, même commis pour une cause juste... »

— Où me conduit-on? demanda-t-il.

— A Montfaucon, messire.

— C'est fort bien ainsi. J'ai fait reconstruire ce gibet. Je finirai donc dans mes œuvres.

Il sortit du Châtelet dans une charrette à quatre chevaux, précédée, suivie, encadrée de plusieurs compagnies d'archers et de sergents du guet. « Quand je commandais au royaume, je ne prenais que trois sergents pour m'escorter. Et j'en ai trois centaines pour me mener mourir... »

Aux hurlements de la foule, Marigny, debout dans la charrette, répondait :

— Bonnes gens, priez Dieu pour moi.

Le cortège fit halte au bout de la rue Saint-Denis, devant le couvent des Filles-Dieu. On invita Marigny à descendre, et on l'amena dans la cour, au pied d'un crucifix de bois placé sous un dais. « C'est vrai, c'est ainsi que cela se passe, se dit-il, mais je n'y avais jamais assisté. Et pourtant combien d'hommes ai-je envoyés au gibet... J'ai connu seize années de fortune pour me payer du bien que j'ai pu faire, seize journées de malheur et un matin de mort pour me punir du mal... Dieu m'est miséricordieux. »

Sous le crucifix, l'aumônier du couvent récita, devant Marigny agenouillé, la prière des morts. Puis les religieuses apportèrent au condamné un verre de vin, et trois morceaux de pain qu'il mâcha lentement, appréciant une dernière fois le goût des nourritures de ce monde. Dans la rue, les Parisiens continuaient de hurler. « Le pain qu'ils mangeront tout à l'heure leur semblera moins bon que celui qu'on vient de me donner », pensa Marigny en remontant en charrette.

Le convoi franchit les murs de la ville. Après un quart de lieue, et une fois les faubourgs traversés, apparut, dressé sur une butte, le gibet de Montfaucon.

Rebâti dans les années récentes, sur l'emplacement du vieux gibet qui datait de Saint Louis, Montfaucon se présentait comme une grande halle inachevée, sans toit. Seize piliers de maçonnerie, debout contre le ciel, s'élevaient d'une vaste plate-forme carrée qui elle-même prenait assise sur de gros blocs de pierre brute. Au centre de la plate-forme s'ouvrait une large fosse qui servait de charnier ; et les potences s'alignaient le long de cette fosse. Les piliers de maçonnerie étaient réunis par de doubles poutres et par des chaînes de fer où l'on accrochait les corps après l'exécution ; on les y laissait pourrir au vent et aux corbeaux, pour servir d'exemple et inspirer le respect de la justice royale.

Ce jour-là une dizaine de corps se trouvaient suspendus, les uns nus, les autres habillés jusqu'à la ceinture et les reins seulement ceints d'un lambeau de toile, selon que les bourreaux avaient eu droit à tout ou partie des vêtements. Certains de ces cadavres étaient presque déjà à l'état de squelettes ; d'autres commençaient de se décomposer, la face verte ou noire, avec d'affreuses liqueurs suintant des oreilles et de la bouche, et des lambeaux de chair, arrachés par le bec des oiseaux, rabattus sur les étoffes. Une odeur horrible se répandait à l'entour.

Une foule tôt levée, nombreuse, était venue assister au supplice ; les archers formaient cordon pour en contenir les remous.

Lorsque Marigny descendit de la charrette, un prêtre s'approcha et le convia à faire l'aveu des fautes pour lesquelles il était condamné.

— Non, mon père, dit Marigny.

Il nia avoir voulu envoûter Louis X ou aucun prince royal, nia avoir volé dans le Trésor, nia tous les chefs d'accusation qu'on avait portés contre lui, et réaffirma que les actions qu'on lui reprochait avaient toutes été commandées ou approuvées par le feu roi son maître.

— Mais j'ai accompli pour de justes causes des actes injustes, et de cela je me repens.

Précédé du maître-bourreau, il gravit la rampe de pierre par laquelle on accédait à la plate-forme et, avec cette autorité qu'il avait toujours eue, il demanda en désignant les potences :

— Laquelle ?

Comme du haut d'une estrade, il jeta un dernier regard sur la multitude hurlante. Il refusa d'avoir les mains liées.

— Qu'on ne me maintienne point.

Il releva lui-même ses cheveux, et avança sa tête de taureau dans le nœud coulant qu'on lui présentait. Il prit un grand souffle, pour garder le plus longtemps possible la vie dans ses poumons, serra les poings ; la corde, par six bras tirée, l'éleva à deux toises du sol.

La foule, qui pourtant n'attendait que cela, poussa une immense clameur d'étonnement. Durant plusieurs minutes elle vit Marigny se tordre, les yeux exorbités, la face devenant bleue, puis violette, la langue sortie, et les bras et les jambes s'agitant comme pour grimper le long d'un mât invisible. Enfin les bras retombèrent, les convulsions diminuèrent d'amplitude, s'arrêtèrent, et les yeux n'eurent plus de regard.

Et la foule, toujours surprenante parce que toujours surprise, se tut.

Valois avait ordonné que le condamné restât entièrement habillé afin de demeurer mieux reconnaissable. Les bourreaux descendirent le corps, le tirèrent par les pieds à travers la plate-forme ; puis dressant leurs échelles sur le devant du gibet, du côté de Paris, ils suspendirent aux chaînes, pour l'y laisser pourrir entre les charognes de malfaiteurs inconnus, l'un des plus grands ministres que la France ait jamais eus [11].

VII

LA STATUE ABATTUE

Dans l'obscurité de Montfaucon où les chaînes grinçaient, des voleurs, la nuit suivante, dépendirent le mort illustre pour le dépouiller ; au matin, on trouva le corps de Marigny couché nu sur la pierre.

Monseigneur de Valois, qui était encore au lit quand on l'en vint avertir, commanda de rhabiller le cadavre et de le rependre. Puis lui-même se vêtit et, bien vivant, mieux vivant que jamais, tout gonflé de sa force intacte, il partit se mêler au mouvement de la ville, au trafic des hommes, à la puissance des rois.

En compagnie du chanoine de Mornay, son ancien chancelier, qu'il avait fait nommer garde des Sceaux de France, il gagna le palais de la Cité.

Dans la Galerie mercière, marchands et badauds observaient quatre ouvriers maçons, perchés sur un échafaudage, et qui descellaient la grande statue d'Enguerrand de Marigny. Elle tenait à la muraille, non seulement par le socle, mais par le dos. Les pics et les burins frappaient la pierre qui volait en éclats blancs.

Une fenêtre intérieure, qui donnait vue sur l'ensemble de la Galerie, s'ouvrit ; Valois et le chancelier apparurent à la balustrade. Les badauds, apercevant leurs nouveaux maîtres, ôtèrent leurs bonnets.

— Continuez, bonnes gens, continuez à regarder ; c'est bon travail que l'on fait là, lança Valois en adressant à la petite foule un geste engageant.

Puis, se tournant vers Mornay, il lui demanda :

— Avez-vous achevé l'inventaire des biens de Marigny ?

— J'ai achevé, Monseigneur, et le compte en est assez gras.

— Je n'en doute point, dit Valois. Ainsi le roi va se trouver en fonds pour récompenser ceux qui l'ont servi en cette affaire, dit Valois. Tout d'abord j'exige retour de ma terre de Gaillefontaine que le coquin m'avait prise par duperie dans un mauvais échange. Cela n'est point récompense; c'est justice. D'autre part, il conviendrait que mon fils Philippe disposât enfin d'un hôtel en propre et qu'il eût son train personnel. Marigny possédait deux maisons, celle des Fossés-Saint-Germain et celle de la rue d'Autriche. J'incline pour la seconde... Je sais aussi que le roi veut faire quelque libéralité à Henriet de Meudon, son veneur, qui lui ouvre ses paniers à colombes; notez donc ce désir. Ah! Surtout n'oubliez pas que Monseigneur d'Artois attend depuis cinq ans les revenus de son comté de Beaumont. C'est l'occasion de lui en remettre une part. Le roi a de grandes dettes envers notre cousin d'Artois.

— Le roi va devoir aussi, dit le chancelier, offrir à sa nouvelle épouse les présents d'usage, et il semble décidé, dans l'amour qu'il a, aux plus grandes largesses. Or sa cassette n'est guère en état d'y subvenir. Ne pourrait-on prendre sur les biens de Marigny les faveurs qui seront attribuées à notre nouvelle reine?

— C'est sagement pensé, Mornay. Préparez un partage en ce sens, où vous placerez ma nièce de Hongrie en tête des bénéficiaires; le roi ne pourra qu'y souscrire.

Valois, tout en parlant, continuait de regarder le travail des maçons.

— Bien sûr, Monseigneur, reprit le chancelier, je me garderai de rien demander pour moi-même...

— Et en cela, vous agirez bien, Mornay, car de méchants esprits auraient beau jeu de dire qu'en poursuivant Marigny, vous ne cherchiez que votre profit. Faites donc grossir un peu ma part, afin que je vous puisse gratifier à proportion de vos mérites... Ah! elle a bougé! ajouta Valois en pointant le doigt vers la statue.

La grande effigie de Marigny était maintenant complètement décollée du mur; on l'entourait de cordes. Valois posa sa main baguée sur le bras du chancelier.

— L'homme en vérité est créature étrange, dit-il. Savez-vous que soudain j'éprouve comme un vide de l'âme? J'avais si fort accoutumé de haïr ce méchant qu'il me semble à présent qu'il va me manquer...

A l'intérieur du Palais, Louis X, dans le même moment, achevait de se faire raser. Auprès de lui se trouvait dame Eudeline, rose et fraîche, tenant par la main une enfant de dix ans, blonde, un peu maigre, intimidée, et qui ne savait pas que ce roi, dont on séchait le menton à l'aide de toiles chaudes, était son père.

La première lingère du Palais attendait, émue, pleine d'espoir, d'apprendre la raison pour laquelle Louis les avait mandées, elle et sa fille.

Le barbier sortit, emportant bassin, rasoirs et onguents.

Le roi de France se leva, secoua ses longs cheveux autour de son col et dit:

— Mon peuple est content, n'est-il pas vrai, Eudeline, que j'aie fait pendre Marigny?

— Certes, Monseigneur Louis... Sire, je veux dire. Chacun se plaît à croire que les temps du malheur sont finis...

— C'est bien, c'est bien. Je veux qu'il en soit ainsi.

Louis X traversa la chambre, se pencha sur un miroir, étudia son visage quelques instants, se retourna.

— Je t'avais promis d'assurer l'établissement de cette enfant... Elle s'appelle Eudeline, comme toi...

Des larmes d'émotion vinrent aux yeux de la lingère; et elle pressa légèrement l'épaule de sa fille. Eudeline la petite s'agenouilla pour entendre, de la bouche souveraine, l'annonce des bienfaits.

— Sire, cette enfant vous bénira jusqu'à son dernier jour en ses prières...

— C'est justement ce que j'ai décidé, répondit le Hutin. Qu'elle prie. Elle entrera en religion, au couvent de Saint-Marcel qui est réservé aux filles nobles, et où elle sera mieux que nulle part.

La stupeur parut sur les traits d'Eudeline la mère.

— Est-ce donc cela, Sire, que vous voulez pour elle? La cloîtrer?

— Eh quoi? N'est-ce pas un bon établissement? dit Louis. Et puis il faut que cela soit; elle ne saurait rester dans le monde. Et je trouve bon pour notre salut et pour le sien qu'elle rachète par une vie de piété la faute que nous avons commise en sa naissance. Quant à toi...

— Monseigneur Louis, m'enfermerez-vous aussi au cloître? demanda Eudeline avec effroi.

Comme le Hutin avait changé, en peu de temps! Elle ne retrouvait plus rien, en ce roi qui dictait ses ordres d'un ton sans réplique, ni de l'adolescent inquiet auquel elle avait appris l'amour, ni du pauvre prince, grelottant d'angoisse, d'impuissance et de froid, qu'elle avait encore réchauffé dans ses bras un soir de l'hiver passé. Les yeux seuls gardaient leur expression fuyante.

— Pour toi, dit-il, je vais te donner charge de surveiller à Vincennes le meuble et le linge, pour que tout soit prêt chaque fois que j'y viendrai.

Eudeline hocha la tête. Cet éloignement du Palais, cet envoi dans une résidence secondaire, elle les ressentait comme une offense. N'était-on pas satisfait de la façon dont elle tenait son office? En un sens, elle eût mieux accepté le couvent; son orgueil eût été moins blessé.

— Je suis votre servante et vous obéirai, répondit-elle froidement.

Elle invita Eudeline la petite à se relever et lui reprit la main.

Au moment de franchir la porte, elle aperçut le portrait de Clémence de Hongrie posé sur une crédence, et demanda:

— C'est elle?

— C'est la prochaine reine de France, répondit Louis X non sans hauteur.

— Soyez donc heureux, Sire, dit Eudeline en sortant.

Elle avait cessé de l'aimer.

« Certes, certes, je vais être heureux », se répétait Louis, marchant à travers la chambre où le soleil entrait à grands rayons.

Pour la première fois depuis son avènement, il se sentait pleinement satisfait et sûr de soi. Il s'était délivré de son épouse infidèle, délivré du trop puissant ministre de son père ; il éloignait du Palais sa première maîtresse et envoyait sa fille naturelle au couvent [12].

Tous les chemins nettoyés, il pouvait maintenant accueillir la belle princesse napolitaine, et se voyait déjà vivre auprès d'elle un long règne de gloire.

Il sonna le chambellan de service.

— J'ai fait mander messire de Bouville. Est-il arrivé ?

— Oui, Sire ; il attend vos ordres.

A ce moment les murs du Palais vibrèrent sous un choc sourd.

— Qu'est ceci ? demanda le roi.

— La statue, je pense, Sire, qui vient de tomber.

— C'est bien... Dites à Bouville d'entrer.

Et il se disposa à recevoir l'ancien grand chambellan.

Dans la Galerie mercière, la statue d'Enguerrand gisait sur le pavement. Les cordes avaient glissé un peu vite, et les vingt quintaux de pierre avaient brutalement heurté le sol. Les pieds étaient rompus.

Au premier rang des badauds, Spinello Tolomei et son neveu Guccio Baglioni contemplaient le colosse abattu.

— J'aurai vu cela, j'aurai vu cela... murmurait le capitaine des Lombards.

Il n'affichait pas, comme Monseigneur de Valois du haut de la fenêtre à balustrade, un triomphe ostentatoire ; mais sa joie non plus ne se teintait pas de mélancolie. Il éprouvait une bonne satisfaction bien simple et sans mélange. Tant de fois, sous le gouvernement de Marigny, les banquiers italiens avaient tremblé pour leurs biens et même pour leur peau ! Messer Tolomei, un œil ouvert, l'autre fermé, respirait l'air de la délivrance.

— Cet homme-là vraiment n'était pas notre ami, dit-il. Les barons se font gloire de sa chute ; mais nous avons pris bonne part à ce travail. Et toi-même, Guccio, tu m'y as bien aidé. Je tiens à t'en récompenser, et à t'associer mieux à nos affaires. As-tu quelque souhait ?

Ils s'étaient mis à marcher entre les éventaires des merciers. Guccio abaissa son nez mince et ses cils noirs.

— Oncle Spinello, je voudrais gérer le comptoir de Neauphle.

— Eh quoi ! s'écria Tolomei tout surpris. Est-ce là ton ambition ? Un comptoir de campagne, qui fonctionne avec trois commis bien suffisants pour leur tâche ? Tu as de petits rêves !

— J'aime assez ce comptoir, dit Guccio, et je suis sûr qu'on pourrait fort l'agrandir.

— Et je suis bien sûr, moi, répondit Tolomei, que c'est l'amour plutôt que la banque qui t'attire de ce côté... La demoiselle de Cressay, n'est-ce pas? J'ai vu les comptes. Non seulement ces gens-là sont nos débiteurs, mais en plus nous les nourrissons.

Guccio regarda Tolomei et vit qu'il souriait.

— Elle est belle comme aucune, mon oncle, et de bonne noblesse.

— Ah! soupira le banquier en élevant les mains. Une fille de noblesse! Tu vas te mettre dans de gros ennuis. La noblesse, tu sais, est toujours prête à nous prendre de l'argent, mais guère à laisser son sang se mêler au nôtre. La famille est-elle d'accord?

— Elle le sera, mon oncle, je suis certain qu'elle le sera. Les frères me traitent comme un des leurs.

Traînée par deux chevaux de trait, la statue de Marigny sortait de la Galerie mercière. Les maçons enroulaient leurs cordes et la foule se dispersait.

— Marie m'aime autant que je l'aime, reprit Guccio, et vouloir nous faire vivre l'un sans l'autre, c'est vouloir nous faire mourir! Avec les gains nouveaux que je tirerai de Neauphle, je pourrai réparer le manoir, qui est beau, je vous assure, mais qui mérite un peu de travail, et vous viendrez vivre dans un château, mon oncle, comme un vrai seigneur.

— Moi, tu sais, je n'aime pas la campagne, dit Tolomei. S'il m'arrive une fois l'an d'avoir affaire à Grenelle ou à Vaugirard, je m'y sens au bout du monde et vieux de cent ans... J'avais rêvé pour toi une autre alliance, avec une fille de nos cousins Bardi...

Il s'interrompit un instant.

— Mais c'est mal aimer ceux qu'on aime que de vouloir faire leur bonheur malgré eux. Va, mon garçon, va t'occuper de Neauphle. Et marie-toi comme il te plaît. Les Siennois sont des hommes libres, et l'on doit choisir son épouse selon son cœur. Mais amène ta belle à Paris le plus tôt que tu pourras. Elle sera bien accueillie sous mon toit.

— Merci, oncle Spinello! dit Guccio en se jetant à son cou.

Le comte de Bouville, sortant de chez le roi, traversait alors la Galerie mercière. Le gros homme avançait de ce pas ferme qu'il prenait lorsque le souverain lui avait fait l'honneur de lui donner un ordre.

— Ah! ami Guccio! s'écria-t-il en apercevant les deux Italiens. C'est chance que de vous rencontrer ici. J'allais dépêcher un écuyer à vous quérir.

— Que puis-je pour vous servir, messire Hugues? dit le jeune homme. Mon oncle et moi sommes tout à vous.

Bouville souriait à Guccio avec une réelle expression d'amitié.

— Je vous apprends une bonne nouvelle; oui, une très bonne nouvelle. J'ai dit au roi vos mérites et combien vous m'étiez utile...

Le jeune homme s'inclina, en signe de remerciement.

— Alors, ami Guccio, nous repartons pour Naples.

NOTES HISTORIQUES

1. — Au début du XIVe siècle, les trois premiers officiers de la couronne étaient: le *connétable de France*, chef suprême des armées; le *chancelier de France* qui administrait la justice, les affaires ecclésiastiques et les affaires étrangères; le *souverain maître de l'hôtel* de la maison du roi.

Le *connétable* siégeait de droit au Conseil étroit; il avait sa chambre à la Cour et devait suivre le roi dans tous ses déplacements. Il recevait en temps de paix, en dehors des prestations en nature, 25 sous parisis par jour et 10 livres à chaque fête. En période d'hostilités ou simplement pendant les déplacements du roi, ce traitement était doublé. En outre, pour chaque jour de combat où le roi chevauchait avec l'armée, le connétable recevait 100 livres supplémentaires.

Tout ce qui se trouvait dans les forteresses ou châteaux pris à l'ennemi appartenait au connétable, à l'exception de l'or et des prisonniers qui étaient au roi. Parmi les chevaux enlevés à l'adversaire, il choisissait aussitôt après le roi. Si ce dernier n'était pas présent lors de la prise d'une forteresse, c'était la bannière du connétable que l'on hissait. Sur le champ de bataille, le roi lui-même ne pouvait décider de charger ni d'attaquer sans avoir pris conseil et ordres du connétable. Celui-ci encore assistait obligatoirement au sacre où il portait l'épée devant le roi.

Sous les règnes de Philippe le Bel et de ses trois fils, ainsi que pendant la première année du règne de Philippe VI de Valois, le connétable de France fut Gaucher de Châtillon, comte de Porcien, qui devait mourir octogénaire en 1329.

Le *chancelier de France*, assisté d'un vice-chancelier et de notaires qui étaient des clercs de la chapelle royale, avait charge de préparer la rédaction des actes et d'y apposer le sceau royal dont il était gardien, d'où son titre également de garde des Sceaux. Il siégeait au Conseil étroit et à l'Assemblée des pairs. Il était le chef de la magistrature, présidait toutes les commissions judiciaires et portait la parole au nom du roi dans les lits de justice.

Le chancelier, par tradition, était un ecclésiastique. Lorsque, en 1307, Philippe le Bel destitua son chancelier, l'évêque de Narbonne, et remit les sceaux à Guillaume de Nogaret, celui-ci, n'étant pas homme d'Église, ne reçut pas le titre de chancelier mais celui créé à son intention de « secrétaire général du royaume », tandis que Marigny était fait « coadjuteur et recteur général du royaume ».

Le chancelier de Louis X fut, dès le commencement de l'année 1315, Étienne de Mornay, chanoine d'Auxerre et de Soissons, précédemment chancelier du comte de Valois.

Le *souverain maître de l'hôtel*, appelé plus tard *grand maître de France*, commandait à tout le personnel noble et roturier au service du souverain ; il avait sous ses ordres l'*argentier*, qui tenait les comptes de la maison royale et l'inventaire du mobilier, des étoffes et de la garde-robe. Il siégeait au Conseil.

Venaient ensuite, parmi les grands officiers de la couronne : le *grand maître des arbalétriers*, qui dépendait du connétable, et le *grand chambellan*.

Le *grand chambellan* avait soin des armes et vêtements du roi ; il devait se tenir auprès de lui tant de jour que de nuit « quand la reine n'y était pas ». Il avait la garde du sceau secret, pouvait recevoir les hommages au nom du roi et faire prêter serment de fidélité. Il organisait les cérémonies où le roi armait de nouveaux chevaliers, administrait la cassette privée, assistait à l'assemblée des pairs. Parce qu'il était chargé de la garde-robe royale, il avait juridiction sur les merciers et tous les métiers du vêtement, et commandait au fonctionnaire nommé « roi des merciers » qui vérifiait les poids et mesures, balances et aunages.

D'autres charges enfin, survivance de fonctions tombées en désuétude, n'étaient plus qu'honorifiques mais donnaient toutefois accès au Conseil du roi ; telles étaient les charges de *grand chambrier, grand bouteiller* et *grand panetier*, tenues respectivement à l'époque qui nous occupe par Louis I er de Bourbon, le comte de Châtillon Saint-Pol, et Bouchard de Montmorency.

2. — Philippe le Bel avait légué son cœur, ainsi que la grande croix d'or des Templiers, au monastère des dominicains de Poissy. Cœur et croix disparurent, la nuit du 21 juillet 1695, dans un incendie provoqué par la foudre.

3. — Il était habituel au Moyen Age de garder une lampe allumée la nuit au-dessus du lit. Cette pratique était destinée à écarter les mauvais esprits.

4. — Les lettres patentes conférant l'apanage de la Marche à Charles de France et la pairie à Philippe de Poitiers furent respectivement délivrées en mars et août 1315.

5. — La maison d'Anjou-Sicile est si liée à l'histoire de la monarchie française au XIVe siècle, et interviendra si souvent au cours de ce récit, qu'il nous semble nécessaire de rappeler au lecteur certaines précisions concernant cette famille.

En 1246, Charles, comte apanagiste de Valois et du Maine, fils de Louis VIII et septième frère de Saint Louis, avait épousé la comtesse Béatrix qui lui apportait, selon l'expression de Dante: « la grande dot de Provence ». Choisi par le Saint-Siège comme champion de l'Église en Italie, il fut couronné roi de Sicile à Saint-Jean-de-Latran, en 1265.

Telle fut l'origine de cette branche de la famille capétienne connue sous le nom d'Anjou-Sicile, et dont les possessions et les alliances s'étendirent rapidement sur l'Europe.

Le fils de Charles Ier d'Anjou, Charles II dit le Boiteux (1250-1309), roi de Naples, de Sicile et de Jérusalem, duc des Pouilles, prince de Salerne, de Capoue et de Tarente, épousa Marie, sœur et héritière du roi Ladislas IV de Hongrie. De cette union naquirent:

— Marguerite, première épouse de Charles de Valois, frère de Philippe le Bel;
— Charles-Martel, roi titulaire de Hongrie;
— Louis d'Anjou, évêque de Toulouse;
— Robert, roi de Naples;
— Philippe, prince de Tarente;
— Raymond Bérenger, comte d'Andria;
— Jean Tristan, entré dans les ordres;
— Jean, duc de Durazzo;
— Pierre, comte d'Eboli et de Gravina;
— Marie, épouse de Sanche d'Aragon, roi de Majorque;
— Blanche, épouse de Jacques II d'Aragon;
— Béatrice, mariée d'abord au marquis d'Este, puis au comte Bertrand des Baux;
— Éléonore, épouse de Frédéric d'Aragon.

L'aîné des fils de Charles le Boiteux, Charles-Martel, marié à Clémence de Habsbourg, et pour lequel la reine Marie réclamait l'héritage de Hongrie, mourut en 1296. Il laissait un fils, Charles-Robert dit Charobert, qui après quinze ans de lutte ceignit la couronne de Hongrie, et deux filles dont l'une, Béatrice, épousa le dauphin de

Viennois, Jean II, et l'autre, Clémence, devait devenir la seconde épouse de Louis X Hutin.

Le second fils de Charles le Boiteux, Louis d'Anjou, renonça à tous ses droits successoraux pour entrer en religion. Évêque de Toulouse, il mourut au château de Brignoles en Provence, à l'âge de vingt-trois ans. Il devait être canonisé en 1317 sous le pontificat de Jean XXII.

A la mort de Charles le Boiteux, en 1309, la couronne de Naples revint au troisième fils, Robert.

Le quatrième fils, Philippe, prince de Tarente, devint empereur titulaire de Constantinople par son mariage avec Catherine de Valois-Courtenay, fille du second mariage de Charles de Valois.

Dynastie fabuleusement féconde et active, la famille d'Anjou-Sicile totaliserait, dans sa durée, 299 couronnes souveraines et 12 béatifications.

6. — Le mariage de Philippe de Valois avec Jeanne de Bourgogne, sœur de Marguerite et dite Jeanne la Boiteuse, avait été célébré en 1313.

7. — Rien n'est plus malaisé à établir ni n'offre plus matière à débat que les comparaisons de valeur de la monnaie à travers les siècles. Tant de variations, dévaluations et mesures gouvernementales diverses ont affecté les cours que les spécialistes ne parviennent jamais à se mettre d'accord.

On ne peut guère fonder les équivalences sur les prix des denrées, même essentielles, car ces prix variaient considérablement et parfois d'une année à l'autre selon le degré d'abondance ou de rareté des produits, et aussi selon les taxes que l'État leur faisait supporter. Les périodes de disette étaient fréquentes et les prix cités par les chroniqueurs sont souvent des prix de « marché noir », ce qui fausse toute appréciation du pouvoir d'achat. En outre, certaines denrées d'usage courant aujourd'hui étaient peu répandues au Moyen Age et donc de prix élevé. En revanche, et en raison du faible coût de la main-d'œuvre artisanale, les produits manufacturés étaient relativement à bas prix.

La valeur comparative de l'or au poids pourrait paraître la meilleure base d'estimation ; encore nous assure-t-on que l'or est, de nos jours, maintenu artificiellement à un taux très supérieur à sa valeur réelle. Nous avons déjà quelque difficulté à faire des calculs d'équivalence avec le franc de 1914. Comment pourrions-nous prétendre à des évaluations exactes pour la livre de 1314 ?

Après comparaison de divers travaux spécialisés, nous proposons au lecteur pour commodité, et sans lui laisser ignorer que la marge d'erreur peut être comprise entre la moitié et le double, une équivalence de 100 francs d'aujourd'hui pour une livre au début du XIVe siècle. Les dépenses du royaume, au temps de Philippe le Bel, sauf dans les années de guerre, s'élevaient en moyenne à 500 000 livres, ce qui *grosso modo* représenterait un budget de 50 millions, ou 5 milliards d'anciens francs.

Nos anciens et nos nouveaux francs préparent d'ailleurs de sérieux pièges aux historiens futurs. (Cette note a été établie en 1965.)

8. — Le jugement de 1309 qui prétendait régler la succession d'Artois (voir notre note p. 223 du *Roi de fer*) n'avait accordé à Robert, sur l'héritage de ses grands-parents, que la châtellenie de Conches, écart normand apporté aux d'Artois par Amicie de Courtenay, femme de Robert II.

En compensation, Mahaut était tenue de verser à Robert, dans un délai de deux ans, une indemnité de 24 000 livres; d'autre part, un revenu de 5 000 livres était assuré à Robert sur diverses terres du domaine royal qui, réunies à la châtellenie de Conches, constitueraient le comté de Beaumont-le-Roger.

La formation du comté fut retardée pendant plusieurs années durant lesquelles Robert ne toucha qu'une infime partie de ses revenus. Il ne devait devenir réellement comte de Beaumont qu'à partir de 1319. Le reliquat des sommes qui lui étaient dues ne lui fut versé que sous Philippe V, en 1321, et, sous Philippe VI, en 1329, le comté fut érigé en pairie.

9. — Le culte des reliques fut un des aspects les plus marquants et les plus étonnants de la vie religieuse au Moyen Age. La croyance en la vertu des vestiges sacrés dégénéra en une superstition universellement répandue, chacun voulant posséder de grandes reliques pour les garder chez soi, et de petites pour les porter au cou. On avait des reliques à la mesure de sa fortune. La vente des reliques devint un véritable commerce, et l'un des plus prospères à travers les XIe, XIIe, XIIIe siècles, et même encore pendant le XIVe. Tout le monde en trafiquait. Les abbés, pour augmenter les revenus de leurs couvents ou s'attirer les faveurs de grands personnages, cédaient des fragments des saints ossements dont ils avaient la garde. Les croisés souvent s'enrichirent de la vente de pieux débris rapportés de leurs expéditions. Les marchands juifs avaient une sorte de réseau international de vente de reliques. Et les orfèvres encourageaient fort ce négoce car on leur commandait châsses et reliquaires qui étaient les plus beaux objets du temps et qui témoignaient autant de la fortune que de la piété de leurs possesseurs.

Les reliques les plus prisées étaient les morceaux de la Sainte Croix, les fragments du bois de la Crèche, les épines de la Sainte Couronne (encore que Saint Louis eût acheté pour la Sainte-Chapelle une Sainte Couronne prétendument intacte), les flèches de saint Sébastien, et beaucoup de pierres aussi, pierres du Calvaire, du Saint Sépulcre, du mont des Oliviers. On alla même jusqu'à vendre des gouttes du lait de la Vierge.

Lorsqu'un personnage contemporain venait à être canonisé, on s'empressait de débiter sa dépouille. Plusieurs membres de la famille royale possédaient, ou étaient convaincus de posséder des fragments de Saint Louis. En 1319, le roi Robert de Naples, assistant à Marseille au transfert des restes de son frère Louis d'Anjou, récemment canonisé, demanda la tête du saint pour l'emporter à Naples.

10. — Ce n'était pas encore le fameux « Palais des papes » que l'on connaît et visite, et qui ne fut bâti qu'au siècle suivant. La première résidence des papes avignonnais était le palais épiscopal un peu agrandi.

11. — Le gibet de Montfaucon se trouvait sur une butte isolée, à gauche de l'ancienne route de Meaux, environ l'actuelle rue de la Grange-aux-Belles.

Enguerrand de Marigny fut le second d'une longue liste de ministres, et particulièrement de ministres des Finances, qui terminèrent leur carrière à Montfaucon. Avant lui, Pierre de la Brosse, trésorier de Philippe III le Hardi, y avait été pendu ; après lui, Pierre Rémy et Macci dei Macci, respectivement trésorier et changeur de Charles IV le Bel, René de Siran, maître de la monnaie de Philippe VI, Olivier le Daim, favori de Louis XI, Beaune de Samblançay, surintendant des Finances de Charles VIII, Louis XII et François Ier, y subirent le même sort. Le gibet cessa d'être utilisé à partir de 1627.

12. — Cette Eudeline, fille naturelle de Louis X, et religieuse au couvent des clarisses du faubourg Saint-Marcel de Paris, devait être autorisée, par une bulle du pape Jean XXII du 10 août 1330, à devenir, en dépit de sa naissance illégitime, abbesse de Saint-Marcel ou de tout autre monastère de clarisses.

III

LES POISONS
DE LA
COURONNE

« L'histoire est toujours une science conjecturale. »

Daniel-Rops

PROLOGUE

Philippe le Bel avait laissé la France en situation de première nation du monde occidental. Sans recourir aux guerres de conquête, mais par négociations, mariages et transactions, il avait largement accru le territoire, en même temps qu'il s'était constamment appliqué à centraliser et renforcer l'État. Toutefois les institutions administratives, financières, militaires, politiques, dont il avait voulu doter le royaume et qui, relativement à l'époque, apparaissaient souvent comme révolutionnaires, n'étaient pas suffisamment ancrées dans les mœurs et l'Histoire pour pouvoir se perpétuer sans l'intervention personnelle d'un monarque fort.

Six mois après le décès du Roi de fer, la plupart de ses réformes semblaient déjà vouées à la disparition, et ses efforts à l'oubli.

Son fils et successeur, Louis X Hutin, brouillon, médiocre, incompétent, et dès le premier jour de règne dépassé par sa tâche, s'était facilement déchargé des soins du pouvoir sur son oncle Charles de Valois, bon capitaine, mais détestable gouvernant, dont les turbulentes ambitions, longtemps tournées vers la vaine recherche d'un trône, trouvaient enfin à s'employer.

Les ministres bourgeois, qui avaient fait la force du règne précédent, venaient d'être emprisonnés, et le corps du plus remarquable d'entre eux, Enguerrand de Marigny, ancien recteur général du royaume, pourrissait aux fourches du gibet de Montfaucon.

La réaction triomphait; les ligues baronniales semaient le désordre dans les provinces et tenaient en échec l'autorité royale. Les grands seigneurs, Charles de Valois le premier, fabriquaient leur propre monnaie qu'ils faisaient circuler pour leur profit personnel. L'administration, cessant d'être contrôlée, pillait pour son compte, et le Trésor était à sec.

Une récolte désastreuse, suivie d'un hiver exceptionnellement rigoureux, avait provoqué la famine. La mortalité croissait.

Pendant ce temps, Louis Hutin se préoccupait surtout de réparer son honneur conjugal et d'effacer, s'il était possible, le scandale de la tour de Nesle.

Faute d'un pape, que le conclave ne parvenait pas à élire, et qui aurait pu prononcer l'annulation du lien, le jeune roi de France, afin de pouvoir se remarier, avait fait étrangler sa femme, Marguerite de Bourgogne, dans la prison de Château-Gaillard.

Il devenait libre ainsi d'épouser le belle princesse d'Anjou-Sicile que Charles de Valois lui avait choisie, et avec laquelle il imaginait partager les félicités d'un long règne.

PREMIÈRE PARTIE

LA FRANCE ATTEND UNE REINE

I

ADIEU À NAPLES

Debout, dans sa robe toute blanche, à l'une des fenêtres de l'énorme Château-Neuf, d'où la vue dominait le port et la baie de Naples, la vieille reine-mère Marie de Hongrie regardait un vaisseau en train d'appareiller. Essuyant d'un doigt rêche le pleur qui mouillait sa paupière sans cils, elle murmura :

— Allons, maintenant je peux mourir.

Elle avait bien rempli sa vie. Fille de roi, femme de roi, mère et grand-mère de rois, elle avait affermi sa descendance sur les trônes d'Europe méridionale et centrale. Tous ses fils survivants étaient rois, ou ducs souverains. Deux de ses filles étaient reines. Sa fécondité avait été un instrument de puissance pour les Anjou-Sicile, cette branche cadette de l'arbre capétien, et qui prenait tournure de devenir aussi grosse que le tronc.

Si Marie de Hongrie avait déjà perdu six de ses enfants, au moins avait-elle la consolation que l'un d'eux, entré dans les ordres, fût en voie d'être canonisé. Elle serait la mère d'un saint. Comme si les royaumes de ce monde étaient devenus trop étroits pour cette tentaculaire famille, la vieille reine avait poussé sa progéniture jusque dans le royaume des cieux.

A soixante-dix ans passés, il ne lui restait plus qu'à assurer l'avenir d'une de ses petites-filles, Clémence, l'orpheline. C'était désormais chose faite.

Le gros vaisseau qui, dans le port, levait l'ancre, ce 1er juin 1315, par un soleil éclatant, représentait tout à la fois, aux yeux de la reine-mère de Naples, le triomphe de sa politique et la mélancolie des choses achevées.

Car pour sa bien-aimée Clémence, pour cette princesse de vingt-deux ans sans aucune dot territoriale et riche seulement de sa réputation de beauté et de vertu, elle avait négocié la plus haute alliance, le plus prestigieux mariage. Clémence allait être reine de France. Ainsi, la moins pourvue de toutes les princesses d'Anjou recevait le plus puissant des royaumes et devenait suzeraine de toute sa parenté. C'était là comme une illustration des enseignements évangéliques.

Certes, on disait que le jeune roi de France, Louis le Dixième, n'était pas trop avenant de visage, ni des mieux doués quant au caractère.

« Eh quoi ! mon époux, que Dieu l'absolve, était boiteux et je ne m'en suis pas mal accommodée, pensait Marie de Hongrie. D'abord, on n'est pas reine pour être heureuse. »

On s'étonnait également, à mots couverts, que la reine Marguerite fût morte dans sa prison, avec tant d'à-propos, alors que le roi Louis se trouvait en peine à obtenir l'annulation du mariage. Mais fallait-il ouvrir l'oreille à toutes les médisances ? Marie de Hongrie était peu portée à la pitié envers une femme, une reine surtout, qui avait trahi les engagements conjugaux. Elle ne voyait rien de surprenant à ce que le châtiment de Dieu se fût naturellement abattu sur la scandaleuse Marguerite.

« Ma belle Clémence remettra la vertu en honneur à la cour de Paris », se dit-elle encore.

En guise d'adieu, elle fit, de sa main grise, un signe de croix à travers la lumière ; puis, le visage secoué de tics sous son voile immaculé et sa mince couronne, le pas raide, mais encore décidé, elle alla s'enfermer dans sa chapelle pour y remercier le ciel de l'avoir aidée à accomplir sa longue mission royale, et pour offrir au Seigneur la grande souffrance des femmes qui ont fini leur temps.

Cependant, le *San Giovanni*, énorme nef ronde, à la coque blanche et or, arborant aux cornes de sa mâture les flammes d'Anjou, de Hongrie et de France, commençait à manœuvrer pour s'éloigner du bord.

Le capitaine et son équipage avaient juré sur l'Évangile de défendre leurs passagers contre la tempête, les pirates barbaresques et tous les périls de la navigation. La statue de saint Jean-Baptiste, protecteur du navire, étincelait à la proue sous les rayons du soleil. Dans les châtelets à créneaux, à mi-hauteur des mâts, cent hommes d'armes, guetteurs, archers, lanceurs de pierres, se tenaient prêts à repousser les attaques des écumeurs de mer s'il en survenait. Les cales regorgeaient de vivres ; les amphores d'huile et de vin étaient plantées dans le sable du lest, où l'on avait également enfoncé des centaines d'œufs pour qu'ils se conservassent frais. Les grands coffres bardés de fer qui contenaient les robes de soie, les bijoux, les objets d'orfèvrerie et tous les cadeaux de noce de la princesse s'empilaient contre les parois de l'escandolat, vaste chambre ménagée entre le maître-mât et la poupe, et où dormiraient, sur des tapis d'Orient, les gentilshommes et chevaliers d'escorte.

Les Napolitains s'étaient massés sur les quais pour voir partir ce qui leur semblait être le vaisseau du bonheur. Des femmes élevaient leurs enfants à bout de bras. Dans cette foule, bruyante et familière ainsi que le peuple de Naples le fut toujours, on entendait crier :

— *Guarda com'è bella !*
— *Addio Donna Clemenza ! Siate felice !*
— *Che Dio la benedica la nostra principessa !*
— *Non Vi dimenticate di noi !* *

Car Donna Clemenza, pour les Napolitains, était environnée d'une sorte de légende. On se souvenait de son père, le beau Carlo-Martello, héritier de Naples et de Hongrie, ami des poètes et en particulier de Dante, prince érudit, musicien, excellant aux armes, qui parcourait la péninsule, suivi de deux cents gentilshommes français, provençaux et italiens, tous vêtus comme lui par moitié d'écarlate et de vert sombre, et montés sur des chevaux harnachés d'argent. On le disait fils de Vénus, car il possédait «les cinq dons qui invitent à l'amour, et qui sont la santé, la beauté, l'opulence, le loisir, la jeunesse». Il avait été foudroyé par la peste, à vingt-quatre ans ; sa femme, une Habsbourg, était morte en apprenant la nouvelle, fournissant un mythe tragique à l'imagination populaire.

Naples avait reporté sa tendresse sur Clémence qui, en grandissant, reproduisait les traits de son père. Cette orpheline royale était bénie des quartiers pauvres où elle allait elle-même distribuer l'aumône. Les peintres de l'École giottesque se plaisaient à reproduire en leurs fresques son visage clair, ses cheveux d'or, ses longues mains effilées.

Du haut de la plate-forme crénelée qui formait le toit du château d'arrière, à trente pieds au-dessus des eaux, la fiancée du roi de France jetait un dernier regard sur le paysage de son enfance, sur le vieux château de l'Œuf où elle était née, sur le Château-Neuf, le Maschio Angioino, où elle avait grandi, sur cette foule grouillante qui lui lançait des baisers, sur toute cette ville éclatante, poussiéreuse et sublime.

«Merci, Madame ma grand-mère», pensait-elle, les yeux tournés vers la fenêtre où venait de disparaître la silhouette de Marie de Hongrie. «Je ne vous reverrai sans doute jamais. Merci d'avoir tant fait pour moi. Je me désolais, à vingt-deux ans atteints, d'être encore sans mari ; je n'attendais plus d'en trouver un, et m'apprêtais à entrer au couvent. C'était vous qui aviez raison de m'imposer patience. Voici que je vais être reine de ce vaste royaume qu'arrosent quatre fleuves et que baignent trois mers. Mon cousin le roi d'Angleterre, ma tante de

---

* — Regarde comme elle est belle !
— Adieu Madame Clémence, soyez heureuse !
— Que Dieu bénisse notre princesse !
— Ne nous oubliez pas !

Majorque, mon parent de Bohême, ma sœur la dauphine de Vienne, et même mon oncle Robert, qui règne ici et dont jusqu'à ce jour je n'étais que la sujette, vont devenir mes vassaux pour les terres qu'ils possèdent en France, ou les liens qu'ils ont avec cette couronne. Mais n'est-ce pas trop lourd pour moi ? »

Elle éprouvait à la fois l'exaltation de la joie, l'angoisse de l'inconnu, et le trouble qui saisit l'âme aux changements irrévocables de la destinée, même lorsqu'ils dépassent les rêves.

— Votre peuple montre qu'il vous aime fort, Madame, dit un gros homme à côté d'elle. Mais je gage que le peuple de France va vite vous aimer autant, et qu'à seulement vous voir, il va vous faire un accueil tout pareil à cet adieu.

— Ah ! vous serez toujours mon ami, messire de Bouville, répondit Clémence avec chaleur.

Elle avait besoin de répandre sa félicité autour d'elle et d'en remercier chacun.

Le comte de Bouville, envoyé du roi Louis X, et qui avait conduit les négociations, était revenu à Naples voici deux semaines pour chercher la princesse et l'accompagner en France.

— Et vous aussi, signor Baglioni, vous êtes bien mon ami, ajouta-t-elle en se tournant vers le jeune Toscan qui servait de secrétaire à Bouville et tenait les écus de l'expédition, prêtés par les banques italiennes.

Le jeune homme s'inclina sous le compliment.

Certes, tout le monde était heureux, ce matin-là. Hugues de Bouville, suant un peu sous la chaleur de juin et rejetant derrière les oreilles ses mèches noires et blanches, se sentait tout aise et tout fier d'avoir rempli sa mission et d'amener à son roi une si splendide épouse.

Guccio Baglioni rêvait à la belle Marie de Cressay, sa secrète fiancée, pour laquelle il rapportait un plein coffre de soieries et de parures brodées. Il n'était pas certain d'avoir eu raison de demander à son oncle Tolomei la direction du comptoir de banque de Neauphle-le-Vieux. Devait-il se contenter d'un si petit établissement ?

« Bah ! ce n'est qu'un début ; je pourrai vite changer de position, et d'ailleurs, je passerai le plus clair de mon temps à Paris. » Assuré de la protection de la nouvelle souveraine, il n'envisageait pas de limites à son ascension. Il voyait déjà Marie dame de parage de la reine et s'imaginait lui-même, dans peu de mois, recevant une charge dans la maison royale... Le poing sur la dague, le menton levé, Guccio regardait Naples se déployer devant lui dans le soleil.

Dix galères firent escorte au navire jusqu'à la haute mer ; les Napolitains virent s'éloigner, diminuer, ce château fort tout blanc qui avançait sur les eaux.

II

LA TEMPÊTE

A quelques jours de là, le *San Giovanni* n'était plus qu'une carcasse gémissante et à demi démâtée, fuyant sous les rafales, roulant dans des vagues énormes, et que son capitaine essayait de maintenir à flot dans la direction supposée des côtes de France.

Le navire avait rencontré, à hauteur de la Corse, une de ces tempêtes, violentes autant que soudaines, qui ravagent parfois la Méditerranée. Il avait perdu six ancres en cherchant à mouiller contre le vent, le long des rivages de l'île d'Elbe, et peu s'en était fallu qu'il n'eût été jeté aux rochers. Et puis la course avait repris, entre des murailles d'eau. Un jour, une nuit, un jour encore de cette navigation en enfer. Plusieurs matelots avaient été blessés en amenant ce qui restait de toile. Les châtelets de guet s'étaient effondrés avec tout le chargement de pierres destiné aux pirates barbaresques. On avait dû ouvrir à coups de hache l'escandolat pour délivrer les chevaliers napolitains emprisonnés par la chute du grand mât. Tous les coffres à robes et à bijoux, toute l'orfèvrerie de la princesse, tous ses présents de noce avaient été balayés par la mer. L'infirmerie du barbier-chirurgien, dans le château d'avant, regorgeait de malades et d'estropiés. L'aumônier ne pouvait même plus célébrer sa « messe aride », car ciboire, calice, livres et ornements avaient été emportés par une lame * [1]. Agrippé à un cordage, le crucifix en main, il écoutait des confessions hâtives et distribuait les absolutions.

L'aiguille aimantée ne servait plus à rien, car elle était ballottée en tous sens sur le peu d'eau qui restait dans le vase où elle flottait. Le capitaine, un Latin véhément, avait déchiré sa robe jusqu'au ventre, en

---

* Les numéros dans le texte renvoient aux « Notes historiques », page 589. Le lecteur trouvera en fin de volume, page 817, le « Répertoire biographique » des personnages.

signe de désolation, et on l'entendait hurler, entre deux commandements : « Seigneur, aide-moi ! » Il n'en semblait pas moins connaître son
affaire et cherchait à se tirer au mieux du pire ; il avait fait sortir les
rames, si longues et si lourdes qu'il fallait sept hommes cramponnés
à chacune pour les manœuvrer, et appelé douze matelots auprès de lui
pour peser, six de chaque côté, sur la barre de gourvernail. Le comte
de Bouville pourtant s'en était pris à lui, dans un mouvement
d'humeur, au début de la bourrasque.

— Eh ! maître marinier, est-ce ainsi qu'on secoue la princesse
promise au roi mon maître ? Votre nef est mal chargée, pour que nous
roulions autant, et vous ne savez point naviguer ! Si vous ne vous hâtez
de faire mieux, je vous traduirai à l'arrivée devant les prud'hommes du
roi de France, et vous irez apprendre la mer sur un banc de galère...

Mais cette colère était vite tombée. L'ancien grand chambellan avait
soudain vomi sur les tapis d'Orient, imité en cela d'ailleurs par la
presque totalité de l'escorte. La face blême, et trempé d'embruns des
cheveux jusqu'aux chausses, le gros homme, prêt à rendre son âme
chaque fois qu'une nouvelle vague soulevait le navire, gémissait entre
deux hoquets qu'il ne reverrait jamais sa famille et qu'il n'avait point
assez péché dans sa vie pour souffrir autant.

Guccio, en revanche, se montrait d'une étonnante vaillance. La tête
claire, le pied agile, il avait pris soin de faire mieux arrimer ses coffres,
particulièrement celui aux écus ; dans les instants de relative accalmie,
il courait quérir un peu d'eau pour la princesse, ou bien répandait
autour d'elle des essences, afin de lui dissimuler la puanteur qu'exha-
laient les indispositions de ses compagnons de voyage.

Il est une sorte d'hommes, de jeunes hommes surtout, qui se
conduisent instinctivement de manière à justifier ce qu'on attend d'eux.
Les regarde-t-on d'un œil méprisant ? Il y a toutes chances qu'ils se
comportent de façon méprisable. Sentent-ils au contraire l'estime et la
confiance ? Ils se surpassent et, bien que crevant de peur autant que
quiconque, agissent en héros. Guccio Baglioni était de cette race-là.
Parce que Donna Clemenza avait une manière de traiter les gens,
pauvres ou riches, grands seigneurs ou manants, qui donnait de
l'honneur à chacun, parce qu'elle témoignait, en plus, une spéciale
courtoisie à ce jeune homme qui avait été un peu le messager de son
bonheur, Guccio, auprès d'elle, se sentait devenir chevalier et se
comportait plus fièrement qu'aucun des gentilshommes.

Toscan et donc capable, pour briller aux yeux d'une femme, de
toutes les prouesses, il n'en demeurait pas moins banquier dans l'âme
et le sang, et il jouait sur le destin comme on joue sur les changes.

« Le péril est l'occasion parfaite de devenir l'intime des grands, se
disait-il. Si nous devons tous affonder et périr, ce n'est point de
s'écrouler en lamentations, comme le fait le cher Bouville, qui changera

notre sort. Mais, si nous en réchappons, alors j'aurai conquis l'estime de la reine de France.» Pouvoir penser de la sorte, en un pareil moment, était déjà le signe d'un beau courage. Mais Guccio, cet été-là, se sentait invincible; il aimait et se savait aimé.

Il assurait donc la princesse, contre toute évidence, que le temps était en train de se lever, affirmait que le bateau était solide au moment qu'il craquait le plus fort, et racontait pour comparaison la tempête qu'il avait essuyée l'an précédent, en traversant la Manche, et dont il était sorti indemne.

— J'allais porter à la reine Isabelle un message de Monseigneur d'Artois...

La princesse Clémence, elle aussi, se conduisait de façon exemplaire. Réfugiée dans le paradis, grande chambre aménagée pour les hôtes royaux dans le château d'arrière, elle exhortait au calme ses dames suivantes qui, pareilles à un troupeau de brebis apeurées, bêlaient et se cognaient aux parois à chaque coup de mer. Clémence n'eut pas un mot de regret lorsqu'on lui annonça que ses coffres à robes et à bijoux étaient passés par-dessus bord.

— J'aurais bien donné le double, dit-elle seulement, pour que nos braves mariniers n'eussent point été assommés par le mât.

Elle était moins effrayée de la tempête que frappée par le signe qu'elle y voyait.

«Voilà; ce mariage était trop beau pour moi, pensait-elle; j'en ai conçu trop de joie et j'ai péché par orgueil; Dieu va me naufrager parce que je ne méritais pas d'être reine.»

Le cinquième matin de cette affreuse traversée, la princesse, alors que le navire se trouvait dans un creux de vent mais sans que la mer semblât vouloir s'apaiser pour autant, aperçut le gros Bouville, pieds nus, en simple cotte et tout échevelé, qui se tenait à genoux, les bras en croix, sur le pont du vaisseau.

— Que faites-vous donc là, messire? lui cria-t-elle.

— Je fais comme Monseigneur Saint Louis, Madame, lorsqu'il faillit être noyé devant Chypre. Il promit de porter une nef de cinq marcs d'argent[2] à saint Nicolas de Varengeville, si Dieu voulait le ramener en France. C'est messire de Joinville qui me l'a conté.

— Je promets d'en offrir autant à saint Jean-Baptiste, dont notre nef porte le nom, dit alors Clémence. Et si nous réchappons, et que Dieu m'accorde la grâce d'avoir un fils, je fais vœu d'appeler ce fils Jean.

— Mais nos rois ne se nomment jamais Jean, Madame.

— Dieu en décidera.

Elle s'agenouilla aussitôt et se mit en prières.

Vers l'heure de midi, la violence de la mer commença de décroître, et chacun reprit espoir. Puis le soleil déchira les nuages; la terre était en vue. Le capitaine reconnut avec joie les côtes de Provence, et, plus précisément, à mesure qu'on approchait, les calanques de Cassis. Il n'était pas médiocrement fier d'avoir maintenu son navire en direction.

— Vous allez nous faire aborder au plus vite à cette côte, je pense, maître marinier, dit Bouville.

— C'est à Marseille que je dois vous conduire, messire, répondit le capitaine, et nous n'en sommes guère éloignés. De toute façon, je n'ai plus assez d'ancres pour mouiller auprès de ces rochers.

Un peu avant le soir, le *San Giovanni*, mû par ses rames, se présenta devant le port de Marseille. Une embarcation fut mise à la mer pour prévenir les autorités communales et faire abaisser la chaîne qui fermait l'entrée du port, entre la tour de Malbert et le fort Saint-Nicolas. Aussitôt, gouverneur, échevins et prud'hommes accoururent, ployés sous un fort mistral, pour recevoir la nièce de leur suzerain car Marseille était alors possession des Angevins de Naples.

Sur le quai, les ouvriers des salines, les pêcheurs, les fabricants de rames et d'agrès, les calfats, les changeurs de monnaie, les marchands du quartier de la Juiverie, les commis des banques génoises et siennoises, contemplaient, stupéfaits, ce gros vaisseau sans voiles, démâté, rompu, dont les matelots dansaient et s'embrassaient sur le pont en criant au miracle.

Les chevaliers napolitains et les dames d'escorte tâchaient à mettre de l'ordre dans leur toilette.

Le comte de Bouville, qui avait maigri de plusieurs livres et flottait dans ses vêtements, proclamait à la ronde l'efficacité de son vœu et semblait considérer que chacun devait la vie à sa pieuse initiative.

— Messire Hugues, lui dit Guccio avec une pointe de malice, il n'est pas de tempête, à ce que j'ai ouï dire, où quelqu'un ne prononce un vœu semblable au vôtre. Comment expliquez-vous, alors, que tant de navires viennent quand même à couler?

— C'est qu'il se trouve sans doute à leur bord quelque mécréant de votre espèce, répliqua en souriant l'ancien chambellan.

Guccio fut le premier à sauter à terre. Il s'envola de l'échelle, léger, pour prouver sa vaillance. Et aussitôt, on l'entendit hurler. Après plusieurs jours passés sur un plancher mouvant, il s'était mal reçu au sol; le pied lui avait glissé sur la pierre visqueuse, et il était tombé à l'eau. Il s'en fallut de peu qu'il ne fût broyé entre le quai et la coque du bateau. L'eau devint rouge en un instant autour de lui; dans sa chute, il s'était déchiré à un crochet de fer. On le repêcha à demi évanoui, sanglant, et la hanche ouverte jusqu'à l'os. Il fut aussitôt transporté à l'hôtel-Dieu.

III

L'HÔTEL-DIEU

La grand-salle des hommes avait les dimensions d'une nef de cathédrale. Au fond se dressait un autel où l'on célébrait chaque jour quatre messes, et les vêpres et le salut. Les malades privilégiés occupaient des sortes d'alvéoles ménagés dans les murs et dits « chambres de recommandation » ; les autres étaient couchés à deux par lit, tête-bêche. Des frères hospitaliers, en longue robe brune, passaient sans cesse entre les travées de lits, tantôt pour aller chanter les offices, tantôt pour donner les soins ou distribuer les repas. Les exercices du culte étaient intimement mêlés à la thérapeutique ; les râles de douleur répondaient aux versets des psaumes ; le parfum de l'encens ne parvenait pas à dominer l'atroce odeur de fièvre et de gangrène ; la mort était offerte en spectacle public. Des inscriptions, courant autour des murs en hautes lettres ornées, invitaient à se préparer au trépas plutôt qu'à la guérison [3].

Depuis près de trois semaines, Guccio était là, dans une alcôve, haletant sous l'accablante chaleur de l'été qui rendait plus sinistre le séjour. Il regardait avec tristesse les rayons de soleil qui tombaient des fenêtres haut percées, et projetaient de larges taches d'or sur cette assemblée de la désolation. Il ne pouvait faire le moindre mouvement sans gémir ; les baumes et les élixirs des frères hospitaliers le brûlaient comme flammes, et à chaque pansement il endurait une torture. Nul ne semblait en mesure de lui dire si sa blessure avait endommagé l'os ; mais il sentait bien que le mal n'était pas seulement de chair, car il manquait de s'évanouir lorsqu'on lui palpait la hanche ou les reins.

Les mires et les chirurgiens lui affirmaient qu'il ne courait aucun péril mortel, qu'à son âge on guérissait de tout, et que Dieu accomplissait en son hôtel bien d'autres miracles, ainsi qu'Il l'avait prouvé sur ce calfat éventré qui s'était un jour présenté, retenant ses tripes avec les mains, et qu'on avait vu sortir, après quelque temps, aussi fort et gai que dans le passé. Guccio ne se désespérait pas moins. Trois semaines déjà... et rien ne lui indiquait qu'il n'en faudrait pas encore trois autres avant qu'il pût se lever, ou bien trois mois, ni qu'il ne resterait pas à jamais impotent.

Par moments, il s'imaginait condamné à finir ses jours, tordu et béquillard, derrière un comptoir de changeur, à Marseille. Pouvait-il songer à voyager, infirme, et moins encore à se marier?... Si même il quittait vivant cet affreux hôpital! Chaque matin, il voyait emporter un ou deux cadavres qui avaient déjà pris une mauvaise teinte noirâtre. N'était-ce pas la peste?... Tout cela pour avoir joué les fanfarons et voulu sauter sur un quai plus vite que ses compagnons, alors qu'il venait d'échapper au naufrage!

Il enrageait contre le sort et sa propre sottise. Il appelait presque quotidiennement l'écrivain et lui dictait, pour Marie de Cressay, de longues lettres à la fois gémissantes et enflammées qu'il faisait expédier, par les courriers des banques lombardes, vers le comptoir de Neauphle, afin que le premier commis les remît en secret à la jeune fille.

Guccio assurait Marie qu'il ne souhaitait guérir que pour le bonheur de la retrouver, de la contempler, de la chérir chaque jour des cieux. Il la suppliait de lui garder la foi qu'ils s'étaient jurée, et lui en promettait mille félicités. «Je n'ai point d'autre âme que la vôtre en mon cœur, n'en aurai jamais d'autre, et si elle me venait à faillir, ma vie s'en irait avec.»

Car ce présomptueux, maintenant que l'adversité le clouait sur un lit d'hôtel-Dieu, se prenait à douter de tout et à craindre que celle qu'il aimait ne l'attendît pas. Marie allait se lasser d'un amoureux toujours absent, et lui préférer quelque gentilhomme de sa province.

«Ma chance, se disait-il, est d'avoir été le premier à l'aimer. Mais voilà un an et bientôt six mois que nous nous sommes donné notre premier baiser.»

Alors que contemplant ses jambes amaigries, il se demandait s'il pourrait jamais tenir debout, il cherchait, dans ses lettres, à se montrer admirable. Il se donnait pour l'intime et le protégé de la nouvelle reine de France. A le lire, on eût cru qu'il avait lui-même négocié le mariage royal. Il racontait son ambassade à Naples, la tempête, et comment il s'y était conduit, affermissant le courage de l'équipage. Son accident, il l'attribuait à un mouvement chevaleresque; il s'était précipité afin de soutenir la princesse Clémence et la sauver de tomber à l'eau, alors qu'elle descendait du navire que secouaient, jusque dans le port, les remous de la mer...

Guccio avait écrit également à son oncle Spinello Tolomei pour lui conter, mais avec moins d'emphase, son accident, et lui demander du crédit à Marseille.

Des visites assez nombreuses le distrayaient un peu. Le consul des marchands siennois était venu le saluer et se mettre à sa disposition ; le correspondant des Tolomei le comblait d'attentions et lui faisait parvenir une nourriture meilleure que celle servie par les frères hospitaliers.

Un après-midi, Guccio eut la joie de voir apparaître son ami Boccace de Cellino, voyageur des Bardi, qui se trouvait justement de passage à Marseille. Auprès de lui, Guccio put se lamenter à loisir.

— Pense à tout ce que je vais manquer, disait-il. Je ne pourrai point assister aux noces de Donna Clemenza, où j'aurais eu ma place parmi les grands seigneurs. Avoir tant fait pour ce mariage, et ne pas m'y trouver ! Et je vais manquer aussi le sacre de Reims. Ah ! que cela me fait deuil... et je n'ai aucune réponse de ma belle Marie.

Boccace s'efforça de l'apaiser. Neauphle n'était pas un faubourg de Marseille, et les lettres de Guccio ne voyageaient pas par chevaucheurs royaux. Elles devaient transiter par les relais lombards d'Avignon, de Lyon, de Troyes et de Paris ; les courriers ne se mettaient pas en route chaque jour.

— Boccacio, mon ami, s'écria Guccio, si tu te rends à Paris, fais-moi la grâce d'aller à Neauphle et de voir Marie. Dis-lui tout ce que je t'ai confié ! Sache si mes missives lui ont bien été remises ; vois si elle est toujours en même humeur d'amour à mon endroit. Et ne me cache aucune vérité, même la plus dure... Ne crois-tu pas, Boccacino, que je devrais me faire transporter en litière ?

— Pour que ta blessure se rouvre, que les vers s'y mettent, et pour périr de la fièvre dans quelque mauvaise auberge de la route ? La belle idée ! Es-tu devenu fou ? Tu as vingt ans, Guccio...

— Pas encore !

— Raison de plus ; à ton âge, qu'est-ce qu'un mois de perdu ?

— Si c'était le bon mois, c'est toute la vie qui peut être perdue.

Chaque jour, la princesse Clémence envoyait un de ses gentils-hommes prendre des nouvelles du blessé. Par trois fois, le comte de Bouville vint lui-même s'asseoir au chevet du jeune Italien. Bouville était accablé de travail et de soucis. Il s'efforçait de rendre une apparence convenable à l'escorte de la future reine avant de poursuivre le voyage. Personne n'avait plus de vêtements hormis ceux, détrempés et gâchés, que chacun portait en débarquant. Les gentilshommes et les dames de parage commandaient chez les tailleurs et les lingères, sans se soucier de payer. Tout le trousseau de la princesse, perdu en mer, était à refaire ; il fallait racheter l'argenterie, la vaisselle, les coffres, les meubles de route. Bouville avait demandé des fonds à Paris ; Paris avait répondu qu'on s'adressât à Naples, puisque toutes ces pertes étaient survenues dans la partie du voyage qui incombait à la couronne de Sicile et que l'escorte se trouvait encore en terre angevine. Les Napolitains avaient renvoyé Bouville aux Bardi, leurs prêteurs habituels, ce qui expliquait le passage à Marseille du signor Boccace. En tout cet embrouillement, Guccio manquait fort à Bouville.

— Qu'aviez-vous à glisser? disait l'ancien grand chambellan avec une nuance de reproche. Vous voyez, le ciel vous a puni de vos paroles impies. Mais il me punit en même temps, en me privant de votre aide quand elle me serait le plus utile. Je n'entends rien aux comptes, et je suis sûr qu'on me pille.

— Quand allez-vous repartir? lui demandait Guccio qui voyait venir ce moment avec désespoir.

— Oh! mon ami, pas avant la mi-juillet!

— Peut-être serai-je remis.

— Je le souhaite. Efforcez-vous; votre guérison me rendrait grand service.

Mais la mi-juillet arriva sans que Guccio fût rétabli. La veille du départ, Clémence de Hongrie tint à venir elle-même dire adieu au malade.

Guccio était déjà fort envié de ses compagnons d'hôpital pour les visites qu'il recevait et toutes les attentions dont on l'entourait. Il commença de prendre figure de héros lorsque la fiancée du roi de France, accompagnée de deux dames et de six chevaliers napolitains, se fit ouvrir les portes de la grand-salle de l'hôtel-Dieu.

Les frères hospitaliers, qui chantaient vêpres, se retournèrent surpris, et leurs voix s'enrouèrent. La belle princesse s'agenouilla, comme la plus humble fidèle, puis, les prières terminées, elle avança entre les lits, suivie par cent regards tragiques. Sur les couches où les malades étaient allongés tête-bêche, deux corps se dressaient pour la voir passer. Des mains de vieillards se tendaient vers elle.

Donna Clemenza ordonna aussitôt aux gens de sa suite qu'on fît aumône à tous les indigents, et qu'on donnât cent livres à la fondation.

— Mais, Madame, lui souffla Bouville, qui marchait à côté d'elle, nous n'avons pas assez d'argent pour tout payer.

— Qu'importe! Cela vaut mieux que des coupes ciselées pour boire, ou des soieries pour nous parer. J'ai honte de penser à de semblables vanités, j'ai honte même de ma santé lorsque je vois tant de misère.

Elle apportait à Guccio un reliquaire de corps renfermant un minuscule morceau de la robe de saint Jean, «avec une goutte visible du sang du précurseur», qu'elle avait acheté fort cher à un Juif spécialisé dans ce genre de commerce. Le reliquaire était soutenu par une chaînette d'or que Guccio aussitôt se passa au cou.

— Ah! gentil signor Guccio, dit la princesse Clémence, j'ai chagrin de vous voir là. Vous avez fait par deux fois un long voyage pour être, auprès de messire de Bouville, le messager de bonnes nouvelles; vous m'avez porté grand secours en mer, et vous ne serez point présent aux fêtes de mes noces!

Il faisait dans la salle une chaleur de four. Dehors, un orage menaçait. La princesse sortit de son aumônière un mouchoir, et essuya la sueur qui vernissait le visage du blessé d'un geste si naturel et si doux que Guccio en eut les larmes aux yeux.

— Mais comment ce malheur vous est-il survenu ? reprit Clémence. Je n'ai rien vu, ni point encore compris ce qui s'est passé.

— Je... j'ai cru, Madame, que vous alliez descendre, et comme la nef était encore remuée, je... j'ai voulu m'élancer pour vous présenter le bras. L'heure faisait qu'on n'y voyait guère... et voilà... le pied m'a glissé.

Il serait désormais persuadé que les choses s'étaient passées ainsi, et que ce mouvement qui l'avait poussé à sauter le premier...

— Gentil signor Guccio ! répéta Clémence tout émue. Guérissez vite, j'en aurai joie. Et venez me l'annoncer à la cour de France ; mes portes vous seront toujours ouvertes comme à un ami.

Ils échangèrent un long regard, parfaitement innocent, parce qu'elle était fille de roi et lui fils de Lombard. Placés par la naissance en d'autres situations, ils eussent pu s'aimer.

IV

LES SIGNES DU MALHEUR

Le beau temps avait été de courte durée. Les ouragans, les orages, les grêles, les pluies torrentielles qui dévastèrent cet été-là l'occident de l'Europe, et dont la princesse Clémence avait déjà subi les atteintes en mer, reprirent le lendemain même de son départ de Marseille. Après une première étape à Aix-en-Provence et une autre au château d'Orgon, l'escorte entra en Avignon sous des avalanches d'eau. Le toit de cuir peint qui protégeait la litière où voyageait la princesse ruisselait aux quatre coins comme gargouilles d'église. Les garde-robes si chèrement reconstituées, les beaux vêtements neufs allaient-ils être déjà gâchés, les coffres percés par la pluie, et les selles brodées des chevaliers napolitains perdues, avant même que d'avoir ébloui les populations de France ?

A peine la troupe installée dans la ville papale, le cardinal Duèze, évêque d'Avignon, suivi de tout un clergé, vint saluer Madame Clémence de Hongrie. Visite de politique. Candidat officiel de la maison d'Anjou à l'élection pontificale, Jacques Duèze connaissait bien Donna Clemenza pour l'avoir vue grandir, alors qu'il était chancelier de la cour de Naples. Que Clémence épousât le roi de France arrangeait assez ses affaires, et il comptait un peu sur ce mariage pour gagner les voix qui lui manquaient parmi les cardinaux français.

Léger comme un daguet, en dépit de ses soixante-dix ans, Monseigneur Duèze gravit l'escalier, forçant ses diacres et camériers à courir derrière lui. Il était accompagné des deux cardinaux Colonna, provisoirement dévoués aux intérêts de Naples.

Pour recevoir toute cette pourpre, messire de Bouville secoua sa fatigue et retrouva sa dignité d'ambassadeur.

— Je vois, Monseigneur, dit-il au cardinal Duèze en le traitant comme une vieille connaissance, je vois qu'il est plus aisé de vous atteindre lorsqu'on escorte la nièce du roi de Naples que lorsqu'on vient à vous d'ordre du roi de France, et qu'il n'est plus nécessaire de battre les champs à votre recherche, comme vous m'y forçâtes l'hiver passé.

Bouville pouvait se permettre ce ton d'humour; le cardinal avait coûté cinq mille livres au Trésor de France.

— C'est que, messire comte, répondit le cardinal, le roi Robert m'a toujours fait l'honneur, avec grande persévérance, de sa pieuse confiance; et l'union de sa nièce, dont je sais la haute réputation de vertu, avec le trône de France exauce mes prières.

Bouville reconnaissait cette étrange voix, à la fois ardente et brisée, étouffée, feutrée de timbre mais rapide de rythme, qui l'avait tant frappé lors de la première rencontre avec le cardinal. Celui-ci, répondant à Bouville, parlait surtout pour la princesse, vers laquelle il se tournait sans cesse. Il poursuivit:

— Et puis, messire comte, les choses ont assez changé, et l'on n'aperçoit plus derrière ce qui vient de France l'ombre de Monseigneur de Marigny qui avait le pouvoir bien long, et qui ne nous était guère favorable. Est-il vrai qu'il se soit montré si infidèle dans ses comptes que votre jeune roi, dont on connaît pourtant la charité d'âme, n'ait pu le sauver d'un juste châtiment?

— Vous savez que messire de Marigny était mon ami, répliqua Bouville avec courage. Je pense que ses commis, plutôt que lui-même, ont été infidèles. Il m'a été dur de voir un si vieux compagnon se perdre par entêtement d'orgueil à vouloir tout régenter. Je l'avais averti...

Mais Monseigneur Duèze n'était pas au bout de ses courtoises perfidies. Toujours s'adressant à Bouville, mais toujours regardant Clémence de Hongrie, il reprit:

— Vous voyez qu'il n'était point nécessaire de tant s'inquiéter de cette annulation, dont vous étiez venu m'entretenir, pour votre maître. La Providence pourvoit souvent à nos souhaits... pour peu qu'on l'aide d'une main un peu ferme...

Des yeux et du visage, il semblait ajouter, à l'intention de la princesse: « Je fais en sorte de vous prévenir. Sachez à qui l'on vous marie. Si quelque chose vous trouble, à la cour de France, adressez-vous à moi. » Les hommes d'Église, même lorsqu'ils parlent beaucoup, doivent être entendus à demi-mot.

Bouville se hâta de changer de sujet, et d'interroger le prélat sur l'état du conclave.

— Toujours le même, dit Duèze, c'est-à-dire qu'il n'y a pas de conclave. Les intrigues sont plus nombreuses que jamais, et si finement ourdies qu'on n'en saurait débrouiller l'écheveau. Le camerlingue emploie tous ses efforts à bien prouver qu'il ne peut nous rassembler. Nous continuons d'être dispersés, les uns à Carpentras, d'autres à Orange, nous-mêmes ici... Caëtani à Vienne...

Duèze savait que les voyageurs devaient faire arrêt à Vienne, chez une sœur de Clémence, mariée au dauphin de Viennois[4]. Ausssi s'empressa-t-il de prononcer un réquisitoire chuchoté, mais féroce, contre le cardinal Francesco Caëtani, son principal adversaire.

— Il est plaisant de lui voir aujourd'hui tant de courage à défendre la mémoire de son oncle le pape Boniface. Nous ne pouvons oublier que lorsque Nogaret vint à Anagni, avec sa cavalerie, pour assiéger Boniface, Monseigneur Francesco abandonna ce bien cher parent, auquel il devait son chapeau, et s'enfuit costumé en valet. Il semble né pour la félonie comme d'autres pour le sacerdoce, déclara Duèze.

Ses yeux, animés d'une passion de vieillard, brillaient au fond d'un visage sec et creusé. A l'en croire, le Caëtani était capable des pires forfaits ; il y avait du diable chez cet homme-là...

— ... et le démon, comme vous savez, peut bien s'introduire partout ; rien ne doit lui être plus plaisant que de s'asseoir en nos collèges.

Les deux Colonna, animés d'une haine ancestrale contre tout ce qui portait nom ou sang des Caëtani, approuvèrent avec force.

— Je sais bien, ajouta Duèze, que le trône de saint Pierre ne doit pas rester indéfiniment vide, et que cela est mauvais pour l'univers. Mais qu'y puis-je ? Je me suis offert à recueillir ce fardeau. Si Dieu, en me désignant, veut élever son plus humble serviteur à la place la plus haute, je suis soumis à la volonté de Dieu. Que puis-je faire de plus, messire comte ?

Après quoi, il remit en présent de noces, à Donna Clemenza, un exemplaire richement enluminé de la première partie de son *Elixir*, traité de science hermétique dont il était douteux que la jeune princesse pût comprendre la moindre ligne.

Puis il s'en alla, rapide et sautillant, suivi de ses prélats, diacres et camériers. Il menait déjà train de pape et, jusqu'à la limite de ses forces, empêcherait tout autre que lui d'être élu.

Le lendemain, tandis que la chevauchée princière avançait sur la route de Valence, Clémence de Hongrie demanda soudain à Bouville :

— De quoi est morte Madame Marguerite de Bourgogne ?

— Des rigueurs de la prison, Madame, et du chagrin de ses fautes, sans aucun doute.

— Que voulait dire le cardinal, en parlant de cette main ferme qui aurait aidé la Providence ?

Hugues de Bouville se troubla un peu. Il se refusait pour sa part à accorder aucun crédit aux bruits qui circulaient concernant le décès de Marguerite.

— Le cardinal est un étrange homme, dit-il. On croirait toujours qu'il s'exprime par énigme latine. Sans doute est-ce d'avoir tant étudié. J'avoue que je ne parviens pas à suivre tous les détours de son esprit.

Je pense qu'il voulait dire que la geôle est régime sévère, si le geôlier est ponctuel, et qui peut suffire à abréger les jours d'une femme...

Une recrudescence de la pluie vint à propos le tirer d'affaire. On dut fermer les rideaux de cuir de la litière.

Allongée sur les coussins, balancée au pas des mules et enfermée dans ce bruit d'eau, crépitant, inlassable, Clémence de Hongrie pensait à Marguerite.

« Ainsi, le bonheur qui m'est promis, se disait-elle, je le dois à la mort d'une autre. » Elle se sentait inexplicablement liée à cette inconnue, à cette reine qu'elle allait remplacer et dont les fautes autant que le châtiment lui inspiraient effroi et pitié.

« Ses péchés ont causé son trépas, et son trépas me fait reine. » Elle y voyait comme une condamnation portée sur elle-même, et tout lui paraissait présage de malheur. La tempête, la blessure de Guccio, et ces pluies qui tournaient à la calamité... autant de signes néfastes.

Les villages traversés offraient un aspect désolé. Après un hiver de famine, alors que les récoltes s'annonçaient belles et que les paysans commençaient à reprendre courage, les intempéries en quelques jours avaient balayé tous les espoirs. L'eau, intarissable, pourrissait tout.

La Durance, la Drôme, l'Isère étaient en crue, et le Rhône qu'on longeait avait pris en grossissant une force dangereuse. Parfois, il fallait écarter de la route un arbre abattu par la tempête.

Le contraste était pénible, pour Clémence, entre la Campanie au ciel toujours bleu, aux vergers chargés de fruits d'or, et cette vallée ravagée, ces bourgades sinistres, à demi dépeuplées par la faim.

« Et plus au nord, ce sera pire encore. Je vais dans un pays dur. »

Elle eût voulu soulager toutes les misères, et faisait sans cesse arrêter sa litière pour distribuer des aumônes. Bouville était forcé de s'interposer, et s'appliquait à calmer cette ardeur de bonté.

— Si vous donnez de ce train, Madame, nous n'aurons plus de quoi gagner Paris.

Ce fut en arrivant à Vienne, chez sa sœur Béatrice, dauphine de Viennois, que Clémence apprit que Louis X venait de partir en guerre contre la Flandre.

— Seigneur mon Dieu, murmura-t-elle, vais-je être veuve avant même que d'avoir vu mon époux? Et ne vais-je en pays de France que pour y accompagner le malheur?

V

LE ROI PREND L'ORIFLAMME

Enguerrand de Marigny avait été accusé naguère de s'être vendu aux Flamands en négociant avec eux un traité de paix qui les avantageait. C'était même là le premier des quarante et un chefs d'accusation retenus contre lui.

Or, à peine Marigny pendu aux chaînes de Montfaucon, le comte de Flandre rompait le traité. Pour ce faire, il s'y prit de la manière la plus simple : il refusa, bien qu'il en eût reçu semonce, de venir à Paris rendre hommage au nouveau roi. Du même coup, il cessait de payer les redevances et réaffirmait ses revendications territoriales sur Lille et sur Douai.

A cette nouvelle, Louis X s'abandonna à l'une de ces colères démentes par lesquelles il croyait se montrer royal et qui lui avaient valu son surnom de Hutin ; sa rage dépassa en violence tout ce qu'il avait prouvé jusque-là.

Tournant dans son cabinet comme un blaireau en cage, les cheveux désordonnés, les joues empourprées, brisant les objets, renversant les sièges, il proféra pendant plusieurs heures des mots sans lien, interrompu seulement dans ses hurlements par des quintes de toux qui le pliaient en deux.

— La subvention ! Des gibets, il me faut des gibets ! Je rétablis la subvention... Et que fait Madame de Hongrie ? Qu'elle se hâte à cheminer ! A genoux, à genoux le comte de Flandre ! Et mon pied sur sa tête ! Bruges ? Du feu ! J'y mettrai le feu !

Tout se mêlait, le nom des villes révoltées, la promesse des châtiments, et même la tempête qui avait retardé l'arrivée de sa nouvelle épouse. Mais le mot qu'il répétait le plus souvent était celui de subvention, car il venait quelques jours plus tôt, sur l'avis de Charles de Valois, de clore la levée des impôts exceptionnels destinés à couvrir les frais de l'expédition ordonnée par son père, l'année précédente.

Alors on commença, sans oser le dire ouvertement, à regretter Marigny et la manière qu'il avait de traiter ce genre de soulèvements, lorsqu'il répondait, par exemple, à l'abbé Simon de Pise qui l'informait, un certain été, de l'agitation des Flamands : « Cette grande ardeur ne m'étonne pas, frère Simon, c'est l'effet de la chaleur. Nos seigneurs aussi sont ardents et épris de la guerre. Et vraiment, sachez que le royaume de France ne se laisse pas dépecer par paroles ; il y faut autres œuvres. » On souhaita reprendre le même ton ; malheureusement, l'homme qui pouvait parler ainsi n'était plus de ce monde.

Encouragé par Valois, qui n'était jamais las de prouver ses hautes vertus de capitaine, le Hutin se mit à rêver de prouesses. Il allait réunir la plus grande armée encore vue en France, fondre comme l'aigle sur les Flamands rebelles, en tailler plusieurs milliers en pièces, rançonner les autres, les réduire à merci dans la semaine et, là où Philippe le Bel n'avait pu réussir, montrer, lui, ce dont il était capable. Il se voyait déjà revenant, précédé des étendards du triomphe, ses coffres regarnis par le butin et les tributs imposés aux villes, ayant à la fois surpassé la mémoire de son père et effacé les déboires de son premier mariage. Puis, du même élan, au milieu des ovations populaires, il arrivait au galop, prince vainqueur et héros de bataille, pour accueillir sa nouvelle épouse et la conduire à l'autel et au sacre.

Ce jeune homme aurait pu être pris en pitié, pour ce qu'il y a de douloureux toujours dans la bêtise, s'il n'avait pas eu la charge de la France et de ses quinze millions d'âmes.

Le 23 juin, il réunit la cour des Pairs, bredouilla, mais avec violence, fit déclarer félon le comte de Flandre, et décida de convoquer l'ost royal[5] pour le premier jour d'août, devant Courtrai.

Le rendez-vous n'était pas des mieux choisis ; le nom de Courtrai sonnait comme celui d'une défaite. Or il faut prendre garde, en matière de guerre, aux précédents ; les catastrophes se reproduisent généralement aux mêmes emplacements.

Pour l'entretien de l'ost formidable qu'il voulait rassembler, Louis X se trouvait, naturellement, en peine d'argent. Son conseil eut alors recours aux mêmes expédients qu'employait Marigny ; et l'on se demanda, dans l'opinion, s'il avait bien été nécessaire de condamner à mort l'ancien recteur du royaume, pour revenir aussi vite à ses méthodes en les appliquant plus mal.

On affranchit tous les serfs du domaine qui pouvaient acheter leur liberté ; on autorisa de nouvelles arrivées de Juifs dans les villes royales, moyennant une taxe écrasante sur le droit de séjour et de commerce ; on réduisit les privilèges des banquiers et marchands lombards, en même temps qu'on instituait une, puis deux tailles supplémentaires sur toutes leurs transactions, ceci en dépit des belles assurances données par le comte de Valois à ses prêteurs. Aussitôt les Lombards jugèrent le règne d'un œil beaucoup moins favorable[6].

On voulut également imposer le clergé ; mais celui-ci, tirant argument de ce que le Saint-Siège était vacant et que nulle décision ne pouvait se prendre en l'absence d'un pape, refusa ; après de difficiles négociations, les évêques consentirent une aide à titre exceptionnel, mais seulement en contrepartie d'exonérations et de franchises qui se révélèrent finalement coûter plus au Trésor que ne rapportaient les subsides obtenus.

La levée de l'armée s'accomplit sans difficultés, et même dans un certain enthousiasme de la part des barons qui se plaisaient à l'idée de sortir leurs cuirasses et d'aller courir l'aventure.

Le peuple affichait moins d'allégresse.

— N'est-ce point assez, disaient les commères, qu'on soit à demi morts de famine, pour aller encore donner nos hommes et notre argent à la guerre du roi ?

Mais on faisait miroiter aux soldats l'espoir du butin et des jours francs de pillage et de viol ; pour beaucoup d'hommes, l'ost offrait une échappée à la monotonie du labeur quotidien et au souci de se nourrir ; nul ne voulait se montrer lâche ; et les sergents royaux savaient rappeler les manants au devoir en décorant de quelques pendus les arbres des routes.

La plupart des ordonnances de Philippe le Bel relatives à l'organisation de l'armée demeuraient en vigueur, grâce à l'obstination du connétable, et continuaient de prouver leur efficacité.

Tout homme valide, s'il était âgé de plus de dix-huit ans et de moins de soixante, devait le service armé, sauf à se racheter par une contribution en argent ou à justifier d'un métier jugé indispensable.

La formation de l'ost obéissait à une articulation essentiellement territoriale. Le chevalier, et même l'écuyer, n'allaient jamais seuls en guerre ; ils étaient accompagnés de valets d'armes, de sommeliers, de gens à pied. Possesseurs de leurs chevaux, de leur armement et de celui de leurs hommes, ils devaient constituer leur troupe avec les vassaux, sujets ou serfs de leur fief. L'octroi de la chevalerie correspondait à une nomination dans un grade assorti d'obligations militaires fort précises. Le simple chevalier, une fois son monde équipé et rassemblé, rejoignait le chevalier de grade supérieur, généralement un chevalier *à pennon*, son suzerain immédiat. Les chevaliers à pennon ralliaient les chevaliers à bannière, ou *bannerets*, lesquels eux-mêmes étaient placés sous les ordres des chevaliers *à double bannière*, chefs des grandes unités tactiques levées sur la juridiction de leur baronnie ou de leur comté.

La *bannière* du comte de Poitiers, frère du roi, se présentait à elle seule comme un corps d'armée de proportions imposantes, puisqu'elle rassemblait à la fois les troupes du Poitou et celles du comté de

Bourgogne; de plus, dix bannerets y étaient administrativement rattachés, parmi lesquels le comte d'Évreux, Anseau de Joinville, fils du grand Joinville, et le connétable Gaucher de Châtillon lui-même, pour les troupes qui venaient de son comté de Porcien.

Ce n'était certainement pas sans raison que Philippe le Bel avait confié à son second fils, avant même que celui-ci eût vingt-deux ans, un commandement de telle importance; la bannière de Poitiers faisait équilibre en quelque sorte à la bannière de Valois sous laquelle marchaient à la fois les recrues du Valois, de l'Anjou et du Maine.

Une autre grande unité était, bien sûr, celle levée sur le domaine royal proprement dit. A cette dernière appartenait Robert d'Artois, pour sa châtellenie de Conches-en-Ouche et pour son comté de Beaumont-le-Roger toujours promis, jamais remis.

Les villes n'étaient pas obligées à moindre contribution que les campagnes. Pour l'ost de Flandre, Paris eut à fournir quatre cents hommes de cheval et deux mille hommes de pied. Les soldes en seraient assurées par les bourgeois marchands de la Cité, de quinzaine en quinzaine. Les chevaux et chariots nécessaires au train furent réquisitionnés dans les monastères.

Le 24 juillet 1315, après quelque retard, comme il s'en produisait toujours, Louis X prit à Saint-Denis, des mains de l'abbé Égidius de Chambly qui en était gardien, l'oriflamme de France, longue bande de soie rouge, brodée des flammes d'or auxquelles elle devait son nom premier: *l'or-y-flambe*, et fixée sur une hampe couverte de cuivre doré.

De part et d'autre de l'oriflamme, portée comme une relique, flottaient les deux bannières du roi, à droite la bleue fleurdelisée, à gauche celle à croix blanche.

Et l'armée se mit en marche, comprenant tous les contingents arrivés de l'Ouest, du Sud et du Sud-Est, les chevaliers languedociens, les troupes de Normandie et de Bretagne. Les bannières de Bourgogne-duché, de Champagne, d'Artois et de Picardie rejoindraient en route, vers Saint-Quentin.

Ce jour-là fut un des rares ensoleillés dans un été pourri. La lumière étincelait sur les milliers de lances, les camails d'acier, les cottes de mailles, les écus de combat peints de couleurs vives. Les chevaliers se montraient les derniers perfectionnements d'armure, une nouvelle forme de cervelière qui assurait mieux le casque sur la tête, une fente de heaume qui permettait un meilleur champ de vue, ou encore quelque ailette plus enveloppante qui protégeait l'épaule des coups de masse ou faisait dévier le tranchant des épées.

Sur plusieurs lieues, à la suite des hommes d'armes, s'étirait le train des chariots à quatre roues transportant les vivres, les forges, les approvisionnements; après quoi venaient les équipages des marchands autorisés à accompagner l'armée, et les filles follieuses par bonnes charretées sous la conduite des patrons de «bordeaux».

Le lendemain, la pluie recommença de tomber, pénétrante, amollissant les routes, ouvrant des ornières, ruisselant sur les chapeaux de fer, coulant sous les cuirasses, plaquant le poil des chevaux. Chaque homme pesait dix livres de plus.

Et les jours suivants, la pluie, toujours la pluie...

L'ost de Flandre n'atteignit jamais Courtrai. Il s'arrêta à Bondues, près de Lille, devant la Lys gonflée qui barrait tout passage, débordait sur les champs, effaçait les chemins, détrempait la terre argileuse. Comme on ne pouvait plus avancer, le camp fut établi à cet endroit, sous le déluge.

VI

L'OST BOUEUX

A l'intérieur du tref royal, vaste tente toute brodée de fleurs de lis mais où l'on pataugeait comme ailleurs, Louis X, entouré de son plus jeune frère, Charles, nouvellement fait comte de la Marche, de son oncle le comte de Valois, de son chancelier Étienne de Mornay, écoutait le connétable Gaucher de Châtillon exposer la situation. Le rapport ne présentait rien d'encourageant.

Châtillon, comte de Porcien et sire de Crèvecœur, était connétable depuis 1284, c'est-à-dire le tout début du règne de Philippe le Bel. Il avait vu le désastre de Courtrai, la victoire de Mons-en-Pévèle, et bien d'autres batailles sur cette frontière du nord, toujours menacée, où il se trouvait pour la sixième fois de sa vie. Il avait alors soixante-cinq ans. C'était un homme de moyenne taille, bien charpenté, que les années ni la fatigue n'amoindrissaient. Son cou plissé sortant de la cuirasse, ses paupières mi-closes, et la manière qu'il avait de tourner la tête, lentement, de droite à gauche, le faisaient ressembler à une tortue. Il paraissait pesant parce qu'il était réfléchi. Sa force physique, son courage au combat imposaient le respect autant que ses compétences stratégiques. Il avait trop connu la guerre pour l'aimer encore, et ne la considérait plus que comme une nécessité politique; il ne mâchait pas ses mots ni ne s'embarrassait de vaine gloriole.

— Sire, dit-il, les viandes et les vivres ne parviennent plus à l'ost, les chariots sont embourbés dans des fondrières à six lieues d'ici, et l'on casse les traits d'attelage à les vouloir sortir. Les hommes commencent à gronder de faim et de colère; les bannières qui ont encore à manger doivent défendre leurs réserves contre les voisins; les archers de Champagne et ceux du Perche en sont venus aux mains tout à l'heure, et ce serait beau voir que vos soldats se livrent bataille entre eux avant même que d'avoir affronté l'ennemi. Je vais être forcé de faire pendre, ce que je n'aime guère. Mais les gibets dressés ne remplissent pas les ventres. Nous comptons déjà plus de malades que n'en peuvent soigner les barbiers-chirurgiens; ce sont les aumôniers, bientôt, qui auront gros travail. Voici quatre jours que cela dure et qu'on ne voit point d'amélioration à l'intempérie. Encore deux jours, la famine est déclarée, et personne ne pourra empêcher les hommes de déserter pour aller quérir pitance. Tout est moisi, tout est pourri, tout est rouillé...

En matière de preuve, il secoua le camail d'acier, dégouttant d'eau, qu'il avait ôté de ses épaules en entrant.

Le roi marchait en rond, nerveux, anxieux, agité. On entendait, dehors, des vociférations et des claquements de fouets.

— Qu'on cesse ce tumulte, cria le Hutin; on ne s'entend plus!

Un écuyer souleva la portière du tref. La pluie continuait de tomber, torrentielle et formant devant l'entrée de la tente comme un autre rideau. Trente chevaux, enfonçant dans la boue jusque par-dessus les boulets, étaient attelés à un énorme tonneau qu'ils ne parvenaient pas à mouvoir.

— Où portez-vous ce vin? demanda le roi aux charretiers qui barbotaient dans l'argile.

— A Monseigneur d'Artois, Sire, répondit l'un deux.

Le Hutin les regarda un moment de ses gros yeux globuleux, hocha la tête et se détourna sans rien ajouter.

— Que vous disais-je, Sire? reprit Gaucher. Nous aurons peut-être à boire ce jour, mais demain, n'y comptez plus... Ah! j'aurais dû vous prier plus nettement de vous en remettre à mon conseil. J'étais d'avis qu'on s'arrêtât plus tôt, en s'affermissant sur quelque hauteur, au lieu de plonger dans ce bourbier. Monseigneur de Valois et vous-même insistiez pour qu'on allât de l'avant. J'ai craint qu'on ne me prît pour couard et qu'on accusât mon âge, si j'empêchais l'ost de progresser. J'ai eu tort.

Charles de Valois s'apprêtait à répliquer, lorsque le roi demanda:

— Et les Flamands?

— Ils sont en face, de l'autre côté de la rivière, en aussi grand nombre que nous et guère plus heureux, je pense, mais plus près de leur ravitaillement, et soutenus par le peuple de leurs bourgs. Si même l'eau vient à baisser demain, ils seront mieux préparés à nous attaquer que nous à les assaillir.

Charles de Valois haussa les épaules.

— Allons, Gaucher, la pluie vous assombrit l'humeur, dit-il. A qui ferez-vous croire qu'une bonne chevauchée chargeante ne pourrait avoir raison de cette piétaille de tisserands? Aussitôt que nous progresserons, avec notre mur de cuirasses et notre forêt de lances, ils vont s'égailler comme moineaux.

Le comte était superbe, malgré la boue qui le couvrait, dans sa cotte de soie brodée d'or passée par-dessus son vêtement de mailles; et certes il paraissait plus roi que le roi lui-même. Cousin de tout le monde, il l'était aussi du connétable, ayant en troisièmes noces épousé une Châtillon.

— Vous montrez assez, Charles, répliqua Gaucher, que vous ne vous trouviez pas à Courtrai voici treize ans. Vous étiez alors à guerroyer en Italie, pour le pape. Moi, j'ai vu cette piétaille de tisserands, comme vous l'appelez, mettre à mal nos chevaliers qui s'étaient trop hâtés, les renverser de leurs montures et les découper au couteau, dans leurs armures, sans daigner faire de prisonniers.

— Il faut croire alors que je manquais, dit Valois avec une suffisance qui n'était qu'à lui. Cette fois, je suis là.

Le chancelier Mornay chuchota à l'oreille du jeune comte de la Marche :

— Entre votre oncle et le connétable, il ne sera pas long que l'étincelle jaillisse ; dès qu'ils sont de front, la colère les prend seulement de se voir.

— La pluie, la pluie ! disait Louis X avec rage. Aurais-je donc toujours toutes choses contre moi ?

Une santé incertaine, un père dont l'autorité glaciale l'avait pendant vingt-cinq ans écrasé, une épouse infidèle et scandaleuse, des ministres hostiles, un Trésor vide, des vassaux révoltés, une disette l'hiver même où commençait son règne, une tempête qui manquait d'emporter sa nouvelle femme... Sous quelle effroyable discorde de planètes, que les astrologues n'avaient pas osé lui révéler, fallait-il qu'il fût né, pour rencontrer l'adversité en chaque décision, en chaque entreprise, et finir par être vaincu, non pas même en bataille, noblement, mais par l'eau, par la boue où il venait d'enliser son armée !

A ce moment, on lui annonça une délégation des barons de Champagne, conduits par le chevalier Étienne de Saint-Phalle, et qui demandaient une révision de la charte qu'on leur avait octroyée au mois de mai. Les Champenois menaçaient de quitter l'ost s'ils n'obtenaient pas satisfaction immédiate.

— Ils choisissent bien leur jour ! s'écria le roi.

— Quand on commence à lâcher du fil, dit Gaucher en balançant sa tête de tortue, il faut s'attendre à ce que toute la pelote y passe...

Chaque bannière de l'ost présentait une physionomie particulière qui tenait autant aux caractères de sa province d'origine qu'à la personnalité de son chef. Dans celle du comte de Poitiers régnait une discipline sévère ; les alignements de tentes y étaient rigoureux, les allées dégagées et remblayées autant qu'il se pouvait, les sentinelles régulièrement espacées ; et l'on n'y manquait pas de vivres, ou pas encore. Lorsque les chariots avaient commencé de s'embourber, Poitiers avait ordonné de répartir les denrées de subsistance et d'en charger les hommes de pied. Ceux-ci avaient d'abord maugréé ;

aujourd'hui, ils bénissaient Monseigneur Philippe. De même qu'il appréciait l'ordre, Poitiers appréciait le confort. Cent valets d'armes avaient été employés à creuser des fossés d'écoulement, avant de planter son tref sur un sol de rondins où l'on pouvait vivre à peu près au sec. Presque aussi riche et spacieuse que celle du roi, cette tente comprenait plusieurs appartements séparés par des tapisseries.

A cette heure où son frère s'emportait contre la députation champenoise, Philippe de Poitiers assis sur son fauteuil de campagne, son épée, son écu et son heaume posés à portée de la main, conversait tranquillement avec ses principaux bannerets.

S'adressant à l'un des bacheliers de sa suite, il lui demanda :

— Héron, avez-vous lu, comme je vous en ai prié, le livre de ce Florentin...

— Dante dei Alighieri...

— ... C'est cela même... qui traite si mal ma famille, m'a-t-on dit. Il était fort protégé de Charles-Martel de Hongrie, le père de cette princesse Clémence qui bientôt nous arrive pour reine. J'aimerais savoir ce que conte son ouvrage.

— Je l'ai lu, Monseigneur, je l'ai lu, répondit Adam Héron. Ce messer Dante imagine, pour commencement de sa comédie, qu'en la trente-cinquième année de son âge il se perd dans une forêt sombre où le chemin lui est barré par des animaux effrayants, à quoi messer Dante reconnaît qu'il s'est égaré du monde des vivants...

Les barons qui entouraient le comte de Poitiers se regardèrent avec surprise. Le frère du roi n'aurait jamais fini de les étonner. Voilà qu'au milieu d'un camp de guerre, et dans le désarroi où l'on était, il n'avait soudain d'autre souci que de s'entretenir de poésie, comme s'il s'était trouvé au coin du feu, en son hôtel de Paris. Seul le comte d'Évreux, qui connaissait bien son neveu et l'appréciait chaque jour davantage depuis qu'il servait sous ses ordres, avait deviné l'intention. « Philippe cherche à distraire ses chevaliers de cette mauvaise inaction, et, plutôt que de les laisser s'échauffer la cervelle, il les mène à rêver en attendant de les mener se battre. »

Car déjà Anseau de Joinville, Goyon de Bourçay, Jean de Beaumont, Pierre de Garancière, Jean de Clermont, s'étant assis sur des coffres, écoutaient, l'œil brillant, le récit du bachelier Héron, d'après le Dante. Ces rudes hommes, brutaux souvent dans leur façon de vivre, étaient épris de mystérieux et de surnaturel, et toujours prêts à accueillir le merveilleux. Les légendes les séduisaient. Le spectacle n'était pas sans étrangeté que celui de cette assistance vêtue de fer qui suivait avec passion les allégories savantes du poète italien, s'interrogeait sur la beauté de cette dame Béatrice aimée d'un si grand amour, frémissait au souvenir de Francesca di Rimini et de Paolo Malatesta, et soudain s'esclaffait parce que Boniface VIII, en compagnie de quelques autres papes, rôtissait au dix-huitième cercle de l'enfer, dans la fosse des trompeurs et des simoniaques.

— C'est une bonne manière qu'a inventée ce clerc pour se venger de ses ennemis et soulager ses griefs, dit Philippe de Poitiers en riant. Et où donc a-t-il placé ma parenté?

— En purgatoire, Monseigneur, répondit le bachelier qui était allé, à la demande de tous, quérir le volume copié sur gros parchemin.

— Alors, lisez-nous ce qu'il en écrit, ou plutôt traduisez, pour ceux d'entre nous qui n'entendent pas la langue d'Italie.

— Je n'ose, Monseigneur...

— Mais si, ne craignez pas. Il importe de savoir ce que pensent de nous ceux qui ne nous aiment pas.

— Messer Dante invente qu'il rencontre une ombre qui gémit bien fort. Il interroge cette ombre sur la cause de sa douleur et voici la réponse qu'il obtient:

> *Je fus la racine de cette plante funeste*
> *Qui projette tellement son ombre sur la terre chrétienne*
> *Que les bons fruits n'y peuvent mûrir que rarement.*
> *Si Douai, Gand, Lille et Bruges le pouvaient,*
> *Une éclatante vengeance en serait tirée;*
> *Je la demande, cette vengeance, au souverain juge.*

— Eh! voilà qui semble prophétique et s'accorde tout à fait au moment où nous sommes, dit le comte de Poitiers. Ce poète-là connaît bien nos ennuis de Flandre. Poursuivez...

> *Je fus appelé Hugues Capet;*
> *De moi sont issus les Louis et les Philippe*
> *Qui règnent récemment sur la France.*
> *J'étais fils d'un boucher de Paris;*
> *Lorsque les anciens rois vinrent tous à manquer*
> *Hormis un seulement, un moine en robe grise...*

— Ceci est faux du tout, interrompit le comte de Poitiers en décroisant ses longues jambes. C'est une mauvaise légende qu'on a fait courir ces temps-ci pour nous nuire. Hugues était duc de France [7].

Tout le temps que dura la lecture, il ne cessa de commenter avec calme, parfois avec ironie, les attaques que le poète italien, déjà illustre en son pays, portait contre la maison royale. Dante accusait Charles d'Anjou, frère de Saint Louis, non seulement d'avoir assassiné l'héritier légitime du trône de Naples, mais encore d'avoir fait empoisonner saint Thomas d'Aquin.

— Voici nos cousins d'Anjou bien assaisonnés eux aussi, dit à mi-voix le comte de Poitiers.

Mais le prince français à qui Dante s'en prenait avec le plus de violence, celui auquel il réservait ses pires malédictions, c'était un autre Charles, venu ravager Florence et la percer au ventre « *de la lance avec laquelle combattit Judas* ».

— Eh! mais c'est de mon oncle Valois qu'il s'agit ici, et de sa grande croisade toscane, quand il était vicaire-général de la Chrétienté! Voilà donc la raison de si forte vindicte. Il semble que Monseigneur Charles nous ait acquis de bons amis en Italie[8].

Les assistants se regardaient, ne sachant quelle attitude prendre. Mais ils virent que Philippe de Poitiers souriait, en se frottant le visage de sa longue main pâle. Alors ils osèrent rire. On n'appréciait guère Monseigneur de Valois dans l'entourage du comte de Poitiers...

Or le poète Dante n'était pas seul à détester les princes de France. Ceux-ci avaient d'autres ennemis, tout aussi tenaces, et jusque dans les rangs de l'armée.

A deux cents pas du tref du comte de Poitiers, sous une tente du camp des chevaliers de Bourgogne-comté, le sire de Longwy, homme de petite taille, au visage sec et sévère, conférait avec un personnage bizarrement vêtu, moitié moine et moitié soldat.

— Les nouvelles que vous me portez d'Espagne sont bonnes, frère Évrard, disait Jean de Longwy, et j'aime entendre que nos frères de Castille et d'Aragon ont repris leurs commanderies. Ils sont plus heureux que nous, qui devons continuer d'agir dans le silence.

Jean de Longwy était le neveu du grand-maître des Templiers, Jacques de Molay, dont il se considérait l'héritier et le successeur. Il avait juré de venger le sang de son oncle et d'en réhabiliter la mémoire. La mort prématurée de Philippe le Bel, accomplissant la triple et fameuse malédiction, n'avait pas désarmé sa haine; il la reportait sur les héritiers du Roi de fer, sur Louis X, sur Philippe de Poitiers, sur Charles de la Marche. Longwy suscitait à la couronne tous les ennuis qu'il pouvait; il militait dans les ligues baronniales; en même temps, il s'efforçait de reconstituer secrètement l'ordre des Templiers, gardant liaison avec des frères rescapés par lesquels il s'était fait reconnaître grand-maître[9].

— Je souhaite fort la défaite du roi de France, reprit-il, et je ne suis venu à cet ost qu'avec l'espoir de le voir navré d'un bon coup d'épée, ainsi que ses frères.

Maigre, les yeux noirs et rapprochés, et boiteux par l'effet des tortures, l'ancien Templier Évrard répondit:

— Que vos prières soient exaucées, maître Jean, par Dieu s'il se peut, et sinon par le diable.

— Ne m'appelez point maître, pas ici, dit Longwy.

Il souleva brusquement la portière pour s'assurer qu'on ne les épiait pas, et expédia vers quelque corvée deux valets d'écurie qui ne faisaient d'autre mal que s'abriter de la pluie sous l'auvent de la tente. Puis, revenant à Évrard :

— Nous n'avons rien à attendre de la couronne de France. Mais il dépendra du nouveau pape de rétablir l'Ordre, et de nous rendre nos commanderies d'ici et d'outre-mer. Ah ! le beau jour que ce sera là, frère Évrard !

La chute de l'Ordre ne remontait qu'à huit ans, sa condamnation à moins encore, et il n'y avait guère plus de seize mois que Jacques de Molay était mort sur le bûcher. Tous les souvenirs étaient frais, les espérances vivaces. Longwy et Évrard pouvaient encore rêver.

— Donc, frère Évrard, reprit Longwy, vous allez maintenant vous rendre à Bar-sur-Aube, où l'aumônier du comte de Bar, qui est un peu des nôtres, vous donnera une place de clerc afin de n'avoir plus à vous cacher. Puis vous partirez pour Avignon, d'où l'on m'instruit que le cardinal Duèze, qui est une créature de Clément V, a repris de grandes chances d'être élu, ce que nous devons éviter à tout prix. Trouvez le cardinal Caëtani qui est résolu, lui aussi, à venger son oncle le pape Boniface.

— Je gage qu'il m'accueillera bien, lorsqu'il saura que j'ai déjà aidé à envoyer Nogaret les pieds outre. C'est la ligue des neveux que vous allez faire !

— Tout juste, Évrard, tout juste. Voyez donc Caëtani et dites-lui que nos frères d'Espagne et d'Angleterre, et tous ceux cachés en France, le souhaitent et le choisissent en leur cœur pour pape. Ils se tiennent prêts à le soutenir, non seulement de prières, mais par tous moyens. Je parle en leur nom. Vous vous mettrez à l'obéissance du cardinal pour ce qu'il vous demandera... Là-bas, voyez aussi le frère Jean du Pré qui pourra vous être de grand secours. Et ne manquez pas en chemin de connaître si certains de nos frères ne sont pas dans les parages. Tâchez à les réunir en petites compagnies, à leur faire répéter leurs serments, comme vous le savez. Allez, mon frère ; ce sauf-conduit, qui vous donne pour frère-aumônier de ma bannière, vous aidera à sortir du camp sans que questions vous soient posées.

Il tendit un papier que l'ancien Templier glissa sous le gambison de cuir qui recouvrait jusqu'aux hanches son froc de bure.

— Sans doute manquez-vous de deniers ? dit encore Longwy.

— Oui, maître.

Longwy tira deux pièces d'argent de sa bougette. Évrard lui baisa la main, et partit en boitant, sous la pluie.

Comme il traversait la bannière de France, il entendit dans une allée des cris et des rires. Une femme, largement dépoitraillée et abritant ses cheveux rouges sous sa jupe retroussée, courait entre deux tentes, poursuivie par des soldats goguenards. Sur l'arrière d'un chariot bâché, une autre ribaude aguichait la pratique. Évrard s'arrêta, la hanche de travers, et demeura immobile un moment, attentif à son propre émoi. Les occasions de sacrifier aux désirs de la chair étaient rares. Ce qui le faisait hésiter, c'était moins d'employer à pareilles fins l'obole de maître Jean que le peu de temps écoulé entre le don et l'usage. Bah ! il mendierait pour poursuivre sa route. Le pain s'obtient de la charité plus fréquemment que le plaisir. Il se dirigea vers le chariot aux ribaudes...

Tout auprès se dressait une haute tente rouge brodée des trois châteaux d'Artois, mais sur laquelle flottait la bannière de Conches.

Le campement de Robert d'Artois ne ressemblait en rien à celui du comte de Poitiers. De ce côté-là, en dépit de la pluie, ce n'était que mouvement, agitation, rumeur, allées et venues dans un désordre si général qu'il paraissait voulu. Le lieu donnait l'image d'un marché en plein vent plus que d'une place de guerre. Des relents de cuir mouillé, de vin suri, de purin, d'excréments offensaient un peu le nez.

D'Artois avait loué aux marchands qui accompagnaient l'armée une partie des champs affectés à sa bannière. Qui souhaitait acheter un baudrier neuf, remplacer la boucle de son heaume, se procurer des protège-coudes en fer ou simplement lamper un gobelet de cervoise ou de piquette, devait venir là. Le désœuvrement, chez le soldat, favorise la dépense. On tenait foire devant la portière de messire Robert, qui s'était arrangé pour attirer également dans son coin les filles follieuses, si bien qu'il en pouvait faire libéralité à ses amis.

Quant aux archers, arbalétriers, palefreniers, valets d'armes et goujats, ils avaient été repoussés et s'abritaient sous des feuillées qu'ils avaient construites, ou bien sous les chariots.

A l'intérieur de la tente rouge, on ne parlait guère poésie. Un tonneau de vin y était constamment en perce, les cruches circulaient au milieu du vacarme, les dés roulaient sur le couvercle des coffres ; l'argent se jouait sur parole, et plus d'un chevalier avait déjà perdu ce que lui aurait coûté sa rançon en bataille.

Alors que Robert ne commandait qu'aux troupes de Conches et de Beaumont-le-Roger, un grand nombre de chevaliers d'Artois, qui dépendaient de la bannière de la comtesse Mahaut, se trouvaient en permanence chez lui, où ils n'avaient, militairement parlant, rien à faire.

Adossé au mât central, Robert d'Artois dominait de sa taille colossale toute cette turbulence. Le nez bref, les joues plus larges que le front, et ses cheveux de lion rejetés en arrière sur sa cotte écarlate, il jonglait négligemment avec une masse d'armes. Pourtant, il y avait une fêlure dans l'âme du géant, et ce n'était pas sans motif qu'il désirait s'étourdir de boisson et de bruit.

— Aux miens, les batailles de Flandre ne valent guère, confiait-il aux seigneurs qui l'entouraient. Mon père, le comte Philippe, que beaucoup de vous ont bien connu et fidèlement servi...

— Oui, nous l'avons connu !... C'était un preux homme, un vaillant ! répondaient les barons d'Artois.

— ... mon père fut blessé à mort au combat de Furnes. C'est dans son tref que nous sommes, disait Robert accompagnant ces mots d'un large geste circulaire. Et mon grand-père, le comte Robert...

— Ah ! le brave... le bon suzerain que c'était !... respectant nos bonnes coutumes !... Jamais en vain on ne lui demandait justice...

— ... quatre années après, le voilà raide navré à Courtrai. Jamais les deux ne s'en vont sans le troisième. Demain, peut-être, mes seigneurs, vous me porterez en terre.

Il est deux sortes de superstitieux : ceux qui n'évoquent jamais le malheur de peur de l'attirer, et ceux qui espèrent le détourner en lui accordant un tribut de paroles. Robert d'Artois était de la seconde espèce.

— Caumont, verse-moi un autre gobelet, et buvons à mon dernier jour ! cria-t-il.

— Nous ne voulons point ! Nous vous ferons rempart de notre corps, répondirent les chevaliers artésiens. Qui donc, hormis vous, défend nos droits ?

Ils le considéraient comme leur suzerain naturel, et l'idolâtraient un peu pour sa taille, sa force, son appétit, ses largesses. Tous rêvaient de lui ressembler ; tous s'appliquaient à l'imiter.

— Or voyez, mes bons seigneurs, comme on est récompensé de tant de sang versé pour le royaume, reprit-il. Parce que mon grand-père est mort après mon père... oui, pour cela... le roi Philippe en a pris occasion de me faire tort de mon héritage et de donner l'Artois à ma tante Mahaut qui vous traite si bien, avec l'aide de tous ses Hirson, le chancelier, le trésorier et tous les autres, qui vous écrasent de redevances et vous refusent vos droits.

— Si nous allons demain en bataille, et qu'un Hirson se trouve à portée de ma lance, je lui promets quelque coup qui ne viendra pas forcément des Flamands, déclara un gaillard aux gros sourcils roux qui s'appelait le sire de Souastre.

Robert d'Artois, en dépit de ce qu'il buvait, gardait la tête claire. Tout ce vin distribué, les filles offertes, et tant d'argent dépensé avaient leur raison ; le géant travaillait à avancer ses affaires.

— Mes nobles sires, mes nobles sires, dit-il, d'abord la guerre du roi, dont nous sommes les loyaux sujets et qui, pour l'heure, je vous l'assure, est tout acquis à vos justes doléances. Mais une fois la guerre achevée, alors, mes seigneurs, je vous donne conseil de ne point vous désarmer. C'est une bonne occasion que vous avez là d'être en troupe, avec vos gens réunis. Rentrez ainsi en Artois, et parcourez le pays pour chasser les agents de Mahaut et les fesser au cul sur la place des bourgs. Et moi je vous appuierai à la Chambre du roi, et reprendrai s'il le faut mon procès en appel du jugement qui m'a lésé; et je m'engage à restaurer vos coutumes, comme elles étaient au temps de mes pères.

— Ainsi ferons-nous, messire Robert, ainsi ferons-nous!

Souastre ouvrit les bras.

— Jurons, s'écria-t-il, de ne point nous séparer avant qu'il n'ait été fait droit à nos requêtes, et que notre bon sire Robert ne nous ait été rendu pour être notre comte.

— Nous le jurons! répondirent les barons.

Il y eut force embrassades et encore de grandes rasades versées; et l'on alluma les flambeaux parce que le jour baissait. Robert se réjouissait de voir la ligue d'Artois, qu'il avait fomentée, si bien prête à l'action. C'eût été sottise, vraiment, que de mourir le lendemain...

A ce moment, un écuyer pénétra dans la tente en disant:

— Monseigneur Robert, les chefs de bannière sont requis au tref du roi!

Quand d'Artois entra, sans hâte, chez le roi, la plupart des grands seigneurs déjà s'y trouvaient, assis en cercle pour ouïr le connétable.

Beaucoup ne s'étaient lavés ni rasés depuis six jours. Ordinairement, ils n'auraient jamais passé temps si long sans aller aux étuves. Mais la crasse faisait partie de la guerre.

Lassé de devoir répéter les mêmes évidences, Gaucher de Châtillon fut bref, et presque impertinent à l'égard du souverain. Ce roitelet décidément ne lui convenait guère, qui tranchait seul sur les sujets qui eussent mérité Conseil et tenait assemblée lorsqu'il eût dû ordonner. Gaucher avait été habitué à d'autres méthodes, où le commandement des troupes ne constituait pas matière à délibérer.

Étalant sa cotte de soie bleue sur ses genoux, Valois commença de pérorer.

— Il est vrai, Sire mon neveu, comme Gaucher vient de le confirmer, qu'on ne peut davantage rester en ce lieu où tout s'abîme à la fois, l'âme des hommes et le poil des chevaux. L'inaction nous gâche autant que la pluie...

Il s'interrompit parce que le roi s'était retourné et parlait à Mathieu de Trye, son chambellan. Le Hutin réclamait seulement qu'on lui passât son drageoir; les difficultés lui inspiraient le besoin de sucer ou de croquer quelque sucrerie..

— Poursuivez, mon oncle, je vous prie, dit-il.

— Il faut déloger demain tôt le matin, reprit Valois, trouver un passage à la rivière, en amont, et courir sus aux Flamands pour les culbuter avant le soir.

— Avec des hommes sans vivres, des montures sans fourrage ? dit le connétable.

— La victoire leur remplira le ventre. Ils peuvent tenir encore une journée ; c'est le jour d'après qu'il sera trop tard.

— Et moi, je vous réponds que vous allez vous faire tailler ou vous faire noyer. Il faut, si vous m'en croyez, retirer l'armée sur une hauteur vers Tournai ou Saint-Amand, laisser les viandes nous parvenir, les eaux s'écouler...

— On voit bien, cousin, dit Valois, que vous touchez cent livres la journée quand le roi chevauche avec l'ost, et que vous vous souciez peu de voir finir la guerre.

Le ton voulait être celui de la boutade ; mais le connétable, blessé au vif, répliqua :

— Je suis au devoir de vous rappeler, cousin, que même le roi ne peut marcher sus à l'ennemi sans que le connétable en ait donné l'ordre. Et cet ordre, en l'état présent, je ne le donnerai point. Ce faisant, le roi peut toujours changer de connétable.

Un pénible silence s'ensuivit. L'affaire prenait un mauvais tour. Pour complaire à Valois, Louis X allait-il révoquer le chef des armées, comme il avait destitué Marigny et tous les légistes de Philippe le Bel ?

Le comte de Poitiers immédiatement intervint.

— Mon frère, je partage entièrement le conseil de Gaucher. Nos troupes ne sont point en mesure de combattre sans s'être restaurées une bonne semaine.

— C'est aussi mon avis, dit le comte Louis d'Évreux.

— Alors, on ne châtiera donc jamais ces Flamands ! s'écria Charles de la Marche qui se plaisait à copier Valois.

Le connétable eut pour le plus jeune frère du roi un regard de mépris. « L'oison », comme l'appelait sa propre mère la reine Jeanne, avait parlé.

Sur quoi le comte de Champagne annonça qu'il s'en irait si on ne livrait pas bataille le lendemain ; ses chevaliers s'agitaient trop, et, de toute manière, il ne les avait levés que pour deux semaines. Valois écarta ses mains chargées de bagues, comme pour dire : « Vous voyez ! » Mais il semblait déjà moins convaincu, et seul l'amour-propre l'empêchait de revenir sur ses opinions belliqueuses.

— Retraite ou défaite, Sire, voilà le choix, dit Gaucher.

Le roi ne donnait toujours pas signe de savoir à quel parti se résoudre. Toute cette équipée ne faisait de sens pour lui que rapidement menée. Prendre la décision de la sagesse, se regrouper ailleurs, attendre, c'était repousser d'autant l'heure de son mariage, et obérer un peu plus ses finances. Quant à prétendre franchir une rivière en crue et charger au galop dans la boue...

Au vrai, il avait pensé qu'il ne serait pas obligé de charger, et que les Flamands céderaient devant le seul déploiement d'un ost si formidable.

Robert d'Artois, qui se tenait assis derrière Valois, se pencha vers celui-ci et lui murmura quelques mots. Valois approuva de la tête, d'un air indifférent. Qu'on fît ce qu'on voudrait ; il se retirait du débat.

Robert alors se leva et, s'avançant de trois pas pour mieux dominer l'assemblée :

— Sire mon cousin, dit-il, je devine votre souci. Vous n'avez point assez de moyens d'argent pour maintenir ce grand ost à ne rien faire. En outre, votre nouvelle épouse vous attend, que nous avons tous hâte à voir reine, comme nous avons hâte à vous voir sacré. Mon conseil est qu'il ne faut point s'obstiner. Ce n'est pas l'ennemi qui nous oblige à rebrousser ; c'est cette pluie où je vois la volonté de Dieu devant laquelle tout un chacun, si puissant qu'il soit, doit s'incliner. Notre Seigneur sans doute vous signifie ainsi de ne pas combattre avant d'avoir été oint des Saintes Huiles. Vous tirerez autant de gloire, mon cousin, d'un beau sacre que d'une bataille aventureuse. Renoncez donc pour le moment à châtier ces mauvais Flamands, et, si la peur que vous leur avez inspirée ne suffit point, revenons en même nombre au prochain printemps.

Dans l'embarras où l'on piétinait, cette solution radicale, celle du renoncement, proposée par un homme dont on ne pouvait suspecter le courage aux armes, reçut l'assentiment d'une grande partie des barons, et tout d'abord celui du roi. Montrant une fois de plus son manque de pondération, Louis X se rua avec empressement et reconnaissance dans l'échappée que d'Artois lui découvrait.

— Mon cousin, vous avez parlé sagement, déclara-t-il. Le ciel nous manifeste son avertissement. Que l'armée reparte donc, puisqu'elle ne peut poursuivre.

Puis, enflant la voix pour se donner de la majesté, il ajouta :

— Mais je jure Dieu que si je suis encore en vie l'an prochain, j'irai envahir les Flamands et n'aurai avec eux nulle accordance qu'ils ne s'abandonnent en tout à ma volonté.

Il n'eut plus alors d'autre souci que de déloger. Il fallut au connétable et à Philippe de Poitiers beaucoup d'insistance pour le convaincre de mesures indispensables, comme de maintenir au moins quelques garnisons le long de la frontière de Flandre ; il ne les entendait plus ; il était déjà parti.

Dans cette dispersion, Valois trouvait son compte. Il avait maintenu à peu de frais sa réputation héroïque. D'Artois y trouvait le sien mieux encore ; la guerre manquée profitait à sa ligue.

Telle était la hâte du roi qu'elle se fit contagieuse et que le lendemain matin, faute de charrois et de pouvoir extraire de la boue tout le matériel, on mit le feu aux tentes, aux meubles, à l'équipement. L'appétit de destruction se soulageait ainsi.

Laissant derrière elle, sur de. vastes espaces, des embrasements fumeux qui luttaient contre l'éternelle pluie, l'armée, fourbue et affamée, se présenta au soir devant Tournai; les habitants effrayés fermèrent les portes de la ville; on n'exigea pas qu'ils les ouvrissent. Le roi alla demander asile dans un monastère.

Le surlendemain 7 août, il était à Soissons, d'où il signa les ordonnances qui mettaient fin à la campagne. Il chargea Valois des préparatifs du sacre, et envoya Philippe de Poitiers à Saint-Denis afin d'y rendre l'oriflamme et d'y prendre l'épée et la couronne. Les princes se retrouveraient entre Reims et Troyes pour se porter au-devant de Clémence de Hongrie.

Quatorze jours avaient suffi à Louis Hutin, pour déposer dans la corbeille de ses secondes noces l'inoubliable ridicule de l'expédition par lui conduite et qu'on ne désignait déjà plus que sous le nom d'*ost boueux*.

VII

LE PHILTRE

Une litière légère, portée par deux mules à la tête desquelles couraient des valets, pénétra dans la grande cour de l'hôtel d'Artois, rue Mauconseil. Béatrice d'Hirson, nièce du chancelier d'Artois et demoiselle de parage de la comtesse Mahaut, en descendit. Nul n'aurait pu penser que cette belle fille brune venait de parcourir près de quarante lieues en deux jours. Sa robe était à peine fripée; son visage était lisse et frais comme au sortir du sommeil. D'ailleurs, elle avait dormi une partie de la route sous de bonnes couvertures, au balancement de la litière. La poitrine haute, la jambe longue, avançant d'un pas qui paraissait lent parce qu'il était allongé et toujours égal, elle se rendit directement auprès de sa maîtresse. La comtesse était attablée devant son second repas, qu'elle prenait vers tierce.

— C'est fait, Madame, dit Béatrice en tendant à la comtesse une minuscule boîte de corne.

— Comment va ma fille Jeanne?

D'une voix traînante, nasale, et toujours vaguement ironique, même quand il n'y avait aucun motif à ironiser, la demoiselle de parage répondit, marquant des pauses inattendues:

— La comtesse de Poitiers va bien, Madame... aussi bien qu'il se peut. Le séjour de Dourdan ne lui est point trop pénible... elle a mis de son côté les gardiens. Elle a le teint clair et n'a que peu maigri; elle est soutenue par l'espérance... et le soin que vous prenez d'elle.

— Ses cheveux? demanda la comtesse.

— Ce sont des cheveux d'un an, Madame... pas aussi longs encore que des cheveux d'homme; mais ils semblent pousser plus drus qu'ils n'étaient avant.

— Enfin, est-elle présentable?

— Avec une guimpe autour du visage, assurément... Et puis, elle peut s'orner de fausses nattes.

— Les faux cheveux ne se gardent pas au lit, dit Mahaut.

Elle avala, par grandes cuillerées, la fin d'un potage aux pois et au lard et, pour s'alléger le palais, but un gobelet de vin d'Arbois. Puis elle ouvrit la boîte de corne, considéra la poudre grise qui en formait le contenu.

— Combien cela me coûte-t-il?

— Vingt-deux livres.

— Peste, les magiciennes font bien payer leur science.

— Elles risquent gros.

— Combien, là-dessus, as-tu gardé pour toi?

— Presque rien, Madame... Juste de quoi m'acheter cette robe d'écarlate que vous m'aviez promise... et que vous ne m'avez point donnée.

La comtesse Mahaut ne put s'empêcher de sourire; cette fille savait comment la prendre.

— Tu dois avoir le ventre creux; goûte un peu à ce pâté de canard, dit-elle en se servant à elle-même une épaisse tranche.

Puis, revenant à la boîte de corne, elle ajouta:

— Je crois à la vertu des poisons pour se débarrasser d'un ennemi, mais guère aux philtres pour se gagner un adversaire. Ce sont tes idées, pas les miennes.

— Et pourtant, je vous assure, Madame, qu'il faut y croire, répondit Béatrice. Celui-ci est fort bon; il n'est pas fait à la cervelle de mouton... mais seulement aux herbes, et préparé devant moi. Je suis donc allée à Dourdan, et j'ai tiré un peu de sang du bras droit de Madame Jeanne. Puis, j'ai porté ce sang à la personne que je vous ai dit, Isabelle de Fériennes... qui l'a mélangé avec de la verveine, de l'amourette et de la livèche; et cette Fériennes a prononcé la formule de conjuration; elle a déposé le mélange sur une brique neuve, et l'a brûlé avec du bois de frêne pour obtenir la poudre que je vous apporte. Il n'est plus maintenant qu'à mettre cette poudre dans une boisson, la faire avaler au comte de Poitiers, et avant peu vous le verrez repris d'amour pour son épouse... avec une force que rien ne pourrait entraver. Doit-il toujours venir vous visiter ce matin?

— Je l'attends. Il est rentré de l'ost hier soir, et je l'ai prié de passer me voir.

— Alors, je vais aussitôt mêler le philtre à de l'hypocras... que vous lui offrirez à boire. L'hypocras, qui est chargé en épices et sombre de couleur, dissimulera bien la poudre. Mais je vous conseille, Madame... de vous remettre au lit et de feindre d'être malade, pour avoir prétexte à ne pas boire vous-même; car il ne faudrait pas que vous alliez absorber ce breuvage... et vous trouver prise d'amour pour Madame votre fille.

— C'est en tout cas une bonne idée que de le recevoir couchée, répondit la comtesse d'Artois, et de me prétendre en mauvais point. On peut dire les choses plus droitement.

Elle fit enlever la table, demanda une robe de nuit et se remit au lit. Puis elle appela auprès d'elle son chancelier Thierry d'Hirson, ainsi que son cousin germain Henri de Sully, qui logeait chez elle ; et elle travailla en leur compagnie aux affaires de son comté.

Un peu plus tard, on annonça le comte de Poitiers. Il entra, vêtu de sombre comme à l'ordinaire, ses jambes de héron chaussées de bottes souples, et la tête, sous le chaperon à crête, un peu penchée au bout de son long corps.

— Ah ! mon beau fils ! s'écria Mahaut comme si elle avait vu apparaître le Sauveur. Que je suis aise de votre venue. Savez-vous à quoi je m'occupais ? Je me faisais lire l'état de mes biens pour dicter mes volontés dernières. J'ai souffert la plus mauvaise nuit du monde, toute torturée aux entrailles par l'angoisse de la mort ; et j'avais grand-crainte de passer outre sans vous avoir ouvert ma pensée, pour ce que je vous aime, en dépit de tout, d'un cœur de mère.

Afin de conjurer les mensonges qu'elle venait de proférer, elle tira le petit reliquaire en forme de médaillon qu'elle portait sur la poitrine, au bout d'une chaîne d'or, et le baisa dévotement.

— Que saint Druon me protège [10], dit-elle en reglissant le médaillon dans son vaste corsage.

Bien installée parmi ses coussins de brocart, les joues rebondies et colorées, l'épaule large, le bras charnu, Mahaut offrait les signes d'une robuste santé. Tout au plus aurait-elle eu besoin, peut-être, de se faire tirer une ou deux pintes de sang.

« Allons, elle va me donner la comédie, pensa Philippe de Poitiers. De nature comme d'apparence, elle ressemble trait pour trait à Robert. Ils se haïssent d'être trop pareils. Je gagerais qu'elle va me parler de lui. »

Il ne se trompait pas. Mahaut se mit aussitôt à vitupérer ce mauvais neveu, ses manœuvres, ses intrigues, et la ligue qu'il animait contre elle. Pour Mahaut comme pour Robert, toutes les affaires du monde passaient par le comté d'Artois qu'ils se disputaient depuis treize ans. Leurs pensées, leurs démarches, leurs amitiés, leurs alliances, leurs amours même, se rattachaient toujours de quelque façon à cette lutte ; l'un n'entrait dans un clan que parce que l'autre appartenait au clan adverse ; Robert ne soutenait une ordonnance royale que parce que Mahaut la désapprouvait ; Mahaut était d'avance hostile à Clémence de Hongrie parce que Robert avait donné appui au mariage. Cette haine qui excluait tout accord, toute transaction, dépassait son objet, et l'on pouvait se demander s'il n'y avait pas entre la géante et le géant une sorte de passion à rebours, inconnue d'eux-mêmes, et qui se fût mieux apaisée dans l'inceste que dans la guerre.

— Toutes ses méchancetés avancent mon trépas, dit Mahaut. J'ai su que mes vassaux, assemblés par Robert, ont prononcé serment contre moi. C'est cela qui m'a remué les humeurs et mise dans l'état où je suis.

— Ils ont juré ma mort, Monseigneur, dit Thierry d'Hirson.

Philippe de Poitiers se tourna vers le chanoine-chancelier et vit que c'était lui, et non Mahaut, qui était malade, de peur.

— J'allais monter à l'ost, pour remettre de l'ordre dans ma bannière, reprit Mahaut; j'avais fait sortir, comme vous voyez, mes atours de guerre...

Elle désigna, vers un coin de la pièce, un imposant mannequin revêtu d'une longue robe en mailles d'acier et d'une cotte de soie brodée aux armes d'Artois; à côté étaient préparés le heaume et les gantelets.

Mahaut soupira. Elle regrettait l'occasion perdue. Elle aimait bien se vêtir en chevalier, comme un homme.

— Et puis j'ai appris la fin de cette glorieuse chevauchée qui coûte au royaume l'argent et l'honneur. Ah! l'on peut dire que votre pauvre frère n'est guère fortuné, et que tout ce qu'il entreprend va à la traverse. En vérité, je vous le dis comme je le crois, vous auriez fait un bien meilleur roi que lui, et c'est grande pitié pour tous, mon beau fils, que vous soyez né le second. Votre père, que Dieu l'ait en grâce, en soupirait souvent.

Depuis le scandale de la tour de Nesle et la détention de Jeanne à Dourdan, le comte de Poitiers n'avait revu sa belle-mère que dans les cérémonies publiques, lors des funérailles de Philippe le Bel par exemple, ou bien aux séances de la Chambre des pairs, mais jamais en privé. Ils se marquaient de la froideur. Pour une reprise de contact, l'ouverture était grosse; Mahaut, dans le compliment, ne prenait pas la petite mesure. Elle invita son gendre à s'asseoir plus près de son lit. Hirson et Sully se retirèrent vers la porte.

— Mais non, mes bons amis, vous n'êtes point de trop; vous savez bien que je n'ai pas de secrets pour vous, leur dit-elle.

En même temps, elle leur faisait signe, d'un mouvement de doigts, de sortir de la pièce.

Or il était peu habituel, chez les grands seigneurs, de recevoir un visiteur tête à tête. Leurs appartements étaient constamment occupés ou traversés par des parents, des familiers, des vassaux, des serviteurs. Les entretiens se déroulaient généralement au vu de tous, ou, au moins, en présence d'un gentilhomme de la chambre ou d'une dame de parage. D'où la nécessité de l'allusion, du demi-mot. Lorsque les deux interlocuteurs principaux se retiraient dans une embrasure de fenêtre pour converser à voix basse, les gens de leur suite affectaient le détachement, mais se sentaient facilement ou vexés ou inquiets. Tout entretien à portes closes prenait une allure de complot. Et c'était bien l'allure que Mahaut voulait donner à son entretien avec le comte de Poitiers, ne fût-ce que pour le compromettre un peu et le faire mieux entrer dans son jeu.

Aussitôt qu'ils furent seuls, elle lui demanda :

— Quels sont vos sentiments pour ma fille Jeanne ?

Comme il hésitait à répondre, elle entama sa plaidoirie. Certes, Jeanne de Bourgogne avait eu des torts, de grands torts même, en n'avertissant pas son mari des intrigues d'alcôve qui déshonoraient la maison royale, et en se faisant complice... volontairement, involontairement, qui pouvait le dire ?... du scandale. Mais elle-même n'avait point péché de corps, ni trahi le mariage ; tout le monde le reconnaissait ; et le roi Philippe, lui-même, pourtant si courroucé, en était convenu, puisqu'il avait assigné à Jeanne une résidence particulière, sans jamais signifier que cette réclusion fût à vie...

— Je sais, j'étais au conseil de Maubuisson, dit le comte de Poitiers qui souhaitait couper à ces souvenirs amers.

— Et comment Jeanne aurait-elle pu vous trahir, Philippe ? Elle vous aime. Elle n'aime que vous. Qu'il vous suffise de vous rappeler ses cris, lorsqu'on l'emmena dans son chariot noir : « Dites à Monseigneur Philippe que je suis innocente ! » J'en ai encore le cœur fendu, moi, sa mère, d'avoir dû assister à cela. Et depuis quinze mois que la voilà à Dourdan, je le sais par son confesseur, jamais un mot contre vous, rien que paroles d'amour, et des prières à Dieu pour regagner votre cœur. Je vous assure que vous avez là une femme plus fidèle, plus dévouée que beaucoup, et qui a été durement châtiée.

Elle rejetait toutes les fautes, toutes les culpabilités sur Marguerite de Bourgogne, et cela avec d'autant plus de tranquillité que Marguerite, premièrement, n'appartenait pas à sa proche famille et, secondement, n'existait plus. C'était Marguerite la pécheresse, la dévergondée, la catin ; c'était Marguerite qui avait entraîné Blanche, pauvre enfant inconsciente, qui avait abusé l'amitié de Jeanne... D'ailleurs, à Marguerite elle-même ne devait-on pas concéder quelques excuses ? L'espoir d'être reine de Navarre ne suffit pas à tout, et quelle femme ne se fût attristée du mari qu'on lui avait donné ! En définitive, Mahaut tenait le Hutin pour le premier responsable de son infortune.

— Il paraît que votre frère n'est pas très bien membré...

— On m'a toujours assuré, au contraire, qu'il était normal de ce côté-là, encore qu'un peu effarouché ou violent sur la chose... mais nullement empêché, répondit le comte de Poitiers.

— Vous n'avez point, comme moi, les confidences des femmes, répliqua Mahaut.

Elle se redressa, massive, sur ses oreillers, regarda son gendre droit dans les yeux.

— Philippe, parlons clair, dit-elle. Croyez-vous que l'héritière, la petite Jeanne de Navarre, soit de lui ou du galant de Marguerite?

Philippe de Poitiers se frotta un instant le menton.

— Mon oncle Charles de Valois affirme qu'elle est bâtarde, répondit-il, et Louis lui-même, par la façon qu'il a d'éloigner cette enfant, semble le confirmer. D'autres, comme mon oncle d'Évreux ou, bien sûr, le duc de Bourgogne, la tiennent pour légitime.

— S'il arrivait malheur à Louis, qui n'est pas bien fort de santé, vous êtes dans le moment le second en ligne de succession. Mais si la petite Jeanne est déclarée bâtarde, comme nous pouvons penser qu'elle l'est, alors vous devenez le premier, et c'est à vous d'être roi. Vous êtes fait pour régner, Philippe.

— La nouvelle épouse qui lui arrive de Naples fournira peut-être à mon frère un héritier.

— S'il est capable de procréer. Ou si Dieu lui en laisse le temps..., dit Mahaut en appuyant bien sur ces derniers mots.

A ce moment, Béatrice d'Hirson entra, portant un plateau chargé d'une aiguière ciselée, de gobelets de vermeil et d'une coupe emplie de dragées. Mahaut eut un mouvement d'impatience. L'interruption était vraiment peu opportune! Mais sans se troubler, ni se hâter, la demoiselle de parage emplit les gobelets, et présenta au comte de Poitiers hypocras et dragées. Mahaut étendit machinalement la main vers un gobelet. Béatrice la regarda de telle façon qu'elle se reprit, disant :

— Non, je suis trop malade, tout me tourne sur le cœur.

Poitiers réfléchissait. Il n'avait pas manqué lui-même durant les mois récents, de penser à l'éventualité de la succession. En clair, Mahaut lui proposait alliance et soutien, pour le cas où Louis X viendrait à disparaître.

Béatrice d'Hirson était ressortie.

— Ah! Philippe, sauvez ma fille Jeanne de la mort, je vous en conjure, s'écria soudain Mahaut, pathétique. Elle n'a point mérité tel sort.

— Mais qui donc la menace? demanda Poitiers.

— Robert, toujours lui! répondit-elle. J'ai appris qu'il était de connivence avec votre sœur Isabelle pour machiner la perte de mes filles et de Marguerite... Et j'ai vu ce grand gueux, à la place où vous êtes, venir m'annoncer lui-même mon malheur, la mine tout apitoyée. Et moi je l'ai cru sincère. Il se pourléchait, le putois! Mais cela ne lui portera pas bonheur, comme cela n'a pas porté bonheur à Isabelle. Son mari a reperdu l'Écosse, et continue de se vautrer dans le vice avec des portefaix...

Elle s'arrêta un instant, parce que Poitiers approchait le gobelet de ses yeux myopes pour en examiner la ciselure. Puis elle enchaîna :

— Mais mon Satan de Robert a fait mieux depuis. Savez-vous que le jour où Marguerite fut trouvée morte, Robert était entré à Château-Gaillard au petit matin?

— Vraiment? dit Poitiers sans montrer une surprise extrême.

Il avait, lui aussi, ses informations. Il but une gorgée et parut apprécier le breuvage.

— Blanche, enfermée dans la même tour, a tout entendu. La pauvre enfant, depuis, est comme folle. Elle m'a fait parvenir l'autre jour un message... Entendez-moi, Philippe, il va les tuer l'une après l'autre. Son jeu est clair. Robert à présent peut agir à sa guise et tout obtenir du roi; ils sont complices du même meurtre. Il suffit que Robert parle pour que Louis approuve. Maintenant, il va s'attaquer à ma descendance. Je suis seule, veuve, avec un fils trop jeune encore pour qu'il me puisse fournir appui, et pour la vie duquel je tremble autant que pour la vie de mes filles[11]. Tant de douleurs et de craintes ne peuvent-elles pas faire mourir une femme avant l'âge?

A nouveau, elle toucha sa relique pectorale.

— Dieu m'est témoin que je ne voudrais pas trépasser en laissant mes enfants livrés à ce chacal. De grâce, reprenez votre épouse auprès de vous pour la protéger, et montrez du même coup que je ne suis point sans allié. Car, s'il arrivait que Jeanne fût enlevée à la vie, ou bien restât recluse, et que l'Artois me fût ôté comme si fort on s'y emploie, alors je serais obligée de demander retour, pour mon fils, du palatinat de Bourgogne, qui était la dot de Jeanne.

Poitiers ne put qu'admirer l'adresse avec laquelle sa belle-mère avait planté sa dernière lance. Ainsi le marché était nettement proposé: «Ou bien vous reprenez Jeanne, et je vous pousse au trône s'il devient vacant, afin que ma fille soit reine de France; ou bien vous refusez la réconciliation conjugale, mais alors je renverse mes positions et négocie la reprise du comté de Bourgogne contre l'abandon de l'Artois.»

Or la Bourgogne-comté constituait non seulement une immense possession, mais aussi, par sa situation de palatinat, un possible accès à la couronne élective de l'empire d'Allemagne.

Poitiers contempla un instant Mahaut, monumentale sous les grandes courtines de brocart drapées autour de son lit.

«Elle est fourbe comme le renard, obstinée comme le sanglier; elle a sans doute du sang sur les mains, mais je ne pourrai jamais me défendre d'avoir pour elle de l'amitié... Dans sa violence comme dans son mensonge, il y a toujours une pointe de naïveté...»

Pour cacher le sourire qui lui venait aux lèvres, il but au gobelet de vermeil.

Il ne promit rien, ne conclut rien, car il était de nature réfléchie, et ne considérait pas qu'il y eût urgence à décider. Mais, à tout le moins, il voyait déjà le moyen de contrebalancer au Conseil des pairs l'influence de Valois, qu'il tenait pour funeste.

Il but une dernière gorgée et dit :

— Nous parlerons de tout ceci au sacre, où nous allons nous revoir promptement, ma mère.

Et par ce « ma mère » qu'il employait pour la première fois depuis quinze mois, Mahaut comprit qu'elle avait gagné.

Aussitôt après le départ de Philippe, Béatrice entra et examina le gobelet.

— Il l'a vidé presque jusqu'au fond, dit-elle avec satisfaction. Vous verrez, Madame... que Monseigneur de Poitiers va bientôt aller à Dourdan.

— Je vois surtout, répondit Mahaut, qu'il nous ferait un fort bon roi... si nous perdions le nôtre.

VIII

UN MARIAGE DE CAMPAGNE

Le mardi 13 août 1315, à l'aube crevant, les habitants du petit bourg de Saint-Lyé en Champagne furent éveillés par des cavalcades venant et du nord et du sud, par les routes de Sézanne et de Troyes.

D'abord les maîtres de l'hôtel du roi arrivèrent au galop et s'engouffrèrent, avec toute une escorte d'écuyers, de sommeliers et de valets, sous les voûtes du château. Puis apparut un grand charroi de meubles et de vaisselle, sous la conduite des majordomes, argentiers et tapissiers ; enfin s'avança, monté sur mules et chantant des cantiques, tout le clergé de Troyes, suivi de près par les marchands italiens qui desservaient habituellement les foires de Champagne. La cloche de l'église se mit à sonner à la volée ; le roi allait tout à l'heure se marier à Saint-Lyé.

Alors, les paysans crièrent « Noël », et les femmes coururent aux champs cueillir des fleurs afin de faire des jonchées, comme pour le passage du saint sacrement, tandis que les officiers de bouche se répandaient aux alentours, raflant œufs, viandes, volaille et poissons de vivier en aussi grandes quantités qu'ils en pouvaient trouver.

Par chance, il avait cessé de pleuvoir depuis la veille ; mais le temps retait lourd et gris ; la chaleur du soleil, à défaut de ses rayons, perçait les nuages. Les gens du roi s'essuyaient le front, et les villageois, regardant le ciel, annonçaient que l'orage éclaterait avant la vesprée. Au château, on entendait taper les menuisiers ; les cheminées des cuisines fumaient, et l'on déchargeait de hautes charretées de paille qu'on épandait dans les salles pour y servir de couche aux escortes.

Saint-Lyé n'avait pas connu pareille effervescence depuis le jour où Philippe Auguste, au début du siècle précédent, était venu confirmer solennellement la donation de ce château fort aux évêques de Troyes. Un événement tous les cent ans [12].

Vers la tierce heure de la matinée, le roi, entouré de ses deux frères, de ses deux oncles, de ses cousins Philippe de Valois et Robert d'Artois, traversa le village au galop, sans répondre aux acclamations et en ravageant les jonchées de fleurs qu'il fallut replacer après son passage.

Il fit encore une demi-lieue, et soudain il aperçut, venant en sens inverse, le cortège de Clémence de Hongrie.

Ce cortège, conduit par l'évêque de Troyes, Jean d'Auxois, cheminait lentement, d'un train de procession.

— Le roi, Madame, voici le roi! dit Bouville qui chevauchait auprès de la litière de la princesse.

Clémence, se penchant pour regarder, lui demanda lequel, d'entre ces cavaliers qui avançaient de front, était son futur mari. Bouville s'expliqua mal, ou bien elle entendit mal la réponse, et elle prit pour son fiancé le comte de Poitiers, parce qu'il se tenait en selle avec une naturelle noblesse et il lui parut, dans sa haute minceur, le plus séduisant. Or ce fut le cavalier de moins bonne tournure qui mit pied à terre le premier et s'approcha de la litière. Bouville, déjà descendu de sa propre monture, lui saisit la main pour y poser ses lèvres, et, ployant le genou, dit:

— Sire, voici Madame de Hongrie.

Alors la belle princesse angevine vit le jeune homme aux gros yeux pâles et au teint brouillé, dont les décrets du sort et les intrigues des cours l'envoyaient partager le destin, le lit et le pouvoir.

Louis X de son côté la contemplait sans rien dire, l'air stupéfait, au point que dans le premier moment Clémence crut qu'elle ne lui plaisait pas.

Ce fut elle qui se décida à rompre le silence.

— Sire Louis, dit-elle, je suis à jamais votre servante.

Cette parole parut délier la langue du Hutin.

— Je craignais, ma cousine, que le portrait en peinture qu'on m'avait envoyé de vous ne fût trompeur et flatté; mais je vous vois plus de grâce et de beauté que l'image n'en montrait.

Et il se retourna vers sa suite, comme pour faire apprécier sa chance.

Puis on procéda aux présentations des membres de la famille. Un seigneur de forte corpulence, habillé d'or comme s'il fût allé en tournoi, embrassa Clémence en l'appelant « ma nièce », et l'assura qu'il l'avait vue enfant à Naples; Clémence comprit que c'était là Charles de Valois, le principal artisan de son mariage. Puis elle sut que l'élégant cavalier, qui s'inclinait en lui disant « ma sœur », était l'aîné de ses nouveaux beaux-frères.

Soudain, les mules qui portaient la litière firent un écart; une colossale masse humaine, vêtue de rouge, et dont Clémence ne parvint pas à apercevoir la tête, masqua un instant la lumière; la princesse entendit prononcer:

— Votre cousin, messire Robert d'Artois.

On se remit très vite en marche, et le roi pria l'évêque de prendre les devants, afin que tout fût prêt en l'église.

Clémence s'attendait à ce que la rencontre se déroulât différemment. Elle avait imaginé qu'il y aurait des tentes dressées en un lieu décidé à l'avance, que les hérauts d'armes sonneraient de la trompette de part et d'autre, et qu'il lui serait offert un léger repas, pendant lequel elle commencerait de faire connaissance avec son fiancé. Elle pensait aussi que le mariage ne se célébrerait qu'après quelques jours et serait le prélude à deux semaines de fêtes, avec joutes, jongleurs et ménestrels, selon l'usage des noces princières.

La brusquerie de cet accueil en forêt, sur une petite route, et l'absence d'apparat la surprirent un peu. On eût cru avoir simplement croisé, par hasard, une partie de chasse. Elle fut encore plus déroutée en apprenant qu'elle allait être mariée, sur l'heure, dans un château voisin où l'on passerait la nuit, pour repartir le lendemain vers Reims.

— Mon doux Sire, demanda-t-elle au roi qui maintenant chevauchait à côté d'elle, retournerez-vous à la guerre?

— Certes, Madame, je vais y retourner... l'an prochain. Si je n'ai point poursuivi plus loin les Flamands cette année, et les ai laissés sur leur peur, c'est que je ne voulais différer de vous accueillir et de conclure nos accordailles.

Le compliment était si gros que Clémence en demeura perplexe. Elle allait de surprise en surprise. Ce roi, si impatient de la rejoindre qu'il licenciait son armée, lui offrait une noce de village.

En dépit des jonchées de fleurs et de l'enthousiasme des paysans, le château de Saint-Lyé, petite forteresse aux murs épais encrassés par trois siècles d'humidité, parut sinistre à la princesse napolitaine. Celle-ci eut à peine une heure pour changer de vêtements et se recueillir avant la cérémonie, si l'on peut appeler recueillement une station dans une chambre où les tapissiers n'avaient pas achevé d'accrocher les tentures brodées et où Monseigneur de Valois vint aussitôt bourdonner comme un gros frelon doré, prétendant instruire sa nièce, en si peu d'instants, de tout ce qu'elle avait à savoir sur la cour de France et particulièrement de la place essentielle que lui, Charles de Valois, y occupait.

Ainsi Clémence devait apprendre que Louis X, s'il possédait toutes les qualités souhaitables chez un époux, n'avait pas que des vertus, surtout en politique. Il était sensible aux influences et se défendait mal des mauvais conseilleurs. Dans cette affaire de Flandre, par exemple, Valois estimait que Louis ne l'avait pas assez écouté, tandis qu'il ouvrait trop l'oreille aux conseils du connétable et du comte de Poitiers. Quant à l'élection du pape... Clémence était passée par Avignon? Qui avait-elle vu? Le cardinal Duèze? Mais bien sûr; il fallait faire élire Duèze... Clémence devait comprendre pourquoi Valois avait tant insisté et si bien manœuvré pour qu'elle devînt reine de France;

il comptait fort sur sa bonne présence, sa grâce et sa sagesse pour l'aider à bien gouverner le roi. Que Clémence n'hésitât pas à s'ouvrir à lui, en confiance, sur toutes choses. Dès à présent, il leur fallait conclure une alliance étroite. N'était-il à la cour le plus proche parent de Clémence, par son premier mariage avec Marguerite d'Anjou, et ne tenait-il pas lieu de père au jeune souverain?...

En vérité, Clémence commençait à se sentir ivre de ce flot de paroles, de tous ces noms prononcés pêle-mêle, et de l'agitation de ce personnage brodé d'or qui virait autour d'elle. Trop d'impressions neuves, de visages entraperçus, se brouillaient dans sa tête. Et puis, enfin, elle allait se marier dans un moment. Elle était convaincue du bon vouloir de chacun, et touchée de la sollicitude que lui montrait le comte de Valois. Mais elle aurait bien souhaité pouvoir se préparer l'âme. Était-ce donc cela un mariage de reine?

Elle eut le courage de demander pourquoi l'on mettait tant de hâte à la cérémonie.

— Parce que Louis doit être sacré dimanche à Reims, et qu'il a voulu que votre union se fît auparavant, afin que vous puissiez être au sacre avec lui, répondit Valois.

Ce qu'il ne dit pas, c'est que les dépenses du mariage incombaient à la couronne, tandis que les frais du sacre étaient à la charge des échevins de Reims. Or, la cassette royale, après l'échec de l'ost boueux, était plus démunie que jamais. D'où ces noces bâclées, sans le moindre faste; les réjouissances seraient offertes par les Rémois.

Clémence de Hongrie n'obtint un peu de paix qu'en réclamant son confesseur. Elle s'était déjà confessée le matin, mais elle voulait être bien sûre d'arriver sans péché à l'autel. N'avait-elle pas commis quelque faute vénielle, dans ces dernières heures, manqué d'humilité en s'étonnant du peu de pompe avec laquelle on la recevait, manqué de charité aussi envers Monseigneur de Valois?

Tandis que s'accomplissaient les derniers préparatifs, Hugues de Bouville fut abordé dans la cour du château par messer Spinello Tolomei. Le capitaine général des Lombards, toujours aussi alerte malgré ses soixante ans et sa bonne bedaine, se rendait lui aussi à Reims car il s'était assuré de grosses fournitures pour le sacre. Il put donner à Bouville des nouvelles de Guccio toujours hospitalisé à Marseille.

— Qu'avait-il besoin de s'aller jeter à l'eau, gémit Tolomei. Ah! il me manque bien ces jours-ci! C'est lui qui devrait courir les routes.

— Et à moi, croyez-vous qu'il n'a pas manqué, tout le long du chemin? répondit Bouville. L'escorte a dépensé le double de ce qu'aurait coûté le voyage, si Guccio en avait tenu les comptes.

Tolomei était soucieux. L'œil gauche fermé, la lippe un peu pendante, il se plaignait des événements, des taxes sur les ventes, du contrôle des marchés et des dernières mesures touchant les Lombards. Cela ressemblait fort aux ordonnances du roi Philippe.

— Pourquoi nous avoir assuré que tout allait changer...

Bouville se sépara de Tolomei pour rejoindre le cortège nuptial.

Ce fut Charles de Valois qui conduisit la fiancée à l'autel. Quant à Louis X, il eut à marcher seul. Aucune femme de la famille n'était auprès de lui pour figurer l'accompagnement maternel. Sa grand-tante Agnès de France, fille de Saint Louis et duchesse douairière de Bourgogne, avait refusé de venir, et l'on comprenait assez pourquoi : elle était la mère de Marguerite. La comtesse Mahaut avait prétexté un empêchement de dernière heure causé par l'agitation en Artois ; elle rejoindrait Reims directement, pour le sacre où ses fonctions de pair lui faisaient obligation de paraître. Les comtesses de Valois et d'Évreux qui, elles, étaient attendues, n'arrivèrent pas ; on apprendrait qu'une erreur d'itinéraire les avait déroutées vers une chapelle Saint-Lyé, distante d'une dizaine de lieues et située dans les parages de Reims...

Monseigneur Jean d'Auxois, mitre en tête, officiait. Tout le temps que dura la messe, Clémence se reprocha de ne pas parvenir à se recueillir autant qu'elle l'eût souhaité. Elle s'efforçait d'élever sa pensée vers le ciel, suppliant Dieu de lui accorder, en toutes les heures de la vie, les vertus d'épouse, les qualités de souveraine, et les bénédictions de la maternité ; mais ses yeux, malgré elle, s'abaissaient sur l'homme qu'elle entendait respirer à son côté, dont elle connaissait à peine les traits, et dont le soir même elle allait partager le lit.

Il avait, chaque fois qu'il s'agenouillait, une toux brève qui semblait un tic ; la ride profonde qui cernait son menton trop court surprenait, chez un être encore si jeune. La bouche était mince, abaissée aux coins, les cheveux longs et plats, d'une couleur imprécise. Et lorsque cet homme se tournait vers elle, elle se sentait gênée par le regard de ses gros yeux pâles. Elle s'étonnait de ne pas retrouver l'état de bonheur sans mesure et sans mélange qui l'habitait au départ de Naples.

« Mon Dieu, empêchez-moi d'être ingrate aux bienfaits dont vous me chargez. »

Mais l'on ne commande pas en tout instant à son esprit ; et Clémence se surprit à penser que si on lui avait donné à choisir entre les trois princes de France, elle eût préféré le comte de Poitiers. Un grand effroi la saisit et elle faillit s'écrier : « Non, je ne veux pas, je ne suis pas digne ! » A ce moment, elle s'entendit répondre : « Oui », d'une voix qui ne lui parut pas la sienne, à l'évêque qui lui demandait si elle voulait prendre Louis, roi de France et de Navarre, pour époux.

Le premier coup de tonnerre de l'orage prévu éclata comme on passait au doigt de Clémence un anneau trop large ; les assistants s'entre-regardèrent et plus d'un se signa.

Quand le cortège sortit, les paysans attendaient, groupés devant l'église, en chemise de toile et les jambes entourées de chiffons. Clémence murmura:

— Ne va-t-on pas leur faire l'aumône?

Elle avait pensé tout haut, et l'on remarqua que sa première parole de reine avait été une parole de bonté.

Pour lui complaire, Louis X ordonna à son chambellan de lancer quelques poignées de monnaie. Les paysans aussitôt se jetèrent au sol, et le spectacle offert à la nouvelle mariée fut celui d'une bataille sauvage sur les fleurs de la jonchée. On entendait des déchirures d'étoffe, des grognements sourds comme en poussent les truies, et des chocs de crânes. Les barons s'amusaient fort à contempler cette mêlée. L'un des vilains, plus large et plus lourd que les autres, écrasait de son pied les mains qui avaient attrapé une piécette et les forçait à s'ouvrir.

— Voilà un goujat qui me paraît savoir y faire, dit Robert d'Artois en riant. A qui est-il? Je l'achète volontiers.

Et Clémence vit avec déplaisir que Louis, lui aussi, riait.

«Ce n'est pas ainsi qu'on donne, pensa-t-elle, je lui apprendrai.»

La pluie se mit à tomber.

Les tables avaient été dressées dans la plus grande salle du château. Le repas dura cinq heures. «Et voilà, je suis reine de France», se disait Clémence. Elle ne s'habituait pas à cette idée. Elle ne s'habituait d'ailleurs à rien. La gloutonnerie des seigneurs français la stupéfiait. A mesure que circulait le vin, le ton des voix montait. Seule femme à ce banquet d'hommes de guerre, Clémence voyait tous les regards converger sur elle, et devinait qu'au bout de la salle les propos prenaient un tour assez gras.

De temps à autre, l'un des convives s'absentait. Mathieu de Trye, le grand chambellan, cria:

— Le roi notre Sire défend qu'on pisse dans l'escalier par lequel il passera.

Comme on était au quatrième service de six plats chacun, dont un cochon entier présenté sur sa broche et un paon avec sa roue reconstituée autour du croupion, deux écuyers s'avancèrent portant un pâté monumental qu'ils déposèrent devant le couple royal. On fendit la croûte et un renard vivant surgit du pâté, aux exclamations de l'assistance. Faute d'avoir pu préparer des pièces montées et des châteaux en sucrerie qui eussent réclamé plusieurs jours de fabrication, les cuisiniers s'étaient distingués de cette manière.

Le renard affolé avait sauté dans la salle où il tournoyait, la queue rousse et touffue au ras des dalles, et ses beaux yeux brillants, un peu laiteux, tout apeurés.

— Au goupil! Au goupil! hurlèrent les seigneurs en bondissant de leurs sièges.

Une chasse s'improvisa, autour des tables. Ce fut Robert d'Artois qui attrapa l'animal. On vit le géant plonger vers le sol, et se relever tenant à bout de bras le renard qui couinait, découvrant des crocs minces sous ses babines noires. Puis Robert referma lentement les doigts; les vertèbres craquèrent; les yeux du renard devinrent vitreux, et Robert étendit l'animal mort sur la table, devant la nouvelle reine, comme un hommage.

Clémence qui maintenait du pouce son anneau trop grand, demanda si c'était la coutume en France que les femmes de la parenté n'assistassent point aux mariages. Elle reçut de Louis quelques explications embarrassées.

— Mais de toute façon, ma sœur, vous n'auriez pas eu l'occasion de voir mon épouse, dit le comte de Poitiers.

— Et pourquoi donc... mon frère? demanda Clémence qui éprouvait à la fois de l'intérêt à tout ce qu'il disait et de la gêne à lui répondre.

— Parce qu'elle est encore enfermée au château de Dourdan, dit Philippe de Poitiers.

Puis se tournant vers le roi:

— Sire mon frère, en ce jour de bonheur pour vous, je vous requiers de lever la peine qui fut infligée à Jeanne mon épouse. Ses erreurs n'étaient point crimes, et elle s'en est repentie.

Le Hutin, pris de court, ne savait que décider. Devait-il, devant Clémence, faire montre de mansuétude ou au contraire de fermeté, deux qualités également royales? Il chercha des yeux, pour lui demander conseil, Charles de Valois, mais celui-ci était allé prendre l'air. Et Robert d'Artois, à l'autre bout de la salle, enseignait à son cousin Philippe de Valois la manière de saisir un renard sans se faire mordre.

— Sire mon époux, dit Clémence, pour l'amour de moi, accordez à votre frère la grâce qu'il sollicite de vous. Ce jourd'hui est un jour d'accordailles, et je voudrais que toutes les femmes de votre royaume en eussent partage de joie.

Elle prenait l'affaire à cœur, avec une chaleur soudaine; elle se sentait comme soulagée d'entendre Philippe de Poitiers parler de sa femme et exprimer le désir qu'elle rentrât au foyer.

Louis avait fortement dîné, et vidé sa coupe un peu plus souvent qu'il n'eût convenu. L'instant approchait où il allait étreindre ce beau corps calme dont il était désormais le maître. Il n'avait pas l'esprit à peser les conséquences politiques de ce qu'on lui demandait.

— Il n'est rien, ma mie, que je ne veuille faire pour vous plaire, répondit-il. Mon frère, vous pouvez reprendre Madame Jeanne et la ramener parmi nous quand il vous plaira.

Charles de la Marche, qui avait suivi avec attention le dialogue, dit alors:

— Et pour Blanche, Sire mon frère, que décidez-vous? M'autorise-rez-vous...

— Pour Blanche, jamais! coupa le roi.

— Seulement d'aller la visiter à Château-Gaillard, et la faire mettre en un couvent où elle aura un traitement moins dur...

— Jamais, répéta le Hutin d'un ton qui interdisait toute insistance.

Si les ressentiments de Louis à l'égard de Jeanne de Bourgogne, pour la part qu'elle avait eue dans ses infortunes conjugales, se trouvaient assez atténués par le fait même du remariage, en revanche grande était sa terreur que Blanche, sortie de forteresse et de l'isolement absolu, pût divulguer les circonstances de la mort de Marguerite. Cette crainte inspira au Hutin, pour une fois, une décision rapide et sans appel.

Clémence, jugeant sage de s'en tenir à sa première victoire, n'osa pas intervenir.

— N'aurai-je donc plus jamais le droit d'avoir épouse? reprit Charles.

— Laissez faire le sort, mon frère, répondit Louis.

Le beau visage, mais assez mou, de Charles de la Marche, prit une expression boudeuse et butée.

— Il semble que le sort favorise plus Philippe que moi.

Et dès cet instant, Charles de la Marche conçut du ressentiment non contre son frère le roi, mais contre son frère Poitiers.

A l'issue de cette journée épuisante, la jeune reine était si lasse que les événements de la nuit se déroulèrent pour elle comme dans une autre vie. Elle n'éprouva ni effroi, ni souffrance excessive, ni particulière félicité. Elle fut simplement soumise, admettant que les choses devaient se passer ainsi. Elle entendit, avant de sombrer dans le sommeil, des mots balbutiés qui lui laissèrent espérer que son époux l'appréciait. Si elle avait été moins novice en ce domaine, elle eût compris qu'elle disposait, pour un temps au moins, d'un grand pouvoir sur Louis X.

Celui-ci, en effet, s'était émerveillé de rencontrer chez cette fille de roi une passivité consentante qu'il n'avait jusqu'alors connue que chez des servantes. L'angoisse des défaillances qui le saisissaient dans le lit de Marguerite avait disparu. Peut-être, après tout, n'était-il pas fait pour les brunes. A plusieurs reprises, il se trouva triomphant de ce beau corps qui luisait faiblement, comme nacré sous la petite lampe à huile pendue au ciel de lit, et dont son désir pouvait disposer tout à son gré. Jamais il n'avait accompli pareil exploit.

Quand il sortit de la chambre, tard dans la matinée, la tête lui tournait un peu, mais il la portait haut, et plus fièrement que s'il eût vaincu les Flamands; sa nuit de noces avait effacé ses déboires militaires.

Pour la première fois, Louis Hutin fut capable d'affronter sans gêne les plaisanteries gaillardes de son cousin d'Artois qui passait pour le mâle le mieux pourvu et le plus endurant de la cour.

Puis, environ midi, on se remit en route vers le nord. Clémence se retourna pour emporter une dernière image de ce château où elle était devenue femme et reine, et dont elle ne parviendrait jamais à se rappeler les dimensions exactes.

Deux jours plus tard, on arrivait à Reims. Les habitants n'avaient pas vu de sacre depuis trente ans, c'est-à-dire que pour la moitié au moins de la population, le spectacle était neuf. Des officiers royaux, affairés, couraient en compagnie des échevins de la Maison de Ville à l'archevêché. Sur les places s'étaient installées toutes sortes de marchands, jongleurs et montreurs de bêtes, comme pour une foire. De grands barons, de hauts prélats, arrivés des quatre coins de France, passaient avec leurs escortes, à la recherche de leur logis. Paysans, bourgeois et petits seigneurs affluaient de la contrée avoisinante, grossissant une foule que les sergents tâchaient à contenir sur l'itinéraire pavoisé du cortège royal.

Les Rémois ne pouvaient pas imaginer qu'ils auraient l'occasion de contempler à nouveau cette grande cavalcade, et d'en payer les frais, plusieurs fois encore, dans un proche avenir.

Le roi qui ce jour-là franchissait le portail de la cathédrale de Reims était accompagné des trois successeurs que lui donnerait l'Histoire. En effet, derrière Louis X chevauchaient ses frères Philippe et Charles, ainsi que son cousin Philippe de Valois. Avant quatorze ans, la couronne se serait posée sur leurs trois têtes.

DEUXIÈME PARTIE

APRÈS LA FLANDRE, L'ARTOIS...

I

LES ALLIÉS

De toutes les fonctions humaines, celle qui consiste à gouverner ses semblables, encore que la plus enviée, est la plus décevante, car elle n'a jamais de fin, et ne permet à l'esprit aucun repos. Le boulanger qui a sorti sa fournée, le bûcheron devant son chêne abattu, le juge qui vient de rendre un arrêt, l'architecte qui voit poser le faîte d'un édifice, le peintre une fois terminé son tableau, peuvent, pour un soir au moins, connaître cet apaisement relatif que procure un effort mené à son terme. L'homme de gouvernement, jamais. A peine une difficulté politique paraît-elle aplanie qu'une autre, qui se formait justement pendant qu'on réglait la première, exige une attention immédiate. Le général vainqueur profite longuement des honneurs de sa victoire; mais le ministre doit affronter les nouvelles situations nées de cette victoire même. Aucun problème ne tolère de rester longtemps irrésolu, car tel qui semble aujourd'hui secondaire demain prendra une importance tragique.

L'exercice du pouvoir n'est guère comparable qu'à celui de la médecine, qui connaît également cet enchaînement sans trêve, cette primauté des urgences, cette constante surveillance de troubles bénins parce qu'ils peuvent être symptômes de lésions graves, enfin ce perpétuel engagement de la responsabilité en des domaines où la sanction dépend de circonstances futures. L'équilibre des sociétés, comme la santé des individus, n'a jamais un caractère définitif, et ne peut représenter un labeur achevé.

Le métier de roi, au temps où les rois gouvernaient eux-mêmes, comportait ces servitudes ininterrompues.

A peine Louis X était-il parvenu à mettre en sommeil les affaires de Flandre, se résignant à les laisser pourrir puisqu'il ne pouvait les résoudre, à peine avait-il couru à Reims se faire revêtir du prestige mystique que le sacre conférait au souverain, fût-il le moins aimable et le moins compétent des monarques, qu'aussitôt de nouveaux troubles éclatèrent dans le nord de la France.

Les barons d'Artois, ainsi qu'ils l'avaient promis à Robert, n'avaient pas désarmé en rentrant de l'*ost boueux*. Ils parcouraient le pays avec leurs bannières, tâchant de gagner les populations à leur cause. Toute la noblesse leur était acquise et, par là, les campagnes. La bourgeoisie des villes était partagée. Arras, Boulogne, Thérouanne faisaient cause commune avec les ligueurs. Calais, Avesnes, Bapaume, Aire, Lens, Saint-Omer demeuraient fidèles à la comtesse Mahaut. Le comté montrait une agitation fort proche de l'insurrection.

La haute noblesse était représentée dans la ligue par Jean de Fiennes, beau-frère du comte de Flandre, ce qui rendait le mouvement de révolte particulièrement inquiétant.

Pour la procédure, les conjurés disposaient d'un des leurs, Gérard Kiérez, homme fort habile à formuler les doléances, rédiger les pétitions et conduire les actions juridiques devant le Parlement et le Conseil du roi.

Les sires de Souastre et de Caumont dirigeaient les rassemblements militaires.

Tous travaillaient pour le compte et sous l'inspiration de Robert d'Artois. Leurs revendications étaient de deux sortes. D'une part, ils requéraient l'application immédiate et intégrale de la charte dont ils avaient obtenu l'octroi récemment, et qui restaurait les « coutumes » du temps de Saint Louis ; d'autre part, ils réclamaient des changements de personnes dans l'administration du comté, et avant tout le renvoi du chancelier de Mahaut, Thierry d'Hirson, leur bête noire.

Leurs exigences, si elles avaient été satisfaites, eussent conduit la comtesse Mahaut à être privée de toute autorité dans son apanage, ce qu'espérait fermement Robert.

Mais Mahaut n'était pas femme à se laisser dépouiller. Rusant, discutant, promettant sans tenir, feignant de céder un jour pour tout remettre en question le lendemain, elle cherchait à gagner du temps par n'importe quel moyen. Les coutumes ? Certes, on allait appliquer les coutumes. Mais il fallait auparavant mener enquête, afin qu'on connût bien précisément quelles étaient les coutumes d'autrefois en chaque seigneurie. Les prévôts, les officiers, le chancelier lui-même ? S'ils avaient failli, ou abusé de leurs fonctions, elle les châtierait sans pitié. Pour cela aussi elle était résolue à faire enquêter... Et puis l'on portait le débat devant le roi, qui n'y comprenait rien et songeait à ses autres soucis. La comtesse Mahaut écoutait les doléances de maître Gérard Kiérez ; elle témoignait une évidente bonne volonté. Afin de s'accorder sur tout, on aurait une entrevue prochaine à Bapaume... Pourquoi Bapaume ? Parce que Bapaume était à elle, qu'elle y entretenait une garnison... Elle insistait sur Bapaume. Et puis, le jour convenu, elle ne venait pas à Bapaume, car elle avait dû se rendre à Reims pour le sacre... Le sacre passé, elle oubliait l'entrevue promise. Mais elle viendrait bientôt en Artois ; qu'on prît patience ; les enquêtes suivaient leur cours... c'est-à-dire que des sergents s'employaient à récolter, sous menace de bâton ou de prison, des témoignages favorables à l'administration du chancelier Thierry d'Hirson.

Le sang monta bientôt à la tête des barons ; ils entrèrent en rébellion ouverte et firent défense à Thierry de reparaître en Artois, le donnant pour mort s'il s'y montrait. Puis, ils mandèrent devant eux un autre Hirson, Denis, le trésorier, qui eut la sottise de se rendre à leur convocation ; lui mettant une épée sur la gorge, ils l'obligèrent à renier son frère par serment [13].

Les choses prenaient si dangereuse tournure que Louis X résolut d'aller lui-même à Arras pour rétablir l'ordre. Il y vint, mais sans résultat. Que pouvait-il, alors qu'ayant dissous son armée la seule bannière restée sur pied était justement celle qui se révoltait ?

Le 19 septembre, les gens de Mahaut crurent bon d'arrêter par surprise les sires de Souastre et de Caumont, qu'on désignait comme les meneurs, et de les jeter en prison. Robert d'Artois aussitôt courut plaider leur cause auprès du roi.

— Sire mon cousin, dit-il, je ne suis point concerné par cette affaire ; elle regarde ma tante Mahaut, puisque c'est elle qui gouverne le comté, et avec le beau résultat que l'on voit. Mais si l'on maintient en geôle Souastre et Caumont, je vous dis que ce sera demain la guerre en Artois. Je ne vous donne cet avis que pour le bien du royaume.

Le comte de Poitiers tirait de l'autre côté.

— Il est peut-être malhabile d'avoir arrêté ces deux seigneurs, mais ce serait maladresse plus grave que de les faire relâcher à présent. Vous allez encourager par là toute rébellion dans le royaume ; c'est votre autorité, mon frère, que vous laissez atteindre.

Charles de Valois s'emporta.

— C'est assez, mon neveu, s'écria-t-il en s'adressant à Philippe de Poitiers, que de vous avoir rendu votre femme qui justement sort de Dourdan ces jours-ci. N'allez pas déjà plaider la cause de sa mère ! Il ne faut point demander au roi d'ouvrir les prisons pour qui vous plaît, et de les fermer sur qui vous déplaît.

— Je ne vois point de semblance, mon oncle, répondit Philippe.

— Moi, je la vois ; et l'on croirait tout juste que la comtesse Mahaut dirige vos démarches.

Finalement, le Hutin prescrivit à Mahaut de faire libérer les deux seigneurs. Dans le clan de la comtesse, un mauvais jeu de mots commença de circuler : « Notre Sire Louis pour l'heure est tout à la clémence. »

Souastre et Caumont, deux gaillards qui se complétaient à merveille, l'un étant fort en gueule et l'autre rude aux coups, sortirent de leur semaine de détention avec l'auréole du martyre. Le 26 septembre, ils rassemblaient à Saint-Pol tous leurs partisans, qui s'intitulaient maintenant «les alliés». Souastre parla d'abondance, et la grossièreté de son langage autant que la violence de ses propositions emportèrent l'approbation de l'auditoire. Il fallait refuser de payer les impôts, et pendre tous les prévôts, receveurs, sergents ou représentants de la comtesse.

Le roi avait dépêché deux conseillers, Guillaume Flotte et Guillaume Paumier, pour prêcher l'apaisement et négocier une nouvelle entrevue, à Compiègne cette fois. Les alliés acceptèrent le principe de l'entrevue, mais à peine les deux Guillaume avaient-ils quitté la séance qu'un émissaire de Robert d'Artois arriva, tout suant et essoufflé d'avoir trop longtemps galopé. Il portait aux barons un simple renseignement: la comtesse Mahaut, entourant son déplacement de beaucoup de secret, arrivait elle-même en Artois; elle serait le lendemain au manoir de Vitz, chez Denis d'Hirson.

Quand Jean de Fiennes eut rendu publique cette nouvelle, Souastre s'écria:

— Nous savons désormais, mes sires, ce que nous avons à faire.

Les routes d'Artois résonnèrent, cette nuit-là, d'un bruit de chevauchées et de cliquetis d'armes.

II

JEANNE, COMTESSE DE POITIERS

Le grand char de voyage, tout sculpté, peint et doré, glissait entre les arbres. Il était si long qu'il fallait parfois s'y prendre en deux temps pour lui faire franchir les tournants, et les hommes d'escorte mettaient pied à terre afin de le pousser dans les raidillons.

Bien que l'énorme caisse de chêne fût posée à même les essieux, on ne sentait pas trop à l'intérieur les cahots du chemin, tant il y avait de coussins et de tapis accumulés. Six femmes y étaient installées un peu comme dans une chambre, bavardant, jouant aux osselets ou aux devinettes. On entendait bruisser les basses branches contre le cuir du toit.

Jeanne de Poitiers écarta le rideau peint des fleurs de lis et des trois châteaux d'or d'Artois.

— Où sommes-nous ? demanda-t-elle.

— Nous longeons l'Authie, Madame... répondit Béatrice d'Hirson. Nous venons de traverser Auxi-le-Château. Avant une heure, nous serons à Vitz, chez mon oncle Denis... Il va être bien aise de vous revoir. Et peut-être Madame Mahaut y sera-t-elle déjà, avec Monseigneur votre époux.

Jeanne de Poitiers regardait le paysage, les arbres encore verts, les prés où les paysans fauchaient un regain rare, sous un ciel ensoleillé. Comme il arrive souvent après les étés mouillés, le temps, en cette fin de septembre, s'était mis au beau.

— Madame Jeanne, je vous en prie... ne vous penchez pas ainsi à tout moment, reprit Béatrice. Madame Mahaut a recommandé que vous preniez bien garde à ne point vous montrer... lorsque nous serions en Artois.

Mais Jeanne ne pouvait pas se contenir. Regarder ! Elle ne faisait rien d'autre depuis huit jours qu'elle était libérée. Comme un affamé se gorge de nourriture sans croire qu'il pourra jamais se rassasier, elle reprenait par le regard possession de l'univers. Les feuilles aux arbres, les nuages légers, un clocher qui se dessinait dans le lointain, le vol d'un oiseau, l'herbe des talus, tout lui paraissait d'une exaltante splendeur.

Lorsque les portes du château de Dourdan s'étaient ouvertes devant elle, et que le capitaine de la forteresse, s'inclinant fort bas, lui avait offert ses vœux de bonne route en lui exprimant combien il s'était senti honoré de l'avoir eue pour hôte, Jeanne avait été prise d'une sorte de vertige.

« Me réhabituerai-je jamais à la liberté ? » se demanda-t-elle.

A Paris, une déception l'attendait. Sa mère avait dû partir précipitamment pour l'Artois. Mais elle lui avait laissé son char de voyage, ainsi que plusieurs dames de parage et de nombreuses servantes.

Tandis que tailleurs, couturières et brodeuses se hâtaient de lui reconstituer une garde-robe, Jeanne avait profité de cet arrêt de quelques jours pour parcourir, en compagnie de Béatrice, la capitale. Elle s'y sentait comme une étrangère, venue de l'autre bout du monde, et émerveillée par tout ce qu'elle voyait. Les rues ! Elle ne se lassait pas du spectacle des rues. Les étalages de la Galerie mercière, les boutiques du quai des Orfèvres !... Elle avait envie de tout palper, de tout acheter. Encore qu'elle gardât ce maintien distant, contrôlé, qui avait toujours été le sien, ses yeux brillaient, son corps s'animait d'une joie sensuelle au toucher des brocarts, des perles, des bijoux. Et pourtant, elle ne pouvait chasser le souvenir d'être venue, en ces mêmes boutiques, avec Marguerite de Bourgogne, Blanche, les frères d'Aunay...

« Je m'étais assez promis, en ma prison, si jamais j'en sortais, se disait-elle, de ne plus accorder mon temps aux choses frivoles. D'ailleurs, je ne m'y complaisais pas tellement naguère ! D'où me vient cette fringale que je ne puis réprimer ? »

Elle observait les toilettes des femmes, notait des détails nouveaux sur les coiffes, les robes et les surcots. Elle cherchait à lire dans les yeux des hommes l'impression qu'elle produisait. Les compliments muets qu'elle recevait, la manière dont les jeunes gens tournaient la tête pour suivre son passage, pouvaient la rassurer pleinement. A sa coquetterie, elle trouvait une excuse hypocrite. « J'ai besoin de savoir si je possède encore des charmes, pour mon époux. »

A vrai dire, ses seize mois de détention l'avaient peu marquée. Le régime de Dourdan n'était en rien comparable à celui de Château-Gaillard. Jeanne y disposait d'un logis décent, d'une servante ; elle était autorisée à lire, à broder, et même à se promener dans le verger du château. Elle s'était ennuyée, intolérablement, plus qu'elle n'avait souffert.

Sous de fausses nattes roulées autour des oreilles, son cou mince soutenait toujours avec la même grâce sa tête petite, aux pommettes hautes, aux yeux dorés et allongés vers les tempes, ces yeux qui faisaient songer, comme sa démarche, comme toute sa personne, aux blonds lévriers de Barbarie. Jeanne ressemblait bien peu à sa mère, sinon par la robustesse de la santé, et tenait plutôt, pour l'apparence, du côté du feu comte palatin qui avait été un seigneur plein d'élégance.

Maintenant qu'elle approchait du but de son voyage, Jeanne sentait croître son impatience ; ces dernières heures lui semblaient plus longues que tous les mois écoulés. Les chevaux n'avaient-ils pas diminué leur train ? Ne pouvait-on pas presser les palefreniers ?

— Ah ! à moi aussi, Madame, il tarde d'être à la halte, mais non pour les mêmes motifs que vous, disait une des dames de parage, à l'autre bout du char. ·

Cette personne, la dame de Beaumont, était enceinte de six mois. La route commençait à lui être pénible ; parfois, elle abaissait les yeux vers son ventre en poussant un si gros soupir que les autres femmes ne pouvaient s'empêcher d'en rire.

Jeanne de Poitiers dit à mi-voix à Béatrice :

— Es-tu bien sûre que mon époux n'a pas pris d'autre attachement pendant tout ce temps ? Ne m'as-tu pas menti ?

— Mais non, Madame, je vous l'assure... Et d'ailleurs, Monseigneur de Poitiers aurait-il tourné les yeux vers d'autres femmes qu'il ne pourrait plus y penser maintenant... après avoir bu ce philtre qui va vous le rendre tout entier. Voyez ; c'est lui qui a demandé au roi votre retour...

« Et même s'il a une maîtresse, qu'importe, je m'en accommoderai. Un homme, même partagé, vaut mieux que la prison », pensait Jeanne. De nouveau, elle écarta le rideau comme si cela devait activer l'allure.

— De grâce, Madame, dit Béatrice, ne vous montrez point tant... On ne nous aime guère en ce moment par ici.

— Pourtant les gens semblent bien affables. Ces manants qui nous saluent n'ont-ils pas une mine avenante ? répondit Jeanne.

Elle laissa retomber le rideau. Elle ne vit pas qu'aussitôt le char passé, trois paysans, qui venaient de la saluer bien bas, rentraient en courant dans le sous-bois pour y détacher des chevaux et partir au galop.

Un moment après, le char pénétra dans la cour du manoir de Vitz ; l'impatience de la comtesse de Poitiers eut à subir là une nouvelle épreuve. Denis d'Hirson, en l'accueillant, lui apprit que ni la comtesse d'Artois ni le comte de Poitiers n'étaient venus, et qu'ils l'attendaient au château d'Hesdin, à dix lieues plus au nord. Jeanne pâlit.

— Que signifie ceci ? demanda-t-elle en aparté à Béatrice. Ne dirait-on pas une dérobade pour ne point me voir ?

Et une brusque angoisse lui vint. Tout ce voyage, et la pinte de sang tirée de son bras, le philtre, les civilités du gardien de Dourdan, n'étaient-ils pas les éléments d'une comédie montée où Béatrice jouait la mauvaise larronne? Jeanne, après tout, n'avait aucune preuve que son mari l'eût vraiment réclamée. N'était-on pas en train simplement de la conduire d'une prison dans une autre, tout en entourant ce transfert, pour de mystérieuses raisons, des apparences de la liberté? A moins, à moins... et Jeanne frémissait d'envisager le pire... qu'on n'eût pris la précaution de la montrer, à Paris, libre et graciée, pour ensuite la faire impunément disparaître. Béatrice ne lui avait pas caché que Marguerite était morte dans des conditions fort suspectes. Jeanne se demandait si elle n'allait pas subir un sort semblable.

Elle apprécia peu le repas que Denis d'Hirson lui offrit. L'état de bonheur qu'elle connaissait depuis huit jours avait fait place brusquement à une atroce anxiété, et elle cherchait à lire son destin sur les visages qui l'entouraient. Béatrice, la voix traînante et toujours vaguement ironique, était impénétrable. Son oncle le trésorier, lui, parlait à peine, répondait de travers aux questions et montrait tous les signes de la préoccupation. Il y avait là deux seigneurs, les sires de Licques et de Nédonchel, qui avaient été présentés à Jeanne comme ses escorteurs jusqu'à Hesdin. Elle leur trouvait la mine peu avenante. N'étaient-ils pas chargés d'une sinistre besogne à quelque tournant de route?

Nul, s'adressant à Jeanne, ne faisait allusion à sa détention; tout le monde affectait d'ignorer qu'elle eût jamais été en prison, et cela même ne la rassurait guère. Les conversations, auxquelles elle ne comprenait rien, roulaient uniquement sur la situation en Artois, sur les coutumes, sur l'entrevue de Compiègne proposée par les envoyés du roi, sur les troubles.

— N'avez-vous point remarqué, Madame, d'agitation sur votre chemin, ni de rassemblement d'hommes en armes? demanda Denis d'Hirson à Jeanne.

— Je n'ai rien vu de tel, messire Denis, répondit-elle, et les campagnes m'ont paru fort calmes.

— On m'a pourtant signalé des mouvements; deux de nos prévôts ont été attaqués ce matin.

Jeanne inclinait de plus en plus à croire que toutes ces paroles n'avaient d'autre objet que d'endormir sa méfiance. Il lui semblait qu'un filet invisible se resserrait. Elle se sentait seule, abominablement seule...

La dame enceinte mangeait avec une extraordinaire gloutonnerie et continuait à pousser de gros soupirs en regardant son ventre.

Le sire de Nédonchel, homme aux longues dents, au visage jaune et aux épaules voûtées, disait :

— La comtesse Mahaut, je vous assure, messire Denis, sera forcée de céder. Usez de votre empire sur elle. Qu'elle cède, au moins en partie. Qu'elle renonce à votre frère, si dur qu'il nous soit de vous le dire, ou qu'elle feigne d'y renoncer, car jamais les alliés ne voudront traiter tant qu'il sera chancelier. Le sire de Licques et moi-même risquons gros à demeurer fidèles à la comtesse, tout en faisant mine d'agir avec les autres barons. Plus elle attend, plus son neveu Robert gagne sur les esprits.

A ce moment, un sergent, nu-tête et hors d'haleine, pénétra dans la salle du repas.

— Qu'y a-t-il, Cornillot? demanda Denis d'Hirson.

Le sergent Cornillot chuchota quelques phrases hachées à l'oreille de Denis d'Hirson. Celui-ci devint blême, rabattit la nappe qui lui couvrait les genoux, sauta de son banc.

— Un moment, mes seigneurs, il me faut aller voir...

Et il s'enfuit à toutes jambes par une des petites portes de la salle, suivi de Cornillot qui lui collait aux chausses. Leurs pas précipités décrurent dans un escalier.

L'instant d'après, alors que les convives n'étaient pas encore revenus de leur surprise, une grande clameur monta de la cour. On eût dit qu'une armée entière venait d'y entrer au galop. Un chien, qui avait dû recevoir un coup de sabot, hurlait à la mort. Licques et Nédonchel coururent aux fenêtres, tandis que les femmes d'escorte de la comtesse de Poitiers se tassaient dans un coin de la pièce comme un troupeau de pintades. Auprès de Jeanne, seules étaient restées Béatrice et la dame enceinte dont le visage avait pris une mauvaise couleur.

Béatrice joignit les mains; elle tremblait. Jeanne comprit qu'elle n'était certainement pas de connivence avec les assaillants. Mais cela ne rendait pas la situation plus gaie et, de toute manière, le temps manquait pour penser.

La porte vola plutôt qu'elle ne s'ouvrit, et une vingtaine de barons, conduit par Souastre et Caumont, entrèrent l'épée au poing, en hurlant:

— Où est le traître, où est le traître? Où se cache-t-il?

Ils s'arrêtèrent, un peu hésitants devant le spectacle qui s'offrait à eux. Ils avaient plusieurs motifs de surprise. D'abord, l'absence de Denis d'Hirson, qu'ils étaient sûrs de trouver là et qui venait de disparaître comme derrière le voile d'un enchanteur. Et puis ce groupe de femmes jacassantes ou pâmées, se serrant les unes contre les autres et qui se voyaient déjà promises à un viol général. Enfin et surtout la présence de Licques et de Nédonchel. L'avant-veille encore, à Saint-Pol, ces deux chevaliers étaient du nombre des conjurés, et voici qu'on les découvrait attablés dans une maison du camp adverse.

Les transfuges furent copieusement insultés; on leur demanda combien ils touchaient pour leur parjure, s'ils s'étaient vendus aux Hirson pour trente deniers; et Souastre appliqua son gantelet de fer sur la longue face jaune de Nédonchel, qui se mit à saigner de la bouche.

Licques s'efforçait de s'expliquer, de se justifier.

— Nous étions venus plaider votre cause; nous voulions éviter des morts et des ravages inutiles. Nous étions près d'obtenir par paroles mieux que vous par vos épées.

On le contraignit à se taire en l'accablant d'injures. Dans la cour, les autres alliés continuaient de mener tapage. Ils n'étaient pas moins d'une centaine.

— Ne dites pas mon nom, souffla Béatrice à la comtesse de Poitiers, car c'est à ma famille qu'ils en ont.

La dame enceinte eut une crise de nerfs et s'écroula sur son banc.

— Où est la comtesse Mahaut?... criaient les barons. Il faudra bien qu'elle nous entende!... Nous savons qu'elle se trouve ici, nous avons suivi son char...

Les choses commençaient à s'éclaircir pour Jeanne. Ce n'était pas à sa vie, spécialement, que les braillards en voulaient. Son premier mouvement de frayeur passé, la colère lui vint à la gorge; le sang des d'Artois se réveillait en elle.

— Je suis la comtesse de Poitiers, s'écria-t-elle, et le char que vous avez vu me transportait. J'apprécie peu qu'on pénètre avec tant de fracas dans le lieu où je suis.

Comme les insurgés ignoraient qu'elle fût sortie de prison, cette annonce imprévue les rendit un moment silencieux. Ils allaient décidément de surprise en surprise.

— Voulez-vous me dire vos noms, reprit Jeanne, car j'ai coutume de ne parler qu'aux gens qui me sont nommés, et j'ai peine à savoir qui vous êtes sous vos harnois de guerre.

— Je suis le sire de Souastre, répondit le meneur aux gros sourcils roux, et celui-ci est mon compaing Caumont. Et voici Monseigneur Jean de Fiennes, et messire de Saint-Venant, et messire de Longvillers; nous cherchons la comtesse Mahaut...

— Comment? coupa Jeanne. Je n'entends que noms de gentils-hommes! Je ne l'aurais point cru à votre manière d'en user avec des dames qu'il vous conviendrait de protéger et non d'assaillir. Voyez madame de Beaumont qui est grosse presque à mettre bas, et que vous venez de faire pâmer. N'en avez-vous point honte?

Un flottement se dessina parmi les alliés. Jeanne était belle, et sa manière de tenir tête leur en imposait. Et puis, elle était la belle-sœur du roi et paraissait revenue en grâce. Jean de Fiennes, le mieux né et le plus important de ces seigneurs, se souvenait d'avoir vu Jeanne, naguère, à la cour. Il l'assura qu'ils ne lui voulaient aucun mal; leur expédition ne visait que Denis d'Hirson, parce qu'il avait juré qu'il reniait son frère et ne tenait pas son serment.

En vérité, ils avaient espéré prendre Mahaut dans un piège et la contraindre par la force. Pour se venger de leur déconvenue, ils mirent la maison au pillage.

Pendant une heure, le manoir de Vitz résonna du fracas des portes claquées, de l'éventrement des meubles et de bris des vaisselles. On arrachait des murs tapisseries et tentures; on raflait l'argenterie sur les crédences.

Puis, un peu calmés mais toujours menaçants, les insurgés firent remonter Jeanne et ses femmes dans le grand char doré; Souastre et Caumont prirent le commandement de l'escorte, et le char, environné d'un bruissement d'acier, s'engagea sur la route d'Hesdin.

Les alliés, de cette façon, étaient sûrs maintenant de parvenir jusqu'à la comtesse d'Artois.

A la sortie du bourg d'Ivergny, distant d'environ une lieue, un arrêt se produisit. Quelques alliés, lancés à la recherche de Denis d'Hirson, venaient de le rattraper au moment où il essayait de franchir l'Authie en traversant les marécages. Il apparut crotté, battu, saignant, enchaîné, et titubant entre deux barons à cheval.

— Que vont-ils lui faire? Que vont-ils lui faire? murmura Béatrice. Dans quel état l'ont-ils mis!

Et elle commença de prononcer à voix basse de mystérieuses prières qui n'avaient de sens ni en latin ni en français.

Après quelques palabres, les barons décidèrent de le garder comme otage, en l'enfermant dans un château voisin. Mais leur fureur meurtrière avait besoin d'une victime.

Le sergent Cornillot avait été pris en même temps que Denis. Or ce même Cornillot, pour son malheur, avait participé quelque temps auparavant à l'arrestation de Souastre et de Caumont. Ceux-ci reconnurent et les alliés exigèrent qu'on lui réglât son compte sur-le-champ. Mais il fallait que sa mort servît d'exemple et donnât à réfléchir à tous les sergents de Mahaut. Certains préconisaient la pendaison; d'autres voulaient que Cornillot fût roué, d'autres encore qu'il fût enterré vif. Dans une grande émulation de cruauté, on discutait devant lui de la manière dont on allait le tuer, tandis qu'à genoux, le visage en sueur, le sergent braillait son innocence et suppliait qu'on l'épargnât.

Souastre trouva une solution qui mit tout le monde d'accord, sauf le condamné.

On alla chercher une échelle. On hissa Cornillot dans un arbre où on le lia par les aisselles; puis, quand il eut gigoté un bon moment pour la joie des barons, on coupa la corde et on le laissa tomber sur le sol. Le malheureux, les jambes brisées, hurla tout le temps qu'on creusa sa tombe. On l'enterra debout, sa tête seule émergeant où roulaient des yeux fous.

Le char de la comtesse de Poitiers attendait toujours au milieu du chemin, et les dames d'escorte se bouchaient les oreilles pour ne pas entendre les cris du supplicié. La comtesse de Poitiers se sentait défaillir mais n'osait intervenir, de peur que la colère des alliés ne se retournât contre elle.

Enfin, Souastre tendit sa grande épée à l'un de ses valets d'armes. La lueur de la lame brilla au ras du sol et la tête du sergent Cornillot roula sur l'herbe, tandis qu'un flot de sang, jailli comme d'une rouge fontaine, arrosait à l'entour la terre meuble.

Au moment où le char se remit en route, la dame enceinte fut prise de douleurs; elle commença de hurler, en se renversant en arrière. On sut aussitôt qu'elle n'irait pas au terme de sa grossesse.

III

LE SECOND COUPLE DU ROYAUME

Hesdin était une importante forteresse à trois enceintes, entrecoupée de fossés, hérissée de tours flanquantes, truffée de bâtiments, d'écuries, de greniers, de resserres, et reliée par plusieurs souterrains à la campagne environnante. Une garnison de huit cents archers pouvait y tenir à l'aise. A l'intérieur de la troisième cour se trouvait la résidence principale des comtes d'Artois, composée de divers corps de logis somptueusement meublés.

— Tant que j'aurai cette place, avait coutume de dire Mahaut, mes méchants barons ne viendront pas à bout de moi. Ils s'useront bien avant que mes murs n'aient cédé, et mon neveu Robert se leurre s'il pense que jamais je le laisserai s'emparer d'Hesdin.

— Hesdin m'appartient de droit et d'héritage, déclarait de son côté Robert d'Artois ; ma tante Mahaut me l'a volé comme tout mon comté. Mais je ferai tant que je le lui reprendrai.

Lorsque les alliés, escortant le char de Jeanne de Poitiers, et portant au bout d'une pique la tête du sergent Cornillot, parvinrent à la nuit tombante devant la première enceinte, leur nombre s'était réduit sensiblement. Le sire de Journy, prétextant qu'il devait surveiller la rentrée de son regain, avait quitté le cortège, imité bientôt par le sire de Givenchy récemment marié et qui craignait que sa jeune femme ne s'ennuyât ou ne s'inquiétât. D'autres, dont les manoirs se voyaient de la route, avaient choisi d'aller souper chez eux, entraînant leurs meilleurs amis et assurant qu'ils rejoindraient tout à l'heure. Les obstinés n'étaient plus guère qu'une trentaine qui chevauchaient depuis de longs jours et se sentaient un peu las du poids de leurs vêtements d'acier.

Ils eurent à parlementer un bon moment avant qu'on ne leur permît de franchir le premier corps de garde. Puis, ils durent attendre encore, et Jeanne de Poitiers au milieu d'eux, entre la première et la seconde enceinte.

La nouvelle lune s'était levée dans un ciel encore clair. Mais l'ombre s'épaississait au fond des cours d'Hesdin. Tout était tranquille, trop tranquille même, au goût des barons. Ils s'étonnaient de voir si peu d'hommes d'armes. Un cheval au fond d'une écurie hennit, ayant flairé la présence d'autres chevaux.

La fraîcheur du soir s'installait, où Jeanne reconnaissait des parfums d'enfance. Madame de Beaumont, dans le char, continuait à gémir qu'elle se mourait. Les barons discutaient entre eux. Certains estimaient qu'ils en avaient assez fait pour le moment, que l'affaire commençait à sentir le traquenard, et que l'on aurait avantage à revenir en force, un autre jour. Jeanne vit l'instant où elle allait être emmenée, elle aussi, en otage.

Enfin, le deuxième pont-levis s'abaissa, puis le troisième. Les barons hésitaient.

— Es-tu bien sûre que ma mère soit ici? souffla Jeanne à Béatrice d'Hirson.

— Je vous le jure sur ma vie, Madame.

Alors Jeanne pencha la tête hors du char.

— Eh bien! Messeigneurs, dit-elle, avez-vous perdu la hâte que vous montriez de parler à votre suzeraine, et le courage vous manque-t-il au moment de l'approcher?

Ces paroles poussèrent les barons en avant et, pour ne pas démériter aux regards d'une femme, ils entrèrent dans la troisième cour où ils mirent pied à terre.

Si préparé qu'on soit à un événement, il est rare qu'il survienne de la manière qu'on attendait.

Jeanne de Poitiers avait envisagé de vingt façons le moment où elle se retrouverait en présence des siens. Elle s'était apprêtée à tout, à l'accueil glacial comme aux embrassements, à la grande scène de réhabilitation officielle comme à l'intime réunion de réconciliation. Pour chaque éventualité, elle avait construit son attitude et prévu des paroles. Mais jamais elle n'avait imaginé qu'elle rentrerait au château de famille escortée du désordre de la guerre civile et d'une dame de parage en train de faire une fausse couche.

Lorsque Jeanne pénétra dans la grand-salle éclairée aux cierges où la comtesse Mahaut, debout, bras croisés, lèvres serrées, regardait s'avancer les barons, ses premiers mots furent pour dire:

— Ma mère, il faut donner secours à madame de Beaumont qui est en train de perdre son fruit. Vos vassaux lui ont causé trop violente peur.

Aussitôt la comtesse chargea sa filleule Mahaut d'Hirson, une sœur de Béatrice qui était également de ses demoiselles de parage, d'aller quérir maître Hermant et maître Pavilly, ses physiciens particuliers, pour qu'ils portassent leurs soins à la malade.

Puis, retroussant ses manches et s'adressant aux barons :

— Sont-ce là, méchants sires, des actions de chevalerie, que de vous en prendre à ma noble fille et aux dames de sa suite, et croyez-vous ainsi me faire fléchir ? Aimeriez-vous qu'on en usât de même avec vos femmes et vos pucelles lorsqu'elles cheminent par les routes ? Allons répondez, et dites-moi quelle est l'excuse à vos forfaits, pour lesquels je demanderai punition au roi !

Les alliés poussèrent Souastre en avant.

— Parle ! Dis ce que tu dois...

Souastre toussa pour s'éclaircir la gorge. Il avait tant parlé, vitupéré, crié ses griefs, harangué ses partisans, que maintenant, au moment le plus important, la voix lui manquait.

— Or çà, Madame, commença-t-il d'un ton enroué, nous voulons savoir si vous allez enfin désavouer votre mauvais chancelier qui étouffe nos requêtes, et consentir à nous reconnaître nos coutumes comme elles étaient du temps de Saint Louis.

Il s'interrompit parce qu'un nouveau personnage entrait dans la pièce, et que ce personnage était le comte de Poitiers. La tête un peu inclinée vers l'épaule, il avançait à longs pas tranquilles. Les barons, qui ne s'attendaient pas à voir surgir ainsi le frère du roi, se tassèrent les uns contre les autres.

— Messeigneurs... dit le comte de Poitiers.

Il s'arrêta, ayant aperçu Jeanne.

Il vint à elle et la baisa sur la bouche, de la façon la plus naturelle du monde, devant toute l'assistance, pour bien prouver par là que sa femme était pleinement revenue en grâce et que donc les intérêts de Mahaut étaient pour lui affaires de famille.

— Alors, Messeigneurs, reprit-il, vous voici mécontents. Eh bien ! nous aussi. Alors si nous nous entêtons de part et d'autre, et usons de violence, nous n'arriverons à rien de profitable... Ah ! je vous reconnais, Bailliencourt ; vous étiez à l'ost... La violence, c'est le recours des gens qui ne savent pas penser... Je vous salue, Caumont... Ah ! mon cousin de Fiennes ! Je n'attendais pas votre visite en telle compagnie...

En même temps, il passait parmi eux, les dévisageant, s'adressant nommément à ceux qu'il avait déjà eu l'occasion de voir, et leur tendant la main, à plat, pour qu'ils y posassent leurs lèvres, en signe d'hommage.

— Si la comtesse d'Artois voulait vous châtier des mauvais usages que vous venez d'avoir envers elle, cela lui serait facile... Messire de Souastre, regardez par cette fenêtre et dites-moi si vous auriez chance d'échapper ?

Quelques alliés se portèrent aux fenêtres; les murs s'étaient garnis de casques qui se découpaient sur le crépuscule. Une compagnie d'archers s'installait dans la cour, et des sergents se tenaient prêts, au premier signe, à remonter les ponts et à faire choir les herses.

— Fuyons, s'il en est temps, murmurèrent certains.

— Mais non, Messeigneurs, ne fuyez pas; votre fuite ne vous mènerait pas plus loin que le second mur. Encore une fois, je vous dis que nous voulons éviter la violence, et je prie votre suzeraine de ne point user des armes contre vous. N'est-ce pas, ma mère?

La comtesse Mahaut approuva d'un bref signe de tête.

— Tentons de résoudre autrement nos différends, poursuivit le comte de Poitiers en s'asseyant.

Il convia les barons à en faire autant, et demanda qu'on leur servît à boire.

Comme il n'y avait pas assez de sièges pour tous, quelques-uns s'assirent à même le sol. Cette alternance de menaces et de courtoisie les désorientait.

Philippe de Poitiers leur parla longuement. Il leur démontra que la guerre civile n'apportait que le malheur, qu'ils étaient sujets du roi avant que d'être sujets de la comtesse, et qu'ils devaient se soumettre à l'arbitrage du souverain. Or celui-ci avait envoyé deux émissaires, messires Flotte et Paumier, avec mission de conclure une trêve. Pourquoi les alliés refuseraient-ils la trêve?

— Mes compagnons n'ont plus confiance en la comtesse Mahaut, répondit Jean de Fiennes.

— La trêve vous était demandée au nom du roi; c'est donc au roi que vous faites affront, en doutant de sa parole.

— Mais Monseigneur Robert nous avait assuré... dit Souastre.

— Ah! J'attendais bien cela! Prenez garde, mes bons sires, à ne pas trop écouter les avis de Monseigneur Robert qui parle un peu facilement au nom du roi, et vous fait travailler pour son compte. Notre cousin d'Artois a perdu sa cause contre Madame Mahaut depuis six années, et le roi mon père, dont Dieu garde l'âme, en a jugé lui-même. Ce qui se passe en ce comté ne regarde que vous, la comtesse et le roi.

Jeanne de Poitiers observait son mari. Elle entendait avec bonheur le timbre égal de sa voix; elle prenait plaisir à reconnaître cette façon qu'il avait de brusquement relever les paupières, pour ponctuer ses phrases, et cette nonchalance de l'attitude qui n'était que force dissimulée. Philippe paraissait mûri. Ses traits s'étaient accusés; son grand nez maigre se découpait davantage; son visage avait pris une structure définitive. En même temps, Philippe semblait avoir acquis une singulière autorité comme si, depuis la mort de son père, une partie de la majesté naturelle du défunt fût passée en lui.

Au bout d'une grande heure employée à parlementer, le comte de

Poitiers obtint ce qu'il voulait, ou du moins ce qui se pouvait raisonnablement obtenir. Denis d'Hirson serait libéré ; Thierry, provisoirement, ne reparaîtrait pas en Artois, mais l'administration de la comtesse resterait en place, jusqu'à la fin des enquêtes. La tête du sergent Cornillot serait remise aux siens pour recevoir une sépulture chrétienne...

— Car, dit le comte de Poitiers, c'est se conduire en mécréants et non en défenseurs de la vraie foi que d'agir comme vous l'avez fait. De telles actions ouvrent la voie à des œuvres de vindicte dont vous seriez bientôt victimes à votre tour.

Les sires de Licques et de Nédonchel ne subiraient aucunes représailles, car ils n'avaient voulu que le bien de tous. Les dames et demoiselles seraient respectées de part et d'autre, comme il se devait en terre de chevalerie. Et puis tout le monde se retrouverait à Arras, au bout de la quinzaine, c'est-à-dire le 7 octobre, afin de conclure une trêve jusqu'à la fameuse conférence de Compiègne, tant de fois repoussée, et que l'on fixait cette fois au 15 novembre. Si les deux Guillaume, Flotte et Paumier, ne réussissaient pas à accorder les souhaits des barons et les désirs du roi, on verrait à envoyer d'autres négociateurs.

— Il n'est point besoin de signer rien aujourd'hui ; je fais confiance, Messeigneurs, à votre parole, dit le comte de Poitiers. Vous êtes hommes de raison et d'honneur ; je sais bien que vous, Fiennes, et vous, Souastre, et vous, Loos, et tous, tant que vous êtes, aurez à cœur de ne pas me décevoir, et de ne point me laisser m'engager en vain auprès du roi. Et vous saurez faire entendre sagesse à vos amis afin qu'ils respectent nos conventions.

Il les avait si bien manœuvrés qu'ils partirent en le remerciant, comme s'ils avaient trouvé en lui un défenseur. Ils reprirent leurs chevaux, franchirent les trois ponts-levis et s'enfoncèrent dans la nuit.

— Mon cher fils, dit Mahaut, vous m'avez sauvée. Je n'aurais pas su montrer tant de patience.

— Je vous ai gagné un répit de quinze jours, dit Philippe en haussant les épaules. Les coutumes de Saint Louis ! Ils commencent à me lasser, tous, avec les coutumes de Saint Louis ! On croirait que mon père n'a jamais vécu. Faut-il donc toujours, quand un grand roi a fait progresser le royaume, qu'il se trouve des sots pour s'obstiner à revenir en arrière ? Et mon frère les encourage !

— Ah ! quelle pitié, Philippe, que vous ne soyez roi ! dit Mahaut.

Philippe ne répondit pas ; il regardait sa femme. Celle-ci, maintenant que ses frayeurs étaient dissipées et qu'elle touchait au terme de tant de mois d'espérance, sentait soudain toute force se retirer d'elle et luttait contre les larmes.

Pour cacher son trouble, elle allait à travers la pièce, reprenant contact avec les lieux de sa jeunesse. Mais chaque objet reconnu augmentait son émotion. Elle touchait l'échiquier de jaspe et calcédoine sur lequel elle avait appris à jouer.

— Tu vois, rien n'est changé, dit Mahaut.

— Non, rien n'est changé, répéta Jeanne, la gorge serrée.

Elle se détourna vers la librairie, l'une des plus riches du royaume, en dehors des librairies de monastères, et qui contenait douze volumes. Jeanne caressa du doigt les reliures... *les Enfances d'Ogier*, la *Bible* en français, *la Vie des Saints, le Roman de Renart, le Roman de Tristan*... Elle avait tant de fois regardé, en compagnie de sa sœur Blanche, les belles enluminures peintes sur les feuilles de parchemin! Et l'une des dames de Mahaut leur faisait la lecture.

— Celui-ci, tu le connaissais... oui, je l'avais déjà acheté, dit Mahaut en montrant *le Roman de la violette*.

Elle cherchait à dissiper la gêne qui les gagnait tous trois.

A ce moment, le nain de Mahaut, qu'on appelait Jeannot le Follet, entra, tenant le cheval de bois sur lequel il était censé caracoler à travers la demeure. Agé de plus de quarante ans, il avait une tête large avec de gros yeux de chien et un petit nez camus. Il arrivait tout juste à la hauteur des tables; on le vêtait d'une robe brodée de « bestelettes ».

Lorsqu'il aperçut Jeanne, il eut un grand saisissement; sa bouche s'ouvrit, mais sans rien prononcer; et au lieu d'avancer en faisant des cabrioles comme c'était son devoir, il courut précipitamment vers la jeune femme et s'aplatit au sol pour lui baiser les pieds.

La résistance de Jeanne, son contrôle sur elle-même, cédèrent d'un coup. Brusquement, elle se mit à sangloter, se tourna vers le comte de Poitiers, vit qu'il lui souriait, et se jeta dans ses bras en balbutiant:

— Philippe!... Philippe!... Enfin, je vous ai retrouvé!

La dure comtesse Mahaut éprouva un petit pincement au cœur parce que sa fille s'était élancée vers son mari, et non vers elle, pour pleurer de bonheur.

« Mais que souhaitais-je d'autre? pensa Mahaut. Allons, c'est cela le plus important, j'ai réussi. »

— Philippe, votre femme est lasse, dit-elle. Conduisez-la dans vos appartements. On vous y montera votre souper.

Et comme ils passaient près d'elle, elle ajouta, plus bas:

— Je vous avais bien dit qu'elle vous aimait.

Elle les contempla tandis qu'ils passaient la porte. Puis elle fit signe à Béatrice d'Hirson de les suivre, discrètement.

Plus tard, dans la nuit, alors que la comtesse Mahaut, pour réparer ses fatigues, avalait au lit son sixième et dernier repas, Béatrice entra, un demi-sourire aux lèvres.

— Alors? dit Mahaut.

— Alors, Madame, le philtre a bien eu l'effet que nous en attendions. A présent, ils dorment.

Mahaut se renversa un peu sur ses oreillers.

— Dieu soit loué, dit-elle. Nous avons refait le second couple du royaume.

IV

L'AMITIÉ D'UNE SERVANTE

Et quelques semaines passèrent, qui furent à peu près calmes pour l'Artois. Les parties adverses se retrouvèrent à Arras, puis à Compiègne, et le roi promit de rendre son arbitrage avant la Noël. Les alliés, provisoirement apaisés, rentrèrent en leurs châteaux sombres.

Les champs étaient noirs et déserts, les brebis bêlaient au fond des bergeries. Les aubes de décembre, fumeuses, ressemblaient à des feux de bois vert.

Au manoir de Vincennes, entouré par la forêt, la reine Clémence découvrait l'hiver de France.

L'après-midi, la reine brodait. Elle avait entrepris une grande nappe d'autel qui figurait le paradis. Les élus s'y promenaient sous un ciel uniformément bleu, parmi les citronniers et les orangers; paradis bien proche des jardins de Naples.

« On n'est pas reine pour être heureuse », pensait souvent Clémence, se répétant les paroles de sa grand-mère Marie de Hongrie. Non qu'elle fût malheureuse à proprement parler; elle n'avait aucune raison de l'être. « Je suis injuste, se disait-elle, de ne point remercier à tout instant le Créateur de ce qu'il m'a donné. » Elle ne pouvait comprendre la raison d'une lassitude, d'une mélancolie, d'un ennui qui, jour après jour, s'appesantissaient sur elle.

N'était-elle pas environnée de mille soins? Six dames de parage, choisies parmi les plus nobles femmes du royaume, et d'innombrables servantes se relayaient auprès d'elle pour exécuter ses moindres désirs, prévenir ses moindres gestes, porter son missel, préparer son aiguille, tenir son miroir, la coiffer, la couvrir d'un manteau sitôt que la température fraîchissait...

Plusieurs chevaucheurs avaient pour seule mission de courir entre Naples et Vincennes, afin d'acheminer la correspondance qu'elle échangeait avec sa grand-mère, avec son oncle le roi Robert et tous ses parents.

Clémence disposait de quatre haquenées blanches, harnachées de freins d'argent et de rênes de soie tissées de fils d'or ; et, pour les longs déplacements, on lui avait offert un grand chariot de voyage si beau, si riche, avec ses roues flamboyantes comme des soleils, que celui de la comtesse Mahaut, à côté, semblait tout juste un char à foin.

Louis n'était-il pas le meilleur époux de la terre ?

Parce que Clémence avait dit en visitant Vincennes que ce château lui plaisait et qu'elle aimerait y vivre, Louis aussitôt avait décidé de s'y installer à demeure. De nombreux seigneurs, imitant le roi, s'organisaient résidence dans les parages. Et Clémence, qui n'avait pas imaginé ce que serait l'hiver à Vincennes, n'osait avouer maintenant qu'elle eût préféré regagner Paris.

Vraiment, le roi la comblait. Il ne se passait de jour qu'il ne lui portât un nouveau présent.

— Je veux, ma mie, lui avait-il dit, que vous soyez la dame la mieux pourvue du monde.

Mais avait-elle besoin de trois couronnes d'or, l'une incrustée de dix gros rubis balais, l'autre de quatre grandes émeraudes, de seize petites et de quatre-vingts perles, et la troisième avec encore des perles, encore des émeraudes, encore des rubis ?

Pour sa table, Louis lui avait acheté douze hanaps de vermeil émaillés, aux armes de France et de Hongrie. Et parce qu'elle était pieuse et qu'il admirait fort sa dévotion, il lui avait offert un reliquaire, d'un prix de huit cents livres, et contenant un fragment de la Vraie Croix. C'eût été décourager tant de bon vouloir que de dire à son époux qu'on pouvait aussi bien faire sa prière au milieu d'un jardin, et que le plus bel ostensoir du monde, en dépit de tout l'art des orfèvres et de toute la fortune des rois, c'était encore le soleil brillant dans un ciel bleu au-dessus de la mer.

Le mois précédent, Louis lui avait fait don de terres qu'elle irait visiter à une meilleure saison, les maisons et manoirs de Mainneville, Hébécourt, Saint-Denis de Fermans, Wardes et Dampierre, les forêts de Lyons et de Bray [14].

— Pourquoi, mon doux seigneur, lui avait-elle demandé, vous déposséder de tant de biens en ma faveur, puisque de toute manière, je ne suis que votre servante, et n'en puis profiter qu'à travers vous ?

— Je ne m'en dépossède point, avait répondu Louis. Toutes ces seigneuries appartenaient à Marigny, à qui par jugement je les ai reprises, et j'en puis disposer comme il me plaît.

En dépit de la répugnance qu'elle avait à hériter les biens d'un pendu, pouvait-elle les refuser alors qu'ils lui étaient présentés comme dons d'amour, et que cet amour, le roi tenait à le proclamer dans l'acte même de donation « *pour la joyeuse et agréable compagnie que Clémence nous porte humblement et amiablement...* » ?

Et il lui avait encore accordé en propriété les maisons de Corbeil et de Fontainebleau. Chaque nuit qu'il passait auprès d'elle semblait valoir un château. Ah oui ! messire Louis l'aimait bien. Jamais, en sa présence, il ne s'était montré hutin, et elle ne comprenait pas comment ce surnom lui était venu. Jamais de querelle entre eux, jamais de violence. Dieu, vraiment, lui avait donné un bon époux.

Et malgré tout, Clémence s'ennuyait, et soupirait en tirant les fils d'or de ses citrons brodés.

Elle avait fait effort, vainement, pour s'intéresser aux affaires d'Artois dont Louis, parfois, le soir, discourait tout seul devant elle en marchant à travers la chambre.

Elle était effrayée par les grandes apostrophes de Robert d'Artois, et la manière dont il lui criait : « ma cousine ! » comme s'il arrêtait sa meute ; cet homme-là, pour elle, restait avant tout un étrangleur de renards. Elle était agacée par Monseigneur de Valois, qui souvent lui disait :

— Alors, ma nièce, quand donc donnerez-vous un héritier au royaume ?

— Quand Dieu voudra, mon oncle, répondait-elle doucement.

En fait, elle n'avait pas d'amis. Elle sentait, parce qu'elle était fine et sans vanité, que toute marque d'affection qu'on lui témoignait était intéressée. Elle apprenait que les rois ne sont jamais aimés pour eux-mêmes, et que les gens, en s'agenouillant devant eux, cherchent toujours à ramasser sur le tapis quelque miette de puissance.

« On n'est pas reine pour être heureuse ; il se peut même que d'être reine empêche qu'on soit heureuse », se répétait Clémence l'après-midi où Monseigneur de Valois, le pas toujours pressé, entra chez elle et lui dit :

— Ma nièce, je vous porte une nouvelle qui va fort agiter la cour. Votre belle-sœur Madame de Poitiers est grosse. Les matrones l'ont certifié ce matin.

— Je suis fort aise pour Madame de Poitiers, répondit Clémence.

— Elle peut vous avoir reconnaissance, reprit Charles de Valois, car c'est bien à vous qu'elle doit son état d'à présent. Si vous n'aviez point demandé son pardon le jour de vos épousailles, je doute fort que Louis l'eût si vite accordé.

— Dieu me prouve donc que j'ai bien fait, puisqu'il vient de bénir cette union.

— Il semble que Dieu bénisse moins rapidement la vôtre. Quand donc vous déciderez-vous, ma nièce, à suivre l'exemple de votre belle-sœur ? Il est dommage en vérité qu'elle vous ait devancée. Allons Clémence, laissez-moi vous parler comme un père. Vous savez que je n'aime pas mâcher les choses que j'ai à dire... Louis remplit-il bien ses devoirs auprès de vous?

— Louis m'est aussi attentif qu'un époux peut l'être.

— Voyons, ma nièce, entendez-moi bien; j'entends ses devoirs d'époux chrétien, ses devoirs de corps, si vous préférez.

Le rouge monta au front de Clémence. Elle balbutia :

— Je ne vois pas que Louis ait en rien à être repris sur ce point. Je ne suis guère mariée que depuis cinq mois et je ne pense pas qu'il y ait lieu de vous alarmer déjà.

— Mais enfin, honore-t-il bien régulièrement votre couche?

— Presque chaque nuit, mon oncle, si c'est cela que vous tenez à apprendre; et plus que d'être sa servante lorsqu'il le veut, je ne puis.

— Eh bien! souhaitons, souhaitons! dit Charles de Valois. Mais comprenez, ma nièce, que c'est moi qui ai fait votre mariage; je ne voudrais pas qu'on me reprochât un mauvais choix.

Alors Clémence, pour la première fois, eut un mouvement de colère. Elle repoussa sa broderie, se leva de son siège et, d'une voix où l'on pouvait reconnaître le ton de la vieille reine Marie, elle répondit :

— Vous semblez oublier, messire mon oncle, que ma grand-mère a donné le jour à treize enfants, et que ma mère Clémence de Habsbourg en avait déjà trois lorsqu'elle mourut à peu près à l'âge que j'ai. Ma tante Marguerite, votre première épouse, ne vous a pas donné motif de vous plaindre, que je sache. Les femmes de notre famille sont fécondes, et le prouvent en maints royaumes. Si donc il y a empêchement au vœu que vous formez, il ne saurait venir de mon sang. Et sur ce point, messire, nous avons assez parlé pour ce jour, et pour toujours.

Elle alla s'enfermer dans sa chambre, refusant qu'aucune dame de parage la suivît.

Ce fut là qu'Eudeline, la première lingère, entrant pour préparer le lit, la trouva deux heures plus tard, assise auprès d'une fenêtre derrière laquelle la nuit était tombée.

— Comment, Madame, s'écria-t-elle, on vous a laissée sans lumière! Je vais appeler!

— Non, non, je ne veux personne, dit faiblement Clémence.

La lingère aviva le feu qui se mourait, plongea dans les braises une branche résineuse et s'en servit pour allumer un cierge planté sur un pied de fer.

— Oh! Madame! Vous pleurez? dit-elle. Vous a-t-on fait peine?

La reine s'essuya les yeux.

— Un mauvais sentiment me tourmente l'âme, dit-elle brusquement. Je suis jalouse.

Eudeline la regarda avec surprise.

— Vous, Madame, jalouse? Mais quelle raison auriez-vous de

l'être? Je suis bien certaine que notre Sire Louis ne vous fait pas de tromperie, ni n'en a même l'idée.

— Je suis jalouse de Madame de Poitiers, reprit Clémence. Je suis envieuse d'elle, qui va avoir un enfant, alors que moi je n'en attends point. Oh! j'en suis bien aise pour elle; mais je ne savais pas que le bonheur d'autrui pouvait blesser si fort.

— Ah! certes, Madame, cela peut causer grande douleur, le bonheur des autres!

Eudeline avait dit cela d'une curieuse manière, non pas comme une servante qui approuve les paroles de sa maîtresse, mais comme une femme qui a souffert le même mal, et le comprend. Le ton n'échappa point à Clémence.

— N'as-tu pas d'enfant, toi non plus? demanda-t-elle.

— Si fait, Madame, si fait, j'ai une fille qui porte mon nom et qui vient d'atteindre ses dix ans.

Elle se détourna et commença de s'affairer autour du lit, rabattant les couvertures de brocart et de menu-vair.

— Tu es depuis longtemps lingère en ce château? poursuivit Clémence.

— Depuis le printemps, juste avant votre venue. Jusque-là, j'étais au palais de la Cité, où je tenais le linge de notre Sire Louis, après avoir tenu celui de son père, le roi Philippe, pendant dix ans.

Un silence se fit, où l'on n'entendit plus que la main de la lingère battant les oreillers.

« Elle connaît à coup sûr tous les secrets de cette maison... et de ses lits, se disait la reine. Mais non, je ne lui demanderai rien, je ne l'interrogerai pas. Il est mal de faire parler les servantes... Ce n'est pas digne de moi. »

Mais qui donc pouvait la renseigner sinon justement une servante, sinon l'un de ces êtres qui partagent l'intimité des rois sans en partager le pouvoir? Jamais, aux princes de la famille, elle n'aurait l'audace de poser la question qui lui brûlait l'esprit, depuis sa conversation avec Charles de Valois; d'ailleurs lui donneraient-ils une réponse honnête? Des hautes dames de la cour, aucune n'avait vraiment sa confiance, parce qu'aucune vraiment n'était son amie. Clémence se sentait l'étrangère que l'on flatte de vaines louanges, mais que l'on observe, que l'on guette, et dont la moindre faute, la moindre faiblesse ne sera pas pardonnée. Aussi ne pouvait-elle se permettre d'abandon qu'auprès des servantes. Eudeline particulièrement lui semblait rassurante. Le regard droit, le maintien simple, les gestes appliqués et tranquilles, la première lingère se montrait de jour en jour plus attentive, et ses prévenances étaient sans ostentation.

Clémence se décida.

— Est-il vrai, demanda-t-elle, que la petite Madame de Navarre, que l'on tient loin de la cour et que je n'ai vue qu'une fois, ne soit pas de mon époux?

Et en même temps, elle se disait: « N'aurais-je pas dû être avertie plus tôt de ces secrets de couronne? Ma grand-mère aurait dû s'informer davantage; en vérité, on m'a laissée venir à ce mariage en ignorant bien des choses. »

— Bah! Madame... répondit Eudeline en continuant de dresser les coussins, et comme si la question ne la surprenait pas outre mesure... je crois que nul ne le sait, pas même notre Sire Louis. Chacun dit sur cela ce qui l'arrange; ceux qui affirment que Madame de Navarre est la fille du roi ont intérêt à le faire, et pareillement ceux qui tiennent pour la bâtardise. On en voit même, comme Monseigneur de Valois, qui changent d'avis selon les mois, sur une chose où pourtant il n'y a qu'une vérité. La seule personne dont on aurait pu tenir une certitude, qui était Madame de Bourgogne, a maintenant la bouche pleine de terre...

Eudeline s'interrompit et regarda vers la reine.

— Vous vous inquiétez, Madame, de savoir si notre Sire le roi...
Elle s'arrêta de nouveau, mais Clémence l'encouragea des yeux.

— Rassurez-vous, Madame, dit Eudeline; Monseigneur Louis n'est pas empêché d'avoir un héritier, comme de méchantes langues le prétendent dans le royaume et même à la cour.

— Sait-on... murmura Clémence.

— Moi, je sais, répliqua Eudeline lentement, et l'on a pris bien soin que je sois seule à le savoir.

— Que veux-tu dire?

— Je veux dire le vrai, Madame, parce que moi aussi j'ai un lourd secret. Sans doute devrais-je encore me taire... Mais ce n'est pas offenser une dame telle que vous, de si haute naissance et de si grande charité, que de vous avouer que ma fille est de Monseigneur Louis.

La reine contemplait Eudeline avec un étonnement sans mesure. Que Louis ait eu une première épouse n'avait guère posé à Clémence de problèmes personnels. Louis, comme tous les princes, avait été marié selon les intérêts d'État. Un scandale, la prison, puis la mort l'avaient séparé d'une femme infidèle. Clémence ne s'interrogeait pas sur l'intimité ou les mésententes secrètes du couple. Aucune curiosité, aucune représentation n'assaillaient sa pensée. Or voici que l'amour, l'amour non conjugal, se dressait devant elle en la personne de cette belle femme rose et blonde, à la trentaine plantureuse; et Clémence se mettait à imaginer...

Eudeline prit le silence de la reine pour un blâme.

— Ce n'est pas moi qui l'ai voulu, Madame, je vous l'assure; c'est lui qui y avait mis bien de l'autorité. Et puis, il était si jeune, il n'avait point de discernement; une grande dame l'eût sans doute effarouché.

D'un geste de la main, Clémence signifia qu'elle ne souhaitait point d'autre explication.

— Je veux voir ta fille.

Une expression de crainte passa sur les traits de la lingère.

— Vous le pouvez, Madame, vous le pouvez, bien sûr, puisque vous êtes la reine. Mais je vous demande de n'en rien faire, car on saurait alors que je vous ai parlé. Elle ressemble tant à son père que Monseigneur Louis, par crainte que sa vue ne vous blesse, l'a fait enfermer dans un couvent juste avant que vous n'arriviez. Je ne la visite qu'une fois le mois et, dès qu'elle sera en âge, elle sera cloîtrée.

Les premières réactions de Clémence étaient toujours généreuses. Elle oublia pour un moment son propre drame.

— Mais pourquoi, dit-elle à mi-voix, pourquoi cela? Comment croyait-on qu'un tel acte pût me plaire, et à quel genre de femmes les princes de France sont-ils donc accoutumés? Ainsi, ma pauvre Eudeline, c'est pour moi que l'on t'a arraché ta fille! Je t'en demande bien grand pardon.

— Oh! Madame, répondit Eudeline, je sais bien que cela ne vient pas de vous.

— Cela ne vient pas de moi, mais cela s'est fait à cause de moi, dit Clémence pensivement. Chacun de nous n'est pas seulement comptable de ses mauvais agissements, mais aussi de tout le mal dont il est l'occasion, même à son insu.

— Et moi-même, Madame, reprit Eudeline, moi-même qui étais première fille lingère du Palais, Monseigneur Louis m'a envoyée ici, à Vincennes, dans une plus petite condition que celle que j'avais à Paris. Nul n'a rien à dire contre les volontés du roi, mais c'est vraiment bien peu de remerciements pour le silence que j'ai gardé. Sans doute, Monseigneur Louis voulait-il me cacher moi aussi; il ne pensait pas que vous iriez préférer ce séjour des bois au grand palais de la Cité.

Maintenant qu'elle avait commencé de se confier, elle ne pouvait plus s'arrêter.

— Je puis bien vous avouer, poursuivit-elle, qu'à votre arrivée, je n'étais prête à vous servir que par devoir, mais certainement point par plaisir. Il faut que vous soyez très noble dame, et aussi bonne de cœur que vous êtes belle de visage, pour que je me sois sentie gagnée d'affection pour vous. Vous ne savez point comme vous êtes aimée des petites gens; il faut entendre parler de la reine, aux cuisines, aux écuries, aux buanderies! C'est là, Madame, que vous avez des âmes dévouées, bien plus que parmi les grands barons. Vous nous avez conquis le cœur à tous, et même le mien qui vous était le plus fermé; vous n'avez pas maintenant de servante plus attachée que moi, acheva Eudeline en saisissant la main de la reine pour y poser les lèvres.

— Ta fille te sera rendue, dit Clémence, et je la protégerai. J'en veux parler au roi.

— N'en faites rien, Madame, je vous en prie, s'écria Eudeline.

— Le roi me comble de cadeaux que je ne souhaite pas ; il peut bien m'en accorder un qui me plaise !

— Non, non, je vous en supplie, n'en faites rien, répéta Eudeline. J'aime mieux voir ma fille sous le voile que de la voir sous terre.

Clémence, pour la première fois depuis le début de l'entretien, eut un sourire, presque un rire.

— Les gens de ta condition, en France, ont-ils donc si peur du roi ? Ou bien est-ce le souvenir du roi Philippe, qu'on disait être sans merci, qui pèse encore sur vous ?

Si Eudeline éprouvait une véritable affection pour la reine, elle n'en gardait pas moins au Hutin une solide rancune ; l'occasion était belle de satisfaire à la fois ces deux sentiments.

— Vous ne connaissez pas encore Monseigneur Louis comme chacun le connaît ici ; il ne vous a pas encore montré le revers de son âme. Personne n'a oublié, dit-elle en baissant la voix, que notre sire Louis a fait tourmenter les serviteurs de son hôtel, après le procès de Madame Marguerite, et que huit cadavres, tout mutilés et brisés, ont été repêchés au pied de la tour de Nesle. Ils y ont été poussés par le hasard, pensez-vous ? Je n'aimerais pas que le hasard nous poussât, ma fille et moi, du même côté.

— Ce sont là commérages que font circuler les ennemis du roi...

Mais en même temps qu'elle prononçait ces paroles, Clémence se rappelait les allusions du cardinal Duèze, en Avignon.

« Aurais-je épousé un cruel ? » se demandait-elle.

— J'ai regret, si j'ai trop parlé, reprit Eudeline. Dieu veuille que vous n'ayez rien à apprendre de pire, et que votre grande bonté vous laisse en ignorance.

— Quel est ce pire que je pourrais apprendre ?... Cela touche-t-il à la fin de Madame Marguerite ?...

Eudeline haussa tristement les épaules.

— Vous êtes la seule à la cour, Madame, pour qui la chose fasse un doute. Si vous n'êtes pas encore informée, c'est que d'aucuns guettent un méchant moment, peut-être, pour vous mieux nuire. Il l'a fait étouffer, on le sait bien. Autour de Château-Gaillard, on ne se prive point de le dire... Mais à vous connaître on finit par approuver le roi.

— Mon Dieu, mon Dieu, est-ce possible... est-ce possible qu'on ait tué pour m'épouser ! gémit Clémence en se cachant le visage dans les mains.

— Ah ! ne vous remettez pas à pleurer, Madame, dit Eudeline. Ce sera bientôt l'heure du souper, et vous n'y pouvez paraître ainsi. Il faut vous rafraîchir le visage.

Elle alla chercher un bassin d'eau fraîche et un miroir, pressa un linge mouillé sur les joues de la reine, lui rattacha une tresse qui s'était défaite. Elle avait une grande douceur de gestes, et une sorte de tendresse protectrice.

Un moment les visages des deux femmes apparurent côte à côte dans le miroir, deux visages aux mêmes teintes blondes et dorées, aux mêmes yeux larges et bleus.

— Tu sais que nous nous ressemblons, dit la reine.

— C'est bien le plus beau compliment qu'on m'ait jamais fait, et je voudrais fort que ce fût vrai, répondit Eudeline.

Comme leur émotion à toutes les deux était profonde, et qu'elles avaient un égal besoin d'amitié, le même mouvement les poussa l'une vers l'autre, et elles se tinrent un instant embrassées.

V

LA FOURCHETTE ET LE PRIE-DIEU

Le menton levé, le sourire aux lèvres, et vêtu d'une robe doublée de fourrure par-dessus sa chemise de nuit, Louis X entra dans la chambre.

Durant le souper, il avait trouvé la reine étrangement morose, distante, presque absente, ne suivant les propos échangés qu'avec retard, et répondant à peine aux paroles qu'on lui adressait ; mais il ne s'en était pas autrement inquiété. « Les femmes sont sujettes aux sautes d'humeur, se disait-il, et ce présent que je lui apporte saura bien lui rendre la gaieté. » Car le Hutin était de ces maris sans imagination, qui ont petite opinion des femmes et pensent que toutes choses s'arrangent par un cadeau. Si bien qu'il arrivait, se faisant aussi gracieux que possible, et tenant un petit écrin de forme allongée.

Il fut quelque peu surpris de voir Clémence agenouillée sur son prie-Dieu. D'ordinaire, elle avait achevé ses dévotions du soir avant qu'il entrât. Il lui fit un signe de la main qui signifiait : « Ne vous mettez pas en peine pour moi, achevez en paix... », et il demeura à l'autre bout de la chambre, tournant l'écrin dans ses doigts.

Les minutes passaient ; il alla prendre une dragée dans une coupe posée auprès du lit, et la croqua. Clémence était toujours agenouillée. Louis s'approcha d'elle, et s'aperçut qu'elle ne priait pas. Elle le regardait.

— Voyez, ma mie, dit-il, voyez la surprise que j'ai pour vous. Oh ! ce n'est pas un bijou, c'est plutôt une rareté, une trouvaille d'orfèvre. Voyez...

Il ouvrit l'écrin, en sortit un long objet brillant, à deux pointes. Clémence, sur son prie-Dieu, eut un mouvement de recul.

— Eh ! ma mie ! s'écria Louis en riant, n'ayez point peur, cela n'est pas fait pour blesser ! C'est une petite fourche à manger les poires. Voyez comme le travail en est habile.

Sur le bois du prie-Dieu il posa une fourchette à deux fourcherons d'acier fort aigus sortant d'un manche d'ivoire et d'or ciselé.

La reine vraiment ne semblait pas témoigner grand intérêt pour l'objet, ni bien en apprécier la nouveauté. Louis se sentit déçu.

— Je l'ai commandée spécialement par Tolomei, à un orfèvre de Florence. Il paraît qu'il n'existe que cinq de ces fourchettes dans le monde, et j'ai voulu que vous en ayez une, afin de ne point tacher vos jolis doigts quand vous mangez les fruits. C'est bien un objet de dame ; jamais les hommes n'oseraient ni ne sauraient se servir d'un si précieux outil, sinon mon beau-frère d'Angleterre qui, m'a-t-on dit, en possède un et ne craint point la risée en l'utilisant à table.

Il pensait, par ces derniers mots, avoir fait montre d'esprit, et il attendait un sourire. Mais Clémence n'avait pas bougé du prie-Dieu et continuait de regarder son mari fixement. Jamais elle n'avait été plus belle ; ses longs cheveux dorés lui tombaient jusqu'aux reins.

Louis enchaîna :

— Ah ! messer Tolomei m'a justement appris que son jeune neveu, que j'avais envoyé avec Bouville pour vous quérir à Naples, se trouve guéri ; il va bientôt reprendre le chemin de Paris ; en chaque lettre il parle à son oncle de vos bontés à son endroit.

Il n'obtint pas de réponse.

« Mais qu'a-t-elle donc ? se demanda-t-il ; elle aurait pu au moins me dire un mot de merci. » Avec toute autre personne que Clémence, il se fût déjà mis en colère ; mais il ne se résignait pas à voir son bonheur si vite terni par une scène de ménage. Il prit sur lui et fit une nouvelle tentative.

— Je crois bien, cette fois, que les affaires d'Artois vont être réglées, dit-il. Les choses se présentent de bonne manière. L'entrevue de Compiègne, à laquelle vous m'avez si doucement accompagné, a eu les résultats que j'attendais et je vais bientôt rendre mon arbitrage. Tout s'apaise, lorsque vous êtes auprès de moi.

— Louis, dit brusquement Clémence, de quelle manière est morte votre première épouse ?

Louis se pencha en avant, comme s'il avait reçu un coup au milieu du corps, et la contempla un moment, stupéfait.

— Marguerite est morte... elle est morte, répondit-il en agitant les mains... d'une fièvre de poitrine qui l'a étouffée, à ce qu'on m'a dit.

— Louis, pouvez-vous jurer devant Dieu...

Il l'interrompit, haussant le ton.

— Que voulez-vous que je jure ? Je n'ai rien à jurer. Où voulez-vous en venir ? Que voulez-vous savoir ? Je vous ai dit ce que je vous ai dit et je vous prie de vous en contenter ; vous n'avez rien à connaître de plus.

Il se mit à parcourir la chambre, les pieds en canard. A l'échancrure de sa robe de nuit, la base de son cou avait rougi ; ses gros yeux luisaient d'un inquiétant scintillement.

— Je ne veux pas, cria-t-il, je ne veux pas que l'on me parle d'elle ! Jamais ! Et vous moins que tout autre. Je vous interdis, Clémence, de jamais rappeler devant moi le nom de Marguerite...

Il fut interrompu par une quinte de toux.

— Pouvez-vous me jurer devant Dieu, répéta Clémence avec détermination, pouvez-vous me jurer que votre volonté ne fut pour rien dans son trépas ?

La colère, chez Louis, obscurcissait vite le jugement. Au lieu de nier, simplement, et de hausser les épaules comme devant une supposition absurde et offensante, il répliqua :

— Et quand cela serait ? Vous seriez la dernière à avoir le droit de m'en faire reproche. Ce serait plutôt à votre grand-mère qu'il faudrait vous en prendre !

— A ma grand-mère ? murmura Clémence. Quelle part ma grand-mère a-t-elle en ceci ?

Le Hutin sut aussitôt qu'il venait de commettre une sottise, ce qui ne fit qu'accroître sa fureur. Il était trop tard pour revenir en arrière.

— Assurément, c'est la faute de Madame de Hongrie ! Elle exigeait que votre mariage se fît avant l'été. Alors, j'ai souhaité... vous entendez bien, j'ai seulement souhaité... que Marguerite fût morte avant ce temps-là. Et j'ai été entendu, voilà tout. Si je n'avais pas exprimé ce souhait, vous ne seriez pas aujourd'hui reine de France. Ne faites donc point tellement l'innocente et ne venez pas me jeter blâme de ce qui vous arrange si bien et vous a mise plus haut que tout votre parentage.

— Jamais je n'aurais accepté, s'écria Clémence, si j'avais su que ce fût à un tel prix. C'est à cause de ce crime, Louis, que Dieu ne nous donne pas d'enfant !

Louis fit un demi-tour sur lui-même et s'immobilisa, ébahi.

— Oui, de ce crime, et des autres aussi que vous avez commis, continua la reine en se levant du prie-Dieu. Vous avez fait assassiner votre épouse. Vous avez fait pendre messire de Marigny. Vous maintenez en geôle les légistes de votre père. Vous avez fait tourmenter vos propres serviteurs. Vous avez attenté à la vie et à la liberté des créatures de Dieu. Et c'est pourquoi, maintenant, Dieu vous punit en vous empêchant d'engendrer de nouvelles créatures.

Louis, plein de stupeur, la regardait s'avancer. Ainsi, il existait une troisième personne pour ne pas s'émouvoir de ses emportements, briser ses fureurs et prendre le pas sur lui. Son père, Philippe le Bel, l'avait dominé par l'autorité souveraine ; son frère, le comte de Poitiers, le dominait par l'intelligence ; et voici que sa nouvelle épouse le dominait par la foi. Jamais il n'aurait pu imaginer que son justicier se présenterait à lui, dans la chambre nuptiale, et sous les apparences de cette femme si belle, dont les cheveux frémissaient pareils à une blonde comète.

Le visage de Louis se fripa; il ressembla à un enfant qui va pleurer.

— Et que voulez-vous que je fasse, maintenant? demanda-t-il d'une voix aiguë. Je ne puis ressusciter les morts. Vous ne savez pas ce que c'est que d'être roi! Rien ne s'est fait absolument par mon vouloir, et c'est moi que vous rendez coupable de tout. Que voulez-vous obtenir? A quoi sert de me reprocher ce qui ne se peut réparer? Séparez-vous donc de moi, retournez à Naples, si vous ne pouvez plus tolérer ma vue. Et attendez qu'il y ait un pape pour lui demander de défaire notre lien!... Ah! ce pape! ce pape! ajouta-t-il en serrant les poings. Rien de cela ne serait arrivé s'il y avait eu un pape.

Clémence lui posa les mains sur les épaules. Elle était un peu plus grande que lui.

— Je ne saurais songer à me séparer de vous, dit-elle. Je suis votre épouse pour partager en tout votre condition, et vos misères comme vos joies. Ce que je veux, c'est sauver votre âme, et vous inspirer le repentir, sans lequel il n'est point de pardon.

Il la regarda dans les yeux, n'y vit que bonté et grand effort de compassion. Il respira mieux et l'attira contre lui.

— Ma mie, ma mie, vous êtes meilleure que moi, ô combien meilleure! Je ne pourrais vivre sans vous. Je vous promets de m'amender et de bien regretter le mal que j'ai pu causer.

En même temps, il avait enfoui la tête au creux de l'épaule de Clémence et lui effleurait des lèvres la naissance du cou.

— Ah! ma mie, continuait-il, que vous êtes bonne, que vous êtes bonne à aimer! Je serai tel, je vous le promets, je serai tel que vous le voulez. Certes, j'ai des remords, et qui me causent souvent de grandes frayeurs! Je n'oublie bien qu'entre vos bras. Venez, ma mie, venez que nous nous aimions.

Il cherchait à l'entraîner vers le lit; mais elle demeurait immobile, et il la sentit se crisper, refuser.

— Non, Louis, non, dit-elle très bas. Il nous faut faire pénitence.

— Mais nous ferons pénitence, ma mie; nous jeûnerons trois fois la semaine si vous le voulez. Venez, j'ai trop d'impatience de vous!

Elle se dégagea, et, comme il voulait la retenir de force, une couture de la robe de nuit céda. Le bruit de la déchirure effraya Clémence qui, couvrant de la main son épaule dénudée, courut se réfugier derrière son prie-Dieu. Ce mouvement de crainte déclencha chez le Hutin un nouvel accès de colère.

— Mais qu'avez-vous, à la parfin, s'écria-t-il, et que faut-il donc pour vous complaire?

— Je ne peux plus vous appartenir avant que d'être allée avec vous en pèlerinage. Nous irons à pied; nous saurons ensuite si Dieu nous pardonne en nous accordant un enfant.

— Le meilleur pèlerinage pour obtenir un enfant, c'est ici qu'il se fait! dit Louis en désignant le lit.

— Ah! ne vous moquez point des choses de la religion, répondit Clémence; ce n'est pas ainsi que vous pourrez me convaincre.

— Votre religion est bien étrange, qui vous commande de vous refuser à votre époux. Ne vous a-t-on jamais instruite d'un devoir auquel vous ne devez pas vous dérober?

— Louis, vous ne me comprenez pas!

— Si, je vous comprends! Je comprends que vous vous refusez à moi. Je comprends que je ne vous plais point, que vous en usez avec moi comme Marguerite...

Il avança, le regard dirigé, sembla-t-il à Clémence, vers la fourchette aux deux longues pointes acérées qui était toujours là, posée sur le rebord du prie-Dieu. Elle avança la main pour se saisir de l'objet avant qu'il ne le fît lui-même. Or, il ne remarqua même pas son geste; il ne portait attention à rien qu'à la grande panique, au grand désespoir qui le submergeaient.

Louis n'était assuré de ses facultés d'homme qu'auprès d'un corps docile. Un refus lui ôtait tout moyen; les drames de son premier mariage n'avaient pas eu d'autre origine. Si cette infirmité venait à le reprendre? Il n'est pire peine que l'incapacité à posséder qui l'on désire le plus. Comment pouvait-il expliquer à Clémence que, pour lui, le châtiment avait précédé le crime? Il était terrifié à l'idée que l'engrenage du refus, de l'impuissance et de la haine allait se remettre en marche. Il prononça, comme pour lui-même:

— Suis-je donc damné, suis-je donc maudit, de ne pouvoir être aimé de qui j'aime?

Les paupières closes, et toute tremblante encore, Clémence pensait de son côté: «J'ai donc cru qu'il songeait à me tuer?»

Cédant à une vague honte autant qu'à la pitié, elle abandonna son prie-Dieu et dit:

— C'est bien; je veux faire comme il vous plaît.

Elle alla pour éteindre les chandelles.

— Laissez brûler les cierges, dit le Hutin.

— Vraiment, Louis, vous voulez...

— Laissez choir vos vêtements.

Décidée maintenant à toute soumission, elle se dévêtit entièrement, avec le sentiment d'obéir au démon. Si Louis était damné, elle partagerait la damnation. Il entraîna vers le lit ce beau corps aux ombres modelées, sur lequel il avait de nouveau tout pouvoir. Pour remercier Clémence, il lui murmura:

— Je vous promets, ma mie, je vous promets de faire libérer messire de Presles, et tous les légistes de mon père. Au fond, vous voulez toujours les mêmes choses que mon frère Philippe!

Clémence pensa que sa complaisance serait l'occasion de quelque bien et, qu'à défaut de pénitence, des prisonniers seraient libérés.

Or, cette nuit-là, un grand cri s'éleva vers le plafond de la chambre royale. Mariée depuis cinq mois, la reine Clémence venait de découvrir qu'on n'était pas reine seulement pour être malheureuse, et que les portes du mariage pouvaient s'ouvrir sur des éblouissements inconnus.

Elle resta de longues minutes épuisée, haletante, émerveillée, et comme si la mer de son rivage natal l'avait déposée sur quelque plage dorée. Ce fut elle qui chercha l'épaule du roi pour s'y endormir, tandis que Louis, éperdu de reconnaissance pour ce plaisir qu'il venait de dispenser, et se sentant plus roi que le jour de son sacre, connaissait sa première nuit d'insomnie qui ne fût pas traversée par la hantise de la mort.

Mais cette félicité fut, hélas, sans seconde. Dès le lendemain, sans le secours d'aucun confesseur, Clémence associa indissolublement le plaisir au péché. Elle était de nature plus nerveuse qu'il n'y paraissait car, dès lors, l'approche de son époux lui causa d'intolérables douleurs, qu'elle ne parvenait pas toujours à taire, et qui parfois la rendaient incapable d'accepter l'hommage royal, non par volonté, mais par intolérance du corps. Elle s'en attristait sincèrement, s'en excusait, faisait effort, mais en vain, pour assouvir les ardeurs insistantes de Louis.

— Je vous assure, mon doux sire, je vous assure, lui disait-elle, qu'il nous faut aller en pèlerinage, je ne pourrai point avant.

— Eh bien, nous irons, ma mie, nous irons bientôt, et aussi loin qu'il vous plaira, et la corde au cou si vous le voulez; mais laissez-moi d'abord régler les affaires d'Artois.

VI

L'ARBITRAGE

Deux jours avant la Noël, dans la plus grande salle du manoir de Vincennes, aménagée pour l'occasion en chambre de justice, pairs, seigneurs et légistes, assis sur des bancs couverts de tapis, attendaient le roi.

Une délégation des barons d'Artois, ayant à sa tête Gérard Kiérez et Jean de Fiennes, ainsi que les inséparables Souastre et Caumont, était arrivée du matin. Il semblait que tout fût arrangé. Les émissaires du roi avaient multiplié les démarches entre les adversaires ; le comte de Poitiers avait inspiré des solutions de sagesse et conseillé à sa belle-mère de céder sur plusieurs points afin de ramener la paix dans ses États.

Obéissant aux instructions du roi, à vrai dire assez vagues mais généreuses quant aux intentions : « Je ne veux plus de sang versé ; je ne veux plus de gens injustement maintenus en cachot ; je veux qu'il soit rendu à chacun selon son droit et que la bonne entente et l'amitié règnent partout... », le chancelier Étienne de Mornay avait rédigé une longue sentence dont le Hutin, lorsqu'on la lui présenta, se sentit infiniment fier, comme s'il en avait dicté personnellement tous les articles.

Dans le même temps, Louis X faisait libérer Raoul de Presles, et six autres conseillers de son père qui croupissaient en prison depuis le mois d'avril. Ce mouvement de mansuétude générale l'avait également amené à gracier, en dépit de l'opposition de Charles de Valois, la femme et le fils d'Enguerrand de Marigny, gardés en geôle jusque-là.

Un tel changement d'attitude surprenait la cour. Le roi n'était-il pas allé jusqu'à recevoir Louis de Marigny, en présence de la reine et de plusieurs dignitaires ? L'embrassant, il lui avait déclaré :

— Mon filleul, le passé est oublié.

Le Hutin employait maintenant cette formule à tout propos, comme s'il voulait se persuader, et persuader aux autres, qu'une nouvelle phase de son règne avait commencé.

Il se sentait particulièrement bonne conscience, ce matin-là, tandis qu'on lui mettait sa couronne et qu'on lui posait sur les épaules le grand manteau orné de fleurs de lis.

Mathieu de Trye lui tendit la main de justice, d'or et aux deux doigts levés.

— Comme elle est pesante! dit Louis. Elle m'avait parut telle, déjà, le jour du sacre.

— Sire, recevrez-vous d'abord maître Martin, qui vient d'arriver de Paris, ou bien le verrez-vous après le Conseil? demanda le grand chambellan.

— Maître Martin est là? s'écria Louis. Je veux le voir céans. Qu'on me laisse avec lui.

Le personnage qui entra était un homme d'une cinquantaine d'années, d'assez forte corpulence, au teint très brun et aux yeux rêveurs. Bien qu'il fût vêtu fort simplement, presque comme un moine, il avait, dans toute sa tournure, dans ses gestes à la fois onctueux et assurés, dans sa façon de replier son manteau au creux du bras et de s'incliner en saluant, quelque chose d'oriental. Maître Martin, en sa jeunesse, avait beaucoup voyagé et poussé jusqu'aux rivages de Chypre, de Constantinople et d'Alexandrie. On n'était pas absolument certain qu'il eût porté toujours ce nom de Martin sous lequel on le connaissait.

— Avez-vous éclairé les questions que je vous ai posées? lui dit d'emblée le Hutin.

— Je l'ai fait, Sire, je l'ai fait, avec grand honneur d'être consulté par vous.

— Alors, dites-moi le vrai, même s'il doit être mauvais; je ne crains pas de l'entendre.

Un astrologue tel que maître Martin savait ce qu'il fallait penser de pareil préambule, surtout venant d'un roi.

— Sire, répondit-il, notre science n'est pas absolue, et si les astres ne mentent jamais, notre entendement, lui, peut errer en les observant. Toutefois, je ne vois pas que vos inquiétudes soient fondées, et rien ne paraît empêcher que vous ayez une descendance. Le ciel de votre naissance vous est plutôt favorable en cela, et les astres y sont disposés de bonne façon pour la paternité. En effet, Jupiter s'y montre à la pointe du Cancer, ce qui est signe de fécondité, et ce Jupiter de votre naissance, de plus, forme trigone d'amitié avec la Lune et la planète Mercure. Vous ne devez donc pas renoncer à l'espérance d'engendrer, loin de là. En revanche, l'opposition que la Lune fait à Mars n'annonce point à l'enfant une vie exempte de difficultés; il faudra l'entourer, dès ses premiers jours, de soins bien vigilants et de serviteurs fidèles.

Maître Martin s'était acquis une belle notoriété en annonçant longtemps à l'avance, encore qu'à mots fort couverts, la mort de Philippe le Bel comme devant coïncider avec l'éclipse de novembre 1314. Il avait écrit : « Un puissant monarque d'Occident... », se gardant bien de préciser. Louis X tenait depuis lors maître Martin en grande estime.

— Votre avis m'est précieux, maître Martin, et vos paroles me confortent. Avez-vous pu discerner les moments les plus favorables à concevoir les héritiers que je souhaite ?

Toujours maître Martin s'exprimait avec lenteur, pour se donner le temps de trouver à ses réponses le tour le plus encourageant.

— Ne parlons que du premier, Sire, car pour les autres je ne pourrais me prononcer avec assez d'assurance... Il me manque l'heure de naissance de la reine, qu'elle ne sait point et que personne n'a pu me fournir ; mais je ne pense pas commettre une grande erreur en vous disant qu'avant l'entrée du soleil dans le Sagittaire, un enfant vous sera né, ce qui placerait le temps de la conception environ la mi-février.

— Il convient donc de me hâter d'accomplir à Saint-Jean d'Amiens le pèlerinage que la reine souhaite tant. Et quand pensez-vous, maître Martin, que je doive reprendre ma guerre contre les Flamands ?

— Je crois qu'il vous faut suivre en cela, Sire, les inspirations de votre sagesse. Avez-vous fait le choix d'une date ?

— Je compte réunir l'ost avant l'août prochain.

Le regard rêveur de maître Martin resta un instant en suspens sur le roi, sur sa couronne, sur la main de justice qui semblait l'embarrasser et qu'il portait sur l'épaule comme un jardinier sa bêche.

— Avant le mois d'août, il y aura juin à franchir... murmura l'astrologue.

Puis, plus haut :

— A l'août prochain, Sire, il se peut que les Flamands aient cessé de vous inquiéter.

— Je le crois volontiers, s'écria le Hutin ; car je leur ai inspiré grand-peur l'été passé, et ils viendront sans doute à merci sans bataille, avant la saison des chevauchées.

C'est une étrange impression que de regarder un homme avec la quasi-certitude qu'avant six mois il sera mort, et de l'entendre faire des projets pour un avenir qu'il ne verra probablement pas. « A moins qu'il ne dure jusqu'à novembre... » se disait Martin. Car, en dehors de la redoutable échéance de juin, l'astrologue avait décelé un second aspect funeste, une méchante direction de Saturne à vingt-sept ans et quarante-quatre jours de la naissance de Louis. « Deux conjonctions de fatalité, à six mois d'intervalle. Si vraiment il engendre, la seconde se rencontrerait alors avec la naissance de l'enfant... De toute manière, ce ne sont pas choses à dire. »

Pourtant, avant de partir, la paume garnie d'une bourse que le roi venait de lui tendre, maître Martin se sentit tenu d'ajouter :

— Sire, un mot encore pour la sauvegarde de votre santé. Défiez-vous des venins, surtout au déclin du printemps.

— Faut-il m'abstenir des mousserons, giroles et morilles ? demanda Louis. J'en suis friand ; mais il est vrai qu'ils m'ont causé parfois des dérangements d'entrailles.

Puis soudain soucieux :

— Venin... Entendez-vous les morsures de vipère ?

— Non, Sire, je parle bien des nourritures de bouche.

— Ah bien... Je vous sais gré du conseil, maître Martin.

Aussitôt, tandis qu'il se dirigeait vers la Chambre de justice, Louis prescrivit à son grand chambellan qu'on redoublât de surveillance aux cuisines, qu'on s'assurât de n'employer que des denrées de provenance connue, et qu'on fît éprouver tous les mets deux fois au lieu d'une avant de les lui servir.

Puis il entra dans la grand-salle où l'assistance s'était levée et attendait qu'il fût installé sous le dais.

Bien assis, les pans de son manteau ramenés sur les genoux, et la main de justice un peu inclinée dans la saignée du bras, Louis se sentit pareil, un instant, au Seigneur du ciel sur les vitraux d'églises. A sa droite et à sa gauche, ses barons bellement vêtus inclinaient la tête dévotement. Il y avait quand même des moments de satisfaction dans le métier de roi ; et Louis faisait durer son plaisir.

« Voilà, pensait-il ; je vais rendre ma sentence et chacun va s'y conformer, et je vais rétablir la paix et la bonne harmonie parmi mes sujets. »

Devant lui se tenaient les deux partis entre lesquels il allait rendre arbitrage. D'un côté, la comtesse Mahaut, dépassant de la tête et de la couronne ses conseillers groupés autour d'elle. De l'autre, la délégation des « alliés » d'Artois. Il y avait chez ces derniers un certain manque d'unité dans l'apparence, car chacun avait mis ses meilleurs vêtements qui n'étaient pas toujours à la dernière mode. Ces petits seigneurs sentaient leur province ; Souastre et Caumont s'étaient affublés comme pour paraître en tournoi, et semblaient un peu embarrassés de leurs heaumes qu'ils portaient à la main, devant la poitrine.

Les grands barons désignés pour assister le roi avaient été sagement choisis en nombre égal parmi les amis des deux camps. Charles de Valois et son fils Philippe, Charles de la Marche, Louis de Clermont, Béraud de Mercœur, et surtout Robert d'Artois lui-même, constituaient le soutien des alliés. On savait que de l'autre part Philippe de Poitiers, Louis d'Évreux, Henri de Sully, les comtes de Boulogne, de

Savoie, de Forez, et messire Miles de Noyers donnaient appui à Mahaut.

— *In nomine patris et filii...*

Les assistants se regardèrent, surpris. C'était la première fois que le roi ouvrait séance par une prière, et appelait sur ces décisions les lumières divines.

— On nous l'a changé, souffla Robert d'Artois à Philippe de Valois; le voilà maintenant qui se prend pour évêque en chaire.

— Mes bien chers frères, mes bien chers oncles, mes bons cousins, mes bien-aimés vassaux, nous avons le désir très grand, et le devoir, par commission de Dieu, de maintenir la paix en notre royaume et de condamner la division entre nos sujets...

Louis, qui souvent bredouillait en public, s'exprimait cette fois d'une parole lente, mais claire; vraiment, il se sentait inspiré, et l'on se demandait, à l'écouter ce jour-là, si son véritable destin n'eût pas été de faire un bon vicaire en un modeste bailliage.

Il se tourna d'abord vers la comtesse Mahaut, et la pria de suivre ses conseils. Mahaut répondit:

— Sire, je ne désire rien tant que la concorde et souhaite pouvoir en tout vous complaire.

Le roi adressa ensuite aux alliés la même recommandation.

— Sire, répondit Gérard Kiérez, nous n'avons d'autre vouloir que l'apaisement, et nous montrer vos fidèles vassaux.

Louis regarda autour de lui ses oncles, frères et cousins. « Voyez, semblait-il dire, comme j'ai bien su arranger toutes choses. »

Puis l'assemblée s'assit, et le chancelier Étienne de Mornay lut la sentence d'arbitrage qui débutait par une déclaration d'intention.

Le passé, selon la formule chère au roi, était oublié, et les haines, offenses et rancunes pardonnées de part et d'autre. La comtesse Mahaut reconnaissait ses obligations envers ses sujets; elle s'engageait à maintenir bonne paix au pays d'Artois, à n'exercer aucunes représailles sur les alliés ni chercher aucune occasion de leur causer mal ou nuisance. Elle scellerait, comme le roi l'avait fait, les coutumes en usage au temps de Saint Louis et qui seraient prouvées devant elle par gens dignes de foi, chevaliers, clercs, bourgeois, avocats...

Louis X écoutait à peine. Ayant dicté la première phrase, il estimait avoir tout fait. Le détail des dispositions juridiques, dont il avait laissé la rédaction à Mornay, ne l'intéressait guère. Sa pensée dérivait ailleurs. Il était en train de compter sur ses doigts: « Février, mars, avril, mai... ainsi ce serait donc vers novembre qu'il me naîtrait un héritier... »

— « Si l'on se plaint de la comtesse, lisait Étienne de Mornay, le roi fera examiner par des enquêteurs si la plainte est fondée et, dans ce cas, si la comtesse refuse justice, le roi la contraindra. D'autre part, la comtesse devra, pour les amendes qu'elle réclame, en déclarer le montant pour chaque délit. La comtesse devra rendre aux seigneurs les terres qu'elle détient sans jugement... »

Mahaut commençait à s'agiter; mais les quatre frères d'Hirson, autour d'elle, le chancelier, le trésorier, le panetier, le bailli, la calmèrent.

— Il n'a jamais été question de ceci à l'entrevue de Compiègne! disait Mahaut. C'est un mauvais ajout.

— Il vaut mieux perdre un peu que tout perdre, lui souffla Denis.

Le souvenir de la promenade qu'il avait faite, enchaîné, le jour de la décapitation du sergent Cornillot, l'incitait au compromis.

Mahaut retroussa ses manches et continua d'écouter, contenant sa colère.

La lecture durait depuis près d'un quart d'heure quand un frémissement d'intérêt passa sur la salle; Mornay abordait le passage relatif à Thierry d'Hirson. Tous les regards se tournèrent vers le chancelier de Mahaut et vers ses frères.

— «... En ce qui concerne maître Thierry d'Hirson dont les alliés ont réclamé qu'il fût mis en jugement, le roi décide que les accusations devront être portées devant l'évêque de Thérouanne, dont maître Thierry dépend; mais il ne pourra aller en Artois présenter sa défense pour ce que ledit maître Thierry est moult haï au pays. Ses frères, sœurs et neveux n'y pourront point aller non plus tant que le jugement n'aura pas été rendu par l'évêque de Thérouanne et certifié par le roi... »

Dès ce moment, les d'Hirson abandonnèrent l'attitude conciliante qu'ils avaient observée jusque-là.

— Voyez votre neveu, Madame, voyez comme il triomphe! dit Pierre, le bailli d'Arras.

Robert d'Artois, en effet, échangeait des sourires avec ses cousins Valois.

— Tout n'est pas dit, mes amis, tout n'est pas dit! murmura Mahaut, les mâchoires serrées. Vous ai-je jamais abandonné, Thierry?

Quand la lecture de la sentence d'arbitrage fut terminée, l'évêque de Soissons, qui avait participé aux négociations, s'avança. Il tenait un Évangile qu'il alla présenter aux alliés; ceux-ci se levèrent tous ensemble et tendirent la main droite, tandis que Gérard Kiérez, en leur nom, jurait qu'ils respecteraient scrupuleusement l'arbitrage du roi. Puis l'évêque se dirigea vers Mahaut.

La pensée de Louis X, dans ce moment-là, voyageait sur les routes. «Pour ce pèlerinage d'Amiens, nous le ferons à pied, pendant les dernières lieues. Quant au reste, nous irons en char. Il nous faudra de bonnes bottes fourrées... Et puis j'emmènerai mes queux et mes sauciers, puisque je dois me défier des venins... Espérons que Clémence sera délivrée de ces douleurs qui la gênent pour l'amour... » Il rêvait, tout en contemplant les doigts d'or de la main de justice, quand soudain il entendit Mahaut prononcer d'une voix forte:

— Je refuse de jurer; je ne scellerai point cette méchante sentence!

Un grand silence tomba sur l'assemblée. L'audace de ce refus, lancé à la face du souverain, effrayait. On se demandait quelle sanction terrible allait tomber de la bouche royale.

— Que se passe-t-il? dit Louis en se penchant vers son chancelier. Pourquoi refuse-t-elle? Cet arbitrage pourtant me semblait bien rendu.

Il regardait les assistants, l'air absent et plus surpris que contrarié.

Robert d'Artois alors se leva et lança de sa voix de bataille:

— Sire mon cousin, allez-vous accepter qu'on vous brave et qu'on vous soufflette au visage? Nous, vos parents et vos conseillers, ne le supporterons point. Voyez le gré qu'on vous a d'user de mansuétude! Vous savez que, pour ma part, j'étais opposé à toute amiable convention avec Madame Mahaut, dont j'ai honte qu'elle soit de mon sang; car toute bienveillance qu'on lui accorde ne l'encourage qu'à plus de vilenie. Me croira-t-on enfin, Messeigneurs, continua-t-il en prenant à témoin l'assemblée, me croira-t-on quand je dis, quand j'affirme, et depuis tant d'années, que j'ai été frustré, trahi, volé par ce monstre femelle qui n'a respect ni pour le pouvoir du roi ni pour le pouvoir de Dieu! Mais faut-il s'en étonner de la part d'une femme qui n'a point obéi aux volontés de son père mourant, s'est approprié le bien qui ne lui revenait pas, et a profité de mon enfance pour me dépouiller?

Mahaut, debout, les bras croisés, regardait son neveu avec colère et mépris tandis qu'à deux pas d'elle l'évêque de Soissons hésitait à déposer le lourd Évangile.

— Savez-vous pourquoi, Sire, poursuivit Robert, Madame Mahaut refuse aujourd'hui votre arbitrage qu'elle acceptait hier? Parce que vous y avez ajouté sentence contre Thierry d'Hirson, contre cette âme vendue et damnée, contre ce maître coquin dont je voudrais qu'on le déchaussât pour voir s'il n'a pas le pied fourchu! C'est lui qui pour le compte de Madame Mahaut a si bien travaillé et travesti les écrits qu'il m'a fait perdre mon hoirie. Le secret de leurs mauvaises actions les a liés si honteusement que la comtesse Mahaut a dû pourvoir de bénéfices tous les frères et parents de Thierry, lesquels rançonnent le malheureux peuple d'Artois, si prospère autrefois, si misérable à présent qu'il n'a plus de recours que dans la révolte.

Les alliés écoutaient, le visage comme ensoleillé, et l'on sentait qu'ils étaient sur le point d'acclamer Robert. Celui-ci, dans le même mouvement d'emphase, ajouta:

— Si vous avez le front, si vous avez l'audace, Sire, de léser maître Thierry, de lui ôter la moindre parcelle de ses larcins, de menacer le petit ongle du petit doigt du plus petit de ses neveux, voici Madame Mahaut toutes griffes dehors, et prête à cracher au visage de Dieu. Car les vœux qu'elle a prononcés au baptême et l'hommage qu'elle vous fit, genou en terre, ne pèsent rien auprès de son allégeance envers maître Thierry, son véritable suzerain !

Mahaut n'avait pas bougé.

— Le mensonge et la calomnie, Robert, coulent comme salive de ta bouche, dit-elle. Prends garde de ne jamais te mordre la langue, tu pourrais en mourir.

— Taisez-vous, Madame ! s'écria brusquement le Hutin. Taisez-vous ! Vous m'avez trompé ! Je vous fais défense de retourner en Artois avant d'avoir scellé la sentence qui vient de vous être signifiée, et qui est une bonne sentence, chacun me l'a dit. Jusque-là vous vous tiendrez en votre hôtel de Paris ou votre château de Conflans, mais nulle part ailleurs. C'est assez pour ce jour, ma justice est rendue.

Il fut pris d'une violente quinte de toux, qui le ploya en deux sur son trône.

« Qu'il crève ! » dit Mahaut entre ses dents.

Le comte de Poitiers n'avait pas prononcé une parole. Il balançait une jambe et se caressait pensivement le menton.

TROISIÈME PARTIE

LE TEMPS DE LA COMÈTE

I

LE NOUVEAU MAÎTRE DE NEAUPHLE

Le second jeudi après l'Épiphanie, qui était jour de marché, il y avait grande agitation à la banque lombarde de Neauphle-le-Château. On nettoyait la maison de fond en comble; le peintre du village couvrait d'un enduit neuf l'épaisse porte d'entrée; on astiquait les coffres-forts dont les traverses de fer brillaient mieux que l'argent; on passait le balai entre les poutres pour enlever les toiles d'araignées; on chaulait les murs, on cirait les comptoirs; et les commis, cherchant les registres épars, les balances, les échiquiers à calcul, avaient peine à garder leur calme devant la clientèle.

Une jeune fille d'environ dix-sept ans, haute de taille, belle de traits, les joues colorées par le froid, franchit le seuil et s'arrêta, surprise par ce remue-ménage. Au manteau de camelin beige dont elle était emmitouflée, au fermail qui retenait son col, et à tout son maintien, on reconnaissait une fille de noblesse. Les villageois ôtèrent leur bonnet.

— Ah! damoiselle Marie! s'écria Ricardo, le premier commis. Soyez la bienvenue! Entrez, et venez vous chauffer. Votre corbeillon est prêt, comme chaque semaine; mais, dans tout ce mouvement, je l'ai fait serrer à part.

Il fit passer la jeune fille dans une pièce voisine, qui servait de salle commune aux employés de la banque et où brûlait un grand feu. Il sortit d'un placard une corbeille d'osier, couverte d'une toile.

— Noix, huile, lard frais, épices, farine de froment, pois secs, et trois grosses saucisses, dit-il. Tant que nous aurons à manger, vous en aurez aussi. Ce sont les ordres de messire Guccio. Et j'inscris tout à son compte, comme de coutume... L'hiver commence à se faire long et je serais surpris qu'il ne se finît pas par une disette, ainsi que l'an passé. Mais cette année, nous serons mieux pourvus.

Marie de Cressay prit le corbeillon.

— Point de lettre? demanda-t-elle.

Le premier commis secoua la tête avec une feinte tristesse.

— Eh non! belle damoiselle, pas de lettre cette fois.

Il sourit du désappointement de la jeune fille, et ajouta:

— Non, pas de lettre, mais une bonne nouvelle.

— Il est guéri? s'écria Marie.

— Et pour qui croyez-vous que nous fassions tous ces apprêts, en plein cœur de janvier, alors qu'on ne repeint jamais avant l'avril venu?

— Ricardo! Est-ce donc vrai? Votre maître arrive?

— Eh, si, par la Madone! Il arrive; il est à Paris et nous a fait annoncer qu'il serait ici demain.

— Que je suis heureuse! que je suis heureuse de le revoir!

Puis, se reprenant, comme si l'explosion de sa joie eût manqué de pudeur, Marie ajouta:

— Toute ma famille va être heureuse de le revoir.

— Il a demandé qu'on lui aménage un logis. Tenez, damoiselle Marie, je voudrais votre avis sur ce que nous lui avons préparé, et que vous me disiez si vous le trouvez à votre goût.

Il la conduisit à l'étage, et ouvrit la porte d'une chambre de bonnes dimensions, mais basse de plafond, où les solives venaient d'être cirées. Elle était garnie de quelques meubles de chêne assez grossiers, d'un lit étroit, mais couvert d'un beau brocart d'Italie, de quelques objets d'étain et d'un chandelier. Marie fit des yeux le tour de la pièce.

— Tout ceci paraît fort bien, dit-elle. Mais j'espère que votre maître bientôt aura sa demeure au manoir.

Ricardo sourit à nouveau.

— Je le crois aussi, répondit-il. Tout le monde, ici, je vous assure, s'intrigue bien de cette arrivée de messire Guccio et de la nouvelle qu'il veut résider parmi nous. Depuis hier, les gens ne cessent d'entrer et de nous déranger pour un rien, à croire que personne d'autre dans le bourg ne peut leur compter le change des douze deniers d'un sol. Tout cela pour s'ébaudir des travaux et s'en faire répéter la raison. Il faut dire que messire Guccio est moult aimé dans ce pays depuis qu'il a réussi à en chasser le prévôt Portefruit dont chacun avait à se plaindre. On va lui réserver grand accueil, et je le vois tout juste devenir le vrai maître de Neauphle... après vos frères, bien sûr, ajouta-t-il en reconduisant la jeune fille qu'il fit sortir par la porte du jardin.

Jamais le chemin qui séparait le bourg de Neauphle du manoir de Cressay n'avait paru plus court à Marie. «Il arrive... il arrive... il arrive..., se répétait-elle comme une chanson, en sautant d'une ornière à l'autre. Il arrive, il m'aime, et bientôt nous serons mariés. Il va être le vrai maître de Neauphle.» La corbeille de vivres était légère à son bras.

Dans la cour de Cressay, elle rencontra son frère Pierre qui sortait des écuries.

— Il arrive! lui cria-t-elle.

— Qui arrive?

C'était la première fois depuis des mois que Pierre de Cressay voyait sa sœur manifester une vraie joie.

— Guccio arrive!

— Ah! la bonne nouvelle! dit le garçon. C'est un gentil compagnon et j'aurai plaisir à le revoir.

— Il vient demeurer à Neauphle, dont son oncle lui donne le comptoir. Et surtout...

Elle s'arrêta; mais incapable de taire son secret plus longtemps, elle attira le visage mál rasé de son frère, l'embrassa, et ajouta:

— Il va demander ma main.

— Ah bah! fit Pierre. Et d'où te vient cette idée?

— Ce n'est pas une idée, je le sais... je le sais... je le sais.

Attiré par le bruit, Jean de Cressay, leur aîné, sortit à son tour de l'écurie où il était en train de panser lui-même son cheval. Il tenait un bouchon de paille à la main.

— Jean, il paraît qu'un beau-frère nous arrive de Paris, dit le cadet.

— Un beau-frère? Le beau-frère de qui?

— Notre sœur s'est trouvé un époux.

— Eh bien! voilà une bonne chose, répondit Jean.

Il entrait dans le jeu de la bonne humeur et croyait à une farce de gamine.

Pierre de Cressay était blond, comme sa sœur; Jean avait le poil châtain et portait barbe, une barbe touffue, mal entretenue.

— Et comment se nomme, reprit Jean, ce puissant baron qui convoite de s'unir à nos tours en ruine et à notre belle fortune de dettes? J'espère au moins, ma sœur, qu'il est riche, car nous en avons grand besoin.

— Certes, il l'est, répondit Marie. C'est Guccio Baglioni.

Au regard que lui lança son frère aîné, elle eut la certitude immédiate qu'elle courait à un drame. Elle eut froid tout à coup, et ses oreilles se mirent à bourdonner.

Jean de Cressay feignit encore quelques secondes de prendre l'affaire en plaisanterie, mais le ton de sa voix était changé. Il désirait savoir quelle raison incitait sa sœur à parler de la sorte. Avait-elle eu avec Guccio des relations ou paroles outrepassant les limites de l'honnêteté? Lui avait-il écrit à l'insu de la famille?

A chaque question, Marie répondait par une dénégation vague qui masquait bien mal son trouble croissant. Jean se faisait plus insistant. Pierre se sentait mal à l'aise. «J'aurais été mieux avisé de me taire», se disait-il.

Ils entrèrent tous trois dans la grand-salle du manoir où leur mère, dame Éliabel, filait la laine auprès de la cheminée. La châtelaine avait repris son embonpoint naturel grâce aux victuailles que chaque semaine, depuis la disette de l'hiver précédent, Guccio leur procurait.

— Regagne ta chambre, dit Jean de Cressay à sa sœur.

Comme aîné, il avait autorité de chef de famille. Lorsque Marie se fut retirée et qu'on eut entendu, à mi-étage, la porte se fermer, Jean mit sa mère au courant de ce qu'il venait d'apprendre.

— En es-tu sûr, mon garçon? Est-ce possible? s'écria dame Éliabel. A qui donc poindrait la sotte idée qu'une fille de notre sang, dont les pères ont la chevalerie depuis deux siècles, puisse épouser un Lombard? Je suis certaine que ce jeune Guccio, qui est plaisamment tourné d'ailleurs, et montre de gentilles manières, n'y a jamais songé.

— Je ne sais pas s'il y a songé, ma mère, répondit Jean, mais je sais que Marie, elle, y songe.

Les fortes joues de dame Éliabel se colorèrent.

— Cette enfant se monte la cervelle! Si ce jeune homme, mes fils, est venu à plusieurs reprises nous visiter, et s'il nous a témoigné si grande amitié, c'est qu'il porte, je crois bien, plus d'intérêt à votre mère qu'à votre sœur. Oh! sans déshonnêteté aucune! se hâta d'ajouter dame Éliabel, et jamais un mot qui pût offenser n'a passé ses lèvres. Mais ce sont tout de même choses qu'on devine lorsqu'on est femme, et j'ai bien compris qu'il m'admirait...

Ce disant, elle se redressait sur son siège et gonflait le corsage.

— Je n'en suis pas aussi assuré que vous, ma mère, répondit Jean de Cressay. Rappelez-vous qu'à son dernier passage, nous avons laissé Guccio seul, à plusieurs reprises avec notre sœur, alors qu'elle semblait si malade; et c'est depuis ce moment qu'elle a recouvré la santé.

— Peut-être parce que depuis ce moment elle a commencé de manger à sa faim, et nous avec, fit remarquer Pierre.

— Oui, mais vous noterez que c'est toujours par Marie, depuis lors, que nous avons des nouvelles de Guccio. Son voyage en Italie, son accident de jambe... C'est toujours Marie que Ricardo informe, et jamais nul autre d'entre nous. Et cette grande insistance qu'elle met à aller chercher elle-même les vivres au comptoir! Je pense qu'il y a là-dessous quelque machination sur laquelle nous n'avons pas assez ouvert les yeux.

Dame Éliabel abandonna sa quenouille, chassa de la main les brins de laine épars sur sa jupe et, se levant, dit d'un ton outragé:

— En vérité, ce serait grande vilenie de la part de ce jouvenceau que d'avoir fait usage de sa fortune mal acquise pour suborner ma fille, et prétendre acheter notre alliance par des dons de bouche ou de vêtements, alors que l'honneur d'être notre ami devrait largement suffire à le payer.

Pierre de Cressay était seul dans la famille à posséder un sens à peu près juste des réalités. Il était simple, loyal, et sans préjugés. Les déclarations qu'il entendait, tissues de mauvaise foi, de jalousie et de vaines prétentions, l'irritèrent.

— Vous semblez oublier l'un et l'autre, dit-il, que l'oncle de Guccio a toujours sur nous une créance de trois cents livres qu'on nous fait la grâce de ne pas nous réclamer, non plus que les intérêts qui ne cessent de s'allonger. Et si nous n'avons pas été saisis, terres et murs, par le prévôt Portefruit, c'est bien à Guccio que nous le devons. Rappelez-vous aussi qu'il nous a évité de mourir de famine en nous fournissant des victuailles que nous n'avons jamais payées. Avant de l'écarter, songez un peu si vous pouvez vous acquitter. Guccio est riche et le sera plus encore avec les années. Il est fort protégé, et si le roi de France l'a trouvé d'assez bonne apparence pour le joindre à l'ambassade qui allait à Naples chercher la nouvelle reine, je ne vois pas que nous ayons tant à faire les difficiles.

Jean haussa les épaules.

— C'est encore Marie qui nous a conté cela, dit-il. Il y est allé comme marchand, pour faire son négoce.

— Et même si le roi l'a envoyé à Naples, cela ne veut pas dire qu'il lui donnerait sa fille ! s'écria dame Éliabel.

— Ma pauvre mère... répliqua Pierre ; Marie n'est pas la fille du roi de France, que je sache ! Elle est fort belle, certes...

— Je ne vendrai pas ma sœur pour argent, cria Jean de Cressay.

Ses yeux brillaient au milieu d'un poil hirsute.

— Tu ne la vendrais pas, non, répondit Pierre ; mais tu t'accommoderais pour elle d'un barbon, sans t'offenser qu'il fût riche, à condition qu'il traînât éperons à ses talons goutteux. Si elle aime Guccio, tu ne la vends pas !... La noblesse ? Bah ! nous sommes assez de deux garçons pour la maintenir. Je me dois de vous dire que je ne verrais pas ce mariage d'un si mauvais regard.

— Et tu ne verrais point non plus d'un mauvais regard ta sœur installée à Neauphle, dans notre fief, derrière un comptoir de banque, à peser le billon et à trafiquer de l'épice ? Tu déraisonnes, Pierre, et je me demande d'où peut te venir si peu de respect de ce que nous sommes, dit dame Éliabel. En tout cas, je ne consentirai jamais à une telle mésalliance, et ton frère non plus ; n'est-il pas vrai, Jean ?

— Certes, ma mère, et c'est déjà trop que d'en débattre. Je prie Pierre de n'en plus jamais parler.

— C'est bon, c'est bon, tu es l'aîné ; agis comme tu l'entends, dit Pierre.

— Un Lombard ! un Lombard ! reprit dame Éliabel. Ce jeune Guccio arrive, me dites-vous ? Laissez-moi faire, mes fils. La créance et les obligations que nous lui avons nous empêchent de lui fermer notre porte. Soit, nous allons bien le recevoir ; mais s'il est fourbe, je le serai aussi, et je me charge de lui ôter l'envie de venir à nouveau, si c'est pour le motif que nous craignons !

II

LA RÉCEPTION DE DAME ÉLIABEL

Le lendemain, dès l'aube, il semblait que la fièvre qui agitait le comptoir de Neauphle eût gagné le manoir de Cressay. Dame Éliabel bousculait sa servante et six serfs du domaine avaient été requis en corvée pour la journée. On lavait les dalles à grande eau, on dressait la table, on entassait les bûches de part et d'autre de la cheminée; l'écurie était garnie de paille fraîche, la cour balayée; dans la cuisine, un marcassin et un mouton entiers tournaient déjà sur leur broche; les pâtés cuisaient au four; et le bruit se répandait dans le hameau que les Cressay attendaient un envoyé du roi.

L'air était froid, léger, traversé d'un pâle soleil de janvier qui égayait les branchages nus et posait dans les flaques des chemins quelques gouttes de lumière.

Guccio arriva en fin de matinée, couvert d'un manteau doublé de fourrure, coiffé d'un large chaperon de drap vert dont la crête lui retombait sur l'épaule, et monté sur un beau cheval bai, bien nourri et finement harnaché. Il était accompagné d'un valet, et sentait d'une lieue l'homme riche.

Il trouva la châtelaine et ses deux fils en vêtements de fête. L'accueil qu'on lui fit, l'empressement des serviteurs, les embrassades de dame Éliabel, l'apprêt du couvert et de la maison, lui parurent signes d'excellent augure. Marie, d'évidence, avait parlé à sa famille. On savait pourquoi il venait, et on le traitait déjà comme le fiancé. Pierre de Cressay, toutefois, montrait un peu de gêne.

— Mes bons amis, s'écria Guccio, que j'ai donc de joie à vous revoir! Mais il ne fallait pas vous mettre tellement en frais. Traitez-moi tout juste comme si j'étais de votre famille.

Le mot déplut à Jean, qui échangea un regard avec sa mère.

Guccio avait un peu changé d'aspect. De son accident, il lui restait une légère raideur dans la jambe droite qui n'était pas sans donner quelque élégance hautaine à sa démarche. Les semaines d'immobilité sur un lit d'hôpital avaient favorisé une dernière poussée de croissance. Ses traits s'étaient accusés; son visage offrait une expression plus sérieuse, mûrie. L'adolescence chez lui s'effaçait pour lui laisser prendre son apparence d'homme.

Sans avoir rien perdu de son assurance d'antan, bien au contraire, il se donnait moins de mal pour en imposer à autrui. Il parlait avec moins d'accent et un peu plus de lenteur, mais toujours avec autant de gestes.

Regardant les murs autour de lui comme si déjà il en était le maître, il demanda aux frères Cressay s'ils avaient l'intention d'effectuer quelques réparations sur leur manoir.

— J'ai vu en Italie, dit-il, certains plafonds à peinture qui seraient ici du meilleur effet. Et votre salle d'étuve, ne comptez-vous pas la rebâtir? On en fait aujourd'hui de petites qui ont beaucoup de commodité et, à mon avis, ceci est indispensable aux soins du corps, pour les gens de qualité.

Il fallait comprendre, en sous-entendu: « Je suis prêt à payer tout cela, car c'est ainsi que j'aime à vivre. » Guccio avait également des idées sur le mobilier, sur les tapisseries à suspendre aux murailles pour les égayer. Il commençait à fort agacer Jean de Cressay, et Pierre lui-même estimait que c'était aller un peu vite en besogne que de parler, au débotté, de refaire déjà toute la maison.

Guccio devisait ainsi, de choses et d'autres, depuis une demi-heure, et Marie n'était toujours pas apparue. « Peut-être, pensa-t-il, dois-je d'abord me déclarer... »

— Aurai-je le plaisir de voir mademoiselle Marie; nous fait-elle compagnie pour dîner?

— Certes, certes; elle s'apprête, elle descendra tout à l'heure, répondit dame Éliabel. Vous allez la trouver bien différente; elle est tout à son nouveau bonheur.

Guccio se leva, le cœur battant.

— Vraiment? s'écria-t-il. Oh! dame Éliabel, quelle joie vous me causez!

— Oui, et nous aussi, nous sommes bien joyeux de pouvoir nous louer de cette bonne nouvelle avec un ami tel que vous. Notre chère Marie est fiancée...

Elle marqua un temps.

— ... elle est fiancée à l'un de nos parents, le sire de Saint-Venant, un gentilhomme d'Artois de fort vieille noblesse qui s'est épris d'elle, et dont elle est éprise.

Guccio demeura un instant comme dans le brouillard, incapable de parler, tripotant machinalement le reliquaire d'or que lui avait donné la reine Clémence et qui brillait sur son justaucorps de deux couleurs, à la dernière mode italienne. Il entendit Jean de Cressay ouvrir la porte et appeler sa sœur.

Faisant effort pour se reprendre, Guccio dit, d'une voix qui lui sembla celle d'un autre :

— Et quand les noces auront-elles lieu ?

— Aux premiers jours de l'été, répondit dame Éliabel.

— Mais c'est tout juste comme si c'était fait, précisa Jean de Cressay, car les paroles sont échangées.

Celle à qui Guccio dédiait ses pensées depuis tant de mois, dont il avait si souvent parlé à Clémence de Hongrie, à Bouville, à Tolomei, et qui avait été dans l'éloignement et la maladie le centre de ses rêves, entra, raide, distante, mais les yeux rouges. Elle souhaita du bout des lèvres la bienvenue à Guccio. Il se contraignit à la féliciter, et elle mit autant de dignité qu'elle put à recevoir ses compliments. Elle était tout près d'éclater en sanglots, mais réussit à se dominer, si bien que Guccio prit pour une froideur réelle ce qui n'était chez Marie que la crainte de se trahir et d'encourir les châtiments dont on l'avait menacée.

Le repas, trop copieux, fut pénible. Dame Éliabel, se délectant de sa propre perfidie, jouait la gaieté, obligeait son hôte à reprendre de chaque plat et ordonnait aux serviteurs de lui porter un nouveau quartier de mouton ou de marcassin sur sa tranche de pain.

— Avez-vous perdu l'appétit en vos longs voyages ? s'écriait-elle. Allons, allons, messire Guccio, il faut se bien nourrir à votre âge. N'est-ce point de votre goût ?... Servez-vous mieux de ce pâté !

Pas une fois Guccio ne put rencontrer le regard de Marie.

« Elle ne paraît pas trop fière d'avoir renié la foi qu'elle m'avait jurée, pensait-il. N'ai-je donc échappé à la mort que pour recevoir pareil affront ! Ah ! mes craintes n'étaient pas vaines, quand je désespérais à l'hôtel-Dieu de Marseille. Et ces absurdes lettres que je lui ai envoyées ! Mais pourquoi m'avoir fait répondre par Ricardo qu'elle demeurait dans les mêmes pensées, et qu'elle se languissait de m'attendre... alors qu'elle s'engageait ailleurs ? Cela est traîtrise et je ne le pardonnerai jamais. Ah ! le mauvais dîner que voilà ! Jamais je n'en ai goûté de pire. »

La recherche d'une vengeance est parfois un dérivatif au chagrin. « Je pourrais, bien sûr, pensait Guccio, exiger immédiatement le remboursement de la créance, et peut-être cela les mettrait-il en telle difficulté qu'il leur faudrait renoncer aux noces. » Mais le procédé lui parut d'une inadmissible bassesse. Avec des bourgeois, il en aurait peut-être usé ainsi ; avec des gentilshommes qui prétendaient l'écraser de leur noblesse, il cherchait une réponse de gentilhomme. Il voulait leur prouver qu'il était plus grand seigneur que tous les Cressay et tous les Saint-Venant de la terre.

Ce souci l'occupa pendant la fin du repas. Comme on disposait les desserts, il détacha soudain son reliquaire et le tendit à la jeune fille en disant :

— Voici, belle Marie, le cadeau qu'il me plaît de vous offrir pour vos noces. C'est la reine Clémence... oui, c'est la reine de France qui me l'a elle-même attaché au col pour les services que je lui ai portés et l'amitié dont elle m'honore. Une relique de saint Jean-Baptiste y est enfermée. Je ne pensais pas vouloir jamais m'en séparer ; mais il semble qu'on puisse se défaire sans peine de ce qu'on tenait pour le bien le plus cher... Que ceci donc vous protège, ainsi que les enfants que je vous souhaite d'avoir avec votre gentilhomme d'Artois.

Il n'avait trouvé que cette manière à la fois de témoigner son mépris et de prouver aux Cressay qu'ils avaient fait fi, en sa personne, d'un beau parti. C'était payer cher l'occasion d'une phrase. Décidément, envers ces gens qui n'avaient pas trois deniers vaillants, les grands mouvements d'âme de Guccio se soldaient toujours par un geste coûteux. Venu pour prendre, il s'en allait immanquablement en ayant donné.

Marie eut grand-peine à ne pas fondre en larmes. Ses mains tremblaient lorsqu'elle approcha le reliquaire de ses lèvres. Mais Guccio s'était déjà détourné.

Prétextant sa blessure récente et la fatigue du voyage, il prit congé sur-le-champ, appela son valet, passa son manteau fourré, sauta en selle et sortit de la cour de Cressay avec la certitude qu'il n'y remettrait plus les pieds.

— A présent, il nous faudrait tout de même écrire au cousin de Saint-Venant, dit dame Éliabel à ses fils lorsque Guccio eut passé le portail.

Rentré au comptoir de Neauphle, Guccio ne desserra pas les dents de la soirée. Il se fit présenter les livres et feignit de s'absorber dans l'examen des comptes. Le commis Ricardo comprit bien que les affaires de son jeune maître avaient rencontré quelque traverse ; mais il jugea prudent de s'abstenir d'aucune question.

Guccio passa une nuit sans sommeil dans l'appartement qu'on lui avait préparé avec tant de soin pour un long séjour. Maintenant, il regrettait son reliquaire, il regrettait sa décision de se fixer à Neauphle, il regrettait ses lettres, il regrettait tout. « Elle ne méritait pas tant ; ne suis qu'un sot... Et l'oncle Spinello, comment va-t-il prendre mon retour ? se demandait-il en s'agitant entre les draps rugueux. Car je ne demeurerai pas ici un jour de plus, après une telle humiliation... Je n'en ferai jamais d'autres et le sort, vraiment, m'est contraire. Je pouvais revenir dans l'escorte de la reine et obtenir une charge dans sa maison ; je manque le quai pour avoir voulu sauter trop vite, et me voilà en hospice pendant six mois. Au lieu de rentrer à Paris et d'y travailler à ma fortune, je me précipite en ce bourg perdu, afin d'épouser une fille de campagne dont je me monte la tête depuis bientôt deux ans, comme s'il n'était d'autre femme à travers le monde!... et je la trouve engagée à un niais de sa race. Beau travail!»

Au matin, épuisé de regrets, de rancune et d'insomnie, il fit boucler son bagage et seller son cheval. Il avalait un bol de soupe, avant de partir, lorsque la servante qu'il avait vue la veille à Cressay se présenta au comptoir et demanda à lui parler sans témoin. Elle était chargée d'un message: Marie, qui avait réussi à s'échapper pour une heure, attendait Guccio à mi-chemin entre Neauphle et Cressay, au bord de la Mauldre, «à l'endroit que vous savez bien», ajouta-t-elle.

Guccio comprit qu'il s'agissait du clos de pommiers, au bord de la rivière, où Marie et lui avaient échangé leur premier baiser.

— Dites à madame Marie que c'est de sa part un soin inutile, car, pour la mienne, je ne souhaite plus la rencontrer.

— Madame Marie fait peine à voir, dit la servante. Je vous jure, messire, que vous devriez aller la retrouver; si l'on vous a offensé, cela ne vient point d'elle.

Sans daigner répondre, il se mit en selle en s'engagea sur la route. «Le quai de Marseille... le quai de Marseille... Que cela me serve de leçon, se disait-il. Assez de sottises. Dieu sait ce qui m'attend encore si je la revois! Qu'elle mange donc ses larmes toute seule, s'il lui vient l'envie de pleurer!»

Il parcourut ainsi deux cents toises en direction de Paris; puis brusquement, devant son valet stupéfait, il fit volter son cheval, le mit au galop et coupa à travers champs.

En quelques minutes, il fut au bord de la Mauldre; il aperçut le clos et, sous les pommiers, Marie qui l'attendait.

III

RUE DES LOMBARDS

Lorsque Guccio, en fin de journée, entra dans la cour de la banque Tolomei, rue des Lombards, son cheval était couvert d'écume.

Guccio lança les rênes au valet, traversa la longue salle des comptoirs, déserte à cette heure, et grimpa, aussi vite que le lui permettait sa hanche raide, l'escalier qui menait au cabinet de son oncle.

Il ouvrit la porte; la lumière était masquée par le dos de Robert d'Artois. Celui-ci se retourna.

— Ah! c'est la Providence qui vous envoie, ami Guccio, s'écria-t-il en ouvrant les bras. Je demandais justement à votre oncle un messager diligent et sûr pour courir sur-le-champ en Artois joindre messire de Fiennes. Mais il vous faudra être prudent, mon jouvenceau, ajouta-t-il comme si l'acceptation de Guccio ne pouvait faire de doute; car mes bons amis d'Hirson ne ménagent pas leur peine, et ils ont lâché leurs chiens sur tout ce qui vient de chez moi.

— Monseigneur, répondit Guccio encore essoufflé, Monseigneur, j'ai manqué vomir mon âme sur la mer, l'autre année, pour aller vous servir en Angleterre; je viens de passer six mois couché pour m'être rendu à Naples au service du roi, et toutes ces courses n'ont guère fait pour ma félicité. Vous permettrez que, cette fois, je ne vous obéisse point, car j'ai mes propres affaires qui ne souffrent plus de délai.

— Je vous paierai si bien que vous ne le regretterez pas.

— Pour mille livres, Monseigneur, je n'irai point! s'écria Guccio. Et surtout pas en Artois.

Robert se tourna vers Tolomei qui se tenait en retrait, les mains croisées sur le ventre.

— Dites-moi, ami banquier, avez-vous jamais entendu chose pareille? Pour qu'un Lombard refuse mille livres, que je ne lui ai pas offertes au demeurant, il faut qu'il ait de sérieux motifs. Votre neveu ne serait-il point payé par maître Thierry... que Dieu l'étrangle, celui-là, et avec ses propres tripes, s'il est possible !

Tolomei se mit à rire.

— Ne craignez rien, Monseigneur ; je soupçonne mon neveu d'être plutôt requis ces jours-ci par une intrigue d'amour avec une dame de noblesse...

— Ah ! s'il y a service de dame, dit d'Artois, je n'y peux rien, et lui pardonne son refus. Mais cela ne m'avance guère.

— J'ai ce qu'il vous faut, ne vous mettez pas en peine, répondit Tolomei ; un excellent messager, qui vous servira d'autant plus discrètement qu'il ne vous connaît pas. Et puis... une robe de moine se fait peu remarquer par les chemins.

— Un moine ?

Et Robert d'Artois fit la moue.

— ... italien, ajouta le banquier.

— Ah ! c'est déjà mieux... Car voyez-vous, Tolomei, je veux réussir un grand coup. Puisque, sauf à enfreindre les ordres du roi, ma tante Mahaut ne peut présentement s'éloigner de Paris, je me propose de faire investir par mes alliés son château d'Hesdin, ou plutôt *mon* château d'Hesdin. Je me suis acquis... oui, avec votre or, vous alliez le dire !... je me suis acquis la conscience de deux sergents de cette bonne comtesse, deux coquins comme tous ceux qu'elle emploie, vendables au plus offrant, et qui laisseront mes amis pénétrer dans la place. Si je ne peux jouir de ce qui m'appartient, au moins j'escompte un solide pillage dont je vous chargerai de vendre le butin.

— Eh là, Monseigneur, vous me mêlez à une belle affaire !

— Bah ! pendu pour pendu, autant que ce soit pour quelque chose ! Puisque vous êtes banquier, vous êtes voleur, et le recel n'est point pour vous effrayer ; je ne détourne jamais les gens de leur état.

Depuis l'arbitrage, il était de la meilleure humeur du monde. Il remit au banquier le message qu'il voulait faire parvenir en Artois.

— Au sire de Fiennes, n'est-ce pas, et à nul autre. Souastre et Caumont sont trop surveillés... Adieu, ami, je vous aime bien.

Il se leva, agrafa le fermail d'or de son manteau ; puis, plaquant les mains aux épaules de Guccio :

— Amusez-vous, mon gentillet, amusez-vous avec les dames de haut lignage ; c'est de votre âge. Quand vous aurez pris quelques années, vous saurez qu'elles sont aussi catins que les autres, et que les plaisirs dont elles se font marchandes, on les a pour dix sols au bordeau.

Il sortit, et l'on entendit pendant plusieurs secondes son grand rire résonner dans l'escalier.

— Alors, mon neveu, à quand la noce ? demanda Tolomei. Je ne t'attendais pas si vite.

— Mon oncle, mon oncle, il faut que vous m'aidiez! s'écria Guccio. Savez-vous que ces gens sont des monstres, qu'ils ont interdit à Marie de me revoir, que leur cousin du Nord est vieux et difforme, et qu'elle va sûrement en mourir!

— Quels gens? quel cousin? demanda Tolomei. J'ai l'impression, mon garçon, que tes affaires n'ont pas avancé comme tu l'espérais. Conte-moi donc cela, en y mettant un peu d'ordre.

Guccio fit alors à son oncle le récit de sa visite à Neauphle. Avec un sens tout latin de la tragédie, il ne manqua pas de noircir le tableau. La jeune fille était séquestrée; elle avait risqué la mort, courant à travers les champs, pour supplier Guccio de la sauver. La famille Cressay voulait la marier de force à un lointain parent, personnage chargé de toutes les disgrâces corporelles et morales.

— Un vieillard de quarante-cinq ans! s'écria Guccio.

— Jeune vieillard... murmura Tolomei.

— Mais Marie n'aime que moi, elle me l'a dit et redit. Et je sais bien qu'elle mourra si on la contraint d'en épouser un autre. Mon oncle, il faut m'aider.

— Mais de quelle manière veux-tu que je t'aide, mon ami?

— Il faut m'aider à enlever Marie. Je l'emmènerai en Italie, nous séjournerons là-bas...

Spinello Tolomei, un œil clos, l'autre ouvert, observait son neveu d'un air mi-inquiet, mi-amusé.

— Je t'avais averti, mon garçon; je pensais bien que cela ne serait pas si facile, et que tu avais tort d'aller t'enticher d'une fille de noblesse. Ces gens-là n'ont pas leur chemise à eux; ils nous doivent jusqu'au lit dans lequel ils dorment, mais ils nous crachent au nez si nos garçons veulent y coucher. Oublie cette aventure, crois-moi. Lorsqu'on nous fait insulte, c'est généralement que nous avons tendu la tête pour la recevoir. Choisis donc quelque belle fille de nos familles, fortement pourvue de l'or de nos banques, qui te donnera d'aussi beaux enfants, et dont le char éclaboussera les pieds crottés de ta jouvencelle de campagne.

Guccio eut une soudaine inspiration.

— Saint-Venant, n'est-ce pas le nom d'un des alliés d'Artois? s'écria-t-il. Si j'allais porter le message de Monseigneur Robert, et puis trouver ce Saint-Venant, le provoquer et le tuer?

Il avait déjà la main sur la dague.

— Bonne chose, dit Tolomei, et qui ne fera pas de bruit. Et puis les Cressay choisiront pour ta belle un autre parti, en Bretagne ou en Poitou, et il faudra que tu ailles le tuer aussi. Tu te prépares du travail!

— J'epouserai Marie ou personne, mon oncle, et je ne laisserai personne l'épouser.

Tolomei éleva les mains au-dessus de la tête.

— La voilà bien la jeunesse! Dans quinze ans, de toute façon, ta femme sera laide; et tu te demanderas, en la regardant, si ce visage fripé, ce gros ventre, ces mamelles pendantes valaient vraiment la peine que tu t'es donnée.

— Ce n'est pas vrai, ce n'est pas vrai! Et puis, je ne pense pas à quinze ans en avant, mais au jour où je suis, et je sais que rien au monde ne peut me remplacer Marie. Elle m'aime.

— Elle t'aime, dis-tu? Alors, mon garçon, si elle t'aime si fort, le mariage n'est pas un état indispensable pour être heureux à deux. L'évêque de Paris te tiendrait évidemment un autre langage; mais moi je t'invite à te réjouir de ce qu'on veuille donner à cette beauté un mari goitreux, difforme et qui perd ses dents, selon le portrait que tu m'en fais sans l'avoir vu... Rien ne peut mieux te favoriser.

— Ah! mon oncle, vous ne connaissez pas Marie, sa pureté, ni la force de sa religion. Elle ne sera à moi que par mariage, et jamais elle n'appartiendra qu'à celui auquel elle se sera unie devant Dieu... Pour ce qui me regarde, je n'accepterais pas de la partager... Si c'est ainsi, je l'enlèverai sans ton aide, dussions-nous courir les routes comme des gueux et mourir de froid en passant les montagnes. Mais d'abord, je vais aller trouver la reine Clémence; elle me connaît, et me tient en amitié...

Tolomei frappa légèrement la table du bout des doigts. Son œil ordinairement clos s'était brusquement ouvert.

— Maintenant, tu vas te taire, dit-il sans presque hausser le ton. Tu n'iras trouver personne, et surtout pas la reine, car nos affaires ne vont pas si fort depuis qu'elle est là que nous ayons besoin d'attirer l'attention sur nous par un scandale. La reine est toute bonté, toute charité, toute pitié, oui, je sais! En attendant, depuis qu'elle a pris empire sur l'esprit du roi, nous, les Lombards, on nous taille jusqu'au sang. C'est avec notre bien que le Trésor fait l'aumône! On nous reproche de prêter avec usure; on nous charge de tous les péchés du royaume. Monseigneur de Valois nous défend peu et nous déçoit beaucoup... La reine Clémence te dispensera de douces paroles et force bénédictions; mais je connais des gens à la cour qui se complairaient à te faire appliquer le châtiment réservé aux séducteurs de demoiselles nobles, ne serait-ce que pour retourner le grief contre moi, capitaine général des Lombards. Le vent ne souffle plus du même côté; au vrai, on ne sait plus de quel côté il souffle. Les amis d'Enguerrand de Marigny, qui ne m'avait guère en grâce, ont été libérés et forment parti autour du comte de Poitiers...

Mais Guccio n'entendait rien; il se moquait, pour le présent, des taxes, des ordonnances, et des dispositions du pouvoir. La perspective même de la prison et d'un procès ne l'effrayait pas. Il s'obstinait dans son projet; sans l'appui de personne, il enlèverait Marie.

— Mais, pauvre disgracié, dit Tolomei en se touchant le front, vous ne ferez pas dix lieues sans être arrêtés. Ta donzelle sera mise au couvent; quant à toi... Tu veux l'épouser? Bon! Je vais tenter de t'en fournir le moyen, puisqu'il semble que ce soit la seule façon de te guérir...

Et sa paupière gauche retomba.

— Folie pour folie, puisque fou il y a, ce sera toujours moins grave que de te laisser agir seul, ajouta-t-il. Mais pourquoi doit-on servir les sottises de sa famille!

Il agita une clochette; un commis se présenta.

— Va au couvent des frères augustins, lui dit Tolomei, me quérir fra Vicenzo qui est arrivé l'autre matin de Pérouse...

IV

LE MARIAGE DE MINUIT

Deux jours plus tard, Guccio reprenait la route de Neauphle en compagnie du moine italien qui devait délivrer le message de Monseigneur Robert aux alliés d'Artois. Largement défrayé, fra Vicenzo avait volontiers consenti ce détour afin de rendre à Tolomei deux services au lieu d'un.

Ce religieux itinérant, employé par son ordre à courir les chemins entre la France et l'Italie, n'en était pas à sa première intrigue. Et le banquier, améliorant un peu la vérité, avait su présenter les ennuis de son neveu sous un jour assez pathétique. Guccio ayant séduit une jeune fille, et commis avec elle les fautes de la chair, Tolomei ne voulait pas que ces deux enfants vécussent plus longtemps dans l'état de péché. Mais il faudrait procéder discrètement, pour ne pas éveiller les soupçons de la famille...

Guccio et son moine se présentèrent à la nuit venue au manoir de Cressay. Dame Éliabel et ses enfants étaient prêts à se mettre au lit.

Le jeune Lombard leur demanda l'hospitalité, prétextant qu'il n'avait pas les clefs de son logis de Neauphle, que ses commis étaient à Montfort et qu'il lui fallait abriter cet homme d'Église venu lui porter des nouvelles de Toscane. Comme Guccio avait dormi au manoir à plusieurs reprises, et sur l'insistance des Cressay eux-mêmes, sa démarche ne parut pas autrement surprenante ; la famille s'efforça de lui faire bon accueil.

— Fra Vicenzo et moi logerons dans la même chambre, dit Guccio.

Fra Vicenzo montrait un visage rond qui inspirait confiance tout autant que son habit ; en outre, il ne parlait qu'italien, ce qui le dispensait de répondre à aucune question.

Durant le frugal souper offert aux voyageurs, nulle allusion ne fut faite au prétendu engagement de Marie à un lointain cousin ; chacun semblait souhaiter éviter le sujet.

Marie n'osait pas regarder Guccio, mais le jeune homme profita de ce qu'elle passait près de lui pour lui souffler :

— Cette nuit, ne vous endormez pas, et soyez prête à sortir.

Au moment de se séparer, fra Vicenzo adressa à Guccio une phrase incompréhensible pour les Cressay, où il était question de *chiave* et de *capella*.

— Fra Vicenzo demande, traduisit Guccio, si vous pouvez lui confier la clé de la chapelle, car il doit repartir fort tôt, et voudrait dire sa messe auparavant.

— Ne désire-t-il pas, répondit la châtelaine, que l'un de mes fils l'aide à dire son office ?

Guccio se récria. Fra Vicenzo se lèverait vraiment très tôt, avant la pointe du jour, et insistait pour que personne ne se dérangeât. Mais lui, Guccio, se ferait un devoir et un bonheur de l'assister.

Dame Éliabel remit donc au moine une chandelle, la clé de la chapelle et celle du tabernacle ; puis on se sépara.

— Ce Guccio, je crois décidément que nous l'avons mal jugé ; il est bien respectueux des choses de la religion, dit Pierre de Cressay à son frère en se dirigeant vers leur appartement, dans l'aile gauche de la maison.

Dame Éliabel occupait la chambre seigneuriale, au rez-de-chaussée. Marie logeait à mi-étage de la tour carrée par laquelle on accédait aux pièces réservées pour les hôtes.

Une fois enfermés dans celle qui leur avait été apprêtée, fra Vicenzo invita Guccio à se confesser. Et soudain Guccio s'émerveilla des étranges agencements du destin qui l'amenaient, lui, petit Siennois né dans un des plus riches palais de sa ville, à se trouver là, agenouillé sur un plancher disjoint, au milieu de la campagne d'Ile-de-France et se préparant l'âme devant un moine pérugin qu'il connaissait à peine, pour épouser nuitamment, au risque de sa vie s'il était découvert, une fille de pauvre chevalier. Seuls les battements précipités de son cœur lui rappelaient que c'était bien à lui, au Guccio de tous les jours, que telle chose arrivait.

Vers minuit, alors que tout le manoir était plongé dans le silence, Guccio et le moine sortirent à pas de loup de leur chambre. Le jeune homme alla gratter doucement à la porte de Marie ; la jeune fille parut aussitôt. Sans un mot, Guccio lui prit la main ; ils descendirent tous trois l'escalier à vis et gagnèrent l'extérieur par les cuisines.

— Voyez, Marie, murmura Guccio, il y a des étoiles... Le frère va nous unir.

Marie ne témoignait ni surprise ni réticence. Trois jours plus tôt, dans le verger de pommiers, Guccio lui avait promis de revenir promptement, et il était revenu ; de l'épouser, et il allait le faire. Peu importaient les circonstances; elle lui était entièrement, totalement soumise.

Un chien grogna, puis, ayant reconnu Marie, se tut. La nuit était glacée, mais ni Guccio ni Marie ne sentaient le froid.

Ils entrèrent dans la chapelle. Fra Vicenzo alluma le cierge à la lampe minuscule qui brûlait au-dessus de l'autel. Bien que nul ne pût les entendre, ils continuaient à parler à voix basse. Le moine demanda si la fiancée s'était confessée. Elle répondit qu'elle l'avait fait l'avant-veille, et fra Vicenzo lui donna l'absolution pour les péchés qu'elle aurait pu commettre depuis.

Quelques minutes plus tard, par l'échange de deux « oui » étouffés, le neveu du capitaine général des Lombards de Paris et la demoiselle de Cressay étaient unis devant Dieu, sinon devant les hommes.

— J'aurais voulu vous offrir de plus somptueuses noces, murmura Guccio.

— Pour moi, mon doux aimé, il n'en peut être de plus belles, répondit Marie, puisque c'est à vous qu'elles me lient.

Ils revinrent sans difficulté dans la maison, remontèrent l'escalier. Arrivés à mi-étage, fra Vicenzo prit Guccio par les épaules et le poussa doucement dans la chambre de Marie...

Depuis près de deux ans, Marie aimait Guccio. Depuis près de deux ans, elle ne pensait qu'à lui et ne vivait que de l'espoir de lui appartenir. Maintenant que sa conscience était en paix et que l'effroi de la damnation était écarté, rien ne l'obligeait plus à contenir sa passion.

La souffrance des filles, à l'instant de leurs noces charnelles, vient plus souvent de la peur que de la nature. Marie avait le goût de l'amour avant que de l'avoir connu; elle s'y abandonna avec franchise, avec éblouissement. Guccio, pour sa part, bien qu'il n'eût que dix-neuf ans, possédait assez d'expérience pour éviter les hâtes maladroites. Il fit de Marie, cette nuit-là, une femme heureuse; et comme, en amour, on ne reçoit qu'à la mesure de ce que qu'on donne, il fut lui-même comblé.

Vers quatre heures, le moine vint les réveiller, et Guccio regagna sa chambre. Puis fra Vicenzo descendit avec quelque bruit, passa par la chapelle, alla sortir sa mule de l'écurie et disparut dans la nuit.

Aux premières lueurs de l'aurore, dame Éliabel entrouvrit la porte de la chambre des voyageurs et jeta un coup d'œil à l'intérieur. Guccio dormait d'un bon sommeil au souffle régulier; ses cheveux noirs bouclaient sur l'oreiller; son visage avait une expression de paix et d'enfance.

« Ah! le joli cavalier que voilà! » pensa dame Éliabel en soupirant.

V

LA COMÈTE

Dans ce même temps de la fin janvier où Guccio Baglioni épousait secrètement Marie de Cressay, la cour de France, pour accomplir le vœu de la reine Clémence, effectuait le pèlerinage d'Amiens.

Après avoir franchi, les pieds dans la boue, la dernière partie du chemin, et traversé la ville en chantant des psaumes, les pèlerins royaux parcoururent à genoux la nef de la cathédrale, pour parvenir au bout d'une lente et pénible reptation devant la tête présumée de saint Jean-Baptiste, exposée dans une chapelle latérale.

La relique provenait d'un nommé Wallon de Sartou, croisé en 1202, qui s'était fait en Terre sainte chercheur de pieuses dépouilles et avait rapporté dans ses bagages trois pièces inestimables : le chef de saint Christophe, celui de saint Georges, et une partie de celui de saint Jean.

Entourée d'innombrables cierges et de milliers d'ex-voto accumulés pendant un siècle, la relique d'Amiens n'était constituée que des os du visage, enchâssés dans un reliquaire de vermeil dont le haut, en forme de calotte, remplaçait le crâne manquant. Cette face de squelette, toute noire sous sa couronne de saphirs et d'émeraudes, semblait rire, et était proprement terrifiante. On y distinguait, au-dessus de l'orbite gauche, un trou qui, selon la tradition, était la marque du coup de stylet porté par Hérodiade lorsqu'on lui avait présenté la tête du précurseur. Le tout reposait sur un plat d'or.

Clémence, apparemment insensible au froid de la chapelle, s'abîma en dévotions, et Louis X lui-même, touché par la ferveur, parvint à demeurer immobile durant toute la cérémonie, l'esprit évoluant en des régions qu'il n'avait pas coutume d'atteindre.

Les heureux résultats de ce pèlerinage ne tardèrent pas à se manifester. Vers la mi-mars, la reine présenta des symptômes qui lui permirent d'espérer que la bienfaisante intercession du saint avait exaucé ses prières.

Néanmoins, physiciens et sages-femmes n'osaient encore se prononcer, et demandaient un plein mois avant d'émettre une certitude.

Pendant cette attente, le mysticisme de la reine gagna son époux, lequel se mit à gouverner tout juste comme s'il aspirait à la canonisation.

Il est généralement mauvais de détourner les gens de leur nature. Mieux vaut laisser un méchant à sa méchanceté que de le transformer en mouton; la bonté n'étant pas son affaire, il en usera de façon déplorable.

Le Hutin, imaginant qu'il obtiendrait de la sorte la rémission de ses propres péchés, graciait et amnistiait sans discernement, tout ému de vider les prisons; si bien que le crime florissait à Paris où se commettaient plus de rapines, d'agressions et de meurtres qu'on n'en avait vu depuis quarante ans. Le guet était sur les dents. Parce qu'on avait repoussé les filles follieuses dans les limites exactes de leur quartier tel qu'assigné par Saint Louis, la prostitution se développait dans les tavernes et surtout dans les étuves, à ce point qu'un honnête homme ne pouvait plus aller prendre son bain d'eau chaude sans être exposé à des tentations de chair qui s'offraient sans voile.

Clémence avait suggéré à Louis de restituer aux héritiers Marigny les biens de l'ancien recteur du royaume, au moins pour la part à elle-même attribuée.

— Ah! cela, ma mie, je ne puis le faire, avait répondu le Hutin, et je ne saurais me déjuger à ce point; le roi ne peut avoir tort. Mais je vous promets, dès que l'état du Trésor le permettra, de constituer à Louis de Marigny une pension qui le remboursera largement.

Cependant les Lombards, dont on avait réduit les privilèges, maniaient moins aisément les clés de leurs coffres lorsqu'il s'agissait des besoins de la cour. Et les anciens légistes de Philippe le Bel, Raoul de Presles en tête, formaient un groupe d'opposition autour du comte de Poitiers; le connétable Gaucher de Châtillon s'était franchement déclaré de ce côté.

En Artois, la situation ne s'améliorait nullement. En dépit de démarches multipliées, la comtesse Mahaut demeurait irréductible et refusait de signer l'arbitrage. Elle se plaignait de ce que les barons aient maniché une opération pour investir son château d'Hesdin. La trahison de deux sergents, qui devaient livrer la place aux alliés, avait été découverte à temps; et maintenant deux squelettes pendaient, pour l'exemple, aux créneaux d'Hesdin. Néanmoins la comtesse, obligée de se plier à l'interdiction, n'était pas retournée en Artois depuis la Noël, non plus qu'aucun membre de la famille d'Hirson. Aussi la confusion était-elle grande dans tout le pays autour d'Arras, chacun se réclamant du pouvoir qui lui plaisait; et les bonnes paroles n'avaient pas plus d'effet sur les barons que du lait coulant sur leur cuirasse.

— Point de sang, mon doux seigneur, point de sang! suppliait Clémence. Amenez par la prière vos peuples à raison.

Cela n'empêchait pas qu'on s'étripât ferme sur les routes du Nord.

Peut-être le Hutin eût-il mis plus d'énergie à résoudre l'affaire si, dans le même moment, environ le temps de Pâques, toute son attention n'avait été requise par la situation de Paris.

Le pluvieux été de 1315, l'été de *l'ost boueux*, s'était révélé doublement funeste, le roi ayant enlisé son armée et le peuple vu les récoltes pourrir sur pied. Toutefois, instruits par l'expérience de l'année précédente, les gens de campagne, si démunis qu'ils fussent, n'avaient pas vendu le peu de blé moissonné. La famine se déplaça donc des provinces vers la capitale où le froment croissait en prix à mesure que les habitants maigrissaient.

— Mon Dieu, mon Dieu, qu'on les nourrisse, disait la reine Clémence en voyant les hordes faméliques qui se traînaient jusqu'à Vincennes pour mendier pitance.

Il vint tant de pauvres qu'on dut faire défendre l'accès du château par la troupe. Clémence conseilla de grandes processions du clergé à travers les rues, et imposa à toute la cour, après Pâques, le même jeûne que pendant le carême. Monseigneur de Valois s'y plia complaisamment; mais il trafiquait des céréales de son comté. Robert d'Artois, chaque fois qu'il lui fallait se rendre à Vincennes, avalait au préalable le repas de quatre hommes, en répétant l'une de ses maximes favorites: « Vivons bien, nous mourrons gras. » Après quoi, à la table de la reine, il pouvait faire figure de pénitent.

Au milieu de ce mauvais printemps, une comète passa dans le ciel de Paris, où elle resta visible trois nuits durant. Rien n'arrête l'imagination du malheur. Le peuple voulut reconnaître là l'annonce de grandes calamités, comme si celles qu'il subissait ne suffisaient pas. La panique s'empara de la foule et des émeutes éclatèrent en plusieurs points, sans qu'on sût au juste contre qui elles étaient dirigées.

Le chancelier engagea vivement le roi à rentrer en ville, ne fût-ce que pour quelques jours, afin de se montrer au milieu de la population. Ainsi, au moment où les bois commençaient à verdir autour de Vincennes, Clémence, qui retrouvait du charme à ce séjour, fut obligée de se transporter dans le grand palais de la Cité qui lui semblait si hostile et si froid.

Ce fut là qu'eut lieu la consultation des physiciens et des sages-femmes qui devaient se prononcer sur sa grossesse.

Le roi était fort agité le matin de cette réunion et, pour tromper son impatience, il avait organisé une partie de longue paume dans le jardin du Palais à quelques toises de l'île aux Juifs. Un mur et un mince bras d'eau séparaient ce verger, où Louis courait après une balle de cuir, de l'emplacement sur lequel, vingt-cinq mois plus tôt, le grand-maître des Templiers se tordait parmi les flammes...

Tout ruisselant de sueur, le Hutin s'enorgueillissait fort d'un point que ses gentilshommes lui avaient laissé gagner, lorsque Mathieu de Trye s'approcha d'un pas pressé. Louis interrompit la partie et demanda :

— Alors, la reine est-elle grosse ?

— On ne sait pas encore, Sire ; les physiciens sont à délibérer. Mais Monseigneur de Poitiers vous demande, s'il vous plaît, de le venir rejoindre d'urgence. Il est dans la petite salle de justice, avec Monseigneur de Valois, Monseigneur de la Marche et divers autres.

— Je ne veux point qu'on m'importune ; je n'ai point pour l'heure la tête aux affaires.

— La chose est grave, Sire, et Monseigneur de Poitiers affirme que des paroles vont se dire qu'il vous faut entendre de vos oreilles.

Louis, à regret, laissa choir la balle de cuir, s'essuya le visage, remit sa robe par-dessus sa chemise et dit :

— Continuez sans moi, Messeigneurs !

Puis il rentra dans le Palais, en ajoutant à l'intention du chambellan :

— Aussitôt qu'on saura, pour la reine, venez me prévenir.

VI

LE CARDINAL ENVOÛTE LE ROI

L'homme n'était pas gardé par des sergents ou des archers, ainsi qu'un prévenu ordinaire, mais encadré par deux jeunes gentilshommes au service du comte de Poitiers. Il portait un froc trop court qui laissait voir un pied tordu.

Louis X lui porta à peine attention. Il salua de la tête ses frères, son oncle Valois, et messire Miles de Noyers, qui s'étaient levés à son entrée.

— De quoi s'agit-il? demanda-t-il en prenant place au milieu d'eux et en faisant signe qu'on se rassît.

— D'une sombre et tortueuse affaire de sorcellerie, nous assure-t-on, répondit Charles de Valois avec une nuance d'ironie.

— Ne pouvait-on charger le garde des Sceaux de l'instruire lui-même, sans me déranger dans mes soucis?

— C'est tout juste ce que je faisais observer à votre frère Philippe, dit Valois.

Le comte de Poitiers croisa les doigts d'un geste tranquille.

— Mon frère, dit-il, la chose m'est apparue importante, non point tant pour le fait de sorcellerie, qui est assez commun, mais parce que cette sorcellerie semble s'être accomplie au sein même du conclave, et qu'elle nous ouvre la vue sur les sentiments que certains cardinaux nourrissent à notre endroit.

Un an plus tôt, au seul mot de conclave, le Hutin eût montré une vive agitation. Mais depuis qu'en faisant supprimer sa première femme il avait pu convoler, l'élection du pape l'intéressait beaucoup moins.

— Cet homme se nomme Évrard, continua le comte de Poitiers.

— Évrard... répéta machinalement le roi.

— Il est clerc à Bar-sur-Aube; mais il a appartenu naguère à l'ordre du Temple, où il avait rang de chevalier.

— Un Templier, ah oui!... fit le roi.

— Il est venu se livrer voici deux semaines à nos gens de Lyon, qui nous l'ont envoyé.

— Qui *vous* l'ont envoyé, Philippe, précisa Charles de Valois.

Poitiers feignit d'ignorer la pointe, et poursuivit :

— Évrard a dit qu'il avait des révélations à faire, et on lui promit qu'il ne souffrirait aucun mal, à condition qu'il avouât bien le vrai, promesse que nous lui certifions ici. D'après ses déclarations...

Le roi avait les yeux fixés sur la porte, guettant l'apparition de son chambellan ; seules le préoccupaient pour l'heure ses chances de paternité. Le plus grand défaut de ce souverain était peut-être d'avoir l'esprit toujours requis par une autre question que celle en débat. Il était incapable de commander à son attention, ce qui constitue la pire inaptitude au pouvoir.

Il fut surpris du silence qui s'était établi et sortit de son rêve. Seulement alors il regarda le prévenu, remarqua son visage parcouru de tics, ses longues mâchoires maigres, ses yeux noirs un peu fous, sa bizarre pose déhanchée. Puis, revenant à Philippe de Poitiers :

— Eh bien, mon frère... dit-il.

— Mon frère, je ne veux point troubler vos pensées. J'attends que vous ayez fini de songer.

Le Hutin rougit un peu.

— Non, non, je vous écoute bien, continuez.

— D'après ses déclarations, Évrard serait venu à Valence pour y trouver la protection d'un cardinal au sujet d'un différend qu'il avait avec son évêque... Il faudra d'ailleurs tirer ce point au clair, ajouta Poitiers en se penchant vers Miles de Noyers, qui conduisait l'interrogatoire.

Évrard entendit, mais ne broncha pas, et Poitiers enchaîna :

— A Valence, Évrard aurait fait, par hasard prétend-il, connaissance du cardinal Francesco Caëtani...

— Le neveu du pape Boniface, dit Louis pour prouver qu'il suivait.

— C'est cela même... et il serait entré dans l'intimité de ce cardinal, fort versé en alchimie, puisqu'il a chez lui, toujours au dire d'Évrard, une pièce emplie de fourneaux, de cornues et de poudres diverses.

— Tous les cardinaux sont plus ou moins alchimistes ; c'est leur marotte, dit Charles de Valois en haussant les épaules. Monseigneur Duèze a même écrit un traité là-dessus...

— C'est exact, mon oncle ; mais la présente affaire ne ressort pas précisément de l'alchimie qui est science fort utile et respectable... Le cardinal Caëtani voulait trouver quelqu'un qui pût évoquer le diable et procéder à des envoûtements.

Charles de la Marche, imitant l'attitude ironique de son oncle Valois, dit :

— Voilà un cardinal qui sent fort le fagot.

— Eh bien, qu'on le brûle, dit avec indifférence le Hutin qui de nouveau regardait la porte.

— Qui voulez-vous brûler, mon frère? Le cardinal?

— Ah! c'est le cardinal?... Alors, non, il ne faut pas.

Philippe de Poitiers eut un soupir de lassitude avant de reprendre, en appuyant un peu sur les mots:

— Évrard répondit au cardinal qu'il connaissait un homme qui fabriquait de l'or au profit du comte de Bar...

En entendant ce nom, Valois se leva, indigné, et s'écria:

— En vérité, mon neveu, on nous fait perdre notre temps! Nous connaissons assez notre parent le comte de Bar pour savoir qu'il ne donne point dans de telles sottises, si même, dans l'heure présente, il n'est pas trop notre ami. Nous sommes devant une fausse dénonciation de diablerie, comme il s'en fait vingt chaque jour, et qui ne mérite pas d'y ouvrir les oreilles.

Si calme qu'il s'imposât d'être, Philippe finit par perdre patience.

— Vous avez bien, mon oncle, ouvert vos oreilles aux dénonciations de sorcellerie quand elles atteignaient Marigny; veuillez au moins accorder l'ouïe à celle-ci. D'abord, il ne s'agit pas du comte de Bar, ainsi que vous l'allez voir. Car Évrard n'alla pas chercher l'homme qu'il avait dit, mais présenta au cardinal un certain Jean du Pré, autre ancien Templier, qui se trouvait lui aussi à Valence, par hasard... C'est bien cela, Évrard?

L'interrogé approuva silencieusement, inclinant la tête si bas qu'il montra sa tonsure.

— Ne vous semble-t-il pas, mon oncle, reprit Poitiers, que voici bien des hasards ensemble, et beaucoup de Templiers du côté du conclave, à rôder autour du neveu de Boniface?

— En effet, en effet... murmura Valois.

Revenant à Évrard, Poitiers lui demanda brusquement:

— Connais-tu messire Jean de Longwy?

Évrard serra ses longs doigts plats sur la cordelière de son froc, et son visage osseux fut secoué d'un tic plus violent. Mais il répondit sans trouble:

— Non, Monseigneur, je ne le connais pas autrement que de nom. Je sais seulement qu'il est le neveu de feu notre grand-maître.

— Feu... l'expression est bonne! fit remarquer Valois en sourdine.

— Tu es bien certain de n'avoir jamais eu rapport avec lui? insista Poitiers. Ni d'avoir reçu, par d'anciens frères à toi, aucun avis de sa part?

— J'ai ouï dire que messire de Longwy cherchait à garder lien avec d'aucuns d'entre nous; mais rien de plus.

— Et tu n'aurais pas appris, de ce Jean du Pré par exemple, le nom du Templier qui vint à l'ost de Flandre délivrer des messages au sire de Longwy et emporter les siens?

Charles de Valois haussa les sourcils. Son neveu Philippe, décidément, en savait long sur bien des choses; mais pourquoi gardait-il toujours ses renseignements pour lui?

Évrard s'était mis à trembler. Philippe de Poitiers ne le quittait pas des yeux. L'homme correspondait bien à la description qu'on lui en avait faite.

— As-tu été tourmenté autrefois?

— Ma jambe, Monseigneur, ma jambe répond pour moi! s'écria Évrard.

Le Hutin pensait: « C'est trop de temps que prennent ces physiciens. Clémence n'est pas grosse, et nul n'ose venir m'en avertir. » Il fut rappelé à la réalité immédiate par Évrard qui s'était jeté à ses genoux et suppliait:

— Sire! Sire! de grâce, ne me faites point tourmenter à nouveau! Je jure Dieu que je veux confesser le vrai.

— Il ne faut point jurer; c'est péché, dit le roi.

Les deux bacheliers obligèrent Évrard à se relever.

— Il conviendrait d'éclaircir aussi ce point de l'ost, dit Poitiers. Continuons l'interrogation.

Miles de Noyers demanda:

— Alors, Évrard, que vous a déclaré le cardinal?

L'ancien Templier, mal revenu de sa panique, répondit d'une voix précipitée:

— Le cardinal nous a déclaré, à Jean du Pré et à moi, qu'il voulait venger la mémoire de son oncle et devenir pape; et que pour cela il lui fallait détruire les ennemis qui lui faisaient obstacle; et il nous promit trois cents livres si nous pouvions l'y aider. Et les deux premiers ennemis qu'il nous désigna...

Évrard hésita, leva les yeux vers le roi, les baissa.

— Allons, poursuivez, fit Miles.

— Il nous désigna le roi de France et le comte de Poitiers, en nous disant qu'il serait bien aise de les voir passer les pieds outre.

Le Hutin, machinalement, contempla ses propres souliers quelques secondes; puis sursautant, il s'écria:

— Les pieds outre? Mais c'est tout juste ma mort que complote ce méchant cardinal!

— Tout juste, mon frère, dit Poitiers en souriant; et la mienne aussi.

— Et vous, le boiteux, ne saviez-vous pas que pour un tel forfait vous seriez brûlé dans ce monde et damné dans l'autre? continua le Hutin.

— Sire, le cardinal Caëtani nous avait assuré que lorsqu'il serait pape il nous ferait absoudre de tout.

Le buste penché, les mains aux genoux, Louis dévisageait avec stupeur l'ancien Templier. En même temps les avertissements de maître Martin lui revenaient à l'esprit.

— Me déteste-t-on si fort que l'on désire me tuer ? dit-il. Et de quelle façon le cardinal voulait-il m'expédier les pieds outre ?

— Il nous dit que vous étiez trop bien gardé, Sire, pour qu'on pût vous atteindre par le fer ou par le poison, et qu'il fallait procéder par envoûtement. A cette fin, il nous fit bailler une livre de cire vierge, que nous mîmes à mollir en un bassin d'eau chaude, dans la chambre aux fourneaux. Puis frère Jean du Pré fabriqua bien habilement une image d'homme, avec une couronne dessus...

Louis X fit un rapide signe de croix.

— ... et ensuite une autre plus petite, avec une plus petite couronne. Pendant notre travail, le cardinal vint nous visiter ; il sembla tout joyeux, et il se prit même à rire en regardant la première image et il nous dit : « Il a moult grand membre. »

— Et après ? demanda le Hutin, nerveusement. Qu'avez-vous fait de ces images ?

— Nous y avons mis les papiers.

— Quels papiers ?

— Les papiers qu'il faut placer dans l'image avec le nom de celui qu'elle figure, et les mots de la conjuration. Mais je vous jure, Sire, s'écria Évrard, que nous n'avons pas écrit votre nom, ni celui de Monseigneur de Poitiers ! Au dernier moment, nous avons pris peur, et nous avons inscrit les noms de Jacques et Pierre de la Colonne...

— Les deux cardinaux Colonna, précisa Philippe de Poitiers.

— ... parce que le cardinal nous les avait cités aussi comme ses ennemis. Je jure, je jure que c'est ainsi !

Louis X se tourna vers son cadet comme s'il cherchait avis et appui.

— Croyez-vous, Philippe, que cet homme dise là le vrai ? Il faut le faire bien travailler par les tourmenteurs.

Au mot de « tourmenteur », Évrard tomba une seconde fois à genoux, et se traîna vers le roi, les mains jointes, en rappelant qu'on lui avait promis de ne pas le torturer s'il faisait des aveux complets. Un peu d'écume blanche lui moussait au coin des lèvres, et la peur lui donnait un regard de dément.

— Arrêtez-le ! Empêchez qu'il ne me touche ! cria Louis X. Cet homme est possédé.

Et l'on n'aurait pu dire lequel, du roi ou de l'envoûteur, était le plus effrayé par l'autre.

— Les tourments ne servent de rien, hurlait l'ancien Templier. C'est à cause des tourments que j'ai renié Dieu.

Miles de Noyers prit note de cet aveu spontané.

— A présent, c'est le repentir qui me conduit, continua Évrard, toujours à genoux. Je vais tout confesser... Nous n'avions pas de chrême pour baptiser les images. Nous en avertîmes le cardinal qui se trouvait en consistoire dans la grande église, et qui nous fit répondre tout bas par son secrétaire Andrieu de nous adresser au prêtre Pierre en l'église derrière la boucherie, en feignant que ce chrême fût destiné à un malade.

Il n'était plus besoin de poser de questions. Évrard, de lui-même, fournissait des détails, livrait les noms des gens au service du cardinal.

— Puis nous prîmes les deux images et deux chandelles bénites, et encore un pot d'eau bénite en cachant le tout sous nos frocs, et le frère Bost nous conduisit chez l'orfèvre du cardinal, nommé Baudon, qui avait fort avenante jeune femme. Il fut le parrain et sa femme la marraine. Nous avons baptisé les images dans un plat à barbier. Après quoi, nous les avons rapportées au cardinal, qui nous en fit grand merci, et y planta lui-même de longues épingles à l'emplacement du cœur et des parties vitales.

La porte s'entrouvrit et Mathieu de Trye montra la tête. Mais le roi, de la main, lui fit signe de se retirer.

— Ensuite? demanda Miles de Noyers.

— Ensuite le cardinal nous demanda de procéder à d'autres envoûtements, répondit Évrard. Mais alors je m'inquiétai parce que trop de gens commençaient d'être dans le secret, et je suis parti pour Lyon, où je me suis remis aux gens du roi, qui m'ont envoyé ici.

— Avez-vous touché les trois cents livres?

— Oui, messire.

— Peste! dit Charles de la Marche. Que peut un clerc avoir besoin de trois cents livres?

Évrard baissa le front.

— Les filles, Monseigneur, répondit-il assez bas.

— Ou bien le Temple... prononça, comme pour lui-même, le comte de Poitiers.

Le roi ne disait rien, abîmé en de secrètes angoisses.

— Au Petit-Châtelet! dit Poitiers à ses deux bacheliers en désignant Évrard.

Celui-ci se laissa emmener sans réagir. Il paraissait brusquement à bout de forces.

— Ces anciens Templiers semblent former un beau vivier de sorciers, reprit Poitiers.

— Notre père aurait dû ne point brûler le grand-maître, murmura Louis X.

— Ah! l'avais-je assez dit! s'écria Valois. J'ai tout fait pour m'opposer à cette sentence funeste.

— Certes, mon oncle, vous l'aviez dit, répliqua Poitiers. Mais ce n'est plus de cela qu'il s'agit. Il saute au regard que les rescapés du

Temple restent associés, et qu'ils sont prêts à tout pour le service de nos ennemis. Cet Évrard n'a pas avoué la moitié de ce qu'il sait. Son conte était préparé, vous pensez bien ; mais tout n'en peut être inventé. Il en ressort que ce conclave qui se traîne de ville en ville depuis deux ans déshonore la chrétienté autant qu'il nuit au royaume, et que des cardinaux s'y conduisent, par âpreté de la tiare, tout juste de manière à mériter l'excommunication.

— Ne serait-ce pas le cardinal Duèze, dit Miles de Noyers, qui nous aurait expédié cet homme afin de nuire à Caëtani ?

— La chose n'est pas impossible, dit Poitiers. Cet Évrard doit se nourrir à toutes les mangeoires, pourvu que le fourrage y soit un peu pourri.

Il fut interrompu par Monseigneur de Valois dont le visage avait pris un grand air de sérieux et de réflexion.

— Ne serait-il pas souhaitable, Philippe, que vous fissiez un tour vous-même du côté du conclave, dont vous montrez que vous connaissez si bien les affaires ? Vous seul, à mon jugement, êtes apte à débrouiller cet écheveau d'intrigues, faire la lumière sur ces manœuvres criminelles, et aussi hâter une nécessaire élection.

Philippe eut un léger sourire. « Notre oncle se croit bien habile, en ce moment, pensa-t-il. Il a découvert enfin le moyen de m'écarter de Paris, et de m'envoyer dans un bon guêpier... »

— Ah ! le sage conseil que vous nous portez là, mon oncle ! s'écria Louis X. Certes, il faut que Philippe nous rende ce service. Mon frère, je vous saurais bien gré d'accepter... et de vous enquérir par vous-même de ces images baptisées qui nous représentaient. Ah oui ! il le faut au plus tôt ; vous y êtes aussi intéressé que moi. Savez-vous par quel moyen de religion on peut se défendre des envoûtements ? Tout de même, Dieu est plus fort que le Diable...

Il ne donnait pas l'impression d'en être absolument sûr.

Le comte de Poitiers réfléchissait. La proposition, d'une certaine façon, le tentait. Quitter pour quelques semaines la cour, où il était impuissant à empêcher les erreurs, et où il se trouvait constamment en opposition avec Valois et Mornay... Aller accomplir enfin une œuvre utile. Emmener avec lui ses amis et soutiens fidèles, le connétable Gaucher, le légiste Raoul de Presles, Miles de Noyers... un homme de guerre, un homme de loi et un homme de guerre et de loi, puisque Miles était conseiller au Parlement après avoir été maréchal de l'ost. Et puis, qui sait ? Celui qui fait un pape se trouve en bonne position pour recevoir une couronne. Le trône de l'empire d'Allemagne, auquel son père avait déjà songé pour lui, et qu'il était en droit de briguer comme comte palatin, pouvait un jour redevenir libre...

— Eh bien ! soit, mon frère, j'accepte, pour vous servir.

— Ah ! le bon frère que voilà ! s'écria Louis X.

Il se leva pour embrasser le comte de Poitiers, et s'arrêta dans son geste en poussant un hurlement.

— Ma jambe! ma jambe! la voilà toute froide et parcourue de frémissements; je ne sens plus le sol en dessous.

On eût cru, parce qu'il le croyait, que le démon, déjà, le tenait par le mollet.

— Eh quoi! mon frère, dit Philippe, vous avez des fourmis dans le pied, voilà tout. Frottez-vous un peu.

— Ah!... vous pensez?...

Et le Hutin sortit en boitillant, comme Évrard.

En rentrant dans ses appartements, il apprit que les physiciens s'étaient prononcés affirmativement, et qu'il serait père, avec l'aide de Dieu, vers le mois de novembre. Ses familiers s'étonnèrent de ne pas le voir, sur l'instant, témoigner pleinement sa joie.

VII

« JE PLACE L'ARTOIS SOUS MA MAIN ! »

Le lendemain, Philippe de Poitiers fit visite à sa belle-mère afin de lui annoncer son proche départ. Mahaut d'Artois résidait alors en son château neuf de Conflans, ainsi nommé parce que situé exactement au confluent de la Seine et de la Marne, à Charenton ; les aménagements et la décoration n'en étaient pas terminés.

Béatrice d'Hirson assistait à l'entretien. Lorsque le comte de Poitiers raconta l'interrogatoire du Templier, la même pensée vint aux deux femmes ; elles échangèrent un bref regard. Le personnage employé par le cardinal Caëtani offrait de bien frappantes similitudes avec le faux fabricant de cierges qui les avait aidées, deux ans plus tôt, à empoisonner Guillaume de Nogaret.

« Il serait bien étonnant qu'il y eût deux anciens Templiers du même nom, et tous deux versés en sorcellerie. La mort de Nogaret lui était une bonne introduction auprès du neveu de Boniface. Il est allé se faire payer de ce côté-là ! Oh ! méchante affaire... » se disait Mahaut.

— Comment s'est-il présenté, cet Évrard... pour la figure ? demanda-t-elle à Philippe.

— Maigre, noir, l'air un peu fou, et un pied boiteux.

Mahaut observait Béatrice ; celle-ci fit un signe affirmatif, avec les paupières. La comtesse d'Artois sentit le malheur la saisir aux épaules. On allait certainement questionner davantage Évrard, avec de bons instruments à explorer la mémoire. Et si jamais il parlait... Non qu'on regrettât beaucoup Nogaret dans l'entourage de Louis X ; mais on serait trop content de se servir de ce meurtre pour lui intenter procès, à elle. Quel parti Robert en saurait tirer ! Or il y avait tout à craindre qu'Évrard parlât, si même ce n'était déjà fait... Mahaut échafaudait des plans. « Faire occire un prisonnier dans le fond d'une prison royale n'est pas chose aisée... Qui va m'aider là-dedans, s'il est encore temps ?

Philippe, il n'y a que Philippe; il faut que je lui avoue. Mais comment va-t-il prendre cela? Qu'il refuse de me soutenir, et c'est ma fin... »

— L'a-t-on tourmenté? demanda-t-elle.

Béatrice, elle aussi, avait la gorge sèche.

— On n'a pas eu le temps... répondit Poitiers qui s'était baissé pour remettre en place sa boucle de soulier; mais...

« Dieu soit loué, pensa Mahaut, rien n'est perdu. Allons, jetons-nous à l'eau! »

— Mon fils... dit-elle.

— ... mais c'est grand dommage, continua Poitiers toujours penché, car maintenant nous ne saurons rien de plus. Évrard s'est pendu cette nuit dans sa geôle du Petit-Châtelet. La peur, sans doute, d'être de nouveau mis à la gêne.

Il entendit deux profonds soupirs; il se releva, un peu surpris que les deux femmes marquassent tant de compassion pour le sort d'un inconnu, et de si basse espèce.

— Vous alliez me dire quelque chose, ma mère, et je vous ai interrompue...

Mahaut instinctivement touchait, à travers sa robe, la relique qu'elle portait sur la poitrine.

— Je voulais vous dire... Que voulais-je vous dire, au fait?... Ah! oui. Je voulais vous parler de ma fille Jeanne. Voyons... l'emmenez-vous en votre voyage?

Elle avait retrouvé ses esprits, et son ton naturel. Mais, Seigneur, quelle alerte!

— Non, ma mère, son état me paraît l'interdire, répondit Philippe, et moi aussi je souhaite vous entretenir d'elle. Elle est à trois mois d'accoucher, et il serait imprudent de l'aventurer sur de mauvaises routes. J'aurai fort à me déplacer...

Béatrice d'Hirson, pendant ce temps, voguait dans le monde des souvenirs. Elle revoyait l'arrière-boutique de la rue des Bourdonnais; elle respirait le parfum de cire, de suif et de chandelle; elle se rappelait le contact des dures mains d'Évrard sur sa peau, et cette impression étrange qu'elle avait eue de s'unir au diable. Et voilà que le diable s'était pendu...

— Pourquoi souriez-vous, Béatrice? lui demanda le comte de Poitiers.

— Pour rien, Monseigneur... sinon parce que j'ai toujours plaisance à vous voir et à vous écouter.

— En mon absence, ma mère, reprit Philippe, j'aimerais que Jeanne vécût ici, auprès de vous. Vous pourrez l'entourer des soins qu'il faut, et serez mieux à même de la protéger. Pour tout dire, je me méfie assez des entreprises de notre cousin Robert, qui, lorsqu'il ne peut venir à bout des hommes, s'attaque aux femmes.

— Ce qui signifie, mon fils, que vous me rangez parmi les hommes. Si c'est un compliment, il ne me déplaît point.

— En vérité, c'est un compliment, dit Philippe.

— Serez-vous toutefois de retour pour la délivrance de Jeanne?

— Je le souhaite fort, mais ne puis vous l'assurer. Ce conclave est si finement embrouillé que je n'en pourrai dénouer les fils sans patience.

— Ah! il m'inquiète que vous soyez éloigné pour un si long temps, Philippe, car mes ennemis vont sûrement en faire leur profit quant à l'Artois.

— Eh bien! prétextez de mon absence pour ne céder rien; ce sera le plus sage, dit Philippe en prenant congé.

Quelques jours plus tard, le comte de Poitiers partit pour le Midi, et Jeanne vint s'installer à Conflans.

Ainsi que Mahaut l'avait prévu, la situation en Artois empira presque aussitôt. Le printemps incitait les alliés à sortir de leurs châteaux. Sachant la comtesse isolée et tenue en quasi-disgrâce, ils avaient décidé d'administrer directement la province et le faisaient très mal. Mais l'état d'anarchie leur plaisait assez, et il était à redouter que leur exemple ne fût suivi dans les comtés voisins.

Louis X, qui avait regagné le séjour de Vincennes, résolut d'en finir une bonne fois. Il y était encouragé par son trésorier, car les impôts d'Artois ne rentraient plus du tout. Mahaut avait beau jeu de dire qu'on l'avait mise dans l'incapacité de percevoir les tailles; et les barons opposaient la même réponse. C'était le seul point sur lequel les adversaires fussent d'accord.

— Je ne veux plus de grands Conseils, ni de tractations par envoyés parlementaires, où chacun ment à chacun et où rien n'avance, avait déclaré Louis X. Cette fois, je vais procéder par entretien direct, et amener la comtesse Mahaut à me céder.

Le Hutin, durant ces semaines-là, donnait les signes de la meilleure santé. Il n'éprouva que fort peu les malaises, flux de toux et maux de ventre auxquels il était sujet; les jeûnes pieux imposés par Clémence lui avaient certainement été salutaires. Il en conclut que l'envoûtement pratiqué contre lui était resté inopérant. Néanmoins, par précaution, il communiait plusieurs fois la semaine.

Également, il entourait la grossesse de la reine non seulement des sages-femmes les plus réputées du royaume, mais aussi des saints les plus compétents du paradis: saint Léon, saint Norbert, sainte Colette, sainte Julienne, saint Druon, sainte Marguerite et sainte Félicité, cette dernière parce qu'elle n'eut que des enfants mâles. Chaque jour arrivaient de nouvelles reliques; tibias et prémolaires s'accumulaient dans la chapelle royale.

La perspective d'une progéniture dont il était certain qu'elle fût sienne avait parachevé la transformation du roi, et fait de lui un homme moyen, presque normal.

Il était apparemment calme, courtois, détendu, le jour où il convoqua la comtesse Mahaut. De Charenton à Vincennes, la distance était courte. Pour conférer à l'entretien un caractère d'intimité familiale, Louis reçut Mahaut dans l'appartement de Clémence. Celle-ci brodait. Louis parla d'un ton conciliant.

— Scellez pour la forme l'arbitrage que j'ai rendu, ma cousine, puisqu'il semble que nous ne puissions obtenir la paix qu'à ce prix. Et puis nous verrons ! Ces coutumes de Saint Louis, après tout, ne sont pas si bien définies, et vous aurez toujours moyen de reprendre d'une main ce que vous aurez feint de donner de l'autre. Imitez ce que j'ai fait moi-même avec les Champenois, quand le comte de Champagne et le sire de Saint-Phalle sont venus me réclamer leur charte. J'ai fait ajouter : « *fors les cas qui d'ancienne coutume appartiennent au souverain prince et à nul autre.* » Aussi, maintenant quand un cas apparaît comme litigieux, il relève toujours de la souveraineté royale.

En même temps, il poussait vers la comtesse, d'un geste amical, la coupe où, tout en parlant, il puisait des dragées.

Mahaut s'abstint de rappeler que l'ingénieuse formule dont Louis à présent s'enorgueillissait était due à Enguerrand de Marigny.

— Voyez-vous, Sire mon cousin, le fait ne se présente pas de même pour moi, répondit-elle, car je ne suis point souverain prince.

— Qu'importe, puisque j'exerce la souveraineté au-dessus de vous ! S'il y a différend, il sera porté devant moi, et je le trancherai en votre faveur.

Mahaut prit une poignée de dragées dans la coupe.

— Fort bonnes, fort bonnes... dit-elle la bouche pleine, s'efforçant de gagner du temps. Je ne suis pas bien gourmande de sucreries, mais je dois dire qu'elles sont fort bonnes.

— Ma bien-aimée Clémence sait que j'aime en grignoter à toute heure, et elle veille à ce que sa chambre en soit pourvue, dit Louis en se tournant vers la reine de l'air d'un époux qui veut marquer qu'il est comblé.

Clémence leva les yeux de dessus son métier à broder, et rendit à Louis son sourire.

— Alors, ma cousine, reprit-il, vous allez sceller ?

Mahaut acheva de broyer une amande enrobée de sucre.

— Eh bien ! non, Sire mon cousin, je ne puis sceller. Car aujourd'hui nous avons en vous un fort bon roi, et je ne doute pas que vous agissiez selon les sentiments que vous me dites. Mais vous ne durerez pas toujours, et moi moins longtemps encore. Il peut venir après vous... le plus tard possible, Dieu le veuille !... des rois qui ne jugeront pas avec la même équité. Je suis forcée de penser à mes héritiers et ne puis les mettre à discrétion du pouvoir royal pour plus que nous ne lui devons.

Si nuancée qu'en fût la forme, le refus n'était pas moins catégorique. Louis, qui avait affirmé qu'il viendrait à bout de la comtesse par sa diplomatie personnelle bien mieux que par grandes audiences publiques, perdit rapidement patience ; sa vanité était en jeu. Il commença d'arpenter la chambre, éleva le ton, frappa sur un meuble ; mais, rencontrant le regard de Clémence, il s'arrêta, rougit, et s'efforça de reprendre un maintien royal.

Au jeu des arguments, Mahaut était plus forte que lui.

— Mettez-vous à ma place, mon cousin, disait-elle. Vous allez avoir un héritier ; supporteriez-vous de lui transmettre un pouvoir diminué ?

— Eh bien ! justement, Madame, je ne lui laisserai pas un pouvoir diminué, ni le souvenir qu'il eut un père faible. A la parfin, c'est trop me tenir tête ! Et puisque vous vous obstinez à m'affronter, je place l'Artois sous ma main ! C'est dit. Et vous pouvez retrousser vos manches de robe, vous ne me faites point peur. Désormais, votre comté sera gouverné en mon nom, par un de mes seigneurs que je vais y nommer. Quant à vous, vous n'aurez plus droit de vous écarter que de deux lieues des séjours que je vous ai assignés. Et ne vous présentez plus devant moi, car je n'aurai point plaisir à vous voir.

Le coup était de taille et Mahaut ne s'y attendait pas. Décidément, le Hutin avait bien changé.

Les malheurs surviennent en série. Si brusquement congédiée, Mahaut, sortant de l'appartement de la reine, tenait encore une dragée. Elle la mit machinalement en bouche et y mordit avec tant de violence qu'elle se fendit une dent.

Pendant une semaine, Mahaut fut à Conflans comme un tigre en cage. De son grand pas masculin, elle allait des appartements d'habitation, qui dominaient la Seine, à la cour principale, entourée de galeries d'où, par-dessus les frondaisons du bois de Vincennes, on pouvait apercevoir les étendards du manoir royal. Sa rage ne connut plus de bornes lorsque, le 15 mai, Louis X, mettant à exécution ses projets, nomma gouverneur de l'Artois le maréchal de Champagne, Hugues de Conflans. Mahaut vit, dans le choix de ce gouverneur, une volonté de dérision et comme un suprême outrage.

— Conflans ! Conflans ! répétait-elle, on m'enferme à Conflans, et l'on nomme Conflans pour me voler mon bien.

En même temps, sa dent cassée la faisait cruellement souffrir ; un abcès s'était formé. Sans cesse, Mahaut tordait la langue, ne pouvant se retenir d'aviver le mal.

Elle déchargeait sa colère sur son entourage ; elle avait giflé, pendant un office, maître Renier, chantre de sa chapelle, pour une défaillance de voix. Jeannot le Follet, son nain, se cachait dans les encoignures du plus loin qu'il l'apercevait. Elle s'emportait contre Thierry d'Hirson qu'elle accusait, lui et son abusive famille, d'être la cause de tous les ennuis ; elle reprochait même à sa fille Jeanne de n'avoir pas su retenir son mari de courir au conclave.

— Que nous importe un pape, criait-elle, lorsqu'on est en train de nous dépouiller ! Ce n'est pas le pape qui nous rendra l'Artois.

Un matin elle apostropha Béatrice.

— Et toi, tu ne peux rien faire, non ? N'es-tu donc bonne qu'à me prendre mon argent, t'affubler de robes et tourner de la croupe devant le premier chien coiffé ? As-tu décidé de ne m'être d'aucune ressource ?

— Comment, Madame... les clous de girofle que je vous ai portés ne vous ont-ils point apaisé la douleur ?

— Il s'agit bien de ma dent ! J'en ai une plus grosse à arracher, et tu en sais le nom. Ah ! quand il est question de philtres d'amour, tu t'agites, tu te donnes de la peine, tu découvres des magiciennes ! Mais s'il me faut un vrai service...

— Vous oubliez, Madame... Vous oubliez bien vite comment j'ai fait enfumer messire de Nogaret... et ce que j'ai risqué pour vous.

— Je n'oublie pas, je n'oublie pas. Mais Nogaret aujourd'hui me semble petit gibier...

Si Mahaut ne reculait guère devant l'idée du crime, il lui déplaisait d'avoir à l'exprimer précisément. Béatrice, qui la connaissait bien, mettait quelque perfidie à l'y obliger. La regardant à travers ses longs cils noirs, la demoiselle de parage de sa voix lente, vaguement ironique, et qui traînait sur la fin des mots, répondit :

— Vraiment, Madame?... Est-ce si haute mort que vous souhaitez ?

— Et à quoi crois-tu donc que je pense depuis une semaine, double sotte ? Que veux-tu qu'il me reste à faire, sinon que de prier Dieu, de l'aube au soir et du soir au matin, pour que Louis se rompe le col en tombant de cheval ou qu'il s'étouffe la gorge avec une noix sèche ?

— Il est peut-être de plus rapides moyens, Madame...

— Va donc me les trouver, tu seras bien habile ! Oh ! de toute manière, ce roi n'est pas destiné à faire de vieux os ; il n'est que de l'entendre tousser pour s'en convaincre. Mais c'est maintenant qu'il me conviendrait qu'il crevât... Je ne serai en paix que lorsque je l'aurai conduit à Saint-Denis.

— Car ainsi, Monseigneur de Poitiers deviendrait peut-être régent du royaume... et il vous rendrait l'Artois...

— Et voilà ! Ma petite Béatrice, tu me comprends à merveille ; mais tu comprends aussi que ce n'est point une entreprise aisée. Ah ! celui qui me fournirait une bonne recette de délivrance, je ne lui marchanderais pas l'or, je te l'assure.

— La dame de Fériennes connaît de ces recettes...

— Par magie, cire fondue et formules de conjuration ? Louis a été envoûté déjà, à ce qu'il paraît, et regarde-le! Il ne s'est jamais mieux porté que ce printemps. A croire qu'il a partie liée avec le diable

— S'il a partie liée avec le diable, il n'y a peut-être pas grand péché à l'envoyer en enfer... par nourriture convenablement préparée.

— Et comment t'y prendras-tu? Tu vas aller lui dire: «Voici une belle tarte aux groseilles que votre cousine Mahaut, qui vous aime tant, vous envoie.» Et il va y mordre les yeux fermés... Sache que depuis cet hiver, par quelque soudaine peur qu'il a prise, il fait goûter trois fois les mets qui lui sont servis, et que deux écuyers en armes accompagnent son plat depuis le four jusqu'à la table. Ah! c'est qu'il est craintif autant que méchant.

Béatrice regardait en l'air, et se caressait le cou, du bout des doigts.

— Il communie souvent, m'a-t-on dit... et l'hostie s'avale de confiance...

— C'est chose qui vient trop facilement à l'esprit pour qu'on ne s'en défie pas. Le chapelain lui-même est surveillé; Mathieu de Trye garde constamment sur lui la clef du tabernacle, dans son aumônière. Est-ce là que tu l'iras prendre?

— Bah! on ne sait, dit Béatrice en souriant. L'aumônière se porte sous la ceinture... Mais c'est quand même un moyen hasardeux.

— Si nous frappons, mon enfant, ce doit être à coup sûr, et sans que nul puisse jamais savoir d'où il vient...

Elles demeurèrent un moment silencieuses.

— Vous vous êtes plainte, l'autre jour, dit Béatrice, de ce que les cerfs infestaient vos bois, et mangeaient vos jeunes arbres... Je ne verrais point de mal à demander à la Férienne quelque bon poison où tremper des flèches, pour tirer les cerfs... Le roi est assez friand de venaison.

— Bien sûr, et toute la cour en crèvera! Oh! pour ma part, je ne risque rien, je ne suis plus conviée. Mais je te le répète, tous les plats sont essayés sur des valets avant d'être présentés, et de plus ils sont touchés à la licorne [15]. On découvrirait vite de quelle forêt provient le cerf... Enfin... avoir le poison est une chose, le placer en est une autre. Fais-le préparer dès à présent; et qu'il soit d'action brève et ne laisse point de trace... Béatrice, ce manteau de marbré, que j'avais mis pour voyager, en allant au sacre, il te plaisait fort, je crois? Eh bien! il est à toi.

— Oh! Madame, Madame... Quelle bonne âme vous avez...

Et Béatrice embrassa Mahaut.

— Aïe! ma dent! s'écria la comtesse en portant la main à la joue. Et dire que je l'ai brisée sur une dragée que Louis m'a offerte...

Elle s'arrêta net, et son œil gris se mit à luire sous le sourcil.

— Les dragées... murmura-t-elle. Eh bien, c'est cela, Béatrice; procure-toi ce poison, en disant bien qu'il est destiné à mes cerfs. Je pense qu'il nous sera utile.

VIII

EN L'ABSENCE DU ROI

Le roi se trouvait à la chasse au faucon, un des derniers jours de mai, lorsqu'on vint annoncer à la reine Clémence la comtesse de Poitiers. Les deux belles-sœurs se voyaient assez souvent, et Jeanne ne manquait jamais de témoigner à Clémence la reconnaissance qu'elle lui devait pour avoir obtenu sa grâce. Clémence, de son côté, se sentait liée à la comtesse de Poitiers par cette tendresse que l'on ressent si volontiers envers les gens auxquels on a fait du bien.

Si la reine avait éprouvé un peu de jalousie, ou plus exactement le sentiment d'une injustice du destin, lorsqu'elle avait appris que Jeanne était enceinte, ce mouvement d'âme s'était vite dissipé quand elle-même s'était trouvée dans un semblable état. Mieux encore, leur grossesse paraissait avoir rapproché les deux belles-sœurs. Elles s'entretenaient longuement de leur santé, du régime qu'elles observaient, des soins à prendre, et Jeanne qui, avant sa réclusion, avait donné le jour à trois filles, faisait profiter Clémence de son expérience.

On admirait l'élégance avec laquelle, à sept mois passés, Madame de Poitiers portait son fardeau. Elle entra chez la reine la tête haute, le pied sûr, le visage frais, harmonieuse en son allure comme elle l'était toujours ; sa robe s'épanouissait autour d'elle.

La reine se leva pour l'accueillir, mais le sourire qu'elle avait aux lèvres s'effaça lorsqu'elle s'aperçut que Jeanne de Poitiers n'était pas seule ; à sa suite marchait la comtesse d'Artois.

— Madame ma sœur, dit Jeanne, je voulais vous demander de montrer à ma mère ces tapis de beau tissu dont vous avez tendu et partagé nouvellement votre chambre.

— En effet, dit Mahaut, ma fille me les a tant vantés que j'ai conçu l'envie de les admirer à mon tour. Vous savez que je suis assez connaisseuse en ce genre d'ouvrage.

Clémence était perplexe. Il lui déplaisait d'enfreindre les décisions de son époux qui avait défendu à Mahaut d'Artois de reparaître à la cour ; mais d'autre part il lui semblait peu habile de renvoyer la redoutable comtesse, maintenant qu'elle était arrivée jusque-là, en se faisant un bouclier du ventre de sa fille. « Sa visite doit avoir quelque sérieux motif, pensa Clémence. Peut-être est-elle venue à composition et cherche-t-elle moyen de rentrer en grâce sans trop de peine pour son orgueil. Voir mes tapis n'est sûrement qu'une occasion. »

Elle feignit donc de croire au prétexte et conduisit les deux visiteuses dans sa chambre dont l'aménagement venait d'être transformé.

Les tapisseries servaient non seulement à décorer les murs, mais étaient également pendues depuis le plafond de manière à cloisonner la vaste pièce en petites chambres plus intimes, plus aisées à chauffer, et qui permettaient mieux aux souverains de s'isoler de leur entourage. C'était un peu comme si des princes nomades avaient dressé leurs tentes à l'intérieur de l'édifice.

La suite de tapisseries que possédait Clémence représentait des scènes de chasse en des paysages exotiques où une quantité de lions, tigres et autres animaux sauvages bondissaient, couraient sous des orangers, et où des oiseaux aux plumages étranges s'ébattaient parmi les fleurs. Les chasseurs et leurs armes n'apparaissaient que dans le fond des tableaux, à demi cachés par le feuillage, comme si l'artiste avait eu honte de montrer l'homme en ses instincts de carnage.

— Ah ! les belles choses, s'écria Mahaut, et comme on a plaisir à voir drap de haute lisse si bien ouvré.

Elle s'approcha, palpa le tissu, le caressa.

— Regardez, Jeanne, reprit-elle, comme le grain est uni et moelleux, et voyez le joli contraste entre ce fond ramagé, ces fleurettes piquées d'indigo, et le beau rouge de kermès dont sont faites les plumes de ces papegais. C'est grand art, vraiment, dans le maniement des laines !

Clémence l'observait avec un peu d'étonnement. Les yeux gris de la comtesse Mahaut brillaient de joie ; sa main se faisait douce. La tête un peu penchée, elle s'attardait à contempler la délicatesse des contours, l'opposition des teintes. Cette étrange femme, solide comme un guerrier, rusée comme un chanoine, indomptable en ses appétits comme en ses haines, s'abandonnait, soudain désarmée, à l'enchantement d'un tapis de haute lisse. Et, de fait, elle était certainement, à travers tout le royaume, le meilleur expert qu'on pût trouver[16].

— C'est bon choix que celui-là, ma cousine, reprit-elle, et je vous en complimente. Cette étoffe donnerait à la plus laide muraille un air de fête. C'est la manière d'Arras, et pourtant les laines chantent avec plus d'ardeur sur la trame. Les gens sont bien habiles qui vous ont ouvré cela.

— Ce sont des haute-lissiers qui travaillent dans mon pays, expliqua Clémence ; mais je dois vous confesser qu'ils viennent du vôtre, les maîtres d'œuvre tout au moins. Ma grand-mère, qui m'a fait envoyer ces tapis à images pour remplacer mes cadeaux gâchés en mer, m'a envoyé aussi les lissiers. Je les ai installés près d'ici, pour un temps, où ils vont continuer de tisser pour moi et pour la cour. Et s'il vous plaît de les employer, ou bien s'il plaît à Jeanne, vous pouvez bien en disposer. Vous leur commandez le dessin de votre choix, et ils font avec leurs doigts et leurs broches l'image telle que vous la voyez.

— Eh bien! c'est chose dite, ma cousine, j'accepte de bon cœur, déclara Mahaut. J'ai grand désir d'orner un peu ma demeure, où je m'ennuie... et puisque messire de Conflans gouverne mes lissiers d'Arras, le roi me pardonnera bien de placer un peu vos lissiers de Naples sous ma main.

Clémence accueillit la pointe comme elle avait été dite, avec un demi-sourire. Entre elle et la comtesse d'Artois venait de se glisser cette complicité que fait naître un goût partagé pour le luxe et les œuvres de l'art humain.

Tandis que la reine continuait à montrer à Jeanne les tapisseries des murs, Mahaut se dirigea vers celles qui isolaient le lit royal, auprès duquel elle avait vu une coupe pleine de dragées.

— Le roi s'est-il entouré, lui aussi, de tapis à images? demanda-t-elle à Clémence.

— Non, Louis n'a pas encore de tentures dans sa chambre. Il faut dire qu'il y dort bien peu.

— Cela prouve qu'il goûte fort votre compagnie, ma cousine, répliqua Mahaut d'un ton gaillard. D'ailleurs, quel homme n'apprécierait pas créature si bellement faite!

— J'avais craint, reprit Clémence avec l'impudeur tranquille des âmes pures, que Louis n'allât s'écarter de moi parce que j'étais grosse. Eh bien! nullement. Et nous dormons fort chrétiennement!

— J'en suis aise, vraiment bien aise, dit Mahaut. Il continue de dormir avec vous! Le bon époux que vous avez là. Le mien, que Dieu garde, n'en faisait pas autant.

Elle était arrivée à côté de la table de chevet.

— Puis-je... ma cousine? demanda-t-elle en désignant la coupe. Savez-vous que vous m'avez donné le goût des dragées?

En dépit des maux de dents dont elle souffrait toujours, elle prit une dragée et la croqua stoïquement.

— Oh! celle-ci était faite d'une amande amère, j'en prends une autre.

Tournant le dos à la reine et à Jeanne de Poitiers, qui se tenaient à moins de cinq pas, Mahaut sortit de son aumônière une dragée fabriquée chez elle et la glissa dans la coupe.

« Rien ne ressemble à une dragée comme une autre dragée, se dit-elle, et s'il trouve celle-ci un peu âcre à la langue, il pensera que c'est l'amertume de l'amande. »

Elle revint vers les deux femmes.

— Allons, Jeanne, reprit-elle, dites maintenant à Madame votre belle-sœur ce que vous avez sur le cœur, et que vous vouliez tant lui faire savoir.

— En vérité, ma sœur, dit Jeanne un peu hésitante, je voulais vous confier ma peine.

« Nous y sommes donc, pensa Clémence, je vais savoir pourquoi elles sont venues. »

— Voici que mon époux est fort loin, continua Jeanne, et cette absence m'inquiète l'âme. Ne pourriez-vous obtenir du roi que Philippe revînt pour le moment de mes couches ? C'est un temps où l'on n'aime guère savoir son mari éloigné. C'est faiblesse, peut-être ; mais on se sent comme protégée, et l'on craint moins les douleurs si le père est proche. Vous connaîtrez bientôt ce sentiment, ma sœur.

Mahaut s'était gardée de mettre Jeanne dans la confidence de son entreprise, mais elle se servait de sa fille pour en réaliser les préparatifs. « Si le coup réussit, avait-elle imaginé, il conviendrait que Philippe fût à Paris au plus tôt afin d'y saisir la régence. »

La requête de Jeanne était des mieux faites pour émouvoir Clémence. Celle-ci, qui avait craint qu'on ne lui parlât de l'Artois, se sentit presque soulagée dès lors qu'il ne s'agissait que d'un appel à sa bonté. Elle promit de s'employer à ce que le souhait de Jeanne fût exaucé.

Jeanne lui baisa les mains, et Mahaut l'imita en s'écriant :

— Ah ! que vous êtes bonne dame ! Je disais bien à Jeanne qu'il n'y avait de recours qu'auprès de vous !

En sortant de Vincennes pour regagner Conflans, Mahaut pensait : « Voilà qui est fait... Maintenant, il nous faut attendre. Quand la mangera-t-il ? Ce soir peut-être, ou bien dans trois jours. A moins que Clémence... Elle n'est point friande de sucre ; mais pourvu qu'elle n'aille pas, par une envie de femme grosse, croquer justement celle-là ! Bah ! ce serait tout de même atteindre Louis, en lui ôtant du coup sa femme et son enfant... Il se peut aussi que le valet de la chambre renouvelle les dragées avant qu'elles soient épuisées. Alors le travail serait à refaire... »

— Vous êtes bien silencieuse, ma mère, s'étonna Jeanne. Cette entrevue s'est fort aimablement passée. En avez-vous quelque déplaisir ?

— Nullement, ma fille, nullement, répondit Mahaut. C'est une utile démarche que nous avons accomplie là.

IX

LE MOINE EST MORT

Or le même événement naturel qui, pour l'heure, à la cour de France, comblait de joie la reine et la comtesse de Poitiers, allait répandre drame et désastre dans un petit manoir, à dix lieues de Paris.

Marie de Cressay, depuis quelques semaines, avait le visage ravagé d'angoisse et de chagrin. Elle répondait à peine aux questions qu'on lui posait. Ses yeux bleu sombre s'étaient agrandis d'un cerne mauve ; une petite veine se dessinait sur sa tempe transparente. Il y avait de l'égarement dans son attitude.

— Ne va-t-elle pas nous faire un mal de langueur, comme l'autre année ? disait son frère Pierre.

— Mais non, elle ne maigrit pas, répondait dame Éliabel. Une impatience d'amour, voilà ce qui la tient ; et ce Guccio lui trotte par la tête. Il est grand temps de la marier.

Mais le cousin de Saint-Venant, pressenti par les Cressay, avait répondu que les affaires de la ligue d'Artois l'occupaient trop, dans le moment, pour qu'il pût songer au mariage.

— Il a dû s'enquérir de l'état de nos biens, disait Pierre de Cressay. Vous verrez, ma mère, vous verrez ; nous regretterons peut-être d'avoir écarté Guccio.

Le jeune Lombard continuait d'être reçu de temps à autre au manoir où l'on feignait de le traiter en ami, comme par le passé. La créance de trois cents livres courait toujours, ainsi que ses intérêts. D'autre part, la disette n'était pas terminée, et les Cressay n'avaient pas été sans s'apercevoir que le comptoir de Neauphle ne se trouvait pourvu de vivres que les jours, précisément, où Marie s'y rendait. Jean de Cressay, par un souci de dignité, demandait parfois à Guccio le compte de leurs dettes ; mais, une fois la note en main, il négligeait d'en acquitter la moindre partie. Et dame Éliabel laissait sa fille aller à Neauphle, une fois la semaine, mais la faisait maintenant accompagner de la servante et lui mesurait soigneusement le temps.

Les entrevues des époux clandestins étaient donc rares. Mais la jeune servante se montrait sensible à la générosité de Guccio et, de plus, Ricardo, le premier commis, ne lui était pas indifférent; elle rêvait d'une position bourgeoise et s'attardait volontiers parmi les coffres et les registres, écoutant l'agréable tintement de l'argent dans les balances, tandis que le premier étage de la banque abritait des amours pressées.

Ces minutes, dérobées à la surveillance de la famille Cressay et aux interdits du monde, avaient d'abord été comme des îlots de lumière pour cet étrange ménage qui ne comptait pas encore dix heures de vie commune. Guccio et Marie vivaient sur le souvenir de ces instants-là pendant une semaine entière; l'émerveillement de leur nuit de noces ne s'était pas démenti. Aux dernières rencontres, toutefois, Guccio avait noté un changement dans l'attitude de sa jeune femme. Lui aussi, comme dame Éliabel, avait remarqué chez Marie l'anxiété du regard, la tristesse, et l'ombre neuve qui lui mangeait les joues.

Il attribuait ces signes aux difficultés et aux menaces qui pesaient sur leur situation, faùsse s'il en fût. Le bonheur dispensé à la petite mesure, et toujours enveloppé des haillons du mensonge, devient vite une torture. « Mais c'est elle-même qui s'oppose à ce que nous déchirions le silence! se disait-il. Elle prétend que sa famille ne voudra jamais reconnaître notre union et me fera poursuivre. Et mon oncle est de même avis. Alors, que faire? »

— De quoi vous inquiétez-vous, ma bien-aimée? lui demanda-t-il le troisième jour de juin. Voici plusieurs fois que nous nous voyons et que vous paraissez moins heureuse. Que craignez-vous? Vous savez bien que je suis là pour vous défendre de tout.

Devant la fenêtre s'épanouissait un cerisier en fleurs, tout bruissant d'oiseaux et de guêpes. Marie se retourna, les yeux humides.

— De ce qu'il m'advient, mon doux aimé, répondit-elle, vous-même ne pouvez point me défendre.

— Que vous arrive-t-il donc?

— Rien que ce qui doit, par Dieu, me venir de vous, dit Marie en baissant la tête.

Il voulut s'assurer d'avoir bien compris.

— Un enfant? murmura-t-il.

— Je craignais de vous l'avouer. J'ai peur que vous m'en aimiez moins.

Il resta quelques secondes sans pouvoir prononcer un mot, parce qu'aucun ne lui venait aux lèvres. Puis, il lui prit le visage dans ses mains et la força de le regarder.

Comme presque tous les êtres destinés aux folies de la passion, Marie avait un œil légèrement plus petit que l'autre; cette différence, qui ne nuisait en rien à sa beauté, s'accentuait dans l'état de trouble où elle se trouvait et rendait son expression plus émouvante.

— Marie, n'en êtes-vous pas heureuse? dit Guccio.

— Oh! certes je le serai, si vous l'êtes aussi.

— Mais Marie, c'est merveille! s'écria-t-il. Voici qui nous comble, et nos épousailles vont devoir éclater au plein jour. Votre famille sera bien forcée de s'incliner, cette fois. Un enfant! Un enfant!

Et il la regardait de la tête aux pieds, tout ébloui. Il se sentait homme, il se sentait fort. Pour un peu, il se fût penché à la fenêtre et il eût crié la nouvelle à tout le bourg.

Ce jeune homme, dans l'instant qu'une chose lui survenait, la voyait toujours sous la meilleure apparence. Il n'apercevait que le lendemain les ennuis qui pouvaient résulter de ses actes.

Du rez-de-chaussée monta la voix de la servante, qui leur rappelait l'heure.

— Que vais-je faire? que vais-je faire? dit Marie. Jamais je n'oserai l'annoncer à ma mère.

— Eh bien, c'est moi qui viendrai le lui dire.

— Attendez, attendez encore une semaine.

Il la précéda dans l'étroit escalier de bois, lui présentant les mains pour l'aider à descendre, marche par marche, comme si elle était devenue éminemment fragile et qu'il dût la soutenir à chacun de ses pas.

— Mais je ne suis point encore gênée, dit-elle.

Il sentit ce que sa propre attitude avait de comique et eut un grand rire heureux. Puis il la prit dans ses bras et ils échangèrent un si long baiser qu'elle en perdit le souffle.

— Il me faut partir, il me faut partir, dit-elle.

Mais la joie de Guccio était contagieuse, et Marie s'en alla rassurée. Elle avait repris confiance, simplement parce que Guccio partageait son secret.

— Vous verrez, vous verrez la belle vie que nous allons avoir! lui dit-il en la reconduisant à la porte du jardin.

C'est un grand acte de sagesse à la fois et de pitié de la part du Créateur, que de nous avoir interdit la connaissance de l'avenir, alors qu'il nous a octroyé les délices du souvenir et les prestiges de l'espérance. A beaucoup de gens la découverte de ce qui les attend ôterait sans doute leur persévérance à vivre. Qu'auraient fait ces deux époux, ces deux amants, s'ils avaient su ce matin-là qu'ils ne se reverraient plus de leur existence entière?

Marie chanta tout au long du chemin de retour, entre les prés semés de boutons d'or et les arbres fleuris. Elle voulut s'arrêter au bord de la Mauldre pour y cueillir des iris.

— C'est pour orner notre chapelle, dit-elle.

— Madame, hâtez-vous, lui répondit la servante, vous aurez des remontrances.

Marie rentra au manoir, monta droit dans sa chambre et, arrivée là, sentit le sol lui fuir sous les pieds. Dame Éliabel se tenait au milieu de la pièce et mesurait un surcot décousu au niveau de la taille. Marie vit toute sa garde-robe, peu fournie et dont elle avait élargi chaque pièce de la même manière, étalée sur le lit.

— D'où viens-tu pour être si tardive? demanda dame Éliabel froidement.

Marie ne dit pas un mot, et laissa choir les iris qu'elle avait encore à la main.

— Je n'ai pas besoin que tu parles pour le savoir, reprit dame Éliabel. Déshabille-toi.

— Ma mère!... fit Marie d'une voix étranglée.

— Dévêts-toi, je te le commande.

— Jamais, répliqua Marie.

Une gifle sonore répondit à son refus.

— Et maintenant, vas-tu te soumettre? Vas-tu avouer ton péché?

— Je n'ai point péché! répondit Marie avec violence.

— Et ce nouvel embonpoint? où l'as-tu pris? cria dame Éliabel en montrant les vêtements.

Sa colère croissait d'avoir en face d'elle, non plus une enfant docile à la volonté maternelle, mais soudainement une femme qui lui tenait tête.

— Eh bien, oui, je vais être mère; eh bien, oui, c'est Guccio! disait Marie, et je n'ai pas à en rougir, car je n'ai point péché. Guccio est mon époux.

Dame Éliabel n'accorda aucune foi au récit du mariage de minuit. L'eût-elle admis pour véridique que cela, d'ailleurs, n'eût rien changé. Marie avait agi contre la volonté familiale, contre l'autorité paternelle exercée, au nom du père mort, par la mère et le fils aîné. Une fille n'avait pas le droit de disposer de soi. Et puis, ce moine italien pouvait aussi bien être un faux moine. Non, décidément, dame Éliabel ne croyait pas à la mauvaise fable de ce prétendu mariage.

— A ma mort, vous entendez, ma mère, à ma mort je ne confesserai rien d'autre! répétait Marie.

La tempête dura une grande heure; enfin dame Éliabel enferma sa fille à double tour.

— Au couvent! C'est au couvent des filles repenties que tu vas aller, lui lança-t-elle à travers la porte.

Et Marie s'écroula en sanglots parmi ses robes éparses.

Dame Éliabel dut attendre jusqu'au soir, pour mettre ses fils au courant, qu'ils fussent rentrés des champs. Le conseil de famille fut bref. La colère saisit les deux garçons, et Pierre, le cadet, se sentant presque fautif d'avoir jusque-là soutenu Guccio, se montra le plus exalté et le plus porté aux solutions de vengeance. On avait déshonoré leur sœur, on les avait abominablement trahis sous leur propre toit! Un Lombard! Un usurier! Ils allaient le clouer par le ventre à la porte de son comptoir.

Ils s'armèrent de leurs épieux de chasse, ressanglèrent leurs chevaux et coururent à Neauphle.

Or, ce soir-là, Guccio, trop agité pour trouver le sommeil, marchait à travers le jardin. La nuit était constellée d'étoiles, imprégnée de parfums; le printemps d'Ile-de-France à son apogée chargeait l'air d'une fraîche saveur de sève et de rosée.

Dans le silence de la campagne, Guccio entendait avec plaisir ses semelles crisser... un pas fort, un pas faible... sur les graviers, et sa poitrine n'était pas assez large pour contenir sa joie.

«Et dire qu'il y a six mois, pensait-il, je gisais sur ce mauvais lit d'hôtel-Dieu... Comme vivre est bon!»

Il rêvait. Alors que son destin était déjà joué, il rêvait à son bonheur futur. Il voyait déjà croître autour de lui une progéniture nombreuse, née d'un merveilleux amour, et qui mêlerait dans ses veines le libre sang siennois au noble sang de France. Il allait être le grand Baglioni, chef d'une puissante dynastie. Il songeait à franciser son nom, à devenir Balion de Neauphle; le roi lui conférerait bien une seigneurie, et le fils que portait Marie, car il n'était pas douteux que ce fût un garçon, serait un jour armé chevalier.

Il ne sortit de ses songes qu'en entendant une galopade crépiter sur les pavés de Neauphle, et puis s'arrêter devant le comptoir; le heurtoir de la porte résonna avec violence.

— Où est-il ce coquin, ce pendard, ce Juif? cria une voix que Guccio reconnut aussitôt pour celle de Pierre de Cressay.

Et comme on n'ouvrait pas assez vite, des manches d'épieux se mirent à cogner sur le battant de chêne. Guccio porta la main à sa ceinture. Il n'avait pas sa dague sur lui. Le pas de Ricardo, pesant, descendait l'escalier.

— Voilà, voilà! J'arrive! disait le premier commis d'une voix d'homme mécontent d'être tiré de son sommeil.

Puis il y eut un bruit de verrous tirés, de barres qu'on glissait et, aussitôt après, les éclats d'une discussion furieuse dont Guccio ne saisit que des bribes.

— Ou est ton maître? Nous voulons le voir sur-le-champ!

Guccio ne percevait pas les réponses de Ricardo, mais la voix des frères Cressay reprenait, plus forte:

— Il a déshonoré notre sœur, ce chien, cet usurier! Nous ne partirons point que nous n'ayons sa peau!

La discussion se termina par un grand cri. Ricardo venait certainement d'être frappé.

— Fais-nous de la lumière, ordonnait Jean de Cressay.

Et Guccio saisit encore la voix de Pierre qui lançait à travers la maison :

— Guccio ! où te caches-tu ? Tu n'as donc de courage que devant les filles ? Ose donc apparaître, lâche puant !

Des volets s'étaient entrouverts aux fenêtres de la place. Les villageois écoutaient, chuchotaient, ricanaient, mais nul d'entre eux ne se montra. Un scandale est toujours divertissant ; et le tour joué à leurs petits seigneurs, à ces deux garçons qui les traitaient de si haut et les requéraient sans cesse pour des corvées, leur procurait un certain plaisir. A choisir, ils préféraient le Lombard, sans aller toutefois jusqu'à risquer la bastonnade pour lui.

Guccio ne manquait pas de bravoure ; mais il lui restait un grain de cervelle. Il eût tiré peu de profit, n'ayant pas même un stylet au côté, d'affronter deux furieux en armes.

Tandis que les frères Cressay fouillaient la maison, et passaient leur colère sur les meubles, Guccio courut à l'écurie. La nuit lui porta encore la voix de Ricardo qui gémissait :

— Mes livres ! mes livres !

Guccio pensa : « Tant pis ; ils ne parviendront pas à faire sauter les coffres. »

La lune donnait assez de clarté pour lui permettre de passer en hâte une bride à son cheval ; il le sella à l'aveuglette, empoigna la crinière pour s'aider à monter, et s'échappa par la porte du jardin. Ce fut ainsi qu'il quitta sa banque.

Les frères Cressay, entendant son galop, se précipitèrent aux fenêtres de la maison.

— Il fuit, le couard, il fuit ! Il prend le chemin de Paris. Holà ! manants, sus à lui ; qu'on lui coupe la route !

Personne, évidemment, ne bougea.

Les deux frères alors surgirent du comptoir et se lancèrent à la poursuite de Guccio.

Mais la monture du jeune Lombard, un coursier de belle race, sortait fraîche de sa stalle. Les chevaux des Cressay étaient de pauvres bidets de campagne, qui avaient déjà fait leur journée. Vers Rennemoulins, l'un d'eux se mit à boiter si bas qu'il fallut l'abandonner ; et les deux frères durent monter sur le même cheval qui, de surcroît, étant cornard, produisait avec les naseaux un bruit de râpe à bois.

Si bien que Guccio eut le temps de gagner une large avance. Il arriva rue des Lombards à l'aurore, et sortit son oncle du lit.

— Le moine ? Où est le moine ? lui demanda-t-il.

— Quel moine, mon garçon, que t'arrive-t-il? Tu veux entrer dans les ordres, maintenant?

— Mais non, oncle Spinello, ne vous moquez point. Il me faut retrouver le moine qui a prononcé mon mariage. On me poursuit et je suis en péril de la vie!

Il conta d'une traite son histoire; il lui était indispensable d'obtenir le témoignage du moine.

Spinello Tolomei l'écoutait, un œil ouvert, l'autre fermé. Il bâilla à deux reprises, ce qui irrita Guccio.

— Ne t'agite pas tant. Le moine est mort, dit enfin Tolomei.

— Mort?... fit Guccio.

— Eh oui! La sottise de te marier t'aura au moins évité la sottise de mourir; car si tu étais allé, comme Monseigneur Robert le voulait, porter son message aux alliés d'Artois, tu n'aurais sans doute plus à t'inquiéter pour les petits-neveux que tu me donnes sans que je t'y aie encouragé. Fra Vicenzo a été occis du côté de Saint-Pol par les gens de Thierry d'Hirson. Il avait sur lui cent livres à moi. Ah! Monseigneur Robert me coûte cher!

Tolomei sonna son valet pour qu'il lui apportât un bassin d'eau tiède et ses vêtements.

— Mais comment vais-je faire, oncle Spinello? Comment prouver que je suis vraiment l'époux de Marie?

— Ce n'est pas là le plus important, dit Tolomei. Quand bien même ton nom et celui de ta donzelle seraient proprement écrits sur un registre, cela ne changerait rien. Tu n'en aurais pas moins épousé une fille noble sans le consentement des siens. Les gaillards qui te poursuivent peuvent bien te tirer le sang du corps, ils n'ont rien à risquer. Ils sont nobles, et ces gens-là peuvent massacrer impunément. Ils auront au plus à payer l'amende due pour la vie d'un Lombard, et qui n'est pas très élevée. Il est possible même qu'on les complimente.

— Eh bien! je me suis mis dans de beaux linceuls.

— Tu peux le dire, fit Tolomei en plongeant son visage dans l'eau.

Il s'ébroua une minute, se sécha avec une toile.

— Allons, ce n'est pas encore aujourd'hui que j'aurai le temps de me faire raser. Ah! J'ai été aussi sot que toi...

Il était visiblement soucieux.

— Ce qu'il faut d'abord, c'est te mettre à couvert, reprit-il. Tu ne peux te cacher chez aucun Lombard. Si tes poursuivants ont ameuté un village, ils vont aussi bien requérir le prévôt de Paris, et ne te trouvant pas ici, envoyer le guet fouiller chez tous les nôtres. Je vais avoir bon visage, devant les autres compagnies... Laisse-moi penser... Ah si! Il y a ton ami Boccace, le voyageur des Bardi.

— Mais mon oncle, il est Lombard autant que nous, et en outre, il est hors de France pour le moment.

— Oui, mais il plaît à une dame qui est bourgeoise de Paris et dont il a eu un enfant sans mariage. Elle est gentille personne, je le sais ; et elle, au moins, elle comprendra ton affaire. Tu vas aller lui demander gîte... Et puis, moi, je me charge de recevoir tes mignons beaux-frères quand ils se présenteront... à moins qu'ils ne se chargent de moi et que ce soir tu n'aies plus d'oncle.

— Oh ! non, vous, vous ne craignez rien. Ils sont violents, mais nobles. Ils auront le respect de votre âge.

— La belle armure que a avoir les jambes faibles !

— Peut-être même qu'ils se seront lassés en route et qu'ils ne viendront pas.

Tolomei émergea de la robe qu'il venait de passer par-dessus sa chemise de jour.

— Cela m'étonnerait fort, répondit-il. En tout cas, ils vont déposer plainte et nous faire procès... Il me faut alerter quelque personne haut placée qui arrête l'affaire avant qu'elle fasse trop grand scandale... Je puis m'adresser à Monseigneur de Valois ; mais il promet, promet, et ne tient jamais. Monseigneur Robert ? Autant prendre les hérauts de ville et leur faire annoncer la nouvelle par trompettes.

— La reine Clémence... dit Guccio. Elle m'aimait fort pendant le voyage...

— Je t'ai déjà répondu l'autre fois. La reine va s'adresser au roi, qui s'adressera au chancelier... qui va mettre tout le Parlement sur les dents. La belle cause que nous allons soutenir.

— Et pourquoi pas Bouville ?

— Ah ! voilà une bonne idée, s'écria Tolomei, la première que tu aies eue depuis des mois. Oui, Bouville ne brille pas par l'esprit, mais il a gardé du crédit d'avoir été le chambellan du roi Philippe. Il n'est pas compromis dans les intrigues et fait figure d'honnête homme...

— Et puis, il m'aime fort, dit Guccio.

— Oui, nous savons ! Décidément, tout le monde t'aime. Ah ! qu'un peu moins d'amour nous servirait bien ! Allez, va te cacher chez cette dame de ton ami Boccace et... de grâce ! qu'elle n'aille pas se mettre à t'aimer, elle aussi ! Moi, je vais courir à Vincennes pour parler à Bouville. Tu vois ; Bouville est probablement le seul homme qui ne me doive rien, et c'est justement à lui qu'il me faut demander quelque chose.

X

LE DEUIL ÉTAIT À VINCENNES

Quand messer Tolomei, monté sur sa mule grise et suivi de son valet, pénétra dans la première cour du manoir de Vincennes, il fut surpris d'y trouver un grand rassemblement de gens de toutes sortes, officiers, serviteurs, écuyers, seigneurs, légistes et bourgeois; mais leurs mouvements s'effectuaient dans un silence total, comme si hommes, bêtes et choses avaient cessé d'émettre le moindre bruit.

On avait couvert le sol d'épaisses jonchées de paille afin d'étouffer le roulement des chars et le son des pas. Nul n'osait parler sinon à voix basse.

— Le roi se meurt... dit à Tolomei un seigneur de sa connaissance.

A l'intérieur du château, il semblait qu'il n'y eût plus aucune défense, et les archers de garde laissaient entrer tout venant. Assassins ou voleurs eussent pu s'introduire dans ce désordre sans que personne songeât à les arrêter. On entendait murmurer:

— L'apothicaire, faites place à l'apothicaire.

Deux officiers de l'hôtel passaient, charriant un lourd bassin d'étain couvert d'un linge, et qu'ils allaient présenter aux physiciens.

Ceux-ci, qu'on reconnaissait à leurs costumes, tenaient conciliabule dans une antichambre. Les médecins portaient un camail brun pardessus leur robe de bure, et sur la tête une petite calotte semblable à celle des moines; les chirurgiens avaient la robe de toile à longues manches étroites et, de leur bonnet rond, partait une écharpe blanche qui leur couvrait les joues, la nuque et les épaules.

Tolomei se renseigna. Le roi la veille encore se portait fort bien, puisqu'il avait joué à la paume l'après-midi. Puis il était entré chez la reine, et peu après, on l'avait vu se plier en deux et se mettre à vomir. Dans la nuit, se tordant de douleur, il avait de lui-même demandé les sacrements.

Les physiciens n'étaient pas d'accord sur la nature de son mal; les uns, se fondant sur les étouffements et les pertes de conscience, assuraient que l'eau froide, bue après l'effort, avait déterminé cet accès ; les autres affirmaient que ce ne pouvait être l'eau qui avait brûlé les entrailles du roi au point « qu'il faisait le sang sous lui ».

Discutant plus qu'ils n'agissaient, et se neutralisant parce que trop nombreux au chevet d'un si haut patient, ils ne conseillaient que des remèdes bénins qui n'engageaient guère leur responsabilité.

Parmi les seigneurs de la cour, on se confiait à mots couverts l'affaire de l'envoûtement, en prenant l'air d'en savoir plus long qu'on n'en disait. Et puis, déjà on agitait d'autres problèmes. Qui allait prendre la régence ? Certains regrettaient que Monseigneur de Poitiers fût absent, d'autres au contraire s'en louaient. Le roi avait-il exprimé des volontés formelles à ce sujet ? On l'ignorait. Mais il avait appelé le chancelier pour lui dicter un codicille complétant ses dispositions testamentaires.

Avançant à travers cette agitation feutrée, Tolomei put parvenir jusqu'au seuil même de la chambre où le souverain agonisait entre ses chambellans, ses serviteurs, et les membres de sa famille et de son Conseil.

Se hissant sur la pointe des pieds, le chef des banques lombardes put apercevoir, par-dessus un mur d'épaules, Louis X, le buste soutenu par des coussins, et dont le visage creusé, réduit de moitié, portait les stigmates de la fin. Une main à la poitrine, l'autre au ventre, les mâchoires serrées, il gémissait.

On chuchota :

— La reine, la reine... le roi demande la reine...

Clémence était assise dans la pièce voisine, entourée de ses dames de parage, du comte de Bouville et d'Eudeline, la première lingère, dont elle tenait la main. La reine n'avait pas dormi un instant de toute la nuit. Le désespoir et l'insomnie lui étreignaient les tempes, tandis que Monseigneur de Valois, s'agitant devant elle, lui disait :

— Ma chère, ma bonne nièce, il faut vous préparer au pire.

« Mais j'y suis préparée, pensait Clémence, et n'ai point besoin de lui pour le savoir. Dix mois de bonheur, était-ce donc tout ce à quoi j'avais droit ? Peut-être n'ai-je pas assez remercié Dieu de me les avoir accordés. Le pire n'est pas la mort, puisque nous nous retrouverons dans la vie éternelle. Le pire est pour cet enfant qui va naître dans cinq mois, que Louis n'aura pas connu, et qui ne connaîtra son père que lorsqu'il arrivera lui-même dans l'Au-delà. Pourquoi Dieu permet-il cela ? »

— Reposez-vous sur moi, ma nièce, de toutes les tâches et difficultés, et songez seulement que vous portez en vos flancs les espoirs du royaume. Votre état ne vous permet guère d'assumer la tâche de régente ; et puis les Français souffriraient mal d'être gouvernés par une main de femme étrangère. Blanche de Castille, me direz-vous?... Certes, certes, mais elle était reine depuis un plus long temps. Nos barons n'ont point encore assez appris à vous connaître. Je dois vous décharger des soins du trône, ce qui ne me changera guère, au fond...

Le chambellan, qui venait dire à la reine que le mourant la demandait, entra à cet instant; mais Valois l'arrêta du geste, et poursuivit:

— Je n'ai guère de mérite à me proposer; je suis seul à pouvoir utilement régenter. Et je saurai, soyez-en assurée, inspirer aux Français l'amour qu'ils doivent à la mère de leur prochain roi, si Dieu nous fait la grâce que vous attendiez un fils.

— Mon oncle, s'écria Clémence, Louis respire encore. Veuillez plutôt prier pour qu'un miracle le sauve, ou différez au moins vos projets jusqu'à son trépas. Et plutôt que de me retenir ici, laissez-moi regagner ma place, qui est auprès de sa couche.

— Certes, ma nièce, certes; mais il est quand même des choses auxquelles il faut penser lorsqu'on est reine. Nous ne pouvons point nous abandonner aux douleurs du commun. Louis, dans son codicille, vous a fait tout à l'heure de grandes donations; il a généreusement attribué diverses pensions, dont une même à Louis de Marigny, qui vont un peu plus obérer le Trésor. Mais il n'a pris nulle disposition relativement à la régence...

— Eudeline, ne m'abandonne pas, murmura la reine en se levant.

Et à Bouville, tandis qu'elle se dirigeait vers la chambre du roi:

— Mon ami Hugues, mon ami Hugues, je ne puis pas y croire; dites-moi que cela n'arrivera pas!

C'en était trop pour le brave Bouville qui se mit à sangloter.

— Quand je pense, quand je pense, disait-il, qu'il m'a envoyé à Naples vous quérir!

Plus étrange était l'attitude d'Eudeline. La lingère ne quittait pas la reine, qui s'adressait à elle pour toutes choses. Devant l'agonie de l'homme dont elle avait été la première maîtresse, qu'elle avait aimé avec docilité, puis qu'elle avait haï avec persévérance, Eudeline n'éprouvait rien. Elle ne pensait ni à lui, ni à elle-même. Il semblait que ses souvenirs fussent morts avant celui qui les avait créés. Toutes ses forces d'émotion étaient tournées vers la reine, son amie. Et si Eudeline souffrait en cet instant, c'était de la souffrance de Clémence.

La reine traversa la chambre, s'appuyant d'un côté au bras d'Eudeline, de l'autre au bras de Bouville.

En apercevant ce dernier, Tolomei, toujours dans l'encadrement de la porte, se rappela soudain ce qu'il était venu faire.

« En vérité, ce n'est guère le temps de parler à Bouville, pensa-t-il. Et les deux Cressay sont sans doute chez moi, à l'heure qu'il est. Ah! cette mort tombe bien mal. »

A ce moment, il fut bousculé par une masse puissante ; la comtesse Mahaut, manches retroussées, se frayait un passage. Si grande était son autorité que, en dépit de la disgrâce qui la frappait, nul ne s'opposa à son approche ni même ne s'étonna de la voir là, venant reprendre sa place de proche parente et de pair du roi.

Elle avait composé son visage pour lui donner l'expression de la stupeur et de l'affliction.

Du seuil, elle murmura, mais bien distinctement, pour que dix personnes au moins l'entendissent :

— Deux en si peu de temps ! C'est vraiment trop. Pauvre royaume !

Elle avança de son pas de soldat vers le groupe où se tenaient Charles de la Marche, Robert d'Artois et Philippe de Valois.

Mahaut tendit à Robert les deux mains, en lui faisant signe des yeux qu'elle était trop émue pour parler et que toute dissension, un tel jour, s'oubliait. Puis, elle alla choir à genoux près du lit royal et, d'une voix brisée, dit :

— Sire, je vous supplie de m'accorder pardon pour les peines que je vous ai causées.

Louis la regarda ; ses gros yeux glauques étaient entourés des cernes profonds de la mort. On était justement en train de changer son bassin, au vu de tous ; dans cette inconfortable position, tâchant à garder empire sur lui-même, il prenait pour la première fois un peu de véritable majesté et quelque chose, enfin, de royal, qui lui avait manqué toute sa vie.

— Je vous pardonne, ma cousine, si vous vous soumettez au pouvoir du roi, répondit-il quand on lui eut glissé sous le siège un nouveau bassin.

— Sire, je vous en fais serment ! répondit Mahaut.

Et plus d'une personne, dans l'assistance, fut sincèrement bouleversée de voir la terrible comtesse courber l'échine.

Robert d'Artois plissa les paupières et laissa tomber dans l'oreille de ses cousins :

— Elle ne jouerait pas mieux, si c'était elle qui l'avait tué.

Le Hutin fut saisi d'un nouvel accès de coliques et porta les mains au ventre. Ses lèvres découvrirent ses dents serrées ; la sueur coulait de ses tempes et lui collait les cheveux le long des joues. Après quelques secondes, il dit :

— Est-ce donc cela souffrir ? Est-ce donc cela...

XI

TOLOMEI PRIE POUR LE ROI

Lorsque Tolomei, au milieu de l'après-midi, rentra chez lui, son premier commis vint aussitôt l'avertir que deux gentilshommes de campagne l'attendaient dans l'antichambre de son cabinet.

— Ils ont l'air fort courroucés. Ils sont là depuis none, sans avoir rien mangé, et disent qu'ils ne bougeront point qu'ils ne vous aient vu.

— Oui, je suis au courant, répondit Tolomei. Fermez les portes et appelez dans mon cabinet tous les gens de la maison, commis, valets, palefreniers et servantes. Et qu'on se hâte! Tous en haut.

Puis il monta lentement l'escalier, prenant un pas de vieillard accablé par le malheur; il s'arrêta un moment sur le palier, écoutant le branle-bas que ses ordres provoquaient à travers la banque; il attendit que les premières têtes fussent apparues au bas des marches, et enfin pénétra dans son antichambre en se tenant le front.

Les frères Cressay se levèrent, et Jean, le barbu, marchant à lui, s'écria:

— Messer Tolomei, nous sommes...

Tolomei l'arrêta d'un geste du bras.

— Oui, je sais! dit-il d'une voix gémissante; je sais qui vous êtes, et je sais aussi ce que vous venez me dire. Mais ceci n'est rien auprès de ce qui nous afflige.

Comme l'autre voulait poursuivre, il se retourna vers la porte et dit au personnel qui commençait à se montrer:

— Entrez, mes amis, entrez tous dans mon cabinet; venez entendre l'affreuse nouvelle de la bouche de votre maître! Allons, entrez, mes petits.

La pièce fut bientôt pleine. Les frères Cressay, s'ils avaient voulu tenter le moindre mouvement, eussent été en un instant désarmés.

— Mais enfin, messer, que cela signifie-t-il? demanda Pierre que l'impatience gagnait.

— Un instant, un instant, répondit Tolomei. Tout le monde doit savoir.

Les frères Cressay, subitement inquiets, pensèrent que le banquier allait dévoiler publiquement leur déshonneur. C'était plus qu'ils n'en souhaitaient.

— Tout le monde est là ? dit Tolomei. Alors, mes amis, écoutez-moi.

Et puis rien ne vint. Il y eut un long silence. Tolomei s'était caché le visage dans les mains. Quand il se découvrit la face, son seul œil ouvert était rempli de larmes.

— Mes petits amis, mes enfants, prononça-t-il enfin, c'est chose trop affreuse ! Notre roi... oui, notre bien-aimé roi vient de trépasser.

Sa voix s'étranglait dans sa gorge ; il se frappait la poitrine comme s'il était responsable de la mort du souverain. Il profita de l'effet de surprise pour commander :

— Alors, à genoux, tous, et prions pour son âme.

Lui-même, lourdement, se laissa choir au sol, et tout son personnel l'imita.

— Voyons, messires, à genoux ! dit-il d'un ton de reproche aux frères Cressay qui, saisis par la nouvelle et complètement ahuris devant ce spectacle, étaient seuls demeurés debout.

— *In nomine patris...* commença Tolomei.

Alors éclata un concert de lamentations stridentes.

C'étaient les servantes italiennes de la maison qui se mettaient à former un chœur de pleureuses selon la tradition de leur pays.

— *Un uomo cosi buono, un signore tanto generoso ! Il cielo se lè preso !* hurlait la cuisinière.

— *Ahimè, ahimè ! Tanto buono, tanto generoso !* reprenaient les filles d'office et de buanderie.

La jupe de dessus retroussée pour s'en couvrir la tête, elles se balançaient de gauche à droite tendant vers le plafond leurs mains jointes.

— *Era come un padre per noi tutti ! Era il protettore degli umili.*

— *Il nostro padre, il nostro protettore, l'abbiamo perduto. Ahimè ! Ahimè !* *.

Tolomei s'était relevé et circulait à travers son personnel.

— Allez, priez, priez bien ! Oui, il était pur, oui, il était saint ! Des pécheurs, voilà ce que nous sommes, d'incurables pécheurs ! Priez aussi, jeunes gens, disait-il en appuyant sur la tête des frères Cressay. Vous aussi, la mort vous agrippera. Repentez-vous, repentez-vous !

---

* — Un homme si bon, un seigneur si généreux ! Le ciel l'a pris.
— Hélas, hélas ! Si bon, si généreux !
— Il était notre père à tous ! Le protecteur des humbles.
— Notre père, notre protecteur, nous l'avons perdu. Hélas, hélas !

La représentation dura un gros quart d'heure. Puis Tolomei ordonna :

— Fermez les portes, fermez les guichets. C'est jour de deuil : on ne fera point commerce ce soir.

Les serviteurs sortirent, reniflant leurs larmes. Lorsque le premier commis passa près de lui, Tolomei lui glissa :

— Surtout ne payez rien. L'or aura peut-être changé de cours demain...

Les femmes hurlaient encore en descendant l'escalier.

— Il était le bienfaiteur du peuple. Jamais, jamais plus nous n'aurons un roi aussi bon ! *Ahimè*...

Tolomei laissa retomber la tenture qui fermait l'entrée de son cabinet.

— Et voilà, dit-il, et voilà ! Ainsi passent les gloires du monde.

Les deux Cressay, ahuris et matés, se taisaient. Leur drame personnel se trouvait noyé dans le malheur du royaume. En outre, ils éprouvaient la fatigue d'une nuit de chevauchée, et dans quel équipage !

Leur arrivée à Paris, au petit matin, montés à deux sur leur bidet cornard, et habillés des vieux vêtements qu'ils usaient aux champs, avait soulevé le rire sur leur passage. Escortés d'une escouade de gamins criards, ils s'étaient perdus dans le dédale de la Cité. Ils se sentaient le ventre creux, et leur assurance, sinon leur ressentiment, avait sérieusement faibli devant la somptuosité de la demeure Tolomei. Cette richesse partout répandue, ce personnel nombreux, bien vêtu et bien gras, ces tapisseries, ces meubles sculptés, ces émaux, ces ivoires... « Au fond, pensaient-ils chacun à part soi et sans oser le confier à l'autre, au fond, nous avons peut-être eu tort de nous montrer si chatouilleux sur le sang ; une fortune comme celle-là vaut bien un rang de seigneur. »

— Allons, mes bons amis ! dit Tolomei avec une familiarité qu'autorisait maintenant leur prière en commun ; venons-en à cette pénible affaire, puisqu'il faut vivre, après tout, et que le monde continue malgré ceux qui s'en vont. Vous voulez me parler de mon neveu, bien sûr. Le bandit, le scélérat ! M'avoir fait cela, à moi, qui l'ai comblé de bontés ! Le misérable garçon sans vergogne ! Me fallait-il cette douleur de plus aujourd'hui... Je sais, je sais tout ; il m'a fait parvenir un message ce matin. Vous voyez un homme bien éprouvé.

Il se tenait devant eux, un peu voûté, les yeux à terre, dans l'attitude du pire accablement.

— Et lâche avec cela, reprit-il. Lâche ; j'ai la honte de l'avouer, mes jeunes sires. Il n'a pas osé affronter ma colère ; il est parti pour Sienne d'un seul trait. Il doit être loin maintenant. Alors, mes amis, qu'allons-nous faire ?

Il avait l'air de s'en remettre à eux, presque de leur demander conseil.

Les deux frères le regardaient, se regardaient. Rien ne se passait comme ils l'avaient imaginé.

Tolomei les observait à travers sa paupière presque close. « C'est bon, se disait-il ; maintenant que je les ai en main, ils ne sont plus dangereux ; il ne s'agit que de trouver le moyen de les renvoyer chez eux sans rien leur avoir donné. »

Il se redressa brusquement.

— Mais je le déshérite ! Vous entendez, je le déshérite... Tu n'auras pas un sou de moi, petit misérable ! cria-t-il en agitant la main dans la vague direction de Sienne. Rien ! Jamais ! je laisserai tout aux pauvres et aux couvents !... Et s'il me retombe sous la main, je le livre à la justice du roi. Hélas, hélas ! le roi est mort !

Les deux autres se disposaient presque à le consoler.

Tolomei les jugea assez préparés pour qu'il pût leur prêcher la raison. Tous leurs reproches, tous leurs griefs, il les acceptait, il les approuvait ; mieux même, il les devançait. Mais maintenant, que faire ? A quoi servirait un procès, bien coûteux pour des gens sans fortune, alors que le coupable était hors d'atteinte et aurait avant six jours passé les frontières ? Était-ce cela qui réhabiliterait leur sœur ? Le scandale ne nuirait qu'à eux-mêmes. Tolomei allait se dévouer et s'efforcer de réparer le mal commis ; il avait de hautes et puissantes relations ; il était ami de Monseigneur de Valois, de Monseigneur d'Artois, de messire de Bouville... On trouverait à Marie un lieu où elle mettrait au jour son péché, dans le plus grand secret, et l'on verrait ensuite à lui donner un état. Un couvent, pour un temps, pourrait peut-être abriter son repentir. Qu'on fît confiance à Tolomei ! N'avait-il pas prouvé aux Cressay qu'il était homme de cœur en faisant reporter cette créance de trois cents livres qu'il avait sur eux...

— Si j'avais voulu, votre château serait à moi depuis deux ans. L'ai-je voulu ? Non. Vous voyez bien.

Les deux frères, déjà fort ébranlés, comprirent aisément la menace que, d'un ton si paterne, le banquier faisait peser sur eux.

— Entendez-moi ; je ne vous réclame rien, ajouta-t-il.

Mais dans une affaire de justice, forcément, il serait obligé de faire état de ses comptes, et les juges pourraient s'étonner que les Cressay eussent accepté tant de dons de la part de Guccio.

Allons ! ils étaient de braves jeunes gens ; ils allaient se diriger sur une tranquille auberge, pour y passer la nuit après s'être bien restaurés, et sans se soucier de régler la dépense. Ils attendraient là que Tolomei se soit employé pour eux ; il pensait, dès le lendemain, leur proposer des mesures apaisantes pour leur bonheur. Avant tout, éviter le scandale...

Pierre et Jean de Cressay se rendirent à ses raisons et même, en prenant congé, lui étreignirent les mains avec quelque effusion.

Après leur départ, Tolomei se laissa tomber sur une chaise. Il était las, et soufflait dans ses grosses joues sombres.

« Et maintenant, pourvu que le roi meure ! » se dit-il.

Car lorsqu'il avait quitté Vincennes, Louis X respirait encore ; mais nul n'estimait qu'il eût beaucoup d'heures devant lui.

XII

QUI SERA RÉGENT?

Louis X Hutin expira dans la nuit du 4 au 5 juin 1316, un peu après minuit.

Pour la première fois, depuis trois cent vingt-neuf ans, un roi de France mourait sans laisser un héritier mâle auquel la couronne pût être dévolue.

Monseigneur de Valois, d'ordinaire si empressé à régler les pompes royales, qu'elles fussent nuptiales ou funèbres, se désintéressa complètement des derniers honneurs à rendre à son neveu.

Il appela le grand chambellan Mathieu de Trye, et lui donna pour toute instruction :

— Faites ainsi que la dernière fois !

Lui-même s'occupa de convoquer, dès les premières heures de la matinée, un Conseil, non pas à Vincennes, où une telle assemblée eût été forcément présidée par la reine, mais à Paris, au palais de la Cité.

— Laissons notre chère nièce à sa douleur, déclara-t-il, et n'ajoutons rien qui puisse nuire à son précieux fardeau.

Ce Conseil, par sa composition, ressemblait plus à une réunion de famille qu'à une chambre de gouvernement. Y siégaient Charles de la Marche, frère du défunt, Charles de Valois et Louis d'Évreux, frères de Philippe le Bel, Louis de Clermont, petit-fils de Saint Louis, Mahaut d'Artois et Robert d'Artois, respectivement petite-nièce et arrière-petit-neveu de Saint Louis, et Philippe de Valois, fils de Charles, auxquels avaient été adjoints le chancelier, l'archevêque de Sens et le comte de Bouville afin que fussent représentés la Justice, l'Église et les grands serviteurs de l'Hôtel royal.

Valois n'avait pu éviter de convier la comtesse Mahaut, qui se trouvait, avec lui-même, le seul pair du royaume présent à Paris. Ainsi la meurtrière de celui dont il s'agissait de régler, dans l'immédiat, la succession, était là, réintroduite dans ses prérogatives et se délectant secrètement de sa victoire.

Si Valois attendait une opposition de la part de Mahaut, il ne la redoutait pas. Il se pensait entièrement appuyé par le reste de la parentèle. De plus, le chancelier Mornay était sa créature ; l'archevêque Marigny avait partie liée avec lui ; quant à Bouville, on connaissait son manque d'initiative et sa docilité.

En vérité, Valois se félicitait que Philippe de Poitiers et le connétable Gaucher de Châtillon fussent tous deux absents. Avec eux, les choses eussent été moins faciles. Mais pour l'heure, ils étaient à Lyon où ils s'employaient à rameuter les cardinaux.

De la sorte, Monseigneur de Valois se sentait les coudées franches, trop franches même... Il s'assit au haut bout de la table, dans le fauteuil royal. Encore qu'il imposât à son visage l'expression du chagrin, il ne parvenait pas à masquer la satisfaction qu'il éprouvait à occuper ce siège.

— Nous sommes assemblés, dans le deuil qui nous frappe, commença-t-il, pour décider de choses urgentes qui sont le choix des deux curateurs au ventre qui doivent veiller en notre nom sur la grossesse de la reine Clémence, et aussi la désignation qu'il vous faut faire d'un régent du royaume, car il ne peut y avoir rupture de l'exercice de justice et de gouvernement. Je vous demande votre conseil.

Il employait des expressions de souverain, et se posait manifestement en détenteur des attributions royales. Son attitude choqua son demi-frère, le comte d'Évreux, dont la rigueur d'âme et la droiture de pensée, les soucis moraux, le respect des institutions s'accommodaient mal de tels procédés. C'était par l'effet d'une nature inquiète et scrupuleuse que Louis d'Évreux n'avait jamais pris de participation active au pouvoir. Mais il observait, jugeait ; et il désapprouvait presque tous les actes accomplis depuis un an sous l'inspiration de Valois.

Comme ce dernier, se répondant à lui-même, proposait que la nomination des curateurs fût remise aux soins du régent, d'Évreux, avec la brutalité soudaine qu'ont parfois les gens réfléchis, l'interrompit.

— Souffrez, mon frère, que nous parlions aussi, et ne liez donc pas, s'il se peut, toutes questions ensemble. L'aménagement de la régence est une chose dont il existe précédents aux annales du royaume, et qui veut d'être débattue devant le Conseil des pairs. La désignation des curateurs en est une autre, qui relève des proches membres de la famille, et dont nous pouvons trancher ici, en l'assistance du chancelier. Avez-vous des noms à avancer ?

Surpris par cette intervention, et plus encore par le ton déterminé sur lequel elle était faite, Charles de Valois répondit, pour gagner du temps :

— Et vous, mon frère, qui proposez-vous?

Le comte d'Évreux se passa les doigts sur les paupières.

— Je pense, dit-il, qu'il nous faut choisir des hommes dont le passé soit sans reproche, assez mûris pour que nous puissions nous en remettre à leur prudence, et qui aient donné de grandes preuves de loyauté et de dévouement envers nos rois. J'aurais incliné à vous nommer le sénéchal de Joinville, si son grand âge, qui approche cent ans, ne le rendait bien infirme... Mais je vois ici messire de Bouville qui fut grand chambellan du roi Philippe notre frère, lui fit service en tout avec une fidélité qu'il nous faut louer. Il a conduit en France la reine Clémence qui lui montre de l'attachement...

Valois respira mieux. Si l'homélie de Louis d'Évreux n'avait d'autre fin que d'appeler Bouville à la fonction de curateur, il se sentait rassuré. Il se hâta d'accorder cette satisfaction à son frère et approuva hautement la proposition, affirmant que Bouville était tout juste la personne à laquelle il avait lui-même pensé. Chacun, autour de la table, acquiesça, qui par parole, qui d'un mouvement de front ou d'un simple murmure.

Le gros Bouville se leva, les traits bouleversés. Il recevait la consécration de longues années de dévouement à la couronne.

— C'est grand honneur, c'est grand honneur, Messeigneurs, déclara-t-il. Je fais serment de veiller sur le ventre de Madame Clémence, et de la protéger contre toute attaque ou entreprise, et de la défendre avec ma vie. Mais puisque Monseigneur d'Évreux a cité messire de Joinville, je souhaiterais que le sénéchal fût nommé auprès de moi, ou si lui ne le peut, son fils, afin que l'esprit de Monseigneur Saint Louis soit présent à cette garde, en son serviteur, comme l'esprit du roi Philippe, mon maître... en moi, son serviteur.

Rarement Bouville avait prononcé une si longue phrase en Conseil, et c'étaient choses un peu subtiles pour lui que celles qu'il voulait exprimer. Ses derniers mots manquaient de clarté; mais tout le monde comprit son intention et le comte d'Évreux le remercia.

— A présent, dit Valois, nous pouvons aborder l'aménagement de la régence...

Il fut à nouveau interrompu, mais cette fois par Bouville, qui s'était relevé.

— Auparavant, Monseigneur...

— Qu'y a-t-il, Bouville? demanda Valois d'un air bienveillant.

— Auparavant, Monseigneur, il me faut vous prier très humblement de quitter le siège où vous êtes, car c'est le siège du roi; or nous devons penser que le roi, pour l'heure, est dans le sein de Madame Clémence.

Un silence suivit, pendant lequel on entendit le glas sonné par les cloches de Paris.

Valois lança vers Bouville un regard furibond; mais il comprit qu'il lui fallait obéir et même feindre la bonne grâce. « Voilà bien les sots, se disait-il en changeant de place, et l'on a tort de leur accorder confiance. Ils ont des idées qui ne viendraient à personne. »

Les assistants, sur la droite, eurent tous à reculer d'un cran. Bouville fit le tour de la table, attira un tabouret, et vint s'asseoir, les bras croisés dans l'attitude du gardien fidèle, un peu en retrait du siège vide qui allait être l'objet de tant de convoitises.

Valois adressa un signe à Robert d'Artois, lequel, parlant assis, prononça quelques mots à peine courtois qui signifiaient en clair: « Assez de niaiseries, passons aux choses sérieuses ! » Le temps, selon lui, était trop mesuré pour qu'on le perdît en formalités, et ce qui se déciderait là ne pourrait qu'être ratifié par la Chambre des pairs. Tout à trac, il proposa, comme s'imposant d'évidence, de remettre la régence à Charles de Valois.

— On ne change pas de main sur la charrue au milieu du sillon, dit-il. Nous savons bien que c'est Charles qui a gouverné toute cette année, au nom de notre pauvre cousin Louis que nous allons porter en terre. Et, auparavant, il fut toujours au Conseil du roi Philippe, auquel il évita plus d'une erreur et pour lequel il gagna plus d'un combat. Il est l'aîné de la famille; il a bientôt trente ans d'habitude du labeur de roi...

Deux personnes seulement paraissaient ne pas approuver cette déclaration. Louis d'Évreux pensait à la France; Mahaut d'Artois pensait à elle-même.

« Si Charles est régent, se disait-elle, ce n'est pas lui qui rappellera le maréchal de Conflans et lèvera le séquestre de mon comté. Il est dans le jeu de Robert comme Robert dans le sien. Peut-être me suis-je trop hâtée d'expédier Louis, et aurais-je dû attendre le retour de mon gendre. Je devrais parler pour lui; mais ne vais-je pas attirer les soupçons? »

Évreux intervint, s'adressant de nouveau à Valois.

— Charles, si notre frère était venu à mourir pendant que notre neveu Louis était encore en enfance, qui aurait été régent de droit?

— Forcément moi, répondit Valois en souriant comme si l'on apportait de l'eau à son moulin.

— Parce que vous étiez le premier frère. N'est-ce pas, alors, en droit, à notre neveu Philippe de Poitiers d'occuper la régence?

Mahaut reprit espoir. Et Charles de la Marche ayant cru habile de dire que son frère Philippe ne pouvait être partout à la fois, au conclave et à Paris, elle se lança dans le débat.

— Lyon n'est pas au pays du Grand Khan! On en revient en peu de jours... Nous ne sommes point assez nombreux pour décider dans l'instant d'une chose si grave. Des pairs du royaume, je ne vois ici que deux sur douze... Aucun duc-évêque, aucun comte-évêque; le connétable n'est pas là, ni le duc de Bourgogne...

A ce nom, Robert d'Artois, Philippe de Valois et Louis de Clermont sursautèrent. Le duc Eudes de Bourgogne, le nouveau duc et sa mère Agnès de France, voilà bien ceux qu'on redoutait, dont il fallait se hâter de devancer les menées[17]! L'enfant de Clémence était encore à naître, en admettant qu'il naquît jamais, et l'on verrait seulement alors s'il était mâle ou femelle. Eudes de Bourgogne était donc fondé à réclamer la régence, et contre Poitiers aussi bien que contre Valois, au nom de sa nièce, la petite Jeanne de Navarre, fille de Marguerite. Or, on savait bien que Jeanne était bâtarde!...

— Mais vous n'en savez rien, Robert! s'écria Louis d'Évreux; les présomptions ne sont pas certitude, et Marguerite a emporté son secret dans la tombe où vous l'avez mise.

D'Évreux avait lancé ce «vous» dans une acception vague et générale; mais le géant, qui avait toutes raisons de se sentir personnellement visé, pria d'Évreux d'éclaircir son dire, ou bien de se rétracter.

— Oubliez-vous, Louis, que vous avez épousé ma propre sœur, et dois-je attendre de mon plus proche parent qu'il se fasse la trompette de mes calomniateurs? Vous ne parleriez pas autrement si vous étiez payé par les Bourgogne.

L'incident tournait au plus mal, et l'on put craindre un instant que les deux beaux-frères ne se demandassent gage de bataille.

Une fois de plus le scandale de la tour de Nesle et ses séquelles divisaient la famille de France, et même à présent, menaçaient de diviser le royaume.

L'archevêque Marigny fit entendre alors la voix de l'Église et, prêchant la conciliation, invita les adversaires au respect de ce qu'il appela «la trêve de deuil». A son sens, il ne fallait pas attribuer d'intention infamante aux paroles de Monseigneur d'Évreux, et le mot «tombe» dans sa bouche désignait certainement la forteresse de Château-Gaillard où Marguerite de Bourgogne avait été recluse, «comme dans une tombe», et où elle était morte.

Louis d'Évreux n'approuva ni n'infirma. Quant à Robert, il grommela:

— Après tout, Château-Gaillard est encore moins distant d'Évreux qu'il ne l'est de mon château de Conches...

La porte s'ouvrit alors sur Mathieu de Trye qui annonça qu'il avait à faire une grave communication. On le pria de parler.

— Tandis qu'on embaumait le corps du roi, dit le chambellan, un chien, qui s'était introduit sans qu'on y prêtât garde, a léché des linges qui avaient servi à ôter les entrailles.

— Et alors? demanda Valois. Est-ce là votre grande nouvelle?

— C'est que, Messeigneurs, ce chien est aussitôt tombé en douleurs, s'est mis à geindre et à se tordre, et que le voilà pris du même mal que le roi; peut-être même est-il déjà mort maintenant.

De nouveau, on n'entendit rien d'autre que le son du glas répercuté depuis Notre-Dame. La comtesse Mahaut n'avait pas bronché, mais une atroce anxiété lui descendait au cœur. « Vais-je être découverte par la gloutonnerie d'un chien ! » se disait-elle.

— Vous pensez donc, Mathieu, qu'il y a eu poison... prononça enfin Louis d'Évreux.

— Il va falloir faire enquête, et diligemment menée, dit Charles de Valois.

Bouville, qui pendant toute la discussion s'était tenu silencieux auprès du siège royal, se leva.

— Messeigneurs, si l'on a voulu attenter à la vie du roi, il est à redouter qu'on ne veuille aussi atteindre celle de l'enfant à naître. Je demande une garde de six écuyers en armes, et à mes ordres, de jour et de nuit, pour veiller à la porte de la reine, et l'interdire à toute main criminelle.

On lui répondit d'agir comme il l'entendait. Peu après le Conseil s'ajourna au lendemain, sans avoir rien décidé de précis. Valois espérait, dans les prochaines heures, avancer ses affaires.

Sur la porte, Mahaut rejoignit Louis d'Évreux et lui dit à voix basse:

— Allez-vous envoyer un chevaucheur à Philippe, pour l'instruire de ce qui vient de se passer?

— Certes, ma cousine, je vais le faire, et je veux avertir également notre tante Agnès.

— Alors, je vous laisse agir, puisque nous sommes d'accord en tout.

Bouville, en sortant de la séance, fut abordé par Spinello Tolomei qui l'attendait dans la cour du Palais et venait lui demander protection pour son neveu.

— Ah! ce cher garçon, ce bon Guccio! répondit Bouville. Voilà le genre d'homme qu'il me faut pour m'aider à veiller sur la reine. Prompt d'esprit, vif de membres... Madame Clémence goûtait bien sa compagnie. C'est pitié qu'il ne soit pas écuyer, ni même bachelier. Mais après tout, il est des occasions où vertu vaut mieux que haute naissance...

— C'est tout juste ce que pense la demoiselle qui l'a voulu en mariage, dit Tolomei.

— Ah! il s'est donc marié!

Le banquier tenta d'expliquer brièvement les ennuis de Guccio. Mais Bouville écoutait mal. Il était pressé, il devait retourner sur-le-champ à Vincennes, et tenait à son idée de placer Guccio dans la garde de la reine. Tolomei souhaitait pour son neveu une charge moins voyante et plus éloignée. Si l'on avait pu le mettre à couvert auprès de quelque haute autorité ecclésiastique, un cardinal par exemple...

— Eh bien, alors, mon ami, envoyons-le à Monseigneur Duèze!

Dites à Guccio qu'il me vienne trouver à Vincennes, d'où je ne puis plus bouger désormais. Il me contera bien son affaire... Tenez, j'y songe même! il pourrait me rendre grand service en allant de ce côté-là. Je cherchais à qui confier une mission qui demande du secret... Oui, faites donc qu'il se hâte; je l'attends.

Quelques heures plus tard, trois chevaucheurs, par trois itinéraires différents, galopaient vers Lyon.

Le premier chevaucheur, passant par « le grand chemin », c'est-à-dire par Essonnes, Montargis et Nevers, portait sur sa cotte les armes de France. Ce chevaucheur était chargé d'une lettre par laquelle Charles de Valois annonçait à Philippe de Poitiers la mort de son frère, l'informait d'autre part de la nécessité devant laquelle il se trouvait, lui, Valois, pressé par les circonstances et désigné par les vœux du Conseil, d'exercer immédiatement la régence.

Le second chevaucheur, sous les marques du comte d'Évreux, et prenant « le chemin plaisant » par Provins et Troyes, avait ordre de s'arrêter d'abord à Dijon, chez le duc de Bourgogne, avant de poursuivre vers le comte de Poitiers; les messages qu'il allait délivrer n'avaient pas tout à fait la même teneur que celui de Charles de Valois.

Enfin, sur « le chemin court », par Orléans, Bourges et Roanne, courait Guccio Baglioni, chevaucheur d'occasion, dissimulé sous la livrée du comte de Bouville. Officiellement, Guccio était dépêché au cardinal Duèze; mais sa mission le conduisait aussi auprès du comte de Poitiers auquel il devait faire savoir, oralement, qu'il y avait présomption de poison sur la mort du roi et que la protection de la reine réclamait grande vigilance.

Les destins de la France étaient sur ces trois routes.

NOTES HISTORIQUES

1. — A cette époque, la messe qu'on célébrait à bord des navires, au pied du grand mât, était une messe particulière dite *messe aride* parce que sans consécration ni communion. Cette forme liturgique inaccoutumée était probablement due à la crainte que le mal de mer ne fît rejeter l'hostie.

2. — Le *marc* était une mesure de poids équivalente à 8 onces, soit une demi-livre, c'est-à-dire approximativement 244 grammes.

3. — L'organisation des établissements hospitaliers était généralement inspirée des statuts de l'Hôtel-Dieu de Paris.

L'hôpital était dirigé par un ou deux proviseurs, choisis par les chanoines de la cathédrale de la ville. Le personnel hospitalier se recrutait parmi des volontaires, après examen sévère par les proviseurs. A l'Hôtel-Dieu de Paris, ce personnel se composait de quatre prêtres, quatre clercs, trente frères et vingt-cinq sœurs. On n'admettait pas de maris et femmes parmi les volontaires. Les frères avaient la même tonsure que les Templiers ; les sœurs avaient les cheveux coupés comme les religieuses.

La règle imposée aux « hospitaliers » était d'une très grande sévérité. Frères et sœurs devaient promettre de garder la chasteté et de vivre dans le renoncement à tout bien. Aucun frère ne pouvait communiquer avec une sœur sans la permission du « maître » ou de la « maîtresse » nommés par les proviseurs pour diriger le personnel. Il était interdit aux sœurs de laver la tête ou les pieds des frères ; ces services n'étaient rendus qu'aux malades alités. Des châtiments corporels pouvaient être appliqués aux frères par le maître, et aux sœurs par la maîtresse. Aucun frère ne pouvait sortir seul dans la ville, ni avec un compagnon qui ne fût pas désigné par le maître ; ce règlement était le même pour les sœurs. Le personnel hospitalier n'avait pas le droit de recevoir des hôtes. Frères et sœurs ne pouvaient prendre que deux repas par jour, mais devaient offrir aux malades de la nourriture aussi souvent qu'ils en avaient besoin. Chaque frère devait coucher seul, vêtu d'une tunique de toile ou de laine et d'un caleçon; les sœurs également. Si un frère ou une sœur, à l'heure de sa mort, était trouvé en possession d'un bien ou d'un objet quelconque qu'il n'avait pas montré au maître ou à la maîtresse pendant le cours de sa vie, on ne devait faire pour lui aucun service religieux, et il était enseveli comme un excommunié.

L'entrée de l'hôpital était interdite à toute personne ayant avec elle un chien ou un oiseau.

Tout malade se présentant à l'hôpital était d'abord examiné par le «chirurgien de la porte» qui l'inscrivait sur un registre. Puis on lui attachait au bras un petit billet sur lequel étaient inscrits son nom et la date de son arrivée. Il recevait la communion; ensuite on le portait au lit, et il était traité «comme le maître de la maison».

L'hôpital devait toujours être pourvu de plusieurs robes de chambre fourrées et de plusieurs paires de chaussures, également fourrées, pour le «réchauffement» des malades.

Après guérison, et de crainte de rechute, le malade restait sept jours pleins à l'hôpital.

Les médecins, qu'on appelait *mires*, ou *physiciens*, portaient, ainsi que les chirurgiens, un costume distinctif. Les médicaments étaient préparés à l'apothicairerie de l'hôpital selon les indications du mire et du chirurgien.

L'hôpital accueillait non seulement les personnes atteintes de maladies passagères, mais aussi des infirmes.

La comtesse Mahaut d'Artois fit, à l'hôpital d'Arras, une fondation de dix lits garnis de matelas, oreillers, draps et couvertures, pour y coucher dix pauvres infirmes. Dans l'inventaire de cet hôpital, on trouve plusieurs grandes cuves de bois servant de baignoires, des bassins «pour mettre en dessous les pauvres en leur lit», de nombreuses cuvettes, plats à barbe, etc. La même comtesse d'Artois fonda également l'hôpital d'Hesdin.

4. — Les seigneurs souverains de Viennois portaient le nom de «dauphin» à cause du dauphin qui ornait leur casque et leurs armes, d'où la désignation de Dauphiné donnée à l'ensemble de la région sur laquelle ils exerçaient leur souveraineté, et qui comprenait: le Grésivaudan, le Roannez, le Champsaur, le Briançonnais, l'Embrunois, le Gapençais, le Viennois, le Valentinois, le Diois, le Tricastinois, et la principauté d'Orange.

Au début du XIVe siècle la souveraineté était exercée par la troisième Maison des dauphins de Vienne, celle de la Tour du Pin. Ce ne fut qu'à la fin du règne de Philippe VI de Valois, par les traités de 1343 et 1349, que le Dauphiné fut cédé par Humbert II à la couronne de France, sous condition que le fils aîné des rois de France prendrait désormais le titre de dauphin.

5. — Par extension de sens du mot latin *hostis*, ennemi, le terme d'*ost* servait à désigner une armée et particulièrement l'armée royale.

6. — Dans les premiers jours de juillet 1315, Louis X rendit deux ordonnances sur les Lombards. La première stipulait que les « casaniers », autrement dit résidents, italiens devraient payer un sou à la livre sur leurs marchandises, moyennant quoi ils seraient exemptés d'ost, de chevauchée et de toute subvention militaire. C'était donc là une taxe exceptionnelle de cinq pour cent.

La deuxième ordonnance, en date du 9 juillet, constituait un règlement général sur la résidence et le commerce des marchands italiens. Toutes les transactions d'or et d'argent en masse ou en billon, toutes les ventes, tous les achats, échanges de marchandises diverses étaient soumis à un impôt variant de un à quatre deniers par livre selon les régions et selon que le commerce était exercé sur les foires ou hors des foires. Les Italiens n'étaient plus autorisés à avoir de domicile fixe que dans les quatre villes de Paris, Saint-Omer, Nîmes, et La Rochelle. Il ne semble pas que cette dernière disposition ait jamais été scrupuleusement appliquée, mais les dérogations durent être d'assez bon rapport, soit pour les villes, soit pour le Trésor. Des courtiers, nommés par l'administration royale, étaient chargés de surveiller les activités commerciales des Lombards.

7. — La légende qui voulait que les Capétiens descendissent d'un riche boucher de Paris fut répandue en France par la *Chanson de geste de Hugues Capet*, pamphlet composé aux premières années du XIVᵉ siècle et vite oublié, sauf par Dante et plus tard par François Villon.

Dante accuse également Hugues Capet d'avoir déposé l'héritier légitime et de l'avoir enfermé dans un cloître. C'est là une confusion entre la fin des Mérovingiens et la fin des Carolingiens ; ce fut en effet le dernier roi de la première dynastie, Chilpéric III, qui fut enfermé dans un couvent. Le dernier descendant légitime de Charlemagne, à la mort de Louis V le Fainéant, était le duc Charles de Lorraine, qui voulut disputer le trône à Hugues Capet ; et ce n'est pas au cloître que le duc de Lorraine finit, mais dans une prison où l'avait jeté le duc de France.

Lorsque, au XVIᵉ siècle, François Iᵉʳ, se faisant lire sur le conseil de sa sœur *la Divine Comédie*, entendit le passage concernant les Capétiens, il arrêta le lecteur, s'écria : « Ah ! le méchant poète qui honnit ma maison ! », et refusa d'écouter davantage.

8. — En fait, étant entré le 1er novembre 1301 dans Florence que déchiraient les dissensions entre Guelfes et Gibelins, Charles de Valois livra la ville aux vengeances des partisans du pape. Puis vinrent les décrets de bannissement. Dante, gibelin notoire et inspirateur de la résistance, avait fait partie, l'été précédent, du conseil de la Seigneurie; puis, ayant été envoyé en ambassade à Rome, il y avait été retenu en otage. Il fut condamné par un tribunal florentin, le 27 janvier 1302, à deux ans d'exil et 5 000 livres d'amende, sous l'accusation fausse de prévarication dans l'exercice de sa charge. Le 10 mars suivant, on lui fit un nouveau procès et il fut condamné cette fois à être brûlé vif. Heureusement pour lui, il n'était pas à Florence, non plus qu'à Rome d'où il était parvenu à s'échapper; mais jamais plus il ne devait revoir sa patrie. On comprend aisément qu'il ait gardé à Charles de Valois et, par extension, à tous les princes français, une rancune tenace.

9. — Un certain nombre d'études et de témoignages incitent à conclure que l'ordre des Templiers survécut, de façon occulte et diffuse, pendant plusieurs siècles. On cite les noms de grands-maîtres secrets jusqu'au XVIIIe siècle. Il paraît à tout le moins évident que les Templiers, dans les années qui suivirent immédiatement la destruction de leur ordre, cherchèrent à se regrouper clandestinement. Jean de Longwy, neveu de Jacques de Molay, qui avait juré de venger la mémoire de son oncle sur les terres du comte de Bourgogne (c'est-à-dire de Philippe de Poitiers), fut le chef de cette organisation.

10. — Particulièrement révéré en Artois, Cambrésis et Hainaut, saint Druon était né en 1118 à Épinoy qui dépendait alors du diocèse de Tournai avant de dépendre de celui d'Arras. Saint Druon vint au jour grâce à une césarienne pratiquée sur le corps de sa mère déjà morte. Montrant dès ses jeunes années de grandes dispositions pour la piété, il fut en butte à la cruauté des autres enfants qui le traitaient d'assassin de sa mère. Se croyant coupable, il s'adonna à toutes les pratiques d'expiation, afin de se racheter de ce crime involontaire. A dix-sept ans, il renonça à la vie seigneuriale, distribua les biens considérables qu'il avait hérités, et s'engagea comme berger chez une veuve nommée Élisabeth Lehaire, au village de Sebourg, dans le comté de Hainaut, à treize kilomètres de Valenciennes. Il avait si grand amour des bêtes et les soignait si bien que tous les habitants du village lui demandèrent de garder leurs brebis en même temps que celles de la veuve Lehaire. C'est alors que les anges commencèrent à garder son troupeau pendant qu'il allait écouter la messe...

Puis il entreprit le pèlerinage de Rome, y prit goût, et le fit neuf fois de suite. Mais il dut renoncer aux voyages, souffrant d'une « rupture des intestins », mal qu'il supporta, paraît-il, pendant quarante ans, refusant de se laisser panser. En dépit de l'assez mauvaise odeur qu'il répandait, ses vertus attirèrent à lui nombre de pénitents de la région. Il demanda qu'on lui construisît contre l'église de Sebourg une logette d'où il pouvait avoir vue sur le tabernacle, et fit vœu de n'en pas sortir jusqu'à la fin de sa vie. Il tint fidèlement ce vœu, même le jour où l'église flamba, et la cabane aussi; et l'on vit bien qu'il était saint lorsque le feu l'épargna.

Il mourut le 16 avril 1189. De plusieurs lieues à la ronde, le peuple accourut en larmes pour lui baiser les pieds et emporter quelques morceaux du misérable vêtement qui le couvrait. Ses parents, les seigneurs d'Épinoy, voulurent rapporter son corps dans son village natal, mais le char où l'on avait placé la dépouille s'immobilisa à la sortie de Sebourg, et tous les chevaux que l'on amena en renfort furent incapables de le faire avancer d'un pas. On fut donc obligé de laisser le corps du saint là où il était mort.

Sa célébrité fut grandement accrue par la guérison miraculeuse du comte de Hainaut et de Hollande, lequel, souffrant horriblement de la gravelle, fit le pèlerinage de Sebourg et, à peine s'était-il agenouillé devant le tombeau de saint Druon, pour réciter une prière, rejeta « trois pierres de la grosseur d'une noix ».

La fête du saint est encore traditionnellement célébrée le lundi de la Pentecôte, en l'église paroissiale et au puits de Saint-Druon, à Carvin-Épinoy.

11. — Le dernier enfant et seul fils de Mahaut, prénommé Robert comme son cousin, n'avait alors que seize ans. Il n'eut le temps de jouer aucun rôle appréciable dans les événements de cette période; il devait en effet mourir avant d'avoir atteint dix-huit ans, en 1317. Son corps fut d'abord inhumé aux Cordeliers de Paris, puis transféré à Saint-Denis. Le gisant de Robert d'Artois que l'on voit à Saint-Denis n'est donc pas, précisons-le pour nos lecteurs, celui de notre héros — lequel devait être enterré à Londres — mais celui du fils de Mahaut.

12. — La date exacte du second mariage de Louis X est controversée. Certains auteurs le fixent au 3 août, d'autres au 13, ou même au 19. De même pour la date du sacre, qui varie selon les textes entre le 19, 21 et 24 août. Le recueil des ordonnances des rois de France, qui ne fut imprimé qu'au XVIIIe siècle, et dont la chronologie est loin d'être certaine, tendrait à établir que le roi se trouvait le 3 août à Reims, le 6 et le 7 à Soissons et le 18 à Arras. Or, étant donné que Louis X avait pris l'oriflamme à Saint-Denis le 24 juillet, il paraît matériellement impossible, si brève qu'ait été l'expédition de Flandre, qu'il ait eu le

temps de revenir de l'ost boueux et d'arriver dans la région champenoise avant le 10 août.

Nous avons retenu la date du 13 août, donnée par le Père Anselme, comme la plus plausible, car, le sacre devant toujours avoir lieu un dimanche ou un jour de grande fête religieuse, nous pensons que Louis X fut couronné, soit le 15 août, soit le dimanche 18 août; nous savons d'autre part que les fêtes données à cette occasion s'étendaient sur plusieurs jours, ce qui explique assez bien le flottement des dates.

13. — Toute la famille d'Hirson était pourvue de charges et de sinécures dans l'administration de l'Artois ou la maison de Mahaut. Outre Thierry, le chancelier, outre les deux demoiselles de parage prénommées Mahaut et Béatrice, Pierre d'Hirson était bailli d'Arras, Guillaume d'Hirson était panetier, autrement dit intendant de la comtesse, et l'on dénombre encore trois d'Hirson, neveux de Thierry, qui avaient des fonctions à la cour d'Artois.

14. — La fortune de Clémence de Hongrie, aussi bien en terres qu'en bijoux, et constituée essentiellement par des dons de Louis X, était énorme. Pendant la brève durée de leur mariage, Clémence de Hongrie ne reçut pas moins de quatorze châteaux dont certains comptaient parmi les plus importantes demeures royales.

15. — La licorne, animal légendaire, n'exista jamais que sur les blasons, fresques et tapisseries. Néanmoins son unique corne passait pour avoir un pouvoir de contrepoison universel. En fait, ce qu'on vendait à prix très élevé, sous le nom de corne de licorne, était la défense du narval, ou licorne de mer, dont on « touchait » les mets pour y déceler la présence d'une substance vénéneuse.

16. — Tous les ateliers de tapisserie signalés en Europe, et notamment en Italie et en Hongrie, à la fin du Moyen Age, avaient été fondés par des lissiers venus de Flandre ou d'Artois. La ville d'Arras est considérée comme ayant été le centre de cette industrie naissante au début du XIVᵉ siècle. Or, cette prospérité est expressément due à l'initiative de la comtesse Mahaut et aux encouragements qu'elle prodigua aux métiers qui constituaient la richesse de sa province.

Lorsque les tapissiers parisiens commencèrent à faire concurrence aux ateliers d'Artois, Mahaut ne marqua aucune préférence exclusive, et on la vit s'adresser également aux artisans de Paris.

L'inventaire des biens de la reine Clémence est un des premiers où l'on trouve mentionnés « huit tapis à images et à arbres, de la devise d'une chasse ».

17. — Eudes de Bourgogne venait de succéder à son frère Hugues V mort à Argilly au début de mai 1315 et enterré à Cîteaux, le 12 mai.

IV

LA LOI
DES MÂLES

« *Il faut au Prince avoir l'entendement prêt à tourner selon les vents de fortune... et ne pas s'éloigner du bien, s'il le peut, mais savoir entrer au mal s'il y a nécessité.* »

Machiavel

PROLOGUE

En l'espace de trois siècles et quart, de l'élection de Hugues Capet à la mort de Philippe le Bel, onze rois seulement avaient gouverné la France, tous laissant un fils pour leur succéder au trône.

Prodigieuse dynastie que celle des Capétiens! Le destin, jusque-là, semblait l'avoir marquée pour la durée. Sur les onze règnes, on n'en comptait que deux qui eussent couvert moins de quinze ans.

Cette extraordinaire continuité du pouvoir avait grandement contribué, et quelle qu'ait été la médiocrité de certains rois, à la formation de l'unité nationale.

Au lien féodal, lien purement personnel de vassal à suzerain, de plus faible à plus fort, se substituait progressivement cet autre lien, cet autre contrat qui unit les membres d'une vaste communauté humaine longtemps soumise aux mêmes vicissitudes et sous une même loi.

Si l'idée de nation n'était pas encore évidente, son principe, sa représentation existaient déjà dans la personne royale, source permanente d'autorité. Qui pensait « le roi » pensait aussi « la France ».

Reprenant les objectifs et les méthodes de Louis VI et de Philippe Auguste, ses plus remarquables devanciers, Philippe le Bel, pendant près de trente ans, s'était appliqué à charpenter, à maçonner cette unité naissante; mais le ciment était encore frais.

Or, à peine le Roi de fer disparu, son fils Louis X le suivait au tombeau. Le peuple ne pouvait manquer, dans ces deux décès survenus coup sur coup, de voir le signe de la fatalité.

Le douzième roi avait régné dix-huit mois, six jours et dix heures, juste le temps suffisant à ce piètre monarque pour compromettre en grande partie l'œuvre de son père.

Durant son passage au trône, Louis X s'était surtout signalé en faisant assassiner sa première femme, Marguerite de Bourgogne, en envoyant à la pendaison le principal ministre de Philippe le Bel, Enguerrand de Marigny, et en réussissant à enliser une armée entière dans la boue des Flandres. Tandis qu'une famine décimait le peuple, deux provinces *s'étaient révoltées, sous l'inspiration des barons. La haute noblesse reprenait le pas sur le pouvoir royal; la réaction était toute-puissante et le Trésor à sec.*

Louis X avait reçu la couronne alors que le monde était sans pape; il partait avant qu'on soit parvenu à s'accorder sur le choix d'un pontife.

Et maintenant la France était sans roi.

Car, de son premier mariage, Louis ne laissait qu'une fille de cinq ans, Jeanne de Navarre, fortement soupçonnée de bâtardise. Quant au fruit de son second mariage, il ne constituait, pour l'heure, qu'une fragile espérance; la reine Clémence était enceinte, mais n'accoucherait que dans cinq mois.

Enfin, l'on disait ouvertement que le Hutin avait été empoisonné.

Que serait, dans de telles conditions, le treizième règne?

Rien n'était prévu pour l'organisation de la régence. A Paris, le comte de Valois cherchait à se faire reconnaître régent. A Dijon, le duc de Bourgogne, frère de la reine étranglée et chef d'une puissante ligue baronniale, n'allait pas manquer de se poser en défenseur des droits de sa nièce, Jeanne de Navarre. A Lyon, le comte de Poitiers, premier frère du Hutin, se trouvait aux prises avec les intrigues des cardinaux et s'efforçait en vain d'obtenir une décision du conclave. Les Flamands n'attendaient que l'occasion de reprendre les armes, et les seigneurs d'Artois continuaient leur guerre civile.

En fallait-il autant pour rappeler à la mémoire populaire l'anathème lancé par le grand-maître des Templiers, deux ans auparavant, du haut de son bûcher? Dans une époque prompte aux croyances, le peuple de France pouvait aisément se demander, en cette première semaine de juin 1316, si la race capétienne n'était pas désormais maudite.

PREMIÈRE PARTIE

PHILIPPE PORTES-CLOSES

I

LA REINE BLANCHE

Les reines portaient le deuil en blanc.

Blanche la guimpe de toile fine qui enserrait le cou, emprisonnait le menton jusqu'à la lèvre, et ne laissait apparaître que le centre du visage ; blanc le voile qui couvrait le front et les sourcils ; blanche la robe fermée aux poignets et tombant jusqu'aux pieds. C'était la tenue presque monacale que venait de revêtir, à vingt-trois ans et sans doute pour le reste de sa vie, Clémence de Hongrie, veuve de Louis X.

Nul désormais ne verrait plus ses admirables cheveux d'or, ni l'ovale parfait des joues, ni cet éclat, cette splendeur tranquille qui avaient rendu célèbre sa beauté. La reine Clémence avait déjà pris l'aspect de son tombeau.

Pourtant, sous les plis de sa robe, une nouvelle vie était en train de se former ; et Clémence était obsédée par la pensée que son époux ne connaîtrait jamais l'enfant qu'elle attendait.

« Si Louis, seulement, avait assez vécu pour le voir naître ! Cinq mois, seulement cinq mois de plus ! Comme il en aurait eu joie, surtout si c'est un fils... Ou bien que n'ai-je été prégnante dès le soir de nos noces !... »

Elle tourna la tête, avec lassitude, vers le comte de Valois qui, d'un pas de coq gras, marchait à travers la pièce.

— Mais pourquoi, mon oncle, pourquoi l'aurait-on méchamment empoisonné ? demanda-t-elle. Ne faisait-il pas tout le bien qu'il pouvait ? Pourquoi cherchez-vous toujours la perfidie des hommes là où ne se montre sans doute que la volonté de Dieu ?

— Vous êtes bien la seule à rendre à Dieu, en l'occasion, ce qui semble plutôt appartenir aux artifices du diable, répondit Charles de Valois.

Un chaperon à grande crête rabattu vers l'épaule, le nez fort, la joue large et colorée, l'estomac en avant, et habillé du même vêtement de velours noir orné de queues d'hermines et de fermaux d'argent qu'il avait arboré, dix-huit mois auparavant, pour l'enterrement de son frère Philippe le Bel, Monseigneur de Valois arrivait de Saint-Denis, où il avait assisté à l'inhumation de Louis. Cérémonie d'ailleurs qui n'était pas sans avoir posé quelques problèmes préalables; pour la première fois, depuis qu'il existait un rituel des obsèques royales, les officiers de l'Hôtel, après avoir crié: « Le Roi est mort! », ne pouvaient ajouter: « Vive le Roi! »; et l'on ne savait devant qui accomplir les gestes destinés au nouveau souverain.

— Eh bien! vous casserez votre bâton devant moi, avait dit Valois au grand chambellan Mathieu de Trye. Je suis l'aîné de la famille et le mieux désigné.

Mais son demi-frère, le comte d'Évreux, s'était élevé contre cette étrange prétention.

— Si vous entendez l'aînesse en un sens aussi large, ce n'est pas vous, Charles, qui la détenez, mais notre oncle Robert de Clermont, le fils de Saint Louis. Oubliez-vous qu'il est encore vivant?

— Vous savez bien que le pauvre homme est fol, et qu'on ne peut se fonder en rien sur cette tête perdue, avait répliqué Valois en haussant les épaules.

Finalement, à l'issue du repas servi dans l'abbaye, c'était devant une chaise vide que le grand chambellan avait brisé l'insigne de ses fonctions...

Clémence reprit:

— Louis ne faisait-il pas l'aumône aux infortunés? Ne remettait-il pas, le plus possible, leurs peines aux prisonniers? Je puis témoigner de la générosité de son âme, et de sa piété. De ses péchés anciens, il se repentait...

Le moment était évidemment mal choisi pour mettre en doute les vertus dont la reine voulait orner la mémoire toute fraîche de son époux. Charles de Valois, néanmoins, ne put retenir un mouvement d'humeur.

— Je sais, ma nièce, je sais que vous avez eu sur Louis une très pieuse influence, et qu'il s'est montré fort généreux... avec vous. Mais on ne gouverne pas seulement par des patenôtres, ni en couvrant de dons ceux-là qu'on aime. Et la repentance ne suffit pas à désarmer les haines qu'on a semées.

Clémence pensa: « Voilà... Voilà celui qui s'empressait si fort autour de Louis, et qui déjà le renie. Quant à moi, on me reprochera bientôt les présents qu'il m'a faits. Je suis devenue l'étrangère... »

Trop faible, trop brisée par les nuits d'insomnie et les journées de larmes pour trouver la force de discuter, elle ajouta seulement:

— Je ne puis croire que Louis ait été haï à ce point qu'on l'ait voulu tuer.

— Eh bien, n'y croyez pas, ma nièce, s'écria Valois; mais le fait est là! La preuve nous est fournie par le chien qui lécha les toiles dans lesquelles les embaumeurs avaient déposé les entrailles, et qui est crevé l'heure d'après.

Clémence serra les mains sur les bras de son siège pour ne pas chanceler devant la vision qu'on lui imposait. Son masque étroit et pathétique, les yeux clos, devint aussi pâle que la guimpe et le voile où il s'encadrait. Le cadavre, l'embaumement, les viscères arrachés, et ce chien qui rôdait, qui léchait les linges sanglants... Se pouvait-il qu'il s'agît de Louis, de l'homme qui avait dormi auprès d'elle, pendant dix mois?

Monseigneur de Valois continuait de développer ses conclusions macabres. Quand donc se tairait-il, ce personnage agité, autoritaire, vaniteux qui, tantôt vêtu de bleu, tantôt d'écarlate, tantôt de noir, apparaissait, à chaque heure importante ou tragique, depuis qu'elle était en France, pour la chapitrer, l'assourdir de paroles et la faire agir contre son gré? Dès le matin de ses noces... Et Clémence se rappela le jour de son mariage, à Saint-Lyé; elle revit la route de Troyes, l'église de campagne, la chambre du petit château, hâtivement aménagée en logis nuptial... «Ai-je su assez goûter mon bonheur?... Non, je ne pleurerai pas devant lui», se dit-elle.

— Quel est l'auteur de cet horrible forfait, poursuivait Valois, nous ne savons pas encore; mais nous le découvrirons, ma nièce, je vous en fais promesse solennelle... à la condition bien sûr qu'on m'en reconnaisse les moyens. Nous autres rois...

Valois ne perdait jamais l'occasion de rappeler qu'il avait porté deux couronnes, purement nominales, mais qui le plaçaient quand même sur pied d'égalité avec les princes souverains.

— ... nous autres rois avons des ennemis qui le sont moins de notre personne que des décisions de notre puissance. Les gens ne manquent pas qui pouvaient avoir intérêt à vous rendre veuve. D'abord, il y a les Templiers... dont on a eu grand tort de détruire l'Ordre, l'avais-je assez dit!... qui ont formé ligue secrète et juré la perte de notre maison. Mon frère est mort, son premier fils le suit! En second lieu, il y a les cardinaux romains. Rappelez-vous que le cardinal Caëtani a tenté de faire envoûter Louis et votre beau-frère Philippe, dans l'intention déclarée de les envoyer tous deux les pieds outre. Caëtani a bien pu chercher à frapper par un autre moyen. Que voulez-vous? On ne déloge pas le pape du trône de saint Pierre, comme mon frère l'a fait, sans semer d'inexpiables ressentiments. En tout cas, Louis est mort... Nous ne pouvons non plus écarter de nos soupçons nos parents de Bourgogne, qui ont mal accepté la réclusion infligée à Marguerite, et plus mal encore que vous l'ayez remplacée. Ils se sont, à ce sujet, répandus en vilenies...

Clémence le regarda droit dans les yeux. Charles de Valois se troubla et rougit un peu. Il comprit que Clémence savait. Mais Clémence ne dit rien. Elle éviterait toujours d'aborder ce sujet. Elle se sentait chargée d'une culpabilité involontaire. Car cet époux dont elle vantait l'âme vertueuse avait tout de même, avec la complicité de Valois et de d'Artois, fait étouffer sa première femme, afin de pouvoir l'épouser, elle, la nièce du roi de Naples.

— Et puis il y a la comtesse Mahaut, votre voisine, qui n'est pas femme à reculer devant un crime, fût-ce le pire, se hâta d'enchaîner Valois.

« En quoi est-elle différente de vous ? pensa Clémence sans oser lui répondre. Il ne semble pas que, dans cette cour, on hésite beaucoup à tuer. »

— Or Louis, voici moins d'un mois, venait de lui confisquer le comté d'Artois, pour l'obliger à se soumettre.

Un instant, Clémence se demanda si Valois, à désigner tant de coupables possibles, ne cherchait pas à brouiller les pistes, et s'il n'était pas lui-même l'auteur du meurtre. Cette pensée, qui ne pouvait s'appuyer d'ailleurs sur rien de sensé, lui fit horreur. Non, elle s'interdisait de soupçonner personne ; elle voulait que Louis fût décédé de mort naturelle... Pourtant le regard de Clémence, inconsciemment, se porta, par la fenêtre ouverte, sur les frondaisons de la forêt de Vincennes, vers le sud, dans la direction du château de Conflans, résidence de la comtesse Mahaut... Quelques jours avant la mort de Louis, Mahaut, en compagnie de sa fille, Jeanne de Poitiers, était venue faire visite à Clémence. Une fort aimable visite. On avait admiré les tapisseries de la chambre...

« Rien n'est plus avilissant que d'imaginer un félon dans son entourage, pensait Clémence, et de commencer à chercher la trahison sur chaque visage... »

— C'est pourquoi, ma chère nièce, reprit Valois, il vous faut rentrer à Paris ainsi que je vous le demande. Vous savez combien je vous aime. Votre père était mon beau-frère. Entendez-moi comme vous l'entendriez, si Dieu nous l'avait conservé. La main qui a frappé Louis peut poursuivre sa vengeance sur vous et sur votre fruit. Je ne saurais vous laisser ainsi, au milieu de la forêt, livrée aux entreprises des méchants, et je n'aurai de paix que vous ne soyez établie au plus près de moi.

Depuis une heure, Valois s'efforçait d'obtenir de Clémence qu'elle regagnât le palais de la Cité, parce qu'il avait décidé de s'y transporter lui-même. Ceci formait pièce du plan qu'il avait conçu pour s'imposer dans la fonction de régent. Qui commandait en maître au Palais prenait figure royale. Mais, à s'y installer seul, Valois courait le risque que ses adversaires l'accusassent de coup de force ou d'usurpation. Si, au contraire, il entrait dans la Cité derrière sa nièce Clémence, comme son plus proche parent et protecteur, personne ne pourrait validement s'y opposer et le Conseil des pairs se trouverait devant le fait accompli. Le ventre de la reine était, dans le moment présent, le meilleur gage de prestige et le plus efficace outil de gouvernement.

Clémence leva les yeux, comme pour demander assistance, vers un troisième personnage, un homme bedonnant, grisonnant, qui se tenait debout auprès d'elle, et, immobile, les mains croisées sur la garde d'une haute épée, suivait silencieusement l'entretien.

— Bouville, que dois-je faire?... murmura-t-elle.

L'ancien grand chambellan de Philippe le Bel, nommé curateur au ventre aussitôt après la mort du Hutin, avait pris sa nouvelle mission plus qu'au sérieux, au tragique. Ce brave seigneur, serviteur exemplaire de la maison royale, avait constitué une garde de vingt-quatre gentilshommes soigneusement choisis, qui se relayaient par groupes de six à la porte de la reine. Lui-même s'était habillé en guerre, et il suait à grosses gouttes, par la chaleur de juin, sous sa cotte de mailles. Les murs, les cours, les abords de Vincennes, étaient truffés d'archers. Chaque valet de cuisine devait être en permanence escorté d'un sergent. Même les dames de parage étaient fouillées avant de pénétrer dans les appartements. Jamais vie humaine n'avait été plus étroitement protégée que celle qui sommeillait dans le sein de la reine de France.

Bouville partageait sa charge avec le vieux sire de Joinville. Mais le sénéchal héréditaire de Champagne, le compagnon de Saint Louis, avait maintenant quatre-vingt-douze ans, ce qui faisait de lui, probablement, le doyen de la haute noblesse française. Il était à demi aveugle, et aspirait surtout à regagner, comme chaque été, son château de Wassy sur la Marne, où il vivait somptueusement du revenu des dotations à lui accordées par trois rois. En vérité, il somnolait la plus grande partie du temps, et toutes les tâches incombaient à Bouville.

Celui-ci, aux yeux de Clémence, représentait les souvenirs heureux. Ambassadeur d'abord venu pour demander sa main, puis pour la conduire de Naples jusqu'en France, il était son confident et sans doute le seul ami véritable qu'elle comptât à la cour.

Bouville comprit bien que Clémence ne voulait pas bouger de Vincennes.

— Monseigneur, dit-il à Valois, je puis mieux assurer la garde de la reine dans ce manoir étroitement clos de murailles que dans le grand palais de la Cité ouvert à tout venant. Et si c'est le voisinage de la comtesse Mahaut que vous redoutez, je puis vous apprendre, car on me tient informé de tous les mouvements d'alentour, que Madame Mahaut fait en ce moment charger ses chariots pour Paris.

Valois ne laissait pas d'être assez agacé de l'autorité prise par Bouville depuis qu'il était curateur, et de son insistance à demeurer là, planté sur son épée, à côté de la reine.

— Messire Hugues, dit-il avec hauteur, vous avez charge de veiller au ventre, et non de décider de la résidence de la famille royale ni de défendre à vous seul tout le royaume.

Sans se troubler, Bouville répondit :

— Dois-je aussi vous faire observer, Monseigneur, que la reine ne peut se montrer avant quarante jours écoulés depuis son deuil ?

— Je vous en remercie ; mais je connais aussi bien que vous les usages, Bouville. Qui vous dit que la reine devra se montrer ? Nous la ferons cheminer en char fermé... Enfin, ma nièce, s'écria Valois, ne croirait-on pas que je veux vous envoyer au-delà des mers, et que Vincennes est à mille lieues de Paris !

— Comprenez-moi, mon oncle, répondit faiblement Clémence, ce séjour de Vincennes est le dernier don que j'ai reçu de Louis. Il m'a fait présent de cette maison quelques heures avant qu'il meure, là... Il me semble qu'il n'en est pas encore vraiment parti. Comprenez... C'est ici que nous avons eu...

Mais Monseigneur de Valois ne pouvait rien entendre aux exigences du cœur ni aux imaginations de la douleur.

— Votre époux, pour lequel nous prions, ma chère nièce, appartient désormais au passé du royaume. Mais vous, vous en détenez l'avenir. En exposant votre vie, vous exposez celle de votre enfant. Louis, qui vous voit de là-haut, ne vous le pardonnerait pas.

Il avait touché juste, et Clémence, sans rien dire, s'affaissa un peu sur son siège.

Mais Bouville déclara que rien ne se pouvait décider sans l'accord de messire de Joinville qu'il envoya chercher sur-le-champ. On attendit plusieurs minutes. Puis la porte s'ouvrit, et l'on attendit encore. Enfin, vêtu d'une longue robe de soie comme on en portait au temps de la croisade, tremblant sur ses membres, la peau tachée et pareille à une écorce d'arbre, la paupière larmoyante, la prunelle pâlie, le dernier compagnon de Saint Louis apparut, traînant les semelles, et soutenu par un écuyer presque aussi chenu que lui. On l'assit avec tous les égards qu'on lui devait, et Valois entreprit de lui expliquer ses intentions concernant la reine. Le vieillard écoutait, hochant la tête avec componction, et visiblement satisfait d'avoir encore un rôle à jouer. Quand Valois eut achevé, le sénéchal s'abîma dans une méditation que chacun se garda de troubler ; on attendait l'oracle qui allait tomber de sa bouche. Et soudain Joinville demanda :

— Mais adoncques, où est le roi ?

Valois prit une expression désolée. Tant de peine dépensée en vain, alors que le temps pressait ! Le sénéchal saisissait-il encore ce qu'on lui disait ?

— Voyons, le roi est mort, messire, et nous l'avons descendu en terre ce matin. Vous savez bien que vous avez été nommé curateur...

Le sénéchal plissa le front et parut faire un grand effort de réflexion. Il perdait de plus en plus le souvenir de l'immédiat. Depuis longtemps déjà il était sujet à cette sorte de défaillance; ainsi, il ne s'était pas aperçu, en dictant à quatre-vingts ans passés ses fameux *Mémoires*, qu'il répétait presque textuellement vers la fin de la seconde partie ce qu'il avait conté dans la première...

— Ah!... notre jeune sire Louis, dit-il enfin. Il est mort... C'est à lui que j'avais présenté mon grand livre *[1]. Savez-vous que voici le... quatrième roi que je vois trépasser?

Il annonçait cela comme s'il se fût agi d'un exploit.

— Adonèques, si le roi est mort, la reine est régente, ajouta-t-il.

Monseigneur de Valois devint pourpre. Il avait cru, connaissant la décrépitude de l'un et la nature dévouée de l'autre, qu'il pourrait manœuvrer les deux curateurs à sa guise; son calcul se retournait contre lui. L'extrême vieillesse et l'extrême scrupule semblaient se liguer pour lui créer des difficultés.

— La reine n'est pas régente, messire sénéchal, elle est grosse, s'écria-t-il. Voyez son état, et si elle est en mesure de satisfaire aux tâches du royaume!

— Vous savez que je ne vois mie, répondit le vieillard.

Le front dans la main, Clémence pensait seulement: « Mais quand finiront-ils? Mais quand me laisseront-ils en paix? »

Joinville commença d'expliquer dans quelles conditions, à la mort du roi Louis Huitième, la reine Blanche de Castille avait assumé la régence, pour la grande satisfaction de tous.

— Madame Blanche, cela se disait bien bas, n'était pas toute pureté comme l'image qu'on en a faite. Et il paraît que le comte Thibaut, dont mon père était bien compaing, la servit jusque dans son lit...

Il fallut le laisser parler. Le sénéchal, s'il oubliait les événements de la veille, gardait une mémoire précise des médisances qui couraient dans sa prime jeunesse. Il avait trouvé un auditoire et en profitait. Ses mains, agitées d'un tremblement sénile, raclaient sans relâche la soie de sa robe, sur ses genoux.

— Et même quand notre saint roi partit pour la croisade, où je fus avec lui...

— La reine résidait à Paris pendant ce temps, n'est-il pas vrai? coupa Charles de Valois.

— Certes... certes... fit le sénéchal.

Ce fut Clémence qui la première lâcha prise.

---

* Les numéros dans le texte renvoient aux « Notes historiques », page 807. Le lecteur trouvera en fin de volume page 817, le « Répertoire biographique » des personnages.

— Eh bien, soit! mon oncle, fit-elle, je ferai votre volonté et rentrerai à la Cité.

— Ah! Voilà enfin sage décision, qu'approuve sûrement messire de Joinville.

— Certes... certes...

— Je m'en vais prendre toutes mesures. Votre escorte sera commandée par mon fils Philippe et notre cousin Robert d'Artois...

— Grand merci, mon oncle, grand merci, dit Clémence. Mais maintenant, je demande en grâce qu'on me laisse prier.

Une heure plus tard, en exécution des ordres du comte de Valois, le château de Vincennes était en plein bouleversement. On sortait les chariots des remises; les fouets claquaient sur la croupe des gros chevaux du Perche. Des serviteurs passaient en courant; les archers avaient abandonné leurs armes pour prêter la main aux hommes d'écurie. Alors que depuis le deuil tout le monde s'était senti tenu de parler à voix basse, chacun maintenant se découvrait une occasion de crier.

A l'intérieur du manoir, les tapissiers dépendaient les tentures à images, démontaient les meubles, transportaient les crédences, les dressoirs et les coffres. Les officiers de l'hôtel de la reine et les dames de parage s'affairaient aussi à leurs propres bagages. On comptait sur un premier train de vingt voitures et sans doute faudrait-il deux autres voyages pour en avoir fini.

Clémence de Hongrie, dans sa longue robe blanche, errait de pièce en pièce, toujours escortée par Bouville. Partout la poussière, la sueur, l'agitation et cet aspect de pillage dont s'accompagnent les déménagements. L'argentier, inventaire en main, surveillait l'expédition de la vaisselle et des objets précieux qui, rassemblés, couvraient tout le dallage d'une salle: plats de table, aiguières, et les douze hanaps de vermeil que Louis avait fait faire pour Clémence, et le grand reliquaire d'or contenant un fragment de la Vraie Croix, ouvrage si lourd que l'homme chargé de le déplacer ahanait dessous comme s'il montait au Calvaire.

Dans la chambre de la reine, la lingère Eudeline, qui avait été la première maîtresse du Hutin, présidait à l'emballage des vêtements.

— A quoi bon... à quoi bon emporter toutes ces robes, puisqu'elles ne me serviront plus de rien! dit Clémence.

Et les bijoux aussi, dont les écrins s'amassaient dans des coffres de fer, tous ces colliers, ces fermaux, ces bagues, ces pierres rares dont Louis l'avait comblée durant le bref temps de leurs noces, lui apparaissaient désormais comme des objets inutiles. Même les trois couronnes chargées d'émeraudes, de rubis et de perles, étaient trop hautes et trop ornées pour une veuve. Un simple cercle d'or à courtes fleurs de lis, posé par-dessus le voile, serait le seul joyau auquel elle aurait droit, maintenant.

« Je suis devenue une reine blanche, comme ma grand-mère Marie de Hongrie, et je dois me modeler sur elle. Mais ma grand-mère avait passé soixante ans et donné le jour à treize enfants... Mon époux ne verra même pas le sien... »

— Madame, demanda Eudeline, dois-je venir avec vous au Palais? Nul ne m'a donné d'ordres...

Clémence regarda cette belle femme blonde qui, oubliant toute jalousie, lui avait été de si grand secours durant ces derniers mois et surtout pendant l'agonie de Louis. « Il a eu une enfant d'elle, et cette enfant il l'a éloignée, il l'a enfermée au cloître... » Elle se sentait comme héritière de toutes les fautes commises par son époux avant qu'il la connût. Elle disposerait de toute sa vie pour payer à Dieu, par les larmes, la prière et l'aumône, le lourd prix de l'âme de Louis.

— Non, murmura-t-elle, non, Eudeline; ne m'accompagne point. Il faut que quelqu'un qui l'ait aimé demeure ici.

Et puis, écartant même Bouville, elle alla se réfugier dans la seule pièce calme, la seule qu'on eût respectée, la chambre où Louis était mort.

Il y faisait sombre derrière les rideaux tirés. Clémence vint s'agenouiller auprès du lit, posa les lèvres sur la couverture de brocart.

Soudain, elle entendit un grattement d'ongle contre une étoffe. Elle ressentit une angoisse qui eût pu lui prouver qu'elle avait encore envie de vivre. Elle demeura un moment immobile, retenant son souffle. Derrière elle le grattement continuait. Prudemment, elle tourna la tête. C'était le sénéchal de Joinville qui somnolait dans un siège à haut dossier, en attendant le départ.

II

UN CARDINAL
QUI NE CROYAIT PAS À L'ENFER

La nuit de juin commençait à pâlir ; déjà, du côté de l'est, une mince frange grise au pied du ciel annonçait l'aurore qui allait bientôt se lever sur la cité de Lyon.

C'était l'heure où les charrois se mettaient en marche dans les campagnes avoisinantes pour porter vers la ville les légumes et les fruits, l'heure où les chouettes se taisaient et où les passereaux ne chantaient pas encore. C'était aussi l'heure où, derrière les étroites fenêtres d'un des appartements d'honneur de l'abbaye d'Ainay, le cardinal Jacques Duèze songeait à la mort.

Le cardinal n'avait jamais eu grand besoin de dormir ; mais avec l'âge ce besoin ne cessait de s'amenuiser. Trois heures de sommeil lui suffisaient amplement. Peu après minuit, il se levait et s'installait devant son écritoire. Homme d'intelligence rapide et de savoir prodigieux, rompu à toutes les disciplines de la pensée, il avait composé des traités de théologie, de droit, de médecine et d'alchimie qui faisaient autorité parmi les clercs et docteurs de son temps.

En cette époque où la grande espérance du pauvre comme celle du prince était la fabrication de l'or, on se référait beaucoup aux doctrines de Duèze sur les élixirs destinés à la transmutation des métaux.

Ainsi pouvait-on lire dans son ouvrage intitulé l'*Élixir des Philosophes* de telles définitions qui donnaient à méditer :

« *Les choses dont on peut faire élixir sont trois : les sept métaux, les sept esprits, et les autres choses... Les sept métaux sont soleil, lune, cuivre, étain, plomb, fer et vif-argent ; les sept esprits sont argent vif, soufre, sel ammoniac, orpiment, tutie, magnésie, marcassite ; et les autres choses sont vif-argent, sang d'homme, sang de cheveux et d'urine, et l'urine est de l'homme...* »

Ou encore de simples recettes, comme celle pour « épurger » l'urine d'enfant : « *Prends-la et mets-la en pot et la laisse reposer trois jours ou quatre ; puis la coule légèrement ; laisse encore reposer tant que l'ordure soit au fond. Et la cuis bien et l'écume tant qu'elle devienne de la tierce partie ; puis la distille par feutre et la garde en un pot bien étoupé, pour la corruption de l'air.* »

A soixante-douze ans, le cardinal découvrait encore des domaines profanes ou sacrés dans lesquels il ne s'était pas exprimé, et il complétait son œuvre pendant que ses semblables dormaient. Il usait à lui seul autant de cierges que toute une communauté de moines.

Au long de ses nuits, il travaillait aussi à l'énorme correspondance qu'il entretenait avec nombre de prélats, d'abbés, de juristes, de savants, de chanceliers et de princes souverains à travers l'Europe. Son secrétaire et ses copistes trouvaient au matin leur labeur préparé pour la journée entière.

Également, il se penchait souvent sur les cartes astrologiques de ses rivaux à la tiare, les comparait à son ciel personnel, et interrogeait les planètes afin de savoir qui deviendrait pape. D'après ses calculs, ses plus fortes chances personnelles se plaçaient entre le début d'août et le début de septembre de l'année présente. Or, on était déjà le 10 juin, et rien ne semblait se dessiner...

Puis venait le moment pénible d'avant l'aube. Comme habité du pressentiment que ce serait à cette heure-là qu'il lui faudrait un jour quitter le monde, le cardinal éprouvait alors une angoisse diffuse, un vague malaise tant du corps que de l'esprit. La fatigue aidant, il s'interrogeait sur ses actes accomplis. Ses souvenirs lui présentaient le développement d'une extraordinaire destinée... Issu d'une famille bourgeoise de Cahors, et ayant embrassé l'état ecclésiastique, il semblait à quarante-quatre ans, devenu archiprêtre, au sommet de la carrière à laquelle il pouvait raisonnablement prétendre. Or sa fortune n'avait pas encore débuté. L'occasion s'étant offerte de partir pour Naples, en compagnie d'un de ses oncles qui allait y faire commerce, le voyage, le dépaysement, la découverte de l'Italie, avaient agi sur lui d'étrange sorte. Quelques jours après avoir débarqué, il entrait en relation avec le précepteur des enfants royaux, se faisait son disciple, et se lançait dans les études abstraites avec une passion, une agilité de compréhension, une souplesse de mémoire qu'eussent pu lui envier les adolescents les mieux doués. Il ignorait la faim, tout comme il ignorait la nécessité du sommeil. Bientôt docteur en droit canon, puis en droit civil, son nom avait commencé de se répandre. La cour de Naples recherchait les avis du clerc de Cahors.

Après l'appétit de savoir lui était venu l'appétit de puissance. Conseiller du roi Charles II le Boiteux — grand-père de la reine Clémence — puis secrétaire des conseils secrets et pourvu de nombreux bénéfices ecclésiastiques, dix ans après son arrivée il se trouvait nommé évêque de Fréjus, et un peu plus tard accédait à la fonction de chancelier du royaume de Naples, c'est-à-dire de premier ministre d'un État qui comprenait à la fois l'Italie méridionale et tout le comté de Provence.

Une si fabuleuse ascension, parmi les intrigues des cours, n'avait pu s'accomplir grâce seulement à des talents de juriste et de théologien. Un trait, connu d'assez peu de gens, car il relevait du secret à la fois d'Église et d'État, montrait bien l'astuce et l'aplomb dont Duèze était capable.

Quelques mois après la mort de Charles II, il avait été envoyé en mission à la cour papale, dans un moment où l'évêché d'Avignon, le plus important alors de toute la chrétienté puisque résidence du Saint-Siège, était vacant. Toujours chancelier, et donc détenteur des sceaux, il rédigea tranquillement une lettre par laquelle le nouveau roi de Naples, Robert, demandait pour lui, Jacques Duèze, le siège épiscopal d'Avignon. Ceci se passait en 1310. Clément V, soucieux de se ménager l'appui de Naples en une période où il rencontrait beaucoup de difficultés du côté de la France, accéda aussitôt à la requête. La supercherie se découvrit un peu plus tard, lorsque Clément, recevant la visite de Robert, pape et roi se témoignèrent leur mutuelle surprise, le premier de n'avoir pas reçu de plus chauds remerciements pour une si grande faveur accordée, le second de n'avoir pas été consulté sur une nomination qui le privait de son chancelier. Plutôt que de faire éclater un inutile scandale, ils choisirent d'accepter la chose de bonne grâce. Chacun s'en trouva bien. Maintenant Duèze était cardinal de curie, et l'on étudiait ses ouvrages dans toutes les universités.

Mais, si étonnante que soit une destinée, elle n'apparaît telle qu'à ceux qui la regardent de l'extérieur. Les jours vécus, qu'ils aient été emplis ou vides, agités ou tranquilles, sont tous également des jours enfuis, et la cendre du passé a le même poids dans toutes les mains.

Tant d'ardeur, d'ambition, d'énergie dépensées avaient-elles un sens lorsque tout devait, inéluctablement, basculer dans cet Au-delà dont les plus hautes intelligences et les plus difficiles sciences humaines n'arrivaient à saisir que d'indéchiffrables lambeaux? Pourquoi vouloir devenir pape? N'eût-il pas été plus sage de s'enfermer au fond d'un cloître, dans le détachement de tout? Se dépouiller et de l'orgueil de la connaissance et de la vanité de dominer, acquérir l'humilité de la foi la plus simple... se préparer à disparaître... Or même cette sorte de méditation prenait, chez le cardinal Duèze, le tour d'une spéculation abstraite, et son anxiété de mourir se transformait bientôt en débat théologique.

« Les docteurs nous assurent, pensait-il ce matin-là, que les âmes des justes après la mort jouissent immédiatement de la vision béatifique de

Dieu, qui est leur récompense. Soit, soit... Mais les Écritures nous disent aussi qu'à la fin du monde, quand les corps ressuscités auront rejoint leurs âmes, nous serons tous jugés en dernier Jugement. Il y a là une grande contradiction. Comment Dieu, totalement souverain, omniscient et parfait, aurait-il à évoquer deux fois le même cas devant son propre tribunal, et comment pourrait-il juger en appel de ses propres sentences? Dieu n'est point susceptible d'erreur; et imaginer un double arrêt de sa part, ce qui suppose révision, donc erreur, est une impiété et même une hérésie... Du reste, ne convient-il pas que l'âme n'entre en possession de la joie de son Seigneur qu'au moment où, réunie à son corps, elle sera elle-même parfaite en sa nature? Donc... donc les docteurs se trompent. Donc il ne saurait y avoir ni béatitude proprement dite ni vision béatifique avant la fin des temps, et Dieu ne se laissera contempler qu'après le Jugement dernier. Mais jusque-là, où se trouvent alors les âmes des morts? Est-ce que nous n'irions pas attendre *sub altare dei*, sous cet autel de Dieu dont parle saint Jean dans son Apocalypse?... »

Les pas d'un cheval, bruit inaccoutumé à pareille heure, retentirent le long des murs de l'abbaye, sur les petits galets ronds qui pavaient les meilleures rues de Lyon. Le cardinal prêta l'oreille un instant, puis revint à son argumentation, qui procédait tout droit de sa formation juridique et dont les conséquences allaient le surprendre lui-même.

« ... Car si le paradis est vide, cela modifie singulièrement la situation de ceux que nous décrétons saints ou bienheureux... Mais ce qui est vrai pour les âmes des justes l'est forcément aussi pour l'âme des injustes. Dieu ne saurait punir les méchants avant d'avoir récompensé les bons. C'est à la fin du jour que l'ouvrier reçoit son salaire; c'est à la fin du monde que le bon grain et l'ivraie seront définitivement séparés. Nulle âme n'habite actuellement en enfer, puisque aucune condamnation n'est encore prononcée. Autant dire que l'enfer présentement n'existe pas... »

Cette conclusion était plutôt rassurante pour quiconque songeait au trépas; elle repoussait l'échéance du procès suprême sans fermer la perspective de la vie éternelle, et s'accordait assez bien avec le sentiment, commun à la plupart des hommes, que la mort est une chute dans un grand silence obscur, une inconscience indéfinie... une attente *sub altare dei*...

Certes, pareille doctrine, si elle venait à être professée, n'irait pas sans éveiller de violentes réactions, aussi bien parmi les docteurs de l'Église que dans la croyance populaire; et le moment était mal choisi, pour un candidat au Saint-Siège, d'aller prêcher la vacuité du paradis et l'inexistence de l'enfer[2].

« Attendons la fin du conclave », se disait le cardinal.

Il fut interrompu par un frère tourier qui frappa à sa porte et lui annonça l'arrivée d'un chevaucheur de Paris.

— De qui vient-il? demanda le cardinal.

Duèze avait une voix étouffée, feutrée, totalement dépourvue de timbre bien que fort distincte.

— Du comte de Bouville, répondit le tourier. Il a dû marcher vite, car il a l'air bien las; le temps que j'aille lui ouvrir, je l'ai trouvé à demi endormi, le front contre le vantail.

— Menez-le-moi céans.

Et le cardinal qui, quelques minutes auparavant, méditait sur la vanité des ambitions de ce monde, pensa aussitôt: « Est-ce au sujet de l'élection? La cour de France se rallierait-elle ouvertement à mon nom? Va-t-on me proposer un marché?... »

Il se sentait tout agité, plein de curiosité et d'espérance, et arpentait la chambre à pas courts et rapides. Duèze avait la taille d'un enfant de quinze ans, un museau de souris sous de forts sourcils blancs, une ossature fragile.

Derrière les vitres le ciel commençait à rosir; on ne pouvait pas encore souffler les cierges, mais déjà le petit jour, dehors, dissolvait les ombres. La mauvaise heure était passée...

Le messager entra; le cardinal, du premier coup d'œil, sut qu'il n'avait pas affaire à un chevaucheur de métier. D'abord un vrai chevaucheur eût aussitôt mis un genou en terre, et tendu la boîte contenant les plis, au lieu de rester debout en inclinant la tête et en disant: « Monseigneur... » Et puis la cour de France, pour acheminer son courrier, utilisait de forts cavaliers à carrure solide, bien aguerris, comme le grand Robin-Qui-Se-Maria, spécialement affecté au trajet entre Paris et Avignon, et non un tel jouvenceau à nez pointu, qui paraissait avoir peine à garder les paupières ouvertes et titubait de fatigue sur ses bottes.

« Voilà qui sent fort son déguisement, se dit Duèze. D'ailleurs, j'ai déjà vu ce visage en quelque endroit... »

De sa main courte et menue, il fit sauter les cachets de la lettre, et fut bientôt déçu. Il ne s'agissait pas de l'élection, mais d'une demande de protection pour le messager lui-même. Néanmoins, Duèze voulut reconnaître là un indice favorable; lorsque Paris avait un service à obtenir des autorités ecclésiastiques, c'était à lui qu'on s'adressait.

— Ainsi, vous vous nommez Guccio Baglioni? dit-il quand il eut terminé sa lecture.

Le jeune homme sursauta.

— Oui, Monseigneur.

— Le comte de Bouville vous recommande à moi pour que je vous prenne sous ma garde, et vous dérobe aux poursuites de vos ennemis.

— Si vous acceptez de me faire cette grâce, Monseigneur.

— Il paraît que vous avez eu quelque mauvaise aventure qui vous a forcé de fuir sous cette livrée, continua le cardinal de sa voix rapide et sans résonance. Contez-moi cela. Bouville me dit que vous faisiez partie de son escorte lorsqu'il conduisit la reine Clémence en France. En effet, je me souviens, à présent. Je vous ai vu auprès de lui... Et vous êtes le neveu de messer Tolomei, le capitaine général des Lombards de Paris. Fort bien, fort bien. Contez-moi votre affaire.

Il s'était assis et jouait machinalement avec un gros pupitre tournant sur lequel étaient posés les livres qui servaient à ses travaux. Il se trouvait maintenant détendu, tranquille, et tout prêt à se distraire l'esprit avec les petits problèmes d'autrui.

Guccio Baglioni avait parcouru cent vingt lieues en quatre jours et demi. Il ne sentait plus ses membres ; une brume dense lui emplissait la tête et il aurait donné n'importe quoi pour s'étendre là, à même le sol, et dormir... dormir...

Il parvint à se ressaisir ; sa sécurité, son amour, son avenir, tout exigeait qu'il surmontât, pour un moment encore, sa fatigue.

— Voici, Monseigneur ; j'ai épousé une fille de noblesse, répondit-il.

Il lui sembla que ces mots sortaient de la bouche d'un autre. Il aurait voulu commencer tout différemment. Il aurait voulu expliquer au cardinal qu'un malheur sans pareil venait de s'abattre sur lui, qu'il était l'homme le plus accablé, le plus déchiré de l'univers, qu'on menaçait sa vie, qu'il lui avait fallu s'éloigner, à jamais peut-être, de la femme sans laquelle il ne pouvait respirer, que cette femme allait être enfermée, que les événements avaient croulé sur eux depuis une semaine avec une telle violence, une telle soudaineté, que le temps paraissait perdre ses dimensions habituelles, et que lui-même, Guccio, se sentait pareil à un caillou roulé par un torrent... Or, tout son drame, lorsqu'il fallait l'exprimer, se résumait à cette petite phrase : « Monseigneur, j'ai épousé une fille de noblesse... »

— Ah oui... fit le cardinal. Comment se nomme-t-elle ?

— Marie de Cressay.

— Cressay... Je ne connais pas.

— Mais j'ai dû l'épouser secrètement, Monseigneur ; la famille était opposée.

— Parce que vous êtes un Lombard ? Bien sûr. Ils sont encore un peu arriérés, en France. En Italie certes... Alors, vous voulez obtenir l'annulation ? Bah... Si le mariage a été secret...

— Mais non, Monseigneur, je l'aime, elle m'aime, dit Guccio. Mais sa famille a découvert qu'elle était enceinte, et ses frères m'ont poursuivi pour me tuer.

— Ils peuvent le faire ; ils ont le droit coutumier pour eux. Vous vous êtes mis en situation de ravisseur... Qui vous a mariés ?

— Le frère Vicenzo, des Augustins.

— Fra Vicenzo... Je ne connais pas.

— Le pire, Monseigneur, est que ce moine est mort. Ainsi je ne peux même pas prouver que nous sommes vraiment mariés... Mais ne croyez pas que je sois lâche, Monseigneur. Je voulais me battre. Seulement, mon oncle s'est adressé à messire de Bouville...

— ... qui vous a sagement conseillé de prendre du champ.

— Mais Marie va être enfermée dans un couvent! Pensez-vous, Monseigneur, que vous pourrez l'en faire sortir? Pensez-vous que je la reverrai?

— Ah! une chose à la fois, mon cher fils, répondit le cardinal en continuant à faire tourner son pupitre. Un couvent? Eh bien, où pourrait-elle être mieux pour l'instant?... Espérez en l'infinie mansuétude de Dieu, dont nous avons tous si grand besoin...

Guccio baissa la tête d'un air épuisé. Ses cheveux noirs étaient couverts de poussière.

— Votre oncle est-il en bons termes de commerce avec les Bardi? poursuivit le cardinal.

— Certes, Monseigneur, certes... Les Bardi sont vos banquiers, je crois.

— Oui, ils sont mes banquiers. Mais je les trouve, ces temps-ci, moins... moins aisés de rapport que par le passé. Ils forment une si grosse compagnie! Ils ont des comptoirs en tous lieux. Et pour la moindre demande, ils doivent en référer à Florence. Ils sont aussi lents qu'un tribunal d'Église... Votre oncle a-t-il beaucoup de prélats parmi ses pratiques?

L'esprit de Guccio n'était guère aux questions de banque. La brume s'épaississait sous son front; ses paupières brûlaient.

— Non, nous avons surtout les grands barons. Le comte de Valois, le comte d'Artois... Nous serions hautement honorés, Monseigneur... dit-il avec une courtoisie machinale.

— Nous en parlerons plus tard. Pour l'instant, vous voici à l'abri dans ce couvent. Vous passerez pour un homme à mon service; peut-être vous fera-t-on revêtir une robe de clerc... Je verrai cela avec mon chapelain. Vous pouvez vous dépouiller de cette livrée, et aller dormir en paix, ce dont vous montrez avoir grand besoin.

Guccio salua, bredouilla quelques mots de gratitude et fit un mouvement vers la porte. Puis s'arrêtant, il dit:

— Je ne puis encore me dépouiller, Monseigneur; je dois délivrer un autre message.

— A qui? demanda Duèze aussitôt soupçonneux.

— Au comte de Poitiers.

— Confiez-moi la lettre; je la ferai porter tout à l'heure par un frère.

— C'est que, Monseigneur, messire de Bouville m'a enjoint...

— Savez-vous si ce message a trait au conclave?

— Nullement, Monseigneur. C'est au sujet de la mort du roi.

Le cardinal sauta de son siège.

— Le roi Louis est mort? Mais que ne le disiez-vous plus tôt!

— On ne le sait point encore ici? Je pensais que vous en étiez averti, Monseigneur.

En vérité il ne pensait rien. Ses malheurs, sa fatigue, lui avaient fait oublier cet événement capital. Ayant galopé droit devant lui depuis Paris, changeant de chevaux dans les monastères indiqués comme relais, mangeant à la hâte, parlant le moins possible, il avait devancé sans le savoir les chevaucheurs officiels.

— De quoi est-il trépassé?

— C'est ce que messire de Bouville veut justement faire savoir au comte de Poitiers.

— Crime? chuchota Duèze.

— Le roi, selon le comte de Bouville, aurait été empoisonné.

Le cardinal réfléchit un instant.

— Voilà qui peut changer bien des choses, murmura-t-il. Un régent a-t-il été désigné?

— Je ne sais pas, Monseigneur. Quand je suis parti, on nommait beaucoup le comte de Valois...

— C'est bien, mon cher fils, allez vous reposer.

— Mais, Monseigneur... et le comte de Poitiers?

Les lèvres effilées du prélat dessinèrent un rapide sourire, qui pouvait passer pour une expression de bienveillance.

— Il ne serait guère prudent de vous montrer par la ville, et de surcroît vous tombez de lassitude, dit-il. Donnez-moi ce pli; pour vous éviter tout reproche, j'irai le remettre moi-même.

Quelques minutes plus tard, escorté d'un valet et suivi d'un secrétaire, le cardinal de curie sortait de l'abbaye d'Ainay, entre Rhône et Saône, et s'engageait dans les ruelles sombres, souvent rétrécies par des tas d'immondices. Maigre, fluet, il avançait d'un pas sautillant, portant presque en courant ses soixante-douze ans. Le bas de sa robe pourpre semblait danser entre les murs.

Les cloches des vingt églises et des quarante-deux couvents de Lyon sonnaient les premiers offices. Les distances étaient courtes dans cette ville aux maisons tassées, qui comptait quelque vingt mille habitants dont la moitié étaient adonnés au commerce de la religion et l'autre moitié à la religion du commerce. Le cardinal fut bientôt arrivé à la demeure du consul Varay chez lequel logeait le comte de Poitiers.

III

LES PORTES DE LYON

Le comte de Poitiers venait d'achever sa toilette lorsque son chambellan lui annonça la visite du cardinal.

Très long, très maigre, le nez proéminent, les cheveux rabattus sur le front en mèches courtes et retombant en rouleaux le long des joues, la peau fraîche comme on peut l'avoir à vingt-cinq ans, le jeune prince, vêtu d'une robe d'appartement de camocas sombre[3], vint accueillir Monseigneur Duèze et baisa son anneau avec déférence.

Il eût été difficile de rencontrer plus grand contraste, plus ironique dissemblance qu'entre ces deux personnages, dont l'un faisait songer à un vieux furet sorti de son terrier, et l'autre à un héron traversant hautainement les marais.

— En dépit de l'heure matinale, Monseigneur, dit le cardinal, je n'ai pas voulu différer de vous porter mes prières dans le deuil qui vous atteint.

— Le deuil? dit Philippe de Poitiers avec un léger sursaut.

Sa première pensée fut pour sa femme Jeanne qu'il avait laissée à Paris, et qui était enceinte de huit mois.

— Je vois alors que j'ai bien agi en venant vous avertir, reprit Duèze. Le roi, votre frère, est mort depuis cinq jours.

Rien ne bougea dans l'attitude de Philippe; à peine une inspiration plus forte souleva-t-elle sa poitrine. Rien ne passa sur son visage, ni la surprise, ni l'émotion, ni même l'impatience d'avoir plus de détails.

— Je vous sais gré de votre empressement, Monseigneur, répondit-il. Mais comment êtes-vous au fait d'une telle nouvelle... avant moi?

— Par messire de Bouville, dont le messager a couru avec grand-hâte, afin que je vous remette cette lettre, en secret.

Le comte de Poitiers décacheta le pli et le lut en l'approchant de son nez, car il était fort myope. Là encore il ne trahit rien de ses sentiments;

simplement, quand il eut achevé sa lecture, il replia la lettre et la glissa sous sa robe. Puis il demeura silencieux.

Le cardinal se taisait aussi, affectant de respecter la douleur du prince, encore que celui-ci ne donnât pas de grandes marques d'affliction.

— Dieu le sauve des peines de l'enfer, dit enfin le comte de Poitiers, pour répondre à l'attitude dévote du prélat.

— Oh... l'enfer... murmura Duèze. Enfin, prions Dieu! Je songe aussi à l'infortunée reine Clémence, que j'ai vue grandir quand j'étais auprès du roi de Naples. Une si douce, une si parfaite princesse...

— Oui, c'est profonde pitié pour ma belle-sœur, dit Poitiers.

Et en même temps il pensait: «Louis n'a laissé aucune volonté relativement à la régence. Déjà, à ce que m'écrit Bouville, notre oncle Valois se prévaut de droits illusoires...»

— Qu'allez-vous faire, Monseigneur? Allez-vous céans regagner Paris? demanda le cardinal.

— Je ne sais, je ne sais encore, répondit Poitiers. J'attends d'être plus amplement informé. Je me tiendrai à la disposition du royaume.

Bouville, dans sa lettre, ne lui cachait pas qu'il souhaitait son retour. Et comme premier frère du roi mort, et comme pair, sa place était manifestement à Paris, au moment qu'on y débattait de la régence. Un autre eût déjà donné l'ordre de seller les chevaux.

Mais Philippe de Poitiers éprouvait du regret et même de la répugnance à l'idée de quitter Lyon sans avoir achevé les tâches entreprises.

D'abord il voulait conclure le contrat de fiançailles entre sa troisième fille, Isabelle, âgée de moins de cinq ans, et le «dauphiniet» de Viennois, le petit Guigues, qui en avait six. Il venait de négocier ce mariage, à Vienne même, avec le dauphin Jean II de la Tour du Pin et la dauphine Béatrice, sœur de la reine Clémence. Bonne alliance, qui permettrait à la couronne de France de contrebalancer dans cette région l'influence des Anjou-Sicile. Date était prise à quelques jours de là pour l'échange solennel des signatures.

Et surtout, il y avait l'élection papale. Depuis plusieurs semaines, Philippe de Poitiers sillonnait la Provence, le Viennois et le Lyonnais, pour voir l'un après l'autre les vingt-quatre cardinaux dispersés, leur assurant que l'agression de Carpentras ne se reproduirait pas, qu'il ne leur serait fait nulle violence, laissant entendre à beaucoup qu'ils pouvaient avoir leur chance, plaidant pour le prestige de la foi, la dignité de l'Église et l'intérêt des États[4]. Enfin, à force de paroles, de promesses et parfois d'argent, il avait réussi à les rassembler à Lyon, ville longtemps placée sous autorité ecclésiastique, et très récemment passée, dans les dernières années de Philippe le Bel, sous le pouvoir direct du roi de France.

Le comte de Poitiers se sentait près de toucher au but. Mais, s'il s'éloignait, toutes les difficultés n'allaient-elles pas renaître, les haines personnelles se rallumer, l'emprise de la noblesse romaine ou celle du roi de Naples supplanter celle de la France, les divers partis recommencer à s'accuser mutuellement de trahison et d'hérésie? Et ne verrait-on pas, au bout de tant de dissensions, la papauté repartir pour Rome? «Ce que mon père voulait tellement éviter... se disait Philippe de Poitiers. Son œuvre, déjà si fort gâtée par Louis et par notre oncle Valois, va-t-elle être tout entière détruite?»

Pendant quelques instants, le cardinal Duèze eut l'impression que le jeune homme avait oublié sa présence. Et soudain Poitiers lui demanda:

— Le parti gascon songe-t-il à maintenir la candidature du cardinal de Pélagrue? Et pensez-vous que vos pieux collègues soient enfin disposés à siéger?... Assoyez-vous donc ici, Monseigneur, et dites-moi bien votre sentiment. Où en sommes-nous?

Le cardinal avait approché beaucoup de souverains et d'hommes de gouvernement depuis un tiers de siècle qu'il participait aux affaires des royaumes. Mais il n'en avait guère rencontré qui montrassent pareille maîtrise d'eux-mêmes. Voilà un prince de vingt-cinq ans auquel il venait d'annoncer que son frère était décédé, que le trône était vacant, et dont l'esprit demeurait assez dispos pour se soucier des embrouilles d'un conclave. Cela méritait considération.

Assis côte à côte, près d'une fenêtre, sur un coffre recouvert de damas, les pieds du cardinal touchant à peine le sol et la cheville maigre du comte de Poitiers battant lentement l'air, les deux hommes eurent une longue conversation.

En réalité, selon l'exposé que fit Duèze, on butait toujours, depuis deux ans qu'était mort Clément V, sur les mêmes difficultés que Duèze naguère, dans un champ aux abords d'Avignon, avait exposées à Bouville.

Le parti des dix cardinaux gascons, qu'on appelait aussi le parti français, restait le plus nombreux, mais il était insuffisant pour constituer à lui seul la majorité requise des deux tiers du Sacré Collège, soit seize voix. Les Gascons, se considérant dépositaires de la pensée du pape défunt auquel ils devaient tous le cardinalat, tenaient fermement pour le siège d'Avignon et se montraient remarquables d'unité contre les deux autres partis. Mais entre eux, il y avait compétition sourde; à côté des ambitions d'Arnaud de Pélagrue grandissaient celles d'Arnaud de Fougères et d'Arnaud Nouvel. Feignant de se soutenir, ils se tiraient sournoisement dans les jambes.

— La guerre des trois Arnaud, dit Duèze de sa voix chuchotante. Voyons maintenant le parti des Italiens.

Ceux-là n'étaient que huit, mais divisés en trois factions. La gifle d'Anagni séparait à jamais le redoutable cardinal Caëtani, neveu du pape Boniface VIII, des deux cardinaux Colonna. Entre ces adversaires, les autres Italiens flottaient. Stefaneschi, par hostilité à la politique de Philippe le Bel, tenait pour Caëtani, dont il était d'ailleurs parent; Napoléon Orsini louvoyait. Les huit ne retrouvaient de cohésion que sur un seul point: le retour de la papauté dans la Ville éternelle. Mais là, leur détermination était farouche.

— Vous savez bien, Monseigneur, poursuivit Duèze, qu'un moment on a risqué le schisme; et qu'on le risque encore... Nos Italiens refusaient de se réunir en France, et ils faisaient savoir, voici peu, que si l'on élisait un pape gascon ils ne le reconnaîtraient pas et nommeraient le leur à Rome.

— Il n'y aura pas de schisme, dit calmement le comte de Poitiers.

— Grâce à vous, Monseigneur, grâce à vous, je me plais à le reconnaître, et je le dis partout. Allant de ville en ville porter la bonne nouvelle, si vous n'avez pas encore trouvé le pasteur, vous avez déjà rassemblé le troupeau.

— Coûteuses brebis, Monseigneur! Savez-vous que j'étais parti de Paris avec seize mille livres, et qu'il m'a fallu l'autre semaine m'en faire envoyer autant? Jason auprès de moi était petit seigneur. J'aimerais bien que toutes ces toisons d'or ne me fuient pas dans les doigts, dit le comte de Poitiers en plissant légèrement les paupières.

Duèze, qui par voie détournée avait fortement bénéficié de ces largesses, ne releva pas directement l'allusion, mais répondit:

— Je crois que Napoléon Orsini et Alberti de Prato, et peut-être même Guillaume de Longis, qui fut avant moi chancelier du roi de Naples, se détacheraient assez aisément... Éviter le schisme valait bien ce prix.

Poitiers pensa: «Il a utilisé l'argent que nous lui avons donné pour se faire trois voix chez les Italiens. C'est habile.»

Quant à Caëtani, bien qu'il continuât de jouer l'irréductible, sa position n'était plus aussi forte depuis que s'étaient découvertes ses pratiques de sorcellerie et sa tentative d'envoûter le roi de France et le comte de Poitiers lui-même. L'ancien templier Évrard, un demi-fou dont Caëtani s'était servi pour ses œuvres démoniaques, avait un peu trop parlé avant d'aller se livrer aux gens du roi...

— Je tiens cette affaire en réserve, dit le comte de Poitiers. Le parfum du bûcher pourrait, le moment venu, donner un peu de souplesse à Monseigneur Caëtani.

A la pensée de voir griller un autre cardinal, un très léger, très furtif sourire passa sur les lèvres étroites du vieux prélat.

— Par malchance, reprit Poitiers, cet Évrard s'est pendu dans la prison où je l'avais fait jeter, avant qu'on le questionnât vraiment.

— Pendu? Vous me surprenez, Monseigneur. Des gens à moi, et qui le connaissent bien, m'ont affirmé l'avoir rencontré, voici moins de deux semaines, rôdant à nouveau autour de Valence. Il faudrait qu'il eût ressuscité...

— Ou bien qu'on eût accroché quelqu'un d'autre aux barreaux de sa geôle.

— Le Temple est encore puissant, dit le cardinal.

— Hélas! fit le comte de Poitiers qui nota mentalement d'envoyer un de ses officiers enquêter du côté de Valence.

— Il semble, enchaîna Duèze, que Francesco Caëtani se soit tout à fait détourné des affaires de Dieu pour ne plus s'occuper que de celles de Satan. Ne serait-ce pas lui qui, ayant manqué son envoûte, aurait fait atteindre le roi votre frère par le poison?

Le comte de Poitiers écarta les mains, d'un geste d'ignorance.

— Chaque fois qu'un roi meurt, on affirme qu'il a été enherbé, répondit-il. On l'a dit de mon aïeul Louis Huitième; on l'a dit même de mon père, que Dieu garde... Mon frère Louis était d'assez pauvre santé. Mais enfin la chose vaut qu'on y pense.

— Reste enfin, reprit Duèze, le troisième parti, qu'on nomme provençal, à cause du plus remuant d'entre nous, le cardinal de Mandagout...

Ce dernier parti comptait six cardinaux, d'origine diverse; des prélats méridionaux, comme les deux Bérenger Frédol, y voisinaient avec les Normands, et avec un Quercynois qui n'était autre que Duèze lui-même.

L'or distribué par Philippe de Poitiers les avait rendus assez réceptifs aux arguments de la politique française.

— Nous sommes les plus petits, nous sommes les plus faibles, dit Duèze, mais nous sommes l'appoint indispensable à toute majorité. Et puisque Gascons et Italiens se refusent mutuellement un pape qui pourrait venir de leurs rangs, alors Monseigneur...

— Alors, il faudra prendre un pape chez vous; n'est-ce pas votre sentiment?

— Je le crois, je le crois fermement. Je l'avais dit dès la mort de Clément. On ne m'a pas écouté; on a cru sans doute que je prêchais pour moi, car mon nom en effet avait été prononcé, sans que je le veuille. Mais la cour de France ne m'a jamais fait grande confiance.

— C'est que, Monseigneur, vous étiez un peu trop ouvertement soutenu par la cour de Naples.

— Et si je n'avais été soutenu par personne, Monseigneur, qui donc eût pris garde à moi? Je n'ai d'autre ambition, croyez-le, que de voir un peu d'ordre remis dans les affaires de la chrétienté, qui sont bien mauvaises; la tâche sera pesante pour le prochain successeur de saint Pierre.

Le comte de Poitiers joignit ses longues mains devant son visage et réfléchit quelques secondes.

— Pensez-vous, Monseigneur, demanda-t-il, que les Italiens, contre la satisfaction de n'avoir pas un pape gascon, accepteraient que le Saint-Siège restât en Avignon, et que les Gascons, pour la certitude d'Avignon, pourraient renoncer à leur candidat et se rallier à votre tiers parti?

Ce qui signifiait en clair: «Si vous, Monseigneur Duèze, étiez élu avec mon appui, vous engagez-vous formellement à conserver la résidence actuelle de la papauté?»

Duèze comprit parfaitement.

— Ce serait, Monseigneur, répondit-il, la solution de sagesse.

— Je retiens votre précieux avis, dit Philippe de Poitiers en se levant pour mettre fin à l'audience.

Il raccompagna le cardinal.

L'instant où deux hommes que tout en apparence sépare, l'âge, l'aspect, l'expérience, les fonctions, se reconnaissent de trempe égale et devinent qu'il peut naître entre eux une collaboration et une amitié, cet instant-là dépend plus des conjonctions mystérieuses du destin que des paroles échangées.

Au moment où Philippe s'inclinait pour baiser l'anneau du cardinal, celui-ci murmura:

— Vous feriez, Monseigneur, un parfait régent.

Philippe se releva. «Savait-il donc que, pendant tout ce temps, je ne songeais qu'à cela?» pensa-t-il. Et il répondit:

— Ne feriez-vous pas vous-même, Monseigneur, un pape excellent?

Et ils ne purent s'empêcher de sourire discrètement, le vieillard avec une sorte d'affection paternelle, le jeune homme avec une amicale déférence.

— Je vous saurais gré, ajouta Philippe, de conserver secrète la grave nouvelle que vous m'avez apportée, jusqu'à ce qu'elle ait été publiquement confirmée.

— Ainsi agirai-je, Monseigneur, pour vous servir.

Resté seul, le comte de Poitiers ne prit que quelques secondes de réflexion. Il appela son chambellan.

— Adam Héron, aucun chevaucheur n'est arrivé de Paris? demanda-t-il.

— Non, Monseigneur.

— Alors, faites clore toutes les portes de Lyon.

IV

« SÉCHONS NOS LARMES »

Ce matin-là, la population lyonnaise fut privée de légumes. Les charrois des maraîchers avaient été retenus hors des murs, et les ménagères clabaudaient devant les marchés vides. Le pont qui franchissait la Saône était barré par la troupe. Si l'on ne pouvait pas entrer dans Lyon, on ne pouvait non plus en sortir. Marchands italiens, voyageurs, moines ambulants, renforcés par les badauds et les désœuvrés, s'aggloméraient autour des portes et réclamaient des explications. La garde, invariablement, répondait à toute demande : « Ordre du comte de Poitiers ! » avec cet air distant, important, que prennent les agents de l'autorité lorsqu'ils ont à appliquer une mesure dont ils ignorent eux-mêmes la raison.

— Mais j'ai ma fille malade à Fourvière...

— Ma grange de Saint-Just a brûlé hier à la vesprée...

— Le bailli de Villefranche va me faire saisir si je ne lui porte point mes tailles ce jourd'hui !... criaient les gens.

— Ordre du comte de Poitiers !

Et quand la presse devenait un peu forte, les sergents royaux commençaient à lever leurs masses.

En ville circulaient d'étranges rumeurs.

Les uns assuraient qu'il allait y avoir la guerre. Mais avec qui ? Nul ne pouvait le dire. D'autres affirmaient qu'une émeute sanglante s'était produite pendant la nuit, près du couvent des Augustins, entre les hommes du roi et les gens des cardinaux italiens. On avait entendu passer des chevaux. On citait même le nombre des morts. Mais du côté des Augustins, tout était calme.

L'archevêque, Pierre de Savoie, était très inquiet, se demandant quel coup de foudre s'apprêtait, pour le contraindre probablement d'abandonner, au profit de l'archevêque de Sens, le primatiat des Gaules, seule prérogative qu'il ait pu conserver lors du rattachement de Lyon à la couronne en 1312⁵. Il avait envoyé l'un de ses chanoines aux nouvelles ; mais le chanoine s'était heurté, chez le comte de Poitiers, à un écuyer très courtois et muet. Et l'archevêque s'attendait à recevoir un ultimatum.

Chez les cardinaux, logés dans les divers établissements religieux, l'angoisse n'était pas moindre et tournait même à l'affolement. Ils gardaient en mémoire l'affaire de Carpentras. Mais, cette fois, comment fuir ? Des émissaires couraient des Augustins aux Cordeliers et des Jacobins aux Chartreux. Le cardinal Caëtani avait dépêché son homme à tout faire, l'abbé Pierre, chez Napoléon Orsini, chez Alberti de Prato, chez Flisco, le seul Espagnol, afin de dire à ces prélats :

— Voyez ! Vous vous êtes laissé séduire par le comte de Poitiers. Il nous avait juré de ne point nous molester, et que nous n'aurions même pas à entrer en clôture pour voter ; que nous serions tout à fait libres. Et maintenant il nous enferme dans Lyon.

Duèze lui-même reçut la visite de deux de ses collègues provençaux, le cardinal de Mandagout et Bérenger Frédol l'aîné. Mais Duèze feignit de sortir de ses travaux savants et de n'être au courant de rien. Pendant ce temps, dans une cellule proche de son appartement, Guccio Baglioni dormait comme une pierre, hors d'état de songer seulement qu'il pouvait être à l'origine d'une pareille panique.

Depuis une heure, le consul Varay et trois de ses collègues, venus pour exiger des explications au nom du « syndical » de la ville, piétinaient dans l'antichambre du comte de Poitiers.

Celui-ci siégeait à huis clos avec les membres de son entourage et les grands officiers qui faisaient partie de sa mission.

Enfin les tentures s'écartèrent et le comte de Poitiers parut, suivi de ses conseillers. Tous avaient la mine grave.

— Ah ! messire Varay, vous vous trouvez bien, et vous tous, messires consuls, dit le comte de Poitiers. Nous allons pouvoir vous remettre céans le message que nous nous apprêtions à vous faire tenir. Messire Miles, veuillez lire.

Miles de Noyers, qui avait été conseiller au Parlement et maréchal de l'ost sous Philippe le Bel, déploya un parchemin et lut :

— *A tous les baillis, sénéchaux et conseils des bonnes villes. Nous vous faisons savoir la grande déploration que nous avons de la mort de notre frère bien-aimé, le roi notre Sire Louis Dixième, que Dieu vient d'enlever à l'affection de ses sujets. Mais la nature humaine est faite ainsi que nul ne peut dépasser le terme qui lui est assigné. Aussi avons-nous décidé de sécher nos larmes, de prier avec vous le Christ pour son âme, et de nous montrer empressé au gouvernement du royaume de France et du royaume de Navarre afin que leurs droits ne dépérissent pas, et que les sujets de ces deux royaumes vivent heureux sous le bouclier de la justice et de la paix.*

Le régent des deux royaumes, par la grâce de Dieu.

PHILIPPE.

Le premier émoi passé, messire Varay vint aussitôt baiser la main du comte de Poitiers, et les autres consuls l'imitèrent sans hésitation.

Le roi était mort. La nouvelle en soi était assez stupéfiante pour que nul ne songeât, au moins pour quelques minutes, à se poser de questions. En l'absence d'un héritier majeur, il semblait parfaitement normal que le plus âgé des frères du souverain assurât le pouvoir. Les consuls ne doutèrent pas un instant que la décision n'eût été prise à Paris par la Chambre des Pairs.

— Veuillez faire crier ce message par la ville, ordonna Philippe de Poitiers ; après quoi les portes seront aussitôt ouvertes.

Puis il ajouta :

— Messire Varay, vous êtes puissant au négoce des draps ; je vous saurais gré de me fournir de vingt manteaux noirs, à déposer dans mon antichambre, pour en couvrir les gens qui viendront me présenter leur douloir.

Et il congédia les consuls.

Les deux premiers actes de sa prise de pouvoir se trouvaient accomplis. Il s'était fait proclamer régent par son entourage, qui devenait du même coup son Conseil de gouvernement. Il allait être reconnu par la ville de Lyon où il résidait. Il avait hâte maintenant d'étendre cette reconnaissance à l'ensemble du royaume et de placer Paris devant un état de fait. Le succès résidait dans la vitesse.

Déjà les copistes reproduisaient à multiples exemplaires la proclamation, et les chevaucheurs sellaient leurs chevaux pour aller la répandre dans toutes les provinces.

Aussitôt les portes de Lyon rouvertes, ces chevaucheurs s'élancèrent, se croisant avec trois courriers retenus depuis le matin en deçà de la Saône. L'un des courriers acheminait une lettre du comte de Valois, par laquelle ce dernier se posait en régent désigné et demandait à Philippe une ratification de bonne forme afin que la désignation devînt effective. « Je suis assuré que vous voudrez aider à ma tâche ; pour le bien du royaume, et me donnerez au plus tôt votre agrément, en bon et bien-aimé neveu comme vous l'êtes. »

Le second message venait du duc de Bourgogne, qui réclamait aussi la régence au nom de sa nièce, la petite Jeanne de Navarre.

Enfin le comte d'Évreux avertissait Philippe de Poitiers que les pairs n'avaient pas été réunis selon les us et coutumes, et que la hâte de Charles de Valois à se saisir du gouvernement ne s'appuyait sur aucun texte ni aucune assemblée régulière.

Le comte de Poitiers, au reçu de ces nouvelles, se remit à siéger avec son entourage. Dans ce Conseil ne figuraient pratiquement que des hommes hostiles à la politique suivie depuis dix-huit mois par le Hutin et le comte de Valois ; Philippe de Poitiers, connaissant leur mérite et leurs capacités, avait choisi de se les adjoindre dans les difficiles négociations qu'il devait mener avec l'Église. Tel était le connétable, Gaucher de Châtillon, qui ne pardonnait pas la ridicule campagne de *l'ost boueux* qu'il avait dû conduire en Flandre l'été précédent. Tel était Miles de Noyers, proche parent de Gaucher. Tel encore Raoul de Presles, légiste de Philippe le Bel, que Valois avait fait arrêter en même temps qu'Enguerrand de Marigny et qui devait sa libération et son retour en grâce au comte de Poitiers.

Aucun d'eux ne considérait d'un bon œil les ambitions de Valois ni ne souhaitait non plus que le duc de Bourgogne se mêlât des affaires de la couronne. Ils admiraient la rapidité avec laquelle le jeune prince avait agi et ils plaçaient en lui leurs espoirs.

Poitiers écrivit à Eudes de Bourgogne et à Charles de Valois, sans mentionner leurs lettres et comme s'il ne les avait pas reçues, afin de les informer qu'il se considérait régent par droit naturel et qu'il réunirait l'assemblée des pairs, afin de sanctionner cette situation, aussitôt qu'il lui serait possible.

En même temps, il désignait des commissaires pour aller dans les principaux centres du royaume prendre possession du commandement en son nom. Ainsi partirent, dans la journée, plusieurs de ses chevaliers, comme Regnault de Lor, Thomas de Marfontaine et Guillaume Courteheuse. Il garda auprès de lui Anseau de Joinville, le fils du vieux sénéchal, et Henry de Sully.

Tandis que le glas sonnait à tous les clochers, Philippe de Poitiers conféra seul à seul avec Gaucher de Châtillon. Par droit, le connétable de France siégeait à toutes les assemblées du gouvernement, Chambre des Pairs, Grand Conseil, Conseil étroit. Philippe demanda donc à Gaucher de se rendre à Paris pour le représenter et s'opposer jusqu'à sa propre arrivée aux entreprises de Charles de Valois ; le connétable, d'autre part, s'assurerait d'avoir bien en main les troupes à solde de la capitale, et particulièrement le corps des arbalétriers.

Car le nouveau régent, à la surprise d'abord, puis à l'approbation de ses conseillers, avait résolu de demeurer provisoirement à Lyon.

— Nous ne devons pas nous détourner des tâches en cours, déclara-t-il. Le plus important pour le royaume est d'avoir un pape, et nous serons d'autant plus forts quand nous l'aurons fait.

Et il pressa la signature du contrat de fiançailles entre sa fille et le dauphinet. L'affaire, à première vue, n'avait aucun rapport avec l'élection pontificale. Mais pour Philippe l'alliance avec le dauphin de Viennois, qui régnait sur tous les territoires au sud de Lyon, était une pièce de son jeu. Les cardinaux, s'il leur prenait désir de lui échapper, ne pourraient pas se réfugier de ce côté-là ; il leur coupait la route d'Italie. En outre, ces fiançailles consolidaient sa position de régent; le dauphin se rangeait dans son camp.

Le contrat, en raison du deuil, fut signé sans fêtes, dans les jours qui suivirent.

Parallèlement, Philippe de Poitiers s'aboucha avec le plus puissant baron de la région, le comte de Forez, beau-frère d'ailleurs du dauphin, et qui, par ses possessions, commandait la rive droite du Rhône.

Jean de Forez avait fait les campagnes de Flandre, représenté plusieurs fois Philippe le Bel à la cour papale, et très utilement travaillé pour le rattachement de Lyon à la France. Le comte de Poitiers, du moment qu'il reprenait la politique paternelle, savait pouvoir compter sur lui.

Le 16 juin, le comte de Forez accomplit un geste hautement spectaculaire. Il prêta hommage solennel à Philippe, comme au seigneur de tous les seigneurs de France, le reconnaissant ainsi détenteur de l'autorité royale.

Le lendemain, le comte Bermond de la Voulte, dont le fief de Pierregourde se trouvait dans la sénéchaussée de Lyon, plaça ses mains dans les mains du comte de Poitiers et lui fit serment dans les mêmes conditions.

Au comte de Forez, Poitiers demanda de tenir prêts, discrètement, sept cents hommes d'armes. Les cardinaux, désormais, ne bougeraient plus de la ville.

Mais de là à obtenir une élection, il y avait encore loin. Les tractations piétinaient. Les Italiens, sentant que le régent était pressé de regagner Paris, raidissaient leurs positions. «Il se lassera le premier», disaient-ils. Peu leur importait l'état d'anarchie tragique où sombraient les affaires de l'Église.

Philippe de Poitiers eut plusieurs entrevues avec le cardinal Duèze qui lui semblait l'esprit le plus vif du conclave, le plus imaginatif, et, décidément, le plus souhaitable administrateur de la chrétienté dans le difficile moment où l'on se trouvait.

— L'hérésie refleurit un peu partout, disait le cardinal de sa voix fêlée. Et comment en serait-il autrement, avec l'exemple que nous donnons? Le démon profite de nos discordes pour semer son ivraie. Mais c'est dans le diocèse de Toulouse surtout qu'elle pousse dru. Vieille terre de rébellion et de mauvais rêves! Il conviendrait que le prochain pape cassât ce trop gros diocèse, malaisé à gouverner, en cinq évêchés, chacun remis en main ferme.

— Ceci, répondait le comte de Poitiers, amènerait à créer nombre de bénéfices dont notre Trésor aurait à percevoir les annates.

— Mais bien sûr, Monseigneur.

Les *annates* étaient une taxe royale portant sur les bénéfices ecclésiastiques nouveaux et qui consistait en la perception des revenus de la première année. Or l'absence de pape empêchait de procéder à ces créations de bénéfices. Et le Trésor s'en ressentait d'autant plus durement que le clergé en général, profitant de ce qu'il n'avait pas de chef, inventait toutes sortes de prétextes à ne pas acquitter les arrérages d'impôts.

En fait, lorsque Philippe de Poitiers et Jacques Duèze envisageaient l'avenir, l'un comme régent, l'autre comme éventuel pontife, leurs premiers soucis concernaient les finances.

A la mort de Philippe le Bel, la trésorerie française était gênée, mais non obérée ; en dix-huit mois, par l'expédition de Flandre, la sédition d'Artois, les privilèges consentis aux ligues baronniales, Louis X et Valois avaient réussi à endetter le royaume pour plusieurs années.

Le trésor pontifical, après deux ans de conclave errant, ne montrait pas un meilleur état ; et si les cardinaux se vendaient si cher aux princes de ce monde, c'est qu'ils n'avaient plus, pour nombre d'entre eux, d'autres moyens de subsistance que le négoce de leur voix.

— Les amendes, Monseigneur, les amendes, conseilla Duèze au jeune régent. Frappez d'amendes ceux qui auront méfait, et plus ils seront riches, plus fortement vous les frappez. Si celui qui manque à la loi possède vingt livres, exigez qu'il en verse une. Mais s'il en possède mille, prenez-lui-en cinq cents, et s'il est riche de cent mille, ôtez-lui tout. Vous y trouverez trois avantages : d'abord le rapport sera plus gros ; ensuite le malfaiteur, privé de sa puissance, n'en pourra plus faire abus ; enfin les pauvres, qui sont le grand nombre, seront de votre côté et auront confiance en votre justice.

Philippe de Poitiers sourit.

— Ce que vous préconisez là fort sagement, Monseigneur, peut convenir à la justice royale qui agit par bras temporel, répondit-il. Mais pour restaurer les finances de l'Église, je ne vois guère...

— Les amendes, les amendes, répéta Duèze. Mettons impôt sur les péchés ; ce sera source intarissable. L'homme est pécheur par nature, mais plus disposé à faire pénitence de cœur qu'à faire pénitence de bourse. Il éprouvera plus vivement le regret de ses fautes et hésitera davantage à retomber dans ses errements si une taxe accompagne nos absolutions. Qui tient à s'amender doit acquitter amende.

« Est-ce plaisanterie ? » pensa Poitiers qui n'était pas complètement accoutumé à l'inventive syllogistique du cardinal.

— Et quels péchés voudriez-vous taxer, Monseigneur ? demanda-t-il.

— D'abord ceux qui se commettent dans le clergé. Commençons par nous réformer nous-mêmes avant d'entreprendre de réformer autrui. Notre sainte Mère est trop tolérante aux manquements et abus. Ainsi l'on sait que clergie ou prêtrise ne peuvent être conférées à des hommes estropiés ou difformes. Or, je voyais l'autre jour un certain prêtre Pierre, qui est auprès du cardinal Caëtani, et qui a deux pouces à la main gauche.

« Petite perfidie envers notre vieil ennemi », se dit Poitiers.

— En vérité, poursuivit Duèze, les boiteux, manchots, eunuques qui cachent leur disgrâce sous un froc et touchent bénéfices d'Église, sont légion. Allons-nous les chasser de notre sein, ce qui, sans effacer leur faute, n'aurait pour résultat que de les réduire à misère et désespoir, et sans doute les pousserait à rejoindre les hérétiques de Toulouse ou autres confréries de spirituels? Permettons-leur plutôt de se racheter; or, qui dit rachat dit paiement.

Le vieux prélat était parfaitement sérieux. Son imagination, au cours de ses dernières nuits de veille, avait échafaudé tout un système fort précis, sur lequel il préparait un mémoire et qu'il soumettrait, disait-il modestement, au prochain pape.

Il s'agissait de l'institution d'une Sainte Pénitencerie, sorte de chancellerie du péché qui délivrerait les bulles d'absolution moyennant des taxes d'enregistrement perçues au profit du Saint-Siège. Les prêtres estropiés pourraient obtenir quittance à raison de quelques livres par doigt manquant, le double pour un œil perdu, autant pour l'absence d'une ou deux génitoires. Celui qui se serait amputé lui-même de sa virilité devrait payer un prix plus fort. Des malfaçons ou accidents physiques, Duèze passait aux irrégularités morales. Les bâtards qui avaient caché leur situation de naissance en recevant les ordres, les clercs qui avaient pris la tonsure bien qu'étant mariés, ceux qui se mariaient secrètement après l'ordination, ceux qui vivaient non mariés en ménage de femme, ceux qui étaient bigames, ou incestueux, ou sodomites, tous étaient imposés proportionnellement à leur faute. Les nonnes qui auraient paillardé avec plusieurs hommes au-dedans comme au-dehors de leur couvent seraient soumises à une réhabilitation particulièrement coûteuse[6].

— Si l'institution de cette pénitencerie, déclara Duèze, ne fait pas rentrer deux cent mille livres la première année, je veux bien...

Il allait dire « je veux bien être brûlé » mais s'arrêta à temps.

Poitiers pensait : « Au moins, s'il est élu, je n'aurai pas de souci pour les finances papales. »

Mais, malgré toutes les manœuvres de Duèze et malgré l'appui que Poitiers leur donnait, le conclave continuait à marquer le pas.

Or, les nouvelles de Paris étaient mauvaises. Gaucher de Châtillon, faisant front avec le comte d'Évreux et Mahaut d'Artois, s'efforçait de limiter les ambitions de Charles de Valois. Celui-ci néanmoins habitait au palais de la Cité, où il gardait la reine Clémence sous sa tutelle; il administrait les affaires à sa guise, et expédiait dans les provinces des instructions contraires à celles que Poitiers envoyait de Lyon. D'autre part, le duc de Bourgogne, soutenu par les vassaux de son immense duché, était arrivé à Paris le 16 juin, onze jours après la mort de Louis X, pour y faire reconnaître ses droits. La France avait donc trois régents. Cette situation ne pouvait durer longtemps, et Gaucher engageait instamment Philippe à regagner Paris.

Le 27 juin, après un conseil restreint auquel assistèrent les comtes de Forez et de la Voulte, le jeune prince décida de se mettre en route, et commanda de rassembler le train de bagages de son escorte. En même temps, s'avisant qu'aucun service solennel n'avait encore été célébré pour le repos de l'âme de son frère, il ordonna que de grandes messes fussent dites le lendemain, avant son départ, en chaque paroisse de la ville. Tous les gens de haut et de bas clergé étaient tenus d'y assister, pour s'associer aux prières du régent.

Les cardinaux, surtout les cardinaux italiens, exultaient. Philippe de Poitiers quittait Lyon sans les avoir fléchis.

— Il déguise sa fuite sous les pompes du deuil, disait Caëtani, mais il s'en va quand même, ce maudit! Avant un mois, je vous l'affirme, nous serons de retour à Rome.

V

LES PORTES DU CONCLAVE

Les cardinaux sont personnages d'importance et qui ne sauraient être confondus avec le menu fretin du clergé. Le comte de Poitiers leur fit réserver, pour le service funèbre à la mémoire de Louis X, l'église du couvent des Frères Prêcheurs, dit église des Jacobins, la plus belle, la plus vaste, après la primatiale Saint-Jean, et aussi la mieux fortifiée[7]. Les cardinaux ne virent dans ce choix qu'un convenable hommage rendu à leur dignité. Aucun ne manqua la cérémonie.

Bien qu'ils ne fussent que vingt-quatre l'église était pleine, car chaque cardinal avait voulu arriver pompeusement escorté de toute sa maison, chapelain, secrétaire, trésorier, clercs, damoiseaux, valets, porteurs de traîne et de flambeaux ; une foule d'un demi-millier de personnes, au total, se tenait entre les lourds piliers blancs.

Rarement messe funéraire fut suivie avec si peu de recueillement. Pour la première fois depuis bien des mois les cardinaux, qui vivaient par coteries en des résidences séparées, se retrouvaient tous ensemble. Certains ne s'étaient pas rencontrés depuis près de deux ans. Ils s'observaient les uns les autres, s'étudiaient, s'épiaient.

— Avez-vous vu ? chuchotait-on. Orsini vient de saluer Frédol le cadet... Stefaneschi s'est entretenu tout un moment avec Mandagout ; se rapprocherait-il des Provençaux ?... Oh ! Duèze a bien petite mine ; le voilà fort envieilli...

En effet, Jacques Duèze, dont la légère et sautillante démarche surprenait habituellement chez un homme d'un tel âge, avançait ce jour-là d'un pas lent, traînant, et répondait vaguement aux saluts, d'un air de lassitude et d'épuisement.

Guccio Baglioni, en tenue de damoiseau, faisait partie de sa suite. Il était censé ne parler qu'italien et venir directement de Sienne.

« Peut-être aurais-je mieux fait, se disait Guccio, de m'aller placer sous la protection du comte de Poitiers. Car aujourd'hui sans doute je repartirais avec lui pour Paris, et je pourrais m'enquérir de Marie dont je suis sans nouvelles depuis tant de jours. Tandis que me voici dépendre en tout de ce vieux renard, à qui j'ai promis que mon oncle lui consentirait un prêt, et qui ne fera rien pour mon sort avant que l'argent ne soit arrivé. Or mon oncle ne me répond pas. Et l'on dit que Paris est tout bouleversé... Marie, Marie, ma belle Marie !... Ne va-t-elle pas se croire abandonnée de moi? Peut-être me hait-elle à présent? Qu'en ont-ils fait? »

Il imaginait Marie séquestrée par ses frères, à Cressay, ou dans quelque couvent pour filles repenties. « Si une semaine s'écoule encore ainsi, je m'enfuirai à Paris. »

Ayant gagné sa place, dans les stalles du chœur, Dueze, tassé sur lui-même, surveillait discrètement ses voisins et parfois tournait un visage accablé vers le fond de l'église. A deux stalles de Dueze, Francesco Caëtani, la face maigre tranchée d'un long nez busqué, et les cheveux s'envolant comme des flammes blanches autour de sa calotte rouge, ne cachait pas sa joie ; et ses regards, qui allaient du catafalque aux gens de sa suite, étaient des regards de victoire. « Voici, Messeigneurs, paraissait-il dire à la ronde, ce qui survient quand on s'attire la colère des Caëtani, qui étaient déjà puissants du temps de Jules César. Le Ciel veille à nous venger. »

Les Colonna, au lourd menton rond partagé d'une fossette verticale, et semblables à deux guerriers déguisés en prélats, le toisaient avec une hostilité manifeste.

Dans l'ordonnance de la cérémonie, le comte de Poitiers n'avait pas lésiné sur le nombre des chantres. Ils étaient une bonne centaine soutenus par les orgues dont quatre hommes maniaient à pleins bras les soufflets. Une musique tonnante, royale, roulait sous les voûtes, saturait l'air de vibrations, enveloppait la foule. Les petits clercs pouvaient impunément bavarder entre eux, et les damoiseaux ricaner en se moquant de leurs maîtres. Il était impossible d'entendre ce qui se disait à trois pas, et moins encore ce qui se passait aux portes.

Le service s'acheva ; les orgues et les chantres se turent ; les vantaux du grand portail s'ouvrirent. Mais aucune lumière ne pénétra dans l'église.

Il y eut un instant de saisissement, comme si quelque miracle avait, pendant la cérémonie, obscurci le soleil ; et puis les cardinaux comprirent, et des clameurs furieuses s'élevèrent. Un mur tout frais bouchait le portail ; le comte de Poitiers avait fait, pendant la messe, maçonner les issues. Les cardinaux étaient prisonniers.

Un mouvement panique brassa l'assistance ; prélats, chanoines, prêtres, valets, toute dignité ou révérence oubliées, se mêlèrent, se bousculèrent, coururent et refluèrent comme rats pris en nasse. Des damoiseaux, grimpant sur les épaules les uns des autres, s'étaient hissés aux vitraux et annonçaient :

— L'église est cernée par des hommes d'armes !

Les cardinaux criaient :

— Qu'allons-nous faire ? Le régent nous a joués.

— Voilà pourquoi il nous gratifiait de si forte musique !

— C'est atteinte portée à l'Église.

— Il faut l'excommunier.

— Il est bien temps ! On va nous massacrer.

Déjà, les deux Colonna et les gens de leur parti s'étaient armés de lourds chandeliers de bronze, de bancs et de bâtons de procession, décidés à vendre chèrement leur existence, tandis qu'autour du baptistère, quelques cardinaux des divers partis se prenaient de bec.

— *Colpa vostra, colpa vostra...* C'est votre faute, c'est votre faute, criait un Italien désignant les Français. Si vous aviez refusé comme nous de venir à Lyon !... Nous savions bien qu'il nous y serait fait un mauvais coup.

— Si vous aviez élu l'un des nôtres, nous ne serions pas là à cette heure, répliquait un Gascon. La faute est à vous, mauvais chrétiens !

Une seule porte n'était pas entièrement murée ; on y avait laissé un passage pour un homme. Mais cette étroite ouverture se hérissait d'un buisson de piques tenues par des gantelets de fer. Les piques se relevèrent, et le comte de Forez, en armure, suivi de Bermond de la Voulte et de quelques autres cuirasses, pénétra dans l'église. Une explosion d'injures l'accueillit.

Les bras croisés sur la garde de son épée, le comte de Forez attendit que l'agitation se fût calmée. C'était un homme puissant, courageux, insensible aux menaces comme aux supplications. L'exemple de désunion, de vénalité, d'intrigue, que les cardinaux donnaient depuis deux ans le heurtait profondément, et il approuvait pleinement le comte de Poitiers de vouloir mettre terme à ce scandale. Son rude visage creusé de rides apparaissait par l'ouverture du heaume.

Quand les cardinaux et leurs gens se furent bien égosillés, sa voix s'éleva, nette, martelée, se propageant par-dessus les têtes jusqu'au fond de la nef.

— Messeigneurs, je suis ici d'ordre du régent de France, pour vous notifier de bien vouloir désormais vous adonner uniquement à l'élection d'un pape, et de même vous faire connaître que vous ne sortirez pas avant que ce pape soit élu. Chacun des cardinaux ne gardera auprès de lui qu'un chapelain et deux damoiseaux ou clercs de son choix, pour son service. Tous autres se peuvent retirer.

Cette proclamation souleva une indignation unanime.

— C'est félonie ! s'écria le cardinal de Pélagrue. Le comte de Poitiers nous avait fait serment que nous n'aurions même pas à entrer en clôture et c'est à ce prix que nous avons accepté de le rejoindre à Lyon.

— Le comte de Poitiers, répondit Jean de Forez, engageait alors la parole du roi de France. Mais le roi de France n'est plus, et c'est la parole du régent qu'aujourd'hui je vous porte.

La fureur, à présent, unissait les représentants des trois partis dont les invectives se mêlaient, en provençal, en italien et en français. Le cardinal Duèze s'était effondré dans un confessionnal, la main sur le cœur, comme si son vieil âge ne pouvait supporter un tel coup, et il feignait de s'associer aux protestations par des murmures inaudibles. Le cardinal d'Albano, Arnaud d'Auch, celui-là même qui était venu naguère à Paris prononcer la condamnation des Templiers, s'avança vers le comte de Forez et lui déclara d'un ton menaçant :

— Messire, un pape ne se peut élire en de telles conditions, car vous violez la constitution de Grégoire X qui oblige le conclave à se réunir en ville où le pape est mort.

— Vous vous y trouviez, Monseigneur, voici deux ans, et vous êtes égaillés sans avoir élu de pape, ce qui contrevenait à la constitution. Mais si vous souhaitez d'aventure être reconduits à Carpentras, nous vous y ferons mener sous bonne escorte, en chars fermés.

— Nous ne devons point siéger sous menace de la force !

— C'est pourquoi sept cents hommes d'armes, Monseigneur, sont dehors, à votre garde, fournis par les autorités de la ville afin d'assurer votre protection et votre isolement... ainsi qu'il est prescrit par la constitution. Le sire de La Voulte, que voici, et qui est de Lyon, est chargé d'y veiller. Messire le régent vous fait savoir également que si, au troisième jour, vous n'êtes pas parvenus à vous mettre d'accord, vous ne recevrez à manger qu'un seul plat de la journée et, à partir du neuvième, n'aurez plus que le pain et l'eau... comme cela est dit également dans la constitution de Grégoire. Et qu'enfin, si la lumière ne vous vient point par le jeûne, il fera détruire la toiture, pour vous mettre mieux à même de la recevoir du Ciel.

Bérenger Frédol l'aîné intervint :

— Messire, c'est vous charger d'homicide que nous soumettre à un tel traitement, car il en est parmi nous qui ne le sauront supporter. Voyez Monseigneur Duèze déjà tout écroulé et qui aurait besoin de soins.

— Ah ! certes, ah ! certes, dit faiblement Duèze, je ne le pourrai supporter.

— Nous voyons bien que nous avons affaire à des bêtes puantes et féroces, cria Caëtani ; mais sachez, messire, qu'au lieu de faire un pape, nous allons vous excommunier, vous et votre parjure.

— Si vous tenez séance d'excommunication, Monseigneur Caëtani, répondit calmement le comte de Forez, le régent pourrait alors fournir au conclave le nom de certains envoûteurs et sorciers qu'il conviendrait de placer en tête de fournée.

— Je ne vois point, dit Caëtani battant aussitôt en retraite, je ne vois point ce que la sorcellerie vient faire en ceci, puisque c'est du pape que nous devons nous occuper.

— Eh! Monseigneur, nous nous entendons bien; veuillez donc renvoyer les gens qui vous sont inutiles, car il ne saurait y avoir assez de vivres pour en nourrir autant.

Les cardinaux comprirent que toute résistance serait vaine et que cette cuirasse, qui leur transmettait d'une voix tranchante les ordres du comte de Poitiers, ne fléchirait pas. Déjà, derrière Jean de Forez, les hommes d'armes commençaient à entrer un par un, pique en main, et à se déployer dans le fond de l'église.

— Nous jouerons de ruse si nous ne pouvons jouer de force, dit à mi-voix Caëtani aux Italiens. Feignons de nous soumettre, puisque pour l'heure nous ne pouvons rien d'autre.

Chacun choisit dans sa suite ses trois meilleurs serviteurs, ceux qu'il pensait les plus fidèles, ou les plus habiles, ou les plus aptes à lui apporter service de corps dans les difficiles conditions matérielles où tous allaient se trouver. Caëtani garda auprès de lui le clerc Andrieu, le frère Bost et le prêtre Pierre, c'est-à-dire les hommes qui avaient trempé dans l'envoûtement de Louis X; il préférait les voir enfermés avec lui que risquant de parler pour argent ou sous la torture. Les Colonna retinrent à leurs côtés quatre damoiseaux qui avaient des poings d'assommeurs de bœufs.

Porte-torches, porte-traînes, clercs et chanoines qui n'étaient pas désignés sortaient, un par un, devant la haie des hommes d'armes. Leurs maîtres, au passage, leur soufflaient des recommandations:

— Faites avertir mon frère l'évêque... Écrivez en mon nom à mon cousin... Partez sur-le-champ pour Rome...

Au moment où Guccio Baglioni se disposait à prendre la file des sortants, Jacques Duèze étendit sa maigre main hors du confessionnal où il gisait effondré, et saisit le jeune Italien par la cotte, en murmurant:

— Restez, petit, restez auprès de moi. Je suis sûr que vous me serez secourable.

Duèze savait que les puissances d'argent ne sont, en aucune circonstance, négligeables, et il pensait avoir intérêt à conserver auprès de lui un représentant des banques lombardes.

Une heure plus tard, il ne demeurait dans l'église des Jacobins que quatre-vingt-seize hommes, destinés à y rester aussi longtemps que vingt-quatre d'entre eux ne se seraient mis d'accord pour en choisir un seul. Les gens d'armes, avant de se retirer, jetèrent des brassées de paille pour former la couche, à même la pierre, des plus hauts prélats de ce monde, et ils apportèrent quelques bassins ainsi que de grandes jarres pleines d'eau. Puis les maçons, sous l'œil du comte de Forez, achevèrent de murer la dernière issue, ne laissant d'autre ouverture qu'une petite baie carrée, une lucarne suffisante pour le passage des plats, insuffisante pour le passage d'un homme. Tout autour de l'église les soldats avaient repris leur faction, disposés de trois toises en trois toises, sur deux rangs, un rang adossé au mur et regardant vers la ville, un rang tourné vers l'église et regardant les vitraux.

Vers midi, le comte de Poitiers se mit en route pour Paris. Il emmenait dans sa suite le dauphin de Viennois et le petit dauphiniet, lequel vivrait désormais à la cour de France afin de s'y familiariser avec sa fiancée de cinq ans.

A cette heure-là, les cardinaux reçurent leur premier repas; comme c'était jour maigre, ils n'eurent pas de viande.

VI

DE NEAUPHLE À SAINT-MARCEL

Un matin du début de juillet, bien avant l'aube, Jean de Cressay entra dans la chambre de sa sœur. Le jeune homme tenait une chandelle qui fumait ; il s'était lavé la barbe et portait sa meilleure cotte de cheval.

— Lève-toi, Marie, dit-il. Tu pars ce matin. Pierre et moi, nous allons te conduire.

La jeune fille se dressa sur son lit.

— Partir... Comment cela ? C'est ce matin que je dois partir ?

L'esprit embrumé de sommeil, elle regardait son frère, de ses grands yeux bleu sombre, fixement, sans comprendre. Machinalement, elle ramena par-dessus son épaule ses longs cheveux épais et soyeux où passaient des reflets dorés.

Jean de Cressay contemplait sans plaisir la beauté de sa sœur, comme si cette beauté eût été l'image même du péché.

— Fais un paquet de tes hardes, car tu ne reviendras pas ici de sitôt.

— Mais où me conduisez-vous ? demanda Marie.

— Tu le verras.

— Mais hier... Pourquoi ne m'en avoir rien dit hier ?

— Pour te donner le temps de nous jouer encore un tour de ta façon ?... Allons, hâte-toi ; je veux être en chemin avant que nos serfs nous voient. Tu nous as couverts d'assez de honte ; point n'est besoin qu'ils jasent davantage.

Marie ne répondit pas. Depuis un mois, sa famille ne la traitait pas d'autre manière, ni ne s'adressait à elle sur un autre ton. Elle se leva, un peu alourdie par sa grossesse dont le poids, si modéré qu'il fût encore, la surprenait toujours au saut du lit. A la lueur de la chandelle laissée par Jean, elle se prépara, se passa de l'eau sur le visage et la poitrine, noua rapidement ses cheveux ; elle s'aperçut que ses mains tremblaient. Où l'emmenait-on ? Dans quel couvent ? Elle mit à son cou le reliquaire d'or que Guccio lui avait donné et qui venait, lui avait-il dit, de la reine Clémence. « Jusqu'à ce jour, ces reliques m'ont bien peu protégée, pensa-t-elle. Les ai-je mal priées ? » Elle plia ensemble une robe de dessus, quelques robes de dessous, un surcot et des toiles pour se laver.

— Tu te couvriras de ta cape à grand chaperon, lui lança Jean qui rentra un instant dans la chambre.

— Mais je vais périr de chaleur ! dit Marie. C'est une vêture d'hiver.

— Notre mère veut que tu chemines le visage caché. Obéis et hâte-toi.

Dans la cour, le second frère, Pierre, sellait lui-même les deux chevaux.

Marie savait bien que ce jour devait arriver ; dans un sens, quelque angoisse qu'elle eût au cœur, elle ne souffrait pas tellement ; elle en était presque à souhaiter ce départ. La tristesse d'un couvent lui paraissait chose plus supportable que les griefs et les reproches journellement ressassés. Au moins y serait-elle seule avec son malheur. Elle n'aurait plus à subir les fureurs de sa mère, alitée depuis que le drame avait éclaté, et qui maudissait sa fille chaque fois que celle-ci lui portait une tisane. La grosse châtelaine était alors prise d'étouffements, et l'on devait appeler d'urgence le barbier de Neauphle pour qu'il lui tirât une pinte de sang noir. Cela faisait six fois en moins de deux semaines que l'on saignait dame Éliabel, et il ne paraissait pas que ce traitement accélérât son retour à la santé.

Marie était traitée par ses deux frères, par Jean surtout, comme une criminelle. Ah ! certes ! plutôt le cloître, mille fois. Mais au fond d'une clôture pourrait-elle jamais avoir des nouvelles de Guccio ? C'était là son obsession, sa véritable crainte du sort qui l'attendait. Ses méchants frères lui affirmaient que Guccio avait fui à l'étranger.

« Ils ne veulent point me l'avouer, se disait-elle, mais ils l'ont fait mettre en cachot. Il n'est pas possible qu'il m'ait abandonnée ! Ou bien alors, il est revenu dans le pays, pour me sauver ; et c'est pourquoi mes frères mettent tant de hâte à m'emmener, et après cela, ils vont le tuer. Ah ! que ne me suis-je pas sauvée avec lui ! »

Son imagination lui représentait toutes les formes possibles de catastrophes. Elle en venait par instants à souhaiter que Guccio se fût réellement enfui, la laissant à son mauvais sort. Privée d'aucun conseil et même d'aucune compassion, elle n'avait d'autre compagnie que celle de son enfant à naître ; or cette existence-là ne lui était que de petit secours, sinon pour le courage qu'elle lui inspirait.

A l'instant de partir, Marie de Cressay demanda si elle pouvait dire adieu à sa mère. Pierre entra dans la chambre de dame Éliabel. Aux cris poussés par la veuve, à qui les saignées n'avaient pas encore ôté toute la voix, Marie comprit l'inutile de sa démarche.

— Elle m'a répondu qu'elle n'avait plus de fille, dit Pierre de Cressay en revenant.

Et Marie pensa une fois de plus : « J'aurais mieux fait de m'enfuir avec Guccio. Tout cela est ma faute ; je devais le suivre. »

Les deux frères enfourchèrent leurs montures et Jean de Cressay prit sa sœur en croupe, parce que son cheval était le meilleur, ou plutôt le moins mauvais des deux. Pierre chevauchait le bidet cornard sur lequel, le mois précédent, les deux frères avaient fait une si belle entrée dans la capitale.

Marie jeta un dernier regard au petit manoir dont les toits, sous la demi-lueur d'une aube encore mal assurée, s'estompaient comme dans la grisaille, déjà, du souvenir. Tous les instants de sa vie, depuis qu'elle avait ouvert les yeux, étaient inscrits entre ces murs et dans ce paysage : ses jeux de petite fille, la surprenante découverte de soi-même et du monde que chaque être fait à son tour, journée après journée... l'infinie diversité des herbes dans un champ, l'étrange forme des fleurs et la poudre merveilleuse qu'elles portent dans leur cœur, la douceur du duvet au ventre des petits canards, les jeux du soleil sur l'aile des libellules... Elle laissait là toutes les heures passées à se regarder grandir, à s'écouter rêver, toutes les époques de son visage qu'elle avait si souvent miré dans l'eau transparente de la Mauldre, et ce grand éblouissement de vivre qu'elle ressentait parfois, couchée à plat dos au milieu de la prairie, en cherchant des présages dans la forme des nuages et en imaginant Dieu présent dans le fond du ciel...

— Abaisse ton chaperon, lui ordonna son frère Jean.

Dès la rivière franchie, il fit prendre à son cheval une allure rapide, et celui de Pierre, aussitôt, se mit à corner.

— Jean, n'allons-nous pas un peu vite ? dit Pierre en désignant Marie d'un mouvement de tête.

— Bah ! la mauvaise graine est toujours solidement plantée, répondit l'aîné comme s'il souhaitait méchamment un accident.

Mais ses espoirs furent déçus. Marie était une fille robuste et faite pour la maternité. Elle parcourut les dix lieues de Neauphle à Paris sans donner signe de malaise. Simplement, elle avait les reins moulus, elle étouffait de chaleur ; mais elle ne se plaignait pas. De Paris elle ne vit, par-dessous son capuchon, que le sol des rues et le bas des maisons. Que de jambes ! que de souliers ! Ce qui la surprenait, c'était le bruit, l'immense bourdonnement de la ville, les voix des crieurs, des vendeurs de toutes denrées, les bruits des métiers. En certains endroits, la foule était si dense que les montures avaient peine à se frayer passage. Des passants heurtaient du coude ou de l'épaule les pieds de Marie. Enfin, les chevaux s'arrêtèrent. On fit descendre la jeune fille qui se sentait lasse et poussiéreuse. Seulement alors, elle fut autorisée à relever sa chape.

— Où sommes-nous ? demanda-t-elle en contemplant avec surprise la cour d'une belle demeure.

— Chez l'oncle de ton Lombard, répondit Jean de Cressay.

Quelques instants plus tard, un œil fermé, l'autre ouvert, messer Tolomei regardait les trois enfants du feu sire de Cressay assis en rang devant lui, Jean le barbu, Pierre le glabre, et leur sœur à côté, un peu en retrait, tête baissée.

— Comprenez, messer Tolomei, disait Jean, que vous nous avez fait une promesse...

— Certes, certes, répondait Tolomei, et je vais la tenir, mes amis, n'en doutez pas.

— Mais comprenez qu'il faut la tenir vite. Comprenez qu'après le bruit fait autour de cette honte, notre sœur ne peut davantage demeurer avec nous. Comprenez que nous n'osons plus paraître dans les maisons d'alentour, que nos serfs eux-mêmes se moquent de nous, et que ce sera bien pire encore quand le péché de notre sœur va s'arrondir.

Tolomei avait une réponse sur le bout des lèvres : « Mais, mes garçons, c'est vous qui avez causé tout ce bruit ! Nul ne vous obligeait de vous lancer comme des furieux contre Guccio, en ameutant tout le bourg de Neauphle mieux que par crieur public. »

— Et puis notre mère ne se remet point de ce malheur ; elle a maudit sa fille, et de la voir auprès d'elle lui fait recroître la colère au point que nous craignons qu'elle n'en crève... Comprenez...

« C'est la manie des sots que de vous sommer de comprendre... Bah ! Quand il aura la langue sèche, il s'arrêtera !... Mais ce que je comprends fort bien, moi, se disait le banquier, c'est que mon Guccio se soit mis folie en tête pour cette belle fille. Je lui donnais tort jusque-là, mais depuis qu'elle est entrée j'ai changé d'avis ; et si mon âge permettait que pareille chose m'arrivât encore, je me serais sans doute conduit plus follement que lui. Les beaux yeux, les beaux cheveux, la belle peau... un vrai fruit de printemps ! Et comme elle semble supporter son malheur avec courage ! Car après tout, les deux autres crient, tempêtent, font les importants ; mais c'est bien pour elle, la pauvre enfant, que la peine est la plus grande ! Elle a sûrement une bonne âme. Quelle pitié pour elle d'être née sous le toit de ces deux niais, et comme j'aurais aimé que Guccio pût l'épouser au grand jour, qu'elle vécût ici, et que ma vieillesse se réjouît à la contempler. »

Il ne la quittait pas du regard. Marie levait les yeux sur lui, les rabaissait aussitôt, les relevait, inquiète de cette observation insistante.

— Comprenez, messer, que votre neveu...

— Oh ! celui-là, je le renie, je l'ai déshérité ! S'il n'avait fui pour l'Italie, je crois que je l'aurais tué de mes doigts. Si je pouvais seulement savoir où il se cache... dit Tolomei en se prenant le front d'un air accablé.

A l'abri du petit auvent de ses mains, et ne se laissant voir que de la jeune fille, il cligna de sa grosse paupière habituellement affaissée. Marie sut alors qu'elle avait un allié; elle ne put retenir un soupir. Guccio était vivant, Guccio était en lieu sûr, et Tolomei savait où. Que lui importait le cloître maintenant!

Elle n'écoutait plus le discours de son frère Jean. Elle aurait pu d'ailleurs le réciter par cœur. Pierre de Cressay lui-même se taisait, avec un air de vague lassitude. Il se reprochait, sans oser l'avouer, d'avoir cédé lui aussi à une colère absurde. Et il laissait son aîné parler de l'honneur du sang et des lois de chevalerie, pour justifier leur énorme sottise.

Car lorsque les frères Cressay, sortant de leur pauvre petit manoir délabré et de leur cour qui sentait le fumier hiver comme été, voyaient la demeure princière de Tolomei, lorsqu'ils respiraient cet air de richesse, d'abondance, qui flottait dans toute la maison, force leur était de reconnaître que leur sœur, s'ils avaient consenti à ce mariage, n'eût pas été des plus mal loties. Mais si le cadet éprouvait, au fond, quelque remords à l'égard de sa sœur, l'aîné, d'esprit buté, et animé d'un assez bas sentiment de jalousie, pensait: «Pourquoi aurait-elle droit, par péché, à tant de richesses alors que nous peinons dans une vie misérable?»

Marie, elle non plus, n'était pas insensible au luxe qui l'entourait, l'éblouissait, et ne faisait qu'aviver ses regrets.

«Si seulement Guccio avait pu être un petit peu noble, songeait-elle, ou bien si nous, nous ne l'avions pas été! Qu'est-ce que cela veut dire, la chevalerie? Est-ce là une bonne chose, qui peut faire tant souffrir? Et la richesse n'est-elle pas aussi une sorte de noblesse?»

— Ne vous inquiétez de rien, mes amis, dit enfin Tolomei et reposez-vous en tout sur moi. C'est le devoir des oncles de réparer les fautes de leurs mauvais neveux. J'ai obtenu, grâce à mes hautes amitiés, que votre sœur soit accueillie au couvent des filles Saint-Marcel. N'êtes-vous pas satisfaits?

Les deux frères Cressay se regardèrent et hochèrent la tête d'un air approbateur. Le couvent des Clarisses du faubourg Saint-Marcel jouissait d'une grande réputation. N'y entraient que des filles de haut lignage. Parfois même s'y dissimulaient, sous le voile, des bâtardises royales. La hargne de Jean de Cressay tomba d'un seul coup, apaisée par la vanité de caste. Il n'était pas de lieu où un déshonneur se pût racheter avec plus d'honneur. Et quand les petits barons des alentours de Neauphle demanderaient aux Cressay où se trouvait Marie, il ne leur serait pas désagréable de répondre, d'un air détaché: «Elle est au couvent des filles Saint-Marcel.»

Mais Tolomei avait dû payer ou promettre gros pour qu'elle y soit admise...

— C'est fort bonne chose, fort bonne, dit Jean. D'ailleurs, l'abbesse est un peu, je crois, notre parente; notre mère nous l'a plus d'une fois citée en exemple.

— Ainsi, tout est au mieux, reprit Tolomei. Je vais conduire votre sœur au comte de Bouville, l'ancien grand chambellan...

Les deux frères s'inclinèrent à nouveau sur leur siège pour marquer leur considération.

— ... par qui j'ai obtenu cette faveur; et ce soir, je vous le promets, elle sera confiée à l'abbesse, précisément. Vous pouvez donc repartir avec le calme au cœur; je vous ferai tenir des nouvelles.

Les deux frères n'en demandèrent pas davantage. Ils se débarrassaient de leur sœur, et estimaient avoir assez fait en s'en déchargeant aux soins d'autrui.

— Dieu t'inspire le repentir, dit Jean à Marie, en guise d'adieu.

Il mit beaucoup plus de chaleur à prendre congé de Tolomei.

— Dieu te garde, Marie, dit Pierre, avec émotion.

Il eut un mouvement pour embrasser sa sœur, mais sous le regard sévère de l'aîné, il n'acheva pas son geste.

Et Marie se retrouva seule avec ce gros banquier au teint sombre, à la bouche charnue, à l'œil clos, qui, si étrange que cela lui parût, était son oncle.

Les deux chevaux sortirent de la cour et l'on entendit diminuer le sifflement du bidet cornard, dernière rumeur de Cressay qui s'éloignait de Marie.

— Maintenant, allons à table, mon enfant. Le temps qu'on dîne, on ne pleure pas, dit Tolomei.

Il aida la jeune fille à enlever la cape sous laquelle elle suffoquait; et Marie eut un regard surpris, reconnaissant, car c'était la première marque d'attention ou simplement de courtoisie qu'on avait pour elle depuis des semaines.

« Tiens, une étoffe qui vient de chez moi », se dit Tolomei en voyant la robe dont elle était vêtue.

Le Lombard était négociant en épices d'Orient, en même temps que banquier; aussi les ragoûts où il plongeait les doigts avec élégance, les viandes qu'il détachait de l'os délicatement, par petits morceaux, étaient imprégnés de senteurs exotiques, apéritives. Mais Marie ne montrait guère d'appétit et se servit à peine des plats du premier service.

— Il est à Lyon, lui dit alors Tolomei en soulevant sa paupière gauche. Il n'en peut bouger pour l'heure, mais il pense à vous et vous garde toute sa foi.

— Serait-il en prison? demanda Marie.

— Non, pas précisément. Il est enfermé, mais nullement pour de pénibles raisons; et il partage sa captivité avec de si hauts personnages que nous n'avons rien à craindre pour son salut. Tout m'incite à croire qu'il sortira de l'église où il se tient plus important qu'il n'y est entré.

— L'église? Pourquoi dans une église?

— Je ne puis vous en dire davantage.

Marie n'insista pas. Guccio reclus dans une église en compagnie de gens si importants qu'on ne pouvait les lui nommer... ce mystère la dépassait. Mais ce qui touchait Guccio était toujours empreint de mystère. La première fois qu'elle l'avait vu, n'arrivait-il pas d'une mission secrète auprès de la reine d'Angleterre? N'était-il pas revenu à Cressay pour cacher des documents, puis les reprendre? Et n'avait-il pas eu à courir par deux fois jusqu'à Naples pour le service de la reine Clémence? N'avait-il pas reçu de celle-ci le reliquaire de saint Jean qu'elle-même, à présent, portait au cou? Si Guccio était enfermé à cette heure, ce devait être encore pour la cause de quelque reine. Et Marie s'émerveillait que, parmi tant de si puissantes princesses, il continuât de la préférer, elle, pauvre damoiselle de campagne. Guccio vivait, Guccio l'aimait; il lui suffisait de le savoir pour retrouver de l'agrément à exister; et elle mordit au plat avec tout l'appétit d'une fille de dix-huit ans qui avait voyagé depuis l'aube.

Tolomei, s'il pouvait s'adresser avec aisance aux plus hauts barons, aux pairs du royaume, aux légistes, aux archevêques, avait depuis longtemps perdu l'habitude de parler aux femmes, surtout à une femme si jeune. Ils échangèrent peu de propos. Le vieux banquier regardait avec ravissement cette nièce qui lui tombait du ciel et qui, d'instant en instant, lui plaisait davantage.

« Quelle pitié, pensait-il, de l'aller mettre au couvent! Si Guccio ne s'était fait retenir dans le conclave, j'enverrais bien cette belle enfant à Lyon; mais qu'y deviendrait-elle, seule et sans appui? Or, les cardinaux, à ce qu'on dit, ne se montrent pas près de céder... Ou bien la garder ici en attendant le retour de mon neveu? Voilà qui me sourirait. Mais non, je ne le puis; j'ai demandé à Bouville d'agir en sa faveur; quelle figure aurais-je maintenant, à négliger la peine qu'il s'est donnée? Et si l'abbesse en plus est cousine des Cressay, et qu'il vienne à ces nigauds l'idée de lui demander nouvelles... Allons! Que la tête ne me tourne pas, à moi aussi! Elle ira au couvent... »

— ... mais pas pour toute la vie, dit-il en continuant à haute voix. Il n'est pas question de vous faire prendre le voile. Acceptez sans trop de plainte ces quelques mois parmi les nonnes. Je vous promets, quand votre enfant sera né, d'arranger vos affaires pour que vous viviez heureuse avec mon neveu.

Marie lui saisit la main et y posa ses lèvres. Il en fut gêné; la bonté n'était pas dans sa nature, et son métier l'avait peu habitué aux expressions de gratitude.

— Il me faut maintenant vous remettre aux soins du comte de Bouville, dit-il. Je vais vous conduire à lui.

De la rue des Lombards au palais de la Cité, la route n'était pas longue. Marie la parcourut, au côté de Tolomei, dans un état de surprise émerveillée. Elle n'avait jamais vu de grande ville; le mouvement de la foule sous le soleil de juillet, la beauté des maisons, le nombre et la profusion des boutiques, le scintillement des étalages, tout le spectacle la transportait dans une sorte de féerie. « Le bonheur, le bonheur, se disait-elle, que de vivre ici, et quel homme aimable est l'oncle de Guccio, et quelle bénédiction qu'il veuille bien nous protéger! Oh! oui, comme je subirai sans me plaindre le temps du couvent! » Ils passèrent le Pont-au-Change et entrèrent dans la Galerie mercière encombrée de ses éventaires.

Tolomei ne put s'empêcher, pour le plaisir de s'entendre encore remercier, d'acheter une aumônière de ceinture, brodée de petites perles, qu'il offrit à Marie.

— C'est de la part de Guccio. Il faut bien que je le remplace!

Ils s'engagèrent ensuite dans le grand escalier du Palais. Ainsi, d'avoir fauté avec un jeune Lombard valait à Marie de Cressay de pénétrer dans la demeure des rois.

Il régnait à l'intérieur du Palais cette agitation, cet affairement réel ou simulé qu'on remarquait en tous lieux où se trouvait le comte de Valois. Ayant franchi galeries et salles en enfilade où se pressaient, se croisaient, s'interpellaient chambellans, secrétaires, officiers et solliciteurs, Tolomei et la jeune fille parvinrent dans une partie un peu retirée, derrière la Sainte-Chapelle, et qui donnait sur la Seine et l'île aux Juifs. Une garde de gentilshommes en cotte d'armes leur barra le passage. Nul ne pouvait pénétrer dans les appartements réservés à la reine Clémence sans l'autorisation des curateurs. Tandis qu'on allait chercher le comte de Bouville, Tolomei et Marie attendirent dans l'embrasure d'une fenêtre.

— C'est là, voyez-vous, qu'on a brûlé les Templiers, dit Tolomei en désignant l'île.

Le gros Bouville arriva, toujours équipé en guerre, la bedaine roulant sous l'étoffe d'acier, et le pas décidé comme s'il allait commander un assaut. Il fit écarter la garde. Tolomei et Marie traversèrent une première pièce où un vieillard desséché, vêtu d'une robe de soie, et la peau tavelée comme un parchemin, dormait, assis dans une cathèdre. C'était le sénéchal de Joinville. Deux écuyers, auprès de lui, jouaient silencieusement aux échecs. Puis les visiteurs passèrent dans le logement du comte de Bouville.

— Madame Clémence reprend-elle un peu? demanda Tolomei à Bouville.

— Elle pleure moins, répondit le curateur, ou plutôt elle montre moins ses pleurs, comme s'ils lui coulaient tout droit dans la gorge. Mais elle reste durement ébaubie. Et puis la chaleur d'ici ne lui vaut rien dans son état, et elle a souvent des défaillances et des tournements de tête.

« Ainsi, la reine de France est à côté, pensait Marie avec une intense curiosité. Peut-être vais-je lui être présentée ? Oserai-je lui parler de Guccio ? »

Elle assista ensuite à une longue conversation, à laquelle elle ne comprit que peu, entre le banquier et l'ancien grand chambellan. A certains noms prononcés, ils baissaient la voix, et Marie se défendait d'écouter leurs chuchotements.

Le comte de Poitiers, arrivant de Lyon, était annoncé pour le lendemain. Bouville, qui avait souhaité si fort ce retour, ne savait plus maintenant s'il devait s'en féliciter. Car Monseigneur de Valois avait décidé de se porter immédiatement à la rencontre de Philippe, en compagnie du comte de La Marche ; et Bouville montra à Tolomei, par une fenêtre qui donnait sur les cours, les préparatifs de ce départ. De son côté, le duc de Bourgogne, arrivé de Dijon, faisait monter la garde par ses propres gentilshommes autour de sa nièce, la petite Jeanne de Navarre. Un mauvais vent de révolte soufflait sur la ville, et cette rivalité de régents pouvait aboutir aux pires calamités. De l'avis de Bouville, on aurait dû nommer la reine Clémence régente, et l'entourer d'un Conseil de la couronne composé de Valois, de Poitiers et d'Eudes de Bourgogne.

Si intéressé qu'il fût par les événements, Tolomei, à plusieurs reprises, tenta de ramener Bouville à l'objet précis de sa démarche.

— Certes, certes, nous allons bien veiller sur cette damoiselle, répondait Bouville qui revenait aussitôt à ses inquiétudes politiques.

Tolomei avait-il des nouvelles de Lyon ? Le chambellan avait pris familièrement le banquier par l'épaule et lui parlait presque joue à joue. Comment ? Guccio, mué en conclaviste, était enfermé avec Duèze ? Ah ! l'habile garçon ! Tolomei pensait-il pouvoir communiquer avec son neveu ? Si jamais il en recevait des nouvelles, ou avait moyen de lui en transmettre, qu'il le fît savoir ; ce truchement pourrait être fort précieux. Quant à Marie...

— Mais oui, mais oui, dit le curateur. Madame de Bouville, qui est personne de tête, et fort agissante, a tout arrangé à votre convenance. Soyez sans alarme.

Il appela son épouse, petite femme maigre, autoritaire, au visage marqué de rides verticales, et dont les mains sèches ne restaient jamais en repos. Marie, qui s'était sentie jusque-là en parfaite sécurité, éprouva aussitôt de la crainte et de l'anxiété.

— Ah ! c'est vous dont il faut abriter le péché, dit madame de Bouville en l'examinant d'un œil sans bienveillance. Vous êtes attendue au couvent des Clarisses. L'abbesse montrait peu d'empressement, et moins encore quand je lui ai dit votre nom, car elle est, par je ne sais quel lien, de votre famille, et votre conduite ne lui plaît guère. Mais enfin, la faveur dont jouit messire Hugues, mon époux, a pesé son poids. J'ai crié un peu ; le logis vous sera donné. Je vous y conduirai avant la nuit.

Elle parlait vite et il n'était pas facile de l'interrompre. Quand elle reprit son souffle, Marie lui répondit avec beaucoup de déférence, mais aussi beaucoup de dignité dans le ton :

— Madame, je ne suis point en état de péché, car j'ai bien été mariée devant Dieu.

— Allons, allons, répliqua madame de Bouville, ne faites pas regretter les bontés qu'on a pour vous. Remerciez donc ceux qui s'emploient à vous aider, plutôt que de jouer la faraude.

Ce fut Tolomei qui remercia, au nom de Marie. Lorsque celle-ci vit le banquier sur le point de partir, un grand désarroi la jeta dans les bras de celui-ci, comme s'il avait été son père.

— Faites-moi savoir le sort de Guccio, lui murmura-t-elle à l'oreille, et faites-lui savoir que je me languis de lui.

Tolomei s'en alla, et les Bouville disparurent également. Pour tout l'après-midi, Marie demeura dans leur antichambre, n'osant bouger et n'ayant d'autre distraction que d'assister, assise dans l'embrasement d'une fenêtre ouverte, au départ de Monseigneur de Valois et de son escorte. Le spectacle, pour un moment, la sortit de son chagrin. Elle n'avait jamais vu si beaux chevaux, si beaux harnais, si beaux vêtements, et en si grand nombre. Elle pensait aux paysans de Cressay vêtus de loques, les jambes entourées de bandes de toile, et se disait qu'il était bien étrange que des êtres qui avaient tous une tête et deux bras, et tous créés par Dieu à son image, pussent être de races si différentes, si l'on en jugeait par le costume.

De jeunes écuyers, voyant cette fille de grande beauté occupée à les regarder, lui adressèrent des sourires et même lui envoyèrent des baisers. Soudain ils s'empressèrent autour d'un personnage tout brodé d'argent qui semblait en imposer fort et prenait des airs de souverain ; puis la troupe s'ébranla, et la chaleur de l'après-midi s'appesantit sur les cours et les jardins du Palais.

Vers la fin du jour, madame de Bouville vint chercher Marie. Accompagnées de quelques valets et montées sur des mules sellées de bâts « à la planchette » où l'on s'asseyait de côté, les pieds posés sur une petite planche, les deux femmes traversèrent Paris. Elles virent des attroupements un peu partout, et même aperçurent la fin d'une rixe qui avait éclaté sur le seuil d'une taverne entre des partisans du comte de Valois et des gens du duc de Bourgogne. Les sergents du guet, à coups de masse, rétablissaient l'ordre.

— La ville est chaude, dit madame de Bouville. Je ne serais point surprise si la journée de demain nous amenait l'émeute.

Par le mont Sainte-Geneviève et la porte Saint-Marcel, elles sortirent de Paris. Le crépuscule tombait sur les faubourgs.

— Du temps que j'étais jeune, dit madame de Bouville, on ne voyait guère ici plus de vingt maisons. Mais les gens ne savent plus où se loger en ville, et construisent sans cesse sur les champs.

Le couvent des Clarisses était entouré d'un haut mur blanc qui enfermait les bâtiments, les jardins et les vergers. On distinguait, auprès d'une porte basse, un tour ménagé dans l'épaisseur de la pierre.

Une femme qui marchait le long de la muraille, la tête couverte, s'approcha du tour et y déposa rapidement un paquet entortillé de linges; puis elle fit tourner le tambour de bois, tira la cloche et, voyant qu'on approchait, s'enfuit en courant.

— Qu'a-t-elle fait? demanda Marie.

— Elle vient d'abandonner là un enfant sans père, répondit madame de Bouville en regardant Marie d'un air sévère. C'est ainsi qu'on les recueille. Allons, marchez.

Marie pressa sa mule. Elle pensait qu'elle aurait pu, elle aussi, être forcée un jour proche de déposer son enfant dans un tour, et considéra que son sort était encore bien enviable.

— Je vous fais merci, Madame, de prendre si grand soin de moi, murmura-t-elle les larmes aux yeux.

— Eh! enfin vous prononcez une bonne parole, répondit madame de Bouville.

VII

LES PORTES DU PALAIS

Le même soir, le comte de Poitiers se trouvait au château de Fontainebleau, où il devait coucher; c'était sa dernière étape avant Paris. Il achevait de souper, en compagnie du dauphin de Viennois, du comte de Savoie et des membres de sa nombreuse escorte, lorsqu'on vint lui annoncer l'arrivée des comtes de Valois, de la Marche et de Saint-Pol.

— Qu'ils entrent, qu'ils entrent tout aussitôt, dit Philippe de Poitiers.

Mais il n'eut pas le moindre mouvement pour aller au-devant de son oncle. Et quand celui-ci, le pas martial, le menton haut et les vêtements poudreux, apparut, Philippe se contenta de se lever et d'attendre. Valois, un peu décontenancé, resta quelques secondes sur le pas de la porte, regarda l'assistance. Philippe s'obstinant à demeurer immobile, il dut se décider à avancer. Chacun se taisait, les observant. Quand Valois fut assez près, le comte de Poitiers le prit alors aux épaules et le baisa sur les deux joues, ce qui pouvait passer pour un geste de bon neveu mais qui, venant d'un homme qui n'avait pas bougé de sa place, paraissait plutôt un geste de roi.

Cette attitude irrita non seulement Valois, mais également Charles de La Marche qui pensa : « N'avons-nous fait tout ce chemin que pour recevoir tel accueil? Après tout, je suis égal à mon frère; pourquoi se permet-il de nous traiter de si haut? »

Une expression amère, jalouse, déformait un peu son beau visage aux traits réguliers, mais sans intelligence.

Philippe lui tendit les bras; La Marche ne put faire autrement que d'accepter une brève accolade. Mais aussitôt, il dit, désignant Valois, et d'un ton qui se voulait d'autorité :

— Philippe, voyez ici notre oncle, le plus aîné de la couronne. Nous vous louons que vous vous accordiez à lui et qu'il ait le gouvernement du royaume. Car trop serait ce royaume en péril d'être remis à l'attente d'un enfant qui est encore à naître, et ne saurait donc royaume gouverner.

La phrase avait une ambiguïté et une ampoule qui ne pouvaient être du cru de Charles de La Marche. Celui-ci répétait évidemment des paroles serinées. La fin de la déclaration fit sourciller Philippe. Le mot de régent n'avait pas été prononcé. Valois ne visait-il pas, au-delà de la régence, la couronne elle-même ?

— Notre cousin Saint-Pol est avec nous, reprit Charles de La Marche, pour vous dire que c'est aussi le conseil des barons.

Philippe se passa la main, lentement, sur la joue.

— Je vous sais gré, mon frère, de votre avis, répondit-il froidement, et d'avoir fait tant de route pour me le porter. Aussi je pense que vous êtes las comme je le suis moi-même, et les bonnes décisions ne se prennent point dans la lassitude. Je propose donc que nous allions dormir pour en décider demain, l'esprit frais et en petit Conseil. La bonne nuit, Messeigneurs... Raoul, Anseau, Adam, m'accompagnez, je vous prie.

Et il sortit de la salle, sans avoir offert le vivre à ses visiteurs, et sans même se soucier de la manière dont ils allaient s'accommoder pour dormir.

Suivi d'Adam Héron, de Raoul de Presles et d'Anseau de Joinville, il se dirigea vers la chambre royale. Le lit, jamais plus utilisé depuis que le Roi de fer y avait rendu l'âme, était prêt, les draps mis. Philippe tenait beaucoup à occuper cette chambre ; il tenait surtout à ce que nul autre ne l'occupât.

Adam Héron se disposait à le déshabiller.

— Je crois que je ne me dévêtirai pas, dit Philippe de Poitiers. Adam, vous allez dépêcher aussitôt un bachelier vers messire Gaucher de Châtillon pour qu'il soit à m'attendre à Paris, dès le petit matin, à la porte d'Enfer. Et puis mandez-moi mon barbier tout à l'heure, car je veux parvenir avec le visage frais... Et aussi ordonnez qu'on tienne vingt chevaux prêts à partir vers la minuit. Que l'on selle sans bruit, lorsque mon oncle sera couché... Pour vous, Anseau, ajouta-t-il en se tournant vers le fils du sénéchal de Joinville, je vous charge d'avertir de mon départ le comte de Savoie et le dauphin afin qu'ils ne soient pas surpris et ne croient pas que je me défie d'eux. Restez ici jusqu'au matin en leur compagnie, et quand mon oncle se réveillera, qu'on l'entoure beaucoup et qu'on le ralentisse. Faites-lui perdre du temps en route.

Demeuré seul avec Raoul de Presles, le comte de Poitiers sembla s'enfoncer dans une méditation silencieuse que le légiste se garda de troubler.

— Raoul, dit-il enfin, vous avez œuvré jour après jour pour mon père, et l'avez connu du plus près. En cette occasion, comment aurait-il agi ?

— Il eût fait comme vous, Monseigneur, je m'en porte garant, et ne vous le dis point par flatterie, mais parce que je le pense bien. J'ai trop aimé notre Sire Philippe, et enduré trop de souffrances depuis qu'il n'est plus, pour servir aujourd'hui un prince qui ne me le rappellerait en tous points.

— Hélas, hélas, Raoul, je suis peu de chose auprès de lui. Il pouvait suivre son faucon en l'air, sans jamais le perdre des yeux, et moi j'ai la vue courte. Il tordait sans peine un fer à cheval entre ses doigts. Il ne m'a légué ni sa force aux armes, ni cette apparence de visage qui enseignait à chacun qu'il était roi.

En parlant, il regardait obstinément le lit.

A Lyon il s'était senti régent, avec une parfaite certitude. Mais, à mesure qu'il se rapprochait de la capitale, cette assurance, sans qu'il en laissât rien paraître, l'abandonnait un peu. Raoul de Presles, comme s'il répondait aux questions non formulées, dit :

— Il n'y a point de précédent à la situation où nous sommes, Monseigneur. Nous en avons assez débattu depuis des jours. Dans l'affaiblissement présent du royaume, le pouvoir sera à celui qui aura l'autorité de le prendre. Si vous y parvenez, la France ne souffrira pas.

Peu après il se retira, et Philippe s'allongea, les yeux fixés sur la petite lampe suspendue entre les courtines. Le comte de Poitiers n'éprouvait aucune gêne, aucun malaise, à reposer sur cette couche qui avait eu un cadavre pour dernier usager. Au contraire, il y puisait de la force ; il avait l'impression de se couler dans la forme paternelle, d'en reprendre la place et les dimensions sur la terre. « Père, revenez en moi », priait-il ; et il demeurait immobile, les mains croisées sur la poitrine, offrant son corps à la réincarnation d'une âme depuis vingt mois enfuie.

Il entendit des pas dans le couloir, des voix, et son chambellan répondre, à quelqu'un sans doute de la suite de Charles de Valois, que le comte de Poitiers reposait. Le silence tomba sur le château. Un peu plus tard, le barbier arriva avec son attirail. Tandis qu'on le rasait, Philippe de Poitiers se rappela, prononcées dans cette même chambre, devant la famille et la cour, les dernières recommandations de son père à Louis, qui en avait tenu si peu compte : « Pesez, Louis, ce que c'est que d'être le roi de France. Et sachez au plus tôt l'état de votre royaume. »

Vers minuit, Adam Héron vint l'avertir que les chevaux étaient prêts. Quand le comte de Poitiers sortit de la chambre, il avait le sentiment que vingt mois étaient abolis, et qu'il reprenait les choses là où elles se trouvaient à la mort de son père, comme s'il en recueillait directement la succession.

Une lune propice éclairait la route. La nuit de juillet, tout étoilée, ressemblait au manteau de la Sainte Vierge. La forêt exhalait ses parfums de mousse, d'humus et de fougère ; elle vivait du frémissement secret des animaux. Philippe de Poitiers montait un excellent cheval dont il goûtait l'allure puissante. L'air frais fouettait ses joues rendues sensibles par les rasoirs du barbier.

« Ce serait pitié, songeait-il, que de laisser si bon pays en de mauvaises mains. »

La petite troupe surgit de la forêt, traversa au galop Ponthierry et s'arrêta, comme le jour apparaissait, au creux d'Essonne, pour faire souffler les chevaux et prendre quelque nourriture. Philippe dévora ce repas, assis sur une borne. Il semblait heureux. Il n'avait que vingt-cinq ans, son expédition revêtait un air de conquête, et il s'adressait avec une amitié joyeuse aux compagnons de son aventure. Cette gaieté, rare chez lui, acheva de les affermir.

Entre prime et tierce, il arrivait à la porte de Paris tandis que sonnaient les cloches aigrelettes des couvents d'alentour. Il trouva là Louis d'Évreux et Gaucher de Châtillon qui l'attendaient. Le connétable avait son visage des mauvais jours. Il invita aussitôt le comte de Poitiers à se rendre au Louvre.

— Et pourquoi n'irais-je pas tout droit au palais de la Cité ? demanda Philippe.

— Parce que nos seigneurs de Valois et de La Marche ont fait occuper le Palais par leurs hommes d'armes. Au Louvre, vous aurez les troupes royales, qui sont tout à mon obéissance, c'est-à-dire tout à vous, avec les arbalétriers de messire de Galard... Mais il faut agir promptement et résolument, ajouta le connétable, pour devancer le retour de nos deux Charles. Si vous m'en donnez l'ordre, Monseigneur, je fais enlever le Palais.

Philippe savait que les minutes étaient précieuses. Il calculait qu'il avait, néanmoins, six à sept heures d'avance sur Valois.

— Je ne veux rien entreprendre dont je ne sache auparavant que cela sera vu de bonne façon par les bourgeois et le peuple de la ville, répondit-il.

Et dès qu'il fut entré au Louvre, il envoya mander, au Parloir aux Bourgeois, maître Coquatrix, maître Gentien, et quelques autres notables, ainsi que le prévôt Guillaume de La Madelaine qui avait succédé depuis mars au prévôt Ployebouche.

Philippe leur marqua en quelques paroles l'importance qu'il attachait à la bourgeoisie de Paris et aux hommes qui dirigeaient les arts de fabrique et le négoce. Les bourgeois se sentirent honorés, et surtout rassurés, par un tel langage qu'ils n'avaient plus entendu depuis la disparition de Philippe le Bel. Or ce roi, dont ils se plaisaient à médire du temps qu'il les gouvernait, comme ils le regrettaient à présent !

Ce fut Geoffroy Coquatrix, commissaire sur les monnaies fausses, collecteur des subventions et subsides, trésorier des guerres, pourvoyeur des garnisons, visiteur des ports et passages du royaume, maître à la Chambre des comptes, qui répondit. Il tenait ses charges de Philippe le Bel, qui l'avait même doté d'un revenu à héritage, ainsi qu'on le faisait pour les grands serviteurs de la Couronne; et il n'avait jamais rendu de comptes de son administration. Il craignait que Charles de Valois, hostile depuis toujours à la promotion des bourgeois aux grands postes, ne le destituât de ses fonctions pour le spolier de l'énorme fortune qu'il s'était acquise. Coquatrix assura le comte de Poitiers, en lui donnant dix fois du « messire régent », du dévouement de la population parisienne. Sa parole valait cher, car il était tout-puissant au Parloir, et assez riche pour payer, en cas de besoin, tous les truands de la ville et les envoyer à l'émeute.

La nouvelle du retour de Philippe de Poitiers s'était rapidement répandue. Les barons et chevaliers qui lui étaient favorables accoururent au Louvre. Mahaut d'Artois, personnellement prévenue, fut des premières à se présenter.

— En quel état est ma mie Jeanne? dit Philippe à sa belle-mère, en lui ouvrant les bras.

— On attend sa délivrance d'un jour à l'autre.

— Je l'irai voir aussitôt mes travaux achevés.

Puis il se concerta avec son oncle d'Évreux et le connétable.

— A présent, Gaucher, vous pouvez marcher contre le Palais. Tâchez, s'il se peut, d'en avoir fini pour midi. Mais faites en sorte d'éviter le sang autant qu'il sera possible. Agissez par effroi plutôt que par violence. Je déplorerais d'entrer au Palais en enjambant des morts.

Gaucher alla prendre la tête des compagnies de gens d'armes qu'il avait réunies au Louvre et gagna la Cité. En même temps il envoyait le prévôt quérir, dans le quartier du Temple, les meilleurs charpentiers et serruriers.

Les portes du Palais étaient fermées. Gaucher, ayant à son côté le grand maître des arbalétriers, demanda l'entrée. L'officier de garde, se montrant à une lucarne au-dessus de la porte principale, répondit qu'il ne pouvait ouvrir sans l'autorisation du comte de Valois ou du comte de La Marche.

— Il vous faut m'ouvrir quand même, répondit le connétable, car je veux entrer, et mettre le Palais en état de recevoir le régent, qui me suit.

— Nous ne pouvons.

Gaucher de Châtillon se tassa un peu sur son cheval.

— Alors, nous ouvrirons par nous-mêmes, dit-il.

Et il fit signe d'approcher à maître Pierre du Temple, charpentier royal, escorté de ses ouvriers qui portaient des scies, des pinces et de gros leviers de fer. En même temps, les arbalétriers reçurent l'ordre d'armer. Ils retournèrent leurs arbalètes, et engagèrent le pied dans une sorte d'étrier de fer qui leur permettait de tenir l'arc appuyé au sol pendant qu'ils bandaient les cordes. Puis ils placèrent la flèche dans l'encoche, et se mirent en position de viser les créneaux et embrasures. Les archers et piquiers, joignant leurs boucliers, formaient une énorme carapace autour et au-dessus des charpentiers. Dans les rues adjacentes, badauds et gamins se massaient, à distance respectueuse, pour voir le siège. On leur offrait une belle distraction dont ils allaient pouvoir parler pendant des jours. «Aussi vrai que je suis là... J'ai vu le connétable tirer sa grande épée... Plus de deux mille, pour sûr, plus de deux mille qu'ils étaient!»

Enfin, Gaucher, de la voix dont il commandait sur les champs de bataille, cria, par la ventaille levée de son heaume:

— Messires qui êtes dedans, voici les maîtres de charpente et de serrurerie qui vont faire sauter les portes. Voyez aussi les arbalétriers de messire de Galard qui cernent le Palais de toutes parts. Nul ne pourra réchapper. Je vous invite une dernière fois à nous bâiller l'huis, car si vous ne vous rendez à discrétion, vous aurez tous la tête tranchée, si nobles que vous soyez. Le régent ne fera pas de quartier.

Puis il abaissa sa visière, ce qui était preuve qu'il ne discuterait plus.

Il devait régner grande panique à l'intérieur car, à peine les ouvriers avaient-ils engagé les leviers sous les portes, celles-ci tournèrent d'elles-mêmes. La garnison du comte de Valois se rendait.

— Il était temps de vous soumettre à sagesse, dit le connétable en pénétrant dans la cour du Palais. Rentrez en vos demeures ou aux hôtels de vos maîtres; ne vous attroupez pas, et il ne vous sera point fait de mal.

Une heure plus tard, Philippe de Poitiers occupait les appartements royaux. Il décida aussitôt des mesures de sécurité. La cour du Palais, ordinairement ouverte à la foule, fut close, gardée militairement, et les visiteurs soigneusement filtrés. Les merciers, qui avaient privilège de vendre dans la grande galerie, furent invités à fermer boutique pour la journée.

Lorsque les comtes de Valois et de La Marche arrivèrent à Paris, ils comprirent leur partie perdue.

— Philippe nous a méchamment joués, dirent-ils.

Et ils se hâtèrent, n'ayant plus d'autre issue, d'aller au Palais négocier leur soumission. Ils y trouvèrent, autour du comte de Poitiers, une nombreuse assistance de seigneurs, de notables et d'hommes d'Église, parmi lesquels l'évêque Marigny toujours prompt à se ranger du côté du pouvoir.

Constatant avec dépit la présence de Coquatrix, de Gentien et de plusieurs bourgeois, Valois dit à mi-voix à Charles de La Marche:

— Votre frère ne durera pas. Il est bien peu assuré de lui-même s'il se sent obligé de s'appuyer sur les hommes du commun.

Néanmoins, il prit son meilleur air pour s'avancer vers Poitiers et le pria d'excuser l'incident des portes.

— Mes écuyers de garde ne savaient point. Ils avaient reçu consignes sévères... à cause de la reine Clémence...

Il s'attendait à une solide rebuffade et la souhaitait presque afin de pouvoir entrer en conflit ouvert avec Philippe. Mais celui-ci ne lui offrit pas les avantages d'une brouille et lui répondit, du même ton :

— J'ai dû agir de la sorte, et à grand regret, mon oncle, pour prévenir les entreprises de notre cousin de Bourgogne à qui votre départ avait laissé la place libre. J'en avais reçu nouvelles dans la nuit, à Fontainebleau, et n'ai pas voulu vous éveiller.

Valois, cherchant à atténuer sa défaite, feignit d'admettre l'explication, et s'efforça même de faire bon visage au connétable qu'il tenait pour l'auteur de toute la machination.

Charles de La Marche, moins habile à dissimuler, gardait les lèvres closes.

Le comte d'Évreux présenta alors la proposition dont il était convenu avec Philippe. Tandis que celui-ci, dans un coin de la salle, feignait de s'entretenir de questions de service avec le connétable et Miles de Noyers, Louis d'Évreux dit :

— Mes nobles seigneurs, et vous tous, messires, je conseille, pour le bien du royaume, et pour y éviter des troubles funestes, que notre bien-aimé neveu Philippe assure le gouvernement, de notre consentement à tous, et qu'il accomplisse les offices royaux au nom de son neveu à naître, si Dieu veut que la reine Clémence mette au monde un fils ; je conseille aussi qu'une assemblée de tous les hauts hommes du royaume se tienne sitôt qu'on la pourra réunir, avec les pairs et les barons, pour approuver notre décision et jurer fidélité au régent.

C'était l'exacte riposte à la déclaration de Charles de La Marche, la veille, à Fontainebleau, en faveur de Valois. Mais la scène, cette fois, avait été réglée par de meilleurs artistes. Truffée d'hommes fidèles au comte de Poitiers, l'assistance approuva par acclamation. Aussitôt Louis d'Évreux vint mettre les mains dans celles de Philippe.

— Je vous jure fidélité, mon neveu, dit-il en ployant le genou.

Philippe le releva et, lui donnant l'accolade, lui dit à l'oreille :

— Tout se poursuit à merveille ; grand merci, mon oncle.

Charles de Valois, furieux, grommelait :

— Le roi... Il se prend tout juste pour le roi.

Mais Louis d'Évreux déjà se tournait vers lui, disant :

— Pardon, mon frère, d'être passé avant votre aînesse.

Valois n'avait plus qu'à obéir. Il s'approcha, les mains tendues ; le comte de Poitiers les lui laissa en l'air.

— Vous me ferez la grâce, mon oncle, dit-il, de siéger à mon Conseil.

Valois pâlit. La veille, il signait les ordonnances et les faisait sceller de son sceau. Aujourd'hui on lui offrait comme un grand honneur une place en un Conseil auquel il appartenait de droit.

— Vous me remettrez aussi les clés du Trésor, ajouta Philippe en baissant la voix. Je sais bien qu'il n'y reste que poussières. Mais de ce peu, je suis désormais garant.

Valois eut un mouvement de recul ; c'était sa dépossession complète qu'on exigeait de lui.

— Mon neveu, je ne puis, répondit-il. Il me faut faire mettre les comptes au net.

— Je me défends bien, mon oncle, de douter de leur netteté ! dit Philippe avec une ironie à peine perceptible. Gardez-moi de vous faire l'injure d'en demander l'examen. Remettez donc les clés, et nous vous tiendrons quitte des comptes.

Valois comprit la menace.

— Soit, mon neveu, ces clés vous seront portées tout à l'heure.

Philippe alors étendit les mains pour recevoir l'hommage de son plus puissant rival.

Le connétable de France s'approchait à son tour.

— A présent, Gaucher, lui souffla Philippe, il nous faut nous occuper du Bourguignon.

VIII

LES VISITES DU COMTE DE POITIERS

Le comté de Poitiers ne se berçait pas d'illusions. Il venait de remporter un premier succès, spectaculaire, rapide ; mais il savait que ses adversaires n'allaient pas désarmer si aisément.

Aussitôt qu'il eût reçu de Monseigneur de Valois un serment de fidélité qui n'était que de bouche, Philippe traversa le Palais pour aller saluer sa belle-sœur Clémence. Il était accompagné d'Anseau de Joinville et de la comtesse Mahaut. Hugues de Bouville, en apercevant Philippe, fondit en larmes et tomba à genoux, lui baisant les mains. L'ancien chambellan s'était abstenu de paraître à la réunion de l'après-midi ; il n'avait pas quitté son poste ni lâché son épée pendant toutes ces dernières heures, et il était passé par de rudes transes pendant que le connétable assiégeait le Palais.

— Pardonnez-moi, Monseigneur, pardonnez-moi cette faiblesse ; c'est la joie de vous voir de retour... disait-il en mouillant de ses pleurs les doigts du régent.

— Faites donc, mon bon, faites donc, répondit Philippe.

Le vieux sire de Joinville ne reconnut pas le comte de Poitiers. Il ne reconnut pas davantage d'ailleurs son propre fils, et quand on lui eut répété par trois fois qui ils étaient, il les confondit et s'inclina cérémonieusement devant l'héritier de son nom.

Bouville ouvrit la porte de la chambre de la reine. Mais, comme Mahaut se disposait à suivre Philippe, le curateur, retrouvant son énergie, dit avec autorité :

— Vous seul, Monseigneur, vous seul !

Et il referma la porte au nez de la comtesse.

La reine Clémence était pâle, lasse et visiblement hors des préoccupations qui agitaient si fort la cour et la population de Paris. Elle ne put, en voyant le comte de Poitiers venir à elle les mains tendues, s'empêcher de penser : « Si ç'avait été lui à qui l'on m'eût mariée, je ne serais pas veuve aujourd'hui. Pourquoi Louis? Pourquoi pas Philippe?» Elle essayait d'interdire à sa pensée cette sorte de questions qui lui paraissaient autant de reproches au Créateur tout-puissant. Mais rien, même la piété, ne pouvait défendre une veuve de vingt-trois ans de se demander pour quelle raison les autres jeunes hommes, les autres maris, étaient vivants!

Philippe l'informa de sa prise de régence et l'assura de son entier dévouement.

— Oh! oui, mon frère, oh! oui, murmura-t-elle, aidez-moi!

Elle voulait dire, sans bien savoir comment s'exprimer: «Aidez-moi à vivre, aidez-moi à me sauver du désespoir, aidez-moi à mettre au monde cet enfant que je porte et qui est tout ce qui me rattache désormais à la terre.»

— Pourquoi notre oncle Valois, reprit-elle, m'a-t-il fait quitter presque de force ma maison de Vincennes? Louis me l'avait donnée dans son dernier souffle.

— Vous souhaitez donc y retourner? demanda Poitiers.

— C'est mon seul désir, mon frère! Je m'y sentirais plus forte. Et mon enfant naîtrait au plus près de l'âme de son père, au lieu où elle a quitté le monde.

Philippe ne prenait aucune décision, même secondaire, à la légère. Il regarda, à travers la fenêtre, la flèche de la Sainte-Chapelle, dont les lignes un peu incertaines et brouillées se dressaient devant ses yeux myopes.

«Si je lui donne cette satisfaction, pensait-il, elle m'en saura gré, me tiendra pour son défenseur et me laissera décider de toutes choses pour elle. D'autre part, mes adversaires l'atteindront moins aisément à Vincennes qu'ici et pourront moins l'utiliser contre moi. D'ailleurs, dans le douloir où elle est, elle ne saurait servir à personne.»

— Je veux, ma sœur, vous satisfaire en tout, répondit-il. Aussitôt que l'assemblée des hauts hommes m'aura confirmé dans ma charge, mon premier soin sera de vous reconduire à Vincennes. Nous sommes lundi, l'assemblée, que je fais presser, se tiendra sans doute vendredi. Pour le prochain dimanche, vous écouterez, je pense, la messe en votre maison.

— Je savais, Philippe, que vous étiez un bon frère. Votre retour est le premier apaisement que Dieu m'accorde.

Au sortir de l'appartement de la reine, Philippe rejoignit sa belle-mère et Anseau de Joinville qui l'attendaient. Mahaut s'était prise de bec pour Bouville et arpentait, de son grand pas d'homme, les dalles d'une galerie, devant les écuyers de garde.

— Alors, comment est-elle? demanda-t-elle à Philippe.

— Pieuse et résignée, et bien digne de donner à la France un roi, répondit le comte de Poitiers de manière que ses paroles pussent atteindre toutes les oreilles environnantes.

Puis, à mi-voix, il ajouta :

— Je ne crois pas, en l'état de faiblesse qu'elle montre, qu'elle conduise l'enfant jusqu'à terme.

— Ce serait bien le meilleur cadeau qu'elle pourrait nous faire, et les choses seraient plus faciles à régler, répondit Mahaut de la même façon. Et puis l'on en finirait de toute cette défiance et de cet appareil de guerre qui l'entoure. Depuis quand les pairs du royaume n'ont-ils plus accès auprès de la reine ? J'ai été veuve aussi, que diable, et l'on pouvait m'approcher pour les affaires de gouvernement !

Philippe, qui n'avait pas encore vu sa femme depuis son retour, accompagna Mahaut à l'hôtel d'Artois.

— Le temps de votre absence a fort pesé à ma fille, dit Mahaut. Mais vous allez la voir fraîche à ravir. Nul ne croirait qu'elle est à la veille de livrer son fruit. J'étais ainsi en mes grossesses, alerte jusqu'au dernier jour.

Les retrouvailles du comte de Poitiers et de sa femme furent émues, bien que sans larmes. Jeanne, fort lourde, se déplaçait avec gêne, mais elle offrait tous les signes de la santé et du bonheur. La nuit était venue, et la lueur des chandelles, seyante au teint, estompait sur le visage de la jeune femme les marques de son état. Elle portait un collier de corail rouge, le corail étant réputé pour son action bénéfique sur les accouchements.

Ce fut en présence de Jeanne que Philippe eut la conscience véritable des succès remportés et qu'il s'accorda la satisfaction de soi-même. Entourant du bras l'épaule de son épouse, il lui dit :

— Je crois bien, ma douce amie, que je puis vous appeler désormais Madame la régente.

— Fasse Dieu, mon beau sire, que je vous donne un fils, répondit-elle en s'alanguissant un peu contre le corps maigre et robuste de son mari.

— Dieu mettrait le comble à ses grâces, lui murmura Philippe à l'oreille, en ne le faisant naître qu'après vendredi.

Une discussion s'ouvrit bientôt entre Mahaut et Philippe. La comtesse d'Artois estimait que sa fille devait se transporter au Palais dans l'instant afin d'y partager le logis de son époux. Celui-ci était d'avis contraire et désirait que Jeanne restât à l'hôtel d'Artois. Il avançait plusieurs arguments, fort bons en soi, mais qui ne découvraient pas le fond de sa pensée, et qui d'ailleurs ne convainquirent pas Mahaut. Le Palais pouvait être dans les jours à venir le siège d'assemblées violentes et de tumultes nuisibles à une parturiente ; d'autre part, Philippe estimait plus séant d'attendre, pour installer Jeanne au Palais royal, que Clémence eût regagné Vincennes.

— Mais il se peut que demain Jeanne soit empêchée tout à fait de bouger, fit remarquer Mahaut. N'avez-vous donc point désir que votre enfant voie le jour au Palais?

— C'est cela justement que je voudrais éviter.

— Là, vraiment, je ne vous comprends point, mon fils, dit Mahaut en haussant ses puissantes épaules.

Cette controverse lassait Philippe. Il n'avait pas dormi depuis trente-six heures, avait parcouru la nuit précédente quinze lieues à cheval, et vécu ensuite la journée la plus difficile, la plus mouvementée de sa vie. Il sentait sa barbe pousser et ses paupières, par instants, se fermer d'elles-mêmes. Mais il était décidé à ne pas céder. « Mon lit, pensait-il. Que l'on m'obéisse, et que je gagne mon lit ! »

— Prenons donc l'avis de Jeanne. Que souhaitez-vous, ma mie? demanda-t-il.

Mahaut avait une intelligence d'homme, une volonté d'homme, et un souci constant d'affirmer le prestige de sa race. Jeanne, de nature toute différente et infiniment plus réservée, semblait jusque-là désignée par le destin à n'occuper que les secondes places, et cela dans les honneurs comme dans les drames. D'abord fiancée à Louis Hutin pour être donnée ensuite, par une sorte d'échange, au second fils de Philippe le Bel, elle avait donc pu se croire un moment promise à devenir reine de Navarre et de France, avant de se voir supplantée par sa cousine Marguerite. Mêlée du plus près au scandale de la tour de Nesle, elle avait côtoyé l'adultère mais sans le commettre; et dans le châtiment, la réclusion perpétuelle lui avait été épargnée. Or tandis que Marguerite, assassinée dans sa prison, n'était plus que poussière, tandis que Blanche continuait de se morfondre, toujours incarcérée, elle, à présent, avait retrouvé son époux, sa famille et sa situation à la cour. Instruite à la prudence par son année de détention à Dourdan, elle entendait ne rien compromettre. Il ne lui importait pas particulièrement que son enfant naquît au Palais; et désireuse surtout de complaire à son mari, dont elle devinait que l'insistance se fondait sur de solides raisons, elle répondit:

— C'est ici, ma mère, que je souhaite faire mes couches. Je m'y sentirai mieux.

Philippe la remercia d'un sourire. Assis dans un grand siège à dossier droit, les jambes allongées et croisées, il s'enquit du nom des matrones et ventrières qui devaient assister Jeanne, voulant savoir d'où chacune venait, et si l'on pouvait leur accorder toute confiance. Il recommanda qu'on leur fît prêter serment, précaution qu'on ne prenait d'ordinaire que pour les accouchements royaux.

« Que voilà un bon époux qui prend grand soin de moi ! », pensait Jeanne en l'écoutant.

Philippe exigea aussi que, dès l'instant où la comtesse de Poitiers entrerait dans les douleurs, les portes de l'hôtel d'Artois fussent fermées. Nul n'en devait plus sortir à l'exception d'une seule personne chargée de lui porter la nouvelle de la naissance...

— ... vous, dit-il en désignant Béatrice d'Hirson qui assistait à l'entretien. Les ordres sont donnés à mon chambellan pour que vous puissiez me joindre à toute heure, même si je suis en Conseil. Et s'il se trouve compagnie autour de moi, vous ne me ferez l'annonce qu'à voix basse, sans en souffler mot à autrui... si c'est un fils. Je me fie à vous car je me rappelle que vous m'avez bien servi.

— Et davantage encore que vous ne le pensez... Monseigneur... répondit Béatrice en inclinant légèrement la tête.

Mahaut lança un regard furieux à Béatrice comme pour la rappeler à l'ordre. Cette fille, avec ses airs dolents, sa fausse naïveté, ses sournoises audaces, la faisait trembler. Mais Béatrice continuait de sourire. Le jeu des deux visages n'échappa pas à Jeanne. Entre sa mère et la demoiselle de parage, elle sentait une épaisseur de secrets qu'elle préférait ne pas chercher à percer.

Elle tourna les yeux vers son mari. Celui-ci ne s'était aperçu de rien. La nuque appuyée au dossier de son siège, il venait de s'endormir d'un coup, foudroyé par le sommeil des victoires. Sur son long visage, d'ordinaire sévère, paraissait une expression de douceur attentive qui permettait d'imaginer l'enfant qu'il avait été. Jeanne, émue, s'approcha d'un pas prudent et vint lui poser au front un baiser sans poids.

IX

L'ENFANT DU VENDREDI

Dès le lendemain, le comte de Poitiers se mit à la préparation de l'assemblée du vendredi. S'il en sortait vainqueur, nul ne serait plus en mesure, pour de longues années, de lui contester le pouvoir.

Il dépêcha messagers et chevaucheurs pour convoquer, comme on en était convenu, tous les hauts hommes du royaume — tous ceux, en fait, qui ne se trouvaient pas à plus de deux journées de cheval, ce qui offrait l'avantage, d'une part, de ne pas laisser la situation se détériorer, et, d'autre part, d'éliminer certains grands vassaux dont Philippe pouvait redouter l'hostilité, tels le comte de Flandre et le roi d'Angleterre.

En même temps, il confiait à Gaucher de Châtillon, à Miles de Noyers et à Raoul de Presles le soin de rédiger le règlement de régence qui serait soumis à l'assemblée. S'appuyant sur les décisions déjà acquises, on fixa les principes suivants: le comte de Poitiers administrerait la France et la Navarre, avec le titre provisoire de régent, gouverneur et gardien, et percevrait tous les revenus royaux. Si la reine Clémence mettait au monde un fils, celui-ci naturellement serait roi, et Philippe conserverait la régence jusqu'à la majorité de son neveu. Mais si Clémence accouchait d'une fille... Toutes les difficultés commençaient à cette hypothèse.

Car dans ce cas la couronne devait normalement revenir à la petite Jeanne de Navarre, fille de Marguerite et de Louis X. Mais était-elle vraiment la fille de Louis? La cour tout entière, durant ces journées-là, se posait la question.

Sans la découverte, provoquée par Isabelle d'Angleterre et Robert d'Artois, des coupables amours de Marguerite, sans la publicité du scandale, du jugement, des condamnations, les droits de Jeanne de Navarre n'eussent pu être discutés. En l'absence d'héritier mâle, elle devenait reine de France. Mais il pesait sur elle de lourdes présomptions de bâtardise que Charles de Valois et Louis X lui-même s'étaient complu à étayer, à l'occasion du remariage, et dont les partisans de Philippe en la circonstance ne manquèrent pas de tirer parti.

— Elle est la fille de Philippe d'Aunay, disait-on ouvertement.

Ainsi l'affaire de la tour de Nesle, sans avoir jamais eu le caractère abominablement orgiaque et criminel que lui prêtait l'imagination populaire, posait, deux ans après qu'elle eut éclaté, et dans sa banale réalité d'adultère, un problème d'exceptionnelle gravité pour la dynastie française.

Quelqu'un proposa de décider que la couronne serait de toute manière attribuée à l'enfant de Clémence, fille ou garçon.

Philippe de Poitiers fit grise mine à cette suggestion. Certes, les soupçons qui entouraient Jeanne de Navarre étaient fortement fondés ; mais on n'en possédait aucune preuve absolue. En dépit des pressions exercées sur elle et des marchés mis en main, Marguerite n'avait jamais signé aucune déclaration qui conclût à l'illégitimité de Jeanne. La lettre datée de la veille de sa mort, et qui avait été utilisée au procès de Marigny, affirmait le contraire. Il était bien évident que ni la vieille Agnès de Bourgogne, ni son fils Eudes IV, le duc actuel, n'accepteraient de souscrire à l'éviction de leur petite-fille et nièce. Le comte de Flandre ne manquerait pas de prendre leur parti et sans doute avec lui le comte de Champagne. On exposait la France au risque d'une guerre civile.

— Alors, dit Gaucher de Châtillon, décrétons tout bonnement que les filles sont écartées de la couronne. Il doit bien y avoir quelque coutume sur laquelle on puisse s'appuyer.

— Hélas, répondit Miles de Noyers, j'ai déjà fait chercher, car votre idée m'était aussi venue, mais l'on ne trouve rien.

— Qu'on cherche davantage ! Mettez à ce soin vos amis, les maîtres de l'Université et du Parlement. Ces gens-là dénichent coutume pour tout, et dans le sens qu'on veut, s'ils s'en donnent la peine. Ils remontent à Clovis pour prouver qu'on vous doit fendre la tête, ou rôtir les pieds, ou trancher le meilleur.

— Il est vrai, dit Miles, que je n'avais pas fait rechercher si haut. Je ne pensais qu'aux coutumes établies depuis Hugues. Il faudrait aller voir plus anciennement. Mais nous n'avons guère le temps d'ici vendredi.

Obstiné, le connétable, balançant son menton carré et plissant ses paupières de tortue, poursuivit :

— En vérité ce serait folie que de laisser fille monter au trône ! Voyez-vous dame ou donzelle commander les armées, impure chaque mois, grosse chaque année ? Et tenir tête aux vassaux, alors qu'elles ne sont point même capables de faire taire les chaleurs de leur nature ? Non, moi je ne vois point cela, et je rendrais tout aussitôt mon épée.

Messeigneurs, je vous le dis, la France est trop noble royaume pour tomber en quenouille et être remis à femelle. Les lis ne filent pas!

Cette dernière formule frappa fortement les esprits.

Philippe de Poitiers donna son accord à une rédaction assez tortueuse, qui remettait les décisions à de lointaines échéances.

— Faisons en sorte que les questions soient posées, mais sans préjuger les réponses, dit-il. Laissons une ouverture aux espérances de chacun puisque aussi bien tout dépend d'une chose à venir et encore inconnue.

A supposer donc que la reine Clémence accouchât d'une fille, Philippe garderait la régence jusqu'à la majorité de sa nièce aînée, Jeanne. A cette date seulement serait réglée la succession, soit au profit des deux princesses qui se partageraient alors France et Navarre, soit au profit de l'une d'elles en faveur de qui serait maintenue la réunion des deux couronnes, soit au profit d'aucune, si elles renonçaient à leurs droits, ou encore si l'assemblée des pairs, convoquée pour en débattre, estimait que femme ne pouvait régner sur le royaume de France. Dans ce cas, la couronne irait au plus proche parent mâle du dernier roi... c'est-à-dire à Philippe. Ainsi, la candidature de celui-ci était pour la première fois officiellement avancée, mais soumise à tant de préalables qu'elle n'apparaissait que comme une solution éventuelle de compromis et d'arbitrage.

Ce règlement, présenté individuellement aux principaux barons favorables à Philippe, reçut leur acquiescement.

Seule Mahaut témoigna une réticence, bien étrangement, devant un acte qui, en fait, laissait envisager l'accession de son gendre et de sa fille au trône de France. Quelque chose dans la rédaction la chagrinait.

— Ne pourriez-vous, dit-elle, déclarer simplement: «Si les deux filles renoncent...» sans demander aux pairs de décider si femelle doit régner?

— Eh! ma mère, répondit Philippe, autrement, elles ne renonceront point. Les pairs, dont vous faites partie, sont la seule assemblée de recours. A l'origine ils étaient électeurs du roi, comme les cardinaux le sont du pape, ou les Palatins de l'Empereur, et c'est ainsi qu'ils choisirent Hugues notre ancêtre, qui était duc de France. Si à présent ils n'élisent plus, c'est que pendant trois cents ans nos rois ont toujours eu fils à asseoir au trône[8].

— C'est coutume qui vient de la chance! répliqua Mahaut. Votre règlement, qui prévoit d'éloigner les femmes, va servir tout juste les prétentions de mon neveu Robert. Vous verrez qu'il ne manquera pas d'en user pour essayer de me dépouiller de mon comté.

Elle ne songeait qu'à sa querelle successorale d'Artois, et plus du tout à la France.

— Coutume du royaume n'est pas coutume de fief, ma mère. Et

vous garderez mieux votre comté avec votre beau-fils régent, ou peut-être roi, qu'avec arguments de légistes.

Mahaut s'inclina, sans être convaincue.

— Voilà bien la gratitude des gendres, dit-elle un peu plus tard à Béatrice d'Hirson. On leur empoisonne un roi pour leur laisser la place, et aussitôt ils n'en font qu'à leur guise, sans tenir compte de rien !

— C'est que, Madame, il ne sait justement point ce qu'il vous doit, ni comment notre Sire Louis est parti.

— Et il ne faut pas qu'il le sache, Seigneur ! s'écria Mahaut. C'était son frère, après tout, et mon Philippe a de curieux mouvements de justice. Tiens ta langue, de grâce, tiens ta langue !

Durant ces mêmes journées, Charles de Valois, aidé de Charles de La Marche et de Robert d'Artois, s'agitait fort, disant partout et faisant dire que c'était démence de confirmer le comte de Poitiers dans la régence, et plus encore de le désigner comme héritier présomptif. Philippe et sa belle-mère avaient trop d'ennemis ; et la disparition de Louis X servait trop bien leurs intentions, maintenant avouées, pour que cette mort suspecte ne fût pas leur œuvre. Valois, lui, offrait d'autres garanties. Allié de toujours du roi de Naples, nul mieux que lui n'était à même de résoudre les problèmes regardant Clémence et la maison d'Anjou. Ayant servi la papauté romaine, il avait conservé la confiance des cardinaux italiens, sans lesquels, on le voyait bien, un pape ne se pouvait élire, et cela en dépit même des mauvais procédés qui consistaient à murer le conclave dans une église. Les anciens Templiers se rappelaient que Valois n'avait jamais approuvé la suppression de leur ordre ; les Flamands ne cachaient pas qu'ils aimeraient négocier avec lui.

Quand Philippe eut connaissance de cette campagne, il chargea ses familiers de répondre qu'il était bien étonnant, en vérité, de voir l'oncle du roi s'appuyer, pour réclamer le pouvoir, sur les cours étrangères ou sur les adversaires du royaume, et que si l'on voulait voir le pape à Rome, la France aux mains des Angevins, le Temple ressuscité, et les Flamands tout à fait émancipés, il fallait sans tarder offrir la régence au comte de Valois.

Enfin arriva le décisif vendredi où devait se tenir l'assemblée. A l'aurore, Béatrice d'Hirson se présenta au Palais et fut immédiatement introduite dans la chambre du comte de Poitiers. La demoiselle de parage était un peu essoufflée d'avoir couru depuis la rue Mauconseil. Philippe se dressa sur ses oreillers.

— Mâle ? demanda-t-il.

— Mâle, Monseigneur, et fort bien membré, répondit Béatrice en jouant des cils.

Philippe se vêtit à la hâte et se précipita à l'hôtel d'Artois.

— Les portes, les portes ! Que les portes restent closes ! dit-il dès qu'il fut entré. A-t-on bien veillé à mes ordres? Personne, hormis Béatrice, n'est sorti? Qu'il en soit ainsi pour tout le jour.

Puis il s'élança dans l'escalier. Il avait perdu cette raideur et cette componction auxquelles d'ordinaire il se forçait un peu.

La «chambre de gésine», ainsi qu'il était d'usage dans les familles princières, avait été somptueusement décorée. De hautes tapisseries d'Arras, aux vives couleurs, recouvraient entièrement les murs, et le sol était jonché de fleurs, iris, roses et marguerites, que l'on écrasait en marchant. L'accouchée, pâle, les yeux brillants et le visage encore défait, reposait dans un grand lit entouré de courtines de soie, sous des draps blancs qui traînaient à terre de la longueur d'une aune. Dans les angles de la pièce se trouvaient deux couchettes, également pourvues de rideaux de soie, et destinées l'une à la ventrière assermentée et l'autre à la berceresse de garde.

Philippe se dirigea droit vers le berceau d'apparat, et se pencha fort bas pour bien voir ce fils qui venait de lui naître. Affreux et pourtant attendrissant, comme tout enfant dans ses premières heures, rougeaud, ridé, les yeux collés et la lèvre baveuse, avec une infime mèche de cheveux blonds pointant sur son crâne chauve, le bébé dormait, emmailloté jusqu'aux épaules dans des bandelettes croisées étroitement serrées.

— Ainsi le voilà donc, mon petit Louis-Philippe que je souhaitais tant et qui arrive à point si bien nommé[9].

Seulement alors, le comte de Poitiers s'approcha de sa femme, la baisa aux joues, et lui dit, d'un ton de profonde gratitude:

— Grand merci, ma mie, grand merci. Vous me donnez belle joie, et ceci efface à jamais de ma pensée nos dissentiments de jadis.

Jeanne saisit la longue main de son mari, l'approcha de ses lèvres, s'y caressa le visage.

— Dieu nous a bénis, Philippe; Dieu a béni nos retrouvailles de l'automne, murmurait-elle.

Elle portait toujours son collier de corail.

La comtesse Mahaut, les manches relevées sur des avant-bras pourvus d'un solide duvet, assistait à la scène en triomphatrice. Elle se frappa la panse d'un geste énergique.

— Eh! mon fils, s'écria-t-elle. Ne vous l'avais-je pas dit? Ce sont bons ventres que ceux d'Artois et de Bourgogne.

Philippe revint au berceau.

— Ne le pourrait-on délanger que je le voie mieux? demanda-t-il.

— Monseigneur, répondit la ventrière, ce n'est point à conseiller. Les membres d'enfant sont moult tendres et doivent rester liés autant qu'il se peut, pour les enforcir et les empêcher de se tordre. Mais soyez sans crainte, Monseigneur, nous l'avons bien frotté de sel et de miel, et enveloppé de roses pilées pour lui ôter l'humeur glueuse, et il a eu tout le dedans de la bouche passé au miel avec le doigt, afin de lui donner appétit et douceur. Soyez sûr qu'il est bien choyé.

— Et votre Jeanne aussi, mon fils, ajouta Mahaut. Je l'ai fait oindre de bon onguent mêlé de fiente de lièvre, pour lui resserrer le ventre selon les recettes de maître Arnaud.

— Mais, ma mère, dit l'accouchée, je croyais que c'était recette pour femme stérile?

— Bah! La fiente de lièvre est bonne pour tout, répliqua la comtesse.

Philippe continuait à contempler son héritier.

— Ne trouvez-vous point qu'il ressemble fort à mon père? dit-il. Il en a le haut front.

— Peut-être bien, répondit Mahaut. A la vérité, je lui voyais plutôt les traits de feu mon brave Othon... Qu'il ait leur force d'âme et de corps, à tous deux, voilà ce que je lui souhaite.

— C'est surtout à vous, Philippe, qu'il ressemble, dit Jeanne doucement.

Le comte de Poitiers se redressa avec quelque fierté.

— A présent, dit-il, je pense que vous comprenez mieux mes ordres, ma mère, et pourquoi je vous demande de tenir vos portes fermées. Nul ne doit savoir que j'ai un fils. Car on dirait dans ce cas que j'ai fabriqué le règlement de succession tout exprès pour lui assurer le trône après moi, si Clémence ne donne point de mâle; et j'en connais quelques-uns, mon frère Charles le premier, qui regimberaient, à voir si tôt leurs espérances coupées. Si donc vous voulez garder à cet enfant sa chance de devenir roi, pas un mot à quiconque, tout à l'heure, dans l'assemblée.

— C'est vrai qu'il y a l'assemblée! Ce gaillard-là me le faisait oublier! s'écria Mahaut en tendant la main dans le berceau. Il est grand temps de me parer, et d'avaler un morceau pour être d'attaque. Je me sens toute creuse, à avoir été si tôt éveillée. Philippe, vous allez bien me faire raison. Béatrice, Béatrice!

Elle frappa dans ses paumes, et réclama un pâté de brochet, des œufs bouillis, du fromage blanc aux épices, de la confiture de noix, des pêches, et du vin blanc de Château-Chalon.

— C'est vendredi; il faut faire maigre, dit-elle.

Le soleil, apparaissant par-dessus les toits de la ville, inonda de lumière cette famille heureuse.

— Mange un peu. Du pâté de brochet, cela ne peut te peser, disait Mahaut à sa fille.

Philippe se leva bientôt, pour aller mettre la dernière main aux préparatifs de la réunion.

— Ma mie, on ne viendra point vous porter compliments aujourd'hui, dit-il à Jeanne en montrant les coussins disposés en demi-cercle autour du lit pour les visiteurs. Mais je gage que vous aurez grand monde demain.

Au moment où il allait sortir, Mahaut le rattrapa par la manche.

— Mon fils, songez un peu à Blanche, qui est toujours à Château-Gaillard. C'est la sœur de votre épouse.

— J'y songerai, j'y songerai. Je verrai à lui faire sort meilleur.

Et il s'éloigna, emportant à sa semelle un iris écrasé.

Mahaut referma la porte.

— Allons, les berceresses, s'écria-t-elle, chantonnez un peu !

X

L'ASSEMBLÉE DES TROIS DYNASTIES

Du fond de ses appartements, la reine Clémence entendit les « hauts hommes » se rendre à l'assemblée; le tumulte de leurs voix se répercutait sous les voûtes et dans les cours.

La réclusion de quarante jours, que les rites du deuil imposaient à la reine, venait de prendre fin la veille. Clémence, ingénument, avait cru la date de la réunion choisie tout exprès pour lui permettre d'y assister. Aussi s'était-elle préparée à cette réapparition solennelle avec intérêt, curiosité, impatience même, et comme si elle reprenait goût à vivre. Mais, à la dernière minute, un conseil de médecins, parmi lesquels les physiciens personnels du comte de Poitiers et de la comtesse Mahaut, lui avait interdit de s'exposer à une fatigue jugée dangereuse pour son état.

Cette décision, en vérité, satisfaisait les divers partis de la cour, car personne ne se souciait de faire valoir les droits de Clémence à la régence. Poutant, puisque l'on cherchait avec tant d'opiniâtreté, dans les coutumes du royaume, des précédents dont s'inspirer, on ne pouvait manquer de se souvenir d'Anne de Kiev, veuve d'Henri Ier, partageant le gouvernement avec son beau-frère Beaudoin de Flandre « par cette qualité indélébile qui lui avait été conférée par le sacre »; et l'exemple, plus proche encore, de la reine Blanche de Castille, était présent aux mémoires [10].

Mais le dauphin de Viennois, beau-frère de Clémence et le plus naturellement désigné pour la défendre, avait partie liée avec Philippe de Poitiers.

Mais Charles de Valois, bien qu'il se donnât comme le grand protecteur de sa nièce, ne songeait qu'à travailler pour lui-même.

Mais le duc Eudes de Bourgogne qui était là, ainsi qu'il le déclarait, en représentant de la succession de sa sœur Marguerite, souhaitait en premier chef l'éviction de Clémence.

Restée trop peu de mois au trône pour s'y être fait connaître et y avoir pris ascendant sur les barons, la belle Angevine n'était déjà plus considérée que comme la survivante d'un règne bref, troublé, et à maints égards calamiteux.

— Elle n'a pas porté chance au royaume, disait-on.

Et si l'on tenait compte d'elle en tant que future mère, on lui marquait bien que comme reine elle avait cessé d'exister.

Enfermée dans l'aile du palais, elle entendit décroître les voix; l'assemblée entrait en séance dans la salle du Grand Conseil dont on fermait les portes.

« Mon Dieu, mon Dieu, pensa-t-elle, pourquoi ne suis-je restée à Naples ! »

Et elle se mit à sangloter en songeant à son enfance, à la mer bleue, à ce peuple grouillant, bruyant, généreux, compatissant à la douleur, *son* peuple qui savait si bien aimer...

Pendant ce temps, Miles de Noyers lisait aux barons le règlement de succession.

Le comte de Poitiers avait pris soin de ne s'entourer d'aucun des attributs de la majesté royale. Son faudesteuil était au centre de l'estrade, mais il avait refusé qu'on le surmontât d'un dais. Lui-même était vêtu d'étoffe sombre et sans aucun ornement. Il semblait dire : « Messeigneurs, nous sommes ici en conseil de travail. » Simplement, trois sergents massiers se tenaient debout derrière son siège. Il assurait l'exercice de la souveraineté, sans pour autant s'en prétendre investi. Mais il avait soigneusement préparé la salle et fait à chacun assigner sa place par les chambellans, selon un cérémonial à la fois assez arbitraire et assez roide où les assistants retrouvaient les façons de Philippe le Bel.

A la droite de Philippe était assis Charles de Valois, et aussitôt après le connétable Gaucher de Châtillon, ceci pour surveiller l'ex-empereur de Constantinople et l'isoler de son clan. Philippe de Valois était relégué à six rangs de son père. A main gauche, Poitiers avait mis son oncle Louis d'Évreux puis son frère Charles de La Marche, empêchant de la sorte celui-ci de pouvoir se concerter avec Valois en cours de séance et revenir sur la parole par eux donnée quatre jours plus tôt.

Mais l'attention du comte de Poitiers se tournait surtout vers son cousin le duc de Bourgogne, placé en retour d'estrade, et qu'il avait flanqué de la comtesse Mahaut, du dauphin de Viennois, du comte de Savoie et d'Anseau de Joinville.

Philippe savait que le jeune duc allait parler au nom de sa mère, la duchesse Agnès, à laquelle sa qualité de fille de Saint Louis conférait, même absente, un grand prestige sur les seigneurs. Tout ce qui touchait au souvenir de Louis IX était objet de vénération; et les rares survivants qui pouvaient témoigner de l'avoir vu ou servi, qui avaient recueilli sa parole ou reçu son affection, se trouvaient revêtus d'un caractère un peu sacré.

Il suffirait à Eudes de Bourgogne de dire: « Ma mère, fille de notre Sire Saint Louis qui la bénit au front avant d'aller mourir en terre infidèle... » pour bouleverser l'assistance.

Aussi, afin de faire échec à cette manœuvre, Philippe de Poitiers avait fait surgir dans son jeu une pièce maîtresse et tout inattendue: Robert de Clermont, l'autre survivant des onze enfants du roi canonisé, le sixième et dernier fils. Voulait-on absolument la caution de Saint Louis? Eh bien, Poitiers la produisait!

Or la présence de Robert de Clermont était d'autant plus marquante et impressionnante qu'il ne se montrait plus à la cour depuis bien longtemps; sa dernière apparition remontait à près de cinq ans; son existence était presque oubliée, et lorsqu'on s'en souvenait nul n'osait en parler qu'à voix basse.

En effet, le grand-oncle Robert était fou, depuis qu'à l'âge de vingt-quatre ans il avait reçu un coup de masse d'armes sur la tête. Folie frénétique, mais intermittente, avec de longues périodes d'accalmie qui avaient permis à Philippe le Bel de se servir de lui, parfois, pour des missions décoratives. Cet homme-là n'était pas dangereux par ce qu'il disait; il parlait à peine. Il était dangereux par ce qu'il pouvait faire, car rien ne signalait jamais qu'une crise allait le saisir et le jeter, glaive en main, contre ses familiers. Il offrait alors le pénible spectacle d'un seigneur de soixante-deux ans, aussi majestueux d'aspect que noble de race, qui soudain fendait les meubles, tranchait les tentures, et poursuivait les femmes de service devenues ses adversaires en tournoi[11].

Le comte de Poitiers l'avait fait asseoir sur l'autre aile de l'estrade, en pendant au duc de Bourgogne, et à proximité d'une porte. Deux écuyers monumentaux se tenaient à courte distance, chargés de le ceinturer à la moindre alerte. Clermont laissait flotter un regard méprisant, ennuyé, absent, qui se fixait soudain sur un visage, avec l'inquiétude douloureuse des souvenirs irretrouvables, puis s'éteignait. On l'observait, et sa vue causait un vague malaise.

Tout auprès de ce fol siégeait son fils, Louis de Bourbon, lequel était boiteux, ce qui semblait l'avoir toujours gêné pour attaquer en bataille, mais non pas pour fuir, ainsi qu'il l'avait montré à Courtrai. Dégingandé, contrefait et couard, Bourbon, en revanche, n'était pas dépourvu de clairvoyance; aussi venait-il de rallier, comme à son ordinaire, la protection du parti le plus fort.

De ces deux princes, l'un pris à la tête et l'autre aux jambes, descendrait la longue lignée des Bourbons.

Ainsi, en cette assemblée du 16 juillet 1316, se trouvaient réunies les trois branches capétiennes qui allaient pour cinq siècles encore régner sur la France. Les trois dynasties pouvaient ce jour-là se contempler, en leur fin ou en leur souche : celle des Capétiens directs qui s'éteindrait bientôt par Philippe de Poitiers et Charles de La Marche ; celle des Valois qui, avec le fils de Charles, prendrait la suite pour treize règnes ; celle enfin des Bourbons, qui n'apparaîtrait au trône qu'à l'extinction des Valois, lorsqu'il faudrait remonter une fois encore à la descendance de Saint Louis pour désigner un roi. Chaque rupture de dynastie s'accompagnerait de guerres épuisantes, dévastatrices. Et chaque race se terminerait par trois frères...

La combinaison entre les actes des hommes et l'imprévu des destins ne cessera jamais d'étonner. Toute l'histoire de la monarchie française, pendant cinq siècles, avec ses grandeurs et ses drames, devait découler du règlement de succession que Miles de Noyers, ancien maréchal de l'ost et conseiller au Parlement, achevait de lire aux « hauts hommes du royaume », ce 16 juillet-là.

Alignés sur des bancs ou adossés aux murs, barons, prélats, grands officiers, docteurs, juristes et délégués des bourgeois de Paris, avaient écouté attentivement. Philippe de Poitiers les regardait, plissant les yeux pour combattre sa myopie qui brouillait un peu les visages et estompait le contour des groupes.

« J'ai un fils ; j'ai un fils, se disait-il avec bonheur, et ils ne l'apprendront que demain. » Il se disposait à soutenir l'attaque du duc de Bourgogne. Or l'assaut vint d'un autre côté.

Il y avait en cette assemblée un homme dont rien ne pouvait avoir raison, que la noblesse du sang n'impressionnait pas car il était du meilleur, qui ne s'inclinait pas devant la force car il était capable de renverser un bœuf, et sur lequel n'avait prise aucune combinaison autre que celles échafaudées par lui-même. Ce personnage était Robert d'Artois. Ce fut lui, aussitôt que Miles de Noyers eut terminé la lecture, qui se leva pour engager le combat, sans s'être concerté avec personne.

Comme chacun, ce jour-là, faisait étalage de sa famille, Robert d'Artois avait amené sa mère, Blanche de Bretagne, une toute petite femme au visage mince, aux cheveux blancs, aux membres frêles, et qui semblait constamment stupéfaite d'avoir donné le jour à une telle merveille de géant.

Coudes écartés, et les pouces passés dans sa ceinture d'argent, Robert d'Artois lança :

— Je m'ébaubis, Messeigneurs, qu'on nous vienne offrir un nouveau règlement de régence, de toutes pièces fabriqué pour le propos, alors qu'il en existe déjà un, dicté par notre dernier roi.

Les yeux se tournèrent vers le comte de Poitiers, et certains des assistants se demandèrent avec inquiétude si l'on n'avait pas escamoté une partie du testament de Louis X.

— Je ne vois pas, mon cousin, dit Philippe de Poitiers, de quel règlement vous voulez parler. Vous étiez présent aux derniers moments de mon frère, avec bien d'autres seigneurs qui sont ici, et nul ne m'a jamais fait savoir qu'il eût exprimé aucune volonté à ce sujet.

— Aussi bien, mon cousin, répliqua Robert d'un ton narquois, quand je dis « notre dernier roi », je ne parle pas de votre frère Louis Dixième, que Dieu garde !...; mais de votre père, notre bien-aimé Sire Philippe le Bel... que Dieu garde en même temps ! Or le roi Philippe avait décidé, écrit et fait jurer à ses pairs, par serment, que s'il venait à mourir avant que son fils fût assez homme pour exercer le gouvernement, les offices royaux et la charge de régence seraient remis à son frère, Monseigneur Charles, comte de Valois. Adoncques, mon cousin, puisque aucun autre règlement n'a été fait depuis, c'est bien celui-là, il me semble, qu'il faudrait appliquer.

Blanche de Bretagne opinait de la tête, souriait d'une bouche sans dents et promenait à la ronde ses yeux vifs et brillants, conviant du regard ses voisins à approuver l'intervention de son fils. Il n'était parole prononcée par ce braillard, procès soutenu par ce chicanier, violence ou truanderie commise par ce mauvais sujet, qu'elle n'approuvât, n'admirât, comme la révélation d'un prodige vivant. Elle reçut, donné par un signe de paupières, un remerciement muet du comte de Valois.

Philippe de Poitiers, un peu incliné sur l'accoudoir de son faudesteuil, agita lentement la main.

— J'admire, Robert, j'admire, dit-il, de vous voir si empressé aujourd'hui à suivre la volonté de mon père, alors que vous fûtes si peu obéissant à sa justice, en son vivant. Les bons sentiments vous viennent avec l'âge, mon cousin ! Soyez rassuré. C'est précisément la volonté du roi Philippe que nous nous sommes efforcés de respecter. N'est-il pas vrai, mon oncle ? ajouta-t-il à l'adresse de Louis d'Évreux.

Louis d'Évreux, qui depuis six semaines s'opposait aux manœuvres de Valois et de Robert d'Artois, prit la parole.

— Le règlement sur lequel vous vous fondez, Robert, vaut pour le principe, mais non indéfiniment pour la personne. Que pareil accident, dans cinquante ou cent ans, survienne encore à la couronne, ce ne sera pas mon frère Charles qu'on ira chercher pour régenter le royaume... si longue vie que je lui souhaite. Notre sire Dieu n'a pas fait Charles éternel tout exprès. Le règlement, en établissant que la régence revient au frère le plus avancé en âge, désigne donc bien Philippe et c'est pourquoi, l'autre jour, nous lui avons prêté hommage. Ne remettez donc pas en question ce qui est tranché.

On croyait Robert maté. C'était mal le connaître. Il baissa légèrement la tête, offrant aux rayons du soleil qui perçaient les vitraux ses cheveux de cuivre, coiffés en rouleaux sur sa large nuque. Son ombre s'étendait sur les dalles, comme une menace, jusqu'aux pieds du comte de Poitiers.

— Les volontés du roi Philippe, reprit-il, ne contenaient rien au sujet des filles royales, ni qu'elles eussent à renoncer à leurs droits, ni que la décision fût remise à l'assemblée des pairs.

Un frémissement d'approbation agita aussitôt les rangs des seigneurs de Bourgogne et de Champagne, et le duc Eudes lui-même, sur l'estrade, s'écria :

— Voilà qui est bien dit, mon cousin, et c'est tout juste ce que j'allais clamer moi-même !

Blanche de Bretagne, à nouveau, lança autour d'elle ses petits regards pétillants. Le connétable commençait à s'agiter sur son siège. On l'entendait grommeler, et ceux qui le connaissaient bien prévoyaient un éclat.

— Depuis quand, reprit le jeune duc en se levant, cette novelleté a-t-elle été introduite dans nos coutumes ? Depuis hier, je pense ! Depuis quand les filles, si les fils viennent à manquer, devraient-elles être privées des possessions et couronnes de leur père ?

Le connétable à son tour se dressa.

— Depuis le temps, messire duc, dit-il avec une lenteur calculée, que certaine fille ne donne plus au royaume la garantie d'être bien née de ce père dont on veut la faire hériter. Sachez enfin ce qui se dit par le monde, et que notre cousin Valois nous a lui-même souvent répété en Conseil étroit. La France est trop beau et trop grand pays, messire duc, pour que l'on puisse, sans que les pairs en aient délibéré, remettre la couronne à une princesse dont on ne sait si elle est fille de roi ou fille d'écuyer.

L'assemblée fit silence. Eudes de Bourgogne était devenu blanc. On crut qu'il allait se lancer contre Gaucher de Châtillon qui attendait, ramassé dans sa force de vieil homme de guerre. Mais ce fut vers Charles de Valois que la colère du Bourguignon dévia.

— Ainsi, mon cousin, s'écria-t-il, vous qui avez choisi d'unir votre fils aîné à une autre de mes sœurs, vous vous employez donc à honnir celle-là qui est morte ?

— Eh, mon compère ! dit Valois, pour ce qui est de se honnir, votre sœur Marguerite... que Dieu lui pardonne ses péchés... n'a pas eu besoin de mon aide !

Et, plus bas, il ajouta à l'adresse de Gaucher de Châtillon :

— Quel besoin aviez-vous de m'aller mettre en cause !

— Et vous, mon frère par le mariage, continuait Eudes en désignant Philippe de Valois, approuvez-vous aussi les vilenies que j'entends ?

Philippe de Valois, empêtré de sa grande taille et cherchant vainement des yeux le conseil de son père, souleva les bras d'un geste d'impuissance, et se contenta de dire :

— Il faut avouer, mon frère, que le scandale était gros !

L'assistance commençait de bourdonner. Du fond de la salle

venaient des bruits de disputes, certains seigneurs tenant pour la bâtardise de Jeanne, et d'autres pour la légitimité. Charles de La Marche, mal à l'aise, pâle, baissait la tête, comme chaque fois qu'il était question de cette misérable affaire. « Marguerite est morte; Louis est mort, se disait-il; mais ma femme Blanche est toujours vivante et moi je continue de porter au front mon déshonneur. »

A ce moment, le comte de Clermont, auquel personne n'accordait plus attention, donna des signes d'agitation:

— Je vous défie, messires, je vous défie tous! cria-t-il soudain.

— Plus tard, mon père, plus tard, nous irons en tournoi, dit Louis de Bourbon d'une voix qui se voulait tranquille et naturelle.

Et en même temps il invitait du geste les deux gigantesques écuyers à se tenir prêts, pour le cas où il faudrait ceinturer le dément.

Robert d'Artois contemplait, enchanté de soi, le tumulte qu'il avait provoqué.

Le duc de Bourgogne lançait à Charles de Valois:

— Certes je souhaite que Dieu pardonne à Marguerite ses péchés, si elle en a commis; mais je souhaite moins qu'il pardonne à ses assassins!

— Ce sont mensonges que vous avez écoutés, Eudes, répliquait Valois, et vous savez bien que votre sœur n'est morte de rien d'autre que de honte et de remords en sa prison.

Maintenant que le comte de Valois et le duc de Bourgogne étaient bien profondément brouillés, sans chance aucune qu'ils unissent leurs causes avant longtemps, Philippe de Poitiers étendit les mains dans un geste d'apaisement.

Mais Eudes ne voulait pas la paix, bien au contraire.

— J'ai assez ce jour d'hui, mon cousin, entendu outrager la Bourgogne, dit-il. J'oppose refus à vous reconnaître pour régent, et j'affirme et maintiens devant tous les droits de ma nièce Jeanne.

Puis, faisant signe aux seigneurs bourguignons de le suivre, il quitta la salle.

— Messeigneurs, Messires, dit le comte de Poitiers, voici tout justement ce que nos légistes s'étaient efforcés d'éviter en remettant au Conseil des Pairs de décider plus tard, s'il y a lieu, de la question des filles. Car si la reine Clémence donne un mâle au royaume, toute cette querelle est sans objet.

Robert d'Artois était toujours devant l'estrade, les poings aux hanches.

— Je retiens ceci de votre règlement, mon cousin, s'écria-t-il, que désormais, en coutume de France, le droit à succéder est contesté aux femmes. Je demande donc que me soit retourné mon comté d'Artois qui fut indûment remis à ma tante Mahaut. Et tant que vous ne m'aurez point fait justice sur ce point, je ne saurai paraître à votre Conseil.

Là-dessus il se dirigea lui aussi vers la sortie, suivi de sa mère qui trottinait, fière de lui et fière d'elle.

La comtesse Mahaut éleva les mains d'un geste qui exprimait : « Là ! Je l'avais bien dit ! »

Avant de franchir la porte, Robert, passant derrière le comte de Clermont, lui souffla méchamment à l'oreille :

— Aux lances, cousin, aux lances !

— Coupez cordes ! Hurlez bataille [12] ! cria Clermont en se dressant.

— Porc malfaisant, le diable t'étripe ! lança Louis de Bourbon à Robert.

Puis à son père :

— Restez encore avec nous. Les trompettes n'ont point sonné.

— Ah ! Elles n'ont point sonné ? Eh bien ! qu'elles sonnent ! Il se fait tard, dit Clermont.

Il attendait, l'œil vide, les bras écartés.

Bourbon se dirigea, claudiquant, vers le comte de Poitiers et le pria, à voix basse, de hâter le cérémonial. Philippe approuva de la tête.

Bourbon retourna au malade, lui prit la main en disant :

— L'hommage, mon père ; l'hommage à présent.

— Ah ! certes, l'hommage.

Le boiteux conduisant le dément, ils traversèrent l'estrade.

— Messeigneurs, dit Louis de Bourbon, voici mon père, le plus ancien du sang de Saint Louis, qui approuve le règlement en tous points, reconnaît messire Philippe comme régent et lui jure fidélité.

— Oui, messires, oui... dit Robert de Clermont.

Philippe trembla de ce que son grand-oncle allait bien pouvoir ajouter. « Il va m'appeler Madame et me demander mon écharpe. »

Mais Clermont continuait d'une voix forte :

— Je vous reconnais, Philippe, parce que le mieux désigné en droit, et parce que le plus sage. Que veille sur vous depuis le Ciel l'âme sainte de mon père, pour vous aider à garder paix au royaume et défendre notre sainte foi.

Un mouvement de stupéfaction heureuse parcourut les rangs des barons. Que se passait-il donc dans la tête de cet homme pour qu'il oscillât ainsi, sans transition, du délire à la raison, du ridicule à la grandeur ?

Il mit beaucoup de lenteur, beaucoup de noblesse à s'agenouiller devant son petit-neveu, étendit les mains ; lorsqu'il se releva et se retourna, ayant reçu l'accolade, ses vastes yeux bleus étaient noyés de larmes.

L'assemblée entière se mit debout et fit une longue ovation aux deux princes.

Philippe se trouvait confirmé dans la régence par tout le royaume, à l'exception d'une province, la Bourgogne, et d'un homme seul, Robert d'Artois.

XI

LES FIANCÉS JOUENT À CHAT PERCHÉ

Quitter à grand fracas une assemblée politique, pour marquer un désaccord, n'empêcha jamais le protestataire de dîner ensuite à la même table que ses adversaires.

En dépit de son éclat du matin, le duc de Bourgogne, dûment prié, accepta de paraître au banquet de famille que le comte de Poitiers offrait, ce même jour, au manoir de Vincennes.

Or la famille de France, cousinage et dignitaires compris, groupait plus d'une centaine de personnes qui se transportèrent donc à Vincennes et s'assirent, entre haute et basse vesprée, c'est-à-dire vers cinq heures de l'après-midi, autour de longues tables à tréteaux couvertes de nappes blanches.

La présence du duc de Bourgogne rendait plus marquante l'absence de Robert d'Artois.

— Mon fils est tombé faible en sortant du Palais, tant les choses qu'il avait entendues lui avaient donné tourment, dit Madame Blanche de Bretagne.

— Tombé faible, vraiment? répondit Philippe de Poitiers. J'espère qu'il ne s'est pas blessé en chéant de si haut !

Nul ne s'étonna en revanche de ne pas apercevoir le comte de Clermont, reconduit en hâte à sa demeure aussitôt l'hommage rendu. On félicita Louis de Bourbon de la belle impression qu'avait produite son père, en déplorant que la maladie de celui-ci, noble maladie d'ailleurs puisqu'elle provenait d'un accident d'armes, ne lui permît pas une participation plus fréquente aux affaires du royaume.

Le repas s'ouvrit dans une relative bonne humeur. Le connétable et le duc de Bourgogne avaient été placés à telle distance que le feu entre eux ne pût reprendre. Valois pérorait pour son compte.

Le plus étonnant, en ce dîner, était le nombre des enfants. Car Eudes de Bourgogne ayant posé comme condition à sa venue que la petite

Jeanne de Navarre serait présente, en réparation de l'outrage à elle fait pendant l'assemblée, le comte de Poitiers avait tenu à amener ses trois filles, et donc le comte de Valois ses plus jeunes rejetons, et le comte d'Évreux son fils et sa fille qui en étaient encore à jouer aux marionnettes, et le dauphin de Viennois son «dauphiniet» Guigues, fiancé de la troisième fille du régent, et Louis de Bourbon ses enfants en âge de marcher... On ne parvenait pas à s'y retrouver dans les prénoms; les Blanche et les Isabelle, les Charles et les Philippe foisonnaient; lorsque quelqu'un appelait: «Jeanne!», six têtes se tournaient à la fois.

Tous ces cousins étaient destinés à se marier entre eux, pour servir les combinaisons politiques de leurs parents, qui avaient été, eux aussi, mariés de la même façon, dans la plus étroite consanguinité. Que de dispenses il faudrait demander au pape pour faire passer les intérêts territoriaux avant les décrets de la religion! Et que d'autres boiteux, que d'autres déments en perspective! La seule différence entre la descendance d'Adam et celle de Capet, était qu'en la seconde on évitait encore de se reproduire entre frères et sœurs.

Le dauphiniet et sa fiancée, la petite Isabelle de Poitiers, qu'on n'appellerait bientôt plus qu'Isabelle de France, offraient le spectacle de la plus touchante entente. Ils mangeaient au même plat; le dauphiniet choisissait pour sa future épouse les meilleurs morceaux de ragoût d'anguille, en fouillant avec application dans la sauce, et les lui mettait de force dans la bouche, lui barbouillant tout le visage. Les autres bambins les enviaient beaucoup d'avoir déjà une situation de couple; on allait leur constituer à l'intérieur de la maison du régent leur petit hôtel personnel avec leur valet à cheval, leur valet à pied, leurs femmes de chambre.

Jeanne de Navarre, elle, ne mangeait rien. Sa présence à ce festin avait été imposée, et comme les enfants sont vifs à deviner les sentiments de leurs parents et à en exagérer les démonstrations, tout le cousinage de cette malheureuse orpheline se détournait d'elle. Jeanne était parmi les plus petits; elle n'avait que cinq ans. A la seule différence qu'elle était blonde, elle commençait de montrer de nombreux traits de ressemblance, front bombé, pommettes hautes, avec sa mère. Enfant solitaire qui ne savait pas jouer et vivait entre les domestiques dans les immenses salles vides de l'hôtel de Nesle, elle n'avait jamais vu tant de monde assemblé, ni entendu pareille rumeur de voix et de vaisselle; et elle regardait avec un mélange d'admiration et d'effroi cette débauche de victuailles sans arrêt déversées sur les tables crénelées de forts mangeurs. Elle sentait bien qu'on ne l'aimait pas; lorsqu'elle posait une question, nul ne lui répondait; si jeune qu'elle fût, elle avait l'esprit assez développé déjà pour penser: «Mon père était roi, ma mère était reine; ils sont morts et plus personne ne me parle. » Elle ne devait jamais oublier le dîner de Vincennes. A mesure que le ton des voix montait, que les rires se répondaient, la tristesse de la petite Jeanne, sa détresse dans ce banquet de géants, devenaient plus pesantes. Louis d'Évreux qui, de loin, la vit prête à pleurer, lança à son fils :

— Philippe ! veille un peu à ta cousine Jeanne.

Le petit Philippe voulut alors imiter le dauphiniet et poussa entre les lèvres de sa voisine un morceau d'esturgeon à la sauce d'orange, qu'elle cracha dédaigneusement sur la nappe.

Comme les échansons s'employaient à remplir sans cesse les hanaps, il fut bientôt évident que cette marmaille habillée de brocart allait être malade et, dès avant le sixième service, on l'envoya jouer dans les cours. Il advint donc à ces enfants de roi ce qui arrive à tous les enfants du monde lors des repas de fête ; ils furent privés de leurs mets préférés, sucreries, pièces montées et desserts.

Aussitôt le festin terminé, Philippe de Poitiers prit le duc de Bourgogne par le bras et lui dit qu'il souhaitait l'entretenir en particulier.

— Allons prendre les dragées un peu à l'écart, mon cousin. Venez donc avec nous, mon oncle, ajouta-t-il en se tournant vers Louis d'Évreux.

Et il appela aussi Guillaume de Mello, conseiller du duc, afin que les parties fussent à égalité. Il entraîna les trois hommes dans une petite salle attenante où, tandis qu'on passait le vin sucré et les épices de chambre, il commença d'expliquer combien il désirait parvenir à un accommodement, et quels étaient les avantages du règlement de régence.

— C'est parce que je sais qu'à présent les têtes sont fort montées, dit-il, que j'ai voulu repousser les décisions finales jusqu'à la majorité de Jeanne. D'ici là, dix ans seront passés, et vous savez comme moi qu'en dix ans les opinions changent assez, ne serait-ce que parce que ceux qui professaient les plus violentes peuvent venir à mourir. Je pensais donc, mon cousin, vous servir en agissant de la sorte, et je crois que vous avez mal compris mon dessein. Puisque Valois et vous ne vous pouvez pour l'heure accorder ensemble, accordez-vous chacun avec moi.

Le duc de Bourgogne demeurait renfrogné. Il n'était pas un homme intelligent ; il craignait toujours qu'on ne le voulût tromper, ce qui ne lui évitait pas de l'être fréquemment. La duchesse Agnès, que l'amour maternel n'aveuglait pas, l'avait avant le départ solidement sermonné :

— Prends garde à ne point te faire berner. Ne parle pas avant d'avoir pensé, et si tu ne penses rien, tais-toi pour laisser parler messire de Mello qui a l'esprit plus fin que tu ne l'as.

Eudes de Bourgogne, à vingt-deux ans, et investi des titres et fonctions de duc, vivait encore dans la terreur de sa mère, et tremblait d'avoir à se justifier devant elle. Il n'osa répondre de front aux ouvertures de Philippe.

— Ma mère vous a fait tenir une lettre, mon cousin, par laquelle elle vous disait... que disait cette lettre, messire de Mello?

— Madame Agnès demandait que Madame Jeanne de Navarre fût remise à sa garde, et elle s'étonne, Monseigneur, que vous ne lui ayez point encore fait réponse.

— Mais comment le pouvais-je, mon cousin? répondit Philippe s'adressant toujours à Eudes comme si Mello n'avait joué entre eux que le rôle d'interprète d'une langue étrangère. C'est une décision qui relève de la régence. Me voici aujourd'hui seulement en mesure de faire droit à cette requête. Qui vous prouve, mon cousin, que je songe à refuser? Vous emmènerez, je pense, votre nièce avec vous.

Le duc, tout surpris de trouver si peu de résistance, regarda Mello, et son visage semblait dire: « Mais voici un homme avec lequel on peut s'entendre! »

— A condition, mon cousin, reprit le comte de Poitiers, à condition bien sûr que votre nièce ne soit pas mariée sans mon consentement. C'est là chose évidente; l'affaire intéresse trop la couronne, et vous ne pourriez vous passer de notre avis pour donner époux à une fille qui peut devenir un jour reine de France.

La seconde partie de la phrase fit passer la première. Eudes crut vraiment qu'il était dans l'esprit de Philippe de faire couronner Jeanne si la reine Clémence n'accouchait pas d'un fils.

— Certes, certes, mon cousin, dit-il; sur ce point nous sommes bien dans l'agrément.

— Alors, rien ne nous divise plus et nous allons signer un bon accord, dit Philippe.

Sans attendre, il fit mander Miles de Noyers, qui avait la meilleure plume pour rédiger ce genre de traité.

— Veuillez, messire, lui dit-il, nous coucher ceci sur vélin: « Nous, Philippe, pair et comte de Poitiers, régent des deux royaumes par la grâce de Dieu, et notre bien-aimé cousin, magnifique et puissant seigneur Eudes IV, pair et duc de Bourgogne, nous jurons sur les Saintes Écritures de nous rendre bon service et loyale amitié... » C'est l'idée, messire de Noyers, qu'en gros je vous exprime là... « Et par cette amitié que nous nous jurons, avons en commun décidé que Madame Jeanne de Navarre... »

Guillaume de Mello tira le duc par la manche et lui dit un mot à l'oreille, à quoi le duc comprit qu'il était en train de se laisser jouer.

— Eh! mais, mon cousin, s'écria-t-il, ma mère ne m'avait point autorisé à vous reconnaître pour régent!

On fut bientôt dans l'impasse. Philippe ne consentait à se dessaisir de l'enfant que si le duc avalisait le règlement de régence. Il offrit diverses garanties. Mais l'autre s'obstinait; c'était sur les droits à la couronne qu'il exigeait un engagement formel.

«S'il n'y avait point ce Mello, qui est rusé, pensait le comte de Poitiers, Eudes aurait déjà capitulé.» Il feignit la fatigue, étendit ses longues jambes, croisa les pieds l'un sur l'autre, se frotta le menton.

Louis d'Évreux observait et se demandait comment son neveu pourrait se tirer d'affaire. «Je vois bientôt des lances s'agiter du côté de Dijon», se disait cet homme sage. Il était sur le point d'intervenir pour conseiller : « Allons, cédons sur les droits de la couronne », lorsque Philippe demanda soudain au Bourguignon :

— Voyons, mon cousin, n'avez-vous pas désir de vous marier?

L'autre ouvrit des yeux ronds, croyant d'abord, car il n'était pas vif, que Philippe envisageait de le fiancer à Jeanne de Navarre.

— Puisque nous venons de nous jurer éternelle amitié, reprit Philippe comme s'il tenait pour acquises les quelques lignes restées inachevées, et que par là, mon cher cousin, vous me donnez grand appui, je voudrais vous faire, à mon tour, belle manière, et j'aurais plaisir à doubler notre lien d'affection par plus étroite parenté. Que ne prendriez-vous en mariage ma fille aînée, Jeanne?

Eudes IV regarda Mello, puis Louis d'Évreux, puis Miles de Noyers qui attendait, le calame levé.

— Mais, mon cousin, quel âge a-t-elle? demanda-t-il.

— Elle a huit ans, mon cousin, répondit Philippe qui prit un temps, puis ajouta : elle peut avoir aussi la comté de Bourgogne, qui nous vient de sa mère.

Eudes releva la tête comme un cheval qui sent l'avoine. La réunion des deux Bourgognes, le duché et la comté, les ducs héréditaires ne cessaient d'en rêver depuis le temps de Robert Ier, petit-fils de Hugues Capet. Joindre la cour de Dole à celle de Dijon, unir les territoires qui allaient d'Auxerre à Pontarlier et de Mâcon à Besançon, avoir une main en France et l'autre vers le Saint Empire, puisque la comté était palatine, ce mirage devenait-il soudain réalité? La route de l'Empire s'ouvrait, et ses vieux prestiges carolingiens...

Louis d'Évreux ne put s'empêcher d'admirer l'audace de son neveu; dans un jeu qui semblait perdu, c'était grosse relance qu'il faisait là. Mais à y regarder de plus près, le raisonnement de Philippe se concevait sans peine; il ne proposait finalement que les terres de Mahaut. On avait donné à celle-ci l'Artois, aux dépens de Robert, pour qu'elle lâchât la comté; on avait fait glisser à Philippe, par la dot de sa femme, la comté, pour qu'il pût postuler à l'élection impériale. Maintenant Philippe guignait la couronne de France, ou tout au moins la régence pour dix ans à courir; la comté avait donc moins de raisons de l'intéresser, à condition qu'elle n'allât qu'à un vassal, ce qui était le cas.

— Pourrais-je voir Madame votre fille? demanda Eudes aussitôt et sans plus songer d'en référer à sa mère.

— Vous l'avez vue tout à l'heure, mon cousin, au repas.

— Certes, mais je l'avais mal regardée... je veux dire, je ne l'avais point considérée de cet œil.

On envoya chercher la fille aînée du comte de Poitiers, qui était occupée à jouer à chat perché avec les autres enfants [13].

— Que me veut-on? Qu'on me laisse à rire, dit la petite fille qui poursuivait le dauphiniet du côté des écuries.

— Monseigneur votre père vous requiert, lui dit-on.

Elle prit le temps d'attraper le petit Guigues, de lui crier: «Chat!» en le frappant dans le dos, et puis suivit, boudeuse, mécontente, le chambellan qui la prit par la main.

Encore tout essoufflée, les joues moites, les cheveux sur le visage, et sa robe brochée couverte de poussière, elle se présenta ainsi à son cousin Eudes qui avait quatorze ans de plus qu'elle. Une petite fille ni laide ni jolie, encore maigriotte, et qui ne se doutait nullement que son destin se confondait en cet instant avec celui de la France... Il est des enfants qui donnent tôt à deviner la mine qu'ils auront adultes; sur celle-ci on ne distinguait rien. On ne voyait que la comté de Bourgogne, en auréole.

Une province est belle chose; encore faut-il que la femme ne soit pas difforme. «Si elle a les jambes droites, j'accepte», se dit le duc. Il était bien placé pour se défier de cette sorte de surprise, puisque sa seconde sœur, la cadette de Marguerite, qu'on avait mariée à Philippe de Valois, n'avait pas les talons à la même hauteur [14]. Dans l'animosité présente des Valois envers la Bourgogne, cette boiterie-là, qui n'apparaissait pas au contrat, entrait pour quelque chose! Le duc demanda donc, sans que cela parût surprendre personne, qu'on voulût bien relever les jupes de l'enfant pour juger de la façon dont ses pieds étaient faits. La petite n'avait pas la cuisse ni le mollet gras; elle tenait de son père. Mais l'os était bien droit.

— Vous avez raison, mon cousin, dit le duc. Ce serait là bonne façon de sceller notre amitié.

— Vous voyez bien! dit Poitiers. Ne vaut-il pas mieux cela que de se quereller? Je veux désormais vous appeler beau-fils.

Il lui ouvrit les bras; le gendre avait, à trente mois près, l'âge de son beau-père.

— Allez, ma fille, allez à votre tour baiser votre fiancé, dit Philippe à l'enfant.

— Ah! il est mon fiancé? dit la petite.

Elle se redressa d'un air orgueilleux.

— Eh mais! ajouta-t-elle, il est plus grand que le dauphiniet.

«Comme j'ai bien agi le mois dernier, pensait Philippe, en ne donnant au dauphin que ma troisième fille, et en gardant celle-ci qui pouvait disposer de la comté ! »

Le duc de Bourgogne dut soulever sa future épouse jusqu'à ses joues afin qu'elle y posât un gros baiser mouillé ; puis, dès qu'elle eut retouché terre, elle partit vers la cour, pour annoncer fièrement aux autres enfants :

— Je suis fiancée !

Les jeux s'interrompirent.

— Et pas un petit fiancé comme le tien, dit-elle à sa sœur en désignant le dauphiniet. Le mien est grand comme notre père.

Puis, apercevant la petite Jeanne de Navarre qui boudait, un peu à l'écart, elle lui lança :

— Maintenant, je vais être ta tante.

— Pourquoi ma tante ? demanda l'orpheline.

— Parce que je serai la femme de ton oncle Eudes.

Une des dernières filles du comte de Valois, déjà dressée à tout répéter, se précipita dans le château, trouva son père qui complotait en compagnie de Blanche de Bretagne et de quelques seigneurs de son parti et lui rapporta ce qu'elle venait d'entendre. Charles se leva, rejetant son siège derrière lui, et fonça, tête en avant, vers la pièce où se tenait le régent.

— Ah ! mon cher oncle, vous êtes bienvenu ! s'écria Philippe de Poitiers ; j'allais justement vous faire mander pour être témoin de notre accord.

Et il lui tendit l'acte dont Miles de Noyers venait de terminer ainsi la rédaction : « *... pour signer ici avec tous nos parents les conventions que nous venons de faire avec notre bon cousin de Bourgogne, et par lesquelles nous nous accordons sur le tout.* »

Amère semaine pour l'ex-empereur de Constantinople, qui n'eut qu'à s'exécuter. A sa suite, Louis d'Évreux, Mahaut d'Artois, le dauphin de Viennois, Amédée de Savoie, Charles de La Marche, Louis de Bourbon, Blanche de Bretagne, Guy de Saint-Pol, Henry de Sully, Guillaume d'Harcourt, Anseau de Joinville et le connétable Gaucher de Châtillon, apposèrent leur seing au bas des conventions.

Le tardif crépuscule de juillet tombait sur Vincennes. La terre et les arbres restaient imprégnés de la chaleur de la journée. La plupart des hôtes étaient partis.

Le régent alla faire quelques pas sous les chênes, en compagnie de ses familiers les plus dévoués, ceux qui le suivaient depuis Lyon et avaient assuré son triomphe. Ils plaisantaient un peu sur l'arbre de Saint Louis qu'on ne parvenait pas à retrouver. Soudain, le régent dit :

— Messeigneurs, j'ai douce joie au cœur ; ma bonne épouse, ce jour, a mis au monde un fils.

Il respira profondément, avec bonheur, avec délice, et comme si l'air du royaume de France lui avait vraiment appartenu.

Il s'assit sur la mousse. Le dos appuyé à un tronc, il contemplait la découpure des feuilles sur le ciel encore rose, lorsque le connétable de Châtillon arriva à grands pas.

— Je viens vous apporter une mauvaise nouvelle, dit-il.

— Déjà? fit le régent.

— Votre cousin Robert s'est emparti tout à l'heure pour l'Artois.

DEUXIÈME PARTIE

L'ARTOIS ET LE CONCLAVE

I

L'ARRIVÉE DU COMTE ROBERT

Une douzaine de cavaliers, venant de Doullens et conduits par un géant en cotte d'armes rouge sang, traversèrent au galop le village de Bouquemaison et puis s'arrêtèrent à cent toises de là. La vue depuis cet endroit découvrait un vaste plateau de terre à blé, coupé de vallonnements, de hêtraies, et qui descendait par paliers vers un horizon de forêts.

— Ici commence l'Artois, Monseigneur, dit l'un des cavaliers, le sire Jean de Varennes, en s'adressant au chef de la troupe.

— Mon comté ! Voici enfin mon comté, dit le géant. Voici ma bonne terre que depuis quatorze années je n'ai pas foulée !

Le silence de midi s'étendait sur les champs écrasés de soleil. On n'entendait que la respiration des chevaux soufflant après l'effort et le vol des bourdons ivres de chaleur.

Robert d'Artois sauta brusquement à bas de sa monture, dont il lança la bride à son valet Lormet, grimpa le talus en écrasant les herbes, et entra dans le premier champ. Ses compagnons restèrent immobiles, respectant la solitude de sa joie. Robert avançait de son pas de colosse à travers les épis, déjà lourds et dorés, qui lui montaient aux cuisses. De la main, il les caressait comme la robe d'un cheval docile ou les cheveux d'une maîtresse blonde.

— Ma terre, mon blé ! répétait-il.

On le vit soudain s'abattre dans le champ, s'y étendre, s'y vautrer, s'y rouler follement parmi les graminées comme s'il voulait s'y confondre ; il mordait les épis, à pleines dents, pour trouver au cœur du grain cette saveur laiteuse qu'il a un mois avant la moisson ; il ne sentait même pas qu'il s'écorchait les lèvres aux barbes du froment. Il s'enivrait de ciel bleu, de terre sèche et du parfum des tiges crissantes, faisant autant de ravages, à lui seul, qu'une compagnie de sangliers. Il se releva, superbe et tout froissé, et revint vers ses compagnons le poing serré sur une glane brutalement arrachée.

— Lormet, commanda-t-il à son valet, dégrafe ma cotte, délace ma broigne[15].

Quand ce fut fait, il glissa la poignée de son blé sous sa chemise, à même la peau.

— Je jure Dieu, Messeigneurs, dit-il d'une voix éclatante, que ces épis ne quitteront point ma poitrine que je n'aie reconquis mon comté jusqu'au dernier champ. En guerre, maintenant !

Il remonta en selle et lança son cheval au galop.

— N'est-ce pas, Lormet, criait-il dans le vent de la course, que la terre ici a meilleur son sous les sabots de nos chevaux ?

— Certes, certes, Monseigneur, répondait le tueur au cœur tendre qui partageait en tout les opinions de son maître. Mais vous avez votre cotte flottante ; ralentissez un peu que je vous rajuste.

Ils chevauchèrent un moment ainsi. Puis le plateau s'abaissa brusquement, et là Robert découvrit, scintillante sous le soleil dans une vaste prairie, une armée de dix-huit cents cuirasses venue l'accueillir. Il n'aurait jamais cru trouver ses partisans si nombreux au rendez-vous.

— Eh mais, Varennes ! C'est un beau travail que tu as fait là, mon compère ! s'écria Robert ébloui.

Dès que les chevaliers d'Artois l'eurent reconnu, une immense clameur s'éleva de leurs rangs :

— Bienvenue à notre comte Robert ! Longue vie à notre gentil seigneur !

Et les plus empressés lancèrent leurs chevaux vers lui ; les genouillères de fer se heurtaient, les lances oscillaient comme une autre moisson.

— Ah ! Voici Caumont ! voici Souastre ! Je vous reconnais à vos écus, mes compagnons, disait Robert.

Par la ventaille levée de leur casque, les cavaliers montraient des visages ruisselants de sueur, mais que l'allégresse belliqueuse épanouissait. Beaucoup, petits sires de campagne, portaient de vieilles armures démodées, héritées d'un père ou d'un grand-oncle, et qu'ils avaient fait ajuster tant bien que mal à leurs mesures. Ceux-là avant le soir blesseraient aux jointures, et leur corps serait couvert de croûtes saignantes ; tous d'ailleurs avaient dans le bagage de leur valet d'armes un pot d'onguent et des bandes de toile pour se panser.

Au regard de Robert s'offraient tous les échantillons de la mode militaire depuis un siècle, toutes les formes de heaumes et de cervelières ; certains de ses hauberts et de ces grosses épées dataient de la dernière croisade. Des élégants de province s'étaient empanachés de plumes de coq, de faisan ou de paon ; d'autres avaient la tête surmontée d'un dragon doré, et l'un même s'était plu à visser sur son heaume un buste de femme nue qui le faisait beaucoup remarquer.

Tous avaient repeint de frais leurs courts écus où éclataient en couleurs criardes leurs signes d'armoiries, simples ou compliqués selon leur degré d'ancienneté de noblesse, les marques les plus simples appartenant forcément aux plus vieilles familles.

— Voici Saint-Venant, voici Longvillers, voici Nédonchel, disait Jean de Varennes, présentant les chevaliers à Robert.

— Votre féal, Monseigneur, votre féal, disait chacun à l'appel de son nom.

— Féal, Nédonchel... Féal, Bailliencourt... Féal, Picquigny... répondait Robert en passant devant eux.

A quelques jeunots, redressés et tout fiers d'être harnachés en guerre pour la première fois, Robert promit de les armer chevaliers lui-même, s'ils se montraient vaillants dans les prochains engagements.

Puis il décida de nommer sur-le-champ deux maréchaux, comme dans l'ost royal. Il choisit d'abord le sire de Hautponlieu, qui avait travaillé fort activement à rassembler cette noblesse tapageuse.

— Et puis je vais prendre... voyons... toi, Beauval! annonça Robert. Le régent a un Beaumont pour maréchal; moi, j'aurai un Beauval.

Les petits seigneurs, friands de jeux de mots et de calembours, acclamèrent en riant Jean de Beauval qui fut ainsi désigné à cause de son nom.

— A présent, Monseigneur Robert, dit Jean de Varennes, quelle route voulez-vous prendre? Nous rendrons-nous d'abord à Saint-Pol, ou bien droit à Arras? L'Artois est tout à vous, vous n'avez qu'à choisir.

— Quelle route mène à Hesdin?

— Celle où vous êtes, Monseigneur, qui passe par Frévent.

— Eh bien, je veux aller tout d'abord au château de mes pères.

Un mouvement d'inquiétude se dessina parmi les chevaliers. C'était bien la malchance que Robert d'Artois, dès son arrivée, voulût aussitôt courir à Hesdin.

Le sire de Souastre, celui qui portait une femme nue sur la tête, et qui s'était beaucoup signalé dans les tumultes de l'automne passé, dit:

— Je crains, Monseigneur, que le château ne soit pas bien en état de vous accueillir.

— Eh quoi? Il est toujours occupé par le sire de Brosse, qu'y avait placé mon cousin Hutin?

— Non, non; nous en avons fait fuir Jean de Brosse; mais nous avons aussi un peu ravagé le château au passage.

— Ravagé? dit Robert; vous ne l'avez pas brûlé?

— Non, Monseigneur, non; les murs en sont fermes.

— Mais vous l'avez un peu pillé, pas vrai, mes gentillets? Eh! Si ce n'est que cela, vous avez bien fait. Tout ce qui est à Mahaut la gueuse, Mahaut la truie, Mahaut la catin, est à vous, Messeigneurs, et je vous en fais partage.

Comment ne pas aimer un suzerain si généreux! Les alliés hurlèrent à nouveau qu'ils souhaitaient longue vie à leur gentil comte Robert, et l'armée de la révolte se mit en route vers Hesdin.

On arriva en fin d'après-midi devant les quatorze tours de la ville forte des comtes d'Artois, où le château à lui seul occupait une superficie de douze « mesures », soit près de cinq hectares.

Que d'impôts, de peines et de sueur avait coûté aux petites gens d'alentour ce fabuleux édifice destiné, leur avait-on dit, à les protéger des malheurs de la guerre! Or, les guerres se succédaient, mais la protection se montrait peu efficace; et comme on se battait essentiellement pour la possession du château, la population préférait se terrer dans les maisons de torchis en priant Dieu que l'avalanche passât à côté.

Il n'y avait guère de monde dans les rues, à faire fête au seigneur Robert. Les habitants, assez éprouvés par le sac de la veille, se cachaient.

Les abords du château n'offraient rien de plus gai; la garnison royale, pendue aux créneaux, commençait de fleurer un peu la charogne. A la grand-porte, dite Porte des Poulets, le pont-levis était abaissé. L'intérieur livrait un spectacle de désolation; des celliers s'écoulait le vin des cuves éventrées; des volailles mortes gisaient un peu partout; on entendait des étables monter le meuglement sinistre des vaches pas traites; et sur les briques qui pavaient, luxe rare, les cours intérieures, l'histoire du récent massacre s'incrivait en larges flaques de sang séché.

Les bâtiments d'habitation de la famille d'Artois comptaient cinquante appartements; aucun n'avait été épargné par les bons alliés de Robert. Tout ce qui ne pouvait être enlevé pour décorer les manoirs du voisinage avait été détruit sur place.

Disparue de la chapelle la grande croix en vermeil, ainsi que le buste de Louis IX contenant un fragment d'os et quelques cheveux du saint roi. Disparu le grand calice d'or que s'était approprié Ferry de Picquigny et qu'on devait retrouver en vente, un peu plus tard, chez un boutiquier parisien. Envolés, les douze volumes de la bibliothèque; escamoté l'échiquier de jaspe et de calcédoine. Avec les robes, les peignoirs, le linge de Mahaut, les petits seigneurs s'étaient fournis de beaux cadeaux pour leurs dames d'amour. Des cuisines même on avait déménagé les réserves de poivre, de gingembre, de safran et de cannelle... [16]

On marchait sur la vaisselle brisée, les brocarts déchirés; on ne voyait que courtines de lits écroulées, meubles fendus, tapisseries arrachées. Les chefs de la révolte, un peu penauds, suivaient Robert dans sa visite ; mais à chaque découverte le géant éclatait d'un rire si large, si sincère, qu'ils se sentirent bientôt ragaillardis.

Dans la salle des écus, Mahaut avait fait dresser, contre les murs, des statues de pierre représentant les comtes et comtesses d'Artois depuis l'origine jusqu'à elle-même. Tous les visages se ressemblaient un peu, mais l'ensemble avait grand air.

— Ici, Monseigneur, fit constater Picquigny, nous n'avons voulu porter la main sur rien.

— Et vous avez eu tort, mon compère, répondit Robert, car j'aperçois en ces images une tête au moins qui me déplaît. Lormet ! une masse !

Empoignant le lourd fléau d'armes que lui tendait son valet, il le fit tournoyer trois fois et atteignit d'un coup formidable l'effigie de Mahaut. La statue vacilla sur son socle et la tête se détachant du col alla éclater sur les dalles.

— Qu'il en arrive autant à la tête vivante, après que tous les alliés d'Artois auront dessus pissé à long jet, s'écria Robert.

Pour qui aime briser, il ne s'agit que de commencer. La masse de fer, hérissée de pointes, se balançait, menaçante, au bras du géant.

— Ah ! ma tante bien gueuse, vous m'avez dépouillé de l'Artois, parce que celui-ci qui m'engendra...

Et Robert fit voler la tête de la statue de son père, le comte Philippe.

— ... fit la sottise de mourir avant celui-là...

Et il décapita son grand-père, le comte Robert II.

— Et j'irais vivre parmi ces images que vous avez commandées pour vous faire un honneur auquel vous n'aviez pas droit ? A bas ! A bas, mes aïeux ; nous recommencerons tout.

Les murs tremblaient, les débris de pierre jonchaient le sol. Les barons d'Artois s'étaient tus, le souffle coupé devant cette grande fureur qui dépassait de loin leurs propres violences. Comment, en vérité, comment ne pas obéir avec passion à un tel chef !

Lorsqu'il eut terminé d'étêter sa race, Robert jeta la masse d'armes à travers les vitraux d'une fenêtre, et dit en s'étirant :

— Nous voici à l'aise pour causer, maintenant... Messires, mes féaux, mes compaings, je veux d'abord qu'en toutes villes, prévôtés et châtellenies que nous allons délivrer du joug de Mahaut, il soit inscrit les griefs que chacun a contre elle, et que le registre soit exactement tenu de ses mauvaisetés, afin d'en envoyer compte précis à son beau-fils, messire Portes-Closes... car il enferme tout dès qu'il paraît, cet homme-là, les villes, le conclave, le Trésor .... à messire Court-de-l'Œil, autrement dit notre seigneur Philippe le Borgne [17] qui se proclame régent et qui fut cause qu'on nous ôta, voici quatorze ans, ce comté, afin qu'il puisse, lui, s'engraisser de la Bourgogne! Que l'animal en crève, la gorge nouée dans ses tripes!

Le petit Gérard Kiérez, l'homme habile en procédure qui avait plaidé devant la justice royale la cause des barons artésiens, prit alors la parole et dit:

— Il est un grief, Monseigneur, qui intéresse non seulement l'Artois mais tout le royaume; je gage fort qu'il ne serait pas indifférent au régent qu'on sût comment son frère Louis Dixième est mort.

— Par diable vif, Gérard, crois-tu donc ce que je crois moi-même? As-tu preuve qu'en cette affaire aussi ma tante a poussé sa malice?

— Preuve, preuve, Monseigneur, c'est vite dit! Mais fort soupçon à coup sûr, et qui peut être étayé par des témoignages. Je connais à Arras une dame, qui s'appelle Isabelle de Fériennes, et son fils Jean, vendeurs tous deux de magiceries, qui ont fourni à certaine damoiselle d'Hirson, la Béatrice...

— Celle-là, je vous en ferai un jour présent, mes compagnons, dit Robert. Je l'ai vue à quelques reprises, et je devine, rien qu'à son air, que c'est régal de cuisse!

— Les Fériennes lui ont donc fourni, pour Madame Mahaut, du poison à tuer les cerfs, deux semaines au plus avant que le roi ne trépasse. Ce qui pouvait servir pour cerfs pouvait aussi bien servir pour roi.

Les barons montrèrent, par leurs gloussements, qu'ils appréciaient ce jeu de mots à leur portée.

— C'était de toute manière poison pour porte-cornes, enchérit Robert. Dieu garde l'âme de cocu de mon cousin Louis!

Les rires montèrent d'un ton.

— Et cela paraît d'autant plus vrai, messire Robert, reprit Kiérez, que la dame de Fériennes s'est vantée l'autre année d'avoir fabriqué le philtre qui remit en accord messire Philippe que vous appelez le Borgne, et Madame Jeanne, la fille de Mahaut...

— ... catin comme sa mère! Vous avez eu bien tort, mes barons, de ne pas étouffer cette vipère quand vous la teniez à votre merci, ici même, l'automne dernier, dit Robert. Il me faut cette femme Fériennes et il me faut son fils. Veillez à les faire prendre dès que nous serons à Arras. A présent nous allons manger, car cette journée m'a donné grand-faim. Qu'on tue le plus gros bœuf aux étables et qu'on le fasse rôtir entier; qu'on vide l'étang des carpes de Mahaut, et qu'on nous porte le vin que vous n'avez pas achevé de boire.

Deux heures après, le jour étant tombé, toute cette fière compagnie était ivre à rouler. Robert envoya Lormet, qui tenait assez bien le mélange des crus, rafler en la ville, avec l'aide d'une bonne escorte, ce qu'il fallait de filles pour contenter l'humeur gaillarde des barons. On ne regarda point de trop près si celles qu'on tirait de leur lit étaient pucelles ou mères de famille. Lormet poussa vers le château un troupeau en chemise de nuit, bêlant de frayeur. Les chambres saccagées de Mahaut devinrent alors le lieu d'un friand combat. Les hurlements des femmes donnaient de l'ardeur aux chevaliers qui s'empressaient à l'assaut comme s'ils avaient chargé les infidèles, rivalisaient de prouesses au déduit, et s'abattaient à trois sur le même butin. Robert tira pour lui-même, par les cheveux, les meilleurs morceaux, sans mettre beaucoup de façon au déshabiller. Comme il pesait plus de deux cents livres, ses conquêtes en perdirent même le souffle pour crier. Pendant ce temps, le sire de Souastre, qui avait égaré son beau casque, se tenait plié, les poings sur le cœur, et vomissait comme gargouille pendant l'orage.

Puis ces vaillants, l'un après l'autre, se mirent à ronfler ; il eût suffi d'un homme, cette nuit-là, pour égorger sans fatigue toute la noblesse d'Artois.

Le lendemain, une armée aux jambes molles, aux langues empesées et aux cervelles brumeuses se mit en chemin pour Arras. Seul Robert paraissait aussi frais qu'un brochet sorti de la rivière, ce qui lui acquit définitivement l'admiration de ses troupes. La route fut coupée de haltes, car Mahaut possédait dans les parages quelques autres châteaux dont la vue réveilla le courage des barons.

Mais lorsque, le jour de la Sainte-Madeleine, Robert s'installa dans Arras, en vain chercha-t-on la dame de Fériennes ; elle avait disparu.

II

LE LOMBARD DU PAPE

A Lyon, les cardinaux étaient toujours enfermés. Ils avaient cru lasser le régent ; leur réclusion durait depuis un mois. Les sept cents hommes d'armes du comte de Forez continuaient de monter la garde autour de l'église et du couvent des Frères Prêcheurs ; et si, pour respecter les formes, le comte Savelli, maréchal du conclave, conservait les clés sur lui en permanence, ces clés ne servaient pas à grand-chose, puisqu'elles ne s'appliquaient qu'à des portes murées.

Les cardinaux, jour après jour, transgressaient la constitution de Grégoire et cela d'une conscience d'autant plus légère qu'on avait envers eux usé de la contrainte et de la violence. Ils ne manquaient pas de le dire, jour après jour, au comte de Forez, lorsque celui-ci montrait sa tête casquée par l'étroit orifice qui servait à passer les vivres. A quoi, jour après jour, le comte de Forez répondait qu'il était tenu de faire respecter la loi du conclave. Ce dialogue de sourds pouvait se poursuivre longtemps.

Les cardinaux ne logeaient plus ensemble, comme le prescrivait la constitution ; car, bien que la nef des Jacobins fût vaste, y vivre à près de cent personnes, sur de simples jonchées de paille, était devenu bien vite insupportable. Et d'abord par la pestilence qui se dégageait, dans la chaleur de l'été.

— Ce n'est pas parce que Notre-Seigneur est né dans une étable que son vicaire doit nécessairement être élu dans une porcherie, disait un cardinal italien.

Les prélats avaient donc débordé sur le couvent qui communiquait avec l'église et s'inscrivait dans la même enceinte. Repoussant les moines, ils s'étaient arrangés tant bien que mal à trois par cellule ou par chambre de l'hôtellerie, laquelle se trouvait évidemment fermée aux voyageurs. Chapelains et damoiseaux occupaient les réfectoires.

Le régime alimentaire décroissant n'était pas davantage observé ;

l'eût-il été, on n'aurait plus eu bientôt qu'une assemblée de squelettes. Les cardinaux se faisaient donc envoyer quelques gâteries de l'extérieur, qu'on prétendait destinées à l'abbé et aux moines. On appliquait beaucoup d'habileté et de constance à violer le secret des délibérations ; des lettres, chaque jour, entraient au conclave ou en sortaient, glissées dans le pain ou entre les plats vides. L'heure des repas, de la sorte, devenait l'heure du courrier, et la correspondance qui prétendait régler le sort de la chrétienté était fort tachée de graisse.

De tous ces manquements, le comte de Forez instruisait le régent, lequel semblait s'en féliciter. « Plus ils auront commis de fautes et d'inobservances, déclarait Philippe de Poitiers, et mieux nous serons en mesure de sévir quand nous en prendrons décision. Pour les missives, laissez-les s'acheminer, en les ouvrant au passage aussi souvent que vous le pourrez, afin de m'en révéler le contenu. »

Ainsi fut-on averti de quatre candidatures qui échouèrent presque aussitôt que posées : celle d'abord d'Arnaud Nouvel, ancien abbé de Fontfroide, dont le comte de Poitiers fit savoir clairement par Jean de Forez « qu'il ne trouvait pas ce cardinal assez ami du royaume de France » ; puis les candidatures de Guillaume de Mandagout, d'Arnaud de Pélagrue et de Bérenger Frédol l'aîné. Gascons et Provençaux se faisaient mutuellement échec. On apprit aussi que le redoutable Caëtani commençait à écœurer une partie des Italiens, et jusqu'à son propre cousin Stefaneschi, par la bassesse de ses intrigues et l'outrance démente de ses calomnies.

N'avait-il pas suggéré d'un ton de plaisanterie — mais on savait ce que de tels propos valaient dans sa bouche ! — d'évoquer le diable et de s'en remettre à lui pour désigner le pape, puisque Dieu semblait renoncer à faire connaître son choix ?

A quoi Duèze, de sa voix chuchotante, avait répondu :

— Ce ne serait pas la première fois, Monseigneur Francesco, que Satan siégerait parmi nous.

Si Caëtani demandait une chandelle, on chuchotait aussitôt qu'il en voulait fondre la cire pour procéder à un envoûtement.

Les cardinaux, jusqu'à leur internement inattendu, s'étaient opposés les uns aux autres pour des motifs de doctrine, de prestige ou d'intérêt. Mais, à présent, d'avoir vécu ensemble tout un mois dans un espace mesuré, ils se haïssaient pour des raisons personnelles, presque des raisons physiques. Certains se négligeaient, ne se rasaient ni ne se lavaient plus, et se laissaient aller à toutes les libertés de nature. Ce n'était plus par promesses d'argent ou de bénéfices que tel candidat cherchait à se gagner des voix, mais en partageant ses rations avec les gloutons, acte formellement prohibé. Alors, les dénonciations couraient d'oreille à oreille :

— Le camerlingue a encore mangé trois plats de son parti...

Si les estomacs, par ces compensations, parvenaient à peu près à se satisfaire, il n'en allait pas de même d'autres appétits ; la chasteté, à laquelle certains cardinaux avaient peu l'habitude de se soumettre, commençait d'aigrir furieusement le caractère de quelques-uns. Une plaisanterie circulait parmi les Provençaux :

— Si d'Auch est prêt à tout pour faire une bonne chère, à Colonne il n'est çhair qui ne soit bonne affaire.

Car les deux Colonna, l'oncle et le neveu, deux seigneurs athlétiques et mieux bâtis pour porter la cuirasse que la soutane, traquaient les damoiseaux dans les couloirs du couvent en leur promettant une bonne absolution.

On ne cessait de se jeter à la tête de vieux griefs :

— Si vous n'aviez pas canonisé Célestin... si vous n'aviez pas renié Boniface... si vous n'aviez pas consenti à partir de Rome... si vous n'aviez pas condamné les Templiers...

On s'accusait mutuellement de faiblesse dans la défense de l'Église, d'ambition et de vénalité. A entendre ce que les cardinaux disaient les uns des autres, on eût cru qu'aucun d'eux ne méritait même un vicariat de campagne.

Seul Monseigneur Duèze semblait insensible à l'inconfort, aux intrigues et à la médisance. Depuis deux ans, il avait tant embrouillé les choses entre ses collègues qu'il n'avait plus besoin de se mêler de rien, et pouvait laisser ses perverses machines tourner toutes seules. Frugal par nature et par habitude, la maigreur de la pitance ne le gênait nullement. Il avait choisi de partager sa cellule avec deux cardinaux normands ralliés aux Provençaux, Nicolas de Fréauville, ancien confesseur de Philippe le Bel, et Michel du Bec, qui, trop faibles pour constituer un parti, ne figuraient point parmi les « papables ». On ne les redoutait pas, et leur installation en compagnie de Duèze ne pouvait pas prendre l'aspect d'une conjuration. D'ailleurs, Duèze voyait peu ses deux compagnons. A heure fixe, il se promenait dans le cloître du couvent, généralement appuyé au bras de Guccio, qui ne cessait de lui recommander :

— Monseigneur, ne marchez point si vite ! Voyez, j'ai peine à vous suivre, avec cette jambe roide que je garde de ma chute, à Marseille. Vous savez bien que vos chances, si je crois ce que j'entends, seront plus fortes à mesure qu'on vous croira plus faible.

— C'est vrai, c'est vrai, répondait le cardinal qui s'efforçait alors de courber le col, de fléchir le genou, et de discipliner ses soixante-douze ans.

Le reste du temps, il lisait ou écrivait. Il avait pu se procurer ce qui lui était le plus nécessaire au monde : des livres, de la chandelle et du papier. Venait-on l'avertir d'une réunion dans le chœur de l'église ? Il feignait de quitter à regret sa stalle et là, écoutant ses collègues s'injurier ou se larder de perfidies, il se contentait de souffler d'une voix à peine audible :

— Je prie, mes frères ; je prie pour que Dieu nous inspire le choix du plus digne.

Ceux qui le connaissaient de longue date le jugeaient bien changé. Il semblait fort s'adonner aux macérations, et offrait à chacun l'exemple de la bienveillance et de la charité. Quand on lui en faisait la remarque, il répondait simplement, accompagnant son murmure d'un geste désabusé :

— L'approche de la mort... Il est grand temps de me préparer...

Il touchait à peine à l'écuelle de ses repas et la faisait porter à l'un ou l'autre de ses rivaux. Ainsi Guccio arrivait les bras chargés auprès du camerlingue, qui prospérait comme bœuf à l'engrais, en disant :

— Monseigneur Duèze vous fait tenir ceci. Il vous a trouvé maigri, ce matin.

Des quatre-vingt-seize prisonniers, Guccio était l'un de ceux qui communiquaient le plus aisément avec l'extérieur ; il avait en effet pu établir rapidement une liaison avec l'agent de la banque Tolomei à Lyon. Par ce relais s'acheminaient non seulement les lettres que Guccio envoyait à son oncle, mais aussi le courrier plus secret que Duèze destinait au régent. A ces lettres-là était épargnée la disgrâce du séjour dans les plats graisseux ; elles passaient à l'intérieur des livres indispensables aux pieuses études du cardinal.

Duèze, en fait, n'avait d'autre confident que le jeune Lombard, dont l'astuce le servait chaque jour davantage. Leur sort était étroitement lié, car si l'un voulait sortir pape de ce couvent surchauffé par l'été, l'autre en désirait partir au plus tôt, et puissamment protégé, afin de secourir sa belle. Guccio, toutefois, était un peu tranquillisé au sujet de Marie depuis que Tolomei lui avait écrit qu'il veillait sur elle comme un oncle véritable.

Au début de la dernière semaine de juillet, lorsque Duèze vit ses collègues bien las, bien éprouvés par la chaleur, et irrémédiablement dressés les uns contre les autres, il décida de leur donner la comédie qu'il méditait et qu'il avait soigneusement mise au point avec Guccio.

— Ai-je assez traîné le pied ? Ai-je assez jeûné ? Ma mine est-elle assez mauvaise ? demanda-t-il à son damoiseau improvisé, et mes compères sont-ils assez dégoûtés d'eux-mêmes pour se laisser conduire à une décision de fatigue ?

— Je le crois, Monseigneur, je crois qu'ils sont bien mûrs.

— Alors, il est temps, je crois, mon jeune compagnon, de faire travailler votre langue ; pour moi, je vais me coucher et je ne me relèverai plus guère.

Guccio commença de se répandre parmi les serviteurs des autres cardinaux, en disant que Monseigneur Duèze était très éprouvé, qu'il donnait des signes de maladie, et qu'on devait redouter, vu son grand âge, qu'il ne sortît pas vivant de ce conclave.

Le lendemain, Duèze ne parut pas à la réunion quotidienne, et les cardinaux en murmurèrent entre eux, chacun répétant les bruits que Guccio faisait courir.

Le jour suivant, le cardinal Orsini, qui venait d'avoir une altercation violente avec les Colonna, rencontra Guccio et lui demanda s'il était bien vrai que Monseigneur Duèze fût en si grande faiblesse.

— Eh oui, Monseigneur, et vous m'en voyez l'âme toute fendue, répondit Guccio. Savez-vous que mon bon maître a même cessé de lire? Autant dire qu'il a peu de chemin à faire maintenant pour cesser de vivre.

Puis, de cet air d'audace naïve dont il savait jouer à propos, il ajouta :

— Si j'étais à votre place, Monseigneur, je sais bien ce que je ferais. J'élirais Monseigneur Duèze. Ainsi vous pourriez sortir enfin de ce conclave, et en tenir un autre à votre guise tout aussitôt qu'il sera mort, ce qui, je vous le répète, ne saurait tarder. C'est une chance que dans une semaine vous aurez peut-être perdue.

Le soir même, Guccio aperçut Napoléon Orsini en conciliabule avec Stefaneschi, Alberti de Prato et Guillaume de Longis, tous Italiens favorables à Duèze. Le lendemain, le même groupe se reforma de lui-même dans le cloître, mais grossi de l'Espagnol Luca de Flisco, demi-frère de Jacques II d'Aragon, et d'Arnaud de Pélagrue, le chef du parti gascon.

Guccio, passant auprès, entendit ce dernier prononcer :

— Et s'il ne meurt pas?

— Ce serait moindre mal, répondit l'un des Italiens, que de rester ici six mois encore, comme cela nous guette si nous perdons cette occasion d'élire un moribond.

Aussitôt Guccio fit passer une lettre pour son oncle où il lui suggérait de racheter à la compagnie des Bardi toutes les créances que cette banque possédait sur Jacques Duèze. « Vous pourrez les obtenir sans peine à moitié de la valeur, car le débiteur est donné mourant, et le prêteur vous tiendra pour fol. Achetez, même à octante livres pour le cent, l'affaire, je vous le dis, sera bonne, ou je ne suis plus votre neveu. » Il conseillait en outre à Tolomei de venir lui-même à Lyon au plus tôt qu'il le pourrait.

Le 29 juillet, le comte de Forez fit officiellement remettre au cardinal camerlingue une lettre du régent. Pour en entendre la lecture, Jacques Duèze consentit à quitter son grabat; il se fit porter plutôt qu'il ne marcha jusqu'à l'assemblée.

La lettre du comte de Poitiers était sévère. Elle détaillait tous les manquements au règlement de Grégoire. Elle rappelait la promesse de démolir les toits de l'église. Elle faisait honte aux cardinaux de leurs discordes, et leur suggérait, s'ils ne pouvaient arriver à conclusion, de conférer la tiare au plus âgé d'entre eux. Or le plus âgé était Jacques Duèze.

Quand celui-ci entendit ces mots, il agita les mains d'un geste épuisé et murmura :

— Le plus digne, mes frères, le plus digne ! Qu'iriez-vous faire d'un pasteur qui n'a plus la force de se conduire lui-même, et dont la place est plutôt au Ciel, si le Seigneur veut bien l'y accueillir, qu'ici-bas ?

Il se fit ramener dans sa cellule, s'étendit sur sa couche, et se tourna vers le mur.

Le surlendemain, Duèze parut retrouver un peu de force ; un affaiblissement trop constant eût éveillé les soupçons. Mais, lorsque vint une recommandation du roi de Naples qui étayait celle du comte de Poitiers, le vieillard se mit à tousser de manière pitoyable ; il fallait qu'il fût bien mal en point pour avoir pris froid par une si forte chaleur.

Les marchandages continuaient ferme, car toutes les espérances n'étaient pas éteintes.

Mais le comte de Forez commençait à se montrer plus rude. Maintenant, il ordonnait de fouiller ostensiblement les vivres, qu'il avait d'ailleurs réduits à un service par jour, et il confisquait la correspondance ou la faisait rejeter à l'intérieur.

Le 5 août, Napoléon Orsini était parvenu à rallier à Duèze le terrible Caëtani lui-même, ainsi que quelques membres du parti gascon. Les Provençaux flairèrent le parfum de la victoire.

On s'aperçut, le 6 août, que Monseigneur Duèze pouvait compter sur dix-huit voix, c'est-à-dire deux voix de plus que cette fameuse majorité absolue qu'en deux ans et trois mois personne n'avait pu réunir. Les derniers adversaires, voyant alors que l'élection allait se faire malgré eux, et craignant qu'il ne leur soit tenu rigueur de leur obstination, se donnèrent les gants de reconnaître les hautes vertus chrétiennes du cardinal-évêque de Porto, et se déclarèrent prêts à lui accorder leurs suffrages.

Le lendemain, 7 août 1316, on décida de voter. Quatre scrutateurs furent désignés. Duèze apparut, porté par Guccio et son second damoiseau.

— Il ne pèse pas lourd, murmurait Guccio aux cardinaux qui le regardaient passer et qui s'écartaient avec une déférence où se marquait déjà leur choix.

Quelques minutes plus tard, Duèze était proclamé pape à l'unanimité, et ses vingt-trois collègues lui faisaient une ovation.

— Puisque vous le voulez, Seigneur, puisque vous le voulez... souffla Duèze.

— De quel nom fais-tu choix ? lui demanda-t-on.

— Jean... Je porterai le nom de Jean... Jean XXII.

Guccio s'avança pour aider à se lever le chétif vieillard devenu l'autorité suprême de l'univers.

— Non, mon fils, non, dit le nouveau pape. Je vais m'efforcer de marcher seul. Puisse Dieu soutenir mes pas.

Les imbéciles crurent alors voir s'opérer un miracle, tandis que les autres comprenaient qu'ils avaient été bernés. Ils pensaient avoir voté pour un cadavre ; et voilà que leur élu fort aisément circulait parmi eux, frétillant et frais comme une truite. Mais ils ne pouvaient encore imaginer combien il leur mènerait la vie dure, pendant dix-huit années !

Cependant le camerlingue avait déjà brûlé dans la cheminée les papiers du vote, dont la fumée blanche annonçait au monde l'élection du pontife. Les coups de pioche alors commencèrent à retentir contre la maçonnerie qui murait le grand portail. Mais le comte de Forez était prudent ; dès qu'on eut dégagé assez de pierres, il se glissa lui-même dans l'embrasure.

— Oui, oui, mon fils, c'est bien moi, lui dit Duèze qui avait rapidement trottiné jusque-là.

Alors, les maçons achevèrent d'abattre le mur ; les deux vantaux furent ouverts et le soleil, pour la première fois depuis quarante jours, pénétra dans l'église des Jacobins.

Une foule nombreuse attendait sur le parvis, bourgeois et petites gens de Lyon, consuls, seigneurs, observateurs des cours étrangères, qui tous se pressèrent et s'agenouillèrent tandis que cardinaux et conclavistes sortaient, formés en procession. Un gros homme, au teint olivâtre, qui se tenait au premier rang, auprès du comte de Forez, saisit le bord de la robe du nouveau pape, quand celui-ci passa devant lui et porta l'ourlet à ses lèvres.

— Oncle Spinello ! s'écria Guccio Baglioni qui marchait derrière le pontife.

— Ah ! vous êtes l'oncle ! J'aime bien votre neveu, mon fils, dit Duèze au gros homme agenouillé en lui faisant signe de se relever. Il m'a fidèlement servi, et je veux le garder auprès de moi. Embrassez-le, embrassez-le !

Le capitaine général des Lombards se redressa, et Guccio l'étreignit.

— J'ai tout racheté, comme tu me l'avais dit et à six pour dix, souffla Tolomei dans l'oreille de Guccio, pendant que Duèze bénissait la foule. Ce pape nous doit maintenant quelques milliers de livres. Beau travail, mon garçon. Tu es le vrai neveu de mon sang.

Quelqu'un, derrière eux, faisait aussi longue figure que les cardinaux ; c'était le seigneur Boccace, principal voyageur des Bardi.

— Ah ! tu étais donc à l'intérieur, mécréant, dit-il à Guccio. Si j'avais su cela, je n'aurais jamais vendu les créances.

— Et Marie ? Où est Marie ? demanda anxieusement Guccio à son oncle.

— Ta Marie se porte bien. Elle est aussi belle que tu as de malice, et si le petit Lombard qui lui enfle le ventre tient de vous deux, il fera son chemin dans le monde. Mais va vite, va, mon garçon ! Tu vois bien que le Saint-Père t'appelle.

III

LES DETTES DU CRIME

Le régent Philippe tenait essentiellement à assister au sacre du pape afin de se poser en protecteur de la chrétienté.

— L'élection de Duèze m'a coûté assez de peine et de soucis, disait-il. Il est bien juste qu'il m'aide à présent à assurer mon gouvernement. Je veux être à Lyon pour son couronnement.

Mais les nouvelles d'Artois ne laissaient pas d'être inquiétantes. Robert avait pris sans difficulté Arras, Avesnes, Thérouanne, et continuait de conquérir le pays. A Paris, Charles de Valois l'appuyait en sous main.

Fidèle à son habituelle tactique d'encerclement, le régent commença par travailler sur les régions limitrophes de l'Artois, afin d'éviter l'extension de la révolte. Aux barons de Picardie, il écrivit pour leur rappeler leurs liens de fidélité à la couronne de France, leur faisant entendre courtoisement qu'il ne tolérerait aucun manquement à leur devoir ; un contingent de troupes et de sergents d'armes fut réparti dans les prévôtés pour surveiller la contrée. Aux Flamands, qui se gaussaient encore, au bout d'un an écoulé, de la misérable chevauchée du Hutin perdant son armée dans la boue, Philippe proposa un nouveau traité de paix à des conditions fort avantageuses pour eux.

— Dans ce gâchis qu'on nous laisse à débrouiller, il faut bien perdre un peu pour sauver le tout, expliqua le régent à ses conseillers.

Bien que son gendre, Jean de Fiennes, fût l'un des premiers lieutenants de Robert, le comte de Flandre, sentant qu'il n'aurait jamais si bonne occasion de traiter, consentit aux pourparlers et demeura donc neutre dans les affaires du comté voisin.

Philippe avait ainsi pratiquement fermé les portes de l'Artois. Il envoya alors Gaucher de Châtillon négocier directement avec les chefs des révoltés et les assurer des bonnes intentions de la comtesse Mahaut.

— Entendez-moi bien, Gaucher ; vous ne devez point prendre

langue avec Robert, recommanda-t-il au connétable, car ce serait lui reconnaître les droits qu'il réclame. Nous continuons de le tenir déchu de l'Artois, ainsi que mon père en a rendu jugement. Vous allez seulement pour régler le conflit qui oppose la comtesse à ses vassaux, et dans lequel Robert, à nos yeux, n'entre pour mie.

— En vérité, Monseigneur, dit le connétable, vous voulez faire triompher en tout votre belle-mère?

— Non point, Gaucher; non point si elle a abusé de ses droits, ainsi que je le crois. Elle est fort empérière, la dame Mahaut, et elle juge tout un chacun né exprès pour la servir jusqu'au dernier liard de bourse et la dernière goutte de sueur! Je veux la paix, poursuivit le régent, et pour cela qu'il soit rendu équitablement à chacun. Nous savons que la bourgeoisie des villes reste favorable à la comtesse parce que cette bourgeoisie est toujours en chamaille avec la noblesse, tandis que les nobles ont épousé la cause de Robert afin d'appuyer leurs griefs. Voyez donc quelles requêtes sont fondées et tâchez à y satisfaire sans porter atteinte aux prérogatives de la couronne; ainsi efforcez-vous de détacher les barons de notre turbulent cousin, en leur montrant qu'ils peuvent obtenir de nous, par justice, davantage que de lui, par violence.

— Vous êtes prud'homme, Monseigneur, vous êtes prud'homme assurément, dit le connétable. Je ne pensais pas qu'il me serait donné en mes vieilles années de servir avec tant d'agrément un prince si sage, et qui n'a pas le tiers de mon âge.

Dans le même temps, le régent faisait prier le pape, par le comte de Forez, de retarder un peu son couronnement. Jean XXII, quelque hâte légitime qu'il eût de voir son élection consacrée, accepta fort complaisamment un délai de deux semaines.

Mais, au bout de deux semaines écoulées, les affaires d'Artois étant encore bien loin de leur règlement et l'accord avec les Flamands ne se pouvant ratifier avant le 1er septembre, Philippe demanda, par le dauphin de Viennois cette fois, un nouveau recul de la cérémonie. Or Jean XXII, à la surprise du régent, se montra soudain très ferme et presque brutal, en fixant irrévocablement au 5 septembre son couronnement.

Il tenait à cette date pour de puissantes raisons qu'il gardait secrètes et qui échappaient d'ailleurs au jugement commun. En effet, c'était un 5 septembre, en l'an 1300, qu'il avait été sacré évêque de Fréjus; c'était dans la première semaine de septembre 1309 que son protecteur, le roi Robert de Naples, avait été couronné; et si un faux en écriture royale lui avait permis d'obtenir le siège épiscopal d'Avignon, c'était le 4 septembre 1310 que sa manœuvre avait réussi.

Le nouveau pape avait un bon commerce avec les astres, et savait se servir des conjonctions solaires pour régler les étapes de son ascension.

« Si Monseigneur le régent de France et de Navarre, que tant nous aimons, fit-il répondre, se trouve empêché par les devoirs du royaume d'être à nos côtés en ce jour solennel, nous en souffrirons beaucoup ; mais alors, n'ayant plus à craindre de lui faire faire trop long chemin, nous irons coiffer la tiare en la ville d'Avignon. »

Philippe de Poitiers signa le traité avec les Flamands dans la matinée du 1er septembre. Le 5 à l'aube, il arrivait à Lyon accompagné des comtes de Valois et de La Marche, qu'il ne voulait pas laisser à Paris hors de sa surveillance, ainsi que de Louis d'Évreux.

— Vous nous avez fait marcher à un train de chevaucheur, mon neveu, lui dit Valois en mettant pied à terre.

Ils n'eurent que le temps de revêtir les vêtements spécialement préparés pour la cérémonie et qu'avait commandés l'argentier Geoffroy de Fleury. Le régent portait une robe ouverte, d'étoffe fleur de pêcher, doublée de deux cent vingt-six ventres de menu-vair. Charles de Valois, Louis d'Évreux, Charles de La Marche, ainsi que Philippe de Valois qui était aussi de la fête, avaient reçu chacun, en présent, une robe de camocas pareillement fourrée.

Lyon, tout pavoisé, grouillait d'une foule innombrable venue pour assister au défilé.

Jean XXII arriva à la primatiale Saint-Jean à cheval, précédé par le régent de France. Toutes les cloches de la ville sonnaient à la volée. Les rênes de la monture pontificale étaient tenues d'un côté par le comte d'Évreux et de l'autre par le comte de La Marche. La monarchie française encadrait étroitement la papauté. Les cardinaux suivaient, le chapeau rouge posé par-dessus la chape et retenu sous le menton par les brides nouées. Les mitres des évêques scintillaient au soleil.

Ce fut le cardinal Orsini, descendant du patriciat romain, qui posa la tiare sur le front de Jacques Duèze, fils d'un bourgeois de Cahors.

Guccio, bien placé dans la cathédrale, admirait son maître. Le petit vieillard au menton maigre, aux épaules étroites, que l'on croyait mourant quatre semaines plus tôt, supportait sans peine les lourds attributs sacerdotaux dont on le chargeait. Les rites pharaoniques de cette interminable cérémonie, qui le plaçait tellement au-dessus de ses semblables et faisait de lui le symbole de la divinité, agissaient sur sa personne presque à son insu, et répandaient sur ses traits une majesté imprévisible, impressionnante, et plus évidente à mesure que se déroulait la liturgie. Il ne put néanmoins se défendre d'un léger sourire lorsqu'il chaussa les sandales pontificales.

« Scarpinelli ! Ils m'appelaient Scarpinelli... le cardinal petits-chaussons... pensait-il. Ils me faisaient passer pour fils de savetier. Je les porte, maintenant, les petits chaussons... Seigneur ! Vous m'avez mis si haut que je n'ai plus rien à désirer. Je n'ai plus qu'à m'efforcer de bien gouverner votre Église. »

Cet ambitieux, à présent que toutes ses ambitions étaient exaucées, ce fourbe, dont toutes les fourberies avaient réussi, se trouvait disponible pour la perfection dans la magistrature suprême.

Le même jour, des lettres de noblesse furent conférées à son frère, Pierre Duèze, par le régent. La famille du pape, selon l'usage, devenait noble. Mais l'acte que Philippe de Poitiers avait dicté lui-même, s'il était destiné à honorer le Saint-Père à travers son frère, définissait aussi la pensée et l'attitude, fort peu traditionnelles, du jeune prince, quant au droit à la noblesse. *« Ce ne sont pas les biens de famille*, était-il écrit dans ces lettres, *ni la richesse de fait, ni les autres attentions de la fortune, qui ont aucun titre dans le concert des qualités morales et des actions méritoires; ce sont là des choses qu'un certain hasard accorde aux méritants comme aux imméritants, qui arrivent aussi bien aux dignes qu'aux indignes... En revanche chacun s'établit comme fils de ses œuvres et de ses mérites propres, tandis qu'est de nulle importance d'où nous pouvons venir, si tant est que nous sachions même de qui nous venons... »*

Valois frémissait d'irritation en entendant de telles assertions qu'il jugeait subversives et scandaleuses.

Mais le régent n'avait pas fait tant de chemin ni donné au nouveau pape de si grandes marques d'estime pour ne rien obtenir en retour. Entre ces deux hommes que séparait un demi-siècle d'âge... «vous êtes l'aube, Monseigneur, et je suis le ponant», disait Duèze à Philippe... existaient des affinités certaines et une subtile entente. Jean XXII n'oubliait pas les promesses de Jacques Duèze, ni le régent celles du comte de Poitiers. Aussitôt que le régent aborda la question des bénéfices ecclésiastiques dont les annates, c'est-à-dire la première annuité, devaient revenir au Trésor, le nouveau pape fit apporter les pièces prêtes à la signature. Mais, avant que les sceaux ne fussent apposés, Philippe eut une conversation particulière avec Charles de Valois.

— Mon oncle, demanda-t-il, avez-vous à vous plaindre de moi?

— Non, mon neveu, dit l'ex-empereur de Constantinople.

Le moyen d'aller répondre à quelqu'un que le seul grief qu'on ait contre lui, c'est son existence!...

— Alors, mon oncle, si vous n'avez pas à vous plaindre, pourquoi me desservez-vous? Je vous avais assuré, quand vous m'avez remis les clés du Trésor, que les comptes ne vous seraient pas demandés, et j'ai tenu parole. Vous, vous m'avez juré hommage et fidélité, mais vous ne tenez point votre foi, mon oncle, car vous soutenez la cause de Robert d'Artois.

Valois fit un geste de dénégation.

— Vous faites mauvais calcul, poursuivit Philippe, car Robert va vous coûter fort cher. Il est impécunieux; il ne tire ressources que des revenus que lui sert le Trésor, et que je viens de lui couper. C'est donc à vous qu'il va demander subsides. Où les trouverez-vous, puisque vous n'avez plus les finances du royaume? Allons, ne vous crêtez point, ne devenez point rouge, ni ne vous laissez aller à des paroles grosses que vous regretteriez, car je veux votre bien. Donnez-moi l'assurance de ne plus aider Robert, et moi, de mon côté, je m'en vais demander au Saint-Père que les annates du Valois et du Maine vous soient versées directement, et non au Trésor.

Entre la haine et la cupidité, le cœur du comte de Valois fut un instant déchiré.

— A combien s'élèvent ces annates? demanda-t-il.

— De dix à douze mille livres, mon oncle, car il y faut comprendre les bénéfices qui n'ont pas été perçus dans les derniers temps de mon père et pendant tout le règne de Louis.

Pour Valois, toujours endetté, ces dix ou douze mille livres à recevoir dans l'année étaient miraculeusement bienvenues.

— Vous êtes un bon neveu, qui comprenez mes besoins, répondit-il. Je m'en vais enjoindre à Robert de s'accommoder avec vous, et lui remontrer que, s'il n'y consent, je lui ôterai mon soutien.

Philippe rentra par petites étapes, réglant différentes affaires en chemin; il fit un dernier arrêt à Vincennes, pour porter à Clémence la bénédiction du nouveau pape.

— Je suis heureuse, dit la reine, que notre ami Duèze ait pris le nom de Jean, car c'est celui aussi que j'ai choisi pour mon enfant, par ce vœu que je fis, durant la tempête, sur la nef qui m'amena en France.

Elle semblait toujours étrangère aux problèmes du pouvoir, et uniquement occupée de ses souvenirs conjugaux ou de ses soucis de maternité. Le séjour de Vincennes convenait à sa santé; elle avait repris beau visage et connaissait, dans l'embonpoint du septième mois, ce répit que l'on voit parfois vers la fin des grossesses difficiles.

— Jean n'est guère un nom de roi pour la France, dit le régent. Nous n'avons jamais eu de Jean.

— Mon frère, je vous dis que c'est un serment que j'ai fait.

— Alors, nous le respecterons... Si donc vous avez un mâle, il s'appellera Jean Premier...

Au palais de la Cité, Philippe trouva sa femme parfaitement heureuse, pouponnant le petit Louis-Philippe qui criait de toute la force de ses huit semaines.

Mais la comtesse Mahaut, aussitôt qu'avertie du retour de son gendre, arriva de l'hôtel d'Artois, manches retroussées, les joues en feu, l'œil furieux.

— Ah! on me trahit bien, mon fils, dès que vous n'êtes pas là! Savez-vous ce qu'est allé manœuvrer en Artois votre gueux de Gaucher?

— Gaucher est connétable, ma mère, et voici peu que vous ne le trouviez pas gueux du tout. Que vous a-t-il donc fait?

— Il m'a donné tort! cria Mahaut. Il m'a condamnée en tout. Vos envoyés s'entendent comme compères de foire avec mes vassaux; ils ont pris sur eux de déclarer que je ne rentrerais pas en Artois... vous entendez bien, m'interdire dans mon comté!... avant que ne soit scellée cette mauvaise paix que j'ai refusée à Louis l'autre décembre et ils veulent en plus que je restitue je ne sais quelles tailles que d'après eux j'aurais indûment perçues!

— Tout ceci me paraît équitable. Mes envoyés ont suivi bien fidèlement mes ordres, répondit calmement Philippe.

La surprise laissa Mahaut un instant interdite, la bouche entrouverte, les yeux arrondis. Puis elle reprit, criant plus fort:

— Équitable de piller mes châteaux, de pendre mes sergents, de ravager mes moissons! Et ce sont vos ordres donc, de soutenir mes ennemis? Vos ordres! Voilà la belle façon dont vous me payez de tout ce que j'ai fait pour vous!

Une grosse veine violette se gonflait sur son front.

— Je ne vois pas, ma mère, hormis de m'avoir donné votre fille, répliqua Philippe, que vous ayez tant fait pour moi qu'il me faille léser mes sujets et compromettre à votre profit toute la paix du royaume.

Entre la prudence et l'emportement, Mahaut hésita une seconde. Mais le mot employé par son gendre, « mes sujets », qui était parole de roi, la piqua comme un aiguillon; et le secret qu'elle gardait si savamment depuis dix semaines fut rompu sur ce coup de colère.

— Et d'avoir expédié ton frère outre, dit-elle en avançant sur lui, n'est-ce donc rien?

Philippe n'eut pas de sursaut, ni d'exclamation; sa réaction fut d'aller clore les portes. Il verrouilla les serrures, ôta les clés et les glissa dans sa ceinture. Il n'aimait combattre qu'en arènes fermées. Mahaut fut prise de frayeur, et plus encore quand elle aperçut le visage qu'il avait en revenant vers elle.

— C'était donc vous, dit-il à mi-voix, et ce qu'on chuchote dans le royaume est vrai!

Mahaut fit front, selon sa nature qui était d'attaquer.

— Et qui vouliez-vous que ce fût, mon beau fils? A qui croyez-vous donc devoir la grâce d'être régent et de pouvoir un jour, peut-être, vous approprier la couronne? Allons! Ne vous donnez point pour si naïf. Votre frère m'avait confisqué l'Artois; Valois le montait contre moi, et vous, vous étiez à Lyon, à vous occuper du pape... toujours ce pape qui vient en mes affaires comme mars en carême! Ne faites pas tant le benoît que d'aller me dire que vous regrettez Louis! Vous n'aviez guère de tendresse pour lui, vous vous sentez bien aise que je vous aie fourni toute chaude sa place, en assaisonnant un peu ses dragées, et sans qu'il en coûte rien à votre conscience. Mais je n'attendais pas, moi, de vous trouver à mon endroit plus mal disposé que lui.

Philippe s'était assis, avait croisé ses longues mains, et réfléchissait.

« Il fallait bien en arriver là, un jour ou l'autre, pensait Mahaut. Dans un sens c'est peut-être un bien ; je le tiens à présent. »

— Jeanne sait ? demanda soudain Philippe.

— Elle ne sait rien.

— Qui sait, alors, en dehors de vous ?

— Béatrice, ma demoiselle de parage.

— C'est trop, dit Philippe.

— Ah ! ne touchez pas à celle-là ! s'écria Mahaut. Elle a puissante famille !

— Certes, une famille qui vous a fait bien aimer en Artois ! Et hormis cette Béatrice ? Qui vous a fourni... l'assaisonnement, comme vous appelez cela ?

— Une magicienne d'Arras que je n'ai jamais vue, mais que Béatrice connaît. J'ai feint de vouloir me débarrasser des cerfs qui infestaient mon parc ; j'ai pris soin d'ailleurs d'en faire crever beaucoup.

— Il faudrait rechercher cette femme, dit Philippe.

— Comprenez-vous maintenant, reprit Mahaut, que vous ne pouvez point m'abandonner ? Car si l'on croit que vous me laissez sans appui, mes ennemis vont reprendre courage, les calomnies redoubler...

— Les médisances, ma mère, les médisances... rectifia Philippe.

— ... et si l'on m'accuse de ce que vous savez, le poids en retombera sur vous, car on ne manquera pas de dire que je l'ai fait pour votre avantage, ce qui est vrai ; et beaucoup penseront que j'ai agi sur votre ordre même.

— Je sais, ma mère, je sais ; je viens déjà de penser à tout cela.

— Songez, Philippe, que j'ai risqué le salut de mon âme à cette entreprise. Ne soyez pas ingrat.

Philippe eut un ricanement bref, suivi d'un aussi bref éclat de colère.

— Ah ! c'en est trop, ma mère ! Allez-vous demander bientôt que je vous vienne baiser les pieds pour avoir empoisonné mon frère ? Si j'avais su que la régence était à ce prix, je ne l'eusse certes pas acceptée ! Je réprouve le meurtre ; il n'est jamais besoin de tuer pour venir à ses fins ; c'est là moyen de mauvaise politique, et je vous ordonne, aussi longtemps que je serai votre suzerain, de n'en plus user.

Un moment, il eut la tentation de l'honnêteté. Réunir le Conseil des Pairs, dénoncer le crime, demander le châtiment... Mahaut, qui le devina agité de ces pensées, passa de pénibles instants. Mais Philippe ne s'abandonnait guère à ses impulsions, même vertueuses. Agir comme il l'imaginait, c'était jeter le discrédit sur sa femme et sur lui-même. Et de quelles accusations Mahaut, pour se défendre, ou pour perdre avec elle qui ne l'aurait pas défendue, ne serait-elle capable ? Les querelles renaîtraient forcément autour des règlements de régence. Philippe avait déjà trop fait pour le royaume, et trop rêvé à ce qu'il fallait faire, pour courir le risque d'être privé du pouvoir. Son frère Louis, à tout prendre, avait été un mauvais roi, et, de surcroît, un assassin... Peut-être était-ce la volonté de la Providence que de punir le meurtrier par le meurtre, et de remettre la France en meilleures mains.

— Dieu vous jugera, ma mère, Dieu vous jugera, dit-il. Je voudrais éviter seulement que les flammes de l'enfer ne commencent, à cause de vous, de nous lécher tous en notre vivant. Il me faut donc payer les dettes de votre crime, et ne pouvant vous mettre en geôle, je suis forcé, en effet, de vous soutenir... Votre machination était bien combinée. Messire Gaucher recevra dès après-demain d'autres instructions. Je ne vous cache pas qu'elles me pèsent.

Mahaut voulut l'embrasser. Il la repoussa.

— Mais sachez bien, reprit-il, que désormais mes plats seront goûtés trois fois et qu'à la première douleur d'estomac qui me point un peu, vos heures à vivre seront petitement comptées. Priez donc pour ma santé.

Mahaut baissa le front.

— Je vous servirai tant, mon fils, dit-elle, que vous finirez par me rendre votre amour.

IV

« PUISQU'IL FAUT NOUS RÉSOUDRE
À LA GUERRE... »

Nul ne comprit, et surtout pas Gaucher de Châtillon, le revirement de Philippe dans les affaires d'Artois. Le régent, désavouant brusquement ses envoyés, déclara inacceptable la conciliation qu'ils avaient préparée et exigea la rédaction de nouvelles conventions plus favorables à Mahaut. Le résultat ne se fit pas attendre. Les négociations furent rompues et ceux qui les menaient du côté artésien, représentant l'élément modéré de la noblesse, rejoignirent aussitôt le clan des violents. Leur indignation était extrême; le connétable les avait vilainement joués; la force en vérité était le seul recours.

Le comte Robert triomphait.

— Vous avais-je assez dit qu'on ne pouvait s'accorder avec ces félons? répétait-il à chacun.

Suivi de son armée d'insurgés, il marcha de nouveau sur Arras.

Gaucher, qui se trouvait dans la ville avec seulement une petite escorte, n'eut que le temps de s'enfuir par la porte de Péronne tandis que Robert, toutes bannières déployées et trompettes sonnantes, entrait par la porte de Saint-Omer. Il s'en fallut d'un quart d'heure que le connétable de France ne fût fait prisonnier. Cette aventure se passait le 22 septembre. Le jour même, Robert adressait à sa tante la lettre suivante :

« A très haute et très noble dame Mahaut d'Artois, comtesse de Bourgogne, Robert d'Artois, chevalier. Comme vous avez empêché à tort mon droit de la comté d'Artois, dont moult me noise et à tous les jours me pèse, laquelle chose je ne puis ni ne veux plus souffrir, ci vous fais savoir que j'y vais mettre ordre et recouvrer mon bien le plus tôt que je pourrai. »

Robert n'était pas grand épistolier; les nuances de finesse n'étaient les parages, elles prenaient aussitôt leur marmaille dans leurs jupes et couraient vers la première forêt.

Les villes se barricadaient; les artisans, instruits par l'exemple des communes flamandes, affûtaient leurs couteaux, et les échevins gardaient liaison avec les émissaires de Gaucher. Robert aimait les batailles en rase campagne; il détestait la guerre de siège. Les bourgeois de Saint-Omer ou de Calais lui fermaient-ils leurs portes au nez? Il haussait les épaules en disant:

— Je reviendrai un autre jour et vous ferai tous crever!

Et il allait s'ébattre plus loin.

Mais l'argent commençait à devenir rare. Valois ne répondait plus aux demandes, et ses rares messages ne contenaient que de bons sentiments et des exhortations à la sagesse. Tolomei, le cher banquier Tolomei, faisait lui aussi la sourde oreille. Il était en voyage; ses commis n'avaient pas d'ordre... Le pape lui-même se mêlait de l'affaire; il avait écrit personnellement à Robert et à plusieurs barons d'Artois pour leur rappeler leurs devoirs...

Puis un matin de la fin d'octobre, le régent, comme il tenait conseil, déclara avec la grande tranquillité dont il accompagnait ses décisions:

— Notre cousin Robert a trop longuement moqué notre pouvoir. Puisqu'il faut nous résoudre à la guerre, nous prendrons donc contre lui l'oriflamme à Saint-Denis, le dernier jour de ce mois, et comme messire Gaucher est absent, l'ost que je conduirai moi-même sera placé sous le commandement de notre oncle...

Tous les regards se tournèrent vers Charles de Valois, mais Philippe continua:

— ... de notre oncle, Monseigneur d'Évreux. Nous aurions volontiers confié cette charge à Monseigneur de Valois, qui a fait ses preuves de grand capitaine, si celui-ci n'avait à se rendre en ses terres du Maine pour y percevoir les annates de l'Église.

— Je vous remercie, mon neveu, répondit Valois, car vous savez que j'aime bien Robert, et que, tout en désapprouvant sa révolte qui est grosse sottise d'entêté, j'aurais eu déplaisir à porter les armes contre lui.

L'armée que réunit le régent pour monter en Artois ne ressemblait en rien à l'ost démesuré que son frère, seize mois plus tôt, avait enlisé dans les Flandres. L'ost pour l'Artois se composait des troupes permanentes et de levées faites dans le domaine royal. Les soldes y étaient élevées: trente sols par jour pour le banneret, quinze sols pour le chevalier, trois sols pour l'homme de pied. On appela non seulement les nobles, mais aussi des roturiers. Les deux maréchaux, Jean de Corbeil et Jean de Beaumont, seigneur de Clichy, dit le Déramé, rassemblèrent les bannières. Les arbalétriers de Pierre de Galard étaient déjà sur pied. Geoffroy Coquatrix, depuis deux semaines, avait reçu secrètement des instructions pour prévoir les transports et les fournitures.

Le 30 octobre, Philippe de Poitiers prit l'oriflamme à Saint-Denis. Le 4 novembre, il était à Amiens, d'où il envoya aussitôt son second chambellan, Robert de Gamaches, escorté de quelques écuyers, porter au comte d'Artois une dernière sommation.

V

L'OST DU RÉGENT FAIT UN PRISONNIER

Le chaume pourrissait, grisâtre, sur les champs argileux et dénudés. De lourdes nuées roulaient dans le ciel d'automne et l'on eût dit que là-bas, au bout du plateau, le monde finissait. Le vent aigrelet, soufflant par courtes bouffées, avait un arrière-goût de fumée.

En avant du village de Bouquemaison, à l'endroit même où, trois mois auparavant, le comte Robert était entré en Artois, l'armée du régent se tenait déployée en bataille, et les pennons frissonnaient au sommet des lances sur près d'une demi-lieue de front.

Philippe de Poitiers, entouré de ses principaux officiers, se trouvait au centre, à quelques pas de la route. Il avait croisé ses mains gantées de fer sur le pommeau de sa selle; il était tête nue. Un écuyer, derrière lui, portait son heaume.

— C'est donc ici qu'il t'a affirmé qu'il viendrait se rendre? demanda le régent à Robert de Gamaches, rentré de sa mission le matin.

— Ici même, Monseigneur, répondit le second chambellan. Il a choisi le lieu... « Dans le champ auprès de la borne que surmonte une croix... » m'a-t-il dit. Et il m'a assuré qu'il y serait à l'heure de tierce.

— Et tu es certain qu'il n'existe point d'autre borne surmontée de croix dans les alentours? Car il serait bien capable de nous jouer là-dessus, d'aller se présenter ailleurs et de faire constater que je n'y étais pas... Tu penses vraiment qu'il viendra?

— Je le crois, Monseigneur, car il semblait fort ébranlé. Je lui ai dénombré votre ost; je lui ai représenté aussi que Monseigneur le connétable tenait les lisières de Flandre et les villes du Nord, et qu'il serait donc saisi comme entre pinces à ferrer, sans pouvoir même fuir par les portes. Je lui ai remis enfin la lettre de Monseigneur de Valois lui conseillant de se rendre sans combat, puisqu'il ne pouvait qu'être battu, et l'informant que vous étiez si courroucé contre lui qu'il devait

craindre, si vous le preniez en armes, d'avoir la tête tranchée. Et ceci
a paru beaucoup l'assombrir.

Le régent inclina un peu son long buste vers l'encolure de son cheval.
Décidément, il n'aimait pas porter ces vêtements de guerre, dont les
vingt livres de fer lui pesaient aux épaules et l'empêchaient de s'étirer.

— Il s'est retiré alors avec ses barons, poursuivit Gamaches, et je
ne sais point vraiment ce qu'ils se sont dit. Mais j'ai bien compris que
certains lui faisaient défaut, tandis que d'autres le suppliaient de ne pas
les abandonner. Enfin il est revenu à moi et m'a fait la réponse que je
vous ai portée, en m'assurant qu'il avait trop grand respect de
Monseigneur le régent pour lui désobéir en rien.

Philippe de Poitiers demeurait incrédule. Cette soumission trop
facile l'inquiétait, et lui faisait redouter un piège. Plissant les paupières,
il regardait le triste paysage.

— L'endroit serait assez bon pour nous tourner et nous tomber sur
le dos pendant que nous sommes ainsi plantés à attendre. Corbeil!
Clichy! dit-il s'adressant à ses deux maréchaux. Dépêchez quelques
bannerets en reconnaissance par les deux ailes et faites fouiller les
vallons pour vous assurer qu'aucune troupe ne s'y trouve muchée, ni
ne chemine sur nos routes de revers. Et si, à tierce sonnée au clocher
qui est derrière nous, Robert ne s'est pas présenté, ajouta-t-il pour
Louis d'Évreux, nous nous mettrons en marche.

Mais bientôt on entendit des cris dans les rangs des bannières.

— Le voici! Le voici!

Le régent, de nouveau, plissa les paupières, mais ne vit rien.

— En face, Monseigneur, lui dit-on. Juste au droit de votre
monture, sur la crête!

Robert d'Artois arrivait sans compagnons, sans écuyer, sans même
un valet. Il avançait au pas, droit sur son immense cheval, et paraissait,
dans cette solitude, plus grand encore qu'il n'était. Sa haute silhouette
se détachait, rougeoyante, sur le ciel tourmenté et il semblait que la
pointe de sa lance accrochât les nuées.

— C'est encore manière de vous narguer, Monseigneur, que d'arriver ainsi devant vous.

— Eh! qu'il me nargue, qu'il me nargue! répondit Philippe de
Poitiers.

Les chevaliers envoyés en reconnaissance revenaient au galop,
assurant que les environs étaient parfaitement tranquilles.

— Je l'aurais cru plus acharné dans la désespérance, dit le régent.

Un autre, voulant faire étalage de panache, se fût sans doute, vers
cet homme seul, avancé seul. Mais Philippe de Poitiers avait une autre
conception de sa dignité, et ce n'était pas geste de chevalerie qu'il lui
importait d'accomplir, mais geste de roi. Il attendit donc, sans bouger

d'un pas, que Robert d'Artois, tout boueux, tout fumant, s'arrêtât devant lui.

L'armée entière retenait sa respiration et l'on n'entendait que le cliquetis des mors dans la bouche des chevaux.

Le géant jeta sa lance sur le sol ; le régent contempla cette lance dans le chaume, et ne dit rien.

Robert détacha de sa selle son heaume et sa longue épée à deux mains, et les envoya rejoindre la lance.

Le régent se taisait toujours ; il n'avait pas relevé les yeux vers Robert ; il gardait le regard rivé sur les armes, comme s'il attendait encore autre chose.

Robert d'Artois se décida à descendre de cheval, fit deux pas en avant, et, les nerfs tremblant de colère, finit par mettre un genou en terre pour rencontrer les yeux du régent.

— Beau cousin... s'écria-t-il en ouvrant les bras.

Mais Philippe l'arrêta court.

— Mon cousin, n'avez-vous pas faim ? lui demanda-t-il.

Et comme l'autre, qui s'apprêtait à une grande scène avec échange de paroles nobles, relevage, accolade chevaleresque, restait tout stupéfait, Philippe ajouta :

— Alors, rehaussez-vous en selle, et gagnons au plus tôt Amiens, où je vous dicterai ma paix. Vous marcherez à mon flanc, et nous mangerons en route... Héron ! Gamaches ! ramassez les armes de mon cousin.

Robert d'Artois tardait à remonter à cheval et regardait autour de lui.

— Que cherchez-vous ? dit encore le régent.

— Je ne cherche rien, Philippe. Je contemple ce champ pour ne point l'oublier, répondit d'Artois.

Et il posa sa main sur sa poitrine, à la place où, à travers la broigne, il pouvait sentir le sachet de velours dans lequel il avait enfermé, ainsi que des reliques, les épis maintenant poudreux qu'il avait cueillis en ce lieu même, un jour d'été. Un sourire plein de morgue passa sur ses lèvres.

Lorsqu'il fut à trotter auprès du régent, il retrouva son habituelle assurance.

— C'est une belle armée que vous avez réunie là, mon cousin, pour ne faire qu'un seul prisonnier, dit-il d'un ton railleur.

— La prise de vingt bannières, mon cousin, répondit Philippe du même air, me ferait moins plaisir en ce jour que votre compagnie... Mais dites-moi donc ce qui vous a poussé à si vite vous rendre ; car enfin, si même le nombre est pour moi, je sais bien que ce n'est pas le courage qui vous fait défaut !

— J'ai pensé qu'à nous affronter en guerre, nous allions faire souffrir trop de pauvres gens.

— Que vous voilà soudain sensible, Robert, dit Philippe de Poitiers. On ne m'a point rapporté qu'en ces derniers temps vous ayez donné telles preuves de charité.

— Notre Saint-Père le nouveau pape a pris le soin de m'écrire pour m'éclairer.

— Et pieux, maintenant ! s'écria le régent.

— Comme les termes de sa lettre ressemblaient tout juste à vos semonces, j'ai compris que je ne pouvais lutter à la fois contre le ciel et la terre, et j'ai résolu de me montrer loyal sujet autant que bon chrétien.

— Du cœur, de la religion, de la loyauté ! Vous êtes bien changé, mon cousin.

En même temps, Philippe, regardant de côté le large menton du géant, se disait : « Moque-toi, moque-toi ; tu feras moins le gaillard tout à l'heure, quand tu sauras la paix que je vais t'imposer. »

Mais, devant le Conseil qui fut réuni aussitôt après l'arrivée dans Amiens, Robert conserva la même attitude. Il accepta tout ce qui lui fut demandé, sans se rebeller, sans chicaner, à croire qu'il n'écoutait même pas le traité qu'on lui lisait.

Il s'engageait à rendre « tout château, forteresse, seigneurie et toutes choses qu'il avait prises ou occupées ». Il se portait garant de la restitution de toutes les places saisies par ses partisans. Il concluait trêve avec Mahaut jusqu'aux Pâques prochaines ; d'ici là, la comtesse ferait savoir sa volonté, et la cour des pairs se prononcerait sur les droits des deux parties. Le régent, pour l'instant, gouvernerait directement l'Artois et y placerait tels gardiens, officiers et châtelains qu'il voudrait. Enfin, jusqu'à la décision des pairs, les revenus du comté seraient perçus par le comte d'Évreux... et par le comte de Valois.

En entendant cette dernière clause, Robert comprit de quel prix avait été achetée la défection de son principal allié. Mais même là, il ne broncha pas et signa le tout.

Cette excessive soumission commençait d'inquiéter le régent. « Quel coup fourré manigance-t-il ? » se disait Philippe.

Comme il était pressé de rentrer à Paris pour l'accouchement de la reine, il laissa le soin à ses deux maréchaux, avec une partie des troupes à solde, d'aller relever le connétable en Artois et de veiller sur place à l'exécution du traité. Robert assista en souriant au départ des maréchaux.

Son calcul était simple. En venant se rendre seul, il avait évité le désarmement de ses troupes. Fiennes, Souastre, Picquigny et les autres allaient continuer une petite guerre de troubles et d'usure. Le régent ne pourrait pas, toutes les quinzaines, remettre sur pied pareille expédition; le Trésor n'y aurait pas suffi. Robert avait donc plusieurs mois de tranquillité devant lui. Pour l'heure il préférait revenir à Paris, et jugeait l'occasion assez opportune. Car il se pourrait bien qu'avant peu il n'y eût plus ni de régent, ni de Mahaut.

En effet — et c'était là la vraie raison de son sourire — Robert avait réussi à retrouver la dame de Fériennes, fournisseuse en poison de la comtesse d'Artois. Il l'avait retrouvée en faisant suivre deux espions du régent qui la cherchaient aussi. Isabelle de Fériennes et son fils avaient été arrêtés alors qu'ils vendaient le matériel nécessaire à un envoûtement. Les gens de Robert avaient supprimé les espions du régent, et maintenant la magicienne, après avoir dicté une belle et complète confession, était gardée dans un château d'Artois.

«Tu feras belle mine, mon cousin, se disait-il en regardant Philippe, lorsque je commanderai à Jean de Varennes de m'amener cette femme et que je la présenterai au Conseil des pairs, afin qu'elle avoue comment ta belle-mère, pour ton compte, a su assassiner ton frère! Et ton cher pape lui-même n'y pourra rien.»

Durant tout le voyage, le régent garda Robert à côté de lui; aux haltes, ils mangeaient à la même table; la nuit, dans les monastères ou les châteaux royaux, ils couchaient porte à porte, et les nombreux serviteurs du régent entouraient Robert d'une surveillance étroite. Mais à boire, dîner et dormir auprès de son ennemi, on ne peut se défendre de certains sentiments fraternels à son égard; les deux cousins n'avaient jamais connu pareille intimité. Le régent ne semblait pas tenir particulière rigueur à Robert des fatigues et des frais qu'il lui avait occasionnés; il paraissait même s'amuser assez des grasses plaisanteries du géant et de ses airs de fausse franchise.

«Encore un peu, et il va m'aimer tout de bon, le gueux! se disait Robert. Comme je le berne, comme je le berne bien!»

Au matin du 11 novembre, alors qu'ils arrivaient à la porte de Paris, Philippe arrêta soudain son cheval.

— Mon bon cousin, vous vous êtes l'autre jour, à Amiens, porté garant de la remise à mes maréchaux de tous les châteaux. Or, j'apprends avec peine que plusieurs de vos amis n'obéissent pas au traité et qu'ils refusent de livrer les places.

Robert sourit et écarta les mains d'un geste d'impuissance.

— Vous vous êtes porté garant, répéta Philippe.

— Eh oui, mon cousin, j'ai souscrit à tout ce que vous désiriez. Mais comme vous m'avez ôté tout pouvoir, c'est à vos maréchaux de vous faire obéir.

Le régent caressa pensivement l'encolure de son cheval.

— Est-il vrai, Robert, reprit-il, que vous m'avez inventé le surnom de Portes-Closes?

— C'est vrai, mon cousin, c'est vrai, dit l'autre en riant. Car vous vous servez fort des portes pour gouverner.

— Eh bien, cousin, dit le régent, vous irez donc loger en la prison du Châtelet, et vous y resterez jusqu'à ce que le dernier château d'Artois me soit livré.

Robert, pour la première fois depuis sa reddition, pâlit un peu. Tout son plan s'écroulait, et la dame de Fériennes ne pourrait pas lui servir de sitôt.

TROISIÈME PARTIE

DE DEUIL EN SACRE

I

UNE NOURRICE POUR LE ROI

Jean Ier, roi de France, fils posthume de Louis X Hutin, naquit dans la nuit du 13 au 14 novembre 1316, au château de Vincennes.

La nouvelle fut aussitôt proclamée et les seigneurs endossèrent leurs vêtements de soie. Dans les tavernes, les truands et les ivrognes, pour qui tout événement était occasion de boire, commencèrent dès midi à se saouler et à braire. Et les négociants en objets fins, orfèvres, marchands de soieries, fabricants de draps précieux et de passementeries, vendeurs d'épices, de poissons rares et de produits d'outre-mer, se frottèrent les mains en rêvant aux fournitures des réjouissances.

Les rues souriaient. Les gens s'abordaient, comme ragaillardis, en s'écriant :

— Alors, mon compère, nous avons un roi !

La joie pénétrait jusque dans les couvents où abbés et aumôniers annonçaient et commentaient l'événement.

A l'hôtellerie du couvent des Clarisses, Marie de Cressay, quatre jours plus tôt, avait mis au monde un petit garçon qui pesait fortement ses huit livres, promettait d'être blond ainsi que sa mère et tétait, les yeux fermés, avec la voracité d'un jeune chiot.

A tout instant les novices, encapuchonnées de blanc, entraient dans la cellule de Marie pour la voir langer son enfant, pour contempler son visage radieux pendant qu'elle allaitait, pour regarder cette poitrine rose, abondante, épanouie, pour admirer, elles destinées à une virginité définitive, le miracle de la maternité autrement qu'en figure de vitrail.

Car s'il arrivait parfois qu'une nonne fautât, cela ne se produisait pas aussi souvent que l'assuraient les rimeurs publics en leurs chansons, et un nouveau-né dans un couvent des Clarisses n'était quand même pas chose fréquente.

— Le roi s'appelle Jean, comme mon enfant, disait Marie. Ce fut toujours l'usage, dans ma famille, d'appeler ainsi le premier-né.

Elle voyait dans cette coïncidence un heureux présage. Une nouvelle génération de garçons allait porter le prénom du roi, d'autant plus frappant qu'il était nouveau pour la monarchie. A tous les petits Philippe, à tous les petits Louis, succéderaient une infinité de petits Jean à travers le royaume. « Le mien est le premier », pensait Marie.

Le hâtif crépuscule d'automne commençait à tomber quand une jeune nonne pénétra dans la cellule.

— Dame Marie, dit-elle, la mère abbesse vous demande au parloir. Quelqu'un vous y attend.

— Qui m'attend?

— Je ne sais, je n'ai point vu. Mais je crois que vous allez partir.

Le sang monta aux joues de Marie.

— C'est Guccio, c'est Guccio! C'est le père... expliqua-t-elle aux novices. C'est mon époux qui vient nous chercher, sûrement.

Elle ferma la coulisse de son corsage, remonta vivement ses cheveux en se regardant dans la fenêtre dont la vitre lui servait de sombre miroir, mit sa chape sur ses épaules, hésita un instant devant le berceau posé sur le sol. Devait-elle descendre l'enfant, pour offrir aussitôt à Guccio la merveilleuse surprise?

— Voyez comme il dort, cet angelot, dirent les petites novices. N'allez point l'éveiller ni lui faire prendre froid! Courez; nous allons bien le veiller.

— Ne le sortez pas de son bercel, ne le touchez pas! dit Marie.

En descendant l'escalier, elle était déjà torturée d'inquiétude maternelle. « Pourvu qu'elles n'aillent point jouer avec lui et le laisser choir! » Mais ses pieds volaient vers le parloir, et elle s'étonnait de se sentir si légère.

Dans la salle blanche, décorée seulement d'un grand crucifix et éclairée par deux cierges qui doublaient chaque objet, chaque forme, d'une ombre immense, la mère abbesse, les mains croisées dans ses manches, parlait avec madame de Bouville.

En apercevant la femme du curateur, Marie éprouva plus qu'une déception; elle eut la certitude immédiate, inexplicable, absolue, que cette personne sèche, au visage grillagé de rides verticales, lui apportait le malheur.

Une autre que Marie se fût contentée de penser qu'elle n'aimait pas madame de Bouville; mais chez Marie de Cressay tous les sentiments prenaient une tournure passionnée, et elle donnait à ses sympathies ou à ses aversions la valeur de signes du destin. « Je suis sûre qu'elle vient me faire du mal! » se dit-elle.

D'un regard aigu, sans bienveillance, madame de Bouville l'examinait des pieds à la tête.

— Quatre jours seulement que vous avez fait vos couches, s'écriat-elle, et vous voilà toute fraîche et rose comme une églantine! Je vous complimente, ma belle; on vous dirait déjà prête à recommencer. Dieu, en vérité, traite avec beaucoup de merci celles qui méprisent ses commandements et semble réserver ses épreuves aux plus méritantes. Car croirez-vous, ma mère, continua madame de Bouville se tournant vers l'abbesse, que notre pauvre reine est restée plus de trente heures dans les douleurs? Ses cris me sonnent encore aux oreilles. Le roi s'est fort mal présenté, et l'on a dû lui mettre les fers. Il s'en est fallu de peu qu'il n'y reste, la mère aussi. C'est ce malheur qu'a eu Madame Clémence par la mort de son époux qui est cause de tout; et pour moi je tiens encore à miracle que l'enfant soit né vivant. Mais quand le sort s'en mêle, il n'est rien qui ne vienne à la traverse! Voilà qu'Eudeline la lingère... vous savez bien...

L'abbesse hocha la tête discrètement. Elle gardait au couvent, parmi les petites novices, une enfant de onze ans qui était la fille naturelle du Hutin et d'Eudeline.

— ... elle portait grand-aide à la reine, qui la voulait sans cesse à son chevet, continua madame de Bouville. Eh bien! Eudeline s'est brisé le bras en tombant d'une escabelle; on l'a dû conduire à l'Hôtel-Dieu. Et maintenant, pour tout couronner, voici que la nourrice qu'on avait arrêtée, qui se tenait là depuis une semaine, a vu son lait soudain tari. Nous faire cela dans un pareil moment! Car la reine, bien sûr, est hors d'état d'allaiter; la fièvre l'a prise. Mon pauvre Hugues tourne, vire, s'époumone et ne sait que résoudre, car ce ne sont point affaires d'homme; quant au sire de Joinville, qui n'a plus goutte de vue ni de mémoire, tout ce qu'on peut souhaiter de lui c'est qu'il ne nous expire pas dans les bras. Autrement dit, ma mère, je suis seule à pourvoir à tout.

Marie de Cressay se demandait pourquoi on la faisait ainsi confidente des drames royaux, quand madame de Bouville, poursuivant son caquet, dit en s'approchant d'elle:

— Heureusement j'ai de la tête, et je me suis rappelée à propos que cette fille que j'avais conduite ici devait être délivrée... Vous nourrissez, bien sûr, et votre enfant profite à vue d'œil?

Elle semblait faire reproche à la jeune mère de sa bonne santé.

— Jugeons cela de plus près, dit-elle encore.

Et d'une main compétente, comme elle aurait soupesé des fruits au marché, elle palpa les seins de Marie. Celle-ci eut un mouvement de répulsion qui la fit sauter en arrière.

— Vous pouvez fort bien en nourrir deux, reprit madame de Bouville. Vous allez donc me suivre, ma bonne fille, et venir donner votre lait au roi.

— Je ne puis, Madame! s'écria Marie avant même de savoir comment elle justifierait son refus.

— Et pourquoi ne pourriez-vous pas? A cause de votre péché? Vous êtes tout de même fille de noblesse; et puis le péché ne vous empêche point d'être riche en lait. Ce sera la façon de vous racheter un peu.

— Je n'ai pas péché, Madame, je suis mariée!

— Vous êtes bien la seule à le dire, ma pauvre petite! D'abord, si vous étiez mariée, vous ne seriez pas ici. Et puis la question n'est point là. Il nous faut une nourrice...

— Je ne puis, car justement j'attends mon époux qui doit venir me prendre. Il m'a fait savoir qu'il arriverait bientôt et le pape lui a promis...

— Le pape!... Le pape! clama la femme du curateur. Mais elle a perdu l'esprit, ma parole! Elle croit qu'elle est mariée, elle croit que le pape s'inquiète d'elle. Cessez de nous conter vos sottises, et ne blasphémez point le nom du Saint-Père. Vous allez venir à Vincennes tout immédiatement.

— Non, Madame, je n'irai point, répliqua Marie avec obstination.

La colère monta au nez de la petite madame de Bouville qui empoigna Marie par le haut de la robe et se mis à la secouer.

— Voyez-moi l'ingrate! Cela se débauche, se fait mettre grosse. On prend du soin pour elle, on la sauve de la justice, on la place au meilleur couvent, et quand on vient la requérir pour nourrice du roi de France, la péronnelle regimbe. La bonne sujette que nous avons là! Savez-vous qu'on vous offre un honneur pour lequel les plus grandes dames du royaume se battraient?

— Eh! Madame, lui répondit Marie dans la figure, que ne vous adressez-vous alors à ces grandes dames qui sont plus dignes que moi!

— C'est qu'elles n'ont pas fauté au bon moment, les sottes! Ah! que me faites-vous dire! Assez parlé, vous m'allez suivre.

Si l'oncle Tolomei ou le comte de Bouville lui-même étaient venus faire à Marie de Cressay la même demande, elle eût sûrement accepté. Elle était de cœur généreux, et se fût offerte à nourrir tout enfant en détresse; à plus forte raison celui de la reine. La fierté, et l'intérêt aussi, auraient dû l'y pousser autant que la bonté. Nourrice du roi, tandis que Guccio était damoiseau du pape, toutes leurs difficultés se trouvaient aplanies, et leur fortune faite. Mais la femme du curateur n'avait pas pris la bonne manière. Parce qu'on la traitait non comme une mère heureuse mais comme une délinquante, non comme une femme digne mais comme une serve, et parce qu'elle continuait de voir en madame de Bouville une messagère de mauvais sort, Marie oubliait de penser, se butait. Ses grands yeux bleu sombre brillaient de crainte et d'indignation mêlées.

— Je conserverai mon lait pour mon fils, dit-elle.

— C'est ce que nous allons voir, méchante! Puisque vous ne m'obéissez de gré, je vais appeler les écuyers qui m'attendent et qui vous enlèveront de force.

La mère abbesse intervint. Le couvent était un asile qu'elle ne pouvait laisser violer.

— Non que j'approuve du tout la conduite de ma parente, dit-elle; mais elle a été commise à ma garde...

— Par moi, ma mère! s'écria madame de Bouville.

— Ce n'est point raison pour lui faire violence en ces murs. Marie ne sortira que de son gré, ou sur l'ordre de l'Église.

— Ou sur celui du roi! Car vous êtes couvent royal, ma mère, ne l'oubliez pas. J'agis au nom de mon époux; si vous voulez un ordre du connétable, qui est tuteur du roi et qui vient de rentrer à Paris, ou bien un ordre du régent lui-même, messire Hugues saura bien l'obtenir; cela nous usera trois heures, mais on m'obéira.

L'abbesse prit madame de Bouville à part pour lui assurer, à voix basse, que ce que Marie avait dit à propos du pape n'était pas complètement faux.

— Et que m'importe! dit madame de Bouville. C'est le roi qu'il me faut faire vivre et je n'ai qu'elle sous la main.

Elle sortit, alla appeler ses hommes d'escorte et leur commanda d'empoigner la rebelle.

— Vous m'êtes témoin, Madame, dit l'abbesse, que je n'ai point donné mon accord à cet enlèvement.

Marie, se débattant à travers la cour, entre deux écuyers, qui l'entraînaient, criait:

— Mon enfant! Je veux mon enfant!

— C'est vrai, dit madame de Bouville. Il faut lui laisser prendre son enfant. A se rebeller ainsi, elle nous fait tout oublier.

Quelques minutes plus tard, Marie, ayant à la hâte rassemblé ses hardes et tenant son nouveau-né serré contre elle, franchissait, en sanglots, la porte de l'hôtellerie.

Dehors, deux litières attelées attendaient.

— Voyez donc! s'écria madame de Bouville. On vient la quérir en litière, comme une princesse, et cela crie et vous cause mille embarras!

Environnée par la nuit, cahotée au trot des mules, pendant plus d'une heure, dans une boîte de bois et de tapisserie aux rideaux battants par lesquels s'engouffrait le froid de novembre, Marie rendait grâce à ses frères de l'avoir obligée à prendre sa grande chape en partant de Cressay. Avait-elle assez souffert alors de la chaleur, sous cette lourde étoffe, en arrivant à Paris! « Je ne quitterai donc nul lieu sans malheur et sans larmes, se disait-elle. Ai-je mérité qu'on s'acharne ainsi sur moi? »

Le nourrisson dormait, enveloppé dans les gros plis de la chape. A sentir cette petite vie, inconsciente et tranquille, nichée au creux de sa poitrine, Marie, lentement, retrouvait sa raison. Elle allait voir la reine Clémence; elle lui parlerait de Guccio; elle lui montrerait le reliquaire.

La reine était jeune ; elle était belle et pitoyable aux infortunes... « La reine... c'est l'enfant de la reine que je vais nourrir !... » pensait Marie se représentant enfin tout l'étrange et l'inespéré de cette aventure que l'autorité agressive de madame de Bouville ne lui avait montrée que sous un aspect odieux...

Le grincement d'un pont-levis qu'on abaissait, le pas assourdi des chevaux sur le bois des madriers, puis le claquement de leurs fers sur les pavés d'une cour... Marie fut invitée à descendre, passa entre les soldats en armes, suivit un couloir de pierre mal éclairé, vit apparaître un gros homme en cotte de mailles qu'elle reconnut pour le comte de Bouville. Autour de Marie, on chuchotait ; elle entendit le mot de « fièvre » plusieurs fois prononcé. On lui fit signe de marcher sur la pointe des pieds ; une tenture fut soulevée.

En dépit de la maladie, les usages, dans la chambre de gésine, avaient été respectés. Mais comme la saison des fleurs était passée, on n'avait pu répandre sur le sol qu'un tardif feuillage jauni qui commençait déjà à pourrir sous les piétinements. Autour du lit, les sièges étaient disposés pour des visiteurs qui ne viendraient pas. Une ventrière se tenait là, froissant dans ses doigts des herbes aromatiques. Dans la cheminée, sur des trépieds de fer, bouillaient des décoctions grisâtres.

Du berceau, placé dans un angle, ne venait aucun bruit.

La reine Clémence gisait étendue sur le dos, les cuisses relevées par la douleur et bosselant les draps. Les pommettes étaient rouges, les yeux brillants. Marie remarqua surtout l'immense chevelure d'or éparse sur les coussins, et ce regard ardent qui ne semblait pas voir ce qu'il contemplait.

— J'ai soif, j'ai grand soif... gémissait la reine.

La ventrière chuchota à madame de Bouville :

— Elle a frissonné une grande heure ; les dents lui claquaient, et ses lèvres étaient violettes comme au visage des morts. Nous avons cru qu'elle passait. Nous l'avons bien frictionnée par tout le corps ; alors sa peau s'est remise à bouillir comme vous la voyez. Elle a sué si fort qu'il faudrait lui changer ses linceuls ; mais on ne trouve point les clefs de la chambre aux draps, que tenait Eudeline.

— Je vais vous les donner, répondit madame de Bouville.

Elle conduisit Marie dans une chambre voisine, où un feu brûlait également.

— Vous vous installerez ici, dit-elle.

On apporta le berceau royal. Parmi tous les linges qui l'entouraient, le roi était à peine visible. Il avait un nez minuscule, des paupières épaisses et closes, et somnolait, chétif, dans une immobilité molle. On devait s'approcher de très près pour s'assurer qu'il respirait. De temps en temps une infime grimace, une contraction douloureuse, donnait quelque relief à ses traits.

Devant ce petit être dont le père était mort, dont la mère allait peut-être mourir, et qui donnait si peu de marques de vie, Marie de Cressay fut saisie d'une intense pitié : « Je le sauverai ; je le ferai grand et fort » pensa-t-elle.

Comme il n'y avait qu'un seul berceau, elle coucha son propre enfant à côté du roi.

II

« LAISSONS FAIRE DIEU »

Depuis vingt-quatre heures, la comtesse Mahaut ne décolérait pas.

Devant Béatrice d'Hirson qui l'aidait à se vêtir pour le baptême du roi, elle laissa exploser sa rage et son dépit

— On aurait pu croire, dolente comme l'était Clémence, qu'elle ne viendrait pas au terme de ses couches? On en voit de plus fortes qui avortent en chemin. Non! Elle a tenu ses neuf mois. Elle pouvait nous donner un enfant mort-né? Nenni! Son rejeton vit. Au moins ce pouvait être une fille? Point! Il a fallu que ce soit un garçon. Valait-il la peine, ma pauvre Béatrice, d'avoir tant fait et couru si gros périls, qui ne sont point encore écartés, pour être jouées par le sort de pareille façon!

Car Mahaut, maintenant, était profondément convaincue de n'avoir assassiné le Hutin que pour donner à son gendre la couronne de France. Elle regrettait presque de n'avoir pas tué la femme en même temps que le mari, et toute sa haine se tournait à présent contre le nouveau-né qu'elle n'avait pas encore vu, contre le bébé auquel elle allait dans un moment servir de marraine et dont l'existence à peine éclose mettait un frein à ses ambitions.

Cette femme, puissante entre les puissants, richissime, despotique, avait une véritable nature de criminelle. Le meurtre était son moyen de prédilection pour infléchir le destin à son profit; elle aimait en caresser le projet, en respirer le souvenir; elle y puisait l'excitation des affres, les délectations de la ruse, la joie des triomphes secrets. Si un premier assassinat n'avait pas eu tout le résultat escompté, elle commençait d'accuser le sort d'injustice, se prenait elle-même en pitié, et se mettait tout naturellement à chercher la nouvelle tête qui lui faisait obstacle et qu'elle pourrait abattre.

Béatrice d'Hirson, allant au-devant des pensées de la comtesse, dit lentement, en baissant ses longs cils:

— J'ai gardé, Madame... un peu de cette bonne farine qui nous a si bien servi pour les dragées du roi... ce printemps.

— Tu as bien fait, tu as bien fait, répondit Mahaut ; il vaut mieux être toujours pourvu ; nous avons tant d'ennemis !

Béatrice, qui était pourtant de belle taille, élevait les bras pour arranger la mentonnière de la comtesse et lui poser le manteau sur les épaules.

— Vous allez tenir l'enfant, Madame. Vous n'aurez plus, peut-être, cette occasion de sitôt..., reprit-elle. Ce n'est qu'une poudre, vous savez... et qui s'aperçoit à peine sur le doigt.

Elle parlait d'une voix suave, tentatrice, et comme s'il se fût agi d'une friandise.

— Ah non ! s'écria Mahaut, pas pendant le baptême ; cela nous porterait malheur !

— Croyez-vous ? C'est une âme sans péché que vous rendriez au Ciel.

— Et puis Dieu sait comment mon gendre prendrait la chose ! Je n'ai pas oublié le visage qu'il eut quand je le dessillai sur la fin de son frère, et l'espèce de froideur qu'il me témoigne depuis. Trop de gens m'accusent à voix basse. C'est assez d'un roi pour l'année ; subissons un moment celui qui vient de nous naître.

Ce fut une maigre cavalcade, presque clandestine, qui partit pour Vincennes faire de Jean Ier un chrétien ; et les barons qui avaient préparé leurs atours, attendant d'être conviés à la cérémonie, en furent pour leurs frais.

La maladie de la reine, le fait que la naissance ait eu lieu hors de Paris, la grisaille de l'hiver, et enfin le peu de joie qu'éprouvait le régent d'avoir un neveu, tout s'accordait pour que ce baptême fût rapidement expédié, comme une formalité.

Philippe arriva à Vincennes accompagné de son épouse Jeanne, de Mahaut, de Gaucher de Châtillon et de quelques écuyers. Il avait négligé d'avertir le reste de la famille. D'ailleurs Valois parcourait ses fiefs pour s'y faire de l'argent ; Évreux était resté à Amiens pour achever la liquidation de l'affaire d'Artois. Quant à Charles de La Marche, Philippe avait eu, la veille, une vive altercation avec lui. La Marche, en l'honneur de la naissance du roi, demandait à son frère l'élévation de son apanage en pairie ainsi qu'un accroissement de ses revenus.

— Eh ! mon frère, avait répondu Philippe, je ne suis que le régent ; le roi seul pourra vous conférer la pairie... à sa majorité.

Les premiers mots de Bouville, en accueillant le régent dans l'avant-cour du manoir, furent pour demander :

— Personne n'a d'armes, Monseigneur ? Personne ne porte dague, ni stylet, ni miséricorde ?

On ne pouvait savoir si cette inquiétude visait les gens d'escorte ou les parrains eux-mêmes.

— Je n'ai pas coutume, Bouville, répondit le régent, d'être suivi d'écuyers désarmés.

Bouville, à la fois timide et obstiné, pria les écuyers de rester dans la première cour. Ce zèle dans la prudence commença d'agacer le régent.

— J'apprécie, Bouville, dit-il, le soin avec lequel vous avez veillé au ventre de la reine ; mais vous n'êtes plus curateur ; c'est à moi-même et au connétable qu'il appartient, maintenant, de veiller sur le roi. Nous vous en laissons la charge, n'en abusez point.

— Monseigneur ! Monseigneur ! balbutia Bouville, je n'avais point dessein de vous offenser. Mais il se dit tant de choses dans le royaume... Enfin, je veux que vous voyiez que je suis fidèle à ma tâche, et que j'en sais tout l'honneur.

Il était peu habile à dissimuler. Il ne pouvait s'empêcher de regarder Mahaut de biais, et de rebaisser les yeux aussitôt.

« Décidément, tout un chacun me soupçonne et se défie de moi », pensa la comtesse.

Jeanne de Poitiers feignait de ne rien remarquer. Gaucher de Châtillon, qui était hors de l'affaire, brisa la gêne en disant :

— Allons, Bouville, ne nous laissez point geler : entrons donc.

On se rendit pas au chevet de la reine. Les nouvelles que donna madame de Bouville étaient fort alarmantes : la fièvre continuait de dévorer la malade qui se plaignait d'atroces maux de tête et était secouée à tout instant par des nausées.

— Son ventre se remet à gonfler comme si elle n'avait point accouché, expliqua madame de Bouville. Elle ne peut trouver le sommeil, supplie qu'on arrête les cloches qui lui sonnent aux oreilles et nous parle sans cesse comme si elle s'adressait non point à nous, mais à sa grand-mère, Madame de Hongrie, ou au roi Louis. C'est pitié que de l'entendre ainsi perdre la raison, sans pouvoir la faire taire.

Vingt ans de métier de chambellan auprès de Philippe le Bel avaient laissé au comte de Bouville une longue expérience des cérémonies royales. Combien de baptêmes déjà n'avait-il pas réglés ?

Les objets rituels furent distribués aux assistants. Bouville et deux gentilshommes de la garde se passèrent au col de longues serviettes blanches dont ils tenaient les extrémités étendues devant eux, pour en recouvrir, l'un le bassin empli d'eau bénite, l'autre le bassin vide, le troisième la coupe qui contenait le sel.

La ventrière prit le chrémeau dont on coifferait l'enfant après l'onction.

Puis la nourrice s'avança, portant le roi.

« Oh ! la belle fille que voilà ! » pensa le connétable.

Madame de Bouville avait fait revêtir à Marie de Cressay une robe de velours rosé, avec un peu de fourrure au col et aux poignets, et elle avait fait répéter longuement à la jeune femme les gestes qu'elle aurait à accomplir. Le bébé était empaqueté dans un manteau deux fois plus long que lui, sur lequel était posé un voile de soie violette qui tombait jusqu'au sol, comme une traîne.

On se dirigea vers la chapelle du château. Des écuyers ouvraient la marche, tenant des cierges allumés. Le sénéchal de Joinville venait le dernier, soutenu et pourtant chancelant. Néanmoins il était un peu sorti de sa torpeur habituelle parce que le nouveau-né s'appelait Jean, comme lui-même.

La chapelle était tendue de tapisseries, et la pierre des fonts garnie de velours violet. A côté se trouvait une table où l'on avait étendu une couverture de menu-vair, et par-dessus une nappe fine, et par-dessus encore placé des coussins de soie. Quelques grilles à braises ne suffisaient pas à dissiper l'humide froideur.

Marie déposa l'enfant sur la table pour le démailloter. Attentive à ne point faire d'erreurs, elle avait le cœur battant, et distinguait à peine les visages autour d'elle, tant elle était émue. Aurait-elle jamais imaginé, elle, fille chassée de sa famille, qu'il lui appartiendrait de tenir un rôle si important dans le baptême d'un roi, entre le régent de France et la comtesse d'Artois? Éblouie par ce retour de fortune, elle était pleine de gratitude, à présent, pour madame de Bouville, et lui avait demandé pardon de son insoumission de la veille.

Tout en déroulant les langes, elle entendit le connétable s'informer de son nom, et d'où elle venait; elle se sentit rougir.

Le chapelain de la reine avait soufflé quatre fois sur le corps du nouveau-né, comme aux quatre branches d'une croix, pour ôter de lui le démon par la vertu du Saint-Esprit; puis, crachant sur son index, il lui avait enduit de salive les narines et les oreilles, pour signifier qu'il ne devait pas écouter les voix du diable, ni respirer les tentations du monde et de la chair.

Philippe et Mahaut soulevèrent le petit roi l'un par les jambes et l'autre par les épaules. Le régent, de ses yeux myopes, considérait avec insistance le sexe minuscule de l'enfant, ce rose vermisseau qui mettait en échec toute sa savante combinaison successorale, ce dérisoire symbole de la loi des mâles, infime mais infranchissable obstacle entre lui et la couronne.

« De toute manière, pensait Philippe pour se consoler, je suis régent durant quinze années. En quinze ans bien des choses peuvent survenir; serai-je moi-même vivant dans quinze ans? Et cet enfant vivra-t-il jusque-là? »

Mais régence n'est pas royauté.

L'enfant était resté fort calme, et même somnolent pendant les rites préliminaires. Il ne fit entendre sa voix que lorsqu'on le plongea entièrement dans l'eau froide; mais alors, il hurla jusqu'à s'en étrangler. Par trois fois, tandis que les autres parrains et marraines, Gaucher, Jeanne de Poitiers, les Bouville, le sénéchal, étendaient les mains au-dessus de son petit corps nu, il fut immergé, d'abord avec la tête vers l'Orient puis au Nord, puis au Sud, pour figurer le dessin de la Croix [19].

Jean Ier se calma aussitôt qu'on l'eut sorti du bain glacial, et accepta paisiblement le saint chrême dont on lui oignit le front. Puis on le reposa sur les coussins où Marie de Cressay se mit à le sécher tandis que les assistants se tassaient au plus près de la chaleur des poêles à braise.

Soudain la voix de Marie de Cressay emplit la chapelle.

— Seigneur! Seigneur! Il trépasse! cria-t-elle.

Tous se projetèrent vers la table. Le bébé-roi avait pris une teinte bleue qui fonçait d'instant en instant jusqu'à devenir noirâtre; il avait le corps raidi, les bras crispés, la tête tordue, et ses paupières ouvertes ne laissaient apparaître que des globes blancs.

Une main invisible étouffait cette vie sans conscience, entourée de cierges vacillants et de fronts anxieusement penchés.

Mahaut entendit murmurer:

— C'est elle.

Elle releva les yeux et rencontra les regards du ménage Bouville.

«Qui a donc fait le coup pour m'en charger?» se demanda-t-elle.

Cependant la ventrière avait pris l'enfant des mains tremblantes de Marie et s'efforçait de le ranimer.

— Il n'est pas sûr qu'il meure, il n'est pas sûr, dit-elle.

Le nourrisson resta ainsi rigide, distendu et sombre près de deux minutes qui parurent infinies; puis, brusquement, il fut agité de secousses violentes projetant la tête en tous sens. Les membres se retournaient; on n'eût jamais cru qu'une telle force pût parcourir un corps si chétif; la ventrière devait le serrer pour qu'il ne lui échappât. Le chapelain se signa, comme s'il était en présence d'une manifestation diabolique, et se mit à réciter les prières des agonisants. L'enfant grimaçait, bavait; son aspect noirâtre avait disparu pour faire place à une pâleur glacée, non moins effrayante. Un moment il parut s'apaiser, urina sur la robe de la ventrière et on le pensa sauvé. Puis aussitôt sa tête tomba; il devint mou, inerte, et cette fois chacun vraiment le jugea mort.

— Il était grand temps de le baptiser, dit le connétable.

Philippe de Poitiers ôtait de ses mains les gouttes chaudes tombées des cierges.

Et soudain le petit cadavre agita les pieds, poussa quelques cris, faibles encore mais plutôt joyeux, et ses lèvres s'animèrent d'un mouvement de succion. Le roi était en vie, et il voulait téter.

— Le démon s'est fort débattu avant de lui sortir du corps, dit le chapelain.

— Il n'est point fréquent, expliqua la ventrière, que les convulsions saisissent les enfants si tôt. C'est parce qu'il est venu avec les fers ; cela se voit parfois. Et puis le lait de la nourrice lui a manqué pendant plusieurs heures...

Marie de Cressay se sentit coupable. « Si au lieu de me disputer avec Madame de Bouville, j'étais accourue aussitôt... » pensa-t-elle.

Nul, évidemment, n'aurait mis en cause l'immersion en eau froide, ni aucune des tares héréditaires, boiterie, démence, épilepsie, qui reparaissaient assez régulièrement dans la famille.

— Croyez-vous qu'il ait à souffrir d'autres accès ? demanda Mahaut.

— C'est fort à craindre, Madame, répondit la ventrière. On ne sait jamais quand va venir ce mal, ni comment il finit.

— Le pauvre petit ! dit Mahaut bien fort.

On reporta le roi au château et l'on se sépara sans joie.

Philippe de Poitiers ne desserra pas les dents tout le temps du retour. Rentré au Palais, il laissa sa belle-mère le suivre et s'enfermer avec lui.

— Vous avez manqué de peu, tout à l'heure, d'être roi, mon fils, lui dit-elle.

Philippe ne répondit pas.

— En vérité, après ce que nous avons vu, personne ne s'étonnerait si cet enfant mourait ces jours-ci, reprit-elle.

Le régent continuait de se taire.

— S'il venait à disparaître, vous seriez toutefois obligé d'attendre la majorité de Jeanne de Navarre.

— Nenni, ma mère, nenni, répondit vivement Philippe. Nous ne sommes plus liés dorénavant par le règlement de juillet. La succession de Louis est close ; c'est celle du petit Jean qui s'ouvrirait alors. Entre mon frère et moi il y aurait eu un roi, et je serais héritier de mon neveu.

Mahaut le regarda avec admiration : « Il a échafaudé cela pendant le baptême ! »

— Vous avez toujours rêvé d'être roi, Philippe, avouez-le, dit-elle. Déjà quand vous étiez enfant vous cassiez des branches pour vous en faire des sceptres !

Il releva un peu la tête et lui sourit, laissant un silence s'écouler. Puis, redevenant grave :

— Savez-vous, ma mère, que la dame de Fériennes a disparu d'Arras, et aussi les hommes que j'avais envoyés pour l'enlever et la mettre hors d'état de trop parler ? Il paraîtrait qu'elle est tenue secrètement en quelque château d'Artois, et l'on dit que vos barons, là-bas, s'en vantent.

Mahaut se demanda ce que signifiait cet avertissement. Philippe voulait-il seulement la prévenir des dangers qu'elle courait? Ou lui prouver qu'il prenait soin d'elle? Était-ce manière de confirmer l'interdiction de jamais plus recourir au poison? Ou bien, au contraire, en faisant allusion à la fournisseuse, lui donnait-il à entendre qu'elle avait les mains libres?

— De nouvelles convulsions pourraient bien l'emporter, insista Mahaut.

— Laissons faire Dieu, ma mère, laissons faire Dieu, dit Philippe en rompant l'entretien.

« Laisser faire Dieu... ou me laisser faire, moi? pensa la comtesse d'Artois. Il est prudent, jusqu'à se garder de se souiller l'âme; mais il m'a bien comprise... C'est ce gros niais de Bouville qui va me causer le plus de tracas. »

Dès cet instant son imagination commença de travailler. Mahaut avait un crime en perspective; et que la future victime fût un nouveau-né lui excitait l'esprit autant que s'il se fût agi de l'adversaire le plus féroce.

Elle entreprit une campagne soigneuse, perfide. Le roi n'était pas né viable; elle le disait à tout venant, et décrivait, les larmes dans les yeux, la pénible scène du baptême.

— Nous l'avons tous cru trépassé devant nous, et il s'en est fallu de bien peu que ce ne fût vrai. Demandez plutôt au connétable qui était là comme moi; je n'ai jamais vu messire Gaucher si fort pâlir... Chacun pourra juger d'ailleurs de la faiblesse du petit roi quand on le présentera à tous les barons, comme cela doit se faire. A savoir même s'il n'est pas déjà mort et qu'on nous le cache. Car cette présentation tarde beaucoup, sans qu'on nous en donne la raison. Messire de Bouville, paraît-il, s'y oppose, parce que la malheureuse reine... Dieu la protège!... serait au plus mal. Mais enfin la reine n'est pas le roi!

Les familiers de Mahaut avaient charge de colporter ces propos.

Les barons commencèrent à s'alarmer. En effet, pourquoi différait-on ainsi la présentation solennelle? Le baptême à la sauvette, les prétendues dérobades de Bouville, l'impénétrable silence maintenu autour de Vincennes, tout était marqué de mystère.

Des rumeurs contradictoires circulaient. Le roi était infirme et l'on ne voulait pas le montrer. Le comte de Valois l'avait enlevé secrètement pour le mettre en sûreté. La maladie de la reine? Une feinte. La reine et son enfant voyageaient en ce moment vers Naples.

— S'il est mort, qu'on nous le dise, murmuraient certains.

— Le régent l'a fait disparaître! assuraient d'autres.

— Qu'allez-vous chanter là? Le régent n'est point homme de cette sorte. Mais il se défie de Valois.

— Ce n'est point le régent; c'est Mahaut. Elle prépare son forfait, s'il n'est même déjà accompli. Elle répète trop fort que le roi ne peut vivre!

Tandis qu'un mauvais vent passait à nouveau sur la cour, qu'on s'énervait en conjectures odieuses, en soupçons d'infamie dont chacun se sentait éclaboussé, le régent, lui, demeurait impénétrable. Il s'absorbait dans l'administration du royaume, et si l'on venait à lui parler de son neveu, il répondait Flandre, Artois, ou rentrée des impôts.

Au matin du 19 novembre, l'irritation montant, de nombreux barons et des maîtres au Parlement vinrent en délégation trouver Philippe et le prièrent avec force, le sommèrent presque, de consentir à la présentation du roi. Ceux-ci, qui s'attendaient à une réponse négative, ou dilatoire, avaient déjà dans l'œil une méchante lueur.

— Mais je souhaite, Messeigneurs, je souhaite autant que vous cette présentation, dit le régent. A moi-même on fait opposition; c'est le comte de Bouville qui s'y refuse.

Puis, se tournant vers Charles de Valois, rentré depuis l'avant-veille de son comté du Maine, il lui demanda:

— Est-ce vous, mon oncle, pour les intérêts de votre nièce Clémence, qui empêchez Bouville de nous montrer le roi?

L'ex-empereur de Constantinople, ne comprenant pas d'où lui tombait cette algarade, devint pourpre et s'écria:

— Mais, par Dieu juste, mon neveu, où allez-vous chercher cela? Je n'ai jamais rien ordonné ni voulu de tel! Je n'ai même pas vu Bouville, ni n'en ai reçu message depuis plusieurs semaines. Et je suis rentré tout exprès pour cette présentation. Je voudrais fort, au contraire, qu'on la fît et qu'on revînt à agir selon les coutumes de nos pères, ce qui n'a que trop tardé.

— Alors, Messeigneurs, dit le régent, nous sommes tous de même conseil et de même volonté... Gaucher! Vous qui fûtes à la naissance de mon frère... c'est bien à la première marraine qu'il revient de présenter l'enfant royal aux barons?

— Certes, certes, c'est à la marraine, répondit Valois, vexé que sur un point de cérémonial on fît appel à une autre compétence que la sienne. J'assistai à toutes les présentations, Philippe; à la vôtre qui fut petite, puisque vous étiez second, comme à celle de Louis et ensuite de Charles. Toujours la marraine.

— Alors, reprit le régent, je vais faire savoir aussitôt à la comtesse Mahaut qu'elle ait à tenir tout à l'heure cet office, et donner ordre à Bouville de nous ouvrir Vincennes. Nous monterons à cheval à midi.

Pour Mahaut, c'était l'occasion attendue. Elle ne voulut personne que Béatrice pour l'habiller, et se coiffa d'une couronne; le meurtre d'un roi valait bien cela.

— Combien de temps penses-tu qu'il faille à ta poudre pour avoir effet sur un enfant de cinq jours?

— Cela, je ne sais pas, Madame... répondit la demoiselle de parage. Sur les cerfs de vos bois, le résultat s'est montré dans une nuit. Le roi Louis, lui, a résisté près de trois journées...

— J'aurai toujours, pour me couvrir, dit Mahaut, cette nourrice que j'ai vue l'autre jour, belle fille, ma foi, mais dont on ne sait d'où elle vient, ni qui l'a placée là. Les Bouville sans doute...

— Ah! Je vous comprends, dit Béatrice en souriant. Si la mort n'apparaissait pas naturelle... on pourrait accuser cette fille, et la faire écarteler...

— Ma relique, ma relique, dit Mahaut avec inquiétude en se touchant la poitrine. Ah oui! c'est bon, je l'ai.

Comme elle sortait de la chambre, Béatrice lui murmura:

— Surtout, Madame, n'allez pas par mégarde vous moucher.

III

LES RUSES DE BOUVILLE

— Faites feux à bataille! ordonnait Bouville aux valets. Que les cheminées flambent à crever pour que la chaude se répande dans les couloirs.

Il allait de pièce en pièce, paralysant le service en prétendant activer chacun. Il courait au pont-levis inspecter la garde, commandait d'étendre du sable dans les cours, le faisait balayer parce qu'il tournait en boue, venait vérifier les serrures qui ne serviraient pas. Toute cette agitation n'était destinée qu'à tromper sa propre angoisse. « Elle va le tuer, elle va le tuer », se répétait-il.

Dans un corridor, il se heurta à son épouse.

— La reine? demanda-t-il.

On avait administré les derniers sacrements à la reine Clémence le matin même.

Cette femme, dont deux royaumes célébraient la beauté, était défigurée, ravagée par l'infection. Le nez pincé, la peau jaunâtre, marquée de plaques rouges de la taille d'une pièce de deux livres, elle exhalait une odeur affreuse; ses urines charriaient des traces sanglantes; elle respirait de plus en plus péniblement et gémissait sous les douleurs intolérables qu'elle éprouvait dans la nuque et le ventre. Elle délirait.

— C'est une fièvre quarte, dit madame de Bouville. La ventrière assure que si elle franchit la journée, elle peut être sauvée. Mahaut a offert d'envoyer maître de Pavilly, son physicien personnel.

— A nul prix, à nul prix! s'écria Bouville. Ne laissons personne qui appartienne à Mahaut s'introduire ici.

La mère mourante, l'enfant menacé, et plus de deux cents barons qui allaient arriver, avec leurs escortes! Le beau désordre qu'on aurait tout à l'heure, et comme l'occasion serait facilement offerte au crime!

— L'enfant ne doit point rester dans la chambre qui jouxte celle de la reine, reprit Bouville. Je n'y puis faire passer assez d'hommes d'armes pour le veiller, et l'on se glisse trop aisément derrière les tapisseries.

— Il est bien temps d'y songer ; où le veux-tu mettre ?

— Dans la chambre du roi, dont toutes les entrées se peuvent interdire.

Ils se regardèrent et eurent la même pensée ; c'était la pièce où le Hutin était mort.

— Fais préparer cette chambre et activer le feu, insista Bouville.

— Soit, mon ami, je vais t'obéir. Mais mettrais-tu cinquante écuyers autour, tu n'empêcheras pas que Mahaut ait à porter le roi dans ses bras pour le présenter.

— Je serai auprès d'elle.

— Mais, si elle l'a résolu, elle le tuera sous ton nez, mon pauvre Hugues. Et tu n'y verras mie. Un enfant de cinq jours ne se débat guère. Elle profitera d'un moment de presse pour lui plonger une aiguille au défaut de la tête, lui faire respirer du venin, ou l'étrangler d'un lacet.

— Et alors, que veux-tu que je fasse ? s'écria Bouville. Je ne puis venir déclarer au régent : « Nous ne voulons point que votre belle-mère porte le roi car nous redoutons qu'elle ne l'occise ! »

— Eh non, tu ne le peux ! Nous n'avons qu'à prier Dieu, dit madame de Bouville en s'éloignant.

Bouville, désemparé, se rendit dans la chambre de la nourrice.

Marie de Cressay allaitait les deux enfants à la fois. Aussi voraces l'un que l'autre, ils s'agrippaient à la pâture, de leurs petits ongles mous, et tétaient avec bruit. Généreuse, Marie donnait au roi le sein gauche, réputé le plus riche.

— Qu'avez-vous donc, messire ? Vous semblez tout troublé, demanda-t-elle à Bouville.

Il se tenait devant elle, appuyé sur sa haute épée, ses mèches noires et blanches lui couvrant les joues et la bedaine tendant sa cotte d'armes, gros archange débonnaire commis à la garde difficile d'un enfançon.

— C'est qu'il est si faible, notre petit Sire, il est si faible ! dit-il tristement.

— Mais non, messire, il reprend bien, au contraire ; voyez donc, il a presque rattrapé le mien. Et toutes ces médecines qu'on me donne me font un peu tourner le cœur, mais semblent fort lui convenir [20].

Bouville approcha la main, et caressa prudemment le petit crâne où se formait un duvet blond.

— Ce n'est pas un roi comme les autres, voyez-vous... murmura-t-il.

Le vieux serviteur de Philippe le Bel ne savait comment exprimer ce qu'il ressentait. Aussi loin qu'il remontait en ses souvenirs et en ceux même de son père, la monarchie, le royaume, la France, tout ce qui avait été la raison de ses fonctions et l'objet de ses soucis se confondait avec une longue et solide chaîne de rois, adultes, forts, exigeant le dévouement, dispensant les honneurs.

Pendant vingt ans il avait avancé le faudesteuil où siégeait un monarque devant lequel la chrétienté tremblait. Jamais il n'aurait imaginé que la chaîne pût si vite se réduire à cet enfançon rose, au menton barbouillé de lait, chaînon qu'on eût pu entre deux doigts briser.

— Il est vrai, dit-il, qu'il a bien repris ; sans cette marque laissée par les fers, et qui déjà s'efface, il se distingue assez peu du vôtre.

— Oh ! messire, dit Marie ; le mien est plus lourd. N'est-ce pas, Jean deuxième, que tu es plus lourd ?

Elle rougit brusquement et expliqua :

— Comme ils se nomment tous les deux Jean, j'appelle le mien Jean deuxième. Peut-être ne devrais-je pas ?

Bouville, par machinale courtoisie, caressa la tête du second bébé. Dans son geste, il effleura les seins de Marie. Celle-ci se méprit sur le geste, comme sur le regard obstiné du gros gentilhomme, et elle rougit plus fort. « Quand donc, se dit-elle, cesserai-je d'avoir la chaleur au visage à tout propos ? Ce n'est point chose déshonnête, ni provocante, que d'allaiter ! »

En réalité, Bouville comparait les deux bébés.

A ce moment madame de Bouville entra, tendant les vêtements pour habiller le roi. Bouville l'attira dans un angle, en lui murmurant :

— J'ai un moyen, je crois.

Ils s'entretinrent à voix basse quelques instants. Madame de Bouville hochait la tête, réfléchissait ; à deux reprises, elle regarda dans la direction de Marie :

— Demande-lui toi-même, dit-elle enfin. Moi, elle ne m'aime pas.

Bouville revint vers la jeune femme.

— Marie, mon enfant, vous allez rendre grand service à notre petit roi auquel je vous vois si attachée, dit-il. Voici que les barons viennent pour qu'il leur soit présenté. Mais nous craignons pour lui le froid, à cause de ces convulsions qui l'ont pris à son baptême. Voyez l'effet s'il se mettait soudain à se tordre comme l'autre jour ! On aurait tôt fait de croire qu'il ne peut vivre, comme ses ennemis le répandent. Nous autres barons sommes gens de guerre, et aimons que le roi fasse preuve de robustesse même au plus jeune âge. Votre enfant, vous me le disiez tout à l'heure, est plus gras et plus beau d'apparence. Nous voudrions le présenter à sa place.

Marie, un peu inquiète, regarda madame de Bouville, qui s'empressa de dire :

— Je n'y suis pour rien. C'est une idée de mon époux.

— N'est-ce point péché, messire, que de faire cela ? demanda Marie.

— Péché, mon enfant ? Mais c'est vertu que de protéger son roi. Et ce ne serait point la première fois qu'on présenterait au peuple un enfant solide en place d'un héritier chétif, assura Bouville mentant pour la bonne cause.

— Ne va-t-on point s'en apercevoir?

— Et comment s'en apercevrait-on? s'écria madame de Bouville. Ils sont blonds l'un et l'autre; à cet âge tous les enfants se ressemblent, et se transforment d'un jour sur le lendemain. Qui connaît le roi, en vérité? Messire de Joinville, qui n'y voit rien, le régent, qui n'y voit guère, et le connétable qui s'y connaît mieux en chevaux qu'en nouveau-nés.

— La comtesse d'Artois ne va-t-elle point s'étonner qu'il n'ait plus la trace des fers?

— Sous le bonnet et la couronne, comment le verrait-elle?

— Et le jour ne luit guère, de surcroît. Il va presque falloir allumer les cierges, ajouta Bouville en désignant la fenêtre et la triste lumière de novembre.

Marie ne fit pas davantage de résistance. Au fond, l'idée de cette substitution l'honorait assez et elle ne prêtait à Bouville que de bons desseins. Elle prit plaisir à habiller son enfant en roi, à le langer de soie, à lui passer le manteau bleu semé de fleurs de lis d'or et à le coiffer du bonnet sur lequel était cousue une minuscule couronne, tous objets du trousseau préparé avant la naissance.

— Qu'il va être beau, mon Jeannot! disait Marie. Une couronne, Seigneur! une couronne! Il faudra la rendre à ton roi, tu sais, il faudra la lui rendre.

Elle agitait son enfant comme une poupée devant le berceau de Jean Ier.

— Voyez, Sire, voyez votre frère de lait, votre petit serviteur qui va prendre votre place pour que vous n'attrapiez pas froid.

Et elle songeait: «Quand je raconterai tout cela bientôt à Guccio... Quand je lui dirai que son fils a été présenté aux barons... L'étrange vie que nous avons, et que je ne changerais pour nulle autre! Comme j'ai bien fait de l'aimer, mon Lombard!»

Sa voix fut coupée par un long gémissement venu de la pièce voisine.

«La reine, mon Dieu... pensa Marie. J'oubliais la reine.»

Un écuyer entra, annonçant l'approche du régent et des barons. Madame de Bouville se saisit de l'enfant de Marie.

— Je le porte dans la chambre du roi, dit-elle, et l'y remettrai après la cérémonie, jusqu'au départ de la cour. Vous, Marie, ne bougez point d'ici avant que je revienne, et si quiconque pénétrait, malgré la garde que nous allons mettre, affirmez bien que cet enfant que vous avez avec vous est le vôtre.

IV

« MES SIRES, VOYEZ LE ROI »

Les barons avaient peine à tenir tous dans la grand-salle ; ils parlaient, toussaient, remuaient les pieds et commençaient à s'impatienter d'une longue station debout. Les escortes avaient envahi les couloirs pour profiter du spectacle ; des grappes de têtes s'aggloméraient aux issues.

Le sénéchal de Joinville, qu'on n'avait fait lever qu'à la dernière minute afin de ménager ses forces, se tenait à la porte de la chambre du roi, en compagnie de Bouville.

— C'est vous qui annoncerez, messire sénéchal, dit celui-ci. Vous êtes le plus ancien compagnon de Saint Louis ; c'est à vous que revient l'honneur.

Malade d'anxiété, la face ruisselante, Bouville pensait :

« Moi, je ne pourrais pas... je ne pourrais pas faire l'annonce. Ma voix me trahirait. »

Il vit apparaître, au bout du couloir ombreux, la comtesse Mahaut, gigantesque, grandie encore par sa couronne et son lourd manteau d'apparat. Jamais Mahaut d'Artois ne lui avait semblé si haute, si terrifiante.

Il se jeta dans la chambre et dit à sa femme :

— Voici le moment.

Madame de Bouville se porta au-devant de la comtesse, dont le pas solide sonnait sur les dalles, et lui remit le léger fardeau.

Le lieu était sombre ; Mahaut ne regarda pas l'enfant de bien près. Elle trouva simplement qu'il avait pris du poids depuis le jour de son baptême.

— Eh ! notre petit roi profite, dit-elle. Je vous en complimente, ma mie.

— C'est que nous le veillons fort, Madame ; nous ne voulons point encourir les reproches de sa marraine, répondit madame de Bouville de sa meilleure voix.

« Assurément il était temps, pensa Mahaut ; il se porte trop bien. »

La lumière qui tombait d'une embrasure lui montra le visage de l'ancien chambellan.

— Qu'avez-vous à suer si fort, messire Hugues ? dit-elle. Ce n'est pourtant point jour de chaleur.

— Ce sont ces feux que j'ai fait allumer... Messire le régent ne m'a guère donné de temps pour tout préparer.

Ils s'affrontèrent du regard, chacun connaissant là un désagréable instant.

— Marchons donc, dit Mahaut, et faites-moi le chemin.

Bouville offrit son bras au vieux sénéchal, et les deux curateurs se dirigèrent, lentement, vers la grand-salle. Mahaut les suivait à quelques pas. C'était le moment favorable entre tous et qu'elle risquait de ne plus retrouver. L'allure à laquelle avançait le sénéchal lui permettait de prendre son temps. Certes il y avait des écuyers et des dames de parage collés le long des murs et qui tous avaient, dans la pénombre, le regard dirigé vers l'enfant ; mais qui s'apercevait d'un geste aussi bref et aussi naturel ?

— Allons ! Présentons-nous bien, dit Mahaut au bébé couronné qu'elle tenait au creux du bras. Faisons honneur au royaume, et ne bavons point.

Elle sortit son mouchoir de son aumônière et essuya rapidement les petites lèvres mouillées. Bouville avait tourné la tête ; mais le geste était déjà accompli, et Mahaut, dissimulant le mouchoir au creux de sa main, feignit d'arranger le manteau de l'enfant.

— Nous sommes prêts, dit-elle.

Les portes de la salle s'écartèrent et le silence se fit. Mais le sénéchal ne voyait pas la foule des visages devant lui.

— Annoncez, messire, annoncez, dit Bouville.

— Que dois-je annoncer ? demanda Joinville.

— Le roi, voyons, le roi !

— Le roi... murmura Joinville. C'est le cinquième que je vais servir, savez-vous !

— Certes, certes, mais annoncez, répéta Bouville nerveux.

Mahaut, derrière eux, essuyait une seconde fois, pour plus de sûreté, la bouche du bébé.

Le sire de Joinville, s'étant éclairci la gorge par quelques raclements, se décida enfin à prononcer d'une voix grave, assez nette :

— Mes sires, voyez le roi ! Voyez le roi, mes sires !

— Vive le roi ! répondirent les barons, délivrant le cri qu'ils retenaient depuis l'enterrement du Hutin.

Mahaut alla droit au régent et aux membres de la famille royale rassemblés autour de lui.

— Mais il est gaillard... il est rose... il est gras, disaient les barons au passage.

— Que nous chantait-on qu'il était chétif et ne pouvait point vivre? murmura Charles de Valois à son fils Philippe.

— Allons! La race de France est toujours bien vaillante, dit Charles de La Marche pour imiter son oncle.

L'enfant du Lombard se comportait bien, trop bien même au gré de Mahaut. «Ne pourrait-il pas crier, se tordre un peu?» pensait-elle. Et sournoisement, elle cherchait à le pincer au travers du manteau. Mais les langes étaient épais, et l'enfant ne faisait entendre qu'un petit gargouillement assez joyeux. Le spectacle offert à ses yeux bleus fraîchement ouverts semblait lui plaire. «Le petit gueux! Il va chanter, dans une minute. Il chantera moins cette nuit... A moins que la poudre de Béatrice ne soit éventée...»

Des cris s'élevèrent dans le fond de la salle:

— Nous ne le voyons point; nous le voulons admirer!

— Tenez, Philippe, dit Mahaut à son gendre en lui tendant le bébé; vous avez le bras plus long que le mien, montrez le roi à ses vassaux.

Le régent prit le petit Jean par le torse, l'éleva au-dessus de sa tête pour que chacun pût à loisir le contempler. Soudain Philippe sentit couler sur ses mains un liquide gluant et chaud. L'enfant, saisi de hoquets, vomissait le lait qu'il avait sucé la demi-heure d'avant, mais un lait devenu verdâtre et mêlé de bile; son visage se colora de la même manière, puis très vite vira à une teinte foncée, indéfinissable, inquiétante, tandis qu'il tordait le cou en arrière.

Une vaste exclamation d'angoisse et de désappointement s'éleva de la foule des barons.

— Seigneur, Seigneur, s'écria Mahaut, les convulsions le ressaisissent!

— Reprenez-le, dit vivement Philippe en lui remettant l'enfant dans les bras comme un paquet dangereux.

— Je le savais! lança une voix.

C'était Bouville. Il était pourpre, et son regard allait avec colère de la comtesse au régent.

— Oui, vous aviez raison, Bouville, dit ce dernier; il était trop tôt pour présenter cet enfant malade.

— Je le savais... répéta Bouville.

Mais sa femme le tira vivement par la manche pour lui éviter une irréparable sottise. Leurs yeux se rencontrèrent et Bouville se calma: «Qu'allais-je faire? Je suis fou, pensa-t-il. Nous avons le vrai.»

Mais s'il avait tout agencé pour détourner le crime sur une autre tête, il n'avait rien prévu pour le cas où le crime serait vraiment commis.

Mahaut, elle aussi, était prise de vitesse. Elle n'attendait pas du poison une action à ce point immédiate. Elle prononçait des paroles qui se voulaient rassurantes :

— Apaisez-vous, apaisez-vous ! L'autre jour aussi nous avons cru qu'il allait passer ; et puis, vous voyez, il est bien revenu. C'est mal d'enfant qui fait peur à voir mais qui ne dure point. La ventrière ! Qu'on aille quérir la ventrière, ajouta-t-elle prenant tous les risques pour prouver sa bonne foi.

Le régent tenait ses mains souillées écartées du corps ; il les regardait avec crainte et dégoût, et n'osait plus toucher à rien.

Le bébé était bleuâtre et suffoquait.

Dans le désordre et l'affolement qui suivirent, personne ne sut très bien ce qu'il faisait, ni comment les choses s'étaient passées. Madame de Bouville s'élança vers la chambre de la reine, mais presque arrivée s'arrêta brusquement en pensant : « Si j'appelle la ventrière, elle verra bien, elle, que l'enfant a été changé, et qu'il n'a pas la marque des fers. Surtout, surtout, qu'on ne lui ôte pas le bonnet ! » Elle revint en courant, tandis que l'assistance refluait déjà vers la chambre du roi.

Le service d'aucune ventrière n'était plus nécessaire à l'enfant. Toujours enveloppé du manteau fleurdelisé, sa couronne de poupée inclinée sur la tempe, il gisait, lèvres sombres, langes souillés et viscères rompus, au milieu de l'immense lit couvert de soie. Le bébé qu'on venait de présenter à tous comme le roi de France avait cessé de vivre.

V

UN LOMBARD À SAINT-DENIS

— Et maintenant, qu'allons-nous faire? se demandaient les Bouville.

Ils se trouvaient piégés à leur propre trappe.

Le régent ne s'était guère attardé à Vincennes. Rassemblant les membres de la famille royale, il les avait priés de remonter à cheval et de l'escorter à Paris pour y tenir aussitôt conseil. Bouville, alors que la troupe s'ébranlait, avait eu un sursaut de courage.

— Monseigneur!... s'était-il écrié en saisissant par la bride la monture du régent.

Mais Philippe l'avait immédiatement arrêté.

— Mais oui, mais oui, Bouville; je vous sais gré de la part que vous prenez à notre affliction. Nous ne vous reprochons rien, croyez-le bien. C'est la loi de l'humaine nature. Je vous ferai porter mes ordres pour les funérailles.

Et piquant son cheval, il s'était mis au galop dès le pont-levis franchi. A pareille allure, ceux qui l'accompagnaient auraient peu le loisir de réfléchir en route.

La plupart des barons avaient suivi. Il n'en demeurait que quelques-uns, les moins importants, les désœuvrés qui s'attardaient, par petits groupes, à commenter l'événement.

— Tu vois, disait Bouville à sa femme, j'aurais dû parler sur l'instant même. Pourquoi m'as-tu retenu?

Ils se tenaient debout, dans une embrasure de fenêtre, chuchotant et osant à peine se confier leurs pensées.

— La nourrice? reprit Bouville.

— J'y ai veillé. Je l'ai entraînée dans ma propre chambre, que j'ai fermée à clef, et j'ai placé deux hommes à la porte.

— Elle ne se doute de rien?

— Non.

— Il faudra bien lui dire.

— Attendons que tout le monde soit parti.

— Ah! j'aurais dû parler, répéta Bouville.

Le remords de n'avoir pas suivi son premier mouvement le torturait. «Si j'avais crié la vérité devant tous les barons, si j'avais fourni la preuve sur-le-champ... » Il eût fallu pour cela qu'il possédât une autre nature, qu'il fût homme de la trempe du connétable par exemple; il lui eût fallu surtout n'obéir pas à sa femme, quand elle l'avait tiré par la manche.

— Mais aussi pouvions-nous savoir, dit madame de Bouville, que Mahaut mènerait si bien son coup, et que l'enfant mourrait aux yeux de tous?

— Au fond, murmura Bouville, nous aurions mieux fait de présenter le vrai, et de laisser le destin s'accomplir.

— Ah! Je te l'avais bien dit!

— Eh oui, je le confesse. C'est moi qui ai eu l'idée... Elle était mauvaise...

Car maintenant, qui donc accepterait de les croire? Comment, à qui, pourraient-ils déclarer qu'ils avaient trompé l'assemblée des barons en coiffant d'une couronne un enfant de nourrice? Il y avait du sacrilège dans leur acte.

— Sais-tu ce que nous risquons, à présent, si nous ne gardons pas le silence? dit madame de Bouville. C'est que Mahaut nous fasse empoisonner à notre tour.

— Le régent était de concert avec elle; j'en suis sûr. Quand il s'est essuyé les mains, après que l'enfant lui eut craché dessus, il a jeté la toile dans le feu; je l'ai vu...

Leur plus grave souci, désormais, concernait leur propre sécurité.

— La toilette de l'enfant? reprit Bouville.

— Je l'ai faite, avec une de mes femmes, pendant que tu reconduisais le régent, répondit madame de Bouville. Et maintenant quatre écuyers le veillent. Il n'y a rien à redouter de ce côté-là.

— Et la reine?

— Chacun autour d'elle a l'ordre de se taire, pour ne point aggraver son mal. D'ailleurs, elle semble hors d'état de comprendre. Et j'ai dit aux ventrières qu'elles ne s'écartent pas de sa couche.

Peu après, le chambellan Guillaume de Seriz arriva de Paris pour apprendre à Bouville que le régent venait de se faire reconnaître roi par ses oncles, son frère, et les pairs présents. Le conseil avait été bref.

— Pour les funérailles de son neveu, dit le chambellan, notre Sire Philippe a décidé qu'elles se feraient au plus tôt, afin de ne pas affliger trop longuement le peuple par ce nouveau trépas. Il n'y aura point d'exposition. Comme nous sommes vendredi, et qu'on ne peut inhumer un dimanche, c'est donc demain que le corps sera conduit à

Saint-Denis. L'embaumeur est déjà en route. Je vous laisse, messire, car le roi m'a commandé d'être promptement de retour.

Bouville le laissa partir sans ajouter un mot. «Le roi... le roi...» se répétait-il.

Le comte de Poitiers était roi; un petit Lombard allait être conduit à Saint-Denis... et Jean Ier était vivant.

Bouville alla rejoindre sa femme.

— Philippe est reconnu, lui dit-il. Qu'allons-nous devenir, avec ce roi qui nous reste sur les bras?

— Nous devons le faire disparaître.

— Ah! non! s'écria Bouville indigné.

— Il ne s'agit pas de cela. Tu perds l'esprit, Hugues! répliqua madame de Bouville. Je veux dire qu'il faut le cacher.

— Mais il ne régnera pas.

— Il vivra, au moins. Et un jour peut-être... Sait-on jamais!

Mais comment le cacher? A qui le confier sans éveiller les soupçons? Il était nécessaire, d'abord, qu'il continuât d'être allaité...

— La nourrice... Il n'y a que la nourrice dont nous puissions nous servir, dit madame de Bouville. Allons la trouver.

Ils avaient été bien inspirés d'attendre le départ des derniers barons, avant de venir avouer à Marie de Cressay que son fils était mort. Car le hurlement qu'elle poussa traversa les murs du manoir. A ceux qui l'entendirent et en demeurèrent glacés, on expliqua ensuite que c'était un cri de la reine. Or la reine, si inconsciente qu'elle fût, s'était dressée sur sa couche en demandant:

— Qu'y a-t-il?

Même le vieux sénéchal de Joinville, dans le fond de sa torpeur, en tressaillit.

— On tue quelque part, dit-il; c'est un cri d'égorgé que j'ai entendu là...

Pendant ce temps, Marie répétait inlassablement:

— Je veux le voir! Je veux le voir! Je veux le voir!

Bouville et sa femme furent obligés de la saisir à bras-le-corps, pour l'empêcher de s'élancer, à demi folle, à travers le château.

Deux heures durant, ils s'efforcèrent de la calmer, de la consoler, et surtout de se justifier, reprenant dix fois des explications qu'elle n'entendait pas.

Bouville pouvait bien lui affirmer qu'il n'avait pas voulu cela, que c'était l'œuvre criminelle de la comtesse Mahaut... Les mots s'inscrivaient inconsciemment dans la mémoire de Marie, d'où ils resurgiraient plus tard; mais sur l'instant, ils n'avaient pas de signification.

Elle s'arrêtait un moment de pleurer, regardait droit devant elle, et puis brusquement se remettait à hurler comme un chien sur lequel un char a passé.

Les Bouville crurent vraiment qu'elle perdait la raison. Ils épuisaient tous les arguments. Grâce à ce sacrifice involontaire, Marie avait sauvé le vrai roi de France, le descendant de la lignée illustre...

— Vous êtes jeune, disait madame de Bouville, vous aurez d'autres enfants. Quelle femme en sa vie n'a perdu au moins un enfant au berceau ?

Et de lui citer les jumeaux mort-nés de Blanche de Castille, et tous les petits disparus de la famille royale, depuis trois générations. Chez les Anjou, les Courtenay, les Bourgogne, les Châtillon, les Bouville eux-mêmes, combien de mères, régulièrement endeuillées, et qui pourtant finissaient heureuses, parmi une vaste progéniture ! Sur douze ou quinze enfants qu'une femme mettait au monde, il était habituel qu'il n'en survécût pas plus de la moitié.

— Mais je comprends, continuait madame de Bouville. C'est pour le premier que c'est le plus dur.

— Mais non, vous ne comprenez pas ! cria enfin Marie à travers ses sanglots. Celui-là... celui-là je ne pourrai jamais le remplacer !

Le bébé qu'on venait de lui tuer c'était l'enfant de l'amour, né d'un désir plus violent et d'une foi plus forte que toutes les lois du monde et toutes ses contraintes ; c'était le rêve dont elle avait payé le prix par deux mois d'outrages et quatre mois de couvent, le présent parfait qu'elle s'apprêtait à offrir à l'homme qu'elle avait choisi, la plante miraculeuse en laquelle elle avait espéré voir fleurir, chaque jour de sa vie, ses amours traversées et merveilleuses !

— Non, vous ne pouvez pas comprendre ! gémissait-elle. Vous n'avez pas été chassée de votre famille à cause d'un enfant. Non, je n'en aurai pas d'autre !

Quand on commence à décrire son malheur, à le traduire en termes intelligibles, c'est que déjà on l'a admis. Au déchirement, à l'écrasement, se substituait lentement le second état de la douleur, la contemplation cruelle.

— Je le savais, je le savais, quand je ne voulais pas venir ici, que c'était le malheur qui m'attendait !

Madame de Bouville n'osait répondre.

— Et que dira Guccio quand il saura ? dit Marie. Comment pourrai-je lui apprendre ?

— Il ne doit pas savoir, mon enfant, jamais ! s'écria madame de Bouville. Personne ne doit savoir que le roi est vivant, car ceux qui ont manqué leur coup n'hésiteraient pas à frapper une seconde fois. Vous-même êtes en danger, car vous étiez de concert avec nous. Il vous faut garder le secret jusqu'à ce qu'on vous autorise à le révéler.

Et à son mari, elle chuchota :

— Va chercher les Évangiles.

Quand Bouville fut revenu avec le gros livre qu'il avait pris dans la chapelle, ils obtinrent de Marie qu'elle y posât la main et jurât de garder un silence absolu, même envers le père de son enfant mort, et même en confession, sur le drame qui venait de se dérouler. Seuls Bouville ou sa femme pourraient la délivrer de son serment.

Dans l'état où elle était, Marie accepta de jurer tout ce qu'on lui demanda. Bouville lui promit une pension. Mais elle se moquait bien de l'argent !

— Et maintenant il vous faut garder avec vous le roi de France, et dire à tous qu'il est vôtre, ajouta madame de Bouville.

Marie se rebella. Elle ne voulait plus toucher l'enfant pour lequel le sien avait été assassiné. Elle ne voulait plus rester à Vincennes ; elle voulait fuir, n'importe où, et aller mourir.

— Vous mourrez vite, soyez-en sûre, si vous ouvrez la bouche. Mahaut ne tardera pas à vous faire empoisonner ou poignarder.

— Non, je ne dirai rien, je vous le promets. Mais laissez-moi, laissez-moi partir !

— Vous partirez, vous partirez. Mais vous n'allez pas le laisser périr. Vous voyez bien qu'il a faim. Nourrissez-le au moins aujourd'hui, dit madame de Bouville en lui mettant le vrai roi dans les bras.

Quand Marie eut le bébé contre elle, ses pleurs redoublèrent.

— Gardez-le. Il sera comme le vôtre, insista madame de Bouville. Et quand le temps viendra de le remettre au trône, vous serez honorée à la cour avec lui ; vous serez sa deuxième mère.

Ce n'étaient pas les hypothétiques honneurs promis par la femme du curateur qui pouvaient en ce moment convaincre Marie, mais la présence de cette petite vie qu'elle tenait entre ses mains et sur laquelle elle allait opérer, inconsciemment, un transfert, un report de sentiments maternels.

Elle posa les lèvres sur la tête duvetée du bébé et, d'un geste devenu machinal, ouvrit son corsage en murmurant :

— Non, je ne peux pas te laisser périr, mon petit Jean... mon petit Jean...

Les Bouville eurent un soupir de soulagement. Ils avaient gagné, au moins dans l'immédiat.

— Il ne faut point qu'elle soit encore à Vincennes demain quand on viendra enlever son enfant, dit très bas madame de Bouville à son mari.

Le lendemain, Marie, prostrée et laissant madame de Bouville décider de toutes choses, fut reconduite avec l'enfant au couvent des Clarisses.

A la mère abbesse, madame de Bouville expliqua que Marie avait eu la cervelle fort ébranlée par la mort du petit roi, et qu'il ne fallait tenir nul compte des choses folles qu'elle pourrait dire.

— Elle nous a fait grand-peur ; elle hurlait et ne reconnaissait même plus son propre enfant.

Madame de Bouville exigea que la jeune femme ne reçût aucune visite, même des sœurs et novices du couvent, et qu'on la tînt cloîtrée dans le plus grand calme, le plus grand silence.

— Si quelqu'un se présente pour elle, qu'on ne l'autorise pas à pénétrer et qu'on envoie m'avertir.

Ce même jour, deux draps d'or fleurdelisés, huit aunes de cendal noir et deux draps de Turquie brodés aux armes de France furent apportés à Vincennes pour servir à l'enterrement du premier roi de France qui ait reçu le nom de Jean. Et ce fut bien un enfant nommé Jean qui s'en alla effectivement dans un coffre si petit qu'on ne crut point utile de le placer sur un char, mais qu'on le posa simplement sur le bât d'une mule.

Maître Geoffroy de Fleury, argentier du Palais, nota sur ses registres les frais de ces obsèques pour cent onze livres dix-sept sols et huit deniers le samedi 20 novembre 1316.

Il n'y eut point le long cortège rituel, ni de cérémonie à Notre-Dame. On gagna immédiatement Saint-Denis où l'inhumation fut faite aussitôt après la messe. Aux pieds du gisant de Louis X, encore tout blanc, tout frais dans sa pierre nouvellement taillée, on avait ouvert une étroite fosse ; là fut descendu, entre les ossements des souverains de France, l'enfant de Marie de Cressay, demoiselle d'Ile-de-France, et de Guccio Baglioni, marchand siennois.

Adam Héron, premier chambellan et maître de l'hôtel, s'avança au bord de la petite tombe et dit, regardant son maître Philippe de Poitiers :

— Le Roi est mort, vive le Roi !

Le règne de Philippe V le Long était commencé ; Jeanne de Bourgogne devenait reine de France, et Mahaut d'Artois triomphait.

Trois personnes seulement dans le royaume savaient que le vrai roi vivait. L'une avait juré le secret sur les Saintes Écritures, et les deux autres tremblaient que ce secret ne fût pas tenu.

VI

LA FRANCE EN MAINS FERMES

Pour conquérir le trône, Philippe V avait usé, à l'intérieur des institutions monarchiques, d'un procédé éternel et qu'en langage moderne on nomme le coup d'État.

Se trouvant, par l'autorité de sa personne et l'appui de partisans dévoués, investi des principales fonctions royales, il avait fait entériner, par l'assemblée de juillet, un règlement de succession qui pouvait éventuellement le favoriser, mais seulement après de longs délais et l'application de clauses préalables. Survenait, en la disparition du petit roi, l'événement propice; Philippe, aussitôt, malmenant un peu la légalité qu'il avait lui-même établie, s'appropriait la couronne sans plus observer ni délais ni préalables.

Un pouvoir obtenu dans de semblables conditions était forcément menacé, au moins en son début.

Tout occupé à consolider sa position, Philippe n'eut guère le temps de savourer sa victoire ni de se contempler lui-même en son rêve accompli. La cime était étroite où il venait d'accéder.

Les langues marchaient fort à travers le royaume; le soupçon se répandait. La poigne du nouveau roi était assez connue et tous ceux qui risquaient d'en pâtir se serrèrent autour du duc de Bourgogne.

Celui-ci courut sur Paris pour contester la désignation de son futur beau-père. Il exigeait la convocation du Conseil des Pairs et la reconnaissance de la petite Jeanne de Navarre comme reine de France.

Philippe, pour s'assurer la régence, avait sacrifié la comté de Bourgogne; pour garder la royauté il offrit de séparer les deux couronnes de France et de Navarre, si récemment réunies, et de laisser le petit royaume pyrénéen à la fille douteuse de son frère.

Mais si Jeanne était jugée digne de régner sur la Navarre, n'était-elle pas digne de régner également sur la France? Le duc Eudes en décida ainsi et refusa la proposition. On irait donc à l'épreuve de force.

Eudes repartit au galop pour Dijon d'où il lança, au nom de sa nièce, une proclamation à tous les seigneurs d'Artois et de Picardie, de Brie et de Champagne, les invitant à refuser obéissance à un usurpateur.

Il s'adressa dans le même sens au roi Édouard II d'Angleterre qui, malgré les efforts de sa femme Isabelle, s'empressa d'envenimer la querelle en prenant le parti des Bourguignons. Dans toute division qui surgissait au royaume de France, le roi anglais voyait la perspective d'émanciper la Guyenne.

« Est-ce donc à cela que je suis parvenue en dénonçant l'adultère de mes belles-sœurs ! » pensait la reine Isabelle.

A se voir ainsi menacé au nord, à l'est, au sud-ouest, un autre que Philippe le Long eût peut-être lâché prise. Mais le nouveau roi savait qu'il disposait de plusieurs mois ; l'hiver n'était pas temps de guerre ; ses ennemis devaient attendre le printemps pour pouvoir mettre des armées sur pied. Le plus urgent, pour Philippe, était d'aller se faire couronner et d'être revêtu de l'indélébile dignité du sacre.

Il voulut d'abord fixer la cérémonie à l'Épiphanie ; la fête des Rois lui semblait de bon augure. On lui représenta que les bourgeois de Reims n'auraient pas le temps de tout préparer ; il accorda un délai de trois jours. La cour partirait de Paris le 1er janvier, et le sacre se ferait le dimanche 9.

Depuis Louis VIII, premier roi non élu du vivant de son prédécesseur, on n'avait jamais vu l'héritier du trône se précipiter aussi vite à Reims.

Mais la consécration religieuse semblait encore insuffisante à Philippe ; il voulait y ajouter quelque chose qui frappât d'une manière nouvelle la conscience populaire.

Il avait souvent médité les enseignements d'Egidio Colonna, le précepteur de Philippe le Bel, l'homme qui avait véritablement formé la pensée du Roi de fer et dont le traité sur les principes de la royauté contenait de telles remarques que celle-ci :

« *A parler dans l'absolu, il serait préférable que le roi fût élu ; seuls les appétits corrompus des hommes et leur manière d'agir doivent faire préférer l'hérédité à l'élection.* »

— Je veux être roi du consentement de mes sujets, déclara Philippe le Long, et je ne me sentirai vraiment digne de les gouverner qu'à ce prix. Et puisque certains grands me font défaut, je donnerai la parole aux petits.

Son père lui avait montré la voie en convoquant, dans les heures difficiles de son règne, des assemblées où toutes les classes, tous les « états » du royaume se trouvaient représentés. Il décida que deux assemblées de cette sorte, mais plus larges encore que les précédentes, seraient tenues l'une à Paris pour la langue d'oïl, l'autre à Bourges pour la langue d'oc, dans les semaines qui suivraient son sacre. Et il prononça le mot d'« États généraux ».

Les légistes furent mis à fourbir les textes qui seraient présentés à l'approbation des États, de telle sorte que Philippe apparût comme choisi et désigné par le peuple entier. On reprit tout naturellement les arguments du connétable, à savoir que les lis ne pouvaient filer la laine et que le royaume était trop noble pour tomber entre mains de femme. On s'appuya, plus étrangement, sur le fait qu'entre le vénéré Saint Louis et Madame Jeanne de Navarre on comptait trois intermédiaires successoraux, alors qu'entre Saint Louis et Philippe il n'en existait que deux. Ce qui fit, à bon droit, le comte de Valois s'écrier :

— Pourquoi pas moi, dans ce cas, qui ne suis séparé de Saint Louis que par mon père !

Et puis, enfin, des conseillers du Parlement, pressés au zèle par Miles de Noyers, exhumèrent sans trop de foi le vieux code de coutumes des Francs Saliens, antérieur à la conversion de Clovis au christianisme. Ce code ne contenait rien quant à la transmission des pouvoirs royaux. Il se présentait comme un recueil de jurisprudence civile et criminelle assez grossier, et de surcroît mal compréhensible puisqu'il avait plus de huit siècles. Une indication brève stipulait que l'héritage d'une propriété foncière devait échoir, par division égale, aux enfants mâles du possesseur défunt. C'était tout.

Il n'en fallut pas plus à quelques docteurs en droit séculier pour bâtir là-dessus leur démonstration. La couronne de France ne pouvait aller qu'aux mâles, puisque couronne impliquait possession des terres. Et la meilleure preuve que le code salien avait été appliqué dès l'origine, ne la trouvait-on pas dans le fait que seuls des hommes se fussent succédé? Ainsi Jeanne de Navarre pouvait être éliminée sans que l'accusation de bâtardise, improuvable, eût seulement à être avancée.

Les docteurs étaient maîtres de leurs grimoires. On ne s'avisa pas de leur objecter que la dynastie mérovingienne n'était pas issue des Saliens, mais des Sicambres et des Bructères; et nul n'alla, dans l'instant, regarder sur pièce cette fameuse loi salique, qu'on inventa en prétendant s'y référer, et qui ferait fortune dans l'Histoire après qu'elle aurait ruiné le royaume en causant une guerre de cent ans.

L'adultère de Marguerite de Bourgogne, en vérité, coûterait cher à la France.

Mais, pour le présent, le pouvoir central ne chômait pas. Déjà Philippe réorganisait l'administration, appelait de grands bourgeois à son Conseil, et créait des « chevaliers poursuivants », remerciant ainsi ceux qui depuis Lyon l'avaient servi sans trêve [21].

A Charles de Valois, il rachetait l'atelier de monnaie du Mans, avant de reprendre dix autres ateliers épars en France. Désormais toute la monnaie circulant au royaume ne serait plus battue que par le roi.

Se souvenant des idées de Jean XXII lorsque celui-ci n'était encore que le cardinal Duèze, Philippe prépara une réforme du système des amendes pénales et des droits de chancellerie. Les notaires verseraient chaque samedi au Trésor les sommes encaissées, et l'enregistrement des actes serait soumis à des tarifs décrétés par la Chambre des comptes.

Comme il en allait des chancelleries, il en alla des douanes, des prévôtés, capitaineries de villes et recettes de finances. Les abus et malversations, qui avaient eu libre cours depuis la mort du Roi de fer, furent durement réprimés. A toutes les hauteurs de la société, dans toute l'activité nationale, dans les cours de justice, sur les ports, sur les places de marché et de foire, on sentit, on comprit que la France était reprise en mains fermes... des mains de vingt-cinq ans !

Les fidélités ne s'obtiennent pas sans bienfaits. Philippe paya son avènement de larges libéralités.

Le vieux sénéchal de Joinville s'était fait reconduire à son château de Wassy où il avait déclaré vouloir mourir. Il se savait sur l'extrême fin. Son fils Anseau, qui depuis Lyon n'avait pas quitté Philippe, dit un jour à ce dernier :

— Mon père m'a assuré que d'étranges choses s'étaient passées à Vincennes, lors de la mort du petit roi, et il lui est venu aux oreilles de troublantes rumeurs.

— Je sais, je sais, répondit Philippe. A moi aussi, certains faits, en ces journées, ont paru surprenants. Voulez-vous mon sentiment, Anseau ? Je ne veux pas médire de Bouville, car je n'ai point de preuves. Mais je me demande s'il n'a pas été inférieur à la tâche confiée. Il montrait tant d'agitation, écoutait tant de vains propos ! Ses prudences désordonnées ont donné du fil aux imaginations... De toute manière il est trop tard.

Il prit un temps et ajouta :

— Anseau, je vous ai fait marquer au Trésor pour une donation de quatre mille livres, et ceci vous dira assez ma gratitude pour l'aide que vous m'avez toujours apportée. Et si le jour du sacre, mon cousin le duc de Bourgogne, comme je le pense, ne se trouve point là pour me nouer les éperons, c'est vous qui tiendrez cet office. Vous êtes assez haut chevalier pour cela.

L'or toujours pour river les bouches fut le meilleur métal ; mais Philippe savait qu'avec certains hommes il faut en plus orfévrer un peu la soudure.

Restait à régler le cas de Robert d'Artois. Philippe se félicitait d'avoir tenu en prison son dangereux cousin pendant les derniers événements. Mais il ne pouvait pas le garder indéfiniment au Châtelet. Un couronnement s'accompagne généralement d'actes de clémence et d'octrois de grâces. Sur une pressante intervention de Charles de Valois, Philippe feignit de se montrer bon prince.

— C'est bien pour vous complaire, mon oncle, dit-il. Robert sera donc remis en liberté...

Il laissa sa phrase en suspens, et sembla calculer.

— ... mais trois jours seulement après mon départ pour Reims, ajouta-t-il, et il n'aura pas droit de s'écarter de Paris de plus de vingt lieues.

VII

TANT DE RÊVES ÉCROULÉS!

Dans sa royale ascension, Philippe le Long n'avait pas seulement enjambé deux cadavres; il laissait encore sous ses pas deux autres destins brisés, deux femmes écrasées, l'une reine et l'autre obscure.

Le lendemain des obsèques du faux Jean Ier à Saint-Denis, Madame Clémence de Hongrie, dont chacun s'attendait à ce qu'elle rendît l'âme, était remontée faiblement à la conscience et à la vie. Quelque remède enfin s'était montré efficace; la fièvre et l'infection se retiraient de ce corps, comme pour laisser la place à d'autres peines. Les premières paroles que prononça la reine furent pour demander son fils, qu'elle avait à peine eu le temps d'entrevoir. Son souvenir ne lui représentait qu'un petit corps nu qu'on frictionnait à l'eau de rose et qu'on déposait dans un berceau...

Lorsqu'on lui fit savoir, avec mille ménagements, qu'on ne pouvait pas le lui montrer aussitôt, elle murmura:

— Il est mort, n'est-ce pas? Je le savais. Je l'ai senti, dans ma fièvre... Cela aussi devait arriver...

Elle n'eut pas la réaction foudroyante qu'on redoutait. Elle resta prostrée, mais sans larmes, avec sur le visage cette expression d'ironie tragique qu'ont certaines gens à la fin d'un incendie, devant les cendres fumantes de leur demeure. Ses lèvres s'écartèrent comme pour rire, et pendant quelques instants on la crut démente.

Le malheur avait mis de l'excès à s'acharner sur elle; il y avait des places mortes dans cette âme, et le sort pouvait y frapper à coups redoublés sans plus en tirer de souffrance.

Bouville, devant elle, se voyait condamné à une mensongère mission de consolateur impuissant. Chaque mot d'amitié que lui adressait la reine le torturait de remords.

«Son enfant vit, et je ne dois pas le lui dire. Quand je pense que je pourrais lui donner si grande joie!...»

Vingt fois, la pitié, et même la simple honnêteté, faillirent l'emporter. Mais madame de Bouville, le sachant d'âme faible, ne le laissait jamais seul auprès de la reine.

Au moins put-il se soulager à moitié en accusant Mahaut, la réelle coupable.

La reine haussa les épaules. Que lui importait la main dont les forces du mal s'étaient servies pour l'atteindre ?

— J'ai été pieuse, j'ai été bonne ; du moins je crois l'avoir été, disait-elle ; je me suis efforcée de suivre les ordonnances de la religion et d'amender ceux qui m'étaient chers. Je n'ai jamais souhaité peine à quiconque. Et Dieu s'est employé à me meurtrir plus qu'aucune de ses créatures... Or je vois des méchants triompher en tout.

Elle ne se révoltait pas, ni ne blasphémait non plus ; elle constatait simplement une sorte de monumentale erreur.

Son père et sa mère avaient été enlevés par la peste lorsqu'elle avait à peine deux ans. Tandis que toutes les princesses de sa famille, ou presque, recevaient établissement dès avant leur nubilité, elle avait attendu un parti jusqu'à l'âge de vingt-deux ans. Celui qui s'était offert, inespéré, paraissait le plus haut du monde. A ce mariage avec la France, elle était arrivée éblouie, éperdue d'un amour irréel, et pétrie de toutes les intentions du bien. Avant même d'aborder à son nouveau pays, elle avait manqué périr en mer. Au bout de quelques semaines, elle découvrait qu'elle avait épousé un assassin et succédé à une reine étranglée. Après dix mois elle restait veuve, et enceinte. Aussitôt éloignée du pouvoir, on l'avait séquestrée sous prétexte de la défendre. Elle venait pendant huit jours de se débattre aux portes du trépas pour apprendre, à peine sortie de cet enfer, que son enfant était mort, empoisonné sans doute comme son mari l'avait été.

— Les gens de mon pays croient au mauvais sort. Ils ont raison. J'ai le mauvais sort, dit-elle. Je me dois interdire de plus rien entreprendre et de me fier à rien, pas même à Dieu.

Amour, charité, espérance, elle avait épuisé toutes les réserves de vertus qu'elle possédait, et la foi du même coup se retirait d'elle.

Elle avait subi pendant sa maladie de telles tortures, et si fort éprouvé l'impression d'agonie, que de se sentir vivante, de respirer sans peine, de s'alimenter, de poser son regard sur des murs, des meubles, des visages, lui semblait surprenant et lui procurait les seules émotions dont son âme aux trois quarts détruite fût encore capable.

A mesure que se déroulait sa lente convalescence, et qu'elle retrouvait sa légendaire beauté, la reine Clémence se mit à développer des goûts de femme âgée et capricieuse. On eût dit que sous cette apparence admirable, sous ces cheveux d'or, ce visage de retable, cette poitrine noble, ces membres fuselés, qui reprenaient de jour en jour leur séduction, quarante années, d'un coup, s'étaient écoulées. Dans un corps somptueux, une vieille veuve réclamait à la vie ses dernières joies. Elle les réclamerait pendant onze ans.

Frugale jusque-là, autant par religion que par indifférence, la reine montra vite d'étranges exigences pour des nourritures rares et dispendieuses. Comblée par Louis X de joyaux qu'elle avait dédaignés en les recevant, elle s'animait maintenant devant ses coffres à bijoux, se passionnait à dénombrer les pierres, à en calculer la valeur, à en apprécier la taille ou l'eau. Elle décidait soudain de modifier les montures et convoquait, pour d'interminables entretiens, ses orfèvres. Elle passait aussi de longues heures avec les lingères, faisait acheter au plus cher des étoffes d'Orient, commandait d'excessives quantités de parfums.

Si, pour sortir de ses appartements, elle revêtait la blanche tenue des veuves, dans sa chambre ses familiers étaient surpris, gênés, de la voir, lovée près de la cheminée, sous des voiles d'une excessive transparence.

Sa générosité de naguère ne survivait que sous la forme altérée de libéralités absurdes. Les marchands s'étaient donné le mot et savaient qu'aucun prix ne serait discuté. L'avidité gagnait le personnel. Oh ! certes, la reine Clémence était bien servie. On se disputait aux cuisines la faveur de lui apporter son plat, car pour un dessert ornementé, pour un lait de noisettes, pour une « eau d'or » récemment découverte et où le romarin et la girofle avaient macéré à suffisance dans un jus de grenade, la reine, soudain, ouvrait sa main pleine de pièces.

Elle voulut bientôt entendre chanter, et que contes, lais et romans lui fussent récités par bouches agréables. Son regard refroidi ne voulait plus se poser que sur de jeunes visages. Un ménestrel bien pris de taille et de voix chaleureuse, qui l'avait distraite une heure, et dont les yeux s'étaient troublés en entrevoyant son corps sous les voiles de Chypre, recevait de quoi festoyer aux tavernes pendant tout un mois.

Bouville s'alarmait de ces profusions ; mais il n'avait pu se défendre d'en être lui-même bénéficiaire.

Le 1er janvier, qui était le jour des compliments et des cadeaux bien que l'année officielle ne débutât qu'à Pâques, la reine Clémence remit à Bouville un sac brodé contenant trois cents livres d'or. L'ancien chambellan s'écria :

— Non, Madame, de grâce, je ne l'ai point mérité !

Mais on ne peut refuser le présent d'une reine, même si l'on sait que cette reine se ruine [22].

Dans cette même journée du 1er janvier, Bouville reçut la visite de messer Tolomei. Le banquier trouva l'ancien chambellan étonnamment maigri et blanchi. Bouville flottait dans ses vêtements ; ses joues s'affaissaient de chaque côté du visage ; son regard était inquiet et son attention en même temps paraissait défaillante.

« Cet homme-là, pensa Tolomei, est rongé d'une maladie secrète, et je ne serais point surpris qu'il fût saisi avant peu du mal de mort. Il faut me hâter d'arranger les affaires de Guccio. »

Tolomei connaissait les usages. A l'occasion de l'an neuf, il apportait une pièce d'étoffe à l'intention de madame de Bouville.

— ... pour la remercier, dit-il, de tout le soin qu'elle a pris de cette damoiselle qui donna un fils à mon neveu...

Bouville voulut aussi refuser ce présent-là.

— Mais si, mais si, insista Tolomei. Je voudrais d'ailleurs vous entretenir un peu de cette affaire. Mon neveu va rentrer d'Avignon où notre saint-père le pape...

Tolomei se signa.

— ... l'a retenu jusqu'ici pour travailler aux comptes de sa cassette. Il vient chercher sa jeune épouse et son enfant...

Bouville sentit tout son sang lui refluer au cœur.

— Un instant, messer, un instant, dit-il; j'ai là un messager qui m'attend et auquel je dois confier une réponse urgente. Faites-moi la grâce de patienter.

Et il disparut, la pièce d'étoffe sous le bras, prendre conseil de sa femme.

— Le mari revient, dit-il.

— Quel mari? demanda madame de Bouville.

— Le mari de la nourrice!

— Mais elle n'est pas mariée.

— Il faut croire! Il faut croire! Tolomei est là. Tiens, il t'a apporté ceci.

— Que veut-il?

— Que la fille sorte du couvent.

— Quand?

— Je ne sais encore. Bientôt.

— Alors attends de savoir, et ne promets rien.

Bouville reparut devant son visiteur.

— Vous disiez donc, messer Tolomei?

— Je vous disais que mon neveu Guccio arrive, pour faire sortir, du couvent où vous avez eu la bonté de leur trouver refuge, sa femme et son enfant. A présent, ils n'ont plus rien à craindre. Guccio est porteur d'une recommandation du Saint-Père, et il s'établira, je crois, en Avignon, du moins pour un temps... J'aurais assez aimé pourtant les garder près de moi. Savez-vous que je n'ai pas encore vu ce petit-neveu qui m'est né? J'étais sur les chemins, à visiter mes comptoirs, et n'ai su la nouvelle que par une lettre toute joyeuse de la jeune mère. Avanthier, aussitôt rentré, j'ai voulu l'aller voir; mais au couvent des Clarisses, je me suis heurté à porte de bois.

— C'est que la règle est fort sévère, aux Clarisses, dit Bouville. Et puis nous avions donné, sur votre demande, consignes étroites.

— Il n'est advenu nulle chose mauvaise?

— Mais... non, messer; rien que je sache. Je vous en eusse aussitôt averti, répondit Bouville qui se sentait au gril. Quand donc votre neveu arrive-t-il?

— Je l'attends sous deux ou trois jours.

Bouville le regarda d'un œil effaré.

— Je vous prie une autre fois de me pardonner, dit-il, mais je me rappelle soudain que la reine m'avait envoyé quérir un objet que je ne lui ai pas porté. Je reviens, je reviens.

Et il s'éclipsa de nouveau.

«C'est dans la tête, à coup sûr, que la maladie le tient, pensa Tolomei. Le plaisir de s'entretenir avec un homme qui à chaque seconde s'enfuit! Pourvu qu'il ne m'oublie pas ici, à mon tour!»

Il s'assit sur un coffre, et resta un bon moment à lustrer la fourrure qui bordait sa manche.

— Me voici, dit Bouville soulevant une tenture. Vous me parliez donc de votre neveu? Vous savez que je lui suis tout acquis. Le gentil compagnon qu'il fut dans nos voyages à Naples! Naples... répéta-t-il en s'attendrissant; si j'avais pu penser!... La pauvre reine, la pauvre reine...

Il s'était laissé choir sur le coffre à côté de Tolomei et essuyait de ses gros doigts les larmes du souvenir.

«Allons! Voilà qu'il me pleure au nez, maintenant!» pensa le banquier. Et à haute voix:

— Je ne vous ai rien dit de tous ces nouveaux malheurs; je devine trop combien ils vous ont affligé. J'ai fort pensé à vous...

— Ah! Tolomei, si vous pouviez savoir!... Ce fut pire que ce que vous pourriez imaginer; le démon s'en est mêlé...

On entendit une petite toux sèche derrière la tapisserie, et Bouville s'arrêta court sur la pente des confidences dangereuses.

«Tiens, on nous écoute», pensa Tolomei qui se hâta de reprendre:

— Enfin, en cette affliction, une consolation au moins nous est donnée; nous avons un bon roi.

— Certes, certes, nous avons un bon roi, répéta Bouville sans grande chaleur.

— Je craignais, reprit le banquier en s'efforçant d'entraîner son interlocuteur un peu loin de la tapisserie suspecte, je craignais que le nouveau roi ne nous maltraitât, nous autres Lombards. Point du tout. Il paraît même qu'il a confié les recettes d'impôts, en certaines sénéchaussées, à des gens de nos compagnies... Pour mon neveu donc, qui a fort bien travaillé je dois dire, j'aimerais qu'il fût récompensé de ses peines en trouvant sa belle et son héritier installés en ma demeure. Déjà je fais préparer la chambre de ces gentils époux. On médit des jeunes gens de notre temps. On ne les croit plus capables de sincérité, ni d'amour fidèle. Ces deux-là s'aiment fort, je vous le certifie. Il suffit de lire leurs lettres. Si le mariage n'a point été fait selon toutes les règles, qu'importe! nous le recommencerons, et je vous demanderai même, si cela ne vous désoblige, d'y paraître en témoin.

— Grand honneur, au contraire, grand honneur, messer, répondit Bouville en regardant la tenture comme s'il y cherchait une araignée. Mais il y a la famille.

— Quelle famille?

— Mais oui. La famille de la nourrice.

— La nourrice? répéta Tolomei qui ne comprenait plus rien.

Pour la seconde fois, la petite toux s'éleva derrière la tapisserie. Bouville changea de visage, bafouilla, bégaya.

— C'est que, messer... Oui, je voulais dire... oui, je voulais vous l'apprendre tout de suite, mais... à être dérangé sans cesse, je l'avais omis. Ah! oui, maintenant il faut que je vous le dise... Votre... la femme de votre neveu, puisqu'ils sont mariés m'assurez-vous... nous lui avons demandé... Voilà, nous étions en peine de nourrice, et de bonne grâce, de très bonne grâce, sur la prière de ma femme, elle a nourri le petit roi... le peu de temps, hélas! qu'il a vécu.

— Elle est donc venue ici; vous l'avez fait sortir du couvent?

— Et nous l'y avons ramenée! J'avais gêne à vous l'avouer... Mais voyez-vous le temps pressait. Et tout s'est passé si vite!

— Mais, messire, n'en soyez pas honteux. Vous avez fort bien agi. Cette belle Marie! Elle a donc nourri le pauvre petit roi? Que voilà une surprenante nouvelle et combien honorable! C'est pitié seulement qu'elle n'ait pas eu à donner son lait plus longtemps, dit Tolomei qui regrettait déjà tous les avantages qu'il aurait pu tirer d'une telle situation. Alors il vous est aisé de la faire sortir à nouveau?

— Eh non! Pour la faire sortir tout à fait, il faut le consentement de la famille. Avez-vous revu sa famille?

— Jamais. Ses frères, qui avaient mené si grand tapage, ont semblé bien aise de s'en débarrasser et n'ont jamais reparu.

— Où vivent-ils?

— Chez eux, à Cressay.

— Cressay... Où cela se trouve-t-il donc?

— Mais près de Neauphle, où j'ai un comptoir.

— Cressay... Neauphle... fort bien.

— En vérité, vous êtes étrange homme, Monseigneur, si j'ose vous le dire! s'écria Tolomei. Je vous confie une fille, je vous conte tout à son propos; vous l'allez chercher pour nourrir l'enfant de la reine, elle vit ici huit jours, dix jours...

— Cinq, précisa Bouville.

— Cinq jours, reprit Tolomei, et vous ne savez pas d'où elle vient ni presque comment elle se nomme!

— Si, je sais, je savais bien, dit Bouville en rougissant. Mais par moments la tête me fuit.

Il ne pouvait pas une troisième fois courir vers sa femme. Que ne venait-elle le secourir, au lieu de demeurer cachée derrière la tapisserie, pour le tancer tout à l'heure s'il commettait une sottise ! Elle avait ses raisons, sans doute.

— Ce Tolomei est le seul homme que je redoute en cette affaire, avait-elle dit à Bouville. Un nez de Lombard vaut trente chiens de meute. S'il te voit seul, niais comme tu l'es, il se défiera moins, et je pourrai mieux mener le jeu ensuite.

« Niais comme tu l'es... Elle a raison, je suis devenu niais, se disait Bouville. Pourtant, j'ai su parler à des rois naguère, et traiter de leurs affaires. J'ai négocié le mariage de Madame Clémence. J'ai dû m'occuper du conclave et ruser avec Duèze... » Ce fut cette pensée qui le sauva.

— Votre neveu, me disiez-vous, est muni d'une lettre d'ordre du Saint-Père ? reprit-il. Eh bien ! voilà qui arrange tout. C'est à Guccio d'aller chercher sa femme, en montrant cette lettre. Ainsi nous serons tous couverts et ne pourrons avoir ni reproches ni procès. Le Saint-Père ! Que veut-on de plus... Dans deux ou trois jours, n'est-ce pas ? Souhaitons donc que tout se passe au mieux. Et grand merci de ce beau drap ; ma bonne épouse, je suis sûr, l'appréciera fort. A vous revoir, messer, et toujours votre serviteur.

Il se sentait plus épuisé que s'il avait chargé en bataille.

Tolomei, en quittant Vincennes, pensait : « Ou bien il me ment pour quelque raison que j'ignore, ou bien il retourne en âge d'enfance. Enfin, attendons Guccio. »

Madame de Bouville, elle, n'attendit pas. Elle fit atteler sa litière et courut au faubourg Saint-Marcel. Là elle s'enferma avec Marie de Cressay. Après avoir causé la mort de son enfant, elle venait à présent exiger de Marie qu'elle renonçât à son amour.

— Vous avez juré le secret sur les Évangiles, disait madame de Bouville. Mais serez-vous capable de le tenir devant cet homme ? Aurez-vous le front de vivre avec votre époux...

Maintenant elle consentait à parer Guccio de cette qualité.

— ... en lui laissant croire qu'il est le père d'un enfant qui ne lui appartient pas ? C'est péché que de cacher si grave chose à son conjoint ! Et quand nous pourrons faire triompher la vérité et qu'on viendra chercher le roi pour le mettre au trône, que direz-vous alors ? Vous êtes trop honnête fille, et trop noble de sang, pour consentir à pareille vilenie.

Toutes ces questions, Marie se les était posées cent et cent fois, en chaque heure de sa solitude. Elle ne pensait à rien d'autre ; elle en devenait folle. Et elle savait bien la réponse ! Elle savait que, dès qu'elle se retrouverait dans les bras de Guccio, la feinte et le silence lui seraient impossibles, non point « parce que c'était péché » comme disait madame de Bouville, mais parce que l'amour lui interdirait l'atrocité d'un tel mensonge.

— Guccio me comprendra, Guccio m'absoudra. Il saura que cela s'est passé sans ma volonté ; il m'aidera à supporter ce fardeau. Guccio ne dira rien, Madame, je puis en jurer pour lui comme pour moi !

— On ne peut jurer que pour soi-même, mon enfant. Et un Lombard, en plus ; vous pensez comme il irait se taire ! Il en tirera usure.

— Madame, vous l'insultez !

— Mais non je ne l'insulte pas, ma bonne, je connais le monde. Vous avez juré de ne pas parler, même en confession. C'est le roi de France que vous avez en garde ; et vous ne serez relevée de votre serment que quand le temps sera venu.

— De grâce, Madame, reprenez le roi et délivrez-moi.

— Ce n'est point moi qui vous l'ai remis, c'est la volonté de Dieu. C'est dépôt sacré que vous avez là ! Auriez-vous trahi Notre-Seigneur le Christ s'il vous avait été donné à garder pendant le massacre des Innocents ?... Cet enfant doit vivre. Il faut que mon époux vous ait tous deux sous sa surveillance, et qu'on puisse à tout instant vous joindre, et non que vous partiez en Avignon comme il en est question.

— J'obtiendrai donc de Guccio que nous demeurions où vous voudrez ; je vous assure qu'il ne parlera pas.

— Il ne parlera pas parce que vous ne le reverrez point !

La lutte, coupée par la tétée du petit roi, dura l'après-midi entier. Les deux femmes se battaient comme deux bêtes au fond d'un piège. Mais la petite madame de Bouville avait les dents et les griffes plus dures.

— Et qu'allez-vous faire de moi, alors ? Allez-vous m'enfermer ici pour la vie ? gémissait Marie.

« Je le voudrais bien, pensait madame de Bouville. Mais l'autre va arriver, avec sa lettre du pape... »

— Et si votre famille consentait à vous reprendre ? proposa-t-elle. Messire Hugues, je crois, pourrait parvenir à décider vos frères.

Rentrer à Cressay, entre des parents hostiles, accompagnée d'un enfant qui serait considéré comme celui du péché alors que, de tous les enfants de France, il était le plus digne d'honneur... Renoncer à tout, se taire, vieillir, en n'ayant plus rien à faire qu'à contempler la monstrueuse fatalité, le désespérant gâchis d'un amour que rien n'aurait dû altérer. Tant de rêves écroulés !

Marie se cabra ; elle retrouva la force qui l'avait poussée, contre les lois et contre sa famille, à se donner à l'homme qu'elle avait choisi. Brusquement elle refusa.

— Je reverrai Guccio, je lui appartiendrai, je vivrai avec lui ! s'écria-t-elle.

Madame de Bouville frappa à petits coups, lentement, le bras de son siège.

— Vous ne reverrez point ce Guccio, répondit-elle, parce que s'il approchait de ce couvent, ou de tout autre lieu clos où nous pourrions vous enfermer, et que vous lui parliez une minute, ce serait pour lui la dernière. Mon époux, vous le savez, est un homme énergique et redoutable s'il s'agit de la sauvegarde du roi. Si vous tenez trop à revoir cet homme, vous pourrez le contempler, mais avec une miséricorde entre les deux épaules.

Marie s'affaissa un peu sur elle-même.

— C'est assez de l'enfant, murmura-t-elle, pour ne point aussi tuer le père.

— Il ne tient qu'à vous, dit madame de Bouville.

— Je ne pensais pas qu'à la cour de France on fût si peu marchand de la mort des gens. Voilà la belle cour que le royaume respecte. Il me faut bien vous dire, Madame, que je vous hais.

— Vous êtes injuste, Marie. Ma tâche est lourde et je vous défends contre vous-même. Vous allez écrire ce que je vous dicterai.

Vaincue, désemparée, les tempes en feu et le regard obscurci par les pleurs, Marie traça péniblement des phrases qu'elle n'aurait jamais cru pouvoir écrire. La lettre devait être portée chez Tolomei, afin qu'il la remît à son neveu.

Marie déclarait éprouver grande honte et horreur pour le péché qu'elle avait commis ; elle voulait se consacrer à l'enfant qui en était le fruit, ne plus retomber dans les errements de la chair, et mépriser celui qui l'y avait poussée. Elle faisait interdiction à Guccio de jamais chercher à la revoir, où qu'elle se trouvât.

Elle voulut au moins mettre en terminant : « Je vous jure de n'avoir jamais d'autre homme en ma vie que vous, ni d'engager à quiconque ma foi. » Madame de Bouville refusa.

— Il ne doit point supposer que vous l'aimez encore. Allons, signez, et donnez-moi cette lettre.

Marie ne vit même pas la petite femme partir.

« Il me haïra, il me méprisera, et il ne saura jamais que c'était pour le sauver ! » pensa-t-elle en entendant battre la porte du couvent.

VIII

DÉPARTS

L'arrivée au manoir de Cressay, le lendemain matin, d'un chevaucheur portant fleur de lis à la manche gauche et les armes royales brodées au col produisit grand effet. On lui donna du « Monseigneur » et les frères Cressay, sur la foi du bref billet qui les mandait d'urgence à Vincennes, se crurent appelés à quelque commandement de capitainerie ou déjà nommés sénéchaux.

— Cela n'est point étonnant, dit dame Éliabel ; on se sera enfin souvenu de nos mérites et des services que nous avons rendus au royaume depuis deux cents ans. Ce nouveau roi m'a l'air de comprendre où il lui faut trouver des hommes valeureux ! Allez, mes fils ; parez-vous de votre mieux et hâtez-vous de trotter. Il y a décidément un peu de justice au Ciel, et cela nous consolera des hontes que nous a faites votre sœur.

Elle était mal remise de sa maladie de l'été. Elle s'alourdissait, avait perdu sa belle activité d'antan, et ne montrait plus guère son autorité qu'en tracassant sa servante. Elle avait abandonné à ses fils la direction du petit domaine, qui n'en allait guère mieux.

Les deux frères se mirent donc en route, la tête pleine d'espérances ambitieuses. Le cheval de Pierre cornait si fort, en arrivant à Vincennes, qu'on pouvait bien penser que ce serait son dernier voyage.

— J'ai à vous entretenir de choses graves, mes jeunes sires, leur dit Bouville en les accueillant.

Et il leur offrit du vin aux épices et des dragées.

Les deux garçons se tenaient sur le bord de leur siège, comme des nigauds de campagne, et osaient à peine approcher de leurs lèvres les hanaps d'argent.

— Ah ! Voici la reine qui passe, dit Bouville. Elle profite de l'éclaircie pour prendre un peu l'air.

Les deux frères, le cœur battant, tendirent le cou pour apercevoir, à travers les vitres verdâtres, une forme blanche, en grand manteau, qui allait à pas lents, escortée de quelques serviteurs. Puis ils se regardèrent en hochant la tête. Ils avaient vu la reine!

— C'est de votre jeune sœur que je veux vous parler, reprit Bouville. Seriez-vous disposés à la reprendre? Il vous faut d'abord savoir qu'elle a nourri l'enfant de la reine.

Et il leur expliqua, dans le moins de mots possible, ce qu'il était indispensable de leur apprendre.

— Ah! J'ai une bonne nouvelle aussi à vous faire connaître, continua-t-il... Cet Italien qui l'a mise grosse... elle ne veut point le revoir, jamais. Elle a compris sa faute, et qu'une fille de noble sang ne peut s'abaisser à être une femme d'un Lombard, si bien tourné qu'il soit. Car il est plaisant damoiseau, il faut le reconnaître, et vif d'esprit...

— Mais enfin ce n'est qu'un Lombard, coupa madame de Bouville qui, cette fois, assistait à l'entretien; un homme sans aveu ni foi, il l'a bien montré.

Bouville baissa la tête.

« Et voilà! Toi aussi il me faut te trahir, mon ami Guccio, mon gentil compagnon de voyage! Ne dois-je donc finir mes jours qu'en reniant tous ceux qui m'ont marqué de l'amitié?» pensait-il. Il se tut, laissant à sa femme le soin de conduire l'opération.

Les frères étaient un peu dépités, l'aîné surtout. Ils s'étaient attendus à merveilles, et il ne s'agissait que de leur sœur. Aucun événement dans leur vie n'arriverait donc jamais que par elle? Ils la jalousaient presque. Nourrice de roi! Et de si hauts personnages qu'un grand chambellan s'intéressant à son sort! Qui aurait pu imaginer cela?

Le caquet de madame de Bouville ne leur laissait guère le temps de réfléchir.

— Le devoir du chrétien, disait madame de Bouville, est d'aider le pécheur en son repentir. Conduisez-vous en bons gentilshommes. Qui sait si ce n'était point l'effet de la volonté divine que votre sœur se trouvât accouchée au moment qu'il fallait, sans grand bien, hélas! puisque le petit roi est mort; mais enfin, elle lui a porté secours.

La reine Clémence, pour témoigner sa reconnaissance, ferait inscrire l'enfant de la nourrice pour un revenu de cinquante livres à prendre chaque année sur son douaire. En outre, un don de trois cents livres en or serait remis dès à présent. La somme était là, dans une grosse bougette brodée.

Les deux frères Cressay cachèrent mal leur émoi. C'était la fortune qui leur tombait des cieux, le moyen de faire relever le mur d'enceinte de leur manoir ébréché, la certitude d'une table fournie toute l'année, la perspective de s'acheter enfin des armures et d'équiper quelques-uns de leurs serfs en valets d'armes, afin de pouvoir paraître avec avantage aux levées de bannières! On parlerait d'eux sur les champs de bataille.

— Entendez-moi bien, précisa madame de Bouville ; c'est à l'enfant que ces dons sont faits. S'il était maltraité ou qu'il lui arrivât malheur, le revenu, bien sûr, serait supprimé. Car d'être le frère de lait du roi lui confère une distinction que vous devez respecter.

— Certes, certes, j'approuve... Puisque Marie se repent, dit le frère barbu, mettant de l'emphase à son empressement, et puisque son pardon nous est présenté par si hautes personnes que vous, messire, madame... nous lui devons ouvrir les bras. La protection de la reine efface son péché. Et que nul désormais, noble ou vilain, ne s'avise d'en rire devant moi ; je le tranche.

— Et notre mère ? demanda le cadet.

— Je me fais fort de la convaincre, répondit Jean. Je suis le chef de famille depuis la mort de notre père ; il ne faut pas l'oublier.

— Vous allez, reprit madame de Bouville, jurer sur les Évangiles de ne rien écouter ni répéter de ce que votre sœur pourrait vous dire avoir vu pendant qu'elle fut ici, car ce sont des choses de couronne qui doivent rester secrètes. D'ailleurs, elle n'a rien vu, elle a nourri et voilà tout ! Mais votre sœur a un peu d'extravagance dans la tête et se plaît à conter des fables ; elle vous l'a bien prouvé... Hugues ! Va quérir les Évangiles.

Le livre saint d'un côté, le sac d'or de l'autre, et la reine qui passait dans le jardin... Les frères Cressay jurèrent de taire toutes choses concernant la mort du roi Jean Ier, de veiller, nourrir et protéger l'enfant qui appartenait à leur sœur, ainsi que d'interdire leur porte à l'homme qui l'avait séduite.

— Ah ! nous le jurons de grand cœur ! Qu'il ne reparaisse jamais, celui-là ! s'écria l'aîné.

Le cadet montrait moins de conviction dans l'ingratitude. Il ne pouvait s'empêcher de penser : « Tout de même, sans Guccio... »

— Nous nous informerons d'ailleurs pour savoir si vous êtes attentifs à votre serment, dit madame de Bouville.

Elle offrit aux deux frères de les accompagner sur-le-champ au couvent des Clarisses.

— C'est trop de peine vous donner, madame, dit Jean de Cressay ; nous irons bien nous-mêmes.

— Non, non, il faut que j'y vienne. Sans mon ordre, la mère abbesse ne laissera point sortir Marie.

Le visage du barbu se rembrunit. Il réfléchissait.

— Qu'avez-vous ? demanda madame de Bouville. Voyez-vous quelque difficulté ?

— C'est que... je voudrais auparavant acheter une mule pour y faire monter notre sœur.

Alors que Marie était enceinte, il l'avait fait voyager en croupe de Neauphle à Paris ; mais maintenant qu'elle les enrichissait, il tenait à ce que son retour s'effectuât avec dignité. Et puis la mule qui servait à dame Éliabel était crevée depuis le mois précédent.

— Qu'à cela ne tienne, dit madame de Bouville ; nous allons vous en donner une. Hugues ! commande donc qu'on selle une de nos mules.

Bouville accompagna, jusqu'au pont-levis, sa femme et les deux frères Cressay.

« Je voudrais être mort, pour cesser enfin de mentir et de craindre », pensait le malheureux homme, amaigri, frissonnant, en regardant la forêt décharnée.

« Paris !... enfin Paris ! » se disait Guccio Baglioni en passant la porte Saint-Jacques.

Paris était morose et froid ; le mouvement de la vie, comme toujours après les fêtes de l'an neuf, semblait s'y être arrêté, et ce janvier-là plus encore que de coutume par suite du départ de la cour.

Mais le jeune voyageur qui rentrait après six mois d'absence ne voyait pas les pans de brume accrochés aux toits, ni les rares passants transis ; pour lui, la ville avait visage de soleil et d'espérance, car cet « enfin Paris ! » qu'il se répétait comme la plus heureuse chanson du monde voulait dire : « Enfin, je vais retrouver Marie ! »

Guccio portait pelisson fourré et cape de pluie en laine de chameau ; à sa ceinture, il sentait peser une bourse à cul-de-vilain[23] emplie de bonnes livres marquées au coin du pape ; il était coiffé d'un galant chapeau de feutre rouge retroussé en arrière et formant longue pointe au-dessus du front. On ne pouvait être mieux vêtu pour plaire. On ne pouvait non plus éprouver plus grand plaisir de vivre qu'il n'en ressentait.

Il sauta de selle, dans la cour de la rue des Lombards, et, lançant en avant sa jambe toujours un peu raide depuis l'accident de Marseille, courut se jeter dans les bras de Tolomei.

— Mon cher oncle, mon bon oncle ! Avez-vous vu mon fils ? Comment est-il ? Et Marie, comment a-t-elle supporté ? Que vous a-t-elle dit ? Quand m'attend-elle ?

Tolomei, sans un mot, lui tendit la lettre de Marie de Cressay. Guccio la lut deux fois, trois fois. Sur les mots : « Sachez que j'ai pris grande aversion pour mon péché et ne veux plus revoir jamais celui qui est cause de ma honte. Je me veux racheter de ce déshonneur... » il s'écria :

— Ce n'est pas vrai, ce n'est pas possible ! Ce n'est pas elle qui a pu écrire cela !

— Ce n'est point son écriture ? demanda Tolomei.

— Si.

Le banquier posa la main sur l'épaule de son neveu.

— Je t'aurais prévenu à temps, si je l'avais pu, dit-il. Mais je n'ai reçu cette lettre que le jour d'avant-hier, après être allé voir Bouville...

Guccio, le regard ardent et fixe, les dents serrées, ne l'écoutait pas. Il demanda l'adresse du couvent.

— Le faubourg Saint-Marcel? J'y vais, dit-il.

Il réclama son cheval, qu'on avait à peine fini de bouchonner, retraversa la ville sans plus rien en voir, et alla sonner à la porte des Clarisses. Là, il lui fut répondu que la demoiselle de Cressay était partie de la veille, emmenée par deux gentilshommes dont l'un portait une barbe. Il eut beau brandir le sceau du pape, tempêter, faire scandale, il ne put rien obtenir de plus.

— L'abbesse! Je veux voir la mère abbesse! criait-il.

— Les hommes ne peuvent point pénétrer dans la clôture.

On finit par le menacer d'aller chercher les sergents du guet.

Hors de souffle, le teint gris, les traits changés, Guccio revint rue des Lombards.

— Ce sont ses frères, ses gueux de frères, qui l'ont reprise! annonça-t-il à Tolomei. Ah! j'ai été trop longtemps parti. La belle foi qu'elle m'avait jurée là, et qui n'a pas tenu six mois! Les dames de noblesse, à ce qu'on nous prétend dans les romans, attendent dix ans leur chevalier qui est à la croisade. Mais un Lombard, cela ne s'attend point! Car c'est cela, mon oncle, et rien d'autre. Relisez les termes de sa lettre! Ce ne sont qu'insultes et mépris. On pouvait l'obliger à ne point me revoir, mais non à me gifler de la sorte au visage... Enfin, mon oncle! Nous sommes riches de dizaines de milliers de florins; les plus hauts barons viennent nous implorer de payer leurs dettes, le pape lui-même m'a pris pour conseil et confident pendant tout le conclave, et voilà ces crottés de campagne qui me crachent au front du haut de leur château fort qu'on jetterait bas d'une poussée d'épaule. Il suffit qu'ils paraissent, ces deux galeux, pour que leur sœur me renie. Comme on se trompe, quand on croit d'une fille qu'elle n'est pas de même sorte que ses parents!

Le chagrin, chez Guccio, se tournait vite en colère et les ressentiments de l'orgueil l'aidaient à se défendre du désespoir. Il avait fini d'aimer, mais non point de souffrir.

— Je ne comprends point, disait Tolomei désolé. Elle paraissait si aimante, si heureuse d'être à toi... Jamais je n'aurais pensé... Je vois maintenant pourquoi Bouville semblait si gêné l'autre jour. Il savait quelque chose, sûrement. Et pourtant les lettres que j'avais reçues d'elle... Je ne comprends point. Veux-tu que j'aille revoir Bouville?

— Je ne veux rien, je ne veux plus rien! cria Guccio. Je n'ai que trop importuné les grands de la terre du soin de cette garce trompeuse. Jusqu'au pape lui-même, à qui j'ai demandé protection pour elle... Aimante dis-tu? Elle t'a fait cajoleries quand elle se croyait repoussée par les siens et qu'elle ne voyait que nous pour recours. Nous étions bien mariés pourtant! Car l'impatience ne lui manquait pas de se donner, mais non sans bénédiction de prêtre. Tu me disais qu'elle a passé cinq jours auprès de la reine Clémence, à servir de nourrice! La tête a dû lui tourner de remplir un office qu'une quelconque chambrière eût pu tenir à sa place. Moi aussi j'ai été près de la reine, et je l'ai autrement aidée! Au milieu de la tempête je l'ai sauvée...

Il ne reliait plus ses idées, divaguait de fureur et, à marcher dans la pièce en lançant la jambe, avait bien parcouru un quart de lieue.

— Peut-être si tu allais prier la reine...

— Ni la reine, ni personne! Que Marie retourne à son hameau fangeux, où l'on enfonce dans le purin jusqu'aux chevilles. On lui aura sans doute trouvé un mari, un bon mari à la semblance de ses crottés de frères, quelque chevalier poilu et sentant fort, et qui lui fera d'autres enfants... Elle viendrait maintenant se traîner à mes pieds que je n'en voudrais plus, tu entends, je n'en voudrais plus!

— Je crois bien que si elle entrait, tu parlerais autrement, dit doucement Tolomei.

Guccio pâlit, et se cacha les paupières dans le fond de sa paume. «Ma belle Marie...» Il la revoyait dans la chambre de Neauphle; il la revoyait de tout près; il apercevait les points d'or de ses yeux bleu sombre. Comment une pareille trahison avait-elle pu se dissimuler dans ces yeux-là!

— Je vais partir, mon oncle.

— Où cela? Tu retournes en Avignon?

— La belle figure que j'y ferais! J'ai annoncé à tout un chacun que j'allais revenir avec mon épouse; je l'ai parée de toutes les vertus. Le Saint-Père lui-même sera le premier à m'en demander des nouvelles...

— Boccace me disait l'autre jour que les Peruzzi vont sans doute affermer la recette des tailles dans la sénéchaussée de Carcassonne...

— Non! ni Carcassonne, ni Avignon.

— Ni Paris, bien sûr... dit tristement Tolomei.

Il vient à chaque homme, si égoïste qu'il ait été, un moment, vers le soir de la vie, où il se sent las de ne travailler que pour lui-même. Le banquier, après avoir attendu la présence d'une jolie nièce et d'une famille heureuse en sa demeure, voyait soudain ses propres espoirs s'effacer, et se dessiner à la place la perspective d'une longue vieillesse solitaire.

— Non, je veux partir, dit Guccio. Je ne veux plus rien en cette France qui s'engraisse de nous et nous méprise parce que nous sommes italiens. Qu'ai-je gagné en France, je te le demande? Une jambe raide, quatre mois d'hôtel-Dieu, six semaines dans une église, et pour finir... ça! J'aurais dû savoir que ce pays ne me vaudrait rien. Rappelle-toi! Le lendemain de mon arrivée, j'ai manqué renverser dans la rue le roi

Philippe le Bel. Ce n'était pas un bon présage! Sans parler de mes traversées de mer, où j'ai failli deux fois périr, et de tout le temps passé à compter du billon aux vilains du bourg de Neauphle, parce que je m'y croyais amoureux.

— Tu t'es fait quand même quelques bons souvenirs, dit Tolomei.

— Bah! On n'a pas besoin de souvenirs à mon âge. Je veux rentrer en ma ville de Sienne où il ne manque pas de belles filles, les plus belles du monde à ce qu'on m'affirme chaque fois que je dis que je suis siennois. Moins gueuses, en tout cas, que celles d'ici! Mon père m'avait envoyé auprès de toi pour apprendre; je crois que j'ai assez appris.

Tolomei ouvrit son œil gauche; il y avait un peu de brume sous cette paupière-là.

— Tu as peut-être raison, dit-il. Le chagrin te passera plus vite quand tu seras loin. Mais ne regrette rien, Guccio. Ce n'est point un mauvais apprentissage que celui que tu as fait. Tu as vécu, couru les routes, connu les misères du petit peuple et découvert les faiblesses des grands. Tu as approché les quatre cours qui dominent l'Europe, celles de Paris, de Londres, de Naples et d'Avignon. Il n'est pas arrivé à beaucoup de gens de se trouver enfermés dans un conclave! Tu t'es rompu aux affaires. Je te remettrai ta part; la somme en est plaisante. L'amour t'a fait commettre quelques sottises. Tu laisses un bâtard en chemin comme chacun qui a beaucoup voyagé... Et tu n'as que vingt ans. Quand souhaites-tu partir?

— Demain, oncle Spinello, demain si vous voulez bien... Mais je reviendrai! ajouta Guccio d'un ton rageur.

— Eh! je l'espère bien, mon garçon! J'espère que tu ne vas pas laisser mourir ton vieil oncle sans le revoir!

— Je reviendrai un jour, et j'enlèverai mon enfant. Car il est à moi, après tout, autant qu'aux Cressay! Pourquoi le leur laisserais-je? Pour qu'ils l'élèvent dans leur écurie, comme un chien de mauvaise race! Je l'enlèverai, tu entends, et ce sera le châtiment de Marie. Tu sais ce qu'on dit en notre pays: vengeance de Toscan...

Un grand vacarme, venu du rez-de-chaussée, lui coupa la parole. La maison aux poutres de bois tremblait sur ses fondations comme si douze fardiers fussent entrés dans la cour. Les portes claquaient.

L'oncle et le neveu se portèrent vers l'escalier à vis qu'emplissait déjà un bruit de charge. Une voix tonna.

— Banquier! Où es-tu, banquier? Il me faut de l'argent.

Et Monseigneur Robert d'Artois apparut en haut des marches.

— Regarde-moi bien, banquier mon ami, je sors de prison dans l'instant! s'écria-t-il. Le croirais-tu? Mon doux, mon mielleux, mon borgne cousin... le roi veux-je dire, puisqu'il semble qu'il le soit... s'est enfin rappelé que je croupissais en geôle où il m'avait jeté, et il me rend à l'air libre, l'aimable garçon!

— Soyez le bienvenu, Monseigneur, dit Tolomei sans enthousiasme.

Et il se pencha au-dessus de l'escalier, doutant encore qu'un tel passage d'ouragan pût être l'œuvre d'un seul homme.

Baissant la tête pour ne pas se heurter au linteau de la porte, d'Artois pénétra dans le cabinet du banquier et marcha droit vers un miroir.

— Holà! Mais j'ai un visage de mort! dit-il en se prenant les joues à pleines mains. Il faut avouer qu'on dépérirait à moins. Sept semaines, imagine-toi, à ne voir le jour que par une lucarne croisée de fers gros comme un dard d'âne! Deux fois le jour un brouet qui ressemblait déjà à une colique avant même d'être mangé. Par bonheur, mon Lormet me faisait passer des plats de sa façon, sinon je ne vivrais plus à l'heure qu'il est. Le coucher n'était pas meilleur que la pitance. Par égard à mon sang royal, on m'avait gratifié d'un lit. J'ai dû en casser le bois pour pouvoir m'allonger les jambes! Patience; tout cela lui sera compté, au cher cousin.

En vérité, Robert n'avait pas maigri d'une once et la réclusion avait peu mordu sur sa solide nature. Si sa carnation était moins vive, en revanche ses yeux gris, couleur de silex, brillaient plus méchamment que naguère.

— Belle liberté dont on me gratifie! «Vous êtes libre, Monseigneur, continua le géant imitant le capitaine du Châtelet. Mais... mais vous ne pouvez vous écarter de plus de vingt lieues de Paris; mais la sergenterie du roi doit connaître votre demeure; mais la capitainerie d'Évreux, si vous poussez vers vos terres, doit en être avertie.» Autrement dit: «Reste ici, Robert, à battre les rues sous l'œil du guet, ou bien va-t'en moisir à Conches. Mais pas un pied vers l'Artois, et pas un pied vers Reims! On ne veut pas de toi au sacre, surtout pas! Tu pourrais bien y chanter quelque psaume qui ne plairait pas à toutes les oreilles!» Et l'on a bien choisi le jour pour me relâcher. Point trop tôt, point trop tard. Toute la cour est partie; personne au Palais, personne chez Valois... Il m'a bien abandonné, ce cousin-là! Et me voici dans une ville morte, sans seulement un liard en bourse pour souper ce soir et trouver quelque fille sur laquelle employer mon humeur amoureuse! Car sept semaines, vois-tu, banquier... non, tu ne peux comprendre; cette chose-là ne doit plus guère te taquiner. Remarque, remarque, j'ai assez ribaudé en Artois pour me tenir au calme quelque temps; et il doit se préparer là-bas bon nombre de petits valets qui ne sauront jamais qu'ils descendent de Philippe Auguste. Mais j'ai constaté une chose étrange, que les docteurs et philosophes, ces rats, devraient méditer. Pourquoi est-il un membre chez l'homme qui, plus on lui fournit de besogne, plus il en réclame?

Il eut un grand rire, fit craquer une cathèdre de chêne en s'y asseyant, et soudain parut remarquer la présence de Guccio.

— Et vous, mon gentillet, comment vont vos amours? demanda-t-il, ce qui signifiait, dans sa bouche, rien de plus que «bonjour».

— Mes amours! Parlons-en, Monseigneur! répondit Guccio mécontent de cette violence plus bruyante qui interrompait la sienne.

Tolomei, d'une grimace, fit signe au comte d'Artois que le sujet n'était guère d'à-propos.

— Eh quoi! s'écria d'Artois avec sa délicatesse coutumière; une belle vous a quitté? Donnez-moi vite son adresse, j'y cours! Allons, ne prenez point cette triste face; toutes les femmes sont des catins.

— Ah! certes, Monseigneur; toutes!

— Alors!... Ébattons-nous au moins avec des catins franches! Banquier, il me faut de l'argent. Cent livres. Et j'emmène ton neveu souper avec moi, pour lui tirer de la tête ses idées noires. Cent livres!... Oui, je sais, je sais, je vous dois déjà beaucoup et vous vous dites que je ne vous paierai jamais; vous avez tort. Avant peu vous verrez Robert d'Artois plus puissant que jamais. Le Philippe peut bien se faire enfoncer la couronne jusqu'au nez; je ne tarderai pas à le décoiffer. Car je vais t'apprendre une chose, qui vaut plus de cent livres, et qui va te servir fort pour prendre garde à qui tu prêtes... Comment punit-on le régicide? Pendaison, décollation, écartèlement? Vous assisterez bien-tôt à un plaisant spectacle: ma grosse tante Mahaut, nue comme ribaude, étirée par quatre chevaux et ses vilaines tripes déroulées dans la poussière. Et son blaireau de gendre lui tiendra compagnie! Le dommage sera qu'on ne puisse les supplicier deux fois. Car ils en ont tué deux, les scélérats. Je n'ai rien dit tant que j'étais au Châtelet, pour qu'on ne vienne pas une belle nuit me saigner comme un porc. Mais j'ai pu me faire tenir au courant. Lormet... toujours mon Lormet; ah! le brave homme!... Écoutez-moi.

Après sept semaines de mutisme forcé, le terrible bavard se rattrapait et ne reprenait son souffle que pour parler davantage.

— Écoutez-moi bien, poursuivit-il. Un: le roi Louis confisque à Mahaut ses possessions d'Artois, où mes partisans s'échauffent; aussitôt Mahaut le fait empoisonner. Deux: Mahaut, pour se couvrir, pousse Philippe à la régence contre Valois qui, lui, est prêt à soutenir mon droit. Trois: Philippe fait accepter son règlement de succession qui exclut les femmes de la couronne de France, mais non de l'héritage des fiefs, vous pensez bien! Quatre: étant confirmé régent, Philippe peut lever l'ost pour me déloger de l'Artois que je suis sur le point de regagner entièrement. Pas fol, je viens me rendre seul. Mais la reine Clémence va accoucher; on veut avoir les mains libres; on m'incarcère. Cinq: la reine met au monde un fils. Peccadille! On ferme Vincennes, on cache l'enfant aux barons, on raconte qu'il n'est pas né viable, on s'acoquine avec quelque ventrière ou nourrice qu'on effraie ou qu'on soudoie, et l'on tue un deuxième roi. Après quoi, on va se faire sacrer à Reims. Voilà, mes amis, comment s'obtient une couronne. Tout cela pour ne pas me rendre mon comté.

Au mot de «nourrice», Tolomei et Guccio avaient échangé un bref regard d'inquiétude.

— Ce sont choses que tout un chacun pense, acheva d'Artois, mais que nul n'ose proclamer faute de preuves. Seulement j'ai la preuve, moi! Je vais maintenant produire une certaine dame qui a fourni le poison. Et puis après il faudra faire un peu chanter, dans des brodequins de bois, la Béatrice d'Hirson qui a servi de maquerelle du diable en ce beau jeu. Il est temps d'y mettre fin, sinon nous allons tous y passer.

— Cinquante livres, Monseigneur; je puis vous remettre cinquante livres.

— Avare!

— C'est tout ce que je puis.

— Soit. Tu m'en devras donc cinquante autres. Mahaut te paiera tout cela, avec les intérêts.

— Guccio, dit Tolomei, viens donc m'aider à compter cinquante livres pour Monseigneur.

Et il se retira, avec son neveu, dans la pièce voisine.

— Mon oncle, murmura Guccio, croyez-vous qu'il y ait du vrai dans ce qu'il vient de dire?

— Je ne sais, mon garçon, je ne sais; mais je crois que tu as raison assurément de partir. Il n'est point bon d'être trop mêlé à cette affaire qui a mauvaise odeur. Les étranges manières de Bouville, la soudaine fuite de Marie... Sans doute on ne peut prendre au comptant toutes les agitations de ce furieux; mais j'ai souvent remarqué qu'il ne passait pas loin de la vérité lorsqu'il s'agissait de méfaits; il y est maître et les respire de loin. Rappelle-toi l'adultère des princesses; c'est bien lui qui l'a fait découvrir, et il nous l'avait annoncé. Ta Marie... dit le banquier en balançant sa main grasse d'un geste de doute. Elle est peut-être moins naïve et moins franche qu'elle semblait. Il y a certainement un mystère.

— Après sa lettre de trahison, on peut tout croire, dit Guccio dont la pensée s'égarait dans vingt directions.

— Ne crois rien, ne cherche rien; pars. C'est un bon conseil.

Quand Monseigneur d'Artois fut en possession des cinquante livres, il n'eut de cesse que Guccio partageât la petite fête qu'il comptait s'offrir pour célébrer sa libération. Il lui fallait un compagnon, et il se fût saoulé avec son cheval plutôt que de rester seul.

Il y mettait tant d'insistance que Tolomei finit par souffler à son neveu:

— Va, sinon nous allons le blesser. Mais tiens ta langue.

Guccio termina donc sa désespérante journée dans une taverne dont le tenancier payait tribut aux officiers du guet pour qu'on le laissât faire un peu de trafic bordelier. Toutes les paroles qui se prononçaient là étaient d'ailleurs répétées à la sergenterie.

Monseigneur d'Artois s'y montra dans son meilleur, insatiable au pichet, prodigieux d'appétit, braillard, ordurier, débordant de tendresse envers son jeune compagnon, et retroussant les jupes des filles pour faire reconnaître à chacun le vrai visage de sa tante Mahaut.

Guccio, pris d'émulation, ne résista guère au vin. L'œil brillant, les cheveux en désordre et le geste mal assuré, il criait :

— Moi aussi je sais des choses... Ah ! si je voulais parler...

— Parle, parle donc !

Il restait à Guccio, dans le fond de son ivresse, une lueur de prudence.

— Le pape... dit-il. Ah ! j'en sais long sur le pape.

Soudain il se mit à pleurer comme une rivière dans les cheveux d'une ribaude qu'il gifla ensuite parce qu'il voyait en elle l'image de toute la trahison féminine.

— Mais je reviendrai... et je l'enlèverai !

— Qui donc ? le pape ?

— Non, son enfant !

La soirée tournait à la confusion, les regards étaient vacillants, et les filles fournies par le bordelier n'avaient plus guère de vêtements sur la peau, quand Lormet s'approcha de Robert d'Artois pour lui dire à l'oreille :

— Il y a dehors un homme qui nous épie.

— Tue-le ! répondit négligemment le géant.

— Bien, Monseigneur.

Ainsi madame de Bouville perdit un de ses valets, qu'elle avait attaché aux pas du jeune Italien.

Jamais Guccio ne saurait que Marie, par son sacrifice, lui avait probablement épargné de finir le ventre en l'air, sur les flots de la Seine.

Vautré, dans une couche douteuse, sur les seins de la fille qu'il avait giflée et qui se montrait compréhensive aux chagrins de l'homme, Guccio continuait d'insulter Marie et imaginait se venger d'elle en pétrissant une chair mercenaire.

— Tu as raison ! Moi non plus, je n'aime pas les femmes ; c'est toutes des trompeuses, disait la ribaude dont Guccio ne se rappellerait jamais les traits.

Le lendemain, le chapeau enfoncé jusqu'aux yeux, les membres las, l'âme et le corps également écœurés, Guccio prenait la route d'Italie. Il emportait une coquette fortune sous forme d'une lettre de change signée de son oncle et qui représentait sa part de bénéfices sur les affaires qu'il avait traitées depuis deux ans.

Le même jour, le roi Philippe V, sa femme Jeanne et la comtesse Mahaut, avec tout leur train de maison, arrivaient à Reims.

Les portes du manoir de Cressay s'étaient déjà refermées sur la belle Marie qui y vivrait, inconsolable, un perpétuel hiver.

Le vrai roi de France allait grandir là, comme un petit bâtard. Il ferait ses premiers pas dans la cour boueuse, parmi les canards, il irait rouler dans la prairie aux iris jaunes, le long de la Mauldre, dans cette prairie, où Marie, chaque fois qu'elle y marcherait, revivrait ses brèves et tragiques amours. Elle tiendrait son serment, tous ses serments, envers Guccio comme envers le royaume, garderait son secret, tous ses secrets, jusqu'à son lit de mort. Sa confession, un jour, troublerait l'Europe.

IX

LA VEILLE DU SACRE

Les portes de Reims, surmontées des armoiries royales, avaient été repeintes à neuf. Les rues étaient encourtinées de draperies éclatantes, de tapis et de soieries, les mêmes qui avaient servi dix-huit mois auparavant, pour le sacre de Louis X. Auprès du palais archiépiscopal, trois grandes salles de charpenterie venaient d'être édifiées à la hâte : l'une pour la table du roi, l'autre pour la table de la reine, la troisième pour les grands officiers, afin de donner festin à toute la cour.

Les bourgeois de Reims, qui étaient astreints aux dépenses du sacre, trouvaient la charge un peu lourde.

— Si l'on se met à mourir si vite au trône, disaient-ils, nous ne ferons bientôt plus qu'un seul repas l'an, pour lequel il nous faudra vendre nos chemises ! Clovis nous coûte gros de s'être fait administrer le baptême chez nous et Hugues Capet d'avoir choisi d'y recevoir la couronne ! Si quelque autre ville du royaume veut nous acheter la sainte ampoule, nous conclurions bien le marché.

Aux gênes de trésorerie s'ajoutait la difficulté de réunir, en plein hiver, le ravitaillement somptuaire nécessaire à tant de bouches. Et les bourgeois rémois d'énumérer quatre-vingt-deux bœufs, deux cent quarante moutons, quatre cent vingt-cinq veaux, soixante-dix-huit porcs, huit cents lapins et lièvres, huit cents chapons, mille huit cent vingt oies, plus de dix mille poules et de quarante mille œufs, sans parler des barils d'esturgeons qu'on avait dû faire venir de Malines, des quatre mille écrevisses pêchées en eau froide, des saumons, brochets, tanches, brèmes, perches et carpes, des trois mille cinq cents anguilles destinées à la fabrication de cinq cents pâtés. On disposait de deux mille fromages, et l'on espérait que trois cents tonneaux de vin, celui-ci heureusement produit par le pays, suffiraient à abreuver tant de gueules assoiffées qui allaient banqueter là pendant trois jours ou plus.

Les chambellans, arrivés à l'avance pour régler l'ordonnance des fêtes, montraient de singulières exigences. N'avaient-ils pas décidé qu'on présenterait, à un seul service, trois cents hérons rôtis ? Ces officiers ressemblaient bien à leur maître, à ce roi pressé qui commandait son sacre d'une semaine sur l'autre, pour ainsi dire, comme s'il s'agissait d'une messe de deux liards à l'intention d'une jambe cassée !

Depuis des jours, les pâtissiers montaient leurs châteaux forts en pâte d'amandes peints aux couleurs de France.

Et la moutarde ! On n'avait pas reçu la moutarde ! Il en fallait trente et un setiers. Et puis les convives n'allaient pas manger dans le creux de la main. On avait eu bien tort de vendre à vil prix les cinquante mille écuelles de bois du sacre précédent ; il eût été plus profitable de les laver et de les garder. Pour les quatre mille cruches, elles avaient été cassées ou volées. Les lingères ourlaient à la hâte deux mille six cents aunes de nappes, et l'on pouvait compter que la dépense totale s'élèverait à près de dix mille livres.

A vrai dire, les Rémois y trouveraient tout de même leur compte, car le sacre avait attiré force marchands lombards et juifs qui payaient taxe sur leurs ventes.

Le couronnement, comme toutes les cérémonies royales, se déroulait dans une ambiance de kermesse. C'était un spectacle ininterrompu qu'on offrait au peuple en ces journées-là, et qu'on venait voir de loin. Les femmes se voulaient parées de robes neuves ; les galants ne rechignaient pas à la joaillerie ; la broderie, les beaux draps, les fourrures, se vendaient sans peine. La fortune était aux habiles, et les boutiquiers qui montraient un peu de hâte à servir la pratique pouvaient, en une semaine, se faire leur aisance pour cinq ans.

Le nouveau roi logeait au palais archiépiscopal devant lequel la foule stationnait en permanence pour voir apparaître les souverains ou pour s'ébahir devant le char de la reine, un char tendu d'écarlate vermeille.

La reine Jeanne, environnée de ses dames de parage, présidait, avec une agitation de femme comblée, au déballage des douze malles, des quatre bahuts, du coffre à chaussures, du coffre à épices. Sa garde-robe était à coup sûr la plus belle qu'ait jamais eue dame de France. Un vêtement particulier avait été prévu pour chaque jour et presque chaque heure de ce voyage triomphal.

Sous une chape de drap d'or fourrée d'hermine, la reine avait fait son entrée solennelle en la ville, tandis que le long des rues on offrait aux époux royaux des représentations, mystères et divertissements. Au souper de veille du sacre, qui aurait lieu tout à l'heure, la reine paraîtrait dans une robe de velours violet bordée de menu-vair. Pour le matin du couronnement elle avait une robe de drap d'or de Turquie, un manteau d'écarlate et une cotte vermeille ; pour le dîner, une robe brodée aux armes de France ; pour le souper, une robe de drap d'or, et deux manteaux d'hermine différents.

Le lendemain elle porterait une robe de velours vert, et ensuite une autre de camocas azurée avec pèlerine de petit-gris. Jamais elle ne se produirait en public dans la même parure, ni sous les mêmes joyaux[24].

Ces merveilles s'étalaient dans une chambre dont la décoration avait été également apportée de Paris : tentures de soie blanche brodées de treize cent vingt et un perroquets d'or, avec au centre les grandes armes des comtes de Bourgogne où passait un lion de gueules ; ciel de lit, courtepointe et coussins étaient ornés de sept mille trèfles d'argent. Sur le sol avaient été jetés des tapis aux armes de France et de Bourgogne-Comté.

A plusieurs reprises Jeanne était entrée dans l'appartement de Philippe afin de faire admirer à celui-ci la beauté d'une étoffe, la perfection d'un travail.

— Mon cher Sire, mon bien-aimé, s'écriait-elle, que vous me faites heureuse !

Si peu encline qu'elle fût aux démonstrations vives, elle ne pouvait s'empêcher d'avoir les yeux humides. Son propre sort l'éblouissait, surtout lorsqu'elle se rappelait le temps récent où elle se trouvait en prison, à Dourdan. Quel prodigieux retour de fortune, en moins d'un an et demi ! Elle songeait à Marguerite la morte, elle songeait à sa sœur Blanche de Bourgogne, toujours enfermée à Château-Gaillard... « Pauvre Blanche, qui aimait tant les parures ! » pensait-elle en essayant une ceinture d'or incrustée de rubis et d'émeraudes.

Philippe était soucieux, et les enthousiasmes de sa femme l'assombrissaient plutôt ; il examinait les comptes avec son grand argentier.

— Je suis fort aise, ma bonne mie, que tout ceci vous complaise, finit-il par répondre. Voyez-vous, j'agis selon l'exemple de mon père qui, comme vous l'avez connu, était fort mesuré en sa dépense personnelle mais ne lésinait point lorsqu'il s'agissait de la majesté royale. Montrez bien ces beaux habits, car ils sont pour le peuple qui vous les donne sur son labeur, tout autant que pour vous ; et prenez-en grand soin, car vous ne pourrez de sitôt en avoir de pareils. Après le sacre, il faudra nous restreindre.

— Philippe, demanda Jeanne, ne ferez-vous rien en ce jour pour ma sœur Blanche ?

— J'ai fait, j'ai fait. Elle est à nouveau traitée en princesse, sous la réserve qu'elle ne sorte pas des murailles où elle est. Il faut qu'il y ait une différence entre elle qui a péché et vous, Jeanne, qui fûtes toujours pure et qu'on a faussement accusée.

Il avait prononcé ces dernières paroles en portant sur sa femme un regard où se lisait davantage le souci de l'honneur royal que la certitude de l'amour.

— Et puis, ajouta-t-il, son mari ne me cause guère de joie, en ce moment. C'est un bien mauvais frère que j'ai là !

Jeanne comprit qu'il serait vain d'insister et qu'elle aurait avantage à ne pas revenir sur le sujet. Elle se retira, et Philippe se remit à l'étude des longues feuilles chargées de chiffres que lui présentait Geoffroy de Fleury.

Les frais ne se limitaient pas aux seuls vêtements du roi et de la reine. Certes Philippe avait reçu quelques présents ; ainsi Mahaut avait offert le drap marbré pour les robes des petites princesses et du jeune Louis-Philippe.

Mais le roi était tenu d'habiller de neuf ses cinquante-quatre sergents d'armes et leur chef, Pierre de Galard, maître des arbalétriers. Adam Héron, Robert de Gamaches, Guillaume de Seriz, les chambellans, avaient reçu chacun dix aunes de rayé de Douai pour se faire des cottes hardies. Henry de Meudon, Furant de la Fouaillie, Jeannot Malgeneste, les veneurs, avaient touché un nouvel équipement, ainsi que tous les archers. Et comme on armerait vingt chevaliers après le sacre, c'était encore vingt robes à donner ! Ces présents de vêtements constituaient les gratifications d'usage ; et l'usage voulait aussi que le roi fît ajouter à la châsse de Saint-Denis une fleur de lis en or constellée d'émeraudes et de rubis.

— Au total ? demanda Philippe.

— Huit mille cinq cent quarante-huit livres, treize sols et onze deniers, Sire, répondit l'argentier. Peut-être pourriez-vous demander une contribution de joyeux avènement ?

— Mon avènement sera plus joyeux si je n'impose pas de nouvelles taxes. Nous ferons face autrement, dit le roi.

Ce fut à ce moment qu'on annonça le comte de Valois. Philippe éleva les mains vers le plafond :

— Voilà ce que nous avions oublié en nos additions. Vous allez voir, Geoffroy, vous allez voir ! Cet oncle-là va me coûter plus cher à lui seul que dix sacres ! Il vient me mettre marché en main. Laissez-moi seul avec lui.

Ah ! qu'il était splendide, Monseigneur de Valois ! Brodé, chamarré, doublé de volume par d'épaisses fourrures qui s'ouvraient sur une robe cousue de pierres précieuses ! Si les habitants de Reims n'avaient pas su que le nouveau souverain était jeune et maigre, on eût pris ce seigneur-là pour le roi lui-même.

— Mon cher neveu, commença-t-il, vous me voyez bien en peine... bien en peine pour vous. Votre beau-frère d'Angleterre ne vient pas.

— Il y a longtemps, mon oncle, que les rois d'outre-Manche n'assistent plus à nos sacres, répondit Philippe.

— Certes ; mais ils y sont représentés par quelque parent ou grand seigneur de leur cour, pour occuper leur place de duc de Guyenne. Or Édouard n'a envoyé quiconque ; c'est confirmer ainsi qu'il ne vous reconnaît pas. Le comte de Flandre, que vous pensiez avoir amadoué par votre traité de septembre, n'est pas là non plus, ni le duc de Bretagne.

— Je sais, mon oncle, je sais.

— Quant au duc de Bourgogne, n'en parlons point ; nous étions sûrs qu'il nous ferait défaut. Mais en revanche sa mère, notre tante Agnès, vient d'entrer en la ville tout à l'heure, et je ne pense pas que ce soit précisément pour vous apporter son soutien.

— Je sais, mon oncle, je sais, répéta Philippe.

Cette arrivée imprévue de la dernière fille de Saint Louis inquiétait Philippe plus qu'il ne le laissait paraître. Il avait d'abord pensé que la duchesse Agnès venait négocier. Mais elle ne montrait guère de hâte à se manifester, et lui-même était décidé à ne pas faire la première démarche. « Si le peuple, qui m'acclame quand je parais, savait de quelles hostilités et menaces je suis entouré ! » se disait-il.

— Si bien que des pairs laïcs qui doivent demain soutenir votre couronne, reprit Valois, vous n'en avez présentement aucun [25].

— Mais si, mon oncle ; vous oubliez la comtesse d'Artois... et vous-même.

Valois eut un violent mouvement d'épaules.

— La comtesse d'Artois ! s'écria-t-il. Une femme pour tenir la couronne, alors que vous-même, Philippe, vous-même n'avez tiré vos droits que de l'exclusion des femmes !

— Soutenir la couronne n'est point la ceindre, dit Philippe.

— Faut-il que Mahaut ait aidé à votre accession pour que vous la grandissiez de la sorte ! Vous allez donner crédit davantage à tous les mensonges qui circulent. Ne revenons point sur le passé, mais enfin, Philippe, n'est-ce pas Robert qui devrait figurer pour l'Artois ?

Philippe feignit de ne pas porter attention aux dernières paroles de son oncle.

— De toute façon les pairs ecclésiastiques sont là, dit-il.

— Ils sont là, ils sont là... dit Valois en agitant ses bagues. Déjà ils ne sont que cinq sur six. Et que croyez-vous qu'ils vont faire, ces pairs d'Église, quand ils verront que du côté du royaume une seule main, et laquelle ! va se lever pour vous couronner ?

— Mais, mon oncle, vous comptez-vous donc pour rien ?

Ce fut le tour de Valois de ne pas relever la question.

— Votre frère lui-même vous boude, dit-il.

— C'est que Charles, sans doute, répondit Philippe doucement, ne sait point assez, mon cher oncle, comme nous sommes bien accordés, et qu'il croit peut-être vous servir en me desservant... Mais rassurez-vous ; il est annoncé et sera là demain.

— Que ne lui conférez-vous aussitôt la pairie ? Votre père l'a fait pour moi, et votre frère Louis pour vous. Ainsi je me sentirais moins seul à vous soutenir.

« Ou moins seul à me trahir » pensa Philippe, qui reprit,

— Est-ce pour Robert, ou pour Charles, que vous venez plaider, ou bien désirez-vous me parler de vous-même?

Valois prit un temps, se carra dans son siège, regarda le diamant qui brillait à son index.

« Cinquante... ou cent mille, se demandait Philippe. Les autres je m'en moque. Mais lui m'est nécessaire, et il le sait. S'il refuse et fait esclandre, je risque d'avoir à remettre mon sacre. »

— Mon neveu, dit enfin Valois, vous voyez bien que je n'ai pas rechigné et que j'ai même fait grands frais de costume et de suite pour vous honorer. Mais à constater que les autres pairs sont absents, je crois que je vais devoir aussi me retirer. Que ne dirait-on pas, si l'on me voyait seul à votre côté? Que vous m'avez acheté, tout bonnement.

— Je le déplorerais fort, mon oncle, je le déplorerais fort. Mais, que voulez-vous, je ne puis vous obliger à ce qui vous déplaît. Peut-être le temps est-il arrivé de renoncer à cette coutume qui veut que les pairs lèvent la main auprès de la couronne...

— Mon neveu! mon neveu! s'écria Valois.

— ... et s'il faut consentement d'élection, enchaîna Philippe, de le demander non plus à six grands barons, mais au peuple, mon oncle, qui fournit en hommes les armées et en subsides le Trésor. Ce sera le rôle des États que je vais réunir.

Valois ne put se contenir et, sautant de son siège, se mit à crier:

— Vous blasphémez, Philippe, ou vous égarez tout à fait! A-t-on jamais vu monarque élu par ses sujets? Belle novelleté que vos États! Cela vient tout droit des idées de Marigny, qui était né dans le commun et qui fut si nuisible à votre père. Je vous dis bien que si l'on commence ainsi, avant cinquante ans le peuple se passera de nous, et choisira pour roi quelque bourgeois, docteur de parlement ou même quelque charcutier enrichi dans le vol. Non, mon neveu, non; cette fois j'y suis bien décidé; je ne soutiendrai point la couronne d'un roi qui ne l'est que de son chef, et qui veut de surcroît faire en sorte que cette couronne, bientôt, soit la pâture des manants!

Tout empourpré, il déambulait à grands pas.

« Cinquante mille... ou cent mille? continuait de se demander Philippe. De quel chiffre faut-il l'estoquer? »

— Soit, mon oncle, ne soutenez rien, dit-il. Mais souffrez alors que j'appelle aussitôt mon grand argentier.

— Pourquoi donc?

— Pour lui enjoindre de modifier la liste des donations que je devais sceller demain, en signe de joyeux avènement, et sur laquelle vous vous trouviez le premier... pour cent mille livres.

L'estoc avait porté. Valois restait pantois, les bras écartés.

Philippe comprit qu'il avait gagné et, si cher que lui coûtât cette victoire, il dut faire effort pour ne pas sourire devant le visage que lui présentait son oncle. Celui-ci, d'ailleurs, ne mit pas longtemps à se tirer d'embarras. Il avait été arrêté dans un mouvement de colère; il le reprit. La colère était chez lui un moyen pour tenter de brouiller le raisonnement d'autrui, lorsque le sien devenait trop faible.

— D'abord, tout le mal vient d'Eudes, lança-t-il. Je le réprouve beaucoup et le lui écrirai! Et qu'avaient besoin le comte de Flandre et le duc de Bretagne de prendre son parti, et de récuser votre convocation? Quand le roi vous mande pour soutenir sa couronne, on vient! Ne suis-je pas là, moi? Ces barons, en vérité, outrepassent leurs droits. C'est ainsi, en effet, que l'autorité risque de passer aux petits vassaux et aux bourgeois. Quant à Édouard d'Angleterre, quelle foi peut-on faire à un homme qui se conduit en femme? Je serai donc à vos côtés, pour leur faire la leçon. Et ce que vous avez décidé de me donner, je l'accepte, mon neveu, par souci de justice. Car il est juste que ceux qui sont fidèles au roi soient traités autrement que ceux qui le trahissent. Vous gouvernez bien. Ce... ce don qui me marque votre estime, quand allez-vous le signer?

— A présent, mon oncle, si vous le souhaitez... mais daté de demain, répondit le roi Philippe V.

Pour la troisième fois, et toujours par moyen d'argent, il avait muselé Valois.

— Il était temps que je sois couronné, dit Philippe à son argentier quand Valois fut parti, car s'il m'avait fallu discuter encore, je crois que la prochaine fois j'aurais dû vendre le royaume.

Et comme Fleury s'étonnait de l'énormité de la somme promise:

— Rassurez-vous, rassurez-vous, Geoffroy, ajouta-t-il; je n'ai point encore marqué quand cette donation serait versée. Il ne la touchera que par petites fractions... Mais il pourra emprunter dessus... Maintenant allons à souper.

Le cérémonial voulait qu'après le repas du soir, le roi, entouré de ses officiers et du chapitre, se rendît à la cathédrale pour s'y recueillir et faire oraison. L'église était déjà toute prête, avec les tapisseries pendues, les centaines de cierges en place, et la grande estrade élevée dans le chœur. Les prières de Philippe furent courtes, mais il passa néanmoins un temps considérable à se faire instruire une dernière fois du déroulement des rites et des gestes qu'il aurait lui-même à accomplir. Il alla vérifier la fermeture des portes latérales, s'assura des dispositions de sécurité, et s'enquit de la place de chacun.

— Les pairs laïcs, les membres de la famille royale et les grands officiers sont sur l'estrade, lui expliqua-t-on. Le connétable reste à côté de vous. Le chancelier se tient à côté de la reine. Ce trône, en face du vôtre, est celui de l'archevêque de Reims, et les sièges disposés autour du maître-autel sont pour les pairs ecclésiastiques.

Philippe parcourait l'estrade à pas lents, aplatissait, du bout de son pied, le coin soulevé d'un tapis.

« Comme c'est étrange, se disait-il. J'étais ici, à cette même place, l'autre année, pour le sacre de mon frère... Je n'avais point porté attention à tous ces détails. »

Il s'assit un moment, mais non sur le trône royal ; une crainte superstitieuse lui défendait de l'occuper déjà. « Demain... demain je serai vraiment roi. » Il pensait à son père, à la lignée d'aïeux qui l'avaient précédé en cette église ; il pensait à son frère, supprimé par un crime dont il était innocent mais dont tout le profit maintenant lui revenait ; il pensait à l'autre crime, celui commis sur l'enfant, qu'il n'avait pas ordonné non plus mais dont il était le complice muet... Il pensait à la mort, à sa propre mort, et aux millions d'hommes ses sujets, aux millions de pères, de fils, de frères, qu'il gouvernerait jusque-là.

« Sont-ils tous à ma semblance, criminels s'ils en avaient l'occasion, innocents seulement d'apparence, et prêts à se servir du mal pour accomplir leur ambition ? Pourtant, lorsque j'étais à Lyon, je n'avais que des vœux de justice. Est-ce bien sûr ?... La nature humaine est-elle si détestable, ou bien est-ce la royauté qui nous rend ainsi ? Est-ce le tribut que l'on paye à régner, que de se découvrir à tel point impur et souillé ?... Pourquoi Dieu nous a-t-il faits mortels, puisque c'est la mort qui nous rend détestables, par la peur que nous en avons comme par l'usage que nous en faisons ?... On va peut-être tenter de me tuer cette nuit. »

Il regardait de hautes ombres vaciller sur les murs, entre les piliers. Il n'éprouvait pas de repentance, mais seulement un manque de bonheur.

« Voilà sans doute ce qu'on appelle faire oraison, et pourquoi l'on nous conseille, la nuit avant le sacre, cette station en l'église. »

Il se jugeait lucidement, tel qu'il était : un mauvais homme, avec les dons d'un très grand roi.

Il n'avait pas sommeil, il fût resté volontiers là, longtemps encore, à méditer sur lui-même, sur l'humaine destinée, sur l'origine de nos actes, et à se poser les vraies grandes questions du monde, celles qui ne peuvent jamais être résolues.

— Combien de temps durera la cérémonie ? demanda-t-il.

— Deux pleines heures, Sire.

— Allons ! Il faut nous forcer à dormir. Nous devons être dispos demain.

Mais lorsqu'il eut regagné le palais archiépiscopal, il entra chez la reine et s'assit au bord du lit. Il entretint sa femme de choses sans intérêt évident ; il parlait des places dans la cathédrale ; il se souciait du vêtement de ses filles...

Jeanne était déjà à demi endormie. Elle luttait pour rester attentive ;

elle discernait chez son mari une tension des nerfs et une sorte d'angoisse montante contre laquelle il cherchait protection.

— Mon ami, demanda-t-elle, voulez-vous dormir auprès de moi?

Il parut hésiter.

— Je ne puis; le chambellan n'est pas prévenu, répondit-il.

— Vous êtes roi, Philippe, dit Jeanne en souriant; vous pouvez donner à votre chambellan les ordres qu'il vous plaît.

Il mit un temps à se décider. Ce jeune homme qui savait, par les armes ou l'argent, mater ses plus puissants vassaux, éprouvait de la gêne à informer ses serviteurs qu'il allait, par désir imprévu, partager le lit de sa femme.

Enfin il appela une des chambrières qui dormaient dans la pièce attenante et l'envoya prévenir Adam Héron qu'il n'eût pas à l'attendre ni à coucher cette nuit en travers de sa porte.

Puis, entre les tentures à perroquets, sous les trèfles d'argent du ciel de lit, il se dévêtit et se glissa dans les draps. Et cette grande angoisse, dont ne pouvaient le défendre toutes les troupes du connétable, car c'était angoisse d'homme et non angoisse de roi, s'apaisa au contact de ce corps de femme, contre ces jambes fermes et hautes, ce ventre docile et cette poitrine chaude.

— Ma mie, murmura Philippe dans les cheveux de Jeanne, ma mie, réponds-moi, m'as-tu trompé? Réponds sans crainte, car même si tu m'as trahi naguère, sache-toi pardonnée.

Jeanne étreignit les longs flancs, secs et robustes, où l'ossature était sensible sous ses doigts.

— Jamais, Philippe, je te le jure, répondit-elle. J'ai été tentée de le faire, je te le confesse, mais je n'ai point cédé.

— Merci, ma mie, chuchota Philippe. Rien ne manque donc à ma royauté.

Il ne manquait plus rien à sa royauté, parce qu'il était, en vérité, pareil à tous les hommes de son royaume: il lui fallait une femme, et qu'elle fût bien à lui.

X

LES CLOCHES DE REIMS

Quelques heures plus tard, allongé sur un lit de parade décoré des armes de France, Philippe, dans une longue robe de velours vermeil et les mains jointes à hauteur de la poitrine, attendait les évêques qui devaient le conduire à la cathédrale.

Le premier chambellan, Adam Héron, lui aussi somptueusement habillé, se tenait debout auprès du lit. Le pâle matin de janvier répandait dans la chambre une lueur laiteuse.

On frappa à la porte.

— Qui demandez-vous? dit le chambellan.

— Je demande le roi.

— Qui le veut?

— Son frère.

Philippe et Adam Héron se regardèrent, surpris et mécontents.

— Bon. Qu'il entre, dit Philippe en se redressant légèrement.

— Vous disposez de bien peu de temps, Sire... fit remarquer le chambellan.

Le roi l'assura que l'entretien ne durerait guère.

Le beau Charles de La Marche portait une tenue de voyage. Il venait d'arriver à Reims et ne s'était arrêté qu'un instant au logis du comte de Valois. Il y avait du courroux sur son visage et dans son pas.

Tout irrité qu'il fût, la vision de son frère, revêtu de pourpre et ainsi étendu dans une pose hiératique, lui en imposa; il marqua un temps d'arrêt, les yeux arrondis.

«Comme il voudrait être à ma place!» pensa Philippe. Puis, à haute voix:

— Vous voici donc, mon bon frère. Je vous sais gré d'avoir compris votre devoir et de faire mentir les méchantes langues qui prétendaient que vous ne seriez pas à mon sacre. Je vous sais gré. Maintenant, courez à vous vêtir, car vous ne pouvez paraître ainsi. Vous allez être en retard.

— Mon frère, répondit La Marche, il me faut d'abord vous entretenir de choses importantes.

— De choses importantes, ou de choses qui vous importent? L'important, pour l'heure, est de ne point faire attendre le clergé. Dans un instant les évêques vont venir me prendre.

— Eh bien, ils patienteront! s'écria Charles. Chacun, à tour de rôle, trouve votre oreille pour l'écouter et en tirer profit. Il n'est que moi dont vous semblez ne point vouloir tenir compte; cette fois vous m'entendrez!

— Alors causons, Charles, dit Philippe en s'asseyant au bord du lit. Mais je vous avertis que nous aurons à être brefs.

La Marche eut un mouvement qui voulait dire: «Nous verrons, nous verrons»; et il prit un siège, s'efforçant de se gonfler et de tenir le menton haut.

«Ce pauvre Charles! pensa Philippe. Voilà qu'il veut jouer les manières de notre oncle Valois; il n'en a pas l'épaisseur.»

— Philippe, reprit La Marche, je vous ai, à maintes reprises, demandé de me conférer la pairie, et d'accroître mon apanage ainsi que mon revenu. Vous l'ai-je demandé, oui ou non?

— Avide famille... murmura Philippe.

— Et vous m'avez toujours opposé tête sourde. A présent, je vous le dis pour l'ultime fois; je suis venu à Reims, mais je n'assisterai tout à l'heure à votre sacre que si j'y ai siège de pair. Sinon, je m'en repars.

Philippe le regarda un moment sans rien dire, et sous ce regard, Charles se sentit diminuer, fondre, perdre toute sûreté de soi et toute importance.

En face de leur père Philippe le Bel, le jeune prince, naguère, éprouvait la même sensation de sa propre insignifiance.

— Un instant, mon frère, dit Philippe qui se leva et alla parler à Adam Héron, retiré dans un angle de la pièce.

— Adam, demanda-t-il à voix basse, les barons qui ont été quérir la sainte ampoule à l'abbaye de Saint-Remy sont-ils de retour?

— Oui, Sire, ils sont déjà à la cathédrale, avec le clergé de l'abbaye.

— Bien. Alors les portes de la ville... comme à Lyon.

Et de la main il fit trois gestes à peine perceptibles, qui signifiaient: les herses, les barres, les clefs.

— Le jour du sacre, Sire? murmura Héron stupéfait.

— Justement, le jour du sacre. Et faites diligence.

Le chambellan sorti, Philippe revint vers le lit.

— Alors, mon frère, que me demandiez-vous?

— La pairie, Philippe.

— Ah! oui... la pairie. Eh bien, mon frère, je vous l'accorderai, je vous l'accorderai volontiers; mais pas sur-le-champ, car vous avez trop clamé vos désirs. Si je vous cédais ainsi, on dirait que j'agis non par volonté mais par contrainte, et chacun se croirait autorisé à se comporter comme vous. Sachez donc qu'il n'y aura plus d'apanages créés ou accrus avant que n'ait été rendue l'ordonnance qui déclarera inaliénable aucune partie du domaine royal[26].

— Mais enfin, vous n'avez plus besoin de la pairie de Poitiers! Que ne me la donnez-vous? Convenez que ma part est insuffisante!

— Insuffisante? s'écria Philippe que la colère commençait à gagner. Vous êtes né fils de roi, vous êtes frère de roi; croyez-vous vraiment que la part soit insuffisante pour un homme de votre cervelle et pour les mérites que vous avez?

— Mes mérites? dit Charles.

— Oui, vos mérites, qui sont petits. Car il faut bien finir par vous le dire en face, Charles: vous êtes un benêt. Vous l'avez toujours été et vous ne vous améliorez point avec l'âge. Déjà, quand vous n'étiez qu'enfant, vous sembliez si niais à tous, et si peu développé d'esprit, que notre mère elle-même en avait mépris, la sainte femme! et vous appelait «l'oison.» Rappelez-vous, Charles: «l'oison». Vous l'étiez et vous l'êtes resté. Notre père vous appela maintes fois à son Conseil; qu'y avez-vous appris? Vous bayiez aux mouches, pendant qu'on débattait les affaires du royaume et je ne me rappelle pas qu'on ait jamais entendu de vous une parole qui n'ait fait hausser les épaules à notre père ou à messire Enguerrand. Croyez-vous donc que je tienne tant à vous rendre plus puissant, pour le beau secours que vous m'iriez porter, alors que depuis six mois vous ne cessez de jouer contre moi? Vous aviez tout à obtenir par un autre chemin. Vous vous pensez de forte nature, et comptez qu'on va ployer devant vous? Nul n'a oublié la piteuse figure que vous montrâtes à Maubuisson, quand vous étiez à bêler: «Blanche, Blanche!» et à pleurer votre outrage devant toute la cour.

— Philippe! Est-ce à vous de me dire cela? s'écria La Marche en se dressant, le visage décomposé. Est-ce à vous dont la femme...

— Pas un mot contre Jeanne, pas un mot contre la reine! coupa Philippe la main levée. Je sais que pour me nuire, ou pour vous sentir moins seul dans votre infortune, vous continuez à clabauder vos mensonges.

— Vous avez innocenté Jeanne parce que vous vouliez garder la Bourgogne, parce que vous avez fait passer, comme toujours, vos intérêts avant votre honneur. Mais, à moi non plus, mon épouse infidèle n'a peut-être pas fini de servir.

— Que voulez-vous dire?

— Je veux dire ce que je dis! répliqua Charles de La Marche. Et je vous déclare derechef que si vous voulez me voir tout à l'heure au sacre, j'y veux être assis sur un siège de pair. Autrement, je m'en repars!

Adam Héron rentra dans la chambre et avertit le roi, d'une

inclinaison de tête, que ses ordres avaient été transmis. Philippe le remercia de la même manière.

— Allez-vous-en donc, mon frère, dit-il. Une seule personne aujourd'hui m'est nécessaire : l'archevêque de Reims. Vous n'êtes point archevêque ? Alors partez, partez si cela vous plaît.

— Mais pourquoi, s'écria Charles, pourquoi notre oncle Valois obtient-il toujours ce qu'il veut, et moi jamais ?

Par la porte entrouverte, on entendait les chants de la procession qui approchait.

« Quand je pense que si je venais à mourir, ce sot deviendrait régent ! » se disait Philippe. Il posa la main sur l'épaule de son frère.

— Quand vous aurez'nui au royaume d'aussi longues années que l'a fait notre oncle, vous pourrez exiger d'être payé le même prix. Mais, grâces à Dieu, vous êtes moins diligent dans la sottise.

Des yeux, il lui désigna la porte, et le comte de La Marche sortit, livide, labouré de rage impuissante, pour se heurter à un grand afflux de clergé.

Philippe regagna le lit et y reprit la position étendue, mains croisées, paupières closes.

Des coups furent frappés contre la porte ; cette fois, c'étaient les évêques qui cognaient de leurs crosses.

— Qui demandez-vous ? dit Adam Héron.

— Nous demandons le roi, répondit une voix grave.

— Qui le veut ?

— Les pairs évêques.

Les vantaux furent ouverts et les évêques de Langres et de Beauvais entrèrent, mitre en tête et reliquaire au col. Ils s'approchèrent du lit, aidèrent le roi à se lever, lui présentèrent l'eau bénite, et, tandis qu'il s'agenouillait sur un carreau de soie, dirent l'oraison.

Puis Adam Héron posa sur les épaules de Philippe un manteau de velours écarlate semblable à celui de sa robe. Et soudain éclata une querelle de préséance. Normalement, le duc-archevêque de Laon devait prendre place à droite du roi. Or le siège de Laon, à l'époque, était sans titulaire. L'évêque de Langres, Guillaume de Durfort, était censé remplacer cet absent. Mais Philippe désigna l'évêque de Beauvais pour tenir la droite. Il avait deux raisons à cela : d'une part l'évêque de Langres avait accueilli un peu trop facilement les anciens Templiers dans son diocèse, en leur donnant des places de clercs ; d'autre part, l'évêque de Beauvais était un Marigny, le troisième frère, très habile prélat toujours disposé à servir le pouvoir à condition d'en retirer honneur et profit. Ne l'avait-il pas prouvé moins de deux ans auparavant en siégeant au tribunal chargé de condamner son aîné Enguerrand ? Philippe ne l'estimait pas, mais savait qu'il lui fallait se le concilier.

— Je suis évêque-duc; c'est à moi de tenir la dextre, disait Guillaume de Durfort.

— Le siège de Beauvais est plus antique que celui de Langres, répondait Marigny.

Leurs visages commençaient à rougir sous les mitres.

— Messeigneurs, le roi décide, dit Philippe.

Et Durfort dut se ranger à gauche.

« Un mécontent de plus », pensa Philippe.

Ils descendirent ainsi, parmi les croix, les cierges et les fumées d'encens, jusqu'à la rue où toute la cour, la reine en tête, était déjà formée en cortège. On gagna la cathédrale.

D'immenses clameurs s'élevaient sur le passage du roi. Philippe était assez pâle et plissait ses yeux myopes. La terre de Reims lui paraissait devenue soudain étrangement dure au pas; il avait l'impression de marcher sur du marbre.

Au portail de la cathédrale, il y eut un arrêt pour de nouvelles oraisons; puis, dans le fracas des orgues, Philippe avança dans la nef vers l'autel, vers la grande estrade, vers le trône où, enfin, il s'assit. Son premier geste fut pour désigner à la reine le siège préparé à la droite du sien.

L'église était comble. Philippe n'apercevait qu'une mer de couronnes, d'épaules brodées, de joyaux, de chasubles étincelant sous les cierges. Un firmament humain s'étendait à ses pieds.

Il ramena son regard vers de plus proches parages, et tourna la tête, à droite et à gauche, pour distinguer les présences sur l'estrade. Charles de Valois était là, et Mahaut d'Artois, monumentale, ruisselante de brocarts et de velours; elle lui sourit. Louis d'Évreux se tenait un peu plus loin. Mais Philippe n'apercevait pas Charles de La Marche, ni non plus Philippe de Valois que son père semblait également chercher des yeux.

L'archevêque de Reims, Robert de Courtenay, alourdi par les ornements sacerdotaux, se leva de son trône qui faisait face au siège royal. Philippe l'imita et vint se prosterner devant l'autel.

Tout le temps que dura le *Te Deum*, Philippe se demanda: « Les portes ont-elles été bien fermées? Mes ordres ont-ils été fidèlement suivis? Mon frère n'est pas homme à rester au fond d'une chambre pendant qu'on me couronne. Et pourquoi Philippe de Valois est-il absent? Que me préparent-ils? J'aurais dû laisser Galard dehors, pour qu'il soit mieux à même de commander ses arbalétriers. »

Or, tandis que le roi s'inquiétait ainsi, son frère cadet pataugeait dans un marais.

En sortant, furieux, de la chambre royale, Charles de La Marche s'était précipité au logement des Valois. Il n'avait pas trouvé son oncle, déjà parti pour la cathédrale, mais seulement Philippe de Valois qui achevait de se préparer et auquel il avait conté, hors d'haleine, ce qu'il appelait « la félonie » de son frère.

Fort liés, parce que fort proches par leurs goûts et leurs natures, les deux cousins s'entendaient bien à se monter réciproquement la tête.

— S'il en est ainsi, je n'assisterai pas non plus au sacre. Je pars avec toi, avait déclaré Philippe de Valois avec la satisfaction d'affirmer une indépendance à l'égard du roi, de la cour et de son propre père.

Là-dessus, de rassembler leurs escortes et de se diriger fièrement vers une porte de la ville. Leur superbe avait dû s'incliner devant les sergents d'armes.

— Nul n'entre ni ne sort. Ordre du roi.

— Même les princes de France?

— Même les princes; ordre du roi.

— Ah! Il veut nous contraindre! s'était écrié Philippe de Valois qui maintenant prenait l'affaire à son compte. Eh bien, nous sortirons quand même!

— Comment veux-tu, puisque les portes sont closes?

— Feignons de rentrer à mon logis, et laisse-moi agir.

La suite ressemblait à une équipée de gamins. Les écuyers du jeune comte de Valois avaient été dépêchés à chercher des échelles, vite dressées dans le fond d'une impasse, en un endroit où les murs ne semblaient pas gardés. Et voici les deux cousins, fesses en l'air, partis à l'escalade, sans se douter que de l'autre côté s'étendaient les marécages de la Vesle. Par cordes, ils descendirent dans le fossé. Charles de La Marche perdit pied au milieu de l'eau boueuse et glacée; il s'y fût noyé si son cousin, qui avait six pieds de haut et les muscles solides, ne l'eût à temps repêché. Puis ils s'engagèrent, comme des aveugles, dans les marais. Il n'était plus question pour eux de renoncer. Avancer ou reculer revenait au même. Ils jouaient leur vie et en auraient pour trois grandes heures à se tirer de ce bourbier. Les quelques écuyers qui les avaient suivis barbotaient autour d'eux et ne se gênaient pas pour les maudire à haute voix.

— Si jamais nous sortons de là, criait La Marche pour soutenir son courage, je sais bien où j'irai, je sais bien. A Château-Gaillard!

Philippe de Valois, ruisselant de sueur malgré le froid, montra une tête stupéfaite au-dessus des roseaux pourrissants.

— Tu tiens donc encore à Blanche? demanda-t-il.

— Je n'y tiens point, mais j'ai des choses à savoir d'elle. Elle est la seule, elle est la dernière à pouvoir nous dire si la fille de Louis est bâtarde, et si mon frère Philippe a été cocu comme moi! Avec son témoignage, je pourrai honnir mon frère, à mon tour, et faire donner la couronne à la fille de Louis.

Le son des cloches de Reims, battant à toute volée, parvenait jusqu'à eux.

— Quand je pense, quand je pense que c'est pour lui qu'on sonne! disait Charles de La Marche, la moitié du corps dans la boue et la main tendue vers la ville...

... Dans la cathédrale, les chambellans venaient de dévêtir le roi. Philippe le Long debout devant l'autel n'avait plus sur le corps que deux chemises superposées, l'une de fine toile, et l'autre de soie blanche, et largement ouvertes sur la poitrine et sous les aisselles. Le roi, avant d'être investi des signes de la majesté, se présentait à l'assemblée de ses sujets comme un homme presque nu, et qui frissonnait.

Tous les attributs du sacre étaient déposés sur l'autel, à la garde de l'abbé de Saint-Denis qui les avait apportés. Adam Héron prit des mains de l'abbé les chausses, longs caleçons de soie brodés de fleurs de lis, et aida le roi à les passer, ainsi que les chaussures, également d'étoffe brodée. Puis Anseau de Joinville, en l'absence du duc de Bourgogne, noua les éperons d'or aux pieds du roi, et les enleva aussitôt. L'archevêque bénit la grande épée, qu'on prétendait être celle de Charlemagne, et la soulevant par le baudrier la pendit au flanc du roi en récitant:

— *Accipe hunc gladium cum Dei benedictione...*

— Messire connétable, approchez, dit le roi.

Gaucher de Châtillon s'avança et Philippe, se défaisant du baudrier, lui remit l'épée.

Jamais connétable, dans toute l'histoire des sacres, n'avait mieux mérité de tenir, pour son souverain, l'insigne de la puissance militaire. Ce geste entre eux était plus que l'accomplissement d'un rite; ils échangèrent un long regard. Le symbole se confondait avec la réalité.

De la pointe d'une aiguille d'or, l'archevêque prit, dans la sainte ampoule que lui tendait l'abbé de Saint-Remy, une parcelle de cette huile qu'on disait envoyée du ciel, et la mêla de son doigt avec le chrême préparé sur une patène. Puis l'archevêque oignit Philippe en le touchant au sommet de la tête, à la poitrine, entre les épaules et aux aisselles. Adam Héron rattacha les annelets et les agrappins qui fermaient les tuniques. La chemise du roi serait plus tard brûlée, parce qu'elle avait été effleurée de la sainte onction.

Le roi fut alors revêtu des vêtements pris sur l'autel: d'abord la cotte de satin vermeil brodée de fils d'argent, puis la tunique de satin bleu bordée de perles et semée de fleurs de lis d'or, et, par-dessus, la dalmatique de semblable tissu, et, par-dessus encore, le soq, grand manteau carré agrafé sur l'épaule droite par une fibule d'or. Philippe sentait progressivement ses épaules s'appesantir. L'archevêque accomplit l'onction des mains, glissa au doigt de Philippe l'anneau royal, lui mit le lourd sceptre d'or en la main droite, la main de justice en la main gauche. Après une génuflexion devant le tabernacle, le prélat enfin souleva la couronne, tandis que le grand chambellan commençait l'appel des pairs présents.

— Magnifique et puissant seigneur, le comte...

A cet instant précis, une voix haute, impérieuse, s'éleva dans la nef:

— Arrête, archevêque! Ne couronne point cet usurpateur; c'est la fille de Saint Louis qui te le commande.

Un vaste remous parcourut l'assistance. Toutes les têtes se tournèrent vers le point où l'on avait crié. Sur l'estrade et parmi les officiants s'échangeaient des regards anxieux. Les rangs de la foule s'écartèrent.

Entourée de quelques seigneurs, une femme de grande taille, belle encore de visage, le menton ferme, les yeux clairs et coléreux, l'étroit diadème et le voile des veuves posés sur une masse de cheveux presque blancs, marchait vers le chœur.

Sur son passage on chuchotait:

— C'est la duchesse Agnès; c'est elle!

On tendait le cou pour la voir. On s'étonnait qu'elle eût gardé si belle prestance et pas si ferme. Parce qu'elle était la fille de Saint Louis, l'image qu'on se faisait d'elle appartenait au lointain des âges; on la croyait une ancêtre, une ombre toute cassée dans un château de Bourgogne. Soudain elle surgissait telle qu'elle était, réellement, une femme de cinquante ans, encore pleine de vie et d'autorité.

— Arrête, archevêque, répéta-t-elle quand elle ne fut plus qu'à quelques pas de l'autel. Et vous tous écoutez... Lisez, Mello! ajouta-t-elle pour son conseiller qui l'accompagnait.

Guillaume de Mello déplia un parchemin et lut:

— « Nous, très noble dame Agnès de France, duchesse de Bourgogne, fille de notre Sire le roi Louis le saint, en notre nom et celui de notre fils, très noble et puissant duc Eudes, nous adressons à vous, barons et seigneurs ici présents ou dehors dans le royaume, pour faire défense que l'on reconnaisse roi le comte de Poitiers qui n'est point héritier légitime de la couronne, et protester qu'on diffère le sacre jusqu'à tant qu'aient été reconnus les droits de Madame Jeanne de France et de Navarre, fille et héritière du défunt roi et de notre fille. »

L'angoisse augmentait sur l'estrade, et l'on commençait à distinguer de mauvais murmures dans le fond de l'église. La foule se tassait.

L'archevêque semblait embarrassé de la couronne, ne sachant s'il devait la reposer sur l'autel, ou poursuivre.

Philippe restait immobile, tête nue, impuissant, alourdi de quarante livres d'or et de brocarts, et les mains encombrées de la Puissance et de la Justice. Jamais il ne s'était senti aussi démuni, aussi menacé, aussi seul. Un gantelet de fer l'étreignait au creux de la poitrine. Son calme était effrayant. Accomplir un seul geste, ouvrir la bouche en cet instant, entamer une controverse, c'était courir au tumulte, et sans doute à l'échec. Il demeura figé dans la gangue de ses ornements, comme si la bataille se passait au-dessous de lui.

Il entendait les pairs ecclésiastiques chuchoter :

— Que devons-nous faire ?

Le prélat de Langres, qui n'oubliait pas la vexation essuyée au lever, était d'avis d'arrêter la cérémonie.

— Retirons-nous et débattons, proposait un autre.

— Nous ne pouvons, le roi est déjà l'oint du Seigneur, il est roi ; couronnez-le, répliquait l'évêque de Beauvais.

La comtesse Mahaut se penchait vers sa fille Jeanne et lui murmurait :

— La gueuse ! Elle mérite d'en crever.

De ses paupières de tortue, le connétable fit signe à Adam Héron de reprendre l'appel.

— Magnifique et puissant seigneur, le comte de Valois, pair du roi, prononça le chambellan.

Toute l'attention alors reflua vers l'oncle du roi. S'il répondait à l'appel, Philippe avait gagné, car c'était la caution des pairs laïcs, du pouvoir réel, que Valois apportait. S'il refusait, Philippe avait perdu.

Valois ne montrait guère d'empressement, et l'archevêque attendait visiblement sa décision.

Philippe alors esquissa quand même un mouvement ; il tourna la tête vers son oncle ; le regard qu'il lui adressa valait cent mille livres. La Bourgogne ne paierait jamais autant.

L'ex-empereur de Constantinople se leva, le visage crispé, et vint se placer derrière son neveu.

« Comme j'ai bien fait de ne pas lésiner avec lui ! » pensa Philippe.

— Noble et puissante Dame Mahaut, comtesse d'Artois, pair du roi, appela Adam Héron.

L'archevêque éleva le lourd cercle d'or surmonté d'une croix à la partie frontale, en prononçant enfin :

— *Coronet te Deus.*

L'un des pairs laïcs devait aussitôt prendre la couronne pour la maintenir au-dessus de la tête du souverain, et les autres pairs y poser seulement un doigt symbolique. Déjà Valois avançait les mains ; mais Philippe, d'un mouvement de son sceptre, l'arrêta.

— Vous, ma mère, tenez la couronne, dit-il à Mahaut.

— Merci, mon fils, murmura la géante.

Elle recevait, par cette désignation spectaculaire, le remerciement de son double régicide. Elle prenait la place de premier pair du royaume, et la possession du comté d'Artois lui était, avec éclat, confirmée.

— Bourgogne ne s'incline point ! s'écria la duchesse Agnès.

Et, rassemblant sa suite, elle marcha vers la sortie tandis que, lentement, Mahaut et Valois reconduisaient Philippe à son trône.

Quand il s'y fut assis, les pieds reposant sur un coussin de soie, l'archevêque déposa sa mitre et vint baiser le roi sur la bouche en disant:

— *Vivat rex in æternum.*

Les autres pairs ecclésiastiques et laïcs imitèrent son geste en répétant:

— *Vivat rex in æternum.*

Philippe se sentait las. Il venait de gagner sa dernière bataille, après sept mois de luttes incessantes pour parvenir à ce pouvoir suprême que nul maintenant ne pouvait plus lui disputer.

Les cloches fracassaient l'air pour sonner son triomphe; dehors, le peuple hurlait, lui souhaitant gloire et longue vie; tous ses adversaires étaient matés. Il avait un fils pour assurer sa descendance, une épouse heureuse pour partager ses peines et ses joies. Le royaume de France lui appartenait.

« Comme je suis las, tellement las! » pensait Philippe.

A ce roi de vingt-cinq ans qui s'était imposé par volonté tenace, qui avait accepté les bénéfices du crime et qui possédait tous les caractères d'un grand monarque, rien, en vérité, ne paraissait manquer.

Le temps des châtiments allait commencer.

V

LA LOUVE
DE
FRANCE

« *Louve de France, dont les crocs acharnés*
Déchirent les entrailles de ton époux mutilé... »

Thomas Gray

PROLOGUE

... Et les châtiments annoncés, les malédictions lancées du haut de son bûcher par le grand-maître des Templiers, avaient continué de rouler sur la France. Le destin abattait les rois comme des pièces d'échecs.

Après Philippe le Bel foudroyé, après son fils aîné, Louis X, au bout de dix-huit mois assassiné, le second fils, Philippe V, paraissait promis à un long gouvernement. Or, à peine cinq années écoulées, Philippe V mourait à son tour avant d'avoir atteint trente ans.

Arrêtons-nous un instant sur ce règne qui ne se présente comme un répit de la fatalité qu'en regard des drames et des écroulements qui allaient lui faire suite. Règne pâle, semble-t-il à celui qui feuillette l'Histoire d'un geste distrait, sans doute parce qu'il ne retire pas de la page sa main teinte de sang. Et pourtant... Voyons de quoi sont faits les jours d'un grand roi quand le sort lui est contraire.

Car Philippe V le Long pouvait compter au nombre des grands rois. Par la force et par la ruse, par la justice et par le crime, il avait, jeune homme encore, saisi la couronne mise aux enchères des ambitions. Un conclave emprisonné, un palais royal enlevé d'assaut, une loi successorale inventée, une révolte provinciale brisée par une campagne de dix jours, un grand seigneur jeté en cachot, un enfant royal tué au berceau — du moins à ce que chacun croyait — avaient marqué les rapides étapes de sa course au trône.

Le matin de janvier 1317 où, toutes cloches sonnant dans le ciel, il était sorti de la cathédrale de Reims, le deuxième fils du Roi de fer possédait d'évidentes raisons de se penser triomphant, et libre de reprendre la grande politique qu'il avait admirée chez son père. Sa turbulente famille s'était, par obligation, inclinée; les barons, matés, se résignaient à son pouvoir; le Parlement subissait son ascendant et la bourgeoisie l'acclamait, tout à l'enthousiasme d'avoir retrouvé un prince fort. Son épouse était lavée des souillures de la tour de Nesle; sa descendance semblait assurée par le fils qui venait de lui naître; le sacre enfin l'avait revêtu d'une intangible majesté. Rien ne manquait à Philippe V pour jouir du relatif bonheur des rois, et pas même la sagesse de vouloir la paix et d'en connaître le prix.

Trois semaines plus tard, son fils mourait. C'était son seul enfant mâle, et la reine Jeanne, désormais frappée de stérilité, ne lui en donnerait plus d'autres.

Au début de l'été, une famine ravageait le pays, jonchant les villes de cadavres.

Puis, bientôt, un vent de démence souffla sur toute la France.

Quel élan aveugle et vaguement mystique, quels rêves élémentaires de sainteté et d'aventure, quel excès de misère, quelle fureur d'anéantissement poussèrent soudain garçons et filles des campagnes, gardiens de moutons, de bœufs et de porcs, petits artisans, petites fileuses, presque tous entre quinze et vingt ans, à quitter brusquement leurs familles, leurs villages, pour se former en bandes errantes, pieds nus, sans argent ni vivres ? Une incertaine idée de croisade servait de prétexte à cet exode.

La folie, en vérité, avait pris naissance dans les débris du Temple. Nombreux étaient les anciens Templiers que les prisons, les procès, les tortures, les reniements arrachés sous le fer rouge et le spectacle de leurs frères livrés aux flammes avaient rendus à demi fous. Le désir de vengeance, la nostalgie de leur puissance perdue et la possession de quelques recettes de magie apprises de l'Orient en avaient fait des fanatiques, d'autant plus redoutables qu'ils se cachaient sous l'humble robe du clerc ou le sarrau du tâcheron. Reformés en société clandestine, ils obéissaient aux ordres, mystérieusement transmis, du grand-maître secret qui avait remplacé le grand-maître brûlé.

Ce furent ces hommes-là qui, un hiver, se muèrent soudainement en prêcheurs de village et, pareils au joueur de flûte des légendes du Rhin, entraînèrent sur leurs pas la jeunesse de France. Vers la Terre sainte, disaient-ils. Mais leur volonté véritable était la perte du royaume et la ruine de la papauté.

Et le pape et le roi demeuraient également impuissants devant ces hordes d'illuminés qui parcouraient les routes, devant ces fleuves humains qui grossissaient à chaque carrefour, comme si la terre de Flandre, de Normandie, de Bretagne, de Poitou avait été ensorcelée.

Dix mille, vingt mille, cent mille... les « pastoureaux » marchaient vers de mystérieux rendez-vous. Prêtres interdits, moines apostats, brigands, voleurs, mendiants et putains se joignaient à leurs troupes. Une croix était portée en tête de ces cortèges où filles et garçons s'abandonnaient à la pire licence, aux pires débordements. Cent mille marcheurs en guenilles qui entrent dans une ville pour y demander l'aumône ont vite fait de la mettre au pillage. Et le crime, qui n'est d'abord que l'accessoire du vol, devient bientôt la satisfaction d'un vice.

Les pastoureaux ravagèrent la France pendant toute une année, avec une certaine méthode dans leur désordre, n'épargnant ni les églises, ni les monastères. Paris affolé vit cette armée de pillards envahir ses rues, et le roi Philippe V, d'une fenêtre de son Palais, leur adresser des paroles d'apaisement. Ils exigeaient du roi qu'il se mît à leur tête. Ils prirent d'assaut le Châtelet, assommèrent le prévôt, pillèrent l'abbaye de Saint-Germain-des-Prés. Puis un nouvel ordre, aussi mystérieux que celui qui les avait assemblés, les lança sur les chemins du sud. Les Parisiens tremblaient encore que les pastoureaux déjà inondaient Orléans. La Terre sainte était loin ; ce furent Bourges, Limoges, Saintes, le Périgord et le Bordelais, la Gascogne et l'Agenais qui eurent à subir leur fureur.

Le pape Jean XXII, inquiet de voir le flot se rapprocher d'Avignon, menaça d'excommunication ces faux croisés. Ils avaient besoin de victimes ; ils trouvèrent les Juifs. Les populations urbaines, dès lors, applaudissant aux massacres, fraternisèrent avec les pastoureaux. Ghettos de Lectoure, d'Auvillar, de Castelsarrasin, d'Albi, d'Auch, de Toulouse ; ici cent quinze cadavres, ailleurs cent cinquante-deux... Pas une cité du Languedoc qui n'ait eu droit à sa boucherie expiatoire. Les Juifs de Verdun-sur-Garonne se servirent de leurs propres enfants comme projectiles, puis s'entr'égorgèrent pour ne pas tomber aux mains des fous.

Alors le pape à ses évêques, le roi à ses sénéchaux donnèrent ordre de protéger les Juifs dont les commerces leur étaient nécessaires. Le comte de Foix, se portant au secours du sénéchal de Carcassonne, dut livrer vraiment une bataille rangée où les pastoureaux, repoussés dans les marécages d'Aigues-Mortes, moururent par milliers, assommés, percés, enlisés, noyés. La terre de France buvait son propre sang, engloutissait sa propre jeunesse. Clergé et officiers royaux s'unirent afin de pourchasser les rescapés. On leur ferma les portes des villes, on leur refusa vivres et logement ; on les traqua dans les passes des Cévennes ; on pendit tous ceux qu'on captura, par grappes de vingt, de trente, aux branches des arbres. Des bandes errèrent encore pendant près de deux ans, et il alla s'en perdre jusqu'en Italie.

La France, le corps de la France était malade. A peine apaisée la fièvre des pastoureaux, apparut celle des lépreux.

Étaient-ils tous responsables, ces malheureux aux chairs rongées, aux faces de morts, aux mains transformées en moignons, ces parias enfermés dans leurs ladreries, villages d'infection et de pestilence où ils procréaient entre eux et dont ils ne pouvaient sortir que cliquette en main, étaient-ils responsables absolument de la pollution des eaux ? Car l'été de 1321, les sources, les ruisseaux, les puits et les fontaines furent, en de nombreux points, empoisonnés. Et le peuple de France, cette année-là, haleta, assoiffé, devant ses généreuses rivières, ou ne s'y abreuva plus qu'avec effroi, attendant l'agonie pour chaque gorgée. Le Temple avait-il mis la main aux poisons étranges — faits de sang humain, d'urine, d'herbes magiques, de têtes de couleuvres, de pattes de crapauds écrasées, d'hosties transpercées et de poils de ribaudes — qu'on assura avoir été répandus dans les eaux? Avait-il poussé à la révolte le peuple maudit, lui inspirant, comme certains lépreux l'avouèrent sous la torture, la volonté que tous les chrétiens périssent ou devinssent lépreux eux-mêmes?

L'affaire commença dans le Poitou, où le roi Philippe V séjournait. Elle gagna vite le pays tout entier. Le peuple des villes et des campagnes se rua sur les léproseries pour y exterminer ces malades devenus soudain ennemis publics. N'étaient épargnées que les femmes enceintes, mais seulement jusqu'au sevrage de leur nourrisson. Après quoi on les livrait aux flammes. Les juges royaux couvraient de leurs sentences ces hécatombes, et la noblesse y prêtait ses hommes d'armes. Puis l'on se retourna une fois de plus contre les Juifs, accusés d'être complices d'une immense et imprécise conjuration inspirée, assurait-on, par les rois maures de Grenade et de Tunis. On eût dit que la France, dans de gigantesques sacrifices humains, cherchait à apaiser ses angoisses, ses terreurs.

Le vent d'Aquitaine était imprégné de l'atroce odeur des bûchers. A Chinon, tous les Juifs du bailliage furent jetés dans une grande fosse de feu; à Paris, ils furent brûlés sur cette île qui portait tristement leur nom, en face du château royal, et où Jacques de Molay avait prononcé sa fatale prophétie.

Et le roi mourut. Il mourut de la fièvre et du déchirant mal d'entrailles qu'il avait contracté en Poitou, dans sa terre d'apanage; il mourut d'avoir bu l'eau de son royaume.

Il mit cinq mois à s'éteindre dans les pires souffrances, consumé, squelettique.

Chaque matin, il commandait d'ouvrir les portes de sa chambre, en l'abbaye de Longchamp où il s'était fait transporter, laissant venir tous les passants jusqu'à son lit, pour pouvoir leur dire: « Voyez ici le roi de France, votre souverain seigneur, le plus pauvre homme de tout son royaume, car il n'est nul d'entre vous avec qui je ne voudrais échanger mon sort. Mes enfants, mirez-vous à votre prince temporel, et ayez tous le cœur à Dieu en voyant comme il se plaît à jouer avec ses créatures du monde. »

Il alla rejoindre les os de ses ancêtres, à Saint-Denis, le lendemain de l'Épiphanie de 1322, sans que personne, hormis sa femme, le pleurât.

Et pourtant, il avait été un roi fort sage, soucieux du bien public. Il avait déclaré inaliénable toute partie du domaine royal; il avait unifié les monnaies, les poids et les mesures, réorganisé la justice pour qu'elle fût rendue avec plus d'équité, interdit le cumul des fonctions publiques, défendu aux prélats de siéger au Parlement, doté les finances d'une administration particulière. On lui devait encore d'avoir développé l'affranchissement des serfs. Il souhaitait que le servage disparût totalement de ses États; il voulait régner sur un peuple d'hommes jouissant de « la liberté véritable », tels que la nature les avait faits.

Il avait évité les tentations de la guerre, supprimé de nombreuses garnisons intérieures pour renforcer celles des frontières, et préféré toujours les négociations aux stupides équipées. Sans doute était-il trop tôt pour que le peuple admît que la justice et la paix coûtassent de lourds sacrifices d'argent. « Où sont allés, demandait-on, les revenus, les dîmes et les annates, et les subventions des Lombards et des Juifs, puisqu'on a moins distribué d'aumônes, qu'on n'a pas tenu chevauchées, ni construit d'édifices? Où donc tout cela a-t-il fondu? »

Les grands barons, provisoirement soumis, et qui parfois, devant les remous des campagnes, s'étaient par peur serrés autour du souverain, avaient attendu patiemment leur heure de revanche et contemplé d'un regard apaisé l'agonie de ce jeune roi qu'ils n'avaient pas aimé.

Philippe V le Long, homme seul, en avance sur son temps, était passé dans l'incompréhension générale.

Il ne laissait que des filles; « la loi des mâles » qu'il avait promulguée pour son propre usage les excluait du trône. La couronne était échue à son frère cadet, Charles de la Marche, aussi médiocre d'intelligence que beau de visage. Le puissant comte de Valois, le comte Robert d'Artois, tout le cousinage capétien et la réaction baronniale se voyaient à nouveau triomphants. Enfin, l'on pouvait reparler de croisade, se mêler aux intrigues de l'Empire, trafiquer des cours de la monnaie et assister, en se moquant, aux difficultés du royaume d'Angleterre.

Là-bas un roi léger, décevant, incapable, soumis à la passion amoureuse qu'il porte à son favori, se bat contre ses barons, contre ses évêques, et lui aussi trempe la terre de son royaume du sang de ses sujets.

Là-bas une princesse de France vit en femme humiliée, en reine bafouée, tremble pour sa vie, conspire pour sa sauvegarde, et rêve de vengeance.

Il semble qu'Isabelle, fille du Roi de fer et sœur de Charles IV de France, ait transporté au-delà de la Manche la malédiction des Templiers...

PREMIÈRE PARTIE

DE LA TAMISE
A LA GARONNE

I

« ON NE S'ÉVADE PAS
DE LA TOUR DE LONDRES... »

Un énorme corbeau, noir, luisant, monstrueux, presque aussi gros qu'une oie, sautillait devant le soupirail. Parfois il s'arrêtait, l'aile basse, la paupière faussement close sur son petit œil rond, comme s'il allait dormir. Puis soudain, détendant le bec, il cherchait à frapper les yeux d'homme qui brillaient derrière les barreaux du soupirail. Ces yeux gris, couleur de silex, semblaient attirer l'oiseau. Mais le prisonnier était vif et avait déjà reculé le visage. Alors le corbeau reprenait sa promenade, par sauts pesants et courts.

L'homme, à présent, sortait la main hors du soupirail, une belle main grande et longue, nerveuse, l'avançait insensiblement, la laissait inerte, pareille à une branche sur la poussière du sol, attendant l'instant de saisir le corbeau par le cou.

L'oiseau, lui aussi, était rapide, en dépit de sa taille ; il s'écartait d'un bond, lançant un croassement enroué.

— Prends garde, Édouard, prends garde, dit l'homme derrière la grille du soupirail. Un jour, je finirai bien par t'étrangler.

Car le prisonnier avait donné à ce corbeau sournois le nom de son ennemi, le roi d'Angleterre.

Il y avait dix-huit mois que le jeu durait, dix-huit mois que le corbeau visait les prunelles du détenu, dix-huit mois que le détenu avait envie d'étouffer l'oiseau noir, dix-huit mois que Roger Mortimer, huitième baron de Wigmore, grand seigneur des Marches galloises et ex-lieutenant du roi en Irlande, était enfermé, en compagnie de son oncle Roger Mortimer de Chirk, ancien Grand Juge du Pays de Galles, dans un cachot de la tour de Londres. L'usage eût voulu que des prisonniers d'un tel rang, qui appartenaient à la plus ancienne noblesse du royaume, fussent pourvus d'un logement décent. Mais le roi

Édouard II, lorsqu'il s'était saisi en janvier 1322 après la bataille de Shrewsbury gagnée sur ses barons révoltés, des deux Mortimer, leur avait assigné cette geôle étroite et basse, prenant son jour à ras de sol, dans les nouveaux bâtiments qu'il venait de faire construire, à droite de la tour de la Cloche. Obligé, sous la pression de la cour, des évêques et du peuple même, de commuer en réclusion perpétuelle la peine de mort qu'il avait d'abord décrétée contre les Mortimer, le roi espérait bien que cette cellule malsaine, cette cave où les fronts touchaient le plafond, ferait, à terme, office de bourreau.

De fait, si les trente-six ans de Roger Mortimer de Wigmore avaient pu résister à pareille prison, en revanche dix-huit mois de brume coulant par le soupirail, ou de pluie suintant des murs, ou de touffeur épaisse stagnant au fond de ce trou durant la saison chaude, semblaient avoir eu raison du vieux Lord de Chirk. Perdant ses cheveux, perdant ses dents, les jambes enflées, les mains tordues de rhumatismes, l'aîné des Mortimer ne quittait presque plus la planche de chêne qui lui servait de lit, tandis que son neveu se tenait près du soupirail, les yeux tournés vers la lumière.

C'était le deuxième été qu'ils passaient dans ce réduit.

Le jour, depuis deux heures déjà, était levé sur la plus célèbre forteresse d'Angleterre, cœur du royaume et symbole de la puissance de ses princes, sur la tour Blanche, construite par Guillaume le Conquérant et appuyée aux fondations mêmes de l'ancien *castrum* romain, sur cet immense donjon carré, léger malgré ses proportions gigantesques, sur les tours d'enceinte et les murs crénelés dus à Richard Cœur de Lion, sur le Logis du Roi, sur la chapelle Saint-Pierre, sur la porte des Traîtres. La journée serait chaude, pesante même, comme la veille l'avait été ; cela se devinait au soleil qui rosissait les pierres ainsi qu'à l'odeur de vase, un peu écœurante, montant des douves et de la Tamise toute proche dont l'eau baignait le remblai des fossés *[1].

Le corbeau Édouard avait rejoint les autres corbeaux géants sur la pelouse tristement fameuse, le Green, où l'on installait le billot les jours d'exécutions capitales ; les oiseaux y picoraient une herbe nourrie du sang des patriotes écossais, des criminels d'État, des favoris tombés en disgrâce.

On ratissait le Green, on en balayait les chemins pavés sans que les corbeaux s'effarouchassent ; car nul n'aurait osé toucher à ces animaux qui vivaient là, objets d'une vague superstition, depuis des temps immémoriaux.

Les soldats de la garde, sortant de leurs logis, achevaient hâtivement

---

* Les numéros dans le texte renvoient aux « Notes historiques », page 265. Le lecteur trouvera en fin de volume, page 763, le « Répertoire biographique » des personnages.

de boucler leur ceinturon ou leurs houseaux, coiffaient leur chapeau de fer, et se rassemblaient pour la parade quotidienne qui, ce matin, prenait une importance particulière car on était le 1er août, jour de Saint-Pierre-ès-Liens — auquel la chapelle était dédiée — et fête annuelle de la Tour.

Les verrous grincèrent à la porte basse de la cellule. Le geôlier porte-clefs ouvrit, jeta un regard à l'intérieur, et laissa entrer le barbier. Celui-ci, un homme à petits yeux, à nez long, à bouche ronde, venait une fois la semaine raser Roger Mortimer le Jeune. Pendant les mois d'hiver, cette opération était un supplice pour le prisonnier, car le constable Stephen Seagrave, gouverneur de la Tour[2], avait déclaré:

— Si Lord Mortimer veut continuer d'être rasé, je lui enverrai donc le barbier, mais je n'ai pas obligation de le fournir d'eau chaude.

Et Lord Mortimer avait tenu bon, d'abord pour défier le constable, ensuite parce que son ennemi exécré le roi Édouard portait une jolie barbe blonde, enfin et surtout pour lui-même, sachant que s'il cédait sur ce point, il s'abandonnerait progressivement à la déchéance physique. Il avait sous les yeux l'exemple de son oncle, lequel ne prenait plus aucun soin de sa personne. Le menton broussailleux, les mèches éparses autour du crâne, le Lord de Chirk, après dix-huit mois de détention, avait l'apparence d'un vieil anachorète et se plaignait sans arrêt des multiples maux qui l'accablaient.

— Seules les douleurs de mon pauvre corps, disait-il, m'assurent que je suis encore vivant.

Donc Mortimer le Jeune, semaine après semaine, avait accueilli le barbier Ogle, même lorsqu'il fallait casser la glace dans le bassin et que le rasoir lui laissait les joues sanglantes. Il en avait été récompensé, car il s'était aperçu au bout de quelques mois que cet Ogle pouvait lui servir de liaison avec l'extérieur. L'homme avait une âme étrange; il était avide, et capable aussi de dévouement; il souffrait d'une situation subalterne qu'il jugeait inférieure à son mérite; l'intrigue lui offrait l'occasion d'une revanche secrète et d'acquérir, en partageant les secrets de grands personnages, de l'importance à ses propres yeux. Le baron de Wigmore était certainement l'homme le plus noble, à la fois de naissance et de nature, qu'il eût jamais approché. Et puis, un prisonnier qui s'obstine, même par temps de gel, à se faire raser, cela force l'admiration!

Grâce au barbier, Mortimer avait donc établi un lien, ténu mais régulier, avec ses partisans, et particulièrement avec Adam Orleton, l'évêque de Hereford; par le barbier encore, il avait su que le lieutenant de la Tour, Gérard de Alspaye, pouvait être gagné à sa cause; par le barbier toujours, il avait mis sur pied la lente machination d'une évasion. L'évêque assurait qu'il serait délivré à l'été. Et l'été était là...

A travers le judas ménagé dans la porte, le geôlier, de temps à autre, lançait un regard, sans suspicion particulière, par simple habitude professionnelle.

Le prisonnier, une écuelle de bois sous le menton — retrouverait-il jamais le bassin de fin argent martelé dont il se servait naguère? — écoutait les propos de convenance que lui adressait le barbier à voix très haute, pour donner le change. Le soleil, l'été, la chaleur... Il faisait toujours beau temps, c'était chose remarquable, le jour de la Saint-Pierre...

Se penchant davantage sur son rasoir, Ogle souffla:

— *Be ready tonight, my Lord* *.

Mortimer n'eut pas un tressaillement. Ses yeux couleur de silex, sous les sourcils bien fournis, se tournèrent seulement vers les petits yeux noirs du barbier. Celui-ci confirma d'un mouvement de paupières.

— Alspaye?... murmura Mortimer.

— *He'll go with us* **, répondit le barbier en passant de l'autre côté du visage.

— *The Bishop?*...demanda encore le prisonnier.

— *He'll be waiting for you outside, after dark*, dit le barbier qui aussitôt se remit à parler bien fort du soleil, de la parade qui s'apprêtait, des jeux qui se dérouleraient l'après-midi...

Sa barbe faite, Mortimer se rinça le visage et s'essuya d'une toile sans même en sentir le contact.

Et lorsque le barbier Ogle fut parti en compagnie du porte-clefs, le prisonnier s'étreignit la poitrine, à deux mains, et avala une grande gorgée d'air. Il se retenait de crier. « Soyez prêt pour ce soir ». Ces mots lui bruissaient dans la tête. Se pouvait-il que ce fût pour ce soir, enfin?

Il s'approcha du bat-flanc où somnolait son compagnon de geôle.

— Mon oncle, dit-il, ce sera pour ce soir.

Le vieux Lord de Chirk se tourna en gémissant, éleva vers son neveu ses prunelles décolorées qui brillaient d'une lueur glauque dans l'ombre de la cellule, et répondit avec lassitude:

— On ne s'évade pas de la tour de Londres, mon garçon. Personne... Ni ce soir, ni jamais.

Mortimer le Jeune eut un mouvement d'irritation. Pourquoi cette obstination négative, ce refus du risque de la part d'un homme qui, au pire, avait si peu de vie à perdre? Il s'interdit de répondre pour ne pas s'emporter. Bien qu'ils parlassent français entre eux, comme toute la cour et la noblesse, alors que les serviteurs, les soldats et le commun peuple parlaient anglais, ils craignaient toujours d'être entendus.

---

* Soyez prêt pour ce soir, Monseigneur.
** Il partira avec nous.
    L'évêque?
    Il vous attendra à l'extérieur, à la nuit tombée.

Mortimer revint au soupirail et regarda, de bas en haut, la parade, avec le sentiment exaltant d'y assister peut-être pour la dernière fois.

Au niveau de ses yeux passaient et repassaient les houseaux de la troupe ; de gros souliers de cuir frappaient les pavés. Et le Lord de Wigmore ne pouvait s'empêcher d'admirer les évolutions précises des archers, ces remarquables archers anglais, les meilleurs d'Europe, qui tiraient jusqu'à douze flèches à la minute.

Au milieu du Green, Alspaye, le lieutenant, raide comme un pieu, criait les ordres à pleine voix et présentait la garde au constable. On comprenait mal que ce grand jeune homme, blond et rose, si attentif à son service, si visiblement animé du désir de bien faire, eût accepté de trahir. Il fallait qu'il y eût été poussé par d'autres motifs que le seul appât de l'argent. Gérard de Alspaye, lieutenant de la tour de Londres, souhaitait, comme beaucoup d'officiers, de shérifs, d'évêques et de seigneurs, voir l'Angleterre débarrassée des mauvais ministres qui entouraient le roi ; sa jeunesse rêvait de jouer un rôle héroïque ; de plus il haïssait et méprisait son chef, le constable Seagrave.

Ce dernier, un borgne à joues flasques, buveur et nonchalant, ne devait sa haute charge qu'à la protection, précisément, des mauvais ministres. Pratiquant ouvertement les mœurs dont le roi Édouard faisait étalage devant la cour, le constable se servait volontiers de sa garnison comme d'un harem. Et ses goûts le portaient par préférence vers les grands jeunes hommes blonds ; aussi l'existence du lieutenant Alspaye, fort dévot et éloigné du vice, était devenue un enfer. Ayant naguère repoussé les tendres assauts du constable, Alspaye en subissait maintenant les continuelles persécutions. Il n'était de tracasseries, de vexations, que Seagrave ne lui infligeât. Le borgne avait les loisirs de la cruauté. Dans l'instant même, passant l'inspection des hommes, il accablait son second de moqueries grossières pour des vétilles, pour un défaut d'alignement, pour une tache de rouille sur le fer d'un couteau, pour une minuscule déchirure dans le cuir d'un sac à flèches. Son œil unique ne cherchait que le défaut.

Bien que ce fût fête, jour où de coutume les punitions étaient levées, le constable ordonna que trois soldats fussent fouettés sur-le-champ, à cause du mauvais état de leur équipement. Un sergent alla quérir les verges. Les hommes punis durent baisser leurs chausses devant tous leurs camarades alignés. Le constable parut fort s'amuser du spectacle.

— Si la garde n'est pas mieux tenue, la prochaine fois, Alspaye, ce sera vous, dit-il.

Puis toute la garnison, à l'exception des sentinelles, se rendit à la chapelle pour entendre messe et chanter cantiques.

Les voix rudes et fausses parvenaient jusqu'au prisonnier, aux aguets derrière son soupirail. « Soyez prêt pour ce soir, my Lord... » L'ancien délégué du roi en Irlande ne cessait de penser que le soir, peut-être, il serait libre. Une journée entière à attendre, à espérer, à craindre aussi. Craindre que Ogle ne commît une sottise dans l'exécution du plan préparé, craindre que Alspaye, à la dernière minute, ne soit ressaisi par le sens du devoir... une journée à prévoir tous les obstacles fortuits, tous les éléments de hasard qui peuvent faire manquer une évasion.

« Il vaut mieux n'y pas songer, se dit-il, et croire que tout ira bien. Les choses surviennent toujours différemment de ce qu'on a pu imaginer. » Mais sa pensée revenait aux mêmes soucis. « Il y aura les veilleurs sur les chemins de ronde... »

Il fit un brusque saut en arrière. Le corbeau avait avancé en tapinois, le long du mur; et il s'en était peu fallu, cette fois, qu'il n'atteignît l'œil du prisonnier.

— Ah! Édouard, Édouard, c'en est trop à présent, dit Mortimer entre les dents. L'un de nous deux, aujourd'hui, doit l'emporter.

La garnison venait de sortir de la chapelle et d'entrer au réfectoire, pour les ripailles traditionnelles.

Le geôlier reparut sur le seuil de la cellule, suivi d'un gardien chargé du repas des prisonniers. Le brouet de fèves, par exception, était engraissé d'un peu de viande de mouton.

— Forcez-vous à vous mettre debout, mon oncle, dit Mortimer.

— Et l'on nous prive même de la messe, comme des excommuniés! dit le vieux Lord sans bouger de son bat-flanc.

Le porte-clefs s'était retiré. Les prisonniers seraient sans autre visite jusqu'au soir.

— Ainsi, mon oncle, vous êtes vraiment résolu à ne point m'accompagner? demanda Mortimer.

— T'accompagner où, mon garçon? répondit le Lord de Chirk. On ne s'évade pas de la Tour, je te le répète. Nul n'y est jamais parvenu. On ne se rebelle pas non plus contre son roi. Édouard n'est pas le meilleur souverain que l'Angleterre ait eu, certes non, et ses deux Despensers mériteraient bien d'être à notre place. Mais on ne choisit pas son roi, on le sert. Jamais je n'aurais dû vous écouter, Thomas de Lancastre et toi, quand vous avez pris les armes. Car Thomas a été décapité, et voilà où nous sommes...

C'était l'heure où, après quelques bouchées avalées, il consentait à parler, d'une voix monotone et lasse, pour ressasser d'ailleurs les mêmes propos que son neveu entendait depuis dix-huit mois.

Il ne restait plus rien, à soixante-sept ans, chez Mortimer l'Ancien, du bel homme ni du grand seigneur qu'il avait été, fameux pour de fabuleux tournois donnés au château de Kenilworth, et dont trois générations parlaient encore. Son neveu s'efforçait en vain de ranimer quelques braises au cœur de ce vieil homme épuisé.

— D'abord, mes jambes ne me soutiendraient pas, ajouta-t-il.

— Que ne les essayez-vous un peu ! Quittez donc votre lit. Et puis, je vous porterai, je vous l'ai dit.

— C'est cela ! Tu vas me porter par-dessus les murs, et puis dans l'eau où je ne sais pas nager. Tu vas me porter la tête sur le billot, voilà, et la tienne avec. Dieu est peut-être en train de travailler à notre délivrance, et toi tu vas tout ruiner par cette folie où tu t'entêtes. C'est toujours ainsi ; la révolte est dans le sang des Mortimer. Rappelle-toi le premier Roger de notre lignée, le fils de l'évêque et de la fille du roi Herfast. Il avait battu l'armée du roi de France sous les murs de son château de Mortemer-en-Bray[3]. Et pourtant il offensa si fort le Conquérant, son cousin, que ses terres et ses biens lui furent ôtés...

Roger Mortimer de Wigmore, assis sur l'escabelle, croisa les bras, ferma les yeux, et se renversa un peu pour appuyer les épaules au mur. Il lui fallait subir la quotidienne invocation des ancêtres, écouter Roger Mortimer de Chirk conter pour la centième fois comment Ralph le Barbu, fils du premier Roger, avait débarqué en Angleterre aux côtés du duc Guillaume, et comment il avait reçu Wigmore en fief, et pourquoi, depuis, les Mortimer étaient puissants sur quatre comtés.

Du réfectoire s'échappaient les chansons à boire que braillaient les soldats en fin de repas.

— De grâce, mon oncle, s'écria Mortimer le jeune, abandonnez un moment nos aïeux. Je n'ai pas si grand-hâte que vous de les retrouver. Oui, je sais que nous descendons d'un roi. Mais le sang des rois est petit sang dans une prison. Est-ce le glaive d'Herfast de Danemark qui va nous délivrer ? Où sont nos terres, et nous sert-on nos revenus dans ce cachot ? Et quand vous m'aurez redit encore les noms de nos aïeules : Hadewige, Mélisinde, Mathilde la Mesquine, Walcheline de Ferrers, Gladousa de Braose, sont-ce là les seules femmes dont je pourrai rêver jusqu'à mon dernier souffle ?

Mortimer de Chirk demeura un moment interdit, contemplant distraitement sa main gonflée, aux ongles démesurément longs et ébréchés. Puis il dit :

— Chacun occupe sa prison comme il peut, les vieux avec le passé perdu, les jeunes avec les lendemains qu'ils ne verront pas. Toi, tu te contes que toute l'Angleterre t'aime et travaille pour toi, que l'évêque Orleton est ton ami fidèle, que la reine elle-même œuvre à ton salut, et que tu vas tout à l'heure partir pour la France, pour l'Aquitaine, pour la Provence, que sais-je ! Et que tout le long de ton chemin, les cloches vont sonner la bienvenue. Et ce soir, tu verras, personne ne viendra.

Il se passa les doigts sur les paupières, d'un geste las, puis se tourna vers le mur.

Mortimer le Jeune revint au soupirail, glissa une main entre les barreaux et la posa, comme morte, sur la poussière.

« L'oncle, maintenant, va somnoler jusqu'au soir, pensait-il. Et puis il se décidera à la dernière minute. De fait, ce ne sera point aisé avec lui ; et ne va-t-il pas tout faire échouer ?... Ah ! voilà Édouard. »

L'oiseau s'était arrêté à peu de distance de la main inerte, et essuyait son gros bec noir contre sa patte.

« Si je l'étrangle, mon évasion réussira. Si je le manque, je ne m'échapperai pas. »

Ce n'était plus un jeu, mais un pari avec le destin. Pour occuper son attente, tromper son anxiété, le prisonnier avait besoin de se fabriquer des présages, et il guettait, d'un œil de chasseur, l'énorme corbeau. Mais celui-ci, comme s'il avait discerné la menace, s'écarta.

Les soldats sortaient du réfectoire, le visage tout illuminé. Ils se répartirent en petits groupes, à travers la cour, pour les jeux, les courses et luttes qui étaient tradition de fête. Pendant deux heures, le torse nu, ils suèrent sous le soleil, rivalisant de force pour se plaquer au sol, ou d'adresse pour lancer des masses contre un piquet de bois.

On entendait le constable crier :

— Le prix du roi ! Qui le gagnera ? Un shilling[4] !

Puis, quand le jour commença de baisser, les hommes allèrent se laver aux citernes et, plus bruyants que le matin, commentant leurs exploits ou leurs défaites, ils regagnèrent le réfectoire pour manger et boire encore. Qui n'était pas ivre le soir de la Saint-Pierre-ès-Liens méritait le mépris de ses compagnons ! Le prisonnier les entendait se ruer au vin. L'ombre descendait sur la cour, l'ombre bleue des soirs d'été, et l'odeur de vase, venant des douves et du fleuve, se faisait plus pénétrante.

Soudain un croassement furieux, rauque, prolongé, un de ces cris d'animaux qui donnent un malaise aux hommes, déchira l'air devant le soupirail.

— Qu'est-ce là ? demanda le vieux Lord de Chirk dans le fond de la cellule.

— Je l'ai manqué, dit son neveu. Je lui ai saisi l'aile au lieu du col.

Il conservait aux doigts quelques plumes noires qu'il contemplait tristement dans l'incertaine lumière du crépuscule. Le corbeau avait disparu et, cette fois, ne reviendrait plus.

« C'est sottise d'enfant que d'y attacher importance, se disait Mortimer le Jeune. Allons, l'heure approche. » Mais il était obsédé d'un mauvais pressentiment.

Il en fut distrait par l'étrange silence qui depuis quelques instants venait de s'établir dans la Tour. Aucun bruit ne s'élevait plus du réfectoire ; les voix des buveurs s'étaient éteintes ; le choc des plats et des pichets avait cessé. On n'entendait rien qu'un aboiement quelque part dans les jardins, et le cri lointain d'un marinier sur la Tamise... Le complot d'Alspaye avait-il été éventé, et ce silence de la forteresse était-il dû à la stupeur qui suit la découverte des grandes trahisons?

Le front collé aux grilles du soupirail, le prisonnier, retenant son souffle, épiait l'ombre et les moindres sons. Un archer traversa la cour en titubant, alla vomir contre un mur, puis s'affala sur le sol et ne bougea plus. Mortimer distinguait sa forme immobile dans l'herbe. Déjà les premières étoiles apparaissaient au ciel. La nuit serait claire.

Deux soldats encore sortirent du réfectoire en se tenant le ventre, et vinrent s'écrouler au pied d'un arbre. Ce n'était pas une ivresse coutumière que celle-ci, qui assommait les hommes comme d'un coup de bâton.

Mortimer de Wigmore chercha ses bottes à tâtons, dans un coin du cachot, et les enfila; elles glissaient facilement car ses jambes avaient maigri.

— Que fais-tu, Roger? demanda Mortimer de Chirk.

— Je me prépare, mon oncle; le moment approche. Notre ami Alspaye paraît avoir bien fait les choses; on dirait tout juste que la Tour est morte.

— Il est vrai qu'on ne nous a point porté notre second repas, remarqua le vieux Lord avec un accent d'inquiétude.

Roger Mortimer remettait sa chemise dans ses braies, bouclait sa ceinture autour de sa cotte de guerre. Ses vêtements étaient usés, fripés, car on refusait depuis dix-huit mois de lui en fournir d'autres, et il vivait dans son habillement de bataille, tel qu'on l'avait dégagé de son armure faussée, la lèvre inférieure blessée par le choc de la mentonnière.

— Si tu réussis, je vais rester seul, et toutes les vengeances retomberont sur moi, dit encore le Lord de Chirk.

Il y avait une grande part d'égoïsme dans la vaine obstination du vieil homme à détourner son neveu de s'évader.

— Entendez donc, mon oncle, voici qu'on vient. Cette fois, levez-vous.

Des pas résonnaient sur les dalles de pierre, approchaient de la porte. Une voix appela:

— My Lord!

— Est-ce toi, Alspaye?

— Oui, my Lord, mais je n'ai pas la clef. Votre geôlier, dans son ivresse, a égaré le trousseau; et maintenant, en l'état où il est, on ne peut rien en tirer. J'ai cherché partout.

Du bat-flanc où reposait le Lord de Chirk partit un petit ricanement.

Mortimer le Jeune eut un juron de dépit. Alspaye mentait-il, ayant pris peur à la dernière minute? Mais dans ce cas, pourquoi était-il venu? Ou bien était-ce le hasard absurde, ce hasard que le prisonnier avait tenté d'imaginer toute la journée, et qui se présentait sous cette forme?

— Tout est prêt, my Lord, je vous assure, continuait Alspaye. La poudre de l'évêque, qu'on a mêlée au vin, a fait merveille. Ils étaient déjà bien saouls et ne se sont aperçus de rien. A présent, ils sont tous engourdis, comme morts. Les cordes sont préparées, la barque vous attend. Mais je n'ai pas la clef.

— De combien de temps pouvons-nous profiter?

— Les sentinelles ne devraient point s'inquiéter avant une grande demi-heure. Elles ont festoyé, elles aussi, avant leur garde.

— Qui t'accompagne?

— Ogle.

— Envoie-le prendre une masse, un coin, un levier, et faites sauter la pierre.

— Je vais avec lui, et m'en retourne aussitôt.

Les deux hommes s'éloignèrent. Roger Mortimer mesurait le temps aux battements de son cœur. Pour une clef égarée!... Et il suffisait maintenant qu'une sentinelle, sous un prétexte quelconque, abandonnât sa veille pour que tout échouât... Le vieux Lord lui-même se taisait et l'on entendait sa respiration oppressée dans le fond du cachot.

Bientôt un rai de lumière filtra sous la porte. Alspaye revenait, avec le barbier qui portait chandelle et outils. Ils s'attaquèrent à la pierre du mur dans laquelle le pêne enfonçait de deux pouces. Ils s'efforçaient d'assourdir leurs coups; mais même ainsi, ils avaient l'impression que l'écho s'en devait répercuter dans toute la Tour. Des éclats de pierre tombaient sur le sol. Enfin, le bloc s'écroula et la porte s'ouvrit.

— Faites vite, my Lord, dit Alspaye.

Sa face rose, éclairée par la chandelle, était couverte de sueur, et ses mains tremblaient.

Roger Mortimer de Wigmore s'approcha de son oncle, se pencha vers lui.

— Non, va seul, mon garçon, dit Mortimer de Chirk; il faut que tu t'échappes. Que Dieu te protège. Et ne m'en veuille pas d'être vieux.

Il attira son neveu par la manche, lui traça du pouce un signe de croix au front.

— Venge-nous, Roger, murmura-t-il encore.

Et Roger Mortimer de Wigmore, se courbant, sortit de la cellule.

— Par où passerons-nous? demanda-t-il.

— Par les cuisines, répondit Alspaye.

Le lieutenant, le barbier et le prisonnier gravirent quelques marches, suivirent un corridor, franchirent plusieurs pièces obscures.

— Tu es armé, Alspaye? chuchota soudain Mortimer.

— J'ai ma miséricorde.

— Il y a un homme, là!

Une forme se tenait contre le mur, que Mortimer avait devinée le premier. Le barbier cacha sous sa paume la faible flamme de la chandelle ; le lieutenant dégagea sa dague ; ils avancèrent plus lentement.

L'homme, dans l'ombre, ne bougeait pas. Les épaules et les bras collés à la muraille, les jambes écartées, il paraissait avoir peine à se soutenir.

— C'est Seagrave, dit le lieutenant.

Le constable borgne, comprenant qu'on l'avait drogué en même temps que ses hommes, était parvenu à marcher jusque-là et luttait contre une invincible torpeur. Il voyait son prisonnier s'évader ; il voyait son lieutenant qui l'avait trahi ; mais sa bouche ne formait aucun son, ses membres lui refusaient tout mouvement, et, dans son œil unique, sous une paupière qui s'appesantissait, on pouvait lire l'angoisse de la mort. Le lieutenant lui lança le poing en plein visage ; la tête du constable cogna contre la pierre, et son corps s'affaissa.

Les trois hommes passèrent devant la porte du grand réfectoire où les torches fumaient ; toute la garnison s'y trouvait, endormie. Affalés sur les tables, écroulés sur les bancs, étendus à même le sol, les archers ronflaient, gueules ouvertes, dans des postures grotesques, comme si un magicien les eût plongés dans un sommeil de cent ans. Même spectacle aux cuisines éclairées par les braises rougeoyant sous les chaudrons, et où stagnait une épaisse odeur de graillon. Les vivandiers avaient tâté, eux aussi, du vin d'Aquitaine dans lequel le barbier Ogle avait versé la drogue ; et ils gisaient, qui sous l'étal, qui près de la panetière, qui parmi les brocs, la panse en l'air et les bras écartés. Seul bougeait un chat, gorgé de viande crue, et cheminant d'une patte prudente à travers les tables.

— Ici, my Lord, dit le lieutenant en guidant le prisonnier vers un réduit utilisé à la fois comme latrines et comme déversoir aux eaux grasses.

Une lucarne était ménagée dans ce réduit, seule ouverture sur ce côté des murs qui pût livrer passage à un homme[5].

Ogle apporta une échelle de corde qu'il avait cachée dans un coffre, et approcha une escabelle. L'échelle fut fixée au rebord de la lucarne ; le lieutenant passa le premier, puis Roger Mortimer, puis le barbier. Et bientôt ils furent tous les trois accrochés à l'échelle, glissant le long de la muraille, à trente pieds au-dessus de l'eau miroitante des douves. La lune n'était pas encore levée.

« En effet, mon oncle n'aurait jamais pu s'enfuir de la sorte », pensa Mortimer.

Une masse noire bougea à côté de lui, avec un froissement de plumes. C'était un gros corbeau, niché dans une meurtrière et dérangé dans son sommeil. Mortimer, instinctivement, étendit la main, fouilla dans un plumage chaud, trouva le cou de l'oiseau qui eut un long cri douloureux, presque humain ; le fugitif serra de toutes ses forces en tournant le poignet jusqu'à ce qu'il sentît le craquement des os sous ses doigts.

Le corps de l'animal tomba dans l'eau avec un bruit claquant.

— *Who goes there?* * cria aussitôt une sentinelle.

Et un casque se pencha hors d'un créneau, au sommet de la tour de la Cloche.

Les trois fugitifs, agrippés à l'échelle de corde, se tassaient contre la muraille.

« Pourquoi ai-je fait cela? pensait Mortimer. Quelle sotte tentation m'a poussé? Il y avait assez de risques; pourquoi en inventer? »

Mais la sentinelle, rassurée par le silence, reprit sa ronde, et l'on entendit son pas décroître dans la nuit.

La descente continua. L'eau, en cette saison, était peu profonde dans les douves. Les trois hommes s'y laissèrent couler, disparaissant jusqu'aux épaules, et longèrent l'assise de la forteresse. S'appuyant de la main aux pierres du mur romain, ils contournèrent la tour de la Cloche, et puis traversèrent le fossé en amortissant le plus possible le bruit de leurs gestes. Le talus était vaseux et glissant. Les fugitifs s'y hissèrent sur le ventre, s'aidant l'un l'autre, puis coururent, courbés, jusqu'à la berge du fleuve. Là, une barque attendait, cachée dans les herbes. Deux rameurs se tenaient aux avirons; un homme, enveloppé dans une grande chape sombre et la tête couverte d'un chaperon à oreillettes, était assis à l'arrière; il émit un sifflement léger, à trois reprises. Les fugitifs sautèrent dans la barque.

— My Lord Mortimer, dit l'homme à la chape en tendant les mains.

— My Lord Bishop, répondit l'évadé en faisant le même geste.

Ses doigts rencontrèrent le cabochon d'une bague vers laquelle il pencha les lèvres.

— *Go ahead, quickly* **, commanda le prélat aux rameurs.

Et les avirons entrèrent dans l'eau.

Adam Orleton, évêque de Hereford, nommé à son siège par le pape, contre la volonté du roi, et chef de l'opposition du clergé, venait de faire évader le plus important seigneur du royaume. C'était Orleton qui avait tout organisé, tout préparé, circonvenu Alspaye en l'assurant qu'il allait gagner à la fois sa fortune et le paradis, fourni le narcotique qui avait plongé dans l'hébétude la tour de Londres.

— Tout s'est bien passé, Alspaye? demanda-t-il.

— Aussi bien que possible, my Lord, répondit le lieutenant. Combien de temps vont-ils dormir?

— Deux bonnes journées, sans doute... J'ai là ce qui était promis à chacun, dit l'évêque en découvrant une lourde bourse qu'il tenait sous

---

* Qui va là?
** En avant, rapidement.

sa chape. Et pour vous aussi, my Lord, j'ai le nécessaire à votre dépense, pour quelques semaines tout au moins.

A ce moment on entendit une sentinelle crier :

— *Sound the alarm!*

Mais la barque était déjà fort engagée sur le fleuve, et tous les cris des sentinelles ne parviendraient pas à reveiller la Tour.

— Je vous dois tout, et d'abord la vie, dit Mortimer à l'évêque.

— Attendez d'être en France, répondit celui-ci, et seulement alors vous pourrez me remercier. Des chevaux nous attendent sur l'autre rive, à Bermondsey. Une nef est frétée, auprès de Douvres, prête à appareiller.

— Partez-vous avec moi?

— Non, my Lord, je n'ai aucune raison de fuir. Dès que je vous aurai embarqué, je rentre en mon diocèse.

— Ne craignez-vous donc pas pour vous-même, après ce que vous venez de faire?...

— Je suis homme d'Église, répondit l'évêque avec une pointe d'ironie. Le roi me hait mais n'osera pas me toucher.

Ce prélat à la voix tranquille, qui bavardait au milieu de la Tamise, aussi calme que s'il eût été dans son palais épiscopal, possédait un singulier courage, et Mortimer l'admira sincèrement.

Les rameurs étaient au centre de la barque; Alspaye et le barbier s'étaient installés à l'avant.

— Et la reine? demanda Mortimer. L'avez-vous approchée récemment? La tourmente-t-on toujours autant?

— La reine, pour le moment, est dans le Yorkshire, où le roi voyage, ce qui a d'ailleurs bien facilité notre entreprise. Votre épouse...

L'évêque insista légèrement sur ce dernier mot.

— ... votre épouse m'en a fait tenir des nouvelles l'autre jour.

Mortimer se sentit rougir et rendit grâces à l'ombre qui cachait son trouble. Il s'était inquiété de la reine avant même de s'être enquis des siens et de sa propre femme. N'avait-il donc, durant ses dix-huit mois de détention, pensé qu'à la reine Isabelle?

— La reine vous veut grand bien, reprit l'évêque. C'est elle qui a fourni de sa cassette, de la maigre cassette que nos bons amis Despensers consentent à lui laisser, ce que je vais vous remettre pour que vous puissiez vivre en France. Pour tout le reste, pour Alspaye, le barbier, les chevaux, la nef qui vous attend, mon diocèse en a fait les frais.

Il avait posé la main sur le bras de l'évadé.

— Mais vous êtes trempé! ajouta-t-il.

— Bah! fit Mortimer, l'air de la liberté me séchera vite.

Il se leva, dépouilla sa cotte et sa chemise, et se tint debout, torse nu, au milieu de la barque. Il avait un beau corps solide, aux épaules puissantes, au dos long et musclé ; la captivité l'avait amaigri, mais sans diminuer l'impression de force que donnait sa personne. La lune qui venait de surgir l'éclairait d'une lueur dorée et dessinait les reliefs de sa poitrine.

— Propice aux amoureux, funeste aux fugitifs, dit l'évêque en montrant la lune. C'était juste la bonne heure.

Roger Mortimer, sur sa peau et dans ses cheveux mouillés, sentait glisser l'air de la nuit, chargé d'odeurs d'herbes et d'eau. La Tamise, plate et noire, fuyait le long de la barque et les avirons soulevaient des paillettes d'or. La berge opposée approchait. Le grand baron se retourna pour regarder une dernière fois la Tour, haute, immense, épaulée sur ses fortifications, ses remparts, ses remblais. «On ne s'évade pas de la Tour...» Il était le premier prisonnier, depuis des siècles, à s'en être échappé ; il mesurait l'importance de son acte, et le défi qu'il lançait à la puissance des rois.

En arrière, la ville endormie se profilait dans la nuit. Sur les deux rives, et jusqu'au pont gardé par ses hautes tours, oscillaient lentement les mâts pressés, nombreux, des navires de la Hanse de Londres, de la Hanse Teutonique, de la Hanse parisienne des marchands d'eau, de l'Europe entière, qui apportaient les draps de Bruges, le cuivre, le goudron, la poix, les couteaux, les vins de la Saintonge et de l'Aquitaine, le poisson séché, et chargeaient pour la Flandre, pour Rouen, pour Bordeaux, pour Lisbonne, le blé, le cuir, l'étain, les fromages, et surtout la laine, la meilleure qui soit au monde, des moutons anglais. On reconnaissait à leur forme et à leurs dorures les grosses galères vénitiennes.

Mais déjà, Roger Mortimer de Wigmore pensait à la France. Il irait d'abord demander asile en Artois, à son cousin Jean de Fiennes... Il étendit les bras largement, d'un geste d'homme libre.

Et l'évêque d'Orleton, qui regrettait de n'être né ni beau ni grand seigneur, contemplait avec un sorte d'envie ce corps assuré, prêt à bondir en selle, ce haut torse sculpté, ce menton fier, ces rudes cheveux bouclés, qui allaient emporter dans l'exil le destin de l'Angleterre.

II

LA REINE BLESSÉE

Le carreau de velours rouge sur lequel la reine Isabelle posait ses pieds étroits était usé jusqu'à la trame; les glands d'or, aux quatre coins, étaient ternis; les lis de France et les lions d'Angleterre, brodés sur le tissu, s'effilochaient. Mais à quoi bon changer ce coussin, en commander un autre, puisque le neuf, aussitôt qu'apparu, passerait sous les souliers brodés de perles de Hugh Le Despenser, l'amant du roi! La reine regardait ce vieux coussin qui avait traîné sur le pavement de tous les châteaux du royaume, une saison en Dorset, une autre en Norfolk, l'hiver dans le Warwick, et cet été en Yorkshire, sans qu'on demeurât jamais plus de trois jours à la même place. Le 1er août, voici moins d'une semaine, la cour était à Cowick; hier, on s'était arrêté à Eserick; aujourd'hui on campait, plutôt qu'on ne logeait, au prieuré de Kirkham; après-demain, on repartirait pour Lockton, pour Pickering. Les quelques tapisseries poussiéreuses, la vaisselle bosselée, les robes fatiguées qui constituaient l'équipement de voyage de la reine Isabelle, seraient à nouveau tassées dans les meubles-coffres; on démonterait le lit à courtines pour le remonter ailleurs, ce lit si fatigué d'avoir été trop transporté qu'il menaçait de s'écrouler, et où la reine faisait dormir avec elle, parfois, sa dame de parage, lady Jeanne Mortimer, et, parfois, son fils aîné, le prince Édouard, par crainte, si elle restait seule, d'être assassinée. Les Despensers n'oseraient tout de même pas la poignarder sous les yeux du prince héritier... Et la promenade reprenait à travers le royaume, ses campagnes vertes et ses châteaux tristes.

Édouard II voulait se faire connaître de ses moindres vassaux; il imaginait leur rendre honneur en descendant chez eux, et s'acquérir, par quelques paroles amicales, leur fidélité contre les Écossais ou contre le parti gallois. En vérité, il eût gagné à moins se montrer. Un désordre veule accompagnait ses pas; sa légèreté pour parler des affaires du gouvernement, qu'il pensait être une attitude de détachement souverain, heurtait fort les seigneurs, abbés et notables, venus lui exposer les problèmes locaux ; l'intimité qu'il affichait avec son tout-puissant chambellan dont il caressait la main en plein conseil ou pendant la messe, ses rires aigus, les libéralités dont bénéficiaient soudain un petit clerc ou un jeune palefrenier éberlué, confirmaient les récits scandaleux qui circulaient jusqu'au fond des provinces où les maris trompaient leurs épouses, tout comme ailleurs, certes, mais avec des femmes ; et ce qui se chuchotait avant sa venue se disait à voix haute après qu'il fut passé. Il suffisait que ce bel homme à barbe blonde mais à l'âme molle apparût, couronne en tête, pour que s'effondrât tout le prestige de la majesté royale. Et les courtisans avides qui l'entouraient achevaient de le faire haïr.

Inutile, impuissante, la reine assistait à cette ambulante déchéance. Des sentiments contraires la divisaient ; d'une part, sa nature vraiment royale, marquée par l'atavisme capétien, s'irritait, s'indignait, souffrait de cette dégradation continue de l'autorité souveraine ; mais en même temps l'épouse lésée, blessée, menacée, se réjouissait secrètement à chaque nouvel ennemi que se créait le roi. Elle ne comprenait pas qu'elle eût pu aimer, naguère, ou se forcer d'aimer, un être à ce point méprisable, et qui la traitait de façon si odieuse. Pourquoi l'obligeait-on de participer à ces voyages, pourquoi la montrait-on, reine bafouée, à tout le royaume ? Le roi et son favori pensaient-ils duper personne, et donner à leur liaison un aspect innocent, du fait de sa présence ? Ou bien voulaient-ils la garder sous surveillance ? Comme elle eût préféré demeurer à Londres ou à Windsor, ou même dans l'un des châteaux dont on lui avait théoriquement fait don, pour y attendre un retour du sort ou simplement la vieillesse ! Et comme elle regrettait surtout que Thomas de Lancastre et Roger Mortimer de Wigmore, ces grands barons vraiment hommes, n'aient pas, l'autre année, réussi leur révolte...

Elle leva vers le comte de Bouville, envoyé de la cour de France, ses admirables yeux bleus, et dit assez bas :

— Depuis un mois, vous assistez à ma vie, messire Hugues. Je ne vous demande même point d'en conter les misères à mon frère, ni à mon oncle Valois. Voici quatre rois qui se succèdent au trône de France : mon père le roi Philippe, qui me maria pour l'intérêt de la couronne...

— Que Dieu garde son âme, Madame, que Dieu la garde ! dit avec conviction, mais sans élever le ton, le gros Bouville. Il n'est homme au monde que j'aie plus aimé, ni servi avec plus de joie.

— ... puis mon frère Louis, qui resta peu de mois au trône, puis mon frère Philippe avec lequel je n'avais que petite entente mais qui ne manquait pas de sagesse...

Le visage de Bouville se renfrogna un peu comme chaque fois qu'on parlait devant lui du roi Philippe le Long.

— ... enfin mon frère Charles qui règne présentement, poursuivit la reine. Tous ont été avertis de mon état, et ils n'ont rien pu faire, ou rien voulu faire. L'Angleterre n'intéresse les rois de France qu'autant qu'il s'agit de l'Aquitaine. Une princesse de France sur le trône anglais, parce qu'elle devient du même coup duchesse d'Aquitaine, leur est un gage de paix. Et si la Guyenne est calme, peu leur chaut que leur fille ou leur sœur, au-delà de la mer, meure de honte et de délaissement. Dites-le, ne le dites point, cela sera tout égal. Mais les jours que vous avez passés près de moi m'ont été doux, car j'ai pu parler devant un ami. Et vous avez vu combien j'en ai peu. Sans ma chère Lady Jeanne, qui met beaucoup de constance à partager mon malheur, je n'en aurais même aucun.

Pour prononcer ces derniers mots, la reine s'était tournée vers sa dame de parage assise à côté d'elle, Jeanne Mortimer, petite-nièce du fameux sénéchal de Joinville, une grande femme de trente-sept ans aux traits réguliers, au visage ouvert, aux mains nettes.

— Madame, répondit Lady Jeanne, vous faites plus pour soutenir mon courage que je ne fais pour accroître le vôtre. Et vous avez pris de gros risques à me conserver à vos côtés depuis que mon époux est en geôle.

Les trois interlocuteurs continuèrent de s'entretenir à mi-voix, car le chuchotement, la conversation en aparté, étaient devenus une nécessaire habitude dans cette cour où l'on n'était jamais seul et où la reine vivait environnée de malveillances.

En ce moment présent, trois chambrières, dans un coin de la pièce, brodaient une courtepointe destinée à Lady Aliénor Le Despenser, la femme du favori, laquelle, près d'une fenêtre ouverte, jouait aux échecs avec le prince héritier. Un peu plus loin, le second fils de la reine, qui avait atteint ses sept ans depuis trois semaines, se fabriquait un arc avec une baguette de coudrier; et les deux petites filles, Isabelle et Jeanne, cinq et deux ans, assises sur le sol, s'amusaient à manier des poupées de chiffon.

Tout en poussant les pièces sur l'échiquier d'ivoire, la Despenser ne cessait d'épier la reine et s'efforçait de surprendre ses propos. Le front lisse mais étonnamment étroit, les yeux ardents et rapprochés, la lippe ironique, cette femme, sans être vraiment disgracieuse, était marquée de la laideur qui vient d'une mauvaise âme. Descendante de la famille de Clare, elle avait suivi une assez étrange carrière puisque, belle-sœur de l'ancien amant du roi, le chevalier de Gaveston, exécuté onze ans plus tôt, en 1312, par les barons révoltés, elle était l'épouse de l'amant actuel. Elle trouvait une délectation morbide à servir les amours masculines pour satisfaire ses appétits d'argent comme ses ambitions de puissance. En plus elle était sotte : elle allait perdre sa partie d'échecs pour le seul plaisir de lancer, sur un ton de provocation :

— Échec à la reine... échec à la reine !

Le prince héritier, Édouard, enfant de onze ans au visage fin et allongé, de nature secrète plutôt que timide, et qui tenait presque toujours les yeux baissés, profitait des moindres fautes de sa partenaire et s'appliquait à vaincre.

La brise d'août envoyait par la fenêtre étroite, au cintre rond, des bouffées de poussière chaude ; mais quand le soleil tout à l'heure aurait disparu, une fraîcheur humide s'installerait à nouveau entre les murs épais et sombres du vieux prieuré de Kirkham.

Des bruits de voix nombreuses venaient de la grand-salle du chapitre où le roi tenait son Conseil ambulant.

— Madame, poursuivait le comte de Bouville, je vous consacrerais volontiers tous les jours qui me restent à vivre s'ils pouvaient vous être de quelque service. J'y aurais plaisir, je vous l'assure. Que me reste-t-il à faire en ce bas monde depuis que je suis veuf, sinon employer mes forces à servir les descendants du roi qui fut mon bienfaiteur ? Et c'est près de vous, Madame, que je me retrouve le plus auprès de lui. Vous avez toute sa force d'âme et ses manières de parler, quand il voulait bien le faire, et toute sa beauté, inaccessible au temps. Quand il fut frappé de mort, à quarante-six ans, c'est à peine s'il en paraissait plus de trente. Vous serez ainsi. Dirait-on que vous avez eu ces quatre enfants...

Un sourire éclaira les traits de la reine. Il lui était bon, entourée de tant de haines, de voir un dévouement s'offrir à elle ; il lui était doux, humiliée comme elle l'était dans ses sentiments de femme, d'entendre louer sa beauté, même si le compliment venait d'un gros homme grisonnant aux yeux de vieux chien fidèle.

— J'ai trente et un ans déjà, dit-elle, dont quinze se sont passés de la façon que vous voyez. Cela ne se marque peut-être pas au visage ; mais c'est l'âme qui porte les rides... Moi aussi, Bouville, je vous garderais volontiers près de moi, s'il était possible.

— Hélas, Madame ! Je vois ma mission finir, et sans grand succès. Le roi Édouard me l'a déjà fait entendre, par deux fois, en feignant de s'étonner, puisqu'il avait livré le Lombard au Parlement du roi de France, que je fusse encore là.

Car le prétexte officiel à l'ambassade de Bouville était la demande d'extradition d'un certain Thomas Henry, membre de l'importante compagnie des Scali, de Florence. Ce banquier, ayant affermé certaines terres de la couronne de France, en avait touché les revenus considérables mais sans payer jamais ce qu'il devait au Trésor, et finalement avait fui en Angleterre. L'affaire était sérieuse certes, mais elle aurait fort bien pu se régler par lettre, ou par l'envoi d'un maître des requêtes, sans exiger le déplacement d'un ancien grand chambellan qui siégeait au Conseil étroit. En vérité, Bouville avait été chargé de renouer une autre négociation, plus difficile.

Monseigneur Charles de Valois, oncle du roi de France et de la reine Isabelle, s'était mis en tête, l'année précédente, de marier l'une de ses dernières filles, Marie, au prince Édouard, héritier d'Angleterre. Monseigneur de Valois — qui donc pouvait l'ignorer en Europe? — était père de sept filles dont l'établissement avait toujours été pour lui l'objet de graves soucis. Ses sept filles lui venaient de trois mariages différents, Monseigneur Charles ayant eu, au cours de son existence agitée, l'infortune de rester deux fois veuf.

Il fallait avoir la cervelle claire pour ne point se perdre dans la confusion de cette descendance, et savoir, par exemple, lorsqu'on parlait de Madame Jeanne de Valois, s'il s'agissait de la comtesse de Hainaut ou bien de la comtesse de Beaumont, c'est-à-dire de la femme, depuis cinq ans, de Monseigneur Robert d'Artois. Car deux des filles, pour tout aider, portaient le même nom. Quant à Catherine, héritière du trône fantôme de Constantinople, et qui était du second lit, elle se trouvait avoir épousé en la personne de Philippe de Tarente, prince d'Achaïe, un frère aîné de la première femme de son père. Un vrai casse-tête!

A présent, c'était la première-née de son troisième mariage que Monseigneur Charles proposait à son petit-neveu d'Angleterre.

Monseigneur de Valois, au début de l'année, avait envoyé une mission composée du comte Henry de Sully, de Raoul Sevain de Jouy et de Robert Bertrand, dit «le chevalier au Vert Lion». Ces ambassadeurs, pour acquérir les faveurs du roi Édouard II, l'avaient accompagné dans une expédition contre les Écossais; mais voici qu'à la bataille de Blackmore les Anglais s'étaient enfuis, laissant les ambassadeurs français tomber aux mains de l'ennemi. On avait dû négocier leur délivrance, payer leur rançon; quand enfin, après tant de désagréables aventures, ils s'étaient trouvés relâchés, Édouard leur avait répondu, de manière dilatoire, évasive, que le mariage de son fils ne pouvait être décidé si vite, que la question était de trop grande importance pour qu'il en tranchât sans l'avis de son Parlement, que le Parlement d'ailleurs serait réuni en juin pour en discuter. Il voulait lier cette affaire à l'hommage qu'il devait rendre au roi de France pour le duché d'Aquitaine... Et puis le Parlement convoqué n'avait même pas été saisi de la question [6].

Aussi Monseigneur de Valois, impatient, s'était-il servi de la première occasion pour dépêcher le comte de Bouville dont le dévouement à la famille capétienne ne pouvait être mis en doute et qui, à défaut de génie, possédait une bonne expérience de cette sorte de missions. Bouville avait négocié naguère, à Naples, et déjà sur les instructions de Valois, le second mariage de Louis X avec Clémence de Hongrie ; il avait été curateur au ventre de cette reine, après la mort du Hutin. Mais de cette période-là, il aimait peu parler. Il avait également accompli diverses démarches en Avignon, auprès du Saint-Siège ; et sa mémoire était sans défaillance pour tout ce qui touchait aux liens de familles, à l'entrelacs infiniment compliqué des alliances dans les maisons royales. Le bon Bouville se sentait fort dépité de revenir cette fois les mains vides.

— Monseigneur de Valois, dit-il, va se mettre en grand courroux, lui qui avait déjà demandé dispense au Saint-Père pour ce mariage...

— J'ai fait ce que j'ai pu, Bouville, dit la reine, et vous avez dû juger à cela de l'importance qu'on m'accorde. Mais j'en éprouve moins de regret que vous ; je ne souhaite guère à une autre princesse de ma famille de connaître ce que je connais ici.

— Madame, répondit Bouville en baissant davantage la voix, doutez-vous de votre fils ? Il semble avoir pris de vous plutôt que de son père, grâces au Ciel !... Je vous revois au même âge, dans le jardin du palais de la Cité, ou bien à Fontainebleau...

Il fut interrompu. La porte s'était ouverte pour livrer passage au roi d'Angleterre. Celui-ci entra d'un grand pas pressé, la tête rejetée en arrière, et caressant sa barbe blonde d'un geste nerveux qui était chez lui signe d'irritation. Ses conseillers habituels le suivaient, c'est-à-dire les deux Le Despenser, père et fils, le chancelier Baldock, le comte d'Arundel et l'évêque d'Exeter. Les deux demi-frères du roi, les comtes de Kent et de Norfolk, jeunes hommes qui avaient du sang de France puisque leur mère était la propre sœur de Philippe le Bel, faisaient partie de cette suite, mais comme à contrecœur ; il en était de même pour Henry de Leicester, personnage court et carré, aux gros yeux clairs à fleur de visage, surnommé Tors-Col, à cause d'une difformité de la nuque et des épaules qui lui faisait tenir la tête complètement de travers et posait de difficiles problèmes aux armuriers chargés de forger ses cuirasses. On voyait encore, se pressant dans l'embrasure, quelques ecclésiastiques et dignitaires locaux.

— Savez-vous la nouvelle, Madame ? s'écria le roi Édouard s'adressant à la reine. Elle va certes vous contenter. Votre Mortimer s'est échappé de la Tour.

Lady Le Despenser sursauta devant l'échiquier et fit entendre une exclamation indignée comme si l'évasion du baron de Wigmore était pour elle une insulte personnelle.

La reine Isabelle n'avait pas bougé, ni d'attitude ni d'expression ; ses paupières simplement battirent un peu plus vite devant ses beaux yeux bleus, et sa main chercha furtivement, le long des plis de sa robe, la main de Lady Mortimer, comme pour inciter celle-ci à la force et au calme. Le gros Bouville s'était levé et se tenait en retrait, se sentant de trop dans cette affaire qui regardait uniquement la couronne anglaise.

— Ce n'est pas « mon » Mortimer, Sire, répondit la reine. Le Lord de Wigmore est votre sujet davantage, je crois, qu'il n'est le mien, et je ne suis pas comptable des actes de vos barons. Vous teniez celui-ci en geôle ; il a cherché à s'enfuir, c'est la loi commune.

— Ah ! Vous avouez bien par là que vous l'approuvez. Mais laissez donc paraître votre joie, Madame ! Du temps que ce Mortimer daignait se montrer à ma cour vous n'aviez d'yeux que pour lui, vous ne cessiez de vanter ses mérites, et toutes ses félonies à mon endroit, vous les mettiez au compte de sa noblesse d'âme.

— Mais n'est-ce pas vous-même, Sire mon époux, qui m'avez appris à l'aimer, du temps qu'il conquérait, à votre place et au péril de ses jours, le royaume d'Irlande... que vous avez, il semble, grand-peine à tenir sans lui. Était-ce là félonie[7] ?

Un instant démonté par cette attaque, Édouard lança vers sa femme un regard méchant et ne sut que répondre :

— Eh bien, à présent il court, votre ami, il court, et vers votre pays sans doute !

Le roi, tout en parlant, marchait à travers la pièce, pour libérer une agitation inutile. Les bijoux accrochés sur ses vêtements tressautaient à chacun de ses pas. Et les assistants tournaient la tête de droite à gauche, comme à une partie de longue paume, pour suivre son déplacement. Un fort bel homme, certes, le roi Édouard, musclé, alerte, souple, et dont le corps, entretenu par les exercices et les jeux, résistait à l'empâtement de la quarantaine toute proche ; une constitution d'athlète. Mais à l'observer avec plus d'attention, on était frappé par le manque de rides au front, comme si les soucis du pouvoir n'avaient pu s'y inscrire, par les poches qui commençaient à se former sous les yeux, par le dessin effacé de la narine, par la forme allongée du menton sous la barbe légère et frisée, non pas un menton énergique, autoritaire, ni même vraiment sensuel, mais simplement trop grand, tombant trop bas. Il y avait vingt fois plus de volonté dans le petit menton de la reine que dans cette mâchoire ovoïde dont la barbe soyeuse ne parvenait pas à couvrir la faiblesse. La main était molle qui glissait sur le visage, tournoyait en l'air, sans raison, revenait tirer sur une perle cousue aux broderies de la cotte. La voix, qui se voulait, qui se croyait impérieuse, ne donnait d'autre impression que de manquer de contrôle. Le dos, un dos large pourtant, avait de déplaisantes ondulations depuis la nuque jusqu'aux reins, comme si l'épine dorsale eût manqué de solidité. Édouard ne pardonnait pas à sa femme de lui avoir un jour conseillé d'éviter d'offrir le dos aux regards, s'il voulait inspirer le respect à ses barons. Le genou était bien net, la jambe belle ; c'était même là ce que possédait de mieux cet homme si peu fait pour sa charge, et sur lequel une couronne était tombée par une vraie mégarde du sort.

— N'ai-je pas assez de tracas, n'ai-je pas assez de tourments ?

continuait-il. Les Écossais menacent sans cesse mes frontières, envahissent mon royaume; et quand je les affronte en bataille, mes armées s'enfuient. Et comment pourrais-je les vaincre lorsque mes évêques s'entendent pour traiter avec eux, sans mon accord, lorsque j'ai tant de traîtres parmi mes vassaux, et que mes barons des Marches lèvent des troupes contre moi en s'obstinant à prétendre qu'ils ne tiennent leurs terres que de leur épée, alors que depuis beau temps, depuis vingt-cinq années, l'oublie-t-on, il en a été jugé et réglé autrement par le roi Édouard mon père! Mais on a vu à Shrewsbury, on a vu à Boroughbridge, on a vu ce qu'il en coûtait de se rebeller contre moi, n'est-ce pas, Leicester?

Henry de Leicester hocha sa grosse tête inclinée sur l'épaule. La manière était peu courtoise de lui rappeler la mort de son frère Thomas de Lancastre, décapité seize mois auparavant, en même temps que vingt autres grands seigneurs étaient pendus.

— On a vu en effet, Sire mon époux, que les seules batailles que vous pouviez gagner étaient contre vos propres barons, dit Isabelle.

A nouveau, Édouard lui jeta un regard haineux.

« Quel courage, pensait Bouville, quel courage a cette noble reine ! »

— Et il n'est point juste tout à fait, poursuivit-elle, de dire qu'ils se sont opposés à vous pour le droit de leur épée. Ne fut-ce pas plutôt pour les droits du comté de Gloucester que vous avez voulu remettre à messire Hugh?

Les deux Le Despenser se rapprochèrent l'un de l'autre, comme pour faire front. Lady Le Despenser le Jeune se dressa devant l'échiquier; elle était la fille du feu comte de Gloucester. Édouard II frappa du pied le dallage. La reine était trop irritante, à la fin, n'ouvrant la bouche que pour lui remontrer ses erreurs et ses fautes de gouvernement[8]!

— Je remets les grands fiefs à qui je veux, Madame, je les remets à qui m'aime et me sert, s'écria Édouard en posant la main sur l'épaule de Hugh le jeune. Sur qui d'autre pourrais-je m'appuyer? Où sont mes alliés? Votre frère de France, Madame, qui devrait se conduire comme le mien, puisque, après tout, c'est dans cette espérance que l'on m'a engagé à vous accueillir pour épouse, quel secours me porte-t-il? Il me requiert de venir lui rendre l'hommage pour l'Aquitaine, voilà tout son appui. Et où m'envoie-t-il sa sommation? En Guyenne? Que nenni! C'est ici, en mon royaume, qu'il me la fait délivrer, comme s'il avait mépris de toutes les coutumes féodales, ou le vouloir de m'offenser. Ne croirait-on pas qu'il se prend aussi pour le suzerain de l'Angleterre? D'abord je l'ai rendu cet hommage, je ne suis que trop allé le rendre. Une première fois à votre père, quand j'ai manqué de rôtir dans l'incendie de Maubuisson, et puis encore à votre frère Philippe, voici trois ans, quand je suis allé à Amiens. A la fréquence, Madame, où meurent les rois de votre famille, il me faudra bientôt m'installer sur le Continent !

Les seigneurs, évêques et notables du Yorkshire, dans le fond de la pièce, se regardaient entre eux, nullement effrayés mais atterrés de cette colère sans force qui s'égarait si loin de son objet, et leur découvrait, en même temps que les difficultés du royaume, le caractère du roi. Était-ce donc là le souverain qui leur demandait subsides pour son Trésor, auquel ils devaient obéissance en toutes choses, et d'aventurer leur vie quand il les requérait à ses combats ? Lord Mortimer avait eu certes quelques bonnes raisons de se rebeller...

Les conseillers intimes eux-mêmes paraissaient mal à l'aise, bien qu'ils connussent cette habitude du roi, et qui se retrouvait jusque dans sa correspondance, de refaire le compte de tous les ennuis de son règne à chaque nouveau désagrément qui survenait.

Le chancelier Baldock se frottait la pomme d'Adam, machinalement, à l'endroit où s'arrêtait sa robe d'archidiacre. L'évêque d'Exeter, Lord Trésorier, se rongeait l'ongle du pouce, à petits coups de dents, et observait ses voisins d'un regard sournois. Seul Hugh Le Despenser le Jeune, trop frisé, trop paré, trop parfumé pour un homme de trente-trois ans, montrait de la satisfaction. La main du roi posée sur son épaule prouvait à tous son importance et sa puissance.

Le nez bref, la lèvre sinueuse, abaissant et relevant le menton comme un cheval au piaffer, il approuvait chaque déclaration d'Édouard d'un petit raclement de gorge, et son visage semblait dire : « Cette fois la coupe est pleine, nous allons prendre des mesures sévères ! » Il était maigre, long de taille, assez étroit de torse, et avait une mauvaise peau, sujette aux inflammations.

— Messire de Bouville, dit soudain le roi Édouard se retournant contre l'ambassadeur, vous répondrez à Monseigneur de Valois que le mariage qu'il nous a proposé, et dont nous avons apprécié tout l'honneur, décidément ne se fera pas. Nous avons d'autres vues pour notre fils aîné. Ainsi en sera-t-il terminé avec une déplorable coutume qui veut que les rois d'Angleterre prennent leurs épouses en France, sans qu'il leur en vienne jamais aucun bienfait.

Le gros Bouville pâlit sous l'affront et s'inclina. Il adressa à la reine un regard désolé, et sortit.

Première conséquence, et bien imprévue, de l'évasion de Roger Mortimer : le roi d'Angleterre rompait avec les alliances traditionnelles. Il avait voulu, par ce trait, blesser sa femme ; mais il avait blessé en même temps ses demi-frères Norfolk et Kent dont la mère était française. Les deux jeunes gens regardèrent leur cousin Tors-Col, lequel haussa un peu plus l'épaule, d'un mouvement d'indifférence résignée. Le roi venait, sans réflexion, de s'aliéner à jamais le puissant comte de Valois dont chacun savait qu'il gouvernait la France au nom de son neveu Charles le Bel.

Le jeune prince Édouard, toujours près de la fenêtre, immobile et silencieux, observait sa mère, jugeait son père. C'était de son mariage, après tout, qu'il s'agissait, et dans lequel il n'avait mot à dire. Mais si on lui avait demandé ses préférences entre son sang d'Angleterre et celui de France, il eût penché pour ce dernier.

Les trois plus jeunes enfants avaient cessé de jouer ; la reine fit signe aux chambrières qu'on les éloignât.

Puis, très calmement, les yeux dans ceux du roi, elle dit :

— Quand un époux hait son épouse, il est naturel qu'il la tienne pour responsable de tout.

Édouard n'était pas homme à répondre de front.

— Toute ma garde de la Tour enivrée à mort, cria-t-il, le lieutenant envolé avec ce félon, et mon constable malade à périr de la drogue dont on l'a abreuvé ! A moins qu'il ne feigne la maladie, le traître, pour éviter le châtiment qu'il mérite ! Car c'était à lui de veiller à ce que mon prisonnier ne s'échappât ; vous entendez, Winchester ?

Hugh Le Despenser le père, depuis un an comte de Winchester, et qui était responsable de la nomination du constable Seagrave, se courba au passage de l'orage. Il avait l'échine étroite et maigre, avec une voussure en partie naturelle et en partie acquise dans une longue carrière de courtisan. Ses ennemis l'avaient surnommé « la belette ». La cupidité, l'envie, la lâcheté, l'égoïsme, la fourberie, et de plus toutes les délectations que peuvent procurer ces vices, semblaient s'être logés dans les rides de son visage et sous ses paupières rougies. Pourtant il ne manquait pas de courage ; mais il ne se connaissait de sentiments humains qu'envers son fils et quelques rares amis, dont Seagrave, précisément, faisait partie.

— My Lord, prononça-t-il d'une voix calme, je suis certain que Seagrave n'est en rien coupable...

— Il est coupable de négligence et de paresse ; il est coupable de s'être laissé berner ; il est coupable de n'avoir rien deviné du complot qui se montait sous son nez ; il est coupable de malchance peut-être... Je ne pardonne pas la malchance. Bien que Seagrave soit de vos protégés, Winchester, il sera châtié ; on ne dira donc point que je ne tiens pas la balance égale, et que mes faveurs ne vont qu'à vos créatures. Seagrave remplacera le Lord de Wigmore en prison. Ses successeurs, ainsi, veilleront à faire meilleure garde. Voilà, mon fils, comment l'on gouverne ! ajouta le roi en s'arrêtant devant l'héritier du trône.

L'enfant leva les yeux vers lui et les rabaissa aussitôt.

Hugh le jeune, qui savait assez bien faire dévier les colères du roi, renversa la tête en arrière et dit, en regardant les poutres du plafond:

— Celui qui par trop vous nargue, cher Sire, est l'autre félon, cet évêque Orleton qui a tout apprêté de sa main et paraît vous redouter si peu qu'il n'a pas même pris la peine de s'enfuir ou de se cacher.

Édouard regarda Hugh le Jeune avec reconnaissance et admiration. Comment pouvait-on ne pas être ému par la vue de ce profil, par ces belles attitudes que Hugh prenait en parlant, par cette voix haute, bien modulée, et puis cette manière, à la fois tendre et respectueuse, qu'il avait pour dire : « Cher Sire », à la française, comme autrefois le gentil Gaveston que les barons et les évêques avaient tué... Mais à présent Édouard était un homme mûr, averti de la méchanceté des hommes, et qui savait qu'on ne gagnait pas à composer. On ne le séparerait pas de Hugh, et tous ceux qui voudraient s'opposer seraient frappés à tour de rôle, impitoyablement...

— Je vous annonce, mes Lords, que l'évêque Orleton sera traduit devant mon Parlement pour y être jugé et condamné.

Édouard croisa les bras et attendit l'effet de ses paroles. L'archidia-cre-chancelier et l'évêque-trésorier, bien qu'ils fussent les pires ennemis d'Orleton, avaient sursauté, par solidarité de gens d'Église.

Henry Tors-Col, homme sage et pondéré qui, pensant au bien du royaume, ne pouvait s'empêcher de rappeler le roi à la raison, fit observer calmement qu'un évêque ne pouvait être traduit que devant une juridiction ecclésiastique constituée par ses pairs.

— Il faut un début à toutes choses, Leicester. La conspiration contre les rois n'est pas, que je sache, enseignée par les saints Évangiles. Puisque Orleton oublie ce qu'il faut rendre à César, César s'en souviendra pour lui. Encore une des grâces que je dois à votre famille, Madame, continua le roi à l'adresse d'Isabelle, puisque c'est votre frère Philippe Le Cinquième qui a fait nommer par son pape français, et contre mon vouloir, cet Adam Orleton à l'évêché de Hereford. Soit ! Il sera le premier prélat à être condamné par la justice royale, et son châtiment sera exemplaire.

— Orleton ne vous était point hostile, naguère, mon cousin, insista Tors-Col, et il n'aurait eu aucune raison de le devenir si vous ne vous étiez pas opposé, ou si l'on ne s'était opposé dans votre Conseil, à ce que le Saint-Père lui donnât la mitre. C'est un homme de grand savoir et d'âme forte. Peut-être pourriez-vous aujourd'hui, justement parce qu'il est coupable, vous le rallier plus facilement par un acte de mansuétude que par une action de justice qui va, entre tous vos embarras, attiser l'hostilité du clergé.

— Mansuétude, clémence ! Chaque fois que l'on me nargue, chaque fois que l'on me provoque, chaque fois que l'on me trahit, vous n'avez que ces mots à la bouche, Leicester ! On m'a conseillé, et j'ai eu grand tort d'écouter les avis, on m'a supplié de gracier Wigmore ! Avouez donc que si j'en avais usé avec lui comme avec votre frère, ce rebelle aujourd'hui ne serait pas en train de courir les chemins.

Tors-Col haussa sa grosse épaule, ferma les yeux, et eut une moue lassée. Combien était irritante, chez Édouard, cette habitude qu'il croyait royale d'appeler ses parents ou ses principaux conseillers par les noms de leurs comtés, et de s'adresser à son cousin germain en lui criant « Leicester », au lieu de dire simplement « mon cousin », comme chacun dans la famille royale le faisait, comme la reine elle-même. Et ce mauvais goût de rappeler, à tout propos, la mort de Thomas de Lancastre, comme s'il en tirait gloire! Ah! l'étrange homme et le mauvais roi qui s'imaginait pouvoir décapiter ses proches parents sans s'attirer de ressentiment, qui croyait qu'une embrassade suffisait à effacer un deuil, qui exigeait le dévouement de ceux-là mêmes qu'il avait blessés, et voulait trouver partout fidélité alors qu'il n'était lui-même que cruelle inconséquence!

— Sans doute avez-vous raison, my Lord, dit Tors-Col, et puisque vous régnez depuis seize ans, vous devez savoir ajuster vos actes. Traduisez donc votre évêque devant le Parlement. Je n'y mettrai point d'obstacles.

Et il ajouta entre les dents, pour n'être entendu que du jeune comte de Norfolk :

— Ma tête est de travers, certes, mais je tiens toutefois à la garder où elle se trouve.

— Car c'est me narguer, vous en conviendrez, continuait Édouard en fouettant l'air de la main, que de s'évader en perçant les murs d'une tour que j'ai fait moi-même construire, pour qu'on ne s'en échappe pas.

— Peut-être, Sire mon époux, dit la reine, vous êtes-vous plus occupé quand vous la bâtissiez de la gentillesse des maçons que de la solidité de la pierre.

Le silence tomba d'un coup sur l'assistance. La pointe était brutale et soudaine. Chacun retenait son souffle et regardait, qui avec déférence, qui avec haine, cette femme de formes assez fragiles, droite sur son siège, seule, et qui tenait tête de telle façon. Les lèvres un peu écartées, la bouche entrouverte, elle découvrait ses dents fines, pressées les unes contre les autres, de petites dents carnassières, bien coupantes. Isabelle était visiblement satisfaite du coup qu'elle venait de porter.

Hugh le Jeune était devenu écarlate ; Hugh le père feignait de n'avoir pas entendu.

Édouard allait se venger certainement ; mais de quelle manière ? La riposte tardait à venir. La reine observait les gouttelettes de sueur qui perlaient au front de son mari. Rien ne répugne davantage à une femme que la sueur d'un homme qu'elle a cessé d'aimer.

— Kent, cria le roi, je vous ai fait gardien des Cinque Ports et gouverneur de Douvres. Que gardez-vous en ce moment ? Pourquoi n'êtes-vous pas sur les côtes que vous avez à commander et sur lesquelles notre félon doit chercher à s'embarquer ?

— Sire mon frère, dit le jeune comte de Kent tout éberlué, c'est vous qui m'avez donné ordre de vous accompagner en votre voyage...

— Eh bien, à présent, je vous en donne un autre qui est de rejoindre votre comté, d'en faire battre les bourgs et les campagnes à la recherche du fugitif, et de veiller vous-même à ce qu'on visite tous les bateaux qui seront dans les ports.

— Qu'on mette des espions à bord des bâtiments et qu'on prenne ledit Mortimer, vif ou mort, s'il venait à y monter, dit Hugh le jeune.

— C'est justement conseillé, Gloucester, approuva Édouard. Quant à vous, Stapledon...

L'évêque d'Exeter ôta son pouce de ses dents et murmura :

— My Lord...

— Vous allez à toute hâte regagner Londres ; vous irez à la Tour sous la raison d'y vérifier le Trésor ; vous prendrez la Tour sous votre commandement et surveillance jusqu'à ce qu'un nouveau constable soit nommé. Baldock établira sur l'heure, pour l'un et l'autre, les commissions qui vous feront obéir.

Henry Tors-Col, les yeux vers la fenêtre et l'oreille contre l'épaule, semblait rêver. Il calculait... Il calculait que six jours s'étaient écoulés depuis l'évasion de Mortimer, qu'il en faudrait huit au moins pour que les ordres commencent à entrer en exécution, et qu'à moins d'être un fol, ce qui n'était naturellement pas le cas de Mortimer, celui-ci aurait à coup sûr quitté le royaume[9]. Il se félicitait aussi de s'être solidarisé avec la plupart des évêques et des seigneurs qui, après Boroughbridge, avaient obtenu la vie sauve pour le baron de Wigmore. Car, à présent que celui-ci s'était évadé, l'opposition aux Despensers allait peut-être retrouver le chef qui lui manquait depuis la mort de Thomas de Lancastre, un chef de plus d'efficace, plus habile et plus fort que ne l'avait été Thomas...

Le dos royal ondula ; Édouard pivota sur les talons pour se replacer face à sa femme.

— Eh, si ! Madame ; je vous tiens justement pour responsable. Et d'abord lâchez cette main que vous ne cessez de serrer depuis que je suis entré ! Lâchez la main de Lady Jeanne ! cria Édouard en frappant le sol du pied. C'est fournir caution à un traître que de mettre tant d'ostentation à en garder l'épouse auprès de soi. Ceux qui ont aidé à l'évasion de Mortimer pensaient bien qu'ils avaient l'agrément de la reine... Et puis on ne s'évade pas sans argent ; les trahisons se payent, les murs se percent avec de l'or. De la reine à sa dame de parage, de la dame de parage à l'évêque, de l'évêque au rebelle, le chemin est facile. Il va me falloir vérifier plus étroitement votre cassette.

— Sire mon époux, je crois que ma cassette est assez bien contrôlée, dit Isabelle en désignant Lady Le Despenser.

Hugh le Jeune semblait s'être soudain désintéressé du débat. Enfin la colère du roi se tournait, comme à l'habitude, contre la reine, et Hugh se sentait un peu plus triomphant. Il prit un livre qui se trouvait là et que lady Mortimer lisait à la reine avant l'entrée du comte de Bouville. C'était un recueil des lais de Marie de France ; le signet de soie marquait ce passage :

> *En Lorraine ni en Bourgogne,*
> *Ni en Anjou ni en Gascogne,*
> *En ce temps ne pouvait trouver*
> *Si bon ni si grand chevalier.*
> *Sous ciel n'était dame ou pucelle,*
> *Qui tant fut noble et tant fut belle*
> *Qui n'en voulut amour avoir...* [10]

« La France, toujours la France... Elles ne lisent que ce qui touche à ce pays, se disait Hugh. Et quel est dans leur pensée ce chevalier dont elles rêvent ? Le Mortimer, sans doute... »

— My Lord, je ne surveille pas les aumônes, dit Aliénor Le Despenser.

Le favori releva les yeux et sourit. Il féliciterait sa femme pour ce trait.

— Je vois donc qu'il me faudra aussi renoncer aux aumônes, dit Isabelle. Il ne me restera bientôt plus rien d'une reine, pas même la charité.

— Et il faudra aussi, Madame, pour l'amour que vous me portez et que chacun voit, poursuivit Édouard, vous séparer de Lady Mortimer, car nul ne comprendrait plus dans le royaume qu'elle restât auprès de vous désormais.

Cette fois, la reine pâlit et se tassa un peu sur son siège. Les grandes mains nettes de Lady Jeanne se mirent à trembler.

— Une épouse, Édouard, ne peut être tenue de partager en tout les actes de son époux. J'en suis assez bien l'exemple. Veuillez croire que Lady Mortimer est aussi peu associée aux fautes de son mari que je le suis moi-même à vos péchés, s'il vous arrive d'en commettre !

Mais cette fois, l'attaque ne réussit pas.

— Lady Jeanne se rendra au château de Wigmore, lequel sera désormais sous la surveillance de mon frère Kent, et ceci jusqu'à ce que j'aie résolu ce qu'il me plaira de faire des biens d'un traître dont je ne veux plus que le nom soit prononcé en ma présence... avant la sentence de mort. Je pense, Lady Jeanne, que vous préférerez vous retirer de gré plutôt que de force.

— Allons, dit Isabelle, je vois que l'on me veut tout à fait seule.

— Que parlez-vous de solitude, Madame ! dit Hugh le Jeune de sa belle voix modulée. Ne sommes-nous pas tous vos amis fidèles, étant

ceux du roi ? Et madame Aliénor, ma dévouée femme, ne vous est-elle
pas de constante compagnie ? C'est un joli livre que vous possédez là,
ajouta-t-il en montrant le volume, et finement enluminé ; me ferez-vous
la grâce de me le prêter ?

— Mais certes, certes, la reine vous le prête ! dit le roi. N'est-ce pas,
Madame, que vous nous faites le plaisir de prêter ce livre à notre ami
Gloucester ?

— Bien volontiers, Sire mon époux, bien volontiers. Et je sais,
quand il s'agit de notre ami Le Despenser, ce que prêter veut dire. Il
y a dix ans que je lui ai prêté ainsi mes perles, et vous voyez qu'il les
porte toujours au cou.

Elle ne désarmait pas, mais le cœur lui battait à grands coups dans
la poitrine. Elle allait être seule désormais à supporter les quotidiennes
blessures. Mais si un jour elle parvenait à se venger, elle n'oublierait
rien.

Hugh le Jeune posa le livre sur un coffre et fit un signe d'intelligence
à sa femme. Les lais de Marie de France iraient rejoindre le fermail d'or
à lions de pierreries, les trois couronnes d'or, les quatre couronnes
enrichies de rubis et d'émeraudes, les cent vingt cuillers d'argent, les
trente grands plats, les dix hanaps d'or, la garniture de chambre en drap
d'or losangé, le char pour six chevaux, le linge, les bassins d'argent, les
harnais, les ornements de chapelle, toutes ces choses merveilleuses,
dons de son père ou de ses proches, qui avaient formé la corbeille de
noces de la reine, et qui étaient passées aux mains des amants
d'Édouard, à Gaveston d'abord, au Despenser ensuite. Même le grand
manteau de drap de Turquie, tout brodé, et qu'elle portait le jour de
son mariage, lui avait été enlevé !

— Allons, mes Lords, dit le roi en frappant des mains, qu'on se hâte
aux tâches que j'ai données et que chacun veille à son devoir.

C'était l'expression habituelle, une formule encore qu'il croyait
royale, par laquelle il marquait la fin de ses Conseils. Il sortit, et chacun
à sa suite, et la pièce se dépeupla.

L'ombre commençait à descendre dans le cloître du prieuré de
Kirkham et, avec l'ombre, un peu de fraîcheur entrait par les fenêtres.
La reine Isabelle et Lady Mortimer n'osaient prononcer un mot, de
peur de se mettre à pleurer. Seraient-elles jamais à nouveau réunies, et
quel sort, à chacune, était-il promis ?

Le jeune prince Édouard, les yeux baissés, vint se placer silencieusement derrière sa mère, comme s'il voulait remplacer l'amitié qu'on
arrachait à la reine.

Lady Le Despenser s'approcha pour prendre le livre qui avait plu à
son mari, un beau livre, dont la reliure de velours était rehaussée de
pierreries. Il y avait longtemps que l'ouvrage excitait sa convoitise.
Comme elle allait s'en saisir, le jeune prince Édouard y abattit la main.

— Ah, non! mauvaise femme, dit-il, vous n'aurez pas tout!

La reine écarta la main du prince, prit le livre et le tendit à son ennemie. Puis elle se retourna vers son fils avec un furtif sourire qui découvrit à nouveau ses dents de petit carnassier. Un enfant de onze ans ne pouvait être encore de grand secours; mais, tout de même, il s'agissait du prince héritier.

III

UN NOUVEAU CLIENT
POUR MESSER TOLOMEI

Le vieux Spinello Tolomei, dans son cabinet de travail, au premier étage, écarta le bas d'une tapisserie et, poussant un petit volet de bois, démasqua une ouverture secrète qui lui permettait de surveiller ses commis dans la galerie du rez-de-chaussée. Par cet « espion » d'invention florentine, dissimulé dans les poutres, messer Tolomei pouvait voir tout ce qui se passait, et entendre tout ce qui se disait dans son établissement de banque et de négoce. Pour l'heure, il constata les signes d'une certaine confusion. Les flammes des lampes à trois becs vacillaient sur les comptoirs, et les employés s'étaient arrêtés de pousser des jetons de cuivre sur les damiers qui leur servaient à calculer. Une aune à mesurer l'étoffe tomba sur le pavement avec fracas ; les balances oscillaient sur les tables des changeurs sans que personne y eût touché. Les pratiques s'étaient retournées vers la porte et les maîtres commis se tenaient la main sur la poitrine, déjà ployés pour une révérence.

Messer Tolomei sourit, devinant à tout ce trouble que le comte d'Artois venait de pénétrer chez lui. D'ailleurs, au bout d'un instant, il vit, au travers de l'« espion », apparaître un immense chaperon à crête de velours rouge, des gants rouges, des bottes rouges dont les éperons sonnaient, un manteau d'écarlate qui se déployait derrière des épaules de géant. Seul Monseigneur Robert d'Artois avait cette manière fracassante d'entrer, de faire trembler le personnel dès son apparition, cette façon de pincer au passage le sein des bourgeoises, sans que les maris osassent même bouger, et d'ébranler les murs, semblait-il, rien qu'en respirant.

De tout cela, le vieux banquier s'émouvait peu. Il connaissait Robert d'Artois de trop longue date. Il l'avait observé trop de fois ; et à le considérer ainsi, d'en haut, il distinguait tout ce qu'il y avait d'outré, de forcé, d'ostentatoire dans les gestes de ce seigneur. Parce que la nature l'avait doté de proportions physiques exceptionnelles, Monseigneur d'Artois jouait à l'ogre. En fait, c'était un rusé, un matois. Et puis Tolomei tenait les comptes de Robert...

Le banquier fut davantage intéressé par le personnage qui accompagnait d'Artois, un seigneur entièrement vêtu de noir, à la démarche assurée, mais à l'air réservé, distant, assez hautain.

Les deux visiteurs s'étaient arrêtés devant le comptoir aux armes et aux harnais, et Monseigneur d'Artois promenait son énorme gant rouge parmi les poignards, les miséricordes, les modèles de gardes d'épées, bousculait les tapis de selle, les étriers, les mors incurvés, les rênes découpées, dentelées, brodées. Le commis aurait une bonne heure de travail pour remettre en place son étalage. Robert choisit une paire d'éperons de Todèle, à longues pointes, et dont la talonnière était haute et recourbée en arrière afin de protéger le tendon d'Achille quand le pied exerçait une pression violente contre le flanc du cheval ; une invention judicieuse et sûrement bien utile en tournoi. Les branches de l'éperon étaient décorées de fleurs et de rubans, avec la devise « Vaincre » gravée en lettres rondes dans l'acier doré.

— Je vous en fais présent, mon Lord, dit le géant au seigneur en noir. Il ne vous reste qu'à choisir la dame qui vous les bouclera aux pieds. Cela ne tardera guère ; les dames de France s'enflamment vite à ce qui vient de loin... Vous pouvez vous munir ici de tout ce que vous souhaitez, continua-t-il en montrant la galerie. Mon ami Tolomei, maître usurier et renard de négoce, vous fournira tout ; quoi qu'on lui demande, je ne l'ai jamais vu pris au dépourvu. Voulez-vous faire don d'une chasuble à votre chapelain ? Il en a trente à choisir... D'une bague à votre bien-aimée ? Il a des pierres plein ses coffres... Vous plaît-il de parfumer les filles avant de les conduire au déduit ? Il vous donnera un musc qui vient directement des marchés d'Orient... Cherchez-vous une relique ? Il en tient trois armoires... Et en plus, il vend l'or pour acheter tout cela ! Il possède monnaies frappées à tous les coins d'Europe, dont vous voyez les changes, là, marqués sur ces ardoises. Il vend des chiffres, voilà surtout ce qu'il vend : comptes de fermages, intérêts de prêts, revenus de fiefs... Derrière toutes ces petites portes, il a des commis qui additionnent, qui retiennent. Que ferions-nous sans cet homme-là qui s'enrichit de notre peu d'habileté à compter ? Montons chez lui.

Bientôt, les marches de bois de l'escalier à vis gémirent sous le poids de Robert d'Artois. Messer Tolomei repoussa le volet de l'« espion » et laissa retomber la tapisserie.

La pièce où entrèrent les deux seigneurs était sombre, somptueusement décorée de meubles lourds, de gros objets d'argent, et tendue de tapis à images qui étouffaient les bruits ; elle sentait la chandelle, l'encens, les épices de table, et les herbes de médecine. Entre les richesses qui l'emplissaient, s'étaient accumulés tous les parfums d'une vie.

Le banquier s'avança. Robert d'Artois qui ne l'avait pas vu depuis de nombreuses semaines — près de trois mois pendant lesquels il avait dû accompagner son cousin le roi de France, en Normandie d'abord à la fin d'août, puis en Anjou pendant tout l'automne — trouva le Siennois vieilli. Ses cheveux blancs étaient plus clairsemés, plus légers sur le col de sa robe; le temps avait planté ses griffes sur son visage; les pommettes étaient marquées comme par les pattes d'un oiseau; les bajoues s'étaient affaissées et ballottaient sous le menton; la poitrine était plus maigre et le ventre plus gros; les ongles taillés ras s'ébréchaient. L'œil gauche, le fameux œil gauche de messer Tolomei, toujours aux trois quarts clos, conservait au visage une expression de vivacité et de malice; mais l'autre œil, l'œil ouvert, avait le regard un peu distrait, absent, fatigué, d'un homme usé et moins soucieux du monde extérieur qu'attentif aux troubles, aux lassitudes qui habitent un vieux corps proche de sa fin.

— Ami Tolomei, s'écria Robert d'Artois, en ôtant ses gants qu'il jeta, flaque sanglante, sur une table, ami Tolomei, je vous conduis une nouvelle fortune.

Le banquier désigna des sièges à ses visiteurs.

— Combien va-t-elle me coûter, Monseigneur? répondit-il.

— Allons, allons, banquier, dit Robert d'Artois, vous ai-je jamais fait faire de mauvais placements?

— Jamais, Monseigneur, jamais, je le reconnais. Les échéances ont parfois été un peu retardées, mais enfin, Dieu m'ayant accordé une assez longue vie, j'ai pu recueillir les fruits de la confiance dont vous m'avez honoré. Mais imaginez, Monseigneur, que je sois mort, comme tant d'autres, à cinquante ans? Eh bien! grâce à vous, je serais mort ruiné!

La boutade amusa Robert dont le sourire, dans une face large, découvrit des dents courtes, solides, mais sales.

— Avez-vous jamais perdu avec moi? répondit-il. Rappelez-vous comme je vous ai fait jouer naguère Monseigneur de Valois contre Enguerrand de Marigny! Et voyez aujourd'hui où est Charles de Valois, et comment Marigny a terminé ses mauvais jours. Ce que vous m'avez avancé pour ma guerre d'Artois, ne vous l'ai-je pas intégralement remboursé? Je vous sais gré, banquier, oui, je vous sais gré de m'avoir toujours soutenu, et au plus fort de mes misères; car j'étais un moment ligoté de dettes, continua-t-il en se tournant vers le seigneur en noir; je n'avais plus de terres, sinon ce comté de Beaumont-le-Roger, mais dont le Trésor ne me payait pas les revenus, et mon aimable cousin Philippe le Long — que Dieu garde son âme en quelque enfer! —

m'avait enfermé au Châtelet. Eh bien! ce banquier que vous voyez là, mon Lord, cet usurier, ce maître coquin parmi les plus coquins que toute la Lombardie ait jamais produits, cet homme qui prendrait en gage un enfant dans le sein de sa mère, ne m'a jamais abandonné! C'est pourquoi aussi longtemps qu'il vive, et il vivra longtemps...

Messer Tolomei fit les cornes avec les doigts de la main droite et toucha le bois de la table.

— Si, si, usurier de Satan, vous vivrez longtemps encore, je vous le dis... Eh bien! c'est pourquoi cet homme-là sera toujours mon ami, foi de Robert d'Artois. Et il a eu raison car il me voit aujourd'hui gendre de Monseigneur de Valois, siégeant au Conseil du roi, et nanti, enfin, des revenus de mon comté. Messer Tolomei, le seigneur que vous avez devant vous est Lord Mortimer, baron de Wigmore.

— Évadé de la tour de Londres depuis le premier août, dit le banquier en inclinant le front. Grand honneur, my Lord, grand honneur.

— Eh quoi? s'écria d'Artois. Vous savez donc?

— Monseigneur, dit Tolomei, le baron de Wigmore est trop haut personnage pour que nous ne soyons pas informés. Je sais même, my Lord, que lorsque le roi Édouard a donné l'ordre à ses shérifs des côtes de vous rechercher et arrêter, vous étiez déjà embarqué, hors d'atteinte de la justice anglaise. Je sais que lorsqu'il a fait fouiller toutes les partances pour l'Irlande, et saisir tous les courriers provenant de France, vos amis à Londres et dans toute l'Angleterre étaient déjà informés de votre sauve arrivée chez votre cousin, messire Jean de Fiennes, en Picardie. Je sais enfin que lorsque le roi Édouard a ordonné à messire de Fiennes de vous livrer, menaçant de lui confisquer les terres qu'il possède outre-Manche, ce seigneur, qui est grand partisan et soutien de Monseigneur Robert, vous a tout aussitôt dirigé vers celui-ci. Je ne peux point dire que je vous attendais, my Lord, je vous espérais; car Monseigneur d'Artois m'est fidèle, comme il vous l'a dit, et ne manque jamais de penser à moi quand il a un ami en peine.

Roger Mortimer avait écouté le banquier avec attention.

— Je vois, messer, répondit-il, que les Lombards ont de bons espions à la cour d'Angleterre.

— Pour vous servir, my Lord... Vous n'ignorez pas que le roi Édouard a une forte dette envers nos compagnies. Lorsqu'on a une créance, on la surveille. Et votre roi, depuis beau temps, a cessé d'honorer son sceau, au moins à notre égard. Il nous a fait répondre par son trésorier, Monseigneur l'évêque d'Exeter, que les mauvaises recettes des tailles, les lourdes charges de ses guerres et les menées de ses barons ne lui permettent pas de faire mieux. Pourtant l'impôt qu'il fait peser sur nos marchandises, rien qu'au port de Londres, lui devrait être suffisant pour s'acquitter.

Un valet venait d'apporter l'hypocras et les dragées qu'on offrait toujours aux visiteurs d'importance. Tolomei versa dans les gobelets le vin aux aromates, ne se servant à lui-même qu'un doigt de la liqueur.

— Le Trésor de France paraît, pour l'heure, en meilleure santé que celui d'Angleterre, ajouta-t-il. Connaît-on déjà, Monseigneur Robert, quel en sera à peu près le solde pour l'année?

— S'il ne survient pas, dans le mois à couler, quelque calamité soudaine, peste, famine, mariage ou funérailles d'un de nos royaux parents, les recettes passeront de douze mille livres les dépenses, ceci d'après les chiffres que messire Miles de Noyers, maître de la Chambre aux Comptes, a avancés ce matin au Conseil. Douze mille livres de recettes! Ce n'est pas au temps des Philippe, le Quatrième et le Cinquième... fasse Dieu que la liste en soit close... que l'on avait si bon Trésor.

— Comment parvenez-vous, Monseigneur, à connaître un Trésor en surplus de recettes? demanda Mortimer. Est-ce dû à l'absence de guerre?

— L'absence de guerre, d'une part, et en même temps la guerre, la guerre que l'on prépare et que l'on ne fait pas. Ou pour dire mieux, la croisade. Je dois dire que mon cousin et beau-père Charles de Valois utilise la croisade comme nul autre! N'allez pas croire que je le tiens pour mauvais chrétien! Certes, il désire de grand cœur délivrer l'Arménie des Turcs, comme il désire tout également rétablir cet empire de Constantinople dont il porta naguère la couronne sans en pouvoir occuper le trône. Mais enfin, une croisade, cela ne se monte pas en un jour! Il faut armer des navires, faire forger des armes; il faut surtout trouver des croisés, négocier en Espagne, négocier en Allemagne... Et le premier pas pour tout cela, c'est d'obtenir du pape une dîme sur le clergé. Mon cher beau-père a obtenu la dîme, et à présent, pour nos gênes de Trésor, c'est le pape qui paye.

— Eh là! Monseigneur, vous m'intéressez fort, dit Tolomei. C'est que je suis le banquier du pape... pour un quart, avec les Bardi, mais enfin ce quart-là est déjà gros! et si le pape s'appauvrissait par trop...

D'Artois, qui prenait une bonne lampée d'hypocras, pouffa dans son gobelet d'argent et fit signe qu'il s'étranglait.

— S'appauvrir, le Très Saint-Père? s'écria-t-il quand il eut avalé. Mais il est riche à centaines de milliers de florins. Ah! voilà un homme qui vous en remontrerait, Spinello; quel grand banquier il eût fait, s'il n'était entré en clergie! Car il a trouvé le Trésor papal plus vide que ne l'était ma poche, il y a six ans...

— Je sais, je sais, murmura Tolomei.

— C'est que les curés, voyez-vous, sont les meilleurs collecteurs d'impôts que Dieu ait jamais mis sur terre, et c'est bien ce qu'a compris Monseigneur de Valois. Au lieu de forcer les tailles, dont les receveurs sont détestés, on fait quêter par les curés et l'on recueille la dîme. On se croisera, on se croisera... un jour! En attendant, c'est le pape qui paye, sur la tonte des ouailles.

Tolomei se frottait la jambe droite, doucement; depuis quelque temps, il éprouvait une sensation de froid dans cette jambe-là, et quelques douleurs aussi en marchant.

— Vous disiez donc, Monseigneur, qu'il y a eu Conseil ce matin. Y a-t-on pris ordonnances de grand intérêt? demanda-t-il.

— Oh! comme de coutume. On a débattu du prix des chandelles et défendu de mêler le suif à la cire, comme aussi de brasser les vieilles confitures avec les nouvelles. Pour toutes marchandises vendues en enveloppes, le poids des sacs devra être déduit et non compté dans le prix; ceci pour complaire au commun peuple, et lui montrer qu'on s'occupe de lui.

Tolomei, tout en écoutant, observait ses deux visiteurs. Ils lui paraissaient l'un et l'autre très jeunes; Robert d'Artois avait combien? trente-cinq, trente-six ans... et l'Anglais n'en montrait guère plus. Tous les hommes au-dessous de la soixantaine lui semblaient étonnamment jeunes! Combien de choses encore ils avaient à faire, combien d'émois à ressentir, de combats à livrer, d'espoirs à poursuivre, et combien de matins à connaître que lui ne connaîtrait pas! Combien de fois ces deux hommes-là se réveilleraient, respireraient l'air d'un jour neuf quand lui-même serait sous terre!

Et quel genre de personnage était Lord Mortimer? Ce visage bien taillé, aux sourcils épais, ces paupières coupées droit sur des yeux couleur de pierre, et puis le vêtement sombre, la façon de croiser les bras, l'assurance hautaine, silencieuse d'un homme qui a été au faîte de la puissance et qui tient à conserver toute sa dignité dans l'exil, ce geste même, machinal, que Mortimer avait pour passer le doigt sur la courte cicatrice blanche qui lui marquait la lèvre, tout plaisait au vieux Siennois. Et Tolomei eut envie que ce seigneur-là redevînt heureux! Il venait à Tolomei, depuis quelque temps, le goût de penser aux autres.

— L'ordonnance sur la sortie des monnaies, demanda-t-il, doit-elle être prochainement promulguée, Monseigneur?

Robert d'Artois eut une hésitation à répondre.

— A moins, peut-être, que vous n'en soyez pas averti... ajouta Tolomei.

— Mais certes, certes, j'en suis averti. Vous savez bien que rien ne se fait sans que le roi, et surtout Monseigneur de Valois, ne requièrent mon conseil. L'ordonnance sera scellée dans deux jours : nul ne pourra porter hors du royaume monnaie d'or ou d'argent frappée au coin de France. Les pèlerins seuls pourront se munir de quelques petits tournois.

Le banquier feignit de ne pas attacher plus d'importance à cette nouvelle qu'au prix des chandelles ou aux mélanges de confitures. Mais déjà il avait pensé: «Donc les monnaies étrangères seront seules admises à sortir du royaume; donc elles vont croître de valeur... De quelle aide, dans notre métier, nous sont les bavards, et comme les vantards nous offrent pour rien ce qu'ils pourraient nous vendre si cher!»

— Ainsi, my Lord, reprit-il, en se tournant vers Mortimer, vous comptez donc vous établir en France? Qu'attendez-vous de moi?

Ce fut Robert qui répondit:

— Ce qu'il faut à un grand seigneur pour tenir son rang. Vous avez assez l'habitude, Tolomei!

Le banquier agita une clochette. Au valet qui entra, il demanda son grand livre, et ajouta:

— Si messer Boccace n'est point encore parti, dis-lui qu'il veuille m'attendre.

Le livre fut apporté, un gros recueil à couverture de cuir noir patiné, et dont les feuilles de vélin tenaient assemblées par des broches mobiles. On pouvait à volonté ajouter des feuillets. Ce procédé permettait à messer Tolomei de réunir les comptes de ses gros clients, dans l'ordre des lettres de l'alphabet, au lieu d'avoir à rechercher des pièces éparpillées. Le banquier posa le recueil sur ses genoux, l'ouvrit avec quelque cérémonie.

— Vous allez vous trouver en bonne compagnie, my Lord, dit-il. Voyez: à tout seigneur tout honneur... Mon livre commence par le comte d'Artois... Vous avez beaucoup de feuillets, Monseigneur, ajouta-t-il avec un petit rire adressé à Robert. Et puis voici le comte de Bar, le comte de Boulogne, Monseigneur de Bourbon... Madame la reine Clémence...

Le banquier eut un hochement de tête déférent.

— Ah! Elle nous a causé bien du souci après la mort du roi Louis Dixième; on eût dit que le deuil lui avait donné une fringale de dépenses. Le Très Saint-Père lui-même lui a écrit, pour l'exhorter à la modération, et elle a dû placer ses bijoux en gage, chez moi, afin d'acquitter ses dettes. A présent, elle vit en l'hôtel du Temple qui lui a été échangé contre le donjon de Vincennes; elle touche son douaire, et paraît avoir retrouvé la paix.

Il continuait de tourner les pages qui bruissaient sous sa main. Il avait une façon fort habile de laisser apparaître les noms, tout en cachant les chiffres avec son bras. Il n'était indiscret qu'à moitié.

«C'est moi, maintenant, qui joue le vantard, pensait-il. Mais il faut faire valoir un peu les services qu'on rend, et montrer qu'on n'est pas ébloui par un nouvel emprunteur.»

En vérité, sa vie entière se trouvait contenue dans ce livre, et toute occasion lui était bonne de le feuilleter. Chaque nom, chaque addition représentait tant de souvenirs, tant d'intrigues, et de secrets confiés, tant de prières à lui adressées et où il avait pu mesurer son pouvoir ! Chaque somme était le rappel précis d'une visite, d'une lettre, d'un marché habile, d'un mouvement de sympathie, d'une dureté pour un débiteur négligent... Il y avait près de cinquante ans que Spinello Tolomei, ayant commencé, à son arrivée de Sienne, par faire les foires de Champagne, était venu s'installer ici, rue des Lombards, pour y tenir banque [11].

Une page encore, et une autre, qui s'accrocha dans ses ongles ébréchés. Un trait noir barrait le nom.

— Tenez, voici messer Dante Alighieri, le poète... pour une petite somme, quand il se rendit à Paris visiter la reine Clémence, après le deuil de celle-ci. Il était grand ami du roi Charles de Hongrie, le père de Madame Clémence. Je me souviens de messer Dante, juste dans le fauteuil où vous êtes, my Lord. Un homme sans bonté. Il était fils de changeur ; il m'a parlé toute une heure avec grand mépris du métier de l'argent. Mais il pouvait bien être méchant et aller s'enivrer dans de mauvais lieux avec les filles ; qu'importe ! Il a fait chanter notre langue comme personne avant lui. Et de quelle façon il a dépeint les Enfers ! On frémit de penser que c'est peut-être ainsi. Savez-vous qu'à Ravenne, où messer Dante a vécu ses dernières années, les gens s'écartaient peureusement de son chemin parce qu'ils pensaient qu'il était magicien, et vraiment descendu dans les abîmes. Voilà deux ans qu'il est mort. Mais même à présent, beaucoup ne veulent pas croire à son trépas et assurent qu'il reviendra... Il n'aimait pas la banque, cela est sûr, ni non plus Monseigneur de Valois qui l'avait exilé de Florence.

Tolomei, tout le temps qu'il avait parlé de Dante, avait de nouveau fait les cornes et pressé ses doigts contre le bois du fauteuil.

— Voilà, vous serez ici, my Lord, reprit-il en mettant une marque dans le gros livre. Après Monseigneur de Marigny ; pas le pendu, rassurez-vous, dont Monseigneur d'Artois parlait tout à l'heure, non ! mais son plus jeune frère, l'évêque de Beauvais... Vous avez de ce jour un compte ouvert chez moi pour sept mille livres. Vous pouvez y puiser à votre convenance, et regarder ma modeste maison comme la vôtre. Étoffes, armes, bijoux, toutes fournitures qui vous seront nécessaires, vous pourrez les trouver à mes comptoirs, et les faire porter sur ce crédit.

Il accomplissait son métier par habitude ; il prêtait aux gens de quoi acheter ce qu'il vendait.

— Et votre procès contre votre tante, Monseigneur ? Ne comptez-vous pas le reprendre, à présent que vous êtes si puissant ? demanda-t-il à Robert d'Artois.

— Cela se fera, cela se fera, mais à son heure, répondit le géant en se levant. Rien ne presse, et je me suis aperçu que trop de hâte était mauvaise. Je laisse ma chère tante vieillir ; je la laisse s'user en petits procès contre ses vassaux, s'inventer chaque jour de nouveaux ennemis par ses chicanes, et remettre en ordre ses châteaux que j'ai un peu malmenés à la dernière visite que je fis en ses terres, qui sont les miennes. Elle commence à savoir ce qu'il lui en coûte de garder mon bien ! Elle a dû prêter à Monseigneur de Valois cinquante mille livres qu'elle ne reverra jamais, car elles ont fait la dot de mon épouse, sur quoi je vous ai payé. Vous voyez qu'elle n'est pas si nuisible femme qu'on dit, la bonne gueuse. Je me garde seulement de trop la voir, car elle m'aime tant qu'elle pourrait bien me gâter de quelque plat sucré dont on est mort pas mal dans son entourage... Mais j'aurai mon comté, banquier, je l'aurai, soyez-en sûr, et ce jour-là, je vous l'ai promis, vous serez mon trésorier !

Messer Tolomei, raccompagnant ses visiteurs, descendit derrière eux l'escalier, d'une jambe prudente, et les conduisit jusqu'à la porte, sur la rue des Lombards. Roger Mortimer lui ayant demandé à quel intérêt l'argent lui était prêté, le banquier écarta cette question d'un geste de la main.

— Faites-moi seulement la grâce, dit-il, quand vous aurez affaire à ma banque, de monter me voir. Vous aurez sûrement à m'instruire de beaucoup de choses, my Lord.

Un sourire accompagnait ces mots, et la paupière gauche s'était un peu soulevée.

L'air froid de novembre qui venait de la rue fit frissonner le vieil homme. Aussitôt la porte refermée, Tolomei passa derrière ses comptoirs et entra dans une petite pièce où se tenait le signor Boccace, l'associé des Bardi.

— Ami Boccacio, lui dit-il, achète dès ce jour et demain toutes les monnaies d'Angleterre, de Hollande et d'Espagne, florins d'Italie, doublons, ducats, en bref toutes monnaies de pays étrangers ; offre un denier, et même deux deniers de plus la pièce. Dans quelques jours, elles auront monté du quart. Tous les voyageurs devront s'en fournir auprès de nous, puisque l'or de France n'aura plus liberté de sortir. Je te fais ce marché de compte à demi [12].

Tolomei savait à peu près ce qu'on pouvait rafler d'or étranger sur la place ; y ajoutant ce qu'il avait en coffres, Tolomei avait déjà calculé que l'opération lui laisserait un bénéfice de quinze à vingt mille livres. Il venait d'en prêter sept mille ; il était sûr de gagner au moins le double et, avec ce gain, il consentirait d'autres prêts. Une routine !

Comme Boccace le félicitait de son habileté, et, tournant le compliment entre ses lèvres minces, disait que ce n'était pas en vain que les compagnies lombardes de Paris avaient choisi messer Spinello Tolomei pour leur capitaine général, celui-ci répondit :

— Oh ! après cinquante et des années de métier, je n'y ai plus de mérite; cela vient de soi-même. Et si vraiment j'étais habile, qu'aurais-je fait? Je t'aurais acheté tes réserves de florins et j'aurais gardé tout le profit pour moi. Mais à quoi cela me servirait-il en vérité? Tu verras, Boccacio, tu es encore très jeune...

L'autre avait pourtant des fils blancs aux tempes.

— ... il arrive un âge où, quand on ne travaille plus que pour soi, on a le sentiment de travailler pour rien. Mon neveu me manque. Pourtant, ses affaires maintenant sont apaisées; je suis certain qu'il ne risque rien à revenir. Mais il refuse, ce diable de Guccio; il s'entête, par orgueil je crois. Alors cette grande maison, le soir, quand les commis sont partis et les valets couchés, me paraît bien vide. Et voilà que certains jours je me prends à regretter Sienne.

— Ton neveu aurait bien dû, dit Boccace, faire ce que j'ai fait moi-même qui me suis trouvé dans une semblable situation avec une dame de Paris. J'ai enlevé mon fils et l'ai emmené en Italie.

Messer Tolomei hochait la tête et pensait à la tristesse d'un foyer sans enfants. Le fils de Guccio devait atteindre ces jours-ci ses sept ans; et jamais Tolomei ne l'avait vu. La mère s'y opposait...

Le banquier frottait sa jambe droite qu'il sentait pesante et refroidie, comme s'il y avait eu des fourmis. La mort vous tire de la sorte par les pieds, à petits coups, pendant des années... Tout à l'heure, avant de se mettre au lit, il se ferait porter un bassin d'eau chaude pour y plonger la jambe.

IV

LA FAUSSE CROISADE

— Monseigneur de Mortimer, je vais avoir grande nécessité de chevaliers vaillants et preux, tels que vous l'êtes, pour entrer dans ma croisade, déclara Charles de Valois. Vous m'allez juger bien orgueilleux de dire «ma croisade» alors qu'en vérité c'est celle de Notre-Seigneur Dieu ; mais je dois bien avouer, et tout chacun me le reconnaît, que si cette grande entreprise, la plus vaste et la plus glorieuse qui puisse requérir les nations chrétiennes, vient à se faire, c'est parce que je l'aurai, de mes propres mains, montée. Ainsi, Monseigneur de Mortimer, je vous le propose tout droit, avec ma franche nature que vous apprendrez à connaître : voulez-vous être des miens ?

Roger Mortimer se redressa sur son siège ; son visage se referma un peu, et ses paupières s'abaissèrent à demi sur ses yeux couleur de pierre. Était-ce une bannière de vingt cuirasses qu'on lui offrait de commander, comme à un petit châtelain de province, ou à un soldat d'aventure échoué là par l'infortune du sort ? Une aumône, cette proposition !

C'était la première fois que Mortimer était reçu par le comte de Valois, lequel jusqu'à présent avait toujours été pris par ses tâches au Conseil, retenu par les réceptions d'ambassadeurs étrangers, ou en déplacement à travers le royaume. Mortimer voyait enfin l'homme qui gouvernait la France et qui venait ce jour même d'introniser un de ses protégés, Jean de Cherchemont, comme nouveau chancelier [13]. Mortimer était dans la situation, enviable certes pour un ancien prisonnier à vie mais pénible pour un grand seigneur, de l'exilé qui vient demander, n'a rien à offrir et qui attend tout.

L'entrevue avait lieu à l'hôtel du roi de Sicile que Charles de Valois avait reçu de son premier beau-père, Charles de Naples le Boiteux, en présent de noces. Dans la grande salle réservée aux audiences, une douzaine de personnes, écuyers, courtisans, secrétaires, s'entretenaient à voix basse, par petits groupes, en tournant fréquemment leurs regards vers le maître qui recevait, ainsi qu'un vrai souverain, sur une sorte de trône surmonté d'un dais. Monseigneur de Valois était vêtu d'une grande robe de maison, en velours bleu brodé de V et de fleurs de lis, ouverte sur le devant, et qui laissait voir la doublure de fourrure. Ses mains étaient chargées de bagues ; il portait son sceau privé, gravé dans une pierre précieuse, pendu à la ceinture par une chaînette d'or, et il avait pour coiffure une sorte de bonnet de velours maintenu par un cercle d'or ciselé, une couronne d'appartement. Il était entouré de son fils aîné, Philippe de Valois, un gaillard à grand nez, bien découplé, qui s'appuyait au dossier du trône, et de Robert d'Artois, son gendre, installé sur un tabouret, et tendant vers le foyer ses grandes bottes de cuir rouge.

— Monseigneur, dit Mortimer lentement, si l'aide d'un homme qui est le premier parmi les barons des Marches galloises, qui a gouverné le royaume d'Irlande et commandé en plusieurs batailles, peut vous être de quelque service, je vous apporterai volontiers cette aide pour la défense de la chrétienté, et mon sang vous est dès à présent acquis.

Valois comprit que le personnage était fier qui parlait de ses fiefs des Marches comme s'il les tenait encore. Un homme dont il faudrait ménager l'honneur si l'on voulait en tirer parti.

— J'ai l'avantage, sire baron, répondit-il, de voir se ranger sous la bannière du roi de France, c'est-à-dire la mienne, puisqu'il est entendu dès à présent que mon neveu continuera de gouverner le royaume pendant que je commanderai la croisade, de voir, dis-je, se ranger les premiers princes souverains d'Europe : mon parent Jean de Luxembourg, roi de Bohême, mon beau-frère Robert de Naples et Sicile, mon cousin Alphonse d'Espagne, en même temps que les républiques de Gênes et de Venise qui, sur la demande du Très Saint-Père, nous apporteront l'appui de leurs galères. Vous ne serez donc pas en mauvaise compagnie, et je tiendrai à ce que chacun respecte et honore en vous le haut seigneur que vous êtes. La France, dont vos ancêtres sont venus, verra à mieux reconnaître vos mérites que ne semble le faire l'Angleterre.

Mortimer inclina le front en silence. Cette assurance valait ce qu'elle valait ; il veillerait à ce qu'elle ne restât pas simplement de parole.

— Car voici cinquante ans et plus, reprit Monseigneur de Valois, qu'on ne fait rien de grand en Europe pour le service de Dieu ; depuis mon grand-père Saint Louis, tout exactement, qui, s'il y gagna le Ciel, y laissa la vie. Les Infidèles, encouragés par notre absence, ont relevé la tête et se croient partout les maîtres ; ils ravagent les côtes, pillent les bateaux, entravent le commerce et, par leur seule présence, profanent les lieux saints. Nous, qu'avons-nous fait ? Nous nous sommes, d'année en année, repliés de toutes nos possessions, de tous nos établissements ; nous avons abandonné les forteresses que nous avions construites, négligé de défendre les droits sacrés que nous nous étions acquis. Ces temps sont révolus. Au début de l'année, les députés de la Petite Arménie sont venus nous demander secours contre les Turcs. Je rends grâces à mon neveu, le roi Charles Quatrième, d'avoir compris tout l'intérêt de leur démarche et d'avoir appuyé la suite que j'y ai donnée ; au point qu'à présent il s'en arroge même l'idée première ! Mais enfin il est bon qu'il y croie. Ainsi, avant peu, et nos forces rassemblées, nous allons partir et attaquer en terres lointaines les Barbaresques.

Robert d'Artois, qui entendait ce discours pour la centième fois, opinait de la tête d'un air pénétré, tout en s'amusant secrètement de l'ardeur que montrait son beau-père à exposer les belles causes. Car Robert connaissait les dessous du jeu. Il savait qu'on avait effectivement projet de courir aux Turcs, mais en bousculant aussi un peu les chrétiens sur le passage ; car l'empereur Andronic Paléologue, qui régnait à Byzance, n'était pas le tenant de Mahomet, qu'on sache ? Sans doute, son Église n'était pas tout à fait la bonne, et l'on y faisait le signe de croix à l'envers ; mais c'était tout de même le signe de croix ! Or, Monseigneur de Valois poursuivait toujours l'idée de reconstituer à son profit le fameux empire de Constantinople, étendu non seulement sur les territoires byzantins, mais sur Chypre, sur Rhodes, sur l'Arménie, sur tous les anciens royaumes Courtenay et Lusignan. Et quand il arriverait là-bas, le comte Charles, avec toutes ses bannières, Andronic Paléologue, à ce qu'on pouvait savoir, ne pèserait pas lourd. Monseigneur de Valois roulait dans sa tête des rêves de César...

A remarquer, d'ailleurs, qu'il usait assez bien d'une manœuvre qui consistait à toujours demander le plus afin d'obtenir un peu. Ainsi, il avait essayé d'échanger son commandement de la croisade et ses prétentions au trône de Constantinople contre le petit royaume d'Arles, sur le Rhône, à condition qu'on y adjoignît le Viennois. La négociation, entamée au début de l'année avec Jean de Luxembourg, avait échoué par l'opposition du comte de Savoie, et par celle surtout du roi de Naples, lequel ne tenait nullement à voir son turbulent parent se constituer un royaume indépendant au bord de ses possessions de Provence. Alors Monseigneur de Valois s'était remis avec plus d'entrain à la sainte expédition. Il était dit que cette couronne souveraine qui lui avait échappé en Espagne, en Allemagne, en Arles même, il lui faudrait aller la chercher à l'autre bout de la terre !

— Certes, tous les empêchements ne sont pas encore surmontés, poursuivit Monseigneur de Valois. Nous sommes encore en argument avec le Saint-Père sur le nombre de chevaliers et sur les soldes à leur donner. Nous voulons huit mille chevaliers et trente mille hommes à pied, et que chaque baron reçoive vingt sols le jour, chaque chevalier dix ; sept sous et six deniers pour les écuyers, deux sous aux hommes de pied. Le pape Jean veut me faire étrécir mon armée à quatre mille chevaliers et quinze mille hommes de piétaille ; il me promet toutefois douze galères armées. Il nous a autorisé la dîme, mais il rechigne aux douze cent mille livres par an, que nous lui demandons pendant cinq ans que durera la croisade, et surtout aux quatre cent mille livres nécessaires au roi de France pour les frais accessoires...

« Dont trois cent mille déjà réservées au bon Charles de Valois lui-même, pensait Robert d'Artois. A ce prix-là, on peut bien commander une croisade ! J'aurais mauvaise grâce à chicaner, puisqu'une part doit m'en revenir [14] ! »

— Ah ! si j'eusse été à Lyon, à la place de mon défunt neveu Philippe, lors du dernier conclave, s'écria Valois, j'aurais, sans médire de notre Très Saint-Père, choisi un cardinal qui comprît plus clairement l'intérêt de la chrétienté et qui se fît moins tirer la manche !

— Surtout depuis que nous avons pendu son neveu à Montfaucon, ce dernier mois de mai, observa Robert d'Artois.

Mortimer se tourna sur son siège et regarda Robert d'Artois, surpris, en disant :

— Un neveu du pape ? Quel neveu ?

— Comment, mon cousin, vous ne savez pas ? dit Robert d'Artois en profitant de l'occasion pour se lever, car il avait du mal à rester longtemps immobile ; et il alla repousser de sa botte les bûches qui brûlaient dans l'âtre.

Mortimer avait déjà cessé pour lui d'être « mon Lord » et il était devenu « mon cousin », à cause d'une lointaine parenté qu'ils s'étaient découverte par les Fiennes ; avant peu il serait « Roger », sans plus d'histoires.

— Eh non, au fait, comment l'auriez-vous su ? reprit Robert. Vous étiez en geôle par la grâce de votre ami Édouard... Il s'agit d'un baron gascon, Jourdain de l'Isle, auquel le Saint-Père avait donné une sienne nièce en mariage, et qui commit quelques minces méfaits, à savoir voleries, homicides, forcer dames, dépuceler pucelles, et un peu de bougrerie sur les jouvenceaux par surcroît. Il entretenait autour de lui voleurs, meurtriers et autres gens de mauvaise merdaille qui dépouillaient, pour son compte, clercs et laïcs. Comme le pape le protégeait, on lui fit grâce de ces peccadilles, sous la promesse qu'il s'amenderait. Le Jourdain ne sut mieux faire, pour prouver sa pénitence, que de se saisir d'un sergent royal qui venait lui délivrer une sommation, et de le faire empaler... Sur quoi ? Sur le bâton à fleur de lis que le sergent portait !

Robert d'Artois eut un grand rire qui trahissait son naturel penchant pour la canaille.

— On ne sait à vrai dire quel était plus grand crime, d'avoir occis un officier du roi ou d'avoir enduit les fleurs de lis de la crotte d'un sergent. Le sire Jourdain fut pendu au gibet de Montfaucon, où vous pourrez le voir encore, si d'aventure vous passez par là. Les corbeaux lui ont laissé peu de chair. Depuis, nous sommes en fraîcheur avec Avignon.

Et Robert se remit à rire, la gueule en l'air, les pouces dans la ceinture ; et sa joie était si sincère que Roger Mortimer lui-même se mit à rire, par contagion. Et Valois riait aussi, et son fils Philippe...

Cela les rendit plus amis de rire ensemble. Mortimer se sentit soudain admis dans le groupe Valois et se détendit un peu. Il regardait avec sympathie le visage de Monseigneur Charles, un visage large, haut en couleurs, d'homme qui mangeait trop et que le pouvoir privait de prendre assez d'exercice. Mortimer n'avait pas revu Valois depuis de rapides rencontres, une fois en Angleterre d'abord, pour les fêtes du mariage de la reine Isabelle, et puis une seconde fois, en 1313, en accompagnant les souverains anglais à Paris, pour le premier hommage. Et tout cela qui semblait hier était déjà bien loin. Dix ans ! Monseigneur de Valois, un homme encore jeune à l'époque, était devenu ce personnage massif, imposant... Allons ! il ne fallait pas perdre le temps de vivre, ni négliger l'occasion de l'aventure. Cette croisade, après tout, commençait de plaire à Roger Mortimer.

— Et quand donc, Monseigneur, vos nefs lèveront-elles l'ancre ? demanda-t-il.

— Dans dix-huit mois je pense, répondit Valois. Je vais renvoyer en Avignon une troisième ambassade, pour arrêter définitivement la fourniture des subsides, les bulles d'indulgences, et l'ordre de combat.

— Et ce sera belle chevauchée, Monseigneur de Mortimer, où il faudra vaillance, et où les farauds auront à montrer autre chose que ce qu'ils font en joute, dit Philippe de Valois qui n'avait pas parlé jusque-là et dont le visage se colora un peu.

Le fils aîné de Charles de Valois imaginait déjà les voiles gonflées des galères, les débarquements sur les côtes lointaines, les bannières, les cuirasses, le choc des lourds chevaux de France chargeant les Infidèles, le Croissant piétiné sous le fer des montures, les filles mauresques capturées dans le fond des palais, les belles esclaves nues arrivant enchaînées... Et sur ces grasses gaupes, rien n'empêcherait Philippe de Valois d'assouvir ses désirs. Ses grandes narines déjà s'élargissaient. Car Jeanne la Boiteuse, son épouse, dont la jalousie éclatait en scènes furieuses dès qu'il regardait la poitrine d'une autre femme, resterait en France. Ah ! elle n'était pas de caractère aisé, la sœur de Marguerite de Bourgogne ! Or il se peut qu'on aime sa femme et qu'en même temps une force de nature vous pousse à en désirer d'autres. Il faudrait au moins une croisade pour que le grand Philippe osât tromper la Boiteuse.

Mortimer se redressa un peu et tira sur sa cotte noire. Il voulait revenir au sujet qui lui importait, et qui n'était pas la croisade.

— Monseigneur, dit-il à Charles de Valois, vous pouvez me tenir comme marchant dans vos rangs. Mais je venais aussi quêter de vous...

Le mot était dit. L'ancien Grand Juge d'Irlande l'avait prononcée cette parole sans laquelle aucun solliciteur ne récolte rien, sans laquelle aucun homme puissant n'accorde son appui. Quêter, demander, prier... Il n'était point besoin d'ailleurs qu'il en prononçât davantage.

— Je sais, je sais, répondit Charles de Valois ; mon gendre Robert m'a mis au fait. Vous souhaitez que j'intrigue pour votre cause auprès du roi Édouard. Or donc, mon très loyal ami...

D'un seul coup, parce qu'il avait « quêté », il était devenu un ami.

— ... or donc, je ne le ferai pas, parce que cela ne servirait de rien... sinon à m'attirer quelque nouvel outrage ! Savez-vous la réponse que votre roi Édouard m'a fait tenir par le comte de Bouville ? Oui, vous la savez, bien sûr... alors que la dispense pour le mariage était déjà demandée au Saint-Père ! Quelle figure me donne-t-il ? Vais-je aller maintenant lui demander qu'il vous restitue vos terres, vous rétablisse dans vos titres, et qu'il chasse ses honteux Despensers ?

— Et que par là même, il rende à la reine Isabelle...

— Ma pauvre nièce ! s'écria Valois. Je sais, loyal ami, je sais tout ! Croyez-vous que je puisse, ou que le roi de France puisse, faire changer le roi Édouard à la fois de mœurs et de ministres ? Vous ne devez pas ignorer toutefois que lorsqu'il a envoyé l'évêque de Rochester pour réclamer votre livraison nous avons refusé ; nous avons refusé de seulement recevoir l'évêque ! Premier affront que je rends à Édouard en échange du sien. Nous sommes liés, vous et moi, Monseigneur de Mortimer, par les outrages qui nous ont été infligés. Et si l'occasion nous vient, à l'un ou à l'autre, de nous venger, je vous fais foi, cher sire, que nous nous vengerons ensemble.

Mortimer, sans en rien montrer, sentit le désespoir l'envahir. L'entretien, dont Robert d'Artois lui avait promis miracle... « Mon beau-père Charles peut tout ; s'il vous prend en amitié, et il ne manquera pas de le faire, vous êtes sûr de triompher... » l'entretien semblait achevé. Et qu'en résultait-il ? Du vent. La promesse d'un vague commandement dans dix-huit mois, au pays des Turcs. Roger Mortimer songeait déjà à quitter Paris, à se rendre auprès du pape ; et si de ce côté-là il n'obtenait rien, alors, il irait trouver l'empereur d'Allemagne... Ah ! elles étaient amères les déceptions de l'exil. Son oncle de Chirk les lui avait prédites...

Ce fut alors que Robert d'Artois, dans le silence gêné qui s'était fait, dit :

— Cette occasion de la vengeance dont vous parlez, Charles, pourquoi ne la ferions-nous pas naître ?

Il était le seul, à la cour, qui appelait le comte de Valois par son prénom, n'ayant pas changé d'habitude depuis le temps où ils n'étaient que cousins ; et puis sa taille, sa force, sa truculence, lui donnaient des droits qui n'étaient qu'à lui.

— Robert a raison, dit Philippe de Valois. On pourrait, par exemple, inviter le roi Édouard à la croisade, et là...

Un geste imprécis acheva sa pensée. Il était imaginatif, décidément, le grand Philippe ! Il voyait le passage d'un gué, ou mieux encore une rencontre en plein désert avec un parti d'Infidèles. On laissait Édouard s'engager à la charge, puis on l'abandonnait froidement aux mains des Turcs... voilà une belle vengeance !

— Jamais, s'écria Charles de Valois, jamais Édouard ne joindra ses bannières aux miennes. D'abord peut-on même parler de lui comme d'un roi chrétien ? Ce sont les Maures qui ont de pareilles mœurs !

En dépit de cette indignation, Mortimer fut saisi d'inquiétude. Il savait trop ce que valent les paroles des princes, et comment les ennemis de la veille peuvent se réconcilier le lendemain, même faussement, quand ils y ont intérêt. S'il prenait envie à Monseigneur de Valois, pour grossir sa croisade, d'y convier Édouard, et si Édouard feignait d'accepter...

— Quand bien même le feriez-vous, Monseigneur, dit Mortimer, il y a peu de chances que le roi Édouard réponde à votre invite ; il aime les jeux du corps mais déteste les armes, et ce n'est point lui, je vous l'assure, qui m'a vaincu à Shrewsbury. Édouard prétextera, et avec juste raison, les dangers que lui font courir les Écossais...

— Mais j'en veux bien, moi, des Écossais, dans ma croisade ! dit Valois.

Robert d'Artois frappa ses énormes poings l'un contre l'autre à petits coups. La croisade lui était totalement indifférente, et même, à vrai dire, il n'en avait aucune envie. D'abord il vomissait en mer. Sur terre, tout ce qu'on voulait, mais rien sur l'eau ; un nourrisson y était plus fort que lui ! Et puis il songeait avant tout à la reprise de son comté d'Artois, et une course de cinq ans au bout du monde ne ferait guère progresser ses affaires. Le trône de Constantinople n'était pas dans son héritage, et il ne lui plaisait en rien de se retrouver un jour commandant quelque île pelée dans des eaux perdues. Il n'avait pas d'intérêt non plus au commerce des épices, ni le besoin d'aller enlever des femmes aux Turcs ; Paris regorgeait de houris à cinquante sols et de bourgeoises qui coûtaient encore moins ; et Madame de Beaumont, sa compagne, fille de Monseigneur de Valois ici présent, fermait les yeux sur toutes ses incartades. Donc, cette croisade, il importait surtout à Robert d'en reculer le plus possible l'échéance ; tout en feignant de l'encourager, il ne travaillait qu'à la retarder. Il avait son idée en tête et ce n'était pas pour rien qu'il avait conduit Roger Mortimer à son beau-père.

— Je me demande, Charles, dit-il, s'il serait bien sage de laisser longtemps le royaume de France dépourvu d'hommes, privé de sa noblesse et de votre commandement, à la merci du roi d'Angleterre qui montre assez qu'il ne nous veut pas de bien.

— Les châteaux seront pourvus, Robert; et nous y laisserons des garnisons à suffisance, répondit Valois.

— Mais sans noblesse, sans la plupart des chevaliers, et sans vous, je le répète, qui êtes notre grand homme de guerre. Qui défendra le royaume en notre absence? Le connétable, bientôt sur ses septante-cinq ans, et dont c'est miracle qu'il se soutienne encore en selle? Notre roi Charles? Si Édouard, comme nous le dit Lord Mortimer, se plaît peu aux batailles, notre gentil cousin s'y entend encore moins. Au reste, à quoi s'entend-il, sinon à paraître, frais et souriant, devant son peuple? Ce serait folie d'offrir le champ aux mauvaisetés d'Édouard sans l'avoir auparavant affaibli d'une défaite.

— Alors aidons les Écossais, proposa Philippe de Valois. Débarquons sur leurs côtes et soutenons leur lutte. Pour ma part, j'y suis prêt.

Robert d'Artois baissa le nez pour ne point montrer ce qu'il pensait. On en verrait de belles, si Philippe prenait le commandement d'une équipée en Écosse! L'héritier des Valois avait fait la preuve de ses aptitudes, en Italie, où on l'avait envoyé soutenir le légat du pape contre les Visconti de Milan. Arrivé fièrement avec ses bannières, Philippe s'était si bien laissé manœuvrer et rouler en farine par Galeazzo Visconti qu'il avait tout cédé en croyant tout gagner, et s'en était retourné sans même avoir livré la plus petite bataille.

Roger Mortimer, pour sa part, parut quelque peu blessé par la suggestion de Philippe de Valois. Car s'il était l'adversaire du roi Édouard, l'Angleterre, tout de même, était sa patrie!

— Pour l'instant, dit-il, les Écossais se tiennent assez en paix, et semblent décidés à respecter le traité qu'ils nous ont imposé l'autre année.

— Et puis l'Écosse, l'Écosse... renchérit Robert, il faut passer la mer! Réservons donc nos nefs pour la croisade. Mais nous avons peut-être meilleur terrain pour défier ce bougre d'Édouard. Il n'a pas rendu hommage pour l'Aquitaine. Si nous le forcions à venir défendre ses droits en France, dans son duché, et qu'à cette occasion nous allions l'écraser, d'abord nous serions tous vengés, et, par surcroît, il se tiendrait au calme pendant notre absence.

Valois tournait ses bagues et réfléchissait. Une fois de plus Robert se révélait un conseiller avisé. L'idée était vague encore que ce dernier venait d'émettre, mais déjà Valois en apercevait tous les développements. D'abord, l'Aquitaine ne se présentait pas à lui comme une terre inconnue; il y avait fait campagne, sa première grande campagne, victorieuse, en 1294.

— Ce serait à coup sûr, dit-il, un bon entraînement pour notre chevalerie qui n'a point vraiment guerroyé depuis longtemps, et un motif aussi pour éprouver cette artillerie à poudre dont les Italiens commencent à faire usage. Notre vieil ami Tolomei s'offre à nous en fournir. Certes, le roi de France peut mettre le duché d'Aquitaine sous sa main pour défaut d'hommage...

Il resta pensif un instant.

— Mais il ne s'ensuivra pas forcément combat d'armée, conclut-il. On négociera comme de coutume; ce deviendra affaire de parlements et d'ambassades. Et puis, en rechignant, l'hommage sera rendu. Ce n'est pas une bonne cause.

Robert d'Artois se rassit, les coudes sur les genoux et les poings sous le menton.

— On peut découvrir, dit-il, un plus efficace prétexte que le défaut d'hommage. Ce n'est pas à vous, cousin Mortimer, que je vais apprendre toutes les difficultés, chicanes et batailles qui sont nées de l'Aquitaine, depuis que la duchesse Aliénor, ayant décoré de très fortes ramures le front de son premier époux, notre roi Louis Septième, s'en fut par son second mariage porter son corps folâtre ainsi que son duché à votre roi Henry Deuxième d'Angleterre. Ni je ne vais non plus vous enseigner le traité par lequel le roi Saint Louis, qui s'était mis en tête d'ordonner toutes choses avec équité, voulut mettre un terme à cent ans de guerre[15]. Mais l'équité ne vaut rien aux règlements entre les royaumes. Le traité de 1259 n'était qu'un gros nid à embrouilles. Une chatte n'y aurait pas retrouvé ses petits. Le sénéchal de Joinville lui-même, le grand-oncle de votre épouse, cousin Mortimer, et qu'on savait si dévoué au saint roi, lui avait déconseillé de jamais le signer. Non, reconnaissons-le, tout franc, ce traité-là était une sottise! Depuis la mort de Saint Louis, ce ne sont que disputes, discussions, traités conclus, traités reniés, hommages rendus mais avec des réserves, audiences des parlements, plaignants déboutés, plaignants condamnés, révoltes dans le terroir et nouvelles audiences de justice. Mais quand vous-même, Charles, demanda Robert se tournant vers Valois, avez été envoyé par votre frère Philippe le Bel en Aquitaine où vous avez remis l'ordre de si belle façon, quel fut le motif donné à votre départ?

— Une grosse émeute qu'il y eut à Bayonne, où matelots de France et d'Angleterre en vinrent aux mains, et où le sang coula.

— Eh bien! s'écria Robert, il nous faut inventer l'occasion d'une nouvelle émeute de Bayonne. Il faut agir en quelque lieu pour que les gens des deux rois se cognent assez fort et se tuent un peu. Et le lieu pour cela, je crois bien que je le connais.

Il pointa son énorme index vers ses interlocuteurs et enchaîna:

— Dans le traité de Paris, confirmé par la paix de l'an 1303, revu à Périgueux en l'an 1311, il a toujours été réservé le cas de certaines seigneuries qu'on appelle privilégiées et qui, bien que situées en terre d'Aquitaine, demeurent sous l'allégeance directe du roi de France. Or ces seigneuries elles-mêmes ont, en Aquitaine, des dépendances vassales. Et jamais il ne fut tranché du cas des dépendances, pour savoir si elles relevaient directement du roi de France, ou bien du duc d'Aquitaine. Vous voyez?

— Je vois, dit Monseigneur de Valois.

Son fils Philippe ne voyait pas. Il ouvrait de grands yeux bleus, et son incompréhension était si visible que son père lui expliqua:

— Mais si, mon fils. Imagine que je t'accorde, comme si c'était fief, tout cet hôtel. Mais je m'y réserve franc usage et disposition de cette salle où nous sommes. Or, de cette salle dépend le cabinet de passage que commande cette porte. Qui de nous a juridiction sur le cabinet de passage et doit pourvoir au mobilier et au nettoyage? Le tout, ajouta Valois en revenant à Robert, est de trouver une dépendance assez importante pour que l'action qu'on y engagera oblige Édouard à soutenir l'épreuve.

— Vous avez, répondit le géant, une dépendance bien désignée qui est la terre de Saint-Sardos, laquelle est afférente au prieuré de Sarlat dans le diocèse de Périgueux. La situation en fut déjà débattue lorsque Philippe le Bel conclut avec le prieur de Sarlat un traité de pariage qui faisait le roi de France coseigneur de cette seigneurie. Édouard le Premier en avait appelé alors au Parlement de Paris, mais rien ne fut tranché [16]. Que sur la dépendance de Saint-Sardos, le roi de France, coseigneur de Sarlat, place une garnison et entreprenne la construction d'une forteresse un peu menaçante, que va faire alors le roi d'Angleterre, duc d'Aquitaine? Il va donner ordre à son sénéchal de s'y opposer, et d'y envoyer garnison. A la première rencontre entre deux soldats, au premier officier du roi qu'on maltraite ou seulement qu'on insulte...

Robert ouvrit les mains, comme si la conclusion s'offrait d'ellemême. Et Monseigneur de Valois, dans ses velours bleus brodés d'or, se leva de son trône. Il se voyait déjà en selle, à la tête des bannières; il repartait pour cette Guyenne où déjà, trente ans plus tôt, il avait fait triompher les armes du roi de France!

— J'admire en vérité, mon frère, s'écria Philippe de Valois, qu'un si bon chevalier comme vous l'êtes, soit instruit des procédures autant qu'un clerc.

— Bah! mon frère, je n'y ai pas grand mérite. Ce n'est pas par goût que j'ai été amené à m'enquérir de toutes les coutumes de France et arrêts de parlements; c'est pour mon procès d'Artois. Et puisque, jusqu'à ce jour, cela ne m'a point servi, qu'au moins cela serve à mes amis! acheva Robert d'Artois en s'inclinant devant Roger Mortimer, comme si la vaste machination projetée n'avait d'autre motif ni d'autre but que de complaire au réfugié.

— Votre venue nous est d'une grande aide, sire baron, renchérit Charles de Valois, car nos causes sont liées et nous ne manquerons pas de vous demander vos conseils, très étroitement, en toute cette entreprise... que Dieu veuille protéger! Il se peut qu'avant longtemps nous marchions ensemble vers l'Aquitaine.

Mortimer se sentait dérouté, dépassé. Il n'avait rien fait, rien dit, rien suggéré; sa seule présence avait été l'occasion pour les autres de concrétiser leurs aspirations secrètes. Et maintenant on le requérait pour une guerre contre son propre pays, sans qu'aucun choix lui fût laissé.

Ainsi, et si Dieu le voulait, les Français allaient faire la guerre, en France, aux sujets français du roi d'Angleterre, avec la participation d'un grand seigneur anglais, et en usant des subsides consentis par le pape pour délivrer l'Arménie des Turcs.

V

ATTENTE

La fin de l'automne s'écoula, et tout l'hiver, et le printemps encore et le début de l'été. Lord Mortimer vit les quatre saisons passer sur Paris, la boue s'amasser dans les rues étroites, puis la neige blanchir les prés de Saint-Germain, puis les bourgeons s'ouvrir aux arbres des berges de Seine, et le soleil briller sur la tour carrée du Louvre, sur la ronde tour de Nesle, sur la flèche aiguë de la Sainte-Chapelle.

Un émigré attend. C'est son rôle, et presque, croirait-on, sa fonction. Il attend que le mauvais sort passe ; il attend que les gens, dans le pays où il a pris refuge, aient fini de régler leurs propres affaires. Passés les moments de l'arrivée, où ses revers suscitent la curiosité, où chacun veut s'emparer de lui comme d'un animal de montre, sa présence bientôt devient lassante. Il semble toujours porteur d'un reproche muet. Mais on ne saurait s'occuper de lui à chaque instant ; il est le demandeur, il peut bien patienter, après tout !

Donc, Roger Mortimer attendait, comme il avait attendu deux mois en Picardie, chez son cousin Jean de Fiennes, que la cour de France fût rentrée à Paris, comme il avait attendu que Monseigneur de Valois trouvât, parmi toutes ses tâches, l'heure de le recevoir... Il attendait maintenant une guerre de Guyenne qui seule pouvait changer son destin.

Oh ! Monseigneur de Valois n'avait pas lanterné à donner les ordres. Les officiers du roi de France, ainsi que Robert l'avait conseillé, avaient bien entrepris, à Saint-Sardos, sur les dépendances litigieuses de la seigneurie de Sarlat, les fondations d'une forteresse ; mais une forteresse ne s'élève pas en un jour, ni même en trois mois, et les gens du roi d'Angleterre n'avaient pas paru, du moins au début, s'émouvoir outre mesure. Aucun incident ne s'était encore produit.

Roger Mortimer profitait de ses loisirs pour parcourir cette capitale qu'il n'avait qu'entrevue au cours d'un bref voyage, et pour découvrir le grand peuple de France qu'il connaissait bien mal. Quelle nation puissante, nombreuse, et combien différente de l'Angleterre! On se croyait semblables, de part et d'autre de la mer, parce que dans les deux pays les noblesses étaient de même souche; mais que de disparités, à considérer les choses de plus près! Toute la population du royaume d'Angleterre, avec ses deux millions d'âmes, n'atteignait pas le dixième du total des sujets du roi de France. C'était à près de vingt-deux millions qu'il fallait évaluer le nombre des Français. Paris, à soi seul, comptait trois cent mille âmes quand Londres n'en avait que quarante mille [17]. Et quel grouillement dans ses rues, quelle activité de négoce et d'industrie, quelle dépense! Il suffisait, pour s'en convaincre, de se promener sur le Pont-au-Change ou le long du quai des Orfèvres, et d'écouter bruire, dans le fond des boutiques, tous les petits marteaux à battre l'or; de traverser, en se pinçant un peu le nez, le quartier de la Grande Boucherie, derrière le Châtelet, où travaillaient les tripiers et les écorcheurs; de suivre la rue Saint-Denis où se tenaient les merciers; d'aller tâter les étoffes sous les grandes halles aux Drapiers... Dans la rue des Lombards, plus silencieuse, et que maintenant Lord Mortimer connaissait bien, se traitaient les grandes affaires.

Près de trois cent cinquante corporations et maîtrises réglaient la vie de tous ces métiers; chacune avait ses lois, ses coutumes, ses fêtes, et il n'était pratiquement pas de jour dans l'année où, après messe entendue et discussion en parloir, un grand banquet n'unît maîtres et compagnons, tantôt les chapeliers, tantôt les fabricants de cierges, tantôt les tanneurs... Sur la montagne Sainte-Geneviève, tout un peuple de clercs, de docteurs en bonnets, disputaient en latin, et les échos de leurs controverses sur l'apologétique ou les principes d'Aristote allaient ensemencer d'autres débats dans la chrétienté entière.

Les grands barons, les grands prélats, et beaucoup de rois étrangers avaient en ville une demeure où ils tenaient une sorte de cour. La noblesse hantait les rues de la Cité, la Galerie mercière du palais royal, les abords des hôtels de Valois, de Navarre, d'Artois, de Bourgogne, de Savoie. Chacun de ces hôtels était comme le siège d'une représentation permanente des grands fiefs; les intérêts de chaque province s'y concentraient. Et la ville croissait, sans cesse, poussant ses faubourgs sur les jardins et les champs, hors des murs d'enceinte de Philippe Auguste qui commençaient à disparaître, noyés dans les constructions nouvelles.

Si l'on poussait un peu hors de Paris, on voyait que les campagnes étaient prospères. De simples porchers, des bouviers, possédaient fréquemment une vigne ou un champ en propre. Les femmes employées aux travaux de la terre, ou à d'autres métiers, ne travaillaient jamais le samedi après-midi qui pourtant leur était payé; d'ailleurs, en tous lieux, on quittait le travail le samedi au troisième coup de vêpres. Les fêtes religieuses, nombreuses, étaient chômées, tout comme les fêtes de corporations. Et pourtant, ces gens-là se plaignaient. Or, quels étaient leurs principaux sujets de doléances? Les tailles, les impôts, assurément, comme en tous temps et en tous pays, mais le fait aussi qu'ils eussent toujours au-dessus d'eux quelqu'un dont ils dépendaient. Ils avaient le sentiment de ne jamais vraiment disposer d'eux-mêmes ni des fruits de leur effort. Il demeurait en France, malgré les ordonnances de Philippe V insuffisamment suivies, beaucoup plus de serfs proportionnellement qu'en Angleterre où la plupart des paysans étaient des hommes libres, tenus d'ailleurs de s'équiper pour l'armée, et qui pouvaient faire entendre leur voix aux assemblées royales. Cela faisait mieux comprendre que le peuple d'Angleterre eût exigé des chartes de ses souverains.

En revanche, la noblesse de France n'était point divisée comme celle d'Angleterre; il s'y trouvait bien des ennemis jurés pour questions d'intérêts particuliers, tels Robert d'Artois et sa tante Mahaut; il s'y formait des clans, des coteries, mais toute cette noblesse reprenait cohésion lorsqu'il s'agissait de ses intérêts généraux ou de la défense du royaume. L'idée de nation y était plus précise et plus forte.

La seule vraie similitude, en ce temps-là, qui existait entre les deux pays, tenait à la personne même de leurs rois. A Londres comme à Paris, les couronnes étaient échues à des hommes faibles, ignorant ce souci véritable de la chose publique sans lequel un prince n'est prince que de nom.

Mortimer avait été présenté au roi de France et l'avait revu à plusieurs reprises; il n'avait pu se former une bien haute opinion de cet homme de vingt-neuf ans, que ses seigneurs appelaient Charles le Bel, et son peuple Charles le Biau, mais qui, sous sa noble apparence, n'avait pas deux onces de cervelle.

— Avez-vous trouvé un logis convenable, messire de Mortimer? Votre épouse est-elle avec vous? Ah! comme vous devez en être privé! Combien d'enfants vous a-t-elle donnés?

C'était là à peu près toutes les paroles que le roi avait adressées à l'exilé; et chaque fois il lui redemandait: «Votre épouse est-elle avec vous? Combien d'enfants en avez-vous eus?» ayant, entre deux entrevues, oublié la réponse. Ses préoccupations semblaient être seulement d'ordre domestique et conjugal. Son triste mariage avec Blanche de Bourgogne, et dont il gardait blessure, avait été dissous par une annulation où lui-même n'était pas apparu sous le meilleur jour. On l'avait aussitôt remarié à Marie de Luxembourg, jeune sœur du roi de Bohême avec lequel Monseigneur de Valois, justement dans ce moment-là, voulait s'entendre au sujet du royaume d'Arles. Et voici qu'à présent Marie de Luxembourg était enceinte, et Charles le Bel l'entourait d'attentions un peu sottes.

L'incompétence du roi n'empêchait pas que la France s'occupât des affaires du monde entier. Le Conseil gouvernait au nom du roi, et Monseigneur de Valois au nom du Conseil. On donnait des avis à la papauté; plusieurs chevaucheurs, qui touchaient huit livres et quelques deniers par voyage — un vrai patrimoine — avaient pour unique service d'acheminer le courrier vers Avignon. Et d'autres ainsi, vers Naples, vers l'Aragon, vers l'Allemagne. Car on veillait beaucoup aux questions d'Allemagne, où Charles de Valois et son compère Jean de Luxembourg s'étaient entendus pour faire excommunier l'empereur Louis de Bavière, de telle sorte que la couronne du Saint Empire pût être offerte... à qui donc? mais à Monseigneur de Valois lui-même qui s'entêtait en son vieux rêve. Chaque fois que le siège du Saint Empire se trouvait vacant, Monseigneur de Valois se portait candidat. De quel prestige accru bénificierait la croisade si son chef se trouvait élu empereur!

Mais il ne fallait pas négliger pour autant de surveiller la Flandre, cette Flandre qui causait de permanents soucis à la couronne, selon que les populations s'y révoltaient contre leur comte parce que celui-ci se montrait fidèle au roi de France ou bien que le comte lui-même se révoltait contre le roi pour satisfaire ses populations. Et puis enfin, on s'occupait de l'Angleterre, et Roger Mortimer était appelé chez Valois chaque fois qu'une question se posait à ce sujet.

Mortimer avait loué logis, près de l'hôtel de Robert d'Artois, dans la rue Saint-Germain-des-Prés et devant l'hôtel de Navarre. Gérard de Alspaye, qui le suivait depuis son évasion de la Tour, commandait sa maison où le barbier Ogle tenait office de valet de chambre, et qui se grossissait petit à petit de réfugiés obligés à l'exil, eux aussi, par la haine des Despensers. En particulier était arrivé John Maltravers, seigneur anglais du parti de Mortimer, et descendant comme lui d'un compagnon du Conquérant. Ce Maltravers avait la face longue et sombre, les cheveux pendants, les dents immenses; il ressemblait à son cheval. Il n'était pas très agréable compagnon et faisait sursauter les gens par des rires saccadés, hennissants, dont on cherchait en vain les motifs. Mais dans l'exil, on ne choisit pas ses amis; l'infortune commune vous les impose. Par Maltravers, Mortimer apprit que sa femme avait été transférée au château de Skipton, dans le comté d'York, avec pour toute suite une dame, un écuyer, une blanchisseuse, un valet et un page, et qu'elle recevait treize shillings et quatre deniers par semaine pour son entretien et celui de ses gens; presque la prison...

Quant à la reine Isabelle, son sort devenait de jour en jour plus pénible. Les Despensers la pillaient, la dépouillaient, l'humiliaient avec une patiente perfection dans la cruauté. «Il ne me reste plus en propre que la vie, faisait-elle dire à Mortimer, et je crains fort qu'on ne s'apprête à me l'ôter. Hâtez mon frère à ma défense.»

Mais le roi de France... « Votre épouse est-elle auprès de vous ? Avez-vous des fils ? »... s'en remettait aux avis de Monseigneur de Valois qui lui-même remettait tout au résultat de ses actions d'Aquitaine. Et si d'ici-là les Despensers assassinaient la reine ?

— Ils n'oseront pas, répondait Valois.

Mortimer allait glaner d'autres nouvelles chez le banquier Tolomei qui lui faisait passer son courrier outre-Manche. Les Lombards avaient un meilleur réseau de poste que la cour, et leurs voyageurs étaient plus habiles à dissimuler les messages. Ainsi la correspondance entre Mortimer et l'évêque d'Orleton était à peu près régulière.

L'évêque avait payé cher d'avoir monté l'évasion de Mortimer ; mais il était courageux et tenait tête au roi. Premier prélat d'Angleterre jamais traduit devant une juridiction laïque, il avait refusé de répondre à ses accusateurs, appuyé d'ailleurs par tous les archevêques du royaume qui voyaient leurs privilèges menacés. Édouard avait poursuivi le procès, fait condamner Orleton, et ordonné la confiscation de ses biens. Édouard venait également d'écrire au pape pour demander la déposition de l'évêque, comme rebelle ; il était important que Monseigneur de Valois agît auprès de Jean XXII pour empêcher une telle mesure dont le résultat eût été de porter la tête d'Orleton sur le billot.

Pour Henry Tors-Col, la situation était confuse. Édouard l'avait fait en mars comte de Lancastre, lui rendant les titres et les biens de son frère décapité, dont le grand château de Kenilworth. Puis, tout aussitôt, pour avoir eu connaissance d'une lettre d'encouragement et d'amitié adressée à Orleton, Édouard avait accusé Tors-Col de haute trahison.

Tolomei, à chaque visite que Mortimer lui rendait, ne manquait pas de dire à l'exilé :

— Puisque vous voyez souvent Messeigneurs de Valois et d'Artois, et que vous êtes bien leur ami, rappelez-leur, je vous en prie, ces bouches à poudre qu'on a expérimentées en Italie et qui serviront beaucoup aux sièges des villes. Mon neveu à Sienne, et les Bardi à Florence, peuvent s'occuper de les fournir ; ce sont pièces d'artillerie plus faciles à mettre en place que les grosses catapultes à balancier, et qui font plus de dégâts. Monseigneur de Valois devrait bien en équiper sa croisade...

Les femmes, dans le début, s'étaient assez intéressées à Mortimer, à cet étranger au beau torse, tout vêtu de noir, austère, et qui mordillait la cicatrice blanche qu'il avait à la lèvre. Elles lui avaient fait raconter vingt fois son évasion ; tandis qu'il parlait, de belles poitrines se soulevaient sous les transparentes gorgières de lin. Sa voix, qui était grave, presque rauque, avec un accent inattendu sur certains mots, touchait les cœurs oisifs. Robert d'Artois, à bien des reprises, avait voulu pousser le baron anglais dans ces bras qui ne demandaient qu'à s'ouvrir, comme il s'était offert aussi à lui procurer quelques follieuses, par paire ou par tercet, pour le distraire de ses soucis. Mais Mortimer n'avait cédé à aucune tentation, au point qu'on se demandait d'où lui venait cette rare vertu, et s'il ne partageait pas les mœurs de son roi.

On ne pouvait imaginer la vérité, à savoir que cet homme, le même qui avait parié son salut sur la mort d'un corbeau, avait misé son retour en fortune sur sa chasteté. Il s'était fait la promesse de ne pas toucher femme avant d'avoir retrouvé et la terre d'Angleterre, et ses titres, et sa puissance. Un vœu de chevalier, tel qu'auraient pu le prononcer un Lancelot, un Amadis, un compagnon du roi Arthur. Mais Roger Mortimer devait s'avouer, après tant de mois, qu'il avait choisi son vœu un peu légèrement, et ceci contribuait à lui assombrir l'humeur...

Enfin de satisfaisantes nouvelles arrivèrent d'Aquitaine. Le sénéchal du roi d'Angleterre, messire Basset, homme d'autant plus sourcilleux que son nom prêtait à rire, commença de s'inquiéter de la forteresse qui s'élevait à Saint-Sardos. Il y vit une usurpation des droits de son maître, et une insulte à sa propre personne. Ayant réuni quelques troupes, il entra dans Saint-Sardos à l'improviste, mit la bourgade au pillage, appréhenda les officiers chargés de surveiller les travaux et les pendit aux poteaux fleurdelisés qui signalaient la suzeraineté du roi de France. Messire Ralph Basset n'était point seul dans cette expédition ; plusieurs seigneurs de la région lui avaient prêté la main.

Robert d'Artois, le jour qu'il en fut informé, alla quérir aussitôt Mortimer et l'entraîna chez Charles de Valois. Il débordait de joie et de fierté, Monseigneur d'Artois ; il riait plus fort que de coutume et donnait à ses familiers d'amicales tapes qui les envoyaient rebondir contre les murs. Enfin l'on tenait l'occasion, née de son inventive cervelle !

L'affaire fut aussitôt évoquée au Conseil étroit ; on fit les représentations d'usage, et les coupables du sac de Saint-Sardos se virent assignés devant le parlement de Toulouse. Allaient-ils se présenter, reconnaître leurs torts, faire soumission ? On le craignait.

Par chance, l'un d'entre eux, un seul, Raymond Bernard de Montpezat, refusa de se rendre à la convocation. Il n'en fallait pas davantage. On rendit un jugement par défaut, et Jean de Roye, qui avait succédé à Pierre-Hector de Galard comme grand maître des arbalétriers, fut envoyé en Guyenne avec petite escorte afin de se saisir du sire de Montpezat, de ses biens, et de présider au démantèlement de son château. Or ce fut le sire de Montpezat qui l'emporta. Il retint prisonnier Jean de Roye et exigea rançon pour le rendre. Le roi Édouard n'était pour rien dans cet incident mais son cas s'aggravait par la force des choses ; et Robert d'Artois exultait. Car un grand maître des arbalétriers n'est pas un homme qu'on séquestre sans qu'il s'ensuive des conséquences graves !

De nouvelles représentations furent adressées au roi d'Angleterre, directement cette fois, et assorties d'une menace de confiscation du duché. Au début d'avril, Paris vit arriver le comte de Kent, demi-frère du roi Édouard, secondé de l'archevêque de Dublin ; ils venaient proposer à Charles IV, pour régler leur différend, de renoncer tout simplement à l'hommage d'Édouard. Mortimer, qui rencontra Kent à cette occasion — leurs rapports restèrent courtois bien que leur situation fût difficile — lui démontra l'inutilité totale de cette démarche. Le jeune comte de Kent en était d'ailleurs lui-même persuadé ; il s'acquittait de sa mission sans plaisir. Il repartit en emportant le refus du roi de France, transmis de méprisante manière par Charles de Valois. La guerre inventée par Robert d'Artois semblait sur le point d'éclater.

Mais voici que dans le même temps la nouvelle reine, Marie de Luxembourg, mourut brusquement, à Issoudun, en accouchant avant terme d'un enfant qui n'était pas viable.

On ne pouvait décemment déclarer la guerre pendant le deuil, d'autant que le roi Charles était vraiment très abattu et presque incapable de tenir conseil. Le sort le poursuivait, décidément, dans son destin d'époux. Trompé d'abord, ensuite veuf... Il fallut que Valois, tout souci cessant, s'employât à découvrir une troisième épouse au roi, lequel s'inquiétait, devenait aigre, et reprochait à chacun le manque d'héritier où se trouvait le royaume.

Lord Mortimer dut donc attendre qu'on ait réglé cette affaire...

Monseigneur de Valois eût volontiers proposé une de ses dernières filles à marier, si les âges avaient pu s'assortir ; malheureusement même l'aînée, celle qui avait été offerte naguère au prince héritier d'Angleterre, ne comptait pas douze ans. Et Charles le Bel n'était guère enclin à patienter.

Restait une autre cousine germaine, fille celle-là de Monseigneur Louis d'Évreux, défunt à présent, et nièce de Robert d'Artois. Cette Jeanne d'Évreux n'avait guère d'éclat mais était bien faite, et, surtout, elle avait l'âge requis pour être mère. Monseigneur de Valois, plutôt que d'engager de longues et difficiles tractations au-delà des frontières, encouragea toute la cour à pousser Charles vers cette union. Trois mois après la mort de Marie de Luxembourg, une nouvelle dispense était demandée au pape.

Le mariage eut lieu le 5 juillet. Quatre jours plus tôt, Charles avait décidé la confiscation de l'Aquitaine et du Ponthieu pour révolte et défaut d'hommage. Le pape Jean XXII, comme il le jugeait de sa mission chaque fois qu'éclatait un conflit entre deux souverains, écrivit au roi Édouard, l'engageant à venir prêter l'hommage pour qu'un des points du litige au moins fût apaisé. Mais l'armée de France était déjà sur pied et se rassemblait à Orléans, tandis qu'une flotte s'équipait dans les ports pour attaquer les côtes anglaises.

Parallèlement, le roi d'Angleterre avait ordonné quelques levées d'hommes en Aquitaine, et messire Ralph Basset réunissait ses bannières ; le comte de Kent revenait en France, mais par l'Océan cette fois, et pour exercer dans le duché la lieutenance que lui avait commise son demi-frère.

Allait-on partir ? Non, car il fallut encore que Monseigneur de Valois courût à Bar-sur-Aube pour y conférer avec Léopold de Habsbourg au sujet de l'élection au Saint Empire, et conclure un traité par lequel Habsbourg s'engageait à ne point être candidat, moyennant sommes d'argent, pensions et revenus dès à présent fixés, dans le cas où Valois serait élu empereur. Roger Mortimer attendait toujours...

Enfin le 1er août, par une chaleur écrasante où les chevaliers cuisaient comme en marmite sous leur cuirasse, Charles de Valois, superbe, lourd, portant cimier à son casque et cotte brodée d'or par-dessus son armure, se fit élever en selle. Il avait à ses côtés son second fils, le comte d'Alençon, son neveu Philippe d'Évreux, nouveau beau-frère du roi, le connétable Gaucher de Châtillon, Lord Mortimer de Wigmore, et enfin Robert d'Artois qui, monté sur un cheval à sa taille, pouvait surveiller toute l'armée.

Monseigneur de Valois partant pour cette campagne, sa seconde campagne de Guyenne, qu'il avait voulue, décidée, fabriquée presque, était-il joyeux, heureux ou simplement satisfait ? Nullement. Il était d'humeur morose, parce que Charles IV avait refusé de signer sa commission de lieutenant général du roi en Aquitaine. Si quelqu'un vraiment avait droit à ce titre, n'était-ce pas Charles de Valois ? Et quel visage faisait-il, alors que le comte de Kent, ce damoiseau, ce nourrisson, avait reçu, lui, la lieutenance du roi Édouard !

Le roi Charles le Bel, qui n'était capable de décider de rien, avait ainsi de brusques et bizarres obstinations à refuser ce qu'on lui demandait de plus évidemment nécessaire. Charles de Valois pestait ferme ce jour-là et ne cachait pas à ses voisins la petite opinion dans laquelle il tenait son neveu et souverain. En vérité, ce niais couronné, cet oison, valait-il qu'on se donnât tant de peine à gouverner pour lui le royaume ?

Le vieux connétable Gaucher de Châtillon, qui commandait théoriquement l'armée, puisque Valois n'avait pas de commission officielle, plissait ses paupières de tortue sous son heaume de forme démodée. Il était un peu sourd, mais à soixante-quatorze ans, faisait encore bonne figure en selle.

Lord Mortimer avait acheté ses armes chez Tolomei. Sous la ventaille levée de son casque, on voyait briller ses yeux aux reflets durs, de la même couleur que l'acier neuf. Comme il marchait, par la faute de son roi, contre son pays, il portait une cotte d'armes de velours noir, en signe de deuil. La date de ce départ, il ne l'oublierait pas : on était le 1er août 1324, fête de Saint-Pierre-ès-Liens, et il y avait un an, jour pour jour, qu'il s'était évadé de la tour de Londres.

VI

LES BOUCHES À FEU

L'alarme surprit le jeune comte Edmond de Kent allongé sur le dallage d'une chambre du château où il cherchait en vain quelque fraîcheur. Il s'était à demi dévêtu et gisait là, en chausses de toile et torse nu, bras écartés, immobile, terrassé par l'été du Bordelais. Son lévrier favori haletait à côté de lui.

Le chien fut le premier à entendre le tocsin. Il se dressa sur les pattes de devant, nez pointé, oreilles couchées et frémissantes. Le jeune comte de Kent sortit de sa somnolence, s'étira, et comprit soudain que ce grand vacarme provenait de toutes les cloches de La Réole sonnées à la volée. En un instant il fut debout, saisit sa chemise de légère batiste qu'il avait jetée sur un siège, l'enfila en hâte.

Déjà des pas se pressaient vers la porte. Messire Ralph Basset, le sénéchal, entra, suivi de quelques seigneurs locaux, le sire de Bergerac, les barons de Budos et de Mauvezin, et le sire de Montpezat à propos de qui — du moins le croyait-il, et pour s'en faire gloire — cette guerre était née.

Le sénéchal Basset était vraiment très petit; le jeune comte de Kent s'en trouvait surpris chaque fois qu'il le voyait apparaître. Avec cela rond comme une futaille, et toujours au bord d'une colère qui lui faisait enfler le cou et saillir les yeux.

Le lévrier n'aimait pas le sénéchal et grondait dès qu'il le voyait.

— Est-ce l'incendie ou bien les Français, messire sénéchal? demanda le comte de Kent.

— Les Français, les Français, Monseigneur! s'écria le sénéchal presque choqué de la question. Venez donc; on les aperçoit déjà.

Le comte de Kent se pencha vers un miroir d'étain pour remettre en ordre ses rouleaux blonds sur les oreilles, et suivit le sénéchal. En chemise blanche, ouverte sur la poitrine et qui blousait autour de la ceinture, sans éperons à ses bottes, tête nue, parmi les barons vêtus de mailles de fer, il donnait une étrange impression d'intrépidité et de grâce, de manque de sérieux aussi.

L'intense vacarme des cloches le surprit à la sortie du donjon et le grand soleil d'août l'éblouit. Le lévrier se mit à hurler.

On monta jusqu'au sommet de la Thomasse, la grosse tour ronde construite par Richard Cœur de Lion. Que n'avait-il pas bâti, cet ancêtre? L'enceinte de la tour de Londres, Château-Gaillard en Normandie, la forteresse de La Réole...

La Garonne, large et miroitante, coulait au pied du coteau presque à pic, et son cours dessinait des méandres à travers la grande plaine fertile où le regard se perdait jusqu'à la lointaine ligne bleue des monts de l'Agenais.

— Je ne distingue rien, dit le comte de Kent qui s'attendait à voir les avant-gardes françaises aux abords de la ville.

— Mais si, Monseigneur, lui répondit-on en criant pour dominer le bruit du tocsin. Le long de la rivière, en amont, vers Sainte-Bazeille!

En plissant les yeux et en mettant la main en visière, le comte de Kent finit par apercevoir un ruban scintillant qui doublait celui du fleuve. On lui dit que c'était le reflet du soleil sur les cuirasses et les caparaçons des chevaux.

Et toujours ce fracas de cloches qui brisait l'air! Les sonneurs devaient avoir les bras rompus. Dans les rues de la ville, autour de l'hôtel communal surtout, la population s'agitait, fourmillante. Comme les hommes semblaient petits, observés depuis les créneaux d'une citadelle! Des insectes. Sur tous les chemins qui aboutissaient à la ville, se pressaient des paysans apeurés, qui tirant sa vache, qui poussant ses chèvres, qui aiguillonnant les bœufs de son attelage. On abandonnait les champs en courant; arriveraient bientôt les gens des bourgs environnants, leurs hardes sur le dos ou entassées dans les chariots. Tout le monde se logerait comme il pourrait, dans une ville déjà surpeuplée par la troupe et les chevaliers de Guyenne.

— Nous ne commencerons vraiment à pouvoir compter les Français que dans deux heures, et ils ne seront pas sous les murs avant la nuit, dit le sénéchal.

— Ah! c'est piètre saison pour faire la guerre, dit avec humeur le sire de Bergerac qui avait dû s'enfuir de Sainte-Foy-la-Grande quelques jours plus tôt, devant l'avance française.

— Pourquoi donc n'est-ce pas bonne saison? demanda le comte de Kent en montrant le ciel pur et cette belle campagne qui s'étendait devant eux.

Il faisait un peu chaud, certes, mais cela ne valait-il pas mieux que la pluie et la boue? S'ils avaient connu, ces gens d'Aquitaine, les guerres d'Écosse, ils se seraient bien gardés de se plaindre.

— Parce qu'on est à un mois des vendanges, Monseigneur, dit le sire de Montpezat; parce que les vilains vont gémir de voir fouler leurs récoltes, et nous opposer leur mauvaise volonté. Le comte de Valois connaît bien ce qu'il fait; déjà, en 1294, il a agi de la sorte, ravageant tout pour lasser le pays plus vite.

Le duc de Kent haussa les épaules. Le pays bordelais n'en était pas à quelques barriques près, et guerre ou pas guerre, on continuerait de boire du claret. Il circulait en haut de la Thomasse une petite brise inattendue qui pénétrait dans la chemise ouverte du jeune prince et lui glissait agréablement sur la peau. Comme le seul fait de vivre procurait parfois une sensation merveilleuse !

Accoudé aux pierres tièdes du créneau, le comte de Kent se laissait aller à rêver. Il était, à vingt-trois ans, lieutenant du roi pour tout un duché, c'est-à-dire investi de toutes les prérogatives royales et figurant, en sa personne, le roi lui-même. Il était celui qui disait : « Je veux ! » et auquel on obéissait. Il pouvait ordonner : « Pendez !»... Il ne songeait pas à le dire, d'ailleurs, mais il pouvait le faire. Et puis, surtout, il était loin de l'Angleterre, loin de la cour de Westminster, loin des lubies, des colères, des suspicions de son demi-frère Édouard II, loin des Despensers. Ici, il se trouvait enfin livré à lui-même, son seul maître, et maître de tout ce qui l'entourait. Une armée venait à sa rencontre qu'il allait charger et vaincre, il n'en doutait pas. Un astrologue lui avait annoncé qu'entre sa vingt-quatrième et sa vingt-sixième année il accomplirait ses plus hautes actions, qui le mettraient fort en vue... Ses songes d'enfance devenaient brusquement réels. Une grande plaine, des cuirasses, une autorité souveraine... Non, vraiment, il ne s'était, depuis sa naissance, senti plus heureux d'exister. La tête lui tournait un peu, d'une griserie qui ne lui venait de rien d'autre que de lui-même, et de cette brise qui passait contre sa poitrine, et de ce vaste horizon...

— Vos ordres, Monseigneur? demanda messire Basset qui commençait à s'impatienter.

Le comte de Kent se retourna et regarda le petit sénéchal avec une nuance d'étonnement hautain.

— Mes ordres? dit-il. Mais faites sonner les busines [18], messire sénéchal, et mettez votre monde à cheval. Nous allons nous porter en avant et charger.

— Mais avec quoi, Monseigneur?

— Mais pardieu, avec nos troupes, Basset !

— Monseigneur, nous avons ici, à toute peine, deux cents armures, et il nous en vient plus de quinze cents à l'encontre, aux chiffres que nous avons. N'est-il pas vrai, messire de Bergerac?

Le sire Réginald de Pons de Bergerac approuva de la tête. Le courtaud sénéchal avait le cou plus rouge et plus gonflé que de coutume; vraiment il était inquiet et près d'éclater devant tant d'inconsciente légèreté.

— Et des renforts, nulle nouvelle? dit le comte de Kent.

— Eh non, Monseigneur! Toujours rien! Le roi votre frère, pardonnez mon propos, nous laisse par trop choir.

Il y avait quatre semaines qu'on attendait ces fameux renforts d'Angleterre. Et le connétable de Bordeaux qui, lui, avait des troupes, en prenait prétexte pour ne pas bouger, puisqu'il avait reçu l'ordre exprès du roi Édouard de se mettre en route aussitôt que les renforts arriveraient. Le jeune comte de Kent n'était pas aussi souverain qu'il y paraissait...

Par suite de cette attente et de ce manque d'hommes — à se demander si les renforts annoncés étaient seulement embarqués! — on avait permis à Monseigneur de Valois de se promener à travers le pays, d'Agen à Marmande et de Bergerac à Duras, comme dans un parc de plaisance. Et maintenant que Valois était là, à portée du regard, avec son gros ruban d'acier, on ne pouvait toujours rien faire.

— C'est aussi votre conseil, Montpezat? demanda le comte de Kent.

— A regret, Monseigneur, oh! bien à regret, répondit le baron de Montpezat en mordant ses noires moustaches.

— Et vous, Bergerac? questionna encore Kent.

— J'en ai les larmes de rage, dit Pons de Bergerac avec l'accent bien chantant qu'avaient tous les seigneurs de la région.

Edmond de Kent se dispensa d'interroger les barons de Budos et de Fargues de Mauvezin; ceux-là ne parlaient ni le français, ni l'anglais, mais seulement le gascon, et Kent ne comprenait rien à leurs palabres. Leurs visages d'ailleurs fournissaient suffisante réponse.

— Alors faites fermer les portes, messire sénéchal, et installons-nous pour être assiégés. Et puis quand les renforts arriveront, ils prendront les Français à revers, et ce sera peut-être mieux ainsi, dit le comte de Kent pour se consoler.

Il gratta du bout des doigts le front de son lévrier, et puis se réaccouda aux pierres tièdes pour observer la vallée. Un vieil adage disait: «Qui tient La Réole tient la Guyenne.» On tiendrait le temps qu'il faudrait.

Une avance trop aisée est presque aussi épuisante, pour une troupe, qu'une retraite. Faute de trouver devant soi une résistance qui permît de s'arrêter, fût-ce une journée, et de reprendre haleine, l'armée de France marchait, marchait, sans relâche, depuis plus de trois semaines, depuis vingt-cinq jours exactement. Le grand ost, bannières, armures, goujats, archers, chariots, forges, cuisines, et puis les marchands et les bordeliers à la suite, s'étirait sur plus d'une lieue. Les chevaux blessaient au garrot, et il ne se passait pas de quart d'heure que l'un ne se déferrât. Beaucoup de chevaliers avaient dû renoncer à porter leurs cuirasses qui, la chaleur aidant, leur provoquaient plaies et furoncles aux jointures. La piétaille traînait ses lourds souliers cloutés. En plus, les belles prunes noires d'Agen, qui semblaient mûres sur les arbres, avaient purgé avec violence les soldats assoiffés et chapardeurs ; on en voyait qui quittaient la colonne à tout instant pour aller baisser leurs chausses le long du chemin.

Le connétable Gaucher de Châtillon somnolait le plus qu'il pouvait, à cheval. Près de cinquante ans de métier des armes et huit guerres ou campagnes lui en avaient donné l'entraînement.

— Je vais dormir un petit, annonçait-il à ses deux écuyers.

Ceux-ci, réglant le pas de leurs montures, venaient se placer de part et d'autre du connétable, de façon à bien l'encadrer pour le cas où il aurait glissé de côté ; et le vieux chef, les reins appuyés au troussequin, ronflait dans son heaume.

Robert d'Artois suait sans maigrir et répandait à vingt pas une odeur de fauve. Il avait fait amitié avec un des Anglais qui suivaient Mortimer, ce long baron de Maltravers qui ressemblait à un cheval, et il lui avait même offert de marcher dans sa bannière parce que l'autre était fort joueur et toujours prêt, aux haltes, à manier le cornet de dés.

Charles de Valois ne décolérait pas. Entouré de son fils d'Alençon, de son neveu d'Évreux, des deux maréchaux Mathieu de Trye et Jean des Barres, et de son cousin Alphonse d'Espagne, il s'emportait contre tout, contre le climat intolérable, contre la touffeur des nuits et la fournaise des jours, contre les mouches, contre la nourriture trop grasse. Le vin qu'on lui servait n'était que piquette de manant. Pourtant on était dans un pays de crus fameux ? Où donc ces gens-là cachaient-ils leurs bonnes barriques ? Les œufs avaient mauvais goût, le lait était aigre. Monseigneur de Valois se réveillait parfois avec des nausées, et depuis quelques jours il éprouvait dans la poitrine une douleur sournoise qui l'inquiétait. Et puis la piétaille n'avançait pas, non plus que les grosses bouches à poudre fournies par les Italiens et dont les patins de bois semblaient coller aux chemins. Ah ! si l'on avait pu faire la guerre seulement avec la chevalerie !...

— Il semble que je sois voué au soleil, disait Valois. Ma première campagne, quand j'avais quinze ans, je l'ai faite ainsi, mon cousin Alphonse, par une chaleur brûlante, dans votre Aragon pelé, dont je fus un moment roi, contre votre grand-père.

Il s'adressait à Alphonse d'Espagne, héritier du trône d'Aragon, lui rappelant sans ménagement les luttes qui avaient divisé leurs familles. Mais il pouvait se le permettre, car Alphonse était bien débonnaire, prêt à tout accepter pour contenter chacun, prêt à partir pour la croisade puisqu'on l'en avait prié, et à combattre les Anglais pour s'entraîner à la croisade.

— Ah ! la prise de Gérone ! continuait Valois, je m'en souviendrai toujours. Quelle bouilloire ! Le cardinal de Cholet, n'ayant pas de couronne sous la main pour mon sacre, me coiffa de son chapeau. J'étouffais sous ce grand feutre rouge. Oui, j'avais quinze ans... Mon noble père, le roi Philippe le Hardi, mourut à Perpignan des fièvres qu'il avait prises là-bas...

Il s'était assombri en parlant de son père. Il pensait que celui-ci était mort à quarante ans. Son frère aîné, Philippe le Bel, avait trépassé à quarante-six, et son demi-frère Louis d'Évreux à quarante-trois. Lui-même en avait maintenant cinquante-quatre, depuis mars; il avait montré qu'il était le plus robuste de la famille. Mais combien de temps encore la Providence lui accorderait-elle?

— Et la Campanie, et la Romagne, et la Toscane, d'autres pays où il fait chaud! poursuivit-il. Traverser toute l'Italie depuis Naples, en pleine saison de soleil, jusqu'à Sienne et Florence, pour en chasser les Gibelins comme je l'ai fait, il y a... laissez-moi compter... 1301, vingt-trois ans!... Et ici même, en Guyenne dans l'année 94, c'était aussi l'été! Toujours l'été.

— Dites-moi, Charles, il fera pire chaleur encore à la croisade, lança ironiquement Robert d'Artois. Vous nous voyez chevauchant contre le Soudan d'Égypte? Et là-bas, il paraît que la vigne est petite culture. On va lécher le sable.

— Oh! la croisade, la croisade... répondit Valois avec une grande lassitude irritée. Sait-on même si elle partira, la croisade, avec toutes les traverses qu'on me met! Il est beau de vouer sa vie au service des royaumes et de l'Église, mais on finit par être las d'user toujours ses forces pour des ingrats.

Les ingrats, c'était le pape Jean XXII qui rechignait à accorder les subsides, comme si vraiment il avait voulu décourager l'expédition; c'était surtout le roi Charles IV qui, non seulement, différait toujours d'envoyer la commission de lieutenant à Charles de Valois, au point que cela en devenait offensant, mais en plus venait de profiter de l'éloignement de ce dernier pour se porter lui-même candidat à l'Empire. Et le pape, naturellement, avait accordé soutien officiel à cette candidature. Ainsi, toute la belle machination montée par Valois avec Léopold de Habsbourg s'écroulait. On le tenait pour niais, le Sire Charles le Bel, et de fait il l'était; mais il s'entendait assez bien aux coups fourrés... Valois avait reçu la nouvelle le jour même, vingt-cinquième d'août. Mauvaise Saint-Louis, en vérité!

Il était de si méchante humeur, et si occupé à chasser les mouches de son visage, qu'il en oubliait de regarder le paysage. Il ne vit La Réole que lorsqu'on fut devant, à quatre ou cinq portées d'arbalète.

La Réole, bâtie sur un éperon rocheux et dominée elle-même par un cercle de vertes collines, surplombait la Garonne. Découpée sur le ciel pâlissant, serrée dans ses remparts de bonne pierre ocre que dorait le soleil couchant, montrant ses clochers, les tours de son château, la haute charpente de son hôtel de ville au clocheton ajouré, et tous ses toits de tuiles rouges pressés les uns contre les autres, elle ressemblait aux miniatures qui représentaient Jérusalem dans les Livres d'heures. Une jolie ville, vraiment. En outre, sa position élevée en faisait une idéale place de guerre ; le comte de Kent n'était pas sot de l'avoir choisie pour s'y enfermer. Il ne serait pas facile d'enlever cette forteresse.

L'armée s'était arrêtée, attendant les ordres. Mais Monseigneur de Valois n'en donnait pas. Il boudait. Que le connétable, que les maréchaux prissent les décisions qui leur paraîtraient bonnes. Lui, n'étant pas lieutenant du roi, ne se chargeait plus d'aucune responsabilité.

— Venez, Alphonse, allons nous rafraîchir, dit-il au cousin d'Espagne.

Le connétable tournait la tête dans son heaume pour saisir ce que lui disaient ses chefs de bannières. Il envoya le comte de Boulogne en reconnaissance. Boulogne revint au bout d'une heure, ayant décrit le tour de la ville du côté des collines. Toutes les portes étaient closes, et la garnison ne donnait aucun signe de sortie. On décida donc de camper là, et les bannières s'installèrent un peu comme elles voulurent. Les vignes qui lançaient leurs sarments entre les arbres et les hauts échalas constituaient d'agréables abris en forme de tonnelles. L'armée était fourbue et s'endormit dans le clair crépuscule, avec l'apparition des premières étoiles.

Le jeune comte de Kent ne put résister à la tentation de l'audace. Après une insomnieuse nuit dont il avait trompé l'attente en jouant au trémerel [19] avec ses écuyers, il manda le sénéchal Basset, lui commanda de faire armer sa chevalerie et, avant l'aube, sans sonner trompe, sortit de la ville, par une poterne basse.

Les Français, ronflant dans les vignes, ne s'éveillèrent que lorsque le galop des chevaliers gascons fut sur eux. Ils dressèrent des têtes étonnées pour les rabaisser aussitôt, et voir les sabots de la charge leur passer à ras du front. Edmond de Kent et ses compagnons s'en donnaient à plaisir parmi ces groupes ensommeillés, taillant de l'épée, frappant de leurs masses d'armes, abattant les lourds fléaux plombés sur des jambes nues, des côtes que ne protégeaient ni mailles ni cuirasses. On entendait les os craquer, et un chemin de hurlements s'ouvrait dans le camp français. Les tentes de quelques grands seigneurs s'écroulaient. Mais bientôt une rude voix domina la mêlée, qui criait : « A moi Châtillon ! » Et la bannière du connétable, de gueules à trois pals de vair au chef d'or, un dragon pour cimier, deux lions d'or pour tenir, flotta dans le soleil levant. C'était le vieux Gaucher qui, de son campement sagement établi en retrait, accourait à la rescousse avec ses vassaux. Les appels : « Artois en avant !... A moi Valois ! » répondirent à droite et à gauche. A demi équipés, certains à cheval, d'autres à pied, les chevaliers se ruaient à l'adversaire.

Le camp était trop vaste, trop disséminé, et les chevaliers français trop nombreux pour que le comte de Kent pût poursuivre longtemps ses ravages. Déjà les Gascons voyaient s'amorcer devant eux un mouvement de tenailles. Kent n'eut que le temps de faire tourner bride et de regagner au galop les portes de La Réole où il s'engouffra ; et puis, ayant adressé compliment à chacun, et son armure délacée, il s'en alla dormir, l'honneur sauf.

La consternation régnait dans le camp français où l'on entendait gémir les blessés. Parmi les morts, dont le nombre s'élevait à près de soixante, se trouvaient Jean des Barres, l'un des maréchaux, et le comte de Boulogne, commandant de l'avant-garde. On déplorait que ces deux seigneurs, vaillants hommes de guerre, eussent rencontré une fin aussi soudaine et absurde. Assommés à leur réveil !

Mais la prouesse de Kent inspira le respect. Charles de Valois lui-même, qui, la veille encore, déclarait qu'il ne ferait qu'une bouchée de ce jeune homme s'il le rencontrait en champ clos, prit un air pénétré, presque glorieux, pour dire :

— Eh ! Messeigneurs, il est mon neveu, ne l'omettez point !

Et oubliant du coup ses blessures d'amour-propre, ses malaises et le poids de la saison, il se mit, après que de somptueux honneurs funèbres eurent été rendus au maréchal des Barres, à préparer le siège de la ville. Il y montra autant d'activité que de compétence car, tout gros vaniteux qu'il était, il n'en était pas moins remarquable homme de guerre.

Toutes les routes d'accès à La Réole furent coupées, la région surveillée par des postes disposés en profondeur. Des fossés, remblais, et autres ouvrages de terre furent entrepris à petite distance des murs pour y mettre les archers à l'abri. On commença de construire, aux endroits les plus propices, des plates-formes pour y installer les bouches à poudre. En même temps on élevait des échafaudages destinés aux arbalétriers. Monseigneur de Valois était partout sur les chantiers, inspectant, ordonnant, poussant à l'œuvre. En retrait, dans l'amphithéâtre des collines, les chevaliers avaient fait dresser leurs trefs ronds au sommet desquels flottaient les bannières. La tente de Charles de Valois, placée de façon à dominer le camp et la cité assiégée, semblait un vrai château de toile brodée.

Le trente août, Valois reçut enfin sa commission tant attendue. Son humeur alors acheva de se transformer et il parut ne plus faire de doute pour lui que la guerre fût comme déjà gagnée.

Deux jours plus tard, Mathieu de Trye, le maréchal survivant, Pierre de Cugnières et Alphonse d'Espagne, précédés de busines sonnantes et de la bannière blanche des parlementaires, s'avancèrent jusqu'au pied des murs de La Réole pour faire sommation au comte de Kent, d'ordre du puissant et haut seigneur Charles, comte de Valois, lieutenant du roi de France en Gascogne et Aquitaine, d'avoir à se rendre et remettre en leurs mains tout le duché pour faute de foi et hommage non rendu.

A quoi le sénéchal Basset, se hissant sur la pointe des pieds pour apparaître aux créneaux, répondit, d'ordre du haut et puissant seigneur Edmond, comte de Kent, lieutenant du roi d'Angleterre en Aquitaine et Gascogne, que la sommation était irrecevable et que le comte ne quitterait la ville ni ne remettrait le duché, sauf à être délogé par la force.

La déclaration de siège ayant été faite dans les règles, chacun retourna à ses tâches.

Monseigneur de Valois mit à l'ouvrage les trente mineurs prêtés à lui par l'évêque de Metz. Ces mineurs devaient percer des galeries souterraines jusque sous les murs, puis y placer des barils de poudre auxquels on mettrait le feu. L'*ingeniator* Hugues, qui appartenait au duc de Lorraine, promettait miracle de cette opération. Le rempart s'ouvrirait comme une fleur au printemps.

Mais les assiégés, alertés par les coups sourds, disposèrent des récipients pleins d'eau sur les chemins de ronde. Et là où ils virent à la surface de l'eau se former des rides, ils surent que les Français, en dessous, creusaient une sape. Ils en firent autant de leur côté, travaillant la nuit, alors que les mineurs de Lorraine travaillaient de jour. Un matin, les deux galeries s'étant rejointes, il se passa sous terre, à la lueur des lumignons, une atroce boucherie dont les survivants ressortirent couverts de sueur, de poussière sombre et de sang, le regard affolé comme s'ils remontaient des enfers.

Alors, les plates-formes de tir étant prêtes, Monseigneur de Valois décida d'utiliser ses bouches à feu.

C'étaient de gros tuyaux de bronze épais, cerclés de fer, et reposant sur des affûts de bois sans roue. Il fallait dix chevaux pour traîner chacun de ses monstres, et vingt hommes pour les pointer, les caler, les charger. On construisait autour une sorte de caisse, faite d'épais madriers, et destinée à protéger les servants dans le cas où l'engin éclaterait.

Ces pièces venaient de Pise. Les servants italiens les appelaient *bombarda* à cause du bruit qu'elles faisaient.

Tous les grands seigneurs, tous les chefs de bannières, s'étaient réunis pour voir fonctionner les bombardes. Le connétable Gaucher haussait les épaules et déclarait, l'air bougon, qu'il ne croyait pas aux vertus destructrices de ces machines. Pourquoi toujours faire confiance à des « novelletés », alors qu'on pouvait se servir de bons mangonneaux, trébuchets et perrières qui, depuis des siècles, avaient produit leurs preuves ? Pour réduire les villes qu'il avait prises, lui, Châtillon, avait-il eu besoin des fondeurs de Lombardie ? Les guerres se gagnaient par la vaillance des âmes et la force des bras, et non point par recours à des poudres d'alchimistes qui sentaient un peu trop le soufre de Satan !

Les servants avaient allumé auprès de chaque engin un brasero où rougissait une broche de fer. Puis, ayant introduit la poudre à l'aide de grandes cuillers de fer battu, ils chargèrent chaque bombarde, d'abord d'une bourre d'étoupe, ensuite d'un gros boulet de pierre de près de cent livres, tout cela entonné par la gueule. Un peu de poudre fut déposé dans une gorge ménagée sur le dessus des culasses et qui communiquait par un mince orifice avec la charge intérieure.

Tous les assistants furent invités à se retirer de cinquante pas. Les servants des pièces se couchèrent, les mains sur les oreilles ; un seul servant resta debout auprès de chaque bombarde pour mettre le feu à la poudre à l'aide des longues broches de fer rougies au feu. Et aussitôt que cela fut fait, il se jeta au sol et s'aplatit contre la caisse de l'affût.

Des flammes rouges jaillirent et la terre trembla. Le bruit roula dans la vallée de la Garonne et s'entendit de Marmande à Langon.

L'air était devenu noir autour des pièces, dont l'arrière s'était enfoncé dans le sol meuble par l'effet du recul. Le connétable toussait, crachait et jurait. Quand la poussière fut un peu dissipée, on vit qu'un des boulets était tombé chez les Français ; une toiture, dans la ville, semblait éventrée.

— Beaucoup de fracas pour peu de dégâts, dit le connétable. Avec de vieilles balistes à poids et à frondes, tous les boulets seraient arrivés au but sans qu'on soit à s'étouffer pour autant.

Or, à l'intérieur de La Réole, personne n'avait compris tout d'abord pourquoi, du toit de maître Delpuch, notaire, une grande cascade de tuiles était soudain tombée dans la rue. On ne comprit pas non plus d'où venait ce coup de tonnerre, parti dans un ciel sans nuages, et que les oreilles perçurent un instant après. Puis maître Delpuch surgit de chez lui, en hurlant, parce qu'un gros boulet de pierre venait de choir dans sa cuisine.

Alors, la population courut aux remparts pour constater qu'il n'y avait dans le camp français aucune de ces hautes machines qui formaient l'équipement habituel des sièges. A la deuxième salve, on fut forcé d'admettre que bruit et projectiles sortaient de ces longs tubes couchés dans la colline, et que surmontait un panache de fumée. Chacun fut saisi d'effroi, et les femmes refluèrent vers les églises pour y prier contre cette invention du démon.

Le premier coup de canon des guerres d'Occident venait d'être tiré [20].

Le 22 septembre au matin, le comte de Kent fut prié de recevoir messires Ramon de Labison, Jean de Miral, Imbert Esclau, les frères Doat et Barsan de Pins, le notaire Hélie de Malenat, tous les six jurats de La Réole, ainsi que plusieurs bourgeois qui les accompagnaient. Les jurats présentèrent au lieutenant du roi d'Angleterre de longues doléances, et sur un ton qui s'écartait de la soumission et du respect. La ville était sans vivres, sans eau et sans toits. On voyait le fond des citernes, on balayait le sol des greniers, et la population n'en pouvait plus de cette pluie de boulets, de quart d'heure en quart d'heure, depuis plus de trois semaines. L'hôtel-Dieu regorgeait de malades et de blessés. On entassait dans les cryptes des églises les corps des gens tués dans les rues, des enfants écrasés dans leur lit. Les cloches de l'église Saint-Pierre s'étaient effondrées dans un vacarme de fin du monde, ce qui prouvait bien que Dieu ne protégeait pas la cause anglaise. En outre, il devenait urgent de vendanger, au moins dans les vignobles que les Français n'avaient pas ravagés, et l'on n'allait pas laisser pourrir sur ceps la récolte. La population, encouragée par les propriétaires et négociants, s'apprêtait à se soulever et à se battre avec les soldats du sénéchal, si de besoin, pour obtenir la reddition.

Tandis que les jurats parlaient, un boulet siffla dans l'air et l'on entendit un écroulement de charpente. Le lévrier du comte de Kent se mit à hurler. Son maître le fit taire d'un mouvement de lassitude excédée.

Depuis plusieurs jours déjà, Edmond de Kent savait qu'il aurait à se rendre. Il s'obstinait à la résistance, sans aucun motif raisonnable. Ses maigres troupes, déprimées par le siège, étaient hors d'état de soutenir un assaut. Tenter une nouvelle sortie contre un adversaire maintenant solidement retranché n'eût été qu'une folie. Et voici que les habitants de La Réole menaçaient de se révolter.

Kent se tourna vers le sénéchal Basset.

— Les renforts de Bordeaux, messire Ralph, y croyez-vous encore ? demanda-t-il.

Le sénéchal ne croyait plus à rien. Au bout de ses forces, il n'hésitait pas à accuser le roi Édouard et ses Despensers d'avoir laissé les défenseurs de La Réole dans un abandon qui ressemblait assez à une trahison.

Les sires de Bergerac, de Budos et de Montpezat ne montraient pas de plus joyeuses mines. Personne ne se souciait de mourir pour un roi qui témoignait si peu de soin à ses meilleurs serviteurs. La fidélité était par trop mal payée.

— Avez-vous une bannière blanche, messire sénéchal ? dit le comte de Kent. Alors, faites-la hisser au sommet du château.

Quelques minutes plus tard, les bombardes se turent, et sur le camp français tomba ce grand silence surpris qui accueille les événements longtemps espérés. Des parlementaires sortirent de La Réole et furent conduits à la tente du maréchal de Trye, lequel leur communiqua les conditions générales de la reddition. La ville serait livrée, naturellement ; mais également le comte de Kent devrait signer et proclamer la remise de tout le duché entre les mains du lieutenant du roi de France. Il n'y aurait ni pillage, ni prisonniers, mais seulement des otages, et une indemnité de guerre à fixer. En outre, le comte de Valois priait le comte de Kent à dîner.

Un grand festin fut apprêté dans le tref de toile brodée des lis de France où Monseigneur Charles vivait depuis près d'un mois. Le comte de Kent arriva sous ses plus belles armes, mais pâle et s'efforçant de contenir, sous un masque de dignité, son humiliation et son désespoir. Il était escorté du sénéchal Basset et de plusieurs seigneurs gascons.

Les deux lieutenants royaux, le vainqueur et le vaincu, se parlèrent avec quelque froideur, s'appelant néanmoins « Monseigneur mon neveu », « Monseigneur mon oncle », ainsi que gens entre qui la guerre ne rompt point les liens de famille.

A table, Monseigneur de Valois fit asseoir le comte de Kent en face de lui. Les chevaliers gascons commencèrent de s'empiffrer comme ils n'en avaient point eu l'occasion depuis des semaines.

On s'efforçait à la courtoisie, et de complimenter l'adversaire sur sa vaillance. Le comte de Kent fut félicité de sa sortie fougueuse qui avait coûté un maréchal aux Français. Kent répondit en marquant beaucoup de considération à son oncle pour ses dispositifs de siège et l'emploi de l'artillerie à feu.

— Entendez-vous, messire connétable, et vous tous, Messeigneurs, s'écria Valois, ce que déclare mon noble neveu... que sans nos bombardes à boulets, la ville aurait pu tenir quatre mois ? Qu'on en garde souvenir !

Par-dessus les plats, les coupes et les brocs, Kent et Mortimer s'observaient.

Aussitôt le banquet achevé, les principaux chefs s'enfermèrent pour la rédaction de l'acte de trêve dont les articles étaient nombreux. Kent, à vrai dire, était prêt à céder sur tout, sauf sur certaines formules qui contestaient la légitimité des pouvoirs du roi d'Angleterre, et sur l'inscription des sires Basset et Montpezat en tête de la liste des otages. Car ces derniers ayant séquestré et pendu des officiers du roi de France, leur sort n'eût été que trop certain. Or Valois exigeait qu'on lui remît le sénéchal et le responsable de la révolte de Saint-Sardos.

Lord Mortimer participait aux négociations. Il suggéra d'avoir un entretien particulier avec le comte de Kent. Le connétable Gaucher s'y déclara opposé ; on ne laissait pas discuter d'une trêve par un transfuge du camp adverse ! Mais Robert d'Artois et Charles de Valois faisaient confiance à Mortimer. Les deux Anglais s'isolèrent donc dans un coin du tref.

— Avez-vous grande inclination, my Lord, à vous en retourner si tôt en Angleterre ?... demanda Mortimer.

Kent ne répondit pas.

— Pour y affronter le roi Édouard votre frère, dont vous connaissez assez l'injustice et qui vous fera grief d'une défaite que les Despensers vous ont ménagée? Car vous avez été trahi, my Lord, vous ne pouvez l'ignorer. Nous savions que des renforts vous étaient promis qui ne sont jamais partis d'Angleterre. Et l'ordre au sénéchal de Bordeaux de n'aller point à votre aide avant l'arrivée de ces renforts, n'est-ce pas là trahison? Ne vous surprenez pas de me voir si bien informé; je n'en suis redevable qu'aux banquiers lombards... Mais vous êtes-vous demandé la cause d'une si félonne négligence à votre endroit? N'en voyez-vous pas le but?

Kent se taisait toujours, la tête un peu inclinée, et contemplait ses doigts.

— Vainqueur ici, vous deveniez redoutable pour les Despensers, my Lord, reprit Mortimer, et preniez trop d'importance dans le royaume. Ils ont bien préféré vous faire subir le discrédit d'une reddition, fût-ce au prix de l'Aquitaine dont peu se soucient des hommes attentifs seulement à voler, l'une après l'autre, les baronnies des Marches. Comprenez-vous qu'il m'ait fallu, voici trois ans, me rebeller pour l'Angleterre contre son roi, ou pour le roi contre lui-même? Qui vous assure qu'aussitôt rentré vous ne serez pas à votre tour accusé de forfaiture et jeté en geôle? Vous êtes jeune encore, my Lord, et ne connaissez point ce dont ces mauvaises gens sont capables.

Kent repoussa ses rouleaux blonds derrière son oreille, et répondit enfin:

— Je commence, my Lord, à le connaître à mes dépens.

— Vous répugnerait-il de vous offrir pour premier otage, sous la garantie, bien sûr, que vous aurez traitement de prince? A présent que l'Aquitaine est perdue, et à jamais, je le crains, ce qu'il nous faut sauver, c'est le royaume lui-même, et c'est d'ici que nous le pouvons mieux faire.

Le jeune homme leva vers Mortimer un regard surpris.

— Voici deux heures, dit-il, j'étais encore lieutenant du roi mon frère, et déjà vous m'invitez à entrer en révolte?

— Sans qu'il y paraisse, my Lord, sans qu'il y paraisse... Les grandes actions se décident en peu de temps.

— Combien m'en accordez-vous?

— Il n'en est besoin, my Lord, puisque vous avez déjà décidé.

Ce ne fut pas un mince succès pour Roger Mortimer lorsque le jeune comte Edmond de Kent, revenant s'asseoir à la table de la trêve, annonça qu'il s'offrait pour premier otage.

Mortimer, se penchant vers son épaule, lui dit:

— A présent, il nous faut œuvrer pour sauver votre belle-sœur et cousine, la reine. Elle mérite notre amour, et nous peut être du plus grand appui.

DEUXIÈME PARTIE

ISABELLE AUX AMOURS

I

LA TABLE DU PAPE JEAN

L'église Saint-Agricol venait d'être entièrement reconstruite. La cathédrale des Doms, l'église des Frères Mineurs, celle des Frères Prêcheurs et des Augustiniens, avaient été agrandies et rénovées. Les Hospitaliers de Saint-Jean de Jérusalem s'étaient construit une magnifique commanderie. Au-delà de la place au Change s'élevait une nouvelle chapelle Saint-Antoine, et l'on creusait les fondations de la future église Saint-Didier.

Le comte de Bouville, depuis une semaine, parcourait Avignon sans la reconnaître, sans plus rien trouver des souvenirs qu'il y avait laissés. Chaque promenade, chaque trajet était cause pour lui d'une surprise et d'un émerveillement. Comment une ville, en huit ans, pouvait-elle avoir changé si totalement d'aspect?

Car ce n'étaient pas seulement les sanctuaires qui étaient sortis de terre, ou bien avaient pris façades différentes, et montraient de toutes parts leurs flèches, leurs ogives, leurs rosaces, leurs broderies de pierre blanche que dorait un peu le soleil d'hiver et où chantait le vent du Rhône.

Partout s'élevaient hôtels princiers, habitations de prélats, édifices communaux, demeures de bourgeois enrichis, maisons de compagnies lombardes, entrepôts, magasins. Partout on entendait le bruit patient, incessant et pareil à la pluie, du marteau des tailleurs de pierre, ces millions de petits coups de métal contre la roche tendre et par lesquels s'édifient les capitales. Partout la foule nombreuse, et souvent écartée par le cortège de quelque cardinal, partout la foule active, vivace, affairée, marchait dans les gravats, la sciure, la poussière calcaire. C'est le signe des âges de richesse que d'y voir les souliers brodés de la puissance se souiller aux déchets du bâtiment.

Non, Hugues de Bouville ne reconnaissait plus rien. Le mistral lui jetait aux yeux, en même temps que la poussière des travaux, un constant éblouissement. Les négoces, qui tous s'honoraient d'être fournisseurs du Très Saint-Père ou des éminences de son Sacré collège, regorgeaient des plus somptueuses marchandises de la terre, des velours les plus épais, des soieries, toiles d'or et passementeries les plus lourdes. Les bijoux sacerdotaux, croix pectorales, crosses, bagues, ciboires, ostensoirs, patènes, et puis aussi plats à manger, cuillers, gobelets, hanaps gravés d'armoiries tiarées ou cardinalices, s'entassaient sur les étagères du Siennois Tauro, du marchand Corboli et de maître Cachette, argenteurs.

Il fallait des peintres pour décorer toutes ces nefs, ces voûtes, ces cloîtres, ces salles d'audience; les trois Pierre, Pierre du Puy, Pierre de Carmelère et Pierre Gaudrac, aidés de leurs nombreux élèves, étendaient l'or, l'azur, le carmin, et traçaient les figures du Zodiaque autour des scènes des deux Testaments. Il fallait des sculpteurs; maître Macciolo de Spolète taillait dans le rouvre et le noyer les effigies des saints qu'il peignait ensuite ou recouvrait d'or. Et l'on saluait très bas dans les rues un homme qui n'était pas cardinal, mais que n'escortait pas moins une suite imposante d'acolytes et de serviteurs chargés de toises et de grands rouleaux de vélin; cet homme était messire Guillaume de Coucouron, chef de tous les architectes pontificaux qui, depuis l'an 1317, rebâtissaient Avignon pour la dépense fabuleuse de cinq mille florins d'or.

Les femmes, dans cette métropole religieuse, se vêtaient plus bellement qu'en aucun lieu du monde. Les voir sortir des offices, traverser les rues, courir les boutiques, tenir cour en pleine rue, frileuses et rieuses, dans leurs manteaux fourrés, parmi des seigneurs empressés et des clercs fort délurés, était un enchantement du regard. Certaines allaient même fort aisément au bras d'un chanoine ou d'un évêque, et les deux robes avançaient, balayant la poussière blanche d'un pas bien accordé.

Le Trésor de l'Église faisait prospérer toutes les activités humaines. Il avait fallu construire de nouveaux établissements bordeliers et agrandir le quartier des follieuses, car tous les moines, moinillons, clercs, diacres et sous-diacres qui hantaient Avignon n'étaient pas forcément des saints. Les consuls avaient fait afficher sur panonceaux de sévères ordonnances: « *Il est fait défense aux femmes publiques et maquerelles de demeurer dans les bonnes rues, de se parer des mêmes atours que les femmes honnêtes, de porter voile en public et de toucher de la main le pain et les fruits dans les boutiques sous peine d'être obligées d'acheter les marchandises qu'elles ont tâtées. Les courtisanes mariées seront expulsées de la ville et déférées aux juges si elles viennent à y rentrer.* » Mais, en dépit des ordonnances, les courtisanes se paraient des plus beaux tissus, achetaient les plus beaux fruits, racolaient dans les rues nobles, et se mariaient sans peine tant elles étaient prospères et recherchées. Elles regardaient avec assurance les femmes dites honnêtes mais qui ne se conduisaient guère mieux, à cette seule différence que le sort leur avait fourni des amants de plus haut rang.

Non seulement Avignon, mais tout le pays environnant se transformait. De l'autre côté du pont Saint-Bénézet, sur la rive de Villeneuve, le cardinal Arnaud de Via, un neveu du pape, faisait édifier une énorme collégiale; et déjà l'on appelait la tour de Philippe le Bel «la vieille tour» parce qu'elle datait de trente ans. Mais sans Philippe le Bel, qui avait naguère imposé à la papauté le séjour d'Avignon, tout cela eût-il existé[21]? A Bédarrides, à Châteauneuf, à Noves, d'autres églises, d'autres châteaux, sortaient de terre.

Bouville en éprouvait quelque fierté personnelle. Non seulement parce qu'il se sentait concerné par tous les actes de ce roi, mais encore parce qu'il avait pendant de longues années tenu la charge de grand chambellan auprès de Philippe le Bel et qu'il se pensait un peu responsable de l'actuel pontificat.

N'était-ce pas lui, Bouville, qui, voici neuf ans, après une épuisante course à la recherche des cardinaux éparpillés entre Carpentras et Orange, avait le premier proposé le cardinal Duèze pour être le candidat de la cour de France? Les ambassadeurs se croient volontiers seuls inventeurs de leurs missions lorsqu'elles ont réussi. Et Bouville, se rendant au banquet que le pape Jean XXII offrait en son honneur, gonflait le ventre en imaginant bomber le torse, secouait ses cheveux blancs sur son col de fourrure, et parlait assez haut à ses écuyers dans les rues d'Avignon.

Une chose, en tout cas, paraissait bien acquise: le Saint-Siège ne retournerait pas en Italie. On en avait fini avec les illusions entretenues sous le pontificat précédent. Les praticiens romains pouvaient bien s'agiter contre Jean XXII et le menacer, s'il ne regagnait pas la Ville éternelle, de créer un schisme en élisant un autre pape qui occuperait vraiment le trône de saint Pierre[22]. L'ancien bourgeois de Cahors avait su répondre aux princes de Rome, en ne leur accordant que quatre chapeaux sur les seize qu'il avait imposés depuis son avènement. Tous les autres chapeaux rouges étaient allés à des Français.

— Voyez-vous, messire comte, avait dit le pape Jean à Bouville, quelques jours plus tôt, lors de la première audience, et s'exprimant par ce souffle de voix avec lequel il commandait en maître à la chrétienté... voyez-vous, messire comte, il faut gouverner avec ses amis contre ses ennemis. Les princes qui usent leurs jours et leurs forces à se gagner leurs adversaires mécontentent leurs vrais soutiens et ne s'acquièrent que de faux amis, toujours prêts à les trahir.

Il n'était besoin, pour se convaincre de la volonté du pape de demeurer en France, que de voir le château qu'il venait de construire sur la place de l'ancien évêché, et qui dominait la ville de ses créneaux, tours et mâchicoulis. L'intérieur était distribué entre des cloîtres spacieux, des salles de réception et des appartements splendidement décorés sous des plafonds d'azur semés d'étoiles, comme le ciel[23]. Il y avait deux huissiers de la première porte, deux huissiers de la seconde, cinq pour la troisième, et quatorze huissiers encore pour les autres portes. Le maréchal du palais commandait à quarante courriers et à soixante-trois sergents d'armes.

« Tout ceci ne représente pas un établissement provisoire », se disait Bouville en suivant le maréchal venu l'attendre en personne à la porte du palais, et qui le guidait à travers les salles.

Et pour savoir avec qui le pape Jean avait choisi de gouverner, il suffit à Bouville d'entendre nommer les dignitaires qui venaient de prendre place, dans la salle des festins tendue de tapisseries de soie, à la longue table étincelante de vaisselle d'or et d'argent.

Le cardinal-archevêque d'Avignon, Arnaud de Via, était fils d'une sœur du pape. Le cardinal-chancelier de l'Église romaine, c'est-à-dire le premier ministre du monde chrétien, homme assez large et solide, bien assis dans sa pourpre, était Gaucelin Dueze, fils de Pierre Dueze, le propre frère du pape que le roi Philippe V avait anobli. Neveu du pape encore, le cardinal Raymond Le Roux. Un autre neveu, Pierre de Vicy, gérait la maison pontificale, mandatait les dépenses, dirigeait les deux panetiers, les quatre sommeliers, les maîtres de l'écurie et de la maréchalerie, les six chambriers, les trente chapelains, les seize confesseurs pour les pèlerins de passage, les sonneurs de cloches, les balayeurs, les porteurs d'eau, les lavandières, les archiatres apothicaires et barbiers.

Le moindre des « neveux » ici attablés n'était certes pas le cardinal Bertrand du Pouget, légat itinérant pour l'Italie, et dont on chuchotait... mais qui donc ici ne chuchotait pas ?... qu'il était un fils naturel qu'aurait eu Jacques Dueze au temps qu'il n'avait pas encore, à quarante ans passés, quitté son Quercy natal !

Tous les parents du pape Jean, jusqu'aux cousins issus de germains, logeaient en son palais et partageaient ses repas ; deux d'entre eux habitaient même dans l'entresol secret, sous la salle à manger. Tous étaient pourvus d'emplois, celui-là parmi les cent chevaliers nobles, celui-ci comme dispensateur des aumônes, cet autre comme maître de la chambre apostolique qui administrait tous les bénéfices ecclésiastiques, annates, décimes, subsides, caricatifs, droits de dépouilles et taxes de Sacrée Pénitencerie. Plus de quatre cents personnes formaient cette cour dont la dépense annuelle dépassait quatre mille florins.

Quand, huit ans plus tôt, le conclave de Lyon avait porté au trône de saint Pierre un vieillard épuisé, diaphane, dont on attendait, dont on espérait même, qu'il rendît l'âme la semaine suivante, il ne restait rien dans le Trésor papal. En huit années, ce même petit vieillard, qui avançait ainsi qu'une plume poussée par le vent, avait si bien administré les finances de l'Église, si bien taxé les adultères, les sodomites, les incestueux, les voleurs, les criminels, les mauvais prêtres et les évêques coupables de violence, vendu si cher les abbayes, fait contrôler si justement les ressources et biens ecclésiastiques qu'il s'était assuré les plus gros revenus du monde et possédait les moyens de rebâtir une ville. Il pouvait largement nourrir sa famille et régner par elle. Il n'était chiche ni de dons aux pauvres ni de présents aux riches, offrant à ses visiteurs joyaux et saintes médailles d'or dont l'approvisionnait son fournisseur habituel, le Juif Boncœur.

Enfoui, plutôt qu'assis, dans un fauteuil au dossier immense, et les pieds posés sur deux épais coussins de soie d'or, le pape Jean présidait cette longue tablée qui tenait à la fois du consistoire et du dîner de famille. Bouville, placé à sa droite, le regardait avec fascination. Comme le Saint-Père avait changé, depuis son élection! Non pas d'apparence: le temps semblait sans prise sur ce mince visage pointu, ridé, mobile, au crâne enfermé dans un bonnet bordé de fourrure, aux petits yeux de souris, sans cils ni sourcils, à la bouche d'une extrême étroitesse où la lèvre supérieure rentrait un peu sous la gencive sans dents. Jean XXII portait ses quatre-vingts ans plus facilement que bien d'autres la cinquantaine; ses mains en donnaient la preuve, lisses, à peine parcheminées, et dont les jointures jouaient avec beaucoup de liberté. Mais c'était à l'attitude, au ton de la voix, aux propos, que l'on pouvait juger de la transformation. Cet homme qui avait dû son chapeau de cardinal à un faux en écriture royale, puis sa tiare à deux ans d'intrigues sourdes, de corruptions électorales, parachevées par un mois de simulation d'une maladie incurable, paraissait avoir reçu une nouvelle âme, par la grâce du vicariat suprême. Parvenu au sommet des ambitions humaines, délivré d'avoir à rien désirer pour lui-même, toutes ses forces, toute la redoutable mécanique cérébrale qui l'avaient conduit à ce faîte s'employaient, de manière absolument détachée, au seul bien de l'Église tel qu'il le concevait. Et quelle activité il y dépensait! Parmi ceux qui l'avaient élu, croyant qu'il disparaîtrait vite et laisserait la Curie gouverner en son nom, combien se repentaient à présent! Jean XXII leur menait la vie dure. Un grand souverain de l'Église en vérité.

Il s'occupait de tout, tranchait de tout. Il n'avait pas hésité à excommunier, au mois de mars précédent, l'empereur d'Allemagne Louis de Bavière, le destituant du même coup et ouvrant cette succession au Saint Empire pour laquelle le roi de France et le comte de Valois s'agitaient tant. Il intervenait dans les différends des princes chrétiens, les rappelant, comme il était dans sa mission d'universel pasteur, à leurs devoirs de paix. En ce moment, il se penchait sur le conflit d'Aquitaine, et avait déjà arrêté, dans les audiences données à Bouville, les modalités de son action.

Les souverains de France et d'Angleterre seraient priés de prolonger la trêve signée par le comte de Kent, à La Réole, et qui arrivait à expiration en ce mois de décembre. Monseigneur de Valois n'utiliserait pas les quatre cents hommes d'armes et les mille arbalétriers nouveaux que le roi Charles IV lui avait envoyés ces jours derniers à Bergerac. Mais le roi Édouard serait impérativement invité à rendre l'hommage au roi de France, dans les plus brefs délais. Les deux souverains devraient remettre en liberté les seigneurs gascons qu'ils détenaient respectivement, et ne leur tenir aucune rigueur pour avoir pris le parti de l'adversaire. Enfin le pape allait écrire à la reine Isabelle pour la conjurer d'employer toutes ses forces à rétablir la concorde entre son époux et son frère. Le pape Jean ne se faisait aucune illusion, pas plus que Bouville, sur l'influence dont disposait la malheureuse reine. Mais le fait que le Saint-Père s'adressât à elle ne manquerait pas de lui restituer un certain crédit et de faire hésiter ses ennemis à la maltraiter davantage. Ensuite, Jean XXII conseillerait qu'elle se rendît à Paris, toujours en mission de conciliation, afin de présider à la rédaction du traité qui ne laisserait à l'Angleterre, du duché d'Aquitaine, qu'une mince bande côtière avec Saintes, Bordeaux, Dax et Bayonne. Ainsi les désirs politiques du comte de Valois, les machinations de Robert d'Artois, les vœux secrets de Lord Mortimer allaient recevoir du Saint-Père une aide majeure.

Bouville, ayant rempli avec succès la première partie de sa mission, pouvait manger de bon appétit le civet d'anguilles, délectable, parfumé, onctueux, qui emplissait son écuelle d'argent.

— Les anguilles nous viennent de l'étang des Martigues, fit remarquer à Bouville le pape Jean. Les appréciez-vous?

Le gros Bouville, la bouche pleine, ne put répondre que d'un regard émerveillé.

La cuisine pontificale était somptueuse, et même les menus du vendredi y constituaient un régal rare. Thons frais, morues de Norvège, lamproies et esturgeons, accommodés de vingt manières et nappés de vingt sauces, se suivaient en procession sur des plats rutilants. Le vin d'Arbois coulait comme de l'or dans les timbales. Les crus de Bourgogne, du Lot ou du Rhône, accompagnaient les fromages.

Le Saint-Père, pour sa part, se contentait de grignoter du bout des gencives une cuillerée de pâté de brochet et de sucer un gobelet de lait. Il s'était mis en tête que le pape ne devait prendre que des aliments blancs.

Bouville avait à traiter d'un deuxième problème, et non moins délicat, pour le compte de Monseigneur de Valois. Un ambassadeur se doit d'aborder de biais les questions épineuses ; aussi Bouville crut parler fin en disant :

— Très Saint-Père, la cour de France a suivi avec beaucoup d'attention le concile de Valladolid qui fut tenu, voici deux ans, par votre légat, et où il a été ordonné que les clercs eussent à quitter leurs concubines...

— ... sous peine s'ils ne le faisaient, enchaîna le pape Jean de sa petite voix rapide et étouffée, d'être privés dans les deux mois de la tierce partie des fruits de leurs bénéfices, et deux mois après d'un autre tiers, et encore après deux mois d'être privés de tout. En vérité, messire comte, l'homme est pécheur même s'il est prêtre, et nous savons bien que nous n'arriverons pas à supprimer tout péché. Mais au moins, pour ceux qui s'y entêteront, cela emplira nos coffres qui servent à faire le bien. Et beaucoup aussi éviteront de rendre publics leurs scandales.

— Et ainsi les évêques cesseront, comme ils ont trop coutume de le faire, d'assister en personne au baptême et au mariage de leurs enfants illégitimes.

Ayant dit cela, Bouville brusquement rougit. Était-ce bien habile de parler d'enfants illégitimes justement devant le cardinal du Pouget ? Un faux pas. Mais personne ne semblait y avoir pris garde. Bouville se hâta donc de poursuivre :

— Mais d'où vient, Très Saint-Père, qu'une punition plus forte ait été décrétée contre les prêtres dont les concubines ne sont pas chrétiennes ?

— La raison en est bien simple, messire comte, répondit le pape Jean. Le décret vise justement l'Espagne qui compte quantité de Maures... où nos clercs recrutent bien facilement des compagnes que rien ne gêne à forniquer avec la tonsure.

Il se tourna légèrement dans son grand siège, et un très bref sourire passa sur ses lèvres étroites. Il avait vu la direction où l'ambassadeur du roi de France cherchait à tirer l'entretien. Et maintenant il attendait, à la fois défiant et amusé, que messire de Bouville eût avalé une gorgée, afin de se donner courage, et affecté un air faussement aisé pour dire :

— Il est certain, Très Saint-Père, que ce concile a pris de sages édits qui nous serviront grandement lors de la croisade. Car nous aurons maints clercs et aumôniers pour accompagner nos armées, et qui s'avanceront en pays maure ; il serait mauvais qu'ils donnassent l'exemple de la méconduite.

Après quoi Bouville respira mieux, le mot de croisade était dit.

Le pape Jean plissa les paupières, joignit les doigts.

— Il serait mauvais également, répondit-il posément, que la même licence se mît à proliférer dans les nations chrétiennes pendant que leurs armées auraient affaire outre-mer. Car on a toujours constaté, messire comte, que lorsque les armées de guerre sont loin à se battre, et qu'on a puisé dans les peuples les combattants les plus vaillants, il fleurit toutes sortes de vices dans ces royaumes comme si, la force s'éloignant, le respect qu'on doit aux lois de Dieu partait du même coup. Les guerres offrent de grandes occasions de péché... Monseigneur de Valois est-il toujours aussi ferme sur cette croisade dont il veut honorer notre pontificat?

— Eh bien! Très Saint-Père, les députés de la Petite Arménie...

— Je sais, je sais, dit le pape Jean en écartant et rapprochant ses maigres doigts. C'est moi-même qui ai envoyé ces députés à Monseigneur de Valois.

— Il nous parvient de toutes parts que les Maures, sur les rivages...

— Je sais. Les rapports me parviennent en même temps qu'à Monseigneur de Valois.

Les conversations particulières s'étaient arrêtées le long de la grande table. L'évêque Pierre de Mortemart qui accompagnait Bouville dans sa mission, et dont on disait qu'il serait bientôt promu cardinal, prêtait l'oreille, et tous les neveux et cousins, prélats ou dignitaires, en faisaient autant. Les cuillers glissaient sur le fond des assiettes comme sur du velours. Le souffle singulièrement assuré, mais sans timbre, qui sortait de la bouche du Saint-Père était difficile à saisir, et il fallait une grande habitude pour le capter d'un peu loin.

— Monseigneur de Valois, que j'aime d'un amour très paternel, nous a fait consentir la dîme; mais jusqu'à présent cette dîme ne lui a servi qu'à confisquer l'Aquitaine et à soutenir sa candidature au Saint Empire. Ce sont entreprises très nobles, mais qui ne s'appellent point croisades. Je ne suis nullement certain, l'an prochain, de consentir à nouveau cette dîme et moins encore, messire comte, de consentir aux subsides supplémentaires que l'on me demande pour l'expédition.

Bouville reçut durement le coup. Si c'était là tout ce qu'il devait rapporter à Paris, Charles de Valois entrerait dans une belle fureur.

— Très Saint-Père, répondit-il en s'efforçant à la froideur, il avait semblé au comte de Valois comme au roi Charles que vous étiez sensible à l'honneur que la chrétienté pourrait retirer...

— L'honneur de la chrétienté, mon cher fils, est de vivre en paix, coupa le pape en frappant légèrement sur la main de Bouville.

— Est-ce attenter à la paix chrétienne que de vouloir ramener les Infidèles à la vraie foi et d'aller combattre chez eux l'hérésie?

— L'hérésie! L'hérésie! répondit le pape Jean dans un chuchotement. Occupons-nous donc d'abord d'arracher celle qui fleurit dans nos nations et ne nous soucions point tant d'aller presser les abcès sur le visage du voisin quand la lèpre ronge le nôtre! L'hérésie est mon souci, et je m'entends assez bien je crois à la poursuivre. Mes tribunaux fonctionnent, et j'ai besoin de l'aide de tous mes clercs, comme de celle de tous les princes chrétiens, pour la traquer. Si la chevalerie d'Europe prend le chemin de l'Orient, le diable aura champ libre en France, en Espagne et en Italie! Depuis combien de temps Cathares, Albigeois, et Spirituels se tiennent-ils en paix? Pourquoi ai-je fragmenté le gros diocèse de Toulouse, qui était leur repaire, et créé seize nouveaux évêchés dans la Langue d'oc? Et vos pastoureaux dont les bandes ont déferlé jusqu'à nos remparts voici bien peu d'années, n'étaient-ils pas conduits par l'hérésie? Ce n'est pas sur le temps d'une seule génération que l'on extirpe un tel mal. Il faut attendre les fils des petits-fils pour en avoir fini.

Tous les prélats présents pouvaient témoigner de la rigueur avec laquelle Jean XXII poursuivait l'hérésie. Si l'on avait consigne de se montrer coulant, moyennant finances, contre les petits péchés de la nature humaine, les bûchers en revanche flambaient haut contre les erreurs de l'esprit. On répétait volontiers le mot de Bernard Délicieux, moine franciscain qui avait entrepris de lutter contre l'inquisition dominicaine, et poussé l'audace jusqu'à prêcher en Avignon. «Saint Pierre et saint Paul, disait-il, ne pourraient eux-mêmes se défendre d'hérésie, s'ils revenaient en ce monde et étaient poursuivis par les Accusateurs.» Délicieux avait été condamné à la réclusion perpétuelle.

Mais, en même temps, le Saint-Père donnait diffusion à certaines idées étranges, issues de sa vivace intelligence, et qui, émises du haut de la chaire pontificale, n'étaient pas sans provoquer de grands remous parmi les docteurs des facultés de théologie. Ainsi s'était-il prononcé contre l'Immaculée Conception de la Vierge Marie qui ne constituait pas un dogme, certes, mais dont le principe était généralement admis. Il admettait tout au plus que le Seigneur eût purifié la Vierge avant sa naissance, mais à un moment, déclarait-il, difficile à préciser. Jean XXII, d'autre part, ne croyait pas à la Vision béatifique, en tout cas jusqu'au Jugement dernier, déniant par là qu'il y eût encore aucune âme en Paradis et, partant, en Enfer.

Pour beaucoup de théologiens, de telles propositions fleuraient un peu le soufre. Aussi, à cette table même, se trouvait assis un grand cistercien nommé Jacques Fournier, ancien abbé de Fontfroide qu'on appelait «le cardinal blanc» et qui employait toutes les ressources de sa science apologétique à soutenir et justifier les thèses hardies du Saint-Père[24].

Celui-ci poursuivait:

— Veuillez donc, messire comte, ne point trop vous mettre en tracas pour l'hérésie des Maures. Faisons garder nos côtes contre leurs navires, mais laissons-les au jugement du Seigneur tout-puissant dont ils sont, après tout, les créatures, et qui avait bien sans doute quelque intention sur eux. Qui de nous peut affirmer ce qu'il advient des âmes qui n'ont pas encore été touchées par la grâce de la révélation?

— Elles vont en enfer, je pense, dit naïvement Bouville.

— L'enfer, l'enfer! souffla le frêle pape en haussant les épaules. Ne parlez donc point de ce que vous ignorez. Et ne me contez point non plus... nous sommes trop vieux amis, messire de Bouville... que c'est pour faire le salut des Infidèles que Monseigneur de Valois demande à mon Trésor douze cent mille livres de subsides. D'ailleurs, le comte de Valois, je le sais, n'a plus aussi grand désir de sa croisade.

— A vrai dire, Très Saint-Père, dit Bouville en hésitant un peu... sans être informé comme vous l'êtes, il me paraît toutefois...

« Oh! le mauvais ambassadeur! pensa le pape Jean. Si j'étais à sa place, mais je me ferais croire à moi-même que Valois a déjà réuni ses bannières, et je ne me tiendrais point quitte à moins de trois cent mille livres. »

Il laissa Bouville suffisamment s'empêtrer.

— Vous direz à Monseigneur de Valois, déclara-t-il enfin, que nous renonçons à la croisade; et comme je sais Monseigneur un fils très respectueux des décisions de la Sainte Église, je suis sûr qu'il s'inclinera.

Bouville se sentait fort malheureux. Certes, tout le monde était prêt à abandonner le projet de la croisade mais pas comme cela, en deux phrases, et sans contrepartie.

— Je ne doute pas, Très Saint-Père, répondit Bouville, que Monseigneur de Valois ne vous obéisse; mais il a déjà engagé, outre l'autorité de sa personne, de grandes dépenses.

— Combien faut-il à Monseigneur de Valois pour ne pas trop souffrir d'avoir engagé son autorité personnelle?

— Très Saint-Père, je ne sais, dit Bouville rougissant, Monseigneur de Valois ne m'a pas chargé de répondre à telle question.

— Mais si, mais si! Je le connais assez pour savoir qu'il l'avait prévue. Combien?

— Il a déjà beaucoup avancé aux chevaliers de ses propres fiefs afin d'équiper leurs bannières...

— Combien?

— Il s'est préoccupé de cette nouvelle artillerie à poudre...

— Combien, Bouville?

— Il a passé grosses commandes d'armes de toutes sortes...

— Je ne suis pas homme de guerre, et ne vous demande point le compte des arbalètes. Je vous demande seulement de me dire la somme par laquelle Monseigneur de Valois se tiendrait pour dédommagé.

Il souriait de mettre son interlocuteur au gril. Et Bouville lui-même ne put s'empêcher de sourire à voir toutes ses grosses ruses percées comme une écumoire. Allons, il lui fallait le prononcer ce chiffre! Il prit une voix aussi chuchotante que celle du pape pour murmurer:

— Cent mille livres...

Jean XXII hocha la tête et dit:

— C'est l'exigence habituelle du comte Charles. Il me paraît même que les Florentins, naguère, pour se libérer de l'aide qu'il leur avait portée, ont dû lui donner davantage. Aux Siennois, il en a coûté un peu moins pour qu'il consente à quitter leur ville. Le roi d'Anjou, en une autre occasion, a dû se saigner d'une somme identique pour le remercier d'un secours qu'il ne lui avait pas demandé ! C'est un moyen de finances comme un autre... Votre Valois, savez-vous, Bouville, est un bien gros larron ! Allons, rapportez-lui la bonne nouvelle... Nous lui donnerons ses cent mille livres, et notre bénédiction apostolique !

Il était assez satisfait, en somme, de s'en tirer à ce prix. Et Bouville, pour sa part, se sentait bien aise ; sa mission se trouvait accomplie. Discuter avec le souverain pontife comme avec quelque négociant lombard lui eût été vraiment pénible ! Mais le Saint-Père avait de ces mouvements qui n'étaient peut-être pas exactement de la générosité, mais une simple estimation du prix dont il devait payer son pouvoir.

— Vous souvenez-vous, messire comte, continuait le pape, du temps où vous m'apportiez, ici même, cinq mille livres de la part du comte de Valois pour assurer l'élection d'un cardinal français ? En vérité, ce fut de l'argent placé à bon intérêt !

Bouville s'attendrissait toujours sur ses souvenirs. Il revoyait cette prairie brumeuse dans la campagne, au nord d'Avignon, ce pré du Pontet, et le curieux entretien qu'ils avaient eu, tous deux assis sur une murette.

— Oui, je me rappelle, Très Saint-Père, dit-il. Savez-vous que lorsque je vous vis approcher, ne vous ayant jamais rencontré, je crus qu'on m'avait trompé, que vous n'étiez pas cardinal, mais un tout jeune clerc qu'un prélat avait déguisé pour l'envoyer à sa place ?

Le compliment fit sourire le pape Jean. Lui aussi se rappelait.

— Et ce jeune Siennois, Guccio Baglioni, qui travaillait dans la banque et vous accompagnait alors, qu'est-il devenu ? demanda-t-il. Vous me l'avez ensuite envoyé à Lyon, où il me fut fort utile, pendant le conclave muré. J'en avais fait mon damoiseau. J'imaginais le voir reparaître. Il est bien le seul qui m'ait rendu un service autrefois et qui ne soit pas venu quêter une grâce ou une charge !

— Je ne sais, Très Saint-Père, je ne sais. Il est reparti pour son Italie natale. Moi non plus je n'en ai plus jamais reçu nouvelles.

Mais Bouville s'était troublé pour répondre, et ce trouble n'avait pas échappé au pape.

— Il avait eu, si je me souviens bien, une mauvaise affaire de mariage, ou de faux mariage, avec une fille de noblesse qu'il avait rendue mère. Les frères le poursuivaient. N'est-ce pas cela ?

Ah ! certes, le Saint-Père disposait d'une terrible mémoire !

— Je suis surpris vraiment, insistait-il, que ce Baglioni, protégé par vous, protégé par moi, et exerçant le métier d'argent, n'en ait pas profité pour faire sa fortune. Cet enfant qu'il devait avoir, est-il né? A-t-il vécu?

— Oui, oui, il est né, dit hâtivement Bouville. Il vit quelque part en campagne, auprès de sa mère.

Il montrait de plus en plus de gêne.

— On m'a dit, qui donc m'a dit?... poursuivit le pape, que cette même demoiselle, ou dame, avait été nourrice du petit roi posthume qui vint à Madame Clémence de Hongrie pendant la régence du comte de Poitiers. Est-ce bien cela?

— Oui, oui, Très Saint-Père, je crois que c'est elle.

Un frémissement passa dans les mille rides qui grillageaient le visage du pape.

— Comment, vous croyez bien? N'étiez-vous pas curateur au ventre de Madame Clémence? Et au plus près d'elle quand le malheur de perdre son fils lui survint? Vous deviez bien savoir qui était la nourrice?

Bouville se sentit devenir pourpre. Il aurait dû se méfier quand le Saint-Père avait prononcé le nom de Guccio Baglioni, et se dire qu'une intention se cachait derrière ce souvenir. Le détour était un peu plus habile que les siens propres, lorsqu'il passait par le concile de Valladolid pour en arriver aux finances du comte de Valois. D'abord, le Saint-Père devait sûrement avoir des nouvelles de Guccio, puisque ses banquiers, les Bardi, travaillaient avec les Tolomei de Sienne.

Les petits yeux gris du pape ne quittaient pas les yeux de Bouville, et les questions continuaient:

— Madame Mahaut d'Artois a eu un gros procès où vous avez dû témoigner? Qu'y a-t-il eu de vrai, cher sire comte, dans cette affaire?

— Oh! Très Saint-Père, rien que ce que la justice a éclairé. Des malveillances, des propos rapportés dont Madame Mahaut a voulu se laver.

Le repas touchait à sa fin et les écuyers, passant les aiguières et les bassins, versaient l'eau sur les doigts des convives. Deux chevaliers nobles s'approchaient pour tirer en arrière le siège du Saint-Père.

— Sire comte, dit celui-ci, j'ai été bien heureux de vous revoir. Je ne sais, vu mon grand âge, si cette joie me sera accordée une autre fois...

Bouville, qui s'était levé, respira mieux. L'instant des adieux semblait arriver, qui allait mettre un terme à cet interrogatoire.

— ... Aussi, avant votre départ, reprit le pape, je veux vous faire la plus grande grâce que je puisse accorder à un chrétien. Je vais vous entendre moi-même en confession. Accompagnez-moi dans ma chambre.

II

LA PÉNITENCE EST POUR LE SAINT-PÈRE

— Péchés de chair? Certainement, puisque vous êtes homme...
Péchés de gourmandise? Il suffit de vous voir; vous êtes gras... Péchés
d'orgueil? Vous êtes grand seigneur... Mais votre état même vous
oblige à l'assiduité dans vos dévotions; donc tous ces péchés, qui sont
le fonds commun de l'humaine nature, vous vous en accusez et en êtes
absous aussi souvent que vous vous approchez de la sainte table.

Étrange confession où le premier vicaire de l'Église romaine
prononçait tout ensemble les questions et les réponses. Sa voix feutrée
était parfois couverte par des cris d'oiseaux, car le pape avait dans sa
chambre un perroquet enchaîné et, voletant sous une grande cage, des
perruches, des serins, et de ces petits oiseaux des îles, rouges, qu'on
appelle cardinaux.

Le sol de la pièce, dallé de carreaux peints, disparaissait en partie
sous des tapis d'Espagne. Les murs et les sièges étaient tendus de vert
et les courtines du lit, les rideaux des fenêtres également faits de lin vert.
Sur cette couleur de forêt, les oiseaux vivants mettaient des taches
colorées, comme des fleurs [25]. Un angle formait salle de bains, avec une
baignoire de marbre. Dans la garde-robe, attenante à la chambre,
manteaux blancs, camails grenats et ornements sacerdotaux emplissaient de vastes penderies.

Le gros Bouville, en entrant, avait eu un mouvement pour s'agenouiller; mais le Saint-Père, très simplement, l'avait fait asseoir auprès
de lui dans un des fauteuils verts. On ne pouvait, en vérité, traiter un
pénitent avec plus d'égards. L'ancien chambellan de Philippe le Bel en
était tout abasourdi, et rassuré à la fois, car il avait appréhendé
vraiment d'avoir à confesser, lui grand dignitaire, et au souverain
pontife, toutes les poussières d'une vie, toutes les petites scories, les
mauvais désirs, les vilaines actions, toute la lie qui tombe au fond de
l'âme avec les jours et les ans. Or, ces péchés-là, le Saint-Père semblait

les tenir pour broutilles ou, tout au moins, pour être du ressort de plus humbles prêtres. Mais Bouville n'avait pas remarqué, en sortant de table, le regard échangé entre les cardinaux Gaucelin Duèze, du Pouget, et le « cardinal blanc ». Ceux-là connaissaient bien cette ruse habituelle du pape Jean : la confession post-prandiale, dont il se servait pour s'entretenir vraiment seul à seul avec un interlocuteur important, et qui lui permettait d'être éclairé sur des secrets d'État. Qui pouvait résister à cette offre abrupte, aussi flatteuse que terrifiante ? Tout s'unissait pour amollir les consciences, à la fois la surprise, la crainte religieuse et une digestion commençante.

— L'essentiel pour un homme, reprit le pape, est d'avoir bien rempli l'état particulier où Dieu l'a placé en ce monde, et c'est en ce domaine que les fautes lui sont comptées le plus sévèrement. Vous avez été, mon fils, chambellan d'un roi et chargé, sous trois autres, des plus hautes missions. Avez-vous toujours été bien exact en l'accomplissement de ces devoirs ?

— Je pense, mon Père, Très Saint-Père, veux-je dire, m'être acquitté de mes tâches avec zèle, avoir été, autant que je l'ai pu, loyal serviteur de mes suzerains...

Il s'interrompit brusquement, se rendant compte qu'il n'était pas là pour prononcer son propre éloge. Il se reprit, et changeant de ton :

— Je dois m'accuser d'avoir échoué en certaines missions que j'aurais pu mener à bien... Voilà, Très Saint-Père : je n'ai pas eu toujours l'esprit assez délié et me suis parfois aperçu trop tard d'erreurs que j'avais commises.

— Ce n'est pas un péché que d'avoir quelque retard dans la cervelle ; cela nous peut venir à tous et c'est justement le contraire de l'esprit de malice. Mais avez-vous commis en vos missions, ou à la suite d'elles, des fautes graves telles que faux témoignage... homicide...

Bouville secoua la tête, de droite à gauche, d'un mouvement de dénégation.

Mais les petits yeux gris, sans cils ni sourcils, tout brillants et lumineux dans le visage ridé, restaient fixement attachés sur lui.

— Êtes-vous bien certain ? Voici l'occasion, mon cher fils, de parfaitement vous purifier l'âme ! Faux témoignage, jamais ? demanda le pape.

Bouville, à nouveau, se sentit mal à l'aise. Que signifiait cette insistance ? Le perroquet eut un cri rauque, sur son perchoir, et Bouville sursauta.

— Une chose, à vrai dire, Très Saint-Père, m'alourdit l'âme, mais je ne sais si c'est vraiment un péché, ni quel nom de péché lui donner. Je n'ai pas commis l'homicide moi-même, je vous en assure, mais une fois je n'ai pas su l'empêcher. Et ensuite, j'ai dû porter faux témoignage ; mais je ne pouvais agir autrement.

— Contez-moi donc cela, messire comte, dit le pape.

Ce fut son tour de se reprendre :

— Confessez-moi ce secret qui tant vous pèse, mon cher fils !

— Certes, il me pèse, dit Bouville, et plus encore depuis la mort de ma bonne épouse Marguerite, avec qui je le partageais. Et souvent je me répète que si je viens à mourir sans en avoir fait personne dépositaire...

Des larmes brusquement lui étaient venues.

— Comment n'ai-je pas songé plus tôt, Très Saint-Père, à vous le confier?... Je vous le disais : j'ai la cervelle souvent lente... Ce fut après la mort du roi Louis Dixième, l'aîné fils de mon maître Philippe le Bel...

Bouville regarda le pape et se sentit comme déjà soulagé. Enfin il allait pouvoir se décharger l'âme de ce fardeau qu'il portait depuis huit années. Le pire moment de sa vie, à coup sûr, et dont le remords le poignait sans trêve. Que n'était-il pas venu plus tôt avouer tout cela au pape !

A présent Bouville parlait aisément. Il racontait comment, ayant été nommé curateur au ventre de la reine Clémence, après le trépas de Louis Hutin, il avait, lui Bouville, craint que la comtesse Mahaut d'Artois ne fît une criminelle entreprise et contre la reine et contre l'enfant qu'elle portait alors. En ce temps-là, Monseigneur Philippe de Poitiers, frère du roi décédé, réclamait la régence contre le comte de Valois et contre le duc de Bourgogne...

A ce souvenir, Jean XXII leva un instant les yeux vers les poutres peintes du plafond, et une expression songeuse passa sur son étroit visage. Il revit le matin de 1316, où lui-même, à Lyon, était venu annoncer à Philippe de Poitiers la mort de son frère Louis X, ayant appris la nouvelle justement de ce petit Lombard Baglioni...

Donc Bouville craignait un crime de la part de la comtesse d'Artois, un nouveau crime car on disait beaucoup qu'elle était l'auteur du trépas de Louis Hutin, par enherbement. Elle avait les meilleures raisons de le haïr, car il venait de lui confisquer son comté. Mais elle avait toutes bonnes raisons aussi, Louis disparu, de souhaiter que le comte de Poitiers, son gendre, accédât au trône. Le seul obstacle à cela était l'enfant que portait la reine, qui naquit et qui fut un mâle.

— Infortunée reine Clémence... dit le pape.

Mahaut d'Artois, choisie comme marraine, devait à ce titre amener le nouveau petit roi aux barons, lors de la cérémonie de présentation. Bouville était sûr, et madame de Bouville autant que lui, que si la terrible Mahaut voulait perpétrer un forfait, elle n'hésiterait pas à le faire pendant la présentation, seule occasion pour elle de tenir l'enfant. Bouville et sa femme avaient donc décidé de cacher l'enfant royal pendant ces heures-là, et de remettre à sa place dans les bras de Mahaut le fils d'une nourrice qui n'avait que quelques jours de plus. Sous les langes d'apparat, personne ne pourrait s'apercevoir de la substitution, puisque nul n'avait encore vu l'enfant de la reine Clémence et pas même celle-ci, atteinte de grande fièvre et presque mourante.

— Et puis en effet, Très Saint-Père, dit Bouville, l'enfant que j'avais remis à la comtesse Mahaut et qui se portait à merveille l'heure d'avant, mourut en quelques instants devant tous les barons. C'est cette petite créature innocente que j'ai livrée au trépas. Et le crime s'accomplit si vite, et j'étais si troublé, que je n'ai pas songé à crier aussitôt : « Cet enfant n'est pas le roi ! » Et après, ce fut trop tard. Comment expliquer...

Le pape, un peu penché en avant et les mains jointes sur sa robe, ne perdait pas un mot du récit.

— Alors l'autre enfant, le petit roi, qu'est-il devenu, Bouville ? Qu'en avez-vous fait ?

— Il existe, Très Saint-Père, il vit. Nous l'avons, ma défunte femme et moi, confié à la nourrice. Oh ! avec bien de la peine. Car la malheureuse nous haïssait, vous le pensez bien, et gémissait de douleur. A force de supplications, de menaces aussi, nous lui avons fait jurer sur les Évangiles de garder le petit roi comme s'il était son enfant, et de ne jamais rien révéler à qui que ce fût, même en confession.

— Oh, oh... murmura le Saint-Père.

— Si bien que le petit roi Jean, le vrai roi de France en somme, est élevé présentement dans un manoir d'Ile-de-France, sans qu'il sache qui il est, sans que personne le sache, à part cette femme qu'on croit sa mère... et moi-même.

— Et cette femme ?...

— ... est Marie de Cressay, l'épouse du jeune Lombard Guccio Baglioni.

Tout s'éclairait maintenant pour le pape.

— Et Baglioni, lui, ignore tout ?

— Tout, j'en suis assuré, Très Saint-Père. Car la dame de Cressay, pour garder son serment, a refusé de le revoir, ainsi que nous le lui avions ordonné. Le garçon est reparti tout aussitôt pour l'Italie. Il pense que son fils est vivant. Il s'en inquiète parfois dans ses lettres à son oncle, le banquier Tolomei...

— Mais pourquoi, Bouville, pourquoi, puisque vous aviez la preuve du crime, et combien facile à administrer, n'avez-vous pas dénoncé la comtesse Mahaut ?... Quand je songe, ajouta le pape Jean, que dans le même temps elle m'envoyait son chancelier afin que je soutienne sa cause contre son neveu Robert...

Le pape pensait soudain que Robert d'Artois, ce géant tapageur, ce semeur de brouilles, cet assassin sans doute, lui aussi — car il semblait bien qu'il eût trempé dans le meurtre de Marguerite de Bourgogne, à Château-Gaillard — ce terrible baron, valait peut-être mieux, à tout prendre, que sa cruelle tante, et qu'en luttant contre elle, il n'avait probablement pas tous les torts de son côté. Un monde de grands loups que celui des cours souveraines ! Et dans chaque royaume, il en allait de même. Était-ce pour gouverner, apaiser, conduire ce troupeau de fauves que Dieu lui avait inspiré, à lui chétif petit bourgeois de Cahors, l'ambition d'une tiare dont il était à présent coiffé et qui, par moments, lui pesait un peu ?...

— Je me suis tu, Très Saint-Père, reprit Bouville, par le conseil surtout de ma défunte épouse. Comme j'avais manqué le bon instant de confondre la meurtrière, mon épouse m'a représenté avec justesse que si nous révélions la vérité, Mahaut s'acharnerait sur le petit roi, et sur nous-mêmes. Il fallait lui laisser croire que son crime avait réussi. Ce fut donc l'enfant de la nourrice qu'on inhuma à Saint-Denis parmi les rois.

Le pape réfléchissait.

— Ainsi, dans le procès fait à Madame Mahaut l'année suivante, les accusations étaient fondées ? dit-il.

— Certes, certes, elles l'étaient ! Monseigneur Robert avait pu mettre la main sur une empoisonneuse, une nécromancienne, nommée Isabelle de Fériennes, qui avait livré à une demoiselle de parage de la comtesse Mahaut le poison dont celle-ci tua d'abord le roi Louis, puis l'enfant présenté aux barons. Cette Isabelle de Fériennes, ainsi que son fils Jean, furent conduits à Paris pour y faire leurs aveux. Vous pensez comme cela servait bien Monseigneur Robert ! Leur déposition fut recueillie, et il apparut clairement qu'ils étaient les fournisseurs de la comtesse, car ils lui avaient déjà auparavant procuré le philtre par lequel elle se vantait d'avoir réconcilié sa fille Jeanne avec son gendre le comte de Poitiers...

— Magie, sorcellerie ! Vous pouviez bien faire griller la comtesse, chuchota le pape.

— Plus à ce moment, Très Saint-Père, plus à ce moment. Car le comte de Poitiers était devenu roi et protégeait beaucoup Madame Mahaut, si fort même que je suis assuré dans le fond de mon âme qu'il avait partie liée avec elle, au moins dans le second crime.

Le petit visage du pape se fripa davantage sous le bonnet fourré. Jean XXII aimait bien le roi Philippe V auquel il devait sa tiare, et avec lequel il s'était toujours parfaitement accordé pour toutes les questions de gouvernement. Les dernières paroles de Bouville le peinaient.

— Sur l'un et sur l'autre, le châtiment de Dieu s'est appesanti, reprit Bouville, puisqu'ils ont chacun perdu dans l'année leur unique héritier mâle. La comtesse a vu mourir son seul fils qui avait dix-sept ans. Et le jeune roi Philippe a été privé du sien, qui lui était né depuis seulement quelques mois ; et il n'en eut plus jamais d'autre... Mais pour l'accusation élevée contre elle, la comtesse sut se défendre. Elle invoqua l'irrégularité de la procédure engagée devant le Parlement, l'indignité de ses accusateurs, elle représenta que son rang de pair de France ne la rendait justiciable que de la Chambre des Barons. Toutefois, afin, disait-elle, de faire triompher son innocence, elle supplia son gendre... ce fut une belle scène de fausseté publique!... de poursuivre l'enquête et de lui donner moyen de confondre ses ennemis. La nécromancienne de Fériennes et son fils furent entendus à nouveau, mais après avoir subi la question. Leur état n'était pas beau, et le sang leur collait sur tout le corps. Ils se rétractèrent complètement, déclarèrent mensonges leurs aveux premiers et prétendirent qu'ils y avaient été conduits par caresses, prières, promesses et aussi violences de personnes dont, selon l'acte des greffiers, il convenait de taire le nom pour le moment. Puis le roi Philippe le Long tint lui-même lit de justice et fit comparaître tous ses proches et parents, et tous les familiers de feu son frère, le comte de Valois, le comte d'Évreux, Monseigneur de Bourbon, Monseigneur Gaucher le connétable, messire de Beaumont, le maître de l'hôtel, et la reine Clémence, elle-même, leur demandant, sous la foi du serment, s'ils savaient ou croyaient que le roi Louis et son fils Jean fussent morts autrement que de mort naturelle. Comme aucune preuve ne pouvait être produite, comme la séance avait lieu devant tous, et que la comtesse Mahaut se tenait assise à côté du roi, chacun déclara, bien que pour beaucoup ce fût à contre-conviction, que ces trépas étaient dus à l'œuvre de nature.

— Mais vous-même, vous avez eu à comparaître?

Le gros Bouville baissa le front.

— J'ai porté faux témoignage, Très Saint-Père, dit-il. Mais que pouvais-je quand toute la cour, les pairs, les oncles du roi, les plus proches serviteurs, la reine veuve elle-même, certifiaient sous serment l'innocence de Madame Mahaut? C'est moi qu'on eût alors accusé de mensonge et de fable; et l'on m'eût envoyé me balancer à Montfaucon.

Il semblait si malheureux, si abattu, si triste, que l'on imaginait soudain, sur son gros visage charnu, les traits du petit garçon qu'il avait été un demi-siècle plus tôt. Le pape eut un mouvement de pitié.

— Apaisez-vous, Bouville, dit-il en se penchant et en lui mettant la main sur l'épaule. Et ne vous reprochez pas d'avoir mal agi. Dieu vous avait posé un problème un peu lourd pour vous. Votre secret, je le prends à mon compte. L'avenir dira si vous avez bien fait! Vous avez voulu sauver une vie qui vous avait été confiée par le devoir de votre état, et vous l'avez sauvée. Combien en auriez-vous exposé d'autres, si vous aviez parlé!

— Ah! Très Saint-Père, oui, je suis apaisé! dit l'ancien chambellan. Mais le petit roi caché, que va-t-il devenir? Que faut-il en faire?

— Attendez sans rien changer. J'y penserai et vous le ferai savoir. Allez en paix, Bouville... Quant à Monseigneur de Valois, cent mille livres sont à lui mais pas un florin de plus. Qu'il me laisse en repos avec sa croisade, et qu'il s'accorde avec l'Angleterre.

Bouville mit genou en terre, porta la main du Saint-Père à ses lèvres, avec effusion, se releva et gagna la porte à reculons puisque l'audience semblait terminée.

Le pape le rappela du geste.

— Mon fils, et votre absolution ? Vous ne la voulez donc point ?

Un moment plus tard le pape Jean, demeuré seul, parcourait à petits pas glissants son cabinet de travail. Le vent du Rhône passait sous les portes et gémissait à travers le beau palais neuf. Les perruches pépiaient dans leur cage. Les tisons du brasero s'assombrissaient.

Jean XXII réfléchissait au difficile problème, à la fois de conscience et d'État, qui se posait à lui. L'héritier véritable de la couronne de France était un enfant ignoré, caché dans une cour de ferme. Deux personnes seulement au monde, ou plutôt trois personnes à présent, le savaient. La peur retenait les deux premières de parler. Que convenait-il de faire, quel parti prendre, quand deux rois déjà, depuis la naissance de cet enfant, s'étaient succédé au trône, deux rois dûment sacrés, oints du saint chrême ? Révéler l'affaire et jeter la France dans le plus terrible désordre dynastique ? De la semence de guerre, encore !

Un autre sentiment également incitait le pape à garder le silence, et ce sentiment concernait la mémoire du roi Philippe le Long. Oui, Jean XXII l'avait bien aimé, ce jeune homme, et l'avait aidé de toutes les façons possibles. C'était même le seul souverain qu'il eût jamais admiré et auquel il gardât reconnaissance. Ternir son souvenir revenait pour Jean XXII à se ternir lui-même ; car, sans Philippe le Long, fût-il jamais devenu pape ? Et voilà que Philippe se révélait avoir été un criminel, le complice d'une criminelle tout au moins... Mais était-ce au pape Jean, était-ce à Jacques Duèze, de jeter la première pierre, lui qui devait à de si grosses fourberies et sa pourpre et sa tiare ? Et s'il lui avait été absolument nécessaire, pour assurer son élection, de laisser commettre un meurtre...

« Seigneur, Seigneur, merci de m'avoir épargné pareille tentation... Mais était-ce bien moi qui devais être chargé du soin de vos créatures ?... Et si la nourrice parle un jour, qu'arrivera-t-il ? Peut-on se fier à langue de femme ? Il serait bon, Seigneur, que vous m'éclairiez quelquefois ! J'ai absous Bouville, mais la pénitence est pour moi. »

Il s'était agenouillé sur le coussin vert de son prie-Dieu ; il demeura là, longtemps, ses mains maigres enserrant son petit front ridé.

III

LE CHEMIN DE PARIS

Qu'il sonnait clair, sous le fer des chevaux, le sol des routes françaises! Quelle musique heureuse produisait le crissement du gravier! Et l'air qu'on respirait, l'air léger du matin traversé de soleil, quel merveilleux parfum, quelle merveilleuse saveur il possédait! Les bourgeons commençaient à s'ouvrir, et de petites feuilles vertes, tendres et plissées, venaient chercher pour une caresse le front des voyageurs jusqu'au milieu du chemin. L'herbe des talus et des prés d'Ile-de-France était moins riche, moins fournie, sans doute, que l'herbe d'Angleterre; mais pour la reine Isabelle, c'était l'herbe de la liberté, enfin, et de l'espérance.

La crinière de la jument blanche ondulait au rythme de la marche. Une litière, portée par deux mules, suivait à quelques toises. La reine trop heureuse, trop impatiente pour rester enfermée dans cette balancelle, avait préféré monter sa haquenée; pour un peu, elle eût galopé dans les herbages!

Boulogne, où elle s'était mariée quinze ans auparavant, Montreuil, Abbeville, Beauvais, avaient été les haltes de son voyage. Elle venait de passer la nuit précédente à Maubuisson, près de Pontoise, dans le manoir royal, où, pour la dernière fois, elle avait vu son père Philippe le Bel. Sa route était comme un pèlerinage à travers son propre passé. Il lui semblait remonter les étapes de sa vie pour revenir au départ. Mais quinze années malheureuses se pouvaient-elles abolir?

— Votre frère Charles l'aurait sans doute reprise, disait Robert d'Artois qui cheminait à côté d'elle, et il nous l'aurait imposée pour reine, tant il continuait de la regretter et tant il montrait peu de décision au choix d'une nouvelle épouse.

De qui parlait Robert? Ah oui! de Blanche de Bourgogne. Il en parlait à cause de Maubuisson où, tout à l'heure, une cavalcade composée d'Henry de Sully, de Jean de Roye, du comte de Kent, de

Lord Mortimer, de Robert d'Artois lui-même et de toute une troupe de seigneurs, était venue accueillir la voyageuse. Isabelle avait éprouvé un grand plaisir à se sentir de nouveau traitée en reine.

— Je crois que Charles, vraiment, prenait quelque plaisir secret à caresser les cornes qu'elle lui avait plantées, continuait Robert. Par malheur, par bonheur plutôt, la douce Blanche, l'année avant que Charles devînt roi, se fit engrosser en prison, par le geôlier !

Le géant chevauchait à gauche, du côté du soleil, et, monté sur un immense percheron pommelé, il portait de l'ombre sur la reine. Celle-ci poussait sa haquenée, s'efforçant de rester dans la lumière. Robert discourait sans trêve, tout à l'enthousiasme de la retrouvaille, et cherchant, dès ces premières lieues, à renouer les liens du cousinage et d'une ancienne amitié.

Isabelle ne l'avait pas revu depuis onze ans ; il avait peu changé. La voix était toujours la même, et toujours la même aussi cette odeur de gros mangeur de venaison que son corps dégageait dans l'animation de la marche et que la brise portait autour de lui par bouffées. Il avait la main rousse et velue jusqu'à l'ongle, le regard méchant même lorsqu'il croyait le faire aimable, la panse dilatée par-dessus sa ceinture comme s'il eût avalé une cloche. Mais l'assurance de sa parole et de ses gestes était à présent moins feinte et appartenait définitivement à sa nature ; la ride qui encadrait la bouche s'était inscrite plus profondément dans la graisse.

— Et Mahaut, ma bonne gueuse de tante, a dû se résigner à l'annulation du mariage de sa fille. Oh ! non sans se débattre et plaider devant les évêques ! Mais elle a finalement été confondue. Votre frère Charles, pour une fois, s'obstina. Parce qu'il ne pardonnait pas l'affaire du geôlier et de la grossesse. Et quand il s'obstine, ce faible homme, on ne le fait plus démordre ! Au procès d'annulation, on n'a pas posé moins de trente et une questions aux témoins. On a exhumé de la poussière la dispense accordée par Clément V et qui permettait à Charles d'épouser une de ses parentes, mais sans que le nom en soit spécifié. Or qui, dans nos familles, se marie autrement qu'avec une cousine ou une nièce ? Alors, Monseigneur Jean de Marigny, bien habilement, souleva l'empêchement de la parenté spirituelle. Mahaut était la marraine de Charles. Elle assurait que non, bien sûr, et qu'elle n'avait été au baptême que comme assistante et commère [26]. Alors tout le monde a comparu, barons, chambriers, valets, clercs, chantres, bourgeois de Creil où le baptême avait eu lieu, et tous ont répondu qu'elle avait bien tenu l'enfant pour le tendre ensuite à Charles de Valois, et qu'on ne pouvait s'y tromper vu qu'elle était la plus haute femme qui se trouvait en la chapelle et dépassait tout un chacun du chef. Voyez la belle menteuse !

Isabelle s'obligeait à écouter, mais en vérité elle n'était attentive qu'à elle-même et à un contact insolite qui tout à l'heure l'avait émue. Combien cela paraît surprenant aux doigts, soudain, des cheveux d'homme !

La reine leva les yeux vers Roger Mortimer qui était venu se placer à sa droite, d'un mouvement à la fois autoritaire et naturel comme s'il avait été son protecteur et son gardien. Elle regardait les boucles drues qui sortaient de son chaperon noir. On n'imaginait pas que ces cheveux-là fussent si soyeux au toucher !

Cela s'était fait par hasard dans le premier moment de la rencontre. Isabelle avait été surprise de voir apparaître Mortimer auprès du comte de Kent. Ainsi donc, en France, le rebelle, l'évadé, le proscrit Mortimer, marchait côte à côte avec le frère du roi d'Angleterre, et semblait presque avoir le pas sur lui.

Et Mortimer, sautant à terre, s'était élancé vers la reine pour baiser le bas de sa robe ; mais la haquenée ayant bougé, les lèvres de Roger s'étaient posées sur le genou d'Isabelle. Elle-même avait machinalement appuyé la main sur la tête découverte de cet ami retrouvé. Et maintenant qu'on chevauchait, sur la route striée d'ombre par les branches, le contact soyeux des cheveux se prolongeait, comme encore perceptible et enfermé sous le velours du gant.

— Mais le plus sérieux motif à la nullité du lien, outre que les contractants n'avaient pas l'âge canon pour copuler, fut fondé sur ceci que votre frère Charles, quand on le maria, manquait de discernement pour se chercher femme et de volonté pour exprimer son choix, vu qu'il était incapable, simple et imbécile, et que, partant, le contrat n'avait point de valeur. *Inhabilis, simplex et imbecillus !*... Et chacun, depuis votre oncle Valois jusqu'à la dernière chambrière, s'est accordé à prononcer sous serment qu'il était bien tout cela, à meilleure preuve que feu la reine sa mère elle-même le trouvait si bête qu'elle l'avait surnommé l'oison ! Pardonnez, ma cousine, de vous parler ainsi de votre frère, mais enfin, c'est là le roi que nous avons. Gentil compagnon au demeurant, et de beau visage, mais de peu d'allant. Vous comprendrez qu'il faille gouverner à sa place. N'attendez pas d'aide de lui.

Ainsi, à la gauche d'Isabelle roulait la voix intarissable de Robert d'Artois et flottait son parfum de fauve. A droite, la reine sentait le regard de Roger Mortimer posé sur elle avec une insistance troublante. Elle levait par instants les yeux vers ces prunelles couleur de silex, vers ce visage bien taillé où un sillon profond partageait le menton. Elle était surprise de ne pas se rappeler la cicatrice blanche qui ourlait la lèvre inférieure.

— Êtes-vous toujours aussi chaste, ma belle cousine ? demanda brusquement Robert d'Artois.

La reine Isabelle rougit et leva furtivement les yeux vers Roger

Mortimer comme si la question la mettait un peu en faute déjà, et de façon inexplicable, à son égard.

— J'y ai bien été forcée, répondit-elle.

— Vous souvenez-vous, cousine, de notre entrevue de Londres?

Elle rougit davantage. Que lui rappelait-il là, et qu'allait penser Mortimer? Un moment d'abandon lors d'un adieu... pas même un baiser, seulement un front qui s'appuie contre une poitrine d'homme et qui cherche un refuge... Robert y pensait-il donc encore, après onze ans? Elle en fut flattée, mais nullement émue. Avait-il pris pour l'aveu d'un désir ce qui n'était qu'un moment de désarroi? Peut-être, en effet, ce jour-là, mais ce jour-là seulement, si elle n'avait pas été reine, s'il n'avait pas été si pressé de repartir pour dénoncer les filles de Bourgogne...

— Enfin, s'il vous vient à l'idée de changer de coutume... insistait Robert d'un ton gaillard. J'ai toujours, en pensant à vous, comme le sentiment d'une créance non encaissée...

Il s'arrêta net, ayant croisé le regard de Mortimer, un regard d'homme prêt à tirer l'épée s'il en entendait davantage. La reine perçut cet affrontement et, pour se donner contenance, caressa la crinière blanche de sa jument. Cher Mortimer! Qu'il y avait de noblesse et de chevalerie en cet homme-là! Et comme l'air de France était bon à respirer, et comme cette route était belle, avec ses clartés et ses ombres!

Robert d'Artois avait un demi-sourire d'ironie coincé dans la graisse de ses joues. Sa créance, selon l'expression qu'il avait employée et qu'il avait crue délicate, il n'y devait plus songer. Il était certain que Lord Mortimer aimait la reine Isabelle et qu'Isabelle aimait Mortimer.

« Eh bien! pensa-t-il, elle va s'amuser, la bonne cousine, avec ce templier. »

IV

LE ROI CHARLES

Il avait fallu près d'un quart d'heure pour traverser la ville depuis les portes jusqu'au palais de la Cité. Les larmes vinrent aux yeux de la reine Isabelle lorsqu'elle mit pied à terre dans la cour de cette demeure qu'elle avait vu édifier par son père, et qui déjà avait reçu la légère patine du temps.

Les portes s'ouvrirent en haut du grand escalier, et Isabelle ne put s'empêcher d'attendre le visage imposant, glacial, souverain, du roi Philippe le Bel. Que de fois avait-elle ainsi contemplé son père, au sommet des marches, s'apprêtant à descendre vers sa ville ?

Le jeune homme qui apparut en cotte courte, la jambe bien prise dans des chausses blanches, et suivi de ses chambellans, ressemblait assez par la taille et les traits au grand monarque disparu, mais aucune force, aucune majesté n'émanait de sa personne. Il n'était qu'une pâle copie, un moulage de plâtre pris sur un gisant. Et néanmoins, parce que l'ombre du Roi de fer demeurait présente derrière ce personnage sans âme et parce que la royauté de France s'incarnait en lui, Isabelle voulut, par trois ou quatre fois, s'agenouiller ; et chaque fois son frère la retint par la main en disant :

— Bienvenue, ma douce sœur, bienvenue.

L'ayant forcée à se relever, et toujours lui tenant la main, il la conduisit jusqu'au cabinet assez vaste où il se tenait habituellement, s'informant des détails du voyage. Avait-elle été bien reçue à Boulogne par le capitaine de la ville ?

Il s'inquiéta de savoir si les chambellans veillaient au bagage et recommanda qu'on ne laissât pas choir les coffres.

— Car les étoffes se froissent, expliqua-t-il, et j'ai bien vu, dans mon dernier déplacement de Languedoc, combien mes robes s'étaient gâtées.

Était-ce pour cacher une émotion, une gêne, qu'il accordait son attention à cette sorte de soucis?

Quand on fut assis, Charles le Bel dit :

— Alors, comment ce vous va, ma chère sœur?

— Ce me va petitement, mon frère, répondit-elle.

— Quel est l'objet de votre voyage?

Isabelle eut une expression de surprise peinée. Son frère n'était-il donc pas au courant? Robert d'Artois, qui avait suivi ainsi que les principaux seigneurs de l'escorte, adressa à Isabelle un regard qui signifiait : « Que vous avais-je dit? »

— Mon frère, je viens pour m'accorder avec vous sur ce traité que nos deux royaumes doivent passer s'ils veulent cesser de se nuire.

Charles le Bel resta silencieux un instant. Il paraissait réfléchir ; en vérité, il ne pensait à rien de précis. Comme avec Mortimer, au cours des audiences qu'il lui avait accordées, comme avec chacun, il posait des questions et ne prêtait pas attention aux réponses.

— Le traité... finit-il par dire. Oui, je suis prêt à recevoir l'hommage de votre époux Édouard. Vous en causerez avec notre oncle Charles, à qui j'ai donné mandat pour ce faire. La mer ne vous a pas incommodée? Savez-vous que je ne suis jamais allé dessus? Que ressent-on sur cette eau mouvante?

Il fallut attendre qu'il eût émis encore quelques banalités de cet ordre pour pouvoir lui présenter l'évêque de Norwich, qui devait conduire les négociations, et le Lord de Cromwell qui commandait le détachement d'accompagnement. Il salua chacun avec courtoisie, mais sans, visiblement, s'intéresser à personne.

Charles IV n'était pas beaucoup plus sot sans doute que des milliers d'hommes du même âge qui, en son royaume, hersaient les champs de travers, cassaient les navettes de leurs métiers à tisser, ou débitaient la poix et le suif en se trompant dans leurs comptes de boutique ; le malheur voulait qu'il fût roi, ayant si peu de facultés pour l'être.

— Je viens aussi, mon frère, dit Isabelle, requérir votre aide et mettre ma personne sous votre protection, car tous mes biens m'ont été ôtés, et en dernier lieu le comté de Cornouailles inscrit au traité de noces.

— Vous direz vos griefs à notre oncle Charles ; il est de bon conseil, et j'approuverai, ma sœur, tout ce qu'il décidera pour votre bien. Je vais vous mener à vos chambres.

Charles IV laissa l'assemblée pour montrer à sa sœur les appartements où elle allait loger, une suite de cinq pièces avec un escalier indépendant.

— Pour les petites entrées de votre service, crut-il bon d'expliquer.

Il lui fit remarquer également le mobilier qui était neuf, les tapis à images sur les murs. Il avait des soucis de bonne ménagère, touchait l'étoffe de la courtepointe, priait sa sœur de ne point hésiter à quérir autant de braise qu'il lui en faudrait pour bassiner son lit. On ne pouvait pas être plus attentif, ni plus affable.

— Pour le logement de votre suite, messire de Mortimer s'en arrangera avec mes chambellans. Je désire que chacun soit bien traité.

Il avait prononcé le nom de Mortimer sans intention particulière, simplement parce que, lorsqu'il s'agissait des affaires anglaises, ce nom revenait souvent devant lui. Il lui paraissait donc normal que Lord Mortimer s'occupât de la maison de la reine d'Angleterre. Il avait certainement oublié que le roi Édouard réclamait sa tête.

Il continuait de tourner à travers l'appartement, redressant le pli d'une courtine, vérifiant la fermeture des volets intérieurs. Et puis soudain s'arrêtant, les mains derrière le dos et le front un peu penché, il dit :

— Nous n'aurons guère été heureux dans nos unions, ma sœur. J'avais cru être mieux servi par Dieu en la personne de ma chère Marie de Luxembourg que je ne l'avais été avec Blanche...

Il eut un bref regard vers Isabelle où elle lut qu'il lui gardait un ressentiment vague pour avoir fait éclater l'inconduite de sa première épouse.

— ... et puis la mort m'a emporté Marie, tout en même temps que l'héritier qu'elle me préparait. Et maintenant, l'on m'a fait épouser notre cousine d'Évreux, que vous allez revoir tout à l'heure ; c'est une aimable compagne, qui m'aime bien je crois. Mais nous nous sommes unis en juillet dernier ; nous voici en mars, et elle ne donne pas signe d'être enceinte. Il faudrait que je vous entretienne de choses dont je ne puis parler qu'à une sœur... Avec ce mauvais époux qui n'aime point votre sexe, vous avez eu pourtant quatre enfants. Et moi, avec mes trois épouses... Pourtant j'accomplis, je vous assure, mes devoirs conjugaux bien fréquemment, et j'y prends plaisir. Alors, ma sœur ? Cette malédiction dont mon peuple dit qu'elle pèse sur notre race et notre maison, n'y croyez-vous pas ?

Isabelle le contemplait avec tristesse. Il se montrait assez émouvant, tout à coup, par ces doutes qui lui assaillaient l'âme et qui devaient être son constant souci. Mais le plus humble jardinier ne se fût pas exprimé d'autre manière pour gémir sur ses infortunes, ou la stérilité de sa femme. Que désirait-il, ce pauvre roi ? Un héritier au trône ou un enfant au foyer ?

Et qu'y avait-il de royal, également, en cette Jeanne d'Évreux qui vint saluer Isabelle quelques moments plus tard ? Le visage un peu mou, l'expression docile, elle tenait avec humilité sa condition de troisième épouse, qu'on avait prise au plus proche dans la famille, parce qu'il fallait une reine à la France. Elle était triste. Sans cesse elle épiait sur le visage de son mari l'obsession qu'elle connaissait bien, et qui devait être le seul sujet de leurs entretiens nocturnes.

Le vrai roi, Isabelle le trouva en Charles de Valois. Accouru au Palais, aussitôt qu'il sut sa nièce arrivée, il la serra dans ses bras et la baisa aux joues. Isabelle reconnut aussitôt que le pouvoir était dans ces bras-là, et nulle part ailleurs.

Le souper fut bref, qui réunit autour des souverains les comtes de Valois, d'Artois et leurs épouses, le comte de Kent, l'évêque de Norwich, Lord Mortimer. Le roi Charles le Bel aimait à se coucher de bonne heure.

Tous les Anglais se réunirent ensuite dans l'appartement de la reine Isabelle pour y conférer. Lorsqu'ils se retirèrent, Mortimer se trouva le dernier sur le pas de la porte. Isabelle le retint, pour un instant dit-elle ; elle avait un message à lui délivrer.

V

LA CROIX DE SANG

Ils n'avaient pas conscience du temps écoulé. Le vin de liqueur, parfumé de romarin, de rose et de grenade, était plus qu'à demi épuisé dans la cruche de cristal; les braises s'écroulaient dans le foyer.

Ils n'avaient pas même entendu les cris du guet qui s'élevaient, lointains, d'heure en heure dans la nuit. Ils ne pouvaient s'arrêter de parler, la reine surtout qui, pour la première fois depuis bien des années, ne craignait pas qu'un espion fût caché derrière la tapisserie pour rapporter le moindre de ses propos. Elle n'aurait pu dire s'il lui était jamais arrivé de se confier aussi librement; elle avait perdu jusqu'à la mémoire de la liberté. Mais jamais elle ne s'était trouvée devant un homme qui l'eût écoutée avec plus d'intérêt, lui eût répondu avec plus de justesse, et dont l'attention fût chargée de plus de générosité! Bien qu'ils eussent devant eux des jours et des jours où il leur serait loisible de s'entretenir, ils ne pouvaient se décider à interrompre leur orgie de confidences. Ils avaient tout à se dire, sur l'état des royaumes, sur le traité de paix, sur les lettres du pape, sur leurs communs ennemis, et Mortimer à raconter sa prison, son évasion, son exil, et la reine à avouer ses tourments, et les outrages subis.

Isabelle comptait demeurer en France jusqu'à ce qu'Édouard y vînt lui-même pour l'hommage; l'évêque Orleton, avec lequel elle avait eu une entrevue secrète entre Londres et Douvres, le lui conseillait.

— Vous ne pouvez point, Madame, retourner en Angleterre avant que les Despensers aient été chassés, dit Mortimer. Vous ne le pouvez ni ne le devez.

— Leur but était clair, en ces derniers mois, à me si cruellement tourmenter. Ils attendaient que je commisse quelque folle entreprise de révolte, afin de me clore en quelque couvent ou quelque château lointain comme on a fait de votre épouse.

— Pauvre amie Jeanne, dit Mortimer. Elle a bien fort pâti pour moi.

Et il alla mettre une bûche dans le foyer.

— Je lui dois d'avoir appris l'homme que vous étiez, reprit Isabelle. Souventes nuits, je la faisais dormir à mes côtés, tant je craignais qu'on ne m'assassinât. Et elle me parlait de vous, toujours de vous... Ainsi ai-je su les préparatifs de votre évasion, et j'ai pu y contribuer. Je vous connais mieux que vous ne pensez, Lord Mortimer.

Il y eut un moment comme d'attente de part et d'autre, et un peu de gêne aussi. Mortimer demeurait penché vers l'âtre dont les lueurs éclairaient son menton profondément incisé, ses sourcils épais.

— Sans cette guerre d'Aquitaine, continua la reine, sans les lettres du pape, sans cette mission auprès de mon frère, je suis certaine qu'il me serait arrivé grand malheur.

— Je savais, Madame, que c'était le seul moyen. Je n'avais guère plaisir, croyez-le, à cette guerre entreprise contre le royaume. Si j'ai accepté d'en partager la conduite et d'y faire figure de traître... car se rebeller pour défendre son droit est une chose, mais passer à l'armée adverse en est une autre...

Il avait sa campagne d'Aquitaine sur le cœur, et voulait s'en bien disculper.

— ... c'est que je savais qu'il n'était d'autre façon d'espérer vous délivrer, sinon en affaiblissant le roi Édouard. Et votre venue en France, Madame, est aussi mon idée ; j'y ai œuvré sans relâche jusqu'à ce que vous soyez là.

La voix de Mortimer était animée d'une vibration grave. Les paupières d'Isabelle se fermèrent à demi. Sa main redressa machinalement l'une des tresses blondes qui encadraient son visage comme des anses d'amphore.

— Quelle est cette blessure à la lèvre que je ne vous connaissais pas ? demanda-t-elle.

— Un présent de votre époux, Madame, un coup de fléau qui me fut assené par les gens de son parti lorsqu'ils me renversèrent dans mon armure, à Shrewsbury, où je fus malheureux. Et malheureux, Madame, moins pour moi-même, moins de la mort risquée et de la prison endurée, que d'avoir échoué à vous porter la tête des Despensers, à l'issue d'un combat livré pour vous.

Cela n'était pas là vérité totale ; la sauvegarde de ses domaines et de ses prérogatives avait pesé au moins aussi lourd, dans les décisions militaires du baron des Marches, que le service de la reine. Mais en ce moment, il était sincèrement persuadé d'avoir agi pour la défendre. Et Isabelle y croyait aussi ; elle avait tant souhaité pouvoir le croire ! Elle avait tant espéré que se dressât un jour un champion de sa cause ! Et voilà que ce champion était là, devant elle, avec sa grande main maigre qui avait tenu l'épée, et la marque au visage, légère mais indélébile, d'une blessure. Il semblait surgir tout droit, dans ses vêtements noirs, d'un roman de chevalerie.

— Vous rappelez-vous, ami Mortimer... vous rappelez-vous le lai du chevalier de Graëlent?

Il fronça ses sourcils épais. Graëlent?... Un nom qu'il avait déjà entendu; mais il ne se rappelait pas l'histoire.

— C'est dans un livre de Marie de France, que l'on m'a volé, comme tout le reste, reprit Isabelle. Ce Graëlent était chevalier si fort, si bellement loyal, et son renom était si grand, que la reine de ce temps s'éprit de lui sans le connaître; et l'ayant fait mander, elle lui dit pour premières paroles, lorsqu'il apparut devant elle : « Ami Graëlent, je n'ai jamais aimé mon époux; mais je vous aime autant qu'on peut aimer et suis à vous. »

Elle était étonnée de sa propre audace, et que sa mémoire lui eût fourni si à propos les paroles qui traduisaient tout exactement ses sentiments. Pendant plusieurs secondes, le son de sa voix lui parut se prolonger à ses propres oreilles. Elle attendait, anxieuse et troublée, confuse et ardente, la réponse de ce nouveau Graëlent.

« Puis-je à présent lui avouer que je l'aime? » se demandait Roger Mortimer, comme si ce n'avait pas été la seule chose à dire. Mais il est des champs clos où les hommes les plus braves en bataille se montrent singulièrement malhabiles.

— Avez-vous jamais aimé le roi Édouard? répondit-il.

Et ils se sentirent l'un et l'autre également déçus. Était-il bien nécessaire, en cet instant, de parler d'Édouard? La reine se redressa un peu dans son siège.

— J'ai cru l'aimer, dit-elle. Je m'y suis efforcée avec des sentiments appris; et puis j'ai vite reconnu l'homme auquel on m'avait unie! A présent je le hais, et d'une si forte haine qu'elle ne peut s'éteindre qu'avec moi... ou avec lui. Savez-vous que pendant de longues années j'ai cru que les éloignements d'Édouard envers moi venaient d'une faute de ma nature? Savez-vous, s'il faut tout vous avouer... d'ailleurs votre épouse le sait bien... que les dernières fois qu'il se força de fréquenter ma couche, quand fut conçue notre dernière fille, il exigea que Hugh le Jeune l'accompagnât jusqu'à mon lit; et il se mignotait et il se caressait avec lui avant que de pouvoir accomplir acte d'époux, disant que je devais aimer Hugh comme lui-même, puisqu'ils étaient si bien unis qu'ils ne faisaient qu'un. C'est alors que j'ai menacé d'en écrire au pape...

La fureur avait empourpré le visage de Mortimer. L'honneur et l'amour se trouvaient en lui également atteints. Édouard était vraiment indigne d'être roi. Quand donc pourrait-on crier à tous ses vassaux: « Sachez enfin qui est votre suzerain, et reprenez vos serments! » N'était-il pas injuste, quand le monde comptait tant de femmes infidèles, qu'un tel homme ait épousé une femme de si haute vertu ? N'eût-il pas mérité qu'elle se fût livrée à tout venant pour le honnir ?... Mais était-elle absolument demeurée fidèle ? Quelque amour secret n'avait-il pas traversé une si désespérante solitude ?

— Et jamais vous ne vous êtes abandonnée à d'autres bras ? demanda-t-il, d'une voix, déjà, de jaloux, cette voix qui plaît tant aux femmes, au début d'un sentiment, et leur devient si lassante à la fin d'une liaison.

— Jamais, répondit-elle.

— Pas même à votre cousin Robert d'Artois, qui semblait ce matin montrer bien franchement qu'il était épris de vous ?

Elle haussa les épaules.

— Vous connaissez mon cousin d'Artois ; tout gibier lui est bon. Reine ou truande, pour lui c'est tout un. Un jour lointain, à Westmoustiers, où je lui confiai mon esseulement, il s'offrit à m'en consoler. Voilà tout. D'ailleurs, ne l'avez-vous pas entendu : « Êtes-vous toujours aussi chaste, ma cousine ?... » Non, gentil Mortimer, mon cœur est bien désolément vide... et beaucoup las de l'être.

— Ah ! que n'ai-je osé, Madame, vous dire depuis si longtemps que vous étiez l'unique dame de mes pensées ! s'écria Mortimer.

— Est-ce vrai, doux ami ? Y a-t-il longtemps ?

— Je crois, Madame, que cela date de la première fois où je vous ai vue. Et j'en ai eu la lumière un jour, à Windsor, où les larmes vous sont venues dans les yeux pour quelque honte que le roi Édouard vous avait faite... Vous dirai-je qu'en ma prison, il ne fut de matin ni de soir où je ne pensai à vous, et que ma première demande quand j'échappai de la Tour...

— Je sais, ami Roger, je sais ; l'évêque Orleton me l'a dit. Et j'ai été joyeuse alors d'avoir donné de ma cassette pour votre liberté ; non pour l'or, qui n'était rien, mais pour le risque qui était grand. Votre évasion a fait recroître mes tourments...

Il s'inclina très bas, s'agenouillant presque, pour marquer sa gratitude.

— Savez-vous, Madame, reprit-il d'un ton plus grave encore, que depuis que j'ai pris pied sur la terre de France, j'ai fait vœu de me vêtir de noir tant que je n'aurais point retrouvé l'Angleterre... et de ne toucher femme avant de vous avoir délivrée ?

Il infléchissait un peu les termes de son vœu et commençait à confondre la reine et le royaume. Mais de plus en plus il s'apparentait, pour Isabelle, à Graëlent, à Perceval, à Lancelot...

— Et vous avez tenu ce vœu ? demanda-t-elle.

— En doutez-vous ?

Elle le remercia d'un sourire, d'une buée qui monta à ses vastes yeux bleus, et d'une main tendue, d'une main fragile qui alla se loger, comme un oiseau, dans la main du grand baron. Puis leurs doigts s'ouvrirent, s'enlacèrent, se croisèrent...

— Croyez-vous que nous ayons le droit? dit-elle après un silence. J'ai promis ma foi à un époux, si mauvais qu'il soit. Et vous, de votre part, vous avez une épouse qui est sans reproche. Nous avons contracté les liens devant Dieu. Et j'ai été si dure aux péchés des autres...

Cherchait-elle à se défendre contre elle-même, ou voulait-elle qu'il prît le péché sur lui?

Il était assis, il se releva.

— Ni vous, ni moi, ma reine, n'avons été mariés par notre vouloir. Nous avons prononcé serment, mais pour des choix que nous n'avions pas faits. Nous avons obéi à des décisions qui étaient de nos familles, et non point à la volonté de notre cœur. Aux âmes comme les nôtres...

Il marqua une hésitation. L'amour qui craint de se nommer pousse aux actions les plus étranges; le désir prend les plus hauts détours pour requérir ses droits. Mortimer était debout devant Isabelle, et leur mains restaient unies.

— Voulez-vous, ma reine, reprit-il, que nous nous affrérions? Voulez-vous accepter d'échanger nos sangs pour qu'à jamais je sois votre soutien, et qu'à jamais vous soyez ma dame?

Sa voix tremblait, de cette inspiration soudaine, démesurée, qu'il avait eue; et les épaules d'Isabelle frémirent. Car il y avait de la sorcellerie, de la passion et de la foi, et toutes choses divines et diaboliques mêlées, et chevaleresques et charnelles ensemble dans ce qu'il venait de proposer. C'était le lien de sang des frères d'armes et celui des amants légendaires, le lien des Templiers, rapporté d'Orient à travers les croisades, le lien d'amour aussi qui unissait l'épouse mal mariée à l'amant de son choix, et quelquefois par-devant le mari lui-même, à condition que l'amour restât chaste... ou qu'on crût qu'il le restait. C'était le serment des corps, plus puissant que celui des mots et qui ne se pouvait rompre, reprendre ni annuler.. Les deux créatures humaines qui le prononçaient se faisaient plus unies que des jumeaux; ce que chacun possédait devenait possession de l'autre; ils se devaient protéger en tout et ne pouvaient accepter de se survivre. «Ils doivent être affrérés...» On chuchotait cela de certains couples, avec un petit tremblement à la fois de crainte et d'envie [27].

— Je pourrai tout vous demander? dit Isabelle très bas.

Il répondit en abaissant les paupières.

— Je me livre à vous, dit-il. Vous pouvez tout exiger de moi et ne me donner de vous-même que ce qu'il vous plaira. Mon amour sera ce que vous désirerez. Je puis m'étendre nu auprès de vous nue, et ne point vous toucher si vous me l'avez interdit.

Ce n'était point là la vérité de leur désir, mais comme un rite d'honneur qu'ils se devaient, conforme aux traditions chevaleresques.

L'amant s'obligeait à montrer la force de son âme et la puissance de son respect. Il s'offrait à «l'épreuve courtoise», dont la durée était remise à la décision de l'amante; il dépendait d'elle que le temps en durât toujours ou qu'il fût aussitôt aboli.

— Êtes-vous consentante, ma reine? dit-il.

A son tour, elle répondit des paupières.

— Au doigt? au front? au cœur? demanda Mortimer.

Ils pouvaient se faire une piqûre au doigt, laisser leurs sangs s'égoutter dans un verre, les mêler et y boire à tour de rôle. Ils pouvaient s'inciser le front à la racine des cheveux et, se tenant tête contre tête, échanger leurs pensées...

— Au cœur, répondit Isabelle.

C'était la réponse qu'il souhaitait.

Un coq chanta dans les alentours dont le cri traversa la nuit silencieuse. Isabelle pensa que le jour qui allait se lever serait le premier du printemps.

Roger Mortimer ouvrit sa cotte, la laissa choir au sol, arracha sa chemise. Il apparut, poitrine nue, bombée, au regard d'Isabelle.

La reine délaça son corsage; d'un mouvement souple des épaules, elle dégagea des manches ses bras fins et blancs et découvrit ses seins, marqués de leur fruit rose, et que quatre maternités n'avaient pas blessés; elle avait mis une fierté décidée dans son geste, presque du défi.

Mortimer prit sa dague à sa ceinture. Isabelle tira la longue épingle, terminée par une perle, qui retenait ses nattes, et les anses d'amphore tombèrent d'une chute douce. Sans quitter du regard le regard de la reine, Mortimer, d'une main ferme, s'entailla la peau; le sang courut comme un petit ruisseau rouge à travers la légère toison châtaine. Isabelle accomplit sur elle-même un semblable geste avec l'épingle, à la naissance du sein gauche, et le sang perla, comme le jus d'un fruit. La crainte de la douleur, plus que la douleur même, lui fit crisper la bouche un instant. Puis elle franchit le pas qui la séparait de Mortimer et appuya les seins contre le grand torse sillonné d'écarlate, se haussant sur la pointe des pieds afin que les deux blessures vinssent à se confondre. Chacun sentit le contact de cette chair qu'il approchait pour la première fois, et de ce sang tiède qui leur appartenait à tous deux.

— Ami, dit-elle, je vous livre mon cœur et prends le vôtre qui me fait vivre.

— Amie, répondit-il, je le retiens avec la promesse de le garder au lieu du mien.

Ils ne se détachaient pas, prolongeant indéfiniment cet étrange baiser des lèvres qu'ils avaient volontairement ouvertes dans leurs poitrines. Leurs cœurs battaient du même rythme, rapide et violent, de l'un à l'autre répercuté. Trois ans de chasteté chez lui, chez elle quinze années d'attente de l'amour...

— Serre-moi fort, ami, murmura-t-elle encore.

Sa bouche s'éleva vers la blanche cicatrice qui ourlait la lèvre de Mortimer, et ses dents de petit carnassier s'entrouvrirent, pour mordre.

Le rebelle d'Angleterre, l'évadé de la tour de Londres, le grand seigneur des Marches galloises, l'ancien Grand Juge d'Irlande, Lord Mortimer de Wigmore, amant depuis deux heures de la reine Isabelle, venait de partir glorieux, comblé, et des rêves tout autour de la tête, par l'escalier privé.

La reine n'avait pas sommeil. Plus tard peut-être, la lassitude la prendrait ; pour l'instant, elle demeurait éblouie, stupéfaite, comme si une comète continuait de tournoyer en elle. Elle contemplait, avec une gratitude éperdue, le lit ravagé. Elle savourait sa surprise d'un bonheur jusque-là ignoré. Elle n'avait jamais imaginé qu'on pût avoir à s'écraser la bouche contre une épaule, pour étouffer un cri. Elle se tenait debout près de la fenêtre dont elle avait écarté les volets peints. L'aube se levait, brumeuse et féerique, sur Paris. Était-ce vraiment la veille au soir qu'Isabelle était arrivée ? Avait-elle existé jusqu'à cette nuit ? Était-ce bien cette même ville que son enfance avait connue ? Le monde, d'un coup, naissait.

La Seine coulait, grise, au pied du Palais, et là-bas, sur l'autre berge, se dressait la vieille tour de Nesle. Isabelle se rappela soudain sa belle-sœur Marguerite de Bourgogne. Un grand effroi la saisit : « Qu'ai-je fait alors ? pensa-t-elle. Qu'ai-je fait ?... Si j'avais su ! »

Toutes les femmes amoureuses, de par le monde et depuis le début des âges, lui semblaient ses sœurs, des créatures élues... « J'ai eu le plaisir, qui vaut toutes les couronnes du monde, et je ne regrette rien !... » Ces paroles, ce cri que Marguerite la morte lui avait jeté, après le jugement de Maubuisson, combien de fois Isabelle se l'était répété, sans comprendre ! Et ce matin où il y avait le printemps nouveau, la force d'un homme, la joie de prendre et d'être prise, elle comprenait enfin ! « Aujourd'hui, sûrement, je ne la dénoncerais pas ! » Et de l'acte de justice royale qu'elle avait cru jadis accomplir, elle eut honte et remords, soudain, comme du seul péché qu'elle eût jamais commis.

VI

CETTE BELLE ANNÉE 1325

Le printemps de 1325, pour la reine Isabelle, fut un enchantement. Elle s'émerveillait des matins ensoleillés où scintillaient les toits de la ville; les oiseaux par milliers bruissaient dans les jardins; les cloches de toutes les églises, de tous les couvents, de tous les monastères, et jusqu'au gros bourdon de Notre-Dame, semblaient sonner les heures du bonheur. Les nuits embaumaient le lilas, sous un ciel étoilé.

Chaque journée apportait sa brassée de plaisirs: joutes, fêtes, tournois, parties de chasse et de campagne. Un air de prospérité circulait dans la capitale, et un grand appétit de s'amuser. On dépensait profusément pour les liesses publiques, bien que le budget du Trésor eût montré pour la dernière année une perte de treize mille six cents livres dont la cause, chacun s'accordait à le reconnaître, était dans la guerre d'Aquitaine. Mais pour se fournir de ressources on avait frappé les évêques de Rouen, Langres et Lisieux d'amendes s'élevant respectivement à douze, quinze et cinquante mille livres, pour violences exercées contre leurs chapitres ou contre les gens du roi; la fortune de ces prélats trop autoritaires avait comblé les déficits militaires. Et puis les Lombards avaient été sommés, une fois de plus, de racheter leur droit de bourgeoisie.

Ainsi s'alimentait le luxe de la cour; et chacun marquait de la hâte aux divertissements, y recueillant ce premier plaisir qui est de se donner en spectacle aux autres. Comme il en allait de la noblesse, il en allait de la bourgeoisie et même du petit peuple, chacun dépensant un peu au-delà de ses moyens pour n'acquérir rien d'autre que l'agrément de vivre. Il est certaines années de cette sorte, où le destin semble sourire: un repos, un répit dans la peine des temps... On vend et on achète ce qu'on nomme superflu, comme s'il était superflu de se parer, de séduire, de conquérir, de se donner des droits à l'amour, de goûter aux choses rares qui sont le fruit de l'ingéniosité humaine, de profiter de tout ce que la Providence ou la nature ont donné à l'homme pour se délecter de son exceptionnelle condition en l'univers!

Certes, l'on se plaignait, mais non vraiment d'être misérable, plutôt de ne pouvoir assouvir tous ses désirs. On se plaignait d'être moins riche que les riches, de n'avoir pas autant que ceux qui avaient tout. La saison était exceptionnellement clémente, le négoce miraculeusement prospère. On avait renoncé à la croisade; on ne parlait point de lever l'ost ni de diminuer le cours de la livre à l'agnel; on s'occupait en Conseil étroit d'empêcher le dépeuplement des rivières; et les pêcheurs à la ligne, installés en file sur les deux berges de la Seine, se chauffaient au doux soleil de mai.

Il y avait de l'amour dans l'air, ce printemps-là. Il s'y fit plus de mariages, et de petits bâtards aussi, que depuis bien longtemps. Les filles étaient rieuses et courtisées, les garçons entreprenants et vantards. Les voyageurs n'avaient pas d'yeux assez grands pour découvrir toutes les merveilles de la ville, ni de gorges assez larges pour savourer le vin qu'on versait aux auberges, ni de nuits assez longues pour épuiser tant de plaisirs offerts.

Ah! comme on se souviendrait de ce printemps! Assurément, il y avait des maladies, des deuils, des mères qui portaient au cimetière leur nourrisson, des paralytiques, des maris trompés qui s'en prenaient à la légèreté des mœurs, des boutiquiers volés qui accusaient leurs commis de ne pas faire surveillance, des incendies qui laissaient des familles sans foyer, quelques crimes; mais tout cela n'était imputable qu'au sort, non au roi ou à son Conseil.

En vérité, il fallait tenir à bienfait de vivre en 1325, d'y être jeune ou dans le temps actif de l'existence, ou simplement bien portant. Et c'était sottise grave que de ne pas l'apprécier assez, que de ne pas remercier Dieu de ce qu'il vous donnait. Comme il aurait mieux savouré son printemps 1325, le peuple de Paris, s'il avait pu deviner la façon dont il allait vieillir! Un vrai conte de fées auquel auraient peine à croire, quand on le leur raconterait, les enfants conçus pendant ces mois exquis, dans des draps parfumés de lavande. Treize cent vingt-cinq! La belle époque! et comme il faudrait peu de temps pour que cette année-là devînt «le bon temps».

Et la reine Isabelle? La reine Isabelle semblait résumer dans sa personne tous les prestiges et toutes les joies. On se retournait à son passage, non seulement parce qu'elle était souveraine d'Angleterre, non seulement parce qu'elle était la fille du grand roi dont on avait oublié à présent les édits financiers, les bûchers et les procès terribles, pour ne plus se rappeler que les sages ordonnances, mais aussi parce qu'elle était belle et qu'elle semblait comblée.

Dans le peuple, on disait qu'elle eût mieux porté la couronne que son frère Charles le Biau, bien gentil prince mais bien falot, et l'on se demandait si c'était bonne loi qu'avait faite Philippe le Long en écartant les femmes du trône. Les Anglais étaient bien sots qui causaient soucis à si gentille reine !

A trente-trois ans, Isabelle promenait un éclat avec lequel il n'était jouvencelle, si fraîche fût-elle, qui pût rivaliser. Les beautés les plus réputées parmi la jeunesse de France paraissaient se retraire dans l'ombre quand la reine Isabelle avançait. Et toutes les damoiselles, rêvant de lui ressembler, prenaient modèle sur elle, copiaient ses robes, ses gestes, ses nattes relevées, sa façon de regarder et de sourire.

Une femme amoureuse se distingue à sa démarche et même de dos ; les épaules, les hanches, le pas d'Isabelle exprimaient le bonheur. Elle était presque toujours accompagnée de Lord Mortimer, lequel, depuis l'arrivée de la reine, avait fait soudain la conquête de la ville. Les gens qui, l'autre année, le jugeaient sombre, orgueilleux, un peu trop fier pour un exilé, qui trouvaient à sa vertu un air de reproche, ces mêmes gens, soudain, avaient découvert en Mortimer un homme de haut caractère, de grande séduction, et bien digne d'être admiré. On avait cessé d'estimer lugubre sa tenue noire seulement rehaussée de quelques agrafes d'argent ; on n'y voyait plus maintenant que l'élégante ostentation d'un homme qui porte le deuil de sa patrie perdue.

S'il n'était pas chargé d'officielles fonctions auprès de la reine, ce qui eût constitué une trop ouverte provocation envers le roi Édouard, Mortimer, en fait, dirigeait les négociations. L'évêque de Norwich subissait son ascendant ; John de Cromwell ne se privait pas de déclarer qu'on avait fait injustice au baron de Wigmore, qu'un roi se montrait peu avisé qui s'aliénait un seigneur de si grand mérite ; le comte de Kent s'était définitivement pris d'amitié pour Mortimer et ne décidait rien sans son conseil.

Il était su et admis que Lord Mortimer restait après souper chez la reine qui requérait, disait-elle, « son conseil ». Et chaque nuit, sortant de l'appartement d'Isabelle, Mortimer secouait par l'épaule Ogle, l'ancien barbier de la tour de Londres promu à la fonction de valet de chambre, qui l'attendait en somnolant sur un coffre. Ils enjambaient les serviteurs endormis sur le dallage des couloirs, et qui ne soulevaient même plus de dessus leur visage le pan de leur manteau, habitués qu'ils étaient à ces pas familiers.

Aspirant d'un poumon conquérant l'air frais de l'aube, Mortimer rentrait en son logis de Saint-Germain-des-Prés, accueilli par le blond, rose et attentif Alspaye, qu'il croyait... naïfs amants !... seul confident de sa royale liaison.

La reine, à présent la chose était sûre, ne rentrerait en Angleterre que lorsque lui-même y pourrait rentrer. Le lien entre eux juré, de jour en jour, de nuit en nuit, se faisait plus étroit, plus solide ; et la petite trace blanche sur la poitrine d'Isabelle, où il posait les lèvres, comme rituellement, avant de la quitter, demeurait la trace visible de l'échange de leurs volontés.

Une femme peut être reine, son amant est toujours son maître. Isabelle d'Angleterre, capable de faire front, seule, aux discordes conjugales, aux trahisons d'un roi, à la haine d'une cour, frémissait longuement quand Mortimer posait la main sur son épaule, sentait son cœur fondre lorsqu'il s'éloignait de sa chambre, et portait cierges aux églises pour remercier Dieu de lui avoir donné un si merveilleux péché. Mortimer absent, fût-ce pour une heure, elle l'installait en pensée devant elle, sur le plus beau siège, et lui parlait tout bas. Chaque matin, à son réveil, avant d'appeler ses femmes, elle se glissait dans le lit vers la place que son amant avait abandonnée quelques moments auparavant. Une matrone lui avait enseigné certains secrets bien utiles aux dames qui cherchent plaisir hors mariage. Et l'on chuchotait dans les cercles de la cour, mais sans y voir offense car cela semblait une juste réparation du sort, que la reine Isabelle était aux amours, comme on eût dit qu'elle était aux champs, ou mieux encore, aux anges !

Les préliminaires du traité, qu'on avait fait traîner en longueur, furent pratiquement signés le 31 mai entre Isabelle et son frère, avec l'agrément réticent d'Édouard qui récupérait son domaine aquitain, mais amputé de l'Agenais et du Bazadais, c'est-à-dire des régions que l'armée française avait occupées l'année précédente, et moyennant, en outre, un versement de soixante mille livres... Valois, là-dessus, s'était montré inflexible. Il n'avait pas fallu moins que la médiation du pape pour parvenir à un accord toujours soumis à l'expresse condition qu'Édouard viendrait rendre l'hommage, ce qu'il répugnait visiblement à faire, non plus maintenant pour de seuls motifs de prestige, mais pour des raisons de sécurité. On convint alors d'un subterfuge qui semblait satisfaire tout le monde. Date serait prise pour ce fameux hommage ; puis Édouard, en dernière minute, feindrait d'être malade, ce qui serait d'ailleurs à peine un mensonge — car à présent, lorsqu'il était question qu'il mît le pied en France, des malaises anxieux l'étouffaient, il pâlissait, sentait fuir les battements de son cœur et devait s'allonger haletant, pour une heure. Il remettrait alors à son fils aîné, le jeune Édouard, les titres et les possessions de duc d'Aquitaine, et l'enverrait à sa place prêter serment.

Chacun en cette combinaison se jugeait gagnant. Édouard échappait à l'obligation d'un voyage redouté. Les Despensers évitaient le risque de perdre emprise sur le roi. Isabelle allait retrouver son fils préféré dont elle souffrait d'être séparée. Mortimer voyait tout le renfort qu'apporterait à ses desseins futurs la présence du prince héritier dans le parti de la reine.

Ce parti ne cessait de s'accroître, et en France même. Le roi Édouard s'étonnait de ce que plusieurs de ses barons, en cette fin de printemps, aient eu nécessité d'aller visiter leurs possessions françaises et il s'inquiétait plus encore de ce qu'aucun ne revînt. D'autre part, les Despensers n'étaient pas sans entretenir à Paris quelques espions qui renseignaient Édouard sur l'attitude du comte de Kent, sur la présence de Maltravers auprès de Mortimer, sur toute cette opposition qui gravitait à la cour de France autour de la reine. Officiellement, la correspondance entre les deux époux demeurait courtoise, et Isabelle, dans les longues missives par lesquelles elle expliquait la lenteur des négociations, appelait Édouard « doux cœur ». Mais Édouard avait donné l'ordre aux amiraux et shérifs des ports d'intercepter tous courriers, quels qu'ils fussent, porteurs de lettres envoyées à quiconque par la reine, l'évêque de Norwich ou toute personne de leur entourage. Ces messagers devaient être amenés au roi sous une escorte sûre. Mais pouvait-on arrêter tous les Lombards qui circulaient avec des lettres de change ?

A Paris, Roger Mortimer, un jour qu'il passait dans le quartier du Temple, accompagné seulement de Alspaye et Ogle, fut frôlé par un bloc de pierre tombé d'un édifice en construction. Il dut de n'être pas écrasé au bruit que fit le bloc en heurtant un ais de l'échafaudage. Il ne vit là qu'un banal incident de rue ; mais trois jours plus tard, comme il sortait de chez Robert d'Artois, une échelle s'abattit devant son cheval. Mortimer alla s'en entretenir avec Tolomei qui connaissait son Paris secret mieux que personne. Le Siennois fit venir l'un des chefs des compagnons maçons du Temple qui avaient gardé leurs franchises en dépit de la dispersion des chevaliers de l'Ordre. Et les attentats contre Mortimer cessèrent. Du haut des échafaudages on adressait même de grands saluts, bonnets ôtés, au seigneur anglais vêtu de noir, dès qu'on l'apercevait. Toutefois Mortimer prit l'habitude d'être plus fortement escorté, et de faire éprouver son vin avec une corne de narval, précaution contre le poison. Les truands qui vivaient accrochés à la bourse de Robert d'Artois furent priés d'ouvrir les yeux et les oreilles. Les menaces qui environnaient Mortimer ne firent que rendre plus intense l'amour que la reine Isabelle lui portait.

Et puis, au début du mois d'août, un peu avant le temps prévu pour l'hommage anglais, Monseigneur de Valois, si fortement installé au pouvoir qu'on l'appelait communément « le second roi », s'écroula brusquement, à cinquante-cinq ans.

Depuis plusieurs semaines, il était fort coléreux et s'irritait de tout ; particulièrement une grande rage l'avait saisi au reçu d'une proposition faite par le roi Édouard de marier leurs plus jeunes enfants, Louis de Valois et Jeanne d'Angleterre, qui avoisinaient leurs sept ans. Édouard comprenait-il enfin la bévue qu'il avait commise deux ans plus tôt en rompant les négociations sur le mariage de son fils aîné, et pensait-il de la sorte ramener Valois dans son jeu ? Monseigneur Charles, par une

réaction singulière, prit cette offre pour une seconde insulte et se mit
en telle fureur qu'il brisa tous les objets de sa table. En même temps,
il montrait une grande fébrilité dans ses travaux de gouvernement,
s'impatientait des lenteurs du Parlement à rendre les arrêts, disputait
avec Miles de Noyers des calculs fournis par la Chambre des Comptes;
ensuite il se plaignait de la fatigue que toutes ces tâches lui causaient.

Un matin qu'il était en Conseil et qu'il allait parapher un acte, il
laissa choir la plume d'oie qu'on lui tendait et qui balafra d'encre la
cotte bleue dont il était vêtu. Sa main pendait auprès de sa jambe, et
ses doigts étaient devenus de pierre. Il fut surpris du silence qui se faisait
autour de lui, et ne se rendit pas compte qu'il tombait de son siège.

On le releva, les yeux bloqués vers la gauche, dans le haut des orbites,
la bouche tordue du même côté, et la conscience partie. Il avait la face
fort rouge, presque violette, et l'on s'empressa de quérir un physicien
pour le saigner. Comme l'avait été, onze ans plus tôt, son frère Philippe
le Bel, il venait d'être frappé à la tête, dans les rouages mystérieux du
vouloir. On crut qu'il passait et, à son hôtel où on le transporta,
l'énorme maisonnée prit l'affairement éploré du deuil.

Pourtant, après quelques jours, où il parut présent à la vie plutôt par
le souffle que par la pensée, il reprit à demi apparence d'exister. La
parole lui était revenue, mais hésitante, mal articulée, butant sur
certains mots, sans plus rien de cette redondance et de cette autorité
qui la marquaient auparavant; la jambe droite n'obéissait pas, ni la
main qui avait lâché la plume d'oie.

Immobile dans un siège, accablé de chaleur sous les couvertures dont
on croyait bon de l'étouffer, l'ex-roi d'Aragon, l'ex-empereur de
Constantinople, le comte de Romagne, le pair français perpétuellement
candidat à l'Empire d'Allemagne, le dominateur de Florence, le
vainqueur d'Aquitaine, le rassembleur de croisés, mesurait soudain
que tous les honneurs qu'un homme peut recueillir ne sont plus rien
lorsque s'installe le déshonneur du corps. Lui qui n'avait eu, et depuis
son enfance, que l'anxiété de conquérir les biens de la terre, se découvrit
soudain d'autres angoisses. Il exigea d'être conduit en son château du
Perray, près de Rambouillet, où il n'allait guère et qui brusquement lui
devint cher, par un de ces bizarres attraits qui viennent aux malades
pour des lieux où ils s'imaginent pouvoir recouvrer la santé.

L'identité de son mal avec celui qui avait abattu son frère aîné
obsédait son cerveau dont l'énergie était diminuée mais non point la
clarté. Il cherchait dans ses actes passés la cause de ce châtiment que
le Tout-puissant lui infligeait. Affaibli, il devenait pieux. Il pensait au
Jugement. Mais les orgueilleux se font facilement la conscience pure;
Valois ne découvrait presque rien qu'il eût à se reprocher. En toutes
ses campagnes, en tous les pillages et massacres qu'il avait ordonnés,
en toutes les extorsions qu'il avait fait subir aux provinces conquises

et délivrées par lui, il estimait avoir toujours bien usé de ses pouvoirs de chef et de prince. Un seul souvenir lui était objet de remords, une seule action lui semblait l'origine de son actuelle expiation, un seul nom s'arrêtait à ses lèvres lorsqu'il faisait l'examen de sa carrière : Marigny. Car il n'avait en vérité jamais haï personne, sauf Marigny. Pour tous les autres qu'il avait malmenés, châtiés, tourmentés, expédiés à la mort, il n'avait jamais agi que convaincu d'un bien général qu'il confondait avec ses propres ambitions. Mais dans sa lutte contre Marigny, il avait apporté tout le bas acharnement qu'on peut mettre à une querelle privée. Il avait menti sciemment en accusant Marigny, il avait porté faux témoignage contre lui, et suscité de fausses dépositions ; il n'avait reculé devant aucune bassesse pour envoyer l'ancien coadjuteur et recteur général du royaume, plus jeune alors qu'il ne se trouvait à présent lui-même, se balancer à Montfaucon. Rien ne l'avait guidé en cela que le besoin de vengeance, et la rancœur d'avoir vu, jour après jour, un autre disposer en France de plus de puissance que lui.

Et voilà que maintenant, assis dans la cour de son manoir du Perray, observant les oiseaux passer, regardant les écuyers sortir les beaux chevaux qu'il ne monterait plus, Valois s'était mis... le mot le surprenait lui-même, mais il n'y en avait pas d'autre !... il s'était mis à *aimer* Marigny, à aimer sa mémoire. Il aurait voulu que son ennemi fût encore vivant afin de pouvoir se réconcilier avec lui et lui parler de toutes choses qu'ils avaient connues, vécues ensemble et sur lesquelles ils s'étaient tant opposés. Son frère aîné Philippe le Bel, son frère Louis d'Évreux, ses deux premières épouses même, tous ces disparus lui manquaient moins que son ancien rival ; et aux moments où il ne se croyait pas observé, on le surprenait à marmonner quelques phrases d'une conversation tenue avec un mort.

Chaque jour, il envoyait un de ses chambellans, muni d'un sac de monnaie, faire aumône aux pauvres d'un quartier de Paris, paroisse après paroisse ; et les chambellans étaient chargés de dire, en déposant les pièces dans les mains crasseuses : « Priez, bonnes gens, priez Dieu pour Monseigneur Enguerrand de Marigny et pour Monseigneur Charles de Valois. » Il lui semblait qu'il s'attirerait la clémence du Ciel si dans une même prière on l'unissait à sa victime. Et le peuple de Paris s'étonnait de ce que le puissant et magnifique seigneur de Valois demandât d'être nommé auprès de celui qu'il proclamait jadis coupable de tous les malheurs du royaume, et qu'il avait fait pendre aux chaînes du gibet.

Le pouvoir, au Conseil, était passé à Robert d'Artois qui, par la maladie de son beau-frère, se trouvait soudain promu au premier rang. Le géant parcourait fréquemment, les étriers chaussés à fond, la route du Perray, pour aller demander un avis au malade. Car chacun s'apercevait, et d'Artois tout le premier, du vide qui s'ouvrait brusquement à la direction des affaires de la France. Certes, Monseigneur de Valois était connu pour un prince assez brouillon, tranchant de tout sans souvent réfléchir assez, et gouvernant d'humeur plutôt que de sagesse; mais d'avoir vécu de cour en cour, de Paris en Espagne et d'Espagne à Naples, d'avoir soutenu les intérêts du Saint-Père en Toscane, d'avoir participé à toutes les campagnes de Flandre, d'avoir intrigué pour l'Empire et d'avoir siégé pendant plus de trente années au Conseil de quatre rois de France, lui était venue l'habitude de replacer chaque souci du royaume dans l'ensemble des affaires de l'Europe. Cela s'opérait en son esprit presque de soi-même.

Robert d'Artois, féru de coutumes et grand procédurier, n'avait point d'aussi vastes vues. Aussi l'on disait du comte de Valois qu'il était le « dernier », sans bien pouvoir vraiment préciser ce que l'on entendait par là, sinon qu'il était le dernier représentant d'une grande manière d'administrer le monde, et qui allait sans doute disparaître avec lui.

Le roi Charles le Bel, indifférent, se promenait d'Orléans à Saint-Maixent et Châteauneuf-sur-Loire, attendant toujours que sa troisième épouse lui donnât la bonne nouvelle d'être enceinte.

La reine Isabelle était devenue, pour ainsi dire, maîtresse du Palais de Paris, et c'était une seconde cour anglaise qui se tenait là.

La date de l'hommage avait été fixée au 30 août. Édouard attendit donc la dernière semaine du mois pour se mettre en voyage, puis pour feindre de tomber souffrant en l'abbaye de Sandown, près de Douvres. L'évêque de Winchester fut envoyé à Paris pour certifier sous serment, s'il en était besoin, mais ce qu'on ne lui demanda pas, la validité de l'excuse, et proposer la substitution du fils au père, étant bien entendu que le prince Édouard, fait duc d'Aquitaine et comte de Ponthieu, apporterait les soixante mille livres promises.

Le 16 septembre, le jeune prince arriva, mais accompagné de l'évêque d'Oxford et surtout de Walter Stapledon, évêque d'Exeter et Lord trésorier. En choisissant celui-ci, qui était l'un des plus actifs, des plus âpres partisans du parti Despenser, l'homme aussi le plus habile, le plus rusé de son entourage et l'un des plus détestés, le roi Édouard marquait bien sa volonté de ne pas changer de politique. L'évêque d'Exeter n'était pas chargé seulement d'une mission d'escorte.

Le jour même de cette arrivée, et presque au moment où la reine Isabelle serrait dans ses bras son fils retrouvé, on apprit que Monseigneur de Valois avait fait une rechute de son mal et qu'il fallait s'attendre à ce que Dieu lui reprît l'âme d'une heure à l'autre. Aussitôt la famille entière, les grands dignitaires, les barons qui se trouvaient à Paris, les envoyés anglais, tout le monde se précipita au Perray, sauf l'indifférent Charles le Bel qui surveillait à Vincennes quelques aménagements intérieurs commandés à son architecte Painfetiz.

Et le peuple de France continuait à vivre sa belle année 1325.

VII

« CHAQUE PRINCE QUI MEURT... »

A ceux qui ne l'avaient pas vu durant les dernières semaines, combien Monseigneur de Valois apparaissait changé! D'abord, on avait l'habitude qu'il fût toujours coiffé, soit d'une grande couronne scintillante de pierreries, les jours d'apparat, soit d'un chaperon de velours brodé dont l'immense crête dentelée lui retombait sur l'épaule, ou encore d'un de ces bonnets à cercle d'or qu'il portait en appartement. Pour la première fois, il se montrait en cheveux, des cheveux blonds mélangés de blanc, auxquels l'âge avait donné une couleur délavée, dont la maladie avait défrisé les rouleaux, et qui pendaient sans vie, le long des joues et sur les coussins. L'amaigrissement, chez cet homme naguère gras et sanguin, était impressionnant, mais moins toutefois que l'immobilité contractée d'une moitié du visage, que la bouche un peu tordue dont un serviteur essuyait régulièrement la salive, moins impressionnant que la fixité éteinte du regard. Les draps brochés d'or, les courtines bleues semées de fleurs de lis qui, drapées comme un dais, surmontaient le chevet, ne faisaient qu'accuser la déchéance physique du moribond.

Et lui-même, avant de recevoir tout ce monde qui se pressait dans sa chambre, avait demandé un miroir, et il avait un moment étudié ce visage qui impressionnait si fort, deux mois plus tôt, les peuples et les rois. Que lui importait à présent le prestige, la puissance? Où étaient donc les ambitions qu'il avait si longtemps poursuivies? Que signifiait cette satisfaction, si vivace naguère, de marcher toujours le front levé entre des fronts baissés, depuis que sous ce front s'était produit ce grand éclatement, ce grand basculement de tout? Et cette main sur laquelle serviteurs, écuyers et vassaux se jetaient pour en baiser le dos et la paume, qu'était donc cette main morte le long de lui-même? Et l'autre main, qu'il commandait encore, dont il se servirait tout à l'heure une dernière fois pour signer le testament qu'il allait dicter... si une main gauche voulait bien se prêter à tracer les signes de l'écriture !... cette main lui appartenait-elle davantage que le cachet gravé dont il scellait ses ordres et qu'on ferait glisser de son doigt après qu'il serait mort ? Rien lui avait-il jamais appartenu ?

La jambe droite, totalement inerte, semblait lui avoir déjà été reprise. Dans sa poitrine, par moments, se produisait comme un vide de gouffre.

L'homme est une unité pensante qui agit sur les autres hommes et transforme le monde. Et puis, soudain, l'unité se désagrège, se délie et qu'est-ce alors que le monde, et que sont les autres ? L'important en cette heure, pour Monseigneur de Valois, ce n'étaient plus les titres, les possessions, les couronnes, les royaumes, les décisions du pouvoir, la primauté de sa personne parmi les vivants. Les emblèmes de son lignage, les acquisitions de sa fortune, même les descendants de son sang qu'il voyait autour de lui assemblés, tout cela pour lui avait perdu valeur essentielle. L'important, c'était l'air de septembre, les feuillages encore verts, avec déjà quelques roussissures et qu'il apercevait par les fenêtres ouvertes, mais l'air surtout, l'air qu'il aspirait avec difficulté et qui allait s'engloutir dans cet abîme qu'il portait au fond de la poitrine. Tant qu'il sentirait l'air pénétrer dans sa gorge, le monde continuerait d'exister avec lui en son centre, mais un centre fragile, pareil à la fin de la flamme d'un cierge. Ensuite, tout cesserait d'être, ou plutôt tout continuerait, mais dans l'ombre totale et l'effrayant silence, comme une cathédrale existe quand le dernier cierge s'y est éteint.

Valois se rappelait les grands trépas de sa famille. Il réentendait les paroles de son frère Philippe le Bel : « Regardez ce que vaut le monde. Voici le roi de France ! » Il se souvenait des mots de son neveu Philippe le Long : « Voyez votre souverain seigneur ; il n'est nul d'entre vous, le plus pauvre fût-il, avec qui je ne voudrais échanger mon sort ! » Il avait entendu ces phrases-là sans les comprendre ; voilà donc ce qu'avaient éprouvé les princes ses parents au moment de passer dans la tombe ! Il n'existait pas d'autres mots pour le dire, et ceux qui avaient encore du temps à vivre étaient impuissants à le saisir. Chaque homme qui meurt est le plus pauvre homme de l'univers.

Et quand tout serait éteint, dissous, délié, quand la cathédrale se serait emplie d'ombre, qu'allait-il découvrir ce très pauvre homme, de l'autre côté ? Trouverait-il ce que lui avaient appris les enseignements de la religion ? Mais qu'étaient-ils ces enseignements, sinon d'immenses, d'angoissantes incertitudes ? Serait-il traduit devant un tribunal ; quel était le visage du juge ? Et tous les gestes de la vie, en quelle balance seraient-ils pesés ? Quelle peine peut être infligée à ce qui n'est plus ? Le châtiment... Quel châtiment ? Le châtiment consistait peut-être à conserver la conscience claire au moment de franchir le mur d'ombre.

Enguerrand de Marigny avait eu lui aussi — Charles de Valois ne pouvait se distraire d'y penser — la conscience claire, la conscience encore plus claire d'un homme en pleine santé, en pleine force, arraché à la vie non point par la rupture de quelque rouage secret de l'être, mais par le vouloir d'autrui. Non pas la dernière lueur du cierge, mais toutes les flammes soufflées d'un coup.

Les maréchaux, les dignitaires, les grands officiers qui avaient accompagné Marigny jusqu'au gibet, les mêmes ou leurs successeurs dans les mêmes charges, étaient là, en ce moment, autour de lui, emplissant toute la chambre, débordant dans la pièce voisine au-delà de la porte, et avec les mêmes regards d'hommes conduisant un des leurs à la dernière pulsation de son cœur, étrangers à la fin qu'ils guettent, et tout entiers dans un avenir dont le condamné est éliminé.

Ah! Comme on donnerait toutes les couronnes de Byzance, tous les trônes d'Allemagne, tous les sceptres et tout l'or des rançons, pour un regard, un seul, où l'on ne se sente pas *éliminé!* Du chagrin, de la compassion, du regret, de l'effroi, et les émotions du souvenir: on rencontrait tout cela dans le cercle d'yeux de toutes couleurs qui entouraient un lit de prince mourant. Mais chacun de ces sentiments n'était qu'une preuve de l'élimination.

Valois observait son fils aîné, Philippe, ce gaillard à grand nez, debout auprès de lui sous le dais, et qui serait, qui allait être, demain, ou un jour tout proche, ou dans une minute peut-être, le seul, le vrai comte de Valois, le Valois vivant; il était triste comme il convenait de l'être, le grand Philippe, et pressait la main de sa femme, Jeanne de Bourgogne la Boiteuse; mais soucieux aussi de son attitude, à cause de cet avenir devant lui, il semblait dire aux assistants: « Voyez, c'est mon père qui meurt! » Dans ces yeux-là aussi Valois était déjà effacé.

Et les autres fils... Charles d'Alençon qui, lui, évitait de croiser le regard du moribond, se détournant lentement lorsqu'il le rencontrait; et le petit Louis, qui avait peur, qui paraissait malade de peur parce que c'était la première agonie à laquelle il assistait... Et les filles... Plusieurs d'entre elles étaient présentes: la comtesse de Hainaut, qui faisait un signe, de temps à autre, au serviteur chargé d'essuyer la bouche, et sa cadette, la comtesse de Blois, et plus loin la comtesse de Beaumont auprès de son géant époux Robert d'Artois, tous deux faisant groupe avec la reine Isabelle d'Angleterre et le petit duc d'Aquitaine, ce garçonnet à longs cils, sage comme on l'est à l'église, et qui ne garderait de son grand-oncle Charles que ce seul souvenir.

Il semblait à Valois que l'on complotait de ce côté-là; on y préparait un avenir également dont il était éliminé.

S'il inclinait la tête vers l'autre bord du lit, il rencontrait, droite, compétente, mais déjà veuve, Mahaut de Châtillon-Saint-Pol, sa troisième épouse. Gaucher de Châtillon, le vieux connétable, avec sa tête de tortue et ses soixante-dix-sept ans, était en train de remporter encore une victoire ; il regardait un homme plus jeune de vingt ans s'en aller avant lui.

Étienne de Mornay et Jean de Cherchemont, tous deux anciens chanceliers de Charles de Valois avant d'être devenus tour à tour chanceliers de France, Miles de Noyers, légiste et maître de la Chambre des Comptes, Robert Bertrand, le chevalier au Vert Lion, nouveau maréchal, le frère Thomas de Bourges, confesseur, Jean de Torpo, physicien, étaient tous là pour l'aider, chacun au titre de sa fonction. Mais qui donc aide un homme à mourir ? Hugues de Bouville essuyait une larme. Sur quoi pleurait-il, le gros Bouville, sinon sur sa jeunesse enfuie, sa vieillesse prochaine, et sa propre vie écoulée ?

Certes, un prince qui meurt est plus pauvre homme que le plus pauvre serf de son royaume. Car le pauvre serf n'a pas à mourir en public ; sa femme et ses enfants peuvent le leurrer sur l'imminence de son départ ; on ne l'entoure pas d'un apparat qui lui signifie sa disparition ; on n'exige pas de lui qu'il dresse, in extremis, constat de sa propre fin. Or, c'était bien cela qu'ils réclamaient, tous ces hauts personnages assemblés. Un testament, qu'est-ce d'autre que l'aveu qu'on fait soi-même de son décès ? Une pièce destinée à l'avenir des autres... Son notaire particulier attendait, l'encrier fixé au bord de la planche à écrire, le vélin et la plume prêts. Allons ! il fallait commencer... ou plutôt achever. Le plus pénible n'était pas tant l'effort d'esprit que l'effort de renoncement... Un testament, cela débutait comme une prière...

— Au nom du Père, du Fils et du Saint-Esprit...

Charles de Valois avait parlé. Et l'on crut qu'il priait.

— Écrivez donc, l'ami, dit-il au secrétaire. Vous entendez bien que je dicte !... Je, Charles...

Il s'arrêta, parce que c'était une sensation bien douloureuse, bien effrayante que d'écouter sa propre voix, prononcer son propre nom pour la dernière fois... Le nom, n'est-ce pas le symbole même de l'existence de l'être et de son unité ? Valois eut envie vraiment d'en finir là, parce que rien d'autre ne l'intéressait plus. Mais il y avait tous ces regards. Une ultime fois, il fallait agir, et pour les autres, dont il se sentait déjà si profondément séparé.

— Je, Charles, fils du roi de France, comte de Valois, d'Alençon, de Chartres et d'Anjou, fais savoir à tous que je, sain d'esprit bien que malade de corps...

Si l'élocution était partiellement gênée, si la langue accrochait sur certains mots, parfois les plus simples, la mécanique cérébrale continuait en apparence de fonctionner normalement. Mais cette dictée s'effectuait dans une sorte de dédoublement et comme s'il avait été son propre auditeur. Il lui semblait se tenir au milieu d'un fleuve embrumé ; sa voix s'adressait à la rive dont il se détachait ; il tremblait de ce qui adviendrait lorsqu'il toucherait l'autre berge.

— ... et demandant à Dieu merci, redoutant qu'Il ne m'étonnât d'épouvante quant au jugement de l'âme, j'ordonne ici de moi et de mes biens, et fais mon testament et ma dernière volonté de la manière ci-après écrite. Premièrement je remets mon âme à Notre Seigneur Jésus-Christ et à sa miséricordieuse Mère et à tous les Saints...

Sur un signe de la comtesse de Hainaut, un serviteur essuya la salive qui coulait par un coin de la bouche. Toutes les conversations particulières s'étaient arrêtées et l'on évitait même les froissements d'étoffe. Les assistants paraissaient stupéfaits qu'en ce corps immobilisé, réduit, déformé par la maladie, la pensée eût gardé tant de précision et même de recherche dans la formulation.

Gaucher de Châtillon murmura à l'adresse de ses voisins :

— Ce n'est pas aujourd'hui qu'il va passer.

Jean de Torpo, l'un des médecins, eut une moue négative. Pour lui, Monseigneur Charles n'atteindrait pas la nouvelle aurore. Mais Gaucher reprit :

— J'en ai vu, j'en ai vu... Je vous dis qu'il reste de la vie dans ce corps-là...

La comtesse de Hainaut, le doigt sur la bouche, pria le connétable de se taire ; Gaucher était sourd et n'appréciait pas la force de son chuchotement.

Valois poursuivait sa dictée :

— Je veux la sépulture de mon corps en l'église des Frères Mineurs de Paris, entre les sépultures de mes deux premières épouses compagnes...

Son regard chercha le visage de sa troisième épouse, la vivante, bientôt comtesse douairière. Trois femmes, et toute une vie était passée... C'était Catherine, la seconde, qu'il avait le plus aimée... à cause, peut-être, de sa couronne féerique de Constantinople. Une beauté, Catherine de Courtenay, bien digne de porter un titre de légende ! Valois s'étonnait qu'en sa malheureuse chair, à moitié inerte et au bord de s'anéantir, demeurât vaguement, diffusément, comme un frémissement des anciens désirs qui transmettent la vie. Il reposerait donc à côté de Catherine, à côté de l'impératrice titulaire de Byzance ; et de l'autre côté, il aurait sa première épouse Marguerite, la fille du roi de Naples, toutes deux en poudre depuis si longtemps. Quelle étrangeté que le souvenir d'un désir pût persister quand le corps qui en était l'objet n'existe plus ! Est-ce que la résurrection... Mais il y avait la troisième épouse, celle qui le regardait, et qui avait été bonne compagne aussi. Il fallait lui laisser quelque fragment charnel.

— Item, je veux mon cœur en ladite ville et au lieu où ma compagne Mahaut de Saint-Pol élira sa sépulture ; et mes entrailles en l'abbaye de Chaâlis, le droit au partage de ma chair m'ayant été octroyé par bulle de Notre Très Saint-Père le pape...

Il hésita, cherchant la date qui lui échappait et ajouta :

— ... précédemment [28].

Quelle fierté n'avait-il pas retirée de cette autorisation, donnée seulement aux rois, de pouvoir distribuer son cadavre, comme on divise les saints en reliques ! Il lui serait fait traitement de roi jusque dans le tombeau. Mais maintenant il pensait à la grande résurrection, seul espoir laissé à ceux parvenus sur l'extrême bord de l'ultime marche. Si les enseignements de la religion étaient vrais, comment se passerait pour lui cette résurrection ? Les entrailles à Chaâlis, le cœur au lieu que Mahaut de Saint-Pol choisirait, et le corps en l'église de Paris... Était-ce avec une poitrine vide, un ventre bourré de paille et recousu de chanvre, qu'il se dresserait entre Catherine et Marguerite ? Oh ! difficile espérance puisque inconcevable à l'esprit humain ! Y aurait-il cette presse de corps et de regards, comme celle qui se tenait en ce moment autour de son lit ? Quelle grande confusion attendre, si se dressaient ensemble tous les ancêtres, et tous les descendants, et les meurtriers face à leurs victimes, et toutes les maîtresses, et toutes les trahisons... Est-ce que Marigny surgirait devant lui ?

— ...Item, je laisse à l'abbaye de Chaâlis soixante livres tournois pour faire mon anniversaire...

Le linge à nouveau essuya son menton. Près d'un quart d'heure durant, il cita toutes les églises, abbayes, fondations pieuses situées dans ses fiefs, et auxquelles il laissait, à l'une cent livres, à l'autre cinquante, ici cent vingt, ici une fleur de lis pour embellir une châsse. Énumération monotone sauf pour le mourant à qui chaque nom prononcé représentait un clocher, une ville, un bourg dont il était pour quelques heures ou jours encore le seigneur. Couleurs d'un rempart, silhouette d'une flèche ajourée, sonorité des pavés ronds d'une rue montante, parfums d'une aire de marché, toutes choses une dernière fois, par la parole, possédées... Les pensées des assistants s'échappaient, comme à la messe quand le service est trop long. Seule Jeanne la Boiteuse, qui souffrait de rester si longtemps sur ses jambes inégales, écoutait avec attention. Elle additionnait, elle calculait. A chaque chiffre elle levait vers son mari, Philippe de Valois, un visage nullement disgracieux, mais qu'enlaidissaient les mauvaises pensées de l'avarice. Tous ces legs amputaient l'héritage.

Dans l'embrasure d'une fenêtre, Isabelle chuchotait avec Robert d'Artois ; mais l'inquiétude qui se lisait sur les traits de la reine n'était pas inspirée par la funèbre circonstance.

— Méfiez-vous de Stapledon, Robert, murmurait-elle. Cet évêque est la pire créature du diable, et Édouard ne l'a envoyé que pour causer nuisance, à moi ou à ceux qui me soutiennent. Il n'avait rien à faire ici, ce jourd'hui, et pourtant il s'est imposé, parce qu'il a reçu mission, dit-il, d'escorter partout mon fils. Il m'épie... La dernière lettre qui m'est parvenue avait été ouverte et le cachet recollé.

On entendait la voix de Charles de Valois :

— Item, je lègue à ma compagne, la comtesse, mon rubis que ma fille de Blois me donna. Item, je lui laisse la nappe brodée qui fut à la reine Marie ma mère...

Tous les yeux indifférents ou distraits durant l'énoncé des donations pieuses se remirent à briller parce qu'il était question des bijoux. La comtesse de Blois arquait les sourcils et marquait quelque désappointement. Son père aurait bien pu lui faire retour de ce rubis qu'elle lui avait offert.

— Item, le reliquaire que j'ai de saint Édouard...

En entendant le nom d'Édouard, le jeune prince d'Angleterre releva ses longs cils. Mais non, le reliquaire aussi allait à Mahaut de Châtillon.

— Item, je laisse à Philippe, mon fils aîné, un rubis et toutes mes armes et harnois, excepté un haubert d'armure qui est du travail d'Acre, et l'épée avec laquelle le seigneur d'Harcourt combattit, que je laisse à Charles, mon fils second. Item, à ma fille de Bourgogne, femme de Philippe mon fils, la plus belle de toutes mes émeraudes.

Les joues de la Boiteuse rosirent un peu, et elle remercia d'une inclination de tête qui parut une indécence. On pouvait être assuré qu'elle exigerait l'examen des émeraudes par un expert, pour reconnaître la plus belle !

— Item, à Charles mon fils second, tous mes chevaux et palefrois, mon calice d'or, un bassin d'argent et un missel.

Charles d'Alençon se mit à pleurer, bêtement, comme s'il ne prenait conscience de l'agonie de son père, et de la peine qu'elle lui causait, qu'au moment où le moribond le citait.

— Item, je laisse à Louis, mon fils troisième, toute ma vaisselle d'argent...

L'enfant se tenait collé à la jupe de Mahaut de Châtillon ; celle-ci lui caressa le front d'un geste tendre.

— Item, je veux et ordonne que tout ce qui demeurera de ma chapelle soit vendu pour faire prier pour l'âme de moi... Item, que tous les effets de ma garde-robe soient distribués aux valets de ma chambre...

Un remous discret se fit près des fenêtres ouvertes, et les têtes se penchèrent. Trois litières venaient d'entrer dans la cour du manoir, au sol couvert de paille pour étouffer le pas des chevaux. D'une grande litière ornée de sculptures dorées et de rideaux brodés des châteaux d'Artois, la comtesse Mahaut, pesante, monumentale, les cheveux tout gris sous son voile, descendait ainsi que sa fille, la reine douairière Jeanne, veuve de Philippe le Long. La comtesse était encore accompagnée de son chancelier, le chanoine Thierry d'Hirson, et de sa dame de parage, Béatrice, nièce de ce dernier. Mahaut arrivait de son château de Conflans près de Vincennes, d'où elle ne sortait plus guère en ces temps pour elle hostiles.

La seconde litière, toute blanche, transportait la reine douairière Clémence, veuve de Louis Hutin.

De la troisième litière, modeste, aux simples rideaux de cuir noir, sortait avec quelque peine, et aidé seulement de deux valets, messer Spinello Tolomei, capitaine général des Lombards de Paris.

Ainsi s'avançaient dans les couloirs du manoir deux anciennes reines de France, deux jeunes femmes du même âge, trente-deux ans, qui s'étaient succédé au trône, toutes deux vêtues de blanc, entièrement, selon l'usage établi pour les reines veuves, toutes deux blondes et belles, surtout la reine Clémence, et paraissant un peu comme deux sœurs jumelles. Derrière elles, les dominant des épaules, marchait la redoutable comtesse Mahaut dont chacun savait, mais sans avoir eu le courage d'en porter témoignage, qu'elle avait tué le mari de l'une pour que l'autre régnât. Et puis enfin, traînant la jambe, poussant le ventre, les cheveux blancs épars sur son col et les griffes du temps plantées dans les joues, le vieux Tolomei qui avait été, de près ou de loin, mêlé à toutes les intrigues. Parce que l'âge ennoblit tout, et parce que l'argent est la vraie puissance du monde, parce que Monseigneur de Valois, sans Tolomei, n'aurait pu épouser autrefois l'impératrice de Constantinople, parce que, sans Tolomei, la cour de France n'aurait pu envoyer Bouville chercher la reine Clémence à Naples, ni Robert d'Artois soutenir ses procès et épouser la fille du comte de Valois, parce que sans Tolomei la reine d'Angleterre n'aurait pu se trouver ici avec son fils, on accorda au vieux Lombard qui avait tant vu, tant prêté, et s'était beaucoup tu, les égards qui ne vont qu'aux princes.

On se tassait contre les murs, on s'effaçait pour libérer la porte. Bouville se mit à trembler quand Mahaut le frôla.

Isabelle et Robert d'Artois échangèrent une interrogation muette. Tolomei entrant avec Mahaut, cela signifiait-il que le vieux renard toscan travaillait aussi pour le compte de l'adversaire? Mais Tolomei, d'un sourire discret, rassura ses clients. Il ne fallait voir, dans cette arrivée simultanée, qu'un hasard de route.

L'entrée de Mahaut avait créé une gêne dans l'assistance. Valois s'arrêta de dicter en voyant apparaître sa vieille et géante adversaire, poussant devant elle les deux veuves blanches, comme deux agnelles qu'on mène paître. Et puis Valois aperçut Tolomei. Alors sa main valide, où brillait le rubis qui allait passer au doigt de son fils aîné, s'agita devant son visage, et il dit:

— Marigny, Marigny...

On crut qu'il perdait l'esprit. Mais non; la vue de Tolomei lui rappelait leur commun ennemi. Sans l'aide des Lombards, jamais Valois ne serait venu à bout du coadjuteur.

On entendit alors la grande Mahaut d'Artois dire:

— Dieu vous pardonnera, Charles, car votre repentance est sincère.

— La gueuse, prononça Robert d'Artois assez haut pour être entendu de ses voisins; elle ose parler de remords.

Charles de Valois, négligeant la comtesse d'Artois, faisait signe au Lombard d'approcher. Le vieux Siennois vint au bord du lit, souleva la main paralysée, la baisa; et Valois ne sentit pas ce baiser.

— Nous prions pour votre guérison, Monseigneur, dit Tolomei.

Guérison! le seul mot de réconfort que Valois eût entendu parmi tous ces gens dont aucun ne mettait sa mort en doute et qui attendaient son dernier soupir comme une nécessaire formalité! Guérison... Le banquier lui disait-il cela par complaisance ou bien le pensait-il vraiment? Ils se regardèrent et, dans le seul œil ouvert de Tolomei, cet œil sombre et rusé, le moribond vit une expression de complicité. Un œil enfin d'où il n'était pas éliminé!

— Item, item, reprit Valois en pointant l'index vers le notaire, je veux et commande que toutes mes dettes soient payées par mes enfants.

Ah! c'était un beau legs qu'il faisait par ces mots à Tolomei, et plus lourd que tous les rubis et tous les reliquaires! Et Philippe de Valois, et Charles d'Alençon, et Jeanne la Boiteuse, et la comtesse de Blois prirent tous la même mine déconfite. Il avait bien besoin de venir, ce Lombard!

— Item, à Aubert de Villepion, mon chambellan, une somme de deux cents livres tournois; à Jean de Cherchemont qui fut mon chancelier avant d'être celui de France, autant; à Pierre de Montguillon, mon écuyer...

Voilà que Monseigneur de Valois était repris par ce goût de largesse qui lui avait si fort coûté tout au long de sa vie. Il voulait récompenser royalement ceux qui l'avaient servi. Deux cents, trois cents livres; ce n'étaient point legs énormes, mais lorsqu'il en existait quarante, cinquante à la file et qui s'ajoutaient aux legs religieux... L'or du pape, déjà bien écorné, n'allait pas y suffire, ni une année de revenus de tout l'apanage Valois. Il serait donc prodigue, Monseigneur Charles, jusques après son trépas!

Mahaut s'était rapprochée du groupe anglais. Elle avait salué Isabelle d'un regard où luisait une vieille haine, souri au petit prince Édouard comme si elle l'eût voulu mordre, et enfin elle avait regardé Robert.

— Mon bon neveu, te voilà bien en peine; c'était un vrai père pour toi... dit-elle à voix basse.

— Et pour vous aussi, ma bonne tante, c'est là un coup navrant, répondit-il de même. Vous comptez à peu près le même nombre d'ans que Charles. L'âge où l'on meurt...

Dans le fond de la salle, on entrait, on sortait. Isabelle s'aperçut soudain que l'évêque Stapledon avait disparu ; ou plus exactement qu'il était en train de disparaître, car elle le vit qui franchissait la porte, de ce mouvement onctueux, glissant et assuré qu'ont les ecclésiastiques pour traverser les foules. Et le chanoine d'Hirson, le chancelier de Mahaut filait dans son sillage. La géante suivait du regard cette sortie elle aussi, et les deux femmes se surprirent dans leur commune observation.

Isabelle aussitôt se posa d'inquiètes questions. Que pouvaient avoir à se dire Stapledon, l'envoyé de ses ennemis, et le chancelier de la comtesse ? Et comment se connaissaient-ils, alors que Stapledon était arrivé de la veille ? Les espions d'Angleterre avaient travaillé du côté de Mahaut, ce n'était que trop évident. « Elle a toutes raisons de vouloir se venger et me nuire, pensait Isabelle. J'ai dénoncé autrefois ses filles... Ah ! Comme je voudrais que Roger fût là ! Que n'ai-je insisté pour qu'il vienne ! »

Les deux ecclésiastiques en vérité n'avaient guère eu de peine à se joindre. Le chanoine d'Hirson s'était fait désigner l'envoyé d'Édouard.

— *Reverendissimus sanctissimusque Exeteris episcopus?* lui avait-il demandé. *Ego canonicus et comitissæ Artesiensis cancellarius sum* *.

Ils avaient mission de s'aboucher à la première occasion. Cette occasion venait de se présenter. A présent, assis côte à côte dans une embrasure de fenêtre, au retrait de l'antichambre, et leur chapelet en main, ils conversaient en latin, comme s'ils se fussent envoyé les répons des prières pour les agonisants.

Le chanoine d'Hirson possédait la copie d'une très intéressante lettre d'un certain évêque anglais qui signait « O », adressée à la reine Isabelle, lettre qui avait été dérobée à un commerçant italien pendant son sommeil, dans une auberge d'Artois. Cet évêque « O » conseillait à la destinataire de ne point revenir pour l'heure, mais de se faire le plus de partisans qu'elle pourrait en France, de réunir mille chevaliers et de débarquer avec eux pour chasser les Despensers et le mauvais évêque Stapledon. Thierry d'Hirson avait sur lui cette copie. Monseigneur Stapledon souhaitait-il en prendre connaissance ? Un papier passa du camail du chanoine aux mains de l'évêque, qui y jeta les yeux et y reconnut le style habile, précis, d'Adam Orleton. Si Lord Mortimer, ajoutait celui-ci, prenait le commandement de l'expédition, toute la noblesse anglaise se rallierait en quelques jours.

---

* Très révérend et saint évêque d'Exeter?... Moi, je suis chanoine et chancelier de la comtesse d'Artois.

L'évêque Stapledon se rongeait le coin du pouce.

— *Ille baro de Mortuo Mari concubinus Isabellæ reginæ aperte est* *, précisa Thierry d'Hirson.

L'évêque d'Exeter en voulait-il des preuves ? Hirson lui en fournirait quand il voudrait. Il suffisait d'interroger les serviteurs, de faire surveiller les entrées et sorties du palais de la Cité, de demander simplement leur avis aux familiers de la cour.

Stapledon enfouit la copie de la lettre dans sa robe, sous sa croix pectorale.

Monseigneur de Valois, pendant ce temps, avait nommé les exécuteurs de son testament. Son grand sceau, fait d'un semis de fleurs de lis entouré de l'inscription : « *Caroli regis Franciae filii, comitis Valesi et Andegaviae* » ** s'était imprimé dans la cire coulée sur les lacets qui pendaient au bas du document. L'assistance commençait à évacuer la chambre.

— Monseigneur, puis-je présenter à votre haute et sainte personne ma nièce Béatrice, damoiselle de parage de la comtesse ? dit Thierry d'Hirson à Stapledon en désignant la belle fille brune, au regard coulant et aux hanches ondoyantes, qui s'approchait d'eux.

Béatrice d'Hirson baisa l'anneau de l'évêque ; puis son oncle lui dit quelques mots à voix basse. Elle rejoignit alors la comtesse Mahaut et lui murmura :

— C'est chose faite, Madame.

Et Mahaut, qui se tenait toujours à proximité d'Isabelle, avança sa grande main pour caresser le front du jeune prince Édouard.

Puis chacun repartit pour Paris. Robert d'Artois et le chancelier, parce qu'ils avaient à veiller aux tâches de gouvernement. Tolomei, parce que ses affaires l'appelaient. Mahaut, parce que, sa vengeance mise en route, elle n'avait plus rien à faire là. Isabelle, parce qu'elle désirait au plus tôt parler à Mortimer, les reines veuves parce qu'on n'eût pas su où les loger. Même Philippe de Valois eut à regagner Paris, pour l'administration de ce gros comté dont il était déjà le tenant de fait.

Il ne resta auprès du moribond que sa troisième épouse, sa fille aînée la comtesse de Hainaut, ses plus jeunes enfants et ses proches serviteurs. Guère plus de monde qu'autour d'un petit chevalier de province, alors que son nom et ses actes avaient tant agité le monde, depuis les bords de l'Océan jusqu'aux rives du Bosphore.

Et le lendemain, Monseigneur Charles de Valois respirait toujours, et le surlendemain encore. Le connétable Gaucher avait vu juste ; la vie continuait à se battre dans ce corps foudroyé.

---

* Le baron Mortimer vit ici en concubinage ouvert avec la reine Isabelle.

** De Charles, fils de roi de France, comte de Valois et d'Anjou.

Toute la cour, pendant ces jours-là, se transporta à Vincennes, pour l'hommage que le jeune prince Édouard, duc d'Aquitaine, rendit à son oncle Charles le Bel.

Puis, à Paris, une pièce d'échafaudage chut tout près de la tête de l'évêque Stapledon ; une passerelle, le lendemain, se rompit sous les fers de la mule du clerc qui le suivait. Un matin qu'il s'éloignait de son logis à l'heure de la première messe, Stapledon se trouva nez à nez dans une rue étroite avec Gérard de Alspaye, l'ancien lieutenant de la tour de Londres, et le barbier Ogle. Les deux hommes paraissaient se promener, insouciants. Mais sort-on de chez soi à pareille heure, simplement pour entendre chanter les oiseaux ? Dans une encoignure se tenait aussi un petit groupe d'hommes silencieux parmi lesquels Stapledon crut reconnaître le visage chevalin du baron Maltravers. Un convoi de maraîchers qui encombra la chaussée permit à l'évêque anglais de regagner précipitamment sa porte. Le soir même, sans avoir fait aucun adieu, il prenait la route de Boulogne, pour aller secrètement s'embarquer.

Il emportait, outre la copie de la lettre d'Orleton, de nombreuses preuves rassemblées pour convaincre de complot et de trahison la reine Isabelle, Mortimer, le comte de Kent et tous les seigneurs qui les entouraient.

Dans un manoir d'Ile-de-France, à une lieue de Rambouillet, Charles de Valois, abandonné de presque tous et reclus dans son corps comme déjà dans un tombeau, existait toujours. Celui qu'on avait appelé le second roi de France n'était plus attentif qu'à l'air qui pénétrait ses poumons d'un rythme irrégulier, avec par instants d'angoissantes pauses. Et il continuerait de respirer cet air, dont toute créature se nourrit, de longues semaines encore, jusqu'en décembre.

TROISIÈME PARTIE

LE ROI VOLÉ

I

LES ÉPOUX ENNEMIS

Depuis huit mois, la reine Isabelle vivait en France; elle y avait appris la liberté et rencontré l'amour. Et elle avait oublié son époux, le roi Édouard. Celui-ci n'existait plus en ses pensées que d'une façon abstraite, comme un mauvais héritage laissé par une ancienne Isabelle qui eût cessé d'être; il avait basculé dans les zones mortes du souvenir. Elle ne se rappelait même plus, lorsqu'elle voulait s'y forcer pour aviver ses ressentiments, l'odeur du corps de son mari, ni la couleur exacte de ses yeux. Elle ne retrouvait que l'image vague et brouillée d'un menton trop long sous une barbe blonde, et l'onduleux, le désagréable mouvement du dos. Si la mémoire fuyait, la haine en revanche restait tenace.

Le retour précipité de l'évêque Stapledon à Londres justifia toutes les craintes d'Édouard et lui montra l'urgence qu'il y avait à faire revenir sa femme. Encore fallait-il agir avec habileté et, comme disait Hugh le Vieux, endormir la louve si l'on voulait qu'elle regagnât le repaire. Aussi les lettres d'Édouard pendant quelques semaines furent celles d'un époux aimant, qu'affligeait l'absence de sa compagne. Les Despensers eux-mêmes participaient à ce mensonge en adressant à la reine des protestations de dévouement et en se joignant aux supplications du roi pour qu'elle leur accordât la joie de son prompt retour. Édouard avait également chargé l'évêque de Winchester d'user de son influence auprès de la reine.

Mais le 1er décembre, tout changea. Édouard, ce jour-là, fut saisi d'une de ces colères soudaines et démentes, une de ces rages, si peu royales, qui lui donnaient l'illusion de l'autorité. L'évêque de Winchester venait de lui transmettre la réponse de la reine; celle-ci répugnait à regagner l'Angleterre par la crainte que lui inspiraient les entreprises de Hugh le Jeune; elle avait d'ailleurs fait part de cette crainte à son frère le roi de France. Il n'en fallut pas plus. Le courrier qu'Édouard dicta à Westminster, pendant cinq heures d'affilée, allait plonger les cours d'Europe dans la stupéfaction.

Et d'abord il écrivit à Isabelle elle-même. Il n'était plus question, à présent, de «doux cœur».

« *Dame, écrivit Édouard, souventes fois nous vous avons mandé, aussi bien avant l'hommage qu'après, que pour le grand désir que nous avons que vous fussiez auprès de nous et le grand mésaise de votre longue absence, vous vinssiez par devers nous en toute hâte et toutes excusations cessantes.*

« *Avant l'hommage, vous étiez excusée pour cause de l'avancement des besognes; mais depuis lors vous nous avez mandé par l'honorable père évêque de Winchester que vous ne viendriez point, par peur et doute de Hugh Le Despenser, ce dont nous sommes grandement étonné; car vous envers lui et lui envers vous vous êtes toujours faits louanges en ma présence, et nommément à votre départir, par promesses spéciales et autres preuves de confiante amitié, et encore par vos lettres particulières qu'il nous a montrées.*

« *Nous savons de vérité, et vous le savez également, Dame, que ledit Hugh nous a toujours procuré tout l'honneur qu'il a pu; et vous savez aussi que oncques nulle vilenie ne vous fit depuis que vous êtes ma compagne, sinon, et par aventure, une seule fois, et par votre faute, veuillez vous en souvenir.*

« *Trop nous déplairait, à présent que l'hommage a été rendu à notre très cher frère le roi de France et que nous sommes en si bonne voie d'amitié avec lui, que vous fussiez, vous que nous envoyâmes pour la paix, cause de quelque distance entre nous et pour des raisons inexactes.*

« *C'est pourquoi nous vous mandons, et chargeons, et ordonnons, que toutes excusations cessantes et feints prétextes, vous reveniez à nous en toute hâte.*

« *Quant à vos dépenses, quand vous serez venue comme femme doit faire à son seigneur, nous en ordonnerons de telle manière que vous n'ayez faute de rien et ne puissiez en rien être déshonorée.*

« *Aussi voulons et vous mandons que vous fassiez notre très cher fils Édouard venir par devers nous à plus de hâte qu'il pourra, car nous avons moult grand désir de lui voir et parler.*

« *L'honorable père en Dieu Wautier, évêque d'Exestre* [29], *nous a fait entendre naguère que certains de nos ennemis et bannis, lorsqu'ils étaient devers vous, le guettèrent pour vouloir faire mal à son corps s'ils en avaient eu le temps, et que, pour échapper à tels périls, il se hâta devers nous sur la foi et l'allégeance qu'il nous devait. Nous vous mandons ceci pour que vous entendiez que ledit évêque, lorsqu'il partit si soudainement de vous, ne le fit pour autres raisons.*

« *Donné à Westminster le premier jour de décembre 1325.*

Édouard. »

Si la fureur éclatait dans le début de la missive et le mensonge ensuite, le venin était bien savamment placé à la fin.

Une autre lettre, celle-ci plus courte, était adressée au jeune duc d'Aquitaine :

« *Très cher fils, si jeune et de tendre âge que vous soyez, remembrez-vous bien ce dont nous vous chargeâmes et que vous commandâmes à votre départir de nous, à Douvres, et ce que vous nous répondîtes alors, dont nous vous avons su moult bon gré, et ne dépassez ou contrevenez en nul point ce dont nous vous chargeâmes alors.*

« *Et puisqu'il est ainsi, que votre hommage est reçu, présentez-vous devers notre très cher frère le roi de France votre oncle, et prenez votre congé de lui, et venez par devers nous en la compagnie de notre très chère compagne la Reine votre mère, si elle vient tantôt.*

« *Et si elle ne vient pas venez en toute hâte sans plus longtemps demeurer ; car nous avons très grand désir de vous voir et parler ; et ce ne laissez de le faire en aucune manière, ni pour mère, ni pour autrui. Notre bénédiction.* »

Les redites, ainsi qu'un certain désordre irrité des phrases montraient bien que la rédaction n'avait pas été confiée au chancelier ni à quelque secrétaire, mais était l'œuvre du roi lui-même. On pouvait presque entendre la voix d'Édouard dictant ces messages. Charles IV le Bel n'était pas oublié. La lettre qu'Édouard lui adressait reprenait et presque terme pour terme, tous les points de la lettre de la reine.

« *Vous avez entendu par gens dignes de foi, que notre compagne la Reine d'Angleterre n'ose venir par devers nous par peur de sa vie et doute qu'elle a de Hugh Le Despenser. Certes, très aimé frère, il ne convient pas qu'elle se doute de lui ni de nul autre homme vivant en notre royaume ; car, par Dieu, il n'y a ni Hugh ni autre vivant en notre territoire qui mal lui voulut et, s'il nous venait de le sentir, nous le châtierions en manière que les autres en prendraient exemple, ce dont nous avons assez le pouvoir, Dieu merci.*

« *C'est pourquoi, très cher et très aimé frère, encore vous prions spécialement, pour honneur de vous et de nous, et de notre dite compagne, que vous veuillez tout faire pour qu'elle vienne par devers nous le plus en hâte qu'elle pourra ; car nous sommes moult chagriné d'être privé de la compagnie d'elle, chose que nous n'eussions en nulle manière faite sinon par la grande sûreté et confiance que nous avions en vous et en votre bonne foi qu'elle reviendrait à notre volonté.* »

Édouard exigeait également le retour de son fils, et dénonçait les tentatives d'assassinat imputables aux «ennemis et bannis au-delà» dirigées contre l'évêque d'Exeter.

Certes, la colère de ce 1er décembre avait dû être forte et les voûtes de Westminster en répercuter longtemps les échos criards. Car, pour le même motif et sur le même ton, Édouard avait écrit encore aux archevêques de Reims et de Rouen, à Jean de Marigny, évêque de Beauvais, aux évêques de Langres et de Laon, tous pairs ecclésiastiques, aux ducs de Bourgogne et de Bretagne, ainsi qu'aux comtes de Valois et de Flandre, pairs laïcs, à l'abbé de Saint-Denis, à Louis de Clermont-Bourbon, grand chambrier, à Robert d'Artois, à Miles de Noyers, président de la Chambre aux Comptes, au connétable Gaucher de Châtillon.

Que Mahaut fût le seul pair de France excepté de cette correspondance prouvait assez ses relations avec Édouard, et que celui-ci ne jugeait pas de besoin de l'avertir officiellement de l'affaire.

Robert, en décachetant le pli qui lui était destiné, entra en grande joie et arriva, tout s'esclaffant et se frappant les cuisses, chez sa cousine d'Angleterre. La bonne histoire, et bien faite pour qu'il la savourât! Ainsi le roi Édouard envoyait chevaucheurs aux quatre coins du royaume pour instruire chacun de ses déboires conjugaux, défendre son ami de cœur et clamer son impuissance à faire rentrer son épouse au foyer. Infortuné pays d'Angleterre; en quelles mains d'étoupe le sceptre de Guillaume le Conquérant était-il tombé! Depuis les brouilles de Louis le Pieux et d'Aliénor d'Aquitaine, on n'avait rien ouï de meilleur!

— Faites-le bien cornard, ma cousine, criait Robert, et sans s'y mettre de gantelet, et que votre Édouard soit forcé de se courber en deux pour passer les portes de ses châteaux. N'est-ce pas, cousin Roger, que voilà tout ce qu'il mérite?

Et il frappait gaillardement l'épaule de Mortimer.

Édouard, dans son emportement, avait aussi décidé des mesures de rétorsion, confisquant les biens de son demi-frère le comte de Kent et ceux du Lord de Cromwell, chef d'escorte d'Isabelle. Mais il avait fait plus : il venait de sceller un acte par lequel il s'instituait «gouverneur et administrateur» des fiefs de son fils, duc d'Aquitaine, et réclamait en son nom les possessions perdues. Autant dire qu'il réduisait à néant et le traité négocié par sa femme, et l'hommage rendu par son fils.

— Libre à lui, libre à lui, dit Robert d'Artois. Nous allons donc lui reprendre une nouvelle fois son duché, du moins ce qu'il en reste. Les arbalètes de la croisade commencent à se rouiller!

Nul besoin, pour ce faire, de lever l'ost ni d'expédier le connétable dont l'âge durcissait les jointures; les deux maréchaux, à la tête des troupes permanentes, suffiraient bien à aller cogner un peu, en Bordelais, sur les seigneurs gascons qui avaient la faiblesse, la sottise, de demeurer fidèles au roi d'Angleterre. Cela devenait une habitude. Et l'on trouvait, chaque fois, moins de monde en face de soi.

La lettre d'Édouard II fut l'une des dernières que lut Charles de Valois, l'un des derniers échos qui lui parvinrent des affaires du monde.

Monseigneur Charles mourut au milieu de ce mois de décembre ; ses obsèques furent pompeuses, comme l'avait été sa vie. Toute la maison de Valois, dont on s'aperçut mieux de la voir ainsi en cortège combien elle était nombreuse et importante, toute la famille de France, tous les dignitaires, la plupart des pairs, les reines veuves, le Parlement, la Chambre des Comptes, le connétable, les docteurs de l'Université, les corporations de Paris, les vassaux des fiefs d'apanage, les clergés des églises et abbayes inscrites sur le testament, conduisirent jusqu'à l'église des Franciscains, pour qu'il y fût couché entre ses deux premières épouses compagnes, le corps, rendu bien léger par la maladie et par l'embaumement, de l'homme le plus turbulent de son temps.

Les entrailles, ainsi que Valois en avait disposé, furent transportées en l'abbaye de Chaâlis, et le cœur, enfermé dans une urne, remis à la troisième épouse pour attendre le moment où elle aurait elle-même une sépulture.

Sur quoi le royaume subit une extrême froidure, comme si les os de ce prince, d'y avoir été descendus, faisaient geler d'un coup la terre de France. Il serait aisé pour les gens de cette époque de se rappeler l'année de sa mort ; ils n'auraient qu'à dire : « C'était au temps du grand gel. »

La Seine était entièrement prise par les glaces ; on traversait à pied ses petits affluents, tels le ruisseau de la Grange Batelière ; les puits étaient gelés, et l'on puisait aux citernes non plus avec des seaux mais avec des haches. L'écorce des arbres craquait dans les jardins ; des ormes se fendirent jusqu'au cœur. Les portes de Paris connurent quelques grands dégâts, le froid ayant fait éclater même les pierres. Des oiseaux de toutes sortes, qu'on ne voyait jamais dans les villes, des geais, des pies, cherchaient leur nourriture sur le pavé des rues. La tourbe de chauffage se vendit à prix double et l'on ne trouvait plus fourrure dans les boutiques, ni une peau de marmotte, ni un ventre de menu-vair, ni même une simple toison de mouton. Il mourut beaucoup de vieillards et beaucoup d'enfants dans les demeures pauvres. Les pieds des voyageurs gelaient dans leurs bottes ; les chevaucheurs délivraient leur courrier avec des doigts bleus. Tout trafic fluvial était arrêté. Les soldats, s'ils avaient l'imprudence d'ôter leurs gants, laissaient la peau de leurs mains collée sur le fer des armes ; les gamins s'amusaient à persuader les idiots de village de poser la langue sur un fer de hache. Mais ce qui devait demeurer surtout dans les mémoires était une grande impression de silence parce que la vie paraissait arrêtée.

A la cour, l'an neuf fut célébré de façon assez discrète, en raison à la fois et du deuil et du gel. On s'offrit néanmoins le gui, et l'on échangea les cadeaux rituels. Les comptes du Trésor laissaient prévoir pour l'exercice qui se clôturerait à Pâques [30] un excédent de recettes de soixante-treize mille livres — dont soixante mille provenaient du traité d'Aquitaine — sur lequel Robert d'Artois se fit allouer huit mille livres par le roi. C'était bien justice, puisque, depuis six mois, Robert gouvernait le royaume pour le compte de son cousin. Il activa la nouvelle expédition de Guyenne, où les armes françaises remportèrent une victoire d'autant plus rapide qu'elles ne rencontrèrent pratiquement aucune résistance. Les seigneurs locaux, qui essuyaient une fois de plus la colère du suzerain de Paris contre son vassal de Londres, commencèrent à regretter d'être nés Gascons.

Édouard, ruiné, endetté, et qui se heurtait à des refus de crédit, n'avait plus les moyens d'expédier des troupes pour défendre son fief ; il envoya des bateaux pour ramener sa femme. Celle-ci venait d'écrire à l'évêque de Winchester afin qu'il en fît part à tout le clergé anglais :

« *Vous, ni autres de bon entendement, ne devez croire que nous laissâmes la compagnie de notre seigneur sans trop grave cause et raisonnable, et si ce ne fut pour un péril de notre corps par ledit Hugh qui a le gouvernement de notre dit seigneur et de tout notre royaume et nous voudrait déshonorer comme nous en sommes bien certaine pour l'avoir éprouvé. Si longtemps que Hugh sera comme il est, tenant notre époux en son gouvernement, nous ne pourrons rentrer au royaume d'Angleterre sans exposer notre vie et celle de notre très cher fils à péril de mourir.* »

Et cette lettre se croisa justement avec les nouveaux ordres qu'au début de février Édouard adressait aux shérifs des comtés côtiers. Il les informait que la reine et son fils, le duc d'Aquitaine, envoyés en France dans un désir de paix, avaient, sous l'influence du traître et rebelle Mortimer, fait alliance avec les ennemis du royaume ; de ce fait, au cas où la reine et le duc d'Aquitaine débarqueraient des nefs par lui, le roi, envoyées, et seulement s'ils arrivaient avec de bonnes intentions, sa volonté était qu'ils fussent reçus courtoisement, mais s'ils débarquaient de vaisseaux étrangers, et montrant des volontés contraires aux siennes, l'ordre était de n'épargner que la reine et le prince Édouard, pour traiter en rebelles tous les autres qui sortiraient des navires.

Isabelle fit, par son fils, informer le roi qu'elle était malade et hors d'état de s'embarquer.

Mais au mois de mars, ayant appris que son épouse se promenait joyeusement dans Paris, Édouard II eut un nouvel accès de violence épistolaire. Il semblait que ce fût chez lui une affection cyclique qui le saisissait tous les trois mois.

Au jeune duc d'Aquitaine, il écrivait ceci :

« *Pour faux prétexte, notre compagne votre mère se retire de nous, à cause de notre cher et féal Hugh Le Despenser qui toujours nous a si bien et si loyalement servi; mais vous voyez, et tout chacun peut voir, qu'ouvertement, notoirement, et s'égarant contre son devoir et contre l'état de notre couronne, elle a attiré à soi le Mortimer notre traître et ennemi mortel, prouvé, atteint et en plein Parlement jugé, et s'accompagne à lui en hôtel et dehors, en dépit de nous et de notre couronne et des droitures de notre royaume. Et encore fait-elle pis, si elle peut, quand elle vous garde en compagnie de notre dit ennemi devant tout le monde, en très grand déshonneur et vilenie, et en préjudice des lois et usages du royaume d'Angleterre que vous êtes souverainement tenu de sauver et maintenir.* »

Il mandait également au roi Charles IV :

« *Si votre sœur nous aimait et désirait être en notre compagnie, comme elle vous a dit et en a menti, sauf votre révérence, elle ne serait partie de nous sous prétexte de nourrir paix et amitié entre nous et vous, toutes choses que je crus en bonne foi en l'envoyant vers vous. Mais vraiment, très cher frère, nous nous apercevons assez qu'elle ne nous aime mie, et la cause qu'elle donne, parlant de notre cher parent Hugh Le Despenser, est feinte. Nous pensons que c'est désordonnée volonté quand, si ouvertement et notoirement, elle retient en son conseil notre traître et ennemi mortel le Mortimer, et s'accompagne en hôtel et dehors à ce mauvais. Aussi vous devriez bien vouloir, très cher frère, qu'elle se châtiât et se comportât comme elle devrait faire pour l'honneur de tous ceux à qui elle tient. Veuillez nous faire connaître vos volontés de ce qu'il vous plaira de faire, selon Dieu, raison et bonne foi, sans avoir regard à impulsions capricieuses de femmes ou autre désir.* »

Messages de même teneur étaient envoyés à nouveau vers tous les horizons, aux pairs, aux dignitaires, aux prélats, au pape lui-même. Les souverains d'Angleterre dénonçaient chacun l'amant de l'autre, publiquement, et cette affaire de double ménage, de deux couples où se trouvaient trois hommes pour une seule femme, faisait la joie des cours d'Europe.

Les amants de Paris n'avaient plus de ménagements à prendre. Plutôt que de chercher à feindre, Isabelle et Mortimer firent front et se montrèrent ensemble en toutes occasions. Le comte de Kent, que sa femme avait rejoint, vivait en compagnie du couple illégitime. Pourquoi se serait-on soucié de respecter les apparences, dès lors que le roi lui-même mettait tant d'ardeur à publier son infortune ? Les lettres d'Édouard n'avaient réussi en somme qu'à établir l'évidence d'une liaison que chacun accepta comme fait accompli et immuable. Et toutes les épouses infidèles de penser qu'il existait une grâce particulière pour les reines, et qu'Isabelle avait bien de la chance que son mari fût bougre !

Mais l'argent manquait. Plus aucune ressource ne parvenait aux émigrés dont les biens avaient été séquestrés. Et la petite cour anglaise de Paris vivait entièrement d'emprunts aux Lombards.

A la fin de mars, il fallut faire appel, une fois de plus, au vieux Tolomei. Il arriva chez la reine Isabelle, accompagné du signor Boccace qui représentait les Bardi. La reine et Mortimer, avec une grande affabilité, lui exprimèrent leur besoin d'argent frais. Avec une égale affabilité, et toutes les marques du chagrin, messer Spinello Tolomei refusa. Il avait pour cela de bons arguments ; il ouvrit son grand livre noir et montra les additions. Messire de Alspaye, le Lord de Cromwell, la reine Isabelle... sur cette page-là, Tolomei fit une profonde inclination de tête... le comte de Kent et la comtesse... nouvelle révérence... le Lord Maltravers, Lord Mortimer... Et puis, sur quatre feuilles à la file, les dettes du roi Édouard Plantagenet lui-même...

Roger Mortimer protesta : les comptes du roi Édouard ne le concernaient pas !

— Mais, my Lord, dit Tolomei, pour nous ce sont toujours, toutes ensemble, les dettes de l'Angleterre ! Je suis peiné de vous refuser, grandement peiné, et de décevoir si belle dame que Madame la reine ; mais c'est trop me demander que d'attendre de moi ce que je n'ai plus, et que vous avez. Car cette fortune, qu'on dit nôtre, elle n'est faite ainsi que de créances ! Mon bien, my Lord, ce sont vos dettes. Voyez, Madame, continua-t-il, en se tournant vers la reine, voyez, Madame, ce que nous sommes, nous autres pauvres Lombards, toujours menacés, qui devons à chaque roi nouveau payer un don de joyeux avènement... et combien en avons-nous payés, hélas, depuis douze ans !... à qui sous chaque roi l'on retire le droit de bourgeoisie pour nous le faire acquitter par bonne taxe, et même deux fois si le règne est long. Voyez cependant ce que nous faisons pour les royaumes ! L'Angleterre coûte à nos compagnies cent soixante-dix mille livres, le prix de ses sacres, de ses guerres, de ses discordes, Madame ! Voyez mon vieil âge... Je me reposerais depuis bien longtemps si je n'avais à courir sans cesse pour récupérer des créances qui nous resservent à aider d'autres besoins. On nous dit avaricieux, avides, et l'on ne songe point aux risques que nous prenons pour prêter à chacun et permettre aux princes de ce monde de continuer leurs affaires ! Les prêtres s'occupent des petites gens, de faire aumône aux mendiants, et d'ouvrir hôpitaux pour les infortunés ; nous, nous nous occupons des misères des grands.

Son âge lui permettait de s'exprimer de la sorte, et la douceur de son ton était telle qu'on ne pouvait s'offenser du discours. Tout en parlant, il lorgnait de son œil entrouvert un bijou qui brillait au col de la reine et qui était inscrit à crédit, dans son livre, au compte de Mortimer.

— Comment notre négoce a-t-il commencé? Pourquoi existons-nous? On ne se le remémore guère, poursuivait-il. Nos banques italiennes se sont créées lors des croisades parce que seigneurs et voyageurs répugnaient à se charger d'or sur les routes peu sûres où l'on était dévalisé à tout propos, ou même dans les camps qui n'étaient point hantés que de gens honnêtes. Et puis il y avait les rançons à payer. Alors, pour que nous acheminions l'or à leur compte et à notre péril, les seigneurs, et ceux d'Angleterre tout particulièrement, nous ont donné gages sur les revenus de leurs fiefs. Mais quand nous nous sommes présentés dans ces fiefs, avec nos créances, pensant que le sceau des grands barons devait être de suffisante obligation, nous n'avons pas été payés. Alors, nous avons fait appel aux rois, lesquels pour garantir les créances de leurs vassaux, ont en échange exigé que nous leur prêtions, à eux aussi; et voilà comment nos ressources gisent dans les royaumes. Non, Madame, à mon grand meschef et déplaisir, cette fois je ne puis.

Le comte de Kent, qui assistait à l'entretien, dit:

— Soit, messire Tolomei. Nous allons devoir donc nous adresser à d'autres compagnies que la vôtre.

Tolomei sourit. Que croyait-il, ce jeune homme blond qui se tenait assis, les jambes croisées, et caressait négligemment la tête de son lévrier? Porter sa clientèle ailleurs? Cette phrase-là, Tolomei, en sa longue carrière, l'avait entendue plus de mille fois. La belle menace!

— My Lord, quand il s'agit d'aussi grands emprunteurs que vos personnes royales, vous pensez bien que toutes nos compagnies se tiennent informées, et que le crédit qu'il me faut à regret vous refuser, aucune autre compagnie ne vous l'accordera; messer Boccace, que vous voyez, est avec moi pour les besognes des Bardi. Demandez-lui!... Car, Madame... (c'était toujours à la reine que Tolomei revenait) cet ensemble de créances nous est devenu bien fâcheux par le fait que rien ne les garantit. Au point où en sont arrivées vos affaires avec le Sire roi d'Angleterre, celui-ci ne va point garantir vos dettes! Ni vous les siennes, je pense. A moins que vous soyez en intention de les reprendre à votre compte? Ah! si cela était, peut-être pourrions-nous encore vous porter appui.

Et il ferma complètement l'œil gauche, croisa les mains sur son ventre, et attendit.

Isabelle s'entendait peu aux questions de finances. Elle leva les yeux vers Roger Mortimer. Comment fallait-il prendre les dernières paroles du banquier? Que signifiait, après si long palabre, cette soudaine ouverture?

— Éclairez-nous, messer Tolomei, dit-elle.

— Madame, reprit le banquier, votre cause est belle et celle de votre époux fort laide. La chrétienté sait les traitements méchants qu'il vous a infligés, les mœurs qui noircissent sa vie et le mauvais gouvernement qu'il impose à ses sujets par la personne de ses détestables conseillers. En revanche, Madame, vous êtes aimée parce que vous êtes aimable, et je gage qu'il ne manque pas de bons chevaliers en France et ailleurs qui seraient prêts à lever leurs bannières pour vous et vous rendre votre place en votre royaume... fût-ce boutant hors de son trône le roi d'Angleterre votre époux.

— Messer Tolomei, s'écria le comte de Kent, comptez-vous pour rien que mon frère, tout détestable qu'il soit, ait été couronné?

— My Lord, my Lord, répondit Tolomei, les rois ne sont vraiment tels que du consentement de leurs sujets. Et vous avez un autre roi tout prêt à donner au peuple d'Angleterre, ce jeune duc d'Aquitaine qui semble montrer bien de la sagesse pour son jeune âge. J'ai beaucoup vu les passions humaines; je sais assez bien reconnaître celles qui ne se défont point et entraînent les plus puissants princes à leur perte. Le roi Édouard ne se déliera pas du Despenser; mais en revanche, l'Angleterre est toute disposée à acclamer tel souverain qu'on lui offrira pour remplacer le mauvais sien et les méchants qui l'entourent... Certes, vous m'opposerez, Madame, que les chevaliers qui s'offriront à combattre pour votre cause seront chers à payer; il faudra leur fournir harnois, vivres et plaisirs. Mais nous, les Lombards, qui ne pouvons plus faire face à soutenir votre exil, nous pourrions encore faire face à soutenir votre armée, si Lord Mortimer dont la valeur n'est à personne inconnue s'engageait à en prendre la tête... et si, bien sûr, il nous était garanti que vous repreniez à votre compte les dettes de Messire Édouard, pour les acquitter le jour de votre succès.

La proposition ne pouvait être plus clairement faite. Les compagnies lombardes s'offraient à jouer la femme contre le mari, le fils contre le père, l'amant contre l'époux légitime. Mortimer n'en était point aussi surpris qu'on s'y serait attendu ni même n'affecta de l'être lorsqu'il répondit :

— La difficulté, messer Tolomei, est de réunir ces bannières. Cela ne se fait point dans une cave. Où pourrions-nous rassembler mille chevaliers que nous prendrons à notre solde? En quel pays? Les convoquer en France, nous ne pouvons, si bien disposé que soit le roi Charles envers sa sœur la reine.

Il y avait de la connivence entre le vieux Siennois et l'ancien prisonnier d'Édouard.

— Le jeune duc d'Aquitaine, dit Tolomei, n'a-t-il pas reçu en propre le comté de Ponthieu, qui vient de Madame la reine, et le Ponthieu ne se trouve-t-il pas vis-à-vis l'Angleterre, et jouxte le comté d'Artois où

Monseigneur Robert, bien qu'il n'en soit pas le tenant, compte force partisans, ainsi que vous le savez, my Lord, puisque vous y fûtes abrité après votre évasion?

— Le Ponthieu... répéta la reine, songeuse. Quel est votre conseil, gentil Mortimer?

L'affaire, pour se débattre seulement de parole, n'en était pas moins une offre ferme. Tolomei était prêt à délivrer quelque crédit à la reine et à son amant afin qu'ils puissent faire face à l'immédiat et partir pour le Ponthieu organiser l'expédition. Et puis en mai, il fournirait le gros des fonds. Pourquoi mai? Ne pouvait-il pas avancer cette date?

Tolomei calculait. Il calculait qu'il avait, de concert avec les Bardi, une créance à récupérer sur le pape. Il demanderait à Guccio, qui se trouvait à Sienne, de se rendre, à cet effet, en Avignon. Le pape avait fait savoir incidemment, par un voyageur, qu'il accueillerait volontiers une visite du jeune homme; il fallait profiter des bonnes dispositions du Saint-Père. Une occasion aussi, pour Tolomei, la dernière peut-être, de revoir ce neveu qui lui manquait beaucoup.

Et puis il y avait un petit amusement, dans la pensée du banquier. Comme Valois naguère à propos de la croisade, comme Robert d'Artois au sujet de l'Aquitaine, le Lombard se disait pour l'Angleterre: «C'est le pape qui paiera.» Alors, le temps que Boccace qui partait pour l'Italie, passât par Sienne, le temps que de Sienne Guccio allât en Avignon, qu'il arrivât à Paris...

— En mai, Madame, en mai... Que Dieu bénisse vos besognes.

II

RETOUR À NEAUPHLE

Était-elle donc si petite, la maison de banque de Neauphle, et si basse l'église de l'autre côté du minuscule champ de foire, et si étroit le chemin montant qui tournait pour aller vers Cressay, Thoiry, Septeuil? Le souvenir et la nostalgie agrandissent étrangement la réalité des choses.

Neuf années écoulées! Cette façade, ces arbres, ce clocher, venaient de rajeunir Guccio de neuf années! Ou plutôt non; de le vieillir, au contraire, de tout ce temps écoulé.

Guccio avait retrouvé instinctivement son geste de jadis pour s'incliner en passant la porte basse qui séparait les deux pièces de négoce du comptoir, au rez-de-chaussée. Sa main avait cherché d'elle-même la corde d'appui, le long du madrier de chêne qui servait d'axe à l'escalier tournant, pour monter à son ancienne chambre. Ainsi, c'était là qu'il avait tant aimé, comme jamais avant, comme jamais depuis!

La pièce exiguë, collée sous les solives du toit, sentait la campagne et le passé. Comment un logis si resserré avait-il pu contenir un aussi grand amour? Par la fenêtre, à peine une fenêtre, une lucarne plutôt, il apercevait un paysage inchangé. Les arbres étaient fleuris en ce début de mai, comme au temps de son départ, neuf ans plus tôt. Pourquoi les arbres en fleurs dispensent-ils toujours une si forte émotion? Entre les branches des pêchers, roses et arrondies comme des bras, apparaissait le toit de l'écurie, cette écurie dont Guccio s'était enfui devant l'arrivée des frères Cressay! Ah! la belle peur qu'il avait eue cette nuit-là!

Il se retourna vers le miroir d'étain, toujours à la même place sur le coffre de chêne. Chaque homme, au souvenir de ses faiblesses, se rassure à se regarder, oubliant que les signes d'énergie qu'il lit sur son visage ne font impression qu'à lui-même, et que c'est devant les autres qu'il fût faible ! Le métal poli aux reflets de grisaille renvoyait à Guccio le portrait d'un garçon de trente ans, brun, avec une ride assez profondément creusée entre les sourcils, et deux yeux sombres dont il n'était pas mécontent, car ces yeux-là avaient vu déjà bien des paysages, la neige des montagnes, les vagues de deux mers, et allumé le désir dans le cœur des femmes, et soutenu le regard des princes et des rois.

... Guccio Baglioni, mon ami, que n'as-tu continué une carrière si bellement commencée ! Tu étais allé de Sienne à Paris, de Paris à Londres, de Londres à Naples, à Lyon, à Avignon ; tu portais messages pour les reines, trésors pour les prélats. Pendant deux grandes années tu as circulé ainsi, parmi les plus grands seigneurs de la terre, chargé de leurs intérêts ou de leurs secrets. Et tu avais à peine vingt ans ! Tout te réussissait. Il n'est que de voir les attentions dont on t'entoure à présent, au retour de neuf années d'absence, pour juger des souvenirs que tu as laissés. Le Saint-Père lui-même te le prouve. Aussitôt qu'il te sait de retour en Avignon pour un banal recouvrement de créance, lui, le souverain pontife, du haut du trône de saint Pierre et submergé par tant de tâches, il demande à te voir, il s'intéresse à ton sort, à ta fortune, il a la mémoire de se rappeler que tu as eu un enfant jadis, il s'inquiète de te savoir privé de cet enfant, il consacre à te conseiller quelques-unes de ses précieuses minutes... « ... Un fils doit être élevé par son père », te dit-il ; et il te fait délivrer sauf-conduit de messager papal, le meilleur qui soit.

... Et Bouville ! Bouville que tu viens trouver, porteur de la bénédiction du pape Jean, et qui te traite ainsi qu'ami depuis longtemps attendu, et qui a de grosses larmes dans les yeux en te voyant, et qui te délègue un de ses propres sergents d'armes pour t'accompagner dans ta démarche, et te remet une lettre, cachetée de son sceau, adressée aux frères Cressay, afin qu'on te laisse voir ton enfant !...

Ainsi, les plus hauts personnages s'occupaient de Guccio, sans aucun motif intéressé, pensait celui-ci, simplement pour l'amitié qu'inspirait sa personne, pour l'agilité de son esprit, et sans doute pour une certaine façon de se conduire avec les grands de ce monde qui lui était un don de nature.

Ah ! que n'avait-il persévéré ! Il aurait pu devenir l'un de ces grands Lombards, puissants dans les États à l'égal des princes, comme Macci dei Macci, gardien actuel du Trésor royal de France, ou bien comme Frescobaldi d'Angleterre qui entrait, sans se faire annoncer, chez le chancelier de l'Échiquier.

Était-il trop tard, après tout ? Bien au fond de lui-même, Guccio se sentait supérieur à son oncle, et capable d'une plus éclatante réussite. Car le bon oncle Spinello, à froidement juger, faisait un négoce assez courant. Capitaine général des Lombards de Paris, il l'était devenu à l'ancienneté. Il possédait du bon sens, certes, et de l'habileté, mais point un exceptionnel talent. Guccio considérait tout cela de façon impartiale, à présent que, passé l'âge des illusions, il se sentait un homme de raisonnement pondéré. Oui, il avait eu tort autrefois. Or sa malheureuse aventure avec Marie de Cressay, il ne pouvait se le cacher, était la cause de ses renoncements.

Car pendant de longs mois, sa pensée n'avait été occupée que de ce déplorable événement, tous ses actes commandés par la volonté de dissimuler cet échec. Ressentiment, déception, abattement, honte de revoir ses amis et ses protecteurs après un dénouement peu glorieux, rêves de revanche... Son temps s'était usé à cela tandis qu'il s'installait dans une nouvelle vie, à Sienne, où l'on ne savait de ses amours de France que ce qu'il voulait bien en dire lui-même. Ah! elle ignorait, cette ingrate Marie, la grande destinée à laquelle elle avait brisé le cours en refusant autrefois de fuir avec lui! Que de fois, en Italie, il y avait amèrement songé. Mais maintenant, il allait se venger...

Et si Marie, soudain, lui déclarait qu'elle l'aimait toujours, qu'elle l'avait attendu sans faiblesse et qu'un affreux malentendu avait été la seule cause de leur séparation? Oui, si cela était? Guccio savait qu'en ce cas il ne résisterait point, qu'il oublierait ses griefs aussitôt qu'exprimés, et qu'il emmènerait sans doute Marie de Cressay à Sienne, dans le palais familial, pour présenter sa belle épouse à ses concitoyens. Et pour montrer à Marie cette ville neuve, moins grande que Paris ou que Londres, certes, mais qui l'emportait en magnificence architecturale, avec son Municipio édifié depuis peu et dont Simone Martini terminait actuellement les fresques intérieures, avec sa cathédrale noire et blanche qui serait la plus belle de Toscane, une fois sa façade achevée. Ah! le plaisir de partager ce que l'on aime avec une femme aimée! Et que faisait-il à rêver devant un miroir d'étain, au lieu de courir à Cressay et de profiter de l'émotion de la surprise?

Et puis il réfléchit. Les amertumes pendant neuf ans remâchées ne pouvaient pas s'oublier d'un coup, ni la peur non plus qui l'avait chassé, un matin, de ce jardin même. Les cris furieux des deux frères Cressay qui voulaient lui rompre l'échine... Sans un bon cheval, il était mort. Mieux valait envoyer le sergent d'armes, avec la lettre du comte de Bouville; la démarche aurait plus de poids.

Mais Marie, après neuf ans, était-elle toujours aussi belle? Serait-il toujours aussi fier de se montrer à son bras?

Guccio pensait avoir atteint l'âge où l'on se conduit par la raison. Or, si une ride s'enfonçait entre les sourcils, il était toujours le même homme, le même mélange d'astuce et de naïveté, d'orgueil et de songes. Tant il est vrai que les années changent peu notre nature et qu'il n'est pas d'âge pour nous délivrer des erreurs. Les cheveux blanchissent plus vite que les faiblesses.

On rêve d'un événement pendant neuf années; on l'espère et on le redoute, on prie la Vierge chaque nuit qu'il s'accomplisse et l'on prie Dieu chaque jour de l'empêcher; on s'est préparé, soir après soir, matin après matin, à ce que l'on dira s'il se produit; on a murmuré toutes les réponses que l'on donnera à toutes les questions que l'on a imaginées; on a prévu les cent, les mille façons dont cet événement pourrait survenir... il survient. On est désemparé.

Ainsi se trouve Marie de Cressay ce matin-là, parce que sa servante, qui fut autrefois confidente de son bonheur et de son drame, est venue tout à l'heure lui chuchoter à l'oreille que Guccio Baglioni était de retour. Qu'on l'a vu arriver au village de Neauphle. Qu'il semble avoir train de seigneur. Que des sergents du roi lui servent d'escorte. Qu'il doit être messager du pape... Les gamins sur la place ont regardé, bouche bée, le harnais de cuir jaune brodé des clés de saint Pierre. A cause de ce harnais, cadeau du pape au neveu de ses banquiers, toutes les cervelles du village se sont mises à travailler.

Et la servante est là, essoufflée, les yeux brillants d'émoi au-dessus de ses joues rouges, et Marie de Cressay ne sait ce qu'elle doit ni va faire.

Elle dit:

— Ma robe!

Cela lui est venu tout seul, sans y réfléchir, et la servante a aussitôt compris, parce que Marie a peu de robes, et qu'elle n'en peut demander d'autre que celle-là qui fut cousue naguère dans le beau tissu de soie donné par Guccio, celle qu'on sort du coffre chaque semaine, qu'on brosse avec soin, qu'on défroisse, qu'on aère, devant laquelle on pleure parfois, et qu'on ne revêt jamais.

Guccio peut apparaître d'un moment à l'autre. La servante l'a-t-elle aperçu? Non. Elle ne rapporte que des nouvelles qui couraient de seuil en seuil... Peut-être est-il déjà en chemin! Si seulement Marie avait une pleine journée pour se préparer à cette arrivée! Elle a attendu neuf années, et cela revient à n'avoir qu'un seul instant!

Qu'importe que l'eau soit froide dont elle s'asperge la gorge, le ventre, les bras, devant la servante qui se détourne, surprise de l'impudeur subite de sa maîtresse, et puis coule un regard vers ce beau corps dont c'est pitié vraiment qu'il soit sans homme depuis si longtemps, et qu'elle se met à jalouser un peu en voyant comme il est demeuré plein, et ferme, et pareil à une belle plante sous le soleil. Pourtant les seins sont plus lourds qu'autrefois et s'affaissent légèrement sur la poitrine; les cuisses ne sont plus aussi lisses, le ventre est marqué de quelques petites stries laissées par la maternité. Allons! Le corps des filles nobles s'abîme aussi, moins que le corps des servantes, certes, mais il s'abîme quand même, et c'est justice de Dieu, qui fait toutes les créatures pareilles.

Marie a du mal à entrer dans la robe. L'étoffe a-t-elle rétréci d'être restée si longtemps sans usage, ou bien est-ce Marie qui a grossi? On dirait plutôt que la forme de son corps s'est modifiée, comme si les contours, les rondeurs n'étaient plus à la même place. Elle a changé. Elle sait bien aussi que le duvet blond est plus fourni sur sa lèvre, que les taches de rousseur dues à l'air des champs se sont incrustées plus largement sur son visage. Ses cheveux, cette brassée de cheveux dorés dont il faut en hâte retisser les tresses, n'ont plus leur souplesse lumineuse d'antan.

Et voici que Marie se retrouve dans sa robe de fête qui la gêne aux entournures; et ses mains rougies par les travaux de la maison sortent des manches de soie verte.

Qu'a-t-elle fait de toutes ces années qui maintenant ne semblent plus qu'un soupir du temps?

Elle a vécu de se souvenir. Elle s'est nourrie quotidiennement de ses quelques mois d'amour et de bonheur, comme d'une provision trop rapidement engrangée. Elle a écrasé chaque instant de ce passé au moulin de la mémoire. Elle a revu mille fois le jeune Lombard arrivant pour réclamer sa créance et chassant le méchant prévôt. Mille fois elle a reçu son premier regard, refait leur première promenade. Elle a mille fois répété son vœu dans le silence et l'ombre nocturne de la chapelle, devant le moine inconnu. Mille fois elle a découvert sa grossesse. Mille fois elle a été arrachée par violence au couvent des filles du faubourg Saint-Marcel et conduite en litière fermée, tenant son nourrisson serré contre sa poitrine, à Vincennes, au château des rois. Mille fois on a devant elle revêtu son enfant des langes royaux, et on le lui a ramené mort, et elle en a encore le cœur poignardé. Et elle hait toujours la feue comtesse de Bouville, et elle l'espère en proie aux tourments infernaux. Mille fois, elle a juré sur les Évangiles de garder le petit roi de France, et de ne rien révéler des atroces secrets de la cour, même en confession, et de ne jamais revoir Guccio; et mille fois elle s'est demandé: « Pourquoi est-ce à moi que cela est arrivé? »

Elle l'a demandé au grand ciel bleu des jours d'août, aux nuits d'hiver passées à grelotter seule, entre des draps raides, aux aurores sans espérance. Pourquoi?

Elle l'a demandé aussi au linge compté pour la buanderie, aux sauces remuées sur le feu de la cuisine, aux viandes mises en saloir, au ruisseau qui court au pied du manoir et au bord duquel on cueille les joncs et les iris, les matins de procession.

Elle a, par instants, haï Guccio, furieusement, pour le seul fait d'exister et d'avoir traversé sa vie comme le vent d'orage traverse une maison aux portes ouvertes; et puis aussitôt elle s'est reproché cette pensée comme un blasphème.

Elle s'est prise tour à tour pour une très grande pécheresse à laquelle le Tout-puissant a imposé cette perpétuelle expiation, pour une martyre, pour une sorte de sainte tout exprès désignée par les volontés divines à dessein de sauver la couronne de France, la descendance de Saint Louis, tout le royaume, en la personne de ce petit enfant à elle confié... C'est de cette façon qu'on peut devenir folle, lentement, sans que les autres autour de vous s'en aperçoivent.

Des nouvelles du seul homme qu'elle ait aimé, des nouvelles de son époux auquel personne ne reconnaît ce titre, elle n'en a eu que de loin en loin, par quelques paroles du commis de la banque à la servante. Guccio était vivant. C'était tout ce qu'elle savait. Comme elle a souffert de l'imaginer, d'être impuissante à l'imaginer plutôt, en un pays lointain, une ville étrangère, parmi des parents, d'elle inconnus, auprès d'autres femmes sûrement, d'une autre épouse peut-être... Et voilà que Guccio est à un quart de lieue ! Mais est-ce vraiment pour elle qu'il est revenu ? Ou simplement pour régler quelque affaire du comptoir ? Ne serait-ce pas le plus affreux qu'il fût si proche et que ce ne fût pas pour elle ? Et pourrait-elle lui en faire reproche, puisqu'elle a refusé de le voir, voici neuf ans, elle-même lui a si durement signifié de ne plus jamais l'approcher, et sans pouvoir lui révéler la raison de cette cruauté ! Et soudain elle s'écrie :

— L'enfant !

Car Guccio va vouloir connaître ce petit garçon qu'il croit le sien ! Ne serait-ce pas pour cela qu'il a reparu ?

Jeannot est là, dans le pré qu'on aperçoit par la fenêtre, le long de la Mauldre, ce ruisseau bordé d'iris jaunes et trop peu profond pour qu'on s'y noie, jouant avec le dernier fils du palefrenier, les deux garçons du charron et la fille du meunier ronde comme une boule. Il a de la boue sur les genoux, sur le visage et jusque dans l'épi de cheveux blonds qui se tord sur son front. Il crie fort. Il a des mollets fermes et roses, celui qu'on croit un petit bâtard, un enfant du péché, et qu'on traite comme tel !

Mais comment ne s'aperçoivent-ils pas tous, les frères de Marie, les paysans du domaine, les gens de Neauphle, que Jeannot n'a rien de la blondeur dorée, presque rousse, de sa mère, et moins encore de la noirceur profonde, du teint couleur d'épices, de Guccio ? Comment ne voit-on pas qu'il est un vrai petit capétien, qu'il en a le visage large, les yeux bleu pâle, un peu trop écartés, le menton qui deviendra fort, la blondeur de paille ? Le roi Philippe le Bel était son grand-père. C'est miracle que les gens aient le regard si peu ouvert et ne reconnaissent dans les choses et les êtres que l'idée qu'ils s'en font !

Quand Marie a demandé à ses frères d'envoyer Jeannot chez les moines Augustins d'un couvent voisin afin qu'il y apprenne à lire et écrire, ils ont haussé les épaules.

— Nous savons lire un peu et cela ne nous sert guère ; nous ne savons pas écrire, et cela ne nous servirait de rien, a répondu Jean de Cressay.

Pourquoi veux-tu que Jeannot ait besoin d'en apprendre plus long que nous? C'est bon pour les clercs d'étudier, et tu ne peux même point le faire clerc puisqu'il est bâtard!

Dans le pré aux iris, l'enfant suit en rechignant la servante qui est venue le chercher. Il jouait au chevalier, la gaule en main, et était au moment d'enfoncer les défenses de l'appentis où des méchants retenaient prisonnière la fille du meunier.

Mais voici justement que les frères de Marie rentrent d'inspecter leurs champs. Ils sont poudreux, sentent la sueur de cheval et ont les ongles noirs. Jean, l'aîné, est déjà pareil à ce que fut leur père; il a l'estomac lourd par-dessus la ceinture, la barbe broussailleuse, et les deux crocs lui manquent parmi ses dents gâtées. Il attend une guerre pour se révéler; et chaque fois que devant lui on parle de l'Angleterre, il crie que le roi n'a qu'à lever l'ost et que la chevalerie saura bien montrer ce dont elle est capable. Il n'est point chevalier, du reste; mais il pourrait le devenir à la faveur d'une campagne. Il n'a connu des armées que l'ost boueux de Louis Hutin, et l'on n'a pas fait appel à lui pour l'expédition d'Aquitaine. Il a nourri un moment d'espoir lors des intentions de croisade de Monseigneur Charles de Valois; et puis Monseigneur Charles est mort. Ah! que ce baron-là eût fait un bon roi!

Pierre de Cressay, le cadet, est resté plus mince et plus pâle, mais ne soigne guère davantage sa mise. Sa vie est un mélange d'indifférence et de routine. Ni Jean ni Pierre ne s'est marié. Leur sœur veille au ménage, depuis la mort de leur mère, dame Éliabel; ils ont ainsi quelqu'un pour assurer leur cuisine, réparer leur gros linge; et contre Marie ils peuvent s'emporter à l'occasion, plus aisément qu'ils n'oseraient le faire envers une épouse. Si leurs chausses sont déchirées, il leur est toujours loisible de tenir Marie pour responsable de ce qu'ils n'ont pas trouvé femme à leur convenance, à cause du déshonneur par elle jeté sur la famille.

À cela près, ils vivent dans une aisance limitée grâce à la pension que le comte de Bouville fait régulièrement servir à la jeune femme sous le prétexte qu'elle fut nourrice royale, et grâce aussi aux cadeaux en nature que le banquier Tolomei continue d'envoyer à celui qu'il croit son petit-neveu. Le péché de Marie a donc pour les deux frères été de quelque avantage.

Pierre connaît à Montfort-l'Amaury une bourgeoise veuve qu'il va visiter de temps à autre, et ces jours-là, il fait toilette avec un air coupable. Jean préfère ne chasser qu'en ses labours, et se sent seigneur à peu de frais parce que quelques gamins, dans les hameaux voisins, ont déjà sa tournure. Mais ce qui est honneur pour un garçon de noblesse est déshonneur pour une fille noble; cela se sait, il n'y a pas à y revenir.

Les voilà tous deux bien surpris, Jean et Pierre, de voir leur sœur atournée de sa robe de soie, et Jeannot trépignant, parce qu'on le débarbouille. Est-ce donc jour de fête, dont la mémoire leur a manqué?

— Guccio est à Neauphle, dit Marie.

Et elle recule, parce que Jean serait bien capable de lui envoyer un soufflet.

Mais non, Jean se tait; il regarde Marie. Et Pierre de même, les bras ballants. Ils n'ont pas la cervelle modelée pour l'imprévu. Guccio est revenu. La nouvelle est de taille et il leur faut quelques minutes pour s'en pénétrer. Quels problèmes cela va-t-il leur poser?... Ils aimaient bien Guccio, ils sont forcés d'en convenir, lorsqu'il était compagnon de leurs chasses, qu'il leur apportait des faucons de Milan; ils ne voyaient pas que le gaillard faisait l'amour à leur sœur, presque sous leur nez. Puis ils ont voulu le tuer quand dame Éliabel a découvert le péché au ventre de sa fille. Puis ils ont regretté leur violence après qu'ils eurent visité le banquier Tolomei en son hôtel de Paris, et compris, mais trop tard, qu'ils eussent mieux préservé leur honneur à laisser leur sœur s'éloigner mariée à un Lombard qu'à la garder mère d'un enfant sans père.

Ils n'ont guère longtemps à s'interroger car le sergent d'armes à la livrée du comte de Bouville, trottant un grand cheval bai et portant cotte de drap bleu dentelée autour des fesses, entre dans la cour du manoir qui se peuple aussitôt de visages ébaubis. Les paysans mettent le bonnet à la main; des têtes d'enfants surgissent des portes entrebâillées; les femmes s'essuient les mains à leur tablier.

Le sergent vient délivrer deux messages au sire Jean, l'un de Guccio, l'autre du comte de Bouville lui-même. Jean de Cressay a pris la mine importante et hautaine de l'homme qui reçoit une lettre; il a froncé le sourcil, avancé les lèvres en lippe à travers sa barbe et ordonné d'une voix forte qu'on fasse boire et manger le messager, comme si celui-ci venait de fournir quinze lieues. Puis il se retire auprès de son frère, pour lire. Ils ne sont pas trop de deux; il leur faut même appeler Marie qui sait mieux déchiffrer les signes d'écriture.

Et Marie se met à trembler, trembler, trembler.

— Nous n'y comprenons mie, messire. Notre sœur s'est soudain mise à trembler, comme si Satan en propre personne avait surgi devant elle, et elle a refusé tout net de même vous entrevoir. Aussitôt ensuite, elle fut secouée de gros sanglots.

Ils étaient bien embarrassés, les deux frères Cressay. Ils avaient fait brosser leurs bottes, et Pierre avait revêtu la cotte qu'il ne mettait d'ordinaire que pour aller visiter la veuve de Montfort. Dans la seconde pièce du comptoir de Neauphle, devant un Guccio qui leur opposait figure sombre et ne les avait même pas invités à s'asseoir, ils se tenaient plutôt penauds, et l'esprit partagé de sentiments contraires.

Au reçu des lettres, deux heures auparavant, ils avaient cru pouvoir négocier comme une bonne affaire le départ de leur sœur et la reconnaissance de son mariage. Mille livres comptant, voilà ce qu'ils demanderaient. Un Lombard pouvait bien débourser cela. Mais Marie avait mis en déroute leurs espérances par son étrange attitude et son obstination à ne pas revoir Guccio.

— Nous avons tâché à la raisonner, et bien contre notre avantage ; car si elle venait à nous quitter elle nous manquerait fort puisqu'elle tient tout notre ménage. Mais enfin, nous comprenons bien que si, après tant d'années, vous revenez la demander, c'est bien qu'elle est votre épouse véritable, quand même le mariage s'est-il fait en secret. Et puis le temps s'est écoulé...

C'était le barbu qui parlait et sa phrase s'embrouillait un peu. Le cadet se contentait d'approuver de la tête.

— Nous vous le disons tout franc, reprit Jean de Cressay, nous avons commis une faute en vous faisant refus de notre sœur. Mais cela n'est pas tant venu de nous que de notre mère... Dieu l'ait en garde !... qui s'était fort butée. Chevalier se doit de reconnaître ses torts, et si Marie notre sœur a passé outre notre consentement, nous portons une part de la coulpe. Tout cela devrait être effacé. Le temps est notre maître à tous. Or, maintenant, c'est elle qui vous refuse ; et pourtant je jure Dieu qu'elle n'a pas d'autre homme en tête, cela non ! Ainsi, je ne comprends plus. Elle a la cervelle faite de curieuse façon, notre sœur, n'est-il pas vrai, Pierre ?

Pierre de Cressay hocha le front.

Pour Guccio, c'était une belle revanche que d'avoir sous ses yeux, repentants et la langue entortillée, ces deux garçons qui jadis étaient arrivés, en pleine nuit, l'épieu en main, pour l'occire, et l'avaient obligé à fuir la France. A présent, ils ne souhaitaient rien tant que lui donner leur sœur ; pour un peu, ils l'auraient supplié de brusquer les choses, de venir à Cressay, d'imposer sa volonté et faire valoir ses droits d'époux.

Mais c'était mal connaître Guccio et son ombrageux orgueil. Des deux benêts, il faisait peu de cas. Marie seule avait de l'importance pour lui. Or Marie le repoussait alors qu'il était là, tout proche d'elle, et qu'il arrivait si consentant à oublier toutes les injures passées.

— Monseigneur de Bouville devait bien penser qu'elle agirait ainsi, dit le barbu, puisqu'il me mande dans sa lettre : « Si dame Marie, comme il est à croire, refuse de voir le seigneur Guccio... » Savez-vous quelle raison il avait d'écrire cela ?

— Non, je ne sais vraiment, répondit Guccio, mais il faut croire qu'elle en a dit bien long et bien fermement sur mon compte, à messire de Bouville, pour qu'il ait vu si clair !

— Et pourtant, elle n'a pas d'autre homme en tête, répéta le barbu.

La colère commençait d'envahir Guccio. Ses sourcils noirs se serraient sur la ride qui lui marquait le front. Cette fois, vraiment, tout lui donnait droit d'agir sans scrupules. Marie serait payée de sa cruauté par une cruauté pire.

— Et mon fils? demanda-t-il.

— Il est là. Nous l'avons amené.

Dans la pièce voisine, l'enfant regardait le commis faire des comptes et s'amusait à caresser les barbes d'une plume d'oie. Jean de Cressay ouvrit la porte.

— Jeannot, approche, dit-il.

Guccio, attentif à ce qui se passait en lui-même, se forçait un peu à l'émotion. « Mon fils, je vais voir mon fils », se disait-il. En vérité, il ne ressentait rien. Pourtant, que de fois il avait espéré cet instant! Mais il n'avait pas prévu ce petit pas lourd, campagnard, qu'il entendait approcher.

L'enfant entra. Il portait des braies courtes et un sarrau de toile; son épi rebelle se tordait sur son front clair. Un vrai petit paysan!

Il y eut un moment de gêne pour les trois hommes, gêne que l'enfant perçut fort bien. Pierre le poussa vers Guccio.

— Jeannot, voici...

Il fallait bien dire quelque chose, dire à Jeannot qui était Guccio; et l'on ne pouvait dire que la vérité.

— ... voici ton père.

Guccio, sottement, attendait un élan, des bras ouverts, des larmes. Le petit Jeannot leva vers lui des yeux bleus étonnés:

— Mais on m'avait dit qu'il était mort? dit-il.

Guccio en eut un choc; une grande fureur mauvaise s'éleva en lui.

— Mais non, mais non, se hâta de couper Jean de Cressay. Il était en voyage et ne pouvait envoyer de nouvelles. N'est-il pas vrai, ami Guccio?

« De combien de mensonges ne l'a-t-on pas abreuvé! pensa Guccio. Patience, patience... Lui dire que son père était mort, ah! les méchantes gens! Mais patience... » Pour meubler le silence, il dit:

— Comme il est blond!

— Oui, tout à fait semblable à l'oncle Pierre, le frère de notre défunt père, répondit Jean de Cressay.

— Jeannot, viens vers moi, viens, dit Guccio.

L'enfant obéit, mais sa petite main rugueuse restait étrangère dans la main de Guccio, et il s'essuya la joue après avoir été embrassé.

— Je souhaiterais le garder quelques jours avec moi, reprit Guccio, afin de pouvoir le conduire à mon oncle Tolomei, qui désire le connaître.

Et ce disant, Guccio avait machinalement, comme Tolomei, fermé l'œil gauche.

Jeannot, la bouche entrouverte, le regardait. Que d'oncles! Autour de lui, on n'entendait parler que de cela.

— Moi, j'ai un oncle à Paris qui m'envoie des présents, dit-il d'une voix claire.

— C'est justement celui-ci que nous irons visiter. Si tes oncles n'y voient pas d'obstacles. Vous n'y voyez pas d'obstacles? demanda Guccio.

— Certes non, répondit Jean de Cressay. Monseigneur de Bouville nous en prévient dans sa lettre, et nous engage à ne point nous opposer...

Décidément les Cressay ne bougeaient pas le doigt sans l'accord de Bouville!

Le barbu pensait déjà aux cadeaux que le banquier ne manquerait pas de faire à son petit-neveu. Il fallait s'attendre à une bourse d'or qui serait particulièrement bienvenue, car justement, cette année-là, la maladie s'était mise sur le bétail. Et qui sait? le banquier était vieux; peut-être avait-il l'intention de coucher l'enfant sur ses volontés...

Guccio savourait déjà sa vengeance. Mais la vengeance a-t-elle jamais consolé d'un amour perdu?

L'enfant fut d'abord ébloui par le cheval et le harnachement papal. Jamais il n'avait vu si belle monture, et sa surprise fut grande de s'y trouver juché, sur le devant de la selle. Puis il se mit à observer ce père tombé du ciel, ou plutôt les détails qu'il en pouvait apercevoir en se penchant ou en tordant le cou. Il regardait les chausses collantes qui ne faisaient aucun pli sur le genou, les bottes souples de cuir foncé, et cet étrange vêtement de voyage, couleur de feuilles rousses, à manches étroites, et fermé jusqu'au menton par une série de minuscules boutons.

Le sergent d'armes avait une tenue bien plus éclatante, bien plus flatteuse par sa couleur gros bleu luisant sous le soleil, ses découpures festonnées aux manches et sur les reins, et ses armes seigneuriales brodées sur la poitrine. Mais l'enfant se rendit compte bien vite que Guccio donnait des ordres au sergent, et il prit grande considération pour ce père qui parlait en maître à un personnage si brillamment vêtu.

Ils avaient parcouru déjà près de quatre lieues. Dans l'auberge de Saint-Nom-la-Bretèche où ils s'arrêtèrent, Guccio, d'une voix naturellement autoritaire, commanda une omelette aux herbes, un chapon rôti sur broche, du fromage caillé. Et du vin. L'empressement des servantes augmenta encore le respect de Jeannot.

— Pourquoi parlez-vous d'autre façon que nous, messire? demanda-t-il. Vous ne dites point les mots pareillement.

Guccio se sentit blessé de cette remarque faite sur son accent de Toscane, et par son propre fils.

— Parce que je suis de Sienne, en Italie qui est mon pays, répondit-il avec fierté ; et toi aussi, tu vas devenir siennois, libre citoyen de cette ville où nous sommes puissants. Et puis, ne m'appelle plus messire, mais *padre*.

— *Padre*, répéta docilement le petit.

Ils s'attablèrent, Guccio, le sergent et l'enfant. Et tandis qu'on attendait l'omelette, Guccio commença d'apprendre à Jeannot les mots de sa langue pour désigner les objets de la vie.

— *Tavola*, disait-il en saisissant le bord de la table, *bottiglia*, en soulevant la bouteille, *vino*...

Il se sentait embarrassé devant cet enfant, manquait de naturel ; la crainte de ne pas s'en faire aimer le paralysait, la crainte également de ne pas l'aimer. Car il avait beau se répéter : « C'est mon fils », il n'éprouvait toujours rien d'autre qu'une profonde hostilité envers les gens qui l'avaient élevé.

Jeannot n'avait jamais bu de vin. A Cressay, on se contentait de cidre, ou même de frênette, comme les paysans. Il en prit quelques gorgées. Il était habitué à l'omelette et au lait caillé, mais le chapon rôti avait un air de fête ; et puis ce repas pris au bord de la route, en milieu d'après-midi, lui plaisait bien. Il n'avait pas peur, et l'agrément de l'aventure lui faisait oublier de penser à sa mère. On lui avait dit qu'il la reverrait dans quelques jours... Paris, Sienne, tous ces noms n'évoquaient pour lui aucune idée précise de distance. Samedi prochain il reviendrait au bord de la Mauldre et pourrait déclarer à la fille du meunier, aux garçons du charron : « Moi, je suis siennois » sans avoir besoin de rien expliquer, puisqu'ils en savaient encore moins que lui.

La dernière bouchée avalée, les dagues essuyées sur un morceau de mie et remises à la ceinture, on remonta à cheval. Guccio souleva l'enfant et le posa devant lui, en travers de sa selle [31].

Le gros repas et le vin surtout, dont il venait de goûter pour la première fois, avaient alourdi l'enfant. Avant une demi-lieue franchie, il s'endormit, indifférent aux secousses du trot.

Rien n'est plus émouvant qu'un sommeil d'enfant, et surtout dans le grand jour, à l'heure où les adultes veillent et agissent. Guccio maintenait en équilibre cette petite vie déjà pesante, cahotante, dodelinante, abandonnée. Instinctivement, il caressa du menton les cheveux blonds qui se nichaient contre lui et il referma plus étroitement son bras, comme pour obliger cette tête ronde et ce gros sommeil à se coller plus étroitement à sa poitrine. Un parfum d'enfance montait du petit corps endormi. Et brusquement Guccio se sentit père, et tout fier de l'être, et les larmes lui brouillèrent les yeux.

— Jeannot, mon Jeannot, mon Giannino, murmura-t-il en posant les lèvres sur les cheveux soyeux et tièdes.

Il avait mis sa monture au pas et fait signe au sergent de ralentir aussi, afin de ne pas réveiller l'enfant et de prolonger son propre bonheur.

Qu'importait l'heure à laquelle on arriverait! Demain Giannino se réveillerait dans l'hôtel de la rue des Lombards qui lui paraîtrait un palais; des servantes l'entoureraient, le laveraient, l'habilleraient en seigneur, et une vie de conte de fées commencerait pour lui!

Marie de Cressay replie sa robe inutile devant la servante muette et dépitée. La servante aussi rêve d'une autre existence où elle suivrait sa maîtresse, et il y a un peu de blâme dans son attitude.

Mais Marie a cessé de trembler et ses yeux sont séchés; sa décision est prise. Elle n'a plus que quelques jours à attendre, une semaine au plus. Car ce matin, la surprise a provoqué de sa part une réponse absurde, un refus dément!

Parce que, saisie de court, elle n'a pensé qu'au serment d'autrefois que madame de Bouville, cette mauvaise femme, l'avait forcée de prononcer... Et puis aux menaces. « Si vous revoyez ce jeune Lombard, il lui en coûtera la vie... »

Mais deux rois se sont succédé et personne n'a jamais parlé! Et madame de Bouville est morte. D'ailleurs était-il même conforme à la loi de Dieu, cet affreux serment? N'est-ce pas un péché que d'interdire à la créature humaine d'avouer à un confesseur ses troubles d'âme? Les religieuses elles-mêmes peuvent être relevées de leurs vœux. Et puis, nul n'a le droit de séparer l'épouse de l'époux! Cela non plus n'est pas chrétien. Et le comte de Bouville n'est pas évêque, et d'ailleurs il n'est point aussi redoutable que l'était sa femme.

Toutes ces choses, Marie aurait dû y penser ce matin, et savoir reconnaître aussi que sans Guccio elle ne pouvait vivre, que sa place était auprès de lui, que Guccio venant la chercher, rien au monde, ni les serments anciens, ni les secrets de la couronne, ni la crainte des hommes, ni le châtiment de Dieu s'il devait survenir, ne l'empêcheraient de le suivre.

Elle ne mentira pas à Guccio. Un homme qui, au bout de neuf ans, vous aime encore, qui n'a pas repris femme, et revient vous chercher, est de cœur droit, loyal, pareil au chevalier qui franchit toutes les épreuves. Un tel homme peut partager un secret et en demeurer le gardien. Et l'on n'a pas le droit non plus de lui mentir, de lui laisser croire que son fils est vivant, qu'il le serre dans ses bras, alors que ce n'est point vrai.

Marie saura expliquer à Guccio que leur enfant, leur premier-né... car déjà cet enfant mort n'est plus dans sa pensée que leur premier-né... a été, par un enchaînement fatal, donné, échangé, pour sauver la vie du vrai roi de France. Et elle demandera à Guccio de partager son serment, et ils élèveront ensemble le petit Jean le Posthume qui a régné les cinq premiers jours de sa vie, jusqu'au moment où les barons viendront le chercher pour lui rendre sa couronne! Et les autres enfants qu'ils auront seront un jour comme des frères pour le roi de France. Puisque tout peut arriver dans le mal, par les agencements incroyables du sort, pourquoi tout ne pourrait-il pas arriver dans le bien?

Voilà ce que Marie expliquera à Guccio, dans quelques jours, la semaine prochaine, lorsqu'il ramènera Jeannot ainsi qu'il en est convenu avec les frères.

Alors le bonheur si longtemps différé pourra commencer; et si toute chose heureuse sur la terre doit être payée d'un poids égal de souffrance, alors ils auront l'un et l'autre payé par avance toutes leurs joies futures! Guccio voudra-t-il s'installer à Cressay? Certes pas. A Paris? Le lieu serait trop dangereux pour le petit Jean, et il ne faudrait point tout de même aller braver de trop près le comte de Bouville! Ils iront en Italie. Guccio emmènera Marie dans ce pays dont elle ne connaît que les belles étoffes et l'habile travail des orfèvres. Comme elle l'aime, cette Italie, puisque c'est de là qu'est venu l'homme que Dieu lui destinait! Marie est déjà en voyage aux côtés de son époux retrouvé. Dans une semaine; elle a une semaine à attendre...

Hélas! En amour, il ne suffit pas d'avoir les mêmes désirs; faut-il encore les exprimer au même moment!

III

LA REINE DU TEMPLE

Pour un enfant de neuf ans dont tout l'horizon, depuis qu'il avait l'âge de se souvenir, avait été limité par un ruisseau, des fosses à fumier et des toits de campagne, la découverte de Paris ne pouvait être qu'un enchantement. Mais que dire quand cette découverte s'accomplissait sous la conduite d'un père si fier, si glorieux de son fils, et qui le faisait habiller, friser, baigner, oindre, qui l'amenait dans les plus belles boutiques, le gavait de sucreries, lui offrait une bourse de ceinture, avec de vrais sols dedans, et des souliers brodés ! Jeannot, ou Giannino, vivait des jours éblouis.

Et toutes ces belles maisons où il pénétrait ! Car Guccio, sous des prétextes divers, souvent même sans aucun prétexte, visitait à tour de rôle ses connaissances d'antan, simplement pour pouvoir prononcer orgueilleusement : « mon fils ! », et montrer ce miracle, cette splendeur unique au monde : un petit garçon qui lui disait : *« padre mio »* avec un bon accent d'Ile-de-France.

Si l'on s'étonnait de la blondeur de Giannino, Guccio faisait allusion à la mère, une personne de noblesse ; il prenait alors ce ton faussement discret qui annonce l'indiscrétion et cet air un peu fanfaron dans le mystère qu'ont les Italiens pour feindre de se taire sur leurs conquêtes. Ainsi tous les Lombards de Paris, les Peruzzi, les Boccanegra, les Macci, les Albizzi, les Frescobaldi, les Scamozzi, et le signor Boccace lui-même étaient au courant.

L'oncle Tolomei, un œil ouvert, un œil fermé, le ventre pesant et la jambe lourde, ne participait pas peu à cette ostentation. Ah ! si Guccio avait pu se réinstaller à Paris, sous son toit, et avec le petit Giannino, comme il se serait senti heureux, le vieux Lombard, pour les jours qui lui restaient à vivre.

Mais c'était là un rêve impossible. Pourquoi ne voulait-elle pas de régularisation du mariage, pourquoi ne voulait-elle pas accepter la vie commune avec son époux, cette sotte, cette entêtée de Marie de Cressay, puisque maintenant tout le monde semblait d'accord? Tolomei, quelque répugnance qu'il éprouvât à entreprendre le moindre déplacement, s'offrait à aller à Neauphle tenter une ultime démarche.

— Mais c'est moi qui ne veux plus d'elle, mon oncle, déclarait Guccio. Je ne laisserai pas bafouer mon honneur. Et puis quelle plaisance y aurait-il à vivre auprès d'une femme qui ne m'aime plus?

— En es-tu bien sûr?

Il y avait un signe, un seul, qui pouvait permettre à Guccio de se poser la question. Il avait reconnu au cou de l'enfant le petit reliquaire de corps à lui-même offert par la reine Clémence quand il se trouvait en l'hôtel-Dieu de Marseille, et dont il avait à son tour fait présent à Marie, une fois qu'elle était fort malade.

— Ma mère l'a ôté de son cou et l'a passé au mien, quand mes oncles m'ont mené vers vous l'autre matin, avait expliqué l'enfant.

Mais pouvait-on se fonder sur un si faible indice, sur un geste qui pouvait n'être que de religiosité?

Et puis le comte de Bouville avait été formel.

— Si vous voulez garder cet enfant, il faut que vous partiez avec lui pour Sienne, et le plus tôt sera le mieux, avait-il dit à Guccio.

L'entrevue avait eu lieu en l'hôtel de l'ancien grand chambellan, derrière le Pré-aux-Clercs. Bouville se promenait dans son jardin clos de murs. Et les larmes lui étaient venues aux paupières en voyant Giannino. Il avait baisé la main du petit garçon avant de le baiser aux joues et, le contemplant, le détaillant des cheveux aux souliers, il avait murmuré:

— Un vrai petit prince, un vrai petit prince!

En même temps, il s'essuyait les yeux. Guccio était étonné de cette émotion excessive, et il en était touché comme d'un hommage d'amitié à lui-même rendu.

— Un vrai petit prince, comme vous le dites, messire, avait répondu Guccio tout heureux; et c'est chose bien surprenante quand on songe qu'il n'a connu que la vie des champs et que sa mère, après tout, n'est qu'une paysanne!

Bouville hochait la tête. Oui, oui, tout cela était bien étonnant...

— Emmenez-le, vous ne pouvez mieux faire. D'ailleurs, n'avez-vous pas l'auguste approbation de notre Très Saint-Père? Je vous ferai donner cette fois deux sergents pour vous accompagner jusqu'aux frontières du royaume, afin qu'aucun mal ne vous survienne, ni à... cet enfant.

Il ne lui semblait pas aisé de prononcer: «votre fils».

— Adieu, mon petit prince, dit-il en embrassant encore Giannino. Vous reverrai-je jamais?

Et puis il s'éloigna très vite, parce que les pleurs recommençaient à abonder dans ses gros yeux. Vraiment, cet enfant ressemblait trop douloureusement au grand roi Philippe !

— Retourne-t-on à Cressay ? demanda Giannino le matin du 11 mai, devant les portemanteaux et les malles de bât qu'on emplissait.

Il ne paraissait pas trop impatient de rentrer au manoir.

— Non, mon fils, répondit Guccio, nous allons d'abord à Sienne.

— Ma mère va-t-elle venir avec nous ?

— Non, pas à présent ; elle nous rejoindra plus tard.

L'enfant parut tranquillisé. Guccio pensa qu'après neuf ans de mensonges au sujet de son père, Giannino allait maintenant être abreuvé de nouveaux mensonges à propos de sa mère. Mais comment agir autrement ? Un jour peut-être faudrait-il lui laisser croire que sa mère était morte...

Avant de se mettre en route, il restait à Guccio une visite à faire, la plus prestigieuse sinon la plus importante ; il désirait saluer la reine douairière Clémence de Hongrie.

— Où est-ce donc, la Hongrie ? demanda l'enfant.

— Très loin, du côté du Levant. Il faut de nombreuses semaines de route pour y parvenir. Peu de gens y sont allés.

— Pourquoi est-elle à Paris, cette dame Clémence, si elle est reine de Hongrie ?

— Mais elle n'a jamais été reine de Hongrie, Giannino ; son père en fut roi, mais elle, elle a été reine de France.

— Alors, c'est la femme du roi Charles le Biau ?

Non, la femme du roi c'était Madame d'Évreux, qu'on couronnait ce jour même ; et l'on irait d'ailleurs, tout à l'heure, au palais royal, donner un coup d'œil sur la cérémonie à la Sainte-Chapelle, afin que Giannino partît sur un dernier souvenir plus beau que tous les autres. Guccio, l'impatient Guccio, n'éprouvait ni ennui ni lassitude à expliquer à cette petite cervelle des choses qui semblaient évidentes et ne l'étaient nullement, si l'on ne les savait pas de longtemps. C'est ainsi que se fait l'apprentissage du monde.

Mais cette reine Clémence qu'on allait voir, qui était-elle alors ? Et comment Guccio la connaissait-il ?

De la rue des Lombards au Temple, par la rue de la Verrerie, il y avait peu de distance. Chemin faisant, Guccio racontait à l'enfant comment il était allé à Naples, avec le comte de Bouville... le gros seigneur, tu sais, que nous avons visité l'autre jour et qui t'a embrassé... afin de demander cette princesse en mariage pour le roi Louis Dixième qui était mort à présent. Et comment lui-même, Guccio, s'était trouvé auprès de Madame Clémence sur le bateau qui la conduisait en France, et comment il avait manqué de périr dans une grande tempête avant d'aborder à Marseille.

— Et ce reliquaire, que tu portes au cou, me fut donné par elle pour me remercier de l'avoir sauvée de la noyade.

Et ensuite, quand la reine Clémence avait eu un fils, c'était la mère de Giannino qui avait été choisie pour nourrice.

— Ma mère ne m'en a jamais rien dit, s'écria l'enfant surpris. Ainsi elle connaissait aussi Madame Clémence?

Tout cela était bien compliqué. Giannino aurait aimé savoir si Naples était en Hongrie. Et puis il y avait des passants qui les bousculaient; une phrase commencée restait en suspens; un marchand d'eau, avec le tintamarre de ses seaux, interrompait une réponse. Il était bien difficile à l'enfant de faire de l'ordre dans le récit... « Ainsi tu es le frère de lait du petit roi Jean le Posthume qui mourut à cinq jours... »

Frère de lait, cela Giannino comprenait bien ce que c'était. A Cressay il en entendait parler tout le temps; des frères de lait, il y en a plein la campagne. Mais frère de lait d'un roi? Il y avait matière à rester songeur. Car un roi, c'est un homme grand et fort, avec une couronne en tête... Il n'avait jamais pensé que les rois pussent avoir des frères de lait, ni même être jamais de petits enfants. Quant à « posthume »... un autre mot bizarre, lointain comme la Hongrie.

— Ma mère ne m'en a jamais rien dit, répéta Giannino.

Et il commençait à en vouloir à sa mère de tant de choses étonnantes qu'elle lui avait cachées.

— Et pourquoi cela s'appelle le Temple, où nous allons?

— A cause des Templiers.

— Ah! oui! je sais; ils crachaient sur la croix, ils adoraient une tête de chat, et ils empoisonnaient les puits pour garder tout l'argent du royaume.

Il tenait cela du fils du charron qui répétait les propos de son père qui les tenait lui-même de Dieu sait qui. Il n'était pas aisé pour Guccio, dans cette foule et en si peu de temps, d'expliquer à son fils que la vérité était un peu plus subtile. Et l'enfant ne comprenait pas pourquoi la reine qu'on allait voir habitait chez d'aussi vilaines gens.

— Ils n'y habitent plus, *figlio mio*. Ils n'existent plus; c'est l'ancienne demeure du grand-maître.

— Maître Jacques de Molay? C'était lui?

— Fais les cornes, fais les cornes avec les doigts, mon garçon, quand tu prononces ce nom-là!... Donc les Templiers ont été supprimés, brûlés ou chassés, le roi a pris le Temple qui était leur château...

— Quel roi?

Il ne s'y retrouvait plus, le pauvre Giannino, parmi tant de souverains!

— Philippe le Bel.

— Tu l'as vu, toi, le roi le Bel?

L'enfant en avait entendu parler, de ce roi terrifiant et maintenant si hautement respecté; mais cela faisait partie de toutes les ombres d'avant sa naissance. Et Guccio fut attendri.

« C'est vrai, pensa-t-il, il n'était pas né; pour lui, cela veut dire autant que Saint Louis! »

Et comme la presse ralentissait leurs pas:

— Oui, je l'ai vu, répondit-il. J'ai même manqué de le renverser, dans une de ces rues, à cause de deux lévriers que je promenais en laisse, le jour de mon arrivée à Paris, il y a douze ans.

Et le temps lui reflua sur les épaules comme une grosse vague soudaine qui vous submerge et puis s'éparpille. Une écume de jours s'écroula autour de lui. Il était un homme, déjà, qui racontait ses souvenirs!

— Donc, continua-t-il, la maison des Templiers est devenue la propriété du roi Philippe le Bel, et après du roi Louis, et après du roi Philippe le Long qui a précédé le roi d'à présent. Et le roi Philippe le Long a donné le Temple à la reine Clémence, en échange du château de Vincennes qu'elle avait reçu par testament de son époux le roi Louis [32].

— *Padre mio*, je voudrais une oublie.

Il avait senti une bonne odeur de gaufre s'échappant d'un éventaire, et cela faisait disparaître d'un coup tout intérêt pour ces rois qui se succédaient trop vite et échangeaient leurs châteaux. Il savait déjà, d'autre part, que de commencer sa phrase par « *padre mio* » était un sûr moyen d'obtenir ce qu'il désirait; mais cette fois la recette fut vaine.

— Non, quand nous reviendrons, car à présent tu te salirais. Rappelle-toi bien ce que je t'ai enseigné. Ne parle à la reine que si elle t'adresse la parole; et puis tu t'agenouilleras pour lui baiser la main.

— Comme à l'église?

— Non, pas comme à l'église. Viens, je vais te montrer, mais moi j'ai du mal à le faire à cause de ma jambe blessée.

Ils étaient curieux à voir, vraiment, pour les passants, cet étranger de petite taille, au teint sombre, et cet enfant tout blond qui, dans une encoignure de porte, s'entraînaient à la génuflexion.

— ... Et puis tu te relèves, rapidement; mais ne bouscule pas la reine!

L'hôtel du Temple était fort modifié, depuis l'époque de Jacques de Molay; et d'abord il avait été morcelé. La résidence de la reine Clémence ne comprenait que la grande tour carrée à quatre poivrières, quelques logis secondaires, remises, écuries, autour de la cour pavée, et un jardin partie potager et partie d'agrément. Le reste de la commanderie, les habitations des chevaliers, les armureries, les chantiers des compagnons, isolés par de hauts murs, avaient été affectés à d'autres usages. Et cette cour gigantesque, destinée aux rassemblements militaires, paraissait à présent déserte et comme morte. La litière d'apparat, à rideaux blancs, qui attendait la reine Clémence, y semblait un bateau arrivé par mégarde ou détresse dans un port désaffecté. Et bien qu'il y eût autour de la litière quelques écuyers et valets, tout l'hôtel avait un ton de silence et d'abandon.

Guccio et Giannino pénétrèrent dans la tour du Temple par la porte même d'où Jacques de Molay, extrait de son cachot, était sorti douze ans plus tôt pour être conduit au supplice[33]. Les salles avaient été remises à neuf ; mais, en dépit des tapisseries, des beaux objets d'ivoire, d'argent et d'or, ces lourdes voûtes, ces étroites fenêtres, ces murs où les bruits s'étouffaient, et les proportions mêmes de cette résidence guerrière, ne constituaient pas une demeure de femme, d'une femme de trente-deux ans. Tout y rappelait les hommes rudes, portant le glaive sur la robe, qui avaient un moment assuré à la chrétienté la suprématie totale dans les limites de l'ancien empire romain. Pour une jeune veuve, le Temple semblait une prison.

Madame Clémence fit peu attendre ses visiteurs. Elle apparut, vêtue déjà pour la cérémonie à laquelle elle se rendait, en robe blanche, gorgière de voile sur la naissance de la poitrine, manteau royal sur les épaules et couronne d'or en tête. Une reine vraiment comme on en voit peintes aux vitraux des églises. Giannino crut que les reines étaient vêtues de cette sorte tous les jours de la vie. Belle, blonde, magnifique, distante et le regard un peu absent, Clémence de Hongrie offrait un sourire qui n'était que de commande, le sourire qu'une reine sans pouvoir, sans royaume, se doit de laisser tomber sur le peuple qui l'approche.

Cette morte sans tombeau trompait ses jours trop longs par des occupations inutiles, collectionnait les pièces d'orfèvrerie, et c'était là tout l'intérêt qui lui restait au monde, ou qu'elle feignait d'avoir.

L'entrevue fut plutôt décevante pour Guccio qui attendait davantage d'émotion, mais non pour l'enfant qui voyait devant lui une sainte du ciel en manteau d'étoiles.

Madame de Hongrie posait ces questions bienséantes qui nourrissent la conversation des souverains lorsqu'ils n'ont rien à dire. Guccio avait beau tenter d'orienter l'entretien vers leurs communs souvenirs, vers Naples, vers la tempête, la reine éludait. Tout souvenir, en vérité, lui était pénible : elle repoussait les souvenirs. Et quand Guccio, cherchant à mettre en valeur Giannino, précisa : « Le frère de lait de votre infortuné fils, Madame », une expression presque dure passa sur le beau visage de Clémence. Une reine ne pleure pas en public. Mais c'était trop d'inconsciente cruauté, vraiment, que de lui présenter bien vivant, blond et frais, un enfant de l'âge qu'aurait eu le sien, et qui avait sucé le même lait.

La voix du sang ne parlait guère, mais seulement celle du malheur.

Et puis le jour était peut-être mal choisi, alors que Clémence allait assister au couronnement d'une troisième reine de France depuis elle! Elle s'obligea par politesse à demander:

— Que fera-t-il quand il sera grand, ce bel enfant?

— Il tiendra banque, Madame, je l'espère du moins, comme nous tous.

La reine Clémence croyait que Guccio venait lui réclamer une créance ou le paiement de quelque coupe d'or, de quelque joyau dont elle se fût fournie chez son oncle. Elle avait une telle habitude de ces réclamations de fournisseurs! Elle fut surprise quand elle comprit que ce jeune homme s'était dérangé seulement pour la voir. Existait-il donc encore des gens qui la venaient saluer sans rien avoir à requérir d'elle, ni remboursement ni service?

Guccio dit à l'enfant de montrer à Madame la reine le reliquaire qu'il portait au cou. La reine ne se souvenait plus, et Guccio dut lui rappeler la visite qu'elle lui avait faite à l'hôtel-Dieu de Marseille. Elle pensa: «Ce jeune homme m'a aimée.»

Consolation illusoire des femmes dont la destinée amoureuse s'est arrêtée trop tôt, et qui ne sont plus attentives qu'aux signes des sentiments qu'elles ont pu inspirer autrefois!

Elle se pencha pour embrasser l'enfant. Mais Giannino se ragenouilla aussitôt, et lui baisa la main.

Elle chercha autour d'elle, d'un mouvement presque machinal, un cadeau à faire, aperçut une boîte de vermeil et la tendit à l'enfant en disant:

— Tu aimes sûrement les dragées? Conserve ce drageoir et que Dieu te garde!

Il était temps de se rendre à la cérémonie. Elle monta en litière, ordonna de clore les rideaux blancs, et puis fut prise d'un mal d'être qui lui venait de tout le corps, de la poitrine, des jambes, du ventre, de toute cette beauté inutile; elle put enfin pleurer.

Dans la rue du Temple la foule était nombreuse qui se dirigeait vers la Seine, vers la Cité, pour aller saisir quelques bribes du couronnement, et qui ne verrait sans doute rien d'autre qu'elle-même.

Guccio, prenant Giannino par la main, se mit à la suite de la litière blanche, comme s'il faisait partie de l'escorte de la reine. Ils purent ainsi franchir le Pont-au-Change, pénétrer dans la cour du Palais, et là s'arrêter pour voir passer les grands seigneurs qui entraient, en costume d'apparat, dans la Sainte-Chapelle. Guccio les reconnaissait pour la plupart et pouvait les nommer à l'enfant: la comtesse Mahaut d'Artois, encore grandie par sa couronne, et le comte Robert, son neveu, qui la dépassait en taille; Monseigneur Philippe de Valois, maintenant pair de France, avec à son côté sa femme qui boitait; et puis Madame Jeanne de Bourgogne, l'autre reine veuve. Mais quel était ce jeune couple, dix-huit et quinze ans environ, qui venait ensuite? Guccio se renseigna auprès de ses voisins. On lui répondit que c'était Madame Jeanne de Navarre et son mari Philippe d'Évreux. Eh oui! La fille de Marguerite de Bourgogne avait maintenant quinze ans, et elle était mariée, après tant de drames dynastiques autour et à cause d'elle suscités.

La presse devint telle que Guccio dut hisser Giannino sur ses épaules; il y pesait lourd le petit diable!

Ah! voici que s'avançait la reine Isabelle d'Angleterre, rentrée du Ponthieu. Guccio la trouva étonnamment peu changée depuis qu'il l'avait entrevue autrefois à Westminster, le temps de lui délivrer un message de Robert d'Artois. Pourtant il se la rappelait plus grande... Sur le même rang marchait son fils, le jeune Édouard d'Aquitaine. Et toutes les têtes se tendaient parce que la traîne du manteau ducal du jeune homme était portée par Lord Mortimer, comme si celui-ci eût été le grand chambellan du prince. Un défi de plus lancé au roi Édouard. Lord Mortimer présentait un visage victorieux, mais moins toutefois que le roi Charles le Bel, auquel on n'avait jamais vu figure si resplendissante, parce que la reine de France, cela se chuchotait, était enceinte de deux mois, enfin! Et son couronnement officiel, jusque-là différé, constituait un remerciement.

Giannino se pencha soudain sur l'oreille de Guccio:

— *Padre, padre mio,* dit-il, le gros seigneur qui m'a embrassé l'autre jour, que nous sommes allés voir dans son jardin, il est là, il me regarde!

Brave Bouville, coincé dans la foule des dignitaires; quelles confuses et troublantes pensées roulaient dans sa tête en apercevant le vrai roi de France, que tout le monde croyait dans un caveau de Saint-Denis, juché sur les épaules d'un négociant lombard, tandis qu'on couronnait l'épouse de son second successeur!

L'après-midi même, sur la route de Dijon, deux sergents d'armes du même comte de Bouville escortaient le voyageur siennois accompagné de l'enfant blond. Guccio Baglioni s'imaginait enlever son fils; il volait en fait le tenant réel et légitime du trône. Et ce secret n'était connu que d'un vieillard auguste, dans une chambre d'Avignon emplie de cris d'oiseaux, d'un ancien chambellan, dans son jardin du Pré-aux-Clercs, et d'une jeune femme à jamais désespérée, dans un pré d'Ile-de-France. La reine veuve qui habitait au Temple continuerait de faire dire des messes pour un enfant mort.

IV

LE CONSEIL DE CHAÂLIS

L'orage a nettoyé le ciel de fin juin. Dans les appartements royaux de l'abbaye de Chaâlis, cet établissement cistercien qui est une fondation capétienne et où les entrailles de Charles de Valois ont été déposées voici quelques mois, les cierges se consument en fumant et mélangent leur odeur de cire à l'air chargé des parfums de la terre après la pluie, et aux senteurs d'encens comme il en flotte dans toutes les demeures religieuses. Les insectes échappés à l'orage sont entrés par les ogives des fenêtres et dansent autour des flammes [34].

C'est un soir triste. Les visages sont pensifs, moroses, ennuyés, dans cette salle voûtée où les tapisseries déjà anciennes, à semis de fleurs de lis et du modèle exécuté en série pour les résidences royales, pendent le long de la pierre nue. Une dizaine de personnes se trouvent là réunies autour du roi Charles IV : Robert d'Artois, autrement appelé le comte de Beaumont-le-Roger, le nouveau comte de Valois, Philippe, l'évêque-pair de Beauvais, Jean de Marigny, le chancelier Jean de Cherchemont, le comte Louis de Bourbon, le boiteux, grand chambrier, le connétable Gaucher de Châtillon. Ce dernier a perdu son fils aîné l'année précédente, et cela, comme on dit,. l'a vieilli d'un coup. Il paraît vraiment ses soixante-seize ans ; il est de plus en plus sourd et en accuse ces bouches à poudre qu'on lui a fait partir dans les oreilles au siège de La Réole.

Quelques femmes ont été admises parce qu'en vérité c'est une affaire de famille qu'on doit traiter ce soir. Il y a là les trois Jeanne, Madame Jeanne d'Évreux, la reine, Madame Jeanne de Valois, comtesse de Beaumont, l'épouse de Robert, et encore Madame Jeanne de Bourgogne, la méchante, l'avare, petite-fille de Saint Louis, boiteuse comme le cousin Bourbon, et qui est la femme de Philippe de Valois.

Et puis Mahaut, Mahaut aux cheveux tout gris et aux vêtements noirs et violets, forte en poitrine, en croupe, en épaules, en bras, colossale ! L'âge, qui ordinairement réduit la taille des êtres, n'a pas eu tel effet sur Mahaut d'Artois. Elle est devenue une vieille géante, et ceci est plus impressionnant encore qu'une jeune géante. C'est la première fois, depuis bien longtemps, que la comtesse d'Artois reparaît à la cour autrement que couronne en tête pour les cérémonies auxquelles l'oblige son rang, la première fois, en fait, depuis le règne de son gendre Philippe le Long.

Elle est arrivée à Chaâlis, dans les couleurs du deuil, pareille à un catafalque en marche, drapée comme une église la semaine de la Passion. Sa fille Blanche vient de mourir, à l'abbaye de Maubuisson où elle avait été enfin admise après qu'on l'eut d'abord transférée de Château-Gaillard dans une résidence moins cruelle, près de Coutances. Mais Blanche n'a guère profité de cette amélioration de son sort obtenue en échange de l'annulation du mariage. Elle est morte quelques mois après son entrée au couvent, épuisée par ses longues années de détention, par les terribles nuits d'hiver dans la forteresse des Andelys, morte de maigreur, de toux, de malheur, presque démente, sous un voile de religieuse, à trente ans. Et tout cela pour quelques mois d'amour, si même on peut appeler amour son aventure avec Gautier d'Aunay ; un entraînement plutôt à imiter les plaisirs de sa belle-sœur Marguerite de Bourgogne, alors qu'elle avait dix-huit ans, l'âge où l'on ne sait pas ce que l'on fait !

Ainsi celle qui aurait pu être en ce moment reine de France, la seule femme que Charles le Bel ait vraiment aimée, vient de s'éteindre alors qu'elle accédait à une relative paix. Et le roi Charles le Bel, en qui cette mort soulève de lourdes vagues de souvenirs, est triste devant sa troisième épouse qui sait fort bien à quoi il pense et qui feint de ne pas s'en apercevoir.

Mahaut a saisi l'occasion de ce deuil. Elle est venue d'elle-même et sans se faire annoncer, comme poussée seulement par le mouvement du cœur, offrir, elle la mère éprouvée, ses condoléances à l'ancien mari malheureux ; et ils sont tombés dans les bras l'un de l'autre. Mahaut, de sa lèvre moustachue, a baisé les joues de son ex-gendre ; Charles, d'un mouvement enfantin, a laissé tomber son front sur la monumentale épaule et répandu quelques larmes parmi les draperies de corbillard dont la géante est vêtue. Ainsi se modifient les relations entre les êtres humains quand la mort passe parmi eux et supprime les mobiles du ressentiment.

Elle a idée en tête, dame Mahaut, pour s'être précipitée à Chaâlis ; et son neveu Robert ronge son frein. Il lui sourit, ils se sourient, ils s'appellent « ma bonne tante », « mon beau neveu » et se témoignent *bon amour de parents* comme ils s'y sont engagés par le traité de 1318. Ils se haïssent. Ils s'entretueraient s'ils se trouvaient seuls dans une même pièce. Mahaut est venue en vérité... elle ne le dit pas mais Robert le devine bien!... à cause d'une lettre qu'elle a reçue. Toutes les personnes présentes, d'ailleurs, ont reçu la même lettre, à quelques variantes près : Philippe de Valois, l'évêque Marigny, le connétable, et le roi... surtout le roi.

Les étoiles parsèment la nuit qu'on aperçoit, claire, par les fenêtres. Ils sont dix, onze personnages de la plus haute importance, assis en cercle sous les voûtes, entre les piliers à chapiteaux sculptés, et ils sont très peu. Ils ne se donnent pas à eux-mêmes une véritable impression de force.

Le roi, de caractère faible et d'entendement limité, est, de surcroît, sans famille directe, sans serviteurs personnels. Les princes ou les dignitaires autour de lui ce soir assemblés, qui sont-ils? Des cousins, ou bien des conseillers hérités de son père ou de son oncle. Nul qui soit véritablement à lui, créé par lui, lié à lui. Son père avait trois fils et deux frères siégeant à son Conseil; et même les jours de brouille, même les jours où feu Monseigneur de Valois jouait les ouragans, c'était un ouragan de famille. Louis Hutin avait deux frères et deux oncles; Philippe le Long, ces mêmes oncles, qui l'appuyaient diversement, et encore un frère, Charles lui-même. Ce survivant n'a presque plus rien. Son Conseil fait penser irrésistiblement à une fin de dynastie; le seul espoir d'une continuation de la lignée, d'une dévolution directe, dort au ventre de cette femme silencieuse, ni jolie ni laide, qui se tient les mains croisées auprès de Charles, et qui se sait une reine de rechange.

La lettre, la fameuse lettre dont on est occupé, est datée du 19 juin et vient de Westminster; le chancelier la tient en main, la cire verte du sceau brisé s'écaille sur le parchemin.

— Ce qui a produit si grande ire au cœur du roi Édouard paraît bien être que Monseigneur de Mortimer ait tenu le manteau du duc d'Aquitaine, lors du couronnement de Madame la reine. Que son personnel ennemi soit aposté auprès de son fils en telle marque de dignité, Sire Édouard ne l'a pu ressentir que comme personnelle offense.

C'est Monseigneur de Marigny qui vient de parler, accompagnant parfois son propos d'un geste de ses doigts où brille l'améthyste épiscopale. Ses trois robes superposées sont d'étoffe légère, ainsi qu'il convient pour la saison, et la robe de dessus, plus courte, tombe en plis harmonieux. On reconnaît par moments chez Monseigneur de Marigny un peu de l'autorité du grand Enguerrand dont il est maintenant le seul frère survivant.

Le visage du prélat paraît sans faiblesse, barré de sourcils horizontaux, de part et d'autre d'un nez droit. Monseigneur de Marigny, si le sculpteur respecte ses traits, fera un beau gisant pour le dessus de son tombeau... mais dans longtemps, car il est jeune encore. Il a su tôt profiter de la fortune d'Enguerrand quand celui-ci était au plus haut de sa gloire, et s'en séparer à point nommé quand Enguerrand fut précipité. Toujours il a traversé aisément les vicissitudes qu'entraînent les changements de règne ; récemment encore, il a bénéficié des tardifs remords de Charles de Valois. Il est fort influent au Conseil.

— Cherchemont, dit le roi Charles à son chancelier, refaites-moi la lecture de cet endroit où notre frère Édouard se plaint de messire de Mortimer.

Jean de Cherchemont déplie le parchemin, l'approche d'un cierge, marmonne un peu avant de retrouver les lignes en cause et lit :

— . «...*l'adhérence de notre femme et notre fils avec nos traîtres et ennemis mortels notoirement connus en tant que ledit traître, le Mortimer, porta à Paris la suite de notre fils, publiquement, en la solennité de couronnement de notre très chère sœur, votre compagne, la reine de France, à la Pentecôte dernière passée, en si grande honte et dépit de nous...*»

L'évêque Marigny se penche vers le connétable Gaucher et lui murmure :

— Que voilà lettre bien mal écrite !

Le connétable n'a pas bien entendu ; il se contente de bougonner :

— Un hors-nature, un sodomite !

— Cherchemont, reprend le roi, quel droit avons-nous de nous opposer à la requête de notre frère d'Angleterre, lorsqu'il nous enjoint de supprimer séjour à son épouse ?

Cette manière, de la part de Charles le Bel, de s'adresser à son chancelier, et non pas de se tourner, comme il le fait d'habitude, vers Robert d'Artois, son cousin, l'oncle de sa femme, son premier conseiller, prouve bien que pour une fois il a une volonté en tête.

Jean de Cherchemont, avant de répondre, parce qu'il n'est pas absolument sûr de l'intention du roi et qu'il craint d'autre part de heurter Monseigneur Robert, Jean de Cherchemont se réfugie dans la fin de la lettre comme si, avant de donner un avis, il lui fallait en méditer davantage les dernières lignes.

— «...*Ce pour quoi, très cher frère,* lit le chancelier, *nous vous prions derechef, si affectueusement et de cœur comme nous pouvons, que cette chose que nous désirons souverainement, veuillez nosdites requêtes entendre et les parfaire bénignement, et tôt à effet, par profit et honneur d'entre nous ; et que nous ne soyons déshonorés...*»

L'évêque Marigny secoue la tête et soupire. Il souffre d'entendre une langue si rugueuse, si gauche ! Mais enfin, toute mal écrite qu'elle soit, cette lettre, le sens en est clair.

La comtesse Mahaut d'Artois se tait ; elle se garde bien de triompher trop tôt, et ses yeux gris brillent dans la lumière des cierges. Sa délation de l'automne dernier et ses machinations avec l'évêque d'Exeter, en voici les fruits mûrs au début de l'été, et bons à cueillir.

Personne ne lui ayant rendu le service de lui couper la parole, le chancelier se voit contraint d'émettre un avis.

— Il est certain, Sire, que selon les lois à la fois de l'Église et des royaumes, il faut de quelque manière donner apaisement au roi Édouard. Il réclame son épouse...

Jean de Cherchemont est un ecclésiastique, ainsi que le veut sa fonction; et il se tourne vers l'évêque Marigny, quêtant des yeux un appui.

— Notre Saint-Père le pape nous a lui-même fait porter un message dans ce sens par l'évêque Thibaud de Châtillon, dit Charles le Bel.

· Car Édouard est allé jusqu'à s'adresser au pape Jean XXII, lui envoyant transcription de toute la correspondance où s'étale son infortune conjugale. Que pouvait faire le pape Jean, sinon répondre qu'une épouse doit vivre auprès de son époux?

— Il faut donc que Madame ma sœur s'en reparte vers son pays de mariage, ajouta Charles le Bel.

Il a dit cela sans regarder personne, les yeux baissés vers ses souliers brodés. Un candélabre qui domine son siège éclaire son front où l'on retrouve soudain quelque chose de l'expression butée de son frère le Hutin.

— Sire Charles, déclare Robert d'Artois, c'est livrer aux Despensers Madame Isabelle, poings liés, que de l'obliger à s'en retourner là-bas! N'est-elle pas venue chercher auprès de vous refuge, parce qu'elle redoutait déjà d'être occise? Que sera-ce à présent!

— Certes, Sire mon cousin, vous ne pouvez... dit le grand Philippe de Valois toujours prêt à épouser le point de vue de Robert.

Mais sa femme, Jeanne de Bourgogne, l'a tiré par la manche, et il s'est arrêté net; et l'on verrait bien, si ce n'était la nuit, qu'il rougit.

Robert d'Artois s'est aperçu du geste, et du brusque mutisme de Philippe, et du regard qu'ont échangé Mahaut et la jeune comtesse de Valois. S'il pouvait, il lui tordrait bien le cou, à cette boiteuse-là!

— Ma sœur s'est peut-être agrandi le danger, reprend le roi. Ces Despensers ne paraissent pas de si méchantes gens qu'elle m'en a fait portrait. J'ai reçu d'eux plusieurs lettres fort agréables et qui montrent qu'ils tiennent à mon amitié.

— Et des présents aussi, de belle orfèvrerie, s'écrie Robert en se levant, et toutes les flammes des cierges vacillent et les ombres se partagent sur les visages. Sire Charles, mon aimé cousin, avez-vous, pour trois saucières de vermeil qui manquaient à votre buffet, changé de jugement au sujet de ces gens qui vous ont fait la guerre, et sont comme bouc à chèvre avec votre beau-frère? Nous avons tous reçu présents de leur part; n'est-il pas vrai, Monseigneur de Beauvais, et vous Cherchemont, et toi Philippe? Un courtier en change, je puis vous donner son nom, il s'appelle maître Arnold, a reçu l'autre mois cinq tonneaux d'argent, pour un montant de cinq mille marcs esterlins, avec instruction de les employer à faire des amis au comte de Gloucester dans le Conseil du roi de France. Ces présents ne coûtent guère aux Despensers, car ils sont payés aisément sur les revenus du comté de Cornouailles qu'on a saisi à votre sœur. Voilà, Sire, ce qu'il vous faut savoir et vous remémorer. Et quelle loyauté pouvez-vous attendre d'hommes qui se déguisent en femmes pour servir les vices de leur maître? N'oubliez pas ce qu'il sont, et où siège leur puissance.

Robert ne saurait résister, même en Conseil, à la tentation de la grivoiserie; il insiste:

— ... Siège: voilà le juste mot!

Mais son rire ne lève aucun écho, sinon chez le connétable. Le connétable n'aimait pas Robert d'Artois, autrefois, et il en avait assez donné les preuves en aidant Philippe le Long, au temps que celui-ci était régent, à défaire le géant et à le mettre en prison. Mais, depuis quelque temps, le vieux Gaucher trouve à Robert des qualités, à cause de sa voix peut-être, la seule qu'il comprenne sans effort.

Les partisans de la reine Isabelle, ce soir, se peuvent compter. Le chancelier est indifférent, ou plutôt il est attentif à conserver une charge qui dépend de la faveur; son opinion grossira le courant le plus fort. Indifférente aussi, la reine Jeanne, qui pense peu; elle souhaite surtout ne point éprouver d'émois qui soient nuisibles à sa grossesse. Elle est nièce de Robert d'Artois et ne laisse pas d'être sensible à son autorité, à sa taille, à son aplomb; mais elle est soucieuse de montrer qu'elle est une bonne épouse, et prête donc à condamner par principe les épouses qui sont objet de scandale.

Le connétable serait plutôt favorable à Isabelle. D'abord parce qu'il déteste Édouard d'Angleterre pour ses mœurs, et ses refus de rendre l'hommage. De façon générale, il n'aime pas ce qui est anglais. Il excepte de ce sentiment Lord Mortimer qui a rendu bien des services; ce serait lâcheté que de l'abandonner à présent. Il ne se gêne point pour le dire, le vieux Gaucher, et pour déclarer également qu'Isabelle a toutes les excuses.

— Elle est femme, que diable, et son mari n'est pas homme! C'est lui le premier coupable!

Monseigneur de Marigny, haussant un peu la voix, lui répond que la reine Isabelle est fort pardonnable, et que lui-même, pour sa part, est prêt à lui donner l'absolution; mais l'erreur, la grande erreur de Madame Isabelle, c'est d'avoir rendu son péché public; une reine ne doit point offrir l'exemple de l'adultère.

— Ah! c'est vrai, c'est juste, dit Gaucher. Ils n'avaient point besoin d'aller mains jointes en toutes cérémonies, et de partager la même couche comme cela se dit qu'ils le font.

Sur ce point-là, il donne raison à l'évêque. Le connétable et le prélat sont donc du parti de la reine Isabelle, mais avec quelques restrictions. Et puis là s'arrêtent les préoccupations du connétable sur ce sujet. Il pense au collège de langue romane, qu'il a fondé près de son château de Châtillon-sur-Seine, et où il serait en ce moment si on ne l'avait pas retenu pour cette affaire. Il s'en consolera en allant tout à l'heure écouter les moines chanter l'office de nuit, plaisir qui peut paraître étrange, pour un homme qui devient sourd ; mais voilà, Gaucher entend mieux dans le bruit. Et puis ce militaire a le goût des arts ; cela se trouve.

La comtessse de Beaumont, une belle jeune femme qui sourit toujours de la bouche et jamais des yeux, s'amuse infiniment. Comment ce géant qu'on lui a donné pour mari, et qui lui fournit un perpétuel spectacle, va-t-il se sortir de l'affaire où il est ? Il gagnera, elle sait qu'il gagnera ; Robert gagne toujours. Et elle l'aidera à gagner si elle le peut, mais point par des paroles publiques.

Philippe de Valois est pleinement favorable à Madame d'Angleterre, mais il va la trahir, parce que sa femme, qui hait Isabelle, lui a fait la leçon et que cette nuit elle se refusera à lui, après cris et tempêtes, s'il agit autrement qu'elle en a décidé. Et le gaillard à grand nez se trouble, hésite, bafouille.

Louis de Bourbon est sans courage. On ne l'envoie plus dans les batailles, parce qu'il prend la fuite. Il n'a aucun lien particulier avec la reine Isabelle.

Le roi est faible, mais capable d'entêtement, comme cette fois dont on se souvient où il refusa tout un mois à son oncle Charles de Valois la commission de lieutenant royal en Aquitaine. Il est plutôt mal disposé à l'égard de sa sœur parce que les ridicules lettres d'Édouard, à force de répétition, ont fini par agir sur lui ; et puis surtout parce que Blanche est morte et qu'il repense au rôle joué par Isabelle, il y a douze ans, dans la découverte du scandale. Sans elle, il n'aurait jamais su ; et même sachant, il aurait, sans elle, pardonné, pour garder Blanche. Cela valait-il tant d'horreur, d'infamie remuée, de jours de souffrances, et pour finir ce trépas ?

Le clan des ennemis d'Isabelle ne comprend que deux personnes, Jeanne la Boiteuse et Mahaut d'Artois, mais solidement alliées par une commune haine.

Si bien que Robert d'Artois, l'homme le plus puissant après le roi, et même, en beaucoup d'aspects, plus important que le souverain, lui dont l'avis prévaut toujours, qui décide de toutes choses d'administration, qui dicte les ordres aux gouverneurs, baillis et sénéchaux, Robert est seul, soudain, à soutenir la cause de sa cousine.

Ainsi en va-t-il de l'influence dans les cours ; c'est une étrange et fluctuante addition d'états d'âme, où les situations se transforment insensiblement avec la marche des événements et la somme des intérêts en jeu. Et les grâces portent en elles le germe des disgrâces. Non qu'aucune disgrâce menace Robert; mais Isabelle vraiment est menacée. Elle que, voici quelques mois, on plaignait, on protégeait, on admirait, à qui l'on donnait raison en tout, dont on applaudissait l'amour comme une belle revanche, voilà qu'elle n'a plus au Conseil du roi qu'un seul partisan. Or, l'obliger à rentrer en Angleterre, c'est tout exactement lui poser le cou sur le billot de la tour de Londres, et cela chacun le sait bien. Mais soudain on ne l'aime plus; elle a trop triomphé. Personne n'est plus désireux de se compromettre pour elle, sinon Robert, mais parce que c'est pour lui une façon de lutter contre Mahaut.

Or, voici que celle-ci s'éploie à son tour et lance son attaque depuis longtemps préparée.

— Sire, mon cher fils, je sais l'amour que vous portez à votre sœur, et qui vous honore, dit-elle; mais il faut bien regarder en face qu'Isabelle est une mauvaise femme dont tous nous pâtissons ou avons pâti. Voyez l'exemple qu'elle donne à votre cour, depuis qu'elle s'y trouve, et songez que c'est la même femme qui fit pleuvoir naguère mensonges sur mes filles et sur la sœur de Jeanne ici présente. Quand je disais alors à votre père... Dieu en garde l'âme!... qu'il se laissait abuser par sa fille, n'avais-je pas raison? Elle nous a tous souillés à plaisir, par des mauvaises pensées qu'elle voyait dans le cœur des autres et qui ne sont qu'en elle, comme elle le prouve assez! Blanche qui était pure, et qui vous a aimé jusqu'à ses derniers jours comme vous le savez, Blanche vient d'en mourir cette semaine! Elle était innocente, mes filles étaient innocentes!

Le gros doigt de Mahaut, un index dur comme un bâton, prend le ciel à témoin. Et pour faire plaisir à son alliée du moment, elle ajoute, se tournant vers Jeanne la Boiteuse:

— Ta sœur était sûrement innocente, ma pauvre Jeanne, et tous nous avons subi le malheur à cause des calomnies d'Isabelle, et ma poitrine de mère en a saigné.

Si elle continue de la sorte, elle va faire pleurer l'assemblée; mais Robert lui lance:

— Innocente, votre Blanche? Je veux bien, ma tante, mais ce n'est tout de même point le Saint-Esprit qui l'a engrossée en prison!

Le roi Charles le Bel a une grimace nerveuse. Robert, vraiment, n'avait pas besoin de rappeler cela.

— Mais c'est le désespoir qui a poussé là ma fillette! crie Mahaut toute rebiffée. Qu'avait-elle à perdre, cette colombe, souillée de calomnies, mise en forteresse et à demi folle? A tel traitement, je voudrais bien savoir qui pourrait résister.

— Je fus en prison, moi aussi, ma tante, au temps où, pour vous plaire, votre gendre Philippe le Long m'y plaça. Je n'ai point engrossé pour autant la femme du geôlier ni, par désespoir, ne me suis servi du porte-clefs pour épouse, comme il paraît que cela se fait dans notre famille anglaise!

Ah! le connétable commence à reprendre de l'intérêt au débat.

— Et qui vous dit d'ailleurs, mon neveu qui vous plaisez si fort à salir la mémoire d'une morte, qu'elle n'a pas été prise de force, ma Blanche? On a bien étranglé sa cousine dans la même prison, dit Mahaut en regardant Robert dans les yeux; on peut avoir violé l'autre! Non, Sire mon fils, poursuit-elle en revenant au roi, puisque vous m'avez appelée à votre Conseil...

— Nul ne vous a appelée, dit Robert, vous êtes bien venue de vous-même.

Mais on ne coupe pas aisément la parole à la vieille géante.

— ... alors ce conseil, je vous le donne, et d'un cœur de mère que je n'ai jamais cessé d'avoir pour vous, en dépit de tout ce qui eût pu m'éloigner. Je vous le dis, Sire Charles: chassez votre sœur de France, car chaque fois qu'elle y est revenue, la couronne a connu un malheur! L'année que vous fûtes fait chevalier avec vos frères et mon neveu Robert lui-même qui s'en doit souvenir, le feu prit à Maubuisson pendant le séjour d'Isabelle, et peu s'en fallut que nous ne fussions tous grillés! L'année suivante, elle nous amena ce scandale qui nous a couverts de boue et d'infamie, et qu'une bonne fille du roi, une bonne sœur de ses frères, même s'il y avait eu quelque ombre de vérité, se serait dû de taire, au lieu d'aller clabauder partout, avec l'aide de qui je sais! Et encore du temps de votre frère Philippe, quand elle vint à Amiens pour qu'Édouard rendît l'hommage, qu'est-il survenu? Les pastoureaux ont ravagé le royaume! Et je tremble à présent, depuis qu'elle est de retour! Car vous attendez un enfant, qu'on espère mâle, puisqu'il vous faut donner un roi à la France; alors je vous le dis bien, Sire mon fils: tenez cette porteuse de malheur distante du ventre de votre épouse!

Ah! elle a bien ajusté son carreau d'arbalète. Mais Robert déjà riposte.

— Et quand notre cousin Hutin a trépassé, très bonne tante, où était donc Isabelle? Point en France, que je sache. Et quand son fils, le petit Jean le Posthume, s'est éteint tout brusquement dans vos bras, où vous le teniez, très bonne tante, où était Isabelle? Dans la chambre de Louis? Parmi les barons assemblés? Peut-être la mémoire me manque, je ne la revois pas. A moins, à moins que ces deux trépas de rois ne soient pas, dans votre pensée, à compter parmi les malheurs du royaume.

La gredine a affaire à plus fort gredin. Si deux paroles encore viennent à s'échanger, on va s'accuser clairement d'assassinat!

Le connétable connaît cette famille depuis près de soixante ans. Il plisse ses yeux de tortue:

— Ne nous égarons point, dit-il, et revenons, Messeigneurs, au sujet qui demande décision.

Et quelque chose passe dans sa voix qui rappelle, soudain, le ton des conseils du Roi de fer.

Charles le Bel caresse son front lisse et dit :

— Si, pour donner satisfaction à Édouard, on faisait sortir messire de Mortimer du royaume ?

Jeanne la Boiteuse prend la parole. Elle a la voix nette, pas très haute ; mais après ces grands beuglements qu'ont poussés les deux taureaux d'Artois, on l'écoute.

— Ce seraient peine et temps perdus, déclara-t-elle. Pensez-vous que notre cousine va se séparer de cet homme qui est maintenant son maître ? Elle lui est bien trop dévouée d'âme et de corps ; elle ne respire plus que par lui. Ou elle refusera son départ, ou elle partira de concert.

Car Jeanne la Boiteuse déteste la reine d'Angleterre, non seulement pour le souvenir de Marguerite, sa sœur, mais encore pour ce trop bel amour qu'Isabelle montre à la France. Et pourtant, Jeanne de Bourgogne n'a pas à se plaindre ; son grand Philippe l'aime vraiment, et de toutes les manières, bien qu'il n'ait pas les jambes de la même longueur. Mais la petite-fille de Saint Louis voudrait être la seule, dans l'univers, à être aimée. Elle hait les amours des autres.

— Il faut prendre décision, répète le connétable.

Il dit cela parce que l'heure s'avance et parce qu'en cette assemblée les femmes vraiment parlent trop.

Le roi Charles l'approuve en hochant la tête et puis déclare :

— Demain matin, ma sœur sera conduite au port de Boulogne pour y être embarquée, et ramenée sous escorte à son légitime époux. Je le veux ainsi.

Il a dit «je le veux» et les assistants se regardent, car ce mot bien rarement est sorti de la bouche de Charles le Faible.

— Cherchemont, ajoute-t-il, vous préparerez la commission d'escorte que je scellerai de mon petit sceau.

Rien ne peut être ajouté. Charles le Bel est buté ; il est le roi, et parfois s'en souvient.

Seule la comtesse Mahaut se permet de dire :

— C'est sagement décidé, Sire mon fils.

Et puis l'on se sépare sans grands souhaits de bonne nuit, avec le sentiment d'avoir participé à une vilaine action. Les sièges sont repoussés, chacun se lève pour saluer le départ du roi et de la reine.

La comtesse de Beaumont est déçue. Elle avait cru que Robert, son époux, l'emporterait. Elle le regarde ; il lui fait signe de se diriger vers la chambre. Il a un mot encore à dire à Monseigneur de Marigny.

Le connétable d'un pas lourd, Jeanne de Bourgogne d'un pas boiteux, Louis de Bourbon boitant aussi, ont quitté la salle. Le grand

Philippe de Valois suit sa femme avec un air de chien de chasse qui a mal rabattu le gibier.

Robert d'Artois parle un instant à l'oreille de l'évêque de Beauvais, lequel croise et décroise ses longs doigts.

Un moment plus tard, Robert regagne son appartement par le cloître de l'hôtellerie. Une ombre est assise entre deux colonnettes, une femme qui regarde la nuit.

— Bons rêves à vous, Monseigneur Robert.

Cette voix à la fois ironique et traînante appartient à la demoiselle de parage de la comtesse Mahaut, Béatrice d'Hirson, qui se tient là, songeuse semble-t-il, et attendant quoi? Le passage de Robert; celui-ci le sait bien. Elle se lève, s'étire, se découpe dans l'ogive, fait un pas, deux pas, d'un mouvement balancé, et sa robe glisse contre la pierre.

— Que faites-vous là, gentille garce? lui dit Robert.

Elle ne répond pas directement, désigne de son profil les étoiles dans le ciel et dit:

— C'est belle nuit que voici, et pitié que de s'aller coucher seule. Le sommeil vient mal en la chaude saison...

Robert d'Artois s'approche jusqu'à venir contre elle, interroge de haut ces longs yeux qui le défient et brillent dans la pénombre, pose sa large main sur la croupe de la demoiselle... et puis brusquement se retire en secouant les doigts, comme s'il se brûlait.

— Eh! belle Béatrice, s'écrie-t-il en riant, allez prestement vous mettre les naches au frais dans l'étang, car sinon vous allez flamber!

Cette brutalité de geste, cette grossièreté de paroles, font frémir la demoiselle Béatrice. Il y a longtemps qu'elle attend l'occasion de conquérir le géant: ce jour-là, Monseigneur Robert sera à la merci de la comtesse Mahaut et elle, Béatrice, connaîtra un désir enfin satisfait. Mais ce ne sera pas pour ce soir encore.

Robert a plus important à faire. Il gagne son appartement, entre dans la chambre de la comtesse sa femme; celle-ci se redresse dans son lit. Elle est nue; elle dort ainsi tout l'été. Robert caresse machinalement un sein qui lui appartient par mariage, juste un bonsoir. La comtesse de Beaumont n'éprouve rien de cette caresse, mais elle s'amuse; elle s'amuse toujours de voir apparaître son mari, et d'imaginer ce qu'il peut avoir en tête. Robert d'Artois s'est affalé sur un siège; il a étendu ses immenses jambes, les soulève de temps à autre, et les laisse retomber, les deux talons ensemble.

— Vous ne vous couchez point, Robert?

— Non, ma mie, non. Je vais même vous quitter pour courir à Paris tout à l'heure, quand ces moines auront fini de chanter dans leur église.

La comtesse sourit.

— Mon ami, ne croyez-vous pas que ma sœur de Hainaut pourrait accueillir quelque temps Isabelle, et lui permettre de regrouper ses forces?

— J'y pensais, ma belle comtesse, j'y pensais justement.

Allons! Madame de Beaumont est rassurée; son mari gagnera.

Ce n'était pas tellement le service d'Isabelle qui mit Robert d'Artois à cheval, cette nuit-là, que sa haine pour Mahaut. La gueuse voulait s'opposer à lui, nuire à ceux qu'il protégeait, et reprendre influence sur le roi? On verrait bien qui garderait le dernier mot.

Il alla secouer son valet Lormet.

— Va faire seller trois chevaux. Mon écuyer, un sergent...

— Et moi? dit Lormet.

— Non, pas toi, tu vas retourner dormir.

C'était gentillesse de la part de Robert. Les années commençaient à peser sur le vieux compagnon de ses méfaits, tout à la fois garde du corps, étrangleur et nourrice. Lormet maintenant avait le souffle court et supportait mal les brumes du petit matin. Il maugréa. Puisqu'on se passait de lui, à quoi bon l'avoir réveillé? Mais il aurait bougonné plus encore s'il lui avait fallu partir.

Les chevaux furent vite sellés; l'écuyer bâillait, le sergent d'armes achevait de se harnacher.

— En selle, dit Robert, ce sera une promenade.

Bien assis sur le trousséquin de sa selle, il garda le pas pour sortir de l'abbaye par la ferme et les ateliers. Puis, aussitôt atteinte la Mer de sable qui s'étendait claire, insolite et nacrée, entre les bouleaux blancs, vrai paysage pour une assemblée de fées, il fit prendre le galop. Dammartin, Mitry, Aulnay, Saint-Ouen: une promenade de quatre heures avec quelques temps d'allure plus lente, pour souffler, et juste une halte, dans une auberge ouverte la nuit qui servait à boire aux rouliers de maraîchage.

Le jour ne pointait pas encore quand on arriva au palais de la Cité. La garde laissa passage au premier conseiller du roi. Robert monta droit aux appartements de la reine Isabelle, enjamba les serviteurs endormis dans les couloirs, traversa la chambre des femmes qui lancèrent des hurlements de volailles effarouchées et crièrent: «Madame, Madame! on entre chez vous.»

Une veilleuse brûlait au-dessus du lit où Mortimer était couché avec la reine.

«Ainsi, c'est pour cela, pour qu'ils puissent dormir dans les bras l'un de l'autre, que j'ai galopé toute la nuit à m'enlever les fesses!» pensa Robert.

La surprise passée, et les chandelles allumées, toute gêne fut oubliée, en raison de l'urgence.

Robert mit les deux amants au courant, rapidement, de ce qui s'était décidé à Chaâlis et se tramait contre eux. Tout en écoutant, et en questionnant, Mortimer se vêtait devant Robert d'Artois, très naturellement, comme cela se fait entre gens de guerre. La présence de sa maîtresse ne semblait pas non plus l'embarrasser; ils étaient décidément bien installés en ménage.

— Il vous faut partir dans l'heure, mes bons amis, voilà mon conseil, dit Robert, et tirer vers les terres d'Empire pour vous y mettre à l'abri. Tous deux, avec le jeune Édouard, et peut-être Cromwell, Alspaye et Maltravers, mais peu de monde pour ne point vous ralentir, vous allez piquer sur le Hainaut, où je vais dépêcher un chevaucheur qui vous devancera. Le bon comte Guillaume et son frère Jean sont deux grands seigneurs loyaux, redoutés de leurs ennemis, aimés de leurs amis. La comtesse mon épouse vous appuiera pour sa part auprès de sa sœur. C'est le meilleur refuge que vous puissiez gagner pour le présent. Notre ami de Kent, que je vais prévenir, vous rejoindra en se détournant par le Ponthieu, afin de rassembler les chevaliers que vous avez là-bas. Et puis, à la grâce de Dieu!... Je veillerai à ce que Tolomei continue à vous acheminer des fonds; d'ailleurs, il ne peut plus agir autrement, il est trop engagé avec vous. Grossissez vos troupes, faites votre possible, battez-vous. Ah! si le royaume de France n'était si gros morceau, où je ne veux pas laisser champ libre aux mauvaisetés de ma tante, j'irais volontiers avec vous.

— Tournez-vous donc, mon cousin, que je me vête, dit Isabelle.

— Alors quoi, ma cousine, pas de récompense? Ce coquin de Roger veut donc tout garder pour lui? dit Robert en obéissant. Il ne s'ennuie pas, le gaillard!

Pour une fois, ses intentions grivoises ne parurent pas choquantes; il y avait même quelque chose de rassurant dans cette manière de plaisanter, en plein drame. Cet homme qui passait pour si méchant était capable de bons gestes, et son impudeur de paroles, parfois, n'était qu'un masque à une certaine pudeur de sentiments.

— Je suis en train de vous devoir la vie, Robert, dit Isabelle.

— Charge de revanche, ma cousine, charge de revanche! On ne sait jamais, lui cria-t-il par-dessus son épaule.

Il vit sur une table une coupe de fruits, préparée pour la nuit des amants; il prit une pêche, y mordit largement et le jus doré lui baigna le menton.

Branle-bas dans les couloirs, écuyers courant aux écuries, messagers dépêchés aux seigneurs anglais qui logeaient en ville, femmes qui se hâtaient à fermer les coffres légers, après y avoir entassé l'essentiel; tout un grand mouvement agitait cette partie du Palais.

— Ne prenez pas par Senlis, dit Robert, la bouche encombrée par sa douzième pêche; notre bon Sire Charles en est trop proche et pourrait faire mettre à vos trousses. Passez par Beauvais et Amiens.

Les adieux furent brefs ; l'aurore commençait seulement à éclairer la flèche de la Sainte-Chapelle et déjà, dans la cour, l'escorte était prête. Isabelle s'approcha de la fenêtre ; l'émotion la retint un instant devant ce jardin, ce fleuve, et à côté de ce lit où elle avait connu le temps le plus heureux de sa vie. Quinze mois s'étaient écoulés depuis le premier matin où elle avait respiré, à cette même place, le parfum merveilleux que répand le printemps, quand on aime. La main de Roger Mortimer se posa sur son épaule, et les lèvres de la reine glissèrent vers cette main...

Bientôt les fers des chevaux sonnèrent dans les rues de la Cité, puis sur le Pont-au-Change, vers le nord.

Monseigneur Robert d'Artois gagna son hôtel. Quand le roi serait averti de la fuite de sa sœur, il y aurait beau temps que celle-ci se trouverait hors d'atteinte ; et Mahaut devrait se faire saigner pour que le flux du sang ne l'étouffât pas... « Ah ! ma bonne gueuse !... » Robert pouvait dormir, d'un lourd sommeil de bœuf, jusqu'aux cloches de midi.

QUATRIÈME PARTIE

LA CHEVAUCHÉE
CRUELLE

I

HARWICH

Les mouettes, encerclant de leur vol criard les mâtures des navires, guettaient les déchets tombant à la mer. Dans l'embouchure où se jettent à la fois l'Orwell et la Stour, la flotte voyait se rapprocher le port de Harwich, son môle de bois et sa ligne de maisons basses.

Déjà deux embarcations légères avaient abordé, débarquant une compagnie d'archers chargés de s'assurer de la tranquillité des parages ; la rive ne paraissait pas gardée. Il y avait eu un peu de confusion sur le quai où la population, d'abord attirée par toutes ces voiles qui arrivaient du large, s'était enfuie en voyant des soldats prendre pied ; mais bientôt rassurée, elle s'attroupait à nouveau.

Le navire de la reine, arborant à sa corne la longue flamme brodée des lis de France et des lions d'Angleterre, filait sur son erre. Dix-huit vaisseaux de Hollande le suivaient. Les équipages, aux commandements des maîtres mariniers, abaissaient les voilures ; les longues rames venaient de sortir du flanc des nefs, comme des plumes d'ailes soudain déployées, pour aider à la manœuvre.

Debout sur le château d'arrière, la reine d'Angleterre, entourée de son fils le prince Édouard, du comte de Kent, de Lord Mortimer, de messire de Jean de Hainaut et de plusieurs autres seigneurs anglais et hollandais, assistait à la manœuvre et regardait grandir la rive de son royaume.

Pour la première fois depuis son évasion, Roger Mortimer n'était pas habillé de noir. Il portait non point la grande cuirasse à heaume fermé, mais simplement l'équipement de petite bataille, le casque sans visière auquel s'attachait le camail d'acier, et le haubert de mailles par-dessus quoi flottait sa cotte d'armes rouge et bleu, ornée de ses emblèmes.

La reine était vêtue de la même manière, son mince et blond visage enchâssé dans le tissu d'acier, et la jupe traînant jusqu'à terre mais sous laquelle elle avait chaussé, comme les hommes, des jambières de mailles.

Et le jeune prince Édouard, lui aussi, se montrait en tenue de guerre. Il avait beaucoup grandi, ces derniers mois, et pris un peu tournure d'homme. Il observait les mouettes, les mêmes, lui semblait-il, aux mêmes cris rauques, aux mêmes becs avides, qui avaient accompagné le départ de la flotte dans l'embouchure de la Meuse.

Ces oiseaux lui rappelaient la Hollande. Tout, d'ailleurs, la mer grise, le ciel gris nuancé de vagues traînées roses, le quai aux petites maisons de brique où l'on allait bientôt aborder, le paysage vert, onduleux, laguneux qui s'étendait derrière Harwich, tout s'accordait pour le faire se souvenir des paysages hollandais. Mais aurait-il contemplé un désert de pierres et de sable, sous un soleil flambant, qu'il eût encore songé, par différence, à ces terres de Brabant, d'Ostrevant, de Hainaut, qu'il venait de quitter. C'est que Monseigneur Édouard, duc d'Aquitaine et héritier d'Angleterre, était, pour ses quatorze ans trois quarts, tombé amoureux en Hollande.

Et voici comment la chose s'était faite, et quels notables événements avaient marqué la mémoire du jeune prince Édouard.

Après qu'on eut fui Paris à la sauvette, en ce petit matin où Monseigneur d'Artois avait intempestivement éveillé le Palais, on s'était hâté, en forçant les journées, pour gagner au plus pressé les terres d'Empire, jusqu'à ce qu'on fût parvenu chez le sire Eustache d'Aubercicourt, lequel, aidé de sa femme, avait fait un accueil tout d'empressement et de liesse à la reine anglaise et à sa compagnie. Dès qu'installée et répartie au mieux dans le château cette chevauchée inattendue, messire d'Aubercicourt avait sauté en selle pour s'en aller prévenir le bon comte Guillaume, dont la femme était cousine germaine de la reine Isabelle, en sa ville capitale de Valenciennes. Le lendemain même accourait le frère cadet du comte, messire Jean de Hainaut.

Curieux homme que celui-ci ; non point d'apparence, car il était bien honnêtement fait, le visage rond sur un corps solide, l'œil rond, le nez rond au-dessus d'une brève moustache blonde ; mais singulier dans sa manière d'agir. Car, arrivé devant la reine, et pas encore débotté, il avait mis un genou sur les dalles, et s'était écrié, la main sur le cœur :

— Dame, voyez ici votre chevalier qui est prêt à mourir pour vous, quand même tout le monde vous ferait faute et j'userai de tout mon pouvoir, avec l'aide de vos amis, pour vous reconduire, vous et Monseigneur votre fils, par-delà la mer en votre État d'Angleterre. Et tous ceux que je pourrai prier y mettront leur vie, et nous aurons gens d'armes assez, s'il plaît à Dieu.

La reine, pour le remercier d'une aide si soudaine, avait esquissé le geste de s'agenouiller devant lui ; mais messire Jean de Hainaut l'en avait empêchée et la saisissant à pleins bras, et toujours la serrant et lui soufflant dans la figure, avait continué :

— Ne plaise à Dieu que jamais la reine d'Angleterre ait à se ployer devant quiconque. Confortez-vous, Madame, et votre gentil fils aussi, car je vous tiendrai ma promesse.

Lord Mortimer commençait à faire la longue figure, trouvant que messire Jean de Hainaut avait l'empressement un peu vif à mettre son épée au service des dames. Vraiment cet homme-là se prenait proprement pour Lancelot du Lac, car il avait déclaré tout soudain qu'il ne souffrirait dormir ce soir-là sous le même toit que la reine, afin de ne pas la compromettre, et comme s'il n'apercevait pas au moins six grands seigneurs autour d'elle ! Il s'en était allé faire benoîtement retraite en une abbaye voisine, pour revenir tôt le lendemain, après messe et boire, quérir la reine et conduire toute cette compagnie à Valenciennes.

Ah ! les excellentes gens que ce comte Guillaume le Bon, son épouse et leurs quatre filles, qui vivaient dans un château blanc ! Le comte et la comtesse formaient un ménage heureux ; cela se voyait sur leurs visages et s'entendait dans toutes leurs paroles. Le jeune prince Édouard, qui avait souffert dès l'enfance du spectacle de désaccord donné par ses parents, regardait avec admiration ce couple uni et, en toutes choses, bienveillant. Comme elles étaient heureuses, les quatre jeunes princesses de Hainaut, d'être nées en pareille famille !

Le bon comte Guillaume s'était offert au service de la reine Isabelle, de moins éloquente façon que son frère, toutefois, et en prenant quelques avis afin de ne point s'attirer les foudres du roi de France, ni celles du pape.

Messire Jean de Hainaut, lui, se dépensait. Il écrivait à tous les chevaliers de sa connaissance, les priant sur l'honneur et l'amitié de le venir joindre dans son entreprise et pour le vœu qu'il avait fait. Il mit tant à rumeur Hainaut, Brabant, Zélande et Hollande que le bon comte Guillaume s'inquiéta ; c'était tout l'ost de ses États, toute sa chevalerie, que messire Jean était en train de lever. Il l'invita donc à plus de modération ; mais l'autre ne voulait rien entendre.

— Messire mon frère, disait-il, je n'ai qu'une mort à souffrir, qui est dans la volonté de Notre Seigneur, et j'ai promis à cette gentille dame de la conduire jusque en son royaume. Ainsi ferai-je, même s'il m'en faut mourir, car tout chevalier doit aider de son loyal pouvoir toutes dames et pucelles déchassées et déconfortées, à l'instant qu'ils en sont requis !

Guillaume le Bon craignait aussi pour son Trésor, car tous ces bannerets auxquels on faisait fourbir leur cuirasse, il allait bien falloir les payer ; mais là-dessus, il fut rassuré par Lord Mortimer, qui semblait tenir des banques lombardes assez d'argent pour entretenir mille lances.

On resta donc près de trois mois à Valenciennes, à mener la vie courtoise, tandis que Jean de Hainaut annonçait chaque jour quelque nouveau ralliement d'importance, tantôt celui du sire Michel de Ligne ou du sire de Sarre, tantôt du chevalier Oulfart de Ghistelles, ou Perceval de Semeries, ou Sance de Boussoy.

On alla comme en famille faire pèlerinage en l'église de Sebourg aux reliques de saint Druon, fort vénérées depuis que le grand-père du comte Guillaume, Jean d'Avesnes, qui souffrait d'une pénible gravelle, en avait obtenu guérison.

Des quatre filles du comte Guillaume, la deuxième, Philippa, avait plu tout de suite au jeune prince Édouard. Elle était rousse, potelée, criblée de taches de son, le visage large et le ventre déjà bombu ; une bonne petite Valois, mais teintée de Brabant. Les deux jeunes gens se trouvaient parfaitement appareillés par l'âge ; et l'on eut la surprise de voir le prince Édouard, qui ne parlait jamais, se tenir autant qu'il le pouvait auprès de la grosse Philippa, et lui parler, parler, parler pendant des heures entières... Cette attirance n'échappait à personne ; les silencieux ne savent plus feindre dès qu'ils abandonnent le silence.

Aussi la reine Isabelle et le comte de Hainaut étaient-ils vite venus à l'accord de fiancer leurs enfants qui montraient l'un pour l'autre si grande inclination. Par là Isabelle cimentait une alliance indispensable ; et le comte de Hainaut, du moment que sa fille était promise à devenir reine un jour en Angleterre, ne voyait plus que du bien à prêter ses chevaliers.

Malgré les ordres formels du roi Édouard II, qui avait interdit à son fils de se fiancer ou de se laisser fiancer sans son consentement[35], les dispenses avaient été déjà demandées au Saint-Père. Il semblait vraiment écrit dans les destins que le prince Édouard épouserait une Valois ! Son père, trois ans plus tôt, avait refusé pour lui une des dernières filles de Monseigneur Charles, bienheureux refus puisque maintenant le jeune homme allait pouvoir s'unir à la petite-fille de ce même Monseigneur Charles, et qui lui plaisait.

L'expédition, aussitôt, avait pris pour le prince Édouard un sens nouveau. Si le débarquement réussissait, si l'oncle de Kent et Lord Mortimer, avec l'aide du cousin de Hainaut, parvenaient à chasser les mauvais Despensers et à commander en leur place auprès du roi, celui-ci serait bien forcé d'agréer à ce mariage.

On ne se gênait plus, d'ailleurs, pour parler devant le jeune homme des mœurs de son père ; il en avait été horrifié, écœuré. Comment un homme, un chevalier, un roi, pouvait-il se conduire de pareille manière avec un seigneur de sa cour ? Le prince était résolu, quand viendrait son tour de régner, à ne jamais tolérer pareilles turpitudes parmi ses barons, et il montrerait à tous, auprès de sa Philippa, un vrai, bel et loyal amour d'homme et de femme, de reine et de roi. Cette ronde, rousse et grasse personne, déjà fortement féminine, et qui lui paraissait la plus belle demoiselle de toute la terre, avait sur le duc d'Aquitaine un pouvoir rassurant.

Ainsi c'était son droit à l'amour que le jeune homme allait gagner, et cela effaçait pour lui la peine qu'il y a à marcher en guerre contre son propre père.

Trois mois donc avaient passé de cette manière heureuse, les plus beaux sans conteste qu'eût connus le prince Édouard.

Le rassemblement des Hennuyers, puisque ainsi s'appelaient les chevaliers de Hainaut, s'était fait à Dordrecht, sur la Meuse, jolie ville étrangement coupée de canaux, de bassins, où chaque rue de terre enjambait une rue d'eau, où les navires de toutes les mers, et ceux aussi, plats et sans voiles, qui remontaient les rivières, accostaient jusque devant le parvis des églises. Une cité pleine de négoces et de richesses, où les seigneurs marchaient sur les quais entre les ballots de laine et les caisses d'épices, où l'odeur de poisson, fraîche et salée, flottait autour des halles, où les mariniers et les portefaix mangeaient dans la rue de belles soles blondes toutes chaudes surgies de la friture et qu'on achetait aux éventaires, où le peuple, sortant après messe de la grosse cathédrale de brique, venait badauder devant ce grand arroi de guerre, jamais encore vu, et qui se tenait au pied des demeures! Les mâtures des nefs se balançaient plus haut que les toits.

Combien d'heures, et d'efforts, et de cris n'avait-il pas fallu pour charger les bateaux, ronds comme les sabots dont la Hollande était chaussée, de tout l'attirail de cette cavalerie: caisses d'armements, coffres aux cuirasses, vivres, cuisines, fourneaux, et une maréchalerie par bannière et cent hommes avec les enclumes, les soufflets, les marteaux! Ensuite, on avait dû embarquer les gros chevaux de Flandre, ces lourds alezans pattus aux robes presque rouges sous le soleil, avec des crinières plus pâles, délavées et flottantes, et d'énormes croupes charnues, soyeuses, vraies montures de chevaliers sur lesquelles on pouvait poser les selles à hauts arçons, accrocher les caparaçons de fer, et placer un homme en armure; près de quatre cents livres à emporter au galop.

On comptait mille et plus de ces chevaux, car messire Jean de Hainaut, tenant parole, avait réuni mille chevaliers, accompagnés de leurs écuyers, leurs varlets, leurs goujats, soit au total deux mille sept cent cinquante-sept hommes à solde, d'après le registre qu'en tenait Gérard de Alspaye.

Le château d'arrière de chaque vaisseau servait d'appartement aux grands seigneurs de l'expédition.

Ayant mis à la voile le matin du 22 septembre, afin de profiter des courants d'équinoxe, on avait navigué tout un jour sur la Meuse pour venir s'ancrer devant les digues de Hollande. Les mouettes criardes tournaient autour des nefs. Le lendemain, la flotte cinglait vers la haute mer. Le temps paraissait beau ; mais voici que vers la fin du jour le vent s'était levé par le travers, contre lequel les navires avaient peine à lutter ; sur une eau creusée d'énormes vagues, toute l'expédition souffrait de grand malaise et de grande peur. Les chevaliers vomissaient par-dessus les rambardes quand encore il leur restait la force de s'en approcher. Les équipages eux-mêmes étaient incommodés et les chevaux, bousculés dans les écuries d'entrepont, répandaient des odeurs affreuses. Une tempête est plus effrayante de nuit que de jour. Les aumôniers s'étaient mis en prières.

Messire Jean de Hainaut faisait merveille de courage et de réconfort auprès de la reine Isabelle, un peu trop même, car il est certaines occasions où l'empressement des hommes peut devenir importun aux dames. La reine avait éprouvé comme un soulagement lorsque messire de Hainaut s'était trouvé malade à son tour.

Seul, Lord Mortimer paraissait résister au gros temps ; les hommes jaloux ne souffrent pas du mal de mer, du moins cela se dit. En revanche, le baron de Maltravers présentait lorsque vint l'aurore un pitoyable aspect. Le visage plus long et plus jaune que jamais, les cheveux pendant sur les oreilles, la cotte d'armes maculée, il était assis les jambes écartées contre un rouleau de filin, et gémissait à chaque vague comme si elle eût apporté son trépas.

Enfin, par la grâce de Monseigneur saint Georges la mer s'étant apaisée, chacun avait pu remettre un peu d'ordre sur sa personne. Puis les hommes de vigie avaient reconnu la terre d'Angleterre, à quelques milles seulement plus au sud du point où l'on voulait arriver ; les mariniers s'étaient dirigés vers le port de Harwich où l'on abordait à présent, et dont la nef royale, rames levées, frôlait déjà le môle de bois.

Le jeune prince Édouard d'Aquitaine, à travers ses longs cils blonds, contemplait rêveusement les choses autour de lui, car tout ce que son regard rencontrait et qui était rond, roux ou rose, les nuages poussés par la brise de septembre, les voiles basses et gonflées des derniers navires, les croupes des alezans de Flandre, les joues de messire Jean de Hainaut, tout lui rappelait, invinciblement, la Hollande de ses amours.

En posant la semelle sur le quai de Harwich, Roger Mortimer se sentit tout à fait semblable à son ancêtre qui, deux cent soixante années plus tôt, avait débarqué sur le sol anglais aux côtés du Conquérant. Et cela se vit bien à son air, à son ton et à la manière dont il prit toutes choses en main.

Il partageait la direction de l'expédition, à égalité de commandement, avec Jean de Hainaut, partage assez normal puisque Mortimer n'avait pour lui que sa bonne cause, quelques seigneurs anglais et l'argent des Lombards; tandis que l'autre conduisait les deux mille sept cent cinquante-sept hommes qui allaient combattre. Toutefois, Mortimer considérait que l'autorité de Jean de Hainaut ne devait s'exercer que sur l'organisation et la subsistance des troupes, tandis que lui-même entendait garder la responsabilité entière des opérations. Le comte de Kent, pour sa part, semblait peu soucieux de se pousser en avant; car si, en dépit des informations optimistes qu'on avait reçues, une partie de la noblesse demeurait fidèle au roi Édouard, les troupes de ce dernier seraient commandées par le comte de Norfolk, maréchal d'Angleterre, c'est-à-dire le propre frère de Kent. Or, se révolter contre un demi-frère plus vieux de vingt ans et qui se montre mauvais roi est une chose; mais c'en est une tout autre que de tirer l'épée contre un frère très aimé et dont un an seulement vous sépare.

Mortimer, cherchant d'abord le renseignement, avait fait quérir le Lord-maire de Harwich. Savait-il où se trouvaient les troupes royales? Quel était le plus proche château qui pouvait offrir abri à la reine le temps qu'on débarquât les hommes et qu'on déchargeât les navires?

— Nous sommes ici, déclara Mortimer au Lord-maire, pour aider le roi Édouard à se défaire des mauvais conseillers dont gémit son royaume, et pour remettre la reine en l'état qui lui est dû. Nous n'avons donc point d'autres intentions que celles inspirées par la volonté des barons et de tout le peuple d'Angleterre.

Voilà qui était bref, clair, ce que Roger Mortimer répéterait à chaque halte afin d'expliquer, aux gens qui s'en pourraient surprendre, l'arrivée de cette armée étrangère.

Le Lord-maire, un vieil homme dont les cheveux blancs voletaient, et qui frissonnait dans sa robe, non point de froid mais de peur, ne paraissait guère avoir d'informations. Le roi, le roi?... On disait qu'il était à Londres, à moins qu'il ne fût à Portsmouth... En tout cas, à Portsmouth, une grande flotte devait être rassemblée, puisqu'un ordre du mois dernier avait commandé à tous les bateaux de s'y diriger pour prévenir une invasion française; cela expliquait qu'il y eût si peu de navires dans le port.

Lord Mortimer ne négligea pas de montrer à ce moment quelque fierté et particulièrement devant messire de Hainaut. Car il avait fait habilement répandre, par des émissaires, son intention de débarquer sur la côte sud; la ruse avait pleinement réussi. Mais Jean de Hainaut pouvait être orgueilleux, pour sa part, de ses mariniers hollandais qui avaient tenu leur cap en dépit de la tempête.

La région n'était point gardée; le Lord-maire n'avait pas connaissance de mouvements de troupes dans les parages, ni reçu autre consigne que celle de surveillance habituelle. Un lieu où se retrancher?

Le Lord-maire suggérait l'abbaye de Walton, à trois lieues au sud en contournant les eaux. Il était fort désireux, au fond de soi, de se débarrasser sur les moines du soin d'abriter cette compagnie.

Il fallait constituer une escorte de protection pour la reine.

— Je la commanderai! s'écria Jean de Hainaut.

— Et le débarquement de vos Hennuyers, messire, dit Mortimer, qui va y veiller? Et combien de temps cela va-t-il prendre?

— Trois grosses journées, pour qu'ils soient constitués en ordre de marche. Je laisserai à y pourvoir Philippe de Chasteaux, mon maître écuyer.

Le plus grand souci de Mortimer concernait les messagers secrets qu'il avait envoyés de Hollande vers l'évêque Orleton et le comte de Lancastre. Ces derniers avaient-il été joints, prévenus en temps voulu? Et où étaient-ils présentement? Par les moines, on pourrait sans doute le savoir et dépêcher des chevaucheurs qui, de monastère en monastère, parviendraient jusqu'aux deux chefs de la résistance intérieure.

Autoritaire, calme en apparence, Mortimer arpentait la grand-rue de Harwich, bordée de maisons basses; il se retournait, impatient de voir se former l'escorte, redescendait au port pour presser le débarquement des chevaux, revenait à l'auberge des Trois Coupes où la reine et le prince Édouard attendaient leurs montures. En cette même rue qu'il foulait, passerait et repasserait, pendant plusieurs siècles, l'histoire de l'Angleterre [36].

Enfin l'escorte fut prête; les chevaliers arrivaient, se rangeant par quatre de front et occupant ainsi toute la largeur de High Street. Les goujats couraient à côté des chevaux pour fixer une dernière boucle au caparaçon; les lances oscillaient devant les étroites fenêtres; les épées tintaient contre les genouillères.

On aida la reine à monter sur son palefroi, et puis la chevauchée commença à travers la campagne vallonnée, aux arbres clairsemés, aux landes envahies par la marée et aux rares maisons coiffées de toits de chaume. Derrière des haies basses, des moutons à laine épaisse broutaient l'herbe autour de flaques d'eau saumâtre. Un pays assez triste, en somme, enveloppé dans la brume de l'estuaire. Mais Kent, Cromwell, Alspaye, la poignée d'Anglais, et Maltravers lui-même, tout malade qu'il fût encore, regardaient ce paysage, se regardaient, et les larmes leur brillaient aux yeux. Cette terre-là, c'était celle de l'Angleterre!

Et soudain, à cause d'un cheval de ferme qui avançait la tête par-dessus la demi-porte d'une écurie et qui se mit à hennir au passage de la cavalcade, Roger Mortimer sentit fondre sur lui l'émotion du pays retrouvé. Cette joie si longtemps attendue, et qu'il n'avait pas encore ressentie, tant il avait de graves pensées en tête et de décisions à prendre, il venait de la rencontrer, au milieu de la campagne, parce qu'un cheval anglais hennissait vers les chevaux de Flandre.

Trois ans d'éloignement, trois ans d'exil, d'attente et d'espérance! Mortimer se revit tel qu'il était la nuit de son évasion de la Tour, tout trempé, glissant dans une barque au milieu de la Tamise, pour atteindre un cheval, sur l'autre rive. Et voici qu'il revenait, ses armoiries brodées sur la poitrine, et mille lances avec lui pour soutenir son combat. Il revenait, amant de cette reine à laquelle il avait si fort rêvé en prison. La vie survient parfois semblable au songe qu'on en a fait, et c'est seulement alors qu'on peut se dire heureux.

Il tourna les yeux, dans un mouvement de gratitude et de partage, vers la reine Isabelle, vers ce beau profil, serti dans le tissu d'acier, et où l'œil brillait comme un saphir. Mais Mortimer vit que messire Jean de Hainaut, qui marchait de l'autre côté de la reine, la regardait aussi, et sa grande joie tomba d'un coup. Il eut l'impression d'avoir déjà connu cet instant-là, de le revivre, et il en fut troublé, car peu de sentiments en vérité sont aussi inquiétants que celui, qui parfois nous assaille, de reconnaître un chemin où l'on n'est jamais passé. Et puis il se souvint de la route de Paris, le jour où il était allé accueillir Isabelle à son arrivée, et se rappela Robert d'Artois cheminant auprès de la reine, comme Jean de Hainaut à présent.

Et il entendit la reine prononcer :

— Messire Jean, je vous dois tout, et d'abord d'être ici.

Mortimer se renfrogna, se montra sombre, brusque, distant, pendant tout le reste du parcours, et encore lorsqu'on fut parvenu chez les moines de Walton et que chacun s'installa, qui dans le logis abbatial, qui dans l'hôtellerie, et la plupart des hommes d'armes dans les granges. A ce point que la reine Isabelle, lorsqu'elle se retira au soir avec son amant, lui demanda :

— Mais qu'avez-vous eu, toute cette fin de journée, gentil Mortimer?

— J'ai, Madame, que je croyais avoir bien servi ma reine et mon amie.

— Et qui vous a dit, beau sire, que vous ne l'avez point fait?

— Je pensais, Madame, que c'était à moi que vous deviez votre retour en ce royaume.

— Mais qui a prétendu que je ne vous le devais point?

— Vous-même, Madame, vous-même, qui l'avez déclaré devant moi à messire de Hainaut, en lui rendant grâces de tout.

— Oh! Mortimer, mon doux ami, s'écria la reine, comme vous prenez ombrage de toute parole! Quel mal y a-t-il vraiment à remercier qui vous oblige?

— Je prends ombrage de ce qui est, répliqua Mortimer. Je prends ombrage des paroles comme je prends ombrage aussi de certains regards dont j'espérais, loyalement, que vous ne les deviez adresser qu'à moi. Vous êtes fleureteuse, Madame, ce que je n'attendais point. Vous fleuretez!

La reine était lasse. Les trois jours de mauvaise mer, l'inquiétude d'un débarquement fort aventureux et, pour finir, cette course de quatre lieues, l'avaient mise à suffisante épreuve. Connaissait-on beaucoup de femmes qui en eussent supporté autant, sans jamais se plaindre ni causer de souci à personne? Elle attendait plutôt un compliment pour sa vaillance que des remontrances de jalousie.

— Quel fleuretage, ami, je vous le demande! dit-elle avec impatience. L'amitié chaste que messire de Hainaut m'a vouée peut porter à rire, mais elle vient d'un bon cœur; et n'oubliez pas en outre qu'elle nous vaut les troupes que nous avons ici. Souffrez donc que sans l'encourager j'y réponde un peu, car comptez donc nos Anglais, et comptez ses Hennuyers. C'est pour vous aussi que je souris à cet homme qui vous irrite tant!

— A mal agir, on découvre toujours quelque bonne raison. Messire de Hainaut vous sert par grand amour, je le veux bien, mais non jusqu'à refuser l'or dont on le paye pour cela. Il ne vous est donc point besoin de lui offrir si tendres sourires. Je suis humilié pour vous de vous voir déchoir de cette hauteur de pureté où je vous plaçais.

— Cette hauteur de pureté, ami Mortimer, vous n'avez pas paru blessé que j'en déchusse, le jour que ce fut dans vos bras.

C'était leur première brouille. Fallait-il qu'elle éclatât justement ce jour-là qu'ils avaient tant espéré, et pour lequel pendant tant de mois, ils avaient uni leurs efforts?

— Ami, ajouta plus doucement la reine, cette grande ire qui vous prend ne viendrait-elle pas de ce que je vais à présent être à moins de distance de mon époux, et que l'amour nous sera moins facile?

Mortimer baissa le front que barraient ses rudes sourcils.

— Je crois en effet, Madame, que maintenant que vous voici sur le sol de votre royaume, il nous faut faire couche séparée.

— C'est tout juste ce dont j'allais vous prier, doux ami, répondit Isabelle.

Il passa la porte de la chambre. Il ne verrait pas sa maîtresse pleurer. Où étaient-elles, les heureuses nuits de France?

Dans le couloir du logis abbatial, Mortimer rencontra le jeune prince Édouard, portant un cierge qui éclairait son mince et blanc visage. Était-il là pour épier?

— Vous ne dormez donc point, my Lord? lui demanda Mortimer.

— Non, je vous cherchais, my Lord, pour vous prier de me dépêcher votre secrétaire... Je voudrais, ce soir de mon retour au royaume, envoyer une lettre à Madame Philippa...

II

L'HEURE DE LUMIÈRE

« A très bon et puissant seigneur Guillaume, comte de Hainaut, Hollande et Zélande.

« Mon très cher et très aimé frère, en la garde de Dieu, salut.

« Or nous étions encore à mettre sur pied nos bannières autour du port marin de Harwich, et la reine à camper en l'abbaye de Walton, quand la bonne nouvelle nous est parvenue que Monseigneur Henry de Lancastre, qui est cousin au roi Édouard et qu'on appelle communément ici le Lord au Tors-Col à cause qu'il a la tête plantée de travers, était en marche pour nous rencontrer, avec une armée de barons et chevaliers et autres hommes levés sur leurs terres, et aussi les Lords évêques de Hereford, Norwich et Lincoln, pour se mettre tous au service de la reine, ma Dame Isabelle. Et Monseigneur de Norfolk, maréchal d'Angleterre, s'annonçait pour sa part, et dans les mêmes intentions, avec ses troupes vaillantes.

« Nos bannières et celles des Lords de Lancastre et de Norfolk se sont rejointes en une place nommée Bury-Saint-Edmonds où il y avait marché justement ce jour-là qui se tenait à même les rues.

« La rencontre se fit dans une liesse que je ne puis vous peindre. Les chevaliers sautant à bas de leurs destriers, se reconnaissant, s'embrassant à l'accolade ; Monseigneur de Kent et Monseigneur de Norfolk, poitrine sur poitrine, et tout en larmes comme de vrais frères longtemps séparés, et messire de Mortimer en faisant autant avec le seigneur évêque de Hereford, et Monseigneur au Tors-Col baisant aux joues le prince Édouard, et tous courant au cheval de la reine pour fêter celle-ci et poser les lèvres à la frange de sa robe. Ne serais-je venu au royaume d'Angleterre que pour voir cela, tant d'amour et de joie se pressant autour de ma Dame Isabelle, je me sentirais assez payé de mes peines. D'autant que le peuple de Saint-Edmonds, abandonnant ses volailles et légumes étalés à l'éventaire, s'était joint à l'allégresse et qu'il parvenait sans cesse du monde de la campagne alentour.

« La reine m'a présenté, avec force compliments et gentillesse, à tous les seigneurs anglais ; et puis j'avais, pour me désigner, nos mille lances de Hollande derrière moi, et j'ai fierté, mon très aimé frère, de la noble figure que nos chevaliers ont montrée devant ces seigneurs d'outre-mer.

« La reine n'a pas manqué non plus de déclarer à tous ceux de sa parenté et de son parti que c'était grâce au Lord Mortimer qu'elle était ainsi de retour et si fortement appuyée ; elle a hautement loué les services de Monseigneur de Mortimer, et ordonné qu'on se conformât en tout à son conseil. D'ailleurs ma Dame Isabelle elle-même ne prend aucun décret sans s'être auparavant consultée à lui. Elle l'aime et en fait devanture ; mais ce ne peut être que de chaste amour, quoi qu'en prétendent les langues toujours prêtes à médire, car elle mettrait plus de soin à dissimuler s'il en était autrement ; et je sais bien aussi, aux yeux qu'elle a pour moi, qu'elle ne pourrait me regarder de telle sorte si sa foi n'était libre. J'avais craint un peu à Walton que leur amitié, pour un motif que je ne sais, se fût refroidie un petit ; mais tout prouve qu'il n'en est rien et qu'ils restent bien unis, de laquelle chose je me réjouis, car il est naturel qu'on aime ma Dame Isabelle pour toutes les belles et bonnes qualités qu'elle a ; et je voudrais que chacun lui montrât même amour que celui que je lui dévoue.

« Les seigneurs évêques ont apporté des fonds avec eux, à suffisance, et promis qu'ils en recevraient d'autres collectés dans leurs diocèses, et ceci m'a bien rassuré quant à la solde de nos Hennuyers pour lesquels je craignais que les aides lombardes de messire de Mortimer ne fussent trop vite épuisées. Ce que je vous conte s'est passé le vingt-huitième jour de septembre.

« A partir de là, où nous nous remîmes en marche, ce fut une avance en grand triomphe à travers la ville de Neuf-Market, nombreusement fournie d'auberges et allogements, et la noble cité de Cambridge où tout le monde parle latin que c'est merveille et où l'on compte plus de clercs, en un seul collège, que vous n'en pourriez assembler en tout votre Hainaut. Partout l'accueil du peuple comme celui des seigneurs nous a prouvé assez que le roi n'était pas aimé, que ses mauvais conseillers l'ont fait haïr et mépriser ; aussi nos bannières sont saluées au cri de "délivrance" !

« Nos Hennuyers ne s'ennuient pas, selon ce qu'a dit messire Henry au Tors-Col qui use, ainsi que vous voyez, de la langue française avec gentillesse, et dont cette parole, lorsqu'elle m'est revenue aux oreilles, m'a fait rire de joie tout un grand quart d'heure, et que j'en ris encore à chaque fois que d'y repenser ! Les filles d'Angleterre sont accueillantes à nos chevaliers, ce qui est bonne chose pour les maintenir en humeur de guerre. Pour moi, si je folâtrais, je donnerais mauvais exemple et perdrais de ce pouvoir qu'il faut au chef pour rappeler, quand de besoin, ses troupes à l'ordre. Et puis, le vœu que j'ai fait à ma Dame Isabelle me l'interdit et, si je venais à y manquer, la fortune de notre expédition pourrait se mettre à la traverse. Si tant est que les nuits me rongent un peu ; mais comme les chevauchées sont longues, le sommeil ne me fuit pas. Je pense qu'au retour de cette aventure, je me marierai.

« Sur le propos de mariage je vous dois informer, mon cher frère, ainsi que ma chère sœur la comtesse votre épouse, que Monseigneur le jeune prince Édouard est toujours dans la même humeur touchant votre fille Philippa, et qu'il ne se passe point de journées sans qu'il ne m'en demande nouvelles, et que toutes ses pensées de cœur semblent bien demeurer tournées vers elle, et que ce sont bonnes et profitables accordailles qui ont été conclues là dont votre fille sera, j'en suis sûr, toujours bien heureuse. Je me suis attaché d'amitié au jeune prince Édouard qui paraît m'admirer fort, bien qu'il parle peu ; il se tient souvent silencieux comme vous m'avez décrit le puissant roi Philippe le Bel, son grand-père. Il se peut bien qu'il devienne un jour aussi grand souverain que le roi le Bel le fut, et peut-être même avant le temps qu'il aurait dû attendre de Dieu sa couronne, si j'en crois ce qui se dit au Conseil des barons anglais.

« Car le roi Édouard a fait piètre figure à tout ce qui survint. Il était à Westmoustiers lorsque nous sommes débarqués, et s'est aussitôt réfugié en sa tour de Londres pour se mettre le corps à l'abri ; et il a fait clamer par tous les shérifs, qui sont gouverneurs des comtés de son royaume, et en tous lieux publics, places, foires et marchés, l'ordonnance dont voici la transcription :

" Vu que Roger de Mortimer et autres traîtres et ennemis du roi et de son royaume ont débarqué par la violence, et à la tête de troupes étrangères qui veulent renverser le pouvoir royal, le roi ordonne à tous ses sujets de s'y opposer par tous les moyens et de les détruire. Seuls doivent être épargnés la reine, son fils et le comte de Kent. Tous ceux qui prendront les armes contre l'envahisseur recevront grosse solde et à quiconque apportera au roi le cadavre de Mortimer, ou seulement sa tête, il est promis récompense de mille livres esterlines. "

« Les ordres du roi Édouard n'ont été obéis de personne ; mais ils ont fort servi l'autorité de Monseigneur de Mortimer en montrant le prix qu'on estimait sa vie, et en le désignant comme notre chef plus encore qu'il ne l'était. La reine a riposté en promettant deux mille livres esterlines à qui lui porterait la tête de Hugh Le Despensier le Jeune, estimant à ce taux les torts que ce seigneur lui avait faits dans l'amour de son époux.

« Les Londoniens sont restés indifférents à la sauvegarde de leur roi, lequel s'est entêté jusqu'au bout dans ses erreurs. La sagesse eût été de chasser son Despensier qui mérite si bien le nom qu'il a ; mais le roi Édouard s'est obstiné à le garder, disant qu'il était instruit assez par l'expérience passée, que pareilles choses étaient survenues autrefois au sujet du chevalier de Gaveston qu'il avait consenti à éloigner de lui, sans que cela eût empêché qu'on tuât par la suite ce chevalier et qu'on lui imposât, à lui, le roi, une charte et un conseil d'ordonnateurs dont il n'avait eu que trop de peine à se débarrasser. Le Despensier l'encourageait dans cette opinion, et ils ont, à ce qu'on dit, versé force larmes sur le sein l'un de l'autre ; et même le Despensier aurait crié qu'il préférait mourir sur la poitrine de son roi que de vivre sauf à l'écart de lui. Et bien sûr il a fort avantage à dire cela, car cette poitrine est son seul rempart.

« Si bien qu'ils sont restés, chacun les abandonnant à leurs vilaines amours, entourés seulement du Despensier le Vieux, du comte d'Arundel qui est parent au Despensier, du comte de Warenne qui est beau-frère d'Arundel, et enfin du chancelier Baldock qui ne peut que demeurer fidèle au roi, vu qu'il est si unanimement haï que partout où il irait il serait mis en pièces.

« Le roi a cessé bientôt de goûter la sécurité de la Tour, et il s'est enfui avec ce petit nombre pour aller lever une armée en Galles, non sans avoir fait publier auparavant, le trentième jour de septembre, les bulles d'excommunication que notre saint-père le pape lui avait délivrées contre ses ennemis. Ne prenez nulle inquiétude de cette publication, très aimé frère, si la nouvelle vous en parvient ; car les bulles ne nous concernent point ; elles avaient été demandées par le roi Édouard contre les Escots, et nul n'a été dupe du faux usage qu'il en a fait ; aussi nous donne-t-on communion comme avant, et les évêques tout les premiers.

« En fuyant Londres si piteusement, le roi a laissé le gouvernement à l'archevêque Reynolds, à l'évêque John de Stratford et à l'évêque Stapledon, diocésain d'Exeter et trésorier de la couronne. Mais devant la hâte de notre avance, l'évêque de Stratford est venu présenter sa soumission à la reine Isabelle, tandis que l'archevêque Reynolds, depuis le Kent où il s'était réfugié, envoyait demander pardon. Seul donc l'évêque Stapledon est demeuré à Londres, croyant s'y être acquis par ses vols des défenseurs à suffisance. Mais la colère de la ville a grondé contre lui et, quand il s'est décidé à fuir, la foule jetée à sa poursuite l'a rejoint et l'a massacré dans le faubourg de Cheapside, où son corps fut piétiné jusqu'à n'être plus reconnaissable.

« Ceci est advenu le quinzième jour d'octobre, alors que la reine était à Wallingford, une cité entourée de remparts de terre où nous avons délivré messire Thomas de Berkeley qui est gendre à Monseigneur de Mortimer. Quand la reine a eu nouvelle de la fin de Stapledon, elle a dit qu'il ne convenait point de pleurer le trépas d'un si mauvais homme, et qu'elle en avait plutôt joie, car il lui avait nui moultement. Et Monseigneur de Mortimer a bien déclaré qu'il en irait ainsi de tous ceux qui avaient voulu leur perte.

« L'avant-veille, en la ville d'Oxford, qui est encore plus fournie de clercs que la ville de Cambridge, messire Orleton, évêque de Hereford, était monté en chaire devant ma Dame Isabelle, le duc d'Aquitaine, le comte de Kent et tous les seigneurs, pour prononcer un grand sermon sur le sujet " *Caput meum doleo* ", qui est parole tirée des Écritures dans le saint livre des Rois, à dessein de signifier que la maladie dont souffrait le corps d'Angleterre logeait dans la tête dudit royaume, et que c'était là qu'il convenait d'appliquer le remède.

« Ce sermon fit profonde impression sur toute l'assemblée qui entendit dépeindre et dénombrer les plaies et douleurs du royaume. Et encore que pas une fois, en une heure de parole, messire Orleton n'eût prononcé le nom du roi, chacun l'avait en pensée pour cause de tous ces maux ; et l'évêque s'est écrié enfin que la foudre des Cieux comme le glaive des hommes devaient s'abattre sur les orgueilleux perturbateurs de la paix et les corrupteurs des rois. C'est un homme de grand spirituel que ledit Monseigneur de Hereford, et je m'honore de lui parler souvent, bien qu'il ait l'air pressé lorsqu'il est à converser avec moi ; mais je recueille toujours quelque bonne sentence de ses lèvres. Ainsi m'a-t-il dit l'autre jour : " Chacun de nous a son heure de lumière dans les événements de son siècle. Une fois c'est Monseigneur de Kent, une fois c'est Monseigneur de Lancastre, et tel autre auparavant et tel autre ensuite, que l'événement illumine pour la décisive part qu'il y prend. Ainsi se fait l'histoire du monde. Ce moment où nous sommes, messire de Hainaut, peut être bien votre heure de lumière. "

« Le surlendemain du prêche, et dans la suite de la commotion qu'il avait donnée à tous, la reine a lancé de Wallingford une proclamation contre les Despensiers, les accusant d'avoir dépouillé l'Église et la couronne, mis à mort injustement nombre de loyaux sujets, déshérité, emprisonné et banni des seigneurs parmi les plus grands, opprimé les veuves et les orphelins, accablé le peuple de tailles et d'exactions.

« On apprit dans le même temps que le roi, qui avait d'abord couru se réfugier en la ville de Gloucester laquelle appartient au Despensier le Jeune, était passé à Westbury, et que là son escorte s'était séparée. Le Despensier le Vieux s'est retranché dans sa ville et son château de Bristol pour y faire échec à notre avance, tandis que les comtes d'Arundel et Warenne ont gagné leurs domaines du Shropshire ; c'est manière ainsi de tenir les Marches de Galles au nord et au sud, tandis que le roi, avec le Despensier le Jeune et son chancelier Baldock, est parti lever une armée en Galles. A vrai dire on ne sait point présentement ce qui est advenu de lui. D'aucuns bruits circulent qu'il se serait embarqué pour l'Irlande.

« Tandis que plusieurs bannières anglaises sous le commandement du comte de Charlton se sont mises en course vers le Shropshire afin d'y défier le comte d'Arundel, hier, vingt-quatrième jour d'octobre, un mois tout juste écoulé depuis que nous avons quitté Dordrecht, nous sommes entrés aisément, et grandement acclamés, dans la ville de Gloucester. Ce jour nous allons avancer sur Bristol, où le Despensier le Vieux s'est enfermé. J'ai pris en charge de donner l'assaut à cette forteresse et vais avoir enfin l'occasion, qui ne m'a point encore été donnée tant nous trouvons peu d'ennemis sur notre approche, de livrer combat pour ma Dame Isabelle et montrer à ses yeux ma vaillance. Je baiserai la flamme de Hainaut qui flotte à ma lance avant de me ruer.

« J'ai confié à vous, mon très cher et très aimé frère, avant que de m'empartir, mes volontés de testament, et ne vois rien que j'y veuille reprendre ou ajouter. S'il me faut souffrir la mort, vous saurez que je l'ai soufferte sans déplaisir ni regret, comme le doit un chevalier à la noble défense des dames et des malheureux opprimés, et pour l'honneur de vous, de ma chère sœur votre épouse, et de mes nièces, vos aimées filles, que tous Dieu garde.

« Donné à Gloucester le vingt-cinquième jour d'octobre mil trois cent et vingt-cinq. »

Jean.

Messire Jean de Hainaut n'eut pas, le lendemain, à faire montre de sa vaillance, et sa belle préparation d'âme resta vaine.

Quand il se présenta au matin, toutes bannières flottantes et heaumes lacés, devant Bristol, la ville était déjà décidée à se rendre et on aurait pu la prendre avec un bâton. Les notables s'empressèrent d'envoyer des parlementaires qui ne s'inquiétèrent que de savoir où les chevaliers voulaient loger, protestant de leur attachement à la reine et s'offrant à livrer sur-le-champ leur seigneur, Hugh Le Despenser le Vieux, seul coupable de leur empêchement à témoigner plus tôt de leurs bonnes intentions.

Les portes de la ville aussitôt ouvertes, les chevaliers prirent quartier dans les beaux hôtels de Bristol. Despenser le Vieux fut appréhendé dans son château et gardé par quatre chevaliers, tandis que la reine, le prince héritier et les principaux barons s'installaient dans les appartements. La reine retrouva là ses trois autres enfants qu'Édouard II, en fuyant, avait laissés à la garde du Despenser. Isabelle s'émerveillait qu'ils eussent en vingt mois si fort grandi, et ne se lassait pas de les contempler et de les embrasser. Soudain elle regarda Mortimer, comme si cet excès de joie la mettait en faute envers lui, et murmura :

— Je voudrais, ami, que Dieu m'eût fait la grâce qu'ils fussent nés de vous.

A l'instigation du comte de Lancastre, un conseil fut immédiatement réuni autour de la reine, et qui groupait les évêques de Hereford, Norwich, Lincoln, Ely et Winchester, l'archevêque de Dublin, les comtes de Norfolk et de Kent, le baron Roger Mortimer de Wigmore, sir Thomas Wake, sir William La Zouche d'Ashley, Robert de Montalt, Robert de Merle, Robert de Watteville et le sire Henry de Beaumont [37].

Ce conseil, tirant argument juridique de ce que le roi Édouard se trouvait hors des frontières — qu'il fût en Galles ou en Irlande ne faisait pas de différence — décida de proclamer le jeune prince Édouard gardien et mainteneur du royaume en l'absence du souverain. Les principales fonctions administratives furent aussitôt redistribuées et Adam Orleton, qui était la tête pensante de la révolte, reçut la charge de Lord trésorier.

Il était grand temps, en vérité, de pourvoir à la réorganisation de l'autorité centrale. C'était merveille même que, pendant tout un mois, le roi en fuite, ses ministres dispersés, et l'Angleterre livrée à la chevauchée de la reine et des Hennuyers, les douanes eussent continué de fonctionner normalement, les receveurs de percevoir les taxes vaille que vaille, le guet de faire surveillance dans les villes, et que, somme toute, la vie publique eût suivi son cours normal par une sorte d'habitude du corps social.

Donc, le gardien du royaume, le dépositaire provisoire de la souveraineté, avait quinze ans moins un mois. Les ordonnances qu'il allait promulguer seraient scellées de son sceau privé, puisque les sceaux de l'État avaient été emportés par le roi et le chancelier Baldock. Le premier acte de gouvernement du jeune prince fut de présider, le jour même, au procès du Hugh Le Despenser le Vieux.

L'accusation fut soutenue par sir Thomas Wake, rude chevalier et déjà âgé, qui était maréchal de l'ost [38], et qui présenta le Despenser, comte de Winchester, comme responsable de l'exécution de Thomas de Lancastre, responsable du décès à la tour de Londres de Roger Mortimer l'aîné (car le vieux Lord de Chirk n'avait pu voir le retour triomphal de son neveu et s'était éteint dans son cachot quelques semaines plus tôt), responsable aussi de l'emprisonnement, du bannissement ou de la mort de nombreux autres seigneurs, de la spoliation des biens de la reine et du comte de Kent, de la mauvaise gestion des affaires du royaume, des défaites d'Écosse et d'Aquitaine, toutes choses survenues par ses exhortations et funestes conseils. Les mêmes griefs seraient repris désormais contre tous les conseillers du roi Édouard.

Ridé, voûté, la voix faible, Hugh le Vieux, qui avait feint tant d'années un tremblant effacement devant les désirs du roi, montra l'énergie dont il était capable. Il n'avait plus rien à perdre, il se défendit pied à pied.

Les guerres perdues ? Elles l'avaient été par la lâcheté des barons. Les exécutions capitales, les emprisonnements ? Ils avaient été décrétés contre des traîtres et des rebelles à la royale autorité, sans le respect de laquelle les royaumes s'effondrent. Les séquestres de fiefs et de revenus n'avaient été décidés que pour empêcher les ennemis de la couronne de se fournir en hommes et en fonds. Et si l'on venait à lui reprocher quelques pillages et spoliations, comptait-on pour rien les vingt-trois manoirs qui étaient ses propriétés ou celles de son fils et que Mortimer, Lancastre, Maltravers, Berkeley, tous présents ici, avaient fait piller et brûler l'an 1321, avant d'être défaits, les uns à Shrewsbury, les autres à Boroughbridge ? Il ne s'était que remboursé des dommages par lui subis et qu'il évaluait à quarante mille livres, sans pouvoir estimer les violences et sévices de tous ordres, commis sur ses gens.

Il termina par ces mots adressés à la reine :

— Ah ! Madame ! Dieu nous doit bon jugement, et si nous ne pouvons l'avoir en ce siècle, il nous le doit dans l'autre monde !

Le jeune prince Édouard avait relevé ses longs cils et écoutait avec attention. Hugh Le Despenser le Vieux fut condamné à être traîné, décapité et pendu, ce qui lui fit dire avec quelque mépris :

— Je vois bien, mes Lords, que décapiter et pendre sont pour vous deux choses diverses, mais pour moi cela ne fait qu'une seule mort !

Son attitude, bien surprenante pour tous ceux qui l'avaient connu en d'autres circonstances, expliquait soudain la grande influence qu'il avait exercée. Cet obséquieux courtisan n'était pas un lâche, ce détestable ministre n'était pas un sot.

Le prince Édouard donna son approbation à la sentence ; mais il réfléchissait et commençait à se former silencieusement une opinion sur le comportement des hommes promus aux hautes charges. Écouter avant de parler, s'informer avant de juger, comprendre avant de décider, et garder toujours présent à l'esprit que dans chaque homme se trouvent ensemble les ressources des meilleures actions et des pires. Ce sont là, pour un souverain, les dispositions fondamentales de la sagesse.

Il est rare qu'on ait, avant d'avoir quinze ans, à condamner à mort un de ses semblables. Édouard d'Aquitaine, pour son premier jour de pouvoir, recevait un bon entraînement.

Le vieux Despenser fut lié par les pieds au harnais d'un cheval, et traîné à travers les rues de Bristol. Puis, les tendons déchirés, les os fêlés, il fut amené sur la place du château et installé à genoux devant le billot. On lui rabattit ses cheveux blancs pour dégager la nuque. Un bourreau en cagoule rouge, d'un large épée, lui trancha la tête. Son corps, tout ruisselant du sang échappé aux grosses artères, fut accroché par les aisselles à un gibet. La tête ridée, maculée, fut plantée à côté, sur une pique.

Et tous ces chevaliers qui avaient juré par Monseigneur saint Georges de défendre dames, pucelles, opprimés et orphelins, se réjouirent, avec force rires et joyeuses remarques, du spectacle que leur offrait ce cadavre de vieillard en deux partagé.

III

HEREFORD

La nouvelle cour, pour la Toussaint, s'installa à Hereford.

Si, comme disait Adam Orleton, évêque de cette ville, chacun dans l'Histoire connaît son heure de lumière, cette heure, pour lui-même, était arrivée. Au bout de surprenantes vicissitudes, après avoir fait évader l'un des premiers seigneurs du royaume, été traduit en jugement devant le Parlement et sauvé par la coalition de ses pairs, après avoir prêché et animé la rébellion, il revenait triomphant dans cet évêché auquel il avait été nommé en 1317, contre la volonté du roi Édouard, et où il s'était comporté en grand prélat.

Avec quelle joie cet homme petit, sans grâce physique, mais courageux de corps et d'âme, ne parcourait-il pas, revêtu de ses insignes sacerdotaux, mitre en tête, crosse en main, les rues de sa cité retrouvée.

Aussitôt que l'escorte royale eut pris possession du château situé au centre de la ville, dans une boucle de la rivière Wye, Orleton n'eut de cesse de montrer à la souveraine les œuvres de son entreprise, et d'abord la haute tour carrée, à deux étages ajourés d'immenses ogives, chaque angle terminé par trois clochetons, deux petits en arêtes et un grand les dominant, douze flèches en tout montant vers le ciel, et qu'il avait fait élever pour embellir et magnifier la cathédrale. La lumière de novembre jouait sur les briques roses dont l'humidité gardait fraîche la couleur ; autour du monument s'étendait une vaste pelouse sombre et bien tondue.

— N'est-ce pas, Madame, la plus belle tour de votre royaume ? disait Adam Orleton avec l'orgueil naïf du bâtisseur, devant cette construction ciselée, point trop chargée, pure de lignes, et dont il ne cessait de s'émerveiller. Ne serait-ce que pour avoir édifié ceci, je serais content d'avoir vécu.

Orleton tenait sa noblesse d'Oxford, comme on disait, et non du blason. Il en était conscient, et avait voulu justifier les hautes situations auxquelles l'ambition autant que l'intelligence, et le savoir plus encore que l'intrigue, l'avaient conduit. Il se savait supérieur à tous les hommes qui l'entouraient.

Il avait réorganisé la bibliothèque de la cathédrale, une librairie où les gros volumes, rangés la tranche en avant, étaient tenus aux planches par des chaînes à longs maillons forgés, afin qu'on ne pût les dérober ; près de mille manuscrits enluminés, décorés, merveilleux, rassemblant cinq siècles de pensée, de foi et d'invention, depuis la première traduction des Évangiles en saxon, avec certaines pages encore décorées de caractères runiques, jusqu'aux dictionnaires latins les plus récents, en passant par la *Hiérarchie Céleste*, les œuvres de saint Jérôme, de saint Jean Chrysostome, les douze prophètes mineurs...

La reine eut encore à admirer les travaux entrepris pour la salle du chapitre, ainsi que la fameuse carte du monde peinte par Richard de Bello, et qui ne pouvait être que d'inspiration divine car elle commençait à faire des miracles [39].

Hereford fut ainsi, près d'un mois, la capitale improvisée de l'Angleterre. Mortimer n'y était pas moins heureux qu'Orleton, puisqu'il venait de reprendre possession de son château de Wigmore, distant de quelques milles.

On continuait, pendant ce temps, de rechercher le roi.

Un certain Rhys ap Owell, chevalier du Pays de Galles, vint un jour annoncer qu'Édouard II était caché dans une abbaye, sur les côtes du comté de Glamorgan où le bateau avec lequel il espérait gagner l'Irlande avait été jeté par les vents contraires.

Aussitôt Jean de Hainaut, genou en terre, s'offrit à aller forcer dans son repaire de Galles le déloyal époux de Madame Isabelle. On eut quelque peine à lui faire entendre qu'il serait peu convenable de confier la capture du roi à un étranger, et qu'un membre de la famille royale se trouvait mieux désigné pour accomplir cette pénible besogne. Ce fut Henry Tors-Col qui, sans joie excessive, eut à se mettre en selle pour aller, accompagné du comte de la Zouche et de Rhys ap Owell, battre la côte de l'ouest.

A peu près dans le même temps, le comte de Charlton arriva du Shropshire ramenant le comte d'Arundel enchaîné. Pour le Lord de Wigmore ce fut là une éclatante revanche car Edmond Fitzalan, comte d'Arundel, avait reçu du roi une importante partie des biens saisis à la famille Mortimer, et s'était fait conférer le titre de Grand Juge de Galles qui avait appartenu au vieux Mortimer de Chirk.

Roger se contenta de laisser Arundel debout devant lui tout un quart d'heure, sans lui adresser la parole, le regardant seulement des pieds à la tête, et s'offrant la satisfaisante contemplation d'un ennemi vivant qui bientôt serait un ennemi mort.

Le jugement d'Arundel, et sous les mêmes chefs d'accusation que ceux retenus contre le Despenser le Vieux, fut rapidement expédié, et la décapitation du comte donnée en réjouissance à la ville de Hereford et aux troupes qui y stationnaient.

On remarqua que, pendant le supplice, la reine et Roger Mortimer se tenaient par la main.

Le jeune prince Édouard avait eu ses quinze ans trois jours plus tôt.

Enfin le 20 novembre une insigne nouvelle arriva. Le roi Édouard avait été pris par le comte de Lancastre, en l'abbaye cistercienne de Neath, dans la basse vallée de la Towe.

Le roi, son favori, son chancelier, y vivaient cachés depuis plusieurs semaines sous des habits de moines ; Édouard occupait son attente d'un sort meilleur en travaillant à la forge de l'abbaye, passe-temps qui lui distrayait l'esprit de trop penser.

Il était là, torse nu, le froc descendu sur les reins, la poitrine et la barbe éclairées par le feu de la forge, les mains environnées d'étincelles, tandis que le chancelier tirait le soufflet et que Hugh le Jeune, d'un air lamentable, lui passait les outils, quand Henry Tors-Col s'encadra dans la porte, le heaume incliné vers l'épaule et dit :

— Sire mon cousin, voici le temps venu de payer pour vos fautes.

Le roi laissa échapper le marteau qu'il tenait ; la pièce de métal qu'il forgeait resta à rougeoyer sur l'enclume. Et le souverain d'Angleterre, son large torse pâle tout tremblant, demanda :

— Cousin, cousin, que va-t-il advenir de moi ?

— Ce que les barons et hauts hommes du royaume en décideront, répondit Tors-Col.

A présent Édouard attendait, toujours avec son favori, toujours avec son chancelier, dans le petit manoir fortifié de Monmouth, à quelques lieues de Hereford, où Lancastre l'avait conduit et enfermé.

Adam Orleton, accompagné de son archidiacre Thomas Chandos, et du grand chambellan William Blount, s'en fut aussitôt à Monmouth pour réclamer les sceaux royaux que Baldock continuait de transporter.

Édouard, quand Orleton eut exprimé sa requête, arracha de la ceinture de Baldock le sac de cuir qui contenait les sceaux, s'entoura le poignet des lacets du sac comme s'il voulait s'en faire une arme, et s'écria :

— Messire traître, mauvais évêque, si vous voulez mon sceau, vous viendrez me le prendre par force et montrerez qu'un homme d'Église a contraint son roi !

Le destin avait décidément désigné Monseigneur Adam Orleton pour d'exceptionnelles tâches. Il n'est pas courant d'ôter à un roi les attributs de son pouvoir. Devant cet athlète furieux, Orleton, les épaules tombantes, les mains faibles, et n'ayant d'autre arme que sa canne à fragile crosse d'ivoire, répondit :

— La remise se doit accomplir de par votre vouloir, et que les témoins en constatent. Sire Édouard, allez-vous obliger votre fils, qui est à présent mainteneur du royaume, à se commander son propre sceau de roi plus tôt qu'il n'y comptait? Par contrainte, toutefois, je puis faire saisir le Lord chancelier et le Lord Despenser que j'ai ordre de conduire à la reine.

A ces mots, Édouard cessa de s'inquiéter du sceau pour ne plus penser qu'à son favori bien-aimé. Il détacha de son poignet le sac de cuir, le jeta au chambellan William Blount comme si ce fût devenu soudain un objet négligeable et, ouvrant les bras à Hugh, s'écria:

— Ah non! vous ne me l'arracherez point!

Hugh le Jeune, amaigri, frissonnant, s'était jeté contre la poitrine du roi. Il claquait des dents, paraissait prêt à défaillir et gémissait:

— C'est ton épouse, tu vois, qui veut cela! C'est elle, c'est cette louve française, qui est cause de tout! Ah! Édouard, Édouard, pourquoi l'as-tu épousée?

Henry Tors-Col, Orleton, l'archidiacre Chandos et William Blount regardaient ces deux hommes embrassés et, si incompréhensible que leur fût le spectacle de cette passion, ils ne pouvaient s'empêcher d'y reconnaître quelque affreuse grandeur.

A la fin, ce fut Tors-Col qui s'approcha, prit le Despenser par le bras, en disant:

— Allons, il faut vous séparer.

Et il l'entraîna.

— Adieu, Hugh, adieu, criait Édouard. Je ne te verrai plus, ma chère vie, ma belle âme! On m'aura donc tout pris!

Les larmes roulaient dans sa barbe blonde.

Hugh le Despenser fut confié aux chevaliers d'escorte qui commencèrent par le revêtir d'un capuchon de paysan, en grosse bure, sur lequel ils peignirent, par dérision, les armoiries et emblèmes des comtés que lui avait donnés le roi. Puis ils le hissèrent, les mains liées dans le dos, sur le plus petit et chétif cheval qu'ils trouvèrent, un bidet nain, maigre et bourru comme il en existe en campagne. Hugh avait des jambes très longues; il était forcé de les replier ou bien de laisser traîner les pieds dans la boue. On le conduisit ainsi de ville en bourg, à travers tout le Monmouthshire et le Herefordshire, l'exposant sur les places pour que le peuple s'en divertît tout son saoul. Les trompettes sonnaient devant le prisonnier, et un héraut criait:

— Voyez, bonnes gens, voyez le comte de Gloucester, le Lord chambellan, voyez le mauvais homme qui a si fort nui au royaume!

Le chancelier Robert de Baldock fut convoyé plus discrètement, vers l'évêché de Londres, pour y être emprisonné, sa qualité d'archidiacre empêchant de requérir contre lui la peine de mort.

Toute la haine se concentra donc sur Hugh Le Despenser le Jeune.

Son jugement fut rapidement instruit, à Hereford; sa condamnation n'était mise en discussion ni en doute par personne. Mais parce qu'on le tenait pour le premier fauteur de toutes les erreurs et de tous les malheurs dont avait souffert l'Angleterre, son supplice fut l'objet de raffinements particuliers.

Le vingt-quatrième jour de novembre, des tribunes furent dressées sur l'esplanade devant le château, et une plate-forme d'échafaud montée assez haut pour qu'un peuple nombreux pût assister, sans en perdre aucun détail, à l'exécution. La reine Isabelle prit place au premier rang de la plus grande tribune, entre Roger Mortimer et le prince Édouard. Il bruinait.

Les trompes et les busines sonnèrent. Les aides bourreaux amenèrent Hugh le Jeune, le dépouillèrent de ses vêtements. Quand son long corps aux hanches saillantes, au torse un peu creux, apparut, blanc et totalement nu, entre les bourreaux rouges et au-dessus des piques des archers qui entouraient l'échafaud, un immense rire gras s'éleva de la foule.

La reine Isabelle se pencha vers Mortimer et lui murmura:

— Je déplore qu'Édouard ne soit point présent à regarder.

Les yeux brillants, ses petites dents carnassières entrouvertes, et les ongles plantés dans la paume de son amant, elle était bien attentive à ne rien perdre de sa vengeance.

Le prince Édouard pensait: « Est-ce donc là celui qui a tant plu à mon père? » Il avait déjà assisté à deux supplices et savait qu'il tiendrait jusqu'au bout, sans vomir.

Les busines sonnèrent à nouveau. Hugh fut étendu et lié par les membres sur une croix de Saint-André horizontale.

Le bourreau affila lentement, sur une pierre d'affûtage, une lame aiguë, pareille à un couteau de boucher, et en éprouva le tranchant sous le pouce. La foule retenait son souffle. Puis un aide s'approcha, muni d'une tenaille dont il saisit le sexe du condamné. Une vague d'hystérie souleva l'assistance; les pieds battants faisaient trembler les tribunes. Et malgré ce vacarme, on perçut le hurlement poussé par Hugh, un seul cri déchirant et arrêté net, tandis qu'un flot de sang jaillissait devant lui. La même opération fut répétée pour les génitoires, mais sur un corps déjà inconscient, et les tristes déchets jetés dans un fourneau plein de braises ardentes qu'un aide éventait. Il s'échappa une affreuse odeur de chair brûlée. Un héraut, placé devant les sonneurs de busines, annonça qu'il en était procédé de la sorte « *parce que le Despenser avait été sodomite, et qu'il avait favorisé le roi en sodomie, et pour ce déchassé la reine de sa couche* ».

Puis le bourreau, choisissant une lame plus épaisse et plus large, fendit la poitrine par le travers, et le ventre dans la longueur, comme on aurait ouvert un porc; les tenailles allèrent chercher le cœur presque encore battant et l'arrachèrent de sa cage pour le jeter également au brasier. Les busines retentirent pour donner la parole au héraut, lequel déclara que « *le Despenser avait été faux de cœur et traître, et par ses traîtres conseils avait honni le royaume* ».

Les entrailles furent ensuite sorties du ventre, déroulées et secouées, toutes miroitantes, nacrées, et présentées au public, parce que « *le Despenser s'était nourri du bien des grands comme du bien du pauvre peuple* ». Et les entrailles à leur tour se transformèrent en cette âcre fumée épaisse qui se mêlait à la bruine de novembre.

Après quoi la tête fut tranchée, non pas d'un coup d'épée, puisqu'elle pendait à la renverse entre les branches de la croix, mais détachée au couteau, parce que « *le Despenser avait fait décoller les plus grands barons d'Angleterre et que de son chef étaient sortis tous les mauvais conseils* ». La tête de Hugh Le Despenser le Jeune ne fut pas brûlée; les bourreaux la rangèrent à part pour l'envoyer à Londres, où elle serait plantée à l'entrée du pont.

Enfin ce qui restait du corps fut débité en quatre morceaux, un bras avec l'épaule, l'autre bras avec son épaule et le cou, les deux jambes avec chacune la moitié du ventre, pour qu'ils soient expédiés aux quatre meilleures cités du royaume, après Londres.

La foule descendit des tribunes, lasse, épuisée, libérée. On pensait avoir atteint les sommets de la cruauté.

Après chaque exécution sur cette route sanglante, Mortimer avait trouvé la reine Isabelle plus ardente au plaisir. Mais cette nuit qui suivit la mort de Hugh le Jeune, les exigences qu'elle eut, la gratitude affolée qu'elle exprima, ne laissèrent pas d'inquiéter son amant. Pour avoir haï si fort l'homme qui lui avait pris Édouard, il fallait qu'elle eût jadis aimé celui-ci. Et dans l'âme ombrageuse de Mortimer se forma un projet qu'il mènerait à son terme, quelque temps que cela prît.

Le lendemain, Henry Tors-Col, désigné comme gardien du roi, fut chargé de conduire celui-ci au château de Kenilworth et de l'y tenir enfermé, sans que la reine l'eût revu.

IV

« VOX POPULI »

— Qui voulez-vous pour roi?

Cette terrible apostrophe, dont va dépendre l'avenir d'une nation, Monseigneur Adam Orleton la lance, le 12 janvier 1327, à travers le grand hall de Westminster, et les mots s'en répercutent là-haut, contre les nervures des voûtes.

— Qui voulez-vous pour roi?

Le Parlement d'Angleterre, depuis six jours, siège, s'ajourne, siège à nouveau, et Adam Orleton, faisant office de chancelier, dirige les débats.

Dans sa première séance, l'autre semaine, le Parlement a assigné le roi à comparaître devant lui. Adam Orleton et John de Stratford, évêque de Winchester, sont allés à Kenilworth présenter à Édouard II cette assignation. Et le roi Édouard a refusé.

Il a refusé de venir rendre compte de ses actes aux Lords, aux évêques, aux députés des villes et des comtés. Orleton a fait connaître à l'assemblée cette réponse inspirée, on ne sait, par la peur ou bien le mépris. Mais Orleton a la conviction profonde, et qu'il vient d'exprimer au Parlement, que si l'on obligeait la reine à se réconcilier avec son époux, on la vouerait à une mort certaine.

A présent donc, la grande question est posée; Monseigneur Orleton conclut son discours en conseillant au Parlement de se séparer jusqu'au lendemain afin que chacun pèse son choix en conscience et dans le silence de la nuit. Demain l'assemblée dira si elle souhaite qu'Édouard II Plantagenet conserve la couronne, ou bien que celle-ci soit remise à l'héritier, Édouard, duc d'Aquitaine.

Beau silence pour les consciences que le vacarme qui se fait dans Londres cette nuit-là! Les hôtels des seigneurs, les abbayes, les demeures des grands marchands, les auberges vont retentir jusqu'au petit jour du bruit de discussions passionnées. Tous ces barons, évêques, chevaliers, squires et représentants des bourgs choisis par les shérifs ne sont, en droit, membres du Parlement que sur la désignation du roi, et leur rôle, en principe, devrait n'être que consultatif. Mais voici que le souverain est défaillant, incapable ; il est un fugitif rattrapé hors de son royaume ; et ce n'est pas le roi qui a convoqué le Parlement, mais le Parlement qui a voulu convoquer son roi, sans que ce dernier ait daigné s'exécuter. Le suprême pouvoir se trouve donc réparti pour un moment, pour une nuit, entre tous ces hommes de régions diverses, d'origines disparates, de fortunes inégales.

« Qui voulez-vous pour roi ? »

Tous réellement se posent la question, et même ceux qui ont souhaité le plus haut la prompte fin d'Édouard II, qui ont crié, à chaque scandale, à chaque impôt nouveau ou chaque guerre perdue : « Qu'il crève, et que Dieu nous en délivre ! »

Car Dieu n'a plus à intervenir ; tout repose sur eux-mêmes, et ils prennent soudain conscience de l'importance de leur volonté. Leurs souhaits et leurs malédictions se sont accomplis, rien qu'en s'additionnant. La reine, même soutenue par ses Hennuyers, aurait-elle pu se saisir de tout le royaume, comme elle l'a fait, si les barons et les peuples avaient répondu à la levée ordonnée par Édouard ?

Mais l'acte est gros qui consiste à déposer un roi et à le dépouiller à jamais de son autorité nominale. Beaucoup de membres du Parlement en sont effrayés, à cause du caractère divin qui s'attache au sacre et à la majesté royale. Et puis le jeune prince qu'on propose à leurs vœux est bien jeune ! Que sait-on de lui, sinon qu'il est tout entier dans les mains de sa mère, laquelle est tout entière dans les mains de Lord Mortimer ? Or si l'on respecte, si l'on admire le baron de Wigmore, l'ancien Grand Juge d'Irlande, si son évasion, son exil, son retour, ses amours mêmes, en ont fait un héros, s'il est pour beaucoup le libérateur, on craint son caractère, sa dureté, son inclémence ; déjà on lui reprocherait sa rigueur punitive, alors qu'en vérité toutes les exécutions de ces dernières semaines étaient réclamées par les vœux populaires. Ceux qui le connaissent bien redoutent surtout son ambition. Ne désire-t-il pas secrètement devenir roi lui-même ? Amant de la reine, il est bien près du trône. On hésite à lui remettre le grand pouvoir qu'il va détenir si Édouard II est déposé ; et l'on en débat autour des lampes à huile et des chandelles, parmi les pots d'étain qu'on emplit de bière ; et l'on ne va se coucher qu'écrasé de fatigue, sans avoir rien résolu.

Le peuple anglais, cette nuit-là, est souverain mais, un peu embarrassé de l'être, ne sait à qui remettre l'exercice de cette souveraineté.

L'histoire a fait un pas soudain. On dispute de questions dont la discussion même signifie que de nouveaux principes sont admis. Un peuple n'oublie pas un tel précédent, ni une assemblée un tel pouvoir qui lui est échu ; une nation n'oublie pas d'avoir été, en son Parlement, maîtresse un jour de sa destinée.

Aussi le lendemain, quand Monseigneur Orleton, prenant le jeune prince Édouard par la main, le présente aux députés à nouveau assemblés dans Westminster, une immense ovation s'élève et roule entre les murs, par-dessus les têtes.

— Nous le voulons, nous le voulons !

Quatre évêques, dont ceux de Londres et d'York, protestent et argumentent sur le caractère irrévocable du sacre et des serments d'hommage. Mais l'archevêque de Canterbury, Reynolds, auquel Édouard II avant de fuir, avait confié le gouvernement, et qui veut prouver la sincérité de son tardif ralliement à l'insurrection, s'écrie :

— *Vox populi, vox Dei !*

Il prêche sur ce thème comme s'il était en chaire, pendant un grand quart d'heure.

John de Stratford, évêque de Winchester, rédige alors et lit devant l'assemblée les six articles qui consacrent la déchéance d'Édouard II Plantagenet.

Primo, le roi est incapable de gouverner ; pendant tout son règne, il a été mené par de détestables conseillers.

Secundo, il a consacré son temps à des occupations indignes de lui, et négligé les affaires du royaume.

Tertio, il a perdu l'Écosse, l'Irlande et la moitié de la Guyenne.

Quarto, il a fait tort à l'Église dont il a emprisonné les ministres.

Quinto, il a emprisonné, exilé, déshérité, condamné à une mort honteuse beaucoup de ses grands vassaux.

Sexto, il a ruiné le royaume ; il est incorrigible et incapable de s'amender.

Pendant ce temps, les bourgeois de Londres, inquiets et partagés — leur évêque ne s'est-il pas déclaré contre la déposition ? — se sont réunis au Guild Hall. Ils sont moins aisés à manœuvrer que les représentants des comtés. Vont-ils faire échec au Parlement ? Roger Mortimer, qui n'est rien en titre et tout en fait, court au Guild Hall, remercie les Londoniens de leur loyale attitude et leur garantit le maintien des libertés coutumières de la cité. Au nom de qui, au nom de quoi donne-t-il cette garantie ? Au nom d'un adolescent qui n'est même pas roi encore, qui vient à peine d'être désigné par acclamation. Le prestige de Mortimer, l'autorité de sa personne, opèrent sur les bourgeois londoniens. On l'appelle déjà le Lord protecteur. De qui est-il protecteur ? Du prince, de la reine, du royaume ? Il est le Lord protecteur, voilà tout, l'homme promu par l'Histoire et entre les mains duquel chacun se démet de sa part de pouvoir et de jugement.

Et soudain l'inattendu survient. Le jeune prince, qu'on croyait déjà roi, le pâle jeune homme aux longs cils qui a suivi en silence tous ces événements et ne semblait songer qu'aux yeux bleus de Madame Philippa de Hainaut, Édouard d'Aquitaine déclare à sa mère, au Lord protecteur, à Monseigneur Orleton, aux Lords évêques, à tous ceux qui l'entourent, qu'il ne ceindra pas la couronne sans le consentement de son père et sans que celui-ci ait officiellement proclamé qu'il s'en défaisait.

La stupeur gèle les visages, les mains tombent au bout des bras. Quoi? tant d'efforts remis en cause? Quelques soupçons se tournent vers la reine. Ne serait-ce pas elle qui aurait agi secrètement sur son fils, par un de ces imprévisibles retours d'affection comme il en vient aux femmes? Y a-t-il eu brouille entre elle et le Lord protecteur, cette nuit où chacun devait prendre le conseil de sa conscience?

Mais non; c'est le garçon de quinze ans tout seul, qui a réfléchi sur l'importance de la légitimité du pouvoir. Il ne veut pas faire figure d'usurpateur, ni détenir son sceptre de la volonté d'une assemblée qui pourrait le lui retirer aussi bien qu'elle le lui a donné. Il exige le consentement de son prédécesseur. Non point qu'il nourrisse des sentiments forts tendres envers son père; il le juge. Mais il le juge chacun.

Depuis des années, trop de choses mauvaises se sont passées devant lui et l'ont forcé à juger. Il sait que le crime n'est pas entièrement d'un côté, et l'innocence de l'autre. Certes, son père a fait souffrir sa mère, l'a déshonorée, dépouillée; mais cette mère, avec Lord Mortimer, quel exemple donne-t-elle à présent? Si un jour, pour quelque faute qu'il lui arriverait de commettre, Madame Philippa se mettait à agir de même? Et ces barons, ces évêques, tous si acharnés aujourd'hui contre le roi Édouard, n'ont-ils pas exercé le gouvernement avec lui? Norfolk, Kent, les jeunes oncles, ont reçu, accepté des charges; les évêques de Winchester et de Lincoln sont allés négocier au nom du roi Édouard. Les Despensers n'étaient pas en tous lieux et, même s'ils commandaient, ils n'ont pas exécuté eux-mêmes leurs propres ordres. Qui s'est risqué à refuser d'obéir? Le cousin au Tors-Col, oui, celui-là a eu ce courage; et Lord Mortimer aussi qui a payé sa rébellion d'une longue prison. Mais pour deux que voilà, combien d'obséquieux courtisans maintenant pleins d'ardeur à se décharger sur leur maître des conséquences de leur servilité?

Tout autre prince de cet âge serait aisément grisé de recevoir une couronne tendue par tant de mains. Lui relève ses longs cils, regarde fixement, rougit un peu de son audace, et s'obstine dans sa décision. Alors Monseigneur Orleton appelle à lui les évêques de Winchester et de Lincoln, ainsi que le grand chambellan William Blount, ordonne de sortir du Trésor de la Tour la couronne et le sceptre, les fait mettre dans un coffre sur le bât d'une mule, et lui-même, emportant ses vêtements de cérémonie, reprend le chemin de Kenilworth afin d'obtenir l'abdication du roi.

V

KENILWORTH

Les remparts extérieurs, contournant une large colline, enfermaient des jardins clos, des prés, des écuries et des étables, une forge, des granges et les fournils, le moulin, les citernes, les habitations des serviteurs, les casernes des soldats, tout un village presque plus grand que celui d'alentour, dont on voyait se presser les toits moussus. Et il ne semblait pas possible que ce fût la même race d'hommes qui habitât en deçà des murs, dans ces masures, et à l'intérieur de la formidable forteresse qui dressait ses rouges enceintes contre le ciel d'hiver.

Car Kenilworth était bâti dans une pierre couleur de sang séché. C'était l'un de ces fabuleux châteaux du siècle qui suivit la Conquête et pendant lequel une poignée de Normands, les compagnons de Guillaume, ou leurs descendants immédiats, surent tenir tout un peuple en respect grâce à ces immenses châteaux forts plantés sur les collines.

Le *keep* de Kenilworth — le donjon comme disaient les Français, faute d'un meilleur mot, car cette sorte de construction n'existait pas en France, ou n'existait plus — le *keep* était de forme carrée et d'une hauteur vertigineuse qui rappelait aux voyageurs d'Orient les pylônes des temples d'Égypte.

Les proportions de cet ouvrage titanesque étaient telles que de très vastes pièces étaient contenues, réservées, dans l'épaisseur même des murs. Mais on ne pouvait entrer dans cette tour que par un escalier étroit où deux personnes avaient peine à avancer de front et dont les marches rouges conduisaient à une porte protégée, hersée, au premier étage. A l'intérieur du *keep* se trouvait un jardin, une cour herbue plutôt, de soixante pieds de côté, à ciel ouvert, et complètement enfermée[40].

Il n'était pas d'édifice militaire mieux conçu pour soutenir un siège. L'envahisseur parvenait-il à franchir la première enceinte, on se réfugiait dans le château lui-même, à l'abri du fossé ; et si la seconde enceinte était percée, alors, abandonnant à l'ennemi les appartements habituels de séjour, le grand hall, les cuisines, les chambres seigneuriales, la chapelle, on se retranchait dans le *keep*, autour du puits de sa cour verte, et dans les flancs de ses murs profonds.

Le roi vivait là, prisonnier. Il connaissait bien Kenilworth, qui avait appartenu à Thomas de Lancastre et servi naguère de centre de ralliement à la rébellion des barons. Thomas décapité, Édouard avait séquestré le château et l'avait habité lui-même durant l'hiver de 1323, avant de le remettre l'année suivante à Henry Tors-Col en même temps qu'il lui rendait tous les biens et titres des Lancastre.

Henri III, le grand-père d'Édouard, avait dû jadis assiéger Kenilworth six mois durant pour le reprendre au fils de son beau-frère, Simon de Montfort ; et ce n'étaient pas les armées qui en avaient eu raison, mais la famine, la peste et l'excommunication.

Au début du règne d'Édouard 1er, Roger Mortimer de Chirk, celui qui venait de mourir en geôle, en avait été le gardien, au nom du premier comte de Lancastre, et y avait donné ses fameux tournois. L'une des tours du mur extérieur, pour l'exaspération d'Édouard, portait le nom de tour de Mortimer ! Elle était là, plantée devant son horizon quotidien, comme une dérision et un défi.

La région donnait au roi Édouard II d'autres nourritures à ses souvenirs. Du haut du *keep* rouge de Kenilworth, il pouvait apercevoir, à quatre milles vers le sud, le *keep* blanc du château de Warwick où Gaveston, son premier amant, avait été mis à mort par les barons, déjà ! Cette proximité avait-elle changé le cours des pensées du roi ? Édouard semblait avoir oublié complètement Hugh Le Despenser ; mais il était obsédé, en revanche, par la mémoire de Pierre de Gaveston, et en parlait sans cesse à Henry de Lancastre, son gardien.

Jamais Édouard et son cousin Tors-Col n'avaient vécu si longtemps l'un auprès de l'autre, et dans une telle solitude. Jamais Édouard ne s'était confié autant à l'aîné de sa famille. Il avait des moments de grande lucidité, et des jugements sans complaisance, portés sur lui-même, qui soudain confondaient Lancastre et l'émouvaient assez. Lancastre commençait à comprendre des choses qui, à tout le peuple anglais, paraissaient incompréhensibles.

C'était Gaveston, reconnaissait Édouard, qui avait été le responsable, ou tout au moins l'origine, de ses premières erreurs, du mauvais chemin pris par sa vie.

— Il m'aimait si bien, disait le roi prisonnier ; et puis dans ce jeune âge que j'avais, j'étais prêt à croire toutes les paroles et à me confier entièrement à si bel amour.

A présent encore, il ne pouvait s'empêcher d'être attendri lorsqu'il se rappelait le charme de ce petit chevalier gascon, sorti de rien, « un champignon né dans une nuit » comme disaient les barons, et qu'il avait fait comte de Cornouailles au mépris de tous les grands seigneurs du royaume.

— Il en avait si forte envie! disait Édouard.

Et quelle merveilleuse insolence que celle de Pierre, une insolence qui ravissait Édouard! Un roi ne pouvait se permettre de traiter ses barons comme son favori le faisait.

— Te rappelles-tu, Tors-Col, comme il appelait le comte de Gloucester un bâtard? Et comme il criait au comte de Warwick: « Va te coucher, chien noir! »

— Et comme il insultait aussi mon frère en le nommant cornard, ce que Thomas ne lui pardonna jamais, parce que c'était vrai.

Peur de rien, ce Pierrot, pillant les bijoux de la reine et jetant l'offense autour de lui comme d'autres distribuent l'aumône, parce qu'il était sûr de l'amour de son roi! Vraiment un effronté comme on n'en vit jamais. En plus, il avait de l'invention dans le divertissement, faisait mettre ses pages nus, les bras chargés de perles, la bouche fardée, une branche feuillue tenue sur le ventre, et organisait ainsi de galantes chasses dans les bois. Et les escapades dans les mauvais lieux du port de Londres, où il se colletait avec les portefaix, car il était fort en plus, le gaillard! Ah! quelles belles années de jeunesse Édouard lui devait!

— J'avais cru tout cela retrouver en Hugh, mais l'imagination y pourvoyait plus que la vérité. Vois-tu, Tors-Col, ce qui rendait Hugh différent de Pierrot c'est qu'il était d'une vraie famille de grands barons et ne pouvait l'oublier... Mais si je n'avais pas connu Pierrot, je suis bien sûr que j'aurais été un autre roi.

Au cours des interminables soirées d'hiver, entre deux parties d'échecs, Henry Tors-Col, les cheveux couvrant son épaule droite, écoutait donc les aveux de ce roi, que les revers, l'écroulement de sa puissance et la captivité venaient de brusquement vieillir, dont le corps d'athlète semblait s'amollir, dont le visage bouffissait, surtout aux paupières. Et pourtant tel qu'il était, Édouard gardait encore une certaine séduction. Quel dommage qù'il ait eu de si mauvaises amours et cherché sa confiance en de si mauvais cœurs!

Tors-Col avait conseillé à Édouard d'aller se présenter devant son Parlement, mais en vain. Ce roi faible ne montrait de force que dans le refus.

— Je sais bien que j'ai perdu mon trône, Henry, répondait-il, mais je n'abdiquerai pas.

Portés sur un coussin, la couronne et le sceptre d'Angleterre s'élevaient lentement, marche par marche, dans l'étroit escalier du *keep* de Kenilworth. Derrière, les mitres oscillaient et les pierreries des crosses scintillaient dans la pénombre. Les évêques, retroussant sur leurs chevilles leurs trois robes brodées, se hissaient dans la tour.

Le roi, sur un siège qui, d'être unique, faisait figure de trône, attendait, au fond du gigantesque hall, le front dans la main, le corps affaissé, entre les piliers qui soutenaient des arcs d'ogives pareils à ceux des cathédrales. Tout, ici, avait des proportions inhumaines. Le jour pâle de janvier qui tombait par les hautes et très étroites fenêtres ressemblait à un crépuscule.

Le comte de Lancastre, la tête penchée, se tenait debout à côté de son cousin, en compagnie de trois serviteurs qui n'étaient même pas ceux du souverain. Les murs rouges, les piliers rouges, les arcs rouges composaient autour de ce groupe un tragique décor pour la fin d'une puissance.

Lorsqu'il vit apparaître, par la porte à deux battants ouverte, puis avancer vers lui cette couronne et ce sceptre qui lui avaient été amenés pareillement, vingt ans plus tôt, sous les voûtes de Westminster, Édouard se redressa sur son siège, et son menton se mit à trembler un peu. Il leva les yeux vers son cousin de Lancastre, comme pour chercher appui, et Tors-Col détourna le regard tant cette supplication muette était insupportable.

Puis Orleton fut devant le souverain, Orleton dont chaque apparition, depuis quelques semaines, avait signifié à Édouard la confiscation d'une partie de son pouvoir. Le roi regarda les autres évêques et le grand chambellan ; il fit un effort de dignité pour demander :

— Qu'avez-vous à me dire, mes Lords ?

Mais la voix se formait mal sur ses lèvres pâlies, parmi la barbe blonde.

L'évêque de Winchester lut le message par lequel le Parlement sommait le souverain de déclarer sa renonciation au trône ainsi qu'à l'hommage de ses vassaux, de donner agrément à la désignation de son fils, et de remettre aux envoyés les insignes rituels de la royauté.

Quand l'évêque de Winchester se fut tu, Édouard resta silencieux un long moment. Toute son attention semblait fixée sur la couronne. Il souffrait, et sa douleur était si visiblement physique, si profondément marquée sur ses traits, que l'on pouvait douter qu'il fût en train de penser. Pourtant il dit :

— Vous avez la couronne en vos mains, mes Lords, et me tenez à votre merci. Faites donc ce qu'il vous plaira, mais de par mon consentement point.

Alors Adam Orleton avança d'un pas et déclara :

— Sire Édouard, le peuple d'Angleterre ne vous veut plus pour roi, et son Parlement nous envoie vous le déclarer. Mais le Parlement accepte pour roi votre fils aîné, le duc d'Aquitaine, que je lui ai présenté ; et votre fils ne veut accepter sa couronne que de votre gré.

Si donc vous vous obstinez au refus, le peuple sera libre de son choix et pourra bien élire pour souverain prince, celui, parmi les grands du royaume, qui le contentera le plus, et ce roi pourra n'être point de votre lignage. Vous avez trop mis à trouble vos États ; après tant d'actes qui leur ont nui, c'est le seul à présent que vous puissiez accomplir pour leur rendre la paix.

De nouveau le regard d'Édouard s'éleva vers Lancastre. Malgré le malaise qui l'envahissait, le roi avait bien compris l'avertissement contenu dans les paroles de l'évêque. Si l'abdication n'était pas consentie, le Parlement, dans son besoin de se trouver un roi, ne manquerait pas de choisir le chef de la rébellion, Roger Mortimer, qui possédait déjà le cœur de la reine. Le visage du roi avait pris une teinte cireuse, inquiétante ; le menton continuait de trembler ; les narines se pinçaient.

— Monseigneur Orleton a justement parlé, dit Tors-Col, et vous devez renoncer, mon cousin, pour rendre la paix à l'Angleterre, et pour que les Plantagenets continuent d'y régner.

Édouard, alors, incapable apparemment d'articuler une parole, fit signe d'approcher la couronne et inclina la tête comme s'il voulait qu'on le ceignît une dernière fois.

Les évêques se consultaient du regard, ne sachant comment agir, ni quel geste accomplir, en cette cérémonie imprévue qui n'avait point de précédent dans la liturgie royale. Mais la tête du roi continuait de s'abaisser, graduellement, vers les genoux.

— Il passe ! s'écria soudain l'archidiacre Chandos qui portait le coussin aux emblèmes.

Tors-Col et Orleton se précipitèrent pour retenir Édouard évanoui au moment où son front allait cogner sur les dalles.

On le remit dans son siège, on lui frappa les joues, on courut chercher du vinaigre. Enfin, il respira longuement, rouvrit les yeux, regarda autour de lui ; puis, d'un coup, il se mit à sangloter. La mystérieuse force que l'onction et les magies du sacre infusent aux rois, et pour ne servir parfois que des dispositions funestes, venait de se retirer de lui. Il était comme exorcisé de la royauté.

A travers ses pleurs, on l'entendit parler :

— Je sais, mes Lords, je sais que c'est par ma propre faute que je suis tombé à si grande misère, et que je me dois résigner à la souffrir. Mais je ne puis m'empêcher de ressentir lourd chagrin de toute cette haine de mon peuple, que je ne haïssais point. Je vous ai offensés, je n'ai point agi pour le bien. Vous êtes bons, mes Lords, très bons de garder dévouement à mon aîné fils, de n'avoir point cessé de l'aimer et de le désirer pour roi. Donc, je vous veux satisfaire. Je renonce devant vous à tous mes droits sur le royaume ; je délie tous mes vassaux de l'hommage qu'ils m'ont fait et leur demande le pardon. Approchez...

Et de nouveau il fit le geste d'appeler les emblèmes. Il saisit le sceptre, et son bras fléchit comme s'il en avait oublié le poids ; il le remit à l'évêque de Winchester en disant :

— Pardonnez, my Lord, pardonnez les offenses que je vous ai faites.

Il avança ses longues mains blanches vers le coussin, souleva la couronne, y appuya ses lèvres comme on baise la patène ; puis, la tendant à Adam Orleton :

—. Prenez-la, my Lord, pour en ceindre mon fils. Et accordez-moi pardon des maux et injustices que je vous ai causés. Dans la misère où je suis, que mon peuple me pardonne. Priez pour moi, mes Lords, qui ne suis plus rien.

Tout le monde était frappé de la noblesse des paroles. Édouard ne se révélait roi qu'à l'instant où il cessait de l'être.

Alors, sir William Blount, le grand chambellan, sortit de l'ombre des piliers, s'avança entre Édouard II et les évêques, et brisa sur son genou son bâton sculpté, comme il l'eût fait, pour marquer que le règne était terminé, devant le cadavre d'un roi descendu au tombeau.

VI

LA GUERRE DES MARMITES

« Vu que Sire Édouard, autrefois roi d'Angleterre, a de sa propre volonté, et par le conseil commun et l'assentiment des prélats, comtes, barons et autres nobles, et de toute la communauté, résigné le gouvernement du royaume, et consenti et voulu que le gouvernement dudit royaume passât à Sire Édouard, son fils et héritier, et que celui-ci gouverne et soit couronné roi, pour laquelle raison tous les grands ont prêté hommage, nous proclamons et publions la paix de notre dit seigneur Sire Édouard le fils et ordonnons de sa part à tous que nul ne doit enfreindre la paix de notre dit seigneur le roi, car il est et sera prêt à faire droit à tous ceux dudit royaume, envers et contre tous, tant aux hommes de peu qu'aux grands. Et si qui que ce soit réclame quoi que ce soit d'un autre, qu'il le fasse dans la légalité, sans user de la force ou autres violences. »

Cette proclamation fut lue le 24 janvier 1327 devant le Parlement d'Angleterre, et un conseil de régence aussitôt institué; la reine présidait ce conseil de douze membres parmi lesquels les comtes de Kent, Norfolk et Lancastre, le maréchal sir Thomas Wake et, le plus important de tous, Roger Mortimer, baron de Wigmore.

Le dimanche 1er février le couronnement d'Édouard III eut lieu à Westminster. La veille, Henry Tors-Col avait armé chevalier le jeune roi en même temps que les trois fils aînés de Roger Mortimer.

Lady Jeanne Mortimer, qui avait recouvré sa liberté et ses biens, mais perdu l'amour de son époux, était présente. Elle n'osait regarder la reine, et la reine n'osait la regarder. Lady Jeanne souffrait sans répit de cette trahison des deux êtres au monde qu'elle avait le plus aimés et le mieux servis. Quinze ans de présence auprès de la reine Isabelle, de dévouement, d'intimité, de risques partagés, devaient-ils recevoir pareil paiement? Vingt-trois ans d'union avec Mortimer, auquel elle avait donné onze enfants, devaient-ils s'achever de la sorte? En ce grand bouleversement qui renversait les destins du royaume et amenait son époux au faîte de la puissance, Lady Jeanne, si loyale toujours, se retrouvait parmi les vaincus. Et pourtant elle pardonnait, elle s'effaçait avec dignité, parce qu'il s'agissait justement des deux êtres qu'elle avait le plus admirés, et qu'elle comprenait que ces deux êtres se fussent aimés d'un inévitable amour dès l'instant que le sort les avait rapprochés.

A l'issue du sacre, la foule fut autorisée à pénétrer dans l'évêché de Londres pour y assommer l'ancien chancelier Robert de Baldock. Messire Jean de Hainaut reçut dans la semaine une rente de mille marks esterlins à prendre sur le produit de l'impôt des laines et cuirs dans le port de Londres.

Messire Jean de Hainaut serait volontiers resté plus longtemps à la cour d'Angleterre. Mais il avait promis de se rendre à un grand tournoi, à Condé-sur-l'Escaut, où s'étaient promis rencontre toute une foule de princes, dont le roi de Bohême. On allait jouter, parader, rencontrer belles dames qui avaient traversé l'Europe pour voir s'affronter les plus beaux chevaliers ; on allait séduire, danser, se divertir de fêtes et de scènes jouées. Messire Jean de Hainaut ne pouvait manquer cela, ni de briller, plumes sur le heaume, au milieu des lices sablées. Il accepta d'emmener une quinzaine de chevaliers anglais qui voulaient participer au tournoi.

En mars fut enfin signé avec la France le traité qui réglait la question d'Aquitaine, au plus grand détriment de l'Angleterre. Il était impossible à Mortimer de refuser au nom d'Édouard III les clauses qu'il avait naguère lui-même négociées pour qu'elles fussent imposées à Édouard II. On soldait ainsi l'héritage du mauvais règne. De plus Mortimer s'intéressait peu à la Guyenne où il n'avait pas de possessions, et toute son attention à présent se reportait, comme avant son emprisonnement, vers le Pays de Galles et les Marches galloises.

Les envoyés qui vinrent à Paris ratifier le traité virent le roi Charles IV fort triste et défait, parce que l'enfant qui était né à Jeanne d'Évreux au mois de novembre précédent, une fille alors qu'on espérait si fort un garçon, n'avait pas vécu plus de deux mois.

L'Angleterre, vaille que vaille, se remettait en ordre quand le vieux roi d'Écosse, Robert Bruce, bien que déjà fort avancé en âge et de surcroît atteint de la lèpre, envoya vers le 1er avril, douze jours avant Pâques, défier le jeune Édouard III et l'avertir qu'il allait envahir son pays.

La première réaction de Roger Mortimer fut de faire changer l'ex-roi Édouard II de résidence. C'était prudence. En effet, on avait besoin d'Henry de Lancastre à l'armée, avec ses bannières ; et puis Lancastre, d'après les rapports qui venaient de Kenilworth, semblait traiter avec trop de douceur son prisonnier, relâchant la surveillance et laissant à l'ancien roi quelques intelligences avec l'extérieur. Or les partisans des Despensers n'avaient pas tous été exécutés, tant s'en fallait. Le comte de Warenne, plus heureux que son beau-frère le comte d'Arundel, avait pu s'échapper. Certains se terraient dans leurs manoirs ou bien dans des demeures amies, attendant que l'orage fût passé ; d'autres avaient fui le royaume. On pouvait se demander même si le défi lancé par le vieux roi d'Écosse n'était pas de leur inspiration.

D'autre part, le grand enthousiasme populaire qui avait accompagné la libération commençait à décroître. De gouverner depuis six mois, Roger Mortimer était déjà moins aimé, moins adulé ; car il y avait toujours des impôts, et des gens qu'on emprisonnait parce qu'ils ne les payaient pas. Dans les cercles du pouvoir, on reprochait à Mortimer une autorité tranchante qui s'accentuait de jour en jour, et les grandes ambitions qu'il démasquait. A ses propres biens repris sur le comte d'Arundel, il avait ajouté le comté de Glamorgan ainsi que la plupart des possessions de Hugh le Jeune. Ses trois gendres — car Mortimer avait déjà trois filles mariées — le lord de Berkeley, le comte de Charlton, le comte de Warwick, étendaient sa puissance territoriale. Reprenant la charge de Grand Juge de Galles, autrefois détenue par son oncle de Chirk, ainsi que les terres de celui-ci, il songeait à se faire créer comte des Marches, ce qui lui eût constitué, à l'ouest du royaume, une fabuleuse principauté quasi indépendante.

Il avait en outre réussi à se brouiller, déjà, avec Adam Orleton. Ce dernier, dépêché en Avignon pour hâter les dispenses nécessaires au mariage du jeune roi, avait sollicité du pape l'important évêché de Worcester, vacant en ce moment-là. Mortimer s'était offensé de ce qu'Orleton ne lui eût pas demandé un agrément préalable, et avait fait opposition. Édouard II ne s'était pas comporté autrement envers le même Orleton, pour le siège de Hereford !

La reine subissait forcément le même recul de popularité.

Et voilà que la guerre se rallumait, la guerre d'Écosse, une fois de plus. Rien donc n'était changé. On avait trop espéré pour n'être pas déçu. Il suffisait d'un revers des armées, d'un complot qui fît évader Édouard II, et les Écossais, alliés pour la circonstance à l'ancien parti Despenser, trouveraient là un roi tout prêt à remettre sur son trône et qui leur abandonnerait volontiers les provinces du nord en échange de sa liberté et de sa restauration[41].

Dans la nuit du 3 au 4 avril, l'ancien roi fut tiré de son sommeil et prié de s'habiller en hâte. Il vit entrer un grand cavalier dégingandé, osseux, aux longues dents jaunes, aux cheveux sombres et raides tombant sur les oreilles.

— Où me conduis-tu, Maltravers ? dit Édouard avec épouvante en reconnaissant ce baron qu'il avait autrefois spolié et banni, et dont la tête fleurait l'assassinat.

— Je te conduis, Plantagenet, en un lieu où tu seras plus en sûreté; et pour que cette sûreté soit complète, tu ne dois pas savoir où tu vas afin que ta tête ne risque pas le confier à ta bouche.

Maltravers avait pour instructions de contourner les villes et de ne pas traîner en chemin. Le 5 avril, après une route faite tout entière au grand trot ou au galop, et seulement coupée d'un arrêt dans une abbaye proche de Gloucester, l'ancien roi entra au château de Berkeley pour y être remis à la garde d'un des gendres de Mortimer.

L'ost anglais, d'abord convoqué à Newcastle et pour l'Ascension, se réunit à la Pentecôte et dans la ville d'York. Le gouvernement du royaume avait été transporté là, et le Parlement y tint une session, tout comme au temps du roi déchu, quand l'Écosse attaquait.

Bientôt arrivèrent messire Jean de Hainaut et ses Hennuyers, qu'on n'avait pas manqué d'appeler à la rescousse. On revit donc, montés sur les gros chevaux roux et tout fiévreux encore des grands tournois de Condé-sur-l'Escaut, les sires de Ligne, d'Enghien, de Mons et de Sarre, et Guillaume de Bailleul, Perceval de Sémeries et Sance de Boussoy, et Oulfard de Ghistelles qui avaient fait triompher dans les joutes les couleurs de Hainaut, et messires Thierry de Wallecourt, Rasses de Grez, Jean Pilastre et les trois frères de Harlebeke sous les bannières du Brabant; et encore des seigneurs de Flandre, du Cambrésis, de l'Artois, et avec eux le fils du marquis de Juliers.

Jean de Hainaut n'avait eu qu'à les rassembler à Condé. On passait de la guerre au tournoi et du tournoi à la guerre. Ah! Que de plaisirs et de nobles aventures!

Des réjouissances furent données à York en l'honneur du retour des Hennuyers. Les meilleurs logements leur furent affectés; on leur offrit fêtes et festins, avec abondance de viandes et de poulailles. Les vins de Gascogne et du Rhin coulaient à barils percés.

Ce traitement fait aux étrangers irrita les archers anglais, qui étaient six bons milliers parmi lesquels nombre d'anciens soldats du feu comte d'Arundel, le décapité.

Un soir, une rixe, comme il en survient banalement parmi des troupes stationnées, éclata pour une partie de dés, entre quelques archers anglais et les valets d'armes d'un chevalier de Brabant. Les Anglais, qui n'attendaient que l'occasion, appellent leurs camarades à l'aide; tous les archers se soulèvent pour mettre à mal les goujats du Continent; les Hennuyers courent à leurs cantonnements, s'y retranchent. Leurs chefs de bannières, qui étaient à festoyer, sortent dans les rues, attirés par le bruit, et sont aussitôt assaillis par les archers d'Angleterre. Ils veulent chercher refuge dans leurs logis, mais n'y peuvent pénétrer car leurs propres hommes s'y sont barricadés. La voici sans armes ni défense, cette fleur de la noblesse de Flandre! Mais elle est composée de solides gaillards. Messires Perceval de Sémeries, Fastres de Rues et Sance de Boussoy, s'étant saisis de lourd leviers de chêne trouvés chez un charron, s'adossent à un mur et assomment, à eux trois, une bonne soixantaine d'archers qui appartenaient à l'évêque de Lincoln !

Cette petite querelle entre alliés fit un peu plus de trois cents morts.

Les six mille archers, oubliant tout à fait la guerre d'Écosse, ne songeaient qu'à exterminer les Hennuyers. Messire Jean de Hainaut, outragé, furieux, voulait rentrer chez lui, à condition encore qu'on levât le siège autour de ses cantonnements ! Enfin, après quelques pendaisons, les choses s'apaisèrent. Les dames d'Angleterre, qui avaient accompagné leurs maris à l'ost, firent mille sourires aux chevaliers de Hainaut, mille prières pour qu'ils restassent, et leurs yeux se mouillèrent. On cantonna les Hennuyers à une demi-lieue du reste de l'armée, et un mois passa de la sorte, à se regarder comme chiens et chats.

Enfin on décida de se mettre en campagne. Le jeune roi Édouard III, pour sa première guerre, s'avançait à la tête de huit mille armures de fer et de trente mille hommes de pied.

Malheureusement, les Écossais ne se montraient pas. Ces rudes hommes faisaient la guerre sans fourgons ni convoi. Leurs troupes légères n'emportaient pour bagage qu'une pierre plate accrochée à la selle, et un petit sac de farine ; ils savaient vivre de cela pendant plusieurs jours, mouillant la farine à l'eau des ruisseaux et la faisant cuire en galettes sur la pierre chauffée au feu. Les Écossais s'amusaient de l'énorme armée anglaise, prenaient le contact, escarmouchaient, se repliaient aussitôt, franchissaient et repassaient les rivières, attiraient l'adversaire dans les marais, les forêts épaisses, les défilés escarpés. On errait à l'aventure entre la Tyne et les monts Cheviot.

Un jour les Anglais entendent une grande rumeur dans un bois où ils progressaient. L'alarme est donnée. Chacun s'élance, la visière baissée, l'écu au col, la lance au poing, sans attendre père, frère ni compagnon, et ceci pour rencontrer, tout penaudement, une harde de cerfs qui fuyait affolée devant les bruits d'armures.

Le ravitaillement devenait malaisé ; le pays ne produisait rien ; des marchands acheminaient péniblement quelques denrées qu'ils vendaient dix fois leur valeur. Les montures manquaient d'avoine et de fourrage. Là-dessus, la pluie se mit à tomber, sans désemparer, pendant une grande semaine ; les panneaux de selles pourrissaient sous les cuisses, les chevaux laissaient leur ferrure dans la boue ; toute l'armée rouillait. Le soir, les chevaliers usaient le tranchant de leur épée à tailler des branchages pour se construire des huttes. Et toujours les Écossais restaient insaisissables !

Le maréchal de l'ost, sir Thomas Wake, était désespéré. Le comte de Kent regrettait presque La Réole; au moins, là-bas, le temps était beau. Henry Tors-Col avait des rhumatismes dans la nuque. Mortimer s'irritait, et se lassait de courir sans cesse de l'armée à Yorkshire, où se trouvaient la reine et les services du gouvernement. Le désespoir qui engendre les querelles commençait à s'installer dans les troupes; on parlait de trahison.

Un jour, tandis que les chefs de bannières discutaient très haut de ce que l'on n'avait pas fait, de ce que l'on aurait dû faire, le jeune roi Édouard III réunit quelques écuyers d'environ son âge, et promit la chevalerie ainsi qu'une terre d'un revenu de cent livres à qui découvrirait l'armée d'Écosse. Une vingtaine de garçons, entre quatorze et dix-huit ans, se mirent à battre la campagne. Le premier qui revint se nommait Thomas de Rokesby; tout haletant et épuisé, il s'écria:

— Sire Édouard, les Escots sont à quatre lieues de nous dans une montagne où ils se tiennent depuis une semaine, sans plus savoir où vous êtes que vous ne savez où ils sont!

Aussitôt, le jeune Édouard fit sonner les trompes, rassembler l'armée dans une terre qu'on appelait «la lande blanche», et commanda de courir aux Écossais. Les grands tournoyeurs en étaient tout éberlués. Mais le bruit que faisait cette énorme ferraille avançant par les montagnes parvint de loin aux hommes de Robert Bruce. Les chevaliers d'Angleterre et de Hainaut, arrivant sur une crête, s'apprêtaient à dévaler l'autre versant, lorsqu'ils aperçurent soudain toute l'armée écossaise, à pied et rangée en bataille, les flèches déjà encochées dans la corde des arcs. On se regarda de loin sans oser s'affronter, car le lieu était mal choisi pour lancer les chevaux; on se regarda pendant vingt-deux jours!

Comme les Écossais ne semblaient pas vouloir bouger d'une position qui leur était si favorable, comme les chevaliers ne voulaient pas livrer combat dans un terrain où ils ne pouvaient pas se déployer, on demeura donc de part et d'autre de la crête, chaque adversaire attendant que l'autre voulût bien se déplacer. On se contentait d'escarmoucher, la nuit généralement, en laissant ces petites rencontres à la piétaille.

Le plus haut fait de cette étrange guerre, que se livraient un octogénaire lépreux et un roi de quinze ans, fut accompli par l'Écossais Jacques de Douglas qui, avec deux cents cavaliers de son clan, fondit par une nuit de lune sur le camp anglais, renversa ce qui lui barrait passage en criant «Douglas, Douglas!», s'en vint couper trois cordes à la tente du roi, et tourna bride. De cette nuit-là, les chevaliers anglais dormirent dans leurs armures.

Et puis un matin, avant l'aurore, on captura deux «trompeurs» de l'armée d'Écosse, deux guetteurs qui vraiment semblaient vouloir qu'on les prît et qui, amenés devant le roi d'Angleterre, lui dirent:

— Sire, que cherchez-vous ici? Nos Escots sont retournés dans les montagnes, et Sire Robert, notre roi, nous a dit de vous en avertir, et aussi qu'il ne vous combattrait plus pour cette année, à moins que vous ne le veniez poursuivre.

Les Anglais s'avancèrent, prudents, craignant un piège, et soudain furent devant quatre cents marmites et chaudrons de campement, pendus en ligne, et que les Écossais avaient laissés pour ne point s'alourdir ni produire de bruit dans leur retraite. Également on découvrit, formant un énorme tas, cinq mille vieux souliers de cuir avec le poil dessus ; les Écossais avaient changé de chaussures avant de partir. Il ne restait comme créatures vivantes dans ce camp que cinq prisonniers anglais, tout nus, liés à des pieux, et dont les jambes avaient été brisées à coups de bâtons.

Poursuivre les Écossais dans leurs montagnes, à travers ce pays difficile, hostile, où l'armée, fort fatiguée déjà aurait à mener une guerre d'embuscade pour laquelle elle n'était pas entraînée, apparaissait comme une pure folie. La campagne fut déclarée terminée ; on revint à York et l'ost fut dissous.

Messire Jean de Hainaut fit le compte de ses chevaux morts ou hors d'usage, et présenta un mémoire de quatorze mille livres. Le jeune roi Édouard n'avait pas autant d'argent disponible dans son Trésor, et devait aussi payer les soldes de ses propres troupes. Alors messire Jean de Hainaut, ayant grand geste comme de coutume, se porta garant auprès de ses chevaliers de toutes les sommes qui leur étaient dues par son futur neveu.

Au cours de l'été, Roger Mortimer, qui n'avait aucun intérêt dans le nord du royaume, bâcla un traité de paix. Édouard III renonçait à toute suzeraineté sur l'Écosse et reconnaissait Robert Bruce comme roi de ce pays, ce qu'Édouard II tout le long de son règne n'avait jamais accepté ; en outre, David Bruce, fils de Robert, épousait Jeanne d'Angleterre, seconde fille de la reine Isabelle.

Était-ce bien la peine, pour un tel résultat, d'avoir déchu de ses pouvoirs l'ancien roi qui vivait reclus à Berkeley ?

VII

LA COURONNE DE FOIN

Une aurore presque rouge incendiait l'horizon derrière les collines du Costwold.

— Le soleil va bientôt poindre, sir John, dit Thomas Gournay, l'un des deux cavaliers qui marchaient en tête de l'escorte.

— Oui, le soleil va poindre, sir Thomas, et nous ne sommes point encore arrivés à notre étape, répondit John Maltravers qui cheminait à côté de lui, au botte à botte.

— Quand le jour sera venu, les gens pourraient bien reconnaître qui nous conduisons, reprit le premier.

— Cela se pourrait, en effet, mon compagnon, et c'est juste ce qu'il nous faut éviter.

Ces paroles étaient échangées d'une voix haute, forcée, afin que le prisonnier qui suivait les entendît bien.

La veille, sir Thomas Gournay était arrivé à Berkeley, ayant traversé la moitié de l'Angleterre pour porter depuis York, à John Maltravers, les nouveaux ordres de Roger Mortimer concernant la garde du roi déchu.

Gournay était un homme de physique peu avenant ; il avait le nez court et camard, les crocs inférieurs plus longs que les autres dents, la peau rose, tachetée, piquetée de poils roux comme le cuir d'une truie ; ses cheveux trop abondants se tordaient, pareils à des copeaux de cuivre, sous le bord de son chapeau de fer.

Pour seconder Thomas Gournay, et aussi pour le surveiller un peu, Mortimer lui avait adjoint Ogle, l'ancien barbier de la tour de Londres.

Au soir tombant, à l'heure où les paysans avaient déjà avalé leur soupe, la petite troupe quittant Berkeley s'était dirigée vers le sud à travers une campagne silencieuse et des villages endormis. Maltravers et Gournay chevauchaient en tête. Le roi allait encadré par une dizaine de soldats que commandait un officier subalterne du nom de Towurlee.

Colosse à petit front et d'une intelligence parcimonieusement mesurée, Towurlee était un homme obéissant, bien utile pour les tâches qui réclamaient à la fois de la force et qu'on les exécutât en se posant un minimum de questions. Ogle fermait la marche, en compagnie du moine Guillaume, lequel n'avait pas été choisi parmi les meilleurs de son couvent. Mais on pouvait avoir besoin de lui pour une extrême-onction.

Toute la nuit, l'ancien roi avait cherché vainement à deviner où on le conduisait. A présent, le jour paraissait.

— Que faire, sir Thomas, pour qu'on ne puisse point reconnaître un homme? reprit sentencieusement Maltravers.

— Lui changer le visage, sir John, je ne vois que cela, répondit Gournay.

— Il faudrait le barbouiller de goudron, ou bien de suie.

— Ainsi les paysans croiraient que c'est un Maure que nous accompagnons.

— Par malchance, nous n'avons pas de goudron.

— Alors, on pourrait le raser, dit Thomas Gournay en appuyant sa proposition d'un lourd clin d'œil.

— Ah! voici la bonne idée, mon compagnon! D'autant que nous avons un barbier dans notre suite. Le Ciel nous vient en aide. Ogle, Ogle, approche donc!... As-tu ton bassin, tes rasoirs?

— Je les ai, sir John, pour vous servir, répondit Ogle en rejoignant les deux chevaliers.

— Alors arrêtons-nous ici. Je vois un peu d'eau qui court dans ce ruisseau.

Tout cela était, depuis la veille, concerté. La petite colonne fit halte. Gournay et Ogle mirent pied à terre. Gournay avait les épaules larges, les jambes très courtes et arquées. Ogle étendit une toile sur l'herbe du talus, y disposa ses ustensiles et se mit à aiguiser un rasoir, lentement, en regardant l'ancien roi.

— Que voulez-vous de moi? Qu'allez-vous me faire? demanda Édouard II d'une voix angoissée.

— Nous voulons que tu descendes de ton destrier, noble Sire, afin que nous te fassions un autre visage. Voilà justement un bon trône pour toi, dit Thomas Gournay en désignant une taupinière qu'il écrasa du talon de sa botte. Allons! Assieds-toi.

Édouard obéit. Comme il hésitait un peu, Gournay le poussa à la renverse, et les soldats d'escorte éclatèrent de rire.

— En rond, vous autres, leur dit Gournay.

Ils se disposèrent en cercle, et le colosse Towurlee se plaça derrière le roi afin de lui peser sur les épaules, s'il en était besoin.

L'eau du ruisseau était glacée qu'alla puiser Ogle.

— Mouille-lui la face, dit Gournay.

Le barbier lança tout le contenu du bassin, d'un coup, à la face du roi. Puis il commença de passer le rasoir sur les joues, sans précaution. Les touffes blondes tombaient dans l'herbe.

Maltravers était resté à cheval. Les mains appuyées au pommeau, les cheveux lui pendant sur les oreilles, il suivait l'opération en y prenant un évident plaisir.

Entre deux coups de rasoir, Édouard s'écria :

— Vous me faites trop souffrir ! Ne pourriez-vous au moins me mouiller d'eau chaude ?

— De l'eau chaude ? s'écria Gournay. Voyez donc le délicat.

Et Ogle rapprochant sa face ronde et blanchâtre du visage du roi lui souffla de tout près :

— Et my Lord Mortimer, quand il était à la tour de Londres, faisait-on chauffer l'eau de son bassin ?

Puis il reprit sa tâche, à grands coups de lame. Le sang perlait sur la peau. De douleur, Édouard se mit à pleurer.

— Ah ! voyez l'habile homme, s'écria Maltravers ; il a trouvé le moyen d'avoir quand même de l'eau chaude sur les joues.

— Je rase également les cheveux, sir Thomas ? demanda Ogle.

— Certes, certes, les cheveux aussi, répondit Gournay.

Le rasoir fit tomber les mèches depuis le front jusqu'à la nuque.

Au bout d'une dizaine de minutes, Ogle tendit à son patient un miroir d'étain, et l'ancien souverain d'Angleterrre y découvrit avec stupéfaction sa face véritable, enfantine et vieillotte à la fois, sous le crâne nu, étroit et allongé. Le long menton ne cachait plus sa faiblesse. Édouard se sentait dépouillé, ridicule, comme un chien tondu.

— Je ne me reconnais pas, dit-il.

Les hommes qui l'entouraient se remirent à rire.

— Ah ! voilà qui est bien ! dit Maltravers du haut de son cheval. Si toi-même tu ne te reconnais pas, ceux qui pourraient te rechercher te reconnaîtront encore moins. Voilà ce qu'on gagne à vouloir s'évader.

Car telle était la raison de ce déplacement. Quelques seigneurs gallois, sous la conduite d'un des leurs, Rhys ap Gruffyd, avaient organisé, pour délivrer le roi déchu, une conspiration dont Mortimer avait été prévenu. Dans le même temps, Édouard, profitant d'une négligence de Thomas de Berkeley, s'était enfui un matin de sa prison. Maltravers, aussitôt parti en chasse, l'avait rattrapé au milieu de la forêt courant vers l'eau comme un cerf forcé. L'ancien roi cherchait à gagner l'embouchure de la Severn dans l'espoir d'y trouver une embarcation. A présent, Maltravers se vengeait ; mais dans l'instant, il avait eu chaud.

— Debout, Sire roi ; il est temps de te remettre en selle, dit-il.

— Où nous arrêterons-nous ? demanda Édouard.

— Là où nous serons sûrs que tu ne pourras point rencontrer

d'amis. Et ton sommeil ne sera point troublé. Fais-nous confiance pour veiller sur toi.

Le voyage dura ainsi presque une semaine. On cheminait de nuit, on se reposait le jour, soit dans un manoir dont on était sûr, soit même dans quelque abri des champs, quelque grange écartée. A la cinquième aurore, Édouard vit se profiler une immense forteresse grise, dressée sur une colline. L'air de la mer, plus frais, plus humide, un peu salé, arrivait par bouffées.

— Mais c'est Corfe! dit Édouard. Est-ce là que vous me conduisez?

— Certes, c'est Corfe, dit Thomas de Gournay. Tu connais bien les châteaux de ton royaume, à ce qu'il semble.

Un grand cri d'effroi s'échappa des lèvres d'Édouard. Son astrologue, jadis, lui avait conseillé de ne jamais s'arrêter à Corfe, parce qu'un séjour dans ce lieu lui serait fatal. Aussi, dans ses déplacements dans le Dorset et le Devonshire, Édouard II s'était approché de Corfe à plusieurs reprises, mais en refusant obstinément d'y pénétrer.

Le château de Corfe était plus ancien, plus grand, plus sinistre que Kenilworth. Son donjon géant dominait tout le pays d'alentour, toute la péninsule de Purbeck. Certaines de ses fortifications dataient d'avant la Conquête normande. Il avait été souvent utilisé comme prison, par Jean sans Terre notamment qui, cent vingt ans plus tôt, avait ordonné d'y laisser mourir de faim vingt-deux chevaliers français. Corfe semblait une construction vouée au crime. La superstition tragique qui l'entourait remontait au meurtre d'un garçon de quinze ans, le roi Édouard surnommé le Martyr, l'autre Édouard II, celui de la dynastie saxonne, avant l'an mille.

La légende de cet assassinat demeurait vivace dans le pays. Édouard le Saxon, fils du roi Edgar auquel il avait succédé, était haï de sa belle-mère, la reine Elfrida, seconde épouse de son père. Un jour qu'il rentrait à cheval de la chasse et tandis que, fort échauffé, il portait à ses lèvres une corne de vin, la reine Elfrida lui enfonça un poignard dans le dos. Affolé de douleur, il éperonna son cheval qui partit droit vers la forêt. Le jeune roi, perdant son sang, chut bientôt de sa selle; mais son pied s'étant coincé dans l'étrier, la monture le traîna encore sur une grande distance, lui fracassant la tête contre les arbres. Des paysans, en suivant les traces de sang laissées dans la forêt, retrouvèrent son corps et l'inhumèrent en cachette.

La tombe s'étant mise à produire des miracles, Édouard avait été plus tard canonisé.

Même nom, même chiffre dans l'autre dynastie; ce rapprochement, rendu plus inquiétant encore par la prédiction de l'astrologue, pouvait bien faire trembler le roi prisonnier. Corfe allait-il voir la mort du second Édouard II?

— Pour ton entrée dans cette belle citadelle, il te faut coiffer d'une couronne, mon noble Sire, dit Maltravers. Towurlee, va donc ramasser un peu de foin dans ce champ !

De la brassée d'herbe sèche que rapporta le colosse, Maltravers confectionna une couronne et la planta sur le crâne rasé du roi. Les barbes du foin s'enfoncèrent dans la peau.

— Avance, à présent, et pardonne-nous de n'avoir point de trompettes !

Un profond fossé, une enceinte, un pont-levis entre deux grosses tours rondes, une colline verte à escalader, un autre fossé, une autre porte, une autre herse, et au-delà encore des pentes herbues : en se retournant on pouvait voir les petites maisons du village, aux toits faits de pierres plates et grises posées comme des tuiles.

— Avance donc ! cria Maltravers en donnant à Édouard un coup de poing dans les reins.

La couronne de foin vacilla. Les chevaux progressaient à présent dans des couloirs étroits, tortueux, pavés de galets ronds, entre d'énormes, d'hallucinantes murailles au sommet desquelles les corbeaux, perchés côte à côte, frise noire bordant la pierre grise, regardaient, à cinquante pieds sous eux, passer la colonne.

Le roi Édouard II était certain qu'on allait le tuer. Mais il existe bien des manières de faire mourir un homme.

Thomas Gournay et John Maltravers n'avaient pas ordre exprès de l'assassiner, mais plutôt de l'anéantir. Ils choisirent donc la manière lente. Deux fois le jour, d'affreuses bouillies de seigle étaient servies à l'ancien souverain, tandis que ses gardiens s'empiffraient devant lui de toutes sortes de victuailles. Et pourtant, à cette infecte nourriture comme aux moqueries et aux coups dont on le gratifiait, le prisonnier résistait. Il était singulièrement robuste de corps et même d'esprit. D'autres à sa place eussent facilement perdu la raison : lui se contentait de gémir. Mais ses gémissements mêmes témoignaient de son bon sens.

— Mes péchés sont-ils si lourds qu'ils ne méritent ni pitié ni assistance ? Avez-vous perdu toute charité chrétienne, toute bonté ? disait-il à ses geôliers. Si je ne suis plus un souverain, je demeure pourtant père et époux ; comment puis-je faire encore peur à ma femme et à mes enfants ? Ne sont-ils pas suffisamment satisfaits d'avoir pris tout ce qui m'appartenait ?

— Et que te plains-tu, Sire roi, de ton épouse ? Madame la reine ne t'a-t-elle pas envoyé de beaux vêtements, et de douces lettres que nous t'avons lues ?

— Fourbes, fourbes, répondait Édouard, vous m'avez montré les vêtements mais vous ne me les avez point donnés, et vous me laissez pourrir dans cette mauvaise robe. Et les lettres, pourquoi cette méchante femme les a-t-elle envoyées, sinon pour pouvoir feindre qu'elle m'a témoigné de la compassion. C'est elle, c'est elle avec le méchant Mortimer qui vous donne les ordres de me tourmenter ! Sans elle et sans ce traître, mes enfants, j'en suis sûr, accourraient m'embrasser !

— La reine ton épouse et tes enfants, répondait Maltravers, ont trop peur de ta cruelle nature. Ils ont trop subi tes méfaits et ta fureur pour désirer t'approcher.

— Parlez, mauvais, parlez, disait le roi. Un temps viendra où les tourments qui me sont infligés seront vengés.

Et il se mettait à pleurer, son menton nu enfoui dans ses bras. Il pleurait, mais il ne mourait point.

Gournay et Maltravers s'ennuyaient à Corfe, car tous les plaisirs s'épuisent, même ceux qu'on prend à torturer un roi. Et puis Maltravers avait laissé sa femme Eva à Berkeley, auprès de son beau-frère ; et puis, dans la région de Corfe, on commençait à savoir que le roi détrôné était détenu là. Alors, après échange de messages avec Mortimer, on décida de ramener Édouard à Berkeley.

Lorsque, encadré de la même escorte, il repassa, un peu plus maigre seulement et un peu plus voûté, les grosses herses, les ponts-levis, les deux enceintes, le roi Édouard II, si malheureux qu'il fût, éprouva un immense soulagement et comme le sentiment de la délivrance. Son astrologue avait menti.

VIII

« BONUM EST »

La reine Isabelle était déjà au lit, ses deux nattes d'or tombant sur sa poitrine. Roger Mortimer entra, sans se faire annoncer, ainsi qu'il en avait le privilège. A l'expression de son visage, la reine sut de quel sujet il allait lui parler, lui reparler plutôt.

— J'ai reçu nouvelles de Berkeley, dit-il d'un ton qui se voulait calme et détaché.

Isabelle ne répondit pas.

La fenêtre était entrouverte sur la nuit de septembre. Mortimer alla l'ouvrir tout à fait et resta un moment à contempler la ville de Lincoln, vaste et tassée, encore piquetée de quelques lumières, et qui s'étendait au-dessous du château. Lincoln était en importance la quatrième ville du royaume après Londres, Winchester et York. L'un des morceaux du corps de Hugh Le Despenser le Jeune y avait été expédié dix mois auparavant. La cour, arrivant du Yorkshire, venait de s'y installer depuis une semaine.

Isabelle regardait les hautes épaules de Mortimer et sa nuque couverte de cheveux en rouleaux se découper, ombre sur le ciel nocturne, dans l'encadrement de la fenêtre. Dans ce moment précis, elle ne l'aimait pas.

— Votre époux paraît s'obstiner à vivre, reprit Mortimer en se retournant, et cette vie met en péril la paix du royaume. On continue de conspirer pour sa délivrance dans les manoirs de Galles. Les dominicains ont le front de prêcher en sa faveur jusques à Londres même, où les troubles qui nous ont inquiétés en juillet pourraient bien se renouveler. Édouard n'est guère dangereux par lui-même, je vous l'accorde, mais il est prétexte à l'agitation de nos ennemis. Veuillez enfin, je vous prie, émettre cet ordre que je vous conseille et sans lequel il n'y aura point de sécurité ni pour vous ni pour votre fils.

Isabelle eut un soupir de lassitude excédée. Que ne donnait-il lui-même cet ordre ? Que ne prenait-il la décision à son compte, lui qui faisait la pluie et le soleil dans le royaume ?

— Gentil Mortimer, dit-elle calmement, je vous ai déjà répondu qu'on n'obtiendrait point cet ordre de moi.

Roger Mortimer ferma la fenêtre ; il craignait de s'emporter.

— Mais pourquoi, à la parfin, dit-il, avoir subi tant d'épreuves et couru si grands risques pour devenir à présent l'ennemie de votre propre sûreté ?

Elle secoua la tête et répondit :

— Je ne puis. J'aime mieux courir tous les hasards que d'en venir à cette issue. Je t'en prie, Roger, ne souillons pas nos mains de ce sang-là.

Mortimer eut un ricanement bref.

— D'où te vient, répliqua-t-il, ce soudain respect du sang de tes ennemis ? Le sang du comte d'Arundel, le sang des Despensers, le sang de Baldock, tout ce sang-là qui coulait sur les places des villes, tu n'en as pas détourné les yeux. J'avais même cru, certaines nuits, que le sang te plaisait assez. Et lui, le cher Sire, n'a-t-il pas les mains plus rouges que les nôtres pourront jamais l'être ? N'aurait-il pas volontiers versé mon sang et le tien, si nous lui en avions laissé le loisir ? Il ne faut pas être roi, Isabelle, si l'on a peur du sang, il ne faut pas être reine ; il faut se retirer dans quelque couvent, sous un voile de nonne, et n'avoir ni amour ni pouvoir !

Ils s'affrontèrent un moment du regard. Les prunelles couleur de silex brillaient trop fort sous les sourcils épais, à la lueur des chandelles ; la cicatrice blanche ourlait une lèvre au dessin trop cruel. Isabelle fut la première à baisser les yeux.

— Rappelle-toi, Mortimer, qu'il t'a fait grâce autrefois, dit-elle. Il doit penser à présent que s'il n'avait pas cédé aux prières des barons, des évêques, à mes propres prières, et t'avait fait décapiter comme il en a ordonné de Thomas de Lancastre...

— Non point, non point, je m'en souviens, et justement je ne voudrais pas avoir à connaître un jour des regrets semblables aux siens. Je trouve cette compassion que tu lui portes bien étrange et bien obstinée.

Il prit un temps.

— L'aimes-tu donc encore ? ajouta-t-il. Je ne vois point d'autre raison.

Elle haussa les épaules.

— C'est donc pour cela, dit-elle, pour que je te fournisse une preuve de plus ! Cette fureur de jaloux ne s'éteindra donc jamais en toi ? Ne t'ai-je pas assez montré devant tout le royaume de France, et tout celui d'Angleterre, et devant mon fils même, que je n'avais au cœur d'autre amour que le tien ? Mais que me faut-il faire ?

— Ce que je te demande, et rien d'autre. Mais je vois que tu ne veux pas t'y résoudre. Je vois que la croix que tu te fis au cœur, devant moi, et qui devait nous allier en tout, et ne nous donner qu'une volonté, n'était pour toi que simulacre. Je vois bien que le destin m'a fait engager ma foi à une créature faible !

Oui, un jaloux, voilà ce qu'il était ! Régent tout-puissant, nommant aux emplois, gouvernant le jeune roi, vivant conjugalement avec la reine, et ceci aux yeux de tous les barons, Mortimer demeurait un jaloux !... «Mais a-t-il complètement tort de l'être ?» pensa soudain Isabelle. Le danger de toute jalousie est de forcer celui qui en est l'objet à rechercher en lui-même s'il n'y a pas motif aux reproches qu'on lui adresse. Ainsi s'éclairent certains sentiments auxquels on n'avait pas pris garde... Comme c'était étrange ! Isabelle était sûre de haïr Édouard autant que femme pouvait ; elle ne songeait à lui qu'avec mépris, dégoût et rancune à la fois. Et pourtant... Et pourtant le souvenir des anneaux échangés, du couronnement, des maternités, les souvenirs qu'elle gardait non pas de lui, mais d'elle-même, le souvenir simplement d'avoir cru qu'elle l'aimait, c'était tout cela qui la retenait à présent. Il lui semblait impossible d'ordonner la mort du père des enfants qu'elle avait mis au monde... «Et ils m'appellent la Louve de France !» Le saint n'est jamais aussi saint, ni le cruel jamais aussi complètement cruel que les autres le croient.

Et puis Édouard, même déchu, était un roi. Qu'on l'eût dépossédé, dépouillé, emprisonné, n'empêchait pas qu'il fût personne royale. Et Isabelle était reine elle-même, et formée à l'être. Toute son enfance, elle avait eu l'exemple de la vraie majesté royale, incarnée dans un homme qui, par le sang et le sacre, se savait au-dessus de tous les autres hommes, et se faisait connaître pour tel. Attenter à la vie d'un sujet, fût-il le plus grand seigneur du royaume, n'était jamais qu'un crime. Mais l'acte de supprimer une vie royale comportait un sacrilège et la négation du caractère sacerdotal, divin, dont les souverains étaient investis.

— Et cela, Mortimer, tu ne peux le comprendre, car tu n'es pas roi, et tu n'es pas né d'un roi.

Elle s'aperçut, trop tard, qu'elle venait de penser tout haut.

Le baron des Marches, le descendant du compagnon de Guillaume le Conquérant, le Grand Juge du Pays de Galles, prit rudement le coup. Il recula de deux pas, s'inclina.

— Je ne pense pas que ce soit un roi, Madame, qui vous ait rendu votre trône ; mais il paraît que c'est perdre son temps que d'attendre que vous en conveniez. Comme de vous rappeler que je descends des rois de Danemark qui n'ont pas dédaigné de donner l'une de leurs filles à mon aïeul le premier Roger Mortimer. Mes efforts pour vous m'ont acquis peu de mérite. Laissez donc vos ennemis délivrer votre royal époux, ou bien, même, allez lui rendre la liberté de vos propres mains. Votre puissant frère de France ne manquera pas alors de vous protéger, comme il le fit si bien quand vous eûtes à fuir, soutenue par moi en votre selle, vers le Hainaut. Mortimer, lui, n'étant point roi, et sa vie de la sorte n'étant pas protégée contre une mésaventure de la fortune, s'en va, Madame, chercher refuge ailleurs avant qu'il soit trop tard, hors d'un royaume dont la reine l'aime si peu qu'il ne se sent plus rien à y faire.

Sur quoi il gagna la porte. Il était contrôlé dans sa colère ; il ne fit point battre le vantail de chêne mais le repoussa lentement, et ses pas décrurent.

Isabelle connaissait assez l'orgueilleux Mortimer pour savoir qu'il ne reviendrait pas. Elle bondit hors du lit, courut en chemise à travers les couloirs du château, rattrapa Mortimer, le saisit par ses vêtements, se pendit à ses bras.

— Demeure, demeure, gentil Mortimer, je t'en supplie ! s'écria-t-elle sans se soucier qu'on l'entendît. Je ne suis qu'une femme, j'ai besoin de ton conseil et de ton appui ! Demeure ! demeure, de grâce, et agis ainsi que tu crois.

Elle était en larmes et s'appuyait, se blottissait contre ce torse, ce cœur sans lesquels elle ne pouvait vivre.

— Je veux ce que tu veux ! dit-elle encore.

Les serviteurs, attirés par le bruit, étaient apparus et tout aussitôt se dissimulaient, gênés d'être témoins de cette querelle d'amants.

— Tu veux vraiment ce que je veux ?.. demanda-t-il en prenant le visage de la reine entre ses mains. Alors ! Gardes ! cria-t-il. Qu'on aille me quérir aussitôt Monseigneur Orleton.

Depuis quelques mois Mortimer et Adam Orleton se battaient froid. Leur brouille stupide avait pour cause cet évêché de Worcester attribué à Orleton par le pape, tandis que Mortimer le promettait à un autre candidat. Que Mortimer n'avait-il su que son ami souhaitait cet évêché ! Mais à présent, sa parole engagée, il ne voulait plus se dédire. Le Parlement, saisi de la question, à York, avait décrété la confiscation des revenus du diocèse de Worcester... Orleton, qui donc n'était plus évêque de Hereford et ne l'était pas non plus de Worcester, jugeait bien ingrat l'homme qu'il avait fait évader de la Tour. L'affaire demeurait en débat, et Orleton continuait de suivre la cour dans ses déplacements.

« Mortimer, quelque jour, aura de nouveau besoin de moi, se disait-il, et alors il cédera. »

Ce jour, ou plutôt cette nuit, était arrivé. Orleton le comprit aussitôt qu'il eut pénétré dans la chambre de la reine. Isabelle, recouchée, gardait des traces de larmes sur le visage. Mortimer marchait à grands pas autour du lit. Pour qu'on se gênât si peu devant le prélat, il fallait que l'affaire fût grave !

— Madame la reine, déclara Mortimer, considère avec raison, à cause des menées que vous savez, que la vie de son époux met en péril la paix du royaume, et elle s'inquiète que Dieu tarde tant à le rappeler à lui.

Adam Orleton regarda Isabelle, Isabelle regarda Mortimer, puis ramena les yeux vers l'évêque et fit un signe d'assentiment. Orleton eut un bref sourire, non de cruauté, ni même vraiment d'ironie, plutôt une expression de pudique tristesse.

— Madame la reine se voit placée devant le grand problème qui se pose toujours à ceux qui ont la charge des États, répondit-il. Faut-il, pour ne point détruire une seule vie, risquer d'en faire périr beaucoup d'autres ?

Mortimer se tourna vers Isabelle, et dit :

— Vous entendez !

Il était fort satisfait de l'appui que lui portait l'évêque et regrettait simplement de ne pas avoir trouvé lui-même cet argument.

— C'est de la sauvegarde des peuples qu'il s'agit là, reprit Orleton, et c'est à nous, évêques, qu'on s'adresse pour éclairer les volontés divines. Certes, les Saints Commandements nous interdisent de hâter toute fin. Mais les rois ne sont pas hommes ordinaires, et ils s'exceptent eux-mêmes des Commandements lorsqu'ils condamnent à mort leurs sujets... Je croyais toutefois, my Lord, que les gardiens que vous avez nommés autour du roi déchu allaient vous épargner de vous poser ces questions.

— Les gardiens paraissent avoir épuisé leurs ressources, répondit Mortimer. Et ils n'agiront pas plus avant sans avoir reçu des instructions écrites.

Orleton hocha la tête, mais ne répondit point.

— Or un ordre écrit, poursuivit Mortimer, peut tomber en d'autres mains que celles auxquelles il est destiné ; il peut également fournir une arme à ceux qui ont à l'exécuter contre ceux qui le donnent. Me comprenez-vous ?

Orleton sourit à nouveau. Le prenait-on pour un niais ?

— En d'autres mots, my Lord, dit-il, vous voudriez envoyer l'ordre et ne pas l'envoyer.

— Je voudrais plutôt envoyer un ordre qui soit clair pour ceux qui doivent l'entendre, et qui demeure obscur à ceux qui le doivent ignorer. C'est là-dessus que je veux me consulter avec vous qui êtes homme de ressources, si vous consentez à m'apporter votre concours.

— Et vous demandez cela, my Lord, à un pauvre évêque qui n'a même pas de siège, ni de diocèse où planter sa crosse ?

Ce fut au tour de Mortimer de sourire :

— Allons, allons, my Lord Orleton, ne parlons plus de ces choses. Vous m'avez beaucoup fâché, vous le savez. Si vous m'aviez seulement averti de vos souhaits! Mais puisque vous y tenez tant, je ne m'opposerai plus. Vous aurez Worcester, c'est parole dite... J'en ferai mon affaire avec le Parlement... Et vous êtes toujours mon ami, vous le savez bien aussi.

L'évêque hocha le front. Oui, il le savait; et lui-même gardait toujours autant d'amitié à Mortimer, et leur brouille récente n'avait rien changé; il suffisait qu'ils fussent face à face pour en prendre conscience. Trop de souvenirs les liaient, trop de complicités et une réciproque admiration. Ce soir même, dans la difficulté où Mortimer se trouvait après avoir enfin arraché à la reine un consentement si longtemps attendu, qui donc appelait-il? L'évêque aux épaules tombantes, à la démarche de canard, à la vue fatiguée par l'étude. Ils étaient même si fort amis qu'ils en avaient oublié la reine qui les observait, de ses larges yeux bleus, et se sentait mal.

— C'est votre beau sermon «*Doleo caput meum*», nul ne l'a oublié, qui a permis de déchoir le mauvais roi, dit Mortimer. Et c'est vous encore qui avez obtenu l'abdication.

Voilà que la gratitude revenait! Orleton s'inclina sous les compliments.

— Vous voulez donc que j'aille jusqu'au bout de la tâche, dit-il.

Il y avait dans la chambre une table à écrire, des plumes et du papier. Orleton réclama un couteau parce qu'il ne pouvait écrire qu'avec une plume taillée par lui-même. Cela l'aidait à réfléchir. Mortimer respectait sa méditation.

— L'ordre n'a pas besoin d'être long, dit Orleton au bout d'un moment.

Il regardait en l'air, d'un air amusé. Il avait visiblement oublié qu'il s'agissait de la mort d'un homme; il éprouvait un sentiment d'orgueil, une satisfaction de lettré qui vient de résoudre un difficile problème de rédaction. Les yeux près de la table, il ne traça qu'une seule phrase d'une écriture bien formée, répandit dessus de la poudre à sécher, et tendit la feuille à Mortimer en disant:

— J'accepte même de sceller cette lettre de mon propre sceau, si vous-même ou Madame la reine considérez ne point devoir y apposer les vôtres.

Vraiment, il paraissait content de lui.

Mortimer s'approcha d'une chandelle. La lettre était en latin. Il lut assez lentement:

— *Eduardum occidere nolite timere bonum est.* Il réfléchit un moment, puis, revenant à l'évêque:

— *Eduardum occidere*, cela je comprends bien; *nolite*: ne faites pas... *timere*: craindre... *bonum est*: il est bon...

Orleton souriait.

— Faut-il entendre: «Ne tuez pas Édouard, il est bon de craindre...

de faire cette chose », poursuivit Mortimer, ou bien « Ne craignez pas de tuer Édouard, c'est chose bonne »? Où est la virgule?

— Elle n'est pas, répondit Orleton. La volonté de Dieu se manifestera par la compréhension de celui qui recevra la lettre. Mais la lettre elle-même, à qui peut-on en faire reproche?

Mortimer restait perplexe.

— C'est que j'ignore, dit-il, si Maltravers et Gournay entendent bien le latin.

— Le frère Guillaume, que vous avez placé auprès d'eux, l'entend assez bien. Et puis le messager pourra transmettre de bouche, mais de bouche seulement, que toute action découlant de cet ordre devra demeurer sans traces.

— Et vraiment, demanda Mortimer, vous êtes prêt à y apposer votre propre sceau?

— Je le ferai, dit Orleton.

C'était vraiment un bon compagnon. Mortimer le raccompagna jusqu'au bas de l'escalier, puis remonta à la chambre de la reine.

— Gentil Mortimer, lui dit Isabelle, ne me laissez point dormir seule cette nuit.

La nuit de septembre n'était pas si froide qu'elle dût grelotter autant.

IX

LE FER ROUGE

Comparé aux forteresses démesurées de Kenilworth ou de Corfe, Berkeley peut être regardé comme un petit château. Ses pierres de teinte rose, ses dimensions humaines, ne le rendent en rien effrayant... Il communique directement avec le cimetière qui entoure l'église et où les dalles, en quelques années, se couvrent d'une petite mousse verte, fine comme un tissu de soie[42].

Thomas de Berkeley, assez brave jeune homme que n'animait aucune férocité à l'égard de son semblable, ne possédait pas de raisons toutefois de se montrer bienveillant à l'excès envers l'ancien roi Édouard II qui l'avait tenu quatre ans en prison à Wallingford, en compagnie de son père Maurice, mort pendant cette détention. En revanche, tout l'incitait au dévouement envers son puissant beau-père, Roger Mortimer, dont il avait épousé la fille aînée en 1320, qu'il avait suivi dans la révolte de 1322, et auquel il devait sa délivrance, l'année précédente. Thomas recevait la considérable somme de cent shillings par jour pour la garde et l'hébergement du roi déchu. Ni sa femme Marguerite Mortimer, ni sa sœur Éva, l'épouse de John Maltravers, n'étaient non plus de mauvaises personnes.

N'aurait-il eu affaire qu'à la famille Berkeley, Édouard II eût trouvé le séjour acceptable. Par malheur, il lui fallait subir les trois tourmenteurs, le Maltravers, le Gournay et leur barbier Ogle. Ceux-ci ne laissaient pas de répit à l'ancien roi; ils avaient l'esprit fécond en cruauté, et ils se livraient à une sorte de compétition, rivalisant d'invention et de raffinement dans le supplice.

Maltravers avait imaginé d'installer Édouard, à l'intérieur du *keep*, dans un réduit circulaire de quelques pieds de diamètre au centre duquel s'ouvrait un ancien puits maintenant asséché. Aucune margelle n'entourait le puits. Il eût suffi d'un faux mouvement pour que le prisonnier tombât dans cette oubliette. Aussi Édouard devait-il rester constamment attentif ; cet homme de quarante-quatre ans, mais qui maintenant en paraissait plus de soixante, demeurait là, gisant sur une brassée de paille, le corps collé contre la muraille ou ne se déplaçait qu'en rampant, et lorsqu'il s'assoupissait, il se réveillait aussitôt, tout en sueur, craignant de s'être rapproché du vide.

A ce supplice de la peur, Gournay en ajouta un autre, celui de l'odeur. Il faisait ramasser dans la campagne des charognes de bêtes puantes, blaireaux pris au terrier, renards, putois, et aussi les oiseaux morts, bien pourris, que l'on jetait dans le puits afin que la pestilence qu'ils dégageaient infestât le peu d'air dont disposait le prisonnier.

— Voilà de la bonne venaison pour le crétin ! disaient les trois tortionnaires, chaque matin, quand ils voyaient arriver la cargaison de bêtes mortes.

Eux-mêmes n'avaient pas le nez très fin car ils se tenaient ensemble, ou à tour de rôle, dans une petite pièce en haut de l'escalier du *keep* et qui commandait le réduit où s'anémiait le roi. D'écœurantes bouffées venaient parfois jusqu'à eux ; mais c'était alors l'occasion de grosses plaisanteries :

— Ce qu'il peut puer, le gâteux ! s'écriaient-ils en abattant leurs cornets à dés et en lampant leurs pots de bière.

Le jour où leur parvint la lettre d'Adam Orleton, ils se concertèrent longuement. Le frère Guillaume leur avait traduit la missive, sans hésiter le moins du monde sur son sens véritable, mais en leur faisant apprécier l'habile ambiguïté de la rédaction. Les trois méchants s'en étaient frappé les cuisses pendant un quart d'heure, en répétant : « *bonum est... bonum est !* » et en se tordant de rire.

Le chevaucheur un peu obtus qu'on leur avait dépêché avait fidèlement délivré son message oral : « Sans traces. »

C'était là-dessus précisément qu'ils se consultaient.

— Ils ont vraiment d'étranges exigences, les gens de la cour, évêques et autres Lords ! dit Maltravers. Ils vous commandent de tuer et que cela ne se voie pas.

Comment procéder ? Le poison laissait les corps noirs ; et puis le poison, il fallait s'en fournir auprès de gens qui pouvaient parler. La strangulation ? La marque du lacet demeure autour du cou, et la face reste toute bleue.

Ce fut Ogle, l'ancien barbier de la tour de Londres, qui eut le trait de génie. Thomas Gournay apporta au plan proposé quelques perfectionnements ; et Maltravers rit bien fort, découvrant les gencives en même temps que les dents.

— Il sera puni par où il a péché ! s'écria-t-il.

L'idée lui semblait vraiment astucieuse.

— Mais il nous faudra bien être quatre, pour le moins, dit Gournay. Berkeley devra nous prêter la main.

— Ah! tu sais comment est mon beau-frère Thomas, répondit Maltravers. Il touche ses cinq livres la journée, mais il a le cœur sensible. Il serait plus gênant qu'utile.

— Le gros Towurlee, pour la promesse de quelques shillings, nous aidera volontiers, dit Ogle. Et puis il est si bête que, même s'il parle, personne ne le croira.

On attendit le soir. Gournay fit préparer aux cuisines un excellent repas pour le prisonnier, avec un pâté moelleux, de petits oiseaux rôtis sur broche, une queue de bœuf en sauce. Édouard n'avait pas fait pareil souper depuis les soirées de Kenilworth, chez son cousin Tors-Col. Il fut tout étonné, un peu inquiet d'abord, puis réconforté, par cette chère inhabituelle. Au lieu de lui jeter une écuelle qu'il devait loger au bord de la fosse puante, on l'avait installé dans la pièce attenante, sur une escabelle, ce qui lui semblait un confort miraculeux; et il dégustait ces mets dont il avait presque oublié le goût. On ne lui ménageait pas le vin non plus, un bon vin claret que Thomas de Berkeley faisait venir d'Aquitaine. Les trois geôliers assistaient à cette ripaille en échangeant des clins d'œil.

— Il n'aura même pas le temps de le digérer, souffla Maltravers à Gournay.

Le colosse Towurlee se tenait dans la porte qu'il obstruait complètement.

— Voilà, on se sent mieux à présent, n'est-il pas vrai, my Lord, dit Gournay quand l'ancien souverain eut terminé son repas. Maintenant on va te conduire dans une bonne chambre où tu trouveras un lit de plumes.

Le prisonnier au crâne rasé, au long menton tremblant, regarda ses gardiens avec surprise.

— Vous avez reçu de nouveaux ordres? demanda-t-il.

Son ton était plein d'humilité craintive.

— Ah oui! pour sûr, on a reçu des ordres et l'on va bien te traiter, my Lord! répondit Maltravers. On t'a même commandé du feu, là où tu vas dormir, parce que les soirées commencent à fraîchir, n'est-ce pas Gournay? Eh! c'est la saison qui le veut; on est déjà fin septembre.

On fit descendre au roi l'étroit escalier, puis traverser la cour herbue du *keep*, puis remonter de l'autre côté, dans la muraille. Ses geôliers avaient dit vrai; ils le menaient à une chambre, pas une chambre de palais, bien sûr, mais une bonne pièce, propre et passée à la chaux, avec un lit à gros matelas de plumes, et un braséro, plein de tisons ardents. Il faisait presque trop chaud.

Le vin, la chaleur... Le roi déchu sentait la tête lui tourner un peu. Suffisait-il donc d'un bon repas pour reprendre espérance? Quels étaient les nouveaux ordres et pourquoi lui témoignait-on tant d'égards soudains? Une révolte dans le royaume peut-être; Mortimer tombé en disgrâce... Ou simplement le jeune roi s'était inquiété enfin du sort de son père et avait exigé qu'on le traitât de façon humaine... Mais, si même il y avait révolte, si même tout le peuple s'était soulevé en sa faveur, jamais Édouard n'accepterait de reprendre son trône, jamais, il en faisait serment à Dieu. Parce que roi de nouveau, il recommencerait à commettre des fautes; il n'était pas fait pour régner. Un calme couvent, voilà tout ce qu'il souhaitait, et pouvoir se promener dans un beau jardin, être servi de mets à son goût... prier aussi. Et puis se laisser repousser la barbe et les cheveux, à moins qu'il ne gardât la tonsure... Quelle négligence de l'âme et quelle ingratitude que de ne pas remercier le Créateur de ces simples choses qui suffisent à rendre une vie agréable, une nourriture savoureuse, une chambre chaude... Il y avait un tisonnier dans le poêle à braise.

— Étends-toi donc, my Lord! La couche est bonne, tu verras, dit Gournay.

Et de fait, le matelas était doux. Retrouver un vrai lit, quel bienfait! Mais pourquoi les trois autres restaient-ils là? Maltravers était assis sur une escabelle, les cheveux pendant sur les oreilles; les mains entre les genoux, et regardait le roi. Gournay tisonnait le feu. Le barbier Ogle tenait une corne de bœuf à la main et une petite scie.

— Dors, Sire Édouard, ne t'occupe pas de nous, nous avons à travailler, insista Gournay.

— Que fais-tu, Ogle? demanda le roi. Tu tailles une corne pour boire?

— Non, my Lord, pas pour boire. Je taille une corne, voilà tout.

Puis, se tournant vers Gournay et marquant une place sur la corne, avec l'ongle du pouce, le barbier dit:

— Je crois que c'est la bonne longueur, ne pensez-vous pas?

Le rouquin au visage de truie regarda par-dessus son épaule et répondit:

— Oui, cela doit convenir. *Bonum est.*

Puis il se remit à éventer le feu.

La scie criait sur la corne de bœuf. Quand celle-ci fut partagée, le barbier en tendit la partie effilée à Gournay, qui la prit, l'examina, y enfonça le tisonnier rouge. Une âcre odeur s'échappa qui d'un coup empesta la pièce. Le tisonnier ressortit par la pointe brûlée de la corne. Gournay le remit au feu. Comment voulait-on que le roi dormît avec tout ce travail autour de lui? Ne l'avait-on éloigné de l'oubliette aux charognes que pour l'enfumer à présent avec de la corne brûlée? Soudain Maltravers, toujours assis et toujours regardant Édouard, lui demanda:

— Ton Despenser que tu aimais tant, avait-il la parure solide?

Les deux autres s'esclaffèrent. A cause de ce nom prononcé, Édouard sentit comme un déchirement dans son esprit et comprit que ces gens allaient l'exécuter sur l'heure. Se préparaient-ils à lui infliger le même et atroce traitement qu'à Hugh le Jeune?

— Vous n'allez pas faire cela? Vous n'allez pas me tuer? s'écria-t-il, s'étant brusquement redressé sur son lit.

— Nous, te tuer, Sire Édouard? dit Gournay sans même se retourner. Qui pourrait te faire croire cela?... Nous avons des ordres. *Bonum est, bonum est...*

— Allons, recouche-toi, dit Maltravers.

Mais Édouard ne se recouchait pas. Son regard, dans sa tête toute chauve et amaigrie, allait, comme celui d'une bête piégée, de la nuque rousse de Thomas Gournay au long visage jaune de Maltravers et aux joues poupines du barbier. Gournay avait ressorti le tisonnier du feu et en examinait l'extrémité incandescente.

— Towurlee! appela-t-il. La table!

Le colosse, qui attendait dans la pièce voisine, entra soulevant une lourde table. Maltravers alla refermer la porte et y donna un tour de clé. Pourquoi cette table, cette épaisse planche de chêne, qu'on posait ordinairement sur des tréteaux? Il n'y avait pas de tréteaux dans la pièce. Et parmi tant de choses étranges qui se passaient autour du roi, cette table tenue à bout de bras par un géant devenait l'objet le plus insolite, le plus effrayant. Comment pouvait-on tuer avec une table? Ce fut la dernière pensée claire qu'eut le roi.

— Allons! dit Gournay faisant signe à Ogle.

Ils s'approchèrent, chacun d'un côté du lit, se jetant sur Édouard, le tournèrent pour le mettre à plat-ventre.

— Ah! les gueux, les gueux! cria-t-il. Non, vous n'allez pas me tuer.

Il s'agitait, se débattait, et Maltravers était venu leur prêter la main, et ils n'étaient pas trop de trois; et le géant Towurlee ne bougeait pas.

— Towurlee, la table! cria Gournay.

Towurlee se rappela ce qu'on lui avait commandé. Il avança et laissa tomber l'énorme planche en travers des épaules du roi. Gournay releva la robe du prisonnier, abaissa les braies dont l'étoffe usée se déchira. C'était grotesque, misérable, un fondement ainsi exposé; mais maintenant les assassins n'avaient plus le cœur à rire.

Le roi, à demi assommé par le coup et suffoquant sous la table qui l'enfonçait dans le matelas, se débattait, ruait. Que d'énergie il lui restait!

— Towurlee, tiens-lui les chevilles! Mais non, pas ainsi, tiens-les écartées! ordonna Gournay.

Le roi était parvenu à sortir sa nuque dénudée de dessous la planche, et tournait le visage de côté, pour prendre un peu d'air. Maltravers lui pesa des deux mains sur la tête. Gournay se saisit du tisonnier et dit:

— Ogle! Enfonce la corne, à présent.

Le roi Édouard eut un sursaut d'une force désespérée quand le fer rouge lui pénétra dans les entrailles; le hurlement qu'il poussa, traversant les murs, traversant le *keep*, passant par-dessus les dalles du cimetière, alla réveiller les gens jusque dans les maisons du bourg. Et ceux qui entendirent ce long, ce lugubre, cet effroyable cri, eurent dans l'instant même la certitude qu'on venait d'assassiner le roi.

Le lendemain matin les habitants de Berkeley montèrent au château, pour s'informer. On leur répondit qu'en effet l'ancien roi était trépassé dans la nuit, soudainement, en jetant un grand cri.

— Venez donc le voir, mais oui, approchez, disaient Maltravers et Gournay aux notables et au clergé. On fait présentement sa toilette mortuaire. Qu'on entre; tout le monde peut entrer.

Et les gens du bourg constatèrent qu'il n'y avait aucune marque de coup, aucune plaie, aucune blessure sur ce corps qu'on était en train de laver, et qu'on ne cherchait nullement à leur dissimuler.

Thomas Gournay et John Maltravers se regardaient; ç'avait été une brillante idée que cette corne de bœuf pour enfoncer le tisonnier à travers. Vraiment, une mort sans traces; dans ce temps si inventif en matière d'assassinat, ils pouvaient s'enorgueillir d'avoir découvert là une parfaite méthode.

Ils étaient inquiets seulement du départ inopiné de Thomas de Berkeley, avant l'aube, sous le prétexte, avait-il fait dire par sa femme, d'une affaire qui l'appelait dans un château voisin. Et puis Towurlee, le colosse au petit crâne, réfugié aux écuries, depuis plusieurs heures pleurait, assis par terre.

Gournay dans la journée partit à cheval pour Nottingham où se trouvait la reine, afin d'annoncer à celle-ci le trépas de son époux.

Thomas de Berkeley resta éloigné une bonne semaine et se montra en divers lieux d'alentour, essayant d'accréditer qu'il n'avait pas été dans son château au moment de la mort. Il eut, à son retour, la mauvaise surprise d'apprendre que le cadavre était toujours chez lui. Aucun des monastères voisins ne s'en voulait charger. Berkeley dut garder son prisonnier en bière, pendant tout un mois, durant lequel il continua de percevoir ses cent shillings quotidiens.

Tout le royaume, maintenant, connaissait la mort de l'ancien souverain; d'étranges récits, mais qui n'étaient guère éloignés de la vérité, circulaient, et l'on chuchotait que cet assassinat ne porterait bonheur ni à ceux qui l'avaient accompli, ni à ceux, si haut qu'ils fussent, qui l'avaient ordonné.

Enfin, un abbé vint prendre livraison du corps, au nom de l'évêque de Gloucester qui acceptait de le recevoir dans sa cathédrale. La dépouille du roi Édouard II fut mise sur un chariot recouvert d'une toile noire. Thomas de Berkeley et sa famille l'accompagnèrent, et les gens des environs suivirent en cortège. A chaque halte que fit le convoi de mille en mille, les paysans plantèrent un petit chêne.

Après six cents ans écoulés, certains de ces chênes sont toujours debout et projettent des places d'ombre noire sur la route qui va de Berkeley à Gloucester.

NOTES HISTORIQUES

1. — La tour de Londres formait encore au xive siècle la limite orientale de la ville, et même était séparée de la Cité proprement dite par les jardins des monastères. Le Tower Bridge naturellement n'existait pas ; la Tamise n'était franchie que par le seul London Bridge, en amont de la Tour.

Si l'édifice central, la White Tower, entrepris vers 1078 sur l'ordre de Guillaume le Conquérant par son architecte le moine Gandulf, se présente à nous, au bout de neuf cents ans, sensiblement dans son apparence initiale — la restauration de Wren, malgré l'élargissement des fenêtres, l'a peu modifié — en revanche l'aspect général de l'ensemble fortifié était, à l'époque d'Édouard II, assez différent.

Les ouvrages de l'actuelle enceinte n'étaient pas encore construits, à l'exception de la St-Thomas Tower et de la Middle Tower, dues respectivement à Henri II et à Édouard Ier. Les murailles extérieures étaient celles qui forment aujourd'hui la seconde enceinte, ensemble pentagonal à douze tours bâti par Richard Cœur de Lion et constamment remanié par ses successeurs.

On peut constater l'étonnante évolution du style médiéval au cours d'un siècle en comparant la White Tower (fin du xie) qui, malgré l'énormité de sa masse, garde dans sa forme et ses proportions le souvenir des anciennes villas gallo-romaines, et l'appareil fortifié de Richard Cœur de Lion (fin du xiie) dont elle est entourée ; ce second ouvrage a déjà les caractéristiques du classique château fort, du type de Château-Gaillard en France, édifié d'ailleurs par le même Richard Ier, ou, ultérieurement, des constructions angevines de Naples.

White Tower est le seul monument pratiquement intact, parce que constamment utilisé au cours des siècles, qui témoigne du style de construction de l'an mille.

2. — Le terme de *constable*, forme contractée de *connétable*, et qui désigne de nos jours un officier de police, était le titre officiel du commandant de la Tour. Le constable était assisté d'un lieutenant

commandant en second. Ces deux fonctions d'ailleurs existent toujours, mais elles sont devenues purement honorifiques et sont remises à des militaires illustres en fin de carrière. Le commandement effectif de la Tour est de nos jours exercé par le *major* qui est lui-même officier général. Comme on le voit, ces dignités ont une hiérarchie inverse à celle des grades de l'armée.

Le *major* réside à la Tour, dans le Logis du Roi — ou de la Reine — construction de l'époque Tudor, accotée à la Bell Tower ; le premier Logis du Roi, qui datait du temps d'Henry Ier, a été démoli sous Cromwell. Également à l'époque de notre récit — 1323 — la chapelle Saint-Pierre n'était constituée que par la partie romane de l'édifice actuel.

3. — En 1054, contre le roi Henri Ier de France. Roger Ier Mortimer, petit-fils de Herfast de Danemark, était neveu de Richard Ier Sans Peur, troisième duc de Normandie, grand-père du Bâtard Conquérant.

4. — Le *shilling* était à cette époque une unité de valeur, mais non une monnaie proprement dite. De même pour la livre ou le marc. Le *penny* était la plus haute pièce de monnaie en circulation. Il faut attendre le règne d'Édouard III pour voir apparaître des monnaies d'or, avec le *florin* et le *noble*. Le shilling d'argent ne commencera d'être frappé qu'au XVIe siècle.

5. — Très vraisemblablement dans la tour de Beauchamp — mais qui ne portait pas encore ce nom. Elle ne fut appelée ainsi qu'à partir de 1397, à cause de Thomas de Beauchamp, comte de Warwick, qui y fut incarcéré et qui était, coïncidence curieuse, petit-fils de Roger Mortimer. Ce bâtiment était une construction d'Édouard II, donc toute récente à l'époque de Mortimer.

Les lucarnes des latrines étaient souvent le point faible des édifices fortifiés. C'est par une ouverture de cette sorte que les soldats de Philippe Auguste purent, après un siège qui menaçait de demeurer vain, s'introduire une nuit dans Château-Gaillard, la grande forteresse française de Richard Cœur de Lion.

6. — Le terme de *Parlement*, qui signifie très exactement assemblée, s'est appliqué en France et en Angleterre à des institutions de commune origine, c'est-à-dire au départ une extension de la *curia regis*, mais qui prirent rapidement des formes et des attributions complètement différentes.

Le Parlement français, d'abord ambulant, puis fixé à Paris avant que des parlements secondaires ne fussent par la suite institués en province, était une assemblée judiciaire exerçant le pouvoir de justice sur l'ordre et au nom du souverain. Les membres en étaient d'abord désignés par le roi et pour la durée d'une session judiciaire; à partir de la fin du XIIIᵉ siècle et au début du XIVᵉ, c'est-à-dire du règne de Philippe le Bel, les maîtres du Parlement furent désignés à vie.

Le Parlement français avait à connaître des grands conflits d'intérêts privés comme des procès opposant des particuliers à la couronne, des procès criminels important à la vie de l'État, des contestations s'élevant à propos de l'interprétation des coutumes et de tout ce qui touchait, en somme, à la législation générale du royaume, y compris même la loi de succession au trône, comme on le vit au début du règne de Philippe·V. Mais encore une fois le rôle du Parlement et ses attributions étaient uniquement judiciaires ou juridiques.

La seule puissance politique du Parlement français venait de ce qu'aucun acte royal, ordonnance, édit, grâce, etc., n'était valable sans avoir été enregistré et entériné par ledit Parlement, mais il ne commença vraiment d'user de ce pouvoir de refus que vers la fin du XIVᵉ et le début du XVᵉ siècle, quand la monarchie se trouva affaiblie.

Le Parlement anglais, lui, était une assemblée à la fois judiciaire, puisque les grands procès d'État y étaient évoqués, en même temps que déjà une assemblée politique. Nul n'y siégeait de droit; c'était toujours une sorte de Grand Conseil élargi où le souverain appelait qui il voulait, c'est-à-dire les membres de son Conseil étroit, les grands seigneurs du royaume, tant laïcs qu'ecclésiastiques, et les représentants des comtés et des villes choisis généralement par les shérifs.

Le rôle politique du Parlement anglais devait à l'origine se borner à une double mission d'information, le roi informant les représentants de son peuple, choisis par lui, des dispositions générales qu'il entendait prendre, et les représentants informant le souverain, par voie de pétition ou d'exposé oral, des desiderata des classes ou des régions administratives auxquelles ils appartenaient.

En théorie, le roi d'Angleterre était seul maître de son Parlement qui restait en somme comme un auditoire privilégié auquel il ne demandait rien d'autre qu'une sorte d'adhésion symbolique et passive aux actes de sa politique. Mais dès que les rois d'Angleterre se trouvèrent dans de graves difficultés, ou bien lorsqu'il leur arriva de se montrer faibles ou mauvais gouvernants, les Parlements qu'ils avaient désignés devinrent plus exigeants, adoptèrent des attitudes franchement délibératives et imposèrent leurs volontés au souverain; du moins le souverain eut-il à compter avec les volontés exprimées.

Le précédent de la Grande Charte de 1215, imposée à Jean Sans Terre par ses barons, et qui portait en essence le règlement des libertés anglaises, demeura toujours présent à l'esprit des Parlements. Celui qui se tint en 1311 contraignit Édouard II à accepter une charte instituant autour du roi un conseil d'ordonnateurs composé de grands barons élus par le Parlement et qui exerçaient vraiment le pouvoir au nom du souverain.

Édouard II lutta toute sa vie contre ces dispositions, les ayant d'abord refusées puis s'y étant soumis après sa défaite de 1314 par les Écossais. Il ne s'en délivra vraiment, et pour son malheur, qu'en 1322 lorsque, les luttes d'influence ayant divisé les ordonnateurs, il put écraser aux batailles de Shrewsbury et de Boroughbridge le parti Lancastre-Mortimer qui avait pris les armes contre lui.

Rappelons enfin que le Parlement anglais n'avait pas de siège fixe, mais qu'un Parlement pouvait être convoqué par le souverain, ou réclamer d'être convoqué, en toute ville du royaume où le roi se trouvait.

7. — En 1318, donc cinq ans plus tôt, Roger Mortimer de Wigmore, nommé Grand Juge et lieutenant du roi d'Angleterre en Irlande, avait battu, à la tête d'une armée de barons des Marches, Édouard Bruce, roi d'Irlande et frère du roi Robert Bruce d'Écosse. La prise et l'exécution d'Édouard Bruce marquèrent la fin du royaume irlandais. Mais l'autorité anglaise y fut encore pour longtemps tenue en échec.

8. — L'affaire du comté de Gloucester, fort sombre et embrouillée, naquit des fabuleuses prétentions émises sur ce comté par Hugh Le Despenser le Jeune, prétentions qu'il n'aurait eu aucune chance de voir triompher s'il n'avait été le favori du roi.

Hugh le Jeune, non content d'avoir reçu tout le Glamorgan en part d'héritage de sa femme, exigeait contre tous ses beaux-frères, et en particulier contre Maurice de Berkeley, l'intégralité des possessions du feu comte son beau-père. Toute la noblesse du sud et de l'ouest de l'Angleterre s'en était alarmée et Thomas de Lancastre avait pris la tête de l'opposition avec d'autant plus d'ardeur que dans le clan adverse se trouvait son pire ennemi, le comte de Warenne, lequel lui avait enlevé sa femme, la belle Alice.

Les Despensers, un moment exilés par un arrêt du Parlement rendu sous la pression des Lancastriens en armes, avaient été vite rappelés, Édouard ne supportant pas de vivre ni sans son amant, ni sous la tutelle de son cousin Thomas.

Le retour des Despensers au pouvoir avait été l'occasion d'une reprise de la rébellion, mais Thomas de Lancastre, aussi infortuné au combat qu'il l'avait été en ménage, avait fort mal dirigé la coalition. Ne se portant pas à temps au secours des barons des Marches galloises, il avait laissé ceux-ci se faire battre, en janvier 1322, dans l'ouest, à Shrewsbury, où les deux Mortimer avaient été faits prisonniers, tandis que lui-même, attendant vainement dans le Yorkshire des renforts écossais, avait été défait deux mois plus tard à Boroughbridge et condamné à mort immédiatement après.

9. — La commission de l'évêque d'Exeter, d'après le *Calendar of close rolls*, est du 6 août 1323. D'autres ordres furent expédiés concernant l'affaire Mortimer, notamment le 10 août aux shérifs du comté de Kent, le 26 au comte de Kent lui-même. Il ne semble pas que le roi Édouard ait eu connaissance avant le 1er octobre de la destination du fugitif.

10. — Marie de France, la plus ancienne des poétesses françaises, vécut dans la seconde moitié du XIIe siècle à la cour d'Henry II Plantagenet, où elle avait été amenée, ou appelée, par Aliénor d'Aquitaine, princesse infidèle, au moins à son premier époux le roi de France, mais certainement exquise, et qui avait créé autour d'elle, en Angleterre, un véritable centre d'art et de poésie. Aliénor était petite-fille du duc Guillaume IX, poète lui-même.

Les œuvres de Marie de France connurent une immense faveur, non seulement du vivant de leur auteur, mais encore pendant tout le XIIIe et le début du XIVe siècle.

11. — La compagnie des Tolomei, l'une des plus importantes banques siennoises avec celle des Buonsignori, était fort puissante et célèbre depuis le début du XIIIe siècle. Elle avait la papauté comme principal client; son fondateur, Tolomeo Tolomei, avait participé à une ambassade auprès du pape Alexandre III. Les Tolomei furent sous Alexandre IV banquiers exclusifs du Saint-Siège. Urbain IV les excepta nominalement de l'excommunication générale décrétée contre Sienne entre 1260 et 1273. Ce fut vers cette époque (fin du règne de Saint Louis, début du règne de Philippe III) que les Tolomei commencèrent d'apparaître aux grandes foires de Champagne et que Spinello fonda la branche française de la compagnie. Il existe encore à Sienne une place et un palais Tolomei.

12. — L'ordonnance de Charles IV sur l'interdiction de sortie des monnaies françaises fut certainement l'occasion d'un trafic, puisqu'une autre ordonnance, publiée quatre mois plus tard, défendit d'acheter l'or et l'argent à plus haut cours que celui des monnaies du royaume. Une année après, le droit de bourgeoisie fut retiré aux marchands italiens, ce qui ne signifie pas qu'ils eurent à quitter la France, mais simplement à racheter, une fois de plus, l'autorisation d'y tenir commerce.

13. — 19 novembre 1323. Jean de Cherchemont, seigneur de

Venours en Poitou, chanoine de Notre-Dame de Paris, trésorier de la cathédrale de Laon, avait été déjà chancelier à la fin du règne de Philippe V. Charles IV, à son avènement, l'avait remplacé par Pierre Rodier. Mais Charles de Valois, dont il avait su gagner les faveurs, le réimposa dans sa charge à cette date.

14. — Le règlement proposé au pape, à la suite d'un Conseil royal tenu à Gisors en juillet 1323, prévoyait que le roi serait bénéficiaire de 300 000 livres sur les 400 000 de frais accessoires. Mais il était spécifié également — et Valois montrait là le bout de sa grande oreille — que si le roi de France, pour quelque raison que ce fût, ne prenait pas la tête de l'expédition, ce rôle reviendrait de droit à Charles de Valois qui bénéficierait alors à titre personnel des subsides fournis par le pape.

15. — On oublie généralement qu'il y eut entre la France et l'Angleterre, deux guerres de cent ans.

La première, qui va de 1152 à 1259, fut considérée comme terminée par le traité de Paris, conclu entre Saint Louis et Henry III Plantagenet. En fait, entre 1259 et 1338, les deux pays entrèrent en conflit armé deux fois encore, toujours pour la question d'Aquitaine : en 1294 et, comme on le verra, en 1324. La seconde guerre de Cent Ans, qui s'ouvrit en 1328, n'aura plus véritablement pour objet le différend d'Aquitaine, mais la succession au trône de France.

16. — Ceci donne un exemple de l'état d'imbroglio extrême auquel était parvenu le système féodal, système qu'on se représente ordinairement comme fort simple, et qui l'était, effectivement, mais qui finit par s'étouffer dans les complications nées de son usage.

Il faut bien se rendre compte que la question de Saint-Sardos, ou l'affaire d'Aquitaine en général, n'étaient pas des exceptions, et qu'il en allait de même pour l'Artois, pour la Flandre, pour les Marches galloises, pour les royaumes d'Espagne, pour celui de Sicile, pour les principautés allemandes, pour la Hongrie, pour l'Europe entière.

17. — Ces chiffres ont été calculés par les historiens à partir des documents du XIVe siècle, en se basant sur le recensement du nombre des paroisses, et des feux par paroisse, à quatre habitants en moyenne par feu. Ils s'entendent pour la période environnant 1328.

Au cours de la seconde guerre de Cent Ans, les combats, les famines et les épidémies firent tomber le total de la population de plus d'un tiers ; il fallut attendre quatre siècles pour que la France retrouvât à la fois le niveau démographique et le niveau de richesse qui étaient les siens sous Philippe le Bel et ses fils. Au début du XIXe siècle encore, on pouvait considérer que dans cinq départements français, la densité moyenne de population n'avait pas réatteint ses chiffres de 1328. De nos jours même, certaines villes, prospères au Moyen Age et ruinées par la guerre de Cent Ans, demeurent au-dessous de leur situation d'alors. On peut mesurer à cela ce qu'a coûté cette guerre à la nation.

18. — Les *busines* (même origine que le *buccin* des Romains) étaient de longues trompes droites ou légèrement recourbées qui servaient à rallier les armées au combat. La trompette courte, qui commença d'être en usage au XIIIe siècle, ne supplanta la busine qu'au cours du XVe siècle.

19. — Jeu de dés et de jetons qui paraît avoir été l'ancêtre du trictrac et du jacquet.

20. — Nos lecteurs seront peut-être surpris par cet emploi de bouches à feu au siège de La Réole en 1324. En effet, on ne date traditionnellement l'apparition de l'artillerie à poudre que de la bataille de Crécy en 1346.

En vérité Crécy fut la première bataille où l'artillerie fut utilisée *en rase campagne* et en guerre de mouvement. Il ne s'agissait d'ailleurs que d'armes de relativement petits calibres et qui ne firent ni gros dégâts, ni grosse impression. Certains historiens français en ont exagéré l'effet pour expliquer une défaite due bien plus à la fougueuse sottise du roi Philippe VI et de ses barons qu'à cet emploi par l'adversaire d'armes nouvelles.

Mais les «traits à poudre» de Crécy étaient une application de la grosse artillerie à feu employée pour les sièges depuis une vingtaine d'années déjà, concurremment à l'artillerie classique — on peut presque dire l'artillerie antique, car elle avait peu varié depuis César et même Alexandre le Grand — et qui lançait sur les villes par systèmes de leviers, de balanciers, de contrepoids ou de ressorts, des boulets de pierre ou des matières ardentes. Les premières bombardes ne lançaient rien d'autre que ces boulets de pierre semblables à ceux des balistes, mangonneaux et autres catapultes. C'était le moyen de projection qui était nouveau. Il paraît bien que ce fut en Italie que l'artillerie à poudre prit naissance, car le métal dont étaient cerclées les bombardes était qualifié de «fer lombard». Les Pisans usaient de ces engins dans les années qui nous intéressent.

Charles de Valois fut vraisemblablement le premier stratège, en France, à se servir de cette artillerie nouvelle. Il en avait passé commande dès le mois d'avril 1324 et s'était entendu avec le sénéchal de Languedoc pour qu'elle fût rassemblée à Castelsarrasin. Donc son fils Philippe VI ne dut pas être tellement surpris des petits boulets qu'on lui envoya à Crécy.

21. — Le roi de France, rappelons-le, n'était pas à cette époque suzerain d'Avignon. Philippe le Bel, en effet, avait pris soin de céder au roi de Naples ses titres de coseigneur d'Avignon afin de ne point paraître, aux yeux du monde, tenir le pape en tutelle directe. Mais par la garnison installée à Villeneuve, et par la seule situation géographique de l'établissement papal, il tenait le Saint-Siège et l'Église tout entière sous forte surveillance.

22. — C'est ce qui arriva effectivement sept ans plus tard, en 1330, quand les Romains élirent l'antipape Nicolas V.

23. — Le Palais des Papes, tel que nous le connaissons, est très différent du château de Jean XXII dont il ne reste que quelques éléments dans la partie qu'on nomme « le palais vieux ». L'énorme édifice qui fait la célébrité d'Avignon est surtout l'œuvre des papes Benoît XII, Clément VI, Innocent VI et Urbain V. Les constructions de Jean XXII y furent complètement remaniées et absorbées au point de disparaître à peu près dans le nouvel ensemble. Il n'en demeure pas moins que Jean XXII fut le véritable fondateur du Palais des Papes.

24. — Fils d'un boulanger de Foix en Ariège, Jacques Fournier, confident du pape Jean XXII, devait devenir pape lui-même, dix ans plus tard, sous le nom de Benoît XII.

25. — Jean XXII qui aimait les animaux exotiques, avait également dans son palais une ménagerie qui contenait un lion, deux autruches et un chameau.

26. — La question méritait en effet d'être posée, car les princes du Moyen Age avaient fréquemment six et même huit parrains et marraines. Mais n'étaient réputés comme tels, en droit canon, que ceux qui avaient réellement tenu l'enfant sur les fonts. Le procès d'annulation du mariage de Charles IV et de Blanche de Bourgogne, conservé au département des manuscrits de la Bibliothèque Nationale, est l'un des documents les plus riches en renseignements sur les cérémonies religieuses dans les familles royales. L'assistance était nombreuse et très mélangée ; le menu peuple se pressait comme à un spectacle et les officiants étaient presque étouffés par la foule. L'affluence et la curiosité y étaient aussi grandes qu'aux actuels mariages des étoiles de cinéma, et le recueillement pareillement absent.

27. — Les affrèrements par échange et mélange des sangs, pratiqués depuis la plus haute antiquité et les sociétés dites primitives, étaient encore en usage à la fin du Moyen Age. Ils existaient en Islam ; ils

étaient également d'usage dans la noblesse d'Aquitaine, peut-être par tradition héritée des Maures. On en retrouve les traces dans certaines dépositions au procès des Templiers. Il semble qu'ils se perpétuent, comme acte de contre-magie, chez certaines tribus de gitans. L'affrèrement pouvait sceller le pacte d'amitié, de compagnonnage, aussi bien que le pacte d'amour, spirituel ou non. Les plus célèbres affrèrements rapportés par la littérature médiévale chevaleresque sont ceux contractés par Girart de Roussillon et la fille de l'empereur de Byzance (et devant leurs époux respectifs), par le chevalier Gauvain, par la comtesse de Die, par le fameux Perceval.

28. — Cette dispense lui avait été accordée par Clément V en 1313, Charles de Valois n'ayant alors que quarante-trois ans.

29. — Wautier (ou Wauter, ou Vautier, selon les rédactions différentes) pour Walter. Il s'agissait toujours du Lord Trésorier Stapledon, Walter de son prénom. L'original de cette lettre, ainsi que des suivantes, est en français.

30. — Rappelons que l'année traditionnelle commençait au premier janvier alors que l'année administrative commençait à Pâques.

31. — Cette manière de faire voyager un enfant n'est pas anormale, encore qu'elle ne soit guère confortable. En effet, les selles de voyage, à la fin du XIIIe siècle et au début du XIVe siècle, si elles possédaient un très haut troussequin, ou bâte arrière, en forme de dossier auquel s'appuyait le cavalier, étaient sans pommeau et se présentaient fort plates sur le garrot du cheval.

C'était la selle de combat qui possédait une bâte avant très relevée, afin que le chevalier, lourdement armé et ayant à subir des chocs violents, fût comme enchâssé entre le troussequin et le pommeau.

32. — La transaction avait été faite, en août 1317, entre Philippe V et Clémence.

33. — Louis XVI devait sortir, par cette même porte, de la tour du Temple, 467 ans plus tard, et pour aller à l'échafaud. On ne peut s'empêcher d'être frappé de cette coïncidence, et du lien fatidique entre le Temple et la dynastie capétienne.

34. — Chaâlis, en forêt d'Ermenonville, est un des tout premiers monuments gothiques de l'Ile-de-France. Sur cet ancien prieuré dépendant des moines de Vézelay, le roi Louis le Gros fonda, un an avant sa mort, en 1136, un vaste monastère dont il ne reste, depuis les

démolitions de la Révolution, que quelques ruines imposantes. Saint Louis y résidait fréquemment. Charles IV y fit deux brefs séjours en mai et en juin 1322, et celui dont il s'agit ici en juin 1326. Philippe VI y demeura au début mars 1329, et plus tard Charles V. A la Renaissance, quand Hippolyte d'Este, cardinal de Ferrare, en était abbé commendataire, le Tasse y passa deux mois.

Cette fréquence des séjours royaux dans les abbayes et monastères, en France comme en Angleterre, ne doit pas être tant imputée aux pieuses dispositions des souverains qu'au fait que les moines, au Moyen Age, détenaient une sorte de monopole de l'industrie hôtelière. Il n'était pas de couvent un peu important qui n'eût son « hôtellerie », et plus confortable que la plupart des châteaux avoisinants. Les souverains en déplacement s'y installaient donc, avec leur cour ambulante, comme de nos jours ils se font réserver, pour eux et leur suite, un étage dans un palace de capitale, de ville d'eau ou de station balnéaire.

35. — Par la lettre du 19 juin 1326: «*Et aussi, beau fils, vous chargeons que vous ne vous mariiez nulle part tant que vous ne serez revenu à nous, ni sans notre assentiment et commandement... Et ne croyez à nul conseil contraire à la volonté de votre père, selon ce que sage roi Salomon vous apprend...*»

36. — Harwich avait reçu son statut de bourg communal par une charte accordée en 1318 par Édouard II. Ce port devait rapidement devenir la tête du commerce avec la Hollande et le lieu des embarquements royaux pour le Continent pendant la guerre de Cent Ans. Édouard III, quatorze ans après y avoir abordé avec sa mère comme nous le racontons ici, devait en partir pour livrer la bataille de l'Écluse, première de la longue série de défaites infligées aux flottes françaises par l'Angleterre. Au XVIe siècle sir Francis Drake et l'explorateur sir Martin Frobisher s'y rencontrèrent après que le premier eut détruit l'Armada de Philippe V. Ce fut à Harwich également que s'embarquèrent pour l'Amérique les fameux passagers du *Mayflower* commandé par le capitaine Christopher Jones ; Nelson lui-même y séjourna.

37. — Jean de Hainaut, en tant qu'étranger, n'assista pas à ce Conseil; mais il est intéressant d'y noter la présence de Henry de Beaumont, petit-fils de Jean de Brienne — roi de Jérusalem et empereur de Constantinople — qui avait été exclu par Édouard II du Parlement anglais, sous le prétexte de ses origines étrangères, et s'était, de ce fait, rallié au parti de Mortimer.

38. — Il ne faut pas confondre la fonction de maréchal d'Angle-

terre, qui était tenue par le comte de Norfolk, et celle de maréchal de l'ost.

Le maréchal d'Angleterre était l'équivalent du connétable en France (nous dirions aujourd'hui généralissime).

Les maréchaux de l'ost (l'armée française en comptait deux, l'Angleterre n'en avait qu'un seul) correspondaient à peu près à nos actuels chefs d'État-Major.

39. — La carte de Richard de Bello, conservée à la cathédrale de Hereford, est antérieure de quelques années à la nomination d'Adam Orleton à ce diocèse. Ce fut toutefois durant l'épiscopat d'Orleton que la carte se révéla objet miraculeux.

C'est un des plus curieux documents existants sur la conception médiévale de l'univers et une très curieuse synthèse graphique des connaissances de ce temps. La carte se présente sur un vélin d'assez grandes dimensions ; la terre y est inscrite dans un cercle dont Jérusalem forme le centre ; l'Asie est placée en haut ; l'Afrique en bas ; la place du Paradis terrestre y est marquée ainsi que celle du fleuve Gange. L'univers semble ordonné autour du bassin méditerranéen, avec toutes sortes de dessins et mentions sur la faune, l'ethnologie et l'Histoire, selon des déductions tirées de la Bible, du naturaliste Pline, des pères de l'Église, des philosophes païens, des bestiaires médiévaux et des romans de chevalerie.

La carte est entourée de cette inscription circulaire : « La terre ronde a commencé d'être mesurée par Jules César. »

La magie n'est pas absente de ce document, tout au moins d'une part de son inspiration.

La bibliothèque de la cathédrale de Hereford est la plus considérable, à notre connaissance, des librairies à chaînes encore existantes aujourd'hui puisqu'elle compte 1 140 volumes.

Il est étrange et injuste que le nom d'Adam Orleton soit si peu mentionné dans les études sur Hereford, alors que ce prélat a fait construire le monument principal de la ville, c'est-à-dire la grande et belle tour de la cathédrale qui fut élevée sous son administration.

40. — Ces châteaux normands bâtis depuis le début du XIᵉ siècle et dont le type de construction dura jusqu'au début du XVIᵉ, soit avec des *keeps* carrés dans les monuments de la première période, puis des *keeps* ronds, dits « en coquille », à partir du XIIᵉ, résistèrent en fait à tout, au temps comme aux armées. Leur reddition vint plus souvent de circonstances politiques que de l'entreprise militaire, et ils seraient tous encore debout aujourd'hui, quasiment intacts, si Cromwell ne les avait pas, à l'exception de trois ou quatre, fait démanteler ou raser. Kenilworth se trouve à douze milles au nord de Stratford-on-Avon.

41. — Les chroniqueurs, et beaucoup d'historiens après eux, qui ne voient dans les déplacements infligés à Édouard II vers la fin de sa vie que l'expression d'une cruauté gratuite, semblent ne pas avoir établi le rapprochement entre ces déplacements et la guerre d'Écosse. C'est le jour même où parvient le défi de Robert Bruce que l'ordre est donné à Édouard II de quitter Kenilworth; c'est au moment où la guerre s'achève qu'il est à nouveau changé de résidence.

42. — Berkeley Castle, avec seulement trois autres forteresses normandes, devait être excepté du démantèlement général ordonné par Cromwell. Constamment habité, c'est sans doute aujourd'hui la plus vieille demeure d'Angleterre. Les propriétaires actuels sont toujours des Berkeley, descendants de Thomas de Berkeley et de Marguerite Mortimer.

VI

LE LIS
ET
LE LION

« *La politique consiste dans la volonté de conquête et de conservation du pouvoir; elle exige par conséquent une action de contrainte ou d'illusion sur les esprits... L'esprit politique finit toujours par être contraint de falsifier...* »

Paul Valéry

PREMIÈRE PARTIE

LES NOUVEAUX ROIS

I

LE MARIAGE DE JANVIER

De toutes les paroisses de la ville, en deçà comme au-delà de la rivière, de Saint-Denys, de Saint-Cuthbert, de Saint-Martin-cum-Gregory, de Saint-Mary-Senior et Saint-Mary-Junior, des Shambles, de Tanner Row, de partout, le peuple d'York depuis deux heures montait en files ininterrompues vers le Minster, vers la gigantesque cathédrale, encore inachevée en sa partie occidentale, et qui occupait, haute, allongée, massive, le sommet de la cité.

Dans Stonegate et Deangate, les deux rues tortueuses qui aboutissaient au Yard, la foule était bloquée. Les adolescents perchés sur les bornes n'apercevaient que des têtes, rien que des têtes, un foisonnement de têtes, couvrant entièrement l'esplanade. Bourgeois, marchands, matrones aux nombreuses nichées, infirmes sur leurs béquilles, servantes, commis d'artisans, clercs sous leur capuchon, soldats en chemise de mailles, mendiants en guenilles, étaient confondus ainsi que les brindilles d'un foin botté. Les voleurs aux doigts agiles faisaient leurs affaires pour l'année. Aux fenêtres en surplomb apparaissaient des grappes de visages.

Mais était-ce une lumière de midi que ce demi-jour fumeux et mouillé, cette buée froide, cette nuée cotonneuse qui enveloppait l'énorme édifice et la multitude piétinant dans la boue? La foule se tassait pour garder sa propre chaleur.

24 janvier 1328. Devant Monseigneur William de Melton, archevêque d'York et primat d'Angleterre, le roi Édouard III, qui n'avait pas seize ans, épousait Madame Philippa de Hainaut, sa cousine, qui en avait à peine plus de quatorze.

Il ne restait pas une seule place dans la cathédrale réservée aux dignitaires du royaume, aux membres du haut clergé, à ceux du Parlement, aux cinq cents chevaliers invités, aux cent nobles écossais en robes quadrillées venus pour ratifier, par la même occasion, le traité de paix. Tout à l'heure serait célébrée la messe solennelle, chantée par cent vingt chantres.

Mais dans l'instant, la première partie de la cérémonie, le mariage proprement dit, se déroulait devant le portail sud, à l'extérieur de l'église et à la vue du peuple, selon le rite ancien et les coutumes particulières à l'archidiocèse d'York *[1].

La brume marquait de traînées humides les velours rouges du dais dressé contre le porche, se condensait sur les mitres des évêques, collait les fourrures sur les épaules de la famille royale assemblée autour du jeune couple.

— *Here I take thee, Philippa, to my wedded wife, to have and to hold at bed and at board...* Ici, je te prends, Philippa, pour ma femme épousée, pour t'avoir et garder en mon lit et à mon logis...

Surgie de ces lèvres tendres, de ce visage imberbe, la voix du roi surprit par sa force, sa netteté et l'intensité de sa vibration. La reine mère Isabelle en fut saisie, et messire Jean de Hainaut, oncle de la mariée, également, et tous les assistants des premiers rangs parmi lesquels les comtes Edmond de Kent et de Norfolk, et le comte de Lancastre au Tors-Col, chef du Conseil de régence et tuteur du roi.

— *... for fairer for fouler, for better for worse, in sickness and in health...* Pour le beau et le laid, le meilleur et le pire, dans la maladie et dans la santé...

Les chuchotements dans la foule cessaient progressivement. Le silence s'étendait comme une onde circulaire et la résonance de la jeune voix royale se propageait par-dessus les milliers de têtes, audible presque jusqu'au bout de la place. Le roi prononçait lentement la longue formule du vœu qu'il avait apprise la veille ; mais on eût dit qu'il l'inventait, tant il en détachait les termes, tant il les *pensait* pour les charger de leur sens le plus profond et le plus grave. C'était comme les mots d'une prière destinée à n'être dite qu'une fois et pour la vie entière.

Une âme d'adulte, d'homme sûr de son engagement à la face du Ciel, de prince conscient de son rôle entre son peuple et Dieu, s'exprimait par cette bouche adolescente. Le nouveau roi prenait ses parents, ses proches, ses grands officiers, ses barons, ses prélats, la population d'York et toute l'Angleterre, pour témoins de l'amour qu'il jurait à Madame Philippa.

Les prophètes brûlés du zèle de Dieu, les meneurs de nations soutenus d'une conviction unique, savent imposer aux foules la contagion de leur foi. L'amour publiquement affirmé possède aussi cette puissance, provoque cette adhésion de tous à l'émotion d'un seul.

---

* Les numéros dans le texte renvoient aux « Notes historiques », page 533. Le lecteur trouvera en fin de volume, page 763, le « Répertoire biographique » des personnages.

Il n'était pas une femme dans l'assistance, et quel que fût son âge, pas une mariée récente, pas une épouse trompée, pas une veuve, pas une pucelle, pas une aïeule, qui ne se sentît en cet instant-là à la place de la nouvelle épousée ; pas un homme qui ne s'identifiât au jeune roi. Édouard III s'unissait à tout ce qu'il y avait de féminin dans son peuple ; et c'était son royaume tout entier qui choisissait Philippa pour compagne. Tous les rêves de la jeunesse, toutes les désillusions de la maturité, tous les regrets de la vieillesse se dirigeaient vers eux comme autant d'offrandes jaillies de chaque cœur. Ce soir, dans les rues sombres, les yeux des fiancés illumineraient la nuit, et même de vieux couples désunis se reprendraient la main après souper.

Si depuis le lointain des temps les peuples se pressent aux mariages des princes, c'est pour vivre ainsi par délégation un bonheur qui, d'être exposé si haut, semble parfait.

— ... *till death us do part...* jusqu'à ce que la mort nous sépare...

Les gorges se nouèrent ; la place exhala un vaste soupir de surprise triste et presque de réprobation. Non, il ne fallait pas parler de mort en cette minute ; il n'était pas possible que ces deux jeunes êtres eussent à subir le sort commun, pas admissible qu'ils fussent mortels.

— ... *and thereto I plight thee my troth...* et pour tout ceci je t'engage ma foi.

Le jeune roi sentait respirer la multitude, mais ne la regardait pas. Ses yeux bleu pâle, presque gris, aux longs cils pour une fois relevés, ne quittaient pas la petite fille roussote et ronde, empaquetée dans ses velours et ses voiles, à laquelle son vœu s'adressait.

Car Madame Philippa ne ressemblait en rien à une princesse de conte, et elle n'était même pas très jolie. Elle présentait les traits grassouillets des Hainaut, un nez court, un cou bref, un visage couvert de taches de son. Elle n'avait pas de grâce particulière dans la tournure, mais au moins elle était simple et ne cherchait pas à affecter une attitude de majesté qui ne lui eût guère convenu. Privée d'ornements royaux, elle eût pu être confondue avec n'importe quelle fille rousse de son âge ; ses semblables se rencontraient par centaines dans toutes les nations du Nord. Et ceci précisément renforçait la tendresse de la foule à son égard. Elle était désignée par le sort et par Dieu, mais non différente, en essence, des femmes sur lesquelles elle allait régner. Toutes les rousses un peu grasses se sentaient promues et honorées.

Émue, elle-même, à en trembler, elle plissait les paupières comme si elle ne pouvait soutenir l'intensité du regard de son époux. Tout ce qui lui advenait était trop beau. Tant de couronnes autour d'elle, tant de mitres, et ces chevaliers et ces dames qu'elle apercevait à l'intérieur de la cathédrale, rangés derrière les cierges comme les élus en Paradis, et tout ce peuple autour... Reine, elle allait être reine, et choisie par amour !

Ah! combien elle allait le choyer, le servir, l'adorer, ce joli prince blond, aux longs cils, aux mains fines, arrivé par miracle vingt mois auparavant à Valenciennes, accompagnant une mère en exil qui venait quérir aide et refuge! Leurs parents les avaient envoyés jouer dans le verger, avec les autres enfants; il s'était épris d'elle, et elle de lui. A présent il était roi et ne l'avait pas oubliée. Avec quel bonheur elle lui vouait sa vie! Elle craignait seulement de n'être pas assez belle pour lui plaire toujours, ni assez instruite pour le pouvoir bien seconder.

— Offrez, Madame, votre main droite, lui dit l'archevêque-primat.

Aussitôt, Philippa tendit hors de la manche de velours une petite main potelée, et la présenta fermement, paume en avant et doigts ouverts.

Édouard eut un regard émerveillé pour cette étoile rose qui se donnait à lui.

L'archevêque prit, sur un plateau tenu par un second prélat, l'anneau d'or plat, incrusté de rubis, qu'il venait de bénir, et le remit au roi. L'anneau était mouillé, comme tout ce qu'on touchait dans cette brume. Puis l'archevêque, doucement, rapprocha les mains des époux.

— Au nom du Père, prononça Édouard en posant l'anneau, sans l'engager, sur l'extrémité du pouce de Philippa. Au nom du Fils... du Saint-Esprit... dit-il en répétant le geste sur l'index, puis sur le médius.

Enfin il glissa la bague au quatrième doigt en disant:

— Amen!

Elle était sa femme.

Comme toute mère qui marie son fils, la reine Isabelle avait les larmes aux yeux. Elle s'efforçait de prier Dieu d'accorder à son enfant toutes les félicités, mais pensait surtout à elle-même, et souffrait. Les jours écoulés l'avaient amenée à ce point où elle cessait d'être la première dans le cœur de son fils et dans sa maison. Non, certes, qu'elle eût, ni pour l'autorité sur la cour, ni pour la comparaison de beauté, grand-chose à redouter de cette petite pyramide de velours et de broderies que le destin lui allouait comme belle-fille.

Droite, mince et dorée, avec ses belles tresses relevées de chaque côté du visage clair, Isabelle à trente-six ans en paraissait à peine trente. Son miroir longuement consulté le matin même, tandis qu'elle coiffait sa couronne pour la cérémonie, l'avait rassurée. Et pourtant, à partir de ce jour, elle cessait d'être la reine tout court pour devenir la reine-mère. Comment cela s'était-il fait si vite? Comment vingt ans de vie, et traversés de tant d'orages, s'étaient-ils dissous de la sorte?

Elle pensait à son propre mariage, il y avait tout juste vingt ans, une fin de janvier comme aujourd'hui, et dans la brume également, à Boulogne en France. Elle aussi s'était mariée en croyant au bonheur, elle aussi avait prononcé ses vœux d'épousailles du plus profond de son cœur. Savait-elle alors à qui on l'unissait, pour satisfaire aux intérêts

des royaumes? Savait-elle qu'en paiement de l'amour et du dévouement qu'elle apportait, elle ne recevrait qu'humiliations, haine et
mépris, qu'elle se verrait supplantée dans la couche de son époux non
pas même par des maîtresses mais par des hommes avides et
scandaleux, que sa dot serait pillée, ses biens confisqués, qu'elle devrait
fuir en exil pour sauver sa vie menacée et lever une armée pour abattre
celui-là même qui lui avait glissé au doigt l'anneau nuptial?

Ah! la jeune Philippa avait bien de la chance, elle qui était non
seulement épousée mais aimée!

Seules les premières unions peuvent être pleinement pures et
pleinement heureuses. Rien ne les remplace, si elles sont manquées. Les
secondes amours n'atteignent jamais à cette perfection limpide; même
solides jusqu'à ressembler au roc, il court dans leur marbre des veines
d'une autre couleur qui sont comme le sang séché du passé.

La reine Isabelle tourna les yeux vers Roger Mortimer, baron de
Wigmore, son amant, l'homme qui, grâce à elle autant qu'à lui-même,
gouvernait en maître l'Angleterre au nom du jeune roi. Sourcils joints,
les traits sévères, les bras croisés sur son manteau somptueux, il la
regardait, dans la même seconde, sans bonté.

«Il devine ce que je pense, se dit-elle. Mais quel homme est-il donc
pour donner l'impression qu'on commet une faute dès qu'on cesse un
moment de ne songer qu'à lui?»

Elle connaissait son caractère ombrageux, et lui sourit pour l'apaiser. Que voulait-il de plus que ce qu'il possédait? Ils vivaient comme
s'ils eussent été époux et femme, bien qu'elle fût reine, bien qu'il fût
marié, et le royaume assistait à leurs publiques amours. Elle avait agi
de sorte qu'il eût le contrôle entier du pouvoir. Mortimer nommait ses
créatures à tous les emplois; il s'était fait donner tous les fiefs des
anciens favoris d'Édouard II et le Conseil de régence ne faisait
qu'entériner ses volontés. Mortimer avait même obtenu qu'elle consentît à l'exécution de son conjoint déchu. Elle savait qu'à cause de lui
certains à présent l'appelaient la Louve de France! Pouvait-il empêcher
qu'elle pensât, un jour de noces, à son époux assassiné, surtout lorsque
l'exécuteur était là, en la personne de John Maltravers, promu
récemment sénéchal d'Angleterre, et dont la longue face sinistre
apparaissait parmi celles des premiers seigneurs, comme pour rappeler
le crime?

Isabelle n'était pas la seule que cette présence indisposât. John
Maltravers, gendre de Mortimer, avait été le gardien du roi déchu; sa
soudaine élévation à la charge de sénéchal dénonçait trop clairement
les services dont on l'avait ainsi payé. Officiellement, Édouard II était
décédé par trépas naturel. Mais qui donc, à la cour, acceptait cette
fable?

Le comte de Kent, le demi-frère du mort, se pencha vers son cousin Henry Tors-Col et lui chuchota :

— Il semble que le régicide, à présent, donne droit de se pousser au rang de la famille.

Edmond de Kent grelottait. Il trouvait la cérémonie trop longue, le rituel d'York trop compliqué. Pourquoi n'avoir pas célébré le mariage dans la chapelle de la tour de Londres, ou de quelque château royal, au lieu d'en faire une occasion de kermesse populaire ? La foule lui causait un malaise. Et la vue de Maltravers, de surcroît... N'était-il pas indécent que l'homme qui avait expédié le père fût présent, en si belle place, aux noces du fils ?

Tors-Col, la tête couchée sur l'épaule droite, infirmité à laquelle il devait son surnom, murmura :

— C'est par le péché qu'on entre le plus aisément dans notre maison. Notre ami, le premier, nous en offre la preuve.

Ce « notre ami » désignait Mortimer envers qui les sentiments des Anglais étaient bien changés depuis qu'il avait débarqué, dix-huit mois plus tôt, commandant l'armée de la reine et accueilli en libérateur.

« Après tout, la main qui obéit n'est pas plus laide que la tête qui commande, pensait Tors-Col. Et Mortimer est plus coupable assurément, et Isabelle avec lui, que Maltravers. Mais nous sommes tous un peu coupables ; nous avons tous pesé sur le fer lorsque nous avons destitué Édouard II. Cela ne pouvait finir autrement. »

Cependant l'archevêque présentait au jeune roi trois pièces d'or frappées sur leur face aux armes d'Angleterre et de Hainaut, et chargées au revers d'un semis de roses, les fleurs emblématiques du bonheur conjugal. Ces pièces étaient les *deniers pour épouser*, symbole du douaire en revenus, terres et châteaux que le marié constituait à sa femme. Les donations avaient été bien écrites et précisées, ce qui rassurait un peu messire Jean de Hainaut, l'oncle, auquel on devait toujours quinze mille livres pour la solde de ses chevaliers pendant la campagne d'Écosse.

— Prosternez-vous, Madame, aux pieds de votre époux, pour recevoir les deniers, dit l'archevêque à la mariée.

Tous les habitants d'York attendaient cet instant, curieux de savoir si leur rituel local serait respecté jusqu'au bout, si ce qui valait pour toute sujette valait aussi pour une reine.

Or nul n'avait prévu que Madame Philippa, non seulement s'agenouillerait, mais encore, dans un élan d'amour et de gratitude, enserrerait à deux bras les jambes de son époux, et baiserait les genoux de celui qui la faisait reine. Elle était donc, cette ronde Flamande, capable d'inventer sous l'impulsion du cœur.

La foule lui adressa une immense ovation.

— Je crois qu'ils seront bien heureux, dit Tors-Col à Jean de Hainaut.

— Le peuple va l'aimer, dit Isabelle à Mortimer qui venait de s'approcher d'elle.

La reine mère ressentait comme une blessure ; cette ovation n'était pas pour elle. « C'est Philippa la reine à présent, pensait-elle. Mon temps ici est achevé. Oui, mais maintenant, peut-être, je vais avoir la France... »

Car un chevaucheur à la fleur de lis, une semaine plus tôt, avait galopé jusqu'à York pour lui apprendre que son dernier frère, le roi Charles IV de France, se mourait.

II

TRAVAUX POUR UNE COURONNE

Le roi Charles IV avait dû s'aliter le jour de Noël. A l'Épiphanie, les mires et physiciens, déjà, le déclaraient perdu. La cause de cette fièvre qui le consumait, de cette toux déchirante qui secouait sa poitrine amaigrie, de ces crachats sanglants? Les mires levaient les épaules d'un geste d'impuissance. La malédiction, voyons! la malédiction qui accablait la descendance de Philippe le Bel. Les remèdes sont inopérants contre une malédiction. Et la cour et le peuple partageaient cette certitude.

Louis Hutin était mort à vingt-sept ans, par manœuvre criminelle. Philippe le Long était trépassé à vingt-neuf ans, d'avoir bu en Poitou l'eau de puits empoisonnés. Charles IV avait résisté jusqu'à trente-trois ans; il atteignait la limite. Il est bien connu que les maudits ne peuvent pas dépasser l'âge du Christ!

— A nous, mon frère, de nous saisir à présent du gouvernement du royaume, et de le tenir de main ferme, avait dit le comte de Beaumont, Robert d'Artois, à son cousin et beau-frère Philippe de Valois. Et cette fois, avait-il ajouté, nous ne nous laisserons pas gagner à la course par ma tante Mahaut. D'ailleurs elle n'a plus de gendre à pousser.

Ces deux-là se montraient en belle santé. Robert d'Artois, à quarante et un ans, était toujours le même colosse qui devait se baisser pour franchir les portes et pouvait terrasser un bœuf en le prenant par les cornes. Maître en procédure, en chicane, en intrigues, il avait assez prouvé depuis vingt ans son savoir-faire, et par les soulèvements d'Artois, et dans le déclenchement de la guerre de Guyenne, et en bien d'autres occasions. La découverte du scandale de la tour de Nesle était un peu le fruit de ses œuvres. Si la reine Isabelle et son amant Lord Mortimer avaient pu réunir une armée en Hainaut, soulever l'Angleterre et renverser Édouard II, c'était en partie grâce à lui. Et il ne se sentait pas gêné d'avoir sur les mains le sang de Marguerite de

Bourgogne. Au Conseil du faible Charles IV, sa voix, dans les récentes années, s'élevait plus fermement que celle du souverain.

Philippe de Valois, de six ans son cadet, ne possédait pas tant de génie. Mais haut et fort, la poitrine large, la démarche noble, et faisant presque figure de géant quand Robert n'était pas à côté de lui, il avait une belle prestance de chevalier qui prévenait en sa faveur. Et surtout il bénéficiait du souvenir laissé par son père, le fameux Charles de Valois, le prince le plus turbulent, le plus aventureux de son temps, coureur de trônes fantômes et de croisades manquées, mais grand homme de guerre, et dont il s'efforçait de copier la prodigalité et la magnificence.

Si Philippe de Valois jusqu'à ce jour n'avait pas encore étonné l'Europe par ses talents, on lui accordait toutefois confiance. Il brillait en tournois, qui étaient sa passion ; l'ardeur qu'il y déployait n'était pas chose négligeable.

— Philippe, tu seras régent, je m'y engage, disait Robert d'Artois. Régent, et peut-être roi, si Dieu le veut... c'est-à-dire si dans deux mois la reine, ma nièce [2], qui est déjà grosse jusqu'au menton, n'accouche pas d'un fils. Pauvre cousin Charles ! Il ne verra pas cet enfant-là qu'il souhaitait tant. Et même si ce doit être un garçon, tu n'en exerceras pas moins la régence pour vingt ans. Or, en vingt ans...

Il prolongeait sa pensée d'un grand geste du bras qui en appelait à tous les hasards possibles, à la mortalité infantile, aux accidents de chasse, aux desseins impénétrables de la Providence.

— Et toi, loyal comme je te sais, continuait le géant, tu agiras pour qu'on me restitue enfin mon comté d'Artois que Mahaut la voleuse, l'empoisonneuse, détient injustement, ainsi que la pairie qui s'y rattache. Songe que je ne suis pas même pair ! N'est-ce pas bouffon ? J'en ai honte pour ta sœur qui est mon épouse.

Philippe avait abaissé par deux fois son grand nez charnu, et fermé les paupières d'un air entendu.

— Robert, je te rendrai bonne justice, si je suis mis en état de l'administrer. Tu peux compter sur mon soutien.

Les meilleures amitiés sont celles qui se fondent sur des intérêts communs et la construction d'un même avenir.

Robert d'Artois, auquel aucune tâche ne répugnait, se chargea d'aller à Vincennes faire entendre à Charles le Bel que ses jours étaient comptés et qu'il avait quelques dispositions à prendre, comme de convoquer les pairs de toute urgence, et de leur recommander Philippe de Valois pour assurer la régence. Et même, afin de mieux éclairer leur choix, pourquoi ne pas confier à Philippe, dès à présent, le gouvernement du royaume, en lui déléguant les pouvoirs ?

— Nous sommes tous mortels, tous, mon bon cousin, disait Robert, éclatant de santé, et qui faisait trembler par son pas puissant le lit de l'agonisant.

Charles IV n'était guère en capacité de refuser, et trouvait même du soulagement à ce qu'on le délivrât de tout souci. Il ne songeait qu'à retenir sa vie qui lui fuyait entre les dents.

Philippe de Valois reçut donc la délégation royale et lança l'ordre de convocation des pairs.

Robert d'Artois, aussitôt, se mit en campagne. D'abord auprès de son neveu d'Évreux, garçon jeune encore, vingt et un ans, de gentille tournure, mais assez peu entreprenant. Il était marié à la fille de Marguerite de Bourgogne, Jeanne la Petite comme on continuait de l'appeler bien qu'elle eût à présent dix-sept ans, et qui avait été écartée de la succession de France à la mort du Hutin.

La loi salique, en fait, avait été inventée à son propos et afin de l'éliminer, ceci d'autant plus aisément que l'inconduite de sa mère jetait un doute sérieux sur sa légitimité. En compensation, et pour apaiser la maison de Bourgogne, on avait reconnu à Jeanne la Petite l'héritage de Navarre. Mais on s'était peu hâté de tenir cette promesse, et les deux derniers rois de France avaient gardé le titre de roi de Navarre.

L'occasion était belle, pour Philippe d'Évreux, s'il avait ressemblé tant soit peu à son oncle Robert d'Artois, d'ouvrir là-dessus une énorme chicane, de contester la loi successorale et de réclamer au nom de sa femme les deux couronnes.

Mais Robert, usant de son ascendant, eut vite fait de rouler comme poisson en pâte ce compétiteur possible.

— Tu auras cette Navarre qui t'est due, mon bon neveu, aussitôt que mon beau-frère Valois sera régent. J'en fais une affaire de famille, que j'ai posée en condition à Philippe pour lui porter mon appui. Roi de Navarre tu vas être ! C'est une couronne qui n'est pas à dédaigner et que je te conseille, pour ma part, de te mettre au plus tôt sur la tête, avant qu'on ne te la vienne discuter. Car, parlons bas, la petite Jeanne, ton épouse, serait mieux assurée de son droit si sa mère avait eu la cuisse moins folâtre ! Dans cette grande ruée qui va se faire, il faut te ménager des soutiens : tu as le nôtre. Et ne t'avise pas d'écouter ton oncle de Bourgogne ; il ne te conduira, pour son propre service, qu'à commettre des sottises. Philippe régent, fonde-toi là-dessus !

Ainsi, moyennant l'abandon définitif de la Navarre, Philippe de Valois disposait déjà, outre la sienne propre, de deux voix.

Louis de Bourbon venait d'être créé duc quelques semaines auparavant en même temps qu'il avait reçu en apanage le comté de la Marche[3]. Il était l'aîné de la famille. Dans le cas d'une trop grande confusion autour de la régence, sa qualité de petit-fils de Saint Louis pouvait lui servir à rallier plusieurs suffrages. Sa décision, de toute manière, pèserait sur le Conseil des pairs. Or ce boiteux était lâche. Entrer en rivalité avec le puissant parti Valois eût été une entreprise digne d'un homme de plus de courage. En outre, son fils avait épousé une sœur de Philippe de Valois.

Robert laissa comprendre à Louis de Bourbon que plus vite il se rallierait, plus vite lui seraient garantis les avantages en terres et en titres qu'il avait accumulés au cours du règne précédent. Trois voix.

Le duc de Bretagne, à peine arrivé de Vannes, et ses coffres pas encore déballés, vit Robert d'Artois se dresser en son hôtel.

— Nous appuyons Philippe, n'est-ce pas? Tu es bien d'accord... Avec Philippe, si pieux, si loyal, nous sommes certains d'avoir un bon roi... je veux dire un bon régent.

Jean de Bretagne ne pouvait que se déclarer pour Philippe de Valois. N'avait-il pas épousé une sœur de Philippe, Isabelle, morte à l'âge de huit ans il est vrai, mais les liens d'affection n'en subsistaient pas moins. Robert, pour renforcer sa démarche, avait amené sa mère, Blanche de Bretagne, consanguine du duc, toute vieille, toute petite, toute ridée, et parfaitement dénuée de pensée politique, mais qui opinait à tout ce que voulait son géant de fils. Or Jean de Bretagne s'occupait davantage des affaires de son duché que de celles de France. Eh bien! oui, Philippe, pourquoi pas, puisque tout le monde semblait si empressé à le désigner!

Cela devenait en quelque sorte la campagne des beaux-frères. On appela en renfort Guy de Châtillon, comte de Blois, qui n'était nullement pair, et même le comte Guillaume de Hainaut, simplement parce qu'ils avaient épousé deux autres sœurs de Philippe. Le grand parentage Valois commençait à apparaître déjà comme la vraie famille de France.

Guillaume de Hainaut mariait en ce moment sa fille au jeune roi d'Angleterre; soit, on n'y voyait pas d'obstacle, et même on y trouverait peut-être un jour des avantages. Mais il avait été bien avisé de se faire représenter aux noces par son frère Jean plutôt que de s'y rendre lui-même, car c'était ici, à Paris, qu'allaient se produire les événements importants. Guillaume le Bon ne souhaitait-il pas depuis longtemps que la terre de Blaton, patrimoine de la couronne de France, enclavée dans ses États, lui fût cédée? On lui donnerait Blaton, pour presque rien, un rachat symbolique, si Philippe occupait la régence.

Quant à Guy de Blois, il était l'un des derniers barons à avoir conservé le droit de battre monnaie. Malheureusement, et malgré ce droit, il manquait d'argent, et les dettes l'étranglaient.

— Guy, mon aimé parent, ton droit de battage te sera racheté. Ce sera notre premier soin.

Robert, en peu de jours, avait accompli un solide travail.

— Tu vois, Philippe, tu vois, disait-il à son candidat, combien les mariages arrangés par ton père nous aident à présent. On dit qu'abondance de filles est grand-peine pour les familles; ce sage homme, que Dieu l'ait en sa garde, a bien su se servir de toutes tes sœurs.

— Oui, mais il faudra achever de payer les dots, répondait Philippe. Plusieurs n'ont été versées qu'au quart...

— A commencer par celle de la chère Jeanne, mon épouse, rappelait Robert d'Artois. Mais dès lors que nous aurons tout pouvoir sur le Trésor...

Plus difficile à rallier fut le comte de Flandre, Louis de Crécy et de Nevers. Car lui n'était pas un beau-frère et demandait autre chose qu'une terre ou de l'argent. Il voulait la reconquête de son comté dont ses sujets l'avaient chassé. Pour le convaincre, il fallut lui promettre une guerre.

— Louis, mon cousin, Flandre vous sera rendue, et par les armes, nous vous en faisons serment!

Là-dessus, Robert, qui pensait à tout, de courir de nouveau à Vincennes pour presser Charles IV de parfaire son testament.

Charles n'était plus qu'une ombre de roi, crachant ce qu'il lui restait de poumons.

Or, tout moribond qu'il fût, il se souvint à ce moment-là du projet de croisade que son oncle Charles de Valois lui avait naguère mis en tête. Projet d'année en année différé; les subsides de l'Église avaient été employés à d'autres fins; et puis Charles de Valois était mort... Dans le mal qui le détruisait, Charles IV ne devait-il pas reconnaître un châtiment pour cette promesse non tenue, ce vœu non accompli? Le sang de poitrine dont il tachait ses draps lui rappelait la croix rouge qu'il n'avait pas cousue sur son manteau.

Alors, dans l'espérance d'amadouer le Ciel et de négocier quelque survie, il fit ajouter à son testament ses volontés concernant la Terre sainte... *« car mon intention est d'y aller de mon vivant*, dicta-t-il, *et, si de mon vivant ne se peut, que cinquante mille livres soient données au premier passage général qui se fera. »*

On ne lui en demandait pas tant, ni de grever d'une semblable hypothèque la fortune royale dont on avait besoin pour de plus pressants usages. Robert enrageait. Ce niais de Charles, jusqu'au bout, aurait de ces sots entêtements!

On lui demandait simplement de léguer trois mille livres au chancelier Jean de Cherchemont, autant au maréchal de Trye et à messire Miles de Noyers, président de la Chambre aux Comptes, pour leurs loyaux services rendus à la couronne... et parce que leurs fonctions les faisaient siéger de droit au Conseil des pairs.

— Et le connétable? murmura le roi agonisant.

Robert haussa les épaules. Le connétable Gaucher de Châtillon avait soixante-dix-huit ans, il était sourd comme une marmite, et possédait des biens à ne savoir qu'en faire. Ce n'était pas à son âge que se développait l'appétit de l'or ! On raya le connétable.

En revanche, Robert, avec beaucoup d'attention, aida Charles IV à composer la liste des exécuteurs testamentaires, car cette liste constituait comme un ordre de préséance parmi les grands du royaume : le comte Philippe de Valois en tête, le comte Philippe d'Évreux, et puis lui-même, Robert d'Artois, comte de Beaumont-le-Roger.

Cela fait, on s'occupa de rallier les pairs ecclésiastiques.

Guillaume de Trye, duc-archevêque de Reims, avait été précepteur de Philippe de Valois ; et puis Robert venait de faire coucher son frère, le maréchal, sur le testament royal, pour trois mille livres qu'on sut rendre tintantes. On n'aurait pas de mécomptes de ce côté-là.

Le duc-archevêque de Langres était acquis de longue date aux Valois ; et tout également leur était dévoué le comte-évêque de Beauvais, Jean de Marigny, dernier frère survivant du grand Enguerrand. Vieilles trahisons, vieux remords, services mutuels avaient tissé de solides liens.

Restaient les évêques de Châlons, de Laon et de Noyon ; ces derniers, on le savait, feraient corps avec le duc Eudes de Bourgogne.

— Ah ! pour le Bourguignon, s'écria Robert d'Artois en écartant les bras, cela, Philippe, c'est ton affaire. Je ne peux rien auprès de lui, nous sommes lance à lance. Mais tu as épousé sa sœur ; tu dois bien avoir quelque action sur lui.

Eudes IV n'était pas un aigle de gouvernement. Toutefois il se rappelait les leçons de sa défunte mère, la duchesse Agnès, la dernière fille de Saint Louis, et comment lui-même, pour reconnaître la régence de Philippe le Long, avait gagné le rattachement de la Bourgogne-comté à la Bourgogne-duché. Eudes en cette occasion avait épousé la petite-fille de Mahaut d'Artois, de quatorze ans plus jeune que lui, ce dont il ne se plaignait pas maintenant qu'elle était nubile.

La question de l'héritage d'Artois fut la première qu'il posa lorsque, arrivant de Dijon, il s'enferma avec Philippe de Valois.

— Il est bien entendu qu'au jour du trépas de Mahaut, le comté d'Artois ira à sa fille, la reine Jeanne la Veuve, pour ensuite revenir à la duchesse mon épouse ? J'insiste fort sur ce point, mon cousin, car je connais les prétentions de Robert sur l'Artois ; il les a assez clamées !

Ces grands princes ne mettaient pas moins de défiante âpreté à défendre leurs droits d'héritage sur les quartiers du royaume que des brus à se disputer les gobelets et les draps dans une succession de pauvres.

— Jugements par deux fois ont été rendus qui ont attribué l'Artois à la comtesse Mahaut, répondit Philippe de Valois. Si aucun fait nouveau ne vient étayer les requêtes de Robert, l'Artois passera à votre épouse, mon frère.

— Vous n'y voyez point d'empêchement?

— Je n'en vois mie.

Ainsi le loyal Valois, le preux chevalier, le héros de tournoi, avait donné à ses deux cousins, à ses deux beaux-frères, deux promesses contradictoires.

Honnête toutefois dans sa duplicité, il rapporta à Robert d'Artois son entretien avec Eudes, et Robert l'approuva pleinement.

— L'important, dit ce dernier, est d'obtenir la voix du Bourguignon, et peu importe qu'il s'ancre dans la tête un droit qu'il n'a pas. Des faits nouveaux, lui as-tu dit? Eh bien, nous en produirons, mon frère, et je ne te·ferai pas manquer à ta parole. Allons, tout est au mieux.

Il ne restait plus qu'à attendre, ultime formalité, le décès du roi, en souhaitant qu'il se produisît assez vite, pendant que cette belle conjonction de princes était réunie autour de Philippe de Valois.

Le dernier fils du Roi de fer rendit l'âme la veille de la Chandeleur, et la nouvelle du deuil royal se répandit dans Paris, le lendemain matin, en même temps que l'odeur des crêpes chaudes.

Tout semblait devoir se dérouler selon le plan parfaitement agencé par Robert d'Artois, quand à l'aube même du jour fixé pour le Conseil des pairs, arriva un évêque anglais, au visage chafouin, aux yeux fatigués, sortant d'une litière couverte de boue, et qui venait représenter les droits de la reine Isabelle.

III

CONSEIL POUR UN CADAVRE

Plus de cervelle dans la tête, plus de cœur dans la poitrine, ni d'entrailles dans le ventre. Un roi creux. Les embaumeurs, la veille, avaient terminé leur travail sur le cadavre de Charles IV. Mais cela faisait-il grande différence avec ce que ce faible, indifférent, inactif monarque avait été durant sa vie ? Enfant attardé que sa mère appelait « l'oison », mari trompé, père malheureux vainement entêté à travers trois mariages à assurer sa succession, souverain constamment gouverné, d'abord par un oncle puis par des cousins, il n'avait servi à rien d'autre qu'au logement du principe royal. Il y servait encore.

Au bout de la grand-salle à piliers du château de Vincennes, reposait, raide sur un lit d'apparat, sa dépouille habillée de la tunique azurée, du manteau fleurdelisé, et la tête encastrée dans la couronne.

Les pairs et les barons, réunis à l'autre extrémité, voyaient briller, éclairés par les buissons de cierges, les pieds bottés de toile d'or.

Charles IV allait présider son dernier conseil, dit « conseil dans la chambre du roi », puisqu'il était censé gouverner encore ; son règne ne serait officiellement terminé que le lendemain à l'instant où son corps descendrait dans la tombe, à Saint-Denis.

Robert d'Artois avait pris l'évêque anglais sous son aile, tandis qu'on attendait les retardataires.

— En combien de temps êtes-vous venu ? Douze jours depuis York ? Vous n'avez pas traîné à chanter messe en route, messire évêque... un vrai train de chevaucheur !... Votre jeune roi, a-t-il eu de joyeuses noces ?

— Je le pense. Je n'ai pu y prendre part ; j'étais déjà sur mon chemin, répondit l'évêque Orleton.

Et Lord Mortimer, était-il en bonne santé ? Grand ami, Lord Mortimer, grand ami, et qui parlait souvent, au temps où il était réfugié à Paris, de Monseigneur Orleton.

— Il m'a conté comment vous le fîtes évader de la tour de Londres. Pour ma part, je l'ai accueilli en France et lui ai donné les moyens de s'en retourner un peu plus armé qu'il n'était arrivé. Ainsi nous avons fait chacun la moitié de la besogne.

Et la reine Isabelle ? Ah ! la chère cousine ! Toujours d'aussi grande beauté ?

Robert ainsi amusait le temps, pour empêcher Orleton de se mêler aux autres groupes, d'aller parler au comte de Hainaut ou au comte de Flandre. Il connaissait Orleton de réputation, et s'en méfiait. N'était-ce pas l'homme que la cour de Westminster utilisait pour ses ambassades auprès du Saint-Siège, et l'auteur, à ce qu'on disait, de la fameuse lettre à double sens : « *Eduardum occidere nolite timere bonum est...* » dont Isabelle et Mortimer s'étaient servis pour ordonner l'assassinat d'Édouard II ?

Alors que les prélats français avaient tous coiffé leur mitre, Orleton portait simplement son bonnet de voyage, en soie violette, à oreillettes fourrées d'hermine. Robert nota ce détail avec satisfaction ; cela retirerait de l'autorité à l'évêque anglais quand il prendrait la parole.

— C'est Monseigneur Philippe de Valois qui va être régent, murmura-t-il à Orleton comme s'il confiait un secret à un ami.

L'autre ne répondit pas.

Enfin la dernière personne attendue pour que le Conseil fût au complet entra. C'était la comtesse Mahaut d'Artois, seule femme convoquée à cette assemblée. Elle avait vieilli, Mahaut ; ses pas semblaient haler avec peine le poids de son corps massif ; elle s'appuyait sur une canne. Son visage était rouge sombre sous les cheveux tout blancs. Elle adressa de vagues saluts à la ronde, alla asperger le mort, et vint s'asseoir, lourdement, à côté du duc de Bourgogne. On l'entendait haleter[4].

L'archevêque-primat Guillaume de Trye se leva, se tourna d'abord vers le cadavre du souverain, fit le signe de croix, lentement, puis demeura un moment en méditation, les yeux vers les voûtes comme s'il demandait l'inspiration divine. Les chuchotements s'étaient arrêtés.

— Mes nobles seigneurs, commença-t-il, quand la succession naturelle fait défaut à la dévolution du pouvoir royal, celui-ci retourne à sa source qui est dans le consentement des pairs. Telle est la volonté de Dieu et de la Sainte Église, laquelle en fournit l'exemple par l'élection de son suprême pontife.

Il parlait bien, Monseigneur de Trye, avec une belle éloquence de sermon. Les pairs et barons ici conviés allaient avoir à décider de l'attribution du pouvoir temporel dans le royaume de France, d'abord pour l'exercice de la régence et ensuite, car sagesse veut de prévoir, pour l'exercice de la royauté même, dans le cas où la très noble dame la reine faillirait à donner un fils.

Le meilleur d'entre les égaux, *primus inter pares*, tel était celui qu'il convenait de désigner, et le plus proche aussi de la couronne, par le sang. N'était-ce pas de comparables circonstances qui avaient conduit autrefois les pairs-barons et les pairs-évêques à remettre le sceptre au plus sage et au plus fort d'entre eux, le duc de France et comte de Paris, Hugues Capet, fondateur de la glorieuse dynastie?

— Notre défunt suzerain, pour ce jour encore auprès de nous, continua l'archevêque en inclinant légèrement sa mitre vers le lit, a voulu nous éclairer en recommandant à notre choix, par testament, son plus proche cousin, prince très chrétien et très vaillant, digne en tout de nous gouverner et conduire, Monseigneur Philippe, comte de Valois, d'Anjou et du Maine.

Le prince très vaillant et très chrétien, les oreilles bourdonnantes d'émotion, ne savait quelle attitude prendre. Baisser son grand nez d'un air modeste, c'eût été montrer qu'il doutait de lui-même et de son droit à régner. Se redresser d'un air arrogant et orgueilleux eût pu indisposer les pairs. Il choisit de demeurer figé, les traits immobiles, le regard fixé sur les bottes dorées du cadavre.

— Que chacun se recueille en sa conscience, acheva l'archevêque de Reims, et exprime son conseil pour le bien de tous.

Monseigneur Adam Orleton était déjà debout.

— Ma conscience est recueillie, dit-il. Je viens ici porter parole pour le roi d'Angleterre, duc de Guyenne.

Il avait l'expérience de ce genre d'assemblées où tout est préparé en sous main et où chacun pourtant hésite à faire la première intervention. Il se hâtait de prendre cet avantage.

— Au nom de mon maître, poursuivit-il, j'ai à déclarer que la plus proche parente du feu roi Charles de France est la reine Isabelle, sa sœur, et que la régence, de ce fait, doit à elle revenir.

A l'exception de Robert d'Artois qui s'attendait bien à quelque coup de cette sorte, les assistants marquèrent un temps de stupéfaction. Nul n'avait songé à la reine Isabelle durant les tractations préliminaires, nul n'avait envisagé une minute qu'elle pût émettre la moindre prétention. On l'avait oubliée, tout bonnement. Et voilà qu'elle surgissait de ses brumes nordiques, par la voix d'un petit évêque en bonnet fourré. Avait-elle vraiment des droits? On s'interrogeait du regard, on se consultait. Oui, de toute évidence, et si l'on s'en tenait aux strictes considérations de lignage, elle possédait des droits; mais il semblait dément qu'elle en voulût faire usage.

Cinq minutes plus tard, le Conseil était en pleine confusion. Tout le monde parlait à la fois et le ton des voix montait, sans égard pour la présence du mort.

Le roi d'Angleterre, duc de Guyenne, en la personne de son ambassadeur, avait-il oublié que les femmes ne pouvaient régner en

France, selon la coutume deux fois confirmée par les pairs dans les récentes années?

— N'est-ce point vrai, ma tante? lança méchamment Robert d'Artois, rappelant à Mahaut le temps où ils s'étaient si fort opposés sur cette loi de succession établie pour favoriser Philippe le Long, gendre de la comtesse.

Non, Monseigneur Orleton n'avait rien oublié; particulièrement, il n'avait pas oublié que le duc de Guyenne ne se trouvait ni présent ni représenté — sans doute parce qu'à dessein averti trop tard — aux réunions des pairs où s'était décidée très arbitrairement l'extension de la loi dite salique au droit royal, laquelle extension, par voie de conséquence, le duc n'avait jamais ratifiée.

Orleton ne possédait pas la belle éloquence onctueuse de Monseigneur Guillaume de Trye; il parlait un français un peu rocailleux avec des tournures archaïques qui pouvaient prêter à sourire. Mais en revanche, il avait une grande habileté à la controverse juridique, et ses réponses venaient vite.

Messire Miles de Noyers, conseiller de quatre règnes et le principal rédacteur, sinon même l'inventeur, de la loi salique, lui porta la réplique.

Puisque le roi Édouard II avait rendu l'hommage au roi Philippe le Long, on devait admettre qu'il avait reconnu celui-ci pour légitime et ratifié implicitement le règlement de succession.

Orleton ne l'entendait pas de cette oreille. Que nenni, messire! En rendant l'hommage, Édouard II avait confirmé seulement que le duché guyennais était vassal de la couronne de France, ce que personne ne songeait à nier, encore que les limites de cette vassalité restassent, depuis cent et des ans, à préciser. Mais l'hommage ne valait point pour la loi du trône. Et d'abord, de quoi disputait-on, de la régence ou de la couronne?

— Des deux, des deux ensemble, intervint l'évêque Jean de Marigny. Car justement l'a dit Monseigneur de Trye: sagesse veut de prévoir; et nous ne devons point nous exposer dans deux mois à affronter le même débat.

Mahaut d'Artois cherchait son souffle. Ah! qu'elle était fâchée du malaise qu'elle éprouvait, et de ce bruissement dans la tête qui l'empêchait de penser clairement. Rien ne lui convenait de tout ce qu'on disait. Elle était hostile à Philippe de Valois parce que soutenir Valois c'était soutenir Robert; elle était hostile à Isabelle par vieille haine, parce qu'Isabelle, autrefois, avait dénoncé ses filles. Elle intervint, avec une mesure de retard.

— Si la couronne à femme pouvait aller, ce ne serait point à votre reine, messire évêque, mais à nulle autre qu'à Madame Jeanne la Petite, et la régence à exercer devrait l'être par son époux que voici, Monseigneur d'Évreux, ou son oncle qui est à mon côté, le duc Eudes.

Quelque flottement fut perceptible du côté du duc de Bourgogne, du comte de Flandre, des évêques de Laon et de Noyon, et jusque dans l'attitude du jeune comte d'Évreux.

On eût dit que la couronne était en suspens entre sol et voûte, incertaine du point de sa chute, et que plusieurs têtes se tendaient.

Philippe de Valois avait depuis longtemps abandonné sa noble immobilité et s'adressait par signes à son cousin d'Artois. Celui-ci se leva.

— Allons ! s'écria-t-il, il paraît qu'en ce jour chacun s'empresse à se renier. Je vois Madame Mahaut, ma bien-aimée tante, toute prête à reconnaître à Madame de Navarre...

Et il appuya sur le mot « Navarre » en regardant Philippe d'Évreux pour lui rappeler leur accord.

— ... les droits précisément qu'elle lui contesta naguère. Je vois le noble évêque d'Angleterre se réclamer des actes d'un roi qu'il s'est occupé à déchasser du trône pour faiblesse, incurie et trahison... Voyons, messire Orleton ! on ne peut refaire une loi à chaque occasion de l'appliquer, et au gré de chaque partie. Une fois elle sert l'un, une fois elle sert l'autre. Nous aimons et respectons Madame Isabelle, notre parente, que nous sommes quelques-uns ici à avoir aidée et servie. Mais sa requête, pour laquelle vous avez bien plaidé, semble irrecevable. N'est-ce point votre conseil, Messeigneurs ? acheva-t-il en prenant les pairs à témoins.

Des approbations nombreuses lui répondirent, les plus chaleureuses venant du duc de Bourbon, du comte de Blois, des pairs-évêques de Reims et de Beauvais.

Mais Orleton n'avait pas usé toutes ses lames. Si même on admettait, pour ne point revenir sur une loi appliquée, que les femmes ne pussent régner en France, alors ce n'était pas au nom de la reine Isabelle, mais au nom de son fils, le roi Édouard III, seul descendant mâle de la lignée directe, qu'il élevait sa réclamation.

— Mais si femme ne peut régner, à plus forte raison ne peut-elle transmettre ! dit Philippe de Valois.

— Et pourquoi, Monseigneur ? Les rois en France ne naissent donc point de femme ?

Cette riposte amena un sourire sur quelques visages. Le grand Philippe se trouvait cloué. Après tout il n'avait pas tort, le petit évêque anglais ! La fameuse coutume invoquée à la succession de Louis X était muette là-dessus. Et, en bonne logique, puisque trois frères à la suite avaient régné, sans produire de garçons, le pouvoir ne devait-il pas revenir au fils de la sœur survivante, plutôt qu'à un cousin ?

Le comte de Hainaut, tout acquis à Valois jusque-là, réfléchissait, voyant se dessiner soudain pour sa fille un avenir inattendu.

Le vieux connétable Gaucher, les paupières plissées comme celles d'une tortue et la main en cornet autour de l'oreille, demandait à son voisin Miles de Noyers :

— Quoi ? Que dit-on ?

Le tour trop compliqué du débat l'irritait. Sur la question de la succession des femmes, il avait son opinion invariable depuis douze ans. La loi des mâles, en vérité, c'était lui qui l'avait proclamée en ralliant les pairs autour de sa formule fameuse : « Les lis ne filent pas la laine ; et France est trop noble royaume pour être à femelle remis. »

Orleton poursuivait, cherchant à se rendre émouvant. Il invitait les pairs à considérer une occasion, que les siècles peut-être n'offriraient plus jamais, d'unir les deux royaumes sous le même sceptre. Car là était sa pensée profonde. Finis les litiges incessants, les hommages mal définis, et les guerres d'Aquitaine dont pâtissaient les deux nations ; résolue l'inutile rivalité de commerce qui créait les problèmes de Flandre. Un seul et même peuple, des deux côtés de la mer. La noblesse anglaise n'était-elle pas tout entière de souche française ? La langue française n'était-elle pas commune aux deux cours ? De nombreux seigneurs français n'avaient-ils pas, par jeu d'héritage, des biens en Angleterre, comme les barons anglais avaient des établissements en France ?

— Eh bien, soit, remettez-nous l'Angleterre, nous ne la refusons pas, ironisa Philippe de Valois.

Le connétable Gaucher écoutait les explications que Miles de Noyers lui soufflait à l'oreille, et soudain son teint fonça. Comment ? Le roi d'Angleterre réclamait la régence ? Et la couronne à suivre ? Alors, tant de campagnes qu'il avait conduites, lui Gaucher, sous le dur soleil de Gascogne, tant de chevauchées dans les boues du Nord contre ces mauvais drapiers flamands toujours soutenus par l'Angleterre, tant de bons chevaliers tués, tant de tailles et subsides dépensés, n'auraient donc servi qu'à cela ? On se moquait.

Sans se lever, mais d'une profonde voix de vieillard tout enrouée par la colère, il s'écria :

— Jamais France ne sera à l'Anglois, et cela n'est point question de mâle ou de femelle, ni de savoir si la couronne se transmet par le ventre ! Mais la France ne sera pas à l'Anglois parce que les barons ne le supporteraient pas. Allons Bretagne ! Allons Blois ! Allons Nevers ! Allons Bourgogne ! Vous acceptez d'entendre cela ? Nous avons un roi à porter en terre, le sixième de ceux que j'aurai vus passer de mon vivant, et qui tous ont dû lever leur ost contre l'Angleterre ou ceux qu'elle appuie. Qui doit commander à la France doit être du sang de

France. Et qu'on en finisse d'écouter ces sornettes qui feraient rire mon cheval.

Il avait appelé Bretagne, Blois, Bourgogne, du ton qu'il prenait naguère en bataille, pour rallier les chefs de bannière.

— Je donne mon conseil, avec le droit du plus vieux, pour que le comte de Valois, le plus proche du trône, soit régent, gardien et gouverneur du royaume.

Et il éleva la main pour appuyer son vote.

— Il a bien dit ! s'empressa d'approuver Robert d'Artois en dressant sa large patte et en conviant du regard les partisans de Philippe à l'imiter.

Il regrettait presque, à présent, d'avoir fait écarter le vieux connétable du testament royal.

— Il a bien dit ! répétèrent les ducs de Bourbon et de Bretagne, le comte de Blois, le comte de Flandre, le comte d'Évreux, les évêques, les grands officiers, le comte de Hainaut.

Mahaut d'Artois interrogea des yeux le duc de Bourgogne, vit qu'il allait lever la main et se hâta d'approuver pour n'être pas la dernière.

Seule la main d'Orleton resta baissée.

Philippe de Valois, qui se sentait soudain épuisé, se disait : « C'est chose faite, c'est chose faite. » Il entendit l'archevêque Guillaume de Trye, son ancien précepteur, dire :

— Longue vie au régent du royaume de France, pour le bien du peuple et de la Sainte Église.

Le chancelier Jean de Cherchemont avait préparé le document qui devait clore le conseil et en entériner la décision ; il ne restait que le nom à inscrire. Le chancelier traça en grandes lettres celui du « très puissant, très noble et très redouté seigneur Philippe, comte de Valois », et puis donna lecture de cet acte qui non seulement attribuait la régence, mais encore désignait le régent, si l'enfant à naître était une fille, pour devenir roi de France.

Tous les assistants apposèrent en bas du document leur signature et leur sceau privé ; tous, sauf le duc de Guyenne, c'est-à-dire son représentant Monseigneur Adam Orleton qui refusa en disant :

— On ne perd jamais rien à défendre son droit, même si l'on sait qu'il ne peut pas triompher. L'avenir est grand, et dans les mains de Dieu.

Philippe de Valois s'était approché du catafalque et regardait le corps de son cousin, la couronne encadrant le front cireux, le long sceptre d'or posé le long du manteau, les bottes scintillantes.

On crut qu'il priait, et ce geste lui valut le respect.

Robert d'Artois vint auprès de lui et lui murmura :

— Si ton père te voit, en ce moment, il doit être bien heureux, le cher homme... Encore deux mois à attendre.

IV

LE ROI TROUVÉ

Les princes de ce temps-là avaient besoin d'un nain. Les couples de pauvres gens considéraient presque comme une chance de mettre au monde un avorton de cette sorte ; ils avaient la certitude de le vendre un jour à quelque grand seigneur, sinon au roi lui-même.

Car le nain, nul n'eût songé à en douter, était un être intermédiaire entre l'homme et l'animal domestique. Animal, parce qu'on pouvait lui mettre un collier, l'affubler, comme un chien dressé, de vêtements grotesques, et lui envoyer des coups de pied aux fesses ; homme, parce qu'il parlait et s'offrait volontairement, moyennant salaire et nourriture, à ce rôle dégradant. Il avait à bouffonner sur ordre, sautiller, pleurer ou niaiser comme un enfant, et cela même quand ses cheveux devenaient blancs. Sa petitesse faisait ressortir la grandeur du maître. On se le transmettait par héritage ainsi qu'un bien de propriété. Il était le symbole du « sujet », de l'individu soumis à autrui par nature, et créé tout exprès, semblait-il, pour témoigner de la division de l'espèce humaine en races différentes, dont certaines avaient pouvoir absolu sur les autres.

L'abaissement comportait des avantages ; le plus petit, le plus faible, le plus difforme, prenait place parmi les mieux nourris et les mieux vêtus. Il était également permis et même ordonné à ce disgracié de dire aux maîtres de la race supérieure ce qui n'eût été toléré de nul autre.

Les moqueries, les reproches, les insultes que tout homme, même le plus dévoué, adresse parfois en pensée à celui qui le commande, le nain les proférait pour le compte de tous, comme par délégation.

Il existe deux sortes de nains : ceux à long nez, à face triste et à double bosse, et ceux à gros visage, nez court et torse de géant monté sur de minuscules membres noués. Le nain de Philippe de Valois, Jean le Fol, était de la seconde sorte. Sa tête arrivait juste à hauteur des tables. Il portait grelots au sommet de son bonnet et sur les épaules de ses robes de soie.

Ce fut lui qui vint dire un jour à Philippe, en tournoyant et en ricanant :

— Tu sais, mon Sire, comment le peuple te nomme ? On t'appelle « le roi trouvé ».

Car le Vendredi saint, 1er avril de l'an 1328, Madame Jeanne d'Évreux, veuve de Charles IV, avait fait ses couches. Rarement dans l'Histoire, sexe d'enfant fut observé avec plus d'attention à l'issue des flancs maternels. Et quand on vit que c'était une fille qui naissait, chacun reconnut bien que la volonté divine s'était exprimée et l'on en éprouva un grand soulagement.

Les barons n'avaient pas à revenir sur leur choix de la Chandeleur. Dans une assemblée immédiate, où seul le représentant de l'Angleterre fit entendre, par principe, une voix discordante, ils confirmèrent à Philippe l'octroi de la couronne.

Le peuple poussait un soupir. La malédiction du grand-maître Jacques de Molay paraissait épuisée. La branche aînée de la race capétienne s'achevait par trois bourgeons séchés.

L'absence de garçon, en toute famille, fut toujours considérée comme un malheur ou un signe d'infériorité. A plus forte raison pour une maison royale. Cette incapacité des fils de Philippe le Bel à produire des descendants mâles semblait bien la manifestation d'un châtiment. L'arbre allait pouvoir repartir du pied.

De soudaines fièvres saisissent les peuples, dont il faudrait chercher la cause dans le déplacement des astres, tant elles échappent à toute autre explication : vagues d'hystérie cruelle, comme l'avaient été la croisade des pastoureaux et le massacre des lépreux, ou vagues d'euphorie délirante comme celle qui accompagna l'avènement de Philippe de Valois.

Le nouveau roi était de belle taille et possédait cette majesté musculaire nécessaire aux fondateurs de dynastie. Son premier enfant était un fils âgé déjà de neuf ans et qui paraissait robuste ; il avait également une fille, et l'on savait, les cours ne font point mystère de ces choses, qu'il honorait presque chaque nuit sa boiteuse épouse avec un entrain que les années ne ralentissaient pas.

Doué d'une voix forte et sonore, il n'était pas un bafouilleur comme ses cousins Louis Hutin et Charles IV, ni un silencieux comme Philippe le Bel ou Philippe V. Qui pouvait s'opposer à lui, qui pouvait-on lui opposer ? Qui songeait à écouter, dans cette liesse où roulait la France, la voix de quelques docteurs en droit payés par l'Angleterre pour formuler, sans conviction, des représentations ?

Philippe VI arrivait au trône dans le consentement unanime.

Et pourtant il n'était qu'un roi de raccroc, un neveu, un cousin de roi comme il y en avait tant, un homme fortuné parmi son parentage ; pas un roi désigné par Dieu à la naissance, pas un roi reçu ; un roi « trouvé » le jour qu'on en manquait.

Ce mot inventé par la rue ne diminuait en rien la confiance et la joie ; ce n'était qu'une de ces expressions d'ironie dont les foules aiment à nuancer leurs passions et qui leur donnent l'illusion de la familiarité avec le pouvoir. Jean le Fol, lorsqu'il répéta cette parole à Philippe, eut droit à une bourrade dont il exagéra la rudesse en se frottant les côtes et en poussant des cris aigus ; il venait tout de même de prononcer le maître mot d'un destin.

Car Philippe de Valois, comme tout parvenu, voulut prouver qu'il était bien digne, par valeur naturelle, de la situation qui lui était échue, et répondre en tout à l'image qu'on peut se faire d'un roi.

Parce que le roi exerce souverainement la justice, il envoya pendre dans les trois semaines le trésorier du dernier règne, Pierre Rémy, dont on assurait qu'il avait beaucoup trafiqué du Trésor. Un ministre des Finances au gibet est chose toujours qui réjouit un peuple ; les Français se félicitèrent ; on avait un roi juste.

Le prince est, par devoir et fonction, défenseur de la foi. Philippe prit un édit qui renforçait les peines contre les blasphémateurs et accroissait le pouvoir de l'inquisition. Ainsi le haut et bas clergé, la petite noblesse et les bigotes de paroisse se trouvèrent rassurés : on avait un roi pieux.

Un souverain se doit de récompenser les services rendus. Or combien de services avaient été nécessaires à Philippe pour assurer son élection ! Mais un roi doit veiller également à ne point se faire d'ennemis parmi ceux qui se sont montrés, sous ses prédécesseurs, bons serviteurs des intérêts publics. Aussi, tandis qu'étaient maintenus dans leurs charges presque tous les anciens dignitaires et officiers royaux, de nouvelles fonctions furent créées ou bien l'on doubla celles qui existaient afin de donner place aux soutiens du nouveau règne, et satisfaire à toutes les recommandations présentées par les grands électeurs. Et comme la maison de Valois avait déjà train royal, ce train se superposa à celui de l'ancienne dynastie, et ce fut une grande ruée aux emplois et aux bénéfices. On avait un roi généreux.

Un roi se doit encore d'apporter la prospérité à ses sujets. Philippe VI s'empressa de diminuer et même, dans certains cas, de supprimer les taxes que Philippe IV et Philippe V avaient mises sur le négoce, sur les marchés publics et sur les transactions des étrangers, taxes qui, de l'avis de ceux qui les acquittaient, entravaient les foires et le commerce.

Ah ! le bon roi que voilà, qui faisait cesser les tracasseries des receveurs de Finances ! Les Lombards, prêteurs habituels de son père et auxquels lui-même devait encore si gros, le bénissaient. Nul ne songeait que la fiscalité des anciens règnes produisait ses effets à long terme et que si la France était riche, si l'on y vivait mieux que nulle part au monde, si l'on y était vêtu de bon drap et souvent de fourrure, si l'on y voyait des bains et étuves jusque dans les hameaux, on le devait aux précédents Philippe qui avaient su assurer l'ordre dans le royaume, l'unité des monnaies, la sécurité du travail.

Un roi... un roi doit aussi être un sage, l'homme le plus sage parmi son peuple. Philippe commença de prendre un ton sentencieux pour énoncer, de cette belle voix qui était la sienne, de graves principes où l'on reconnaissait un peu la manière de son précepteur, l'archevêque Guillaume de Trye.

« Nous qui toujours voulons raison garder... », disait-il chaque fois qu'il ne savait quel parti prendre.

Et quand il avait fait fausse route, ce qui lui arrivait fréquemment, et se trouvait contraint d'interdire ce qu'il avait ordonné l'avant-veille, il déclarait avec autant d'assurance : « Raisonnable chose est de modifier son propos. »

« En toute chose, mieux vaut prévenir qu'être prévenu », énonçait encore pompeusement ce roi qui en vingt-deux ans de règne ne cesserait d'aller de surprise en surprise malheureuse !

Jamais monarque ne débita de plus haut autant de platitudes. On croyait qu'il réfléchissait ; en vérité il ne pensait qu'à la sentence qu'il allait pouvoir formuler pour se donner l'air de réfléchir ; mais sa tête était creuse comme une noix de la mauvaise saison.

Un roi, un vrai roi, n'oublions pas, se doit d'être brave, et preux, et fastueux ! En vérité Philippe n'avait d'aptitude que pour les armes. Pas pour la guerre, mais bien pour les armes, les joutes, les tournois. Instructeur de jeunes chevaliers, il eût fait merveille à la cour d'un moindre baron. Souverain, son hôtel ressembla à quelque château des romans de la Table Ronde, qui étaient beaucoup lus à l'époque et dont il s'était fort farci l'imagination. Ce ne furent que tournois, fêtes, festins, chasses, divertissements, puis tournois encore avec débauche de plumes sur les heaumes, et chevaux plus parés que des femmes.

Philippe s'occupait très gravement du royaume, une heure par jour, après une joute d'où il revenait ruisselant ou un banquet dont il sortait la panse lourde et l'esprit nuageux. Son chancelier, son trésorier, ses officiers innombrables prenaient les décisions pour lui, ou bien allaient chercher leurs ordres auprès de Robert d'Artois. Celui-ci, en vérité, commandait plus que le souverain.

Nulle difficulté ne se présentait que Philippe n'en appelât au conseil de Robert, et l'on obéissait de confiance au comte d'Artois, sachant que tout décret de sa part serait approuvé par le roi.

De la sorte on alla au sacre, où l'archevêque Guillaume de Trye devait poser la couronne sur le front de son ancien élève. Les fêtes, à la fin mai, durèrent cinq jours.

Il semblait que tout le royaume fût arrivé à Reims. Et non seulement le royaume, mais encore une partie de l'Europe avec le superbe et impécunieux roi Jean de Bohême, le comte Guillaume de Hainaut, le marquis de Namur et le duc de Lorraine. Cinq jours de réjouissances et de ripailles; une profusion, une dépense comme les bourgeois rémois n'en avaient jamais vu. Eux qui subvenaient aux frais des fêtes, et qui avaient réchigné devant le coût des derniers sacres, cette fois fournissaient le double, le triple, d'un cœur joyeux. Il y avait cent ans qu'au royaume de France on n'avait autant bu: on servait à cheval dans les cours et sur les places.

La veille du couronnement, le roi arma chevalier Louis de Crécy, comte de Flandre et de Nevers, avec la plus grande pompe possible. Il avait été décidé, en effet, que ce serait le comte de Flandre qui tiendrait le glaive de Charlemagne pendant le sacre, et le porterait au roi. Et l'on s'étonnait que le connétable eût consenti à se dessaisir de cette fonction traditionnelle. Encore fallait-il que le comte de Flandre fût chevalier. Philippe VI pouvait-il montrer avec plus d'éclat l'amitié dans laquelle il tenait son cousin flamand?

Or, le lendemain, pendant la cérémonie dans la cathédrale, lorsque Louis de Bourbon, grand chambrier de France, ayant chaussé le roi des bottes fleudelisées, appela le comte de Flandre pour présenter l'épée, ce dernier ne bougea pas.

Louis de Bourbon répéta:

— Monseigneur le comte de Flandre!

Louis de Crécy resta immobile, debout, les bras croisés.

— Monseigneur le comte de Flandre, proclama le duc de Bourbon, si vous êtes céans, ou quelque personne pour vous, venez accomplir votre devoir, et ci vous sommons de paraître à peine de forfaiture.

Un grand silence s'était fait sous les voûtes et un étonnement apeuré se peignait sur les visages des prélats, des barons, des dignitaires; mais le roi restait impassible, et Robert d'Artois reniflait, nez en l'air, comme s'il s'intéressait au jeu du soleil à travers les vitraux.

Enfin le comte de Flandre consentit à avancer, s'arrêta devant le roi, s'inclina et dit:

— Sire, si l'on avait appelé le comte de Nevers ou le sire de Crécy, je me fusse approché plus tôt.

— Mais quoi, Monseigneur, répondit Philippe VI, n'êtes-vous point comte de Flandre?

— Sire, j'en porte le nom, mais n'en ai point le profit.

Philippe VI prit alors son meilleur air royal, poitrine gonflée, regard vague, et son grand nez pointé vers l'interlocuteur pour prononcer bien calmement:

— Mon cousin, que me dites-vous donc?

— Sire, reprit le comte, les gens de Bruges, d'Ypres, de Poperingue et de Cassel m'ont bouté dehors mon fief, et ne me tiennent plus pour leur comte ni seigneur; c'est à peine si je puis tout furtivement me rendre à Gand tant le pays est en rébellion.

Alors Philippe de Valois abattit sa large paume sur le bras du trône, geste qu'il avait vu bien souvent faire à Philippe le Bel et qu'il reproduisait, inconsciemment, tant son oncle avait été l'incarnation véritable de la majesté.

— Louis, mon beau cousin, déclara-t-il lentement et fortement, nous vous tenons pour comte de Flandre, et, par les dignes onctions et sacrement que nous recevons aujourd'hui, vous promettons que jamais ne prendrons paix ni repos avant que de vous avoir remis en possession de votre comté.

Alors le comte de Flandre s'agenouilla et dit :

— Sire, grand merci.

Et la cérémonie continua.

Robert d'Artois clignait de l'œil à ses voisins, et l'on comprit alors que cet esclandre était coup monté. Philippe VI tenait les promesses faites par Robert pour assurer son élection. Philippe d'Évreux apparaissait ce même jour, sous son manteau de roi de Navarre.

Aussitôt après la cérémonie, le roi réunit les pairs et barons, les princes de sa famille, les seigneurs d'au-delà du royaume venus assister à son sacre, et, comme si l'affaire ne souffrait une heure d'attente, il délibéra avec eux du moment où il irait attaquer les rebelles de Flandre. Le devoir d'un roi preux est de défendre le droit de ses vassaux! Quelques esprits prudents, estimant que le printemps était déjà fort avancé et qu'on risquait de n'être prêt qu'à la mauvaise saison — ils avaient encore en mémoire l'ost boueux de Louis Hutin — conseillaient de remettre l'expédition à un an. Le vieux connétable Gaucher leur fit honte en s'écriant d'une voix forte :

— Qui bon cœur a pour la bataille, toujours trouve le temps convenant !

A soixante-dix-huit ans, il éprouvait quelque hâte à commander sa dernière campagne, et ce n'était pas pour tergiverser de la sorte qu'il avait accepté de se dessaisir tout à l'heure du glaive de Charlemagne.

— Ainsi l'Anglois, qui est par-dessous cette rébellion, prendra bonne leçon, dit-il encore en grommelant.

Ne lisait-on pas, dans les romans de chevalerie, les exploits des héros de quatre-vingts ans, capables de renverser leurs ennemis en bataille et de leur fendre le heaume jusqu'à l'os du crâne? Les barons allaient-ils montrer moins de vertu que le vieux vétéran impatient de partir en guerre avec son sixième roi?

Philippe de Valois, se levant, s'écria :

— Qui m'aime bien me suivra !

Dans le mouvement général d'enthousiasme qui suivit cette parole, on décida de convoquer l'ost pour la fin juillet, et à Arras, comme par hasard. Robert allait pouvoir en profiter pour remuer un peu le comté de sa tante Mahaut.

Et de la sorte, au début d'août, on entra en Flandre.

Un bourgeois du nom de Zannequin commandait les quinze mille hommes des milices de Furnes, de Dixmude, de Poperingue et de Cassel. Voulant prouver qu'il savait les usages, Zannequin adressa un cartel au roi de France pour lui demander jour de bataille. Mais Philippe méprisa ce manant qui prenait des manières de prince, et fit répondre aux Flamands qu'étant gens sans chef ils auraient à se défendre comme ils pourraient. Puis il envoya ses deux maréchaux, Mathieu de Trye et Robert Bertrand, dit « le chevalier au Vert Lion », incendier les environs de Bruges.

Quand les maréchaux rentrèrent ils furent grandement félicités ; chacun se réjouissait de voir au loin de pauvres maisons flamber. Les chevaliers désarmés, vêtus de riches robes, se faisaient visite d'une tente à l'autre, mangeaient sous des pavillons de soie brodée, et jouaient aux échecs avec leurs familiers. Le camp français ressemblait tout à fait au camp du roi Arthur dans les livres à images, et les barons se prenaient pour autant de Lancelot, d'Hector et de Galaad.

Or il arriva que le vaillant roi, qui préférait prévenir plutôt qu'être prévenu, dînait en compagnie, joyeusement, quand les quinze mille hommes de Flandre envahirent son camp. Ils brandissaient des étendards peints d'un coq sous lequel était écrit :

> *Le jour que ce coq chantera*
> *Le roi trouvé ci entrera.*

Ils eurent tôt fait de ravager la moitié du camp, coupant les cordes des pavillons, renversant les échiquiers, bousculant les tables de festin et tuant bon nombre de seigneurs.

Les troupes d'infanterie françaises prirent la fuite ; leur émoi devait les porter sans souffler jusqu'à Saint-Omer, à quarante lieues en arrière.

Le roi n'eut que le temps de passer une cotte aux armes de France, se couvrir la tête d'un bassinet de cuir blanc et sauter sur son destrier pour rassembler ses héros.

Les adversaires, en cette bataille, avaient chacun commis une lourde faute, par vanité. Les chevaliers français avaient méprisé les communaux de Flandre ; mais ceux-ci, afin de montrer qu'ils étaient gens de guerre autant que les seigneurs, s'étaient équipés d'armures ; or, ils venaient à pied !

Le comte de Hainaut et son frère Jean, dont les cantonnements se trouvaient un peu à l'écart, se lancèrent les premiers pour prendre les

Flamands à revers et désorganiser leur attaque. Les chevaliers français, rameutés par le roi, purent alors se ruer sur cette piétaille qu'alourdissait un orgueilleux équipement, la culbuter, la fouler aux sabots des lourds destriers, en faire massacre. Les Lancelot et les Galaad se contentaient de pourfendre et d'assommer, laissant leurs valets d'arme achever au couteau les vaincus. Qui cherchait à fuir était renversé par un cheval à la charge ; qui s'offrait à se rendre était dans l'instant égorgé. Il resta sur le terrain treize mille Flamands qui formaient un fabuleux monceau de fer et de cadavres, et l'on ne pouvait rien toucher, herbe, harnais, homme ou bête, qui ne fût poisseux de sang.

La bataille du mont Cassel, commencée en déroute, s'achevait en victoire totale pour la France. On en parlait déjà comme d'un nouveau Bouvines.

Or le vrai vainqueur n'était pas le roi, ni le vieux connétable Gaucher, ni Robert d'Artois, si grande vaillance qu'ils eussent prouvée en s'éboulant comme avalanche dans les rangs adverses. Celui qui avait tout sauvé était le comte Guillaume de Hainaut. Mais ce fut Philippe VI, son beau-frère, qui moissonna la gloire.

Un roi aussi puissant que l'était Philippe ne pouvait plus tolérer aucun manquement de la part de ses vassaux. On envoya donc sommation au roi anglais, duc de Guyenne, de venir rendre hommage et de se hâter.

Il n'est guère de défaites salutaires, mais il est des victoires malheureuses. Peu de journées devaient coûter aussi cher à la France que celle de Cassel, car elle accrédita plusieurs idées fausses : à savoir d'abord que le nouveau roi était invincible, et ensuite que les gens de pied ne valaient rien à la guerre. Crécy, vingt ans plus tard, serait la conséquence de cette illusion.

En attendant, quiconque avait bannière, quiconque portait lance, et jusqu'au plus simple écuyer, considérait avec pitié, du haut de sa selle, les espèces inférieures qui s'en allaient à pied.

Cet automne-là, vers le milieu du mois d'octobre, Madame Clémence de Hongrie, la reine à la mauvaise fortune qui avait été la seconde épouse de Louis Hutin, mourut à trente-cinq ans, en l'ancien hôtel du Temple, sa demeure. Elle laissait tant de dettes qu'une semaine après sa mort tout ce qu'elle possédait, bagues, couronnes, joyaux, meubles, linge, orfèvrerie, et jusqu'aux ustensiles de cuisine, fut mis aux enchères sur la demande des prêteurs italiens, les Bardi et les Tolomei.

Le vieux Spinello Tolomei, traînant la jambe, poussant le ventre, un œil ouvert et l'autre clos, fut à cette vente où six orfèvres-priseurs, commis par le roi, firent les estimations. Et tout fut dispersé de ce qui avait été donné à la reine Clémence en une année de précaire bonheur.

Quatre jours durant on entendit les priseurs, Simon de Clokettes, Jean Pascon, Pierre de Besançon et Jean de Lille, crier :

— Un bon chapeau d'or[5], auquel il y a quatre gros rubis balais, quatre grosses émeraudes, seize petits balais, seize petites émeraudes et huit rubis d'Alexandrie, prisé six cents livres. Vendu au roi !

— Un doigt, où il y a quatre saphirs dont trois carrés et un cabochon, prisé quarante livres. Vendu au roi !

— Un doigt, où il y a six rubis d'Orient, trois émeraudes carrées et trois diamants d'émeraude, prisé deux cents livres. Vendu au roi !

— Une écuelle de vermeil, vingt-cinq hanaps, deux plateaux, un bassin, prisés deux cents livres. Vendus à Monseigneur d'Artois, comte de Beaumont !

— Douze hanaps en vermeil émaillé aux armes de France et de Hongrie, une grande salière en vermeil portée par quatre babouins, le tout pour quatre cent quinze livres. Vendus à Monseigneur d'Artois, comte de Beaumont !

— Une boursette brodée d'or, semée de perles et de doubles, et dedans la bourse il y a un saphir d'Orient. Prisée seize livres. Vendue au roi !

La compagnie des Bardi acheta la pièce la plus chère : une bague portant le plus gros rubis de Clémence de Hongrie et estimée mille livres. Ils n'avaient pas à la payer, puisque cela viendrait en diminution de leurs créances, et ils étaient sûrs de pouvoir la revendre au pape lequel, autrefois leur débiteur, disposait maintenant d'une fabuleuse richesse.

Robert d'Artois, comme pour prouver que les hanaps et autres services à boire n'étaient pas son seul souci, acquit encore une bible en français, pour trente livres.

Les habits de chapelle, tuniques, dalmatiques, furent achetés par l'évêque de Chartres.

Un orfèvre, Guillaume le Flament, eut à bon compte le couvert en or de la reine défunte.

Des chevaux de l'écurie, on tira six cent quatre-vingt-douze livres. Le char de Madame Clémence et le char de ses demoiselles suivantes furent mis aussi à l'encan.

Et quand tout fut enlevé de l'hôtel du Temple, on eut le sentiment de fermer une maison maudite.

Il semblait vraiment cette année-là que le passé s'éteignait, comme de lui-même, pour faire place nette au nouveau règne. L'évêque d'Arras, Thierry d'Hirson, chancelier de la comtesse Mahaut, mourut au mois de novembre. Il avait été pendant trente ans le conseiller de la comtesse, un peu son amant aussi, et son serviteur en toutes ses intrigues. La solitude s'installait autour de Mahaut. Robert d'Artois fit nommer au diocèse d'Arras un ecclésiastique du parti Valois, Pierre Roger[6].

Tout était défavorable à Mahaut, tout se montrait favorable à Robert dont le crédit ne cessait de grandir, et qui accédait aux suprêmes honneurs.

Au mois de janvier 1329, Philippe VI érigeait en pairie le comté de Beaumont-le-Roger; Robert devenait pair du royaume.

Le roi d'Angleterre tardant à rendre son hommage, on décida de saisir à nouveau le duché de Guyenne. Mais avant de mettre la menace à exécution armée, Robert d'Artois fut envoyé en Avignon pour obtenir l'intervention du pape Jean XXII.

Robert passa, au bord du Rhône, deux semaines enchanteresses. Car Avignon, où tout l'or de la chrétienté affluait, était, pour qui aimait la table, le jeu et les belles courtisanes, une ville d'agrément sans égal, sous un pape octogénaire et ascète, retrait dans les problèmes d'administration financière, de politique et de théologie.

Le nouveau pair de France eut plusieurs audiences du Saint-Père; un festin fut donné en son honneur au château pontifical, et il s'entretint doctement avec nombre de cardinaux. Mais, fidèle aux goûts de sa tumultueuse jeunesse, il eut rapport aussi avec des gens de plus douteux aloi. Où qu'il fût, Robert attirait à lui, et sans prendre aucune peine, la fille légère, le mauvais garçon, l'échappé de justice. N'eût-il existé dans la ville qu'un seul receleur, il le découvrait dans le quart d'heure. Le moine chassé de son ordre pour quelque gros scandale, le clerc accusé de larcin ou de faux serments piétinaient dans son antichambre pour quêter son appui. Dans les rues, il était souvent salué par des passants de basse mine dont il cherchait vainement à se rappeler en quel bordel de quelle ville il les avait autrefois rencontrés. Il inspirait confiance à la truanderie, c'était un fait, et qu'il fût à présent le second prince du royaume français n'y changeait rien.

Son vieux valet Lormet le Dolois, trop âgé à présent pour les longs voyages, ne l'accompagnait pas. Un gaillard plus jeune, mais formé à pareille école, Gillet de Nelle, emplissait le même rôle et se chargeait des mêmes besognes. Ce fut Gillet qui rabattit sur Monseigneur Robert un certain Maciot l'Allemant, sergent d'armes sans emploi, mais prêt à tout faire, et qui était originaire d'Arras. Ce Maciot avait bien connu l'évêque Thierry d'Hirson. Or l'évêque Thierry, en ses dernières années, avait une amie de cœur et de couche, une certaine Jeanne de Divion, de vingt bonnes années plus jeune que lui, et qui se plaignait assez haut maintenant des ennuis que lui causait la comtesse Mahaut, depuis la mort de l'évêque. Si Monseigneur voulait entendre cette dame de Divion...

Robert d'Artois constata, une fois de plus, qu'on s'instruit beaucoup auprès des gens de petite réputation. Certes, les mains du sergent

Maciot n'étaient pas celles auxquelles on eût pu confier le plus sûrement sa bourse ; mais l'homme savait de fort intéressantes choses. Vêtu de neuf, et remonté d'un cheval bien gras, il fut expédié vers le nord.

Rentré à Paris au mois de mars, Robert se frottait les mains et affirmait que du nouveau allait se produire en Artois. Il parlait d'actes royaux dérobés jadis par l'évêque Thierry, pour le compte de Mahaut. Une femme au visage encapuchonné passa plusieurs fois la porte de son cabinet, et il eut avec elle de longues conférences secrètes. On le voyait de semaine en semaine plus confiant, plus joyeux, et annonçant avec plus de certitude la prochaine confusion de ses ennemis.

Au mois d'avril, la cour d'Angleterre, cédant aux recommandations du pape, envoyait de nouveau à Paris l'évêque Orleton, avec une suite de soixante-douze personnes, seigneurs, prélats, docteurs, clercs et valets, pour négocier la formule d'hommage. C'était un vrai traité qu'on se disposait à conclure.

Les affaires d'Angleterre n'étaient pas au plus haut. Lord Mortimer n'avait guère accru son prestige en se faisant conférer la pairie et en obligeant le Parlement à siéger sous la menace de ses troupes. Il avait dû réprimer une révolte armée des barons unis autour d'Henri de Lancastre au Tors-Col, et il éprouvait de grandes difficultés à gouverner.

Au début de mai mourut le brave Gaucher de Châtillon, à l'entrée de sa quatre-vingtième année. Il était né sous Saint Louis, et avait exercé vingt-sept ans la charge de connétable. Sa rude voix avait souvent changé le sort des batailles et prévalu dans les conseils royaux.

Le 26 mai, le jeune roi Édouard III, ayant dû emprunter, comme l'avait fait son père, cinq mille livres aux banquiers lombards afin de couvrir les frais de son voyage, s'embarquait à Douvres pour venir prêter hommage à son cousin de France.

Ni sa mère Isabelle, ni Lord Mortimer ne l'accompagnaient, craignant trop, s'ils s'étaient absentés, que le pouvoir ne passât en d'autres mains. Un souverain de seize ans, confié à la surveillance de deux évêques, allait donc affronter la plus impressionnante cour du monde.

Car l'Angleterre était faible, divisée, et la France était tout. Il n'était pas de nation plus puissante que celle-ci dans l'univers chrétien. Ce royaume prospère, nombreux en hommes, riche d'industries, comblé par l'agriculture, mené par une administration encore compétente et par une noblesse encore active, semblait le plus enviable ; et le roi trouvé qui le gouvernait depuis un an, ne récoltant que des succès, était bien le plus envié de tous les rois de la terre.

V

LE GÉANT AUX MIROIRS

Il voulait se montrer mais également se voir. Il voulait que sa belle épouse, la comtesse, que ses trois fils, Jean, Jacques, et Robert, dont l'aîné, à huit ans, promettait déjà de devenir grand et fort, il voulait que ses écuyers, les valets de sa chambre et tout son hôtel qu'il avait amené avec lui de Paris, le contemplassent bien dans l'éclat de sa splendeur; mais il désirait aussi s'apparaître et s'admirer.

A ce faire, il avait demandé tous les miroirs trouvables dans les bagages de son escorte, miroirs d'argent poli, ronds comme des assiettes, miroirs à manche, miroirs de vitre sur feuille d'étain, coupés à l'octogone dans un cadre de vermeil, et il les avait fait suspendre, les uns auprès des autres, à la tapisserie de la chambre qu'il occupait[7]. L'évêque d'Amiens serait bien content lorsqu'il verrait son beau tapis à images lacéré par les clous qu'on avait plantés dedans! Mais qu'importait! Un prince de France pouvait se permettre cela. Monseigneur Robert d'Artois, seigneur de Conches et comte de Beaumont-le-Roger, souhaitait se contempler dans son costume de pair qu'il portait pour la première fois.

Il tournait, virait, avançait de deux pas, reculait, mais ne parvenait à saisir sa propre image que par fragments, comme les morceaux découpés d'un vitrail: à gauche, la garde d'or de la longue épée et, un peu plus haut, à droite, un morceau de poitrine où, sur la cotte de soie, étaient brodées ses armes; ici l'épaule à laquelle s'accrochait par un fermail étincelant le grand manteau de pair, et près du sol les franges de la longue tunique retroussée par les éperons d'or; et puis, tout au sommet, la couronne de pair à huit fleurons égaux, monumentale, sur laquelle il avait fait sertir tous les rubis achetés à la vente de feu la reine Clémence.

— Allons, je suis dignement vêtu, déclara-t-il. C'eût été pitié vraiment que je ne fusse pas pair, car la robe m'en sied bien.

La comtesse de Beaumont, elle-même en tenue d'apparat, semblait ne partager qu'à demi l'orgueilleuse allégresse de son époux.

— Êtes-vous sûr, Robert, demanda-t-elle d'une voix soucieuse, que cette dame arrive à temps?

— Mais certes, mais certes, répondit-il. Et si même elle n'arrive pas ce matin, je n'en vais pas moins clamer ma requête, et je présenterai les pièces demain.

La seule gêne qu'éprouvait Robert en son beau costume lui venait d'avoir à le porter par la chaleur d'un été précoce. Il suait sous ce harnois d'or, de velours et de soies épaisses, et bien qu'il se fût baigné le matin aux étuves, il commençait de répandre un fort parfum de fauve.

Par la fenêtre, ouverte sur un ciel éclatant de lumière, on entendait les cloches de la cathédrale sonnant à la volée et dominant le bruit que peut faire dans une ville le train de cinq rois et de leurs cours.

Ce 6 juin de l'an 1329, en effet, cinq rois étaient présents à Amiens. De mémoire de chancelier, on ne se souvenait pas de pareille entrevue. Pour recevoir l'hommage de son jeune cousin d'Angleterre, Philippe VI avait tenu à inviter ses parents ou alliés, les rois de Navarre, de Bohême, et de Majorque, ainsi que le comte de Hainaut, le duc d'Athènes et tous les pairs, ducs, comtes, évêques, barons et maréchaux.

Six mille chevaux du côté français, et six cents du côté anglais. Ah! Charles de Valois n'aurait pas désavoué son fils, ni son gendre Robert d'Artois, s'il avait pu voir cette assemblée!

Le nouveau connétable, Raoul de Brienne, pour son entrée en fonctions, avait eu la charge d'organiser le logement. Il s'en était tiré au mieux, mais il avait maigri de cinq livres.

Le roi de France occupait, avec sa famille, le palais épiscopal dont une aile avait été réservée à Robert d'Artois.

Le roi d'Angleterre était installé à la Malmaison [8], les autres rois dans les maisons bourgeoises. Les serviteurs dormaient dans les couloirs, les écuyers campaient autour de la ville avec les chevaux et les trains de bagages.

Une foule innombrable était venue de la province proche, des comtés voisins, et même de Paris. Les badauds passaient les nuits sous les porches.

Tandis que les chanceliers des deux royaumes discutaient une dernière fois des termes de l'hommage et pour tomber d'accord, au bout de leurs palabres, sur l'impossibilité d'arriver à rien de précis, toute la noblesse d'Occident, depuis six jours, s'amusait de joutes et de tournois, de spectacles joués, de jongleries, de danses, et festoyait en de fantastiques ripailles qui, servies dans les vergers des palais, commençaient au grand soleil pour s'achever aux étoiles.

Des hortillonnages de l'Amiénois arrivaient, par barques plates poussées à la perche sur les étroits canaux, des monceaux d'iris, de renoncules, de jacinthes et de lis qu'on déchargeait sur les quais du marché d'eau pour aller les répandre dans les rues, les cours et les salles où devaient passer les rois[9]. La ville était saturée du parfum de toutes ces fleurs écrasées, de ce pollen qui collait aux semelles et qui se mêlait à la forte odeur des chevaux et de la foule.

Et les vivres ! Et les vins ! Et les viandes ! Et les farines ! Et les épices ! On poussait les troupeaux de bœufs, de moutons et de porcs vers les abattoirs qui fonctionnaient en permanence; d'incessants charrois apportaient dans les cuisines des palais daims, cerfs, sangliers, chevreuils, lièvres, et tous les poissons de la mer, les esturgeons, les saumons, les bars, et la pêche de rivière, les longs brochets, les brèmes, les tanches, les écrevisses, et toutes les volailles, les plus fins chapons, les plus grasses oies, les faisans aux couleurs vives, les cygnes, les hérons en leur blancheur, les paons ocellés. Partout les tonneaux étaient en perce.

Quiconque arborait la livrée d'un seigneur, fût-ce le dernier laquais, faisait l'important. Les filles étaient folles. Les marchands italiens étaient venus de toutes parts à cette foire fabuleuse qu'organisait le roi. Les façades d'Amiens disparaissaient sous les soieries, les brocarts, les tapis pendus aux fenêtres, pour pavoiser.

Il y avait trop de cloches, de fanfares et de cris, trop de palefrois et de chiens, trop de victuailles et de breuvages, trop de princes, trop de voleurs, trop de putains, trop de luxe et trop d'or, trop de rois ! La tête en éclatait.

Le royaume se grisait de se contempler en sa puissance comme Robert d'Artois se grisait de lui-même, devant ses miroirs.

Lormet, son vieux serviteur, vêtu de neuf lui aussi, mais quand même bougon dans toute cette fête... oh ! pour peu de chose, parce que Gillet de Nelle prenait trop de place dans la maison, parce qu'on ne cessait de voir de nouveaux visages autour du maître... s'approcha de Robert et lui dit à mi-voix :

— La dame que vous attendez est là.

Le géant se retourna d'un bloc.

— Conduis-la-moi, répondit-il.

Il adressa un long clin d'œil à la comtesse sa femme, puis, à grands gestes, poussa son monde vers la porte en criant :

— Sortez tous, formez-vous en cortège dans la cour.

Il resta seul un moment, devant la fenêtre, regardant la foule massée aux abords de la cathédrale pour admirer les entrées et contenue avec peine par un cordon d'archers. Les cloches, là-haut, continuaient leur vacarme; une odeur de gaufres chaudes montant d'un éventaire s'était mêlée à l'air, brusquement; les rues alentour étaient pleines; et l'on voyait à peine miroiter le canal du Hocquet tant les barques s'y touchaient.

Robert d'Artois se sentait triomphant, et il le serait davantage encore tout à l'heure, quand il s'avancerait vers son cousin Philippe, dans la cathédrale, et prononcerait certaines paroles qui ne manqueraient pas de faire trembler de surprise les rois, les ducs et barons assemblés. Et chacun ne s'en repartirait pas aussi joyeux qu'il était venu. A commencer par sa chère tante Mahaut et par le duc bourguignon.

Ah! certes, Robert allait bien étrenner son costume de pair! Vingt ans et plus de lutte opiniâtre recevraient ce jour leur récompense. Et pourtant, dans cette grande joie orgueilleuse qui l'habitait, il reconnaissait comme une fissure, un regret. D'où ce sentiment pouvait-il lui venir, alors que tout lui souriait, que tout se conformait à ses souhaits? Soudain il comprit: l'odeur des gaufres. Un pair de France, qui va réclamer le comté de ses pères, ne peut descendre dans la rue, en couronne à huit fleurons, pour manger une gaufre. Un pair de France ne peut plus gueuser, se mêler à la multitude, pincer le sein des filles et, le soir, brailler entre quatre ribaudes, comme il le faisait lorsqu'il était pauvre et qu'il avait vingt ans. Cette nostalgie le rassura. « Allons, se dit-il, le sang n'est pas encore éteint! »

La visiteuse se tenait près de la porte, intimidée, et n'osant troubler les méditations d'un seigneur coiffé d'une aussi grosse couronne.

C'était une femme d'environ trente-cinq ans, à visage triangulaire et pommettes pointues. Le chaperon rabattu d'une cape de voyage cachait à demi ses cheveux nattés, et sa respiration soulevait sa poitrine, fort ronde et pleine, sous la guimpe de lin blanc.

«Mâtin! il ne s'ennuyait pas, l'évêque!» pensa Robert quand il s'aperçut de sa présence.

Elle fléchit un genou dans un geste de révérence. Il étendit sa large main gantée et chargée de rubis.

— Donnez, fit-il.

— Je ne les ai point, Monseigneur, répondit la femme.

Le visage de Robert changea d'expression.

— Comment, vous n'avez point les pièces? s'écria-t-il. Vous m'aviez assuré que vous me les porteriez aujourd'hui!

— J'arrive du château d'Hirson, Monseigneur, où je me suis introduite le jour d'hier, en compagnie du sergent Maciot. Nous sommes allés au coffre de fer scellé dans le mur, pour l'ouvrir avec les fausses clefs.

— Et alors?

— Il avait déjà été visité. Nous l'avons trouvé vide.

— Fort bien, belle nouvelle! dit Robert dont les joues pâlirent un peu. Voici un grand mois que vous me lanternez. « Monseigneur, je puis vous remettre les actes qui vous rendront la possession de votre comté!

Je sais où ils sont muchés. Donnez-moi une terre et des revenus, je vous les porterai la semaine prochaine. » Et puis la semaine passe et une autre encore... « Les Hirson se tiennent au château ; je ne puis y paraître quand ils sont là. » « A présent j'y suis allée, Monseigneur, mais la clef que j'avais n'était point la bonne. Patïentez un peu... » Et le jour enfin que je dois présenter les deux pièces au roi...

— Les trois, Monseigneur : le traité du mariage du comte Philippe, votre père, la lettre du comte Robert, votre grand-père, et celle de Monseigneur Thierry.

— Mieux encore ! les trois ! Vous arrivez pour me dire tout niaisement : « Je ne les ai point ; le coffre était vide ! » Et vous pensez que je vais vous croire ?

— Mais demandez au sergent Maciot qui m'accompagnait ! Ne voyez-vous pas, Monseigneur, que j'en ai encore plus grand meschef que vous ?

Un méchant soupçon passa dans le regard de Robert d'Artois qui, changeant de ton, demanda :

— Dis-moi, la Division, ne serais-tu pas en train de me truffer ? Cherches-tu à me soutirer davantage, ou bien m'aurais-tu trahi pour Mahaut ?

— Monseigneur ! Qu'allez-vous imaginer ! s'écria la femme au bord des larmes. Quand toute la peine et le dénuement où je suis me viennent de la comtesse Mahaut qui m'a volée de tout ce que mon cher seigneur Thierry m'avait laissé par son testament ! Ah ! je lui souhaite bien autant de mal que vous pouvez le faire, à Madame Mahaut ! Pensez, Monseigneur : douze ans je fus la bonne amie de Thierry, à cause de quoi beaucoup de gens me montraient du doigt. Pourtant, un évêque, c'est un homme tout pareillement aux autres ! Mais les gens ont de la méchanceté...

La Division recommençait son histoire que Robert avait déjà entendue au moins trois fois. Elle parlait vite ; sous des sourcils horizontaux, son regard semblait tourné en dedans comme chez les êtres qui ruminent sans cesse leurs propres affaires et ne sont attentifs à rien d'autre qu'à eux-mêmes.

Forcément, elle ne pouvait rien espérer de son mari dont elle s'était séparée pour vivre dans la maison de l'évêque Thierry. Elle reconnaissait que son mari s'était montré plutôt accommodant, peut-être parce qu'il avait, lui, cessé de bonne heure d'être un homme... Monseigneur comprenait ce qu'elle voulait dire. C'était pour la mettre à l'abri du besoin, en remerciement de toutes les bonnes années qu'elle lui avait données, que l'évêque Thierry l'avait inscrite sur son testament pour plusieurs maisons, somme en or et revenus. Mais il se méfiait de Madame Mahaut qu'il était obligé de nommer exécutrice testamentaire.

— Elle m'a toujours vue de mauvais œil, à cause de ce que j'étais plus jeune qu'elle, et qu'autrefois Thierry, c'est lui-même qui me l'a confié, avait dû passer par sa couche. Il savait bien qu'elle me jouerait méchamment quand il ne serait plus là, et que tous les Hirson, qui sont contre moi, à commencer par la Béatrice, la plus mauvaise, qui est demoiselle de parage de Mahaut, s'arrangeraient pour me chasser de la maison et me priver de tout.

Robert n'écoutait plus l'intarissable bavarde. Il avait posé sur un coffre sa lourde couronne et réfléchissait en frottant ses cheveux roux. Sa belle machination s'écroulait. « La plus petite pièce probante, mon frère, et j'autorise aussitôt l'appel des jugements de 1309 et 1318 », lui avait dit Philippe VI. « Mais comprends que je ne puis faire à moins, quelque volonté que j'aie de te servir, sans me déjuger devant Eudes de Bourgogne, avec les conséquences que tu devines. » Or ce n'était pas une petite pièce, mais des pièces massues, les actes même que Mahaut avait fait disparaître afin de capter l'héritage d'Artois, qu'il s'était targué de fournir !

— Et dans quelques minutes, dit-il, je dois être à la cathédrale, pour l'hommage.

— Quel hommage ? demanda la Divion.

— Celui du roi d'Angleterre, voyons !

— Ah ! c'est donc cela qu'il y a si grande presse dans la ville que je ne pouvais avancer.

Elle ne voyait donc rien, cette sotte, tout occupée à remâcher ses infortunes personnelles, elle ne se rendait compte ni ne s'informait de rien !

Robert se demanda s'il n'avait pas été bien léger en accordant crédit aux dires de cette femme, et si les pièces, le coffre d'Hirson, la confession de l'évêque avaient jamais existé autrement qu'en imagination. Et Maciot l'Allemant, était-il dupe lui aussi, ou bien de connivence ?

— Dites le vrai, la femme ! Jamais vous n'avez vu ces lettres.

— Mais si, Monseigneur ! s'écria la Divion pressant des deux mains ses pommettes pointues. C'était au château d'Hirson, le jour que Thierry se sentit malade, avant de se faire transporter en son hôtel d'Arras. « Ma Jeannette, je veux te prémunir contre Madame Mahaut, comme je m'en suis prémuni moi-même », il m'a dit. « Les lettres scellées qu'elle a fait retraire des registres pour dérober Monseigneur Robert, elle les croit toutes brûlées. Mais ce sont celles des registres de Paris qui sont allées au feu, devant elle. Les copies gardées aux registres d'Artois »... ce sont les propres paroles de Thierry, Monseigneur... « je lui ai assuré les avoir fait ardoir, mais je les ai conservées ici, et j'y ai joint une lettre de moi. » Et Thierry m'a conduite au coffre caché dans un creux du mur de son cabinet, et il m'a fait lire les feuilles toutes chargées de sceaux, que même je n'en pouvais croire mes yeux ni que pareilles vilenies fussent possibles. Il y avait aussi huit cents livres en or dans le coffre. Et il m'a remis la clef au cas qu'il lui survînt malheur.

— Et lorsque vous êtes allée une première fois à Hirson...

— J'avais confondu la clef avec une autre ; je l'ai perdue, c'est sûr. Vraiment la calamité s'acharne sur moi ! Quant tout commence d'aller mal...

Et brouillonne, de plus ! Elle devait dire la vérité. On ne s'invente pas aussi bête lorsqu'on veut tromper. Robert l'aurait volontiers étranglée, si cela avait pu servir à quelque chose.

— Ma visite a dû donner l'éveil, ajouta-t-elle ; on a découvert le coffre et forcé les verrous. C'est la Béatrice, à coup sûr...

La porte s'entrouvrit et Lormet passa la tête. Robert le renvoya, d'un geste de la main.

— Mais après tout, Monseigneur, reprit Jeanne de Divion comme si elle cherchait à racheter sa faute, ces lettres, on pourrait aisément les refaire, ne croyez-vous pas ?

— Les refaire ?

— Dame, puisqu'on sait ce qu'il y avait dedans ! Moi je le sais bien, je puis vous répéter, presque parole pour parole, la lettre de Monseigneur Thierry.

Le regard absent, l'index tendu pour ponctuer les phrases, elle commença de réciter :

— « Je me sens grandement coupable de ce que j'ai tant cette chose celée que les droits de la comté d'Artois appartiennent à Monseigneur Robert, par les convenances qui furent faites au mariage de Monseigneur Philippe d'Artois et de Madame Blanche de Bretagne, convenances établies en double paire de lettres scellées, desquelles lettres j'en ai une, et l'autre fut retraite des registres de la cour par l'un de nos grands seigneurs... Et toujours j'ai eu vouloir qu'après la mort de Madame la comtesse, à qui pour complaire et sur les ordres de laquelle j'ai agi, si Dieu la rappelait avant moi, je rendrai audit Monseigneur Robert ce que je détenais... »

La Division égarait ses clefs, mais pouvait se souvenir d'un texte qu'elle avait lu une fois. Il y a des cervelles construites de la sorte ! Et elle proposait à Robert, comme chose la plus naturelle au monde, de faire des faux. Elle n'avait visiblement aucun sens du bien et du mal, n'établissait aucune distinction entre le moral et l'immoral, l'autorisé et l'interdit. Était moral ce qui lui convenait. En quarante-deux ans de vie, Robert avait commis presque tous les péchés possibles : il avait tué, menti, dénoncé, pillé, violé. Mais user de faux en écritures, cela ne lui était pas encore arrivé.

— Il y a aussi l'ancien bailli de Béthune, Guillaume de la Planche, qui doit se souvenir et pourrait nous aider, car il était clerc chez Monseigneur Thierry en ce temps-là.

— Où est-il, cet ancien bailli? demanda Robert.

— En prison.

Robert haussa les épaules. De mieux en mieux! Ah! il avait commis une erreur à se trop presser. Il aurait dû attendre de tenir les documents, et non pas se contenter de promesses. Mais aussi, il y avait cette occasion de l'hommage, que le roi lui-même lui avait conseillé de saisir...

Le vieux Lormet, de nouveau, passa la tête par l'entrebâillement de la porte.

— Oui! je sais, lui cria Robert avec impatience. Il y a juste la place à traverser.

— C'est que le roi s'apprête à descendre, dit Lormet d'un ton de reproche.

— Bon, je viens.

Le roi, après tout, n'était que son beau-frère, et roi parce que lui, Robert, avait fait le nécessaire. Et cette chaleur! Il se sentait ruisseler sous son manteau de pair.

Il s'approcha de la fenêtre, regarda la cathédrale aux deux tours inégales et ajourées. Le soleil frappait de biais la grande rosace de vitraux. Les cloches continuaient de sonner, couvrant les rumeurs de la foule.

Le duc de Bretagne, suivi de son escorte, montait les marches du porche central.

Ensuite, à vingt pas d'intervalle, s'avançait d'une démarche boiteuse le duc de Bourbon, la traîne de son manteau soulevée par deux écuyers.

Puis s'approchait le cortège de Mahaut d'Artois. Elle pouvait avoir le pas ferme, aujourd'hui, la dame Mahaut! Plus haute que la plupart des hommes, et le visage fort rouge, elle saluait le peuple, de petites inclinations de tête, d'un air impérial. C'était elle la voleuse, la menteuse, l'empoisonneuse de rois, la criminelle qui soustrayait les actes scellés aux registres royaux! Si près de la confondre, de remporter sur elle, enfin, la victoire à laquelle il travaillait depuis vingt ans, Robert allait-il être forcé de renoncer... et pour quoi? pour une clef égarée par une concubine d'évêque? Est-ce que, contre les méchants, il ne convient pas d'user des mêmes méchancetés? Doit-on se montrer si regardant sur le choix des procédés quand il s'agit de faire triompher le bon droit?

A y bien penser, si Mahaut avait en sa possession les pièces retrouvées dans le coffre forcé du château d'Hirson — et à supposer qu'elle ne les eût pas immédiatement détruites comme tout portait à le croire — elle était bien empêchée de jamais les produire, ou de faire allusion à leur existence, puisque ces pièces constituaient la preuve de sa culpabilité. Elle serait bien prise, Mahaut, si on venait lui opposer des lettres toutes pareilles aux documents disparus! Que n'avait-il la journée devant lui pour pouvoir réfléchir, s'informer davantage... Il fallait qu'avant une heure il eût décidé, et tout seul.

— Je vous reverrai, la femme; mais tenez-vous coite, dit-il.

De fausses écritures, tout de même, c'était gros risque...

Il reprit sa monumentale couronne, s'en coiffa, jeta un regard aux miroirs qui lui renvoyèrent son image éclatée en trente morceaux. Puis il partit pour la cathédrale.

VI

L'HOMMAGE ET LE PARJURE

« Fils de roi ne saurait s'agenouiller devant fils de comte ! »

Cette formule, c'était un souverain de seize ans qui, tout seul, l'avait trouvée et imposée à ses conseillers pour qu'eux-mêmes l'imposassent aux légistes de France.

— Voyons, Monseigneur Orleton, avait dit le jeune Édouard III en arrivant à Amiens ; l'an passé vous étiez ici pour soutenir que j'avais plus de droits au trône de France que mon cousin Valois, et vous accepteriez à présent que je me jette à terre devant lui ?

Peut-être parce qu'il avait souffert, pendant son enfance, d'assister aux désordres dus à l'indécision et à la faiblesse de son père, Édouard III, pour la première fois qu'il était livré à lui-même, voulait qu'on revînt à des principes clairs et sains. Et pendant ces six jours passés à Amiens, il avait tout fait remettre en cause.

— Mais Lord Mortimer tient beaucoup à la paix avec la France, disait John Maltravers.

— My Lord sénéchal, l'interrompait Édouard, vous êtes ici pour me garder, je pense, non pour me commander.

Il éprouvait une aversion mal déguisée pour le baron à longue figure qui avait été le geôlier et, bien certainement, l'assassin d'Édouard II. D'avoir à subir la surveillance et même, pour mieux dire, l'espionnage de Maltravers, indisposait fort le jeune souverain, qui reprenait :

— Lord Mortimer est notre grand ami, mais il n'est pas le roi, et ce n'est point lui qui va rendre l'hommage. Et le comte de Lancastre qui préside au Conseil de régence, et seul de ce fait peut prendre décisions en mon nom, ne m'a point instruit, avant mon départ, de rendre indistinctement n'importe quelle sorte d'hommage. Je ne rendrai point l'hommage-lige.

L'évêque de Lincoln, Henry de Burghersh, chancelier d'Angleterre, lui aussi du parti Mortimer, mais moins inféodé que ne l'était

Maltravers et de plus brillant esprit, ne pouvait, en dépit du tracas causé, qu'approuver ce souci du jeune roi de défendre sa dignité, en même temps que les intérêts de son royaume.

Car non seulement l'hommage-lige obligeait le vassal à se présenter sans armes ni couronne, mais encore il impliquait, par le serment prononcé à genoux, que le vassal devenait, par premier devoir, *l'homme* de son suzerain.

— Par premier devoir, insistait Édouard. Adonc, mes Lords, s'il survenait, tandis que nous avons guerre en Écossse, que le roi de France me veuille requérir pour sa guerre à lui, en Flandre, en Lombardie ou ailleurs, je devrais tout quitter pour venir le joindre, faute de quoi il aurait droit de saisir mon duché. Cela ne se peut.

Un des barons de l'escorte, Lord Montaigu, fut saisi d'une grande admiration pour un prince qui faisait montre d'une sagesse si précoce, et d'une non moins précoce fermeté. Montaigu avait vingt-huit ans.

— Je pense que nous allons avoir un bon roi, déclarait-il. J'ai plaisir à le servir.

Désormais on le vit toujours auprès d'Édouard III, lui fournissant conseil et appui.

Et finalement le roi de seize ans l'avait emporté. Les conseillers de Philippe de Valois, eux aussi, voulaient la paix et surtout qu'on en finît de ces discussions. L'essentiel n'était-il pas que le roi d'Angleterre fût venu? On n'avait pas assemblé le royaume et la moitié de l'Europe pour que l'entrevue se soldât par un échec.

— Soit, qu'il rende l'hommage simple, avait dit Philippe VI à son chancelier, comme s'il ne s'était agi que de régler une figure de danse ou une entrée en tournoi. Je lui donne raison ; à sa place, je ferais sans doute de même.

C'est pourquoi, dans la cathédrale emplie de seigneurs jusqu'au plus profond des chapelles latérales, Édouard III s'avançait à présent, l'épée au flanc, le manteau brodé de lions tombant à longs plis de ses épaules, et ses cils blonds baissés sous la couronne. L'émotion ajoutait à la pâleur habituelle de son visage. Son extrême jeunesse était plus frappante sous ces lourds ornements. Il y eut un moment où toutes les femmes dans l'assistance, le cœur étreint de tendresse, furent amoureuses de lui.

Deux évêques et dix barons le suivaient.

Le roi de France, en manteau semé de lis, était assis dans le chœur, un peu plus haut que les autres rois, reines et princes souverains qui l'entouraient et formaient comme une pyramide de couronnes. Il se leva, majestueux et courtois, pour accueillir son vassal qui s'arrêta à trois pas de lui.

Un grand rai de soleil, traversant les vitraux, venait les toucher comme une épée céleste.

Messire Miles de Noyers, chambellan, maître au Parlement et maître à la Chambre aux deniers, se détacha des pairs et grands officiers et se plaça entre les deux souverains. C'était un homme d'une soixantaine d'années, au visage sérieux, et que ni son office ni ses vêtements d'apparat ne semblaient impressionner. D'une voix forte et bien posée, il dit :

— Sire Édouard, le roi notre maître et puissant seigneur n'entend point vous recevoir ici pour toutes les choses qu'il tient et se doit de tenir en Gascogne et en Agenais, comme les tenait et devait tenir le roi Charles IV, et qui ne sont point contenues dans l'hommage.

Alors Henri de Burghersh, chancelier d'Édouard, s'approcha pour faire pendant à Miles de Noyers et répondit :

— Sire Philippe, notre maître et seigneur le roi d'Angleterre, ou tout autre pour lui et par lui, n'entend renoncer à nul droit qu'il doit avoir en la duché de Guyenne et ses appartenances, et entend qu'aucun droit nouveau ne soit, par cet hommage, acquis au roi de France.

Telles étaient les formules de compromis, ambiguës à souhait, sur lesquelles on s'était mis d'accord, et qui, ne précisant rien, ne réglaient rien. Chaque mot comportait un sous-entendu.

Du côté français, on voulait signifier que les terres de confins, saisies sous le règne précédent pendant la campagne commandée par Charles de Valois, resteraient directement rattachées à la couronne de France. Ce n'était que la confirmation d'un état de fait.

Pour l'Angleterre, les termes « tout autre pour lui et par lui » étaient une allusion à la minorité du roi et à l'existence du Conseil de régence ; mais le « par lui » pouvait également concerner, dans l'avenir, les attributions du sénéchal en Guyenne, ou de tout autre lieutenant royal. Quant à l'expression « aucun droit nouveau », elle constituait un entérinement des droits acquis jusqu'à ce jour, c'est-à-dire y compris le traité de 1327. Mais ce n'était pas dit explicitement.

Ces déclarations, comme celles généralement de tous traités de paix ou d'alliance depuis le début des âges et entre toutes nations, dépendaient entièrement pour leur application du bon ou du mauvais vouloir des gouvernements. Pour l'heure, la présence des deux princes face à face témoignait d'un désir réciproque de vivre en bonne harmonie.

Le chancelier Burghersh déroula un parchemin où pendait le sceau d'Angleterre et lut, au nom du vassal :

— « *Sire, je deviens votre homme de la duché de Guyenne et de ses appartenances que je clame tenir de vous comme duc de Guyenne et pair de France, selon la forme des paix faites entre vos devanciers et les nôtres, et selon ce que nous et nos ancêtres, rois d'Angleterre et ducs de Guyenne, avons fait pour la même duché envers vos devanciers, rois de France.* »

Et l'évêque tendit à Miles de Noyers la cédule qu'il venait de lire, et dont la rédaction était fort écourtée par rapport à l'hommage-lige.

Miles de Noyers dit alors en réponse :

— Sire, vous devenez homme du roi de France, mon seigneur, pour la duché de Guyenne et ses appartenances que vous reconnaissez tenir de lui, comme duc de Guyenne et pair de France, selon la forme des paix faites entre ses devanciers, rois de France, et les vôtres, et selon ce que vous et vos ancêtres, rois d'Angleterre et ducs de Guyenne, avez fait pour la même duché envers ses devanciers, rois de France.

Tout cela pourrait fournir belle matière à procédure le jour qu'on cesserait d'être d'accord.

Édouard III dit alors :

— En vérité.

Miles de Noyers confirma par ces mots :

— Le roi notre Sire vous reçoit, sauves ses protestations et retenues dessus dites.

Édouard franchit les trois pas qui le séparaient de son suzerain, se déganta, remit ses gants à Lord Montaigu, et, tendant ses mains fines et blanches, les posa dans les larges paumes du roi de France. Puis les deux rois échangèrent un baiser de bouche.

On s'aperçut alors que Philippe VI n'avait pas à beaucoup se pencher pour atteindre le visage de son jeune cousin. La différence entre eux était surtout de corpulence. Le roi d'Angleterre, qui avait encore à grandir, serait sûrement lui aussi de belle taille.

Les cloches se remirent à sonner dans la plus haute tour. Et chacun se sentait content. Pairs et dignitaires s'adressaient des hochements de tête satisfaits. Le roi Jean de Bohême, sa belle barbe châtaine étalée sur la poitrine, avait une attitude noblement rêveuse. Le comte Guillaume le Bon et son frère Jean de Hainaut échangeaient des sourires avec les seigneurs anglais. Une bonne chose, en vérité, se trouvait accompli.

Pourquoi se disputer, s'aigrir, se menacer, porter plainte devant les Parlements, confisquer les fiefs, assiéger les villes, se battre méchamment, dépenser or, fatigue et sang de chevaliers, quand, avec un peu de bon vouloir, chacun mettant du sien, on pouvait si bien s'accorder ?

Le roi d'Angleterre avait pris place sur le trône préparé pour lui, un peu au-dessous de celui du roi de France. Il ne restait plus qu'à entendre messe.

Pourtant Philippe VI paraissait attendre quelque chose encore et, tournant la tête vers ses pairs, cherchait du regard Robert d'Artois dont la couronne dépassait de haut toutes les autres.

Robert avait les yeux mi-clos. Il essuyait de son gant rouge la sueur qui lui coulait des tempes, encore qu'il fît dans la cathédrale une bienfaisante fraîcheur. Mais le cœur lui battait vite en cet instant. Et n'ayant pas pris garde que son gant déteignait, il avait comme une traînée de sang sur la joue.

Brusquement il se leva de sa stalle. Sa décision était prise.

— Sire, s'écria-t-il en s'arrêtant devant le trône de Philippe, puisque tous vos vassaux sont ici assemblés...

Miles et Noyers et l'évêque Burghersh, quelques instants auparavant, avaient parlé à voix ferme et claire, audible dans tout l'édifice. Or on eut l'impression, quand Robert ouvrit la bouche que des oisillons avaient gazouillé avant lui.

— ... et puisqu'à tous vous devez votre justice, continua-t-il, justice je viens vous demander.

— Monseigneur de Beaumont, mon cousin, par qui vous a-t-il été fait tort? demanda gravement Philippe VI.

— Il m'a été fait tort, Sire, par votre vassale dame Mahaut de Bourgogne qui tient indûment, par cautèle et félonie, les titres et possessions de la comté d'Artois qui me reviennent par droits de mes pères.

On entendit alors une voix presque aussi forte s'écrier:

— Allons, cela devait bien arriver!

C'était Mahaut d'Artois qui venait de parler.

Il y avait eu quelques mouvements de surprise dans l'assistance, mais non de stupeur. Robert agissait comme le comte de Flandre l'avait fait le jour du sacre. Il semblait que l'usage s'établît à présent, quand un pair se jugeait lésé, qu'il exprimât sa plainte en ces sortes d'occasions solennelles, et avec, visiblement, l'accord préalable du roi.

Le duc Eudes de Bourgogne interrogeait du regard sa sœur la reine de France, laquelle lui répondait de même, et par geste des mains ouvertes, pour lui faire comprendre qu'elle était la première étonnée et ne se trouvait au courant de rien.

— Mon cousin, dit Philippe, pouvez-vous produire pièces et témoignages pour certifier votre droit?

— Je le puis, dit fermement Robert.

— Il ne le peut, il ment! s'écria Mahaut qui quitta les stalles et vint rejoindre son neveu devant le roi.

Comme ils se ressemblaient, Robert et Mahaut, sous leurs couronnes et leurs manteaux identiques, animés de la même fureur, et le sang affluant à leurs encolures de taureau! Mahaut portait, elle aussi, le long de son flanc de géante guerrière, le grand glaive de pair de France à garde d'or. Mère et fils, ils eussent sans doute moins sûrement montré l'évidence de leur parenté.

— Ma tante, dit Robert, niez-vous donc que le traité de mariage du noble comte Philippe d'Artois, mon père, me faisait, moi, son premier hoir à naître, héritier de l'Artois, et que vous avez profité de mon enfance, quand mon père fut mort, pour me dépouiller?

— Je nie tout ce que vous dites, méchant neveu qui me voulez honnir.

— Niez-vous qu'il y ait eu traité de mariage?

— Je le nie! hurla Mahaut.

Alors un vaste murmure de réprobation s'éleva de l'assistance, et même on entendit distinctement le vieux comte de Bouville, ancien chambellan de Philippe le Bel, pousser un « Oh! » scandalisé. Sans que chacun eût les mêmes raisons que Bouville, curateur au ventre de la reine Clémence lors de la naissance de Jean Iᵉʳ le Posthume, de connaître les capacités de Mahaut dans le mensonge et son aplomb dans le crime, il était flagrant qu'elle niait l'évidence. Un mariage entre un fils d'Artois, prince à la fleur de lis [10], et une fille de Bretagne n'avait pu se conclure sans un contrat ratifié par les pairs de l'époque et par le roi. Le duc Jean de Bretagne le disait à ses voisins. Cette fois Mahaut passait les bornes. Qu'elle continuât, comme elle l'avait fait dans ses deux procès, d'exciper de la vieille coutume d'Artois, laquelle jouait en sa faveur par suite du décès prématuré de son frère, soit! mais non de nier qu'il y ait eu contrat. Elle confirmait tous les soupçons, et d'abord celui d'avoir fait disparaître les pièces.

Philippe VI s'adressa à l'évêque d'Amiens.

— Monseigneur, veuillez porter jusqu'à nous les Saints évangiles et les présenter au plaignant...

Il prit un temps et ajouta:

— ... ainsi qu'à la défenderesse.

Et quand ce fut fait:

— Acceptez-vous l'un comme l'autre, mon cousin, ma cousine, d'assurer vos dires par serment prononcé sur les Très Saints Évangiles de la Foi, par-devant nous, votre suzerain, et les rois nos parents, et tous vos pairs ici assemblés?

Il était vraiment majestueux, Philippe, en prononçant cela, et son fils, le jeune prince Jean, âgé de dix ans, le considérait les yeux écarquillés, le menton un peu pendant, avec une admiration éperdue. Mais la reine de France, Jeanne la Boiteuse, avait un mauvais pli cruel de chaque côté de la bouche, et ses doigts tremblaient. La fille de Mahaut, Jeanne la Veuve, l'épouse de Philippe le Long, mince et sèche, était devenue aussi blanche de visage que sa blanche robe de reine douairière. Et blême aussi, la petite-fille de Mahaut, la jeune duchesse de Bourgogne, tout comme le duc Eudes, son époux. On eût dit qu'ils allaient s'élancer pour retenir Mahaut de jurer. Toutes les têtes se tendaient, dans un grand silence.

— J'accepte! dirent d'une même voix et Mahaut et Robert.

— Dégantez-vous, leur dit l'évêque d'Amiens.

Mahaut portait des gants verts, que la chaleur avait également fait déteindre. Si bien que les deux mains énormes qui se tendirent au-dessus du Saint Livre étaient l'une rouge comme le sang et l'autre verte comme le fiel.

— Je jure, prononça Robert, que la comté d'Artois est mienne et que je produirai lettres et témoignages qui établiront mes droits et possessions.

— Mon beau neveu, s'écria Mahaut, osez-vous jurer que telles lettres vous les avez jamais vues ou possédées?

Yeux gris dans yeux gris, mentons carrés chargés de graisse, et presque visage contre visage, ils se défiaient. « Gueuse, pensa Robert, c'est donc bien toi qui les as volées. » Et comme, en de telles circonstances, il faut être déterminé, il répondit clairement :

— Oui, je le jure. Mais vous, ma belle tante, osez-vous jurer que telles lettres n'ont point existé, et que vous n'en avez jamais eu connaissance ni possession en vos mains?

— J'en fais serment, répondit-elle avec une égale détermination et en regardant Robert avec une égale haine.

Aucun d'eux n'avait pu vraiment marquer un point sur l'autre. La balance demeurait immobile, avec, dans chaque plateau, le poids du faux serment qu'ils s'étaient obligés mutuellement à prononcer.

— Dès demain, commissaires seront nommés pour mener enquête et éclairer ma justice. Qui a menti sera châtié par Dieu; qui a dit vrai sera établi dans son droit, dit Philippe en faisant signe à l'évêque d'emporter l'Évangile.

Dieu n'est pas obligé d'intervenir directement pour punir le parjure, et le Ciel peut rester muet. Les mauvaises âmes recèlent en elles-mêmes la suffisante semence de leur propre malheur.

DEUXIÈME PARTIE

LES JEUX DU DIABLE

I

LES TÉMOINS

Toute jeunette, et pas plus grosse encore que le pouce, une poire pendait hors de l'espalier.

Sur le banc de pierre, trois personnages étaient assis; le vieux comte de Bouville, au centre, qu'on interrogeait, et, à sa droite, le chevalier de Villebresme, commissaire du roi, et de l'autre côté le notaire Pierre Tesson qui prenait la déposition par écrit.

Le notaire Tesson portait bonnet de clerc sur un énorme crâne en dôme d'où tombaient des cheveux plats; il avait le nez pointu, le menton exagérément long et effilé, et son profil faisait penser au premier quartier de la lune.

— Monseigneur, dit-il avec grand respect, puis-je à présent vous lire votre témoignage?

— Faites, messire, faites, répondit Bouville.

Et sa main se dirigea, tâtonnante, vers le petit fruit vert dont il éprouva la dureté. « Le jardinier aurait dû veiller à rattacher la branche », pensa-t-il.

Le notaire se pencha vers l'écritoire posée sur ses genoux et commença:

— *Le dix-septième jour du mois de juin de l'an 1329 nous, Pierre de Villebresme, chevalier...*

Le roi Philippe VI n'avait pas laissé les choses traîner. Deux jours après l'esclandre d'Amiens et les serments prononcés dans la cathédrale, il avait nommé une commission pour instruire l'affaire; et moins d'une semaine après le retour de la cour à Paris, l'enquête était déjà commencée.

— *... et nous, Pierre Tesson, notaire du roi, sommes venus ouïr...*

— Maître Tesson, dit Bouville, êtes-vous le même Tesson qui se trouvait précédemment attaché à l'hôtel de Monseigneur Robert d'Artois?

— Le même, Monseigneur...

— Et à présent vous voici notaire du roi ? Fort bien, fort bien, je vous en complimente...

Bouville se redressa un peu, croisa les mains par-dessus son ventre rond. Il était vêtu d'une vieille robe de velours, trop longue et démodée, comme on en portait au temps de Philippe le Bel, et qu'il usait dans son jardin.

Il se tournait les pouces, trois fois dans un sens, trois fois dans l'autre. La journée serait belle et chaude, mais la matinée gardait encore quelque trace des fraîcheurs de la nuit...

— ... *sommes venus ouïr haut et puissant seigneur le comte Hugues de Bouville, et l'avons entendu en le verger de son hôtel sis non loin le Pré-aux-Clercs...*

— Comme le voisinage a changé depuis que mon père a fait construire cette demeure, dit Bouville. En ce temps-là, depuis l'abbaye Saint-Germain-des-Prés jusqu'à Saint-André-des-Arts, il n'y avait guère que trois hôtels : celui de Nesle, sur le bord de la rivière, celui de Navarre, en retrait, et le second séjour des comtes d'Artois qui leur servait de campagne, car autour ce n'étaient encore que prés et champs... Et voyez à présent comme tout s'est bâti !... Toutes les fortunes neuves ont voulu s'établir de ce côté ; les chemins sont devenus des rues. Jadis, par-dessus mon mur, je ne voyais que des herbages ; et maintenant, par le peu de lumière que mes yeux ont encore, je n'aperçois que des toits. Et le bruit ! Le bruit qui se fait dans ce quartier ! On se croirait tout juste au cœur de la Cité. Si j'avais encore un peu d'âge devant moi, je vendrais cette maison et ferais bâtir ailleurs. Mais en est-il seulement question...

Et sa main s'éleva de nouveau, hésitante, vers la petite poire verte au-dessus de lui. Attendre la maturité d'un fruit, c'était bien tout le temps d'espérance auquel il osait encore prétendre, et le plus long projet qu'il s'autorisât. Il perdait la vue depuis de nombreux mois déjà. Le monde, les êtres, les arbres ne lui apparaissaient plus que comme au travers d'un mur d'eau. On a été actif et important, on a voyagé, siégé aux conseils royaux et participé à de grands événements ; et l'on finit dans son jardin, la pensée ralentie et la vue brouillée, seul et presque oublié, sauf lorsque les gens plus jeunes ont à faire appel à vos souvenirs...

Maître Pierre Tesson et le chevalier de Villebresme échangèrent un regard de lassitude. Ah ! ce n'était pas un témoin aisé que le vieux comte de Bouville dont le propos s'égarait sans cesse sur des banalités vagues ; or il était homme trop noble et trop vieux pour qu'on pût le brusquer. Le notaire reprit :

— ... *lequel nous a déclaré, de sa voix, les choses ci-après écrites, à savoir : que lorsqu'il était chambellan de notre Sire Philippe le Bel avant que celui-ci ne devînt roi, il eut connaissance du traité de mariage conclu entre feu Monseigneur Philippe d'Artois et Madame Blanche de Bretagne, et qu'il eut ledit traité entre les mains, et qu'audit traité il était précisément inscrit que la comté d'Artois irait par droit d'héritage audit Monseigneur Philippe d'Artois et, après lui, à ses hoirs mâles, issus dudit mariage...*

Bouville agita la main :

— Je n'ai point assuré cela. J'ai eu le traité en mains, comme je vous l'ai dit et comme je l'ai indiqué à Monseigneur Robert d'Artois lui-même quand il m'est venu visiter l'autre jour, mais je n'ai point souvenance, en toute conscience, de l'avoir lu.

— Et pourquoi, Monseigneur, auriez-vous tenu ce traité devers vous, si ce n'était point pour le lire ? demanda le sire de Villebresme.

— Pour le porter au chancelier de mon maître, afin qu'il le scellât, car le traité fut revêtu, cela je m'en souviens bien, du sceau de tous les pairs dont mon maître Philippe le Bel était, en tant que premier fils de la couronne.

— Ceci est à noter, Tesson, dit Villebresme. Tous les pairs ont apposé leur sceau... Sans même avoir lu la pièce, Monseigneur, vous saviez bien que l'héritage d'Artois y était assuré au comte Philippe et à ses hoirs mâles ?

— Je l'ai ouï dire, répondit Bouville, et ne puis rien certifier d'autre.

La manière qu'avait ce jeune Villebresme de lui faire déclarer plus qu'il ne voulait l'irritait un peu. Il n'était pas né, ce garçon, et son père était encore bien loin de l'engendrer, quand s'étaient passés les faits sur lesquels il enquêtait ! Les voilà bien, ces petits officiers royaux, tout gonflés de leur charge neuve. Un jour ils se retrouveraient, eux aussi, vieux et seuls, contre l'espalier de leur jardin... Oui, Bouville se souvenait de ces choses inscrites au traité de mariage de Philippe d'Artois. Mais quand en avait-il entendu parler pour la première fois ? Au moment du mariage même, en 1282, ou bien quand le comte Philippe était mort, en 98, de ses blessures reçues à la bataille de Furnes ? Ou bien encore après que le vieux comte Robert II eut été tué à la bataille de Courtrai, en 1302, ayant survécu de quatre ans à son fils, d'où le procès entre sa fille Mahaut et son petit-fils Robert III l'actuel...

On demandait à Bouville de fixer un souvenir qui pouvait se placer à un quelconque moment sur une période de plus de vingt ans. Et ce n'étaient pas seulement le notaire Tesson et ce sire de Villebresme qui étaient venus lui presser la cervelle, mais Monseigneur Robert d'Artois lui-même, plein de courtoisie et de révérence, il fallait en convenir, mais tout de même parlant fort, s'agitant beaucoup et écrasant les fleurs du jardin sous ses bottes.

— Alors rectifions de la sorte, dit le notaire ayant corrigé son texte :

... et qu'il eut ledit traité entre les mains, mais ne le tint que peu, et aussi se souvient qu'il fut scellé du sceau des douze pairs ; et encore que le comte de Bouville nous a déclaré avoir ouï dire, alors, qu'audit traité était précisément inscrit que la comté d'Artois...

Bouville approuva de la tête. Il aurait préféré qu'on supprimât ce petit « alors », « ouï dire, alors... » que le notaire avait introduit dans sa phrase. Mais il était fatigué de lutter. Et un mot a-t-il tellement d'importance ?

— *... irait à ses hoirs mâles issus dudit mariage ; et encore nous a certifié que le traité fut bien placé aux registres de la cour, et encore tient pour vrai qu'il fut soustrait plus tard auxdits registres par manœuvres de malice et sur l'ordre de Madame Mahaut d'Artois...*

— Je n'ai point dit cela non plus, fit Bouville.

— Vous ne l'avez point dit sous cette forme, Monseigneur, répondit Villebresme, mais cela ressort de votre déposition. Reprenons ce que vous avez certifié : d'abord que le traité de mariage a existé ; secondement que vous l'avez vu, troisièmement qu'il fut mis aux registres...

— *... revêtu du sceau des pairs...*

Villebresme échangea un nouveau regard lassé avec le notaire.

— *... revêtu du sceau des pairs*, répéta-t-il pour faire plaisir au témoin. Vous certifiez encore que ce traité excluait de l'héritage la comtesse Mahaut, et qu'il disparut des registres de sorte qu'il ne put être produit au procès qu'intenta Monseigneur Robert d'Artois à sa tante. Qui pensez-vous donc qui l'ait fait soustraire ? Croyez-vous que ce soit le roi Philippe le Bel qui en ait donné l'ordre ?

La question était perfide. N'avait-on pas dit bien souvent que Philippe le Bel, pour avantager la belle-mère de ses deux derniers fils, avait rendu en sa faveur un jugement de complaisance ? Bientôt on irait prétendre que c'était Bouville lui-même qui avait été chargé de faire disparaître les pièces !

— Ne mêlez pas, messire, la mémoire du roi le Bel, mon maître, à un acte si vilain, répondit-il avec dignité.

Par-dessus les toits et les frondaisons, les cloches sonnèrent au clocher de Saint-Germain-des-Prés. Bouville pensa que c'était l'heure à laquelle on lui apportait une écuelle de fromage caillé ; son physicien lui avait recommandé d'en prendre trois fois le jour.

— Donc, reprit Villebresme, il faut bien que le traité ait été enlevé à l'insu du roi... Et qui pouvait avoir intérêt à ce qu'il fût dérobé, sinon la comtesse Mahaut ?

Le jeune commissaire tapota du bout des doigts la pierre du banc ; il n'était pas mécontent de sa démonstration.

— Oh ! certes, fit Bouville, Madame Mahaut est capable de tout.

Sur ce point, sa conviction ne datait pas de la veille. Il savait Mahaut coupable de deux crimes, et bien autrement graves qu'un vol de parchemins. Elle avait tué, assurément, le roi Louis X; elle avait tué, sous ses yeux à lui, Bouville, un enfant de cinq jours qu'elle pensait être le roi posthume... et toujours pour garder sa comté d'Artois. Vraiment, c'était un souci bien sot que de se faire à son sujet scrupule d'exactitude! Elle avait volé le contrat de mariage de son frère, certainement, ce contrat dont elle avait le front de nier, et par serment, qu'il eût jamais existé! L'horrible femme... A cause d'elle, le véritable héritier des rois de France grandissait loin de son royaume, dans une petite ville d'Italie, chez un marchand lombard qui le croyait son fils... Allons! Il ne fallait pas penser à cela. Bouville avait naguère versé ce secret, qu'il était seul à détenir, dans l'oreille papale. Ne plus y penser, jamais... de peur d'être tenté d'en parler. Et puis, que ces enquêteurs s'en aillent, au plus vite!

— Vous avez raison, laissez ce que vous avez écrit, dit-il. Où dois-je signer?

Le notaire tendit la plume à Bouville. Celui-ci distinguait mal le bord du papier. Son paraphe sortit un peu de la feuille. On l'entendit encore marmonner:

— Dieu finira bien par lui faire expier ses fautes, avant de la remettre à la garde du diable.

Un peu de poudre à sécher fut répandue sur sa signature. Le notaire replaça feuilles et écritoire dans son sac de cuir noir; puis les deux enquêteurs se levèrent pour prendre congé. Bouville les salua de la main sans se lever. Ils n'avaient pas fait cinq pas qu'ils n'étaient plus pour lui que deux ombres vagues se dissolvant derrière le mur d'eau.

L'ancien chambellan agita une clochette posée à côté de lui, pour réclamer son lait caillé. Diverses pensées le tracassaient. Comment son maître vénéré, le roi Philippe le Bel, au rendu de son jugement pour l'Artois, avait-il pu oublier l'acte qu'il avait auparavant ratifié, comment ne s'était-il pas soucié de la disparition de cette pièce? Ah! les meilleurs rois ne commettent pas seulement de belles actions...

Bouville se disait aussi qu'il irait un prochain jour faire visite au banquier Tolomei, afin de s'informer de Guccio Baglioni... et de l'enfant... mais sans insister, comme par une politesse de conversation. Le vieux Tolomei ne bougeait presque plus de son lit. C'étaient les jambes, chez lui, qui étaient prises. La vie s'en va ainsi; pour l'un c'est l'oreille qui se ferme, pour l'autre les yeux qui s'éteignent, ou les membres qui cessent de se mouvoir. On compte le passé en années, mais on n'ose plus penser l'avenir qu'en mois ou en semaines.

« Vivrai-je encore quand ce fruit sera mûr, et le pourrai-je cueillir? » songeait le comte de Bouville en regardant la poire de l'espalier.

Messire Pierre de Machaut, seigneur de Montargis, était un homme qui ne pardonnait jamais les injures, même aux morts. Le trépas de ses ennemis ne suffisait pas à apaiser ses ressentiments.

Son père, pourvu d'un haut emploi au temps du Roi de fer, en avait été destitué par Enguerrand de Marigny, et la fortune de la famille en avait grandement souffert. La chute du tout-puissant Enguerrand avait été pour Pierre de Machaut une revanche personnelle; le grand jour de sa vie restait celui où, comme écuyer du roi Louis Hutin, il avait conduit Monseigneur de Marigny au gibet. Conduit, c'était manière de dire; accompagné, plutôt, et pas au premier rang, mais parmi nombre de dignitaires plus importants que lui. Toutefois, les années passant, ces seigneurs l'un après l'autre étaient décédés, ce qui permettait à messire Pierre de Machaut, chaque fois qu'il racontait ce trajet mémorable, de s'avancer d'une place dans la hiérarchie du cortège.

D'abord il s'était contenté d'avoir défié des yeux messire Enguerrand debout sur sa charrette et de lui avoir bien prouvé par son visage que quiconque nuisait aux Machaut, si élevé fût-il, bientôt en recueillait malheur.

Ensuite, le souvenir embellissant les choses, il assurait que Marigny, pendant cette ultime promenade, non seulement l'avait reconnu mais encore s'était adressé à lui en disant tristement:

— Ah! c'est vous, Machaut! Vous triomphez à présent; je vous ai nui, je m'en repens.

Aujourd'hui, après quatorze ans écoulés, il semblait qu'Enguerrand de Marigny allant à son supplice n'ait eu de paroles que pour Pierre de Machaut et, de la prison jusqu'à Montfaucon, ne lui eût rien celé de l'état de sa conscience.

Petit, les sourcils gris joints au-dessus du nez, la jambe raidie par une mauvaise chute en tournoi, Pierre de Machaut continuait de faire soigneusement graisser des cuirasses qu'il n'endosserait plus jamais. Il était vaniteux autant que rancunier, et Robert d'Artois le savait bien qui avait pris la peine d'aller le visiter deux fois pour qu'il lui parlât justement de cette fameuse chevauchée auprès de la charrette de messire Enguerrand.

— Eh bien! contez donc tout cela aux commissaires du roi qui viendront vous demander témoignage sur mon affaire, avait dit Robert. Les avis d'un homme aussi preux que vous l'êtes sont choses d'importance; vous éclairerez le roi et vous acquerrez grande gratitude de sa part comme de la mienne. Vous a-t-on jamais pensionné pour les services que votre père et vous-même rendîtes au royaume?

— Jamais.

Quelle injustice! Alors que tant d'intrigants, de bourgeois, de parvenus, s'étaient fait mettre pendant les derniers règnes sur la liste des dons de la cour, comment avait-on pu oublier un homme d'aussi grande vertu que messire de Machaut? Oubli volontaire, à n'en pas douter, et inspiré par la comtesse Mahaut qui avait toujours eu partie liée avec Enguerrand de Marigny !

Robert d'Artois veillerait personnellement à ce que cette iniquité fût réparée.

Si bien que lorsque le chevalier de Villebresme, toujours flanqué du notaire Tesson, se présenta chez l'ancien écuyer, celui-ci ne mit pas moins de zèle à répondre aux questions que le commissaire à les poser.

L'interrogatoire eut lieu dans un jardin voisin, comme c'était l'usage de justice, les dépositions devant être faites en lieu ouvert et à l'air libre.

A entendre Pierre de Machaut, on eût cru que l'exécution de Marigny s'était passée l'avant-veille.

— Ainsi, disait Villebresme, vous étiez, messire, devant la charrette quand le sire Enguerrand en fut descendu auprès du gibet ?

— Je suis monté dans la charrette, répondit Machaut, et d'ordre du roi Louis X je demandai au condamné de quelles fautes de gouvernement il voulait s'accuser avant de comparaître devant Dieu.

En réalité, c'était Thomas de Marfontaine qui avait été chargé de cet office, mais Thomas de Marfontaine était mort depuis longtemps...

— Et Marigny continua de se donner pour innocent de toutes les fautes qui lui avaient été reprochées pendant son procès ; il reconnut néanmoins... ce sont ses propres paroles où l'on retrouve bien sa fourberie... « avoir pour des causes justes accompli des actions injustes ». Alors je lui demandai quelles étaient ces actions, et il m'en cita plusieurs, comme d'avoir destitué mon père, le sire de Montargis, et aussi d'avoir soustrait aux registres royaux le traité de mariage du feu comte d'Artois afin de servir l'intérêt de Madame Mahaut et de ses filles, les brus du roi.

— Ah ! c'est donc lui qui fit accomplir ce retrait ? Il s'en est accusé ! s'écria Villebresme. Voilà qui est important. Notez, Tesson, notez.

Le notaire n'avait pas besoin de cet encouragement et grattait son papier avec entrain. Le bon témoin que ce sire de Machaut !

— Et savez-vous, messire, demanda Tesson prenant à son tour la parole, si le sire Enguerrand fut payé pour cette forfaiture ?

Machaut eut une légère hésitation et ses sourcils gris se froncèrent.

— Certes, il le fut, répondit-il. Car je lui demandai encore s'il était vrai qu'il eût reçu, comme on le disait, quarante mille livres de Madame Mahaut pour lui faire gagner son procès devant le roi. Et Enguerrand baissa la tête en signe d'assentiment et de grande honte, et il me répondit : « Messire de Machaut, priez Dieu pour moi », ce qui était bien un aveu.

Et Pierre de Machaut croisa les bras d'un air de mépris triomphant.

— A présent tout est bien clair, dit Villebresme avec satisfaction.

Le notaire transcrivait les derniers points de la déposition.

— Avez-vous entendu déjà beaucoup de témoins ?-demanda l'ancien écuyer.

— Quatorze, messire, et il nous en reste le double à entendre, dit Villebresme. Mais nous sommes huit commissaires et deux notaires à nous partager la besogne.

II

LE PLAIDEUR CONDUIT L'ENQUÊTE

Le cabinet de travail de Monseigneur d'Artois était décoré de quatre grandes fresques pieuses, assez platement peintes, où l'ocre et le bleu dominaient quatre figures de saints, « pour inspirer confiance », disait le maître du lieu. A droite, saint Georges terrassait le dragon ; en face, saint Maurice, autre patron des chevaliers, se dressait en cuirasse et cotte azurée ; sur le mur du fond, saint Pierre tirait de la mer ses inépuisables filets ; sainte Madeleine, patronne des pécheresses, vêtue seulement de ses cheveux d'or, occupait la dernière paroi. C'était surtout vers ce mur-là que Monseigneur Robert aimait à porter les yeux.

Les poutres du plafond étaient pareillement peintes d'ocre, de jaune et de bleu, avec, de place en place, les blasons d'Artois, de Beaumont et de Valois. Des tables couvertes de brocarts, des coffres où traînaient des armes somptueuses, et de lourdes torchères de fer doré meublaient la pièce.

Robert se leva de son grand siège et rendit au notaire les minutes des dépositions qu'il venait de parcourir.

— Fort bien, fort bonnes pièces, déclara-t-il, surtout le dire du sire de Machaut qui paraît très spontané, et complète tout à propos celui du comte de Bouville. Décidément vous êtes habile homme, maître Tesson de la Chicane, et je ne regrette point de vous avoir élevé là où vous êtes. Sous votre face de Carême jeûné, il se cache plus d'astuce que dans la tête creuse de bien des maîtres au Parlement. Il faut reconnaître que Dieu vous a doté d'assez de place pour loger votre cervelle.

Le notaire eut un sourire obséquieux et inclina son crâne démesuré, coiffé du bonnet qui ressemblait à un énorme chou noir. Les compliments moqueurs de Monseigneur d'Artois dissimulaient peut-être quelque promesse d'avancement.

— Est-ce là toute la récolte? Avez-vous d'autres nouvelles à me donner pour ce jour? ajouta Robert. Où en sommes-nous avec l'ancien bailli de Béthune?

La procédure est une passion, comme le jeu. Robert d'Artois ne vivait plus que pour son procès, ne pensait, n'agissait qu'en fonction de sa cause. Cette quinzaine-là, la seule affaire de son existence était de se procurer des témoignages. Son esprit y travaillait de l'aube au soir, et même la nuit il se réveillait, tiré du rêve par une inspiration soudaine, pour sonner son valet Lormet qui arrivait tout somnolent et rechignant, et lui demander:

— Vieux ronfleur, ne m'as-tu pas parlé l'autre jour d'un certain Simon Dourin ou Dourier, qui fut clerc de plume chez mon grand-père? Sais-tu si l'homme vit toujours? Tâche demain à t'en enquérir.

A la messe, qu'il entendait chaque jour par convenance, il se surprenait à prier Dieu pour le succès de son procès. De la prière, il revenait tout naturellement à ses machinations, et se disait, pendant l'Évangile:

«Mais ce Gilles Flamand, qui fut autrefois écuyer de Mahaut et qu'elle a chassé pour quelque méfait... Voilà un homme, peut-être, qui pourrait témoigner pour moi. Il ne faut pas que j'oublie cela.»

On ne l'avait jamais vu plus assidu aux travaux du Conseil; il passait chaque jour plusieurs heures au Palais et donnait l'impression de s'employer ferme aux tâches du royaume; mais c'était seulement pour garder prise sur son beau-frère Philippe VI, se rendre indispensable et veiller à ce qu'on ne nommât aux emplois que des gens de son choix. Il suivait de fort près les arrêts de justice afin d'y puiser l'idée de quelque manœuvre. De tout le reste, il se moquait.

Qu'en Italie Guelfes et Gibelins continuassent à s'entre-déchirer, qu'Azzo Visconti ait fait assassiner son oncle Marco et barricadé la ville de Milan contre les troupes de l'empereur Louis de Bavière, tandis qu'en revanche Vérone, Vicence, Padoue, Trévise, se soustrayaient à l'autorité du pape protégé par la France, Monseigneur d'Artois le savait, l'entendait, mais n'y songeait qu'à peine.

Qu'en Angleterre le parti de la reine se trouvât en difficulté, et que l'impopularité de Roger Mortimer devînt chaque jour plus grande, Monseigneur d'Artois haussait les épaules. L'Angleterre, ces jours-là, ne l'intéressait pas, non plus que les lainiers des Flandres qui, pour les avantages de leur commerce, multipliaient les ententes avec les compagnies anglaises.

Mais que maître Andrieu de Florence, chanoine-trésorier de Bourges, fût pourvu d'un nouveau bénéfice ecclésiastique, ou que le chevalier de Villebresme passât à la Chambre aux deniers, ah! voilà qui était chose importante et ne pouvait supporter sursis! C'est que maître

Andrieu, avec le sire de Villebresme, était des huit commissaires nommés pour instruire le procès d'Artois.

Ces commissaires, Robert les avait désignés à Philippe VI et pratiquement choisis... « Si l'on prenait Bouchart de Montmorency ? il nous a toujours loyalement servis... Si l'on prenait Pierre de Cugnières ? voilà un homme avisé que chacun s'accorde à respecter... » De même pour les notaires, dont ce Pierre Tesson depuis vingt ans attaché d'abord à l'hôtel de Valois, puis à la maison de Robert.

Jamais Pierre Tesson ne s'était senti si important ; jamais il n'avait été traité avec tant de familière amitié, comblé d'autant de pièces d'étoffes pour les robes de son épouse, et de petits sacs d'or pour lui-même. Néanmoins il était fatigué, parce que Robert harcelait son monde et que la vitalité de cet homme était tout bonnement épuisante.

D'abord Monseigneur Robert était presque toujours debout. Sans arrêt il arpentait son cabinet, entre les hautes figures de saints. Maître Tesson ne pouvait décemment s'asseoir en présence de si grand personnage qu'un pair de France. Or les notaires ont l'habitude de travailler assis. Maître Tesson peinait donc à soutenir son sac de cuir noir qu'il n'osait poser sur les brocarts, et dont il extrayait les pièces l'une après l'autre ; il redoutait d'achever ce procès avec un mal de reins pour la vie.

— J'ai vu, dit-il répondant à la question de Robert, l'ancien bailli Guillaume de la Planche, qui est présentement détenu au Châtelet. La dame de Division était allée le visiter auparavant ; il a bien témoigné comme nous l'attendions. Il demande que vous n'oubliiez point de parler à messire Miles de Noyers pour sa grâce, car son affaire est mauvaise et il risque fort d'être pendu [11].

— Je veillerai à ce qu'on le relâche ; qu'il dorme tranquille. Et Simon Dourier, l'avez-vous entendu ?

— Je ne l'ai pas entendu encore, Monseigneur, mais je l'ai approché. Il est prêt à déclarer par-devant les commissaires qu'il était présent le jour de 1302 où le comte Robert II, votre grand-père, peu avant de défunter, dicta la lettre qui confirmait votre droit à l'héritage d'Artois.

— Ah ! Fort bien, fort bien.

— Je lui ai promis aussi qu'il serait repris dans votre hôtel et pensionné par vous.

— Pourquoi en avait-il été chassé ? demanda Robert.

Le notaire esquissa le geste courbe de quelqu'un qui met de l'argent dans sa poche.

— Bah ! s'écria Robert, il est vieux à présent, il a eu le temps de se repentir ! Je lui donnerai cent livres l'an, le logement, et les draps.

— Manessier de Lannoy confirmera que les lettres soustraites furent brûlées par Madame Mahaut... Sa maison, comme vous le savez, allait être vendue pour payer ses dettes aux Lombards ; il vous a grande grâce de lui avoir conservé un toit.

— Je suis bon ; cela ne se sait pas assez, dit Robert. Mais vous ne m'apprenez rien sur Juvigny, l'ancien valet d'Enguerrand ?

Le notaire baissa le nez d'un air coupable.

— Je n'en obtiens rien, dit-il ; il refuse ; il prétend qu'il ne sait pas, qu'il ne se souvient plus.

— Comment ! s'écria Robert, je suis allé moi-même au Louvre, où il est pensionné pour faire bien peu, et je lui ai parlé ! Et il s'obstine à ne pas se souvenir ? Voyez donc si on ne peut le mettre un peu à la question. La vue des tenailles l'aidera peut-être à dire la vérité.

— Monseigneur, répondit le notaire tristement, on tourmente les prévenus, mais pas encore les témoins.

— Alors apprenez-lui que, si la mémoire ne lui revient pas, ses gages seront supprimés. Je suis bon ; encore faut-il qu'on m'y aide.

Il saisit un chandelier de bronze qui pesait bien quinze livres et le fit sauter, tout en marchant, d'une main dans l'autre.

Le notaire pensa à l'injustice divine qui accorde tant de force musculaire à des gens qui ne l'emploient que pour s'amuser, et si peu aux pauvres notaires qui ont leur lourd sac de cuir noir à porter.

— Ne craignez-vous pas, Monseigneur, si vous supprimez à Juvigny ses gages, qu'il ne puisse les retrouver de la main de la comtesse Mahaut ?

Robert s'arrêta.

— Mahaut ? s'écria-t-il, mais elle ne peut plus rien ; elle se terre, elle a peur. L'a-t-on vue à la cour ces temps-ci ? Elle ne bouge plus, elle tremble, elle sait qu'elle est perdue.

— Dieu vous entende, Monseigneur, Dieu vous entende. Certes, nous gagnerons ; mais cela n'ira pas sans encore quelques petites traverses...

Tesson hésitait à continuer, non tant par crainte de ce qu'il avait à dire qu'à cause du poids du sac. Encore cinq ou dix minutes à rester debout.

— J'ai été avisé, reprit-il, que nos gens d'enquête sont suivis en Artois, et nos témoins visités par d'autres que par nous. En outre, ces temps-ci, il y a eu certain va-et-vient de messagers entre l'hôtel de Madame Mahaut et Dijon. On a vu sa porte passée par divers chevaucheurs à la livrée de Bourgogne...

Mahaut cherchait à resserrer ses liens avec le duc Eudes, c'était chose bien claire. Or le parti de Bourgogne disposait à la cour de l'appui de la reine.

— Oui, mais moi j'ai le roi, dit Robert. La gueuse perdra, Tesson, je vous l'affirme.

— Il faudrait quand même produire les pièces, Monseigneur, parce

que sans pièces... A des dires on peut toujours opposer d'autres dires...
Le plus tôt sera le mieux.

Il avait de personnelles raisons pour insister. A inspirer tant de
témoignages, voire à les extorquer par achat ou menaces, un notaire
peut faire sa fortune, mais il risque aussi le Châtelet, et même la roue...
Tesson ne souhaitait guère prendre la place de l'ancien bailli de
Béthune.

— Elles viennent, vos pièces, elles viennent! Elles arrivent, je vous
le dis! Croyez-vous que ce soit si facile de les obtenir?... A propos,
Tesson, dit soudain Robert en désignant de l'index le sac de cuir noir,
vous avez noté dans le témoignage du comte de Bouville que le traité
de mariage avait été scellé par les douze pairs. Pourquoi avez-vous noté
cela?

— Parce que le témoin l'a dit, Monseigneur.

— Ah oui... C'est très important, dit Robert songeur.

— Pourquoi donc, Monseigneur?

— Pourquoi? Parce que j'attends l'autre copie du traité, celle des
registres d'Artois, qui doit m'être remise... et pour fort cher, d'ailleurs... Si les noms des douze pairs n'y figuraient pas, la pièce ne serait
point bonne. Quels étaient les pairs en ce temps-là? Pour les ducs et
comtes, c'est chose facile; mais les pairs d'Église, quels étaient-ils?
Voyez comme il faut être attentif à tout?

Le notaire regarda Robert avec un mélange d'inquiétude et d'admiration.

— Savez-vous, Monseigneur, que si vous n'aviez pas été si grand
sire, vous eussiez fait le meilleur notaire qui soit au royaume? Sans
offense, je dis cela sans offense, Monseigneur!

Robert sonna pour qu'on raccompâgnat son visiteur.

A peine le notaire se fut-il retiré que Robert sortit par une petite porte
ménagée entre les hanches de la Madeleine — un jeu de décoration qui
l'amusait fort — et courut à la chambre de son épouse. En ayant chassé
les dames de parage, il dit:

— Jeanne, ma bonne amie, ma chère comtesse, faites savoir à la
Divion d'interrompre l'écriture du traité de mariage: il y faut le nom
des douze pairs de l'an 82. Les savez-vous? Eh bien, moi non plus! Où
peut-on se les procurer sans donner l'éveil? Ah! que de temps perdu!
Que de temps perdu!

La comtesse de Beaumont, de ses beaux yeux bleus limpides,
contemplait son mari; un vague sourire éclairait son visage. Son géant
avait encore trouvé quelque motif d'agitation. Très calmement elle dit:

— A Saint-Denis, mon doux ami, à Saint-Denis, aux registres de
l'abbaye. Nous y relèverons sûrement les noms des pairs. Je vais y
envoyer Frère Henry, mon confesseur, comme s'il voulait faire quelque
recherche savante...

Une expression de tendresse amusée, de gratitude joyeuse, passa sur le large visage de Robert.

— Savez-vous, ma mie, dit-il en s'inclinant avec une grâce pesante, que si vous n'étiez pas si haute dame, vous eussiez fait le meilleur notaire du royaume ?

Ils se sourirent, et dans les yeux de Robert la comtesse de Beaumont, née Jeanne de Valois, lut la promesse qu'il visiterait son lit le soir.

III

LES FAUSSAIRES

On croit toujours, lorsqu'on s'engage sur le chemin du mensonge, que le trajet sera court et facile; on franchit aisément et même avec un certain plaisir les premiers obstacles; mais bientôt la forêt s'épaissit, la route s'efface, se ramifie en sentiers qui vont se perdre dans les marécages; chaque pas bute, s'enfonce ou s'enlise; on s'irrite; on se dépense en démarches vaines dont chacune constitue une nouvelle imprudence.

A première vue, rien de plus simple que de contrefaire un vieux document. Une feuille de vélin jaunie au soleil et usée dans la cendre, la main d'un clerc soudoyé, quelques sceaux appliqués sur des lacets de soie : voilà qui ne semble requérir que peu de temps et des dépenses modiques.

Pourtant, Robert d'Artois avait dû renoncer, provisoirement, à faire reconstituer le contrat de mariage de son père. Et cela, non seulement à cause de la recherche du nom des douze pairs, mais aussi parce qu'il fallait que l'acte fût rédigé en latin et que n'importe quel clerc n'était pas apte à fournir la formule utilisée naguère dans les traités des mariages princiers. L'ancien aumônier de la reine Clémence de Hongrie, instruit de ces matières, tardait à fournir l'entrée et l'issue de lettre ; on n'osait trop le presser de peur que la démarche ne prît un air suspect.

Il y avait aussi la question des sceaux.

— Faites-les copier par un graveur de coins, d'après d'anciens cachets, avait dit Robert.

Or les graveurs de sceaux étaient assermentés ; celui de la cour, interrogé, avait déclaré qu'on ne pouvait imiter exactement un sceau, que deux coins jamais n'étaient identiques, et qu'une cire scellée d'un faux coin se reconnaissait aisément aux yeux des experts. Quant aux coins originaux, ils étaient toujours détruits à la mort de leur propriétaire.

Donc il fallait se procurer d'anciens actes pourvus des cachets dont on avait besoin, détacher ceux-ci, ce qui n'était pas opération aisée, et les reporter sur la fausse pièce.

Robert conseilla à la Divion de rassembler ses efforts sur un document moins difficile et qui présentait une égale importance.

Le 28 juin 1302, avant de partir pour l'ost de Flandre, où il devait périr percé de vingt coups de lance, le vieux comte Robert II avait mis ses affaires en ordre et confirmé par lettre les dispositions qui assuraient à son petit-fils l'héritage du comté d'Artois.

— Et cela est vrai, tous les témoins l'affirment ! disait Robert à sa femme. Simon Dourier se rappelle même quels vassaux de mon grand-père étaient présents, et de quels bailliages on apposa les sceaux. Ce n'est rien d'autre que la vérité que nous ferons éclater là !

Simon Dourier, ancien notaire du comte Robert II, fournit la teneur de la déclaration, autant que sa mémoire la pouvait restituer. L'écriture en fut faite par un clerc de la comtesse de Beaumont, nommé Dufour ; mais le texte de Dufour avait trop de ratures, et puis sa main se reconnaissait.

La Divion alla en Artois porter ce texte à un certain Robert Rossignol, qui avait été clerc de Thierry d'Hirson, et qui recopia la lettre, non avec une plume d'oie, mais avec une plume de bronze, pour mieux déguiser son écriture.

Ce Rossignol, à qui l'on offrit en récompense un voyage à Saint-Jacques-de-Compostelle où il avait promis de se rendre en accomplissement d'un vœu de santé, avait un gendre appelé Jean Oliette qui s'entendait assez bien à détacher les sceaux. Cette famille décidément était pleine de ressources ! Oliette enseigna son savoir à la dame de Divion.

Celle-ci revient à Paris, s'enferme avec Madame de Beaumont et une seule servante, Jeannette la Mesquine [12] ; et voilà les trois femmes s'exerçant, à l'aide d'un rasoir chauffé et d'un crin de cheval trempé dans une liqueur spéciale qui l'empêchait de casser, à détacher les cachets de cire de vieux documents. On partageait le sceau en deux ; puis on chauffait l'une des moitiés et on la réappliquait sur l'autre, en prenant entre elles les lacets de soie ou la queue de parchemin de la nouvelle pièce. Enfin on cuisait un peu le bord de la cire pour faire disparaître la trace de la coupure.

Jeanne de Beaumont, Jeanne de Divion et Jeanne la Mesquine se firent ainsi la main sur plus de quarante sceaux ; elles ne travaillaient jamais deux fois au même endroit, se cachant tantôt dans une chambre de l'hôtel d'Artois, tantôt à l'hôtel de l'Aigle, ou encore en des demeures de campagne.

Robert pénétrait parfois dans la pièce, pour jeter un coup d'œil sur l'opération.

— Alors, mes trois Jeanne sont au labeur! lançait-il avec bonne humeur.

C'était la comtesse de Beaumont qui, des trois, était la plus habile.

— Doigts de femme, doigts de fée, disait Robert en baisant courtoisement la main de son épouse.

Le tout n'était pas de savoir détacher les sceaux; encore fallait-il se procurer ceux dont on avait besoin.

Le sceau de Philippe le Bel était aisé à trouver; il existait partout des actes royaux. Robert se fit confier par l'évêque d'Évreux une lettre concernant sa seigneurie de Conches, pièce qu'il avait à consulter, prétendit-il, et qu'il ne rendit jamais.

En Artois, la Division mit ses amis Rossignol et Oliette, ainsi que deux autres mesquines, Marie la Blanche et Marie la Noire, à rechercher les anciens cachets de bailliages et de seigneuries.

Bientôt tous les sceaux furent réunis, sauf un seul, le plus important, celui du feu comte Robert II. La chose pouvait paraître absurde, mais c'était ainsi: tous les actes de famille étaient enfermés aux registres d'Artois, sous la garde des clercs de Mahaut, et Robert, mineur lors de la mort de son grand-père, n'en détenait aucun.

La Division, grâce à une sienne cousine, approcha un personnage nommé Ourson le Borgne, qui possédait une patente du feu comte, scellée avec «lacs de foi», et qui paraissait disposé à s'en défaire moyennant trois cents livres. Madame Jeanne de Beaumont avait bien dit qu'on achetât la pièce à n'importe quel prix; mais la Division ne possédait pas tant d'argent en Artois; et messire Ourson le Borgne, méfiant, n'acceptait pas de se défaire de sa patente contre seules promesses.

La Division, à bout de ressources, se souvint d'avoir un mari qui vivait assez benoîtement dans la châtellenie de Béthune. Il ne lui avait jamais montré trop d'aigre jalousie, et maintenant que l'évêque Thierry était mort... Elle recourut à lui. Sans doute, c'étaient beaucoup de gens, à présent, mis dans la confidence; mais il fallait bien en passer par là. Le mari ne voulut pas prêter d'argent, mais consentit à se défaire d'un bon cheval sur lequel il avait été en tournoi et que la Division fit accepter à messire Ourson en complément de gages, lui laissant également les quelques bijoux qu'elle avait sur elle.

Ah! elle se dépensait, la Division! Elle ne ménageait ni son temps, ni sa peine, ni ses démarches, ni ses voyages. Ni sa langue. Et puis elle faisait attention à ne plus rien égarer; elle dormait la tête sur ses clefs.

La main crispée par l'angoisse, elle découpa au rasoir le sceau du feu comte Robert. Un sceau qui coûtait trois cents livres! Et comment retrouver le semblable si par malheur il allait se briser?

Monseigneur Robert s'impatientait un peu, parce que tous les témoins, maintenant, étaient entendus, et que le roi lui demandait, fort aimablement, et par marque d'intérêt, si les pièces dont il avait juré l'existence seraient bientôt présentées.

Encore deux jours, encore un jour de patience ; Monseigneur Robert allait être content !

IV

LES INVITÉS DE REUILLY

Robert d'Artois, pendant la saison chaude, et quand le service du royaume ou les soucis de son procès lui en laissent le temps, aime à passer les fins de semaine à Reuilly, dans un château qui appartient à sa femme par héritage Valois.

Les prairies et les forêts entretiennent une agréable fraîcheur autour de cette demeure. Robert garde là son oisellerie de chasse. La maisonnée est nombreuse, car beaucoup de jeunes nobles, avant d'obtenir la chevalerie, se placent chez Robert pour y être écuyers, sommeliers, ou valets de sa chambre. Qui ne parvient pas à entrer dans la maison du roi s'efforce d'être attaché à celle du comte d'Artois, se fait recommander par des parents influents et, une fois accepté, cherche à se distinguer par son zèle. Tenir la bride du cheval de Monseigneur, lui tendre le gant de cuir sur lequel se posera son faucon muscadin, apporter son couvert à table, incliner sur ses puissantes mains l'aiguière à eau, c'est s'avancer un peu dans la hiérarchie de l'État; venir secouer son oreiller, au matin, pour l'éveiller, c'est presque secouer l'oreiller du Bon Dieu, puisque Monseigneur, chacun s'accorde à le dire, fait à la cour la pluie et le beau temps.

Ce samedi du début de septembre, il a invité à Reuilly quelques seigneurs de ses amis dont le sire de Brécy, le chevalier de Hangest et l'archidiacre d'Avranches, et même le vieux comte de Bouville, à demi aveugle, qu'il a fait prendre en litière. Pour ceux qui voulaient se lever matin, il a offert une petite chasse au vol.

A présent ses hôtes sont réunis dans la salle de justice où lui-même, en vêtements de campagne, se tient familièrement assis dans son grand faudesteuil. La comtesse de Beaumont, son épouse, est présente, et aussi le notaire Tesson qui a posé sur une table son écritoire et ses plumes.

— Mes bons sires, mes amis, dit-il, j'ai requis votre compagnie afin que vous me portiez conseil.

Les gens sont toujours flattés qu'on requière leur avis... Les jeunes écuyers nobles présentent aux invités les breuvages d'avant repas, les vins aux aromates, les dragées épicées, et les amandes émondées sur des coupes de vermeil. Ils sont attentifs à ne faire ni bruit ni faute en leur service ; ils ouvrent tout grands leurs yeux ; ils se préparent des souvenirs ; ils diront plus tard : « J'étais ce jour-là chez Monseigneur Robert ; il y avait le comte de Bouville qui avait été chambellan du roi Philippe le Bel... »

Robert parle posément, sérieusement : une certaine dame de Divion, qu'il ne connaît que peu, s'est venue proposer pour lui remettre une lettre qu'elle tient, avec d'autres, de l'évêque Thierry d'Hirson... dont elle était la douce amie, confie-t-il en baissant un peu la voix. La Divion demande argent, naturellement ; ces femmes-là sont toutes de même sorte ! Mais le document semble d'importance. Toutefois, avant de l'acquérir, Robert veut s'assurer qu'on ne le gruge pas, que cette lettre est bonne, qu'elle peut servir comme pièce à son procès et que ce n'est pas là quelque œuvre de faussaire fabriquée seulement pour lui soutirer monnaie. C'est pourquoi il a convié ses amis, qui sont d'avis sage et plus habiles que lui en matière d'écrits, à examiner la pièce.

De temps en temps Robert lance un coup d'œil à sa femme pour s'assurer de l'effet produit. Jeanne incline la tête, imperceptiblement ; elle admire la grosse malice de son époux, et comme ce géant retors joue bien les naïfs quand il veut tromper. Il fait l'inquiet, le soupçonneux... Les autres ne vont pas manquer d'approuver si bonne lettre ; ayant approuvé ils ne se dédiront plus de leur opinion, et à travers les milieux de la cour et du Parlement se répandra la nouvelle que Robert tient en main la preuve de son droit.

— Faites entrer cette dame Divion, dit Robert avec un air sévère.

Jeanne de Divion apparaît, bien provinciale, bien modeste ; de la guimpe de lin sort son visage triangulaire, aux yeux cernés d'ombre. Elle n'a pas besoin de contrefaire l'intimidée ; elle l'est. Elle sort d'une grande bourse d'étoffe un parchemin roulé d'où pendent plusieurs sceaux, et le remet à Robert qui le déploie, le considère un moment, puis le passe au notaire.

— Examinez les sceaux, maître Tesson.

Le notaire vérifie l'attache des lacets de soie, incline sur le vélin son énorme bonnet noir et son profil en croissant de lune.

— C'est bien le sceau du feu comte votre grand-père, Monseigneur, dit-il d'un ton convaincu.

— Voyez, mes bons sires, dit Robert.

On se transmet le document de main en main. Le sire de Brécy confirme que les sceaux des bailliages d'Arras et de Béthune sont excellents; le comte de Bouville approche la pièce de ses yeux fatigués; il ne distingue que la tache verte au bas de la lettre; il palpe la cire, douce sous le doigt, et les larmes s'échappent de ses paupières:

— Ah! murmure-t-il, le sceau de cire verte de mon bon maître Philippe le Bel!

Et il y a un moment de grand attendrissement, un instant de silence où l'on respecte les longs souvenirs de ce vieux serviteur de la couronne.

La Divion, qui se tient en retrait contre un mur, échange un regard discret avec la comtesse de Beaumont.

— A présent, lisez-nous cela, maître Tesson, commande Robert.

Et le notaire, ayant repris le parchemin, commence:

— *Nous, Robert de France, pair et comte d'Artois...*

Les formules initiales ont la tournure habituelle; l'assistance écoute avec calme.

— *... et ci déclarons en présence des seigneurs de Saint-Venant, de Saint-Paul, de Waillepayelle, chevaliers, qui scelleront de leurs sceaux, et de maître Thierry d'Hirson, mon clerc...*

Quelques regards se sont portés vers la Divion qui baisse le nez.

« Habile, habile, d'avoir mentionné l'évêque Thierry, pense Robert; cela authentifie les témoignages sur son rôle; tout cela s'enchaîne bien. »

— *... que lors du mariage de notre fils Philippe nous lui avons fait investiture de notre comté, nous en réservant la jouissance notre vie durant, et que notre fille Mahaut y a consenti et qu'elle a renoncé à ladite comté...*

— Ah! mais c'est chose capitale, cela, s'écrie Robert. C'est plus que je n'attendais! Jamais nul ne m'avait dit que Mahaut eût consenti! Vous voyez, mes amis, quelle est sa vilenie!... Continuez, maître Tesson.

Les assistants sont fort impressionnés. On hoche la tête, on se regarde... Oui, la pièce est d'importance.

— *... et à présent que Dieu a rappelé à lui notre cher et bien-aimé fils le comte Philippe, demandons à notre seigneur le roi, s'il nous vient qu'à la guerre Dieu fasse sa volonté de nous, que notre seigneur le roi veille à ce que les hoirs de notre fils n'en soient pas déshérités.*

Les têtes continuent d'approuver avec dignité; le chevalier de Hangest, qui est du Parlement, écarte les mains, en direction de Robert, d'un geste qui signifie: « Monseigneur, votre procès est gagné. »

Le notaire achève:

— *... et avons ceci scellé de notre sceau, en notre hôtel d'Arras, le vingt-huitième jour de juin de l'an de grâce treize cent vingt-deux.*

Robert ne peut réprimer un sursaut. La comtesse de Beaumont pâlit. La Divion, contre son mur, se sent mourir.

Ils ne sont pas les seuls à avoir entendu *treize cent vingt-deux*. Dans l'auditoire les têtes se sont tournées avec surprise vers le notaire qui lui-même donne quelques signes d'affolement.

— Vous avez lu treize cent vingt-deux ? demande le chevalier de Hangest. C'est treize cent *et* deux que vous voulez dire, l'année de la mort du comte Robert ?

Maître Tesson voudrait bien pouvoir s'accuser d'un lapsus ; mais le texte est là, sous les yeux, portant clairement *treize cent vingt-deux*. Et l'on va demander à revoir la pièce. Comment cela a-t-il pu se produire ? Ah ! Monseigneur Robert va être d'une humeur ! Et lui-même, Tesson, dans quelle affaire s'est-il laissé engager. Au Châtelet... c'est au Châtelet que tout cela va finir !

Il fait ce qu'il peut pour réparer le désastre ; il bredouille :

— Il y a un vice d'écriture... Mais oui, bien sûr, c'est treize cent *et* deux qu'il faut lire...

Et prestement, il trempe sa plume dans l'encre, rature, biffe quelques lettres, rétablit la date correcte.

— Est-ce bien à vous de corriger ainsi ? lui dit le chevalier de Hangest d'un ton un peu choqué.

— Mais oui, messire, dit le notaire ; il y a deux points marqués sous le mot, et c'est l'habitude des notaires de corriger les mots mal écrits sous lesquels des points sont mis...

— Cela est vrai, confirme l'archidiacre d'Avranches.

Mais l'incident a détruit toute la belle impression produite par la lecture.

Robert appelle un écuyer, lui commande à l'oreille de faire hâter le repas, et puis s'efforce de ranimer la conversation :

— En somme, maître Tesson, pour vous la lettre est bonne ?

— Certes, Monseigneur, certes, s'empresse de répondre Tesson.

— Et pour vous aussi, messire l'archidiacre ?

— Je la pense bonne.

— Peut-être, dit le sire de Brécy d'une voix amicale, devriez-vous la faire comparer avec d'autres lettres du feu comte d'Artois, de la même année...

— Et le moyen, mon bon, répond Robert, le moyen de comparer quand ma tante Mahaut tient tout en ses registres ! Je crois la pièce bonne. On n'invente pas pareilles choses ! Moi-même je n'en savais pas tant, et particulièrement que Mahaut eût renoncé.

A ce moment une sonnerie de trompes résonne dans la cour. Robert frappe dans ses mains.

— On corne l'eau, Messeigneurs ! Passons à nous laver les mains, et allons dîner.

Il écumait en arpentant la chambre de la comtesse son épouse, et le plancher tremblait sous son pas.

— Et vous l'avez lue! Et Tesson l'a lue! Et la Divion l'a lue! et personne, personne de vous n'a été capable de voir ce malheureux *vingt-deux* qui risque de faire crouler tout notre édifice!

— Mais vous-même, mon ami, répond calmement Jeanne de Beaumont, vous avez lu et relu cette lettre, et vous en étiez fort satisfait il me semble.

— Eh oui! je l'ai lue, et moi non plus je n'ai pas vu ce vice! Lire des yeux et lire de voix, ce n'est pas la même chose. Et pouvais-je penser qu'on allait commettre pareille sottise! Il a fallu que cet âne de notaire... Et l'autre âne qui a écrit la lettre... comment s'appelle-t-il celui-là? Rossignol?... Cela se prétend capable de rédiger une pièce, cela vous extrait plus d'argent qu'il n'en faut pour bâtir, et ce n'est même pas capable de tracer la bonne date! Je vais le faire saisir ce Rossignol, pour qu'on le fouette jusqu'au sang!

— Il vous faudra le faire prendre à Saint-Jacques, mon ami, où il est en pèlerinage avec vos deniers.

— A son retour, alors!

— Ne craignez-vous pas qu'il parle un peu trop haut pendant qu'on le fouettera?

Robert haussa les épaules.

— Heureux encore que la chose se soit passée ici, et non en lecture devant le Parlement! Il vous faudra veiller davantage, ma mie, pour les autres pièces, à ce que de telles erreurs ne se commettent plus.

Madame de Beaumont trouvait injuste que la colère de son époux se tournât contre elle. Elle déplorait l'erreur tout autant que lui, s'en attristait également, mais après tout le mal qu'elle s'était donné, après s'être écorché les mains à couper la cire de tant de sceaux, elle estimait que Robert eût pu se contenir et ne pas la traiter en coupable.

— Après tout, Robert, pourquoi vous acharnez-vous tant à ce procès? Pourquoi risquez-vous et me faites risquer, ainsi qu'à tant de personnes de votre entourage, d'être un jour convaincus de mensonge et de faux?

— Ce ne sont pas des mensonges, ce ne sont pas des faux! hurla Robert. C'est le vrai que je veux faire éclater aux yeux de tous, alors qu'on s'est obstiné à le cacher!

— Soit, c'est le vrai, dit-elle; mais un vrai, avouez-le, qui a mauvaise apparence. Craignez, sous de tels habits, qu'on ne le reconnaisse pas! Vous avez tout, mon ami; vous êtes pair du royaume, frère du roi par moi qui suis sa sœur, et tout-puissant en son Conseil; vos revenus sont larges, et ce que je vous ai apporté par dot et héritage fait votre fortune enviable par tous. Que ne laissez-vous l'Artois! Ne pensez-vous pas que nous avons assez joué à un jeu qui peut nous coûter fort cher?

— Ma mie, vous raisonnez bien mal et je m'étonne de vous entendre, vous si sage d'ordinaire, parler de la sorte. Je suis premier baron de

France, mais un baron sans terre. Mon petit comté de Beaumont, qui ne m'a été donné qu'en compensation, est domaine de la couronne : je ne l'exploite pas, on m'en sert les revenus. On m'a élevé à la pairie, vous venez de le dire vous-même, parce que le roi est votre frère ; or, Dieu puisse nous le garder longtemps, mais un roi n'est pas éternel. Nous en avons vu suffisamment passer ! Que Philippe vienne à mourir, est-ce moi qui aurai la régence ? Que sa male boiteuse d'épouse, qui me hait et qui vous hait, s'appuie sur la Bourgogne pour régenter, serai-je aussi puissant, et le Trésor me paiera-t-il toujours mes revenus ? Je n'ai point d'administration, je n'ai point de justice, je n'ai pas vraiment de grands vassaux, je ne peux point tirer de ma terre des hommes à moi qui me doivent toute obéissance et que je puisse placer aux emplois. Qui nantit-on des charges aujourd'hui ? Des gens venus de Valois, d'Anjou, du Maine, des apanages et fiefs du bon Charles, votre père. Où puisé-je mes propres serviteurs ? Parmi ceux-là. Je vous le répète, je n'ai rien. Je ne puis lever de bannières assez nombreuses qui fassent trembler devant moi. La puissance vraie ne se compte qu'au nombre de châtellenies qu'on commande et dont on peut tirer des hommes de guerre. Ma fortune ne repose que sur moi, sur mes bras, sur la place que j'occupe au Conseil ; mon crédit n'est fondé que sur la faveur, et la faveur ne tient que ce que Dieu le veut. Nous avons des fils ; eh bien ! pensez à eux, ma mie, et comme il n'est pas bien sûr qu'ils aient hérité ma cervelle, je voudrais bien leur laisser la couronne d'Artois... qui est leur lot par juste héritage !

Il n'en avait jamais dit aussi long sur ses pensées profondes, et la comtesse de Beaumont, oubliant ses griefs du moment précédent, voyait son mari lui apparaître sous un jour nouveau, non plus seulement comme le colosse rusé dont les intrigues l'amusaient, le mauvais sujet capable de toutes les coquineries, le trousseur de toutes les filles qu'elles fussent nobles, bourgeoises ou servantes, mais comme un vrai grand seigneur, raisonnant les lois de sa condition. Charles de Valois, lorsque autrefois il courait après un royaume ou une couronne d'empereur, et cherchait pour ses filles des alliances souveraines, justifiait ses actes par de semblables soucis.

A ce moment un écuyer frappa à la porte : la dame de Divion demandait à parler au comte, de toute urgence.

— Que me veut-elle encore, celle-là ? Elle ne craint donc pas que je l'écrase ? Faites-la venir.

La Divion apparut, hagarde, porteuse d'une très mauvaise nouvelle. Ses deux mesquines en Artois, Marie la Blanche et Marie la Noire, celles qui l'avaient aidée à acheter plusieurs des sceaux de la fausse lettre, se trouvaient en prison, appréhendée par les sergents de la comtesse Mahaut.

V

MAHAUT ET BÉATRICE

— Que le diable vous fasse sécher les entrailles à tous, mauvaises gens que vous êtes! criait la comtesse Mahaut. Comment? je fais saisir ces deux femmes, par lesquelles on pouvait tout savoir, et pas plus tôt elles sont prises, voici qu'on les relâche?

La comtesse Mahaut, en son château de Conflans sur la Seine, près de Vincennes, venait d'apprendre, quelques minutes plus tôt, que les deux servantes de la Divion, arrêtées sur son ordre par le bailli d'Arras, avaient été libérées. Sa colère était grande et «les mauvaises gens» auxquels ses malédictions s'adressaient n'étaient représentés pour l'heure que par la seule Béatrice d'Hirson, sa demoiselle de parage, sur laquelle elle déchargeait sa fureur. Le bailli d'Arras était un oncle de Béatrice, un frère cadet de feu l'évêque Thierry.

— Ces mesquines, Madame... n'ont été relâchées que sur un ordre du roi, présenté par deux sergents d'armes, répondit calmement Béatrice.

— Allons donc! le roi se moque bien de deux servantes qui tiennent cuisine dans un faubourg d'Arras! Elles ont été relâchées sur l'ordre de mon Robert qui a couru chez le roi pour obtenir leur élargissement. A-t-on seulement pris le nom des sergents? S'est-on assuré qu'ils étaient bien des officiers royaux?

— Ils se nomment Maciot l'Allemant et Jean Le Servoisier, Madame... répondit Béatrice avec la même calme lenteur.

— Deux sergents d'armes de Robert! Je connais ce Maciot l'Allemant; il est de ceux que mon gueux de neveu emploie à tous ses méchants coups. Et d'abord, comment Robert a-t-il été averti que les servantes de la Division avaient été prises? demanda Mahaut en jetant sur sa dame de parage un regard chargé de soupçon.

— Monseigneur Robert a gardé beaucoup d'intelligences en Artois... vous ne l'ignorez pas, Madame.

— Je souhaite, dit Mahaut, qu'il n'en ait pas trouvé parmi les gens qui me touchent de près... Mais c'est déjà me trahir que de mal me servir, et je suis trahie de toutes parts. Ah! depuis la mort de Thierry, on dirait que vous n'avez plus de cœur pour moi. Des ingrats! Je vous ai tous couverts de mes bienfaits; depuis quinze ans je te traite comme ma propre fille...

Béatrice d'Hirson abaissa ses longs cils noirs et regarda vaguement le dallage. Son visage ambré, lisse, aux lèvres bien ourlées, ne trahissait aucun sentiment, ni humilité, ni révolte, simplement une certaine fausseté par cet abaissement des cils extraordinairement longs derrière lesquels s'abritait le regard.

— ... Ton oncle Denis, dont j'ai fait mon trésorier pour complaire à Thierry, me gruge et me dérobe! Où sont les comptes des cerises de mon verger qu'il a vendues cet été sur le marché de Paris? Un jour viendra où j'exigerai contrôle de ses registres! Vous avez tout, terres, maisons, châteaux achetés avec les profits que vous faites sur moi! Ton oncle Pierre, un niais, que je nomme bailli, pensant que d'être si sot au moins il me sera fidèle, le voilà qui n'est plus même capable de tenir closes les portes de mes prisons! On en sort comme on veut, comme d'une auberge ou d'un bordeau!

— Mon oncle pouvait-il refuser, Madame... devant le cachet du roi?

— Et les quatre jours qu'elles ont passés en geôle, qu'ont-elles dit ces servantes de mauvaise putain? Les a-t-on fait parler? Ton oncle les a-t-il soumises à la question?

— Mais, Madame, dit Béatrice toujours de la même voix lente, il ne le pouvait sans ordre de justice. Voyez ce qui est advenu à votre bailli de Béthune...

D'un geste de sa grande main tavelée, Mahaut balaya l'argument.

— Non, vous ne me servez plus avec cœur, dit-elle, ou plutôt vous m'avez toujours mal servie!

Mahaut vieillissait. L'âge marquait son corps de géante; un rude duvet blanc croissait sur ses joues qui s'empourpraient au moindre mécontentement; la montée du sang lui découpait alors comme une bavette rouge sur la gorge. Au cours de l'année précédente elle avait connu plusieurs graves altérations de santé. Cette période lui était funeste, de toutes les manières.

Depuis son parjure d'Amiens et la constitution de la commission d'enquête, son caractère s'aigrissait, jusqu'à devenir odieux. De plus, son esprit se fatiguait; elle mettait un peu toutes choses sur le même plan. La grêle avait-elle gâté les roses qu'elle faisait cultiver par milliers dans ses jardins, ou bien quelque accident était-il survenu aux machines hydrauliques qui alimentaient les cascades artificielles de son château d'Hesdin? Sa colère s'abattait, comme tempête, sur les jardiniers, sur les ingénieurs, sur les écuyers, sur Béatrice.

— Et ces peintures, faites il n'y a pas dix ans! criait-elle en montrant les fresques de la galerie de Conflans... Quarante-huit livres parisis, je les ai payées à cet imagier que ton oncle Denis avait fait venir de Bruxelles, et qui m'avait bien garanti qu'il emploierait les couleurs les plus fines [13]! Pas même dix ans, et regarde donc! L'argent des heaumes se ternit déjà et le bas de l'image est tout écaillé. Est-ce là bon travail honnête, je te le demande?

Béatrice s'ennuyait. La suite de Mahaut était nombreuse, mais composée seulement de gens âgés. Mahaut se tenait à présent assez éloignée de la cour de France qui était toute soumise à l'influence de Robert. Là-bas, à Paris, à Saint-Germain, autour du roi *trouvé*, c'étaient sans cesse joutes, tournois et fêtes, pour l'anniversaire de la reine, pour le départ du roi de Bohême, ou même sans raison, simplement pour se donner plaisirs. Mahaut n'y allait guère ou ne faisait que de brèves apparitions quand son rang de pair du royaume l'y obligeait. Elle n'était plus d'âge à danser caroles ni d'humeur à regarder les autres se divertir, surtout dans une cour où on la traitait si mal. Elle ne prenait même plus d'agrément à séjourner à Paris, en son hôtel de la rue Mauconseil; elle vivait retraite entre les hauts murs de Conflans, ou bien à Hesdin qu'elle avait dû remettre en état après les dévastations exercées par Robert en 1316.

Tyrannique depuis qu'elle n'avait plus d'amant — le dernier avait été l'évêque Thierry d'Hirson qui se partageait entre elle et la Division, d'où la haine que Mahaut vouait à cette femme — et redoutant d'être saisie de malaises nocturnes, elle obligeait Béatrice à dormir au bout de sa chambre où stagnaient des odeurs accumulées de vieillesse, de pharmacie et de mangeaille. Car Mahaut dévorait toujours autant, à toute heure saisie des mêmes fringales monstrueuses; les tentures, les tapis sentaient le civet, la venaison, le brouet à l'ail. De fréquentes indigestions l'obligeaient à appeler mires, physiciens, barbiers et apothicaires; les potions et bouillons d'herbes succédaient aux viandes marinées. Ah! où était le bon temps où Béatrice aidait Mahaut à empoisonner les rois!

Béatrice elle-même commençait à ressentir le poids des années. Sa jeunesse s'achevait. Trente-trois ans, c'est l'âge où toutes les femmes, même les plus perverses, contemplent les deux versants de leur vie, songent avec nostalgie aux saisons écoulées, et avec inquiétude aux saisons à venir. Béatrice était toujours belle et s'en assurait dans les yeux des hommes, ses miroirs préférés. Mais elle savait aussi qu'elle ne possédait plus absolument ce teint de fruit doré qui avait fait l'attrait de ses vingt ans; l'œil très sombre, et qui ne laissait presque pas paraître de blanc entre les cils, était moins brillant au réveil; la hanche s'alourdissait un peu. C'était maintenant que les jours ne se devaient point perdre.

Mais comment, avec cette Mahaut qui l'obligeait à coucher dans sa chambre, comment s'échapper pour rejoindre un amant de rencontre ou pour aller, à minuit, en quelque maison secrète, assister à une messe vaine et trouver, dans les pratiques du sabbat, les épices du plaisir?

— Où es-tu à rêver? lui cria brusquement la comtesse.

— Je ne suis pas à rêver, Madame... répondit-elle en ramenant sur Mahaut son regard coulant; je songe seulement que vous pourriez avoir meilleure fille que moi pour vous servir... Je pense à me marier.

C'était là savante méchanceté dont l'effet se manifesta sans retard.

— Beau parti que tu feras! s'écria Mahaut. Ah! il sera bien pourvu, celui qui te prendra pour femme et qui pourra rechercher ton pucelage dans le lit de tous mes écuyers, avant que d'aller aussi y gagner ses cornes!

— A l'âge que j'ai, Madame, et où vous m'avez tenue fille pour vous servir...: pucelage est plutôt malheur que vertu. C'est de toute façon chose plus commune que les maisons et les biens que j'apporterai à un mari.

— Si tu les gardes, ma fille! Si tu les gardes! Car ils ont été tondus sur mon dos!

Béatrice sourit, et son regard noir à nouveau se voila.

— Oh... Madame, dit-elle avec une extrême douceur, vous n'iriez point retirer vos bienfaits à qui vous a servie en choses si secrètes... et que nous avons accomplies ensemble?

Mahaut la regarda avec haine.

Béatrice savait lui rappeler les cadavres royaux qui dormaient entre elles, les dragées du Hutin, le poison sur les lèvres du petit Jean Ier... et elle savait aussi comment la scène finirait, par une montée de sang au visage de la comtesse, par la bavette rouge marquée sur son cou bovin.

— Tu ne te marieras pas! Tiens, tiens, vois le mal que tu me fais, à me tenir tête, et sois contente, dit Mahaut en se laissant choir sur un siège. Le sang me monte aux oreilles qui sont toutes sonnantes; il va falloir encore me faire saigner.

— Ne serait-ce, Madame, de manger trop qui vous oblige à vous faire tirer tant de sang?

— Je mangerai ce qui me plaît, hurla Mahaut, et quand il me plaît! Je n'ai pas besoin d'une ignorante comme toi pour décider ce qui m'est bon. Va me chercher du fromage anglais! Et du vin! Et ne tarde pas!

Il ne restait plus de fromage anglais aux resserres; le dernier arrivage était épuisé.

— Qui l'a mangé? On me vole! Alors qu'on m'apporte un pâté en croûte!

«Eh oui! c'est cela. Bourre-toi, et crève!» pensait Béatrice en déposant le plateau.

Mahaut saisit une large tranche, à pleine main, et y mordit. Mais le craquement qu'elle entendit, et qui lui résonna dans le crâne, n'était pas seulement celui de la croûte ; elle venait de se casser une dent, une de plus.

Ses yeux, gris et injectés, s'élargirent un peu. Elle demeura immobile quelques instants, la tranche de pâté d'une main, un verre de vin dans l'autre, et la bouche ouverte avec une incisive, rompue au collet, qui s'était mise horizontale, contre la lèvre. Elle posa le verre, détacha sans peine la partie brisée de la dent. Elle mesurait de la langue la place vide sous la gencive, et tâtait la surface râpeuse, blessante de la racine. En même temps, elle contemplait entre ses gros doigts le petit morceau d'ivoire jauni, noir à la brisure, ce fragment d'elle-même qui l'abandonnait.

Mahaut releva les yeux parce que Béatrice, devant elle, était en train de pouffer. Les bras croisés sur la taille, les épaules agitées, la demoiselle de parage ne pouvait plus contenir son fou rire. Avant qu'elle ait eu le temps de reculer, Mahaut fut sur elle et la gifla à la volée, par deux fois. Le rire de Béatrice s'arrêta net ; derrière les longs cils, les prunelles noires étincelèrent d'un éclat méchant, puis s'éteignirent aussitôt.

Ce soir-là, quand Béatrice aida la comtesse à se dévêtir, il semblait que la paix fût rétablie entre elles. Mahaut, revenue à son obsession, expliquait à Béatrice :

— Comprends-tu pourquoi je tenais tant à ce qu'on questionnât ces deux femmes ? Je suis certaine que la Divion aide Robert à fabriquer de fausses pièces, et je voudrais qu'on le prît la main dans le sac.

Elle suçait machinalement son chicot que le barbier avait limé.

Béatrice, depuis la double gifle, mûrissait un projet.

— Puis-je, Madame... vous proposer un conseil ? Accepteriez-vous de l'ouïr ?

— Mais oui, ma fille, parle, parle. Je suis vive, j'ai la main leste ; mais j'ai confiance en toi, tu le sais bien.

— Eh bien ! Madame, tout le mal vient de l'héritage de mon oncle Thierry... et de ce que vous n'avez point voulu payer ce qu'il laissait à la Divion. Une mauvaise créature, certes, et qui ne méritait pas tant ! Mais vous vous êtes fait là une ennemie qui tenait certains secrets de la bouche de mon oncle... et qui est en train de les vendre à Monseigneur Robert. C'est une chance encore que j'aie pu vider à temps le coffre d'Hirson... où mon oncle serrait certains de vos papiers ! Voyez quel usage en aurait pu faire cette mauvaise femme... Un peu d'argent et de terre que vous lui eussiez donnés... et le bec lui était scellé.

— Eh oui ! dit Mahaut, j'ai peut-être eu tort. Mais avoue que cette ribaude qui s'en va se chauffer dans les draps d'un évêque, et se fait encore porter au testament comme si elle était épouse légitime... Eh oui! j'ai peut-être eu tort...

Béatrice aidait Mahaut à ôter sa chemise de jour. La géante levait ses énormes bras, découvrant aux aisselles une triste toison blanche; la graisse formait bosse sur sa nuque, comme sur l'échine des bœufs; la mamelle était lourde, affaissée, monstrueuse.

«Elle est vieille, pensait Béatrice, elle va mourir... mais quand? Jusqu'à son dernier jour, je vais vêtir et dévêtir ce vilain corps et user toutes mes nuits auprès... Et lorsqu'elle sera morte, que m'arrivera-t-il? Monseigneur Robert va sans doute gagner, avec l'appui du roi... La maison de Mahaut sera dispersée...»

Quand elle eut passé autour de Mahaut la chemise de nuit, Béatrice reprit:

— Si vous faisiez offrir à cette Divion de lui payer le legs qu'elle réclame... et même quelque chose en sus, vous la ramèneriez sans doute dans votre parti; et, si elle a servi à votre neveu pour de mauvaises besognes, vous pourriez connaître lesquelles... et en tirer avantage.

— C'est peut-être sagesse ce que tu dis là, répondit Mahaut. Mon comté vaut bien de dépenser un millier de livres, même pour payer le péché. Mais comment l'approcher, cette catin? Elle loge à l'hôtel de Robert qui doit la faire de près surveiller... et même la caresser un peu à l'occasion, car il n'a guère de dégoût. Il ne faudrait pas que la démarche fût éventée.

— Je m'offre, Madame, à aller la voir et à lui parler. Je suis la nièce de Thierry. Il pourrait m'avoir confié pour elle quelque volonté...

Mahaut regarda attentivement le visage calme, presque souriant, de sa demoiselle de parage.

— Tu risques gros, dit-elle. Si jamais Robert l'apprend...

— Je sais, Madame... je sais ce que je risque; mais le péril n'est point pour m'effrayer, dit Béatrice en ramenant sur la comtesse, qui s'était couchée, la couverture brodée.

— Allons, tu es une bonne fille, dit Mahaut. La joue ne te brûle pas trop?

— Si, Madame, toujours... pour vous servir...

VI

BÉATRICE ET ROBERT

Lormet l'avait reçue à la petite porte de l'hôtel, celle qu'empruntaient les fournisseurs, comme si la visiteuse avait été une quelconque fripière ou brodeuse venue livrer une commande. D'ailleurs, vêtue d'une pèlerine de léger drap gris dont le capuchon lui couvrait les cheveux, Béatrice d'Hirson ne se distinguait en rien d'une ordinaire bourgeoise.

Elle avait immédiatement reconnu le vieux serviteur personnel de Monseigneur d'Artois; mais elle n'en avait pas montré d'étonnement, pas plus qu'elle n'en témoignait à traverser les deux cours, les bâtiments de service, et à voir qu'on la conduisait vers les appartements seigneuriaux.

Lormet allait devant, le souffle un peu bruyant, et se retournait de temps en temps pour jeter par-dessus l'épaule un regard défiant sur cette fille trop belle, à la démarche glissante et balancée, et qui ne paraissait nullement intimidée.

« Qu'ont à faire ici les gens de Mahaut? bougonnait intérieurement Lormet. Quel plat de sa façon cette gueuse vient-elle cuire à nos fourneaux? Ah! Monseigneur Robert est bien imprudent de lui avoir laissé franchir l'huis! La dame Mahaut sait bien comment agir; ce n'est pas la plus laide de ses femmes qu'elle lui dépêche! »

Un couloir voûté, une tapisserie, une porte basse qui tourna sur des gonds bien huilés, et Béatrice vit, aux trois murs, saint Georges dardant sa lance, saint Maurice appuyé sur son glaive et saint Pierre tirant ses filets.

Monseigneur Robert se tenait debout au milieu de la pièce, les jambes largement écartées, les bras croisés sur le poitrail et le menton posé sur le col.

Béatrice abaissa ses longs cils, et se sentit parcourue d'un délectable frémissement de crainte et de satisfaction mêlées.

— Vous ne vous attendiez point à me voir, je pense, dit Robert d'Artois.

— Oh! si, Monseigneur... répondit Béatrice de sa voix lente; c'était bien vous que j'espérais approcher.

Elle avait fait le nécessaire pour cela, et si peu déguisé, pendant une semaine, ses émissaires auprès de la Divion que tout l'hôtel devait être averti.

La réponse surprit un peu Robert.

— Alors, que venez-vous faire? M'annoncer la mort de ma tante Mahaut?

— Oh! non, Monseigneur... Madame Mahaut s'est seulement cassé une dent.

— Belle nouvelle, dit Robert, mais qui ne me paraît pas valoir le dérangement. Vous envoie-t-elle en messagère? Voit-elle qu'elle a perdu sa cause et veut-elle à présent traiter avec moi? Je ne traiterai pas!

— Oh! non, Monseigneur... Madame Mahaut ne veut pas traiter puisqu'elle sait qu'elle gagnera.

— Elle gagnera? En vérité! Contre cinquante-cinq témoins, tous accordés pour reconnaître les vols et tromperies commis à mon endroit?

Béatrice sourit.

— Madame Mahaut en aura bien soixante, Monseigneur, pour prouver que vos témoins disent faux, et qui auront été payés le même prix...

— Ah çà! la belle; est-ce pour me narguer que vous êtes entrée ici? Les témoins de votre maîtresse ne vaudront rien parce que les miens appuient de bonnes pièces, que je montrerai.

— Ah! vraiment, Monseigneur? dit Béatrice d'un ton faussement respectueux. Alors c'est que Madame Mahaut se trompe sur la raison de la grande recherche de sceaux qui se fait en Artois, ces temps-ci... pour votre maison.

— On recherche des sceaux, dit Robert irrité, parce qu'on recherche toutes pièces anciennes, et que mon nouveau chancelier veille à mettre ordre en mes registres.

— Ah! vraiment, Monseigneur... répéta Béatrice.

— Mais ce n'est pas à vous de m'interroger! C'est moi qui vous demande ce que vous cherchez ici. Vous venez soudoyer mes gens?

— Nul besoin, Monseigneur, puisque je suis parvenue jusqu'à vous.

— Mais que me voulez-vous, à la parfin? s'écria-t-il.

Béatrice parcourait la pièce du regard. Elle vit la porte par laquelle elle était entrée, et qui s'ouvrait dans le ventre de la Madeleine. Elle eut un léger rire.

— Est-ce par cette chatière que passent toujours les dames que vous recevez?

Le géant commençait à s'énerver. Cette voix traînante, ironique, ce rire bref, ce regard noir qui brillait un instant et s'éteignait aussitôt derrière les longs cils recourbés, tout cela le troublait un peu.

«Prends garde, Robert, se disait-il, c'est là garce fameuse et qu'on ne doit pas t'envoyer pour ton bien!»

Il la connaissait de longue date, la demoiselle Béatrice! Ce n'était pas la première fois qu'elle le provoquait. Il se rappelait comment à l'abbaye de Chaâlis, sortant d'un conseil nocturne autour du roi Charles IV à propos des affaires d'Angleterre, il avait trouvé Béatrice qui l'attendait sous les arches du cloître de l'hôtellerie. Et bien d'autres fois encore... A chaque rencontre, c'était le même regard attaché au sien, le même mouvement onduleux des hanches, le même soulèvement de poitrine. Robert n'était pas homme que la fidélité ligotait; un tronc d'arbre habillé d'un jupon l'eût fait sortir de sa route. Mais cette fille, qui était à Mahaut et pour toutes besognes, lui avait toujours inspiré la prudence.

— Ma belle, vous êtes sûrement bien gueuse, mais peut-être également êtes-vous avisée. Ma tante croit qu'elle gagnera sa cause; mais vous, l'œil plus ouvert, vous vous dites déjà qu'elle la perdra. Sans doute pensez-vous que le bon vent va cesser de souffler du côté de Conflans, et qu'il serait temps de se faire bien voir de ce Monseigneur Robert dont on a tant médit, auquel on a si grandement nui, et dont la main risque d'être lourde le jour de la vengeance. N'est-ce pas cela?

Il marchait de long en large selon son habitude. Il portait une cotte courte qui lui moulait la panse; les énormes muscles de sa cuisse tendaient l'étoffe de ses chausses. Béatrice, à travers ses cils, ne cessait de l'observer, depuis la rousse chevelure jusqu'aux souliers.

«Comme il doit peser lourd!» pensait-elle.

— Mais on n'acquiert pas mes faveurs par un sourire, sachez-le, continuait Robert. A moins que vous n'ayez grand besoin de monnaie et quelque secret à me vendre? Je récompense si l'on me sert, mais je suis sans pitié si l'on veut me truffer!

— Je n'ai rien à vous vendre, Monseigneur.

— Alors, demoiselle Béatrice, pour votre gouverne et salut, sachez que vous aurez avantage à prendre au large des portes de mon hôtel, quel que soit le prétexte à vous en approcher. Mes cuisines sont bien gardées, mes plats sont éprouvés, mon vin est essayé avant qu'on ne me le verse.

Béatrice se passa sur les lèvres la pointe de la langue, comme si elle goûtait une liqueur savoureuse.

«Il redoute que je l'empoisonne», se disait-elle.

Oh! qu'elle s'amusait, et qu'elle avait peur à la fois. Et Mahaut, pendant ce temps, qui la croyait occupée à circonvenir la Divion! Oh! l'admirable moment! Béatrice avait l'impression de tenir au creux de sa main plusieurs lacs invisibles et mortels. Encore fallait-il les bien assujettir.

Elle rabattit en arrière son capuchon, dénoua le cordon du col et ôta sa pèlerine. Ses cheveux sombres, épais, étaient tordus en tresse autour des oreilles. Sa robe de marbré, fort échancrée sur la poitrine, montrait la naissance généreuse des seins. Robert, qui aimait les femmes plantureuses, ne put s'empêcher de penser que Béatrice avait gagné en beauté depuis leur dernière rencontre.

Béatrice étala sa pèlerine sur le dallage de façon qu'elle couvrît la moitié d'un rond. Robert eut un regard de surprise.

— Que faites-vous donc là?

Elle ne répondit pas, tira de son aumônière trois plumes noires qu'elle posa sur le haut de la pèlerine, les croisant pour former comme une petite étoile; puis elle se mit à tourner, décrivant de l'index un cercle imaginaire et murmurant des paroles incompréhensibles.

— Mais que faites-vous? répéta Robert.

— Je vous ensorcelle... Monseigneur, répondit tranquillement Béatrice, comme si c'était la chose la plus naturelle du monde, ou tout au moins la chose la plus coutumière pour elle.

Robert éclata de rire. Béatrice le regarda et lui prit la main comme pour l'amener à l'intérieur du cercle. La main de Robert se retira.

— Vous avez peur, Monseigneur? dit Béatrice en souriant.

Voilà bien la force des femmes! Quel seigneur eût osé dire au comte Robert d'Artois qu'il avait peur sans recevoir un poing énorme sur la face ou une épée de vingt livres en travers du crâne? Et voici qu'une vassale, une chambrière, vient rôder autour de son hôtel, se fait conduire jusqu'à lui, occupe son temps à lui conter des sornettes... «Mahaut a perdu une dent... Je n'ai pas de secret à vous vendre...» étend son manteau sur le carrelage et lui déclare en belle face qu'il a peur!

— Vous semblez avoir toujours craint de vous approcher de moi, continua Béatrice. Le jour que je vous vis pour la première fois, il y a bien longtemps, à l'hôtel de Madame Mahaut... quand vous vîntes lui annoncer que ses filles allaient être jugées... peut-être ne vous souvenez-vous pas... déjà, vous vous étiez détourné de moi. Et souventes fois depuis... Non, Monseigneur, ne me faites point croire que vous auriez peur!

Sonner Lormet, lui ordonner d'éloigner cette moqueuse; n'était-ce pas ce que la sagesse conseillait à Robert, sans perdre davantage de temps?

— Et que cherches-tu, avec ta chape, ton cercle, et tes trois plumes? demanda-t-il. A faire apparaître le Diable?

— Mais oui, Monseigneur... dit Béatrice.

Il haussa les épaules devant cette gaminerie et, par jeu, avança dans le cercle.

— Voilà qui est fait, Monseigneur. C'est tout juste ce que je voulais. Parce que c'est vous, le Diable...

Quel homme résiste à ce compliment-là ? Robert eut cette fois un vrai rire, un rire de gorge satisfait. Il prit le menton de Béatrice entre le pouce et l'index.

— Sais-tu que je pourrais te faire brûler comme sorcière ?

— Oh ! Monseigneur...

Elle se tenait contre lui, la tête levée vers les larges mâchoires piquées de poils rouges ; elle percevait son odeur de sanglier forcé. Elle était tout émue de danger, de trahison, de désir et de satanisme.

Une ribaude, une ribaude bien franche, comme Robert les aimait ! « Qu'est-ce que je risque ? » se dit-il.

Il la saisit aux épaules, l'attira contre lui.

« C'est le neveu de Madame Mahaut, son neveu qui lui souhaite tant de mal », pensait Béatrice tandis qu'elle perdait souffle contre sa bouche.

VII

LA MAISON BONNEFILLE

L'évêque Thierry d'Hirson, de son vivant, possédait à Paris, dans la rue Mauconseil, un hôtel jouxte celui de la comtesse d'Artois, et qu'il avait agrandi en achetant la maison d'un de ses voisins nommé Julien Bonnefille. Ce fut cette maison, reçue en héritage, que Béatrice proposa à Robert d'Artois comme abri de leurs rencontres.

La promesse de s'ébattre en compagnie de la dame de parage de Mahaut, à côté de l'hôtel de Mahaut, dans une maison payée sur les deniers de Mahaut, et qui, de surcroît, gardait le nom de maison Bonnefille, il y avait en tout cela de quoi satisfaire le penchant naturel de Robert pour la farce. Le sort organise parfois de ces amusements...

Néanmoins, Robert, dans les débuts, n'en usa qu'avec une extrême prudence. Bien qu'il fût lui-même propriétaire, dans la même rue, d'un hôtel où il ne résidait pas mais qu'il venait visiter de temps à autre, il préférait ne se rendre à la maison Bonnefille que le soir tombé. En ces quartiers proches de la Seine, où les voies étroites étaient encombrées d'une foule dense et lente, un seigneur tel que Robert d'Artois, de stature si reconnaissable et escorté d'écuyers, ne pouvait passer inaperçu. Robert attendait donc la chute du jour. Il se faisait toujours accompagner de Gillet de Nelle et de trois serviteurs, choisis parmi les plus discrets et surtout les plus forts. Gillet était la cervelle de cette garde et les trois valets à poings d'assommeurs se plaçaient aux issues de la maison Bonnefille, sans livrée, comme de quelconques badauds.

Au cours des premières entrevues, Robert refusa de boire le vin aux épices que Béatrice lui offrait. « La donzelle peut bien avoir été chargée de m'enherber », se disait-il. Il ne se dévêtait qu'à regret de son surcot doublé d'une fine maille de fer, et, tout le temps du plaisir, gardait l'œil vers le coffre où il avait posé sa dague.

Béatrice se délectait de lui voir pareilles craintes. Ainsi, elle, petite bourgeoise d'Artois, fille non mariée à trente ans passés, et qui avait roulé dans toutes sortes de draps, pouvait inspirer crainte à un tel colosse et un si puissant pair de France?

L'aventure avait pour Béatrice, plus encore que pour Robert, tout le piment de la perversité. Dans la maison de son oncle l'évêque! Et avec le mortel ennemi de Madame Mahaut à laquelle, pour excuser ses absences, Béatrice devait conter sans cesse de nouvelles fables... La Division était réticente... Elle ne céderait pas d'un coup et ce serait folie que de lui verser forte somme pour laquelle elle pourrait ne vendre qu'un gros mensonge... Non, il fallait la voir souvent, lui extirper, bribe après bribe, les intrigues du mauvais Monseigneur Robert, lui faire livrer le nom des témoins de complaisance, et ensuite vérifier ses dires, aller trouver le sieur Juvigny, au Louvre, ou Michelet Guéroult, le valet du notaire Tesson. Ah! tout cela n'allait pas sans peine, ni temps, ni monnaie... «Il conviendrait, Madame, de donner une pièce d'étoffe à ce clerc, pour sa femme; sa langue se déliera... M'autorisez-vous à vous prendre quelques livres?»

Et le plaisir de regarder Madame Mahaut dans les yeux, de lui sourire, et de penser: «Il y a moins de douze heures, je m'offrais toute dépouillée à messire votre neveu!»

A voir sa demoiselle de parage tant se dépenser à son service, Mahaut la rabrouait moins, lui montrait de nouveau de l'affection et ne lui ménageait pas les gâteries. Pour Béatrice c'était une occasion doublement exquise que de jouer Mahaut tout en s'appliquant à conquérir Robert. Car on ne saurait prétendre avoir conquis un homme parce qu'on a passé une heure avec lui au même lit, pas plus qu'on n'est le maître d'un fauve parce qu'on l'a acheté et qu'on l'observe à travers les grilles de la cage.

La possession ne fait pas le pouvoir.

On n'est le maître, vraiment, que lorsqu'on a si bien travaillé le fauve qu'il se couche à la voix, rentre les griffes, et qu'un regard lui sert de barreaux.

Les défiances de Robert étaient pour Béatrice comme autant de griffes à limer. En toute sa carrière de chasseresse elle n'avait jamais eu l'occasion de piéger si grand gibier, et réputé si féroce que c'en était proverbe.

Le jour où Robert consentit à accepter de la main de Béatrice un gobelet de grenache, elle connut sa première victoire. «J'aurais donc pu y mettre du poison, et il l'aurait bu...»

Et quand une fois il s'endormit, pareil à l'ogre des fabliaux, alors elle éprouva le sentiment du triomphe. Le géant avait au cou une démarcation nette, là où se fermait la robe ou la cuirasse; la teinte brique du visage tanné par le grand air s'arrêtait brusquement, et, au-dessous, commençait la peau blanche, tavelée de taches de son et couverte aux épaules de poils roux comme la soie des porcs. Cette ligne semblait à Béatrice la marque toute tracée pour le tranchant d'une hache ou le fil d'un poignard.

Les cheveux couleur de cuivre, frisés en rouleaux sur les joues, s'étaient déplacés et laissaient apparaître une oreille petite, délicatement ourlée, enfantine, attendrissante. « On pourrait, pensait Béatrice, dans cette petite oreille, enfoncer un fer jusqu'à la cervelle... »

Robert se réveilla en sursaut, au bout de quelques minutes, avec inquiétude.

— Eh bien! Monseigneur... je ne t'ai pas tué, dit-elle en riant.

Son rire découvrait une gencive rouge sombre.

Comme pour le remercier, il relança au jeu. Il lui fallait avouer qu'elle l'y secondait bien, inventive, sournoise, peu ménagère de soi, jamais rechigneuse, et criant fort sa joie. Robert qui, pour avoir troussé toutes sortes de cottes, soie, lin ou chanvre, se croyait grand maître en ribauderie, devait reconnaître qu'il avait trouvé là plus forte partie.

— Si c'est au sabbat, ma petite mie, lui disait-il, que tu as appris toutes ces galanteries, on devrait davantage y envoyer pucelles!

Car Béatrice lui parlait souvent du sabbat et du Diable. Cette fille lente et molle en apparence, ondoyante de démarche, traînante en sa parole, ne révélait qu'au lit sa vraie violence, de même que son discours ne devenait rapide et animé que lorsqu'il s'agissait de démons ou de sorcellerie.

— Pourquoi donc ne t'es-tu jamais mariée? lui demandait Robert. Les époux n'ont pas dû manquer à se proposer, surtout si tu leur as donné tel avant-goût du mariage...

— Parce que le mariage se fait à l'église, et que l'église m'est mauvaise.

Agenouillée sur le lit, les mains aux genoux, l'ombre au creux du ventre, Béatrice, les cils bien ouverts, disait :

— Tu comprends, Monseigneur, les prêtres et les papes de Rome et d'Avignon n'enseignent pas la vérité. Il n'y a pas un seul Dieu; il y en a deux, celui de la lumière et celui des ténèbres, le prince du Bien et le prince du Mal. Avant la création du monde, le peuple des ténèbres s'est révolté contre le peuple de la lumière; et les vassaux du Mal, pour pouvoir vraiment exister, puisque le Mal est le néant et la mort, ont dévoré une partie des principes du Bien. Et parce que les deux forces du Bien et du Mal étaient en eux, ils ont pu créer le monde et engendrer les hommes où les deux principes sont mêlés et toujours en bataille, et où le Mal dirige, puisque c'est l'élément du peuple d'origine. Et l'on voit bien qu'il y a deux principes puisqu'il y a l'homme et la femme, faits comme toi et comme moi, de manière diverse, poursuivait-elle avec un sourire avide. Et c'est le Mal qui chatouille nos ventres et les pousse à se joindre... Or les gens dans lesquels la nature du Mal est plus forte que la nature du Bien doivent honorer Satan et faire pacte avec lui pour être heureux et triompher en leurs affaires ; et ils ne doivent rien faire pour le Seigneur du Bien qui leur est adverse.

Cette étrange philosophie, qui puait fortement le soufre, et où traînaient des bribes mal digérées de manichéisme, d'impurs éléments de doctrines cathares, mal transmis et mal compris, avait plus d'adeptes que les gens au pouvoir ne le croyaient. Béatrice ne représentait pas un cas isolé ; mais pour Robert, dont l'esprit n'avait jamais effleuré ce genre de problème, elle entrouvrait les portes d'un monde mystérieux ; il était surtout fort admiratif d'entendre de tels raisonnements dans la bouche d'une femme.

— Tu as plus de cervelle que je n'aurais cru. Qui donc t'a appris tout cela ?

— D'anciens Templiers, répondit-elle.

— Ah ! les Templiers ! Certes, ils connaissaient beaucoup de choses...

— Vous les avez détruits.

— Pas moi, pas moi ! s'écria Robert. Philippe le Bel et Enguerrand, les amis de Mahaut... Mais Charles de Valois et moi-même nous étions opposés à leur destruction.

— Ils sont restés puissants par magie ; tous les maux survenus depuis lors au royaume sont arrivés à cause du pacte que les Templiers ont fait avec Satan, parce que le pape les avait condamnés.

— Les malheurs du royaume, les malheurs du royaume... disait Robert peu convaincu. Certains ne sont-ils pas l'œuvre de ma tante plutôt que celle du Diable ? Car c'est elle qui a expédié mon cousin Hutin, et son fils ensuite. N'y aurais-tu pas mis un peu la main ?

Il revenait souvent sur cette question mais, chaque fois, Béatrice esquivait. Ou bien elle souriait, vaguement, comme si elle n'avait pas entendu ; ou bien elle répondait à côté.

— Mahaut ne sait pas... elle ne sait pas que j'ai fait pacte avec le Diable... Sûrement elle me chasserait...

Et elle repartait aussitôt d'un débit rapide sur ses sujets favoris, sur la messe vaine, l'opposé, la négation de la messe chrétienne, qu'on devait célébrer à minuit, dans un souterrain, et près d'un cimetière de préférence. L'idole avait une tête à deux visages ; on se servait d'hosties noires que l'on consacrait en prononçant trois fois le nom de Belzébuth. Si l'officiant pouvait être un prêtre renégat, ou un moine défroqué, cela n'en valait que mieux.

— Le Dieu d'en haut est failli ; il a promis la félicité et ne donne que malheur aux créatures qui le servent ; il faut obéir au Dieu d'en bas. Tiens, Monseigneur, si tu veux que les pièces de ton procès soient renforcées par le Diable, fais-les traverser d'un fer rouge dans le coin de la feuille, et qu'il y demeure un trou marqué d'un peu de brûlure. Ou bien encore, souille la page d'une petite tache d'encre étalée en forme de croix où la branche du haut finisse comme une main... Je sais comment il faut faire.

Mais Robert, lui non plus, ne se livrait pas tout à fait; et bien que Béatrice dût être la première à savoir que les pièces qu'il se targuait de posséder étaient des faux, jamais il ne se serait laissé aller à en convenir.

— Si tu veux prendre tout pouvoir sur un ennemi et qu'il agisse à sa perte par volonté maligne, lui confia-t-elle un jour, il faut que tu le fasses frotter aux aisselles, au revers des oreilles et à la plante des pieds d'un onguent fait de fragments d'hosties et de poudre d'os d'un petit enfant sans baptême, cela mêlé à du rut d'homme répandu sur le dos d'une femme pendant la messe vaine, et du sang mensuel de cette femme... [14]

— Je serais plus sûr, répondit Robert, si, à une bonne ennemie que j'ai, on versait la poudre à faire mourir les rats et les bêtes puantes.

Béatrice feignit de ne pas réagir. Mais l'idée lui fit passer des ondes chaudes sous la peau. Non, il ne fallait pas qu'elle répondît tout de suite à Robert. Il ne fallait pas qu'il sût qu'elle était déjà consentante... Est-il meilleur pacte qu'un crime pour lier à jamais deux amants?

Car elle l'aimait. Elle ne se rendait pas compte que, cherchant à le piéger, c'était elle qui entrait en dépendance. Elle ne vivait plus que pour le moment où elle le rejoignait, pour ne vivre ensuite que de se souvenir et à nouveau d'attendre. Attendre ce poids de deux cents livres, et cette odeur de ménagerie que Robert dégageait, surtout dans l'ébat amoureux, et ce grondement de félin qu'elle lui tirait de la gorge.

Il existe plus de femmes qu'on ne pense qui ont le goût du monstre. Les nains de la cour, Jean le Fol et les autres, le savaient bien qui ne pouvaient suffire à leurs conquêtes! Même une anomalie accidentelle est objet de curiosité et, partant, de désir. Un chevalier borgne par exemple, rien que pour l'envie de soulever le carreau d'étoffe noire qui lui couvre une partie du visage. Robert, à sa manière, tenait du monstre.

La pluie d'automne s'égouttait sur les toits. Les doigts de Béatrice s'amusaient à suivre les renflements d'une panse gigantesque.

— D'abord toi, Monseigneur, disait-elle, tu n'as besoin de rien pour obtenir ce que tu veux, ni besoin d'être instruit d'aucune science... Tu es le Diable lui-même. Le Diable ne sait pas qu'il est le Diable...

Il rêvassait, repu, le menton en l'air, écoutant cela...

Le Diable a des yeux qui brûlent comme la braise, d'immenses griffes au bout des doigts pour lacérer les chairs, une langue partagée en deux, et un souffle de fournaise s'échappe de sa bouche. Mais le Diable pouvait avoir aussi le poids et l'odeur de Robert. Elle était amoureuse de Satan. Elle était la femelle du Diable et on ne l'en séparerait jamais...

Un soir que Robert d'Artois, venant de la maison Bonnefille, rentrait à son hôtel, sa femme lui présenta le fameux traité de mariage, enfin rédigé, et auquel il ne manquait plus que les sceaux.

Robert, l'ayant examiné, s'approcha de la cheminée, et, d'un geste négligent, mit le tisonnier dans les braises; puis, quand la pointe fut rouge, il en troua le coin d'une des feuilles qui se mit à grésiller.

— Que faites-vous, mon ami? demanda Madame de Beaumont.

— Je veux seulement, dit Robert, m'assurer que c'est du bon vélin.

Jeanne de Beaumont considéra un instant son mari, puis lui dit doucement, presque maternelle:

— Vous devriez bien, Robert, vous faire couper les ongles... Quelle est cette mode neuve que vous avez de les porter si longs?

VIII

RETOUR A MAUBUISSON

Il arrive que toute une machination longuement ourdie soit compromise dès l'origine par une faille de raisonnement.

Robert s'aperçut soudain que les catapultes qu'il avait si bien montées pouvaient se casser net au moment de tirer, faute de sa part d'avoir songé à un ressort premier.

Il avait certifié au roi son beau-frère, et juré solennellement sur les Écritures, que ses titres d'héritage existaient ; il avait fait établir des lettres aussi semblables que possible aux documents disparus ; il avait provoqué de nombreux témoignages pour étayer la validité de ces écrits. Toutes les chances semblaient donc rassemblées pour que ses preuves fussent agréées sans discussion.

Mais il existait une personne qui savait, elle, indubitablement, que les actes étaient faux : Mahaut d'Artois, puisqu'elle avait brûlé les vrais actes, ceux d'abord des registres de Paris, dérobés quelque vingt ans plus tôt grâce à des complaisances dans l'entourage de Philippe le Bel, et puis, tout récemment, les copies récupérées dans le coffre de Thierry d'Hirson.

Or, si un faux peut passer pour authentique aux yeux de gens favorablement prévenus et qui n'ont jamais eu connaissance des originaux, il n'en va pas de même pour qui est averti de la falsification.

Certes, Mahaut n'irait pas déclarer : « Ces pièces sont mensongères parce que j'ai jeté au feu les bonnes » ; mais, sachant les pièces frauduleuses, elle allait tout mettre en œuvre pour le démontrer ; on pouvait sur ce point lui faire confiance ! L'arrestation des mesquines de la Divion constituait une alerte probante. Trop de personnes déjà avaient participé à la fabrication pour qu'il ne s'en trouvât pas quelqu'une capable de trahir par peur, ou par appât du gain.

Si une erreur s'était glissée, comme le malheureux « 1322 » à la place de « 1302 » dans la lettre lue à Reuilly, Mahaut ne manquerait pas de la déceler. Les sceaux pouvaient sembler parfaits mais Mahaut en exigerait le contre-examen minutieux. Et puis, le feu comte Robert II avait, comme tous les princes, l'habitude de faire mentionner dans ses actes officiels le nom du clerc qui les avait écrits. Évidemment, pour les fausses lettres, on s'était gardé de cette précision. Or, telle omission sur une seule pièce pouvait passer, mais sur quatre qu'on allait présenter? Mahaut aurait beau jeu à faire ouvrir les registres d'Artois : « Comparez, dirait-elle, et parmi toutes les lettres scellées par mon père, cherchez donc la main d'un de ses clercs qui ressemble à ces écritures-là ! »

Robert en était venu à la conclusion que ses pièces, qui avaient en son esprit valeur de vérité, ne pouvaient être utilisées que lorsque la personne qui avait fait disparaître les originaux aurait elle-même disparu. Autrement dit, son procès n'était gagné qu'à la condition que Mahaut fût morte. Ce n'était plus un souhait mais une nécessité.

— Si Mahaut venait à trépasser, dit-il un jour à Béatrice d'un air songeur, les deux mains sous la tête et regardant le plafond de la maison Bonnefille... oui, si elle trépassait, je pourrais fort bien te faire entrer en mon hôtel comme dame de parage de mon épouse... Puisque je recueillerais l'héritage d'Artois, on comprendrait que je reprenne certaines gens de la maison de ma tante. Et ainsi je pourrais t'avoir toujours auprès de moi...

L'hameçon était gros, mais lancé vers un poisson qui avait la bouche ouverte.

Béatrice n'entretenait pas de plus douce espérance. Elle se voyait habitant l'hôtel de Robert, y tramant ses intrigues, maîtresse d'abord secrète, puis avouée, car ce sont là choses que le temps installe... Et qui sait? Madame de Beaumont, comme toute créature humaine, n'était pas éternelle. Certes, elle avait sept ans de moins que Béatrice et jouissait d'une santé qui semblait excellente; mais quel triomphe, justement, pour une femme plus âgée, de supplanter une cadette ! Est-ce qu'un envoûtement bien accompli ne pourrait pas, d'ici quelques années, faire de Robert un veuf? L'amour ôte tout frein à la raison, toute limite à l'imagination. Béatrice se rêvait par moments comtesse d'Artois, en manteau de pairesse...

Et si le roi, comme cela pouvait aussi survenir, trépassait, et que Robert devînt régent? En chaque siècle, il existe des femmes petitement nées qui se haussent ainsi jusqu'au premier rang, par le désir qu'elles inspirent à un prince, et parce qu'elles ont des grâces de corps et une habileté de tête qui les rendent supérieures, par droit naturel, à toutes les autres. Les dames empérières de Rome et de Constantinople, à ce que racontaient les romans des ménestrels, n'étaient pas toutes nées sur les marches d'un trône. Dans la société des puissants de ce monde, c'est allongée qu'une femme s'élève le plus vite...

Béatrice mit, pour se laisser ferrer, juste le temps nécessaire à bien s'assurer prise sur celui qui la voulait prendre. Il fallut que Robert, pour la convaincre, s'engageât assez, et qu'il lui eût dix fois certifié qu'elle entrerait à l'hôtel d'Artois, et les titres et prérogatives dont elle jouirait, et quelle terre lui serait donnée... Oui, alors, peut-être, elle pouvait indiquer un envoûteur qui, par image de cire bien travaillée, aiguilles plantées et conjurations prononcées, ferait œuvre nocive sur Mahaut. Mais encore Béatrice feignait d'être traversée d'hésitations, de scrupules; Mahaut n'était-elle pas sa bienfaitrice et celle de toute la famille d'Hirson?

Agrafes d'or et fermaux de pierreries bientôt s'accrochèrent au cou de Béatrice; Robert apprenait les usages galants. Caressant de la main le bijou qu'elle venait de recevoir, Béatrice disait que, si l'on voulait que l'envoûte réussît, le plus sûr et le plus rapide moyen consistait à prendre un enfant de moins de cinq ans auquel on faisait avaler une hostie blanche, puis de trancher la tête de l'enfant et d'en égoutter le sang sur une hostie noire que l'on devait ensuite, par quelque subterfuge, faire manger à l'envoûté. Un enfant de moins de cinq ans, cela requérait-il grand-peine à trouver? Combien de familles pauvres, surchargées de marmaille, eussent consenti à en vendre un!

Robert faisait la grimace; trop de complications pour un résultat bien incertain. Il préférait un bon poison, bien simple, qu'on administre et qui fait son œuvre.

Béatrice enfin sembla se laisser fléchir, par dévouement à ce diable qu'elle adorait, par impatience de vivre auprès de lui, à l'hôtel d'Artois, par espérance de le voir plusieurs fois le jour. Pour lui, elle serait capable de tout... Elle s'était déjà, depuis une semaine, procuré telle provision d'arsenic blanc qu'elle eût pu exterminer le quartier, lorsque Robert crut triompher en lui faisant accepter cinquante livres pour en acquérir.

Il fallait maintenant attendre une occasion favorable. Béatrice représentait à Robert que Mahaut était entourée de physiciens qui accouraient au moindre malaise de Madame; les cuisines étaient surveillées, les échansons diligents... L'entreprise n'était pas facile.

Et puis, soudain, Robert changea d'avis. Il avait eu un long entretien avec le roi. Philippe VI, au vu du rapport des commissaires qui avaient si bien travaillé sous la direction du plaignant, et plus que jamais convaincu du bon droit de son beau-frère, ne demandait qu'à servir ce dernier. Afin d'éviter un procès d'une conclusion si certaine, mais dont le retentissement ne pouvait être que déplaisant pour la cour et tout le royaume, il avait résolu de convoquer Mahaut et de la convaincre de renoncer à l'Artois.

— Elle n'acceptera jamais, dit Béatrice, et tu le sais aussi bien que moi, Monseigneur...

— Essayons toujours. Si le roi parvenait à lui faire entendre raison, ne serait-ce pas la meilleure issue?

— Non... la meilleure issue c'est le poison.

Car l'éventualité d'un règlement amiable n'arrangeait nullement les affaires de Béatrice; son entrée à l'hôtel de Robert se trouvait reculée. Béatrice devrait rester dame de parage de la comtesse jusqu'à ce que celle-ci s'éteignît, Dieu savait quand! C'était elle à présent qui voulait presser les choses; les obstacles, les difficultés par elle-même soulevées, ne l'effrayaient plus. L'occasion favorable? Elle en avait plusieurs chaque jour, ne fût-ce que lorsqu'elle portait à la comtesse Mahaut ses tisanes ou ses médecines...

— Mais puisque le roi la convie dans trois jours à Maubuisson? insistait Robert.

Les deux amants en convinrent de la sorte: ou bien Mahaut acceptait la proposition royale de se démettre de l'Artois, et alors on lui laisserait la vie; ou bien elle refusait et, dans ce cas, le jour même Béatrice lui administrerait le poison. Quelle meilleure opportunité pouvait-on saisir? Mahaut prise de malaise en sortant de la table du roi! Qui donc oserait soupçonner ce dernier de l'avoir fait assassiner, ou même le soupçonnant, oserait le dire?

Philippe VI avait proposé à Robert d'être présent à l'entrevue de conciliation; mais Robert refusa.

— Sire mon frère, vos paroles auront plus d'effet si je ne suis point là; Mahaut me hait beaucoup, et ma vue risquerait de l'entêter plutôt que de l'encourager à se soumettre.

Il pensait cela sérieusement, mais en outre il voulait, par son absence, se dérober à toute éventuelle accusation.

Trois jours plus tard, le 23 octobre, la comtesse Mahaut, cahotée dans sa grande litière toute dorée et décorée des armes d'Artois, avançait sur la route de Pontoise. Son seul enfant survivant, la reine Jeanne, veuve de Philippe le Long, était du voyage. Béatrice se tenait en face de sa maîtresse sur un tabouret de tapisserie.

— Que croyez-vous, Madame... que le roi vous veuille proposer? disait Béatrice. Si c'est un accommodement... souffrez que je vous donne mon conseil... je vous engage à refuser. Je vous aurai avant peu toutes bonnes preuves contre Monseigneur Robert. La Divion est prête, cette fois, à nous livrer de quoi le confondre.

— Que ne l'amènes-tu un peu, cette Divion qui t'est devenue si familière et que je ne vois jamais? dit Mahaut.

— Cela ne se peut, Madame... elle craint pour sa vie. Si Monseigneur Robert l'apprenait, elle n'entendrait pas messe le matin suivant. Moi-même elle ne me vient visiter que de nuit à la maison Bonnefille... et toujours escortée de plusieurs valets qui la gardent. Mais refusez fortement, Madame, refusez!

Jeanne la Veuve, en robe blanche, regardait défiler le paysage et se taisait. Ce fut seulement quand les toits aigus de Maubuisson apparurent au loin, par-dessus les masses rousses de la forêt, qu'elle ouvrit la bouche pour dire :

— Vous rappelez-vous, ma mère, il y a quinze ans...

Il y avait quinze ans que, sur ce même chemin, en robe de bure et la tête rasée, elle hurlait son innocence dans le chariot noir qui l'emmenait vers Dourdan. Un autre chariot noir emmenait sa sœur Blanche et sa cousine Marguerite de Bourgogne vers Château-Gaillard. Quinze ans !

Elle avait été graciée, elle avait retrouvé la tendresse de son époux. Marguerite était morte. Louis X était mort... Jamais Jeanne n'avait posé de questions à Mahaut sur les conditions de la disparition de Louis Hutin et du petit Jean Ier... Et Philippe le Long était devenu roi, pour six ans, et il était mort à son tour. Il semblait à Jeanne qu'elle eût vécu trois vies distinctes ; la première se terminait, loin dans le passé, avec l'atroce journée de Maubuisson ; dans la seconde, elle était couronnée reine de France à Reims, auprès de Philippe ; et puis, dans sa troisième vie, elle devenait cette veuve, entourée d'égards mais éloignée du pouvoir, et assise en ce moment dans la grande litière. Trois vies ; et l'étrange impression d'avoir été trois personnes différentes qui avaient peine à concorder. Sa propre continuité, elle ne la ressentait que par la présence de cette mère imposante, autoritaire, qui l'avait toujours dominée, et à laquelle, depuis l'enfance, elle craignait d'adresser la parole.

Mahaut elle aussi se souvenait...

— Et toujours à cause de ce mauvais Robert, dit-elle ; c'est lui qui avait tout manégé avec cette chienne d'Isabelle dont on me dit que les affaires ne vont pas fort pour l'heure, non plus que celles du Mortimer dont elle est la putain. Ils seront tous châtiés un jour !

Chacune suivait sa propre pensée.

— A présent j'ai des cheveux... mais j'ai des rides, murmura la reine veuve.

— Tu auras l'Artois, ma fille, dit Mahaut en lui posant la main sur le genou.

Béatrice contemplait la campagne et souriait aux nuages.

Philippe VI reçut Mahaut courtoisement, mais non sans quelque hauteur, et parla comme il sied à un roi. Il voulait la paix entre ses grands barons ; les pairs, soutiens de la couronne, ne devaient point donner l'exemple de la discorde ni s'offrir au déshonneur public.

— Je ne veux point juger de ce qui s'est accompli sous les précédents règnes, dit Philippe comme s'il jetait un voile d'indulgence sur les agissements anciens de Mahaut. C'est sur l'état présent que je veux statuer. Mes commissaires ont achevé leur besogne ; les témoignages, ma cousine, ne vous sont guère favorables, je ne vous le peux celer. Robert va produire ses pièces...

— Témoignages payés et travaux de faussaires... grommela Mahaut.

Le repas eut lieu dans la grande salle, celle-là même où autrefois Philippe le Bel avait jugé ses trois brus. « Tout le monde doit y penser », se disait la reine Jeanne la Veuve; et elle en avait l'appétit coupé. Or, à l'exception de sa mère et d'elle-même, personne ne songeait plus à cet événement lointain dont presque tous les témoins déjà avaient disparu. Tout à l'heure, peut-être, à l'issue du dîner, un vieil écuyer dirait à un autre :

— Vous rappelez-vous, messire, nous étions là, quand Madame Jeanne monta dans le chariot... et voilà qu'elle revient en reine douairière...

Et le souvenir s'effacerait aussitôt qu'évoqué.

C'est une erreur commune à tous les humains que de croire que leur prochain accorde à leur personne autant d'importance qu'ils lui en attachent eux-mêmes; les autres, sauf s'ils ont un intérêt particulier à s'en souvenir, oublient vite ce qui nous est arrivé; et si même ils n'ont pas oublié, leur souvenir ne revêt pas la gravité que nous imaginons.

En un autre lieu peut-être Mahaut se fût montrée plus accessible aux propositions de Philippe VI. Monarque qui se voulait arbitre, il cherchait l'accommodement. Mais Mahaut, parce qu'elle était à Maubuisson, et que toutes ses haines s'en trouvaient ravivées, ne se sentait pas en humeur de céder. Elle ferait condamner Robert comme faussaire, elle prouverait qu'il était parjure, c'était là son unique pensée.

Obligée de mesurer ses paroles, elle mangeait énormément, par compensation, engloutissant tout ce qu'on lui présentait au plat, et vidant son hanap aussitôt que rempli. La colère autant que le vin lui empourprait le visage. Le roi n'était-il pas en train de lui conseiller, tout bonnement, d'abandonner son comté à Robert, celui-ci s'engageant à verser à sa tante quarante mille livres l'an?

— Je me fais fort, disait Philippe, d'obtenir là-dessus l'agrément de votre neveu.

Mahaut pensa : « Si Robert en est à me faire proposer cela par son beau-frère, c'est donc bien qu'il n'est pas très assuré de ses titres et qu'il préfère payer une rente de quarante mille livres l'année plutôt que de montrer ses fausses pièces ! »

— Je refuse, Sire mon cousin, dit-elle, de me dépouiller ainsi; et comme l'Artois m'appartient, votre justice me le conservera.

Philippe VI la regarda par-dessus son grand nez. Cette obstination à refuser était peut-être dictée à Mahaut par un souci d'orgueil, ou bien par la crainte, en cédant, d'accréditer les accusations... Philippe suggéra une autre solution: Mahaut gardait son comté, ses titres et droits, sa couronne de pair, pour toute sa vie durant, et elle instituait par-devant le roi, en un acte ratifié par les pairs, son neveu Robert comme héritier de l'Artois. Honnêtement, elle n'avait aucune raison de s'opposer à cet arrangement; son seul fils lui avait été tôt repris par Dieu; sa fille ici présente était pourvue d'un douaire royal, et ses petites-filles mariées l'une à la Bourgogne, l'autre à la Flandre, la troisième au Viennois. Mahaut pouvait-elle souhaiter mieux? Quant à l'Artois, il reviendrait un jour à son destinataire naturel.

— Car si votre frère, le comte Philippe, n'était pas mort avant votre père, pouvez-vous nier, ma cousine, que votre neveu, aujourd'hui, serait le tenant de la comté? Ainsi pour tous deux l'honneur est sauf, et je donne au différend qui vous oppose un juste règlement.

Mahaut serra les mâchoires et agita la tête en signe de dénégation.

Alors Philippe VI montra quelque irritation et fit hâter le service. Puisque Mahaut en usait ainsi, puisqu'elle lui faisait l'offense de repousser son arbitrage, elle irait au procès... A son gré!

— Je ne vous retiens point à loger, ma cousine, lui dit-il aussitôt les mains lavées; je ne pense pas que le séjour en ma cour vous soit plaisant.

C'était la disgrâce, et clairement signifiée.

Avant de reprendre la route, Mahaut alla verser quelques larmes sur la tombe de sa fille Blanche, dans la chapelle de l'abbaye. Elle-même, en ses volontés, avait décidé de se faire enterrer là [15].

— Ah! Maubuisson, dit-elle, n'est pas une place qui nous aura porté chance. L'endroit ne vaut que pour y dormir morte.

Tout le long du trajet de retour, elle ne cessa d'exhaler sa colère.

— L'avez-vous entendu, ce grand niais que le mauvais sort nous a baillé pour roi? Me défaire de l'Artois, tout aisément, à seule fin de lui complaire! Instituer pour mon héritier ce gros puant de Robert! Mais la main me sécherait au bout du bras plutôt que de sceller cela! Faut-il qu'il y ait entre eux long marché de coquinerie et qu'ils se doivent beaucoup l'un à l'autre... Et dire que sans moi, si je n'avais pas si bien déblayé autrefois les avenues du trône...

— Ma mère... murmura doucement Jeanne la Veuve.

Si elle avait osé exprimer sa pensée, si elle n'avait pas craint d'essuyer une terrible rebuffade, Jeanne eût conseillé à sa mère d'accepter les propositions du roi. Mais cela n'eût servi à rien.

— Jamais, répétait Mahaut, jamais ils n'obtiendront cela de moi.

Elle venait, sans le savoir, de signer son arrêt de mort, et l'exécuteur était devant elle, dans la litière, qui la regardait à travers des cils noirs.

— Béatrice, dit soudain Mahaut, aide-moi un peu à me délacer; j'ai le ventre qui enfle.

La rage lui avait dérangé la digestion. Il fallut arrêter la litière pour que Madame Mahaut allât se soulager les entrailles dans le premier champ.

— Ce soir, Madame, dit Béatrice, je vous donnerai de la pâte de coings.

En arrivant à Paris dans la nuit, à l'hôtel de la rue Mauconseil, Mahaut se sentait le cœur encore un peu brouillé, mais elle allait mieux. Elle fit un repas maigre et se coucha.

IX

LE SALAIRE DES CRIMES

Béatrice attendit que tous les serviteurs fussent endormis. Elle s'approcha du lit de Mahaut, souleva le rideau de tapisserie qu'on fermait pour la nuit. La veilleuse pendue au ciel de lit dispensait une faible lueur bleutée. Béatrice était en chemise et tenait une cuiller à la main.

— Madame, vous avez oublié de prendre votre pâte de coings...

Mahaut, somnolente, et dont les sens luttaient entre la fureur et la fatigue, dit simplement :

— Ah oui... tu es une bonne fille d'y avoir pensé.

Et elle avala le contenu de la cuiller.

Deux heures avant l'aurore, elle réveilla son monde à grands appels et fracas de sonnette. On la trouva vomissant au-dessus d'un bassin que Béatrice lui tendait.

Thomas le Miesier et Guillaume du Venat, ses physiciens, aussitôt appelés, se firent conter par le menu la journée de la veille et donner le détail de ce que la comtesse avait mangé ; ils conclurent sans peine à une forte indigestion accompagnée d'un flux de sang causé par le mécontentement.

On envoya chercher le barbier Thomas qui, pour les quinze sols habituels, saigna la comtesse, et la dame Mesgnière, l'herbière du Petit Pont, fournit un clystère aux herbes [16].

Béatrice prit prétexte d'aller chercher un électuaire chez maître Palin, l'épicier, pour s'échapper dans la soirée et rejoindre Robert à trois porches de chez Mahaut, dans la maison Bonnefille.

— C'est chose faite, lui dit-elle.

— Elle est morte ? s'écria Robert.

— Oh ! non... elle va souffrir longuement ! dit Béatrice avec un noir éclat dans le regard. Mais il faudra être prudents, Monseigneur, et nous voir moins souvent ces temps-ci.

Mahaut mit un mois à mourir.

Béatrice, soir après soir, pincée après pincée, la poussait vers la tombe, et ceci d'autant plus impunément que Mahaut n'avait confiance qu'en elle et ne prenait les remèdes que de sa main.

Après les vomissements qui durèrent trois jours, elle fut atteinte d'un catarrhe de la gorge et des bronches ; elle n'avalait qu'avec une extrême douleur. Les physiciens déclarèrent qu'elle avait été saisie de froid pendant son indigestion. Puis, quand le pouls commença de faiblir, on pensa l'avoir trop saignée ; ensuite sa peau sur tout le corps se couvrit de boutons et de pustules.

Prévenante, attentive, toujours présente, et montrant cette humeur égale et souriante si précieuse aux malades, Béatrice se délectait à contempler les écœurants progrès de son œuvre. Elle n'allait presque plus retrouver Robert ; mais le souci de chercher chaque jour dans quel aliment ou quel remède elle glisserait le poison lui procurait un suffisant plaisir.

Lorsque Mahaut vit ses cheveux tomber, par touffes grises comme du foin mort, alors elle se sut perdue.

— On m'a enherbée, dit-elle tout angoissée à sa demoiselle de parage.

— Oh ! Madame, Madame, ne prononcez point ces mots. C'est chez le roi que vous avez fait votre dernier dîner, avant d'être malade.

— Eh ! c'est bien à cela que je pense, dit Mahaut.

Elle demeurait coléreuse, emportée, houspillant ses physiciens qu'elle accusait d'être des ânes. Elle ne donnait pas signe de se rapprocher de la religion, et accordait plus de souci aux affaires de son comté qu'à celles de son âme. Elle dicta une lettre à sa fille : « Si je venais à trépasser, je vous commande aussitôt de vous rendre auprès du roi et d'exiger de lui rendre l'hommage pour l'Artois avant que Robert ait rien pu tenter... »

Les maux qu'elle endurait ne lui faisaient nullement penser aux souffrances qu'elle avait naguère infligées à autrui ; elle restait jusqu'à la fin une âme égoïste et dure, où même l'approche de la mort ne faisait apparaître aucune ressource de repentir ni d'humaine compassion.

Il lui sembla toutefois nécessaire de se confesser d'avoir tué deux rois, ce qu'elle n'avait jamais avoué à ses confesseurs ordinaires. Elle choisit pour cela de faire appeler un Franciscain obscur. Quand le moine sortit, tout pâle, de la chambre, il fut pris en charge par deux sergents qui avaient ordre de le conduire au château d'Hesdin. Les instructions de Mahaut furent mal comprises ; elle avait dit que le moine devait être gardé à Hesdin jusqu'à son trépas ; le gouverneur du château crut qu'il s'agissait du trépas du moine et on le jeta dans une oubliette. Ce fut le dernier crime, involontaire celui-là, de la comtesse Mahaut.

Enfin la malade fut saisie d'atroces crampes qui se manifestèrent d'abord aux orteils, puis dans les mollets ; puis ce furent les avant-bras qui se durcirent. La mort montait.

Le 27 novembre, des chevaucheurs partirent, vers le couvent de Poissy où résidait alors la reine Jeanne la Veuve, vers Bruges, pour prévenir le comte de Flandre, et trois à la suite, dans le cours de la journée, pour Saint-Germain où séjournait le roi en compagnie de Robert d'Artois. Chacun des chevaucheurs dirigés vers Saint-Germain semblait à Béatrice le porteur d'un message d'amour adressé à Robert : la comtesse Mahaut avait reçu les sacrements, la comtesse ne pouvait plus parler, la comtesse était au bord de trépasser...

Profitant d'un moment où elle se trouvait seule auprès de l'agonisante, Béatrice se pencha vers la tête chauve, vers la face pustuleuse qui ne paraissait plus vivre que par les yeux, et prononça doucement :

— Vous avez été empoisonnée, Madame... par moi... et pour l'amour que j'ai de Monseigneur Robert.

La mourante eut un regard d'incrédulité d'abord, puis de haine ; en cet être d'où l'existence fuyait, le dernier sentiment fut le désir de tuer. Oh ! non, elle n'avait à regretter aucun de ses actes ; elle avait eu bien raison d'être méchante puisque le monde n'est peuplé que de méchants ! La pensée qu'elle recevait là, à l'ultime minute, le salaire de ses crimes, ne l'effleura même pas. C'était une âme sans rachat.

Quand sa fille arriva de Poissy, Mahaut lui désigna Béatrice d'un doigt raide et froid qui ne pouvait presque plus bouger ; sa lèvre se contracta ; mais sa voix ne put sortir, et elle rendit la vie dans cet effort.

Aux obsèques qui eurent lieu le 30 novembre, à Maubuisson, Robert eut un maintien pensif et sombre qui surprit. Sa manière eût été davantage d'afficher un air de triomphe. Pourtant son attitude n'était pas feinte. A perdre un ennemi contre lequel on s'est battu vingt ans, on éprouve une sorte de dépouillement. La haine est un lien très fort qui laisse, en se rompant, quelque mélancolie.

Obéissant aux dernières volontés de sa mère, la reine Jeanne la Veuve, dès le lendemain, demandait à Philippe VI que le gouvernement de l'Artois lui fût remis. Avant de répondre, Philippe VI tint à s'en expliquer très franchement avec Robert :

— Je ne puis faire autrement que de déférer à la requête de ta cousine Jeanne, puisque d'après les traités et jugements elle est l'héritière légitime. Mais c'est un consentement de pure forme que je vais donner, et provisoire, jusqu'à ce que nous parvenions à un règlement ou bien que le procès ait lieu... Je t'engage à m'adresser au plus tôt ta propre requête.

Ce que Robert s'empressa de faire, par une lettre ainsi rédigée : « *Mon très cher et redouté Seigneur, comme je, Robert d'Artois, votre humble comte de Beaumont, ai été longtemps déshérité contre droits et contre*

*toute raison, par plusieurs malices, fraudes et cautèles, de la comté
d'Artois, laquelle m'appartient et doit m'appartenir par plusieurs causes
bonnes, justes, de nouveau venues à ma connaissance, ainsi vous requiers
humblement qu'en mon droit vous me vouliez ouïr... »*

La première fois que Robert revint à la maison Bonnefille, Béatrice
crut lui servir un plat de choix en lui faisant le récit, heure par heure,
des derniers moments de Mahaut. Il écouta, mais sans témoigner aucun
plaisir.

— On dirait que tu la regrettes, dit-elle.

— Non point, non point, répondit Robert, pensivement, elle a bien
payé...

Son esprit était déjà tourné vers le prochain obstacle.

— A présent je puis être dame de parage chez toi. Quand vais-je
entrer en ton hôtel?

— Quand j'aurai l'Artois, répondit Robert. Fais en sorte de rester
auprès de la fille de Mahaut ; c'est elle, maintenant, qu'il me faut écarter
de ma route.

Lorsque Madame Jeanne la Veuve, retrouvant un goût des honneurs
qu'elle n'avait plus éprouvé depuis la mort de son époux Philippe le
Long, et libérée, enfin, à trente-sept ans, de l'étouffante tutelle
maternelle, se déplaça en grand appareil pour aller prendre possession
de l'Artois, elle fit halte à Roye-en-Vermandois. Là, elle eut envie de
boire un gobelet de vin claret. Béatrice d'Hirson dépêcha l'échanson
Huppin à en quérir. Huppin était plus attentif aux yeux de Béatrice
qu'aux devoirs de son service ; depuis quatre semaines il languissait
d'amour. Ce fut Béatrice qui apporta le gobelet. Comme elle était cette
fois pressée d'en finir, elle n'usa pas d'arsenic mais de sel de mercure.

Et le voyage de Madame Jeanne s'arrêta là.

Ceux qui assistèrent à l'agonie de la reine veuve racontèrent que le
mal la saisit vers le milieu de la nuit, que le venin lui coulait par les yeux,
la bouche et le nez, et que son corps devint tout taché de blanc et de
noir. Elle ne résista pas deux jours, n'ayant survécu que deux mois à
sa mère.

Alors la duchesse de Bourgogne, petite-fille de Mahaut, réclama la
comté d'Artois.

TROISIÈME PARTIE

LES DÉCHÉANCES

I

LE COMPLOT DU FANTÔME

Le moine avait déclaré s'appeler Thomas Dienhead. Il avait le front bas sous une maigre couronne de cheveux couleur de bière, et tenait les mains cachées dans ses manches. Sa robe de Frère Prêcheur était d'un blanc douteux. Il regardait à droite et à gauche et avait demandé par trois fois si « my Lord » était seul, et si aucune autre oreille ne risquait d'entendre.

— Mais oui, parlez donc, dit le comte de Kent du fond de son siège, en agitant la jambe avec un rien d'impatience ennuyée.

— My Lord, notre bon Sire le roi Édouard le Second est toujours vivant.

Edmond de Kent n'eut pas le sursaut qu'on aurait pu attendre, d'abord parce qu'il n'était pas homme à faire montre volontiers de ses émotions, et aussi parce que cette stupéfiante nouvelle lui avait déjà été portée, quelques jours plus tôt, par un autre émissaire.

— Le roi Édouard est tenu secrètement au château de Corfe, reprit le moine ; je l'ai vu et viens vous en fournir témoignage.

Le comte de Kent se leva, enjamba son lévrier et s'approcha de la fenêtre à petites vitres et croisillons de plomb par laquelle il observa un moment le ciel gris au-dessus de son manoir de Kensington.

Kent avait vingt-neuf ans ; il n'était plus le mince jeune homme qui avait commandé la défense anglaise pendant la désastreuse guerre de Guyenne, en 1324, et dû, faute de troupes, se rendre, dans la Réole assiégée, à son oncle Charles de Valois. Mais bien qu'un peu épaissi, il gardait toujours la même blonde pâleur et la même nonchalance distante qui cachait plus de tendance au songe qu'à la véritable méditation.

Il n'avait jamais entendu chose plus étonnante ! Ainsi son demi-frère Édouard II dont le décès avait été annoncé trois ans plus tôt, qui avait sa tombe à Gloucester — et dont on n'hésitait plus maintenant, dans le royaume, à nommer les assassins — aurait encore été de ce monde? La détention au château de Berkeley, le meurtre atroce, la lettre de l'évêque Orleton, la culpabilité conjointe de la reine Isabelle, de Mortimer et du sénéchal Maltravers, enfin l'inhumation à la sauvette, tout cela n'aurait été qu'une fable, montée par ceux qui avaient intérêt à ce qu'on crût l'ancien roi décédé, et grossie ensuite par l'imagination populaire?

Pour la seconde fois, en moins de quinze jours, on venait lui faire cette révélation. La première fois, il avait refusé d'y croire. Mais maintenant il commençait d'être ébranlé.

— Si la nouvelle est vraie, elle peut changer bien des choses au royaume, dit-il sans précisément s'adresser au moine.

Car depuis trois ans l'Angleterre avait eu le temps de s'éveiller de ses rêves. Où étaient la liberté, la justice, la prospérité, dont on avait imaginé qu'elles s'attachaient aux pas de la reine Isabelle et du glorieux Lord Mortimer? De la confiance qu'on leur avait accordée, des espérances qu'on avait mises en eux, il ne restait rien que le souvenir d'une vaste illusion déçue.

Pourquoi avoir chassé, destitué, emprisonné et — du moins le croyait-on jusqu'à ce jour — laissé assassiner le faible Édouard II soumis à d'odieux favoris, si c'était pour qu'il fût remplacé par un roi mineur, plus faible encore, et dépouillé de tout pouvoir par l'amant de sa mère?

Pourquoi avoir décapité le comte d'Arundel, assommé le chancelier Baldock, coupé en quatre morceaux Hugh Le Despenser, quand à présent Lord Mortimer gouvernait avec le même arbitraire, pressurait le pays avec la même avidité, insultait, opprimait, terrifiait, ne supportait aucune discussion de son autorité?

Au moins, Hugh Le Despenser, créature vicieuse et cupide, présentait-il quelques faiblesses sur lesquelles on pouvait agir. Il lui arrivait de céder à la peur ou à l'attrait de l'argent. Roger Mortimer, lui, était un baron inflexible et violent. La Louve de France, comme on appelait la reine mère, avait pour amant un loup.

Le pouvoir corrompt rapidement ceux qui s'en saisissent sans y être poussés, avant tout, par le souci du bien public.

Brave, héroïque même, célèbre pour une évasion sans exemple, Mortimer avait, dans ses années d'exil, incarné les aspirations d'un peuple malheureux. On se rappelait qu'il avait autrefois conquis le royaume d'Irlande pour la couronne anglaise ; on oubliait qu'il s'y était fait la main.

Jamais, en vérité, Mortimer n'avait pensé à la nation dans son ensemble, ni aux besoins de son peuple. Il ne s'était fait le champion de la cause publique qu'autant que cette cause se trouvait confondue pour un moment avec la sienne propre. Il n'incarnait, en vérité, que les griefs d'une certaine fraction de la noblesse. Devenu le maître, il se comportait comme si l'Angleterre tout entière fût passée à son service.

Et d'abord il s'était approprié presque le quart du royaume en devenant comte des Marches, titre et fief qu'il avait fait créer pour lui. Au bras de la reine mère, il menait train de roi, et en usait avec le jeune Édouard III comme si celui-ci eût été non pas son suzerain mais son héritier.

Lorsque, en octobre 1328, Mortimer avait exigé du Parlement réuni à Salisbury la confirmation de son élévation à la pairie, Henry de Lancastre au Tors-Col, doyen de la famille royale, s'était abstenu de siéger. Au cours de la même session, Mortimer avait fait pénétrer ses troupes en armes dans l'enceinte du Parlement, pour mieux appuyer ses volontés. Ce genre de contrainte ne fut jamais du goût des assemblées.

Presque fatalement, la même coalition formée naguère pour abattre les Despensers s'était reconstituée autour des mêmes princes du sang, autour d'Henry Tors-Col, autour des comtes de Norfolk et de Kent, oncles du jeune roi.

Deux mois après l'affaire de Salisbury, Tors-Col, profitant d'une absence de Mortimer et d'Isabelle, réunissait secrètement à Londres, dans l'église Saint-Paul, de nombreux évêques et barons, afin d'organiser un soulèvement armé. Or Mortimer entretenait des espions partout. Avant même que la coalition se fût équipée, il venait ravager avec ses propres troupes la ville de Leicester, premier fief des Lancastre. Henry voulait continuer la lutte; mais Kent, jugeant l'affaire mal engagée, se dérobait alors, peu glorieusement.

Si Lancastre s'était tiré de ce mauvais pas sans autre dommage qu'une amende, d'ailleurs impayée, de onze mille livres, il le devait à ceci qu'il était premier membre du Conseil de régence et tuteur du roi, et que, par une logique absurde, Mortimer avait besoin de maintenir la fiction juridique de cette tutelle afin de pou oir faire également condamner, pour révolte contre le roi, des versaires els que Lancastre lui-même !

Ce dernier avait été envoyé en France, sous le prétexte de négocier le mariage de la sœur du jeune roi avec le fils aîné Philippe VI. Cet éloignement était une prudente disgrâce mission durerait long-temps.

Tors-Col absent, Kent se trouvait du coup, et presque malgré lui, le chef des mécontents. Tout refl at vers sa personne; et lui-même cherchait à effacer sa défection de l'année précédente. Non, ce n'était pas la lâcheté qui l'avait détourné d'agir...

Il pensait à toutes ces choses, confusément, devant la fenêtre de son château de Kensington. Le moine se tenait toujours immobile, les mains dans les manches. Qu'il fût un Frère Prêcheur, tout comme le premier messager qui lui avait déjà certifié qu'Édouard II n'était pas mort, donnait également à réfléchir au comte de Kent, et l'inclinait à prendre la nouvelle au sérieux, car l'ordre des Dominicains était réputé hostile à Mortimer. Or l'information, si elle était véridique, faisait tomber toutes les présomptions de régicide qui pesaient sur Isabelle et Mortimer. En revanche, elle modifiait complètement la situation du royaume.

Car maintenant le peuple regrettait Édouard II et, passant d'un extrême à l'autre, n'était pas loin d'élever au martyre ce prince dissolu. Si Édouard II vivait encore, le Parlement pourrait fort bien revenir sur ses actes passés, en déclarant qu'ils lui avaient été imposés, et restaurer l'ancien souverain.

Quelles preuves, après tout, possédait-on de sa mort ? Le témoignage des habitants de Berkeley défilant devant la dépouille ? Mais combien d'entre eux avaient-ils vu Édouard II auparavant ? Qui pouvait affirmer qu'on ne leur avait pas montré un autre corps ?... Nul membre de la famille royale ne se trouvait présent aux obsèques mystérieuses en l'abbatiale de Gloucester ; en outre, c'était un cadavre vieux d'un mois, dans une caisse couverte d'un drap noir, qu'on avait descendu au tombeau.

— Et vous dites, frère Dienhead, l'avoir véritablement vu, de vos yeux ? demanda Kent en se retournant.

Thomas Dienhead regarda de nouveau autour de lui, comme un bon conspirateur, et répondit à voix basse :

— C'est le prieur de notre ordre qui m'a envoyé là-bas ; j'ai gagné la confiance du chapelain qui, pour me permettre l'entrée, m'a obligé de revêtir des habits laïques. Tout un jour je suis resté caché dans un petit bâtiment, à gauche du corps de garde ; au soir on m'a fait pénétrer dans la grand-salle, et là j'ai bien vu le roi attablé, entouré d'un service d'honneur.

— Lui avez-vous parlé ?

— On ne m'a pas laissé l'approcher, dit le frère ; mais le chapelain me l'a montré, de derrière un pilier, et il m'a dit : « C'est lui. »

Kent demeura un moment silencieux, puis demanda :

— Si j'ai besoin de vous, puis-je vous faire quérir au couvent des Frères Prêcheurs ?

— Non point, my Lord, car mon prieur m'a conseillé de ne pas demeurer au couvent, pour le moment.

Et il donna son adresse, dans Londres, chez un clerc du quartier Saint-Paul.

Kent ouvrit son aumônière et lui tendit trois pièces d'or. Le frère refusa ; il n'avait le droit d'accepter aucun présent.

— Pour les aumônes de votre ordre, dit le comte de Kent.

Alors le frère Dienhead sortit une main de ses manches, s'inclina très bas, et se retira.

Le jour même, Edmond de Kent décidait d'avertir les deux principaux prélats naguère affiliés à la conjuration manquée, Graveson, l'évêque de Londres, et l'archevêque d'York, William de Melton, celui-là même qui avait marié Édouard III et Philippa de Hainaut.

« On m'affirme par deux fois et de sources qui paraissent sûres... » leur écrivait-il.

Les réponses ne se firent pas attendre. Graveson garantissait son appui au comte de Kent en toute action que celui-ci voudrait mener ; quant à l'archevêque d'York, primat d'Angleterre, il envoya son propre chapelain, Allyn, porter promesse de fournir cinq cents hommes d'armes, et même davantage s'il était nécessaire, pour la délivrance de l'ancien roi.

Kent prit alors d'autres contacts, avec Lord de la Zouche notamment, et avec plusieurs seigneurs, tels que Lord Beaumont et sir Thomas Rosslyn, qui s'étaient réfugiés à Paris afin de se soustraire à la vindicte de Mortimer. Car il y avait de nouveau, en France, un parti d'émigrés.

Ce qui emporta tout fut une communication personnelle et secrète du pape Jean XXII au comte de Kent. Le Saint-Père, ayant appris lui aussi que le roi Édouard II était toujours vivant, recommandait au comte de Kent d'agir pour sa délivrance, absolvant d'avance ceux qui participeraient à l'entreprise *« ab omni pœna et culpa »*... pouvait-on plus clairement dire que tous les moyens seraient bons ?... et même menaçant le comte de Kent d'excommunication s'il négligeait cette tâche hautement pie.

Or ce n'était pas là un message oral, mais une lettre en latin où un éminent prélat du Saint-Siège, dont la signature était assez mal déchiffrable, rapportait fidèlement les paroles prononcées par Jean XXII dans un entretien à ce sujet. La lettre avait été acheminée par un membre de la suite du chancelier Burghersh, évêque de Lincoln, qui venait de rentrer d'Avignon où il était allé négocier, lui aussi, l'hypothétique mariage de la sœur d'Édouard III à l'héritier de France.

Edmond de Kent, fort ému, résolut alors d'aller vérifier sur place toutes ces informations si concordantes, et d'étudier les possibilités d'une évasion.

Il fit chercher le frère Dienhead à l'adresse que celui-ci avait donnée et, avec une escorte réduite mais sûre, il partit pour le Dorset. On était en février.

Arrivé à Corfe, par un jour de mauvais temps où les bourrasques salées balayaient la presqu'île désolée, Kent fit mander le gouverneur de la forteresse, sir John Daverill. Celui-ci vint se présenter au comte de Kent, dans l'unique auberge de Corfe, devant l'église de Saint-Édouard-le-Martyr, le roi assassiné de la dynastie saxonne.

De haute taille, étroit d'épaules, le front plissé et la lèvre méprisante, avec une sorte de regret dans la civilité ainsi qu'il convient à un homme de devoir, John Davérill s'excusa de ne pouvoir recevoir le noble Lord au château. Il avait des ordres absolus.

— Le roi Édouard II est-il vivant ou mort? lui demanda Edmond de Kent.

— Je ne puis vous le dire.

— C'est mon frère! Est-ce lui que vous gardez?

— Je ne suis pas autorisé à parler. Un prisonnier m'a été confié; je ne dois révéler ni son nom ni son rang.

— Pourriez-vous me laisser entrevoir ce prisonnier?

John Daverill fit non de la tête. Un mur, un roc, ce gouverneur, aussi impénétrable que l'énorme donjon sinistre défendu par trois vastes enceintes et qui se dressait sur le haut de la colline, au-dessus du petit village aux toits de pierres plates. Ah! Mortimer choisissait bien ses serviteurs!

Mais il y a des manières de nier qui sont comme des affirmations. Daverill eût-il fait tel mystère, eût-il montré pareille inflexibilité, si ce n'avait pas été l'ancien roi, précisément, qu'il gardait?

Edmond de Kent usa de son charme, qui était grand, et d'autres arguments aussi auxquels la nature humaine n'est pas toujours insensible. Il posa sur la table une lourde bourse d'or.

— Je voudrais, dit-il, que ce prisonnier fût bien traité. Ceci est pour améliorer son sort; il y a là cent livres esterlins.

— Je puis vous assurer, my Lord, qu'il est bien traité, dit Daverill à voix basse avec une nuance de complicité.

Et sans aucune gêne, il mit la main sur la bourse.

— Je donnerais volontiers le double, dit Edmond de Kent, seulement pour l'apercevoir.

Daverill eut une dénégation désolée.

— Comprenez, my Lord, qu'il y a en ce château deux cents archers de garde...

Edmond de Kent se crut un grand homme de guerre en notant intérieurement cette importante décision; il faudrait en tenir compte, pour l'évasion.

— ... et que si jamais l'un d'eux parlait, que Madame la reine mère vînt à l'apprendre, elle me ferait décapiter.

Pouvait-on mieux se trahir, et avouer ce qu'on prétendait cacher?

— Mais je puis faire passer un message, reprit le gouverneur, car ceci restera entre vous et moi.

Kent, heureux de voir si vite avancer ses affaires, écrivit la lettre suivante, tandis que les rafales d'un vent mouillé battaient les fenêtres de l'auberge :

« *Fidélité et respect à mon très cher frère, s'il vous plaît. Je prie Dieu de tout cœur que vous soyez en bonne santé car les dispositions sont prises pour que vous sortiez bientôt de prison et soyez délivré des maux qui vous accablent. Soyez assuré que j'ai l'appui des plus grands barons d'Angleterre et de toutes leurs forces, c'est-à-dire leurs troupes et leurs trésors. De nouveau vous serez roi ; prélats et barons l'ont juré sur l'Évangile.* »

Il tendit la feuille, simplement pliée, au gouverneur.

— Je vous prie de la sceller, my Lord, dit celui-ci ; je ne veux point avoir pu en connaître la teneur.

Kent se fit apporter de la cire par quelqu'un de sa suite, apposa son cachet, et Daverill cacha le pli sous sa cotte.

— Un message, dit-il, sera parvenu de l'extérieur au prisonnier qui, je pense, le détruira aussitôt. Ainsi...

Et ses mains firent un geste qui signifiait l'effacement, l'oubli.

« Cet homme, si je sais m'y prendre assez bien, nous ouvrira les portes toutes grandes, le jour venu ; nous n'aurons même pas à livrer bataille », pensait Edmond de Kent.

Trois jours plus tard sa lettre était aux mains de Roger Mortimer qui la lisait en conseil, à Westminster.

Aussitôt la reine Isabelle, s'adressant au jeune roi, s'écriait, pathétique :

— Mon fils, mon fils, je vous supplie d'agir contre votre plus mortel ennemi qui veut accréditer au royaume la fable que votre père est encore vivant, afin de vous déposer et prendre votre place. De grâce donnez les ordres pour qu'on châtie ce traître pendant qu'il en est temps.

En fait, les ordres étaient déjà donnés et les sbires de Mortimer galopaient vers Winchester pour arrêter le comte de Kent sur son chemin de retour. Mais ce n'était pas seulement une arrestation que voulait Mortimer ; il exigeait une condamnation spectaculaire. Il avait quelques raisons de se hâter ainsi.

Dans un an, Édouard III allait être majeur ; il manifestait déjà de nombreux signes de son impatience à gouverner. En éliminant Kent, après avoir éloigné Lancastre, Mortimer décapitait l'opposition et empêchait que le jeune roi pût échapper à son emprise.

Le 19 mars, le Parlement se réunissait à·Winchester pour juger l'oncle du roi.

Au sortir d'un séjour de plus d'un mois en prison, le comte de Kent apparut décomposé, amaigri, hagard, et comme s'il ne comprenait rien à ce qui lui arrivait. Il n'était pas homme, décidément, fait pour supporter l'adversité. Sa belle nonchalance distante l'avait quitté. Sous l'interrogatoire de Robert Howell, coroner de la maison royale, il s'effondra, avoua tout, conta son histoire de bout en bout, livra le nom de ses informateurs et de ses complices. Mais quels informateurs ? L'ordre des Dominicains ne connaissait aucun Frère du nom de Dienhead ; c'était là une invention de l'accusé, pour tenter de se sauver. Invention également la lettre du pape Jean XXII ; personne, dans la suite de l'évêque de Lincoln, pendant l'ambassade d'Avignon, n'avait eu conversation au sujet du feu roi, ni avec le Saint-Père, ni avec aucun de ses cardinaux ou conseillers. Edmond de Kent s'obstinait. Voulait-on lui faire perdre la raison ? Pourtant, il leur avait parlé, à ces Frères Prêcheurs ! Il l'avait eue en main, cette lettre « *ab omni pœna et culpa* »...

. Kent découvrait enfin l'affreux traquenard dans lequel on l'avait attiré en se servant du fantôme du roi mort. Complot organisé de toutes pièces par Mortimer et par ses créatures : faux émissaires, faux moines, faux écrits, et, plus faux que tous et que tout, ce Daverill du château de Corfe ! Kent avait basculé dans le piège.

Le coroner royal requérait la peine de mort.

Mortimer, assis sur l'estrade, devant les Lords, tenait chacun sous son regard ; et Lancastre, le seul peut-être qui eût osé parler en faveur de l'accusé, était hors du royaume. Mortimer avait fait savoir qu'il n'engagerait aucune poursuite contre les complices de Kent, ecclésiastiques ou non, si celui-ci était condamné. Trop d'entre les barons se trouvaient, à un titre quelconque, compromis ; ils abandonnèrent — et même Norfolk, propre frère de l'accusé — le second prince du sang à la rancune du comte des Marches. Une victime expiatoire, en somme.

Et bien que Kent, s'humiliant devant l'assemblée et reconnaissant son aberration, eût offert d'aller porter sa soumission au roi, en chemise, pieds nus et la corde au cou, les Lords, à regret, rendirent la sentence qu'on attendait d'eux. Pour apaiser leur conscience, ils chuchotaient :

— Le roi va le gracier ; le roi usera de son pouvoir de grâce...

Il n'était pas vraisemblable qu'Édouard III fît décapiter son oncle, pour une action coupable certes, mais où la légèreté avait sa part, et où la provocation n'était que trop évidente.

Beaucoup qui avaient voté la mort se proposaient d'aller, le lendemain, demander la grâce.

Les Communes, elles, refusèrent de ratifier la sentence des Lords ; elles réclamaient un supplément d'enquête.

Mais Mortimer, aussitôt acquis le vote de la Chambre Haute, courut au château où la reine Isabelle était à son dîner.

— C'est fait, lui dit-il ; nous pouvons envoyer Edmond au billot. Mais nombre de nos faux amis escomptent que votre fils le sauvera de la peine suprême. Aussi je vous conjure d'agir sans retard.

Ils avaient pris soin d'occuper le jeune roi pour toute la journée par une réception au collège de Winchester, l'un des plus anciens et des plus réputés d'Angleterre.

— Le gouverneur de la ville, ajouta Mortimer, exécutera votre ordre, ma mie, aussi bien que s'il venait du roi

Isabelle et Mortimer se regardèrent dans les yeux; ils n'en étaient plus à un crime près, ni à un abus de pouvoir. La Louve de France signa l'ordre de décapiter sur-le-champ son beau-frère et cousin germain.

Edmond de Kent fut à nouveau extrait de son cachot et, en chemise, les mains liées, conduit, sous escorte d'un petit détachement d'archers, dans une cour intérieure du château. Là il resta une heure, deux heures, trois heures, sous la pluie, tandis que le jour tombait. Pourquoi cette interminable attente devant le billot? Il passait par des alternances d'abattement et de folle espérance. Le roi son neveu était sans doute en train de sceller l'ordonnance de pardon. Cette station tragique était le châtiment qu'on imposait au condamné pour mieux lui inspirer le repentir et mieux lui faire apprécier la magnanimité de la clémence. Ou bien il y avait troubles et émeutes; le peuple peut-être s'était soulevé. Ou peut-être Mortimer venait-il d'être assassiné. Kent priait Dieu, et soudain se mettait à sangloter d'angoisse. Il grelottait sous sa chemise trempée; la pluie ruisselait sur le billot et sur le casque des archers. Quand donc ce supplice allait-il finir?

La seule explication qui ne pût se présenter à l'esprit du comte de Kent, c'était qu'on cherchait un bourreau, à travers tout Winchester, et qu'on n'en trouvait pas. Celui de la ville, sachant que les Communes rejetaient la sentence et que le roi n'avait pu se prononcer, refusait obstinément d'exercer son office sur un prince royal. Ses aides se solidarisaient avec lui; ils préféraient perdre leur charge.

On s'adressa aux officiers de la garnison pour qu'ils eussent à désigner un de leurs hommes, à moins que ne se proposât un volontaire auquel serait donnée grasse rémunération. Les officiers eurent un mouvement de dégoût. Ils voulaient bien maintenir l'ordre, monter la garde autour du Parlement, accompagner le condamné jusqu'au lieu d'exécution; mais il ne fallait pas leur demander plus, ni à eux ni à leurs soldats.

Mortimer entra dans une froide et féroce colère contre le gouverneur.

— Ne tenez-vous pas en vos prisons quelque meurtrier, faussaire ou brigand, qui veuille la vie sauve en échange? Allons, hâtez-vous, si vous ne voulez vous-même finir en geôle !

En visitant les cachots, on découvrit enfin l'homme souhaité; il avait volé des objets d'église et devait être pendu la semaine suivante. On lui remit la hache, mais il exigea d'avoir le visage masqué.

La nuit était venue. A la lueur des torches, combattue par l'averse, le comte de Kent vit s'avancer son exécuteur et comprit que ses longues heures d'espérance n'avaient été qu'une ultime et dérisoire illusion. Il poussa un cri affreux; il fallut l'agenouiller de force devant le billot.

Le bourreau d'occasion était plus peureux que cruel, et tremblait davantage que sa victime. Il n'en finissait pas de lever la hache. Il manqua son coup, et le fer glissa sur les cheveux. Il dut s'y reprendre à quatre fois, frappant dans une écœurante bouillie rouge. Les vieux archers, alentour, vomissaient.

Ainsi mourut, avant d'avoir trente ans, le comte Edmond de Kent, prince plein de grâce et de naïveté.

Et un voleur de ciboire fut rendu à sa famille.

Quand le jeune roi Édouard III revint d'avoir ouï une longue dispute en latin sur les doctrines de maître Occam, on lui apprit que son oncle avait été décapité.

— Sans mon ordre? dit-il.

Il fit appeler Lord Montaigu qui ne le quittait guère depuis l'hommage d'Amiens, et dont il avait pu à diverses reprises constater la loyauté.

— My Lord, lui demanda-t-il, vous étiez au Parlement ce jour. J'aimerais savoir la vérité...

II

LA HACHE DE NOTTINGHAM

Le crime d'État a toujours besoin d'être couvert par une apparence de légalité.

La source de la loi est dans le souverain, et la souveraineté appartient au peuple qui exerce celle-ci soit par le truchement d'une représentation élue, soit par une délégation héréditairement faite à un monarque, et parfois selon les deux manières ensemble comme c'était le cas déjà pour l'Angleterre.

Tout acte légal en ce pays devait donc comporter le consentement conjoint du monarque et du peuple, que ce consentement fût tacite ou exprimé.

L'exécution du comte de Kent avait légalité de forme puisque les pouvoirs royaux étaient exercés par le Conseil de régence, et qu'en l'absence du comte de Lancastre, tuteur du souverain, la signature revenait à la reine mère ; mais cette exécution n'avait ni le consentement véritable d'un Parlement siégeant sous la contrainte, ni l'adhésion du roi tenu dans l'ignorance d'un ordre donné en son nom ; un tel acte ne pouvait être que funeste à ses auteurs.

Édouard III marqua sa réprobation autant qu'il le put en exigeant qu'on fît à son oncle Kent des funérailles princières. Comme il ne s'agissait plus que d'un cadavre Mortimer accepta de déférer aux désirs du jeune roi. Mais Édouard ne pardonnerait jamais à Mortimer d'avoir disposé à son insu, une fois de plus, de la vie d'un membre de sa famille ; il ne lui pardonnerait pas non plus l'évanouissement de Madame Philippa à l'annonce brutale de l'exécution de l'oncle Kent. Or la jeune reine était enceinte de six mois et l'on aurait pu en user envers elle avec ménagements. Édouard en fit reproche à sa mère, et, comme cette dernière répliquait avec irritation que Madame Philippa montrait trop de sensibilité pour les ennemis du royaume et qu'il fallait avoir l'âme forte si l'on avait choisi d'être reine, Édouard lui répondit :

— Toute femme, Madame, n'a pas le cœur aussi pierreux que vous.

L'incident, pour Madame Philippa, n'eut pas de conséquence et, vers la mi-juin, elle accoucha d'un fils [17]. Édouard III en éprouva la joie simple, profonde et grave, qui est celle de tout homme au premier enfant que lui donne la femme qu'il aime et dont il est aimé. Du même coup, il se sentait, comme roi, brusquement mûri. Sa succession était assurée. Le sentiment de la dynastie, de sa propre place entre ses ancêtres et sa descendance, celle-ci toute fragile encore mais déjà présente dans un berceau mousseux, occupait ses méditations et lui rendait de moins en moins supportable l'incapacité juridique dans laquelle on le maintenait.

Toutefois, il était assailli de scrupules ; rien ne sert de renverser une coterie dirigeante si l'on n'a pas de meilleurs hommes pour la remplacer ni de meilleurs principes à appliquer.

« Saurai-je vraiment régner, et suis-je assez formé pour cela ? » se demandait-il souvent.

Son esprit demeurait marqué par le détestable exemple qu'avait fourni son père, entièrement gouverné par les Despensers, et l'exemple aussi détestable qu'offrait sa mère sous la domination de Roger Mortimer.

Son inaction forcée lui permettait d'observer et de réfléchir. Rien ne se pouvait faire au royaume sans le Parlement, sans son accord spontané ou obtenu. L'importance prise ces dernières années par cette assemblée de consultation, réunie de plus en plus fréquemment, en tous lieux et à tous propos, était la conséquence de la mauvaise administration, des expéditions militaires mal conduites, des désordres dans la famille royale et de l'état de constante hostilité entre le pouvoir central et la coalition des grands féodaux.

Il fallait faire cesser ces déplacements ruineux où Lords et Communes devaient courir à Winchester, à Salisbury, à York, et tenir des sessions qui n'avaient d'autre objet que de permettre à Lord Mortimer de faire sentir sa férule au royaume.

« Quand je serai vraiment roi, le Parlement siégera à dates régulières, et à Londres autant que se pourra... L'armée ?... L'armée n'est point présentement l'armée du roi ; ce sont des armées de barons qui n'obéissent que selon leur gré. Il faudrait une armée recrutée pour le service du royaume, et commandée par des chefs qui ne tiennent leur pouvoir que du roi... La justice ?... La justice demande d'être concentrée dans la main souveraine qui doit s'efforcer de la faire égale pour tous. Au royaume de France, quoi qu'on dise, l'ordre est plus grand. Il faut aussi donner des ouvertures au commerce dont on se plaint qu'il soit ralenti par les taxes et interdictions sur les cuirs et les laines qui sont notre richesse. »

C'étaient là des idées qui pouvaient paraître fort simples mais cessaient de l'être du fait qu'elles logeaient dans une tête royale, des idées quasi révolutionnaires, en un temps d'anarchie, d'arbitraire et de cruauté comme rarement nation en connut.

Le jeune souverain brimé rejoignait ainsi les aspirations de son peuple opprimé. Il ne s'ouvrait de ses intentions qu'à peu de personnes, à son épouse Philippa, à Guillaume de Mauny, l'écuyer qu'elle avait amené de Hainaut avec elle, à Lord Montaigu surtout, qui lui traduisait le sentiment des jeunes Lords.

C'est souvent à vingt ans qu'un homme formule les quelques principes qu'il mettra toute une vie à appliquer. Édouard III avait une qualité majeure pour un homme de pouvoir : il était sans passions et sans vices. Il avait eu la chance d'épouser une princesse qu'il aimait ; il avait la chance de continuer à l'aimer. Il possédait cette forme suprême de l'orgueil qui consistait à tenir pour naturelle sa position de roi. Il exigeait le respect de sa personne et de sa fonction ; il méprisait la servilité parce qu'elle exclut la franchise. Il détestait la pompe inutile, parce qu'elle insulte à la misère et qu'elle est le contraire de la réelle majesté.

Les gens qui avaient séjourné autrefois à la cour de France disaient qu'il ressemblait par beaucoup de traits au roi Philippe le Bel ; on lui trouvait même forme et même pâleur de visage, même froideur des yeux bleus quand parfois il relevait ses longs cils.

Édouard était plus communicatif et enthousiaste, certes, que son grand-père maternel. Mais ceux qui parlaient ainsi n'avaient connu le Roi de fer qu'en ses dernières années, à la fin d'un long règne ; nul ne se rappelait ce qu'avait été Philippe le Bel à vingt ans. Le sang de France, en Édouard III, l'avait emporté sur celui des Plantagenets, et il semblait que le vrai Capétien fût sur le trône d'Angleterre.

En octobre de cette même année 1330, le Parlement fut à nouveau convoqué, à Nottingham cette fois, dans le nord du royaume. La réunion menaçait d'être houleuse ; la plupart des Lords gardaient rancune à Mortimer de l'exécution du comte de Kent, dont leur conscience demeurait alourdie.

Le comte de Lancastre au Tors-Col, qu'on appelait maintenant le vieux Lancastre parce qu'il avait réussi le prodige de conserver sur les épaules, jusqu'à cinquante ans, sa grosse tête penchée, Lancastre, courageux et sage, était enfin de retour. Atteint d'une maladie des yeux qui, depuis longtemps menaçante, s'était brusquement aggravée jusqu'à la demi-cécité, il lui fallait faire guider ses pas par un écuyer ; mais cette infirmité même le rendait encore plus respectable, et l'on sollicitait ses avis avec davantage de déférence.

Les Communes s'inquiétaient des nouveaux subsides qu'on allait leur demander de consentir et des nouvelles taxes sur les laines. Où donc passait l'argent ?

Les trente mille livres du tribut d'Écosse, à quel usage Mortimer les avait-il employées ? Était-ce pour son profit ou celui du royaume qu'on avait mené cette dure campagne, trois ans plus tôt ? Et pourquoi avoir gratifié le triste baron Maltravers, outre sa charge de sénéchal, d'une somme de mille livres pour salaire de la garde du feu roi, autrement dit du meurtre ? Car tout se sait, ou finit par se savoir, et les comptes du Trésor ne peuvent rester éternellement secrets. Voilà donc à quoi servait le revenu des taxes ! Et Ogle et Gournay, les assesseurs de Maltravers, et Daverill, le gouverneur de Corfe, en avaient reçu autant.

Mortimer qui, sur la route de Nottingham, s'avançait en un tel train de splendeur que le jeune roi lui-même semblait faire partie de sa suite, Mortimer n'était plus soutenu réellement que par une centaine de partisans qui lui devaient toute leur fortune, n'étaient puissants que de le servir, et risquaient la disgrâce, le bannissement ou la potence, si lui-même venait à tomber.

Il se croyait obéi parce qu'un réseau d'espions, jusqu'auprès du roi en la personne de John Wynyard, l'informait de toutes les paroles prononcées et faisait hésiter les conjurations. Il se croyait puissant parce que ses troupes imposaient la crainte aux Lords et aux Communes. Mais les troupes peuvent marcher à d'autres ordres, et les espions trahir.

Le pouvoir, sans le consentement de ceux sur lesquels il est exercé, est une duperie qui jamais ne dure longtemps, un équilibre éminemment fragile entre la peur et la révolte, et qui se rompt d'un coup quand suffisamment d'hommes prennent ensemble conscience de partager le même état d'esprit.

Chevauchant sur une selle brodée d'or et d'argent, entouré d'écuyers vêtus d'écarlate et portant son pennon flottant au bout des lances, Mortimer s'avançait sur une route pourrie.

Pendant le voyage, Édouard III nota que sa mère paraissait malade, qu'elle avait le visage terne et tiré, les yeux marqués de fatigue, le regard moins brillant. Elle allait en litière et non sur sa haquenée blanche, comme c'était sa coutume ; souvent il fallait arrêter la litière dont le mouvement lui donnait la nausée. Mortimer avait auprès d'elle une présence attentive et gênée.

Peut-être Édouard eût-il moins remarqué ces signes s'il n'avait eu l'occasion d'observer les mêmes, au début de l'année, sur Madame Philippa son épouse. Et puis, en voyage, les serviteurs bavardent davantage ; les femmes de la reine mère parlaient à celles de Madame Philippa. A York, où l'on fit halte deux jours, Édouard ne pouvait plus avoir de doutes ; sa mère était enceinte.

Il se sentait submergé de honte et de dégoût. La jalousie également, une jalousie de fils aîné, aidait à son ressentiment. Il ne retrouvait plus la belle et noble image qu'il avait de sa mère, en son enfance.

« Pour elle j'ai haï mon père, à cause des hontes qu'il lui infligeait. Et voici qu'elle-même à présent me honnit ! Mère à quarante ans d'un bâtard qui sera plus jeune que mon propre fils ! »

Comme roi, il se sentait humilié devant son royaume, et comme époux devant son épouse.

Dans la chambre du château d'York, se retournant entre les draps sans parvenir à trouver le sommeil, il disait à Philippa :

— Te souviens-tu, ma mie, c'est ici que nous nous sommes épousés.... Ah ! je t'ai conviée à un bien triste règne !

Placide et réfléchie, Philippa prenait l'événement avec moins de passion ; mais, assez prude, elle jugeait.

— De telles choses, dit-elle, ne se verraient point à la cour de France.

— Ah ! ma mie... Et les adultères de vos cousines de Bourgogne ?... Et vos rois empoisonnés ?

Du coup, la famille capétienne devenait celle de Philippa, comme s'il n'en était pas lui-même tout également descendu.

— En France on est plus courtois, répondit Philippa, moins affiché dans ses désirs, moins cruel en ses rancunes.

— On est plus dissimulé, plus sournois. On préfère le poison au fer...

— Vous, vous êtes plus brutaux...

Il ne répondit pas. Elle craignit de l'avoir offensé, étendit vers lui un bras rond et doux.

— Je t'aime fort, mon ami, dit-elle, car toi tu ne leur es point semblable...

— Et ce n'est pas seulement la honte, reprit Édouard, mais aussi le danger...

— Que veux-tu dire ?

— Je veux dire que Mortimer est bien capable de nous faire tous périr, et d'épouser ma mère afin de se faire reconnaître régent et de pousser son bâtard au trône...

— C'est chose folle à penser ! dit Philippa.

Certes, une telle subversion qui supposait le reniement de tous les principes, à la fois religieux et dynastiques, eût été, dans une monarchie ferme, proprement inimaginable ; mais tout est possible, et même les plus démentes aventures, dans un royaume déchiré et abandonné à la lutte des factions.

— Je m'en ouvrirai demain à Montaigu, dit le jeune roi.

En arrivant à Nottingham, Lord Mortimer se montra particulièrement impatient, autoritaire et nerveux, parce que John Wynyard, sans pouvoir percer la teneur des entretiens, avait surpris de fréquents colloques, dans la dernière partie du trajet, entre le roi, Montaigu et plusieurs jeunes Lords.

Mortimer s'emporta contre sir Édouard Bohun, le vice-gouverneur, lequel, chargé d'organiser le logement, et n'agissant d'ailleurs que selon l'habitude, avait prévu d'installer les grands seigneurs dans le château même.

— De quel droit, s'écria Mortimer, avez-vous, sans en référer à moi, disposé d'appartements si proches de ceux de la reine mère?

— Je croyais, my Lord, que le comte de Lancastre...

— Le comte de Lancastre, ainsi que tous les autres, devra loger à un mille au moins du château.

— Et vous-même, my Lord?

Mortimer fronça les sourcils comme si cette question constituait une offense.

— Mon appartement sera à côté de celui de la reine mère, et vous ferez remettre à celle-ci, par le constable, les clés du château, chaque soir.

Édouard Bohun s'inclina.

Il est parfois des prudences funestes. Mortimer voulait éviter qu'on commentât l'état de la reine mère; il voulait surtout isoler le roi, ce qui permit aux jeunes Lords de s'assembler et de se concerter beaucoup plus librement, loin du château et des espions de Mortimer.

Lord Montaigu réunit ceux de ses amis qui lui paraissaient les plus résolus, garçons pour la plupart entre vingt et trente ans: les Lords Molins, Hufford, Stafford, Clinton, ainsi que John Nevil de Horneby et les quatre frères Bohun, Édouard, Humphrey, William et John, celui-ci étant comte de Hereford et Essex. La jeunesse formait le parti du roi. Ils avaient la bénédiction d'Henry de Lancastre, et davantage même qu'une bénédiction.

De son côté Mortimer siégeait au château en compagnie du chancelier Burghersh, de Simon Bereford, de John Monmouth, John Wynyard, Hugh Turplington et Maltravers, les consultant sur les moyens d'empêcher le développement d'une nouvelle conjuration.

L'évêque Burghersh sentait le vent tourner et se montrait moins ardent à la sévérité; se couvrant de sa dignité ecclésiastique, il prêchait l'entente. Il avait su, naguère, glisser à temps du parti Despenser au parti Mortimer.

— Assez d'arrestations, de procès et de sang, disait-il. Peut-être que quelques satisfactions allouées en terres, argent ou honneurs...

Mortimer l'interrompit du regard; son œil, à la paupière coupée droit, sous le massif du sourcil, faisait encore trembler; l'évêque de Lincoln se tut.

Or, à la même heure, Lord Montaigu réussissait à s'entretenir en privé avec Édouard III.

— Je vous supplie, mon noble roi, lui disait-il, de ne pas tolérer plus longtemps les insolences et les intrigues d'un homme qui a fait assassiner votre père, décapiter votre oncle, corrompu votre mère. Nous avons juré de verser jusqu'à la dernière goutte de notre sang pour vous en délivrer. Nous sommes prêts à tout ; encore faudrait-il agir avec hâte, et pour cela que nous puissions pénétrer en assez grand nombre dans le château où aucun de nous n'est logé.

Le jeune roi réfléchit un moment.

— A présent sûrement, William, répondit-il, je sais que je vous aime bien.

Il n'avait pas dit : « que vous m'aimez bien ». Disposition d'âme vraiment royale ; il ne doutait pas qu'on voulût le servir ; l'important, pour lui, était d'accorder à bon escient sa confiance et son affection.

— Vous allez donc, continua-t-il, trouver le constable du château, sir William Eland, en mon nom, et le prier, de par mon ordre, de vous obéir en ce que vous lui demanderez.

— Alors, my Lord, dit Montaigu, que Dieu nous aide !

Tout dépendait, à présent, de cet Eland, et de ce qu'il fût acquis et de ce qu'il fût loyal ; s'il révélait la démarche de Montaigu, les conjurés étaient perdus, et peut-être le roi lui-même. Mais sir Édouard Bohun garantissait qu'il pencherait du bon côté, ne fût-ce qu'en raison de la manière dont Mortimer, depuis l'arrivée à Nottingham, le traitait en valet.

William Eland ne déçut pas Montaigu, lui promit de se conformer à ses ordres autant qu'il pourrait, et jura de garder le secret.

— Puisque donc vous êtes avec nous, lui dit Montaigu, remettez-moi ce soir les clés du château...

— My Lord, répondit le constable, sachez que les grilles et portes sont fermées chaque soir par des clés que je remets à la reine mère, laquelle les cache sous ses oreillers jusqu'au matin. Sachez aussi que la garde habituelle du château a été relevée et remplacée par quatre cents hommes des troupes personnelles de Lord Mortimer.

Montaigu vit tous ses espoirs s'écrouler.

— Mais je sais un chemin secret qui conduit de la campagne jusqu'au château, reprit Eland. C'est un souterrain que firent creuser les rois saxons pour échapper aux Danois, quand ceux-ci ravageaient tout le pays. Ce souterrain est inconnu de la reine Isabelle, de Lord Mortimer et de leurs gens auxquels je n'avais nulle raison de le montrer ; il aboutit au cœur du château, dans le keep, et par là on peut pénétrer sans être aperçu de personne.

— Comment trouverons-nous l'entrée dans la campagne ?

— Parce que je serai avec vous, my Lord.

Lord Montaigu eut un second et rapide entretien avec le roi ; puis, dans la soirée, en compagnie des frères Bohun, des autres conjurés et du constable Eland, il monta à cheval et quitta la ville, déclarant à suffisamment de personnes que Nottingham leur devenait peu sûre.

Ce départ, qui ressemblait beaucoup à une fuite, fut aussitôt rapporté à Mortimer.

— Ils se savent découverts et se dénoncent d'eux-mêmes. Demain je les ferai saisir et traduire devant le Parlement. Allons, nous aurons une nuit tranquille, ma mie, dit-il à la reine Isabelle.

Vers minuit, de l'autre côté du keep, dans une chambre aux murs de granit éclairée seulement d'une veilleuse, Madame Philippa demandait à son époux pourquoi il ne se couchait pas et demeurait assis au bord du lit, une cotte de mailles sous sa cotte de roi, et une épée courte au côté.

— Il peut se passer de grandes choses, cette nuit, répondit Édouard.

Philippa restait calme et placide en apparence, mais le cœur lui battait à grands coups dans la poitrine ; elle se rappelait leur conversation d'York.

— Croyez-vous qu'il veuille venir vous assassiner ?

— Cela aussi peut se faire.

Il y eut un bruit de voix chuchotées dans la pièce voisine, et Guillaume de Mauny, que le roi avait désigné pour prendre la garde en son antichambre, frappa discrètement à la porte. Édouard alla ouvrir.

— Le constable est là, my Lord, et les autres avec lui.

Édouard revint poser un baiser sur le front de Philippa ; elle lui saisit les doigts, les tint un instant étroitement serrés et murmura :

— Dieu te garde !

Guillaume de Mauny demanda :

— Dois-je vous suivre, my Lord ?

— Ferme étroitement les portes derrière moi, et veille sur Madame Philippa.

Dans la cour herbue du donjon, sous la clarté de la lune, les conjurés attendaient rassemblés autour du puits, ombres armées de glaives et de haches.

La jeunesse du royaume s'était entouré les pieds de chiffons ; le roi n'avait pas pris cette précaution et son pas fut seul à résonner sur les dalles des longs couloirs. Une unique torche éclairait cette marche.

Aux serviteurs, allongés à même le sol et qui se soulevaient, somnolents, on murmurait : « Le roi », et ils demeuraient où ils étaient, se tassant sur eux-mêmes, inquiets de cette promenade nocturne de seigneurs en armes, mais ne cherchant pas à en savoir trop.

La bagarre éclata seulement dans l'antichambre des appartements de la reine Isabelle, où les six écuyers postés là par Mortimer refusèrent le passage, bien que ce fût le roi qui le demandât. Bataille fort brève, où seul John Nevil de Horneby fut blessé d'un coup de pique qui lui traversa le bras ; cernés et désarmés, les hommes de garde se collèrent aux murs ; l'affaire n'avait duré qu'une minute, mais derrière l'épaisse porte on entendit un cri échappé de la gorge de la reine mère, puis le bruit de traverses poussées.

— Lord Mortimer, sortez! commanda Édouard III; c'est votre roi qui vient vous appréhender.

Il avait pris sa claire et forte voix de bataille, celle aussi que la foule d'York avait entendue le jour de son mariage.

Il n'y eut d'autre réponse qu'un tintement d'épée tirée hors d'un fourreau.

— Mortimer, sortez! répéta le jeune roi.

Il attendit encore quelques secondes, puis soudain saisit la plus proche hache des mains d'un jeune Lord, l'éleva au-dessus de sa tête, et, de toutes ses forces, l'abattit contre la porte.

Ce coup de hache, c'était l'affirmation trop longuement attendue de sa puissance royale, la fin de ses humiliations, le terme aux arrêts délivrés contre son vouloir; c'était la libération de son Parlement, l'honneur rendu aux Lords et la légalité restaurée au royaume. Bien plus que le jour du couronnement, le règne d'Édouard III commençait là, avec ce fer brillant planté dans le chêne sombre, et ce choc, ce grand craquement de bois dont l'écho se répercuta sous les voûtes de Nottingham.

Dix autres haches s'attaquèrent à la porte, et bientôt le lourd vantail céda.

Roger Mortimer était au centre de la pièce; il avait eu le temps de passer des chausses; sa chemise blanche était ouverte sur sa poitrine, et il tenait son épée à la main.

Son œil couleur de pierre brillait sous les sourcils épais, ses cheveux grisonnants et dépeignés entouraient son rude visage; il y avait encore une belle force en cet homme-là.

Isabelle, auprès de lui, les joues baignées de larmes, tremblait de froid et de peur; ses minces pieds nus faisaient deux taches claires sur le dallage. On apercevait dans la pièce voisine un lit défait.

Le premier regard du jeune roi fut pour le ventre de la reine mère, dont la robe de nuit dessinait l'arrondi. Jamais Édouard III ne pardonnerait à Mortimer d'avoir réduit sa mère, que ses souvenirs lui représentaient si belle et si vaillante dans l'adversité, si cruelle dans le triomphe mais toujours parfaitement royale, à cet état de femme éplorée à qui l'on venait arracher le mâle dont elle était grosse, et qui se tordait les mains en gémissant:

— Beau fils, beau fils, je vous en conjure, épargnez le gentil Mortimer!

Elle s'était placée entre son fils et son amant.

— A-t-il épargné votre honneur? dit Édouard.

— Ne faites point de mal à son corps, cria Isabelle. Il est vaillant chevalier, notre ami bien-aimé; rappelez-vous que vous lui devez votre trône!

Les conjurés hésitaient. Allait-il y avoir combat, et faudrait-il tuer Mortimer sous les yeux de la reine?

— Il s'est assez payé d'avoir hâté mon règne! Allez, mes Lords, qu'on s'en saisisse, dit le jeune roi en écartant sa mère et en faisant signe à ses compagnons d'avancer.

Montaigu, les Bohun, Lord Molins et John Nevil dont le bras ruisselait de sang sans qu'il y prît garde, entourèrent Mortimer. Deux haches se levèrent derrière lui, trois lames se dirigèrent vers ses flancs, une main s'abattit sur son bras pour lui faire lâcher l'épée qu'il tenait. On le poussa vers la porte. Au moment de la franchir, Mortimer se retourna.

— Adieu, Isabelle, ma reine, s'écria-t-il; nous nous sommes bien aimés!

Et c'était vrai. Le plus grand, le plus spectaculaire, le plus dévastateur amour du siècle, commencé comme un exploit de chevalerie, et qui avait ému toutes les cours d'Europe, jusqu'à celle du Saint-Siège, cette passion qui avait frété une flotte, équipé une armée, s'était consommée dans un pouvoir tyrannique et sanglant, s'achevait entre des haches, à la lueur d'une torche fumeuse. Roger Mortimer, huitième baron de Wigmore, ancien Grand Juge d'Irlande, premier comte des Marches, était conduit vers les prisons; sa royale maîtresse, en chemise, s'écroulait au pied du lit.

Avant l'aurore, Bereford, Daverill, Wynyard et les principales créatures de Mortimer étaient arrêtés; on se lançait à la poursuite du sénéchal Maltravers, de Gournay et Ogle, les trois meurtriers d'Édouard II, qui avaient aussitôt pris la fuite.

La foule, au matin, s'était massée dans les rues de Nottingham et hurlait sa joie au passage de l'escorte qui emmenait sur une charrette, suprême honte pour un chevalier, Mortimer enchaîné. Tors-Col, l'oreille sur l'épaule, était au premier rang de la population et, bien que ses yeux malades vissent à peine le cortège, il dansait sur place et lançait en l'air son bonnet.

— Où le conduit-on? demandaient les gens.

— A la tour de Londres.

III

VERS LES COMMON GALLOWS

Les corbeaux de la Tour vivent très vieux, plus de cent ans, dit-on. Le même énorme corbeau, attentif et sournois, qui sept ans plus tôt cherchait à piquer les yeux du prisonnier à travers les barreaux du soupirail, était revenu se poster devant la cellule.

Était-ce par dérision qu'on avait assigné à Mortimer son cachot d'autrefois ? Là où le père l'avait gardé dix-sept mois enfermé, le fils à son tour le tenait captif. Mortimer se disait qu'il devait y avoir dans sa nature, dans sa personne, quelque chose qui le rendait intolérable à l'autorité royale, ou qui lui rendait insupportable cette autorité. De toute manière, un roi et lui ne pouvaient cohabiter dans la même nation, et il fallait bien que l'un des deux disparût. Il avait supprimé un roi ; un autre roi allait le supprimer. C'est un grand malheur que d'être né avec une âme de monarque quand on n'est pas destiné à régner.

Mortimer, cette fois, n'avait plus l'espérance ni même le désir de s'évader. Il lui semblait être déjà mort, depuis Nottingham. Pour les êtres tels que lui, dominés par l'orgueil, et dont les plus hautes ambitions ont été un moment satisfaites, la chute équivalait au trépas. Le vrai Mortimer était à présent, et pour l'éternité humaine, inscrit dans les chroniques d'Angleterre ; le cachot de la Tour ne contenait que sa charnelle mais indifférente enveloppe.

Chose singulière, cette enveloppe avait retrouvé des habitudes. De la même manière que lorsqu'on revient, après vingt ans d'absence, dans la demeure où l'on vécut enfant, on pèse du genou machinalement et par une sorte de mémoire musculaire sur le battant de la porte qui autrefois forçait, ou bien l'on pose le pied au plus large de l'escalier pour éviter le bord d'une marche usée, de la même manière Mortimer avait repris les gestes de sa précédente détention. Il pouvait, la nuit, franchir les quelques pas du soupirail au mur sans jamais se cogner ;

il avait, dès son entrée, repoussé l'escabelle à sa place ancienne ; il reconnaissait les bruits familiers, la relève de la garde, la sonnerie des offices à la chapelle Saint-Pierre ; et cela sans le moindre effort d'attention. Il savait l'heure où on lui apportait son repas, la nourriture était à peine moins mauvaise que du temps de l'ignoble constable Seagrave.

Parce que le barbier Ogle avait servi d'émissaire à Mortimer, la première fois, pour organiser sa fuite, on refusait de lui envoyer quelqu'un pour le raser. Une barbe d'un mois lui poussait aux joues. Mais, à ce détail près, tout était semblable, jusqu'à ce corbeau que Mortimer avait naguère surnommé « Édouard », et qui feignait de dormir, ouvrant de temps en temps son œil rond avant de lancer son gros bec à travers les barreaux.

Ah, si ! Quelque chose manquait : les monologues tristes du vieux Lord Mortimer de Chirk, gisant sur la planche qui servait de couche... A présent, Roger Mortimer comprenait pourquoi son oncle avait refusé autrefois de le suivre dans son évasion. Ce n'était ni par peur du risque ni même par faiblesse de corps ; on a toujours assez de forces pour entreprendre un chemin, même si l'on doit y tomber. C'était le sentiment que sa vie était terminée qui avait retenu le Lord de Chirk, et lui avait fait préférer attendre sa fin, sur ce bat-flanc.

Pour Roger Mortimer, qui ne comptait que quarante-cinq ans, la mort ne viendrait pas d'elle-même. Il éprouvait une vague angoisse lorsqu'il regardait vers le centre du Green la place où l'on dressait habituellement le billot. Mais on s'habitue à la proximité de la mort par toute une suite de pensées très simples qui s'organisent pour constituer une mélancolique acceptation. Mortimer se disait que le corbeau sournois vivrait après lui, et narguerait d'autres prisonniers ; les rats aussi vivraient, les gros rats mouillés qui montaient la nuit des berges vaseuses de la Tamise et couraient sur les pierres de la forteresse ; même la puce qui le taquinait sous sa chemise sauterait sur le bourreau, le jour de l'exécution, et continuerait de vivre. Toute vie qui s'efface du monde laisse les autres vies intactes. Rien n'est plus banal que de mourir.

Quelquefois il songeait à sa femme, Lady Jeanne, sans nostalgie ni remords. Il l'avait assez tenue à l'écart de sa puissance pour que l'on eût quelque raison de s'en prendre à elle. On lui laisserait, sans doute, la disposition de ses biens personnels. Ses fils ? Certes, ses fils auraient à subir la séquelle des haines dont il était l'objet ; mais comme il y avait peu de chances qu'ils devinssent jamais hommes d'aussi vaste valeur et d'aussi haute ambition que lui, qu'importait qu'ils fussent ou ne fussent pas comtes dans les Marches ? Le grand Mortimer, c'était lui, ou plutôt ce qu'il avait été. Ni pour sa femme, ni pour ses fils, il n'éprouvait de regrets.

La reine?... La reine Isabelle mourrait un jour, et de cet instant-là il n'existerait plus personne sur terre à l'avoir connu dans sa vérité. C'était seulement lorsqu'il pensait à Isabelle qu'il se sentait encore quelque peu rattaché à l'existence. Il était mort à Nottingham, certes ; mais le souvenir de son amour continuait de vivre, un peu comme les cheveux s'obstinent à croître quand le cœur a cessé de battre. Voilà tout ce qui restait au bourreau à trancher. Quand on séparerait la tête du corps, on anéantirait le souvenir des mains royales qui s'étaient nouées à ce cou.

Comme chaque matin, Mortimer avait demandé la date. On était le 29 novembre ; le Parlement devait donc se trouver réuni et le prisonnier s'attendait à comparaître. Il connaissait assez la lâcheté des assemblées pour savoir que nul ne prendrait sa défense, bien au contraire. Lords et Communes allaient se venger avec empressement de la terreur qu'il leur avait si longtemps inspirée.

Le jugement avait déjà été prononcé, dans la chambre de Nottingham. Ce n'était pas à un acte de justice qu'on allait le soumettre, mais seulement à un simulacre nécessaire, une formalité, tout exactement comme lors des condamnations naguère ordonnées par lui.

Un souverain de vingt ans impatient de gouverner, et de jeunes Lords impatients d'être les maîtres de la faveur royale, avaient besoin de sa disparition pour être sûrs de leur pouvoir.

« Ma mort, pour ce petit Édouard, est l'indispensable complément de son sacre... Et pourtant, ils ne feront pas mieux que moi ; le peuple ne sera pas davantage satisfait sous leur loi. Là où je n'ai pas réussi, qui donc pourrait réussir ? »

Quelle attitude devrait-il adopter pendant le simulacre de justice ? Se faire suppliant, comme le comte de Kent ? Battre sa coulpe, implorer, offrir sa soumission, pieds nus et la corde au cou, en confessant le regret de ses erreurs ? Il faut avoir grande envie de vivre pour s'imposer la comédie de la déchéance ! « Je n'ai commis aucune faute. J'ai été le plus fort, et le suis resté jusqu'à ce que d'autres, plus forts pour un moment, m'abattent. C'est tout. »

Alors l'insulte ? Faire face une dernière fois à ce Parlement de moutons et lui lancer : « J'ai pris les armes contre le roi Édouard II. Mes Lords, lesquels d'entre vous qui me jugez ce jour ne m'ont pas suivi alors ?... Je me suis évadé de la tour de Londres. Mes Lords évêques, lesquels d'entre vous qui me jugez ce jour n'ont pas fourni aide et trésor pour ma liberté ?... J'ai sauvé la reine Isabelle d'être tuée par les favoris de son époux, j'ai levé des troupes et armé une flotte qui vous ont délivrés des Despensers, j'ai déposé le roi que vous haïssiez et fait couronner son fils qui ce jour me juge. Mes Lords, comtes, barons et évêques, et vous messires des Communes, lesquels d'entre vous ne m'ont pas loué pour tout cela, et même pour l'amour que la reine m'a porté? Vous n'avez rien à me reprocher que d'avoir agi en votre place, et vous avez belles dents à me déchirer, pour faire oublier par la mort d'un seul ce qui fut la besogne de tous. »

Ou bien le silence... Refuser de répondre à l'interrogatoire, refuser de présenter une défense, ne pas prendre l'inutile peine de se justifier. Laisser hurler les chiens qu'on ne tient plus sous le fouet... « Mais combien j'avais raison de les soumettre à la peur ! »

Il fut tiré de ses pensées par des bruits de pas. « Voici le moment », se dit-il.

La porte s'ouvrit, et des sergents d'armes apparurent qui s'écartèrent pour laisser passer le frère du défunt comte de Kent, le comte de Norfolk, maréchal d'Angleterre, suivi du Lord-maire et des shérifs de Londres, ainsi que de plusieurs délégués des Lords et des Communes. Tout ce monde ne pouvait tenir dans la cellule, et les têtes se pressaient dans l'étroit couloir.

— My Lord, dit le comte de Norfolk, je viens d'ordre du roi vous donner la lecture du jugement rendu à votre endroit, l'autre avant-hier, par le Parlement assemblé.

Les assistants furent surpris de voir, à cette annonce, Mortimer sourire. Un sourire calme, méprisant, qui ne s'adressait pas à eux mais à lui-même. Le jugement était déjà rendu depuis deux jours sans comparution, sans interrogatoire, sans défense... alors que l'instant d'avant il s'inquiétait de la figure à prendre devant ses accusateurs. Vain souci! On lui infligeait une ultime leçon; il aurait pu aussi bien se dispenser naguère, pour les Despensers, pour le comte d'Arundel, pour le comte de Kent, d'aucune formalité judiciaire.

Le coroner de la cour avait commencé de lire le jugement.

— *Vu que fut ordonné par le Parlement séant à Londres, immédiatement après le couronnement de notre seigneur le roi, que le conseil du roi comprendrait cinq évêques, deux comtes et cinq barons, et que rien ne pourrait être décidé hors de leur présence, et que ledit Roger Mortimer, sans égard à la volonté du Parlement, s'appropria le gouvernement et l'administration du royaume, déplaçant et plaçant à sa guise les officiers de la maison du roi et de l'ensemble du royaume pour y introduire ses propres amis selon son bon plaisir* [18]...

Debout, adossé au mur et la main posée sur un barreau du soupirail, Roger Mortimer regardait le Green et paraissait à peine intéressé par la lecture.

— *... Vu que le père de notre roi ayant été conduit au château de Kenilworth, par ordonnance des pairs du royaume, pour y demeurer et y être traité selon sa dignité de grand prince, ledit Roger ordonna de lui refuser tout ce qu'il demanderait et le fit transférer au château de Berkeley où finalement, par ordre dudit Roger, il fut traîtreusement et ignominieusement assassiné...*

— Va-t-en, mauvais oiseau, cria Mortimer, à l'étonnement des assistants, parce que le corbeau sournois venait de lui décharger un grand coup de bec sur le dos de la main.

— ... *Vu que, bien qu'il fût interdit par ordonnance du roi, scellée du grand sceau, de pénétrer en armes dans la salle de délibération du Parlement séant à Salisbury, ceci sous peine de forfaiture, ledit Roger et sa suite armée n'en pénétrèrent pas moins, violant ainsi l'ordonnance royale...*

La liste des griefs s'allongeait, interminable. On reprochait à Mortimer l'expédition militaire contre le comte de Lancastre; les espions placés auprès du jeune souverain et qui avaient contraint celui-ci de se « *conduire plutôt en prisonnier qu'en roi* »; l'accaparement de vastes terres appartenant à la couronne; la rançon, le dépouillement, le bannissement de nombreux barons; la machination montée pour faire croire au comte de Kent que le père du roi était toujours vivant, « *ce qui détermina ledit comte à vérifier les faits par les moyens les plus honnêtes et les plus loyaux* »; l'usurpation des pouvoirs royaux pour traduire le comte de Kent devant le Parlement et le faire mettre à mort; le détournement des sommes destinées à financer la guerre de Gascogne, ainsi que des trente mille marcs d'argent versés par les Écossais en exécution du traité de paix; la mainmise sur le Trésor royal de sorte que le roi n'était plus en état de tenir son rang. Mortimer était accusé encore d'avoir allumé la discorde entre le père du roi et la reine consort, « *étant ainsi responsable du fait que la reine ne revint jamais à son seigneur pour partager son lit, au grand déshonneur du roi et de tout le royaume* », et enfin d'avoir déshonoré la reine « *en se montrant auprès d'elle comme son paramour notoire et avoué* ».

Mortimer, les yeux au plafond et se caressant la barbe, souriait à nouveau; c'était toute son histoire qu'on lisait et qui, sous cette forme étrange, allait entrer à jamais dans les archives du royaume.

— ... *C'est pourquoi le roi s'en est remis aux comtes, barons et autres, pour prononcer un juste jugement contre ledit Roger Mortimer; ce que les membres du Parlement, après s'être concertés, ont admis, déclarant que toutes charges énumérées étaient valables, notoires, connues de tout le peuple et particulièrement l'article touchant la mort du roi au château de Berkeley. C'est pourquoi il est décidé par eux que ledit Roger, traître et ennemi du roi et du royaume, sera traîné sur la claie et puis pendu...*

Mortimer eut un léger sursaut. Donc, ce ne serait pas le billot? Jusqu'au bout il y avait de l'imprévu.

— ... *et aussi que la sentence sera sans appel ainsi que ledit Mortimer lui-même en a autrefois décidé dans les procès des deux Despensers et du défunt Lord Edmond, comte de Kent et oncle du roi.*

Le clerc avait terminé et roulait les feuilles. Le comte de Norfolk, frère du comte de Kent, regardait Mortimer dans les yeux. Qu'avait-il fait celui-là, qui s'était tenu bien coi ces derniers mois, pour reparaître en affectant un air vengeur et justicier? A cause de ce regard, Mortimer eut envie de parler... oh! brièvement... juste pour dire au comte maréchal, et, à travers ce personnage, au roi, aux conseillers, aux Lords, aux Communes, au clergé, au peuple tout entier:

— Quand il paraîtra au royaume d'Angleterre un homme capable d'accomplir telles choses que vous venez d'énumérer, vous vous soumettrez à lui derechef, tout également que vous me fûtes soumis. Mais je ne crois pas qu'il naisse de sitôt... A présent il est temps d'en finir. Est-ce maintenant que vous me conduisez?

Il semblait donner encore des ordres et commander sa propre exécution.

— Oui, my Lord, dit le comte de Norfolk, c'est à présent. Nous vous menons aux Common Gallows.

Les Common Gallows, le gibet des voleurs, des bandits, des faussaires, des vendeurs de filles, le gibet de la crapule [19]...

— Bien, allons! dit Mortimer.

— Mais auparavant, vous devez être dépouillé, pour la claie.

— Fort bien, dépouillez-moi.

On lui ôta ses vêtements, ne lui laissant qu'une toile autour des reins. Il sortit ainsi, nu parmi cette escorte chaudement vêtue, sous une petite pluie bruinante de novembre. Son haut corps musclé faisait une tache claire parmi toutes les robes sombres des shérifs, et les vêtements de fer de la garde.

La claie était dans le Green, construite de lattes rugueuses posées sur deux patins, et accrochée aux harnais d'un cheval de trait.

Mortimer conserva son sourire méprisant pour regarder cet équipage. Que de soins, que d'application à l'humilier! Il se coucha sans aide et on lui lia les poignets et les chevilles aux traverses de bois; puis le cheval se mit en marche et la claie commença de glisser, d'abord doucement sur l'herbe du Green, puis en raclant le gravier et les pierres du chemin.

Le maréchal d'Angleterre, le Lord-maire, les délégués du Parlement, le constable de la Tour, suivaient; une escorte de soldats, la pique sur l'épaule, ouvrait la route et protégeait la marche.

Le cortège sortit de la forteresse par la Traitors' Gate où une foule attendait, curieuse, houleuse, cruelle, qui ne fit que grossir le long du chemin.

Quand on a généralement considéré les multitudes du haut d'un cheval ou d'une estrade, c'est une impression étrange que de les regarder soudain depuis le niveau du sol, d'apercevoir tous ces mentons agités, toutes ces bouches déformées par les cris, ces milliers de narines ouvertes. Les hommes ont vraiment de mauvais visages observés ainsi, et les femmes également, des visages grotesques et méchants, d'affreuses gueules de gargouilles sur lesquelles on n'a pas assez frappé lorsqu'on était debout! Et sans cette petite bruine qui lui tombait droit dans les yeux, Mortimer, secoué et cahoté sur sa claie, aurait mieux pu voir ces faces de haine.

Quelque chose de visqueux et de mou l'atteignit à la joue, lui coula dans la barbe; Mortimer comprit que c'était un crachat. Et puis, une douleur aiguë, perçante, le traversa tout entier; une main lâche lui avait lancé une pierre au bas-ventre. Sans les piquiers, la foule, s'enivrant de ses propres hurlements, l'eût déchiré sur place.

Il avançait sous une voûte sonore d'insultes et de malédictions, lui qui, six ans plus tôt, sur toutes les routes d'Angleterre, n'entendait s'élever que des acclamations. Les foules ont deux voix, une pour la haine, l'autre pour l'allégresse; c'est merveille que tant de gorges hurlant ensemble puissent produire deux rumeurs si différentes.

Et brusquement, ce fut le silence. Était-on déjà parvenu au gibet? Mais non; on était entré à Westminster et l'on faisait passer la claie lentement sous les fenêtres où se pressaient les membres du Parlement. Ceux-ci se taisaient en contemplant, traîné comme un arbre fourchu sur les pavés, celui qui tant de mois les avait pliés à sa volonté.

Mortimer, les yeux emplis de pluie, cherchait un regard. Peut-être, par suprême cruauté, avait-on fait obligation à la reine Isabelle d'assister à son supplice? Il ne l'aperçut pas.

Puis le cortège se dirigea vers Tyburn. Arrivé aux Common Gallows, le condamné fut délié et rapidement confessé. Une dernière fois Mortimer domina la foule, du haut de l'échafaud. Il souffrit peu, car la corde du bourreau, en le soulevant brusquement, lui rompit les vertèbres.

La reine Isabelle se trouvait ce jour-là à Windsor où elle se remettait lentement d'avoir perdu, en même temps que son amant, l'enfant qu'elle attendait de lui.

Le roi Édouard fit savoir à sa mère qu'il viendrait passer avec elle les fêtes de Noël.

IV

UN MAUVAIS JOUR

Par les fenêtres de la maison Bonnefille, Béatrice d'Hirson regardait la pluie tomber dans la rue Mauconseil. Depuis plusieurs heures elle attendait Robert d'Artois qui lui avait promis de la rejoindre, cet après-midi-là. Mais Robert ne tenait aucunement ses promesses, les petites pas plus que les grandes, et Béatrice se jugeait bien stupide de le croire encore.

Pour une femme qui attend, un homme a tous les torts. Robert ne lui avait-il pas promis aussi, et depuis près d'un an, qu'elle serait dame de parage en son hôtel? Au fond, il n'était pas différent de sa tante; tous les Artois se ressemblaient. Des ingrats! On se crevait à faire leurs volontés; on courait les herbières et les jeteurs de sorts; on tuait pour servir leurs intérêts; on risquait la potence ou le bûcher... car ce n'eût pas été Monseigneur Robert qu'on eût arrêté si l'on avait pris Béatrice à verser l'arsenic dans la tisane de Madame Mahaut, ou le sel de mercure dans le hanap de Jeanne la Veuve. «Cette femme, aurait-il dit, je ne la connais pas! Elle prétend avoir agi sur mon ordre? Menteries. Elle était de la maison de ma tante, pas de la mienne. Elle invente fables pour se sauver. Faites-la donc rouer.» Entre la parole d'un prince de France, beau-frère du roi, et celle d'une quelconque nièce d'évêque, dont la famille n'était même plus en faveur, qui dont aurait hésité?

«Et j'ai fait tout cela pour quoi? pensait Béatrice. Pour attendre; pour attendre, esseulée en ma maison, que Monseigneur Robert daigne une fois la semaine me visiter! Il avait dit qu'il viendrait après Vêpres; voici le Salut sonné. Il a dû encore ripailler, traiter trois barons à dîner, parler de ses grands exploits, des affaires du royaume, de son procès, flatter de la main le rein de toutes les chambrières. Même la Division mange à sa table, à présent, je le sais! Et moi je suis ici à regarder la pluie. Et il arrivera à la nuitée, lourd, rotant beaucoup et les joues enflammées; il me dira trois fadaises, s'écroulera sur le lit pour y dormir une heure, et repartira. Si même il vient... »

Béatrice s'ennuyait, plus encore qu'à Conflans dans les derniers mois de Mahaut. Ses amours avec Robert s'enlisaient. Elle avait cru piéger le géant, mais c'était lui qui avait gagné. La passion contrariée, humiliée, se changeait en sourde rancune. Attendre, toujours attendre! Et ne pas même pouvoir sortir, courir les tavernes avec quelque amie à la recherche de l'aventure, parce que Robert pourrait justement survenir dans ce moment-là. En plus, il la faisait surveiller!

Elle comprenait bien que Robert se détachait d'elle et ne la voyait plus que par obligation, comme une complice qu'il faut ménager. Deux semaines entières se passaient parfois sans qu'il lui témoignât de désir.

« Tu ne gagneras pas toujours, Monseigneur Robert! » disait-elle tout bas. Elle commençait secrètement de le haïr, faute de le posséder assez.

Elle avait essayé les meilleures recettes de philtres d'amour: *Tirez de votre sang, un vendredi de printemps; mettez-le sécher au four dans un petit pot, avec deux couillons de lièvre et un foie de colombe; réduisez le tout en poudre fine et faites-en avaler à la personne sur qui vous avez dessein; et si l'effet ne se sent pas à la première fois, réitérez jusqu'à trois fois.*

Ou bien encore: *Vous irez un vendredi matin, avant soleil levé, dans un verger fruitier et cueillerez sur un arbre la plus belle pomme que vous pourrez; puis vous écrirez avec votre sang, sur un petit morceau de papier blanc, votre nom et surnom, et, en une autre ligne suivante, le nom et le surnom de la personne dont vous voulez être aimé; et vous tâcherez d'avoir trois de ses cheveux, que vous joindrez, avec trois des vôtres, qui vous serviront à lier le petit billet que vous aurez écrit de votre sang; puis vous fendrez la pomme en deux, vous en ôterez les pépins, et, en leur place, vous mettrez le billet lié des cheveux; et avec deux petites brochettes pointues de branche de myrte verte, vous rejoindrez proprement les deux moitiés de pomme et la ferez ainsi sécher au four en sorte qu'elle devienne dure et sans humidité, comme des pommes sèches de carême; vous l'envelopperez ensuite dans des feuilles de laurier et de myrte et tâcherez de la mettre sous le chevet du lit où couche la personne aimée, sans qu'elle s'en aperçoive; et en peu de temps elle vous donnera des marques de son amour.*

Vaine entreprise. Les pommes du vendredi restaient inopérantes. La sorcellerie, où Béatrice se croyait infaillible, paraissait n'avoir pas de prise sur le comte d'Artois. Il n'était pas le Diable, tout de même! en dépit de ce qu'elle lui avait affirmé pour le conquérir.

Elle avait espéré être enceinte. Robert semblait aimer ses fils, par orgueil peut-être, mais il les aimait. Ils étaient les seuls êtres dont il parlât avec un peu de tendresse. Alors, un bâtard qui lui serait venu à présent... Et puis, c'eût été un bon moyen pour Béatrice ; montrer son ventre et dire : « J'attends un enfant de Monseigneur Robert... » Mais soit qu'elle eût dans le passé dérangé la nature, soit que le Malin l'eût faite telle qu'elle ne pût engendrer, cet espoir-là aussi avait été déçu. Et il ne restait à Béatrice d'Hirson, ancienne demoiselle de parage de la comtesse Mahaut, que l'attente, la pluie, et des rêves de vengeance...

A l'heure où les bourgeois se mettaient au lit, Robert d'Artois arriva enfin, la mine fort sombre et se grattant du pouce le piquant de la barbe. A peine regarda-t-il Béatrice qui avait pris soin de mettre une robe neuve ; il se versa une grande rasade d'hypocras.

— Il est éventé, dit-il avec une grimace en se laissant choir sur un siège qui rendit un grand gémissement de bois.

Comment le breuvage n'eût-il pas perdu son arôme ? L'aiguière était préparée depuis quatre heures !

— J'espérais plus tôt ta venue, Monseigneur.

— Eh oui ! mais j'ai de graves soucis qui m'ont tenu empêché.

— Comme le jour d'hier, et comme l'hier d'avant...

— Comprends aussi que je ne peux me montrer entrant de jour en ta maison, surtout en ce moment qu'il me faut recroître de prudence.

— La bonne excuse ! Alors ne me dis point que tu viendras de jour si tu ne me veux visiter que la nuit. Mais la nuit appartient à la comtesse ton épouse...

Il haussa les épaules d'un air excédé.

— Tu sais bien que je ne l'approche plus.

— Tous les époux disent cela à leur bonne amie, les plus grands du royaume comme le dernier savetier... et tous mentent de la même façon. Je voudrais bien voir que Madame de Beaumont te fît si bon visage et se montrât de si bon air avec toi si tu n'entrais jamais en son lit... Pour les journées, Monseigneur est au Conseil étroit, à croire que le roi tient conseil de la crevée de l'aube jusqu'au soir couchant. Ou bien Monseigneur est à la chasse... ou bien Monseigneur va jouter... ou bien Monseigneur est parti pour sa terre de Conches.

— La paix ! cria Robert abattant le plat de la main sur la table. J'ai d'autres soins en tête que d'écouter sornettes de femelle. C'est aujourd'hui que j'ai présenté ma requête devant la Chambre du roi.

En effet, on était le 14 décembre, jour fixé par Philippe VI pour l'ouverture du procès d'Artois. Béatrice le savait. Robert l'en avait prévenue ; mais agacée de jalousie, elle l'avait oublié.

— Et tout s'est passé à ton souhait ?

— Pas absolument, répondit Robert. J'ai présenté les lettres de mon grand-père, et l'on a contesté qu'elles fussent vraies.

— Les croyais-tu bonnes ? dit Béatrice avec un sourire méchant. Et qui donc les a contestées ?

— La duchesse de Bourgogne qui s'est fait remettre les pièces à l'examen.

— Ah! la duchesse de Bourgogne est à Paris...

Les longs cils noirs se relevèrent un instant et le regard de Béatrice brilla d'un soudain éclat, vite dissimulé. Robert, tout à ses soucis, ne s'en aperçut pas.

Frappant les poings l'un contre l'autre, et les muscles des mâchoires contractés, il disait:

— Elle est venue tout exprès avec le duc Eudes. Mahaut me nuira donc jusque dans sa descendance! Pourquoi si mauvais sang coule-t-il en cette race-là? Tout ce qui est fille de Bourgogne est putain, vol et mensonge! Celle-ci, qui pousse contre moi son benêt de mari, est gueuse déjà comme toute sa parenté. Ils ont la Bourgogne; que veulent-ils encore la comté qu'ils m'ont volée? Mais je gagnerai. Je soulèverai l'Artois s'il le faut comme je l'ai fait déjà contre Philippe le Long, le père de cette mauvaise guenon. Et cette fois ce ne sera pas sur Arras que je marcherai, mais sur Dijon...

Il parlait, mais le cœur n'y était pas. C'était une colère assise, sans grands cris, sans ce pas à faire crouler les murs, sans toute cette comédie de la fureur qu'il savait si bien jouer. Pour quel auditoire se fût-il donné cette peine?

L'habitude en amour érode les caractères. On ne s'oblige à l'effort que dans la nouveauté, et l'on ne redoute que ce que l'on ne connaît pas. Nul n'est fait que de puissance, et les craintes disparaissent en même temps que le mystère s'efface. Chaque fois que l'on se montre nu, on abandonne un peu d'autorité. Béatrice ne craignait plus Robert.

Elle oubliait de le redouter parce qu'elle l'avait vu trop souvent dormir, et se permettait, envers ce géant, ce que personne n'eût osé.

Et de même pour Robert envers Béatrice, devenue une maîtresse jalouse, exigeante, pleine de reproches, comme toute femme quand une liaison cachée dure trop longtemps. Ses talents de sorcière n'amusaient plus Robert. Ses pratiques de magie et de satanisme lui paraissaient routine. Il se défiait de Béatrice, mais par simple habitude atavique, puisqu'il est entendu une fois pour toutes que les femmes sont menteuses et trompeuses. Comme elle lui mendiait le plaisir, il ne pensait plus à la craindre, et oubliait qu'elle ne s'était jetée dans ses bras que par goût de la trahison. Même le souvenir de leurs deux crimes perdait de l'importance et se dissolvait dans la poussière des jours, tandis que les deux cadavres s'effritaient sous terre.

Ils vivaient cette période d'autant plus dangereuse qu'on ne croit plus au danger. Les amants devraient savoir, au moment où ils cessent de s'aimer, qu'ils vont se retrouver tels qu'avant de commencer. Les armes ne sont jamais détruites, mais seulement déposées.

Béatrice observait Robert en silence, tandis qu'il rêvait, bien loin d'elle, à de nouvelles machinations pour gagner son procès. Mais quand on a usé de tout pendant vingt ans, fait fouiller les lois et les coutumes, utilisé le faux témoignage, la falsification d'écritures, le meurtre, même, et qu'on a le roi pour beau-frère, et qu'encore on ne tient pas la victoire, n'y a-t-il pas, certains jours, motif à désespérer ?

Changeant d'attitude, Béatrice vint s'agenouiller devant lui, soudain câline, soumise et tendre, comme si elle voulait à la fois consoler et se blottir.

— Quand donc mon gentil seigneur Robert me prendra-t-il en son hôtel ? Quand me fera-t-il dame de parage de sa comtesse, comme il me l'a promis ? Regarde la bonne chose que ce serait ! Toujours près de toi, tu pourrais m'appeler à ton gré... je serais là pour te servir et veiller sur toi mieux qu'aucune. Quand donc ?

— Quand mon procès sera gagné, dit-il comme chaque fois qu'elle revenait sur la question.

— Du train qu'il va, ce procès, je pourrai bien attendre d'avoir les cheveux blancs.

— Quand il sera jugé, si tu préfères. C'est chose dite, et Robert d'Artois n'a qu'une parole. Mais patience, que diable !

Il regrettait bien d'avoir dû, naguère, lui faire miroiter ce projet. A présent il était fermement décidé à n'y jamais donner suite. Béatrice en l'hôtel de Beaumont ? Quel trouble, quelle fatigue, et quelle source d'ennuis !

Elle se releva, alla tendre les mains au feu de tourbe qui brûlait dans la cheminée.

— De la patience, j'en ai eu assez, je crois, dit-elle sans hausser la voix. D'abord, ce devait être après la mort de Madame Mahaut ; ensuite, après la mort de Madame Jeanne la Veuve. Elles sont mortes, il me semble, et le bout de l'an va en être bientôt chanté en église... Mais tu ne veux pas que j'entre en ton hôtel... Une putain traînée comme la Divion, qui fut maîtresse de mon oncle l'évêque, et qui t'a fabriqué de si bonnes pièces qu'un aveugle les verrait fausses, a le droit, elle, de vivre à table, de se pavaner à ta cour...

— Laisse donc la Divion. Tu sais bien que je ne garde cette sotte menteuse que par prudence.

Béatrice eut un bref sourire. La prudence !... Avec la Divion, parce qu'elle avait fait cuire quelques sceaux, il fallait user de prudence. Mais d'elle, Béatrice, qui avait envoyé deux princesses en tombe, on ne redoutait rien, et on pouvait la payer d'ingratitude.

— Allons, ne te plains pas, dit Robert. Tu as le meilleur de moi. Si tu étais en ma maison, je te pourrais sûrement moins voir, et avec moins d'abandon.

Il était bien gonflé de soi, Monseigneur Robert, et il parlait de ses présences comme de cadeaux sublimes qu'il daignait accorder !

— Alors si c'est le meilleur de toi que j'ai, que tardes-tu à me le donner... répondit Béatrice de sa voix traînante. Le lit est prêt.

Et elle montrait la porte ouverte sur la chambre.

— Non, ma petite mie; il me faut à présent retourner au Palais et y voir le roi, en secret, pour contrebattre la duchesse de Bourgogne.

— Oui, certes, la duchesse de Bourgogne... répéta Béatrice en hochant la tête d'un air entendu. Alors, est-ce demain que je dois attendre le meilleur?

— Hélas, demain je dois partir pour Conches et Beaumont.

— Et tu y resteras...?

— Fort peu. Deux semaines.

— Tu ne seras donc point là pour la fête de l'an neuf? demanda-t-elle.

— Non, ma belle chatte; mais je te ferai présent d'un bon fermail de pierreries pour décorer ta gorge

— Je m'en parerai donc pour éblouir mes valets, puisque ce sont les seules gens que je voie.

Robert aurait dû se méfier davantage. Il est des jours funestes. A l'audience, ce 14 décembre, ses pièces avaient été protestées si fermement par le duc et la duchesse de Bourgogne que Philippe VI en avait froncé le sourcil par-dessus son grand nez, et regardé son beau-frère avec inquiétude. C'eût été l'occasion d'être plus attentif, de ne pas blesser, justement ce jour-là, une femme telle que Béatrice, de ne pas la laisser, pour deux semaines, insatisfaite de cœur et de corps. Il s'était levé.

— La Division part-elle dans ta suite?

— Eh oui! mon épouse en a décidé de la sorte.

Une bouffée de haine souleva la belle poitrine de Béatrice, et ses cils firent une ombre ronde sur ses joues.

— Alors, Monseigneur Robert, je t'attendrai comme une servante aimante et fidèle, prononça-t-elle en lui présentant un visage souriant.

Robert effleura d'un baiser machinal la joue de Béatrice. Il lui posa sa lourde main sur les reins, l'y tint un moment, et son geste s'acheva en une petite tape indifférente. Non, décidément, il ne la désirait plus; et c'était bien là, pour elle, la pire offense.

V

CONCHES

L'hiver fut relativement doux cette année-là.

Avant le jour levé, Lormet le Dolois venait secouer l'oreiller de Robert. Celui-ci poussait quelques grands bâillements de fauve, se mouillait un peu le visage dans le bassin que lui présentait Gillet de Nelle, sautait dans ses vêtements de chasse, tout de cuir et la fourrure en dedans, les seuls vraiment bien agréables à porter. Puis il allait ouïr messe basse en sa chapelle ; l'aumônier avait ordre de dépêcher l'office, Évangile et communion, en quelques minutes. Robert tapait du pied si le frère s'attardait un peu trop à prier ; et le ciboire n'était pas rangé qu'il avait déjà passé la porte.

Il avalait un bol de bouillon chaud, deux ailes de chapon ou bien un morceau de porc gras, avec un bon hanap de vin blanc de Meursault qui vous dégourdit l'homme, coule comme de l'or dans la gorge, et réveille les humeurs endormies par la nuit. Tout cela debout. Ah ! si la Bourgogne n'avait produit que ses vins, au lieu d'avoir aussi ses ducs ! « Manger matin donne grand santé », disait Robert qui croquait encore en gagnant son cheval. Le coutel au côté, la corne en sautoir, et son bonnet de loup enfoncé sur les oreilles, il était en selle.

La meute de chiens courants, tenue sous le fouet, aboyait à pleines gueules ; les chevaux piaffaient, la croupe piquée par le petit froid matinal. La bannière claquait sur le haut du donjon, puisque le seigneur séjournait au château. Le pont-levis s'abaissait, et chiens, chevaux, valets, veneurs, à grand vacarme, déboulaient vers la mare, au cœur du bourg, et gagnaient la campagne à la suite du gigantesque baron.

Il traîne, les matins d'hiver, sur les près du pays d'Ouche, une petite brume blanche qui a une odeur d'écorce et de fumée. Robert d'Artois aimait Conches, décidément ! Ce n'était qu'un petit château, certes, mais bien plaisant, avec de bonnes forêts à l'entour.

Un soleil pâle dissipait la brume juste comme on arrivait au rendez-vous où les valets de limier présentaient leur rapport ; ils avaient relevé traces et volcelets. On attaquait à la meilleure brisée.

Les bois de Conches regorgeaient de cerfs et de sangliers. Les chiens étaient bien créancés. Si l'on empêchait le sanglier de s'arrêter pour pisser, il était pris en guère plus d'une heure. Les grands cerfs majestueux emmenaient leur monde un peu plus longtemps, par de longs débuchers où la terre volait en gerbes sous les pieds des chevaux, et ils allaient se faire aboyer, raides, haletants, la langue sortie sous leur lourde ramure, dans quelque étang ou marais.

Le comte Robert chassait au moins quatre fois la semaine. Cela ne ressemblait pas aux grands laisser-courre royaux où deux cents seigneurs se pressaient, où l'on ne voyait rien, et où, par crainte de perdre la compagnie, on chassait le roi plutôt que le gibier. Ici, vraiment, Robert s'amusait entre ses piqueurs, quelques vassaux du voisinage fort fiers d'être invités, et ses deux fils qu'il commençait de former à l'art de vénerie que tout bon chevalier se doit de connaître. Il était content de ses fils, dix et neuf ans, qui grandissaient en force ; il surveillait leur travail aux armes et à la quintaine. Ils avaient de la chance, ces gamins ! Robert avait été trop tôt privé de son père...

Il servait lui-même l'animal hallali, prenant son coutelas pour le cerf, ou un épieu pour le sanglier. Il y montrait une grande dextérité et éprouvait plaisir à sentir le fer, appuyé au juste endroit, s'enfoncer d'un coup dans la chair tendre. Le gibier et le veneur étaient également fumants de sueur ; mais l'animal s'écroulait, foudroyé, et l'homme restait debout.

Sur le chemin du retour, tandis qu'on commentait les incidents de la poursuite, les vilains des hameaux, en guenilles et les jambes entourées de toiles déchirées, surgissaient de leurs masures, pour courir baiser l'éperon du seigneur, d'un mouvement à la fois extasié et craintif ; une bonne habitude qui se perdait en ville.

Au château, dès le maître apparu, on cornait l'eau pour la dînée de midi. Dans la grand-salle tendue de tapisseries aux armes de France, d'Artois, de Valois et de Constantinople — car Madame de Beaumont était Courtenay par sa mère — Robert s'attablait pour engloutir pendant trois heures de rang, tout en taquinant son entourage ; il faisait comparaître son maître queux, la cuiller de bois pendue à la ceinture, et parfois le complimentait si le cuissot de laie, bien mariné, était fondant à point, ou lui promettait la potence si la sauce au poivre chaud, dont on arrosait le cerf entier rôti à la broche, manquait de relevé.

Il prenait le temps d'une courte sieste, après quoi il revenait dans la grand-salle pour entendre ses prévôts et receveurs, se faire donner les comptes, régler les affaires de son fief et rendre la justice. Il aimait beaucoup rendre la justice, voir l'envie ou la haine dans les yeux des plaideurs, la fourberie, l'astuce, la malice, le mensonge, se voir lui-même en somme, à la petite échelle des gens du fretin.

Il se réjouissait surtout des histoires de femmes ribaudes et de maris trompés.

— Faites paraître le cornard ! ordonnait-il, carré dans son faudesteuil de chêne.

Et de poser les questions les plus paillardes, tandis que les clercs greffiers pouffaient derrière leurs plumes et que les requérants devenaient cramoisis de honte.

Robert avait une fâcheuse propension, que ses prévôts lui reprochaient, à n'infliger que des peines légères aux voleurs, larrons, pipeurs de dés, suborneurs, détrousseurs, maquereaux et brutaux, sauf, bien sûr, quand le larcin ou le délit avait été commis à son détriment. Une secrète connivence le liait de cœur avec tout ce qu'il y avait de truanderie sur la terre.

Justice rendue, et voilà la journée presque passée. Robert descendait aux étuves, installées dans une chambre basse du donjon, se plongeait dans une cuve d'eau chaude parfumée d'herbes et d'aromates qui défatiguent les membres, se faisait sécher et bouchonner comme un cheval, peigner, raser, friser.

Déjà, écuyers, échansons et valets avaient de nouveau dressé sur les tréteaux les tables du souper, où Robert paraissait dans une immense robe seigneuriale de velours vermeil ouvré de lis d'or et des châteaux d'Artois, et dont la fourrure intérieure lui couvrait la chaussure.

Madame de Beaumont, elle, portait une robe de camocas violet, fourrée de menu-vair, brodée en or des initiales « J » et « R » entrelacées, avec semis de trèfles d'argent.

La chère était moins lourde qu'au repas de midi : potages aux herbes ou au lait, un paon, un cygne rôti au milieu d'une couronne de pigeonneaux, fromages frais et fermentés, tartes et gaufres sucrées qui aidaient à goûter les vieux vins coulant des aiguières en forme de lion ou d'oiseau.

On servait à la française, c'est-à-dire à deux par écuelle, une femme et un homme mangeant au même plat, sauf le seigneur. Robert avait sa platée pour lui seul, qu'il vidait de la cuiller, du couteau et des doigts, s'essuyant à la nappe comme chacun. Pour la petite volaille, il broyait chair et os, tout ensemble.

Vers la fin du souper, le ménestrel Watriquet de Couvin était prié de prendre sa courte harpe et de dire un conte de sa composition. Messire Watriquet était de Hainaut ; il connaissait bien le comte Guillaume et la comtesse, sœur de Madame de Beaumont ; il avait fait ses débuts à leur cour, et poursuivait sa carrière en passant chez chaque Valois, à tour de rôle. On se le disputait à gros gages.

— Watriquet, le lai des Dames de Paris! réclamait Robert, la bouche encore grasse.

C'était son conte préféré et, bien qu'il le connût presque par cœur, il voulait l'entendre toujours, semblable en cela aux enfants qui exigent chaque soir la même histoire, et qu'on n'en omette rien. Qui eût pu, à ce moment-là, croire Robert d'Artois capable de faux et de crimes?

Le lai des Dames de Paris contait l'aventure de deux bourgeoises, Margue et Marion, femme et nièce d'Adam de Gonesse, qui, s'en allant au tripier, le matin du jour des Rois, rencontrent pour leur malheur une voisine, dame Tifaigne la coiffière, et se laissent entraîner par elle dans une auberge où l'hôte, dit-on, fait crédit.

Voici les commères attablées à la taverne des Maillets où le tenancier Drouin leur sert force bonnes choses: du vin claret, une oie grasse, une pleine écuelle d'aulx, des gâteaux chauds.

A cet endroit du conte, Robert d'Artois se mettait à rire, d'avance. Et Watriquet poursuivait:

> *... Lors commença Margue à suer*
> *Et boire à grandes hanapées.*
> *En peu d'heures eurent échappées*
> *Trois chopines parmi sa gorge.*
> *«Dame, foi que je dois saint Georges,*
> *Dit Maroclippe, sa commère,*
> *Ce vin me fait la bouche amère;*
> *Je veux avoir de la grenache,*
> *Si devais-je vendre ma vache*
> *Pour en avoir aux mains plein pot. »*

Assis près de la grande cheminée où un arbre entier flambait, Robert d'Artois, renversé en arrière, gloussait d'un gros rire de gorge.

C'était toute sa jeunesse, passée dans les tavernes, bordeaux et autres mauvais lieux, qu'il revoyait à travers ce conte. En avait-il assez connu de ces franches garces, attablées et s'enivrant avec application à l'insu de leurs maris!

A minuit, chantait Watriquet, Margue, Marion et la coiffière, ayant tâté de tous les vins, de l'Arbois jusqu'au Saint-Mélion, et s'étant fait porter gaufres, oublies, amandes pelées, poires, épices et noix, étaient encore à l'auberge. Margue propose d'aller danser dehors. Le tavernier exige, pour les laisser sortir, qu'elles déposent leurs habits en gage; ce à quoi elles consentent volontiers, saoules qu'elles sont; en un tournemain elles se défont de leurs robes et pelissons, cottes, chemises, bourses et courroies.

Nues comme au jour de leur naissance, les voilà parties dans la nuit de janvier, braillant à tue-tête: «*Amour au vireli m'en vois*», titubant, trébuchant, s'écorchant aux murs, se rattrapant l'une à l'autre, pour finalement s'écrouler, ivres mortes, sur les monceaux d'ordures.

Le jour se lève, les portes s'ouvrent. On les découvre toutes souillées et sanglantes et ne bougeant pas plus que *« merdes en la mi-voie »*. On va quérir les maris qui les croient assassinées ; on les porte au cimetière des Innocents ; on les jette à la fosse commune.

> *L'une sur l'autre, toutes vives ;*
> *Or leur fuyait par les gencives*
> *Le vin, et par tous les conduits.*

Elle ne sortent de leur sommeil que la nuit suivante, au milieu du charnier, couvertes de terre, mais pas encore dessaoulées, et se mettent à crier dans le cimetière tout noir et gelé :

> *« Drouin, Drouin, où es allé ?*
> *Apporte trois harengs salés*
> *Et un pot de vin du plus fort*
> *Pour faire à nos têtes confort ;*
> *Et ferme aussi la grand fenestre ! »*

C'était un rugissement que poussait alors Monseigneur Robert. Le ménestrel Watriquet avait peine à finir son conte car, pour plusieurs minutes, le rire du géant emplissait la salle. Les yeux larmoyants, il se frappait les côtes à deux mains. Dix fois il répétait : *« Et ferme aussi la grand fenestre ! »* Sa joie était si contagieuse que toute la maisonnée se tordait avec lui.

— Ah ! les drôlesses ! Toutes dépouillées, les naches à la bise... *Et ferme aussi la grand fenestre !*

Et il repartait à rire.

Au fond, c'était une bonne vie, celle qu'on menait à Conches... Madame de Beaumont était une bonne épouse, le comté de Beaumont était un bon petit comté, et qu'importait qu'il fût domaine de la couronne puisque les revenus en étaient assurés ? Alors l'Artois ?... Était-ce si important l'Artois, après tout, cela méritait-il tant de soucis, luttes et besognes ?... « La terre où l'on me couchera un jour, que ce soit celle de Conches ou celle d'Hesdin... »

Ce sont là propos qu'on se tient lorsqu'on a passé la quarantaine, qu'une affaire engagée ne tourne pas complètement à souhait, et qu'on dispose de deux semaines de loisirs. Mais l'on sait bien, dans le fond, qu'on ne se tiendra pas à cette sagesse fugitive... Tout de même, demain, Robert irait courir un cerf du côté de Beaumont, et il en profiterait pour inspecter le château, voir s'il ne convenait pas de l'agrandir...

Ce fut en rentrant de Beaumont, où il s'était rendu avec son épouse, l'avant-dernier jour de l'année, que Robert d'Artois trouva ses écuyers et ses valets l'attendant, tout affolés, sur le pont-levis de Conches.

On était venu dans l'après-midi se saisir de la dame de Division pour l'emmener en prison, à Paris.

— S'en saisir? Qui est venu s'en saisir?

— Trois sergents.

— Quels sergents? D'ordre de qui? hurla Robert.

— Du roi.

— Allons donc! Et vous avez laissé faire! Vous êtes des niais que je vais bâtonner. Saisir chez moi? Quelle imposture! Avez-vous vu l'ordre, au moins?

— Nous l'avons vu, Monseigneur, répondit Gillet de Nelle tremblant, et nous avons même exigé de le garder. Nous n'avons laissé prendre madame de Division qu'à cette condition. Le voici.

C'était bien un ordre royal, tracé d'une main de clerc, mais scellé du cachet de Philippe VI. Et non pas du sceau de chancellerie, ce qui eût pu expliquer quelque haute fourberie. La cire portait le relief du sceau privé de Philippe, le « petit sceau » comme on disait, que le roi gardait sur lui, dans une bourse, et que sa main seule utilisait.

Le comte d'Artois n'était pas, de nature, un homme angoissé. Ce jour-là, pourtant, il apprit à connaître la peur.

VI

LA MALE REINE

Aller de Conches à Paris en une seule journée, c'était une rude étape, même pour un cavalier entraîné, et qui exigeait un cheval solide. Robert d'Artois laissa en route deux de ses écuyers dont les montures étaient tombées boiteuses. Il arriva de nuit dans la cité, trouva, malgré l'heure tardive, les rues encore encombrées de bandes joyeuses qui fêtaient l'An neuf. Des ivrognes vomissaient dans l'ombre, sur le seuil des tavernes ; des femmes se tenaient par le bras, chantant à tue-tête et le pas mal assuré, comme dans le conte de Watriquet.

Sans égard pour cette roture que le poitrail de son cheval bousculait, Robert alla droit au Palais. Le capitaine de garde lui apprit que le roi était venu dans la journée, pour recevoir les vœux des bourgeois, mais qu'il était reparti pour Saint-Germain.

Robert, alors, franchissant le pont, alla au Châtelet. Un pair de France pouvait se permettre de réveiller le gouverneur. Or, celui-ci, interrogé, déclara n'avoir reçu, ni la veille ni ce jour, aucune dame qui se nommât Jeanne de Divion, ni qui ressemblât à sa description.

Si elle n'était au Châtelet, elle devait être au Louvre, car on n'incarcérait, d'ordre du roi, qu'en ces deux places-là.

Robert poussa donc jusqu'au Louvre ; mais le capitaine lui fit la même réponse. Alors, où était la Divion ? Robert avait-il cheminé plus vite que les sergents royaux et, par une autre route, devancé leur détachement ? Pourtant, à Houdan, où il s'était renseigné, on lui avait bien dit que trois sergents, conduisant une dame, étaient passés depuis plusieurs heures. Le mystère se faisait de plus en plus dense autour de cette affaire.

Robert se résigna à rentrer en son hôtel, dormit peu, et avant l'aube partit pour Saint-Germain.

La gelée blanche couvrait les champs et les prés ; les branches des arbres étaient vernies de givre, et les collines, la forêt, autour du manoir de Saint-Germain, semblaient un paysage de confiserie.

Le roi venait de s'éveiller. Les portes s'ouvrirent pour Robert jusqu'à la chambre de Philippe VI, lequel était encore au lit, entouré de ses chambellans et de ses veneurs, et donnait des ordres pour la chasse du jour.

Robert entra d'un pas d'assaut, mit un genou au parquet, se releva aussitôt et dit :

— Sire, mon frère, reprenez la pairie que vous m'avez donnée, mes fiefs, mes terres, mes revenus, ôtez-m'en le bien et l'usage, chassez-moi de votre Conseil étroit auquel je ne suis plus digne de paraître. Non, je ne suis plus rien au royaume !

Ouvrant tout grands ses yeux bleus par-dessus son nez charnu, Philippe demanda :

— Mais qu'avez-vous donc, mon frère ? D'où vous vient cet émoi ? Que dites-vous ?

— Je dis le vrai. Je dis que je ne suis plus rien au royaume puisque le roi, sans daigner m'en informer, fait saisir une personne qui loge sous mon toit !

— Qui ai-je fait saisir ? Quelle personne ?

— Une certaine dame de Divion, mon frère, qui est de ma maison, servante à la robe de mon épouse votre sœur, et que trois sergents, sur votre ordre, sont venus prendre à mon château de Conches pour la conduire en geôle !

— Sur mon ordre ? dit Philippe stupéfait. Mais je n'ai jamais donné tel ordre... Divion ? J'ignore ce nom. Et de toute manière, mon frère, faites-moi la grâce de me croire, je n'eusse point fait saisir en votre maisonnée, quand même en aurais-je eu le motif, sans vous tenir au fait, et d'abord vous demander conseil.

— C'est ce que j'aurais cru, mon frère, dit Robert, pourtant, cet ordre est bien de vous.

Et il tira de sa cotte la lettre d'arrestation remise par les sergents.

Philippe VI y jeta les yeux, reconnut son petit sceau, et les chairs de son nez blêmirent.

— Hérouart, ma robe ! cria-t-il à l'un des chambellans. Et qu'on se hâte à sortir ; qu'on me laisse seul avec Monseigneur d'Artois !

Ayant rejeté ses couvertures brodées d'or, il était déjà debout, en longue chemise blanche. Le chambellan l'aida à enfiler une robe fourrée, voulut aviver le feu dans la cheminée.

— Sors, sors !... J'ai dit qu'on me laisse seul.

Jamais Hérouart de Belleperche, depuis qu'il servait le roi, n'avait été traité avec pareille violence, comme un simple garçon de cuisine.

— Non, je n'ai nullement scellé cela, ni dicté rien qui y ressemble, dit le roi quand le chambellan se fut retiré.

Il examina très attentivement la pièce, rapprocha les deux parties du cachet brisé par l'ouverture de la lettre, prit une loupe de cristal dans un tiroir de crédence.

— Ne serait-ce pas, mon frère, dit Robert, qu'on aurait contrefait votre sceau?

— Cela ne se peut. Les faiseurs de coins sont habiles à prévenir copies et dissimulent toujours quelque petite imperfection volontaire, surtout pour coins royaux ou de grands barons. Regarde le « L » de mon nom; vois la brisure qui est au bâton, et ce point creux dans le feuillage de bordure...

— Alors, dit Robert, n'aurait-on pas détaché le cachet d'une autre pièce?

— La chose, en effet, se pratique, il paraît; avec un rasoir chauffé, ou de quelque autre manière; mon chancelier me l'a certifié.

Le visage de Robert prit une expression naïve, comme s'il apprenait là une chose insoupçonnée. Mais le cœur lui battait un peu plus vite.

— Mais ce ne saurait être le cas, poursuivit Philippe, car, tout exprès, je n'use de mon petit sceau que pour des cachets à briser; jamais je ne l'emploie sur page plate ni lacs.

Il resta silencieux un moment, les yeux fixés sur Robert comme s'il lui demandait une explication qu'il ne cherchait, en vérité, que dans sa propre pensée.

— Il faut, conclut-il, qu'on m'ait dérobé un moment mon sceau. Mais qui? Mais quand? De tout le jour il ne quitte la bougette à ma ceinture; je ne m'en défais que la nuit...

Il alla vers la crédence, prit dans le tiroir une bourse de tissu d'or dont il palpa d'abord le contenu, puis qu'il ouvrit, et dont il sortit son petit sceau qui était d'or, avec une fleur de lis pour servir de poignée.

— ... et je le reprends au matin...

Sa voix s'était faite plus lente; un doute terrible s'installait en lui. Il reprit l'ordre d'arrestation et l'étudia de nouveau, avec grande attention.

— Je connais cette main, dit-il. Ce n'est pas celle d'Hugues de Pommard, ni celle de Jacques La Vache, ni de Geoffroy de Fleury...

Il sonna. Pierre Trousseau, l'autre chambellan de service, se présenta.

— Mande-moi d'urgence, s'il est au château, ou bien ailleurs où qu'il se trouve, le clerc Robert Mulet; qu'il vienne ici avec ses plumes.

— Ce Mulet, demanda Robert, ne sert-il pas aux écritures de la reine Jeanne ton épouse?

— Oui, Mulet sert tantôt à moi, tantôt à Jeanne, dit Philippe VI évasivement, pour masquer sa gêne.

Ils avaient repris, machinalement, leur tutoiement d'antan, lorsque Philippe était bien loin d'être roi, lorsque Robert n'était pas encore pair, lorsqu'ils étaient seulement deux cousins bien unis ; en ce temps-là Monseigneur Charles de Valois citait toujours Robert en exemple à Philippe, pour sa force, sa ténacité, son intelligence aux affaires.

Mulet était au château. Il arriva, se hâtant, l'écritoire sous le bras, et se courba pour baiser la main du roi.

— Pose ta boîte, écris, dit Philippe VI qui commença aussitôt à dicter : « De par le roi, à notre aimé et féal prévôt de Paris, Jean de Milon, salut. Nous vous ordonnons de diligenter... »

Les deux cousins, d'un même mouvement, s'étaient rapprochés et lisaient par-dessus l'épaule du clerc. Son écriture était bien celle de l'ordre d'arrestation.

— « ... à faire délivrer sur l'heure la dame Jeanne de... »

— Divion, articula Robert.

— « ... laquelle a été recluse en notre prison... » Au fait, où se trouve-t-elle ? demanda Philippe.

— Ni au Châtelet, ni au Louvre, dit Robert.

— A la tour de Nesle, Sire, dit le clerc qui croyait se faire apprécier pour son zèle et sa bonne mémoire.

Les deux cousins se regardèrent et croisèrent les bras d'un geste identique.

— Et comment le sais-tu ? demanda le roi au clerc.

— Sire, parce que j'ai eu l'honneur, l'autre avant-hier, d'écrire votre ordre pour saisir cette dame.

— Et qui te l'a dicté ?

— La reine, Sire, qui m'a dit que vous n'aviez point le temps de le faire et l'en aviez chargée. Les deux ordres, pour mieux dire, celui de saisie et celui d'écrou.

Le sang s'était complètement retiré du visage de Philippe qui, partagé entre la honte et la colère, n'osait plus regarder son beau-frère.

« La belle gueuse, pensait Robert. Je savais bien qu'elle me haïssait, mais jusqu'à voler le sceau de son époux pour me nuire... Et qui donc a pu si bien la renseigner ? »

— Vous ne faites pas achever, Sire ? dit-il.

— Certes, certes, dit Philippe sortant de ses pensées.

Il dicta la formule finale. Le clerc alluma une chandelle au feu, fit couler quelques gouttes de cire rouge sur la feuille pliée qu'il présenta au roi pour qu'il y appliquât lui-même son petit sceau.

Philippe, perdu dans ses réflexions, semblait n'accorder à ses propres gestes qu'une attention secondaire. Robert prit l'ordre, agita une cloche. Ce fut Hérouart de Belleperche qui reparut.

— Au prévôt, sur l'heure, d'ordre du roi, lui dit Robert en lui remettant la lettre.

— Et fais appeler céans Madame la reine, ordonna Philippe VI depuis le fond de la pièce.

Le clerc Mulet attendait, regardant alternativement le roi et le comte d'Artois et se demandant si son excès de zèle avait été si bien venu. Robert, de la main, lui enjoignit de disparaître.

Quelques instants plus tard la reine Jeanne entra avec cette démarche particulière qui venait de sa boiterie. Son corps se déplaçait dans un quart de cercle dont la jambe la plus longue formait le pivot. C'était une reine maigre, d'assez beau visage, encore que la dent déjà s'y gâtât. L'œil était grand, avec la fausse limpidité du mensonge ; les doigts très longs, un peu tordus, laissaient paraître du jour entre eux même lorsqu'ils étaient joints.

— Depuis quand, Madame, envoie-t-on des ordres en mon nom ?

La reine prit un air de surprise et d'innocence parfaitement joué.

— Un ordre, mon aimé Sire ?

Elle avait la voix grave, mélodieuse, où traînait un accent de tendresse bien feinte.

— Et depuis quand me dérobe-t-on mon sceau pendant que je dors ?

— Votre sceau, doux cœur ? Mais jamais je n'ai touché à votre sceau. De quel sceau parlez-vous ?

Une gifle énorme vint lui couper la parole.

Les yeux de Jeanne la Boiteuse s'emplirent de larmes, tant le coup avait été brutal et cuisant ; sa bouche s'entrouvrit de stupeur et elle porta ses longs doigts à sa joue qui se marbrait de rouge.

Robert d'Artois n'était pas moins surpris, mais lui, avec bonheur. Jamais il n'aurait cru son cousin Philippe, que chacun disait si soumis à sa femme, capable de lever la main sur elle. « Serait-il vraiment devenu roi ? » se dit Robert.

Philippe de Valois était surtout redevenu homme et pareil à tout époux, grand seigneur ou dernier valet, qui corrige sa femme menteuse. Une autre gifle partit, comme si la première lui avait aimanté la main ; et puis une grêle. Jeanne, affolée, se défendait le visage de ses deux bras levés. La main de Philippe tombait où elle pouvait, sur le haut de la tête, sur les épaules. En même temps, il criait :

— C'est l'autre nuit, n'est-ce pas, que vous m'avez joué ce tour ? Et vous avez le front de nier alors que Mulet m'a tout avoué ? Mauvaise putain qui me mignote, se frotte à moi, se dit toute prise d'amour, profite de la faiblesse que j'ai pour elle, et me berne quand je dors, et me dérobe mon sceau de roi ? Ne sais-tu pas qu'il n'est acte plus laid, pire que vol ? Que d'aucun sujet en mon royaume, fût-ce le plus grand, je ne tolérerais qu'il usât du cachet d'autrui sans le faire bâtonner ? Et c'est du mien qu'on se sert ! A-t-on vu pire scélérate qui veut me déshonorer devant mes pairs, devant mon cousin, mon propre frère ? N'ai-je pas raison, Robert ? dit-il s'arrêtant un instant de frapper pour chercher approbation. Comment pourrions-nous gouverner nos sujets si chacun se servait à volonté de nos sceaux pour ordonner ce que nous n'avons point voulu? C'est faire viol à notre honneur.

Puis, revenant sur sa femme avec un brusque regain de fureur:

— Et voilà le bel emploi que vous faites de l'hôtel de Nesle que je vous ai donné. M'avez-vous assez supplié pour l'avoir! Êtes-vous aussi mauvaise que votre sœur, et cette tour maudite servira-t-elle toujours à abriter les méfaits de Bourgogne? Que si vous n'étiez pas la reine, par le malheur que j'ai eu de vous épouser, c'est bien vous que j'y ferais jeter en prison! Et puisque par d'autres ne peux vous châtier, eh bien! je le fais moi-même.

Et les coups se remirent à pleuvoir.

«Puisse-t-il la laisser morte!» pensait Robert.

Jeanne s'était maintenant recroquevillée sur le lit, les jambes battant hors de sa robe, et chaque coup lui tirait un gémissement ou un hurlement. Puis, soudain, elle fit face comme un chat, les ongles en avant, et se mit à hurler, les joues barbouillées de larmes:

— Oui, je l'ai fait! Oui, j'ai dérobé ton sceau dans ton sommeil, parce que tu rends mauvaise justice et que je veux défendre mon frère de Bourgogne contre ce méchant Robert que voici, qui nous a toujours nui par cautèle et par crime, qui, de complot avec ton père, a fait périr ma sœur Marguerite...

— Garde la mémoire de mon père hors de ta bouche! s'écria Philippe.

A la lueur qu'elle vit dans le regard de son époux, elle se tut, car vraiment il était bien capable de la tuer.

Il ajouta, élevant la main d'un geste protecteur jusqu'à l'épaule de Robert d'Artois:

— Et garde-toi, mauvaise, de jamais nuire à mon frère qui est le meilleur soutien de mon trône.

Quand il alla ouvrir la porte pour informer son chambellan qu'il supprimait la chasse de ce jour, vingt têtes accolées reculèrent ensemble. Jeanne la Boiteuse était détestée des serviteurs qu'elle harcelait d'exigences, qu'elle dénonçait pour le moindre manquement, et qui l'appelaient entre eux «la male reine». Le récit de la correction qu'elle venait de recevoir allait emplir de joie le Palais[20].

Vers la fin de la matinée, dans le verger de Saint-Germain où la gelée fondait, Philippe et Robert se promenaient ensemble, à pas lents. Le roi avait la tête basse.

— N'est-ce pas chose affreuse, Robert, que d'avoir à se défier de sa propre épouse, et même quand on dort? Que puis-je faire? Mettre mon sceau sous mon oreiller? Elle y glissera la main. J'ai le sommeil lourd. Je ne puis quand même pas l'enfermer au couvent: c'est ma femme! Ne plus la laisser dormir auprès de moi, c'est tout ce que je puis. Le pis est que je l'aime, cette drôlesse! Ne va point le redire, mais j'ai, comme tout chacun, tâté de quelques autres au déduit. J'en suis revenu avec plus de goût pour elle... Mais si jamais elle recommence, je la battrai encore!

A ce moment, Trouillard d'Usages, vidame du Mans et chevalier de l'hôtel, s'avança dans l'allée pour annoncer le prévôt de Paris qui le suivait.

Rond de bedaine, et roulant sur de courtes pattes, Jean de Milon n'avait pas la mine gaie.

— Alors, messire prévôt, vous avez fait relâcher cette dame?

— Non, Sire, répondit le prévôt d'une voix gênée.

— Quoi? Mon ordre était-il faux? Peut-être n'avez-vous pas reconnu mon sceau?

— Non point, Sire, mais avant que de l'exécuter, je voulais vous en entretenir, et suis bien aise aussi de trouver Monseigneur d'Artois avec vous, dit Jean de Milon en regardant Robert d'un air gêné. Cette dame a confessé.

— Qu'a-t-elle confessé? demanda Robert.

— Toutes sortes de vilenies, Monseigneur, fausses écritures, pièces contrefaites, et d'autres choses encore.

Robert garda très bon contrôle de soi, feignit même de prendre la chose pour plaisanterie, et s'écria en haussant les épaules:

— Certes, si on l'a passée à la question, elle a dû confesser beaucoup! Que je vous livre aux tourmenteurs, messire de Milon, et je gage que vous confesserez m'avoir voulu sodomiser!

— Hélas! Monseigneur, dit le prévôt, la dame a parlé avant la question... par peur, simplement par peur d'être questionnée. Elle a donné longue liste de complices.

Philippe VI, silencieux, observait son beau-frère. Un nouveau travail se faisait dans sa tête.

Robert sentit un piège se refermer sur lui. Un roi qui vient de rouer de coups son épouse, et devant témoin, pour usurpation de sceau et fausses lettres, peut difficilement relâcher, même pour complaire à son plus intime parent, une ordinaire sujette qui vient d'avouer d'identiques méfaits.

— Ton conseil, mon frère? demanda Philippe à Robert sans le quitter du regard.

Robert comprit que son salut dépendait de sa réponse; il fallait jouer la loyauté. Tant pis pour la Divion. Tout ce qu'elle avait pu ou pourrait déclarer le concernant serait tenu par lui pour mensonge éhonté.

— Votre justice, Sire mon frère, votre justice! déclara-t-il. Maintenez cette femme en cachot, et si elle m'a trompé, sachez bien que je réclamerai de vous la plus grande rigueur.

En même temps il se disait: «Mais qui donc a prévenu le duc de Bourgogne?» Et puis la réponse, l'évidente réponse, lui vint aussitôt.

Il n'existait qu'une seule personne qui ait pu dire au duc de Bourgogne, ou à la male reine elle-même, que la Divion se trouvait à Conches : Béatrice.

Ce fut seulement vers la fin mars, quand la Seine, gonflée par les crues de printemps, inondait les rives et entrait dans les caves, que des mariniers repêchèrent, du côté de Chatou, un sac flottant entre deux eaux et contenant un corps de femme complètement nu.

Toute la population du village, pataugeant dans la boue, s'était assemblée autour de la macabre trouvaille, et les mères giflaient leurs gamins en criant :

— Allons, fuyez, vous autres ; ce n'est pas pour vous, ces choses-là !

Le cadavre était hideusement gonflé, avec l'horrible teinte verdâtre d'une décomposition déjà avancée ; il avait dû séjourner plus d'un mois dans le fleuve. On pouvait pourtant reconnaître que la morte était jeune. Ses longs cheveux noirs semblaient bouger parce que des bulles y crevaient. Le visage avait été lacéré, talonné, écrasé pour qu'on ne pût l'identifier ; et le cou portait la trace d'un lacet.

Les mariniers, partagés entre le dégoût et une attirance obscène, poussaient du bout de leurs gaffes l'impudique charogne.

Soudain le corps, rendant l'eau qui le gonflait, se mit à remuer de lui-même, donnant un instant l'illusion de ressusciter, et les commères s'écartèrent en hurlant.

Le bailli, qu'on avait averti, arriva, posa quelques questions, tourna autour de la morte, inspecta les objets sortis du sac, avec le cadavre, et qui s'égouttaient sur l'herbe : une corne de bouc, une figurine de cire enveloppée de chiffons et piquée d'épingles, un grossier ciboire d'étain gravé de signes sataniques.

— C'est une sorcière occise par ses compagnons après quelque sabbat ou noire messe, déclara le bailli.

Les commères se signèrent. Le bailli désigna une corvée pour aller enfouir au plus vite le corps et les vilains objets dans un boqueteau, à l'écart du village, et sans une prière.

Un crime bien fait, en somme, bien maquillé, où Gillet de Nelle avait suivi les bonnes leçons de Lormet le Dolois, et qui s'achevait comme l'avaient souhaité les meurtriers.

Robert d'Artois était vengé de la trahison de Béatrice, ce qui ne signifiait pas qu'il fût pour autant triomphant.

Dans deux générations, les villageois de Chatou ne sauraient plus pourquoi on avait appelé un bouquet d'arbres, en aval, « le bois de la sorcière ».

VII

LE TOURNOI D'ÉVREUX

Vers le milieu du mois de mai, on vit des hérauts à la livrée de France, accompagnés de sonneurs de busines, s'arrêter sur les places des villes, aux carrefours des bourgades et devant l'entrée des châteaux. Les sonneurs soufflaient dans leur longue trompette d'où pendait une flamme fleurdelisée, le héraut déroulait un parchemin et d'une voix forte proclamait :

— « *Or, oyez, oyez! On fait assavoir à tous princes, seigneurs, barons, chevaliers et écuyers des duchés de Normandie, de Bretagne et de Bourgogne, des comtés et marches d'Anjou, d'Artois, de Flandre et de Champagne, et à tous autres, qu'ils soient de ce royaume ou de tout autre royaume chrétien, s'ils ne sont bannis ou ennemis du roi notre Sire, à qui Dieu donne bonne vie, que le jour de la Sainte-Lucie, sixième de juillet, auprès la ville d'Évreux, sera un grandissime pardon d'armes et très noble tournoi, où l'on frappera de masses de mesure et épées rabattues, en harnois propre pour ce faire, en timbre, cotte d'armes et housseaux de chevaux armoyés des nobles tournoyeurs, comme de toute ancienneté et coutume.*

« *Duquel tournoi sont chefs très hauts et très puissants princes, mes très redoutés seigneurs notre Sire bien aimé, Philippe, roi de France, pour appelant, et le Sire Jean de Luxembourg, roi de Bohême, pour défendant. Et pour ce fait-on derechef assavoir à tous princes, seigneurs, barons, chevaliers et écuyers des marches dessus dites et autres de quelconque nation qu'ils soient, qui auront vouloir et désir de tournoyer pour acquérir honneur, qu'ils portent de petits écussons que ci présentement donnerai, à ce qu'on reconnaisse qu'ils sont des tournoyeurs, et pour ce en demande qui en voudra avoir. Et audit tournoi il y aura de nobles et riches prix, par les dames et damoiselles donnés.*

« *Outre plus, j'annonce à tous princes, barons, chevaliers, et écuyers qui avez l'intention de tournoyer, que vous êtes tenus de vous rendre audit lieu*

d'Évreux et prendre vos auberges le quatrième jour avant ledit tournoi,
pour faire de vos blasons fenêtres et montrer vos pavois, sous peine de ne
pas être reçus audit tournoi. Et ceci il est fait assavoir de par mes
seigneurs les juges diseurs, et me le pardonnez, s'il vous plaît. »

Les trompettes sonnaient de nouveau, et les gamins jusqu'à la sortie
du bourg faisaient en courant escorte au héraut qui s'en allait plus loin
porter la nouvelle.

Les badauds, avant de se disperser, disaient :

— Cela va encore cher nous coûter, si notre châtelain se veut rendre
à ce tournoi crié ! Il va partir avec sa dame et toute sa maisonnée...
Toujours pour eux les amusailles, et pour nous les tailles à payer.

Mais plus d'un pensait en même temps : « Si le seigneur, des fois,
voulait emmener mon aîné comme goujat d'écurie, il y aurait sûrement
une bonne bourse à gagner, et peut-être quelque emploi d'avenir... J'en
parlerai au chanoine pour qu'il recommande mon Gaston. »

Pour six semaines, le tournoi allait être la grande affaire et l'unique
préoccupation des châteaux. Les adolescents rêvaient d'étonner le
monde de leurs premiers exploits.

— Tu es trop jeune encore ; une autre année. Les occasions ne
manqueront pas, répondaient les parents.

— Mais le fils de nos voisins de Chambray, qui a mon âge, va bien
s'y rendre, lui !

— Si le sire de Chambray a raison perdue, ou des deniers à perdre,
cela le regarde.

Les vieillards rabâchaient leurs souvenirs. A les entendre, on eût cru
qu'en leur temps les hommes étaient plus forts, les armes plus lourdes,
les chevaux plus rapides :

— Au tournoi de Kenilworth, que donna le Lord Mortimer de
Chirk, l'oncle à celui qu'on pendit à Londres cet hiver...

— Au tournoi de Condé-sur-Escaut, chez Monseigneur Jean
d'Avesnes, le père au comte de Hainaut l'actuel...

On empruntait sur la moisson prochaine, sur les coupes de bois ; on
portait sa vaisselle d'argent chez les plus proches Lombards afin de la
transformer en plumes pour le heaume du seigneur, en étoffes de cendal
ou de camocas pour les robes de madame, en caparaçons pour les
chevaux.

Les hypocrites feignaient de se plaindre :

— Ah ! que de dépenses, que de soucis ; alors qu'il ferait si bon à
demeurer chez soi ! Mais nous ne pouvons nous dispenser de paraître
à ce tournoi, pour l'honneur de notre maison... Si le roi notre Sire a
envoyé ses hérauts à la porte de notre manoir, nous le fâcherions en
n'y allant pas.

Partout on tirait l'aiguille, on battait le fer, on cousait le tissu de
mailles sur le cuir des haubergeons, on entraînait les chevaux et

s'entraînait soi-même dans les vergers dont les oiseaux s'enfuyaient, effrayés par ces charges, ces chocs de lances et grands cliquetis d'épées. Les petits barons mettaient trois heures à essayer leur cervelière.

Pour se faire la main, les châtelains organisaient des tournois locaux où les hommes d'âge, fronçant le sourcil, gonflant les joues, jugeaient des coups en regardant leurs cadets s'éborgner. Après quoi l'on s'attablait pour dîner longuement, bâfrant, buvant et discutant.

Ces jeux guerriers, de baronnie à baronnie, finissaient par être aussi coûteux que de vraies campagnes.

Enfin on se mettait en route ; le grand-père avait décidé à la dernière minute d'être du voyage, et le fils de quatorze ans avait eu gain de cause ; il servirait de petit écuyer. Les destriers d'armes, qu'il ne fallait point fatiguer, étaient conduits en main ; les coffres aux robes et aux cuirasses étaient chargés sur des mulets. Les goujats de service traînaient les pieds dans la poussière. On logeait aux hôtelleries des couvents ou bien chez quelque parent dont le manoir se trouvait sur le chemin, et qui lui-même se rendait au tournoi. Un lourd souper encore, copieusement arrosé, et à l'aube crevant on repartait tous ensemble.

Ainsi, de halte en halte, les troupes grossissaient, jusqu'à la rencontre, en formidable appareil, du sire comte dont on était vassal. On lui baisait la main ; quelques banalités s'échangeaient qui seraient longuement commentées. Les dames faisaient sortir des coffres une de leurs robes nouvelles et l'on s'agrégeait à la suite du comte, déjà longue d'une demi-lieue et toutes bannières flottantes sous le soleil de début d'été.

De fausses armées, équipées de lances épointées, d'épées sans tranchant et de masses sans poids, franchissaient alors la Seine, l'Eure, la Risle, ou montaient de la Loire, pour se rendre à une fausse guerre où rien n'était sérieux sinon les vanités.

Dès huit jours avant le tournoi, il ne restait plus chambre ou soupente à louer en toute la ville d'Évreux. Le roi de France tenait sa cour dans la plus grande abbaye, et le roi de Bohême, en l'honneur duquel les fêtes étaient données, logeait chez le comte d'Évreux, roi de Navarre.

Singulier prince que ce Jean de Luxembourg, roi de Bohême, parfaitement impécunieux, couvert de plus de dettes que de terres, qui vivait aux crochets du Trésor de France mais n'eût pas imaginé de paraître en moins grand équipage que l'hôte dont il tirait ses ressources ! Luxembourg avait près de quarante ans, et en paraissait trente ; on le reconnaissait à sa belle barbe châtaine, soyeuse et déployée, à sa tête rieuse et altière, à ses mains avenantes, toujours tendues. C'était un prodige de vivacité, de force, d'audace, de gaieté, de bêtise aussi. D'une stature voisine de celle de Philippe VI, il était vraiment magnifique et offrait en tous points la figure d'un roi telle que l'imagination populaire pouvait se la représenter. Il savait se faire aimer de tous, des princes comme du peuple, universellement ; il était même parvenu à être l'ami à la fois du pape Jean XXII et de l'empereur Louis de Bavière, ces deux adversaires irréductibles. Merveilleuse réussite pour un imbécile, car, chacun là-dessus s'accordait également : Jean de Luxembourg était aussi stupide qu'il était séduisant.

La bêtise n'interdit pas l'entreprise, au contraire ; elle en masque les obstacles et fait apparaître facile ce qui, à toute tête un peu raisonnante, semblerait désespéré. Jean de Luxembourg, délaissant la petite Bohême où il s'ennuyait, s'était engagé, en Italie, dans de démentes aventures. « Les luttes entre Gibelins et Guelfes ruinent ce pays, avait-il pensé comme s'il faisait là grande découverte. L'Empereur et le pape se disputent des républiques dont les habitants ne cessent de s'entretuer. Eh bien ! puisque je suis ami d'un parti et de l'autre, qu'on me remette ces États, et j'y ferai régner la paix ! » Le plus étonnant était qu'il y fût presque parvenu. Pendant quelques mois il avait été l'idole de l'Italie, mis à part les Florentins, gens difficiles à berner, et le roi Robert de Naples que ce gêneur commençait à inquiéter.

En avril, Jean de Luxembourg avait tenu une conférence secrète avec le cardinal légat Bertrand du Pouget, parent du pape et même, chuchotait-on, son fils naturel, conférence par laquelle les Bohémiens considéraient avoir réglé d'un coup, et le sort de Florence, et le retrait de Rimini aux Malatesta, et l'établissement d'une principauté indépendante dont Bologne serait la capitale. Or, sans qu'il sût comment, sans qu'il comprît pourquoi, alors que ses affaires semblaient si bien avancées qu'il songeait même à remplacer son intime ami, Louis de Bavière, au trône impérial, voilà que soudain Jean de Luxembourg avait vu se dresser contre lui deux coalitions formidables, où Guelfes et Gibelins, pour une rare fois, faisaient alliance, où Florence était d'accord avec Rome, où le roi de Naples, soutien du pape, attaquait au sud, tandis que l'Empereur, ennemi du pape, attaquait au nord, et où les deux ducs d'Autriche, le margrave de Brandebourg, le roi de Pologne, le roi de Hongrie, venaient à la rescousse. Il y avait là de quoi surprendre un prince si aimé, et qui voulait donner la paix aux Italiens !

Laissant seulement huit cents chevaux à son fils Charles pour maîtriser toute la Lombardie, Jean de Luxembourg, la barbe au vent, avait couru de Parme jusqu'en Bohême où les Autrichiens pénétraient. Il était tombé dans les bras de Louis de Bavière et, à force de grands baisers sur les joues, avait dissipé l'absurde malentendu. La couronne impériale ? Mais il n'y avait songé que pour faire plaisir au pape !

A présent il arrivait chez Philippe de Valois pour le prier d'intervenir auprès du roi de Naples, et lui soutirer également de nouveaux subsides afin de poursuivre son projet de royaume pacifique.

Philippe VI pouvait-il faire moins, envers cet hôte chevaleresque, que d'offrir un tournoi en son honneur?

Ainsi dans la plaine d'Évreux, sur les bords de l'Iton, le roi de France et le roi de Bohême, amis fraternels, allaient se livrer fausse bataille... avec plus de monde sous les armes que n'en avait le fils de ce même roi de Bohême pour s'opposer à l'Italie entière.

Les lices, c'est-à-dire l'enclos du tournoi, étaient tracées dans une vaste prairie plate où elles formaient un rectangle de trois cents pieds sur deux cents, fermé par deux palissades, la première à claire-voie et faite de poteaux terminés en pointe, la seconde, à l'intérieur, un peu plus basse et bordée d'une épaisse main courante. Entre les deux palissades se tenaient, pendant les épreuves, les valets d'armes des tournoyeurs.

Du côté de l'ombre avaient été bâtis les échafauds, trois grandes tribunes couvertes de toile et décorées de bannières: celle du milieu pour les juges, et les deux autres pour les dames.

Tout autour, dans la plaine, se pressaient les pavillons des valets et palefreniers; c'était là qu'on venait admirer, en se promenant, les montures de tournoi; sur chaque pavillon flottaient les armes de son propriétaire.

Les quatre premiers jours de la rencontre furent consacrés aux joutes individuelles, aux défis que se lançaient deux à deux les seigneurs présents. Certains voulaient leur revanche d'une défaite essuyée dans une précédente rencontre; d'autres, qui ne s'étaient jamais encore mesurés, souhaitaient s'éprouver; ou bien l'on poussait deux jouteurs fameux à s'affronter.

Les tribunes s'emplissaient plus ou moins, selon la qualité des adversaires. Deux jeunes écuyers avaient-ils pu, en faisant démarches, obtenir les lices pour une demi-heure de grand matin? Les échafauds alors n'étaient que maigrement garnis de quelques amis ou parents. Mais qu'on annonçât une rencontre entre le roi de Bohême et messire Jean de Hainaut, arrivé tout exprès de la Hollande avec vingt chevaliers, les tribunes menaçaient de crouler. C'était alors que les dames arrachaient une manche de leur robe pour la remettre au chevalier de leur choix, fausse manche souvent, où la soie n'était cousue par-dessus la vraie manche que par quelques fils faciles à casser, ou bien vraie manche, chez certaines dames osées qui se plaisaient à découvrir un beau bras.

Il y avait toute espèce de personnes, sur les gradins; car en cette grande affluence qui faisait d'Évreux comme une foire de noblesse, on ne pouvait point trop trier. Quelques follieuses de haut vol, aussi parées que les baronnes, et plus jolies souvent et de plus fines manières, parvenaient à se glisser aux meilleures places, jouaient de l'œil et provoquaient les hommes à d'autres tournois.

Les jouteurs qui n'étaient pas en lice, sous couvert d'assister aux exploits d'un ami, venaient s'asseoir auprès des dames, et il s'amorçait là des fleuretages qu'on poursuivrait le soir, au château, entre les danses et les caroles.

Messire Jean de Hainaut et le roi de Bohême, invisibles sous leurs armures empanachées, portaient chacun à la hampe de leur lance six manches de soie, comme autant de cœurs accrochés. Il fallait qu'un des jouteurs renversât l'autre ou bien que le bois de lance se brisât. On ne devait frapper qu'à la poitrine, et l'écu était incurvé de manière à dévier les coups. Le ventre protégé par le haut arçon de la selle, la tête enfermée dans un heaume dont la ventaille était abaissée, les adversaires se lançaient l'un contre l'autre. Dans les tribunes, on hurlait, on trépignait de joie. Les deux jouteurs étaient de force égale, et l'on parlerait longtemps de la grâce avec laquelle messire de Hainaut mettait lance sur fautre [21], et aussi de la façon qu'avait le roi de Bohême d'être droit comme flèche sur ses étriers et de tenir au choc jusqu'à ce que les deux hampes, se ployant en arcs, finissent par se rompre.

Quant au comte Robert d'Artois, venu de Conches en voisin, et qui montait d'énormes chevaux percherons, son poids le rendait redoutable. Harnais rouge, lance rouge, écharpe rouge flottant à son heaume, il avait une habileté particulière pour cueillir l'adversaire en pleine course, l'élever hors de sa selle et l'envoyer dans la poussière. Mais il était d'humeur sombre, ces temps-ci, Monseigneur d'Artois, et l'on eût dit qu'il participait à ces jeux plutôt par devoir que par plaisir.

Cependant les juges diseurs, tous choisis parmi les plus importants personnages du royaume, tels le connétable Raoul de Brienne, ou messire Miles de Noyers, s'occupaient de l'organisation du grand tournoi final.

Entre le temps passé à se harnacher et déharnacher, à paraître aux joutes, à commenter les exploits, à ménager les vanités des chevaliers qui voulaient combattre sous telle bannière et non sous telle autre, et le temps employé à table, et celui encore d'écouter ménestrels après les festins, et de danser après avoir ouï les chansons, c'était à peine si le roi de France, le roi de Bohême et leurs conseillers disposaient d'une petite heure chaque jour pour s'entretenir des affaires d'Italie qui étaient, somme toute, la raison de cette réunion. Mais on sait que les affaires les plus importantes se règlent en peu de paroles si les interlocuteurs sont en bonne humeur de s'accorder.

Comme deux vrais rois de la Table Ronde, Philippe de Valois, magnifique en ses robes brodées, et Jean de Luxembourg, non moins somptueux, s'adressaient, le hanap en main, de solennelles déclarations d'amitié. On décidait à la hâte d'une lettre au pape Jean XXII ou d'une ambassade au roi Robert de Naples.

— Ah! il faudra aussi, mon beau Sire, que nous parlions un peu de la croisade, disait Philippe VI.

Car il avait repris le projet de son père Charles de Valois et de son cousin Charles le Bel. Tout allait si bien au royaume de France, le Trésor se trouvait si convenablement fourni et la paix de l'Europe, avec l'aide du roi de Bohême, si convenablement assurée, qu'il devenait urgent d'envisager, pour l'honneur et la prospérité des nations chrétiennes, une belle et glorieuse expédition contre les Infidèles.

— Ah! Messeigneurs, on corne l'eau...

La conférence était levée; on discuterait de la croisade après le repas, ou le lendemain.

A table, on se gaussait fort du jeune roi Édouard d'Angleterre qui, trois mois auparavant, et accompagné du seul Lord Montaigu, était venu, déguisé en marchand, pour s'entretenir secrètement avec le roi de France. Oui, costumé comme un quelconque négociant lombard! Et dans quel dessein? Pour conclure un règlement de commerce au sujet des fournitures lainières à la Flandre. Un marchand, en vérité; il s'occupait des laines! Avait-on jamais vu prince se soucier de telles affaires, comme un vulgaire bourgeois des guildes ou des hanses?

— Alors, mes amis, puisqu'il le voulait, je l'ai reçu *en marchant*! disait Philippe de Valois charmé de son propre calembour. Sans fêtes, sans tournoi, en marchant dans les allées de la forêt d'Halatte; et je lui ai offert un petit souper maigre[22].

Il n'avait que des idées absurdes, ce jeunot! N'était-il pas en train d'instituer dans son royaume une armée permanente de gens de pied, avec service obligatoire? Qu'espérait-il de cette piétaille alors qu'on savait bien, et la bataille du mont Cassel l'avait assez prouvé, que seule la chevalerie compte dans les combats et que le fantassin fuit dès qu'il voit paraître cuirasse?

— Il semble toutefois que l'ordre règne davantage en Angleterre depuis que Lord Mortimer a été pendu, faisait observer Miles de Noyers.

— L'ordre règne, répondait Philippe VI, parce que les barons anglais sont las, pour un temps, de s'être beaucoup battus entre eux. Dès qu'ils auront repris souffle, le pauvre Édouard verra ce qu'il pourra, avec sa piétaille! Et il avait pensé, naguère, le cher garçon, à réclamer la couronne de France... Allons, Messeigneurs, regrettez-vous de ne l'avoir pour prince, ou bien préférez-vous votre « roi trouvé »? ajoutait-il en se frappant gaillardement la poitrine.

Au sortir de chaque festin, Philippe disait à Robert d'Artois, assez bas:

— Mon frère, je veux te parler seul à seul, et de choses fort graves.

— Sire mon cousin, quand tu le souhaiteras.

— Eh bien, ce soir...

Mais le soir on dansait, et Robert ne cherchait pas à hâter un entretien dont il devinait trop aisément l'objet ; depuis les aveux de la Divion, toujours tenue en prison, d'autres arrestations avaient été opérées, dont celle du notaire Tesson, et tous les témoins soumis à une contre-enquête... On avait remarqué, pendant les brèves conférences avec le roi de Bohême, que Philippe VI ne demandait guère le conseil de Robert, ce qui pouvait être interprété comme un signe de défaveur.

La veille du tournoi, le « roi d'armes »[23], accompagné de ses hérauts et de ses sonneurs, se rendit au château, aux demeures des principaux seigneurs et sur les lices mêmes, afin de proclamer :

— *« Or oyez, oyez, très hauts et puissants princes, ducs, comtes, barons, seigneurs, chevaliers et écuyers ! Je vous notifie, de par Messeigneurs les juges diseurs, que chacun de vous fasse ce jour apporter son heaume sous lequel il doit tournoyer, et ses bannières aussi, en l'hôtel de Messeigneurs les juges, afin que mesdits seigneurs les juges puissent commencer à en faire le partage ; et après qu'ils seront départis, les dames viendront voir et visiter pour en dire leur bon plaisir ; et pour ce jour autre chose ne se fera, sinon les danses après souper. »*

A l'hôtellerie des juges, les heaumes, à mesure qu'ils arrivaient présentés par les valets d'armes, étaient alignés sur des coffres dans le cloître, et répartis par camp. On eût dit les dépouilles d'une folle armée décapitée. Car pour se bien distinguer pendant la bataille, les tournoyeurs, par-dessus leur tortil ou leur couronne comtale, faisaient fixer à leur heaume les emblèmes les plus voyants ou les plus étranges : qui un aigle, qui un dragon, qui une femme nue, ou une sirène, ou une licorne dressée. De plus, de longues écharpes de soie, aux couleurs du seigneur, étaient accrochées à ces casques.

Dans l'après-midi, les dames vinrent à l'hôtellerie et, précédées des juges et des deux chefs de tournoi, c'est-à-dire les rois de France et de Bohême, furent invitées à faire le tour du cloître, tandis qu'un héraut, s'arrêtant devant chaque heaume, en nommait le possesseur.

— Messire Jean de Hainaut... Monseigneur le comte de Blois... Monseigneur d'Évreux, roi de Navarre...

Certains des heaumes étaient peints, de même que les épées et les hampes des lances, d'où les surnoms de leurs propriétaires : le Chevalier aux armes blanches, le Chevalier aux armes noires.

— Messire le maréchal Robert Bertrand, le chevalier au Vert Lion...

Venait ensuite un heaume rouge monumental, et que sommait une tour d'or :

— Monseigneur Robert d'Artois, comte de Beaumont-le-Roger...

La reine qui, au premier rang des dames, avançait de son pas inégal, fit le geste d'étendre la main. Philippe VI l'arrêta en lui relevant le poignet, et, feignant de l'aider à marcher, lui dit à mi-voix :

— Ma mie, je vous le défends bien !

La reine Jeanne eut un sourire méchant.

— C'eût été pourtant bonne occasion, murmura-t-elle à sa voisine et belle-sœur, la jeune duchesse du Bourgogne.

Car, selon les règles du tournoi, si une dame touchait un des heaumes, le chevalier auquel ce heaume appartenait se trouvait «recommandé», c'est-à-dire qu'il n'avait plus le droit de participer à la rencontre. Les autres chevaliers s'assemblaient pour le battre à coups de hampes, à son entrée en lice; son cheval était donné aux sonneurs de trompettes; lui-même juché de force sur la main courante qui entourait les lices et obligé d'y demeurer, à califourchon, ridiculement, pendant tout le temps du tournoi. On infligeait tel traitement d'infamie à celui qui avait médit d'une dame, ou forfait d'autre manière à l'honneur, soit en prêtant argent à usure, soit pour «parole faussée».

Le mouvement de la reine n'avait pas échappé à Madame de Beaumont, qu'on vit pâlir. Elle s'approcha du roi son frère et lui adressa des reproches.

— Ma sœur, lui répondit Philippe VI avec une expresssion sévère, remerciez-moi plutôt que de vous plaindre.

Le soir, pendant les danses, chacun était au courant de l'incident. La reine avait fait mine de «recommander» Robert d'Artois. Celui-ci montrait son visage des très mauvais jours. Pour les caroles, il refusa ostensiblement la main à la duchesse de Bourgogne, et alla se planter devant la reine Jeanne, laquelle ne dansait jamais à cause de son infirmité; il resta là un long instant, le bras arrondi comme s'il l'invitait, ce qui était méchant affront de revanche. Les épouses cherchaient des yeux leurs maris; les violes et les harpes se faisaient entendre dans un silence angoissé. Il eût suffi du plus léger éclat pour que le tournoi fût avancé d'une nuit et que la mêlée commençât aussitôt, dans la salle de bal.

L'entrée du roi d'armes, escorté de ses hérauts, et qui venait pour une nouvelle proclamation, produisit une utile diversion.

— « *Or, oyez, hauts et puissants princes, seigneurs, barons, chevaliers et écuyers qui êtes au tournoi parties! Je vous fais assavoir de par Messeigneurs les juges diseurs que chacun de vous soit demain dedans les rangs à l'heure de midi, en armes et prêt pour tournoyer, car à une heure après midi les juges feront couper les cordes pour commencer le tournoi, auquel il y aura de riches dons par les dames donnés. Outre plus, je vous avise que nul d'entre vous ne doit amener dedans les rangs valets à cheval pour vous servir outre la quantité, à savoir: quatre valets pour princes, trois pour comtes, deux pour chevaliers et un pour écuyers, et des valets de pied chacun à son plaisir, comme ainsi en ont ordonné les juges. Outre plus, s'il plaît à vous tous, vous lèverez la main dextre en haut vers les saints, et tous ensemble promettrez que nul d'entre vous audit tournoi ne frappera à son escient d'estoc, ni non plus de la ceinture jusque plus bas;*

et d'autre part, si, par cas d'aventure, le heaume choit de la tête à aucun d'entre vous, nul autre ne le touchera tant que son heaume ne sera remis et lacé; et vous vous soumettrez, si vous en faites autrement, à perdre armure et destrier, et à être criés bannis du tournoi les autres fois. Et ainsi vous jurez et promettez par la foi, sur votre honneur. »

Tous les tournoyeurs présents levèrent la main et crièrent :

— Oui, oui, nous le jurons !

— Prenez bien garde, demain, dit le duc de Bourgogne à ses chevaliers, car notre cousin d'Artois pourrait se montrer mauvais et ne pas respecter toutes les semonces.

Er puis l'on se remit à danser.

VIII

HONNEUR DE PAIR, HONNEUR DE ROI

Chaque tournoyeur se trouvait dans le pavillon de drap brodé où flottait sa bannière et s'y faisait équiper. D'abord les chausses de mailles auxquelles on fixait les éperons ; puis les plaques de fer qui couvraient les jambes et les bras ; ensuite le haubert de cuir épais pardessus lequel on revêtait l'armure de corps, sorte de tonnelet de fer, articulé ou bien d'une seule pièce, selon les préférences. Venaient ensuite la cervelière de cuir pour protéger des chocs du heaume, et le heaume lui-même, empanaché ou surmonté d'emblèmes, et qui se laçait au col du haubert par des lanières de cuir. Par-dessus l'armure, on passait la cotte de soie, de couleur éclatante, longue, flottante, avec d'immenses manches festonnées qui pendaient aux épaules, et des armoiries brodées sur la poitrine. Enfin le chevalier recevait l'épée, au tranchant émoussé, et l'écu, targe ou rondache.

Dehors le destrier attendait, couvert d'une housse armoriée, mâchant son mors à longues branches, et le frontal protégé d'une plaque de fer sur laquelle était fixé, comme sur le heaume du maître, un aigle, un dragon, un lion, une tour ou un bouquet de plumes. Des valets d'armes tenaient les trois lances épointées dont chaque tournoyeur disposait, ainsi qu'une masse assez légère pour n'être pas meurtrière.

Les gens de noblesse se promenaient entre les pavillons, venaient assister au harnachement des champions, adressaient aux amis les derniers encouragements.

Le petit prince Jean, fils aîné du roi, contemplait avec admiration ces préparatifs, et Jean le Fol, qui l'accompagnait, faisait des grimaces sous son bonnet à marotte.

La foule populaire, nombreuse, était tenue à distance par une compagnie d'archers ; elle verrait surtout de la poussière, car, depuis quatre jours que les jouteurs piétinaient les lices, l'herbe était morte et le sol, bien qu'arrosé, se transformait en poudre.

Avant même que d'être à cheval, les tournoyeurs ruisselaient sous leur harnois dont les plaques de fer chauffaient au grand soleil de juillet. Ils perdraient bien quatre livres dans la journée.

Les hérauts passaient en criant :

— Lacez heaumes, lacez heaumes, seigneurs chevaliers, et hissez bannières, pour convoyer la bannière du chef !

Les échafauds s'étaient emplis et les juges diseurs, parmi lesquels le connétable, messire Miles de Noyers et le duc de Bourbon, se trouvaient à leurs places dans la tribune centrale.

Les trompes retentirent ; les tournoyeurs, aidés par leurs valets, montèrent pesamment à cheval et se rendirent, qui devant la tente du roi de France, qui devant la tente du roi de Bohême, pour se former en cortège, deux par deux, chaque chevalier suivi de son porte-bannière, jusqu'aux lices, où ils firent leur entrée.

Des cordes séparaient l'enclos par moitié, dans le sens de la largeur. Les deux partis se rangèrent face à face. Après de nouvelles sonneries de trompettes, le roi d'armes s'avança pour répéter une dernière fois les conditions du tournoi.

Enfin il cria :

— Coupez cordes, hurlez bataille, quand vous voudrez !

Le duc de Bourbon n'entendait jamais ce cri sans un certain malaise, car c'était celui qu'autrefois poussait son père, Robert de Clermont, le sixième fils de Saint Louis, dans les crises de démence qui le saisissaient soudain au milieu d'un repas ou d'un conseil royal. Le duc lui-même préférait être juge plutôt que combattant.

Les hommes préposés avaient levé leurs haches ; les cordes se rompirent. Les porte-bannières quittèrent les rangs ; les valets à cheval, armés de tronçons de lance qui n'avaient pas plus de trois pieds, s'alignèrent contre la main courante, prêts à se porter au secours de leurs maîtres. Puis la terre trembla sous les sabots de deux cents chevaux lancés au galop les uns contre les autres ; et la mêlée s'engagea.

Les dames, debout dans les tribunes, criaient en suivant des yeux le heaume de leur chevalier préféré. Les juges étaient attentifs à distinguer les coups échangés afin de désigner les vainqueurs. Le choc des lances, des étriers, des armures, de toute cette ferraille, produisait un vacarme infernal. La poussière faisait écran au soleil.

Dès le premier affrontement, quatre chevaliers furent jetés à bas de leur destrier et vingt autres eurent leur lance rompue. Les valets, répondant aux appels qui sortaient par la ventaille des heaumes, coururent porter des lances neuves aux tournoyeurs désarmés et relever les désarçonnés qui gigotaient comme des crabes retournés. L'un d'eux avait la jambe brisée et quatre hommes durent l'emporter.

Miles de Noyers était maussade et, bien que juge diseur, ne s'intéressait qu'assez vaguement au spectacle. En vérité, on lui faisait perdre son temps. Il avait à présider aux travaux de la Chambre des Comptes, contrôler les arrêts du Parlement, veiller à l'administration générale du royaume. Et pour complaire au roi, il lui fallait se tenir là, à regarder des hurleurs casser des lances de frêne! Il cachait peu ses sentiments.

— Tous ces tournois coûtent trop cher; ce sont profusions inutiles, et que le peuple blâme, disait-il à ses voisins. Le roi n'entend pas ses sujets parler dans les bourgs et les campagnes. Lorsqu'il passe, il ne voit que gens courbés à lui baiser les pieds; mais moi, je sais bien ce que me rapportent les baillis et les prévôts. Vaines dépenses d'orgueil et de futilité! Et pendant ce temps rien ne se fait; les ordonnances demeurent à signer pendant deux semaines; on ne tient conseil que pour décider qui sera roi d'armes ou chevalier d'honneur. La grandeur d'un royaume ne se mesure pas à ces simulacres de chevalerie. Le roi Philippe le Bel le savait bien, qui, d'accord avec le pape Clément, avait fait interdire les tournois.

Le connétable Raoul de Brienne, la main en visière pour observer la mêlée, répondit:

— Certes, vous ne parlez point à tort, messire, mais vous négligez cet aspect du tournoi qu'il est un bon entraînement à la guerre.

— Quelle guerre? dit Miles de Noyers. Croyez-vous donc qu'on s'en ira en guerre avec ces gâteaux de noces sur la tête et ces manches festonnées qui pendent de deux aunes? Les joutes, oui, je vous le concède, entretiennent l'habileté au combat; mais le tournoi, depuis qu'il ne se fait plus en armure de guerre et que le chevalier ne porte plus le poids véritable, a perdu tout sens. Il est même funeste, car nos jeunes écuyers qui n'ont jamais servi à l'ost croiront qu'à l'ennemi les choses se passent de pareille façon, et qu'on attaque seulement quand on crie « coupez cordes! ».

Miles de Noyers pouvait parler avec autorité, car il avait été maréchal à l'armée, du temps que son parent Gaucher de Châtillon débutait en la charge de connétable et que Brienne s'exerçait encore à la quintaine.

— Il est bon également que nos seigneurs apprennent à se connaître pour la croisade, dit le duc de Bourbon d'un air entendu.

Miles de Noyers haussa les épaules. Cela convenait bien au duc, ce couard légendaire, de prôner la croisade!

. Messire Miles était las de veiller aux affaires de la France sous un souverain que tous s'accordaient à juger admirable et que lui, par longue expérience du pouvoir, tenait pour peu capable. Une certaine fatigue survient à poursuivre des efforts dans une voie que personne n'approuve, et Miles, qui avait commencé sa carrière à la cour de

Bourgogne, se demandait s'il n'allait pas bientôt y retourner. Mieux valait administrer sagement un duché que follement un royaume; or le duc Eudes, la veille, lui avait fait une invite en ce sens. Il chercha du regard le duc dans la mêlée et vit qu'il gisait au sol, renversé par Robert d'Artois. Alors Miles de Noyers reprit intérêt au tournoi.

Tandis que le duc Eudes était replacé debout par ses valets, Robert descendait de cheval et offrait à son adversaire le combat à pied. Masse et épée en main, les deux tours de fer s'avancèrent l'une vers l'autre, d'un pas un peu titubant, pour s'accabler de coups. Miles surveillait Robert d'Artois, prêt à le disqualifier au premier manquement. Mais Robert observait les règles, n'attaquait pas plus bas que la ceinture, ne frappait que de taille. De sa masse d'armes, il martelait le heaume du duc de Bourgogne, écrasant le dragon qui le surmontait. Et bien que la masse ne pesât qu'une livre, l'autre devait en avoir le crâne rudement ébranlé, car il commençait à mal se défendre et son épée battait l'air plus qu'elle ne touchait Robert. En voulant esquiver, Eudes de Bourgogne perdit l'équilibre; Robert lui posa un pied sur la poitrine et la pointe de son épée au laçage du heaume; le duc cria merci. Il s'était rendu et devait quitter le combat. Robert se fit remonter en selle et passa au galop, fièrement, devant les tribunes. Une dame enthousiaste arracha sa manche que Robert cueillit, du bout de la lance.

— Monseigneur Robert devrait ces jours-ci montrer moins de superbe, dit Miles de Noyers.

— Bah! dit Raoul de Brienne, le roi le protège.

— Jusques à quand? répliqua Miles de Noyers. Madame Mahaut semble avoir trépassé un peu vite, et Madame Jeanne la Veuve également. Et puis, il y a cette Béatrice d'Hirson, leur dame de parage, qui a disparu, et que sa famille vainement recherche... Le duc de Bourgogne agira sagement en faisant goûter ses plats.

— Vous avez bien changé de sentiment à l'égard de Robert. L'autre année, vous lui paraissiez tout acquis.

— C'est que, l'autre année, je n'avais pas encore à instruire son affaire dont je viens de diriger la seconde enquête...

— Ah! voici messire de Hainaut qui attaque, dit le connétable.

Jean de Hainaut, qui secondait le roi de Bohême, se dépensait follement; il n'était pas de seigneur important, dans le parti du roi de France, qu'il ne fût venu défier; dès à présent on savait qu'il recevrait le trophée du vainqueur.

Le tournoi dura une pleine heure au bout de laquelle les juges firent sonner à nouveau les trompettes, ouvrir les barrières et disjoindre les rangs. Une dizaine de chevaliers et écuyers d'Artois, néanmoins, semblaient n'avoir pas entendu le signal et assommaient avec entrain quatre seigneurs bourguignons dans un coin des lices. Robert n'était pas parmi eux, mais certainement avait inspiré quelques-uns de ses partisans ; la bagarre risquait de tourner au massacre. Le roi Philippe VI fut obligé de se faire déheaumer et, tête nue pour être reconnu, il alla, à l'admiration de tous, séparer les acharnés.

Précédées des hérauts et des sonneurs, les deux troupes se reformèrent en cortège pour sortir de l'arène. Ce n'était plus qu'armures faussées, cottes en lambeaux, peintures écaillées, chevaux boiteux sous des housses déchirées. La rencontre se soldait par un mort et quelques estropiés à vie. Outre messire Jean de Hainaut, auquel irait le prix offert par la reine, tous les tournoyeurs recevraient en souvenir un présent, hanap de vermeil, coupe ou écuelle d'argent.

Dans leurs pavillons aux portières relevées, les seigneurs se déharnachaient, montrant des visages bouillis, des mains écorchées à la jointure des gantelets, des jambes tuméfiées. En même temps on échangeait des commentaires.

— Mon heaume s'est faussé au tout début. C'est cela qui m'a gêné...

— Si le sire de Courgent ne s'était pas jeté à votre rescousse, vous auriez vu, l'ami !

— Le duc Eudes n'a pas su tenir longtemps devant Monseigneur Robert !

— Ah ! Brécy s'est bien comporté, je le reconnais !

Rires, courroux, halètements de fatigue ; les tournoyeurs se dirigeaient vers les étuves, installées dans une grange voisine, et entraient aux baquets préparés, les princes d'abord, puis les barons, puis les chevaliers, et les écuyers en dernier. Il existait entre eux cette familiarité, amicale et solide, que créent les compétitions physiques ; mais on devinait aussi quelques rancunes tenaces.

Philippe VI et Robert d'Artois trempaient dans deux cuves jumelles.

— Beau tournoi, beau tournoi, disait Philippe. Ah ! mon frère, il faut que je te parle.

— Sire, mon frère, je suis tout à t'entendre.

La démarche qu'il avait à faire coûtait visiblement à Philippe. Mais pour parler cœur à cœur avec son cousin, son beau-frère, son ami de jeunesse et de toujours, quel meilleur moment pouvait-il trouver que celui-ci, où ils venaient de tournoyer ensemble, et où les cris qui emplissaient la grange, les grandes claques que les chevaliers s'appliquaient sur les épaules, les clapotis d'eau, la buée qui s'élevait des cuves, isolaient parfaitement leur entretien ?

— Robert, ton procès est mauvais parce que tes lettres sont fausses.

Robert dressa au-dessus du baquet ses cheveux rouges, ses joues rouges.

— Non, mon frère, elles sont vraies !

Le roi prit un visage désolé.

— Robert, je t'en conjure, ne t'obstine pas en si mauvaise voie. J'ai fait pour toi le plus que j'ai pu, et contre l'avis de beaucoup, tant dans

ma famille que dans mon Conseil. Je n'ai accepté de remettre l'Artois
à la duchesse de Bourgogne que sous réserve de tes droits. J'ai imposé
pour gouverner Ferry de Picquigny, un homme à toi dévoué. J'ai offert
à la duchesse que l'Artois lui soit racheté pour t'être remis...

— Il n'était pas besoin de lui racheter l'Artois, puisqu'il est à moi !

Devant tant d'obstination butée, Philippe VI eut un geste d'irritation. Il cria à son chambrier :

— Trousseau ! Un peu plus d'eau fraîche, je te prie.

Puis il poursuivit :

— Ce sont les communes d'Artois qui n'ont pas voulu payer le prix
pour changer de maître ; qu'y puis-je ?... L'ordonnance d'ouvrir ton
procès attend depuis un mois. Depuis un mois je refuse de la signer
parce que je ne veux pas que mon frère soit confronté à de basses gens
qui vont le souiller d'une boue dont je ne suis pas sûr qu'il se puisse
laver. Chaque homme est faillible ; nul d'entre nous n'a commis que de
louables choses. Tes témoins ont été payés ou menacés ; ton notaire a
parlé ; les faussaires sont écroués, et leurs aveux recueillis d'avoir écrit
tes lettres.

— Elles sont vraies, répéta Robert.

Philippe VI soupira. Que d'efforts faut-il faire pour sauver un
homme malgré lui !

— Je ne dis pas, Robert, que tu en sois vraiment coupable. Je ne dis
pas, comme on le prétend, que tu aies mis la main à ces lettres. On te
les a apportées, tu les as crues bonnes, tu as été trompé...

Robert, dans son baquet, contractait les mâchoires.

— Peut-être même, continua Philippe, est-ce ma propre sœur, ton
épouse, qui t'a abusé. Les femmes ont de ces faussetés, parfois, croyant
nous servir ! Fausseté est leur nature. Vois la mienne, qui n'a pas
répugné à dérober mon sceau.

— Oui, les femmes sont fausses, dit Robert avec colère. Tout cela
est manège de femmes monté entre ton épouse et sa belle-sœur de
Bourgogne. Je ne connais point les viles gens dont on m'oppose les
aveux extorqués !

— Je veux également tenir pour calomnie, reprit plus bas Philippe,
ce qu'on dit de la mort de ta tante...

— Elle avait dîné chez toi !

— Mais sa fille n'y avait pas dîné, quand elle trépassa en deux jours.

— Je n'étais pas le seul ennemi qu'elles se fussent acquis en leur
mauvaise vie, répondit Robert d'un ton de feinte indifférence.

Il sortit de la cuve et réclama des toiles pour se sécher. Philippe en
fit autant. Ils étaient l'un devant l'autre, nus, la peau rose, et fortement
velus. Leurs serviteurs attendaient à quelques pas, avec les vêtements
d'apparat sur les bras.

— Robert, j'attends ta réponse, dit le roi.

— Quelle réponse?

— Que tu renonces à l'Artois, pour que je puisse éteindre l'affaire...

— Et pour que tu puisses aussi reprendre la parole que tu m'avais donnée avant d'être roi. Sire, mon frère, aurais-tu donc oublié qui t'a porté au trône, qui t'a rallié les pairs, qui t'a gagné ton sceptre?

Philippe de Valois prit Robert par les poignets et, le regardant droit dans les yeux :

— Si j'avais oublié, Robert, crois-tu que je te parlerais en ce moment comme je le fais?... Pour la dernière fois, renonce.

— Jamais, répondit le géant en secouant la tête.

— C'est au roi que tu refuses?

— Oui, Sire, au roi que j'ai fait.

Philippe desserra les doigts.

— Alors, si tu ne veux point sauver ton honneur de pair, dit-il, moi je veillerai à sauver mon honneur de roi!

IX

LES TOLOMEI

— Faites-moi pardon, Monseigneur, de ne pouvoir me lever pour vous mieux accueillir, dit Spinello Tolomei, d'une voix haletante, à l'entrée de Robert d'Artois.

Le vieux banquier était allongé sur un lit dressé dans son cabinet de travail; une couverture légère laissait deviner la forme de son gros ventre et de sa poitrine amenuisée. Une barbe de huit jours semblait, sur ses joues effondrées, comme un dépôt de sel, et sa bouche bleuie cherchait l'air. Mais de la fenêtre, donnant sur la rue des Lombards, ne venait aucune fraîcheur. Paris cuisait, sous le soleil d'un après-midi d'août.

Il ne restait plus beaucoup de vie dans le corps de messer Tolomei, plus beaucoup de vie dans le regard de son seul œil ouvert qui n'exprimait rien qu'un mépris fatigué, comme si quatre-vingts ans d'existence avaient été un bien inutile effort.

Autour du lit se tenaient quatre hommes au teint basané, aux lèvres minces, aux yeux luisants comme des olives noires, et tous vêtus également de robes sombres.

— Mes cousins Tolomeo Tolomei, Andrea Tolomei, Giaccomo Tolomei... dit le moribond en les désignant. Et puis vous connaissez mon neveu, Guccio Baglioni...

A trente-cinq ans, les tempes de Guccio étaient déjà blanches.

— Ils sont tous venus de Sienne pour me voir mourir... et aussi pour d'autres choses, ajouta lentement le vieux banquier.

Robert d'Artois, en chausses de voyage, le buste un peu penché sur le siège qu'on lui avait avancé, regardait le vieillard avec cette fausse attention des gens qu'obsède un très grave souci.

— Monseigneur d'Artois est un ami, j'ose le dire, reprit Tolomei à l'adresse de ses parents. Tout ce qu'on pourra faire pour lui doit être fait; il nous a sauvés, souvent, et il n'a pas dépendu de lui cette fois...

Comme les cousins siennois n'entendaient guère le français, Guccio leur traduisit, rapidement, les paroles de l'oncle ; les cousins hochèrent, d'un même mouvement, leurs faces sombres.

— Mais, si c'est d'argent que vous avez nécessité, Monseigneur, hélas, hélas, et malgré tout mon dévouement pour vous, nous ne pouvons rien. Vous savez trop pourquoi...

On sentait que Spinello Tolomei économisait ses forces. Il n'avait pas besoin de s'étendre longuement. A quoi bon commenter la situation dramatique où se débattaient, depuis quelques mois, les banquiers italiens ?

En janvier, le roi avait rendu une ordonnance par laquelle tous les Lombards se voyaient menacés d'expulsion. Ce n'était pas là chose nouvelle ; chaque règne, en ses moments difficiles, brandissait la même menace et raflait aux Lombards une part de leur fortune en les obligeant à racheter leur droit de séjour. Pour compenser la perte, les banquiers augmentaient pendant un an le taux d'usure. Mais l'ordonnance cette fois s'accompagnait d'une plus grave mesure. Toutes les créances que les Italiens détenaient sur des seigneurs français se trouvaient, de par la volonté royale, annulées ; et il était interdit aux débiteurs de s'acquitter, si même ils en avaient le vouloir ou la possibilité. Des sergents royaux, montant la garde aux portes des comptoirs, faisaient rebrousser chemin aux honnêtes clients qui venaient rembourser. Les banquiers italiens en auraient pleuré !

— Et cela parce que la noblesse s'est trop endettée pour ces folles fêtes, pour tous ces tournois où elle veut briller devant le roi ! Même sous Philippe le Bel nous ne fûmes pas traités de telle façon.

— J'ai plaidé pour vous, dit Robert.

— Je sais, je sais, Monseigneur. Vous avez toujours défendu nos compagnies. Mais voilà, vous n'êtes guère mieux en grâce que nous, à présent... Nous pouvions croire que les choses s'arrangeraient comme les autres fois. Mais avec la mort de Macci dei Macci, le dernier coup nous a été porté !

Le vieil homme tourna son regard vers la fenêtre, et se tut.

Macci dei Macci, l'un des plus grands financiers italiens en France, auquel Philippe VI depuis le début de son règne avait confié, sur le conseil de Robert, l'administration du Trésor, venait d'être pendu la semaine précédente après jugement sommaire.

Guccio Baglioni, la voix chargée de colère contenue, dit alors :

— Un homme qui avait mis tout son labeur, toute son astuce au service de ce royaume. Il se sentait plus français que s'il était né sur la Seine ! S'est-il enrichi en son office davantage que ceux qui l'ont fait pendre ? C'est toujours sur les Italiens qu'on frappe parce qu'ils n'ont pas moyens de se défendre !

Les cousins siennois captaient ce qu'ils pouvaient du discours ; au nom de Macci dei Macci, leurs sourcils étaient remontés jusqu'au milieu du front, et, les paupières fermées, ils avaient émis une même lamentation de gorge.

— Tolomei, dit Robert d'Artois, je ne viens pas vous emprunter de l'argent, mais vous prier de m'en prendre.

Si affaibli qu'il fût, messer Tolomei releva légèrement le torse, tant l'annonce était surprenante.

— Oui, reprit Robert, je voudrais vous remettre tout mon trésor de monnaie contre des lettres de change. Je pars. Je quitte le royaume.

— Vous, Monseigneur? Votre procès va-t-il si mal? Le jugement a-t-il été rendu contre vous?

— Il va l'être dans quatre semaines. Sais-tu, banquier, comment me traite ce roi dont j'ai épousé la sœur et qui jamais, sans moi, n'eût été roi? Il a envoyé son bailli de Gisors corner à la porte de tous mes châteaux, à Conches, à Beaumont, à Orbec, qu'il m'ajournait pour la Saint-Michel devant son lit de justice. Feinte justice où l'arrêt contre moi est déjà rendu. Philippe a mis tous ses chiens à mes trousses: Sainte-Maure, son mauvais chancelier, Forget, son trésorier voleur, Mathieu de Trye, son maréchal, et Miles de Noyers pour leur faire la voie. Les mêmes qui se sont alliés contre vous, les mêmes qui ont pendu votre ami Mache des Mache! C'est la male reine, c'est la boiteuse qui a gagné, c'est la Bourgogne qui l'emporte, et la vilenie. Ils ont jeté en geôle mes notaires, mon aumônier, et tourmenté mes témoins pour les obliger à se renier. Eh bien! qu'ils me jugent; je ne serai pas là. Ils m'ont volé l'Artois, qu'ils me honnissent à loisir! Ce royaume ne m'est plus rien, et son roi est mon ennemi; je m'en vais hors des frontières pour lui faire tout le mal que je pourrai! Demain je suis à Conches pour envoyer mes chevaux, ma vaisselle, mes joyaux et mes armes vers Bordeaux, et les mettre sur un vaisseau d'Angleterre! Ils veulent saisir et mon corps et mes biens; ils ne me prendront pas!

— Est-ce en Angleterre que vous allez, Monseigneur? demanda Tolomei.

— Je demande d'abord refuge à ma sœur, la comtesse de Namur.

— Votre épouse part-elle avec vous?

— Mon épouse me rejoindra plus tard. Alors voilà, banquier: mon trésor de monnaie contre lettres de change sur vos comptoirs de Hollande et d'Angleterre. Et gardez pour vous deux livres sur vingt.

Tolomei déplaça un peu sa tête sur l'oreiller, et entama avec son neveu et ses cousins une conversation en italien dans laquelle Robert ne saisissait que des bribes. Il captait mots de *débito... rimborso... deposito...* En acceptant l'argent d'un seigneur français, la compagnie des Tolomei ne contrevenait-elle pas à l'ordonnance? Non, puisqu'il ne s'agissait pas d'un règlement de dettes, mais d'un *deposito...*

Puis Tolomei tourna de nouveau vers Robert d'Artois son visage de sel et ses lèvres bleuies.

— Nous aussi, Monseigneur, nous partons; ou plutôt eux partent... dit-il en désignant ses parents. Ils vont emporter tout ce que nous avons ici. Nos Compagnies en ce moment sont divisées. Les Bardi, les Peruzzi hésitent; ils pensent que le pire est passé, et qu'en courbant un peu l'échine... Ils sont comme les Juifs qui font toujours confiance aux lois et croient qu'on les tiendra quittes lorsqu'ils auront payé leur rouelle; ils payent la rouelle et ensuite on les mène au bûcher! Alors, les Tolomei, eux, s'en vont. Ce départ causera quelque surprise car nous emportons en Italie tout l'argent qui nous a été confié; le plus gros en est déjà acheminé. Puisqu'on refuse de nous payer les dettes, eh bien, nous emportons les dépôts [24]!

Une dernière expression de malice glissa sur les traits effondrés du vieil homme.

— Je ne laisserai à la terre de France que mes os qui sont petite richesse, ajouta-t-il.

— La France, en vérité, ne nous a pas été bonne, dit Guccio Baglioni.

— Eh quoi! elle t'a donné un fils, ce n'est pas si mal!

— C'est vrai, dit Robert d'Artois, vous avez un garçon. Il pousse bien?

— Grand merci, Monseigneur, répondit Guccio. Oui, il est bientôt plus haut que moi; il a quinze ans. Mais il montre peu de goût pour la banque.

— Il y viendra, il y viendra, dit le vieillard... Alors, Monseigneur, nous acceptons. Confiez-nous votre trésor de monnaie; nous le ferons sortir et vous remettrons lettres de change pour le montant, sans en rien retenir. La monnaie fraîche est toujours serviable.

— Je t'en sais gré, Tolomei; mes coffres seront portés à la nuit.

— Quand l'argent commence à fuir un royaume, le bonheur de ce royaume est mesuré. Vous aurez votre revanche, Monseigneur; je ne la verrai point, mais je vous le dis, vous aurez votre revanche!

L'œil gauche, habituellement clos, s'était ouvert; Tolomei le regardait des deux yeux; le regard de la vérité, enfin. Et Robert d'Artois se sentit l'âme toute remuée, parce qu'un vieux Lombard qui allait bientôt mourir l'observait intensément.

— Tolomei, j'ai vu des hommes courageux, lutter jusqu'au bout en bataille; tu es aussi courageux qu'eux, à ta manière.

Un sourire triste passa sur les lèvres du banquier.

— Ce n'est point du courage, Monseigneur, au contraire. Si je ne faisais pas de banque, j'aurais si peur en ce moment!

Sa main amaigrie se leva de la couverture et fit signe à Robert d'approcher.

Robert se pencha, comme pour recueillir une confidence.

— Monseigneur, dit Tolomei, laissez-moi bénir mon dernier client.

Et il traça du pouce un signe de croix sur les cheveux du géant, ainsi que les pères italiens ont coutume de le faire au front de leurs fils, lorsqu'ils partent pour un long voyage.

X

LE LIT DE JUSTICE

Au centre d'une estrade à degrés, sur un siège aux bras terminés par des têtes de lion, Philippe VI était assis, couronne en tête et revêtu du manteau royal. Une grande broderie de soie, aux armes de France, ondulait au-dessus de lui; il se penchait de temps à autre, tantôt à sa gauche vers son cousin le roi de Navarre, tantôt à sa droite vers son parent le roi de Bohême, pour les prendre à témoin du regard, et leur faire apprécier combien sa mansuétude avait été longue.

Le roi de Bohême secouait sa belle barbe châtaine, d'un air à la fois confondu et indigné. Se pouvait-il qu'un chevalier, un pair de France, comme l'était Robert d'Artois, un prince à la fleur de lis, se fût conduit de telle façon, eût mis la main à d'aussi sordides entreprises que celles en ce moment énumérées, se fût compromis avec des gens d'aussi méchante espèce?

Au rang des pairs laïques, on voyait siéger pour la première fois l'héritier du trône, le prince Jean, anormalement grand pour ses treize ans, enfant au regard sombre et lourd, au menton trop long, et que son père venait de créer duc de Normandie.

A la suite du jeune prince se trouvaient le comte d'Alençon, frère du roi, les ducs de Bourbon et de Bretagne, le comte de Flandre, le comte d'Étampes. Il y avait deux tabourets vides: celui du duc de Bourgogne, qui ne pouvait siéger étant partie dans le procès, et celui du roi d'Angleterre, lequel ne s'était même pas fait représenter.

Parmi les pairs ecclésiastiques on reconnaissait Monseigneur Jean de Marigny, comte-évêque de Beauvais, et Guillaume de Trye, duc-archevêque de Reims.

Pour donner plus de solennité à ce lit de justice, le roi y avait convoqué les archevêques de Sens et d'Aix, les évêques d'Arras, d'Autun, de Blois, de Forez, de Vendôme, le duc de Lorraine, le comte Guillaume de Hainaut et son frère Jean, et tous les grands officiers de la couronne : le connétable, les deux maréchaux, Miles de Noyers, les sires de Châtillon, de Soyecourt, de Garencières qui étaient du Conseil étroit, et bien d'autres encore, assis en retour de l'estrade, le long des murs de la grand-salle du Louvre où se tenait l'audience.

A même le sol, les jambes repliées sur des carreaux d'étoffe, étaient entassés les maîtres des requêtes et conseillers au Parlement, les clercs de justice et ecclésiastiques de petit rang.

Debout en face du roi, à six pas, le procureur général, Simon de Bucy, entouré des commissaires d'enquête, lisait depuis deux heures les feuillets de son réquisitoire, le plus long qu'il ait eu à prononcer en toute sa carrière. Il avait dû reprendre tout l'historique de l'affaire d'Artois dont l'origine remontait à la fin de l'autre siècle, rappeler le premier procès de 1309, l'arrêt rendu par Philippe le Bel, la rébellion armée de Robert contre Philippe le Long en 1316, le second jugement de 1318, pour parvenir à la procédure présente, au faux serment d'Amiens, à l'enquête, à la contre-enquête, aux innombrables dépositions recueillies, aux subornations de témoins, à la fabrication des faux, aux arrestations de complices.

Tous ces faits mis en lumière l'un après l'autre, expliqués et commentés dans leur enchaînement, leur engrenage compliqué, constituaient non seulement l'un des plus grands procès de droit privé, et maintenant de droit criminel, jamais plaidé, mais encore intéressaient directement l'histoire du royaume sur une période d'un quart de siècle. L'assistance était à la fois fascinée et stupéfaite, stupéfaite par les révélations du procureur, fascinée parce qu'elle découvrait la vie secrète du grand baron devant lequel hier tous tremblaient encore, dont chacun cherchait à devenir l'ami, et qui avait si longtemps décidé de toute chose en la nation de France ! La dénonciation des scandales de la tour de Nesle, l'emprisonnement de Marguerite de Bourgogne, l'annulation du mariage de Charles IV, la guerre d'Aquitaine, le renoncement à la croisade, le soutien donné à Isabelle d'Angleterre, l'élection de Philippe VI, Robert avait été l'âme de tout cela, créant l'événement ou le dirigeant, mais toujours mû par une seule pensée, un seul intérêt : l'Artois, l'héritage d'Artois !

Combien étaient-ils, parmi les présents, qui devaient leur titre, leur fonction, leur fortune à ce parjure, ce faussaire, ce criminel... à commencer par le roi lui-même !

La place de l'accusé était symboliquement occupée dans le prétoire par deux sergents d'armes soutenant un grand panonceau de soie où figurait l'écu de Robert, « semé de France, au lambel de quatre pendants de gueules, chaque pendant chargé des trois châteaux d'or ».

Et chaque fois que le procureur prononçait le nom de Robert, il se tournait vers le panonceau comme s'il désignait la personne.

Il en est arrivé à la fuite du comte d'Artois :

— « Nonobstant que l'ajournement lui ait été régulièrement signifié par maître Jean Loncle, garde de la baillie de Gisors, en ses demeures ordinaires, ledit Robert d'Artois, comte de Beaumont, a fait défaut devant notre Sire le roi et sa chambre de justice dûment convoquée au vingt-neuvième jour de septembre. Or il nous a été appris et confirmé de plusieurs parts que ledit Robert avait ses chevaux et son trésor sur un navire, à Bordeaux, embarqués, et ses monnaies d'or et d'argent dirigées par moyens interdits hors du royaume, et que lui-même, au lieu de se présenter devant la justice du roi, s'était retrait hors des frontières.

« Le six d'octobre 1331, la femme de Divion, reconnue coupable de nombreux méfaits accomplis pour le service dudit Robert et le sien propre, dont au premier chef faux en écritures et contrefaçon de sceaux, a été arse et brûlée à Paris, en la place aux Pourceaux, et ses os réduits en poudre, ceci par-devant Messeigneurs le duc de Bretagne, le comte de Flandre, le sire Jean de Hainaut, le sire Raoul de Brienne, connétable de France, les maréchaux Robert Bertrand et Mathieu de Trye, et messire Jean de Milon, prévôt de Paris, qui a rendu compte au roi de l'exécution... »

Ceux qu'on venait de nommer baissèrent les yeux ; ils gardaient le souvenir de la Divion hurlant contre son poteau, et des flammes qui dévoraient sa robe de chanvre, et de la chair des jambes qui se gonflait, qui éclatait sous la brûlure, le souvenir aussi de l'atroce odeur que le vent d'octobre leur renvoyait au visage. Ainsi avait fini la maîtresse de l'ancien évêque d'Arras.

— « Les douze et quatorze d'octobre, maître Pierre d'Auxerre, conseiller, et Michel de Paris, bailli, ont signifié à Madame de Beaumont, épouse dudit Robert, d'abord à Jouy-le-Châtel, puis à Conches, Beaumont, Orbec et Quatre-mares, ses demeures ordinaires, que le roi ajournait ledit pour juger, le quatorze de décembre. Or, ledit Robert, à cette date, a fait pour la seconde fois défaut. Par grand vouloir de mansuétude, notre Sire le roi a donné nouvel ajournement à quinzaine de la fête de la Chandeleur, et pour que ledit Robert ne pût point l'ignorer, proclamation en fut faite d'abord dans la Grand-Chambre du Parlement, ensuite à la Table de Marbre dans la grand-salle du Palais, et après portée à Orbec et Beaumont, et encore à Conches par les mêmes maîtres Pierre d'Auxerre et Michel de Paris, où ils ne purent parler à la dame de Beaumont, mais dirent leur proclamation à la porte de sa chambre, et à si haute voix qu'elle la pût entendre... »

Chaque fois qu'on citait Madame de Beaumont, le roi passait la main sur son visage, tordait un peu son grand nez charnu. C'était de sa sœur qu'il s'agissait !

— « Au Parlement de justice tenu par le roi à la date citée, ledit Robert d'Artois n'a point comparu, mais s'est fait représenter par maître Henry, doyen de Bruxelles, et maître Thiébault de Meaux, chanoine de Cambrai, avec procuration pour se présenter en sa place et proposer ses causes d'absence. Mais vu que l'ajournement était pour le lundi à quinzaine de la Chandeleur, et que la commission dont ils étaient porteurs désignait le mardi, pour cette raison leur commission ne put être reconnue valable, et défaut fut pour la troisième fois prononcé contre le défendeur. Or il est su et notoire que durant ce temps Robert d'Artois a voulu prendre refuge d'abord auprès de madame la comtesse de Namur, sa sœur; mais le roi notre Sire ayant donné défense à madame de Namur d'aider et de recueillir ce rebelle, elle a interdit audit Robert, son frère, le séjour en ses États. Et qu'ensuite ledit Robert a voulu prendre refuge auprès de Monseigneur le comte Guillaume sur ses États de Hainaut; mais qu'à l'instante demande du roi notre Sire, Monseigneur le comte de Hainaut a interdit de même audit Robert le séjour en ses États. Et encore ledit Robert a demandé refuge et asile au duc de Brabant, lequel duc, prié par notre Sire le roi de ne point faire droit à cette demande, a d'abord répondu que n'étant pas vassal au roi de France il pouvait accueillir qui lui plaisait, à sa convenance; mais ensuite le duc de Brabant a cédé aux remontrances à lui présentées par Monseigneur de Luxembourg, roi de Bohême, et s'est courtoisement conduit en chassant Robert d'Artois de son duché[25]. »

Philippe VI se tourna et vers le comte de Hainaut et vers le roi de Bohême, leur adressant à chacun un signe d'amicale et triste gratitude. Philippe souffrait, visiblement; et il n'était pas le seul. Si coupable que fût Robert d'Artois, ceux qui l'avaient connu l'imaginaient errant de petite cour en petite cour, accueilli un jour, banni le lendemain, repartant plus loin pour être chassé encore. Pourquoi avait-il mis tant d'acharnement à sa propre perte, quand le roi, jusqu'au bout, lui avait ouvert les bras ?

— « Nonobstant que l'enquête fût close, après soixante et seize témoins entendus, dont quatorze retenus aux prisons royales, et la justice du roi suffisamment éclairée, nonobstant que les charges énumérées fussent assez apparentes, notre Sire le roi, par amitié ancienne, a fait savoir audit Robert d'Artois qu'il lui donnait sauf-conduit pour rentrer au royaume et en ressortir s'il lui plaisait, sans qu'il lui soit causé de mal ni à lui ni à ses gens, afin qu'il pût entendre les charges, présenter sa défense, reconnaître ses torts et obtenir sa grâce. Or ledit Robert, loin de saisir cette offre de clémence, n'est point rentré au royaume, mais, en ses divers séjours, il s'est abouché à toutes sortes de mauvaises gens, bannis et ennemis du roi, et il a averti moult personnes, qui l'ont répété, de son intention de faire périr par glaive ou maléfice le chancelier, le maréchal de Trye et divers conseillers de notre Sire le roi, et enfin il a prononcé les mêmes menaces contre le roi lui-même. »

L'assistance bourdonna d'un long murmure indigné.

— « Toutes ces choses susdites étant sues et notoires, vu que ledit Robert d'Artois a été ajourné une dernière fois, par publications régulièrement faites, à ce présent mercredi huit avril avant Pâques fleuries, et que le citons à comparaître pour la quatrième fois... »

Simon de Bucy s'interrompit et fit signe à un sergent massier, lequel prononça à très haute voix :

— Messire Robert d'Artois, comte de Beaumont-le-Roger, à comparaître !

Tous les regards se tournèrent instinctivement vers la porte comme si l'accusé allait vraiment entrer. Quelques secondes passèrent, dans un silence total. Puis le sergent frappa le sol de sa masse, et le procureur poursuivit :

— ... « et constatons que ledit Robert fait défaut, en conséquence, au nom de notre Sire le roi, requérons : que ledit Robert soit déchu des titres, droits et prérogatives de pair du royaume, ainsi que de tous ses autres titres, seigneuries et possessions ; outre plus que ses biens, terres, châteaux, maisons et tous objets, meubles ou immeubles lui appartenant soient confisqués et remis au Trésor, pour qu'il en soit disposé selon la volonté du roi ; outre plus que ses armoiries soient détruites en présence des pairs et barons, pour jamais ne paraître plus sur bannière ou sur sceau, et sa personne à toujours bannie des terres du royaume, avec interdiction à tous vassaux, alliés, parents et amis du roi notre Sire de lui donner abri ; enfin requérons que la présente sentence soit à cris proclamée et à trompes aux carrefours principaux de Paris, et signifiée aux baillis de Rouen, Gisors, Aix et Bourges, ainsi qu'aux sénéchaux de Toulouse et de Carcassonne, pour qu'il en soit fait exécution... de par le roi. »

Maître Simon de Bucy se tut. Le roi semblait rêver. Son regard erra un moment sur l'assemblée. Puis inclinant la tête, d'abord à droite, ensuite à gauche :

— Mes pairs, votre conseil, dit-il. Si nul ne parle c'est qu'il approuve !

Aucune main ne se leva, aucune bouche ne s'ouvrit.

La paume de Philippe VI frappa la tête du lion au bras du fauteuil :

— C'est chose jugée !

Le procureur alors commanda aux deux sergents qui tenaient l'écusson de Robert d'Artois de s'avancer jusqu'au pied du trône. Le chancelier Guillaume de Sainte-Maure, l'un de ceux que Robert, dans son exil, menaçait de mort, s'avança vers le panonceau, demanda le glaive d'un des sergents et en attaqua le bord de l'étoffe. Puis, dans un long crissement de soie, l'écusson fut partagé.

La pairie de Beaumont avait vécu. Celui pour lequel elle avait été instituée, le prince de France descendant du roi Louis VIII, le géant à la force fameuse, aux intrigues infinies, n'était plus qu'un proscrit; il n'appartenait plus au royaume sur lequel ses ancêtres avaient régné, et rien en ce royaume ne lui appartenait plus.

Pour les pairs et les seigneurs, pour tous ces hommes dont les armoiries étaient comme l'expression non seulement de la puissance mais presque de l'existence, qui faisaient flotter ces emblèmes sur leurs toits, sur leurs lances, sur leurs chevaux, qui les brodaient sur leur propre poitrine, sur la cotte de leurs écuyers, sur la livrée de leurs valets, qui les peignaient sur leurs meubles, les gravaient sur leur vaisselle, en marquaient hommes, bêtes et choses qui à quelque degré dépendaient de leur volonté ou constituaient leurs biens, cette déchirure, sorte d'excommunication laïque, était plus infamante encore que le billot, la claie ou la potence. Car la mort efface la faute et le déshonneur s'éteint avec le déshonoré.

« Mais tant qu'on est vivant, on n'a jamais toute partie perdue », se disait Robert d'Artois, errant hors de sa patrie sur des routes hostiles, et se dirigeant vers de plus vastes crimes.

QUATRIÈME PARTIE

LE BOUTE-GUERRE

I

LE PROSCRIT

Pendant plus de trois années Robert d'Artois, comme un grand fauve blessé, rôda aux frontières du royaume.

Parent de tous les rois et princes d'Europe, neveu du duc de Bretagne, oncle du roi de Navarre, frère de la comtesse de Namur, beau-frère du comte de Hainaut et du prince de Tarente, cousin du roi de Naples, du roi de Hongrie et de bien d'autres, il était, à quarante-cinq ans, un voyageur solitaire devant lequel les portes de tous les châteaux se fermaient. Il avait de l'argent à suffisance, grâce aux lettres de change des banques siennoises, mais jamais un écuyer ne se présentait à l'auberge où il était descendu pour le prier à dîner chez le seigneur du lieu. Quelque tournoi se donnait-il dans les parages? On se demandait comment éviter d'y convier Robert d'Artois, le banni, le faussaire, que naguère on eût installé à la place d'honneur. Et un ordre lui était délivré avec une déférence froide, par le capitaine de ville: Monseigneur le comte suzerain le priait de porter plus loin ses pas. Car Monseigneur le comte suzerain, ou le duc, ou le margrave, ne voulait pas se brouiller avec le roi de France et ne se sentait tenu à aucun égard envers un homme si déshonoré qu'il n'avait plus ni blason ni bannière.

Et Robert repartait à l'aventure, escorté de son seul valet Gillet de Nelle, un assez mauvais sujet qui, sans effort, eût mérité de se balancer aux fourches d'un gibet, mais qui vouait à son maître, comme Lormet jadis, une fidélité sans limite. Robert lui donnait, en compensation, cette satisfaction plus précieuse que de gros gages: l'intimité avec un grand seigneur dans l'adversité. Combien de soirées, durant cette errance, ne passèrent-ils pas à jouer aux dés, attablés dans l'angle d'une mauvaise taverne! Et quand le besoin de gueuser les démangeait un peu, ils entraient ensemble en quelqu'un de ces bordeaux qui étaient nombreux en Flandre, et offraient bon choix de lourdes ribaudes.

C'était en de tels lieux, de la bouche de marchands qui revenaient des foires, ou de maquerelles qui avaient fait parler des voyageurs, que Robert apprenait les nouvelles de France.

A l'été 1332, Philippe VI avait marié son fils Jean, duc de Normandie, à la fille du roi de Bohême, Bonne de Luxembourg. « Voilà donc pourquoi Jean de Luxembourg m'a fait expulser de chez son parent de Brabant, se disait Robert ; voilà de quel prix on a payé ses services. » Les fêtes données pour ces noces, à Melun, avaient, à ce qu'on racontait, dépassé en splendeur toute autre dans le passé.

Et Philippe VI avait profité de ce grand rassemblement de princes et de noblesse pour faire coudre solennellement la croix sur son manteau royal. Car la croisade, cette fois, était décidée. Pierre de la Palud, patriarche de Jérusalem, l'avait prêchée à Melun, tirant les larmes aux six mille invités de la noce, dont dix-huit cents chevaliers d'Allemagne. L'évêque Pierre Roger la prêchait à Rouen dont il venait de recevoir le diocèse, après ceux d'Arras et de Sens. Le passage général était décidé pour le printemps 1334. On hâtait la construction d'une grande flotte dans les ports de Provence, à Marseille, à Aigues-Mortes. Et déjà l'évêque Marigny voguait, chargé d'aller porter défi au Soudan d'Égypte !

Mais si les rois de Bohême, de Navarre, de Majorque, d'Aragon, qui vivaient à la table de Philippe, si les ducs, comtes et grands barons, ainsi qu'une certaine chevalerie éprise d'aventure, avaient suivi avec enthousiasme l'exemple du roi de France, la petite noblesse de terroir montrait, elle, moins d'empressement à saisir les croix de drap rouge tendues par les prédicateurs, et à s'embarquer pour les sables d'Égypte. Le roi d'Angleterre, pour sa part, pressait l'instruction militaire de son peuple, mais ne donnait aucune réponse touchant les projets vers la Terre sainte. Et le vieux pape Jean XXII, d'ailleurs en grave querelle avec l'Université de Paris et son recteur Buridan sur les problèmes de la vision béatifique, faisait la sourde oreille. Il n'avait accordé à la croisade qu'une bénédiction réticente, et il rechignait au partage des frais... En revanche les marchands d'épices, d'encens, de soieries, de reliques, les fabricants d'armures et les constructeurs de bateaux poussaient beaucoup à l'entreprise.

Philippe VI avait déjà organisé la régence, pour la durée de son absence, et fait jurer aux pairs, aux barons, aux évêques, s'il venait à trépasser outre-mer[26], qu'ils obéiraient en tout à son fils Jean et lui remettraient sans discussion la couronne.

« C'est donc que Philippe n'est point tellement assuré de sa légitimité, pensait Robert d'Artois, s'il engage à reconnaître son fils dès à présent. »

Accoudé devant un pot de bière, Robert n'osait pas dire à ses informateurs de rencontre qu'il connaissait tous les grands personnages dont ils lui parlaient ; il n'osait pas dire qu'il avait jouté contre le roi de Bohême, procuré la mitre à Pierre Roger, qu'il avait fait sauter le roi d'Angleterre sur ses genoux et dîné à la table du pape. Mais il notait tout, pour en faire un jour son profit.

La haine le soutenait. Aussi longtemps qu'en lui resterait la vie, aussi longtemps resterait la haine. En quelque endroit qu'il prît auberge, c'était la haine qui l'éveillait avec le premier rayon de jour filtrant entre les volets d'une chambre inconnue. La haine était le sel de ses repas, le ciel de sa route.

On dit que les hommes forts sont ceux qui savent reconnaître leurs torts. Il en est de plus forts, peut-être, qui ne les reconnaissent jamais. Robert appartenait à cette seconde espèce. Il rejetait toutes fautes sur les autres, morts et vivants, sur Philippe le Bel, Enguerrand, Mahaut, sur Philippe de Valois, Eudes de Bourgogne, le chancelier Sainte-Maure. Et d'étape en étape, il ajoutait à la liste de ses ennemis sa sœur de Namur, son beau-frère de Hainaut, et Jean de Luxembourg, et le duc de Brabant.

A Bruxelles, il recruta un avoué véreux nommé Huy et son secrétaire Berthelot; c'était par des gens de procédure qu'il commençait à remonter sa maison.

A Louvain, l'avoué Huy lui dénicha un moine de mauvaise mine et de douteuse vie, Frère Henry de Sagebran, qui s'y connaissait davantage en envoûtes et pratiques sataniques qu'en litanies et œuvres de charité. Avec Frère Henry de Sagebran, l'ancien pair de France, se souvenant des leçons de Béatrice d'Hirson, baptisa des poupées de cire et les perça d'aiguilles en les nommant Philippe, Sainte-Maure ou Mathieu de Trye.

— Et celle-là, vois-tu, soigne-la bien, perce-la depuis la tête tout le long du corps car elle s'appelle Jeanne, la boiteuse reine de France. Ce n'est point vraiment la reine, c'est une diablesse!

Il se fournit aussi d'une encre invisible pour écrire certaines formules qui, tracées sur un parchemin, procuraient le sommeil éternel. Encore fallait-il que le parchemin fût glissé dans le lit de qui l'on voulait se débarrasser! Frère Henry de Sagebran, chargé d'un peu d'argent et de beaucoup de promesses, partit pour la France, tel un bon moine mendiant, avec, sous son froc, une grosse provision de parchemins à dormir.

Gillet de Nelle, de son côté, racolait des meurtriers à solde, des voleurs par vocation, des échappés de prison, gaillards à gueules basses, auxquels le crime répugnait moins que le travail à la journée. Et quand Gillet en eut fait une petite troupe, bien instruite, Robert les envoya au royaume de France avec mission d'agir de préférence pendant les grandes réunions ou fêtes.

— Les dos offrent au couteau des cibles faciles quand tous les yeux sont tournés vers les lices, ou toutes les oreilles tendues pour écouter prêcher croisade.

A courir les routes, Robert avait maigri; la ride s'enfonçait davantage dans les muscles de sa face, et la méchanceté des sentiments qui l'animaient du réveil au soir, et jusque dans ses rêves, avait donné à ses traits leur expression définitive. Mais, en même temps, l'aventure lui rajeunissait l'âme. Il avait l'amusement de goûter, en ces pays nouveaux, à des nourritures nouvelles, à des femmes nouvelles aussi.

Si Liège l'expulsa, ce ne fut pas pour ses méfaits anciens mais parce que son Gillet et lui-même avaient transformé une maison louée à un certain sieur d'Argenteau en vrai repaire de follieuses, et que le bruit qui s'y faisait gâtait le sommeil du voisinage.

Il y avait de bons jours; il y en avait de mauvais, comme celui où il apprit que le Frère Henry de Sagebran, avec ses parchemins à dormir pour l'éternité, s'était fait arrêter à Cambrai, et cet autre jour où l'un de ses meurtriers à solde reparut pour lui annoncer que ses compères n'avaient pu dépasser Reims et moisissaient à présent dans les prisons du « roi trouvé ».

Puis Robert tomba malade, de la plus sotte façon. Étant réfugié dans une maison en bordure d'un canal où se déroulaient des joutes d'eau, la curiosité lui fit passer la tête jusqu'au col à travers une nasse à poisson qui masquait la fenêtre. Il se poussa si bien qu'il ne put se retirer qu'après de longs efforts, en s'arrachant le cuir des joues au grillage de la nasse. L'infection se mit dans les écorchures et la fièvre bientôt le saisit, dont il grelotta quatre jours, tout près de trépasser.

Dégoûté des Marches flamandes, il se rendit à Genève. Traînant ses chausses le long du lac, ce fut là qu'il apprit l'arrestation de la comtesse de Beaumont, son épouse, et de leurs trois enfants. Philippe VI, par représailles contre Robert, n'avait pas hésité à enfermer sa propre sœur d'abord au donjon de Nemours, puis à Château-Gaillard. La prison de Marguerite! Vraiment la Bourgogne prenait bien sa revanche.

De Genève, voyageant sous un nom d'emprunt et vêtu comme un quelconque bourgeois, Robert gagna Avignon. Il y resta deux semaines, cherchant à intriguer pour sa cause. Il trouva la capitale de la chrétienté débordante de richesses et de plus en plus dissolue. Ici les ambitions, les vanités, les vices ne s'adoubaient pas d'une cuirasse de tournoi, mais se dissimulaient sous des robes de prélats; les signes de la puissance ne s'étalaient pas en harnais d'argent ou en heaumes empanachés, mais en mitres incrustées de pierres précieuses, en ciboires d'or plus lourds que des hanaps de roi. On ne se défiait point en batailles, mais on se haïssait en sacristie. Les confessionnaux n'étaient pas sûrs; et les femmes se montraient plus infidèles, plus méchantes, plus vénales que partout ailleurs, puisqu'elles ne pouvaient tirer noblesse que du péché.

Et pourtant nul ne voulait se compromettre pour l'ancien pair de France. On se rappelait à peine l'avoir connu. Même dans ce bourbier Robert apparaissait comme un pestiféré. Et la liste de ses rancunes s'allongeait.

Toutefois, il eut quelque consolation à constater, en écoutant les gens, que les affaires de son cousin Valois étaient moins brillantes qu'on eût pu le croire. L'Église cherchait à décourager la croisade. Quelle serait, une fois Philippe VI et ses alliés embarqués, la situation de l'Occident laissé à la discrétion de l'Empereur et du roi anglais? Si jamais ces deux souverains venaient à s'unir... Déjà le passage général avait été reculé de deux ans. Le printemps de 1334 s'était achevé sans que rien fût prêt. On parlait maintenant de l'année 36.

Pour sa part, Philippe VI, présidant lui-même une assemblée plénière des docteurs de Paris sur la montagne Sainte-Geneviève, brandissait la menace d'un décret d'hérésie contre le vieux pontife, âgé de quatre-vingt-dix ans, si celui-ci ne rétractait pas ses thèses théologiques. D'ailleurs, on donnait la mort de Jean XXII pour imminente; mais il y avait dix-huit ans qu'on annonçait cela!

« Rester vivant, se répétait Robert, voilà toute l'affaire; durer, pour attendre le jour où l'on gagne. »

Déjà le trépas de quelques-uns de ses ennemis venait lui rendre l'espérance. Le trésorier Forget était mort à la fin de l'autre année; le chancelier Guillaume de Sainte-Maure venait de mourir à son tour. Le duc Jean de Normandie, héritier de France, était gravement malade; et même Philippe VI, disait-on, subissait des ennuis de santé. Peut-être les maléfices de Robert n'avaient-ils pas été totalement inopérants...

Pour retourner en Flandre, Robert prit des habits de convers. Étrange frère, en vérité, que ce géant dont le capuchon dominait les foules, qui entrait d'un pas guerrier aux abbayes, et demandait l'hospitalité qu'on doit aux hommes de Dieu de la même voix qu'il eût demandé sa lance à un écuyer!

Dans un réfectoire de Bruges, la tête inclinée sur son écuelle, au bout de la longue table grasse, et faisant mine de murmurer des prières dont il ignorait le premier mot, il écoutait le frère lecteur, installé dans une petite niche creusée à mi-hauteur du mur, lire la vie des saints. Les voûtes renvoyaient la voix monotone sur la tablée des moines; et Robert se disait: « Pourquoi ne pas finir ainsi? La paix, la profonde paix des couvents, la délivrance de tout souci, le renoncement, le gîte assuré, les heures régulières, la fin de l'errance... »

Quel homme, fût-ce le plus turbulent, le plus ambitieux, le plus cruel, n'a pas connu cette tentation du repos, de la démission? A quoi bon tant de luttes, tant d'entreprises vaines, puisque tout doit s'achever dans la poudre du tombeau? Robert y songeait, de la même façon que, cinq ans plus tôt, il songeait à se retirer, avec sa femme et ses fils, dans une tranquille vie de seigneur terrien. Mais ce sont là pensées qui ne peuvent durer. Et chez Robert elles se présentaient toujours trop tard, à l'instant même où quelque événement allait le rejeter dans sa vocation véritable, qui était l'action et le combat.

Deux jours plus tard, à Gand, Robert d'Artois rencontrait Jakob Van Artevelde.

L'homme était sensiblement du même âge que Robert : l'approche de la cinquantaine. Il avait le masque carré, la panse forte et les reins bien plantés sur les jambes ; il était fort mangeur et buveur solide, sans que jamais la tête lui tournât. En sa jeunesse, il avait fait partie de la suite de Charles de Valois à Rhodes, et accompli plusieurs autres voyages ; il possédait son Europe. Ce brasseur de miel, ce grand négociant en draps, s'était, en secondes noces, marié à une femme noble.

Hautain, imaginatif et dur, il avait pris grande autorité, d'abord sur sa ville de Gand, qu'il dominait complètement, puis sur les principales communes flamandes. Lorsque les foulons, les drapiers, les brasseurs, qui constituaient la vraie richesse du pays, voulaient faire des représentations au comte ou au roi de France, c'était à Jakob Van Artevelde qu'ils s'adressaient afin qu'il allât porter leurs vœux ou leurs reproches d'une voix forte et d'une parole claire. Il n'avait aucun titre ; il était messire Van Artevelde, devant qui chacun s'inclinait. Les ennemis ne lui manquaient pas, et il ne se déplaçait qu'accompagné de soixante valets armés qui l'attendaient aux portes des maisons où il dînait.

Artevelde et Robert d'Artois se jugèrent, se jaugèrent du premier coup d'œil pour gens de même race, courageux de corps, habiles, lucides, animés du goût de dominer.

Que Robert fût un proscrit gênait peu Artevelde ; au contraire, ce pouvait être aubaine pour le Gantois que la rencontre de cet ancien grand seigneur, ce beau-frère de roi, naguère tout-puissant, et maintenant hostile à la France. Et pour Robert, ce bourgeois ambitieux apparaissait vingt fois plus estimable que les nobliaux qui lui interdisaient leur manoir. Artevelde était hostile au comte de Flandre, donc à la France, et puissant parmi ses concitoyens ; c'était là l'important.

— Nous n'aimons pas Louis de Nevers qui n'est demeuré notre comte que parce qu'au mont Cassel le roi a massacré nos milices.

— J'y étais, dit Robert.

— Le comte ne vient parmi nous que pour nous demander l'argent qu'il dépense à Paris ; il ne comprend rien aux représentations et n'y veut rien comprendre ; il ne commande rien de son chef, et ne fait que transmettre les mauvaises ordonnances du roi de France. On vient de nous obliger à chasser les marchands anglais. Nous ne sommes point opposés, nous, aux marchands anglais, et nous nous moquons bien des différends que le roi trouvé peut avoir avec son cousin d'Angleterre au sujet de la croisade ou du trône d'Écosse[22] ! A présent l'Angleterre, par représailles, nous menace de couper les livraisons de ses laines. Ce jour-là, nos foulons et tisserands, ici et dans toute la Flandre, n'auront plus qu'à briser leurs métiers et fermer leurs échoppes. Mais ce jour-là aussi, Monseigneur, ils reprendront leurs couteaux... et Hainaut, Brabant, Hollande, Zélande seront avec nous, car ces pays ne tiennent à la France que par les mariages de leurs princes, mais non par le cœur du peuple, ni par son ventre ; on ne règne pas longtemps sur des gens qu'on affame.

Robert écoutait Artevelde avec grande attention. Enfin un homme qui parlait clair, qui savait son sujet, et qui semblait appuyé sur une force véritable.

— Pourquoi, si vous devez vous révolter encore, dit Robert, ne pas vous allier franchement au roi d'Angleterre ? Et pourquoi ne pas prendre langue avec l'empereur d'Allemagne qui est ennemi du pape, donc ennemi de la France qui tient le pape dans sa main ? Vos milices sont courageuses, mais limitées à de petites actions parce qu'il leur manque des troupes à cheval. Faites-les soutenir d'un corps de chevaliers anglais, d'un corps de chevaliers allemands, et avancez-vous en France par la route d'Artois. Là, je gage de vous gagner encore plus de monde...

Il voyait déjà la coalition formée et lui-même chevauchant à la tête d'une armée.

— Croyez bien, Monseigneur, que j'y ai souvent pensé, répondit Artevelde, et qu'il serait aisé de parler avec le roi d'Angleterre, et même avec l'Empereur Louis de Bavière, si nos bourgeois y étaient prêts. Les hommes des communes haïssent le comte Louis, mais c'est néanmoins vers le roi de France qu'ils se tournent pour en obtenir justice. Ils ont fait serment au roi de France. Même quand ils prennent les armes contre lui, il demeure leur maître. En outre, et c'est là manœuvre habile de la part de la France, on a contraint nos villes à reconnaître qu'elles verseraient deux millions de florins au pape si elles se révoltaient contre leur suzerain, et ceci sous menace d'excommunication si nous ne payions pas. Les familles redoutent d'être privées de prêtres et de messes.

— C'est-à-dire qu'on a obligé le pape à vous menacer d'excommunication ou de ruine, afin que vos communes se tiennent tranquilles durant la croisade. Mais qui pourra vous forcer à payer, quand l'ost de France sera en Égypte ?

— Vous savez comment sont les petites gens, dit Artevelde ; ils ne connaissent leur force que lorsque le moment d'en user est passé.

Robert vida la grande chope de bière qui était devant lui ; il prenait goût à la bière, décidément. Il resta un moment silencieux, les yeux fixés sur la boiserie. La maison de Jakob Van Artevelde était belle et confortable; les cuivres, les étains bien astiqués, les meubles de chêne y luisaient dans l'ombre.

— C'est donc l'allégeance au roi de France qui vous empêche de contracter des alliances et de reprendre les armes?

— C'est cela même, dit Artevelde.

Robert avait l'imagination vive. Depuis trois ans et demi, il trompait sa faim de vengeance avec de petites pâtures, envoûtes, sortilèges, tueurs à gages qui n'arrivaient pas jusqu'aux victimes désignées. Soudain son espérance retrouvait d'autres dimensions; une grande idée germait, enfin digne de lui.

— Et si le roi d'Angleterre devenait le roi de France? demanda-t-il.

Artevelde regarda Robert d'Artois avec incrédulité, comme s'il doutait d'avoir bien entendu.

— Je vous dis, messire: si le roi d'Angleterre *était* le roi de France? S'il revendiquait la couronne, s'il faisait établir ses droits, s'il prouvait que le royaume de France est sien, s'il se présentait comme votre suzerain légitime?

— Monseigneur, c'est un songe que vous bâtissez là!

— Un songe? s'écria Robert. Mais cette querelle-là n'a jamais été jugée, ni la cause perdue! Quand mon cousin Valois a été porté au trône... quand je l'ai porté au trône, et vous voyez la grâce qu'il m'en garde!... les députés d'Angleterre sont venus faire valoir les droits de la reine Isabelle et de son fils Édouard. Il n'y a pas si longtemps; il y a moins de sept ans. On ne les a pas entendus parce qu'on ne voulait pas les entendre, et que je les ai fait reconduire à leur vaisseau. Vous appelez Philippe *le roi trouvé*; que n'en trouveriez-vous un autre! Et que penseriez-vous si l'on reprenait maintenant l'affaire, et qu'on vînt dire à vos foulons, vos tisserands, vos marchands, vos communaux: « Votre comte ne tient pas ses droits de bonne main; son hommage, il ne le devait point au roi de France. Votre suzerain, c'est celui de Londres! »

Un songe, en vérité, mais qui séduisait Jakob Van Artevelde. La laine qui arrivait du nord-ouest par la mer, les étoffes, rudes ou précieuses, qui repartaient par le même chemin, le trafic des ports, tout incitait la Flandre à tourner ses regards vers le royaume anglais. Du côté de Paris rien ne venait, sinon des collecteurs d'impôts.

— Mais croyez-vous, Monseigneur, en bonne raison, qu'aucune personne au monde puisse être convaincue de ce que vous dites, et puisse consentir à pareille entreprise?

— Une seule, messire, il suffit qu'une seule personne soit convaincue: le roi d'Angleterre lui-même.

Quelques jours plus tard, à Anvers, muni d'un passeport de marchand drapier, et suivi de Gillet de Nelle qui portait, pour la forme, quelques aunes d'étoffe, Monseigneur Robert d'Artois s'embarquait pour Londres.

II

WESTMINSTER HALL

A nouveau un roi était assis, couronne en tête, sceptre en main, entouré de ses pairs. A nouveau, prélats, comtes et barons étaient alignés de part et d'autre de son trône. A nouveau, clercs, docteurs, juristes, conseillers, dignitaires s'offraient à sa vue, en rangs pressés.

Mais ce n'étaient pas les lis de France qui semaient le manteau royal; c'étaient les lions des Plantagenêts. Ce n'étaient point les voûtes du Palais de la Cité qui renvoyaient sur la foule l'écho de sa propre rumeur, mais l'admirable charpente de chêne, aux immenses arcs ajourés, du grand hall de Westminster. Et c'étaient six cents chevaliers anglais, venus de tous les comtés, et les squires et les shérifs des villes, qui constituaient, couvrant les larges dalles carrées, le Parlement d'Angleterre siégeant au complet.

Pourtant, c'était afin d'écouter une voix française que cette assemblée avait été convoquée.

Debout, drapé dans un manteau d'écarlate, à mi-hauteur des marches de pierre au fond du hall, et comme ourlé d'or par la lumière tombant derrière lui du gigantesque vitrail, le compte Robert d'Artois s'adressait aux délégués du peuple de Grande-Bretagne.

Car pendant les deux années écoulées depuis que Robert avait quitté les Flandres, la roue du destin avait accompli un bon quart de tour. Et d'abord le pape était mort.

Vers la fin de 1334, le petit vieillard exsangue qui, au cours d'un des plus longs règnes pontificaux, avait rendu à l'Église une administration forte et des finances prospères, était obligé, du fond de son lit, dans la chambre verte de son grand palais d'Avignon, de renoncer publiquement aux seules thèses que son esprit eût défendues avec conviction. Pour éviter le schisme dont l'Université de Paris le menaçait, pour obéir aux ordres de cette cour de France en faveur de laquelle il avait réglé tant d'affaires douteuses et gardé bouche close sur tant de secrets, il reniait ses écrits, ses prêches, ses encycliques. Maître Buridan[28] dictait ce qu'il convenait de penser en matière de dogme : l'enfer existait, plein d'âmes à rôtir, afin de mieux assurer aux princes de ce monde la dictature sur leurs sujets ; le paradis était ouvert, comme une bonne hôtellerie, aux chevaliers loyaux qui avaient bien massacré pour le compte de leur roi, aux prélats dociles qui avaient bien béni les croisades, et sans qu'il soit, à ces justes, besoin d'attendre le jugement dernier pour jouir de la vision béatifique de Dieu.

Jean XXII était-il encore conscient quand il signa ce reniement forcé ? Il mourait le lendemain. Il y eut d'assez méchants docteurs, sur la montagne Sainte-Geneviève, pour dire en se moquant :

— Il doit savoir à présent si l'enfer existe !

Alors le conclave s'était réuni, et dans un lacis d'embrouilles qui menaçait de rendre cette élection plus longue encore que les précédentes. La France, l'Angleterre, l'Empereur, le bouillant Bohême, l'érudit roi de Naples, Majorque, Aragon, et la noblesse romaine, et les Visconti de Milan, et les Républiques, toutes les puissances pesaient sur les cardinaux.

Afin de gagner du temps et de ne faire avancer si peu que ce soit aucune candidature, ceux-ci, une fois enfermés, s'étaient tous tenu le même raisonnement : « Je vais voter pour l'un d'entre nous qui n'a nulle chance d'être élu. »

L'inspiration divine a d'étranges détours ! Les cardinaux étaient si bien d'accord, in petto, sur celui qui avait les moindres chances, sur celui qui *ne pouvait pas* être pape, que tous les bulletins sortirent avec le même nom : celui de Jacques Fournier, le « cardinal blanc » comme on l'appelait, parce qu'il continuait de porter son habit de Cîteaux. Les cardinaux, le peuple quand on lui fit l'annonce, et l'élu lui-même se trouvèrent également stupéfaits. Le premier mot du nouveau pape fut pour déclarer à ses collègues que leur choix était tombé sur un âne.

C'était trop de modestie.

Benoît XII, l'élu par erreur, apparut bientôt comme un pape de paix. Il avait consacré ses premiers efforts à arrêter les luttes qui ensanglantaient l'Italie, et rétablir, si cela se pouvait, la concorde entre le Saint-Siège et l'Empire. Or, cela se pouvait. Louis de Bavière avait répondu très favorablement aux avances d'Avignon, et l'on s'apprêtait à poursuivre, quand Philippe de Valois était entré en fureur. Comment ! on se passait de lui, le premier monarque de la chrétienté, pour entamer des négociations si importantes ? Une influence autre que la sienne viendrait à s'exercer sur le Saint-Siège ? Son cher parent, le roi de Bohême, devrait renoncer à ses chevaleresques projets sur l'Italie ?

Philippe VI avait intimé l'ordre à Benoît XII de rappeler ses ambassadeurs, d'arrêter les pourparlers, et ceci sous menace de confisquer aux cardinaux tous leurs biens en France.

Puis, accompagné toujours du cher roi de Bohême, du roi de Navarre et d'une si nombreuse escorte de barons et de chevaliers qu'on eût dit déjà une armée, Philippe VI, au début de 1336, venait faire ses Pâques en Avignon. Il y avait donné rendez-vous au roi de Naples et au roi d'Aragon. C'était là manière de rappeler le nouveau pape à ses devoirs, et de l'amener à bien comprendre ce qu'on attendait de lui.

Or Benoît XII allait montrer, par un tour de sa façon, qu'il n'était pas absolument l'âne qu'il prétendait être, et qu'un roi, désireux d'entreprendre une croisade, avait quelque intérêt à se ménager l'amitié du pape.

Le Vendredi saint, Benoît montait en chaire pour prêcher la souffrance de Notre-Seigneur et recommander le voyage de la croix. Pouvait-il faire moins, quand quatre rois croisés et deux mille lances campaient autour de sa ville? Mais le dimanche de Quasimodo, Philippe VI, parti vers les côtes de Provence inspecter sa grande flotte, eut la surprise de recevoir une belle lettre en latin qui le relevait de son vœu et de ses serments. Puisque l'état de guerre continuait de régner entre les nations chrétiennes, le Saint-Père refusait de laisser s'éloigner vers les terres infidèles les meilleurs défenseurs de l'Église.

La croisade des Valois s'arrêterait à Marseille.

En vain le roi chevalier l'avait-il pris de haut; l'ancien cistercien l'avait pris de plus haut encore. Sa main qui bénissait pouvait aussi excommunier et l'on imaginait mal une croisade excommuniée au départ!

— Réglez, mon fils, vos différends avec l'Angleterre, vos difficultés avec les Flandres; laissez-moi régler les difficultés avec l'Empereur; apportez-moi la preuve que bonne paix, bien certaine et durable, va régner sur nos pays, et vous pourrez ensuite aller convertir les Infidèles aux vertus que vous aurez vous-même montrées.

Soit! Puisque le pape le lui imposait, Philippe allait régler ses différends. Et avec l'Angleterre d'abord... en remettant le jeune Édouard dans ses obligations de vassal, et en lui enjoignant de livrer sans tarder ce félon de Robert d'Artois auquel il donnait asile. Les fausses grandes âmes, lorsqu'elles sont blessées, se cherchent ainsi de misérables revanches.

Quand l'ordre d'extradition, transmis par le sénéchal de Guyenne, était parvenu à Londres, Robert avait déjà pris pied solidement à la cour d'Angleterre. Sa force, ses manières, sa faconde lui avaient attiré de nombreuses amitiés; le vieux Tors-Col chantait ses louanges. Le jeune roi avait grand besoin d'un homme d'expérience qui connût bien les affaires de France. Or, qui donc en était mieux instruit que le comte d'Artois? Parce qu'il pouvait être utile, ses malheurs inspiraient la compassion.

— Sire, mon cousin, avait-il dit à Édouard III, si vous jugez que ma présence en votre royaume vous doive créer ou péril ou nuisance, livrez-moi à la haine de Philippe, le roi mal trouvé. Je n'aurai point à me plaindre de vous, qui m'avez fait si grande hospitalité ; je n'aurai à blâmer que moi-même pour ce que j'ai, contre le bon droit, donné le trône à ce méchant Philippe au lieu de le faire octroyer à vous-même que je ne connaissais pas assez.

Et cela était prononcé la main largement étalée sur le cœur, et le buste ployé.

Édouard III avait répondu calmement :

— Mon cousin, vous êtes mon hôte, et vous m'êtes fort précieux par vos conseils. En vous livrant au roi de France je serais l'ennemi de mon honneur autant que de mon intérêt. Et puis, vous êtes accueilli au royaume d'Angleterre et non pas en duché de Guyenne... Suzeraineté de France ici ne vaut pas.

La demande de Philippe VI fut laissée sans réponse.

Et jour après jour, Robert put poursuivre son œuvre de persuasion. Il versait le poison de la tentation dans l'oreille d'Édouard ou celle de ses conseillers. Il entrait en disant :

— Je salue le vrai roi de France...

Il ne manquait pas une occasion de démontrer que la loi salique n'avait été qu'une invention de circonstance et que les droits d'Édouard à la couronne de Hugues Capet étaient les mieux fondés.

A la seconde sommation qui lui fut faite de livrer Robert, Édouard III ne répondit autrement qu'en accordant à l'exilé la jouissance de trois châteaux et douze cents marcs de pension [29].

C'était le temps d'ailleurs où Édouard témoignait sa gratitude à tous ceux qui l'avaient bien servi, où il nommait son ami William Montaigu comte de Salisbury, et distribuait titres et rentes aux jeunes Lords qui l'avaient aidé dans l'affaire de Nottingham.

Une troisième fois, Philippe VI envoya son grand maître des arbalétriers signifier au sénéchal de Guyenne, pour le roi d'Angleterre, qu'on eût à rendre Robert d'Artois, ennemi mortel du royaume de France, faute de quoi, à quinzaine échue, le duché serait séquestré.

— J'attendais bien cela ! s'écria Robert. Ce grand niais de Philippe n'a d'autre idée que de répéter ce que j'inventai naguère, cher Sire Édouard, contre votre père ; donner un ordre qui offense le droit, puis séquestrer pour défaut d'exécution de cet ordre, et, par le séquestre imposer ou l'humiliation ou la guerre. Seulement, aujourd'hui, l'Angleterre a un roi qui véritablement règne, et la France n'a plus Robert d'Artois.

Il n'ajoutait pas : « Et naguère il y avait en France un exilé qui jouait tout juste le rôle que je joue ici, et c'était Mortimer ! »

Robert avait réussi au-delà de ses espérances ; il devenait la cause même du conflit qu'il rêvait de voir éclater ; sa personne revêtait une importance capitale ; et pour aborder ce conflit, il proposait sa doctrine : faire revendiquer par le roi d'Angleterre la couronne de France.

Voilà pourquoi ce jour de septembre 1337, sur les degrés de Westminster Hall, Robert d'Artois, manches déployées et pareil à un oiseau d'orage, devant les nervures du grand vitrail, s'adressait sur la demande du roi au Parlement britannique. Entraîné par trente ans de procédure, il parlait sans documents ni notes.

Ceux des délégués qui n'entendaient pas parfaitement le français prenaient de leurs voisins la traduction de certains passages.

A mesure que le comte d'Artois développait son discours, les silences se faisaient plus denses dans l'assemblée, ou bien les murmures plus intenses, quand quelque révélation frappait les esprits. Que de choses surprenantes ! Deux peuples vivent, séparés seulement par un étroit bras de mer ; les princes des deux cours se marient entre eux ; les barons d'ici ont des terres là-bas ; les marchands circulent d'une nation à l'autre... et l'on ne sait rien, au fond, de ce qui se passe chez le voisin !

Ainsi la règle : « France ne peut à femme être remise ni par femme transmise » n'était nullement tirée des anciennes coutumes ; c'était juste trouvaille d'humeur lancée par un vieux rabâcheur de connétable, lors de la succession, vingt ans plus tôt, d'un roi assassiné. Oui, Louis Dixième, le Hutin, avait été assassiné. Robert d'Artois le proclamait et nommait sa meurtrière.

— Je la connaissais bien, elle était ma tante, et m'a volé mon héritage !

L'histoire des crimes commis par les princes français, le récit des scandales de la cour capétienne, Robert s'en servait pour épicer son discours, et les députés au Parlement d'Angleterre en frémissaient d'indignation et d'effroi, comme s'ils tenaient pour rien les horreurs accomplies sur leur propre sol et par leurs propres princes.

Et Robert poursuivait sa démonstration, défendant les thèses exactement inverses à celles qu'il avait soutenues naguère en faveur de Philippe de Valois, et avec une égale conviction.

Donc, à la mort du roi Charles IV, dernier fils de Philippe le Bel, et si même on avait voulu tenir compte de la répugnance des barons français à voir femme régner, la couronne de France devait, en toute équité, revenir, à travers la reine Isabelle, au seul mâle de la lignée directe...

L'immense manteau rouge pivota devant les yeux des Anglais tout saisis ; Robert s'était tourné vers le roi. D'un coup il se laissa tomber, le genou sur la pierre.

— ... revenir à vous, noble Sire Édouard, roi d'Angleterre, en qui je reconnais et salue le véritable roi de France !

On n'avait pas ressenti émotion plus intense depuis le mariage d'York. On annonçait aux Anglais que leur souverain pouvait prétendre à un royaume plus grand du double, plus riche du triple! C'était comme si la fortune de chacun, la dignité de chacun s'en trouvaient augmentées d'autant.

Mais Robert savait qu'il ne faut pas laisser s'épuiser l'enthousiasme des foules. Déjà il se relevait et rappelait qu'au moment de la succession de Charles IV, le roi Édouard avait envoyé, pour faire valoir ses droits, de hauts et respectés évêques, dont Monseigneur Adam Orleton qui aurait pu en témoigner de vive voix, s'il n'eût été présentement en Avignon, à ce même propos et pour obtenir l'appui du pape.

Et son propre rôle, à lui Robert, dans la désignation de Philippe de Valois, devait-il le passer sous silence? Rien n'avait mieux servi le géant, tout au long de sa vie, que la fausse franchise. Ce jour-là il en usa encore.

Qui donc avait refusé d'entendre les docteurs anglais? Qui avait repoussé leurs prétentions? Qui les avait empêchés de faire valoir leurs raisons devant les barons de France? Robert, de ses deux énormes poings, se frappa la poitrine:

— Moi, mes nobles Lords et squires, moi qui suis devant vous, qui, croyant agir pour le bien, et la paix, ai choisi l'injuste plutôt que le juste, et qui n'ai pas assez expié cette faute par tous les malheurs qui me sont advenus.

Sa voix, répercutée par les charpentes, roulait jusqu'au bout du Hall.

Pouvait-il apporter à sa thèse un argument plus probant? Il s'accusait d'avoir fait élire Philippe VI contre le bon droit; il plaidait coupable, mais présentait sa défense. Philippe de Valois, avant d'être roi, lui avait promis que toutes choses seraient remises en ordre équitable, qu'une paix définitive serait établie laissant au roi d'Angleterre la jouissance de toute la Guyenne, qu'en Flandre des libertés seraient consenties qui rendraient prospérité au commerce, et qu'à lui-même l'Artois serait restitué. Donc c'était dans un but de conciliation et pour le bonheur général que Robert avait agi de la sorte. Mais il était bien prouvé que l'on ne doit se fonder que sur le droit, et non sur les fallacieuses promesses des hommes, puisqu'au jour présent l'héritier d'Artois était un proscrit, la Flandre affamée, et la Guyenne menacée de séquestre!

Alors, si l'on devait aller à la guerre, que ce ne soit plus pour vaines querelles d'hommage lige ou non lige, de seigneuries réservées ou de définition des termes de vassalité; que ce soit pour le vrai, le grand, l'unique motif: la possession de la couronne de France. Et du jour où le roi d'Angleterre l'aurait ceinte, alors il n'y aurait plus, ni en Guyenne ni en Flandre, de motif à la discorde. Les alliés ne manqueraient pas en Europe, princes et peuples tous ensemble.

Et si pour ce faire, pour servir cette grande aventure qui allait changer le sort des nations, le noble Sire Édouard avait besoin de sang, Robert d'Artois, tendant les bras hors de ses manches de velours, au roi, aux Lords, aux Communes, à l'Angleterre, offrait le sien.

III

LE DÉFI DE LA TOUR DE NESLE

Lorsque l'évêque Henry de Burghersh, trésorier d'Angleterre, escorté de William Montaigu, *nouveau comte de Salisbury*, de William Bohun, *nouveau comte de Northampton*, de Robert Ufford, *nouveau comte de Suffolk*, présenta le jour de la Toussaint, à Paris, les lettres de défi qu'Édouard III Plantagenet adressait à Philippe VI de Valois, celui-ci, pareil au roi de Jéricho devant Josué, commença par rire.

Avait-il bien entendu? Le petit cousin Édouard le sommait de lui remettre la couronne de France? Philippe regarda le roi de Navarre et le duc de Bourbon, ses parents. Il sortait de table en leur compagnie; il était de belle humeur; ses joues claires, son grand nez se teintèrent de rose et il se remit à pouffer.

Que cet évêque, noblement appuyé sur sa crosse, que ces trois seigneurs anglais, raides dans leurs cottes d'armes, fussent venus lui faire une annonce plus mesurée, le refus de leur maître, par exemple, de livrer Robert d'Artois, ou bien une protestation contre le décret de saisie de la Guyenne, Philippe sans doute se fût fâché. Mais sa couronne, son royaume tout entier? Cette ambassade, en vérité, était bouffonne.

Mais oui, il entendait bien: la loi salique n'existait pas, son couronnement était irrégulier...

— Et que les pairs m'aient fait roi de leur volonté, que l'archevêque de Reims, voici neuf ans, m'ait sacré, cela non plus, messire évêque, n'existe pas?

— Beaucoup de pairs et barons qui vous ont élu sont morts depuis, répondit Burghersh, et d'autres se demandent si ce qu'ils ont fait alors a été approuvé par Dieu!

Philippe, toujours secoué de rire, renversa la tête en arrière, découvrant les profondeurs de sa gorge.

Et quand le roi Édouard était venu lui rendre l'hommage à Amiens, ne l'avait-il pas reconnu pour roi?

— Notre roi, alors, était mineur. L'hommage qu'il vous fit, et qui eût dû, pour avoir valeur, être consenti par le Conseil de régence, n'avait été décidé que sur l'ordre du traître Mortimer, lequel depuis a été pendu.

Ah bah! il ne manquait pas d'aplomb, l'évêque, qui avait été fait chancelier par Mortimer, lui avait servi de premier conseiller, avait accompagné Édouard à Amiens et lu, lui-même, dans la cathédrale, la formule de l'hommage!

· Que disait-il à présent de la même voix? Que c'était à Philippe, en tant que comte de Valois, de rendre l'hommage à Édouard! Car le roi d'Angleterre reconnaissait volontiers à son cousin de France le Valois, l'Anjou, le Maine, et même la pairie... Vraiment c'était trop de magnanimité!

Mais où se trouvait-on, Dieu du ciel, pour entendre pareilles énormités?

On était à l'hôtel de Nesle, parce qu'entre deux séjours à Saint-Germain et à Vincennes le roi passait la journée en cette demeure donnée à son épouse. Car, tout ainsi que de moindres seigneurs disaient: « On se tiendra en la grand-salle », ou « dans la petite chambre aux perroquets », ou encore « on soupera dans la chambre verte », le roi décidait: « Ce jour, je dînerai au Palais de la Cité », ou bien « au Louvre », ou bien « chez mon fils le duc de Normandie, dans l'hôtel qui fut à Robert d'Artois ».

Ainsi les vieux murs de l'hôtel de Nesle, et la tour plus vieille encore qu'on apercevait par les fenêtres, étaient témoins de cette farce. Il semble que certains lieux soient désignés pour qu'y passe le drame des peuples sous un déguisement de comédie. En cette demeure où Marguerite de Bourgogne s'était si bien divertie à tromper le Hutin dans les bras du chevalier d'Aunay, sans pouvoir imaginer que cette joyeuseté changerait le cours de la monarchie française, le roi d'Angleterre faisait présenter son défi au roi de France, et le roi de France riait [30]!

Il riait si fort qu'il en était presque attendri; car il reconnaissait, en cette folle ambassade, l'inspiration de Robert. Cette démarche ne pouvait être inventée que par lui. Décidément, le gaillard était fou. Il avait trouvé un autre roi, plus jeune, plus naïf, pour se prêter à ses gigantesques sottises. Mais où s'arrêterait-il? Le défi de royaume à royaume! Le remplacement d'un roi par un autre... Passé un certain degré d'aberration, on ne peut plus tenir rigueur aux gens des outrances qui sont en leur nature.

— Où logez-vous, Monseigneur évêque? demanda Philippe VI courtoisement.

— A l'hôtel du Château Fétu, rue du Tiroir.

— Eh bien! rentrez-y; ébattez-vous quelques jours en notre bonne ville de Paris, et revenez nous voir, si vous le souhaitez, avec quelque offre plus sensée. En vérité, je ne vous en veux point; et même, pour vous être chargé d'une pareille mission et l'accomplir sans rire, comme je vous le vois faire, je vous tiens pour le meilleur ambassadeur que j'aie jamais reçu...

Il ne savait pas si bien dire, car Henry de Burghersh avant d'arriver à Paris était passé par les Flandres. Il avait eu des conférences secrètes avec le comte de Hainaut, beau-père du roi d'Angleterre, avec le comte de Gueldre, avec le duc de Brabant, avec le marquis de Juliers, avec Jakòb Van Artevelde et les échevins de Gand, d'Ypres et de Bruges. Il avait même déjà détaché une partie de sa suite vers l'empereur Louis de Bavière. Certaines paroles qui s'étaient dites, certains accords qui avaient été pris, Philippe VI les ignorait encore.

— Sire, je vous remets les lettres de défi.

— C'est cela, remettez, dit Philippe. Nous garderons ces bonnes feuilles pour les relire souvent, et chasser la tristesse si elle nous vient. Et puis l'on va vous servir à boire. Après tant parler, vous devez avoir le gosier sec.

Et il frappa des mains pour appeler un écuyer.

— A Dieu ne plaise, s'écria l'évêque Burghersh, que je devienne un traître et que je boive le vin d'un ennemi auquel, du fond du cœur, je suis résolu à faire tout le mal que je pourrai!

Alors Philippe de Valois se remit à rire aux éclats, et, sans plus s'inquiéter de l'ambassadeur ni des trois Lords, il prit le roi de Navarre par l'épaule et rentra dans les appartements.

IV

AUTOUR DE WINDSOR

Autour de Windsor, la campagne est verte, largement vallonnée, amicale. Le château couronne moins la colline qu'il ne l'enveloppe, et ses rondes murailles font songer aux bras d'une géante endormie sur l'herbe.

Autour de Windsor, le paysage ressemble à celui de la Normandie, du côté d'Évreux, de Beaumont ou de Conches.

Robert d'Artois, ce matin-là, s'en allait à cheval, au pas. Sur son poing gauche, il portait un faucon muscadin dont les serres étaient enfoncées dans le cuir épais du gant. Un seul écuyer le devançait, du côté de la rivière.

Robert s'ennuyait. La guerre de France ne se décidait pas. On s'était contenté, vers la fin de l'année précédente, et comme pour confirmer par un acte belliqueux le défi de la tour de Nesle, de prendre une petite île appartenant au comte de Flandre, au large de Bruges et de l'Écluse. Les Français, en retour, étaient venus brûler quelques bourgs côtiers du sud de l'Angleterre. Aussitôt, à cette guerre non débutée, le pape avait imposé une trêve, et des deux côtés on y avait consenti, pour d'étranges motifs.

Philippe VI, tout en ne parvenant pas à prendre au sérieux les prétentions d'Édouard à la couronne de France, avait toutefois été fort impressionné par un avis de son oncle, le roi Robert de Naples. Ce prince, érudit au point d'en devenir pédant, et l'un des deux seuls souverains du monde, avec un porphyrogénète byzantin, à jamais avoir mérité le surnom d'« Astrologue », venait de se pencher sur les cieux respectifs d'Édouard et de Philippe; ce qu'il y avait lu l'avait assez frappé pour qu'il prît la peine d'écrire au roi de France « d'éviter de se combattre jamais au roi anglais, pour ce que celui-ci serait trop fortuné en toutes les besognes qu'il entreprendrait ». Pareilles prédictions vous nouent un peu l'âme, et, si grand tournoyeur qu'on soit, on hésite avant de rompre des lances contre les étoiles.

Édouard III, de son côté, semblait un peu effrayé de sa propre audace. L'aventure dans laquelle il s'était lancé pouvait paraître, à bien des égards, démesurée. Il craignait que son armée ne fût pas assez nombreuse ni suffisamment entraînée ; il dépêchait vers les Flandres et l'Allemagne ambassade sur ambassade afin de renforcer sa coalition. Henry Tors-Col, quasi aveugle maintenant, l'exhortait à la prudence, tout au contraire de Robert d'Artois qui poussait à l'action immédiate. Qu'attendait donc Édouard pour se mettre en campagne ? Que les princes flamands qu'on était parvenu à rallier fussent morts ? Que Jean de Hainaut, exilé à présent de la cour de France après y avoir été si fort en faveur, et qui vivait de nouveau à celle d'Angleterre, n'eût plus le bras assez fort pour soulever son épée ? Que les foulons de Gand et de Bruges fussent lassés et vissent moins d'avantages aux promesses non tenues du roi d'Angleterre qu'à l'obéissance au roi de France ?... Édouard souhaitait recevoir des assurances de l'Empereur ; mais l'Empereur n'allait pas risquer d'être excommunié une seconde fois avant que les troupes anglaises aient pris pied sur le Continent ! On parlait, on parlementait, on piétinait ; on manquait de courage, il fallait dire le mot.

Robert d'Artois avait-il à se plaindre ? En apparence, nullement. Il était pourvu de châteaux et pensions, dînait auprès du roi, buvait auprès du roi, recevait tous les égards souhaitables. Mais il était las de dépenser ses efforts, depuis trois ans, pour des gens qui ne voulaient point courir de risques, pour un jeune homme à qui il tendait une couronne, quelle couronne ! et qui ne s'en saisissait point. Et puis il se sentait seul. Son exil, même doré, lui pesait. Qu'avait-il à dire à la jeune reine Philippa, sinon lui parler de son grand-père Charles de Valois, de sa grand-mère d'Anjou-Sicile ? Par moments, il prenait le sentiment d'être lui-même un ancêtre

Il aurait aimé voir la reine Isabelle, la seule personne en Angleterre avec laquelle il eût vraiment des souvenirs communs. Mais la reine mère n'apparaissait plus à la cour ; elle vivait à Castle-Rising, dans le Norfolk, où son fils allait, de loin en loin, la visiter. Depuis l'exécution de Mortimer elle n'avait plus d'intérêt à rien[31]...

Robert connaissait les nostalgies de l'émigré. Il pensait à Madame de Beaumont ; quel visage aurait-elle, au sortir de tant d'années de réclusion, quand il la retrouverait, si jamais ils devaient être réunis ? Reconnaîtrait-il ses fils ? Reverrait-il jamais son hôtel de Paris, son hôtel de Conches, reverrait-il la France ? Du train qu'allait cette guerre qu'il s'était donné tant de mal à créer, il lui faudrait attendre d'être centenaire avant d'avoir quelque chance de revenir en sa patrie !

Alors, ce matin-là, mécontent, irrité, il était parti chasser seul, pour occuper le temps et pour oublier. Mais l'herbe, souple sous les pieds du cheval, l'épaisse herbe anglaise, était encore plus touffue et plus gorgée d'eau que l'herbe du pays d'Ouche. Le ciel avait une teinte bleu pâle, avec de petits nuages déchiquetés et volant très haut ; la brise de mai caressait les haies d'aubépine fleurie et les pommiers blancs, pareils aux pommiers et aux aubépines de Normandie.

Robert d'Artois allait avoir bientôt cinquante ans, et qu'avait-il fait de sa vie ? Il avait bu, mangé, paillardé, chassé, voyagé, besogné pour lui-même et pour les États, tournoyé, plaidé plus qu'aucun homme en son temps. Nulle existence n'avait connu plus de vicissitudes, de tumulte et de tribulations. Mais jamais il n'avait profité du présent. Jamais il ne s'était vraiment arrêté à ce qu'il faisait, pour savourer l'instant. Son esprit constamment avait été tourné vers le lendemain, vers l'avenir. Son vin trop longtemps avait été dénaturé par le désir de le boire en Artois ; au lit de ses amours, c'était la défaite de Mahaut qui avait occupé ses pensées ; au plus joyeux tournoi, le soin de ses alliances lui faisait surveiller ses élans. Durant son errance de banni, le brouet de ses haltes, la bière de ses repos, avaient toujours été mêlés d'une âcre saveur de rancune et de haine. Et aujourd'hui encore, à quoi pensait-il ? A demain, à plus tard. Une impatience rageuse l'empêchait de profiter de cette belle matinée, de ce bel horizon, de cet air doux à respirer, de cet oiseau tout à la fois sauvage et docile dont il sentait l'étreinte sur son poing... Était-ce cela qu'on appelait vivre, et de cinquante ans passés sur la terre ne restait-il que cette cendre d'espérances ?

Il fut tiré de ses songes amers par les cris de son écuyer posté en avant, sur une éminence.

— Au vol, au vol ! Oiseau, Monseigneur, oiseau !

Robert se dressa sur sa selle, plissa les paupières. Le faucon muscadin, la tête enfermée dans un capuchon de cuir dont seul le bec dépassait, avait frémi sur le poing ; lui aussi connaissait la voix. Il y eut un bruit de roseaux froissés et puis un héron s'éleva des bords de la rivière.

— Au vol, au vol ! continuait de crier l'écuyer.

Le grand oiseau, volant à faible hauteur, glissait contre le vent et venait en direction de Robert. Celui-ci le laissa passer, et quand l'oiseau eut pris environ trois cents pieds d'éloignement, alors il libéra le faucon de son capuchon, et d'un large geste le lança en l'air.

Le faucon décrivit trois cercles autour de la tête de son maître, descendit, rasa le sol, aperçut la proie qu'on lui destinait, et fila droit comme trait d'arbalète. Se voyant poursuivi, le héron allongea le cou pour dégorger les poissons qu'il venait d'avaler dans la rivière, et s'alléger d'autant. Mais le muscadin se rapprochait ; il montait d'essor, en tournoyant comme s'il suivait une spirale. L'autre, à grands coups d'ailes, s'élevait vers le ciel pour éviter que le rapace ne le coiffât. Il montait, montait, diminuait au regard, mais perdait de la distance, parce qu'il avait été levé contre le vent et se trouvait ralenti par sa propre envergure. Il dut rebrousser chemin ; le faucon accomplit un nouveau tourbillon dans les airs et s'abattit sur lui. Le héron avait fait un écart de côté, et les serres ne purent assurer leur prise. Étourdi néanmoins par le choc, l'échassier tomba de cinquante pieds, comme une pierre, et puis se remit à fuir. Le faucon fondait à nouveau sur lui.

Robert et son écuyer suivaient, tête levée, cette bataille où l'agilité l'emportait sur le poids, la vitesse sur la force, la méchanceté belliqueuse sur les instincts pacifiques.

— Vois donc ce héron, criait Robert avec passion ; c'est vraiment le plus lâche oiseau qui soit ! Il est large quatre fois comme mon petit émouchet ; il pourrait l'assommer d'un seul coup de son long bec ; et il fuit, le couard, il fuit ! Va, mon petit vaillant, cogne ! Ah ! le brave petit oiseau ! Voilà ! Voilà ! l'autre cède ; il est pris !

Il mit son cheval au galop pour gagner l'endroit où les oiseaux allaient s'abattre. Le héron avait le cou étreint dans les serres du faucon ; il devait étouffer ; ses vastes ailes ne battaient plus que faiblement et, dans sa chute, il entraînait son vainqueur. A quelques pieds du sol, l'oiseau de proie ouvrit les serres pour laisser sa victime choir seule, et puis se rejeter sur elle et l'achever à coups de bec dans les yeux et la tête. Robert et son écuyer étaient déjà là.

— Au leurre, au leurre ! dit Robert.

L'écuyer décrocha de sa selle un pigeon mort et le jeta au faucon, pour le « leurrer ». Demi-leurre, en vérité ; un faucon bien dressé devait savoir se contenter de cette récompense sans toucher à la proie. Et le vaillant petit muscadin, la face maculée de sang, dévora le pigeon mort, tout en gardant une patte posée sur le héron. Du ciel descendaient lentement quelques plumes grises arrachées pendant le combat.

L'écuyer mit pied à terre, ramassa l'échassier et le présenta à Robert : un héron superbe et qui, ainsi élevé à bout de bras, avait des pattes au bec presque la longueur d'un homme.

— C'est vraiment trop lâche oiseau ! répéta Robert. Il n'y a presque point de plaisir à le prendre. Ces hérons sont des braillards qui s'effraient de leur ombre et se mettent à crier quand ils la voient. On devrait laisser ce gibier-là aux vilains.

Le faucon repu, et obéissant au sifflet, était venu se reposer sur le poing de Robert ; celui-ci le recoiffa de son capuchon. Puis on reprit au petit trot la direction du château.

Soudain, l'écuyer entendit Robert d'Artois rire tout seul d'un éclat bref, sonore, que rien apparemment ne motivait, et qui fit broncher les chevaux.

Comme ils rentraient à Windsor, l'écuyer demanda :

— Que dois-je faire du héron, Monseigneur?

Robert leva les yeux vers la bannière royale qui flottait sur le donjon de Windsor, et son visage prit une expression moqueuse et méchante.

— Prends-le et accompagne-moi aux cuisines, répondit-il. Et puis tu iras quérir un ménestrel ou deux parmi ceux qui sont au château.

V

LES VŒUX DU HÉRON

Le repas en était au quatrième des six services, et la place du comte d'Artois, à la gauche de la reine Philippa, demeurait vide.

— Notre cousin Robert n'est-il donc point rentré? demanda Édouard III qui s'était déjà, en s'asseyant à table, étonné de cette absence.

Un des nombreux écuyers tranchants qui circulaient derrière les convives répondit qu'on avait aperçu le comte Robert, retour de la chasse, voici près de deux heures. Que signifiait pareil manquement? Si même Robert était las, ou malade, il eût pu envoyer un de ses serviteurs pour porter au roi son excuse.

— Robert se conduit à votre cour, Sire mon neveu, tout juste comme il le ferait en auberge. Venant de lui d'ailleurs, ceci n'a rien pour surprendre, dit Jean de Hainaut, l'oncle de la reine Philippa.

Jean de Hainaut, qui se piquait d'être maître en chevalerie courtoise, n'aimait guère Robert, dans lequel il voyait toujours le parjure, banni de la cour de France pour falsification de sceaux; et il blâmait Édouard III de lui accorder si grande créance. Et puis Jean de Hainaut naguère avait été épris de la reine Isabelle, comme Robert, et sans plus de succès; mais il était blessé de la manière gaillarde dont Robert parlait en privé de la reine mère.

Édouard, sans répondre, garda ses longs cils baissés, le temps que s'apaisât l'irritation qu'il éprouvait. Il se retenait d'un mouvement d'humeur qui eût pu faire dire ensuite: «Le roi a parlé sans savoir; le roi a prononcé des mots injustes.» Puis il releva son regard vers la comtesse de Salisbury qui était certes la dame la plus attirante de toute la cour.

Grande, avec de belles tresses noires, un visage ovale au teint uni et pâle, et des yeux prolongés d'une ombre mauve au creux des paupières, la comtesse de Salisbury donnait toujours l'impression de rêver. Ces femmes-là sont dangereuses car, sous leur apparence de songe, elles pensent. Les yeux cernés de mauve rencontraient souvent les yeux du roi.

William Montaigu, comte de Salisbury, ne prêtait guère attention à cet échange de regards, d'abord parce qu'il tenait la vertu de sa femme pour aussi certaine que la loyauté du roi, son ami, et aussi parce qu'il était lui-même en ce moment captivé par les rires, la vivacité de parole, le pépiement d'oiseau de la fille du comte de Derby, sa voisine. Les honneurs pleuvaient sur Salisbury; il venait d'être fait gardien des Cinq-Ports et maréchal d'Angleterre.

Mais la reine Philippa, elle, était inquiète. Une femme se sent toujours inquiète lorsqu'elle voit durant qu'elle est enceinte les yeux de son époux se tourner trop souvent vers un autre visage. Or Philippa était prégnante à nouveau et elle ne recevait pas d'Édouard toutes les marques de gratitude, d'émerveillement, qu'il lui avait prodiguées pendant sa première maternité.

Édouard avait vingt-cinq ans; il avait laissé pousser depuis quelques semaines une légère barbe blonde qui n'encadrait que le menton. Était-ce pour plaire à la comtesse de Salisbury? Ou bien pour donner plus d'autorité à son visage qui restait celui d'un adolescent? Avec cette barbe, le jeune roi se mettait à ressembler un peu à son père; le Plantagenet semblait vouloir se manifester en lui, et lutter avec le Capétien. L'homme, simplement à vivre, se dégrade, et perd en pureté ce qu'il gagne en puissance. Une source, si transparente soit-elle, ne peut éviter de charrier, lorsqu'elle devient fleuve, les boues et les limons. Madame Philippa avait des raisons d'être inquiète...

Soudain des accents de vielle tournée et de luth pincé résonnèrent, aigrelets, derrière la porte dont les vantaux s'ouvrirent. Deux petites chambrières âgées au plus de quatorze ans parurent, couronnées de feuillages, en longues chemises blanches, et jetant devant elles des fleurs d'iris, de marguerites et d'églantines qu'elles sortaient d'une panière. En même temps, elles chantaient : « *Je vais à la verdure car l'amour me l'apprend.* » Deux ménestrels suivaient, les accompagnant de leurs instruments. Robert d'Artois marchait derrière eux, dépassant à mi-corps le petit orchestre, et soulevant à deux bras son héron rôti sur un large plat d'argent.

Toute la cour se mit à sourire, puis à rire, de cette entrée de farce. Robert d'Artois jouait les écuyers tranchants. On ne pouvait inventer manière plus gentille et plus gaie de se faire pardonner un retard.

Les valets avaient interrompu leur service et, le couteau ou l'aiguière en main, ils s'apprêtaient à se former en cortège pour prendre part au jeu.

Mais soudain la voix du géant s'éleva, couvrant chanson, luth et vielle :

— Ouvrez vos rangs, mauvaises gens faillis ! C'est à votre roi que je viens faire présent.

On riait toujours. Ce « mauvaises gens faillis » semblait une joyeuse trouvaille. Robert s'était arrêté auprès d'Édouard III et, esquissant un fléchissement de genou, lui présentait le plat.

— Sire, s'écria-t-il, j'ai là un héron que mon faucon a pris. C'est le plus lâche oiseau qui soit de par le monde, car il fuit devant tous les autres. Les gens de votre pays, à mon avis, devraient s'y vouer, et je le verrais figurer aux armes d'Angleterre mieux que je n'y vois les lions. C'est à vous, roi Édouard, que j'en veux faire l'offrande car il revient de droit au plus lâche et plus couard prince de ce monde, qu'on a déshérité du royaume de France, et auquel le cœur manque pour conquérir ce qui lui appartient.

On s'était tu. Un silence, angoissé chez certains, indigné chez les autres, avait remplacé les rires. L'insulte était indubitable. Déjà Salisbury, Suffolk, Guillaume de Mauny, Jean de Hainaut, à demi levés de leurs sièges, attendaient, pour se jeter sur le comte d'Artois, un geste du roi. Robert ne semblait pas ivre. Était-il fou ? Certes il fallait qu'il le fût car jamais on n'avait ouï que personne en aucune cour, et à plus forte raison pour un étranger banni de son pays natal, eût agi de pareille façon.

Les joues du jeune roi s'étaient empourprées. Édouard regardait Robert droit dans les yeux. Allait-il le chasser de la salle, le chasser de son royaume ?

Édouard prenait toujours quelques secondes avant de parler, sachant que chaque parole de roi compte, ne fût-ce que lorsqu'il dit « Bonne nuit » à son écuyer. Clore par force une bouche ne supprime pas l'outrage qu'elle a proféré. Édouard était sage, et il était honnête. On ne montre pas son courage en ôtant, par colère, à un parent qu'on a recueilli, et qui vous sert, les bienfaits qu'on lui a octroyés ; on ne montre pas son courage en faisant jeter en prison un homme seul parce qu'il vient de vous accuser de faiblesse. On montre son courage en prouvant que l'accusation est fausse. Il se leva.

— Puisqu'on me traite de couard, face aux dames et à mes barons, il vaut mieux que je dise là-dessus mon avis ; et pour vous assurer, mon cousin, que vous m'avez mal jugé, et que ce n'est point lâcheté qui me retient encore, je vous fais vœu qu'avant l'année achevée, j'aurai passé l'eau afin de défier le roi qui se prétend de France, et me combattre à lui, vînt-il à moi un contre dix. Je vous sais gré de ce héron, que vous avez pris pour moi, et que j'accepte avec grand merci.

Les convives restaient muets ; mais leurs sentiments avaient changé de nature et de dimension. Les poitrines s'élargissaient comme si chacun eût besoin d'aspirer plus d'air. Une cuiller qui tomba rendit dans ce silence un tintement exagéré. Robert avait dans les prunelles une lueur de triomphe. Il s'inclina et dit :

— Sire, mon jeune et vaillant cousin, je n'attendais pas de vous une autre réponse. Votre noble cœur a parlé. J'en ai une grande joie pour votre gloire ; et pour moi, sire Édouard, j'en tire grande espérance, car ainsi je pourrai revoir mon épouse et mes enfants. Par Dieu qui nous entend, je vous fais un vœu de partout vous précéder en bataille, et prie que vie assez longue me soit accordée pour vous servir assez et assez · me venger.

Puis, s'adressant à la tablée entière :

— Mes nobles Lords, chacun de vous n'aura-t-il pas à cœur de faire vœu comme le roi votre Sire bien-aimé l'a fait ?

Toujours portant le héron rôti, aux ailes et au croupion duquel le cuisinier avait replanté quelques-unes de ses plumes, Robert avança vers Salisbury :

— Noble Montaigu, à vous le premier je m'adresse !

— Comte Robert, tout à votre désir, dit Salisbury qui quelques instants plus tôt était prêt à se lancer sur lui.

Et se levant, il prononça :

— Puisque le roi notre Sire a désigné son ennemi, je choisis le mien ; et comme je suis maréchal d'Angleterre, je fais vœu de n'avoir repos gagné que lorsque j'aurai défait en bataille le maréchal de Philippe le faux roi de France.

Gagnée par l'enthousiasme, la table l'applaudit.

— Moi aussi, je veux faire vœu, s'écria en battant des mains la demoiselle de Derby. Pourquoi les dames n'auraient-elles pas droit de vouer ?

— Mais elles le peuvent, gente comtesse, lui répondit Robert, et à grand avantage ; les hommes n'en tiendront que mieux leur foi. Allez, pucelettes, ajouta-t-il pour les deux fillettes couronnées, remettez-vous à chanter en l'honneur de la dame qui veut vouer.

Ménestrels et pucelettes reprirent : «*Je vais à la verdure car l'amour me l'apprend.*» Puis devant le plat d'argent où le héron se figeait dans sa sauce, la demoiselle de Derby dit, d'une voix aigrelette :

— Je voue et promets à Dieu de Paradis que je n'aurai mari, qu'il soit prince, comte ou baron, avant que le vœu que vient de faire le noble Lord de Salisbury soit accompli. Et quand il reviendra, s'il en échappe vif, le mien corps lui octroie, et de bon cœur.

Ce vœu causa quelque surprise, et Salisbury rougit.

Les belles nattes noires de la comtesse de Salisbury n'eurent pas un mouvement ; ses lèvres simplement se pincèrent d'une légère ironie et ses yeux aux ombres mauves cherchèrent à accrocher le regard du roi Édouard, comme pour lui faire comprendre : « Nous n'avons point trop à nous gêner. »

Robert s'arrêta ainsi devant chaque convive, faisant donner quelques tours de vielle et chanter les fillettes pour laisser à chacun le temps de préparer son vœu et choisir son ennemi. Le comte de Derby, père de la demoiselle qui avait fait une déclaration si osée, promit de défier le comte de Flandre; le nouveau comte de Suffolk désigna le roi de Bohême. Le jeune Gautier de Mauny, tout bouillant d'avoir été récemment armé chevalier, impressionna vivement l'assemblée en promettant de réduire en cendres toutes les villes, autour du Hainaut, qui appartenaient à Philippe de Valois, dût-il, jusqu'à ce faire, ne plus voir la lumière que d'un œil.

— Eh bien! qu'il en soit ainsi, dit la comtesse de Salisbury, sa voisine, en lui posant deux doigts sur l'œil droit. Et quand votre promesse sera accomplie, alors mon amour soit à qui plus m'aime; c'est là mon vœu.

En même temps elle regardait le roi. Mais le naïf Gautier, qui croyait cette promesse à lui destinée, garda la paupière fermée après que la dame en eut ôté les doigts. Puis, sortant son mouchoir qui était rouge, il se le noua en travers du front pour tenir l'œil couvert.

Le moment de pure grandeur était passé. Quelques rires se mêlaient déjà à cette compétition de bravoure orale. Le héron était arrivé devant messire Jean de Hainaut, lequel avait bien espéré que la provocation tournerait autrement pour son auteur. Il n'aimait pas à recevoir des leçons d'honneur, et son visage poupin cachait mal son dépit.

— Lorsque nous sommes en taverne, et force vin buvant, dit-il à Robert, les vœux nous coûtent peu pour nous faire regarder des dames. Nous n'avons alors parmi nous que des Olivier, des Roland et des Lancelot. Mais quand nous sommes en campagne sur nos destriers courants, nos écus au col, nos lances abaissées, et qu'une grande froidure nous glace à l'approche de l'ennemi, alors combien de fanfarons aimeraient mieux être dans les caves! Le roi de Bohême, le comte de Flandre et Bertrand le maréchal sont aussi bons chevaliers que nous, cousin Robert, vous le savez bien; car bannis que nous soyons l'un et l'autre de la cour de France, mais pour raisons diverses, nous les avons assez connus; leurs rançons ne nous sont pas encore acquises! Pour ma part je fais vœu simplement que si notre roi Édouard veut passer par le Hainaut, je serai auprès de lui pour toujours soutenir sa cause. Et ce sera la troisième guerre où je le servirai.

Robert venait maintenant vers la reine Philippa. Il mit un genou en terre. La ronde Philippa tourna vers Édouard son visage taché de son.

— Je ne puis faire vœu, dit-elle, sans l'autorisation de mon seigneur.

Elle donnait par là une calme leçon aux dames de sa cour.

— Vouez tout ce qu'il vous plaira, ma mie, vouez ardemment; je ratifie d'avance, et que Dieu vous aide! dit le roi.

— Si donc, mon doux Sire, je puis vouer ce qui me plaît, reprit

Philippa, puisque je suis grosse d'enfant et que même le sens remuer, je voue qu'il ne sortira de mon corps que vous ne m'ayez menée outre-mer pour accomplir votre vœu...

Sa voix tremblait légèrement, comme au jour de ses noces.

— ... mais s'il advenait, ajouta-t-elle, que vous me laissiez ici, et partiez outre-mer avec d'autres, alors je m'occirais d'un grand couteau d'acier pour perdre à la fois et mon âme et mon fruit !

Ceci fut prononcé sans emphase, mais bien clairement pour que chacun en fût averti. On évitait de regarder la comtesse de Salisbury. Le roi baissa ses longs cils, prit la main de la reine, la porta à ses lèvres et dit dans le silence, pour rompre le malaise :

— Ma mie, vous nous donnez à tous leçon de devoir. Après vous, personne ne vouera.

Puis à Robert :

— Mon cousin d'Artois, prenez votre place auprès de Madame la reine.

Un écuyer partagea le héron dont la chair était dure pour avoir été cuite trop fraîche, et froide d'avoir si longtemps attendu. Chacun néanmoins en mangea une bouchée. Robert trouva à sa chasse une exquise saveur : la guerre, ce jour-là, était vraiment commencée.

VI

LES MURS DE VANNES

Et les vœux prononcés à Windsor furent tenus.

Le 16 juillet de la même année 1338, Édouard III prenait la mer à Yarmouth, avec une flotte de quatre cents vaisseaux. Le lendemain il débarquait à Anvers. La reine Philippa était du voyage, et de nombreux chevaliers, pour imiter Gautier de Mauny, avaient l'œil droit caché par un losange de drap rouge.

Ce n'était pas encore le temps des batailles, mais celui des entrevues. A Coblence, le 5 septembre, Édouard rencontrait l'empereur d'Allemagne.

Pour cette cérémonie, Louis de Bavière s'était composé un étrange costume, moitié empereur, moitié pape, dalmatique de pontife sur tunique de roi, et couronne à fleurons scintillant autour d'une tiare. D'une main il tenait le sceptre, de l'autre le globe surmonté de la croix. Ainsi s'affirmait-il comme le suzerain de la chrétienté entière.

Du haut de son trône, il prononça la forfaiture de Philippe VI, reconnut Édouard comme roi de France et lui remit la verge d'or qui le désignait comme vicaire impérial. C'était là encore une idée de Robert d'Artois qui s'était rappelé comment Charles de Valois, avant chacune de ses expéditions personnelles, prenait soin de se faire proclamer vicaire pontifical. Louis de Bavière jura de défendre, pendant sept ans, les droits d'Édouard, et tous les princes allemands venus avec l'Empereur confirmèrent ce serment.

Cependant Jakob Van Artevelde continuait d'appeler à la révolte les populations du comté de Flandre, d'où Louis de Nevers s'était enfui, définitivement. Édouard III alla de ville en ville, tenant de grandes assemblées où il se faisait reconnaître roi de France. Il promettait de rattacher à la Flandre Douai, Lille, l'Artois même, afin de constituer, de tous ces territoires aux intérêts communs, une seule nation. L'Artois étant cité dans le grand projet, on devinait bien qui l'avait inspiré et en serait, sous tutelle anglaise, le bénéficiaire.

En même temps, Édouard décidait d'augmenter les privilèges commerciaux des cités; au lieu de réclamer des subsides, il accordait des subventions, et il scellait ses promesses d'un sceau où les armes d'Angleterre et de France étaient conjointement gravées.

A Anvers, la reine Philippa donna le jour à son second fils, Lionel.

Le pape Benoît XII multipliait vainement en Avignon ses efforts de paix. Il avait interdit la croisade pour empêcher la guerre franco-anglaise, et celle-ci maintenant n'était que trop certaine.

Déjà, entre avant-gardes anglaises et garnisons françaises, se produisaient de grosses escarmouches, en Vermandois et en Thiérache, auxquelles Philippe VI ripostait en envoyant des détachements en Guyenne et d'autres jusqu'en Écosse pour y fomenter la rébellion au nom du petit David Bruce.

Édouard III faisait la navette entre la Flandre et Londres, engageant aux banques italiennes les joyaux de sa couronne afin de subvenir à l'entretien de ses troupes comme aux exigences de ses nouveaux vassaux.

Philippe VI, ayant levé l'ost, prit l'oriflamme à Saint-Denis et s'avança jusqu'au-delà de Saint-Quentin, puis, à une journée seulement d'atteindre les Anglais, il fit faire demi-tour à toute son armée et alla reporter l'oriflamme sur l'autel de Saint-Denis. Quelle pouvait être la raison de cette étrange dérobade de la part du roi tournoyeur? Chacun se le demandait. Philippe trouvait-il le temps trop mouillé pour engager le combat? Ou bien les prédictions funestes de son oncle Robert l'Astrologue lui étaient-elles soudain revenues en tête? Il déclarait s'être décidé pour un autre projet. L'angoisse, en une nuit, lui avait fait échafauder un autre plan. Il allait conquérir le royaume d'Angleterre. Ce ne serait point la première fois que les Français y prendraient pied; un duc de Normandie, trois siècles plus tôt, n'avait-il pas conquis la Bretagne Grande?... Eh bien! lui, Philippe, paraîtrait sur ces mêmes rivages d'Hastings; un duc de Normandie, son fils, serait à ses côtés! Chacun des deux rois ambitionnait donc de conquérir le royaume de l'autre.

Mais l'entreprise exigeait d'abord la maîtrise de la mer. Édouard ayant la plus grande partie de son armée sur le Continent, Philippe résolut de le couper de ses bases, pour l'empêcher de ravitailler ses troupes ou de les renforcer. Il allait détruire la marine anglaise.

Le 22 juin 1340, devant l'Écluse, dans le large estuaire qui sépare la Flandre de la Zélande, deux cents navires s'avançaient, parés des plus jolis noms, la flamme de France flottant à leur grand mât: *La Pèlerine, la Nef-Dieu, la Miquolette, l'Amoureuse, la Faraude, la Sainte-Marie-Porte-Joye...* Ces vaisseaux étaient montés par vingt mille marins et soldats, complétés de tout un corps d'arbalétriers ; mais on ne comptait guère, parmi eux, plus de cent cinquante gentilshommes. La chevalerie française n'aimait pas la mer.

Le capitaine Barbavera, qui commandait aux cinquante galères génoises louées par le roi de France, dit à l'amiral Béhuchet :

— Monseigneur, voici le roi d'Angleterre et sa flotte qui viennent sur nous. Prenez la pleine mer avec tous vos navires, car si vous restez ici, enfermés comme vous l'êtes dans les grandes digues, les Anglais, qui ont pour eux le vent, le soleil et la marée, vous serreront tant que vous ne saurez vous aider.

On aurait pu l'écouter ; il avait trente ans d'expérience navale et, l'année précédente, pour le compte de la France, avait audacieusement brûlé et pillé Southampton. L'amiral Béhuchet, ancien maître des eaux et forêts royales, lui répondit fièrement :

— Honni soit qui s'en ira d'ici !

Il fit ranger ses bâtiments sur trois lignes : d'abord les marins de la Seine, puis les Picards et les Dieppois, enfin les gens de Caen et du Cotentin ; il ordonna de lier les navires entre eux par des câbles, et y disposa les hommes comme sur des châteaux forts.

Le roi Édouard, parti l'avant-veille de Londres, commandait une flotte sensiblement égale. Il ne possédait pas plus de combattants que les Français n'en avaient ; mais sur les vaisseaux il avait réparti deux mille gentilshommes parmi lesquels Robert d'Artois, malgré le grand dégoût que celui-ci avait de naviguer.

Dans cette flotte se trouvait également, gardée par huit cents soldats, toute une nef de dames d'honneur pour le service de la reine Philippa.

Au soir, la France avait dit adieu à la domination des mers.

On ne s'était même pas aperçu de la chute du jour tant les incendies des vaisseaux français fournissaient de lumière

Pêcheurs normands, picards, et marins de la Seine s'étaient fait mettre en pièces par les archers d'Angleterre et par les Flamands venus à la rescousse sur leurs barques plates, du fond de l'estuaire, pour prendre à revers les châteaux forts à voile. Ce n'étaient que craquements de mâtures, cliquetis d'armes, hurlements d'égorgés. On se battait au glaive et à la hache parmi un champ d'épaves. Les survivants, qui cherchaient à échapper à la fin du massacre, plongeaient entre les cadavres, et l'on ne savait plus si l'on nageait dans l'eau ou dans le sang. Des centaines de mains coupées flottaient sur la mer.

Le corps de l'amiral Béhuchet pendait à la vergue du navire d'Édouard. Depuis de longues heures, Barbavera avait pris le large avec ses galères génoises.

Les Anglais étaient meurtris mais triomphants. Leur plus grand désastre : la perte de la nef des dames, coulée au milieu de cris affreux.

Des robes dérivaient parmi le grand charnier marin, comme des oiseaux morts.

Le jeune roi Édouard avait été blessé à la cuisse et le sang ruisselait sur sa botte de cuir blanc; mais les combats désormais se passeraient sur la terre de France.

Édouard III envoya aussitôt à Philippe VI de nouvelles lettres de défi. « *Pour éviter de graves destructions aux peuples et aux pays, et une grande mortalité de chrétiens, ce que tout prince doit avoir à cœur d'empêcher* », le roi anglais offrait à son cousin de France de le rencontrer en combat singulier, puisque la querelle concernant l'héritage de France leur était affaire personnelle. Et si Philippe de Valois ne voulait point de ce « *challenge entre leurs corps* », il lui offrait de l'affronter avec seulement cent chevaliers de part et d'autre, en champ clos : un tournoi en somme, mais à lances non épointées, à glaives non rabattus, où il n'y aurait pas de juges diseurs pour surveiller la mêlée et dont le prix ne serait point une broche de parure ou un faucon muscadin, mais la couronne de Saint Louis.

Or le roi tournoyeur répondit que la proposition de son cousin était irrecevable, vu qu'elle avait été adressée à Philippe de Valois et non pas au roi de France dont Édouard était le vassal traîtreusement révolté.

Le pape fit négocier une nouvelle trêve. Les légats se dépensèrent fort et s'attribuèrent tout le mérite d'une paix précaire que les deux princes n'acceptaient que pour se donner le temps de souffler.

Cette seconde trêve avait quelques chances de durer, lorsque mourut le duc de Bretagne.

Il ne laissait pas de fils légitime ni d'héritier direct. Le duché fut réclamé à la fois par le comte de Montfort-l'Amaury, son dernier frère, et par Charles de Blois, son neveu : une autre affaire d'Artois, et qui, juridiquement, se présentait à peu près de la même manière. Philippe VI appuya les prétentions de son parent Charles de Blois, un Valois par alliance. Aussitôt Édouard III prit parti pour Jean de Montfort. Si bien qu'il y eut deux rois de France, ayant chacun son duc de Bretagne, comme chacun avait déjà son roi d'Écosse.

La Bretagne touchait à Robert de fort près, puisqu'il était, par sa mère, du sang de ses ducs. Édouard III ne pouvait ni moins ni mieux faire que de remettre au géant le commandement du corps de bataille qui allait y débarquer.

La grande heure de Robert d'Artois était venue.

Robert a cinquante-six ans. Autour de son visage, aux muscles durcis par une longue destinée de haine, les cheveux ont pris cette bizarre couleur de cidre allongé d'eau qui vient aux hommes roux lorsqu'ils blanchissent. Il n'est plus le mauvais sujet qui s'imaginait faire la guerre quand il pillait les châteaux de sa tante Mahaut. A présent, il sait ce qu'est la guerre ; il prépare soigneusement sa campagne ; il a l'autorité que confèrent l'âge et toutes les expériences accumulées au long d'une tumultueuse existence. Il est unanimement respecté. Qui donc se rappelle qu'il fut faussaire, parjure, assassin et un peu sorcier ? Qui oserait le lui rappeler ? Il est Monseigneur Robert, ce colosse vieillissant, mais d'une force toujours surprenante, toujours vêtu de rouge, et toujours sûr de soi, qui s'avance en terre française à la tête d'une armée anglaise. Mais cela compte-t-il pour lui que ses troupes soient étrangères ? Et d'ailleurs cette notion existe-t-elle pour aucun des comtes, barons, et chevaliers ? Leurs expéditions sont des affaires de famille et leurs combats des luttes d'héritages ; l'ennemi est un cousin, mais l'allié est un autre cousin. C'est pour le peuple, dont les maisons vont être brûlées, les granges pillées, les femmes malmenées, que le mot « étranger » signifie « ennemi » ; pas pour les princes qui défendent leurs titres et assurent leurs possessions.

Pour Robert, cette guerre entre France et Angleterre c'est *sa guerre* ; il l'a voulue, prêchée, fabriquée ; elle représente dix ans d'efforts incessants. Il semble qu'il ne soit né, qu'il n'ait vécu que pour elle. Il se plaignait naguère de n'avoir jamais pu goûter le moment présent ; cette fois il le savoure enfin. Il aspire l'air comme une liqueur délectable. Chaque minute est un bonheur. Du haut de son énorme alezan, la tête au vent et le heaume pendu à la selle, il adresse à son monde de grandes joyeusetés qui font trembler. Il a vingt-deux mille chevaliers et soldats sous ses ordres, et, lorsqu'il se retourne, il voit ses lances osciller jusqu'à l'horizon ainsi qu'une terrible moisson. Les pauvres Bretons fuient devant lui, quelques-uns en chariot, la plupart à pied, sur leurs chausses de toile ou d'écorce, les femmes traînant les enfants, et les hommes portant sur l'épaule un sachet de blé noir.

Robert d'Artois a cinquante-six ans, mais de même qu'il peut encore fournir sans fatigue des étapes de quinze lieues, de même il continue de rêver... Demain il va prendre Brest ; puis il va prendre Vannes, puis il va prendre Rennes ; de là il entrera en Normandie, il se saisira d'Alençon qui est au frère de Philippe de Valois ; d'Alençon, il court à Évreux, à Conches, son cher Conches ! Il court à Château-Gaillard, libère Madame de Beaumont. Puis il fond, irrésistible, sur Paris ; il est au Louvre, à Vincennes, à Saint-Germain, il fait choir du trône Philippe de Valois, et remet la couronne à Édouard qui le fait, lui, Robert, lieutenant général du royaume de France. Son destin a connu des fortunes et des infortunes moins concevables, alors qu'il n'avait pas, soulevant la poussière des routes, toute une armée le suivant.

Et en effet Robert prend Brest, où il délivre la comtesse de Montfort, âme guerrière, corps robuste, qui, tandis que son mari est retenu prisonnier par le roi de France, continue, le dos à la mer, de résister au bout de son duché. Et en effet Robert traverse, triomphant, la

Bretagne, et en effet il assiège Vannes; il fait dresser perrières et catapultes, pointer les bombardes à poudre dont la fumée se dissout dans les nuages de novembre, ouvrir une brèche dans les murs. La garnison de Vannes est nombreuse, mais ne paraît pas particulièrement résolue; elle attend le premier assaut pour pouvoir se rendre de façon honorable. Il faudra, de part et d'autre, sacrifier quelques hommes afin que cette formalité soit remplie.

Robert fait lacer son heaume d'acier, enfourche son énorme destrier qui s'affaisse un peu sous son poids, crie ses derniers ordres, abaisse devant son visage la ventaille de son casque, agite d'un geste tournoyant les six livres de sa masse d'armes au-dessus de sa tête. Les hérauts qui font claquer sa bannière hurlent à pleine voix: «Artois à la bataille!»

Des hommes de pied courent à côté des chevaux, portant à six de longues échelles; d'autres tiennent au bout d'un bâton des paquets d'étoupe enflammée; et le tonnerre roule vers l'éboulis de pierres, à l'endroit où le rempart a cédé; et la cotte flottante de Monseigneur d'Artois, sous les lourdes nuées grises, rougeoie comme la foudre...

Un trait d'arbalète, ajusté du créneau, traversa la cotte de soie, l'armure, le cuir du haubergeon, la toile de la chemise. Le choc n'avait pas été plus dur que celui d'une lance de joutes; Robert d'Artois arracha lui-même le trait et, quelques foulées plus loin, sans comprendre ce qui lui arrivait, ni pourquoi le ciel devenait soudain si noir, ni pourquoi ses jambes n'enserraient plus son cheval, il s'écroula dans la boue.

Tandis que ses troupes enlevaient Vannes, le géant déheaumé, étendu sur une échelle, était porté jusqu'à son camp; le sang coulait sous l'échelle.

Robert n'avait jamais été blessé auparavant. Deux campagnes en Flandre, sa propre expédition en Artois, la guerre d'Aquitaine... Robert, à travers tout cela, était passé sans seulement une écorchure. Pas une lance brisée, en cinquante tournois, pas une défense de sanglier ne lui avait même effleuré la peau.

Pourquoi devant Vannes, devant cette ville qui n'offrait pas de résistance véritable, qui n'était qu'une étape secondaire sur la route de son épopée? Aucune prédiction funeste, concernant Vannes ou la Bretagne, n'avait été faite à Robert d'Artois. Le bras qui avait tendu l'arbalète était celui d'un inconnu qui ne savait même pas sur qui il tirait.

Quatre jours Robert lutta, non plus contre les princes et les Parlements, non plus contre les lois d'héritage, les coutumes des comtés, contre les ambitions ou l'avidité des familles royales; il luttait contre sa propre chair. La mort pénétrait en lui, par une plaie aux lèvres noirâtres ouverte entre ce cœur qui avait tant battu et ce ventre qui avait tant mangé ; non pas la mort qui glace, celle qui incendie. Le feu s'était mis dans ses veines. Il fallait à la mort brûler en quatre jours les forces qui restaient en ce corps, pour vingt ans de vie.

Il refusa de faire un testament, criant que le lendemain il serait à cheval. Il fallut l'attacher pour lui administrer les derniers sacrements, parce qu'il voulait assommer l'aumônier dans lequel il croyait reconnaître Thierry d'Hirson. Il délirait.

Robert d'Artois avait toujours détesté la mer ; un bateau appareilla pour le ramener en Angleterre. Toute une nuit, au balancement des flots, il plaida en justice, étrange justice où il s'adressait aux barons de France en les appelant «mes nobles Lords», et requérait de Philippe le Bel qu'il ordonnât la saisie de tous les biens de Philippe de Valois, manteau, sceptre et couronne, en exécution d'une bulle papale d'excommunication. Sa voix, depuis le château d'arrière, s'entendait jusqu'à l'étrave, montait jusqu'aux hommes de vigie, dans les mâts.

Avant l'aube, il s'apaisa un peu et demanda qu'on approchât son matelas de la porte ; il voulait regarder les dernières étoiles. Mais il ne vit pas se lever le soleil. A l'instant de mourir, il imaginait encore qu'il allait guérir. Le dernier mot que ses lèvres formèrent fut : «Jamais !» sans qu'on sût s'il s'adressait aux rois, à la mer ou à Dieu.

Chaque homme en venant au monde est investi d'une fonction infime ou capitale, mais généralement inconnue de lui-même, et que sa nature, ses rapports avec ses semblables, les accidents de son existence le poussent à remplir, à son insu, mais avec l'illusion de la liberté. Robert d'Artois avait mis le feu à l'occident du monde ; sa tâche était achevée.

Lorsque le roi Édouard III, en Flandre, apprit sa mort, ses cils se mouillèrent, et il envoya à la reine Philippa une lettre où il disait :

«Doux cœur, Robert d'Artois notre cousin est à Dieu commandé ; pour l'affection que nous avions envers lui et pour notre honneur, nous avons écrit à nos chancelier et trésorier, et les avons chargés de le faire enterrer en notre cité de Londres. Nous voulons, doux cœur, que vous veilliez à ce qu'ils fassent bien selon notre volonté. Que Dieu soit gardien de vous. Donné sous notre sceau privé en la ville de Grandchamp, le jour de Sainte-Catherine, l'an de notre règne d'Angleterre seizième et de France tiers. »

Au début de janvier 1343, la crypte de la cathédrale Saint-Paul, à Londres, reçut le plus lourd cercueil qui y fût jamais descendu.

... Et ici l'auteur, contraint par l'histoire à tuer son personnage préféré, avec lequel il a vécu six années, éprouve une tristesse égale à celle du roi Édouard d'Angleterre; la plume, comme disent les vieux conteurs de chroniques, lui échappe hors des doigts, et il n'a plus le désir de poursuivre, au moins immédiatement, sinon pour faire connaître au lecteur la fin de quelques-uns des principaux héros de ce récit.

Franchissons onze ans, et franchissons les Alpes...

ÉPILOGUE

JEAN Ier L'INCONNU

I

LA ROUTE QUI MÈNE À ROME

Le lundi 22 septembre 1354, à Sienne, Giannino Baglioni, notable de cette ville, reçut au palais Tolomei, où sa famille tenait compagnie de banque, une lettre du fameux Cola de Rienzi qui avait saisi le gouvernement de Rome en reprenant le titre antique de tribun. Dans cette lettre, datée du Capitole et du jeudi précédent, Cola de Rienzi écrivait au banquier :

« Très cher ami, nous avons envoyé des messagers à votre recherche avec mission de vous prier, s'ils vous rencontraient, de vouloir bien vous rendre à Rome auprès de nous. Ils nous ont rapporté qu'ils vous avaient en effet découvert à Sienne, mais n'avaient pu vous déterminer à venir nous voir. Comme il n'était pas certain qu'on vous découvrirait, nous ne vous avions pas écrit ; mais maintenant que nous savons où vous êtes, nous vous prions de venir nous trouver en toute diligence, aussitôt que vous aurez reçu cette lettre, et dans le plus grand secret, pour affaire concernant le royaume de France. »

Pour quelle raison le tribun, grandi dans une taverne du Trastevere mais qui affirmait être fils adultérin de l'empereur Henri VII d'Allemagne — donc un demi-frère du roi Jean de Bohême — et en qui Pétrarque célébrait le restaurateur des anciennes grandeurs de l'Italie, pour quelle raison Cola de Rienzi voulait-il s'entretenir, et d'urgence, et secrètement, avec Giannino Baglioni ? Celui-ci ne cessait de se poser la question, les jours suivants, tandis qu'il cheminait vers Rome, en compagnie de son ami le notaire Angelo Guidarelli auquel il avait demandé de l'accompagner, d'abord parce qu'une route faite à deux semble moins longue, et aussi parce que le notaire était un garçon avisé qui connaissait bien toutes les affaires de banque.

En septembre le ciel est encore chaud sur la campagne siennoise, et le chaume des moissons couvre les champs comme d'une fourrure fauve. C'est l'un des plus beaux paysages du monde ; Dieu y a tracé avec aisance la courbe des collines, et répandu une végétation riche, diverse, où le cyprès règne en seigneur. L'homme a su travailler cette terre et partout y semer ses logis, qui, de la plus princière villa à la plus humble métairie, possèdent tous, avec leur couleur ocre et leurs tuiles rondes, la même grâce et la même harmonie. La route n'est jamais monotone, serpente, s'élève, descend vers de nouvelles vallées, entre des cultures en terrasses et des oliveraies millénaires. A Sienne, Dieu et l'homme ont eu également du génie.

Quelles étaient ces affaires de France dont le tribun de Rome désirait parler, en secret, au banquier de Sienne? Pourquoi l'avait-il fait approcher à deux reprises, et lui avait-il envoyé cette lettre pressante où il le traitait de «très cher ami»? De nouveaux prêts à consentir au roi de Paris, sans doute, ou des rançons à acquitter pour quelques grands seigneurs prisonniers en Angleterre? Giannino Baglioni ignorait que Cola de Rienzi s'intéressât tellement au sort des Français.

Et si même il en était ainsi, pourquoi le tribun ne s'adressait-il pas aux autres membres de la compagnie, aux plus anciens, à Tolomeo Tolomei, à Andrea, à Giaccomo, qui connaissaient bien mieux ces questions, et étaient allés à Paris autrefois liquider l'héritage du vieil oncle Spinello, quand on avait dû fermer les comptoirs de France? Certes Giannino était né d'une mère française, une belle jeune dame un peu triste, qu'il revoyait au centre de ses souvenirs d'enfance, dans un manoir vétuste en un pays pluvieux. Et certes, son père, Guccio Baglioni, mort depuis quatorze ans déjà, le cher homme, au cours d'un voyage en Campanie... et Giannino, balancé par le pas de son cheval, dessinait un signe de croix discret sur sa poitrine... son père, du temps qu'il séjournait en France, s'était trouvé fort mêlé à de grandes affaires de cour, entre Paris, Londres, Naples et Avignon. Il avait approché les rois et les reines, et même assisté au fameux conclave de Lyon...

Mais Giannino n'aimait pas se souvenir de la France, précisément à cause de sa mère jamais revue, et dont il ignorait si elle était encore vivante ou trépassée; à cause de sa naissance, légitime selon son père, illégitime aux yeux des autres membres de la famille, de tous ces parents brusquement découverts lorsqu'il avait neuf ans: le grand-père Mino Baglioni, les oncles Tolomei, les innombrables cousins... Longtemps Giannino s'était senti étranger, parmi eux. Il avait tout fait pour effacer cette dissemblance, pour s'intégrer à la communauté, pour devenir un Siennois, un banquier, un Baglioni.

S'étant spécialisé dans le négoce des laines, peut-être parce qu'il gardait quelque nostalgie des moutons, des prés verts et des matins de brume, il avait épousé, deux ans après le décès de son père, une héritière de bonne famille siennoise, Giovanna Vivoli, dont lui étaient nés trois fils et avec laquelle il avait vécu fort heureux pendant six ans, avant qu'elle ne mourût pendant l'épidémie de peste noire, en 48. Remarié l'année suivante à une autre héritière, Francesca Agazzano, deux fils encore réjouissaient son foyer, et il attendait présentement une nouvelle naissance.

Il était estimé de ses compatriotes, conduisait ses affaires avec honnêteté, et devait à la considération publique la charge de camerlingue de l'hôpital Notre-Dame-de-la-Miséricorde...

San Quirico d'Orcia, Radicofani, Acquapendente, le lac de Bolsena, Montefiascone; les nuits passées aux hôtelleries à gros portiques, et la route reprise au matin... Giannino et Guidarelli étaient sortis de la Toscane. A mesure qu'il avançait, Giannino se sentait davantage décidé à répondre au tribun Cola, avec toute la courtoisie possible, qu'il ne voulait point se mêler de transactions en France. Le notaire Guidarelli l'approuvait pleinement; les compagnies italiennes gardaient trop mauvais souvenir des spoliations, et trop se détériorait le royaume de France, depuis le début de la guerre d'Angleterre, pour qu'on pût y prendre le moindre risque d'argent. Mieux valait vivre en une bonne petite république comme Sienne, aux arts et au commerce prospères, qu'en ces grandes nations gouvernées par des fous [32]!

Car Giannino, du palais Tolomei, avait bien suivi les affaires françaises durant les dernières années; on gardait là-bas quantité de créances qu'on ne verrait sans doute jamais honorées! Des déments, en vérité, ces Français, à commencer par leur roi Valois qui avait réussi à perdre d'abord la Bretagne et la Flandre, ensuite la Normandie, ensuite la Saintonge, et puis s'était fait buissonner comme chevreuil par les armées anglaises, autour de Paris. Ce héros de tournoi, qui voulait emmener l'univers en croisade, refusait le cartel de défi par lequel son ennemi lui offrait combat dans la plaine de Vaugirard, presque aux portes de son Palais; puis, s'imaginant les Anglais en fuite parce qu'ils se retiraient vers le nord... pour quelle raison auraient-ils fui, alors qu'ils étaient partout victorieux?... Philippe, soudainement, épuisant ses troupes par des marches forcées, se lançait à la poursuite d'Édouard, l'atteignait au-delà de la Somme; et là se terminait sa gloire.

Les échos de Crécy s'étaient répandus jusqu'à Sienne. On savait comment le roi de France avait obligé ses gens de marche à attaquer, sans prendre souffle, après une étape de cinq lieues, et comment la chevalerie française, irritée contre cette piétaille qui n'avançait pas assez vite, avait chargé à travers sa propre infanterie, la bousculant, la renversant, la foulant aux fers des chevaux, pour aller se faire mettre en pièces sous les tirs croisés des archers anglais.

— Ils ont dit, pour expliquer leur défaite, que c'étaient les traits à poudre, fournis aux Anglais par l'Italie, qui avaient semé le désordre et l'effroi dans leurs rangs, à cause du fracas. Mais non, Guidarelli, ce ne sont pas les traits à poudre; c'est leur stupidité.

Ah! On ne pouvait nier qu'il se fût accompli là de beaux faits d'armes. Par exemple, on avait vu Jean de Bohême, devenu aveugle vers la cinquantaine, exiger de se faire conduire quand même au combat, son destrier lié à droite et à gauche aux montures de deux de ses chevaliers; et le roi aveugle s'était enfoncé dans la mêlée, brandissant sa masse d'armes pour l'abattre sur qui? Sur la tête des deux malheureux qui l'encadraient. On l'avait retrouvé mort, toujours lié à ses deux compagnons assommés, parfait symbole de cette caste chevaleresque, enfermée dans la nuit de ses heaumes, qui, méprisant le peuple, se détruisait elle-même comme à plaisir.

Au soir de Crécy, Philippe VI errait dans la campagne, n'ayant plus que six hommes avec lui, et allait frapper à la porte d'un petit manoir en gémissant:

— Ouvrez, ouvrez à l'infortuné roi de France!

Messer Dante, on ne devait pas l'oublier, avait maudit autrefois la race des Valois, à cause du premier d'entre eux, le comte Charles, le ravageur de Sienne et de Florence. Tous les ennemis du *divino poeta* finissaient assez mal.

Et après Crécy, la peste amenée par les Génois. De ceux-là non plus il ne fallait jamais attendre rien de bon! Leurs bateaux avaient rapporté d'Orient le mal affreux qui, gagnant d'abord la Provence, s'était abattu sur Avignon, sur cette ville toute pourrie de débauches et de vices. Il suffisait d'avoir entendu répéter les propos de messer Pétrarque sur cette nouvelle Babylone pour comprendre que sa puante infamie et les péchés qui s'y étalaient la désignaient aux calamités vengeresses[33].

Le Toscan n'est jamais content de rien ni de personne, sauf de lui-même. S'il ne pouvait médire, il ne pourrait vivre. Et Giannino, en cela, se montrait bien toscan. A Viterbo, Guidarelli et lui n'en avaient pas encore fini de critiquer et de blâmer tout l'univers.

D'abord que faisait le pape en Avignon, au lieu de siéger à Rome, en la place désignée par saint Pierre? Et pourquoi élisait-on toujours des papes français, comme ce Pierre Roger, l'ancien évêque d'Arras, qui avait succédé à Benoît XII et régnait présentement sous le nom de Clément VI? Pourquoi ne nommait-il à son tour que des cardinaux français et refusait-il de rentrer en Italie? Dieu les avait tous punis. Une seule saison voyait la fermeture de sept mille maisons d'Avignon dépeuplée par la peste; on ramassait les cadavres par charretées. Puis le fléau montait vers le nord, à travers un pays épuisé par la guerre. La peste arrivait à Paris où elle causait mille morts par journée; grands ou petits, elle n'épargnait personne. La femme du duc de Normandie, fille du roi de Bohême, était morte de la peste. La reine Jeanne de Navarre, la fille de Marguerite de Bourgogne, était morte de la peste. La male reine de France elle-même, Jeanne la Boiteuse, sœur de

Marguerite, avait péri de la peste ; les Français, qui la détestaient, disaient que son trépas n'était qu'un juste châtiment.

Mais pourquoi Giovanna Baglioni, la première épouse de Giannino, Giovanna aux beaux yeux en amande, au cou pareil à un fût d'albâtre, avait-elle aussi été emportée ? Était-ce là justice ? Était-il juste que l'épidémie eût dévasté Sienne ? Dieu manifestait vraiment peu de discernement et taxait trop souvent les bons pour payer les fautes des méchants.

Bienheureux ceux qui avaient échappé à la peste ! Bienheureux messer Giovanni Boccacio, le fils d'un ami des Tolomei, de mère française, comme Giannino, et qui avait pu demeurer à l'abri, hôte d'un riche seigneur, dans une belle villa en lisière de Florence ! Tout le temps de la contagion, afin de distraire les réfugiés de la villa Palmieri, et leur faire oublier que la mort rôdait aux portes, Boccacio avait écrit ses beaux et plaisants contes que maintenant l'Italie entière répétait. Le courage montré devant le trépas par les hôtes du comte Palmieri et par messer Boccacio ne valait-il pas toute la sotte bravoure des chevaliers de France ? Le notaire Guidarelli partageait complètement cet avis.

Or le roi Philippe s'était remarié trente jours seulement après la mort de la male reine. Là encore, Giannino trouvait motif à blâmer, non exactement dans le remariage puisque lui-même en avait fait autant, mais dans l'indécente hâte mise par le roi de France à ses secondes noces. Trente jours ! Et qui Philippe VI avait-il choisi ? C'était là que l'histoire commençait d'être savoureuse ! Il avait enlevé à son fils aîné la princesse à laquelle celui-ci devait se remarier, sa cousine Blanche, fille du roi de Navarre, qu'on surnommait Belle Sagesse.

Ébloui par l'apparition à la cour de cette pucelle de dix-huit ans, Philippe avait exigé de son fils, Jean de Normandie, qu'il la lui cédât, et Jean s'était laissé unir à la comtesse de Boulogne, une veuve de vingt-quatre ans, pour laquelle il n'éprouvait pas grand goût, non plus à vrai dire que pour aucune dame, car il semblait que l'héritier de France fût plutôt tourné vers les écuyers.

Le roi de cinquante-six ans avait alors retrouvé, entre les bras de Belle Sagesse, la fougue de sa jeunesse. Belle Sagesse, vraiment ! le nom convenait bien ; Giannino et Guidarelli en étaient secoués de rire sur leurs chevaux. Belle Sagesse ! Messer Boccacio en eût pu faire un de ses contes. En trois mois, la donzelle avait eu les os du roi tournoyeur, et l'on conduisait à Saint-Denis ce superbe imbécile qui n'avait régné un tiers de siècle que pour conduire son royaume de la richesse à la ruine.

Jean II, le nouveau roi, âgé maintenant de trente-six ans, et qu'on appelait le Bon sans qu'on sût trop pourquoi, possédait tout juste, à ce que les voyageurs rapportaient, les mêmes solides qualités que son père, et le même bonheur dans ses entreprises. Il était seulement un peu plus dépensier, instable, et futile; mais il rappelait aussi sa mère par la sournoiserie et la cruauté. Se croyant constamment trahi, il avait déjà fait décapiter son connétable.

Parce que le roi Édouard III, campant dans Calais par lui conquis, avait institué l'ordre de la Jarretière, un jour qu'il s'était plu à rattacher lui-même le bas de sa maîtresse la belle comtesse de Salisbury, le roi Jean II, ne voulant pas demeurer en reste de chevalerie, avait fondé l'ordre de l'Étoile afin d'en honorer son favori espagnol, le jeune Charles de La Cerda. Ses prouesses s'arrêtaient là.

Le peuple crevait de faim; les campagnes comme l'industrie, par suite de la peste et de la guerre, manquaient de bras; les denrées étaient rares et les prix démesurés; on supprimait des emplois; on imposait sur toutes les transactions une taxe de près d'un sol à la livre.

Des bandes errantes, semblables aux pastoureaux de jadis, mais plus démentes encore, traversaient le pays, des milliers d'hommes et de femmes en haillons qui se flagellaient les uns les autres avec des cordes ou des chaînes, en hurlant des psaumes lugubres le long des routes, et soudain, saisis de fureur, massacraient, comme toujours, les Juifs et les Italiens.

Cependant la cour de France continuait d'étaler un luxe insultant, dépensait pour un seul tournoi ce qui eût suffi à nourrir un an tous les pauvres d'un comté, et se vêtait de façon peu chrétienne, les hommes plus parés de bijoux que les femmes, avec des cottes pincées à la taille, si courtes qu'elles découvraient les fesses, et des chaussures terminées en si longues pointes qu'elles empêchaient de marcher.

Une compagnie de banque un peu sérieuse pouvait-elle à de telles gens consentir de nouveaux prêts ou fournir des laines? Certes non. Et Giannino Baglioni, entrant à Rome, le 2 octobre, par le Ponte Milvio, était bien résolu à le dire au tribun Cola de Rienzi.

II

LA NUIT DU CAPITOLE

Les voyageurs s'étaient installés dans une *osteria* du Campo dei Fiori, à l'heure où les marchandes criardes soldaient leurs bottes de roses et débarrassaient la place du tapis multicolore et embaumé de leurs éventaires.

A la nuit tombante, ayant pris l'aubergiste pour guide, Giannino Baglioni se rendit au Capitole.

L'admirable ville que Rome, où il n'était jamais venu et qu'il découvrait en regrettant de ne pouvoir à chaque pas s'arrêter ! Immense en comparaison de Sienne et de Florence, plus grande même, semblait-il, que Paris, ou que Naples, si Giannino se référait aux récits de son père. Le dédale de ruelles s'ouvrait sur des palais merveilleux, brusquement surgis, et dont les porches et les cours étaient éclairés de torches ou de lanternes. Des groupes de garçons chantaient, se tenant par le bras en travers des rues. On se bousculait, mais sans mauvaise humeur, on souriait aux étrangers ; les tavernes étaient nombreuses d'où sortaient de bons parfums d'huile chaude, de safran, de poisson frit et de viande rôtie. La vie ne semblait pas s'arrêter avec la nuit.

Giannino monta la colline du Capitole à la lueur des étoiles. L'herbe croissait devant un porche d'église ; des colonnes renversées, une statue dressant un bras mutilé attestaient l'antiquité de la cité. Auguste, Néron, Titus, Marc Aurèle avaient foulé ce sol.

Cola de Rienzi soupait en nombreuse compagnie, dans une vaste salle sur les assises mêmes du temple de Jupiter. Giannino vint à lui, mit un genou en terre et se nomma. Aussitôt le tribun, lui prenant les mains, le releva et le fit conduire dans une pièce voisine où, après peu d'instants, il le rejoignit.

Rienzi s'était choisi le titre de tribun, mais il avait plutôt le masque et le port d'un empereur. La pourpre était sa couleur ; il drapait son manteau comme une toge. Le col de sa robe cernait un cou large et rond; le visage massif avec de gros yeux clairs, des cheveux courts, un menton volontaire, semblait destiné à prendre place à la suite des bustes des Césars. Le tribun avait un tic léger, un frémissement de la narine droite qui lui donnait une expression d'impatience. Le pas était autoritaire. Cet homme-là montrait bien, rien qu'en paraissant, qu'il était né pour commander, avait de grandes vues pour son peuple, et qu'il fallait se hâter de comprendre ses pensées et de s'y conformer. Il fit asseoir Giannino près de lui, ordonna à ses serviteurs de fermer les portes et de veiller à ce qu'on ne le dérangeât point; puis, tout aussitôt, il commença de poser des questions qui ne concernaient en rien les affaires de banque.

Le commerce des laines, les prêts d'argent, les lettres de change ne constituaient pas son souci. C'était Giannino uniquement, la personne de Giannino, qui l'intéressait. A quel âge Giannino était-il arrivé de France? Où avait-il passé ses premières années? Qui l'avait élevé? Avait-il toujours porté le même nom?

Après chaque demande, Rienzi attendait la réponse, écoutait, hochait le menton, interrogeait de nouveau.

Donc Giannino avait vu le jour dans un couvent de Paris. Sa mère, Marie de Cressay, l'avait élevé jusqu'à l'âge de neuf ans, en Ile-de-France, près d'un bourg nommé Neauphle-le-Vieux. Que savait-il d'un séjour qu'aurait fait sa mère à la cour de France? Le Siennois se rappelait les propos de son père, Guccio Baglioni, à ce sujet: Marie de Cressay, peu après avoir accouché de Giannino, avait été appelée à la cour comme nourrice, pour le fils nouveau-né de la reine Clémence de Hongrie; mais elle y était peu restée, puisque l'enfant de la reine était mort au bout de quelques jours, empoisonné disait-on.

Et Giannino se mit à sourire. Il avait été frère de lait d'un roi de France; c'était chose à laquelle il ne songeait presque jamais et qui lui paraissait soudain incroyable, presque risible, lorsqu'il se contemplait, tout près d'atteindre quarante ans, dans sa tranquille existence de bourgeois italien.

Mais pourquoi Rienzi lui posait-il toutes ces questions? Pourquoi le tribun aux gros yeux clairs, le bâtard de l'avant-dernier empereur, l'observait-il avec cette attention réfléchie?

— C'est bien vous, dit enfin Cola de Rienzi, c'est bien vous...

Giannino ne comprenait pas ce qu'il entendait par là. Il fut encore plus surpris quand il vit l'imposant tribun mettre un genou en terre et s'incliner jusqu'à lui baiser le pied droit.

— Vous êtes le roi de France, déclara Rienzi, et c'est ainsi que tout le monde doit vous traiter désormais.

Les lumières vacillèrent un peu autour de Giannino.

Quand la maison où l'on se tient paisiblement à dîner se fissure soudain parce que le sol est en train de glisser, quand le bateau sur lequel on dort vient en pleine nuit éclater contre un récif, on ne comprend pas non plus, dans le premier instant, ce qui arrive.

Giannino Baglioni était assis dans une chambre du Capitole ; le maître de Rome s'agenouillait à ses pieds et lui affirmait qu'il était roi de France.

— Il y a eu neuf ans au mois de juin, la dame Marie de Cressay est morte...

— Ma mère est morte ? s'écria Giannino.

— Oui, mon grandissime Seigneur... celle plutôt que vous croyiez votre mère. Et l'avant-veille de mourir elle s'est confessée...

C'était la première fois que Giannino s'entendait appeler « grandissime Seigneur » et il en demeura bouche bée, plus stupéfait encore que du baise-pied.

Donc, se sentant proche de trépasser, Marie de Cressay avait appelé auprès de son lit un moine augustin d'un couvent voisin, Frère Jourdain d'Espagne, et elle s'était confessée à lui.

L'esprit de Giannino remontait vers ses premiers souvenirs. Il voyait la chambre de Cressay et sa mère blonde et belle... Elle était morte depuis neuf ans, et il ne le savait pas. Et voilà qu'à présent elle n'était plus sa mère.

Frère Jourdain, à la demande de la mourante, avait consigné par écrit cette confession qui constituait la révélation d'un extraordinaire secret d'État, et d'un non moins extraordinaire crime.

— Je vous montrerai la confession, ainsi que la lettre de Frère Jourdain ; tout cela est en ma possession, dit Cola de Rienzi.

Le tribun parla pendant quatre heures pleines. Il n'en fallait pas moins, et d'abord pour instruire Giannino d'événements, vieux de quarante ans, qui faisaient partie de l'histoire du royaume de France : la mort de Marguerite de Bourgogne, le remariage du roi Louis X avec Clémence de Hongrie.

— Mon père avait été de l'ambassade qui alla chercher la reine à Naples ; il me l'a plusieurs fois raconté, dit Giannino ; il faisait partie de la suite d'un certain comte de Bouville...

— Le comte de Bouville, dites-vous ? Tout se confirme bien ! C'est ce même Bouville qui était curateur au ventre de la reine Clémence, votre mère, noblissime Seigneur, et qui alla faire prendre, pour vous nourrir, la dame de Cressay au couvent où elle venait d'accoucher. Elle a raconté cela précisément.

A mesure que le tribun parlait, son visiteur se sentait perdre la raison. Tout était retourné ; les ombres devenaient claires, le jour devenait noir. Giannino obligeait souvent Rienzi à revenir en arrière, comme lorsqu'on reprend une opération de calcul trop compliquée. Il apprenait d'un seul coup que son père n'était pas son père, que sa mère n'était pas sa mère, et que son père véritable, un roi de France, assassin d'une première épouse, avait fini lui-même assassiné. Il cessait d'être le frère de lait d'un roi de France mort au berceau ; il était ce roi même soudain ressuscité.

— On vous a toujours appelé Jean, n'est-ce pas ? La reine votre mère vous avait donné ce nom à cause d'un vœu. Jean ou Giovanni, qui fait Giovannino, ou Giannino... Vous êtes Jean Ier le Posthume.

Le Posthume ! Une appellation sinistre, un de ces mots qui évoquent le cimetière et que les Toscans n'entendent pas sans faire les cornes avec leur main gauche.

Brusquement, le comte Robert d'Artois, la comtesse Mahaut, ces noms qui appartenaient aux grands souvenirs de son père... non, pas son père ; enfin l'autre, Guccio Baglioni... surgissaient dans le récit du tribun, chargés de rôles terribles. La comtesse Mahaut, qui avait déjà empoisonné le père de Giannino, oui, le roi Louis !... avait entrepris de faire périr également le nouveau-né.

— Mais le comte de Bouville, prudent, avait échangé l'enfant de la reine avec celui de la nourrice, qui d'ailleurs s'appelait Jean, également. C'est ce dernier qui a été tué, et enterré à Saint-Denis...

Et Giannino éprouva comme une sensation d'épaississement de son malaise, parce qu'il ne pouvait se déshabituer si vite d'être Giannino Baglioni, l'enfant du marchand siennois, et que c'était comme si on lui annonçait qu'il avait cessé de respirer à l'âge de cinq jours et que sa vie depuis, toutes ses pensées, tous ses actes, son corps même, n'étaient qu'illusion. Il se sentait s'évanouir, s'emplir d'ombre, se muer en son propre fantôme. Où se trouvait-il vraiment, sous la dalle de Saint-Denis, ou bien ici, au Capitole ?

— Elle m'appelait parfois : « Mon petit prince », murmura-t-il.

— Qui cela ?

— Ma mère... je veux dire, la dame de Cressay... quand nous étions seuls. Je croyais que c'était un mot comme les mères de France en donnent à leurs enfants ; et elle me baisait les mains, et elle se mettait à pleurer... Oh ! que de choses me reviennent... Et cette pension qu'envoyait le comte de Bouville, et qui faisait que les oncles Cressay, le barbu et l'autre, étaient plus gentils avec moi les jours où la bourse arrivait.

Qu'étaient devenus tous ces gens ? Ils étaient morts pour la plupart, et depuis longtemps : Mahaut, Bouville, Robert d'Artois... Les frères Cressay avaient été armés chevaliers la veille de la bataille de Crécy, sur un jeu de mots du roi Philippe VI.

— Ils devaient être déjà assez vieux...

Mais alors, si Marie de Cressay n'avait jamais voulu revoir Guccio Baglioni, ce n'était pas qu'elle le détestât, comme celui-ci le prétendait amèrement, mais pour garder le serment qu'on lui avait fait prononcer par force, en lui remettant le petit roi sauvé.

— Par crainte de représailles également, sur elle-même ou sur son mari, expliqua Cola de Rienzi. Car ils étaient mariés, secrètement mais réellement, par un moine. Cela aussi elle l'a dit dans sa confession. Et un jour Baglioni est venu vous enlever, quand vous aviez neuf ans.

— Je me souviens bien de ce départ... et elle, ma... la dame de Cressay, elle ne s'est jamais remariée.

— Jamais, puisqu'elle avait contracté union.

— Lui non plus ne s'est pas remarié.

Giannino resta songeur un moment, s'entraînant à penser à la morte de Cressay, au mort de Campanie, comme à des parents d'adoption. Puis soudain il demanda :

— Pourrais-je avoir un miroir ?

— Certes, dit le tribun avec une légère surprise.

Il frappa dans ses mains et donna un ordre à un serviteur.

— J'ai vu la reine Clémence, une fois... précisément quand je fus emmené de Cressay et que je passai quelques jours à Paris, chez l'oncle Spinello. Mon père... adoptif, ainsi que vous dites... me conduisit la saluer. Elle m'a donné des dragées. Alors, c'était elle, ma mère ?

Les larmes lui montaient aux yeux. Il glissa la main sous le col de sa robe, sortit un petit reliquaire pendu à une cordelette de soie :

— Cette relique de saint Jean venait d'elle...

Il cherchait désespérément à retrouver les traits exacts du visage de la reine, pour autant qu'ils se fussent inscrits dans sa mémoire d'enfant. Il se rappelait seulement l'apparition d'une femme merveilleusement belle, tout en blanc dans le costume des reines veuves, et qui lui avait posé sur le front une main distraite et rose... « Et je n'ai pas su que j'étais devant ma mère. Et elle, jusqu'à son dernier jour, a cru son fils mort... »

Ah ! cette comtesse Mahaut était une bien grande criminelle, pour avoir non seulement assassiné un innocent nouveau-né, mais encore jeté dans tant d'existences le désarroi et le malheur !

L'impression d'irréalité de sa personne avait à présent disparu chez Giannino pour faire place à une sensation de dédoublement tout aussi angoissante. Il était lui-même et un autre, le fils du banquier siennois et le fils du roi de France.

Et sa femme, Francesca ? Il y pensa soudain. Qui avait-elle épousé ? Et ses propres enfants ? Alors ils descendaient de Hugues Capet, de Saint Louis, de Philippe le Bel ?

— Le pape Jean XXII devait avoir eu vent de cette affaire, reprit Cola de Rienzi. On m'a rapporté que certains cardinaux dans son entourage chuchotaient qu'il doutait que le fils du roi Louis X fût mort. Simple présomption, pensait-on, comme il en court tellement et qui ne paraissait guère fondée, jusqu'à cette confession *in extremis* de votre mère adoptive, votre nourrice, qui fit promettre au moine augustin de vous rechercher et vous apprendre la vérité. Toute sa vie, elle avait, par son silence, obéi aux ordres des hommes : mais à l'instant de paraître devant Dieu, et comme ceux qui lui avaient imposé ce silence étaient décédés sans l'avoir relevée du serment, elle voulut se délivrer de son secret.

Et Frère Jourdain d'Espagne, fidèle à la promesse donnée, s'était mis à la recherche de Giannino ; mais la guerre et la peste l'avaient empêché d'aller plus loin que Paris. Les Tolomei n'y tenaient plus comptoir. Frère Jourdain ne se sentait plus en âge d'entreprendre de longs voyages.

— Il remit donc confession et récit, reprit Rienzi, à un autre religieux de son ordre, le Frère Antoine, homme d'une grande sainteté qui a accompli plusieurs fois le pèlerinage de Rome et qui m'était venu visiter précédemment. C'est ce Frère Antoine qui, voici deux mois, se trouvant malade à Porto Venere, m'a laissé connaître tout ce que je viens de vous apprendre, en m'envoyant les pièces et son propre récit. J'ai un moment hésité, je vous l'avoue, à croire toutes ces choses. Mais, à la réflexion, elles m'ont paru trop extraordinaires et fantastiques pour avoir été inventées ; l'imagination humaine ne saurait aller jusque-là. C'est la vérité souvent qui nous surprend. J'ai fait contrôler les dates, recueillir divers indices, et envoyé à votre recherche ; je vous ai d'abord adressé ces émissaires qui, faute d'être porteurs d'un écrit, n'ont pu vous convaincre de venir à moi ; et enfin, je vous ai mandé cette lettre grâce à laquelle, mon grandissime Seigneur, vous vous trouvez ici. Si vous voulez faire valoir vos droits à la couronne de France, je suis prêt à vous y aider.

On venait d'apporter un miroir d'argent. Giannino l'approcha des grands candélabres, et s'y regarda longuement. Il n'avait jamais aimé son visage ; cette rondeur un peu molle, ce nez droit mais sans caractère, ces yeux bleus sous des sourcils trop pâles, était-ce là le visage d'un roi de France ?

Giannino cherchait, dans le fond du miroir, à dissiper le fantôme, à se reconstituer...

Le tribun lui posa la main sur l'épaule.

— Ma naissance aussi, dit-il gravement, fut longtemps entourée d'un bien singulier mystère. J'ai grandi dans une taverne de cette ville ; j'y ai servi le vin aux portefaix. Je n'ai su qu'assez tard de qui j'étais le fils.

Son beau masque d'empereur, où seule la narine droite frémissait, s'était un peu affaissé.

III

« NOUS, COLA DE RIENZI... »

Giannino, sortant du Capitole à l'heure où les premières lueurs de l'aurore commençaient à ourler d'un trait cuivré les ruines du Palatin, ne rentra pas dormir au Campo dei Fiori. Une garde d'honneur, fournie par le tribun, le conduisit de l'autre côté du Tibre, au château Saint-Ange où un appartement lui avait été préparé.

Le lendemain, cherchant l'aide de Dieu pour apaiser le grand trouble qui l'agitait, il passa plusieurs heures dans une église voisine ; puis il regagna le château Saint-Ange. Il avait demandé son ami Guidarelli ; mais il fut prié de ne s'entretenir avec personne avant d'avoir revu le tribun. Il attendit, seul jusqu'au soir, qu'on vînt le chercher. Il semblait que Cola de Rienzi ne traitât ses affaires que de nuit.

Giannino retourna donc au Capitole où le tribun l'entoura de plus grands égards encore que la veille et s'enferma de nouveau avec lui.

Cola de Rienzi avait son plan de campagne qu'il exposa : il adressait immédiatement des lettres au pape, à l'Empereur, à tous les souverains de la chrétienté, les invitant à lui envoyer leurs ambassadeurs pour une communication de la plus haute importance, mais sans laisser percer la nature de cette communication ; puis, devant tous les ambassadeurs réunis en une audience solennelle, il faisait apparaître Giannino, revêtu des insignes royaux, et le leur désignait comme le véritable roi de France... Si le noblissime Seigneur lui donnait son accord, bien entendu.

Giannino était roi de France depuis la veille, mais banquier siennois depuis vingt ans ; et il se demandait quel intérêt Rienzi pouvait avoir à prendre ainsi parti pour lui, avec une impatience, une fébrilité presque, qui agitait tout le grand corps du potentat. Pourquoi, alors que depuis la mort de Louis X quatre rois s'étaient succédé au trône de France, voulait-il ouvrir une telle contestation ? Était-ce simplement, comme il l'affirmait, pour dénoncer une injustice monstrueuse et rétablir un prince spolié dans son droit? Le tribun livra assez vite le bout de sa pensée.

— Le vrai roi de France pourrait ramener le pape à Rome. Ces faux rois ont de faux papes.

Rienzi voyait loin. La guerre entre la France et l'Angleterre, qui commençait à tourner en guerre d'une moitié de l'Occident contre l'autre, avait, sinon pour origine, au moins pour fondement juridique, une querelle successorale et dynastique. En faisant surgir le titulaire légitime et véritable du trône de France, on déboutait les deux autres rois de toutes leurs prétentions. Alors, les souverains d'Europe, au moins les souverains pacifiques, tenaient assemblée à Rome, destituaient le roi Jean II et rendaient au roi Jean Ier sa couronne. Et Jean Ier décidait le retour du Saint-Père dans la Ville éternelle. Il n'y avait plus de visées de la cour de France sur les terres impériales d'Italie; il n'y avait plus de luttes entre Guelfes et Gibelins; l'Italie, dans son unité retrouvée, pouvait aspirer à reprendre sa grandeur de jadis; enfin le pape et le roi de France, s'ils le souhaitaient, pouvaient même, de l'artisan de cette grandeur et de cette paix, de Cola de Rienzi, fils d'empereur, faire l'Empereur, et pas un empereur à l'allemande, un empereur à l'antique! La mère de Cola était du Trastevere, où les ombres d'Auguste, de Titus, de Trajan, se promènent toujours, même aux tavernes, et y font lever les rêves...

Le lendemain 4 octobre, au cours d'une troisième entrevue, celle-ci dans la journée, Rienzi remettait à Giannino, qu'il appelait désormais Giovanni di Francia, toutes les pièces de son extraordinaire dossier: la confession de la fausse mère, le récit du Frère Jourdain d'Espagne, la lettre du Frère Antoine; enfin, ayant appelé un de ses secrétaires, il commença de dicter l'acte qui authentifiait le tout:

— *Nous, Cola de Rienzi, chevalier par la grâce du Siège apostolique, sénateur illustre de la Cité sainte, juge, capitaine et tribun du peuple romain, avons bien examiné les pièces qui nous ont été délivrées par le Frère Antoine, et nous y avons d'autant plus ajouté foi qu'après tout ce que nous avons appris et entendu, c'est en effet par la volonté de Dieu que le royaume de France a été en proie, pendant de longues années, tant à la guerre qu'à des fléaux de toutes sortes, toutes choses que Dieu a permises, nous le croyons, en expiation de la fraude qui a été commise à l'égard de cet homme, et qui a fait qu'il a été longtemps dans l'abaissement et la pauvreté...*

Le tribun semblait plus nerveux que la veille; il s'arrêtait de dicter chaque fois qu'un bruit non familier parvenait à son oreille, ou au contraire qu'un silence un peu long s'établissait. Ses gros yeux se dirigeaient souvent vers les fenêtres ouvertes; on eût dit qu'il épiait la ville.

— *... Giannino s'est présenté devant nous, à notre invitation, le jeudi*

2 octobre. Avant de lui parler de ce que nous avions à lui dire, nous lui avons demandé ce qu'il était, sa condition, son nom, celui de son père, et toutes les choses qui le concernaient. D'après ce qu'il nous a répondu, nous avons trouvé que ses paroles s'accordaient avec ce que disaient les lettres du Frère Antoine ; ce que voyant, nous lui avons respectueusement révélé tout ce que nous avions appris. Mais comme nous savons qu'un mouvement se prépare à Rome contre nous...

Giannino eut un sursaut. Comment ! Cola de Rienzi, si puissant qu'il parlait d'envoyer des ambassadeurs au pape et à tous les princes du monde, redoutait... Il leva le regard vers le tribun ; celui-ci confirma, en abaissant lentement les paupières sur ses yeux clairs ; sa narine droite tremblait.

— Les Colonna, dit-il sombrement.

Puis il se remit à dicter :

— *... Comme nous craignons de périr avant de lui avoir donné quelque appui ou quelque moyen pour recouvrer son royaume, nous avons fait copier toutes ces lettres et les lui avons remises en main propre, le samedi 4 octobre 1354, les ayant scellées de notre sceau marqué de la grande étoile entourée de huit petites, avec le petit cercle au milieu, ainsi que des armes de la Sainte Église et du peuple romain, pour que les vérités qu'elles contiennent en reçoivent une garantie plus grande et pour qu'elles soient connues de tous les fidèles. Puisse Notre Très Pieux et Très Gracieux Seigneur Jésus-Christ nous accorder une vie assez longue pour qu'il nous soit donné de voir triomphante en ce monde une aussi juste cause. Amen, amen !*

Quand ceci fut fait, Rienzi s'approcha de la fenêtre ouverte et, prenant Jean Ier par l'épaule d'un geste presque paternel, il lui montra, à cent pieds plus bas, le grand désordre de ruines du forum antique, les arcs de triomphe et les temples écroulés. Le soleil couchant teintait d'or et rose cette fabuleuse carrière où Vandales et papes s'étaient fournis de marbre pendant près de dix siècles, et qui n'était pas encore épuisée. Du temple de Jupiter, on apercevait la maison des Vestales, le laurier qui croissait au temple de Vénus...

— C'est là, dit le tribun désignant la place de l'ancienne Curie romaine, c'est là-bas que César fut assassiné... Voulez-vous me rendre un très grand service, mon noble Seigneur ? Nul ne vous connaît encore, nul ne sait qui vous êtes, et vous pouvez cheminer en paix comme un simple bourgeois de Sienne. Je veux vous aider de tout mon pouvoir ; encore faut-il pour cela que je sois vivant. Je sais qu'une conspiration se trame contre moi. Je sais que mes ennemis veulent mettre fin à mes jours. Je sais qu'on surveille les messagers que j'envoie hors de Rome. Partez pour Montefiascone, présentez-vous de ma part au cardinal Albornoz, et dites-lui de m'envoyer des troupes, avec la plus grande urgence.

Dans quelle aventure Giannino se trouvait-il, en si peu d'heures, engagé? Revendiquer le trône de France! Et à peine était-il prince prétendant, partir en émissaire du tribun pour lui chercher du secours. Il n'avait dit oui à rien, et à rien ne pouvait dire non.

Le lendemain 5 octobre, après une course de douze heures, il parvenait à ce même Montefiascone qu'il avait traversé, médisant si fort de la France et des Français, cinq jours plus tôt. Il parla au cardinal Albornoz qui aussitôt décida de marcher sur Rome avec les soldats dont il disposait; mais il était déjà trop tard. Le mardi 7 octobre, Cola de Rienzi était assassiné.

IV

LE ROI POSTHUME

Et Giovanni di Francia rentra à Sienne, y reprit son commerce de banque et de laines, et pendant deux ans se tint coi. Simplement, il se regardait souvent dans les miroirs. Il ne s'endormait pas sans penser qu'il était le fils de la reine Clémence de Hongrie, le parent des souverains de Naples, l'arrière-petit-fils de Saint Louis. Mais il n'avait pas une immense audace de cœur; on ne sort pas brusquement de Sienne, à quarante ans, pour crier: «Je suis le roi de France», sans risquer d'être pris pour un fou. L'assassinat de Cola de Rienzi, son protecteur de trois jours, l'avait fait sérieusement réfléchir. Et d'abord, qui serait-il allé trouver?

Toutefois il n'avait pas gardé la chose si secrète qu'il n'en eût parlé un peu à son épouse Francesca, curieuse comme toutes les femmes, à son ami Guidarelli, curieux comme tous les notaires, et surtout Fra Bartolomeo, de l'ordre des Frères Prêcheurs, curieux comme tous les confesseurs.

Fra Bartolomeo était un moine italien, enthousiaste et bavard, qui se voyait déjà chapelain de roi. Giannino lui avait montré les pièces remises par Rienzi; il commença d'en parler dans la ville. Et les Siennois bientôt de se chuchoter ce miracle: le légitime roi de France était parmi leurs concitoyens! On s'attroupait devant le palazzo Tolomei; quand on venait commander des laines à Giannino, on se courbait très bas; on était honoré de lui signer une traite; on se le désignait lorsqu'il marchait dans les petites rues. Les voyageurs de commerce qui avaient été en France assuraient qu'il avait tout à fait le visage des princes de là-bas, blond, les joues larges, les sourcils un peu écartés.

Et voilà les marchands siennois dispersant la nouvelle auprès de leurs correspondants en tous comptoirs italiens d'Europe. Et voilà qu'on découvre que les Frères Jourdain et Antoine, les deux Augustins que chacun croyait morts, tant ils se présentaient dans leurs relations écrites comme vieux ou malades, étaient toujours bien vivants, et même s'apprêtaient à partir pour la Terre sainte. Et voilà que ces deux moines écrivent au Conseil de la République de Sienne, pour confirmer toutes leurs déclarations antérieures; et même le Frère Jourdain écrit à Giannino, lui parlant des malheurs de la France et l'exhortant à prendre bon courage!

Les malheurs en effet étaient grands. Le roi Jean II, « le faux roi » disaient maintenant les Siennois, avait donné toute la mesure de son génie dans une grande bataille qui s'était livrée à l'ouest de son royaume, du côté de Poitiers. Parce que son père Philippe VI s'était fait battre à Crécy par des troupes de pied, Jean II, le jour de Poitiers, avait décidé de mettre à terre ses chevaliers, mais sans leur laisser ôter leurs armures, et de les faire marcher ainsi contre un ennemi qui les attendait en haut d'une colline. On les avait découpés dans leurs cuirasses comme des homards crus.

Le fils aîné du roi, le dauphin Charles, qui commandait un corps de bataille, s'était éloigné du combat, sur l'ordre de son père assurait-on, mais avec bien de l'empressement à exécuter cet ordre. On racontait aussi que le dauphin avait les mains qui gonflaient et qu'à cause de cela il ne pouvait tenir longtemps une épée. Sa prudence, en tout cas, avait sauvé quelques chevaliers à la France, tandis que Jean II, isolé avec son dernier fils Philippe qui lui criait: « Père, gardez-vous à droite, père, gardez-vous à gauche! » alors qu'il avait à se garder d'une armée entière, finissait par se rendre à un chevalier picard passé au service des Anglais.

A présent le roi Valois était prisonnier du roi Édouard III. N'avançait-on pas, comme prix de sa rançon, le chiffre fabuleux d'un million de florins? Ah! il ne fallait pas compter sur les banquiers siennois pour y contribuer.

On commentait toutes ces nouvelles, avec beaucoup d'animation, un matin d'octobre 1356, devant le Municipio de Sienne, sur la belle place en amphithéâtre bordée de palais ocres et roses; on en discutait, en faisant de grands gestes qui effarouchaient les pigeons, lorsque soudain Fra Bartolomeo s'avança dans sa robe blanche vers le groupe le plus nombreux, et, justifiant sa renommée de Frère Prêcheur, commença de parler comme s'il eût été en chaire.

— On va voir enfin ce qu'est ce roi prisonnier et quels sont ses titres à la couronne de Saint Louis! Le moment de la justice est arrivé; les calamités qui s'appesantissent sur la France depuis vingt-cinq années ne sont que le châtiment d'une infamie, et Jean de Valois n'est qu'un usurpateur... *Usurpatore, usurpatore!* hurlait Fra Bartolomeo devant la foule qui grossissait. Il n'a aucun droit au trône qu'il occupe. Le véritable, le légitime roi de France, c'est à Sienne qu'il se trouve et tout le monde le connaît: on l'appelle Giannino Baglioni...

Son doigt indiquait par-dessus les toits la direction du palais Tolomei.

— ... on le croit le fils de Guccio, fils de Mino; mais en vérité il est né en France, du roi Louis et de la reine Clémence de Hongrie.

La ville fut mise par ce prêche dans un tel émoi que le Conseil de la République se réunit sur l'heure au Municipio, demanda à Fra Bartolomeo d'apporter les pièces, les examina, et, après une grande délibération, décida de reconnaître Giannino comme roi de France. On allait l'aider à recouvrer son royaume; on allait nommer un conseil de six d'entre les citoyens les plus avisés et les plus riches pour veiller à ses intérêts, et informer le pape, l'Empereur, les souverains, le Parlement de Paris, qu'il existait un fils de Louis X, honteusement dépossédé mais indiscutable, qui revendiquait son héritage. Et tout d'abord on lui vota une garde d'honneur et une pension.

Giannino, effrayé de cette agitation, commença par tout refuser. Mais le Conseil insistait; le Conseil brandissait devant lui ses propres documents et exigeait qu'il fût convaincu. Il finit par raconter ses entrevues avec Cola de Rienzi, dont la mort continuait de l'obséder, et alors l'enthousiasme ne connut pas de limites; les plus nobles des jeunes Siennois se disputaient l'honneur d'être de sa garde; on se serait presque battu entre quartiers, comme le jour du Palio.

Cet empressement dura un petit mois, pendant lequel Giannino parcourut sa ville avec un train de prince. Son épouse ne savait trop quelle attitude adopter et se demandait si, simple bourgeoise, elle pourrait être ointe à Reims. Quant aux enfants, ils étaient habillés toute la semaine de leurs vêtements de fête. L'aîné du premier mariage, Gabriele, devrait-il être considéré comme l'héritier du trône? Gabriele Primo, roi de France... cela sonnait étrangement. Ou bien... et la pauvre Francesca Agazzano en tremblait... le pape ne serait-il pas forcé d'annuler un mariage si peu en rapport avec l'auguste personne de l'époux, afin de permettre que celui-ci contractât une nouvelle union avec une fille de roi?

Négociants et banquiers furent vite calmés par leurs correspondants. Les affaires n'étaient-elles pas assez mauvaises en France, qu'il fallût y faire surgir un roi de plus? Les Bardi de Florence se moquaient bien de ce que le légitime souverain fût siennois! La France avait déjà un roi Valois, prisonnier à Londres où il menait une captivité dorée, en l'hôtel de Savoie sur la Tamise, et se consolait, en compagnie de jeunes écuyers, de l'assassinat de son cher La Cerda. La France avait également un roi anglais qui commandait à la plus grande part du pays. Et maintenant le nouveau roi de Navarre, petit-fils de Marguerite de Bourgogne, qu'on appelait Charles le Mauvais, revendiquait lui aussi le trône. Et tous étaient endettés auprès des banques italiennes... Ah ! les Siennois étaient bien venus d'aller soutenir les prétentions de leur Giannino !

Le Conseil de la République n'envoya aucune lettre aux souverains, aucun ambassadeur au pape, aucune représentation au Parlement de Paris. Et l'on retira bientôt à Giannino sa pension et sa garde d'honneur.

Mais c'était lui, maintenant, entraîné presque contre son gré dans cette aventure, qui voulait la poursuivre. Il y allait de son honneur, et l'ambition, tardivement, le tourmentait. Il n'admettait plus qu'on tînt pour rien qu'il eût été reçu au Capitole, qu'il eût dormi au Château Saint-Ange et marché sur Rome en compagnie d'un cardinal. Il s'était promené un mois avec une escorte de prince, et ne pouvait supporter qu'on chuchotât, le dimanche, quand il entrait au Duomo dont on venait d'achever la belle façade noire et blanche : « Vous savez, c'est lui qui se disait héritier de France ! » Puisqu'on avait décidé qu'il était roi, il continuerait de l'être. Et, tout seul, il écrivit au pape Innocent VI, qui avait succédé en 1352 à Pierre Roger ; il écrivit au roi d'Angleterre, au roi de Navarre, au roi de Hongrie, leur envoyant copie de ses documents et leur demandant d'être rétabli dans ses droits. L'entreprise en fût peut-être restée là si Louis de Hongrie, seul de tout le parentage, n'eût répondu. Il était neveu direct de la reine Clémence ; dans sa lettre il donnait à Giannino le titre de roi et le félicitait de sa naissance !

Alors, le 2 octobre 1357, trois ans jour pour jour après sa première entrevue avec Cola de Rienzi, Giannino, emportant avec lui tout son dossier, ainsi que deux cent cinquante écus d'or et deux mille six cents ducats cousus dans ses vêtements, partit pour Bude, pour demander protection à ce cousin lointain qui acceptait de le reconnaître. Il était accompagné de quatre écuyers fidèles à sa fortune.

Mais quand il arriva à Bude, deux mois plus tard, Louis de Hongrie ne s'y trouvait pas. Tout l'hiver, Giannino attendit, dépensant ses ducats. Il découvrit là un Siennois, Francesco del Contado, qui était devenu évêque.

Enfin, au mois de mars, le cousin de Hongrie rentra dans sa capitale, mais ne reçut pas Giovanni di Francia. Il le fit interroger par plusieurs de ses seigneurs qui se déclarèrent d'abord convaincus de sa légitimité, puis, huit jours plus tard, faisant volte-face, affirmèrent que ses prétentions n'étaient qu'imposture. Giannino protesta ; il refusait de quitter la Hongrie. Il se constitua un conseil, présidé par l'évêque siennois ; il parvint même à recruter, parmi l'imaginative noblesse hongroise toujours prête aux aventures, cinquante-six gentilshommes qui s'engagèrent à le suivre avec mille cavaliers et quatre mille archers, poussant leur aveugle générosité jusqu'à offrir de le servir à leurs frais aussi longtemps qu'il ne serait pas en état de les récompenser.

Encore leur fallait-il, pour s'équiper et partir, l'autorisation du roi de Hongrie. Celui-ci, qui se faisait nommer «le Grand», mais ne paraissait pas briller par la rigueur de jugement, voulut réexaminer lui-même les documents de Giannino, les approuva comme authentiques, proclama qu'il allait fournir appuis et subsides à l'entreprise, puis, la semaine suivante, annonça que, tout bien réfléchi, il abandonnait ce projet.

Et pourtant le 15 mai 1359, l'évêque Francesco del Contado remettait au prétendant une lettre datée du même jour, scellée du sceau de Hongrie, par laquelle Louis le Grand «*enfin éclairé par le soleil de la vérité*» certifiait que le seigneur Giannino di Guccio, élevé dans la ville de Sienne, était bien issu de la famille royale de ses ancêtres, et fils du roi Louis de France et de la reine Clémence de Hongrie, d'heureuses mémoires. La lettre confirmait également que la divine Providence, se servant du secours de la nourrice royale, avait voulu qu'un échange substituât au jeune prince un autre enfant à la mort duquel Giannino devait son salut. «*Ainsi autrefois la Vierge Marie, fuyant en Égypte, sauvait son enfant en laissant croire qu'il ne vivait plus...*»

Toutefois l'évêque Francesco conseillait au prétendant de partir au plus vite, avant que le roi de Hongrie ne fût revenu sur sa décision, d'autant qu'on n'était pas absolument certain que la lettre eût été dictée par lui, ni le sceau apposé par son ordre...

Le lendemain, Giannino quittait Bude, sans avoir eu le temps de réunir toutes les troupes qui s'étaient offertes à le servir, mais néanmoins avec une assez belle suite pour un prince qui avait si peu de terres.

Giovanni di Francia se rendit alors à Venise où il se fit tailler des habits royaux, puis à Trévise, à Padoue, à Ferrare, à Bologne, et enfin il rentra à Sienne, après un voyage de seize mois, pour se présenter aux élections du Conseil de la République.

Or, bien que son nom fût sorti le troisième des boules, le Conseil invalida son élection, justement parce qu'il était le fils de Louis X, justement parce qu'il était reconnu comme tel par le roi de Hongrie, justement parce qu'il n'était pas de la ville. Et on lui ôta la citoyenneté siennoise.

Vint à passer par la Toscane le grand sénéchal du royaume de Naples, qui se rendait en Avignon. Giannino s'empressa de l'aller trouver; Naples n'était-elle pas le berceau de sa famille maternelle? Le sénéchal, prudent, lui conseilla de s'adresser au pape.

Sans escorte cette fois, les nobles hongrois s'étant lassés, il arriva au printemps 1360 dans la cité papale, en simple habit de pèlerin. Innocent VI refusa obstinément de le recevoir. La France causait au Saint-

Père trop de tracas pour qu'il songeât à s'occuper de cet étrange roi posthume.

Jean II le Bon était toujours prisonnier ; Paris demeurait marqué par l'insurrection où le prévôt des marchands, Étienne Marcel, avait péri assassiné après sa tentative d'établir un pouvoir populaire. L'émeute était aussi dans les campagnes où la misère soulevait ceux qu'on appelait « les Jacques ». On se tuait partout, on ne savait plus qui était ami ou ennemi. Le dauphin aux mains gonflées, sans troupes et sans finances, luttait contre l'Anglais, luttait contre le Navarrais, luttait contre les Parisiens même, aidé du Breton du Guesclin auquel il avait remis l'épée qu'il ne pouvait tenir. Il s'employait en outre à réunir la rançon de son père. ·

· L'embrouille était totale entre des factions toutes également épuisées ; des compagnies, qui se disaient de soldats mais qui n'étaient que de brigands, rendaient les routes incertaines, pillaient les voyageurs, tuaient par simple vocation du meurtre.

Le séjour d'Avignon devenait, pour le chef de l'Église, aussi peu sûr que celui de Rome, même avec les Colonna. Il fallait traiter, traiter au plus vite, imposer la paix à ces combattants exténués, et que le roi d'Angleterre renonçât à la couronne de France, fût-ce à garder par droit de conquête la moitié du pays, et que le roi de France fût rétabli sur l'autre moitié pour y ramener un semblant d'ordre. Qu'avait-on à faire d'un pèlerin agité qui réclamait le royaume en brandissant l'incroyable relation de moines inconnus, et une lettre du roi de Hongrie que celui-ci démentait ?

Alors Giannino erra, cherchant quelque argent, essayant d'intéresser à son histoire des convives d'auberge qui disposaient d'une heure à perdre entre deux pichets de vin, accordant de l'influence à des gens qui n'en avaient point, s'abouchant avec des intrigants, des malchanceux, des routiers de grandes compagnies, des chefs de bandes anglaises qui, venues jusque-là, écumaient la Provence. On disait qu'il était fou et, en vérité, il le devenait.

Les notables d'Aix l'arrêtèrent un jour de janvier 1361 où il semait le trouble dans leur ville. Ils s'en débarrassèrent dans les mains du viguier de Marseille lequel le jeta en prison. Il s'évada au bout de huit mois pour être aussitôt repris ; et puisqu'il se réclamait si haut de sa famille de Naples, puisqu'il affirmait avec tant de force être le fils de Madame Clémence de Hongrie, le viguier l'envoya à Naples.

On négociait justement dans ce moment-là le mariage de la reine Jeanne, héritière de Robert l'Astrologue, avec le dernier fils de Jean II le Bon. Celui-ci, à peine revenu de sa joyeuse captivité, après la paix de Brétigny conclue par le dauphin, courait en Avignon où Innocent VI venait de mourir. Et le roi Jean II proposait au nouveau pontife Urbain V un magnifique projet, la fameuse croisade que ni son père Philippe de Valois ni son grand-père Charles n'avaient réussi à faire partir !

A Naples, Jean le Posthume, Jean l'Inconnu, fut enfermé au château de l'œuf ; par le soupirail de son cachot il pouvait voir le Château-Neuf, le *Maschio Angioino*, d'où sa mère était partie si heureuse, quarante-six ans plus tôt, pour devenir reine de France.

Ce fut là qu'il mourut, la même année, ayant partagé, lui aussi, par les détours les plus étranges, le sort des Rois maudits.

Quand Jacques de Molay, du haut de son bûcher, avait lancé son anathème, était-il instruit, par les sciences divinatoires dont les Templiers passaient pour avoir l'usage, de l'avenir promis à la race de Philippe le Bel ? Ou bien la fumée dans laquelle il mourait avait-elle ouvert son esprit à une vision prophétique ?

Les peuples portent le poids des malédictions plus longtemps que les princes qui les ont attirées.

Des descendants mâles du Roi de fer, nul n'avait échappé au destin tragique, nul ne survivait, sinon Édouard d'Angleterre, qui venait d'échouer à régner sur la France.

Mais le peuple, lui, n'était pas au bout de souffrir. Il lui faudrait connaître encore un roi sage, un roi fou, un roi faible, et soixante-dix ans de calamités, avant que les reflets d'un autre bûcher, allumé pour le sacrifice d'une fille de France, n'eussent dissipé, dans les eaux de la Seine, la malédiction du grand-maître.

Paris, 1954-1960
Essendiéras, 1965-1966

NOTES HISTORIQUES

1. — L'Église n'a jamais imposé de législation fixe ou uniforme au rituel du mariage et s'est plutôt contentée d'entériner des usages particuliers.

La diversité des rites et la tolérance de l'Église à leur égard reposent sur le fait que le mariage est par essence un contrat entre individus et un sacrement dont les contractants sont l'un envers l'autre mutuellement les ministres. La présence du prêtre, et même de tout témoin, n'était nullement requise dans les églises chrétiennes primitives. La bénédiction n'est devenue obligatoire qu'à partir d'un décret de Charlemagne. Jusqu'à la réforme du Concile de Trente au XVIᵉ siècle, les fiançailles, par leur caractère d'engagement, avaient presque autant d'importance que le mariage lui-même.

Chaque région avait ses usages particuliers qui pouvaient varier d'un diocèse à un autre. Ainsi le rite de Hereford était différent du rite d'York. Mais de façon générale l'échange de vœux constituant le sacrement proprement dit avait lieu en public à l'extérieur de l'église. Le roi Édouard Iᵉʳ épousa de la sorte Marguerite de France, en septembre 1299, à la porte de la cathédrale de Canterbury. L'obligation faite de nos jours de tenir ouvertes les portes de l'église pendant la cérémonie du mariage, et dont la non-observance peut constituer un cas d'annulation, est une précise survivance de cette tradition.

Le rite nuptial de l'archidiocèse d'York présentait certaines analogies avec celui de Reims, en particulier en ce qui concernait l'application successive de l'anneau aux quatre doigts, mais à Reims le geste était accompagné de la formule suivante :

> *Par cet anel l'Église enjoint*
> *Que nos deux cœurs en ung soient joints*
> *Par vray amour, loyale foy ;*
> *Pour tant je te mets en ce doy.*

2. — Après l'annulation de son mariage avec Blanche de Bourgogne (voir notre précédent volume : *La Louve de France*), Charles IV avait épousé successivement Marie de Luxembourg, morte en couches, puis Jeanne d'Évreux. Celle-ci, nièce de Philippe le Bel par son père Louis de France comte d'Évreux, était également nièce de Robert d'Artois par sa mère Marguerite d'Artois, sœur de Robert.

3. — Par un traité conclu à la fin de 1327, Charles IV avait échangé le comté de la Marche, constituant précédemment son fief d'apanage, contre le comté de Clermont en Beauvaisis que Louis de Bourbon avait hérité de son père, Robert de Clermont. C'est à cette occasion que la seigneurie de Bourbon avait été élevée en duché.

4. — Cette année 1328 fut pour Mahaut d'Artois une année de maladie. Les comptes de sa maison nous apprennent qu'elle dut se faire saigner le surlendemain de ce conseil, 6 février 1328, et encore les 9 mai, 18 septembre et 19 octobre.

5. — *Un chapeau d'or* : terme employé au Moyen Age concurremment à celui de couronne. Également en orfèvrerie, *doigt* signifiait : bague.

6. — Pierre Roger, précédemment abbé de Fécamp, avait fait partie de la mission chargée des négociations entre la cour de Paris et la cour de Londres, avant l'hommage d'Amiens. Il fut nommé au diocèse d'Arras le 3 décembre 1328 en remplacement de Thierry d'Hirson ; puis il fut successivement archevêque de Sens, archevêque de Rouen ; et, enfin, élu pape en 1342 à la mort de Benoît XII, il régna sous le nom de Clément VI.

7. — Jusqu'au xvie siècle, les grands miroirs, pour s'y voir en buste ou en pied, n'existaient pas ; on ne disposait que de miroirs de petites dimensions destinés à être pendus ou posés sur les meubles, ou encore de miroirs de poche. Ils étaient soit de métal poli, comme ceux de l'Antiquité, soit, et seulement depuis le xiiie siècle, constitués par une plaque de verre derrière laquelle une feuille d'étain était appliquée à la colle transparente. L'étamage des glaces avec un amalgame de mercure et d'étain ne fut inventé qu'au xvie siècle.

8. — Cet hôtel de la Malmaison, de dimensions palatiales, devait devenir par la suite l'Hôtel de ville d'Amiens.

9. — On nomme *hortillonnages* des cultures maraîchères qui se pratiquaient, et se pratiquent toujours, dans la large vallée maréca-

geuse de la Somme, aménagée, selon un procédé et un aspect très particuliers, pour le maraîchage.

Ces jardins, artificiellement créés en surélevant le sol à l'aide du limon dragué dans le fond de la vallée, sont sillonnés de canaux qui drainent l'eau du sous-sol, et sur lesquels les maraîchers, ou *hortillons*, se déplacent dans de longues barques noires et plates, poussées à la perche, et qui les amènent jusqu'au Marché d'Eau dans Amiens.

Les hortillonnages couvrent un territoire de près de trois cents hectares. L'origine latine du nom (*hortus: jardin*) permet de supposer que ces cultures datent de la colonisation romaine.

10. — On appelait *princes à fleur de lis* tous les membres de la famille royale capétienne, parce que leurs armes étaient constituées d'un *semé de France* (d'azur semé de fleurs de lis d'or) avec une bordure variant selon leurs apanages ou fiefs.

11. — Guillaume de la Planche, bailli de Béthune, puis de Calais, se trouvait en prison pour l'exécution hâtive d'un certain Tassard le Chien, qu'il avait, de sa propre autorité, condamné à être traîné et pendu.

La Division était venue le voir en sa prison et elle lui avait promis que, s'il témoignait dans le sens qu'elle lui indiquait, le comte d'Artois le tirerait d'affaire en faisant intervenir Miles de Noyers. Guillaume de la Planche, lors de la contre-enquête, se rétracta et déclara qu'il n'avait déposé que «*par peur des menaces et par doute de demeurer très longtemps et mourir en prison, s'il refusait d'obéir à Monseigneur Robert qui était si grand, si puissant et si avant environ le roi*».

12. — *Mesquine* ou *meschine* (du wallon *eskène*, ou *méquène* en Hainaut, ou encore, en provençal, *mesquin*) signifiant: faible, pauvre, chétif, ou misérable, était le qualitatif généralement appliqué aux servantes.

13. — En juin 1320, Mahaut avait fait marché avec Pierre de Bruxelles, peintre demeurant à Paris, pour la décoration à fresques de la grande galerie de son château de Conflans, situé au confluent de la Marne et de la Seine. L'accord indiquait très précisément les sujets de ces fresques — portraits du comte Robert II et de ses chevaliers en batailles de terre et de mer — les vêtements que devaient porter les personnages, les couleurs, et la qualité des matériaux utilisés.

Les peintures furent achevées le 26 juillet 1320.

14. — Ces recettes de sorcellerie, dont l'origine remonte au plus haut Moyen Age, étaient encore utilisées du temps de Charles IX et

même sous Louis XIV ; certains assurèrent que la Montespan se prêta à la préparation de telles pâtes conjuratoires. Les recettes de la composition des philtres d'amour, qu'on lira plus loin, sont extraites des recueils du Petit ou du Grand Albert.

15. — Nous rappelons qu'après un emprisonnement de onze ans à Château-Gaillard, Blanche de Bourgogne fut transférée au château de Gournay, près Coutances, pour prendre enfin le voile à l'abbaye de Maubuisson où elle mourut en 1326. Mahaut, sa mère, devait être elle-même inhumée à Maubuisson ; ses restes ne furent transférés que plus tard à Saint-Denis où se trouve toujours son gisant, le seul, à notre connaissance, qui soit fait de marbre noir.

16. — De la Chandeleur de 1329 jusqu'au 23 octobre, Mahaut semble avoir été en excellente santé et n'avoir eu à faire que très peu appel à ses médecins ordinaires. Du 23 octobre, date de son entrevue avec Philippe VI à Maubuisson, jusqu'au 26 novembre, veille de sa mort, on peut suivre presque jour par jour l'évolution de sa maladie, grâce aux paiements faits par son trésorier aux *mires, physiciens, barbiers, herbière, apothicaires et espiciers,* pour leurs soins ou leurs fournitures.

17. — Le premier des douze enfants d'Édouard III et de Philippa de Hainaut, Édouard de Woodstock, prince de Galles, qu'on appela le *Prince Noir,* à cause de la couleur de son armure.

C'est lui qui devait remporter la victoire de Poitiers sur le fils de Philippe VI de Valois, Jean II, et faire ce dernier prisonnier.

Au cours d'une existence de grand chef de guerre, il vécut surtout sur le Continent, fut l'un des personnages dominants des débuts de la guerre de Cent Ans, et mourut un an avant son père, en 1376.

18. — Le texte original du jugement de Roger Mortimer fut rédigé en français.

19. — Les Common Gallows de Londres (le Montfaucon des Anglais), où étaient exécutés la plupart des condamnés de droit commun, étaient situés en bordure dès bois de Hyde Park, au lieu appelé Tyburn, et qu'occupe actuellement Marble Arch. Pour y parvenir, depuis la Tour, il fallait donc traverser tout Londres, et sortir de la ville. Ce gibet fut utilisé jusqu'au milieu du xviiie siècle. Une plaque discrète en signale l'emplacement.

20. — La reine Jeanne la Boiteuse était coutumière de pareils méfaits et lorsqu'elle avait pris en détestation l'un des amis, conseillers

ou serviteurs de son époux, usait des pires moyens pour assouvir sa haine.

Ainsi, voulant se débarrasser du maréchal Robert Bertrand, dit le Chevalier au Vert Lion, elle adressa au prévôt de Paris une lettre « de par le roi » lui ordonnant d'arrêter le maréchal pour trahison, et de l'envoyer pendre sur-le-champ au gibet de Montfaucon. Le prévôt était l'intime ami du maréchal ; cet ordre soudain que n'avait précédé aucune action de justice le stupéfia ; au lieu de conduire Robert Bertrand à Montfaucon, il l'emmena d'urgence trouver le roi, lequel leur fit le meilleur accueil, embrassa le maréchal et ne comprit rien à l'émoi de ses visiteurs. Quand ils lui montrèrent l'ordre d'arrestation, il reconnut aussitôt que l'ordre venait de sa femme et il enferma celle-ci, dit le chroniqueur, dans une chambre où il la battit à coups de bâton et tellement « *qu'il s'en fallut de peu qu'il la tuât* ».

L'évêque Jean de Marigny faillit lui aussi être victime des criminelles manœuvres de la Boiteuse. Il lui avait déplu et ne le savait pas. Il revenait d'une mission en Guyenne ; la reine feint de l'accueillir avec de grandes effusions d'amitié et pour le défatiguer lui fait préparer un bain au Palais. L'évêque d'abord refuse, n'en voyant pas l'urgente nécessité ; mais la reine insiste, lui disant que son fils Jean, le duc de Normandie (le futur Jean II), va se baigner également. Et elle l'accompagne aux étuves. Les deux bains sont prêts ; le duc de Normandie, par mégarde ou indifférence, se dirige vers le bain destiné à l'évêque et s'apprête à y entrer, quand sa mère, brusquement, l'en empêche, donnant des signes d'affolement. On s'étonne. Jean de Normandie, qui était fort ami de Marigny, flaire un piège, prend un chien qui rôdait là et le jette dans la cuve ; le chien meurt aussitôt. Le roi Philippe VI, quand l'incident lui fut raconté, à nouveau enferma sa femme et la roua « *à coup de torches* ».

Quant à l'hôtel de Nesle, il lui avait été donné par son mari en 1332, c'est-à-dire deux ans après que celui-ci eut acheté l'hôtel aux exécuteurs testamentaires de la fille de Mahaut, Jeanne de Bourgogne la Veuve, qui le tenait elle-même de son époux Philippe V.

En exécution d'une clause du testament de Jeanne la Veuve, le produit de la vente, mille livres en espèces plus un revenu de deux cents livres, servit à la fondation et à l'entretien d'une maison d'écoliers installée dans une dépendance de l'hôtel. C'est là l'origine du célèbre Collège de Bourgogne ; c'est également la cause de la confusion qui s'est établie, dans la mémoire populaire, entre les deux belles-sœurs, Marguerite et Jeanne de Bourgogne.

Les débauches d'écoliers qu'on attribua à Marguerite, et qui n'existèrent jamais que dans la légende, trouvent là leur explication.

21. — *Fautre*, ou *faucre* : crochet fixé au plastron de l'armure et

destiné.à y appuyer le bois de la lance et à en arrêter le recul au moment du choc. Le *fautre* était fixe jusqu'à la fin du xive siècle ; on le fit ensuite à charnière ou à ressort pour remédier à la gêne que causait cette saillie dans les combats à l'épée.

22. — Ce séjour secret d'Édouard III en France dura quatre jours, du 12 au 16 avril 1331, à Saint-Christophe-en-Halatte.

23. — Le *roi d'armes*, personnage qui avait des fonctions d'ordonnateur, présidait à toutes les formalités du tournoi.

24. — La compagnie des Tolomei, comme nous l'avons dit précédemment, était la plus importante des compagnies siennoises, après celle des Buonsignori. Sa fondation remontait à Tolomeo Tolomei, ami ou tout au moins familier d'Alexandre III, pape de 1159 à 1181, lui-même siennois, et qui fut l'adversaire de Frédéric Barberousse. Le palais Tolomei à Sienne fut édifié en 1205. Les Tolomei furent souvent les banquiers du Saint-Siège ; ils établirent leurs filiales en France vers le milieu du xiiie siècle, d'abord autour des foires de Champagne, puis en créant de nombreux comptoirs, dont celui de Neauphle, avec une maison principale à Paris.

Au moment des ordonnances de Philippe VI, et quand de nombreux négociants italiens furent emprisonnés pendant trois semaines pour ne recouvrer leur liberté qu'au prix de versements considérables, les Tolomei partirent subrepticement, emportant toutes les sommes déposées chez eux soit par d'autres compagnies italiennes, soit par leurs clients français, ce qui créa d'assez sérieuses difficultés au Trésor.

25. — Ces « remontrances » avaient été poussées fort loin puisque Jean de Luxembourg, pour complaire à Philippe VI, avait monté une coalition et menacé le duc de Brabant d'envahir ses terres. Le duc de Brabant préféra expulser Robert d'Artois, mais non sans avoir, à cette occasion, négocié une opération fructueuse : le mariage de son fils aîné avec la fille du roi de France. Jean de Bohême, de son côté, fut remercié de son intervention par la conclusion du mariage de sa fille Bonne de Luxembourg avec l'héritier de France, Jean de Normandie.

26. — Le 2 octobre 1332. Le serment demandé par Philippe VI à ses barons était un serment de fidélité au duc de Normandie « *qui droit hoir et droit sire doit être du royaume de France* ». N'étant pas héritier direct de la couronne et n'ayant reçu celle-ci que par choix des pairs, Philippe VI revenait aux coutumes de la monarchie élective, celle des premiers Capétiens.

27. — Le vieux roi lépreux Robert Bruce, qui avait tenu si longtemps en échec Édouard II et Édouard III, était mort en 1329, laissant sa couronne à un enfant de sept ans, David Bruce. La minorité de David fut une occasion pour les différentes factions de rouvrir leur querelle. Le petit David fut emmené pour sa sauvegarde par des barons de son parti qui prirent refuge avec lui à la cour de France, tandis qu'Édouard III soutenait les prétentions d'un gentilhomme français d'origine normande, Édouard de Baillol, parent des anciens rois d'Écosse et qui acceptait que la couronne écossaise fût placée sous la suzeraineté anglaise.

28. — Jean Buridan, né vers 1295 à Béthune en Artois, était disciple d'Occam. Son enseignement philosophique et théologique lui valut une immense réputation; il devint à trente ou trente-deux ans recteur de l'Université de Paris. Sa controverse avec le vieux pape Jean XXII, et le schisme qu'elle faillit entraîner, accrurent encore sa célébrité. Il devait, dans la seconde partie de sa vie, se retirer en Allemagne où il enseigna principalement à Vienne. Il mourut en 1360.

Le rôle que l'imagination populaire lui prêta dans l'affaire de la tour de Nesle est de pure fantaisie et n'apparaît d'ailleurs que dans des récits de deux siècles postérieurs.

29. — On relève, dans les comptes du trésorier de l'Échiquier, pour les seuls premiers mois de 1337 : en mars, un ordre de payer deux cents livres à Robert d'Artois comme don du roi; en avril, un don de trois cent quatre-vingt-trois livres, un autre de cinquante-quatre livres, et l'octroi des châteaux de Guilford, Wallingmet et Somerton; en mai, l'attribution d'une pension annuelle de douze cents marcs esterlins; en juin, le remboursement de quinze livres dues par Robert à la Compagnie des Bardi, etc.

30. — L'imagination du romancier hésiterait devant pareille coïncidence, qui semble vraiment trop grossière et volontaire, si la vérité des faits ne l'y obligeait. D'avoir été le lieu où fut présenté le défi d'Édouard III, acte qui ouvrit juridiquement la guerre de Cent Ans, ne termine pas d'ailleurs l'étrange destin de l'hôtel de Nesle.

Le connétable Raoul de Brienne, comte d'Eu, habitait l'hôtel de Nesle lorsqu'il fut arrêté en 1350 par ordre de Jean le Bon pour être condamné à mort et décapité.

L'hôtel fut encore le séjour de Charles le Mauvais, roi de Navarre (le petit-fils de Marguerite de Bourgogne), qui prit les armes contre la maison de France.

Plus tard, Charles VI le Fou devait le donner à sa femme, Isabeau de Bavière, qui livra par traité la France aux Anglais en dénonçant son propre fils, le dauphin, comme adultérin.

A peine l'hôtel fut-il donné à Charles le Téméraire par Charles VII que ce dernier mourut, et que le Téméraire entra en conflit avec le nouveau roi Louis XI.

François Ier céda une partie des bâtiments à Benvenuto Cellini ; puis Henri II y fit installer un atelier pour la fabrication des pièces de monnaie, et la Monnaie de Paris est toujours à cet emplacement. On voit par là l'ampleur qu'avait l'ensemble du terrain et des édifices.

Charles IX, pour pouvoir payer ses gardes suisses, fit mettre en vente l'hôtel et la Tour qui furent acquis par le duc de Nevers, Louis de Gonzague ; celui-ci les fit raser pour édifier à la place l'hôtel de Nevers.

Enfin Mazarin se rendit acquéreur de l'hôtel de Nevers pour le démolir et le remplacer par le Collège des Quatre Nations, qui subsiste toujours : c'est le siège aujourd'hui de l'Institut de France.

31. — La reine Isabelle devait vivre encore vingt ans, mais sans reprendre jamais aucune participation aux affaires de son siècle. La fille de Philippe le Bel mourut le 23 août 1358, au château de Hertford, et son corps fut inhumé en l'église des franciscains de Newgate à Londres.

32. — En dépit des luttes politiques, émeutes, rivalités entre les classes sociales ou avec les cités voisines qui sont le lot commun des républiques italiennes à cette époque, Sienne connut au XIVe siècle sa grande période de prospérité et de gloire, autant pour ses arts que pour son commerce. Entre l'occupation de la ville par Charles de Valois en 1301 et sa conquête en 1399 par Jean Galeazzo Visconti, duc de Milan, le seul malheur véritable qui s'abattit sur Sienne fut l'épidémie de peste de 1347-1348.

33. — Tout le temps qu'il passa en Avignon, Pétrarque ne cessa d'exhaler, avec un rare talent de pamphlétaire, sa haine contre cette ville. Ses lettres, où il faut faire la part de l'exagération poétique, nous ont laissé une saisissante peinture d'Avignon au temps des papes.

« ... J'habite maintenant, en France, la Babylone de l'Occident, tout ce que le soleil voit de plus hideux, sur les bords du Rhône indompté qui ressemble au Cocyte ou à l'Achéron du Tartare, où règnent les successeurs, jadis pauvres, du pêcheur, qui ont oublié leur origine. On est confondu de voir, au lieu d'une sainte solitude, une affluence criminelle et des bandes d'infâmes satellites répandus partout ; au lieu de jeûnes austères, des festins pleins de sensualité ; au lieu de pieuses pérégrinations, une oisiveté cruelle et impudique ; au lieu des pieds nus des apôtres, les coursiers rapides des voleurs, blancs comme la neige, couverts d'or, logés *dans l'or, rongeant de l'or, et bientôt chaussés d'or. Bref, on dirait les rois des Perses ou des Parthes, qu'il faut adorer et qu'il n'est pas permis de visiter sans leur offrir des présents...* »

(Lettre V)

« *... Aujourd'hui Avignon n'est plus une ville, c'est la patrie des larves et des lémures; et pour le dire en un mot, c'est la sentine de tous les crimes, et de toutes les infamies; c'est cet enfer des vivants signalé par la bouche de David...* »

(Lettre VIII)

« *... Je sais par expérience qu'il n'y a là aucune pitié, aucune charité, aucune foi, aucun respect, aucune crainte de Dieu, rien de saint, rien de juste, rien d'équitable, rien de sacré, enfin rien d'humain... Des mains douces, des actes cruels; des voix d'anges, des actes de démons; des chants harmonieux, des cœurs de fer...* »

(Lettre XV)

« *... C'est le seul endroit de la terre où la raison n'a aucune place, où tout se meurt sans réflexion et au hasard, et parmi toutes les misères de cet endroit, dont le nombre est infini, le comble de la déception c'est que tout y est plein de glu, de grappins, en sorte que, quand on croit s'échapper on se trouve enlacé et enchaîné plus étroitement. En outre il n'y a là ni lumière ni guide... Et, pour employer le mot de Lucain, "une nuit noire de crimes"... Vous ne diriez pas un peuple, mais une poussière que le vent fait tournoyer...* »

(Lettre XVI)

« *... Satan regarde en riant ce spectacle et prend plaisir à cette danse inégale, assis comme arbitre entre ces décrépits et ces jeunes filles... Il y avait dans le nombre (des cardinaux) un petit vieillard capable de féconder tous les animaux; il avait la lascivité d'un bouc ou s'il y a quelque chose de plus puant qu'un bouc. Soit qu'il eût peur des rats ou des revenants, il n'osait pas dormir seul. Il trouvait qu'il n'y a rien de plus triste et de plus malheureux que le célibat. Il célébrait tous les jours un nouvel hymen. Il avait depuis longtemps dépassé la soixante-dixième année et il lui restait tout au plus sept dents...* »

(Lettre XVIII)

(Pétrarque, *Lettres sans titre*, à Cola de Rienzi, tribun de Rome, et à d'autres.)

VII

QUAND UN ROI
PERD LA FRANCE

« *Notre plus longue guerre, la guerre de Cent Ans, n'a été qu'un débat judiciaire, entrecoupé de recours aux armes.* »

Paul Claudel

INTRODUCTION

Les tragédies de l'Histoire révèlent les grands hommes: mais ce sont les médiocres qui provoquent les tragédies.

Au début du XIVe siècle, la France est le plus puissant, le plus peuplé, le plus actif, le plus riche des royaumes chrétiens, celui dont les interventions sont redoutées, les arbitrages respectés, la protection recherchée. Et l'on peut penser que s'ouvre pour l'Europe un siècle français.

Qu'est-ce donc qui fait, quarante ans après, que cette même France est écrasée sur les champs de bataille par une nation cinq fois moins nombreuse, que sa noblesse se partage en factions, que sa bourgeoisie se révolte, que son peuple succombe sous l'excès de l'impôt, que ses provinces se détachent les unes des autres, que des bandes de routiers s'y livrent au ravage et au crime, que l'autorité y est bafouée, la monnaie dégradée, le commerce paralysé, la misère et l'insécurité partout installées? Pourquoi cet écroulement? Qu'est-ce donc qui a retourné le destin?

C'est la médiocrité. La médiocrité de quelques rois, leur infatuation vaniteuse, leur légèreté aux affaires, leur inaptitude à bien s'entourer, leur nonchalance, leur présomption, leur incapacité à concevoir de grands desseins ou seulement à poursuivre ceux conçus avant eux.

Rien ne s'accomplit de grand, dans l'ordre politique, et rien ne dure, sans la présence d'hommes dont le génie, le caractère, la volonté inspirent, rassemblent et dirigent les énergies d'un peuple.

Tout se défait dès lors que des personnages insuffisants se succèdent au sommet de l'État. L'unité se dissout quand la grandeur s'effondre.

La France, c'est une idée qui épouse l'Histoire, une idée volontaire qui, à partir de l'an mille, habite une famille régnante et qui se transmet si opiniâtrement de père à fils que la primogéniture dans la branche aînée devient rapidement une légitimité suffisante.

La chance, certes, y eut sa part, comme si le destin voulait favoriser, à travers une dynastie robuste, cette nation naissante. De l'élection du premier Capétien à la mort de Philippe le Bel, onze rois seulement en trois siècles et quart, et chacun laissant un héritier mâle.

Oh! tous ces souverains ne furent pas des aigles. Mais, presque toujours, à l'incapable ou à l'infortuné succède immédiatement, comme par une grâce du ciel, un monarque de haute stature ; ou bien un grand ministre gouverne aux lieu et place d'un prince défaillant.

La toute jeune France manque de périr dans les mains de Philippe Iᵉʳ, homme de petits vices et de vaste incompétence. Survient alors le gros Louis VI, l'infatigable, qui trouve, à son avènement, un pouvoir menacé à cinq lieues de Paris, et le laisse, à sa mort, restauré ou établi jusques aux Pyrénées. L'incertain, l'inconséquent Louis VII engage le royaume dans les désastreuses aventures d'outre-mer ; mais l'abbé Suger maintient, au nom du monarque, la cohésion et l'activité du pays.

Et puis la chance de la France, chance répétitive, c'est d'avoir ensuite, répartis entre la fin du XIIᵉ siècle et le début du XIVᵉ, trois souverains de génie ou d'exception, chacun servi par une assez longue durée au trône — quarante-trois ans, quarante et un ans, vingt-neuf ans de règne — pour que son dessein principal devienne irréversible. Trois hommes de nature et de vertus bien différentes, mais tous trois très au-dessus du commun des rois.

Philippe Auguste, forgeron de l'Histoire, commence, autour et au-delà des possessions royales, à sceller réellement l'unité de la patrie. Saint Louis, illuminé par la piété, commence d'établir, autour de la justice royale, l'unité du droit. Philippe le Bel, gouvernant supérieur, commence d'imposer, autour de l'administration royale, l'unité de l'État. Aucun n'eut pour souci premier de plaire, mais celui d'être agissant et efficace. Chacun dut avaler l'amer breuvage de l'impopularité. Mais ils furent plus regrettés après leur mort qu'ils n'avaient été, de leur vivant, décriés, moqués ou haïs. Et surtout ce qu'ils avaient voulu se mit à exister.

Une patrie, une justice, un État : les fondements définitifs d'une nation. La France, avec ces trois suprêmes artisans de l'idée française, était sortie du temps des virtualités. Consciente de soi, elle s'affirmait dans le monde occidental comme une réalité indiscutable et rapidement prééminente.

Vingt-deux millions d'habitants, des frontières bien gardées, une armée rapidement mobilisable, des féodaux maintenus dans l'obéissance, des circonscriptions administratives assez exactement contrôlées, des routes sûres, un commerce actif ; quel autre pays chrétien peut alors se comparer à la France, et lequel ne l'envie pas ? Le peuple se plaint, certes, de sentir sur lui une main qu'il juge trop ferme ; il gémira bien plus quand il sera livré à des mains trop molles ou trop folles.

Avec la mort de Philippe le Bel, soudain, c'est la brisure. La longue chance successorale est épuisée.

Les trois fils du Roi de fer défilent au trône sans laisser de descendance mâle. Nous avons conté précédemment les drames que connut alors la cour de France, autour d'une couronne mise et remise aux enchères des ambitions.

Quatre rois au tombeau en l'espace de quatorze ans; il y a de quoi consterner les imaginations! La France n'était pas habituée de courir si souvent à Reims. Le tronc de l'arbre capétien est comme foudroyé. Et ce n'est pas de voir la couronne glisser à la branche Valois, la branche agitée, qui va rassurer personne. Princes ostentatoires, irréfléchis, d'une présomption énorme, tout en gestes et sans profondeur, les Valois s'imaginent qu'il leur suffit de sourire pour que le royaume soit heureux. Leurs devanciers confondaient leur personne avec la France. Eux confondent la France avec l'idée qu'ils se font d'eux-mêmes. Après la malédiction des trépas rapides, la malédiction de la médiocrité.

Le premier Valois, Philippe VI, qu'on appelle «le roi trouvé», autrement dit le parvenu, n'a pas su en dix ans bien assurer son pouvoir puisque c'est au bout de ce temps que son cousin germain, Édouard III d'Angleterre, se décide à rouvrir la querelle dynastique; il se déclare en droit roi de France, ce qui lui permet de soutenir, en Flandre, en Bretagne, en Saintonge, en Aquitaine, tous ceux, villes ou seigneurs, qui ont à se plaindre du nouveau règne. En face d'un plus efficace monarque, l'Anglais eût sans doute continué d'hésiter.

Pas davantage, Philippe de Valois n'a su repousser les périls; sa flotte est détruite à l'Écluse par la faute d'un amiral choisi, sans doute, pour sa méconnaissance de la mer; et lui-même, le roi, erre à travers champs, au soir de Crécy, pour avoir laissé ses troupes à cheval charger par-dessus leur propre infanterie.

Quand Philippe le Bel instituait des impôts dont on lui faisait grief, c'était afin de mettre la France en état de défense. Quand Philippe de Valois exige des taxes plus lourdes encore, c'est pour payer le prix de ses défaites.

Dans les cinq dernières années de son règne, le cours des monnaies sera modifié cent soixante fois; l'argent perdra les trois quarts de sa valeur. Les denrées, vainement taxées, atteignent des prix vertigineux. Une inflation sans précédent rend les villes grondantes.

Lorsque les ailes du malheur tournent au-dessus d'un pays, tout s'en mêle, et les calamités naturelles s'ajoutent aux erreurs des hommes.

La peste, la grande peste, partie du fond de l'Asie, frappe la France plus durement qu'aucune région d'Europe. Les rues des villes sont des mouroirs, les faubourgs, des charniers. Ici un quart de la population, ailleurs un tiers succombent. Des villages entiers disparaissent dont il ne restera, parmi les friches, que des masures ouvertes au vent.

Philippe de Valois avait un fils que la peste, hélas! épargna.

Il restait à la France quelques degrés à descendre dans la ruine et la détresse; ce sera l'œuvre de celui-là, Jean II, dit par erreur le Bon.

Cette lignée de médiocres fut tout près de faire écarter, dès le Moyen

Age, un système qui confiait à la nature de produire, au sein d'une même famille, le détenteur du pouvoir souverain. Mais les peuples sont-ils plus souvent gagnants à la loterie des urnes qu'à celle des chromosomes? Les foules, les assemblées, même les collèges restreints ne se trompent pas moins que la nature; et la providence, de toute manière, est avare de grandeur.

PREMIÈRE PARTIE

LES MALHEURS
VIENNENT DE LOIN

I

LE CARDINAL DE PÉRIGORD PENSE...

J'aurais dû être pape. Comment ne pas penser et repenser que, par trois fois, j'ai tenu la tiare entre mes mains; trois fois! Tant pour Benoît XII que pour Clément VI, ou que pour notre actuel pontife, c'est moi, en fin de lutte, qui ai décidé de la tête sur laquelle la tiare serait posée. Mon ami Pétrarque m'appelle le faiseur de papes... Pas si bon faiseur que cela, puisque ce ne put jamais être sur la mienne. Enfin, la volonté de Dieu... Ah! l'étrange chose qu'un conclave! Je crois bien que je suis le seul des cardinaux vivants à en avoir vu trois. Et peut-être en verrai-je un quatrième, si notre Innocent VI est aussi malade qu'il se plaint de l'être...

Quels sont ces toits là-bas? Oui, je reconnais, c'est l'abbaye de Chancelade, dans le vallon de la Beauronne... La première fois, certes, j'étais trop jeune. Trente-trois ans, l'âge du Christ; et cela se murmurait en Avignon, dès qu'on sut que Jean XXII... Seigneur, gardez son âme dans votre sainte lumière; il fut mon bienfaiteur... ne se relèverait pas. Mais les cardinaux n'allaient pas élire le plus jeunot d'entre leurs frères; et c'était raisonnable, je le confesse volontiers. Il faut en cette charge l'expérience que j'ai acquise depuis. Tout de même, j'en possédais assez, déjà, pour ne point m'enfler la tête de vaines illusions... En faisant suffisamment chuchoter aux Italiens que jamais, jamais, les cardinaux français ne voteraient pour Jacques Fournier, j'ai réussi à précipiter leurs votes sur lui, et à le faire élire à l'unanimité. « Vous avez élu un âne! » C'est le remerciement qu'il nous a crié sitôt son nom proclamé. Il connaissait ses insuffisances. Non, pas un âne; pas un lion non plus. Un bon général d'Ordre, qui avait assez bien su se faire obéir, à la tête des chartreux. Mais diriger l'entière chrétienté... trop minutieux, trop tatillon, trop inquisiteur. Ses réformations, finalement, ont fait plus de mal que de bien. Seulement, avec lui, on était absolument certain que le Saint-Siège ne retournerait pas à Rome. Sur ce point-là, un mur, un roc... et c'était l'essentiel.

La seconde fois, au conclave de 1342... ah! la seconde fois, j'aurais eu toutes mes chances si... si Philippe de Valois n'avait pas voulu faire élire son chancelier, l'archevêque de Rouen. Nous, les Périgord, nous avons toujours été obéissants à la couronne de France. Et puis, comment aurais-je pu continuer d'être le chef du parti français si j'avais prétendu m'opposer au roi? D'ailleurs Pierre Roger a été un grand pape, le meilleur à coup sûr de ceux que j'ai servis. Il suffit de voir ce qu'est devenue Avignon avec lui, le palais qu'il a fait construire, et ce grand afflux de lettrés, de savants et d'artistes... Et puis, il a réussi à acheter Avignon. Cette négociation-là, c'est moi qui l'ai faite, avec la reine de Naples; je peux bien dire que c'est mon œuvre. Quatre-vingt mille florins, ce n'était rien, une aumône. La reine Jeanne avait moins besoin d'argent que d'indulgences pour tous ses mariages successifs, sans parler de ses amants.

Sûrement, l'on a mis à mes chevaux de somme des harnais neufs. Ma litière manque de moelleux. C'est toujours ainsi quand on prend le départ, toujours ainsi... Dès lors, le vicaire de Dieu a cessé d'être comme un locataire, assis du bout des fesses sur un trône incertain. Et la cour que nous avons eue, qui donnait l'exemple au monde! Tous les rois s'y pressaient. Pour être pape, il ne suffit pas d'être prêtre; il faut aussi savoir être prince. Clément VI fut un grand politique; il entendait volontiers mes conseils. Ah! la ligue navale qui groupait les Latins d'Orient, le roi de Chypre, les Vénitiens, les Hospitaliers... Nous avons nettoyé l'archipel de Grèce des barbaresques qui l'infestaient; et nous allions faire plus. Et puis il y eut cette absurde guerre entre les rois français et anglais, dont je me demande si elle finira jamais, et qui nous a empêchés de poursuivre notre projet, ramener l'Église d'Orient dans le giron de la Romaine. Et puis, il y eut la peste... et puis Clément est mort...

La troisième fois, au conclave d'il y a quatre ans, c'est ma naissance qui m'a fait empêchement. J'étais trop grand seigneur, paraît-il, et nous venions d'en avoir un. Moi, Hélie de Talleyrand, qu'on appelle le cardinal de Périgord, pensez donc, c'eût été une insulte aux pauvres que de me choisir! Il y a des moments où l'Église est saisie d'une soudaine fureur d'humilité et de petitesse. Ce qui ne lui vaut jamais rien. Dépouillons-nous de nos ornements, cachons nos chasubles, vendons nos ciboires d'or et offrons le Corps du Christ dans une écuelle de deux deniers, vêtons-nous comme des manants, et bien crasseux s'il se peut, de sorte que nous ne sommes plus respectés de personne, et d'abord point des manants... Dame! si nous nous faisons pareils à eux, pourquoi nous honoreraient-ils? et nous en arrivons à ne plus nous respecter nous-mêmes... Les acharnés d'humilité, lorsque vous leur opposez cela, vous mettent le nez dans l'Évangile, comme s'ils étaient seuls à le connaître, et ils insistent sur la crèche, entre le bœuf et l'âne, et ils insistent sur l'échoppe du charpentier... Faites-vous semblable à Notre-Seigneur Jésus... Mais Notre-Seigneur, où est-il en ce moment, mes petits clercs vaniteux? N'est-il pas à la droite du Père et confondu en lui dans sa Toute-Puissance? N'est-il pas le Christ en majesté, trônant dans la lumière des astres et la musique des cieux? N'est-il pas le roi du monde, entouré des légions de séraphins et de bienheureux? Qu'est-ce donc qui vous autorise à décréter laquelle de ces images vous devez, à travers votre personne, offrir aux fidèles, celle de sa brève existence terrestre ou celle de son éternité triomphante?

... Tiens, si je passe par quelque diocèse où je vois l'évêque un peu trop porté à rabaisser Dieu en épousant les idées nouvelles, voilà ce que je prêcherai... Marcher en supportant vingt livres d'or tissé, et la mitre, et la crosse, ce n'est pas plaisant tous les jours, surtout quand on le fait depuis plus de trente années. Mais c'est nécessité.

On n'attire pas les âmes avec du vinaigre. Quand un pouilleux dit à d'autres pouilleux « mes frères », cela ne leur produit pas grand effet. Si c'est un roi qui le leur dit, là, c'est différent. Procurer aux gens un peu d'estime d'eux-mêmes, voilà bien la première charité qu'ignorent nos fratricelles et autres gyrovagues. Justement parce que les gens sont pauvres, et souffrants, et pécheurs, et misérables, il faut leur donner quelque raison d'espérer en l'au-delà. Eh oui! avec de l'encens, des dorures, des musiques. L'Église doit offrir aux fidèles une vision du royaume céleste, et tout prêtre, à commencer par le pape et ses cardinaux, refléter un peu l'image du Pantocrator...

Au fond, ce n'est pas mauvaise chose de me parler ainsi à moi-même; j'y trouve arguments pour mes prochains sermons. Mais je préfère les trouver en compagnie... J'espère que Brunet n'a pas oublié mes dragées. Ah! non, les voilà. D'ailleurs, il n'oublie jamais...

Moi, qui ne suis pas grand théologien, comme ceux qui nous pleuvent de partout ces temps-ci, mais qui ai charge de tenir en ordre et propreté la maison du bon Dieu sur la terre, je me refuse à réduire mon train et mon hôtel; et le pape lui-même, qui sait trop ce qu'il me doit, ne s'est pas avisé de m'y contraindre. S'il lui plaît de s'apetisser sur son trône, c'est affaire qui le regarde. Mais moi qui suis son nonce, je veille à préserver la gloire de son sacerdoce.

Je sais que d'aucuns daubent sur ma grande litière pourpre à pommeaux et clous dorés où je vais à présent, et mes chevaux houssés de pourpre, et les deux cents lances de mon escorte, et mes trois lions de Périgord brodés sur ma bannière et sur la livrée de mes sergents. Mais à cause de cela, quand j'entre dans une ville, tout le peuple accourt pour se prosterner, on vient baiser mon manteau, et j'oblige les rois à s'agenouiller... pour votre gloire, Seigneur, pour votre gloire.

Seulement, ces choses n'étaient pas dans l'air du dernier conclave, et l'on me le fit bien sentir. On voulait un homme du commun, on voulait un simple, un humble, un dépouillé. C'est de justesse que j'ai pu éviter qu'on nous élise Jean Birel, un saint homme, oh! certes, un saint homme, mais qui n'avait pas une once d'esprit de gouvernement et qui aurait été un second Pierre de Morone. J'ai eu assez d'éloquence pour représenter à mes frères conclavistes combien il y aurait péril, dans l'état où se trouvait l'Europe, à commettre l'erreur de nous donner un autre Célestin V. Ah! je ne l'ai pas ménagé le Birel! J'ai fait de lui un tel éloge, en montrant combien ses vertus admirables le rendaient impropre à gouverner l'Église, qu'il en est resté tout écrasé. Et je suis parvenu à faire proclamer Étienne Aubert qui était né assez pauvrement, du côté de Pompadour, et dont la carrière manquait assez d'éclat pour qu'il pût rallier tout le monde à son nom.

On nous assure que le Saint-Esprit nous éclaire afin de nous faire désigner le meilleur; en fait, nous votons le plus souvent pour éloigner le pire.

Il me déçoit, notre Saint-Père. Il gémit, il hésite, il décide, il se reprend. Ah! j'aurais conduit l'Église d'autre façon! Et puis, cette idée qu'il a eue d'envoyer le cardinal Capocci avec moi, comme s'il fallait deux légats, comme si je n'étais point assez averti pour mener les choses tout seul! Le résultat? Nous nous brouillons dès l'arrivée, parce que je lui montre sa sottise; il fait l'offensé, mon Capocci; il se retire; et tandis que je cours de Breteuil à Montbazon, de Montbazon à Poitiers, de Poitiers à Bordeaux, de Bordeaux à Périgueux, lui, de Paris, il ne fait rien qu'écrire partout pour brouiller mes négociations. Ah! j'espère bien ne pas le retrouver à Metz, chez l'Empereur...

Périgueux, mon Périgord... Mon Dieu, est-ce la dernière fois que je les aurais vus?

Ma mère tenait pour assuré que je serais pape. Elle me l'a fait entendre en plus d'une occasion. C'est pour cela qu'elle me fit prendre la tonsure quand j'avais six ans, et qu'elle obtint de Clément V, qui lui portait grande et belle amitié, que je fusse aussitôt inscrit comme escholier papal, et apte à recevoir bénéfices. Quel âge avais-je quand elle me conduisit à lui?... «Dame Brunissande, puisse votre fils, que nous bénissons spécialement, montrer dans l'état que vous lui avez choisi les vertus qu'on peut attendre de son lignage, et s'élever rapidement vers les plus hauts offices de notre sainte Église.» Non, guère plus de sept ans. Il me fit chanoine de Saint-Front; mon premier camail. Presque cinquante ans de cela... Ma mère me voyait pape. Était-ce rêve d'ambition maternelle, ou bien vraiment vision prophétique comme les femmes parfois en ont? Hélas, je crois bien que je ne serai point pape.

Et pourtant... et pourtant, dans mon ciel de naissance, Jupiter est conjoint au Soleil, en belle culmination, ce qui est signe de domination et de règne dans la paix. Aucun des autres cardinaux n'a de si beaux aspects que les miens. Ma configuration était bien meilleure que celle d'Innocent, le jour de l'élection. Mais voilà... règne dans la paix, règne dans la paix ; or nous sommes dans la guerre, le trouble et l'orage. J'ai de trop beaux astres pour les temps où nous sommes. Ceux d'Innocent, qui disent difficultés, erreurs, revers, convenaient mieux à cette période sombre. Dieu accorde les hommes avec les moments du monde, et appelle les papes qui conviennent à ses desseins, tel pour la grandeur et la gloire, tel pour l'ombre et la chute...

Si je n'avais été dans l'Église, comme ma mère l'a voulu, j'aurais été comte de Périgord, puisque mon frère aîné est mort sans descendance, l'année précisément de mon premier conclave, et que la couronne, faute que je puisse la ceindre, est passée à mon frère cadet, Roger-Bernard... Ni pape, ni comte. Allons, il faut accepter la place où la Providence nous met, et s'efforcer d'y faire de son mieux. Sans doute serai-je de ces hommes qui ont eu grand rôle et grande figure dans leur siècle, et qui sont oubliés aussitôt que disparus. La mémoire des peuples est paresseuse ; elle ne retient que le nom des rois... Votre volonté, Seigneur, votre volonté...

Et puis, rien ne sert de repenser à ces choses, que je me suis dites cent fois... C'est d'avoir revu le Périgueux de mon enfance, et ma chère collégiale Saint-Front, et de m'en éloigner, qui me remue l'âme. Regardons plutôt ce paysage que je vois peut-être pour la dernière fois. Merci, Seigneur, de m'avoir octroyé cette joie...

Mais pourquoi me mène-t-on d'un train si rapide ? Nous venons déjà de passer Château-l'Évêque ; d'ici Bourdeilles, nous n'en avons guère que pour deux heures. Le jour du départ, il faut toujours faire petite étape. Les adieux, les dernières supplications, les dernières bénédictions qu'on vous vient demander, le bagage oublié : on ne part jamais à l'heure décidée. Mais cette fois, c'est vraiment petite étape...

Brunet !... Holà ! Brunet, mon ami ; va en tête commander qu'on ralentisse le train. Qui nous emmène avec cette hâte ? Est-ce Cunhac ou La Rue ? Point n'est besoin de me secouer autant. Et puis va dire à Monseigneur Archambaud, mon neveu, qu'il descende de sa monture et que je le convie à partager ma litière. Merci, va...

Pour venir d'Avignon, j'avais avec moi mon neveu Robert de Durazzo ; il fut un fort agréable compagnon. Il avait bien des traits de ma sœur Agnès, et de notre mère. Qu'est-il allé se faire occire à Poitiers, par ces butors d'Anglais, en se portant dans la bataille du roi de France ! Oh ! je ne l'en désapprouve pas, même si j'ai dû feindre de le faire. Qui pouvait penser que le roi Jean irait se faire étriller de pareille sorte ! Il aligne trente mille hommes contre six mille, et le soir il se retrouve prisonnier. Ah ! l'absurde prince, le niais ! Alors qu'il pouvait, s'il avait seulement accepté l'accord que je lui portais comme sur un plateau d'offrandes, tout gagner sans livrer bataille!

Archambaud me paraît moins vif et brillant que Robert. Il n'a pas connu l'Italie, qui délie beaucoup la jeunesse. Enfin, c'est lui qui sera comte de Périgord, si Dieu le veut. Cela va le former, ce jeune homme, de voyager en ma compagnie. Il a tout à apprendre de moi... Une fois mes oraisons faites, je n'aime point à rester seul.

II

LE CARDINAL DE PÉRIGORD PARLE

Ce n'est pas que je répugne à chevaucher, Archambaud, ni que l'âge m'en ait rendu incapable. Croyez-moi, je puis fort bien encore couvrir mes quinze lieues à cheval, et j'en sais de plus jeunes que moi que je laisserais en arrière. D'ailleurs, comme vous le voyez, j'ai toujours un palefroi qui me suit, tout harnaché pour le cas où j'aurais l'envie ou la nécessité de l'enfourcher. Mais je me suis avisé qu'une pleine journée à ressauter dans sa selle ouvre l'appétit mieux que l'esprit, et porte à manger et à boire gros plutôt qu'à garder tête claire, comme j'ai besoin de l'avoir quand souvent il me faut inspecter, régenter ou négocier dès mon arrivée.

Bien des rois, et celui de France tout le premier, conduiraient plus profitablement leurs États s'ils se fatiguaient un peu moins le rein et davantage la cervelle, et s'ils ne s'obstinaient à traiter des plus grandes affaires à table, en fin d'étape ou retour de chasse. Notez que l'on ne se déplace pas moins vite en litière, comme je le fais, si l'on a de bons sommiers dans les brancards, et la prudence de les changer souvent... Voulez-vous une dragée, Archambaud ? dans le petit coffret à votre main... eh bien, passez-m'en une...

Savez-vous combien de jours j'ai mis d'Avignon à Breteuil en Normandie, pour aller trouver le roi Jean qui y montait un absurde siège ? Dites un peu ?... Non, mon neveu ; moins que cela. Nous sommes partis le 21 juin, le jour du solstice, et point à la première heure. Car vous savez, ou plutôt vous ne savez point comment se passe le départ d'un nonce, ou de deux, puisque nous étions deux en l'occasion... Il est de bonne coutume que tout le collège des cardinaux, après messe, fasse escorte aux partants, jusqu'à une lieue de la ville ; et il y a toujours grande foule à suivre ou à regarder de part et d'autre du chemin. Et l'on se doit d'aller à pas de procession, pour donner dignité au cortège. Puis on fait halte, et les cardinaux se rangent en ligne par ordre de préséance, et le nonce échange avec chacun le baiser de paix. Toute cette cérémonie met loin de l'aurore... Donc nous partîmes le 21 juin. Or, nous étions rendus à Breteuil le 9 juillet. Dix-huit jours. Niccola Capocci, mon colégat, était malade. Il faut dire que je l'avais secoué, ce douillet. Jamais il n'avait voyagé d'un tel train. Mais une semaine plus tard, le Saint-Père avait dans les mains, portée par chevaucheurs, la relation de mon premier entretien avec le roi.

Cette fois, nous n'avons pas à tant nous hâter. D'abord, les journées, en cette époque de l'année, sont brèves, même si nous bénéficions d'une saison clémente... Je ne me rappelais pas que novembre pût être si doux en Périgord, comme il fait aujourd'hui. La belle lumière que nous avons! Mais nous risquons fort de rencontrer l'intempérie, quand nous avancerons vers le nord du royaume. J'ai compté un gros mois, de telle sorte que nous soyons à Metz pour la Noël, si Dieu le veut. Non, je n'ai point autant de presse que l'été passé, puisque, contre tout mon effort, cette guerre s'est faite, et que le roi Jean est prisonnier.

Comment pareille infortune a pu advenir? Oh! vous n'êtes point le seul à vous en ébaubir, mon neveu. Toute l'Europe en éprouve surprise peu petite, et dispute ces mois-ci des causes et des raisons... Les malheurs des rois viennent de loin, et souvent l'on prend pour accident de leur destinée ce qui n'est que fatalité de leur nature. Et plus les malheurs sont gros, plus les racines en sont longues.

Cette affaire, je la sais par le menu... Tirez un peu vers moi cette couverture... et je l'attendais, vous dirais-je. J'attendais qu'un grand revers, un grand abaissement vînt frapper ce roi, donc, hélas! ce royaume. En Avignon, nous avons à connaître de tout ce qui intéresse les cours. Toutes les intrigues, tous les complots refluent vers nous. Pas un mariage projeté dont nous ne soyons avertis avant les fiancés eux-mêmes... «dans le cas où Madame de telle couronne pourrait être accordée à Monseigneur de telle autre, qui est son cousin au second degré, notre Très Saint-Père octroierait-il dispense?»... pas un traité qui ne se négocie sans que quelques agents des deux parts aient été envoyés; pas de crime qui ne vienne chercher son absolution... L'Église fournit aux rois et aux princes leurs chanceliers, ainsi que la plupart de leurs légistes...

Depuis dix-huit années, les maisons de France et d'Angleterre sont en lutte ouverte. Cette lutte, quelle en est la cause? Les prétentions du roi Édouard à la couronne de France, certes! C'est là le prétexte, un bon prétexte juridique, je le conçois, car on peut en débattre à l'infini; mais ce n'est point le seul et vrai motif. Il y a les frontières, de tout temps mal définies, entre la Guyenne et les comtés voisins, à commencer par le nôtre, le Périgord, tous ces terriers confusément écrits où les droits féodaux se chevauchent; il y a les difficultés d'entente, de vassal à suzerain, quand tous les deux sont rois; il y a les rivalités de commerce et d'abord pour les laines et tissus, ce qui fait qu'on s'est disputé les Flandres; il y a le soutien que la France a toujours porté aux Écossais qui entretiennent menace, pour le roi anglais, sur son septentrion... La guerre n'a pas éclaté pour une raison, mais pour vingt qui couvaient comme braises de nuit. Là-dessus Robert d'Artois, perdu d'honneur et proscrit du royaume, est allé en Angleterre souffler sur les tisons. Le pape, c'était alors Pierre Roger, c'est-à-dire Clément VI, a tout fait et fait faire pour tenter d'empêcher cette méchante guerre. Il a prêché le compromis, les concessions de part et d'autre. Il a dépêché, lui aussi, un légat, qui n'était autre d'ailleurs que l'actuel pontife, le cardinal Aubert. Il a voulu relancer le projet de croisade, à laquelle les deux rois devaient participer en emmenant leur noblesse. C'eût été bon moyen de dériver leurs envies guerrières, avec l'espérance de refaire l'unité de la chrétienté... Au lieu de la croisade, nous avons eu Crécy. Votre père y était; vous avez ouï de lui le récit de ce désastre...

Ah! mon neveu, vous le verrez tout au long de votre vie, il n'y a guère de mérite à servir de tout son cœur un bon roi; il vous entraîne au devoir, et les peines qu'on prend ne coûtent pas parce qu'on sent qu'elles concourent au bien suprême. Le difficile c'est de bien servir un mauvais monarque... ou un mauvais pape. Je les voyais bien heureux, les hommes du temps de ma prime jeunesse, qui servaient Philippe le Bel. Être fidèle à ces Valois vaniteux demande plus d'effort. Ils n'entendent conseils et ne se prêtent à parler raison que lorsqu'ils sont défaits et étrillés.

C'est seulement après Crécy que Philippe VI consentit une trêve sur des propositions que j'avais préparées. Point trop mal, il faut croire, puisque cette trêve a duré, en gros, à part quelques engagements locaux, de l'an 1347 à l'an 1354. Sept années de paix relative. Ç'aurait pu être, pour beaucoup, un temps de bonheur. Mais voilà; en notre siècle maudit, à peine la guerre finie, c'est la peste qui commence.

Vous avez été plutôt épargnés en Périgord... Certes, mon neveu, certes, vous avez payé votre tribut au fléau; oui, vous avez eu votre part d'horreur. Mais ce n'est rien à comparer avec les villes nombreuses et entourées de campagnes très peuplées, comme Florence, Avignon, ou Paris. Savez-vous que ce fléau venait de Chine, par l'Inde, la Tartarie et l'Asie mineure? Il s'est répandu, à ce qu'on dit, jusqu'en Arabie. C'est bien une maladie d'infidèles qui nous a été envoyée pour punir l'Europe de trop de péchés. De Constantinople et des rivages du Levant, les navires ont transporté la peste dans l'archipel grec d'où elle a gagné les ports d'Italie; elle a passé les Alpes et nous est venue ravager, avant de gagner l'Angleterre, la Hollande, le Danemark, et d'aller finir jusque dans les pays du grand Nord, la Norvège, l'Islande. Avez-vous eu ici les deux formes de la peste, celle qui tuait en trois jours, avec fièvre brûlante et crachements de sang... les infortunés qui en étaient atteints disaient qu'ils enduraient déjà les peines de l'enfer... et puis l'autre, qui faisait l'agonie plus longue, cinq à six jours, avec de la fièvre pareillement, et de gros carboncles et pustules qui venaient aux aines et aux aisselles.

Sept mois de rang, nous avons subi cela en Avignon. Chaque soir, en se couchant, on se demandait si l'on se relèverait. Chaque matin, on se tâtait sous les bras et à la fourche des cuisses. A la moindre chaleur qu'ils se sentaient dans le corps, les gens étaient pris d'angoisse et vous regardaient avec des yeux fous. A chaque respiration, on se disait que c'était peut-être avec cette goulée d'air-là que le mal vous pénétrait. On ne quittait nul ami sans penser « Sera-ce lui, sera-ce moi, ou bien nous deux ? » Les tisserands mouraient dans leur échoppe au pied de leurs métiers arrêtés, les orfèvres auprès de leurs creusets froids, les changeurs sous leurs comptoirs. Des enfants finissaient de mourir sur le grabat de leur mère morte. Et l'odeur, Archambaud, l'odeur dans Avignon ! Les rues étaient pavées de cadavres.

La moitié, vous m'entendez bien, la moitié de la population a péri. Entre janvier et avril de 1348, on compta soixante-deux mille morts. Le cimetière que le pape avait fait acheter en hâte fut plein en un seul mois ; on y enfouit onze mille corps. Les gens trépassaient sans serviteurs, étaient ensevelis sans prêtres. Le fils n'osait plus visiter son père, ni le père visiter son fils. Sept mille maisons fermées ! Tous ceux qui le pouvaient fuyaient vers leur palais de campagne.

Clément VI, avec quelques cardinaux dont je fus, resta dans la ville. « Si Dieu nous veut, il nous prendra. » Et il fit rester la plupart des quatre cents officiers de l'hôtel pontifical qui ne furent pas de trop pour organiser les secours. Le pape servit des gages à tous les médecins et physiciens ; il prit à solde charretiers et fossoyeurs, fit distribuer des vivres et prescrivit de bonnes mesures de police contre la contagion. Nul alors ne lui reprocha d'être large à la dépense. Il tança moines et nonnes qui manquaient au devoir de charité envers les malades et les agonisants... Ah ! j'en ai entendu alors des confessions et des repentirs chez des hommes bien hauts et puissants, même d'Église, qui venaient se nettoyer l'âme de tous leurs péchés et quêter l'absolution ! Même les gros banquiers lombards et florentins qui se confessaient en claquant des dents, et se découvraient soudain généreux. Et les maîtresses des cardinaux... eh oui, eh oui, mon neveu ; pas tous, mais il y en a... ces belles dames venaient accrocher leurs joyaux aux statues de la Sainte Vierge ! Elles se tenaient sous le nez un mouchoir imprégné d'essences aromatiques et jetaient leurs chaussures avant de rentrer chez elles. Ceux-là qui reprochent à Avignon d'être ville d'impiété et comme la nouvelle Babylone ne l'ont pas vue pendant la peste. On y fut pieux, je vous l'assure !

L'étrange créature que l'homme! Quand tout lui sourit, qu'il jouit d'une santé florissante, que ses affaires sont prospères, son épouse féconde et sa province en paix, n'est-ce pas là qu'il devrait élever sans cesse son âme vers le Seigneur pour lui rendre grâces de tant de bienfaits? Point du tout; il est oublieux de son créateur, fait la tête fière et s'emploie à braver tous les commandements. Mais dès que le malheur le frappe et que survient la calamité, alors il se rue à Dieu. Et il prie, et il s'accuse, et il promet de s'amender... Dieu a donc bien raison de l'accabler, puisque c'est la seule manière, semble-t-il, de faire que l'homme lui revienne...

Je n'ai pas choisi mon état. C'est ma mère, peut-être le savez-vous, qui me l'a désigné quand j'étais enfant. Si j'y ai convenu, c'est, je crois, parce que de toujours j'ai eu gratitude envers Dieu de ce qu'il me donnait, et d'abord de vivre. Je me rappelle, tout petit, dans notre vieux château de la Rolphie, à Périgueux, où vous êtes né vous-même, Archambaud, mais où vous n'habitez plus depuis que votre père a choisi, voici quinze ans, de résider à Montignac... eh bien là, dans ce gros château assis sur une arène des anciens Romains, je me rappelle cet émerveillement qui m'emplissait soudain d'être vivant au milieu du vaste monde, de respirer, de voir le ciel; je me rappelle avoir ressenti cela surtout les soirs d'été, quand la lumière est longue et qu'on me conduisait au lit bien avant que le jour ne soit tombé. Les abeilles bruissaient dans une vigne qui grimpait au mur, sous ma chambre, l'ombre lentement emplissait la cour ovale, aux pierres énormes; le ciel était encore clair où passaient des oiseaux, et la première étoile s'installait dans les nuées qui restaient roses. J'avais un grand besoin de dire merci et ma mère m'a fait comprendre que c'était à Dieu, organisateur de toute cette beauté, qu'il fallait le dire. Et cela jamais ne m'a abandonné.

Ce jour d'hui même, tout au long de notre route, j'ai souvent un merci qui me vient au cœur pour ce temps doux que nous avons, ces forêts rousses que nous traversons, ces prés encore verts, ces serviteurs fidèles qui m'escortent, ces beaux chevaux gras que je vois trotter contre ma litière. J'aime à regarder le visage des hommes, le mouvement des bêtes, la forme des arbres, toute cette grande variété qui est l'œuvre infinie et infiniment merveilleuse de Dieu.

Tous nos docteurs qui disputent théologie dans des salles closes, et se lardent de creuses paroles, et s'invectivent de bouche amère, et s'assomment de mots inventés pour nommer autrement ce qu'on savait avant eux, tous ces gens feraient bien de se guérir la tête en contemplant la nature. Moi, j'ai pour théologie celle qu'on m'a apprise, tirée des pères de l'Église; et je ne me soucie point d'en changer...

Vous savez que j'aurais pu être pape... oui, mon neveu. D'aucuns me le disent, comme ils disent aussi que je pourrais l'être si Innocent dure

moins que moi. Ce sera ce que Dieu voudra. Je ne me plains point de
ce qu'il m'a fait. Je le remercie qu'il m'ait mis où il m'a mis, et qu'il
m'ait conservé jusqu'à l'âge que j'ai, où bien peu parviennent...
cinquante-cinq ans, mon cher neveu... et aussi dispos que je suis. Cela
aussi est bénédiction du Seigneur. Des gens qui ne m'ont pas vu de dix
ans n'en croient pas leurs yeux que j'aie si peu changé d'apparence, la
joue toujours aussi rose, et la barbe à peine blanchie.

L'idée de coiffer ou de n'avoir pas coiffé la tiare ne me chatouille,
en vérité... je vous le confie comme à un bon parent... que lorsque j'ai
le sentiment que je pourrais mieux agir que celui qui la porte. Or, ce
sentiment-là, je ne l'ai jamais connu auprès de Clément VI. Il avait bien
compris que le pape doit être monarque par-dessus les monarques,
lieutenant général de Dieu. Un jour que Jean Birel ou quelque autre
prêcheur de dépouillement lui reprochait d'être trop dispendieux et
trop généreux envers les solliciteurs, il répondit : « Personne ne doit se
retirer mécontent de la présence du prince. » Puis, se tournant vers moi,
il ajouta entre ses dents : « Mes prédécesseurs n'ont pas su être papes. »
Et pendant cette grande peste, comme je vous le disais, il nous prouva
vraiment qu'il était le meilleur. Je ne crois point, tout honnêtement,
que j'eusse pu faire autant que lui, et j'ai remercié Dieu, là encore, qu'il
ne m'ait point désigné pour conduire la chrétienté souffrante au travers
de cette épreuve.

Pas un moment, Clément ne se départit de sa majesté ; et il montra
bien qu'il était le Saint-Père, le père de tous les chrétiens et même des
autres, puisque lorsque les populations, un peu partout, mais principalement dans les provinces rhénanes, à Mayence, à Worms, se
retournèrent contre les juifs qu'elles accusaient d'être les responsables
du fléau, il condamna ces persécutions. Il fit même plus ; il décida de
prendre les juifs sous sa protection ; il excommunia ceux qui les
molestaient ; il offrit aux juifs pourchassés l'asile et l'établissement dans
ses États dont, il faut le reconnaître, ils ont refait la prospérité en
quelques années.

Mais pourquoi vous parlé-je si longuement de la peste ? Ah, oui ! A
cause des grandes conséquences qu'elle eut pour la couronne de
France, et pour le roi Jean lui-même. En effet, vers la fin de l'épidémie,
dans l'automne de 1349, coup sur coup trois reines, ou plutôt deux
reines et une princesse promise à l'être...

Que dis-tu, Brunet ? Parle plus haut. Nous sommes en vue de
Bourdeilles ?... Ah, oui, je veux regarder. La position est forte, en effet,
et le château bien posé pour commander de loin les approches.

Voilà donc, Archambaud, le château que mon frère cadet, votre
père, m'a abandonné pour me remercier d'avoir libéré Périgueux. Car,
si je ne suis point parvenu à tirer le roi Jean des mains anglaises, au

moins ai-je pu en tirer notre ville comtale et faire que l'autorité nous y soit rendue.

La garnison anglaise, vous vous rappelez, ne voulait pas partir. Mais les lances qui m'accompagnent, et dont certaines gens se gaussent, se sont, une nouvelle fois, révélées bien utiles. Il a suffi que j'apparaisse avec elles, venant de Bordeaux, pour que les Anglais fassent leurs bagages, sans demander leur reste. Deux cents lances et un cardinal, c'est beaucoup... Oui, la plupart de mes serviteurs sont entraînés aux armes, de même que mes secrétaires et les docteurs ès lois qui vont avec moi. Et mon fidèle Brunet est chevalier; je l'ai fait naguère anoblir.

En me donnant Bourdeilles, mon frère au fond se renforce. Car avec la châtellenie d'Auberoche, près Savignac, et la bastide de Bonneval, proche de Thenon, que j'ai rachetées vingt mille florins, voici dix ans, au roi Philippe VI... je dis rachetées, mais en vérité cela compensa pour partie les sommes que je lui avais prêtées... avec aussi l'abbaye forte de Saint-Astier, dont je suis l'abbé, et mes prieurés du Fleix et de Saint-Martin-de-Bergerac, cela fait à présent six places, à bonne distance tout autour de Périgueux, qui dépendent d'une haute autorité d'Église, presque comme si elles étaient tenues par le pape lui-même. On hésitera à s'y frotter. Ainsi j'assure la paix dans notre comté.

Vous connaissez Bourdeilles, bien sûr; vous y êtes venu souvent. Moi, il y a longtemps que je ne l'ai visité... Tiens, je ne me rappelais point ce gros donjon octogonal. Il a fière allure. Le voici mien, à présent, mais pour y passer seulement une nuit et un matin, le temps d'y installer le gouverneur que j'ai choisi, et sans savoir quand j'y reviendrai, si j'y reviens. C'est peu de loisir pour en jouir. Enfin, remercions Dieu pour ce temps qu'il m'y accorde. J'espère qu'on nous aura préparé un bon souper car, même en litière, la route creuse.

III

LA MORT FRAPPE À TOUTES LES PORTES

Je le savais, mon neveu, je l'avais dit, qu'il ne fallait point escompter, ce jour d'hui, aller plus loin que Nontron. Et encore n'y parviendrons-nous qu'après le salut, à nuit toute noire. La Rue me rebattait les oreilles : « Monseigneur se ralentit... Monseigneur ne va pas se contenter d'une étape de huit lieues... » Eh ouiche ! La Rue va toujours comme s'il avait le feu au troussequin. Ce qui n'est point mauvaise chose, car avec lui mon escorte ne s'assoupit point. Mais je savais que nous ne pourrions quitter Bourdeilles avant le milieu du jour. J'avais trop à faire et à décider, trop de seings à donner.

J'aime Bourdeilles, voyez-vous ; je sais que j'y pourrais être heureux si Dieu m'avait assigné, non seulement de le posséder, mais d'y résider. Celui qui a un bien unique et modeste en profite pleinement. Celui qui a possessions vastes et nombreuses n'en jouit que par l'idée. Toujours le ciel balance ce dont il nous gratifie.

Quand vous rentrerez en Périgord, faites-moi la bonne grâce de vous rendre à Bourdeilles, Archambaud, et voyez si l'on a bien réparé les toitures comme je l'ai commandé tout à l'heure. Et puis la cheminée de ma chambre fumait... C'est grande chance que les Anglais l'aient épargné. Vous avez vu Brantôme, que nous avons juste passée ; vous avez vu cette désolation qu'ils ont faite d'une ville autrefois si douce et si belle au bord de sa rivière ! Le prince de Galles s'y est arrêté, pour la nuit, le 9 du mois d'août, à ce qui vient de m'être dit. Et ses coutilliers et goujats, au matin, ont tout embrasé avant de repartir.

Je réprouve fort cette façon qu'ils ont de tout détruire, ardoir, exiler ou ruiner, comme il semble qu'ils s'y adonnent de plus en plus. Qu'on s'égorge à la guerre, entre gens d'armes, je le conçois ; si Dieu ne m'avait désigné pour l'Église et que j'aie eu à mener bannières au combat, je n'aurais point fait de quartier. Qu'on pille, passe encore ; il faut bien donner quelque agrément aux hommes dont on exige risque et fatigue.

Mais chevaucher seulement pour réduire le peuple à misère, griller ses toits et ses moissons, l'exposer à famine et froidure, cela me donne du courroux. Je sais le dessein; de provinces ruinées, le roi ne peut plus tirer impôt, et c'est pour l'affaiblir qu'on détruit ainsi les biens de ses sujets. Mais cela ne vaut. Si l'Anglais prétend avoir droit sur la France, pourquoi la ravage-t-il? Et pense-t-il, même s'il l'emporte par les traités après l'avoir emporté par les armes, pense-t-il en agissant de la sorte y être jamais toléré? Il sème la haine. Sans doute il prive d'argent le roi de France, mais il lui fournit des âmes qu'animent la colère et la vengeance. Trouver des seigneurs, ici ou là, pour faire allégeance par intérêt, oui le roi Édouard en trouvera; mais le peuple désormais lui opposera refus, car ce sont traitements inexpiables. Voyez déjà ce qui se produit; les bonnes gens n'en veulent point au roi Jean de s'être fait battre; ils le plaignent, ils l'appellent Jean le Brave, ou Jean le Bon, alors qu'ils devraient l'appeler Jean le Sot, Jean le Buté, Jean l'Incapable. Et vous verrez qu'ils sauront se saigner pour payer sa rançon.

Vous me demandez pourquoi je vous disais hier que la peste avait eu grave effet sur lui et sur le sort du royaume? Eh! mon neveu, pour quelques morts en mauvais ordre, des morts de femmes et d'abord de la sienne, Madame Bonne de Luxembourg, avant qu'il ne soit roi.

Madame de Luxembourg fut enlevée par la peste en septembre de 1349. Elle devait être reine, et eût été une bonne reine. Elle était, comme vous le savez, la fille du roi de Bohême, Jean l'Aveugle, qui avait si grand amour de la France qu'il disait que la cour de Paris était la seule où l'on pût vivre noblement. Un modèle de chevalerie, ce roi-là, mais un peu fou. Bien que n'y voyant goutte, il s'obstina de combattre à Crécy et, pour cela, il fit lier son cheval aux montures de deux de ses chevaliers qui l'encadraient de part et d'autre. Et ils se ruèrent ainsi à la mêlée. On les trouva morts tous les trois, toujours liés. Le roi de Bohême portait trois plumes d'autruche blanches au cimier de son heaume. Son noble trépas frappa si fort le jeune prince de Galles... il allait alors sur ses seize ans; c'était son premier combat, et il s'y conduisit bien, même si le roi Édouard estima politique d'exagérer un peu la part de son héritier dans cette affaire... le prince de Galles donc fut si frappé qu'il pria son père de lui laisser porter dorénavant le même emblème que feu le roi aveugle. Et c'est pourquoi l'on voit les trois plumes blanches surmonter à présent le heaume du prince.

Mais le plus important en Madame Bonne, c'était son frère, Charles de Luxembourg, dont nous avions, le pape Clément VI et moi, favorisé l'élection à la couronne du Saint Empire. Non que nous ne pensions avoir quelques embarras avec ce rustaud madré comme un marchand... oh! rien de son père, vous en jugerez bientôt; mais comme nous prévoyions aussi que la France connaîtrait de piètres moments, c'était la renforcer que de faire son futur roi beau-frère de l'Empereur. Morte la sœur, finie l'alliance. Les embarras, nous les avons eus avec sa Bulle d'Or; mais d'appui à la France, il n'en a guère donné, et c'est bien pourquoi je m'en vais à Metz.

Le roi Jean, qui n'était encore alors que duc de Normandie, ne montra point un désespoir extrême de la mort de Madame Bonne. Il y avait peu d'entente entre eux, et souvent des éclats. Bien qu'elle eût de la grâce et qu'il lui ait fait un enfant chaque année, onze au total, depuis qu'on lui avait donné à comprendre qu'il était temps pour lui de se rapprocher de son épouse dans le lit, Monseigneur Jean, pour l'affection, inclinait plutôt du côté d'un sien cousin, de huit ans son cadet et d'assez jolie tournure... Charles de La Cerda, qu'on appelait aussi Monsieur d'Espagne, parce qu'il appartenait à une branche évincée du trône de Castille.

Aussitôt Madame Bonne mise en terre, ce fut en compagnie du beau Charles d'Espagne que le duc Jean se retira à Fontainebleau, pour fuir la contagion... Oh! ce vice n'est pas rare, mon neveu. Je ne le comprends point et il m'encolère fort; il est de ceux pour lesquels j'ai le moins d'indulgence. Mais force est de reconnaître qu'il est répandu même chez les rois, auxquels il fait grand tort. Jugez-en par ce qu'il advint du roi Édouard II d'Angleterre, le père de l'actuel. Ce fut la sodomie qui lui a coûté et le trône et la vie. Notre roi Jean n'est pas à ce point sodomite affiché; mais il en marque beaucoup de traits, et il les montra surtout dans sa passion funeste pour ce cousin d'Espagne au trop gracieux visage...

Qu'y a-t-il, Brunet? Pourquoi s'arrête-t-on? Où sommes-nous? A Quinsac. Il n'est point prévu... Que veulent ces manants? Ah! une bénédiction! Qu'on n'arrête point mon cortège pour cela; tu sais que je bénis en marchant... *In nomine patris... lii... sancti...* Allez, bonnes gens, vous êtes bénis, allez en paix... S'il fallait s'arrêter chaque fois qu'on me demande une bénédiction, nous serions à Metz dans six mois.

Donc, vous disais-je, en septembre de 1349 Madame Bonne meurt, laissant veuf l'héritier du trône. En octobre, ce fut le tour de la reine de Navarre, Madame Jeanne, qu'on appelait naguère Jeanne la Petite, la fille de Marguerite de Bourgogne, et peut-être, ou peut-être pas, de Louis Hutin; celle qu'on avait écartée de la succession de France en faisant peser sur elle la présomption de bâtardise... eh oui, l'enfant de la tour de Nesle... Emportée par la peste. Son trépas, à elle non plus, ne fut pas salué par de très longs sanglots. Elle était veuve depuis six ans de son cousin, Monseigneur Philippe d'Évreux, tué quelque part en Castille dans un combat contre les Maures. La couronne de Navarre leur avait été abandonnée par Philippe VI, lors de son avènement, pour prévenir les revendications qu'ils auraient pu émettre sur celle de

France. Cela fit partie de toutes les tractations qui assurèrent le trône aux Valois.

Je n'ai jamais approuvé cet arrangement navarrais qui n'était bon ni en droit ni en fait. Mais je n'avais pas encore mon mot à dire ! je venais tout juste d'être nommé évêque d'Auxerre. Et puis même l'aurais-je dis... En droit, cela ne tenait point. La Navarre venait de la mère de Louis Hutin. Si Jeanne la Petite n'était pas la fille de celui-ci, mais d'un quelconque écuyer, elle n'avait pas plus de titres sur la Navarre que sur la France. Donc, si on lui reconnaissait la couronne de l'une, on étayait *ipso facto* ses droits sur l'autre, pour elle et pour ses héritiers. On avouait un peu trop qu'on l'avait écartée du trône non tellement pour sa présumée bâtardise, mais parce qu'elle était femme, et grâce à l'artifice d'une loi des mâles inventée.

Quant aux raisons de fait... Jamais le roi Philippe le Bel n'aurait consenti, pour quelque raison que ce fût, à amputer ainsi le royaume de ce qu'il y avait ajouté. On n'assure pas son trône en lui sciant un pied. Jeanne et Philippe de Navarre s'étaient tenus fort calmes, elle parce que la chemise de sa mère lui collait un peu trop à la peau, lui parce qu'il était comme son père, Louis d'Évreux, de nature digne et réfléchie. Ils semblaient contents avec leur riche comté normand et leur petit royaume pyrénéen. Les choses allaient changer avec leur fils Charles, jeune homme fort remuant pour ses dix-huit ans, qui jetait des regards pleins de vindicte sur le passé de sa famille, pleins d'ambition sur son propre avenir. « Si ma grand-mère n'avait pas été si chaude putain, si ma mère était née homme... Je serais roi de France à présent. » Je l'ai entendu dire cela, de mes oreilles... Il convenait donc de ménager la Navarre qui, par sa situation au midi du royaume, prenait d'autant plus d'importance que les Anglais, à présent, tenaient toute l'Aquitaine. Alors, comme toujours en pareil cas, arrangeons un mariage.

Le duc Jean se fût bien dispensé de contracter une nouvelle union. Mais il était promis à être roi, et l'image royale voulait qu'il eût une épouse à son côté, surtout dans son cas. Une épouse empêcherait qu'il parût marcher trop ouvertement au bras de Monsieur d'Espagne. D'autre part, comment mieux flatter le remuant Charles d'Évreux-Navarre, et comment mieux lui lier les mains, qu'en choisissant la future reine de France parmi ses sœurs ? La plus âgée, Blanche, avait seize ans. Une beauté, et beaucoup de grâces d'esprit. Le projet fut fort avancé, les dispenses demandées au pape et le mariage quasiment annoncé, encore qu'on se demandât qui serait vivant la semaine suivante, dans l'horrible période qu'on traversait.

Car la mort continuait de frapper à toutes les portes. Au début de décembre, la peste enleva la reine de France elle-même, Madame Jeanne de Bourgogne, la boiteuse, la mauvaise reine. Pour celle-là, ce fut tout juste si la bienséance permit de contenir les cris de joie, et si le peuple ne se mit pas à danser dans les rues. Elle était haïe ; votre père a dû vous le dire. Elle volait le sceau de son mari pour faire jeter gens en prison ; elle apprêtait des bains empoisonnés pour les hôtes qui lui déplaisaient. Il s'en fallut de peu qu'elle ne fît de la sorte périr un évêque... Le roi, parfois, la rouait à coups de torche ; mais il ne parvint pas à l'amender. Je me méfiais fort de cette reine-là. Sa nature soupçonneuse peuplait la cour d'ennemis imaginaires. Elle était coléreuse, menteuse, odieuse ; elle était criminelle. Sa mort parut un effet tardif de la justice céleste. D'ailleurs, aussitôt après, le fléau commença de régresser, comme si cette grande hécatombe, venue de si loin, n'avait eu d'autre but que d'atteindre, enfin, cette harpie.

De tous les hommes de France, celui qui en éprouva le plus grand soulagement, ce fut le roi lui-même. Un mois moins un jour après, dans la froidure de janvier, il se remaria. Même veuf d'une femme unanimement détestée, c'était faire bien peu de cas des délais de convenance. Mais le pire n'était point dans la hâte. Avec qui convolait-il ? Avec la fiancée de son fils, avec Blanche de Navarre, la jeunette, dont il était tombé fou en la voyant paraître à la cour. Si complaisants qu'ils soient pour la gaillardise, les Français n'aiment guère, chez le souverain, les égarements de cette sorte.

Philippe VI avait quarante ans de plus que la beauté qu'il soufflait, fort brutalement, à son héritier. Et il ne pouvait point invoquer, comme pour tant d'unions princières désassorties, l'intérêt supérieur des empires. Il enchâssait une pierre de scandale dans sa couronne, cependant qu'il infligeait à son successeur la meurtrissure du ridicule. Mariage célébré à la sauvette, du côté de Saint-Germain-en-Laye. Jean de Normandie, naturellement, n'y assistait pas. Il n'avait jamais eu grande affection pour son père, qui d'ailleurs lui en rendait peu. Maintenant, il lui vouait de la haine.

Et l'héritier, un mois plus tard, se remariait à son tour. Il avait hâte d'effacer l'outrage. Il fit l'enchanté de s'accommoder de Madame de Boulogne, veuve du duc de Bourgogne. Ce fut mon vénérable frère, le cardinal Guy de Boulogne, qui arrangea cette union pour l'avantage de sa famille, et le sien propre. Madame de Boulogne était, du point de vue de la fortune, un fort bon parti, ce qui aurait dû assainir les affaires du prince, déjà dépensier comme personne, mais ne servit en fait qu'à l'encourager au gaspillage.

La nouvelle duchesse de Normandie était plus âgée que sa belle-mère ; elles produisaient ensemble un étrange effet aux réceptions de cour, d'autant que, pour la tournure et le visage, la comparaison n'était guère à l'avantage de la bru. Le duc Jean en éprouvait dépit ; il s'était pris à croire qu'il aimait d'amour Madame Blanche de Navarre qui lui avait été si vilainement enlevée, et il souffrait torture en la voyant auprès de son père qui ne cessait de la mignoter en public, de la plus sotte façon. Cela n'arrangea pas les nuits du duc Jean avec Madame de Boulogne, et le rejeta davantage vers Monsieur d'Espagne. La prodigalité lui servit de revanche. On eût dit qu'il se redonnait de l'honneur en dilapidant.

D'ailleurs, après les mois de terreur et de malheur qu'on venait de traverser durant la peste, tout le monde dépensait follement. Surtout à Paris. Autour de la cour, c'était démence. On prétendait que cette débauche de luxe procurait travail aux petites gens. Pourtant on n'en voyait guère l'effet dans les masures et les soupentes. Entre les princes endettés et le commun peuple miséreux, il y avait l'échelon où le profit fuyait, happé par de gros marchands comme les Marcel, qui font négoce de draps, soieries et autres denrées de parure et se sont alors grassement enrichis. La mode devint extravagante, et le duc Jean, bien qu'il eût déjà trente et un ans, arborait en compagnie de Monsieur d'Espagne des cottes dentelées si courtes qu'elles leur laissaient paraître les fesses. On riait d'eux lorsqu'ils étaient passés.

Madame Blanche de Navarre avait été reine plus tôt que prévu ; elle fut régnante moins longtemps qu'escompté. Philippe de Valois avait réchappé de la guerre et de la peste ; il ne résista pas à l'amour. Tant qu'il avait vécu auprès de son acariâtre boiteuse, il était resté bel homme, un peu gras, mais toujours solide et allant, maniant les armes, chevauchant vite, chassant longtemps. Six mois de prouesses galantes auprès de sa belle épousée eurent raison de lui. Il ne quittait son lit qu'avec l'idée d'y retourner. C'était obsession ; c'était frénésie. Il réclamait de ses physiciens des préparations qui le fissent infatigable au déduit... Quoi donc ?... Il vous surprend que... Mais si, mon neveu, mais si ; bien que d'Église, ou plutôt parce que d'Église, il nous faut être instruits de ces choses, surtout quand elles touchent la personne des rois.

Madame Blanche subissait, à la fois consentante, inquiète et flattée, cette passion qui lui était à tout moment prouvée. Le roi se glorifiait publiquement qu'elle fût plus vite lasse que lui. Bientôt il maigrit. Il se désintéressait de gouverner. Chaque semaine le vieillissait d'une année. Il mourut le 22 août 1350, à cinquante-sept ans, dont vingt-deux ans de règne.

Sous des dehors splendides, ce souverain auquel je fus fidèle... il était le roi de France, n'est-ce pas, et je ne pouvais d'autre part pas oublier qu'il demanda pour moi le chapeau... ce souverain avait été un très piteux capitaine et un financier désastreux. Il avait perdu Calais, il avait perdu l'Aquitaine ; il laissait la Bretagne en révolte et maintes places du royaume incertaines ou ravagées. Par-dessus tout, il avait perdu le prestige. Ah si ! tout de même, il avait acheté le Dauphiné. Nul ne peut être constamment catastrophique. C'est moi, il est bon que vous le sachiez, qui ai conclu l'affaire, deux ans avant Crécy. Le Dauphin Humbert était endetté à ne plus savoir à qui emprunter pour rembourser qui... Je vous conterai la chose par le menu une autre fois, si elle vous intéresse, et comment je m'y pris, en faisant porter la couronne de Dauphin par l'aîné fils de France, à faire entrer le Viennois dans le giron du royaume. Aussi puis-je dire, sans me vanter, que j'ai mieux servi la France que le roi Philippe VI, car lui n'a su que l'apetisser alors que moi j'ai réussi à l'agrandir.

Six ans déjà! Six ans que le roi Philippe est mort et que Monseigneur le duc Jean est devenu le roi Jean II! Ce sont six ans qui ont passé si vite qu'on se croirait encore au début du règne. Est-ce parce que notre roi a fait si peu de choses mémorables, ou bien parce que, plus l'on vieillit, plus le temps semble fuir rapidement? Quand on a vingt ans, chaque mois, chaque semaine, tout enrichis de nouveautés, paraissent de grande durée... Vous verrez, Archambaud, quand vous aurez mon âge, si vous y parvenez, ce que je vous souhaite de tout mon cœur... On se retourne et l'on se dit: «Comment? Déjà une année passée? Comment a-t-elle coulé si vite!» Peut-être parce que l'on use beaucoup de moments à se souvenir, à revivre du temps vécu...

Et voilà; le jour est tombé. Je savais que nous n'arriverions à Nontron qu'à la nuit noire.

Brunet! Brunet!... Demain, il nous faudra partir avant l'aurore car nous aurons longue étape. Donc que l'on harnache en temps, et que chacun soit pourvu de vivres car nous n'aurons guère loisir de faire arrêt. Qui est parti vers Limoges pour annoncer ma venue? Armand de Guillermis; c'est fort bien... Je dépêche ainsi mes bacheliers à tour de rôle, pour veiller à mon logement et aux apprêts de ma réception. Un jour ou deux en avance, mais pas plus. Juste ce qu'il faut pour que les gens s'empressent, et pas assez pour que les plaignants du diocèse puissent accourir et m'accabler de leurs suppliques... Le cardinal? Ah! nous n'avons su que la veille; hélas, il est déjà parti... Autrement, mon neveu, je serais un vrai tribunal ambulant.

IV

LE CARDINAL ET LES ÉTOILES

Eh ! mon neveu, je vois que vous prenez goût à ma litière, et aux petits repas qu'on m'y sert. Et à ma compagnie, et à ma compagnie, bien sûr... Prenez de ce confit de canard dont on nous a fait présent à Nontron. C'est spécialité de la ville. Je ne sais comment mon maître queux s'est arrangé pour nous le garder tiède...

Brunet !... Brunet, vous direz à mon queux combien j'apprécie qu'il conserve un peu chauds les mets qu'il m'apprête ainsi pour la route ; il est habile... Ah ! il a des braises dans son chariot... Non, non, je ne me plains point qu'on me serve deux fois à la suite les mêmes nourritures, du moment qu'elles m'ont plu. Et j'avais trouvé bien savoureux ce confit, hier soir. Remercions Dieu de nous en avoir pourvus à suffisance.

Le vin, certes, est un peu vert et léger de corps. Ce n'est pas le vin de Sainte-Foy ou celui de Bergerac, auxquels vous êtes accoutumé, Archambaud, sans parler de ceux de Saint-Émilion et de Lussac qui sont régal, mais qui partent tous à présent de Libourne, par vaisseaux pleins, pour l'Angleterre... Palais français n'y ont plus droit.

N'est-ce pas, Brunet, que cela ne vaut point un gobelet de Bergerac ? Le chevalier Aymar Brunet est de Bergerac, et ne juge rien de meilleur que ce qui croît chez lui. Je le moque un peu là-dessus...

Ce matin, c'est dom Francesco Calvo, le secrétaire papal, qui m'a fait compagnie. Je voulais qu'il me remémorât les affaires dont j'aurai besogne à Limoges. Nous y resterons deux jours pleins, peut-être trois. De toute façon, sauf à y être obligé par quelque urgence ou mandement exprès, j'évite à cheminer le dimanche. Je désire que mon escorte puisse assister aux offices et prendre son repos.

Ah ! je ne puis celer que j'ai quelque émoi à revoir Limoges ! Ce fut mon premier évêché. J'avais... j'avais... j'étais plus jeune que vous n'êtes à présent, Archambaud ; j'avais vingt-trois ans. Et je vous traite comme un jouvenceau! C'est un travers qui vient avec l'âge d'en user avec la jeunesse comme si elle était encore l'enfance, en oubliant ce qu'on fut soi-même, à pareil âge. Il faudra me reprendre, mon neveu, quand vous me verrez incliner dans ce défaut. Évêque... Ma première mitre! J'en étais bien fier, et j'eus tôt fait, à cause d'elle, de commettre le péché d'orgueil. On disait, certes, que je devais mon siège à la faveur, et que, tout comme mes premiers bénéfices m'avaient été octroyés par Clément V à cause de la grande amitié qu'il portait à ma mère, Jean XXII m'avait pourvu d'un évêché parce que nous avions accordé ma dernière sœur, votre tante Aremburge, à un de ses petits-neveux, Jacques de La Vie. Pour vous avouer le tout, c'était un peu vrai. Être neveu de pape est un bel accident, mais dont le profit ne dure guère à moins que de s'allier à quelque grande noblesse telle que la nôtre... Votre oncle La Vie fut un brave homme.

Pour ma part, si jeunet que je fusse, je n'ai pas laissé le souvenir, je crois, d'un mauvais évêque. Quand je vois tant de diocésains chenus qui ne savent tenir ni leurs ouailles ni leur clergé, et qui nous accablent de leurs doléances et de leurs procès, je me dis que je sus faire assez bien, et sans trop me donner de peine. J'avais de bons vicaires... tenez, versez-moi encore de ce vin; il faut faire passer le confit... de bons vicaires à qui je laissais le soin d'administrer. J'ordonnais qu'on ne me dérangeât que pour affaires graves, ce qui m'acquit du respect et même un peu de crainte. J'eus le loisir ainsi de poursuivre mes études. J'étais déjà fort savant en droit canon; j'obtins d'appeler de bons maîtres à ma résidence afin de me parfaire en droit civil. Ils vinrent de Toulouse où j'avais pris mes grades, et qui est tout aussi bonne université que celle de Paris, tout aussi fournie en hommes de savoir. Par reconnaissance, j'ai décidé... je veux vous en avertir, mon neveu, puisque l'occasion s'en trouve; ceci est consigné dans mes volontés dernières, pour le cas où je n'aurais pu accomplir la chose de mon vivant... j'ai décidé de faire fondation, à Toulouse, d'un collège pour des escholiers périgordins pauvres... Prenez donc cette toile, Archambaud, et séchez-vous les doigts...

C'est aussi à Limoges que je commençai à m'instruire en astrologie. Car les deux sciences les plus nécessaires à ceux qui doivent exercer gouvernement sont bien celle du droit et celle des astres, pour ce que la première apprend les lois qui régissent les rapports et obligations que les hommes ont entre eux, ou avec le royaume, ou avec l'Église, et la seconde donne connaissance des lois qui régissent les rapports des hommes avec la Providence. Le droit et l'astrologie; les lois de la terre, les lois du ciel. Je dis qu'il n'y a point à sortir de là. Dieu fait naître chacun de nous à l'heure qu'il veut, et cette heure est marquée à l'horloge céleste, où il nous a, par grande bonté, permis de lire.

Je sais qu'il est de piètres croyants qui se gaussent de l'astrologie, parce que cette science abonde en charlatans et marchands de mensonges. Mais cela fut de tout temps, et les vieux livres nous rapportent que les anciens Romains et autres peuples antiques dénonçaient les mauvais tireurs d'horoscopes et les faux mages vendeurs de prédictions; cela n'empêchait point qu'ils recherchassent les bons et justes lecteurs de ciel, qui pratiquaient souvent dans les sanctuaires. Ce n'est point parce qu'il est des prêtres simoniaques, ou intempérants, qu'il faut fermer toutes les églises.

Je suis aise de vous voir partager mes opinions là-dessus. C'est l'attitude humble qui convient au chrétien devant les décrets du Seigneur, le créateur de toutes choses, qui se tient derrière les étoiles...

Vous souhaiteriez... Mais bien volontiers, mon neveu, je le ferai bien volontiers pour vous. Savez-vous l'heure de votre naissance?... Ah! il faudrait la savoir; mandez quelqu'un à votre mère, pour la prier de vous donner l'heure de votre premier cri. Ce sont les mères qui gardent mémoire de ces choses-là...

Pour ma part, je n'ai jamais eu qu'à me louer de pratiquer la science astrale. Cela m'a permis de donner d'utiles conseils aux princes qui voulaient bien m'écouter, et aussi de connaître la nature des gens en face de qui je me trouvais, et de me garder de ceux dont le sort était contraire au mien. Ainsi, le Capocci, j'ai toujours su qu'il me serait adverse en tout, et me suis toujours défié de lui... C'est à partir des astres que j'ai réussi maintes négociations et conclu maints arrangements favorables, comme pour ma sœur de Durazzo ou pour le mariage de Louis de Sicile; et les bénéficiaires reconnaissants ont grossi ma fortune. Mais en tout premier, c'est auprès de Jean XXII... Dieu le garde; il fut mon bienfaiteur... que cette science me fut de précieux service. Car ce pape était grand alchimiste et astrologien lui-même; de savoir que je m'adonnais au même art, avec succès, lui dicta un recroît de faveur pour moi et lui inspira d'écouter le souhait du roi de France en me créant cardinal à trente ans, ce qui est chose peu commune. J'allai donc en Avignon recevoir mon chapeau. Vous savez comment la chose se passe. Non?

Le pape donne un grand banquet, où sont conviés tous les cardinaux, pour l'entrée du nouveau dans la curie. A la fin du repas, le pape s'assoit sur son trône, et impose le chapeau au nouveau cardinal qui se tient agenouillé et lui baise d'abord le pied, puis la bouche. J'étais trop jeune pour que Jean XXII... il avait alors quatre-vingt-sept ans... m'appelât *venerabilis frater*; alors il choisit de s'adresser à moi en me donnant du *dilectus filius*. Et avant de m'inviter à me relever, il me souffla à l'oreille: « Sais-tu combien me coûte ton chapeau? Six livres, sept sous et dix deniers. » C'était bien dans la façon de ce pontife que de vous rabattre l'orgueil, dans l'instant qu'on pouvait en concevoir le plus, en vous glissant une moquerie sur les grandeurs. De tous les jours de ma vie, il n'en est pas dont j'aie gardé plus précise mémoire. Le Saint-Père, tout desséché, tout plissé, sous son bonnet blanc qui lui enserrait les joues... C'était le 14 juillet de l'an 1331...

Brunet! Fais arrêter ma litière. Je m'en vais me dégourdir un peu les jambes, avec mon neveu, tandis qu'on brossera ces miettes. Le chemin est plat, et le soleil nous gratifie d'un petit rayon. Vous nous reprendrez en avant. Douze hommes seulement à m'escorter; je veux un peu de paix... Salut, maître Vigier... salut Volnerio... salut du Bousquet... la paix de Dieu soit sur vous tous, mes fils, mes bons serviteurs.

V

LES DÉBUTS DE CE ROI
QU'ON APPELLE LE BON

Le ciel du roi Jean ? Certes, je le connais ; je me suis maintes fois penché dessus... Si je prévoyais ? Bien sûr, je prévoyais ; c'est pourquoi je me suis si fort dépensé pour empêcher cette guerre, sachant qu'elle lui serait funeste, et donc funeste à la France. Mais allez faire entendre raison à un homme, et surtout à un roi, dont les astres font barrière, précisément, et à l'entendement et à la raison !

Le roi Jean II, à sa naissance, avait Saturne culminant dans la constellation du Bélier, en milieu du ciel. C'est configuration funeste pour un roi, celle des souverains détrônés, des règnes qui s'achèvent hâtivement ou que terminent de tragiques revers. Ajoutez à cela une Lune qui se lève dans le signe du Cancer, lunaire lui-même, marquant ainsi une nature fort féminine. Enfin, et pour ne vous donner que les traits les plus voyants, ceux qui sautent aux yeux de tout astrologien, un difficile groupement où l'on trouve le Soleil, Mercure et Mars étroitement conjoints en Taureau. Voilà un ciel bien pesant qui compose un homme mal balancé, mâle et même assez lourd dans les apparences, mais chez qui tout ce qui devrait être viril est comme castré, jusques et y compris l'entendement ; en même temps, un brutal, un violent, habité de songes et de peurs secrètes qui lui inspirent des fureurs soudaines et homicides, incapable d'écouter avis ou de se maîtriser soi-même, et cachant ses faiblesses sous des dehors de grande ostentation ; au fond de tout, un sot, et le contraire d'un vainqueur ou d'une âme de commandement.

De certaines gens, il semble que la défaite soit l'affaire principale, qu'ils en aient un secret appétit, et ne connaissent de cesse qu'ils ne l'aient trouvée. Être battu complaît à leur âme profonde ; le fiel de l'échec est leur breuvage préféré, comme à d'autres l'hydromel des victoires ; ils aspirent à la dépendance, et rien ne leur convient mieux que de se contempler dans une soumission imposée. C'est grand malheur quand de telles dispositions de naissance tombent sur la tête d'un roi.

Jean II, tant qu'il fut Monseigneur de Normandie, vivant sous la contrainte d'un père qu'il n'aimait pas, parut un prince acceptable, et les ignorants crurent qu'il régnerait bien. D'ailleurs les peuples, et même les cours, toujours portés à l'illusion, attendent toujours d'un nouveau roi qu'il soit meilleur que le précédent, comme si la nouveauté portait en soi vertu miraculeuse. A peine celui-ci eut-il le sceptre en main que ses astres et sa nature commencèrent de montrer leurs malheureux effets.

Il n'était roi que depuis dix jours quand Monsieur d'Espagne, dans ce mois d'août 1350, se fit battre sur la mer, au large de Winchelsea, par le roi Édouard III. La flotte que Charles d'Espagne commandait était castillane, et notre Sire Jean n'était pas responsable de l'expédition. Néanmoins, comme le vainqueur était d'Angleterre, et le vaincu l'ami très cher du roi de France, c'était mauvais début pour ce dernier.

Le sacre se fit en fin septembre. Monsieur d'Espagne était revenu et, à Reims, on témoigna beaucoup de grâces à ce vaincu, pour le consoler de sa défaite.

A la mi-novembre, le connétable Raoul de Brienne, comte d'Eu, rentra en France. Il était depuis quatre ans captif du roi Édouard, mais un captif assez libre, qu'on laissait à l'occasion aller entre les deux pays, car il était mêlé aux négociations d'une paix générale à laquelle nous travaillions fort en Avignon. Moi-même, je correspondais avec le connétable. Cette fois, il venait réunir le prix de sa rançon. Je n'ai point à vous apprendre que Raoul de Brienne était un très haut, très grand, très puissant personnage, et pour ainsi dire le second homme du royaume. Il avait succédé en sa charge à son père Raoul V, tué en tournoi. Il était tenant de vastes fiefs en Normandie, d'autres en Touraine, dont Bourgueil et Chinon, d'autres en Bourgogne, d'autres en Artois. Il possédait des terres, pour l'heure confisquées, en Angleterre et en Irlande ; il en possédait dans le pays de Vaud. Il était le cousin par alliance du comte Amédée de Savoie. Un tel homme, quand on vient juste de s'asseoir au trône, est de ceux qu'on traite avec quelques égards ; ne croyez-vous pas, Archambaud ? Eh bien, notre Jean II, après lui avoir adressé, au soir de son arrivée, des reproches furieux, mais peu clairs, commanda sur-le-champ de l'emprisonner. Et le surlendemain matin, il le fit décapiter, sans jugement... Non ; aucune raison avouée. Nous n'avons pas pu en savoir plus, à la curie, que vous à Périgueux. Et pourtant nous nous sommes employés à éclairer l'affaire, croyez-le ! Pour expliquer cette exécution précipitée, le roi Jean affirma qu'il détenait les preuves écrites de la félonie du connétable; mais jamais il ne les produisit, jamais. Même au pape, qui le pressait, dans son intérêt propre, de révéler ces fameuses preuves, il opposa un silence buté.

Alors on commença, dans toutes les cours d'Europe, à chuchoter, à supposer... On parla d'une correspondance amoureuse que le connétable aurait entretenue avec Madame Bonne de Luxembourg et qui, après le décès de celle-ci, serait tombée entre les mains du roi... Ah! vous aussi vous avez entendu cette fable!... Étrange liaison, en vérité, et dont on apercevrait mal, en tout cas, qu'elle ait pu prendre un tour criminel, entre une femme sans cesse enceinte et un homme presque continûment captif depuis quatre ans! Peut-être y avait-il, dans les lettres de messire de Brienne, des choses pénibles à lire pour le roi; mais si ce fut, elles devaient regarder plutôt sa propre conduite que celle de sa première épouse... Non, rien ne tenait qui pût expliquer cette exécution, sinon la nature haineuse et meurtrière du nouveau roi, semblable assez à la nature de sa mère, la méchante boiteuse. Le vrai motif se révéla peu après, quand la charge de connétable fut donnée... vous savez bien à qui... eh oui! à Monsieur d'Espagne, avec une partie des biens du défunt, dont toutes les terres et possessions furent distribuées entre les familiers du roi. Ainsi le comte Jean d'Artois en eut grosse part: le comté d'Eu.

Les largesses de cette sorte font moins d'obligés qu'elles ne créent d'ennemis. Messire de Brienne avait foison de parents, d'amis, de vassaux, de serviteurs, toute une grande clientèle fort attachée à lui et qui aussitôt se mua en un réseau de mécontents. Comptez, en plus, des gens de l'entourage royal qui ne reçurent ni mie ni miette des dépouilles, et en furent jaloux et revêches...

Ah! Nous avons bonne vue, d'ici, sur Châlus et ses deux châteaux. Comme ces deux hauts donjons se répondent bien, qu'une mince rivière sépare! Et le pays est plaisant au regard, sous ces nuages qui courent bon train.

La Rue! La Rue, je ne me méprends point; c'est bien devant le châtel de droite, sur la colline, que messire Richard Cœur de Lion fut durement navré d'une flèche qui lui ôta la vie? Ce n'est point d'aujourd'hui que les gens de nos pays ont accoutumé d'être assaillis par l'Anglais, et de s'en défendre...

Non, La Rue, je ne suis point las; je m'arrête seulement pour contempler... Eh certes, oui, j'ai bon pas! Je vais cheminer encore un petit, et ma litière me reprendra plus avant. Rien ne nous presse trop. De Châlus à Limoges, si j'ai bon souvenir, il y a moins de neuf lieues. Trois heures et demie nous suffiront, sans forcer le trot... Soit! quatre heures. Laissez-moi profiter des derniers beaux jours que Dieu nous dispense. Je serai bien assez enfermé derrière mes rideaux quand viendra la pluie...

Je vous disais donc, Archambaud, la façon dont s'y prit le roi Jean pour se faire sa première corbeille d'ennemis, dans le sein même du royaume. Il résolut alors de se créer des amis, des féaux, des hommes tout à sa dévotion, liés à lui par un lien neuf, qui l'aideraient en guerre comme en paix, et qui feraient la gloire de son règne. Et pour ce, dès l'aube de l'an suivant, il fonda l'Ordre de l'Étoile auquel il donna pour objets l'exhaussement de la chevalerie et l'accroissement de l'honneur. Cette grande novelleté n'était point si neuve, puisque le roi Édouard d'Angleterre avait déjà institué la Jarretière. Mais le roi Jean se gaussait de cet ordre créé autour d'une jambe de femme ; l'Étoile serait tout autre chose. Vous pouvez noter là un trait constant chez lui. Il ne sait que copier, mais toujours en se donnant des airs d'inventer.

Cinq cents chevaliers, pas moins, qui devaient jurer sur les Saintes Écritures de ne jamais reculer d'un pied en bataille, ni jamais se rendre. Tant de sublime se devait d'être signalé par de visibles marques. Jean II ne lésina point sur l'ostentation ; et son Trésor, qui n'était déjà pas bien haut, se mit à fuir comme tonneau percé. Pour loger l'Ordre, il fit aménager la maison de Saint-Ouen, qu'on n'appela plus que la Noble Maison, tout emplie de meubles superbes, sculptés et ajourés, engravés d'ivoire et autres matières précieuses. Je n'ai point vu la Noble Maison, mais on me l'a dépeinte. Les murs y sont, ou plutôt y étaient, tendus de toiles d'or et d'argent, ou bien de velours semé d'étoiles et de fleurs de lis d'or. A tous les chevaliers, le roi fit faire une cotte de soie blanche, un surcot mi-partie blanc et vermeil, un chaperon vermeil orné d'un fermail d'or en forme d'étoile. Ils reçurent encore une bannière blanche brodée d'étoiles, et chacun aussi un riche anneau d'or et d'émail, pour montrer qu'ils étaient tous comme mariés au roi... ce qui portait à sourire. Cinq cents fermails, cinq cents bannières, cinq cents anneaux ; calculez la dépense ! Il paraît que le roi dessina et discuta chaque pièce de ce glorieux attirail. Il y croyait ferme, à son Ordre de l'Étoile ! Avec de si mauvais astres que les siens, il eût été mieux avisé de choisir un autre emblème.

Une fois l'an, selon la règle qu'il avait dictée, tous les chevaliers devaient se réunir en un grand festin où chacun donnerait récit de ses aventures héroïques, et des prouesses d'armes par lui accomplies dans l'année ; deux clercs en tiendraient registre et chronique. La Table Ronde allait revivre, et le roi Jean dépasser en renommée le roi Arthur de Bretagne ! Il édifiait de grands et vagues projets. On se mit à reparler de croisade...

La première assemblée de l'Étoile, convoquée pour le jour des Rois de 1352, fut passablement décevante. Les futurs preux n'avaient pas grands exploits à conter. Le temps leur avait manqué. Les janissaires fendus en deux, du casque à l'arçon de la selle, et les pucelles délivrées des geôles barbaresques, ce serait l'affaire d'une autre année. Les deux clercs commis à la chronique de l'Ordre n'eurent point à user beaucoup d'encre, à moins que saoulerie ne comptât pour exploit. Car la Noble Maison fut le lieu de la plus grosse beuverie qu'on eût vue en France depuis Dagobert. Les chevaliers blanc et vermeil s'engagèrent si fort au festin qu'avant l'entremets, criant, chantant, hurlant, ivres à rouler, ne quittant la table que pour courir pisser ou dégorger, revenant piquer aux plats, se lançant d'ardents défis à qui viderait le plus de hanaps, ils méritaient tout seulement d'être armés chevaliers de la ripaille. La belle vaisselle d'or, ouvragée pour eux, fut froissée ou brisée ; ils se la jetaient par-dessus les tables, comme des gamins, ou bien l'écrasaient de leurs poings. Des beaux meubles ajourés et incrustés, il ne resta que débris. L'ivresse dut faire croire à certains qu'ils étaient déjà en guerre, car ils s'employèrent céans à faire butin. Ainsi les draps d'or et d'argent qui pendaient au mur furent volés.

Or, ce jour même fut celui où les Anglais se saisirent de la citadelle de Guines, livrée par belle trahison, tandis que le capitaine qui commandait cette place festoyait à Saint-Ouen.

Le roi, de tout cela, eut gros dépit et commença de se complaire dans l'idée que ses plus valeureuses entreprises, par quelque sort funeste, étaient vouées à l'échec.

Peu de temps après survint le premier combat auquel des chevaliers de l'Étoile eurent à prendre part, non point dans un Orient fantastique, mais au coin d'un bois de Basse-Bretagne. Quinze d'entre eux, voulant prouver qu'ils étaient capables d'autres hauts faits que ceux du pichet, respectèrent leur serment de ne jamais reculer ni retraiter ; et plutôt que de se dégager à temps, comme gens sensés l'eussent fait, ils s'offrirent à être encerclés par un adversaire dont le nombre ne leur laissait nulle chance, même petite. Aucun ne revint pour conter cette prouesse. Mais les parents des chevaliers morts ne se privèrent point de dire que le nouveau roi avait l'esprit bien faussé pour imposer à ses bannerets un serment aussi fol, et que si tous devaient le tenir, il se retrouverait bientôt seul à son assemblée...

Ah ! voici ma litière... Vous préférez chevaucher à présent ?... Moi, je crois que je vais dormir un petit afin de me trouver frais à l'arrivée... Mais vous comprenez, Archambaud, pourquoi l'Ordre de l'Étoile n'a pas eu grande suite, et qu'on en parle de moins en moins, d'année en année.

VI

LES DÉBUTS DE CE ROI
QU'ON APPELLE LE MAUVAIS

Avez-vous noté, mon neveu, que partout où nous nous arrêtons, à Limoges aussi bien qu'à Nontron ou ailleurs, chacun nous demande nouvelles du roi de Navarre, comme si le sort du royaume dépendait de ce prince ? L'étrange situation, en vérité, que celle où nous sommes. Le roi de Navarre est prisonnier, dans un château d'Artois, de son cousin le roi de France. Le roi de France est prisonnier, dans un hôtel de Bordeaux, de son cousin le prince héritier d'Angleterre. Le Dauphin, héritier de France, se débat dans le palais de Paris, entre ses bourgeois agités et ses États généraux remontants. Or, c'est du roi de Navarre que tout le monde paraît s'inquiéter. Vous avez entendu l'évêque lui-même : «On disait le Dauphin fort ami de Monseigneur de Navarre. Ne va-t-il pas le libérer ?» Dieu Saint ! J'espère bien que non. Il a été fort avisé, ce jeune homme, de n'en rien faire jusqu'à présent. Et je m'inquiète de cette tentative d'évasion que des chevaliers du clan navarrais auraient montée pour délivrer leur chef. Elle a échoué ; il faut nous en féliciter. Mais tout porte à croire qu'ils voudront recommencer.

Oui, oui, j'ai appris bien des choses pendant notre arrêt à Limoges. Et je me dispose, dès notre arrivée ce soir à La Péruse, d'en écrire au pape.

Si c'était une grosse sottise de la part du roi Jean d'enfermer Monsieur de Navarre, c'en serait une égale aujourd'hui, pour le Dauphin, de le relâcher. Je ne connais pas de plus grand brouilleur que ce Charles qu'on appelle le Mauvais ; et ils se sont bien donné la main, à travers leur querelle, le roi Jean et lui, pour jeter la France dans son malheur présent. Vous savez d'où lui vient son surnom ? Des tout premiers mois de son règne. Il n'a point perdu de temps pour le gagner.

Sa mère, la fille de Louis Hutin, mourut, comme je vous le contais l'autre jour, durant l'automne de 49. Dans l'été de 1350, il alla se faire couronner en sa capitale de Pampelune, où jamais depuis sa naissance, à Évreux, dix-huit ans plus tôt, il n'avait mis les pieds. Voulant se faire connaître, il parcourut ses États, ce qui ne demandait point de longues courses ; puis il alla visiter ses voisins et parents, son beau-frère, le comte de Foix et de Béarn, celui qui se fait appeler Phœbus, et son autre beau-frère, le roi d'Aragon, Pierre le Cérémonieux, et également le roi de Castille.

Or, un jour qu'il était de retour à Pampelune et qu'il y passait un pont, à cheval, il rencontra une délégation de nobles navarrais qui venaient à lui, pour lui porter leurs doléances, parce qu'il avait laissé violer leurs droits et privilèges. Comme il refusait de les entendre, les autres s'échauffèrent un peu ; il fit alors saisir par ses soldats ceux qui criaient au plus près de lui, et ordonna qu'on les pendît dans l'instant aux arbres voisins, disant qu'il faut être prompt à punir si l'on veut être respecté.

J'ai remarqué que les princes trop hâtifs au châtiment capital obéissent souvent à des mouvements de peur. Ce Charles n'y fait pas exception, car je le crois plus courageux de paroles que de corps. C'est cette brutale pendaison, dont la Navarre fut endeuillée, qui lui valut d'être bientôt appelé par ses sujets *el malo*, le Mauvais. Il ne tarda pas, d'ailleurs, à s'éloigner de son royaume, dont il laissa le gouvernement à son plus jeune frère, Louis, qui n'avait alors que quinze ans, lui-même préférant revenir s'agiter à la cour de France en compagnie de son autre frère, Philippe.

Alors, me direz-vous, comment le parti navarrais peut-il être tellement nombreux et puissant si, en Navarre même, une part de la noblesse est opposée à son roi ? Eh ! mon neveu, c'est que ce parti est surtout composé des chevaliers normands du comté d'Évreux. Et ce qui rend Charles de Navarre si dangereux pour la couronne de France, plus encore que ses possessions au midi du royaume, ce sont celles qu'il tient, ou qu'il tenait, dans la proximité de Paris, telles les seigneuries de Mantes, Pacy, Meulan, ou Nonancourt, qui commandent les accès à la capitale pour tout le quart ouest du pays.

Cela, le roi Jean le comprit assez bien, ou on le lui fit comprendre ; et il donna, pour une rare fois, preuve de bon sens en s'efforçant à l'entente et à l'arrangement avec son cousin de Navarre. Par quel lien pouvait-il se l'attacher le mieux ? Par un mariage. Et quel mariage pouvait-on lui offrir qui le liât à la couronne aussi étroitement que l'union qui avait, pendant six mois, fait de sa sœur Blanche la reine de France ? Eh bien, le mariage avec l'aînée des filles du roi lui-même, la petite Jeanne de Valois. Elle n'avait que huit ans, mais c'était un parti qui valait bien d'attendre pour consommer. D'ailleurs Charles de

Navarre ne manquait pas de galante compagnie pour seconder sa patience. Entre autres, on sait une certaine demoiselle Gracieuse... oui, c'est son nom, ou celui qu'elle avoue... La petite Jeanne de Valois, elle, était déjà veuve, puisqu'on l'avait une première fois mariée, à l'âge de trois ans, avec un parent de sa mère que Dieu n'avait pas tardé à reprendre.

En Avignon, nous fûmes favorables à ces accordailles qui nous semblaient devoir assurer la paix. Car le contrat réglait toutes affaires pendantes entre ces deux branches de la famille de France, à commencer par celle du comté d'Angoulême depuis si longtemps promis à la mère de Charles, en échange de son renoncement à la Brie et à la Champagne, puis rééchangé contre Pontoise et Beaumont, mais sans qu'il y ait eu exécution. Cette fois, on revenait à l'accord premier; Navarre recevrait l'Angoumois ainsi que plusieurs grosses places et châtellenies qui constituaient la dot. Le roi Jean prenait grand air d'autorité pour charger de bienfaits son futur beau-fils. « Vous aurez ceci, je le veux; je vous donne cela, j'en ai dit... »

Navarre faisait plaisanterie, devant ses familiers, de ses liens nouveaux avec le roi Jean. « Nous étions cousins par naissance; nous fûmes sur le point d'être beaux-frères; mais son père ayant épousé ma sœur, je me suis trouvé son oncle; et voici qu'à présent, je vais devenir son gendre. » Mais tandis qu'on négociait le contrat, il s'entendait fort bien à grossir son lot. A lui-même il n'était point demandé d'apport, seulement une avance d'argent: cent mille écus dont le roi Jean était endetté auprès des marchands de Paris, et que Charles aurait la bonne grâce de rembourser. Il n'avait point, lui non plus, la liquidité de la somme; on la lui trouva chez les banquiers de Flandre auxquels il consentit à remettre en gage une partie de ses bijoux. C'était chose plus aisée pour le gendre du roi que pour le roi lui-même...

Ce fut à cette occasion, je m'en avise, que Navarre dut s'aboucher avec le prévôt Marcel... dont il faut également que j'écrive au pape, car les agissements présents de cet homme-là ne sont point sans m'inquiéter. Mais c'est une autre affaire...

Les cent mille écus furent reconnus à Navarre dans le contrat de mariage; ils devaient lui être versés par fractions, promptement. En outre, il fut fait chevalier de l'Étoile, et on lui laissa même espérer la charge de connétable, bien qu'il n'eût pas vingt ans accomplis. Le mariage fut célébré avec grand éclat et grande liesse.

Or, la belle amitié que se montraient le beau-père et le gendre fut bientôt brouillée. Qui la brouilla? L'autre Charles, Monsieur d'Espagne, le beau La Cerda, jaloux forcément de la faveur qui environnait Navarre, et inquiet d'en voir l'astre monter si haut dans le ciel de la cour. Charles de Navarre a ce travers commun à beaucoup de jeunes hommes... et dont je vous engage à vous défendre, Archambaud... qui est de parler trop quand la fortune leur sourit, et de ne point résister à faire de méchants mots. La Cerda ne manqua pas de rapporter au roi Jean les traits de son beau-fils, en les assaisonnant de sa sauce. « Il vous brocarde, mon cher Sire ; il se croit toutes paroles permises. Vous ne pouvez tolérer ces atteintes à votre majesté ; et si vous les tolérez, moi, pour l'amour de vous, je ne les puis supporter. » Et d'instiller poison dans la tête du roi, jour après jour. Navarre avait dit ci, Navarre avait fait ça ; Navarre se rapprochait trop du Dauphin ; Navarre intriguait avec tel officier du Grand Conseil. Il n'y a pas d'homme plus prompt que le roi Jean à entrer dans une mauvaise idée sur le compte d'autrui ; ni plus renâclant à en sortir. Il est tout ensemble crédule et buté. Rien n'est plus aisé que de lui inventer des ennemis.

Bientôt la lieutenance générale en Languedoc, dont Charles de Navarre avait été gratifié, lui fut retirée. Au profit de qui ? De Charles d'Espagne. Puis la charge de connétable, vacante depuis la décapitation de Raoul de Brienne, fut enfin attribuée, mais pas à Charles de Navarre, à Charles d'Espagne. Des cent mille écus qui devaient lui être remboursés, Navarre ne vit pas le premier, cependant que présents et bénéfices ruisselaient sur l'ami du roi. Enfin, enfin, le comté d'Angoulême, au mépris de tous les accords, fut donné à Monsieur d'Espagne, Navarre devant se contenter de nouveau d'une vague promesse d'échange.

Alors, entre Charles le Mauvais et Charles d'Espagne, ce fut d'abord le froid, puis la détestation, et bientôt la haine ouverte et avouée. Monsieur d'Espagne avait beau jeu de dire au roi : « Voyez comme j'étais dans le vrai, mon cher Sire ! Votre gendre, dont j'avais percé les mauvais desseins, s'insurge contre vos volontés. Il s'en prend à moi, parce qu'il voit que je vous sers trop bien. »

D'autres fois, il feignait de vouloir s'exiler de la cour, lui qui était au sommet de la faveur, si les frères Navarre continuaient de médire de lui. Il parlait comme une maîtresse : « Je m'en irai dans quelque lieu désert, hors de votre royaume, pour y vivre du souvenir de l'amour que vous m'avez montré. Ou pour y mourir ! Car loin de vous, l'âme me quittera le corps. » On lui vit verser des larmes, à cet étrange connétable !

Et comme le roi Jean avait la tête tout envahie de l'Espagnol, et qu'il ne voyait rien que par ses yeux, il mit beaucoup d'opiniâtreté à se faire un irréductible ennemi du cousin qu'il avait choisi pour gendre afin de s'assurer un allié.

Je vous l'ai dit : plus sot que ce roi-là on ne peut trouver, ni plus nuisible à soi-même... ce qui ne serait encore que de petit dommage s'il n'était du même coup si nuisible à son royaume.

La cour ne bruissait plus que de cette querelle. La reine, bien délaissée, se rencognait avec Madame d'Espagne... car il était marié, le connétable, un mariage de façade, avec une cousine du roi, Madame de Blois.

Les conseillers du roi, bien qu'ils fissent tous également mine d'aduler leur maître, étaient fort partagés, selon qu'ils pensaient bon de lier leur fortune à celle du connétable ou à celle du gendre. Et les luttes feutrées qui les opposaient étaient d'autant plus âpres que ce roi, qui voudrait faire paraître qu'il est seul à trancher de tout, a toujours abandonné à son entourage le soin des plus graves affaires.

Voyez-vous, mon cher neveu, on intrigue autour de tous les rois. Mais on ne conspire, on ne complote qu'autour des rois faibles, ou de ceux qu'un vice, ou encore les atteintes de la maladie, affaiblissent. J'aurais voulu voir qu'on conspirât autour de Philippe le Bel ! Personne n'y songeait, personne n'aurait osé. Ce qui ne veut point dire que les rois forts sont à l'abri des complots; mais alors, il y faut de vrais traîtres. Tandis qu'auprès des princes faibles, il devient naturel aux honnêtes gens eux-mêmes d'être comploteurs.

Un jour d'avant la Noël de 1354, en un hôtel de Paris, il s'échangea de si grosses paroles et insultes entre Charles d'Espagne et Philippe de Navarre que ce dernier tira sa dague et fut tout près, si on ne l'avait entouré, d'en frapper le connétable ! Ce dernier feignit de rire, et cria au jeune Navarre qu'il se fût montré moins menaçant s'il n'y avait eu tant de gens autour d'eux pour le retenir. Philippe n'est point aussi fin, mais il est plus enflammé au combat que son frère aîné. On ne le retira de la salle qu'il n'ait proféré qu'il tirerait prompte vengeance de l'ennemi de sa famille, et lui ferait ravaler son outrage. Ce qu'il accomplit, à deux semaines de là, dans la nuit de la fête des rois mages.

Monsieur d'Espagne allait visiter sa cousine, la comtesse d'Alençon. Il s'arrêta pour coucher à Laigle, dans une auberge dont le nom ne se laisse point oublier, l'auberge de la Truie-qui-file. Trop sûr du respect qu'inspiraient, pensait-il, sa charge et l'amitié du roi, il croyait n'avoir point de danger à craindre quand il cheminait par le royaume, et il n'avait pris avec lui que petite escorte. Or, le bourg de Laigle est sis dans le comté d'Évreux, à peu de lieues de cette ville où les frères d'Évreux-Navarre séjournaient en leur gros château. Avertis du passage du connétable, ils apprêtèrent à celui-ci une belle embûche.

Vers la minuit, vingt chevaliers normands, tous rudes seigneurs, le sire de Graville, le sire de Clères, le sire de Mainemares, le sire de Morbecque, le chevalier d'Aunay... eh oui ! le descendant d'un des galants de la tour de Nesle; il n'était point surprenant qu'on le retrouvât dans le parti Navarre... enfin, vous dis-je, une bonne vingtaine dont les noms sont connus, puisque le roi, à son malgré, dut leur donner par la suite des lettres de rémission... surgirent dans le bourg, sous la conduite de Philippe de Navarre, firent voler les portes de la Truie-qui-file, et se ruèrent au logement du connétable.

Le roi de Navarre n'était pas avec eux. Pour le cas où l'affaire aurait mal tourné, il avait choisi d'attendre à la lisière de la ville, auprès d'une grange, en compagnie des gardes-chevaux. Oh! je le vois, mon Charles le Mauvais, petit, vivace, entortillé dans son manteau comme une fumée d'enfer, et sautant de long en large sur la terre gelée, pareil au diable qui ne touche pas le sol. Il attend. Il regarde le ciel d'hiver. Le froid lui pince les doigts. Il a l'âme tordue à la fois de crainte et de haine. Il prête l'oreille. Il reprend son piétinement inquiet.

Survient alors Jean de Fricamps, dit Friquet, le gouverneur de Caen, son conseiller et son plus zélé monteur de machines, qui lui dit, tout hors d'haleine : «C'est chose faite, Monseigneur!»

Et puis Graville, Mainemares, Morbecque apparaissent, et Philippe de Navarre lui-même, et tous les conjurés. Là-bas, à l'auberge, le beau Charles d'Espagne, qu'ils ont tiré de dessous son lit où il avait pris refuge, est bien trépassé. Ils l'ont vilainement appareillé, à travers sa robe de nuit. On lui comptera quatre-vingts plaies au corps, quatre-vingts coups de lame. Chacun a voulu y plonger quatre fois son épée... Voilà, messire mon neveu, comment le roi Jean perdit son bon ami, et comment Monseigneur de Navarre entra en rébellion...

A présent, je vais vous prier de céder votre place à dom Francesco Calvo, mon secrétaire papal, avec lequel je veux m'entretenir avant que nous ne parvenions à l'étape.

VII

LES NOUVELLES DE PARIS

Comme je vais être, dom Calvo, fort affairé en arrivant à La Péruse, pour inspecter l'abbaye et voir si elle a été fort ravagée par les Anglais que je doive, pendant un an, exempter les moines, ainsi qu'ils me le demandent, de me verser mes bénéfices de prieur, je veux vous dire céans les choses à figurer dans ma lettre au Saint-Père. Je vous saurai gré de me préparer cette lettre dès que nous serons là-bas, avec toutes les belles tournures que vous avez coutume d'y mettre.

Il faut faire connaître au Saint-Père les nouvelles de Paris qui me sont parvenues à Limoges, et qui ne laissent pas de m'inquiéter.

En lieu premier, les agissements du prévôt des marchands de Paris, maître Étienne Marcel. J'apprends que ce prévôt fait depuis un mois construire fortifications et creuser fossés autour de la ville, au-delà des enceintes anciennes, comme s'il se préparait à soutenir un siège. Or, au point où nous en sommes des palabres de paix, les Anglais ne montrent point d'intention de faire peser menace sur Paris, et l'on ne comprend guère cette hâte à se fortifier. Mais outre cela, le prévôt a organisé ses bourgeois en corps de ville, qu'il arme et exerce, avec quarteniers, cinquanteniers et dizainiers pour assurer les commandements, tout à fait à l'image des milices de Flandre qui gouvernent elles-mêmes leurs cités ; il a imposé à Monseigneur le Dauphin, lieutenant du roi, d'agréer à la constitution de cette milice, et, de surcroît, alors que toutes taxes et tailles royales sont objet général de doléances et refus, il a, lui prévôt, afin d'équiper ses hommes, établi un impôt sur les boissons qu'il perçoit directement.

Ce maître Marcel qui naguère s'est bien enrichi à la fourniture du roi, mais qui a perdu depuis quatre ans cette fourniture et en a conçu un gros dépit, semble depuis le malheur de Poitiers vouloir se mêler de toutes choses au royaume. On aperçoit mal ses desseins, sauf celui de se rendre important ; mais il ne va guère dans le chemin de l'apaisement que souhaite notre Saint-Père. Aussi, mon pieux devoir est de conseiller au pape, s'il lui parvenait quelque demande de ce côté-là, de se montrer fort sourcilleux, et de ne donner aucun appui, ni même apparence d'appui, au prévôt de Paris et à ses entreprises.

Vous m'avez déjà compris, dom Calvo. Le cardinal Capocci est à Paris. Il pourrait bien, irréfléchi comme il l'est et ne manquant point une bévue, se croire très fort en nouant intrigue avec ce prévôt... Non, rien de précis ne m'a été rapporté ; mais mon nez me fait sentir une de ces voies torses dans lesquelles mon colégat ne manque jamais de s'engager...

En lieu second, je veux inviter le souverain pontife à se faire instruire par le menu des États généraux de la Langue d'oïl qui se sont clos à Paris au début de ce mois, et à porter la lumière de sa sainte attention sur les étrangetés qu'on y a vu se produire.

Le roi Jean avait promis de convoquer ces États au mois de décembre ; mais dans le grand émoi, désordre et accablement où s'est trouvé le royaume en conséquence de la défaite de Poitiers, le Dauphin Charles a cru sagement agir en avançant dès octobre la réunion. En vérité, il n'avait guère d'autre choix à faire pour affermir l'autorité qui lui échéait en cette malencontre, jeune comme il est, avec une armée toute dessoudée par les revers, et un Trésor en extrême pénurie.

Mais les huit cents députés de la Langue d'oïl, dont quatre cents bourgeois, ne délibérèrent pas du tout des points sur lesquels ils étaient invités à le faire.

L'Église a longue expérience des conciles qui échappent à ceux qui les ont assemblés. Je veux dire au pape que ces États ressemblent tout exactement à un concile qui s'égare et s'arroge de régenter de tout, et se rue à la réformation désordonnée en profitant de la faiblesse du suprême pouvoir.

Au lieu de s'affairer à la délivrance du roi de France, nos gens de Paris se sont d'emblée souciés de réclamer celle du roi de Navarre, ce qui montre bien de quel bord sont ceux qui les mènent.

Outre quoi, les huit cents ont nommé une commission de quatre-vingts qui s'est mise à besogner dans le secret pour produire une longue liste de remontrances où il y a un peu de bon et beaucoup de pire. D'abord, ils demandent la destitution et la mise en jugement des principaux conseillers du roi, qu'ils accusent d'avoir dilapidé les aides, et qu'ils tiennent pour responsables de la défaite...

Sur cela, je dois dire, Calvo... ce n'est pas pour la lettre, mais je vous ouvre ma pensée... les remontrances ne sont point tout à fait injustes. Parmi les gens auxquels le roi Jean a commis le gouvernement, j'en sais qui ne valent guère, et qui même sont de francs gredins. Il est naturel qu'on s'enrichisse dans les hautes charges, sinon personne n'en voudrait prendre la peine et les risques. Mais il faut se garder de franchir les limites de la déshonnêteté, et ne pas faire ses affaires aux dépens de l'intérêt public. Et puis surtout, il faut être capable. Or le roi Jean, étant peu capable lui-même, choisit volontiers des gens qui ne le sont point.

Mais à partir de là, les députés se sont mis à requérir choses abusives. Ils exigent que le roi, ou pour le présent son lieutenant le Dauphin, ne gouverne plus que par conseillers désignés par les trois États, quatre prélats, douze chevaliers, douze bourgeois. Ce Conseil aurait puissance de tout faire et ordonner, comme le roi le faisait avant, nommerait à tous offices, pourrait réformer la Chambre des comptes et toutes compagnies du royaume, déciderait du rachat des prisonniers, et encore de bien d'autres choses. En vérité, il ne s'agit de rien moins que de dépouiller le roi des attributs de la souveraineté.

Ainsi la direction du royaume ne serait plus exercée par celui qui a été oint et sacré selon notre sainte religion ; elle serait confiée à ce dit Conseil qui ne tirerait son droit que d'une assemblée bavarde, et n'opérerait que dans la dépendance de celle-ci. Quelle faiblesse et quelle confusion ! Ces prétendues réformations... vous m'entendez, dom Calvo ; j'insiste là-dessus, car il ne faut point que le Saint-Père puisse dire qu'il n'a pas été averti... ces prétendues réformations sont offense au bon sens, en même temps qu'elles fleurent l'hérésie.

Or, des gens d'Église, la chose est regrettable, penchent de ce côté-là, comme l'évêque de Laon, Robert Le Coq, lui aussi dans la disgrâce du roi, et pour cela tout abouché au prévôt. C'est l'un des plus véhéments.

Le Saint-Père doit bien voir que, derrière tous ces remuements, on trouve le roi de Navarre qui semble mener les choses du fond de sa prison, et qui les empirerait encore s'il les façonnait à l'air libre. Le Saint-Père, en sa grande sagesse, jugera donc qu'il lui faut se garder d'intervenir de la moindre façon pour que Charles le Mauvais, je veux dire Monseigneur de Navarre, soit relâché, ce que maintes suppliques venues de tous côtés doivent le prier de faire.

Pour ma part, usant de mes prérogatives de légat et nonce... vous m'écoutez, Calvo ?... j'ai commandé à l'évêque de Limoges d'être en ma suite pour se présenter à Metz. Il me rejoindra à Bourges. Et j'ai résolu d'en faire autant de tous autres évêques sur ma route, dont les diocèses ont été pillés et désolés par les chevauchées du prince de Galles, afin qu'ils en témoignent devant l'Empereur. Je serai ainsi renforcé pour représenter combien se révèle pernicieuse l'alliance qu'ont faite le roi navarrais et celui d'Angleterre...

Mais qu'avez-vous à regarder sans cesse au-dehors, dom Calvo ?... Ah ! c'est le balancement de ma litière qui vous tourne l'estomac ! Moi, j'y suis fort habitué, je dirais même que cela me stimule l'esprit ; et je vois que mon neveu, messire de Périgord, qui me fait souvent compagnie depuis notre départ, n'en est point du tout affecté... C'est vrai, vous avez la mine trouble. Bon, vous allez descendre. Mais n'oubliez rien de ce que je vous ai dit, quand vous prendrez vos plumes.

VIII

LE TRAITÉ DE MANTES

Où sommes-nous? Avons-nous passé Mortemart?... Pas encore! Eh bien, j'ai dormi un petit, ce me semble... Oh! comme le ciel s'assombrit, et comme les jours raccourcissent! Je rêvais, voyez-vous, mon neveu, je rêvais d'un prunier en fleur, un gros prunier tout blanc, tout rond, tout empli d'oiseaux, comme si chaque fleur chantait. Et le ciel était bleu, pareil au tapis de la Vierge. Une vision angélique, un vrai coin du paradis. L'étrange chose que les rêves! Avez-vous remarqué que, dans les Évangiles, il n'y a point de rêves relatés, à part celui de Joseph au début de saint Matthieu? C'est le seul. Alors que, dans l'Ancien Testament, les patriarches ont sans cesse des songes, dans le Nouveau, on ne rêve point. Je me suis souvent demandé pourquoi, sans pouvoir répondre... Cela ne vous avait pas frappé? C'est que vous n'êtes pas grand lecteur des saintes Écritures, Archambaud... Je vois là un bon sujet, pour nos savants docteurs de Paris ou d'Oxford, de disputer entre eux et de nous fournir de gros traités et discours, en un latin si épais que personne n'y entendrait plus goutte...

En tout cas, le Saint-Esprit m'a bien inspiré de faire l'écart par La Péruse. Vous avez vu ces bons frères bénédictins qui voulaient prendre avantage de la chevauchée anglaise pour ne point payer les commendes du prieur? Je leur ferai remplacer la croix d'émail et les trois calices de vermeil qu'ils se sont hâtés d'offrir aux Anglais, pour être saufs du pillage; et ils solderont leurs annuités.

Ils cherchaient tout benoîtement à se faire confondre avec les gens de l'autre rive de la Vienne, où les routiers du prince de Galles ont vraiment tout ravagé, pillé, grillé, comme nous l'avons bien vu ce matin, à Chirac ou à Saint-Maurice-des-Lions. Et surtout à l'abbaye de Lesterps où les chanoines réguliers se sont montrés vaillants. «Notre abbaye est fortifiée; nous la défendrons.» Et ils se sont battus ces chanoines, en hommes bons et braves, que l'on ne contraint pas.

Plusieurs ont péri dans l'affaire qui se sont conduits plus noblement que ne l'ont fait à Poitiers maints chevaliers de ma connaissance.

Si tous les gens de France avaient autant de cœur... Encore ont-ils trouvé moyen, ces honnêtes chanoines, dans leur couvent tout calciné, de nous offrir dîner si plantureux et si bien apprêté qu'il m'a porté au sommeil. Et avez-vous noté cet air de sainte gaieté qu'ils arboraient sur leur visage? «Nos frères ont été tués; Ils sont en paix; Dieu les a accueillis dans sa mansuétude... Il nous a laissés sur la terre? C'est pour que nous puissions y faire bonne œuvre... Notre couvent est à demi détruit? Voilà l'occasion de le refaire plus beau... »

Les bons religieux sont gais, mon neveu, sachez-le. Je me méfie des trop sévères jeûneurs, à mine longue, avec des yeux brûlants et rapprochés, comme s'ils avaient trop longtemps louché du côté de l'enfer. Ceux à qui Dieu fait le plus haut honneur qui soit en les appelant à son service ont une manière d'obligation de s'en montrer joyeux; c'est un exemple et une politesse qu'ils doivent aux autres mortels.

De même que les rois, puisque Dieu les a élevés au-dessus de tous les autres hommes, ont devoir de montrer toujours empire sur eux-mêmes. Messire Philippe le Bel qui était un parangon de vraie majesté condamnait sans qu'on lui vît de colère; et il portait le deuil sans larmes.

Dans l'occasion du meurtre de Monsieur d'Espagne, que je vous contais hier, le roi Jean fit bien apparaître, et de la plus pitoyable façon, qu'il était incapable d'imposer retenue à ses passions. La pitié n'est pas ce qu'un roi doit inspirer; mieux vaut qu'on le croie fermé à la douleur. Pendant quatre jours, le nôtre fut dans l'empêchement de prononcer un seul mot et de dire même s'il voulait manger ou boire. Il errait dans les chambres, l'œil tout rouge et noyé, ne reconnaissant personne, et s'arrêtant soudain pour sangloter. Il était vain de lui parler d'aucune affaire. L'ennemi eût-il envahi son palais qu'il se fût laissé prendre par la main. Il n'avait pas montré le quart de chagrin lorsqu'était morte la mère de ses enfants, Madame de Luxembourg, ce que le Dauphin Charles ne manqua point de relever. Ce fut même la première fois où on le vit marquer du mépris pour son père, allant jusqu'à lui dire qu'il n'était pas décent de s'abandonner ainsi. Mais le roi n'entendait rien.

Il ne sortit de son abattement que pour hurler. Hurler qu'on lui sellât céans son destrier, hurler qu'on rassemblât l'ost; hurler qu'il courait à Évreux faire justice, et que chacun aurait à trembler... Ses familiers eurent grand-peine à le ramener à la raison et à lui représenter que pour rassembler l'ost, même sans l'arrière-ban, il ne fallait pas moins d'un mois; que s'il voulait attaquer Évreux, il mettrait la Normandie en dissension; que, d'autre part, les trêves avec le roi d'Angleterre venaient à expiration, et que s'il prenait à ce dernier l'envie de profiter du désordre, le royaume pourrait se trouver en péril.

On lui remontra aussi que, peut-être, s'il avait respecté le contrat de mariage de sa fille et tenu son engagement de remettre Angoulême à Charles de Navarre, au lieu d'en faire don à son cher connétable...

Jean II ouvrait le bras et clamait: «Que suis-je donc, si je ne puis rien? Je vois bien qu'aucun de vous ne m'aime, et que j'ai perdu mon soutien.» Mais enfin, il resta en son hôtel, jurant Dieu que jamais il ne connaîtrait joie jusqu'à ce qu'il fût vengé.

Cependant, Charles le Mauvais ne demeurait pas inactif. Il écrivait au pape, il écrivait à l'Empereur, il écrivait à tous les princes chrétiens, leur expliquant qu'il n'avait pas voulu la mort de Charles d'Espagne, mais seulement s'en saisir pour les nuisances et outrages qu'il avait soufferts de lui; qu'on avait outrepassé ses ordres, mais qu'il prenait tout à son compte et couvrait ses parents, amis et serviteurs qui n'avaient été mus, dans le tumulte de Laigle, que par un trop grand zèle pour son bien.

Il se donnait ainsi, ayant monté le guet-apens comme un truand de grand chemin, les gants du chevalier.

Et surtout, il écrivait au duc de Lancastre, qui se trouvait à Malines, et au roi d'Angleterre lui-même. Nous eûmes connaissance de la teneur de ces lettres quand les choses s'embrouillèrent. Le Mauvais n'y allait pas par détours. «Si vous mandez à vos capitaines de Bretagne qu'ils soient prêts, sitôt que j'enverrai vers eux, à entrer en Normandie, je leur baillerai bonne et sûre entrée. Veuillez savoir, très cher cousin, que tous les nobles de Normandie sont avec moi à mort et à vie.» Par le meurtre de Monsieur d'Espagne, notre homme s'était mis en rébellion; à présent il progressait en trahison. Mais en même temps, il lançait sur le roi Jean les dames de Melun.

Vous ne savez pas qui l'on nomme ainsi?... Ah! voilà qu'il pleut. Il fallait s'y attendre; cette pluie menaçait depuis le départ. C'est maintenant que vous allez bénir ma litière, Archambaud, plutôt que d'avoir l'eau vous coulant dans le col, sous votre cotte hardie, et la boue vous crottant jusqu'aux reins...

Les dames de Melun? Ce sont les deux reines douairières, et puis Jeanne de Valois, la petite épouse de Charles, qui attend d'être nubile. Elles vivent toutes les trois au château de Melun, qu'on appelle pour cela le château des Trois Reines, ou encore la Cour des Veuves.

Il y a d'abord Madame Jeanne d'Évreux, la veuve du roi Charles IV et la tante de notre Mauvais. Oui, oui, elle vit toujours; elle n'est même point si vieille qu'on croit. A peine doit-elle avoir passé la cinquantaine; elle a quatre ou cinq ans de moins que moi. Il y a vingt-huit ans qu'elle est veuve, vingt-huit ans qu'elle est vêtue de blanc. Elle a partagé le trône seulement trois ans. Mais elle conserve de l'influence au royaume. C'est qu'elle est la doyenne, la dernière reine de la première race capétienne. Si, sur les trois couches qu'elle fit... trois filles, et dont une seule, la posthume, reste vivante... elle avait eu un garçon, elle eût été reine mère et régente. La dynastie a pris fin dans son sein. Quand elle dit : « Monseigneur d'Évreux, mon père... mon oncle Philippe le Bel... mon beau-frère Philippe le Long... » chacun se tait. Elle est la survivante d'une monarchie indiscutée, et d'un temps où la France était autrement puissante et glorieuse qu'aujourd'hui. Elle est comme une caution pour la nouvelle race. Alors, il y a des choses qu'on ne fait point, parce que Madame d'Évreux les désapprouverait.

En plus, on dit autour d'elle : « C'est une sainte. » Avouons qu'il suffit de peu de chose, quand on est reine, pour être regardée comme une sainte par une petite cour désœuvrée où la louange tient lieu d'occupation. Madame Jeanne d'Évreux se lève avant le jour ; elle allume elle-même sa chandelle pour ne pas déranger ses femmes. Puis elle se met à lire son livre d'heures, le plus petit du monde à ce qu'on assure, un présent de son époux qui l'avait commandé à un maître imagier, Jean Pucelle. Elle prie beaucoup et fait moult aumône. Elle a passé vingt-huit ans à répéter qu'elle n'avait point d'avenir, parce qu'elle n'avait pu enfanter un fils. Les veuves vivent d'idées fixes. Elle aurait pu peser davantage dans le royaume si elle avait eu de l'intelligence à proportion de sa vertu.

Ensuite, il y a Madame Blanche, la sœur de Charles de Navarre, la seconde femme de Philippe VI, qui n'a été reine que six mois, à peine le temps de s'habituer à porter couronne. Elle a la réputation d'être la plus belle femme du royaume. Je l'ai vue, naguère, et je ratifie volontiers ce jugement. Elle a vingt-quatre ans, à présent, et depuis six ans déjà elle se demande à quoi lui servent la blancheur de sa peau, ses yeux d'émail et son corps parfait. La nature l'eût dotée d'une moins splendide apparence, elle serait reine à présent, puisqu'elle était destinée au roi Jean ! Le père ne la prit pour lui que parce qu'il fut poignardé par sa beauté.

Après qu'elle eut, en une demi-année, fait passer son époux de la couche au tombeau, elle fut demandée en mariage par le roi de Castille, don Pedro, que ses sujets ont surnommé le Cruel. Elle fit répondre, un peu vite peut-être : « Une reine de France ne se remarie point. » On l'a fort louée de cette grandeur. Mais elle se demande à présent si ce n'est pas un bien lourd sacrifice qu'elle a consenti à sa magnificence passée. Le domaine de Melun est son douaire. Elle y fait de grands embellissements, mais elle peut bien changer à Noël et à Pâques les tapis et tentures qui composent sa chambre ; c'est toujours seule qu'elle y dort.

Enfin, il y a l'autre Jeanne, la fille du roi Jean, dont le mariage n'a eu pour effet que de précipiter les orages. Charles de Navarre l'a confiée à sa tante et à sa sœur, jusqu'à ce qu'elle ait l'âge de la consommation du lien. Celle-là est une petite calamité, comme peut l'être une gamine de douze ans, qui se souvient d'avoir été veuve à six ans, et qui se sait déjà reine sans occuper encore la place. Elle n'a rien d'autre à faire que d'attendre de grandir, et elle attend mal, rechignant à tout ce qu'on lui commande, exigeant tout ce qu'on lui refuse, poussant à bout ses dames suivantes et leur promettant mille tortures le jour qu'elle sera pubère. Il faut que Madame d'Évreux, qui ne plaisante point sur la conduite, lui allonge souvent une gifle.

Nos trois dames entretiennent à Melun et à Meaux... Meaux est le douaire de Madame d'Évreux... une illusion de cour. Elles ont chancelier, trésorier, maître de l'hôtel. De bien hauts titres pour des fonctions fort réduites. On a surprise de trouver là nombre de gens qu'on croyait morts, tant ils sont oubliés, sauf d'eux-mêmes. Vieux serviteurs rescapés des règnes précédents, vieux confesseurs de rois défunts, secrétaires gardiens de secrets éventés, hommes qui parurent puissants un moment parce qu'ils approchaient au plus près le pouvoir, ils piétinent dans leurs souvenirs en se donnant importance d'avoir pris part à des événements qui n'en ont plus. Quand l'un d'eux commence : « Le jour où le roi m'a dit... » il faut deviner de quel roi il s'agit, entre les six qui ont occupé le trône depuis l'orée du siècle. Et ce que le roi a dit, c'est ordinairement quelque confidence grave et mémorable, telle que : « Il fait beau temps, aujourd'hui, Gros-Pierre... »

Aussi, quand survient une affaire comme celle du roi de Navarre, c'est presque une aubaine pour la Cour des Veuves, soudain réveillée de ses songes. Chacun de s'émouvoir, de bruire, de s'agiter... Ajoutons que, pour les trois reines, Monseigneur de Navarre est, entre tous les vivants, le premier dans leurs pensées. Il est le neveu bien-aimé, le frère chéri, l'époux adoré. On aurait beau leur dire qu'en Navarre on l'appelle le Mauvais ! Il fait tout, au demeurant, pour leur paraître aimable, les comblant de présents, venant souvent les visiter... du moins tant qu'il n'était pas emmuré... les égayant de ses récits, les entretenant de ses démêlés, les passionnant pour ses entreprises, charmeur comme il peut l'être, jouant le respectueux avec sa tante, l'affectueux auprès de sa sœur, et l'amoureux devant sa fillette d'épouse, tout cela par bon calcul, pour les tenir comme pièces dans son jeu.

Après l'assassinat du connétable, et dès que le roi Jean parut un peu calmé, elles s'en vinrent ensemble à Paris, à la demande de Monseigneur de Navarre.

La petite Jeanne de Valois, se jetant aux pieds du roi, lui récita d'un bon air la leçon qu'on lui avait enseignée : « Sire mon père, il ne se peut que mon époux ait commis aucune traîtrise contre vous. S'il a mal agi, c'est que des traîtres l'ont abusé. Je vous conjure pour l'amour de moi de lui pardonner. »

Madame d'Évreux, toute pénétrée de tristesse et de l'autorité que son âge lui confère, dit : « Sire mon cousin, comme la plus ancienne qui porta la couronne en ce royaume, j'ose vous conseiller et vous prier de vous accommoder à mon neveu. S'il s'est acquis des torts envers vous, c'est que certains qui vous servent en eurent envers lui et qu'il a pu croire que vous l'abandonniez à ses ennemis. Mais lui-même ne nourrit à votre endroit, je vous l'assure, que des pensées de bonne et loyale affection. Ce serait vous nuire à tous deux que de poursuivre cette discorde... »

Madame Blanche ne dit rien du tout. Elle regarda le roi Jean. Elle sait qu'il ne peut pas oublier qu'elle devait être sa femme. Devant elle, cet homme haut et lourd, si tranchant en son ordinaire, devient tout hésitant. Ses yeux la fuient, sa parole s'embarrasse. Et toujours en sa présence, il décide le contraire de ce qu'il croit vouloir.

Aussitôt après cette entrevue, il désigna le cardinal de Boulogne, l'évêque de Laon, Robert Le Coq, et Robert de Lorris, son chambellan, pour négocier avec son gendre et lui faire bonne paix. Il prescrivit que les choses fussent menées rondement. Elles le furent en vérité puisque, une semaine avant la fin de février, les négociateurs des deux parties signèrent accord, à Mantes. Jamais, de ma mémoire, on ne vit traité si aisément obtenu et hâtivement conclu.

Le roi Jean fit bien montre, en l'occasion, de ses bizarreries de caractère et de son peu de suite aux affaires. Le mois précédent, il ne songeait qu'à saisir et occire Monseigneur de Navarre ; à présent, il consentait à tout ce que celui-ci souhaitait. Venait-on lui dire que son gendre réclamait le Clos de Cotentin, avec Valognes, Coutances et Carentan ? Il répondait : « Donnez-lui, donnez-lui ! » La vicomté de Pont-Audemer et celle d'Orbec ? « Donnez, puisqu'on veut que je m'accorde à lui. » Ainsi Charles le Mauvais reçut-il également le gros comté de Beaumont, avec les châtellenies de Breteuil et de Conches, tout cela qui avait constitué autrefois la pairie du comte Robert d'Artois. Belle revanche, *post mortem*, pour Marguerite de Bourgogne ; son petit-fils reprenait les biens de l'homme qui l'avait perdue. Comte de Beaumont ! Il exultait, le jeune Navarre. Lui-même, par ce traité, ne cédait presque rien ; il rendait Pontoise, et puis il confirmait solennellement qu'il renonçait à la Champagne, ce qui était chose établie depuis plus de vingt-cinq ans.

De l'assassinat de Charles d'Espagne, on ne parlerait plus. Ni châtiment, même des comparses, ni réparation. Tous les complices de la Truie-qui-file, et qui dès lors n'hésitèrent plus à se nommer, reçurent des lettres de quittance et rémission.

Ah ! ce traité de Mantes ne fut pas pour grandir l'image du roi Jean. « On lui tue son connétable ; il donne la moitié de la Normandie. Si on lui tue son frère ou son fils, il donnera la France. » Voilà ce que les gens disaient.

Le petit roi de Navarre, lui, ne s'était pas montré malhabile. Avec Beaumont, en plus de Mantes et d'Évreux, il pouvait isoler Paris de la Bretagne ; avec le Cotentin, il tenait des voies directes vers l'Angleterre.

Aussi, quand il vint à Paris pour prendre son pardon, c'était lui qui avait l'air de l'accorder.

Oui ; que dis-tu, Brunet ?... Oh ! cette pluie ! Mon rideau est tout trempé... Nous arrivons à Bellac ? Fort bien. Ici au moins nous sommes assurés d'un gîte confortable, et l'on y serait sans excuse de ne pas nous faire grande réception. La chevauchée anglaise a épargné Bellac, d'ordre du prince de Galles, parce que c'est le douaire de la comtesse de Pembroke, qui est une Châtillon-Lusignan. Les hommes de guerre vous ont de ces gentillesses...

Je vous achève, mon neveu, l'histoire du traité de Mantes. Le roi de Navarre parut donc à Paris comme s'il avait gagné bataille, et le roi Jean, à l'effet de le recevoir, tint séance du Parlement, les deux reines veuves assises à ses côtés. Un avocat du roi vint s'agenouiller devant le trône... oh ! tout cela avait grand air... « Mon très redouté Seigneur, Mesdames les reines Jeanne et Blanche ont entendu que Monsieur de Navarre est en votre malgrâce et vous supplient de lui pardonner... »

Sur ce, le nouveau connétable, Gautier de Brienne, duc d'Athènes... oui, un cousin de Raoul, l'autre branche des Brienne ; cette fois, on n'avait pas choisi un jeunôt... s'en alla prendre Navarre par la main... « Le roi vous pardonne, pour l'amitié des reines, de bon cœur et de bonne volonté. »

A quoi, le cardinal de Boulogne eut charge d'ajouter bien haut : « Qu'aucun du lignage du roi ne s'aventure désormais à recommencer car, fût-il fils du roi, il en sera fait justice. »

Belle justice, en vérité, dont chacun riait sous cape. Et devant toute la cour, le beau-père et le gendre s'embrassèrent. Je vous conterai la suite demain.

IX

LE MAUVAIS EN AVIGNON

Pour bien vous dire le vrai, mon neveu, je préfère ces églises de jadis, comme celle du Dorat où nous venons de passer, aux églises qu'on nous fait depuis cent cinquante ou deux cents ans, qui sont des prouesses de pierre, mais où l'ombre est si dense, les ornements si profus et souvent si effrayants, que l'on s'y sent le cœur serré d'angoisse, autant que si l'on était perdu dans la nuit au milieu de la forêt. Ce n'est pas bien vu, je le sais, que d'avoir mon goût; mais c'est le mien et je m'y tiens. Peut-être me vient-il de ce que j'ai grandi dans notre vieux château de Périgueux, planté sur un monument de l'antique Rome, tout près de notre Saint-Front, tout près de notre Saint-Étienne, et que j'aime à retrouver les formes qui me les rappellent, ces beaux piliers simples et réguliers et ces hauts cintres bien arrondis sous lesquels la lumière se répand aisément.

Les anciens moines s'entendaient à bâtir de ces sanctuaires dont la pierre semble doucement dorée tant le soleil y pénètre à foison, et où les chants, sous les hautes voûtes qui figurent le toit céleste, s'enflent et s'envolent magnifiquement comme voix d'anges au paradis.

Par grâce divine, les Anglais, s'ils ont pillé le Dorat, n'ont point assez détruit ce chef-d'œuvre entre les chefs-d'œuvre pour qu'on ait à le reconstruire. Sinon je gage que nos architectes du nord se seraient plu à monter quelque lourd vaisseau de leur façon, appuyé sur des pattes de pierre comme un animal fantastique, et où lorsqu'on y pénètre on croirait tout juste que la maison de Dieu est l'antichambre de l'enfer. Et ils auraient remplacé l'ange de cuivre doré, au sommet de la flèche, qui a donné son nom à la paroisse... eh oui, *lou dorat...* par un diable fourchu et bien grimaçant...

L'enfer... Mon bienfaiteur, Jean XXII, mon premier pape, n'y croyait pas, ou plutôt il professait qu'il était vide. C'était aller un peu loin. Si les gens n'avaient plus à redouter l'enfer, comment pourrait-on en tirer aumônes et pénitences, pour rachat de leurs péchés? Sans l'enfer, l'Église pourrait fermer boutique. C'était lubie de grand vieillard. Il nous fallut obtenir qu'il se rétractât sur son lit de mort. J'étais là...

Oh! mais le temps fraîchit vraiment. On sent bien que dans deux jours nous entrons en décembre. Un froid mouillé, le pire.

Brunet! Aymar Brunet, vois donc, mon ami, s'il n'y a point dans le char aux vivres un pot de braises à placer dans ma litière. Les fourrures n'y suffisent plus, et si nous continuons de la sorte, c'est un cardinal tout grelottant qui va sortir à Saint-Benoît-du-Sault. Là aussi, m'a-t-on dit, l'Anglais a fait ravage... Et s'il n'y a point de braises à suffisance dans le chariot du queux, car il m'en faut plus que pour tenir tiède un ragoût, qu'on aille en quérir au premier hameau que nous traverserons... Non, je n'ai point besoin de maître Vigier. Laissez-le cheminer son train. Dès qu'on appelle mon médecin à ma litière, toute l'escorte imagine que je suis à l'agonie. Je me porte à merveille. J'ai besoin de braises, voilà tout...

Alors vous voulez savoir, Archambaud, ce qui s'ensuivit du traité de Mantes, dont je vous ai fait récit hier... Vous êtes bon écouteur, mon neveu, et c'est plaisir que de vous instruire de ce que l'on sait. Je vous soupçonne même de prendre quelques notes d'écrit quand nous parvenons à l'étape; n'est-ce pas vrai?... Bon, j'ai bien jugé. Ce sont les seigneurs du nord qui se donnent de la grandeur à être plus ignorants que des ânes, comme si lire et écrire étaient emploi de petit clerc, ou de pauvre. Il leur faut un serviteur pour connaître le moindre billet qu'on leur adresse. Nous, dans le midi du royaume, qui avons toujours été frottés de romanité, nous ne méprisons pas l'instruction. Ce qui nous donne l'avantage dans bien des affaires.

Ainsi vous notez. C'est bonne chose. Car, pour ma part, je ne pourrai guère laisser témoignage de ce que j'ai vu et de ce que j'ai fait. Toutes mes lettres et écritures sont ou seront versées aux registres de la papauté pour n'en sortir jamais, comme il est de règle. Mais vous serez là, Archambaud, qui pourrez, au moins sur les affaires de France, dire ce que vous savez, et rendre justice à ma mémoire si certains, comme je ne doute pas que le ferait le Capocci... Dieu veuille seulement me garder sur terre un jour de plus que lui... entreprenaient d'y attenter.

Donc, très vite après le traité de Mantes où il s'était montré si inexplicablement généreux à l'endroit de son gendre, le roi Jean accusa ses négociateurs, Robert Le Coq, Robert de Lorris et même l'oncle de sa femme, le cardinal de Boulogne, de s'être laissé acheter par Charles de Navarre.

Soit dit entre nous, je crois qu'il n'était pas hors de la vérité. Robert Le Coq est un jeune évêque brûlé d'ambition, qui excelle à l'intrigue, qui s'en délecte, et qui a très vite aperçu l'intérêt qu'il pouvait avoir à se rapprocher du Navarrais, au parti duquel d'ailleurs, depuis sa brouille avec le roi, il s'est ouvertement rallié. Robert de Lorris, le chambellan, est certainement dévoué à son maître ; mais il est d'une famille de banque où l'on ne résiste jamais à rafler quelques poignées d'or au passage. Je l'ai connu, ce Lorris, quand il est venu en Avignon, voici dix ans à peu près, négocier l'emprunt de trois cent mille florins que le roi Philippe VI fit au pape d'alors. Je me suis, pour ma part, contenté honnêtement de mille florins pour l'avoir abouché avec les banquiers de Clément VI, les Raimondi d'Avignon et les Mattei de Florence ; mais lui, il s'est plus largement servi. Quant à Boulogne, tout parent qu'il est au roi...

J'entends bien qu'il est constant que nous soyons, nous, cardinaux, justement récompensés de nos interventions au profit des princes. Nous ne pourrions autrement suffire à nos charges. Je n'ai jamais fait secret, et même j'en tire honneur, d'avoir reçu vingt-deux mille florins de ma sœur de Durazzo pour le soin que j'ai pris, il y a vingt ans... déjà vingt ans !... de ses affaires ducales qui étaient bien compromises. Et l'an dernier, pour la dispense nécessaire au mariage de Louis de Sicile avec Constance d'Avignon, j'ai été remercié par cinq mille florins. Mais jamais je n'ai rien accepté que de ceux qui remettaient leur cause à mon talent ou à mon influence. La déshonnêteté commence quand on se fait payer par l'adversaire. Et je pense bien que Boulogne n'a pas résisté à cette tentation. Depuis lors, l'amitié est fort refroidie entre lui et Jean II.

Lorris, après un peu d'éloignement, est rentré en grâce, comme il en va toujours avec les Lorris. Il s'est jeté aux pieds du roi, le dernier Vendredi saint, a juré de sa parfaite loyauté, et rejeté toutes duplicités ou complaisances sur le dos de Le Coq, lequel est demeuré dans la brouille et banni de la cour.

C'est chose avantageuse que de désavouer les négociateurs. On peut en prendre argument pour ne pas exécuter le traité. Ce que le roi ne se priva point de faire. Quand on lui représentait qu'il eût pu mieux contrôler ses députés, et céder moins qu'il ne l'avait fait, il répondait, irrité : « Traiter, débattre, argumenter ne sont point affaires de chevalier. » Il a toujours affecté de tenir en mépris la négociation et la diplomatique, ce qui lui permet de renier ses obligations.

En fait, il n'avait tant promis que parce qu'il escomptait bien ne rien tenir.

Mais, dans le même temps, il environnait son gendre de mille courtoisies feintes, le voulant sans cesse auprès de lui à la cour, et non seulement lui, mais son cadet, Philippe, et même le puîné, Louis, qu'il insistait fort à faire revenir de Navarre. Il se disait le protecteur des trois frères et engageait le Dauphin à leur prodiguer amitié.

Le Mauvais ne se soumettait pas sans arrogance à tant d'excessives prévenances, tant d'incroyable sollicitude, allant jusqu'à dire au roi, en pleine table : « Avouez que je vous ai rendu bon service en vous débarrassant de Charles d'Espagne, qui voulait tout régenter au royaume. Vous ne le dites point, mais je vous ai soulagé. » Vous imaginez combien le roi Jean goûtait de telles gentillesses.

Et puis un jour de l'été qu'il y avait fête au palais, et que Charles de Navarre s'y rendait en compagnie de ses frères, il vit venir à lui, se hâtant, le cardinal de Boulogne qui lui dit : « Rebroussez chemin et rentrez en votre hôtel, si vous tenez à la vie. Le roi a résolu de vous faire occire tout à l'heure, les trois que vous êtes, pendant la fête. »

La chose n'était point imaginaire, ni déduite de vagues rumeurs. Le roi Jean en avait décidé ainsi, le matin même, dans son Conseil étroit auquel Boulogne assistait... « J'ai attendu pour ce faire que les trois frères fussent assemblés, car je veux qu'on les occise tous les trois afin qu'il ne reste plus rejetons mâles de cette mauvaise race. »

Pour ma part, je ne blâme point Boulogne d'avoir averti les Navarre, même si cela devait accréditer qu'il leur était vendu. Car un prêtre de la sainte Église... et qui plus est un membre de la curie pontificale, un frère du pape dans le Seigneur... ne peut entendre de sang-froid qu'on va perpétrer un triple meurtre, et accepter qu'il s'accomplisse sans rien avoir tenté. C'était s'y laisser associer, en quelque sorte, par le silence. Qu'avait donc le roi Jean besoin de parler devant Boulogne ? Il n'avait qu'à aposter ses sergents... Mais non, il s'est cru habile. Ah ! ce roi-là quand il veut faire le finaud ! Il n'a jamais su voir trois coups d'échecs en avant. Sans doute pensait-il que lorsque le pape lui ferait remontrance d'avoir ensanglanté son palais, il aurait beau jeu de répondre : « Mais votre cardinal était là, qui ne m'a point désapprouvé. » Boulogne n'est pas perdreau de la dernière couvée, qu'on amène à donner dans de si gros panneaux.

Charles de Navarre, ainsi averti, se retira donc très hâtivement vers son hôtel où il fit apprêter son escorte. Le roi Jean, ne voyant point paraître les trois frères à sa fête, les envoya quérir, fort impérativement. Mais son messager ne reçut pour réponse que le pet des chevaux, car juste à ce moment les Navarre tournaient bride vers la Normandie.

Le roi Jean entra alors dans un vif courroux où il cacha son dépit en faisant l'offensé. « Voyez ce mauvais fils, ce félon qui se refuse à l'amitié de son roi et qui de lui-même s'exile de ma cour ! Il doit avoir à celer de bien méchants desseins. »

Et de cela il prit prétexte pour proclamer qu'il suspendait l'effet du traité de Mantes, qu'il n'avait jamais commencé d'exécuter.

Ce qu'apprenant, Charles renvoya son frère Louis en Navarre et dépêcha son frère Philippe en Cotentin afin d'y lever des troupes, lui-même ne restant guère à Évreux.

Car dans le même temps notre Saint-Père, le pape Innocent, avait décidé d'une conférence en Avignon... la troisième, la quatrième, ou plutôt la même toujours recommencée... entre les envoyés des rois de France et d'Angleterre pour négocier, non plus d'une trêve reconduite, mais d'une paix vraie et définitive. Innocent voulait cette fois, disait-il, mener à succès l'œuvre de son prédécesseur et il se flattait de réussir là où Clément VI avait échoué. La présomption, Archambaud, se loge même au cœur des pontifes...

Le cardinal de Boulogne avait présidé les négociations antérieures ; Innocent le reconduisit en cet office. Boulogne avait toujours été suspect, comme je l'étais également, au roi Édouard d'Angleterre qui l'estimait trop proche des intérêts de la France. Or, depuis le traité de Mantes et la fuite de Charles le Mauvais, il était suspect aussi au roi Jean. A cause de cela peut-être, Boulogne mena la rencontre mieux qu'on ne l'attendait ; il n'avait personne à ménager. Il s'entendit assez bien avec les évêques de Londres et de Norwich et surtout avec le duc de Lancastre, qui est un bon homme de guerre et un seigneur véritable. Et moi-même, en retrait, je mis la main à l'œuvre. Le petit Navarrais dut avoir vent...

Ah ! voici la braise ! Brunet, glisse le pot sous mes robes. Il est bien clos au moins, que je ne m'aille pas brûler ! Oui, cela va bien...

Donc Charles de Navarre dut avoir vent que l'on progressait vers la paix, ce qui certes n'eût pas arrangé ses affaires, car un beau jour de novembre... il y a tout juste deux ans... le voilà qui surgit en Avignon, où nul ne l'attendait.

C'est en cette occasion que je le vis pour la première fois. Vingt-quatre ans, mais n'en paraissant pas plus de dix-huit à cause de sa petite taille, car il est bref, vraiment très bref, le plus petit des rois d'Europe ; mais si bien pris dans sa personne, si droit, si leste, si vif que l'on ne songe pas à s'aviser de ce défaut. Avec cela un charmant visage que ne dépare point un nez un peu fort, de beaux yeux de renard, aux coins déjà plissés en étoile par la malice. Son dehors est si affable, ses façons si polies et légères à la fois, sa parole si aisée, coulante et imprévue, il est si prompt au compliment, il passe si prestement de la gravité à la badinerie et de l'amusaille au grand sérieux, enfin il paraît si disposé à montrer de l'amitié aux gens que l'on comprend que les femmes lui résistent si peu, et que les hommes se laissent si bien embobeliner par lui. Non, vraiment, je n'ai jamais ouï plus vaillant parleur que ce petit roi-là ! On oublie, à l'entendre, la mauvaiseté qui se cache sous tant de bonne grâce, et qu'il est déjà bien endurci dans le stratagème, le mensonge et le crime. Il a un primesaut qui le fait pardonner de ses noirceurs secrètes.

Son affaire, quand il parut en Avignon, n'était pas des meilleures. Il était en insoumission au regard du roi de France qui s'employait à saisir ses châteaux, et il avait fort blessé le roi d'Angleterre en signant le traité de Mantes sans même l'en avertir. « Voilà un homme qui m'appelle à son aide, et me propose bonne entrée en Normandie. Je fais mouvoir pour lui mes troupes de Bretagne ; j'en apprête d'autres à débarquer ; et quand il s'est rendu assez fort, par mon appui, pour intimider son adversaire, il traite avec lui sans m'en prévenir... A présent, qu'il s'adresse à qui bon lui plaira ; qu'il s'adresse au pape... »

Eh bien, c'était justement au pape que Charles de Navarre venait s'adresser. Et après une semaine, il avait retourné tout le monde en sa faveur.

En présence du Saint-Père, et devant plusieurs cardinaux dont j'étais, il jure qu'il. ne veut rien tant qu'être réconcilié avec le roi de France, y mettant tout le cœur qu'il faut pour que chacun le croie. Auprès des délégués de Jean II, le chancelier Pierre de La Forêt et le duc de Bourbon, il va même plus loin, leur laissant entendre que, pour prix de la bonne amitié qu'il veut restaurer, il pourrait aller lever des troupes en Navarre afin d'attaquer les Anglais en Bretagne ou sur leurs propres côtes.

Mais dans les jours suivants, ayant fait mine de sortir de la ville avec son escorte, il y revient de nuit, plusieurs fois et à la dérobée, pour conférer avec le duc de Lancastre et les émissaires anglais. Il abritait ses secrètes rencontres tantôt chez Pierre Bertrand, le cardinal d'Arras, tantôt chez Guy de Boulogne lui-même. J'en ai d'ailleurs fait reproche plus tard à Boulogne, qui tirait un peu trop sa paille aux deux mangeoires. « Je voulais savoir ce qu'ils manigançaient, m'a-t-il répondu. En prêtant ma maison, je pouvais les faire écouter par mes espies. » Ses espies devaient être fort sourds, car il n'a rien su du tout, ou feint de ne rien savoir. S'il n'était pas dans la connivence, alors c'est que le roi de Navarre lui a tiré le mouchoir de dessous le nez.

Moi, j'ai su. Et vous plaît-il de connaître, mon neveu, comment Navarre s'y prit pour se gagner Lancastre ? Eh bien ! il lui proposa tout fièrement de reconnaître le roi Édouard d'Angleterre pour roi de France. Rien moins que cela. Ils allèrent même si avant en besogne qu'ils projetèrent un traité de bonne alliance.

Premier point : Navarre, donc, eût reconnu en Édouard le roi de France. Second point : ils convenaient de conduire ensemble la guerre contre le roi Jean. Troisième point : Édouard reconnaissait à Charles de Navarre le duché de Normandie, la Champagne, la Brie, Chartres, et aussi la lieutenance du Languedoc, en plus, bien sûr, de son royaume de Navarre et du comté d'Évreux. Autant dire qu'ils se partageaient la France. Je vous passe le reste.

Comment ai-je eu connaissance de ce projet ? Ah ! je puis vous dire qu'il fut noté de la propre main de l'évêque de Londres qui accompagnait messire de Lancastre. Mais ne me demandez point qui m'en a instruit un peu plus tard. Souvenez-vous que je suis chanoine de la cathédrale d'York et que, si mal en cour que je sois outre-Manche, j'y ai conservé quelques intelligences.

Point n'est besoin de vous assurer que si l'on avait eu d'abord quelques chances de progresser vers une paix entre la France et l'Angleterre, elles furent toutes minées par le passage du sémillant petit roi.

Comment les ambassadeurs auraient-ils voulu plus avant s'accorder quand chacune des deux parties se croyait encouragée à la guerre par les promesses de Monseigneur de Navarre ? A Bourbon, il disait : « Je parle à Lancastre, mais je lui mens pour vous servir. » Puis il venait chuchoter à Lancastre : « Certes, j'ai vu Bourbon, pour le tromper. Je suis votre homme. » Et l'admirable, c'est que les deux le croyaient.

Si bien que lorsque vraiment il s'éloigna d'Avignon pour gagner les Pyrénées, des deux côtés on était convaincu, tout en prenant bien soin de n'en rien dire, de voir partir un ami.

La conférence entra dans l'aigreur ; on ne se concédait plus rien. Et la ville entra dans la torpeur. Pendant trois semaines on n'avait rien fait que de s'occuper de Charles le Mauvais. Le pape lui-même surprit en redevenant morose et geignard ; le méchant charmeur un moment l'avait distrait...

Ah ! me voilà réchauffé. A vous, mon neveu ; tirez le pot de braise devers vous, et vous dégourdissez un peu.

X

LA MAUVAISE ANNÉE

Vous dites bien, vous dites bien, Archambaud, et je ressens comme vous. Voilà dix jours seulement que nous sommes partis de Périgueux, et c'est comme si nous courions depuis un mois. Le voyage allonge le temps. Ce soir nous coucherons à Châteauroux. Je ne vous cache point que je ne serai pas fâché, demain, d'arriver à Bourges, si Dieu le veut, et de m'y reposer, trois grands jours pour le moins, et peut-être quatre. Je commence à être un peu las de ces abbayes où l'on nous sert maigre chère et où l'on bassine à peine mon lit, pour bien me donner à entendre qu'on est ruiné par le passage de la guerre. Qu'ils ne croient pas, ces petits abbés, que c'est en me faisant jeûner et dormir au vent coulis qu'ils gagneront d'être exemptés de finances!... Et puis les hommes d'escorte ont besoin de repos, eux aussi, et de réparer les harnois, et de sécher leurs habits. Car cette pluie n'arrange rien. A écouter mes bacheliers éternuer autour de ma litière, je gage que plus d'un va occuper son séjour de Bourges à se soigner à la cannelle, à la girofle et au vin chaud. Pour moi, je ne pourrai guère muser. Dépouiller le courrier d'Avignon, dicter mes missives en retour...

Peut-être vous surprenez-vous, Archambaud, des paroles d'impatience qu'il m'arrive de laisser échapper au sujet du Saint-Père. Oui, j'ai le sang vif, et montre un peu trop mes dépits. C'est qu'il m'en donne gros à mâcher. Mais croyez que je ne me prive guère de lui remontrer à lui-même ses sottises. Et c'est plus d'une fois qu'il m'est arrivé de lui dire : « Veuille la grâce de Dieu, Très Saint-Père, vous éclairer sur la bourde que vous venez de commettre. »

Ah! si les cardinaux français ne s'étaient pas soudain butés sur l'idée qu'un homme né comme nous le sommes ne convenait point... l'humilité, il fallait être né dans l'humilité... et que d'autre part les cardinaux italiens, le Capocci et les autres, avaient été moins obstinés sur le retour du Saint-Siège à Rome... Rome, Rome! Ils ne voient que leurs États d'Italie; le Capitole leur cache Dieu.

Ce qui m'enrage le plus, chez notre Innocent, c'est sa politique à l'endroit de l'Empereur. Avec Pierre Roger, je veux dire Clément VI, nous nous sommes arc-boutés six ans pour que l'Empereur ne fût point couronné. Qu'il fût élu, fort bien. Qu'il gouvernât, nous y consentions. Mais il fallait conserver son sacre en réserve tant qu'il n'aurait pas souscrit aux engagements que nous voulions qu'il prît. Je savais trop bien que cet Empereur-là, au lendemain de l'onction, nous causerait déboires.

Là-dessus, notre Aubert coiffe la tiare et commence à chantonner: «Concilions, concilions.» Et au printemps de l'année passée, il parvient à ses fins. «L'Empereur Charles IV sera couronné; je l'ordonne!», finit-il par me dire. Le pape Innocent est de ces souverains qui ne se découvrent d'énergie que pour battre en retraite. Nous avons foison de ces gens-là. Il imaginait avoir remporté grande victoire parce que l'Empereur s'était engagé à n'entrer dans Rome que le matin du sacre pour en ressortir le soir même, et qu'il ne coucherait pas dans la ville. Vétille! Le cardinal Bertrand de Colombiers... «Vous voyez, je désigne un Français; vous devez être satisfait...» fut expédié pour aller poser sur le front du Bohêmien la couronne de Charlemagne. Six mois après, en retour de cette bonté, Charles IV nous gratifiait de la Bulle d'Or, par quoi la papauté n'a plus désormais ni voix ni regard dans l'élection impériale.

Désormais, l'Empire se désigne entre sept électeurs allemands qui vont confédérer leurs États... c'est-à-dire qui vont faire règle perpétuelle de leur belle anarchie. Cependant, rien n'est décidé pour l'Italie et nul ne sait vraiment par qui et comment le pouvoir s'y va exercer. Le plus grave, en cette bulle, et qu'Innocent n'a pas vu, c'est qu'elle sépare le temporel du spirituel et qu'elle consacre l'indépendance des nations vis-à-vis de la papauté. C'est la fin, c'est l'effacement du principe de la monarchie universelle exercée par le sucesseur de saint Pierre, au nom du Seigneur Tout-Puissant. On renvoie Dieu au ciel, et l'on fait ce qu'on veut sur la terre. On nomme cela «l'esprit moderne», et l'on s'en vante. Moi, j'appelle cela, pardonnez-moi mon neveu, avoir de la merde sur les yeux.

Il n'y a pas d'esprit ancien et d'esprit moderne. Il y a l'esprit tout court, et de l'autre côté la sottise. Qu'a fait notre pape? A-t-il tonné, fulminé, excommunié? Il a envoyé à l'Empereur une missive fort douce et amicale pleine de ses bénédictions... Oh! non, oh! non; ce n'est pas moi qui l'ai préparée. Mais c'est moi qui vais devoir, à la diète de Metz, entendre solennellement publier cette bulle qui renie le pouvoir suprême du Saint-Siège et ne peut apporter à l'Europe que troubles, désordres et misères.

La belle couleuvre que je dois avaler, et de bonne grâce en plus ; car à présent que l'Allemagne s'est retirée de nous, il nous faut plus que jamais tenter de sauver la France, autrement il ne restera plus rien à Dieu. Ah ! l'avenir pourra maudire cette année 1355 ! Nous n'avons pas fini d'en récolter les fruits épineux.

Et le Navarrais, pendant ce temps ? Eh bien ! il était en Navarre, tout charmé d'apprendre qu'aux brouilles et embrouilles qu'il nous avait faites s'ajoutaient celles qui nous venaient des affaires impériales.

D'abord, il attendait le retour de son Friquet de Fricamps, parti pour l'Angleterre avec le duc de Lancastre, et qui s'en revenait avec un chambellan de celui-ci, porteur des avis du roi Édouard sur le projet de traité ébauché en Avignon. Et le chambellan s'en retournait à Londres, accompagné cette fois de Colin Doublel, un écuyer de Charles le Mauvais, un autre des meurtriers de Monsieur d'Espagne, qui allait présenter les observations de son maître.

Charles de Navarre est tout le contraire du roi Jean. Il s'entend mieux qu'un notaire à disputer de chaque article, chaque point, chaque virgule d'un accord. Et rappeler ci, et prévoir ça. Et s'appuyer sur telle coutume qui fait foi, et toujours cherchant à raboter un petit peu ses obligations, et à augmenter celles de l'autre partie... Et puis, en tardant à cuire son pain avec l'Anglais, il se donnait loisir de surveiller celui qu'il avait au four du côté de la France.

C'eût été l'heure pour le roi Jean de se montrer coulant. Mais cet homme-là, pour agir, choisit toujours le contretemps. Faisant le rodomont, le voilà qui s'équipe en guerre pour courir sus à un absent, et, se ruant à Caen, ordonne de saisir tous les châteaux normands de son gendre, fors Évreux. Belle campagne qui, à défaut d'ennemis, fut surtout une campagne de gueuletons et mit fort en déplaisir les Normands qui voyaient les archers royaux piller leurs saloirs et garde-manger.

Cependant, le Navarrais levait tranquillement des troupes en sa Navarre, tandis que son beau-frère, le comte de Foix, Phœbus... un autre jour, je vous parlerai de celui-là ; ce n'est pas un mince seigneur... s'en allait ravager un peu le comté d'Armagnac pour causer nuisance au roi de France.

Ayant attendu l'été, afin de prendre la mer au moindre risque, notre jeune Charles débarque à Cherbourg, un beau jour d'août, avec deux mille hommes.

Et Jean II est tout ébaubi d'apprendre, dans le même temps, que le prince de Galles, qui avait été fait en avril prince d'Aquitaine et lieutenant du roi d'Angleterre en Guyenne, ayant monté cinq mille hommes de guerre sur ses nefs, s'en venait à pleines voiles vers Bordeaux. Encore avait-il dû attendre des vents propices. Ah ! l'on peut dire que son renseignement est bien fait, au roi Jean ! Nous, d'Avignon, nous voyions s'apprêter ce beau mouvement croisé, sur la mer, afin de prendre la France en tenailles. Et l'on annonçait même l'imminente arrivée du roi Édouard lui-même, lequel eût déjà dû être à Jersey, si la tempête ne l'avait contraint de rebrousser sur Portsmouth. On peut dire que ce fut le vent, et rien d'autre, qui sauva la France, l'an dernier.

Ne pouvant lutter sur trois fronts, le roi Jean choisit de n'en tenir aucun. De nouveau, il se porte à Caen, mais cette fois pour traiter. Il avait avec lui ses deux cousins de Bourbon, Pierre et Jacques, ainsi que Robert de Lorris, rentré en grâce, comme je vous ai dit. Mais Charles de Navarre ne vint pas. Il envoya messires de Lor et de Couillarville, deux seigneurs à lui, pour négocier. Le roi Jean n'eut donc qu'à s'en repartir, laissant les deux Bourbon qu'il instruisit seulement d'avoir à se hâter de trouver un accommodement.

L'accord fut conclu à Valognes, le 10 septembre. Charles de Navarre y retrouvait tout ce qui lui avait été reconnu par le traité de Mantes, et un peu plus.

Et deux semaines après, au Louvre, nouvelle réconciliation solennelle du beau-père et du gendre, en présence, bien sûr, des reines veuves, Madame Jeanne et Madame Blanche... « Sire mon cousin, voici notre neveu et frère que nous vous prions pour l'amour de nous... » Et l'on s'ouvre les bras, et l'on se baise aux joues avec l'envie de se mordre, et l'on se jure pardon et loyale amitié...

Ah! j'oublie une chose qui n'est point de mince importance. Pour faire escorte d'honneur au roi de Navarre, Jean II avait dépêché à sa rencontre son fils, le Dauphin Charles, qu'il avait précédemment nommé son lieutenant général en Normandie. Du Vaudreuil sur l'Eure, où d'abord ils séjournèrent quatre jours, jusques à Paris, les deux beaux-frères firent donc route ensemble. C'était la première fois qu'ils se voyaient si longtemps d'affilée, chevauchant, devisant, musant, dînant et dormant côte à côte. Monseigneur le Dauphin est tout le contraire du Navarrais, aussi long que l'autre est bref, aussi lent que l'autre est vif, aussi retenu de paroles que l'autre est bavard. Avec cela, six ans de moins, et point de précocité, en rien. De plus le Dauphin est affligé d'une maladie qui semble bien proprement une infirmité; sa main droite enfle et devient toute violacée aussitôt qu'il veut soulever un poids un peu lourd ou serrer fermement un objet. Il ne peut point porter l'épée. Son père et sa mère l'ont engendré très tôt, et juste comme ils relevaient l'un et l'autre de maladie; le fruit s'en est ressenti.

Mais il ne faut pas conclure de tout cela, comme le font hâtivement certains, à commencer par le roi Jean lui-même, que le Dauphin est un sot et qu'il fera un mauvais roi. J'ai bien soigneusement étudié son ciel... 21 janvier 1338... Le Soleil est encore dans le Capricorne, juste avant qu'il n'entre dans le Verseau... Les natifs du Capricorne ont le triomphe tardif, mais ils l'ont, s'ils possèdent les lumières d'esprit. Les plantes d'hiver sont lentes à se développer... Je suis prêt à gager sur ce prince-là plus que sur bien d'autres qui offrent meilleure apparence. S'il traverse les gros dangers qui le menacent dans les présentes années... il vient déjà d'en surmonter; mais le pire est devant lui... il saura s'imposer dans le gouvernement. Mais il faut reconnaître que son extérieur ne prévient guère en sa faveur...

Ah! voici le vent à présent qui pousse l'ondée par rafales. Défaites les pendants de soie qui retiennent les rideaux, je vous prie, Archambaud. Mieux vaut continuer de bavarder dans l'ombre que d'être aspergés. Et puis nous entendrons moins ce floc floc des chevaux qui finit par nous assourdir. Et dites à Brunet, ce soir, qu'il fasse housser ma litière avec les toiles cirées par-dessus les toiles teintes. C'est un peu plus lourd pour les chevaux, je sais. On en changera plus souvent...

Oui, je vous disais que j'imagine fort bien comment Monseigneur de Navarre durant le voyage du Vaudreuil à Paris... le Vaudreuil se trouve dans une des plus belles situations de Normandie; le roi Jean a voulu en faire l'une de ses résidences; il paraît que l'œuvre qu'il y a commandée est merveille; je ne l'ai point vue, mais je sais qu'il en a coûté gros au Trésor; il y a des images peintes à l'or sur les murs... j'imagine comment Monseigneur Charles de Navarre, avec toute sa faconde et son aisance à protester l'amitié, dut s'employer à séduire Charles de France. La jeunesse prend aisément des modèles. Et, pour le Dauphin, cet aîné de six ans, si aimable compagnon, qui avait déjà tant voyagé, tant vu, tant fait, et qui lui racontait maints secrets et le divertissait en brocardant les gens de la cour... « Votre père, notre Sire, a dû me peindre à vous tout autrement que je ne suis... Soyons alliés, soyons amis, soyons vraiment les frères que nous sommes. » Le Dauphin, tout aise de se voir si apprécié d'un parent plus avancé que lui dans la vie, déjà régnant et si plaisant, fut aisément conquis.

Ce rapprochement ne fut pas sans effet sur la suite, et contribua pour gros aux méchefs et affrontements qui survinrent.

Mais j'entends l'escorte qui se resserre pour défiler. Écartez un peu ce rideau... Oui, j'aperçois les faubourgs. Nous entrons dans Châteauroux. Nous n'aurons pas grand monde pour nous accueillir. Il faut être bien grand chrétien, ou bien grand curieux, pour se faire tremper par cette sauce à seule fin de voir passer la litière d'un cardinal.

XI

LE ROYAUME SE FISSURE

Ces chemins du Berry ont toujours été réputés pour mauvais. Mais je vois que la guerre ne les a point améliorés... Holà ! Brunet, La Rue ! Faites ralentir le train, par la grâce de Dieu. Je sais bien que chacun est en hâte d'arriver à Bourges. Mais ce n'est point raison pour me moudre comme poivre dans cette caisse. Arrêtez, arrêtez tout à fait ! Et faites arrêter en tête. Bon... Non, ce n'est point la faute de mes chevaux. C'est la faute de vous tous, qui poussez vos montures comme si vous aviez de l'étoupe allumée sur vos selles... A présent qu'on reparte, et qu'on observe, je vous prie, de me mener à une allure de cardinal. Sinon, je vous obligerai à combler les ornières devant moi.

C'est qu'ils me rompraient les os, ces méchants diables, pour se coucher une heure plus tôt ! Enfin, la pluie a cessé... Tenez, Archambaud, encore un hameau brûlé. Les Anglais sont venus s'ébattre jusque dans les faubourgs de Bourges qu'ils ont incendiés, et même ils ont envoyé un parti qui s'est montré sous les murs de Nevers.

Voyez-vous, je n'en veux point aux archers gallois, aux coutilliers irlandais et autre ribaudaille que le prince de Galles emploie à cette besogne. Ce sont gens de misère à qui l'on fait miroiter fortune. Ils sont pauvres, ignorants, et on les mène à la dure. La guerre, pour eux, c'est piller, se goberger, et détruire. Ils voient les gens des villages s'enfuir à leur approche, des enfants plein les bras, en hurlant : « Les Anglais, les Anglais, sauve Dieu ! » La chose est plaisante, pour les vilains, que d'apeurer d'autres vilains ! Ils se sentent bien forts. Ils mangent de la volaille et du porc gras tous les jours ; ils percent toutes les barriques pour étancher leur soif, et ce qu'ils n'ont pu boire ou manger, ils le saccagent avant de partir. Raflés les chevaux pour leur remonte, ils égorgent tout ce qui meugle ou bêle le long des chemins et dans les étables. Et puis, gueules saoules et mains noires, ils jettent en riant des torches sur les meules, les granges et tout ce qui peut brûler. Ah ! c'est bonne joie, n'est-ce pas, pour cette armée de bidaux et goujats, d'obéir à de tels ordres! Ils sont comme des enfants malfaisants qu'on invite à méfaire.

Et même je n'en veux point aux chevaliers anglais. Après tout, ils sont hors de chez eux; on les a requis pour la guerre. Et le Prince Noir leur donne l'exemple du pillage, se faisant apporter les plus beaux objets d'or, d'ivoire et d'argent, les plus belles étoffes, pour en emplir ses chariots ou bien gratifier ses capitaines. Dépouiller des innocents pour combler ses amis, voilà la grandeur de cet homme-là.

Mais ceux à qui je souhaite qu'ils périssent de male mort et rôtissent en géhenne éternelle... oui, oui, tout bon chrétien que je suis... ce sont ces chevaliers gascons, aquitains, poitevins, et même certains de nos petits sires du Périgord, qui préfèrent suivre le duc anglais que leur roi français et qui, par goût de la rapine ou par méchant orgueil, ou par jalousie de voisinage, ou parce qu'ils ont en travers du cœur un mauvais procès, s'emploient à ravager leur propre pays. Non, ceux-là, je prie bien fort Dieu de ne les point pardonner.

Ils n'ont à leur décharge que la sottise du roi Jean qui ne leur a guère prouvé qu'il était homme à les défendre, levant toujours ses bannières trop tard et les envoyant roidement du côté où les ennemis ne sont plus. Ah! c'est un bien grand scandale que Dieu a permis, en laissant naître un prince si décevant!

Pourquoi donc avait-il consenti au traité de Valognes, dont je vous entretenais hier, et échangé avec son gendre de Navarre un nouveau gros baiser de Judas? Parce qu'il redoutait l'armée du prince Édouard d'Angleterre qui faisait voile vers Bordeaux. Alors, la droite raison eût voulu, s'étant libéré les mains du côté de la Normandie, qu'il courût sus à l'Aquitaine. Il n'y a pas besoin d'être cardinal pour y penser. Mais que non. Notre piteux roi musarde, donnant de grands ordres pour de petites choses. Il laisse le prince de Galles débarquer sur la Gironde et faire entrée de triomphe à Bordeaux. Il sait, par rapports d'espies et de voyageurs, que le prince rassemble ses troupes, et les grossit de tous ses Gascons et Poitevins dont je vous disais tout à l'heure en quelle estime je les ai. Tout lui indique donc qu'une rude expédition s'apprête. Un autre eût fondu comme l'aigle pour défendre son royaume et ses sujets. Mais ce parangon de chevalerie, lui, ne bouge pas.

Il avait, il faut en convenir, des ennuis de finances, en cette fin de septembre de l'an passé, un peu plus qu'à son ordinaire. Et justement comme le prince Édouard équipait ses troupes, le roi Jean, pour sa part, annonçait qu'il avait à surseoir de six mois au paiement de ses dettes et aux gages de ses officiers.

Souvent, c'est quand un roi est à cours de monnaie qu'il lance ses gens à la guerre. «Soyez vainqueurs et vous serez riches! Faites-vous du butin, gagnez des rançons...» Le roi Jean préféra se laisser appauvrir davantage en permettant à l'Anglais de ruiner à loisir le midi du royaume.

Ah! la chevauchée fut bonne et facile, pour le prince d'Angleterre! Il ne lui fallut qu'un mois pour conduire son armée des rives de la Garonne jusqu'à Narbonne et à sa mer, se plaisant à faire trembler Toulouse, brûlant Carcassonne, ravageant Béziers. Il laissait derrière lui un long sillon de terreur, et s'en acquit, à peu de frais, une grande renommée.

Son art de guerre est simple, que notre Périgord a éprouvé cette année; il attaque ce qui n'est point défendu. Il envoie une avant-garde éclairer la route assez loin, et reconnaître les villages ou châteaux qui seraient solidement tenus. Ceux-là, il les contourne. Sur les autres, il lance un gros corps de chevaliers et d'hommes d'armes qui fondent sur les bourgs dans un fracas de fin du monde, dispersent les habitants, écrasent contre les murs ceux qui n'ont pas fui assez vite, embrochent ou assomment tout ce qui s'offre à leurs lances et à leurs masses; puis se partagent en épi vers les hameaux, manoirs ou monastères avoisinants.

Viennent derrière les archers, qui raflent la subsistance nécessaire à la troupe et vident les maisons avant d'y bouter le feu; puis les coutilliers et les goujats qui entassent le butin dans les chariots et achèvent la besogne d'incendie.

Tout ce monde, buvant jusqu'à plus soif, avance de trois à cinq lieues par jour; mais la peur que répand cette armée la précède de loin.

Le but du Prince Noir? Je vous l'ai dit: affaiblir le roi de France. On doit accorder que l'objet fut atteint.

Les grands bénéficiaires, ce sont les Bordelais et les gens du vignoble, et l'on conçoit qu'ils se soient coiffés de leur duc anglais. Ces dernières années, ils n'ont connu qu'un chapelet de malheurs: la dévastation de la guerre, les vignes malmenées par les combats, les routes du commerce fort incertaines, la mévente, sur quoi était venue s'ajouter la grande peste qui avait obligé de raser tout un quartier de Bordeaux pour assainir la ville. Et voici que les calamités de la guerre à présent s'abattent sur d'autres; eh bien, ils s'en gaussent. A chacun, n'est-ce pas, son tour de peine!

Aussitôt débarqué, le prince de Galles a fait battre monnaie et circuler de belles pièces d'or, frappées au lis et au lion... au léopard comme veulent dire les Anglais... bien plus épaisses et lourdes que celles de France marquées à l'agneau. « Le lion a mangé l'agneau », disent les gens en manière de joyeuseté. Les vignes donnent bien. La province est gardée. Le mouvement du port est riche et nombreux, et en quelques mois il en est parti vingt mille tonneaux de vin, presque tout vers l'Angleterre. Si bien que depuis l'hiver passé, les bourgeois de Bordeaux montrent des faces réjouies et des ventres aussi ronds que leurs futailles. Leurs femmes se pressent chez les drapiers, les orfèvres et les joailliers. La ville vit dans les fêtes, et chaque retour du prince, en cette armure noire qu'il affectionne et qui lui vaut son surnom, est salué par des réjouissances. Toutes les bourgeoises en ont la tête tournée. Les soldats, riches de leurs pillages, dépensent sans compter. Les capitaines de Galles et de Cornouailles tiennent le haut du pavé ; et il s'est fait beaucoup de cocus à Bordeaux, ces temps-ci, car la fortune n'encourage pas la vertu.

On dirait de la France, depuis un an, qu'elle a deux capitales, ce qui est la pire chose qui puisse advenir à un royaume. A Bordeaux, l'opulence et la puissance ; à Paris, la pénurie et la faiblesse. Que voulez-vous ? Les monnaies parisiennes ont été altérées quatre-vingts fois depuis le début du règne. Oui, Archambaud, quatre-vingts fois ! La livre tournois n'a plus que le dixième de la valeur qu'elle avait à l'avènement du roi. Comment veut-on conduire un État avec de pareilles finances ? Quand on laisse s'enfler sans mesure le prix de toutes denrées, et quand on amincit en même temps la monnaie, il faut bien s'attendre à de grands troubles et de grands revers. Les revers, la France les connaît, et les troubles, elle y entre.

Qu'a donc fait notre roi si futé, l'autre hiver, pour conjurer des périls que chacun apercevait ? Ne pouvant plus guère obtenir d'aides de la Langue d'oc, après la chevauchée anglaise, il a convoqué les États généraux de la Langue d'oïl. La réunion n'a point tourné à sa satisfaction.

Pour accepter l'ordonnance d'une levée exceptionnelle de huit deniers à la livre sur toute vente, ce qui est lourde imposition pour tous métiers et négoces, ainsi qu'une particulière gabelle mise sur le sel, les députés se firent tirer l'oreille et émirent de grosses exigences. Ils voulaient que la recette fût perçue par receveurs spéciaux choisis par eux ; que l'argent de ces impôts n'aille ni au roi, ni aux officiers de son service ; que, s'il y avait une autre guerre, nulle levée d'aides nouvelles ne se fît qu'ils n'en aient délibéré... que sais-je encore ? Les gens du Tiers étaient fort véhéments. Ils avançaient l'exemple des communes de Flandre où les bourgeois se gouvernent eux-mêmes, ou bien du Parlement d'Angleterre qui a barre sur le roi beaucoup plus que les États en France. « Faisons comme les Anglais, cela leur réussit. » C'est un travers des Français, lorsqu'ils sont dans la difficulté politique, de chercher des modèles étrangers plutôt que d'appliquer avec scrupule et exactitude les lois qui leur sont propres... Ne nous étonnons point que la nouvelle réunion des États, que le Dauphin a dû avancer, tourne de la mauvaise façon que je vous contais l'autre jour. Le prévôt Marcel s'est exercé la gorge déjà l'année dernière... Ce n'était pas à vous ? Ah non, c'était à dom Calvo, en effet... Je ne l'ai pas fait remonter avec moi depuis ; il est malade en litière...

Et le Navarrais, me direz-vous, pendant ce temps? Le Navarrais s'attachait à persuader le roi Édouard qu'il ne l'avait pas joué en acceptant de traiter avec Jean II à Valognes, qu'il était toujours à son endroit dans les mêmes sentiments, qu'il n'avait feint de s'accorder au roi de France que pour mieux servir leurs desseins communs, et que le temps ne tarderait pas qu'il le lui ferait voir. Autrement dit, qu'il attendait la première occasion de trahir.

Cependant, il travaillait à affermir son amitié avec le Dauphin, par tous moyens de cajolerie, de flatteries et de plaisir, et même par le moyen des femmes, car je sais des demoiselles, dont la Gracieuse que j'ai déjà dû vous nommer, et aussi une Biette Cassinel, qui sont fort dévouées au roi de Navarre et dont on dit qu'elles ont mis de l'entrain dans les petites fêtes des deux beaux-frères. A la faveur de quoi, s'étant fait son maître en péché, le Navarrais commença de sourdement encourager le Dauphin contre son père.

Il lui représentait que le roi Jean ne l'aimait guère, lui, son aîné fils. Et c'était chose vraie. Qu'il était piètre roi. Et c'était vrai encore. Qu'après tout, ce serait œuvre pie que d'aider Dieu, sans aller jusqu'à abréger ses jours, au moins à le déchasser du trône. « Vous feriez, mon frère, un meilleur roi que lui. N'attendez point qu'il vous laisse un royaume tout effondré. » Un jeune homme est aisément pris à cette chanson-là. « A nous deux, je vous l'assure, nous pouvons accomplir cela. Mais il faut nous gagner des appuis en Europe. » Et d'imaginer qu'ils aillent trouver l'empereur Charles IV, l'oncle du Dauphin, pour requérir son soutien et lui demander des troupes. Rien de moins. Qui eut cette belle idée d'appeler l'étranger pour régler les affaires du royaume et d'offrir à l'Empereur, qui déjà donne tant de fil à retordre à la papauté, d'arbitrer le sort de la France? Peut-être l'évêque Le Coq, ce mauvais prélat, que Navarre avait ramené dans l'entourage du Dauphin. Toujours est-il que l'affaire était bien montée, et poussée fort avant...

Quoi? Pourquoi s'arrête-t-on quand je ne l'ai pas commandé? Ah! des fardiers encombrent la route. C'est que nous entrons dans les faubourgs. Faites dégager. Je n'aime point ces arrêts imprévus. On ne sait jamais... Quand il s'en produit, que l'escorte se resserre autour de ma litière. Il y a des routiers pleins d'audace que le sacrilège n'effraie point, et pour qui un cardinal serait de bonne prise...

Donc, le voyage des deux Charles, celui de France et celui de Navarre, était résolu dans le secret; et l'on sait même à présent qui devait être de l'équipée qui les conduirait à Metz: le comte de Namur, le comte Jean d'Harcourt, le très gros, à qui il allait arriver malheur, comme je vous dirai; et aussi un Boulogne, Godefroy, et Gaucher de Lor, et puis bien sûr les sires de Graville, de Clères et d'Aunay, Maubué de Mainemares, Colin Doublel et l'inévitable Friquet de Fricamps, c'est-à-dire les conjurés de la Truie-qui-file. Et aussi, la chose est d'intérêt car je pense bien que c'étaient eux qui baillaient finance à l'expédition, Jean et Guillaume Marcel, deux neveux du prévôt, qui étaient dans l'amitié du roi de Navarre et qu'il conviait à ses réjouissances. Comploter avec un roi, cela éblouit toujours les jeunes bourgeois riches !

Le départ était prévu pour la Saint-Ambroise. Trente Navarrais devaient attendre le Dauphin à la barrière de Saint-Cloud, au soir tombant, pour le conduire à Mantes chez son cousin ; et de là ce beau monde gagnerait l'Empire.

Et puis, et puis... tout ne peut être contraire toujours à un homme qui a le mauvais sort, et même le plus sot des rois ne parvient pas à tout manquer... La veille, jour de la Saint-Nicolas, notre Jean II a vent de l'affaire. Il mande son fils, le cuisine assez bien, et le Dauphin, lui faisant l'aveu du projet, prend le sentiment du même coup qu'il s'est fourvoyé, non seulement pour lui-même, mais pour l'intérêt du royaume.

Là, le roi Jean, je dois le dire, se conduisit plus habilement qu'à son accoutumée. Il ne retient contre son fils que d'avoir voulu quitter le royaume sans son autorisation, lui montre gré de sa franchise en lui accordant tout aussitôt pardon et rémission de cette faute, et, découvrant que son héritier avait de la décision personnelle, déclare vouloir l'associer plus étroitement aux charges du trône en le faisant duc de Normandie. C'était bien sûr l'envoyer dans un piège, que de lui remettre ce duché tout peuplé de partisans des Évreux-Navarre ! Mais c'était bien joué.

Monseigneur le Dauphin n'avait plus qu'à prévenir le Mauvais qu'il rendait la liberté à tous ceux qui étaient dans la confidence de leur dessein.

Vous pensez bien que cette affaire n'avait pas fait recroître l'amour du père pour le fils, même si le dépit était dissimulé sous ce fier cadeau. Mais surtout la haine du roi pour son gendre commençait à être bien recuite et dure comme pâte remise six fois au feu. Tuer son connétable, fomenter des troubles, débarquer des troupes, prendre langue avec l'ennemi anglais... et il ne savait pas encore à quel point !... enfin détourner son fils, c'en était trop ; le roi Jean attendait l'heure propice à faire payer tout ce débit au Navarrais.

Pour nous, qui observions ces choses d'Avignon, l'inquiétude grandissait, et nous voyions approcher des circonstances extrêmes. Des provinces détachées, d'autres ravagées, une monnaie fuyante, un trésor vide, une dette croissante, des députés grondeurs et véhéments, de grands vassaux entêtés dans leurs factions, un roi qui n'est plus servi que par ses conseillers immédiats, et enfin, brochant sur le tout, un héritier du trône prêt à requérir l'aide étrangère contre sa propre dynastie... J'ai dit au pape : « Très Saint-Père, la France se fissure. » Je n'avais point tort. Je me suis seulement trompé sur le temps.

Je donnais deux ans pour que se produisît l'écroulement. Il n'en a même pas fallu un. Et nous n'avons pas encore vu le pire. Que voulez-vous ? Quand il n'y a point de fermeté à la tête, comment pourrait-on attendre qu'il y en ait dans les membres ? A présent, il nous faut tenter de recoller les morceaux, vaille que vaille, et pour cela nous voilà en nécessité de recourir aux bons offices de l'Allemagne, et de donner du coup plus d'autorité à cet Empereur dont nous aurions plutôt souhaité museler l'arrogance. Avouez qu'il y a de quoi pester !

Allez maintenant, Archambaud, reprendre votre monture et vous placer en tête du cortège. Je veux que pour entrer dans Bourges, même si l'heure est tardive, on puisse voir flotter votre pennon du Périgord à côté de celui du Saint-Siège. Et faites écarter les rideaux de ma litière, pour les bénédictions.

DEUXIÈME PARTIE

LE BANQUET DE ROUEN

I

DISPENSES ET BÉNÉFICES

Oh! ce Monseigneur de Bourges m'a fort échauffé les humeurs, pendant ces trois jours que nous avons passés en son palais. Que voilà donc un prélat qui a l'hospitalité bien encombrante et bien quémandeuse! Tout le temps à vous tirer par la robe pour obtenir quelque chose. Et que de protégés et de clients a cet homme-là, auxquels il a fait promesses et qu'il vous jette dans les souliers. « Puis-je présenter à Sa Très Sainte Éminence un clerc de grand mérite... Sa Très Sainte Éminence voudra-t-elle abaisser son regard bienveillant vers le chanoine de je ne sais quoi... J'ose recommander aux faveurs de Votre Très Sainte Éminence... » Je me suis vraiment tenu à quatre, hier soir, pour ne pas lui lâcher : « Allez vous purger, l'évêque, et veuillez... oui, la paix à ma Sainte Éminence ! »

Je vous ai pris avec moi, ce matin, Calvo... vous commencez à mieux tolérer, j'espère, le balancement de ma litière ; d'ailleurs je serai bref... pour que nous récapitulions bien précisément ce que je lui ai accordé, et rien de plus. Car il ne va pas manquer, maintenant qu'il est dans notre route, de vous venir bassiner de prétendus agréments que j'aurais donnés à toutes ses requêtes. Déjà, il m'a dit : « Pour les dispenses mineures, je n'en veux point fatiguer Votre Très Sainte Éminence ; je les présenterai à messire Francesco Calvo, qui est assurément personne de grand savoir, ou bien à messire du Bousquet... » Holà! Je n'ai pas emmené avec moi un auditeur pontifical, deux docteurs, deux licenciés ès lois et quatre bacheliers pour relever de leur illégitimité tous les fils de prêtres qui disent la messe dans ce diocèse, ou y possèdent un bénéfice. C'est merveille d'ailleurs qu'après toutes les dispenses qu'accorda durant son pontificat mon saint protecteur, le pape Jean XXII... près de cinq mille, dont plus de la moitié à des bâtards de curés, et moyennant pénitence d'argent, bien sûr, ce qui aida fort à restaurer le trésor du Saint-Siège... il se retrouve aujourd'hui autant de tonsurés qui sont les fruits du péché.

Comme légat du pape, j'ai latitude de donner dix dispenses au cours de ma mission, pas davantage. J'en accorde deux à Monseigneur de Bourges; c'est déjà trop. Pour les offices de notaire, j'ai droit d'en conférer vingt-cinq, et à des clercs qui m'auront rendu de personnels services, pas à des gens qui se sont glissés dans les papiers de Monseigneur de Bourges. Vous lui en donnerez un, en choisissant le plus bête et le moins méritant, pour qu'il ne lui en vienne que des ennuis. Si l'on s'étonne, vous répondrez: « Ah! c'est Monseigneur qui l'a recommandé tout expressément... » Pour les bénéfices sans charge d'âmes, autrement dit les commendes, que ce soit à des ecclésiastiques ou des laïcs, nous n'en distribuerons aucune. « Monseigneur de Bourges en demandait trop. Son Éminence n'a pas voulu faire de jalousies... » Et j'en ajouterai une ou deux à Monseigneur de Limoges, qui s'est montré plus discret. Ne dirait-on pas que je suis venu d'Avignon tout seulement pour répandre les faveurs et les profits autour de ce Monseigneur de Bourges? Je prise peu les gens qui se poussent en faisant étalage de beaucoup d'obligés et il se leurre, cet évêque-là, s'il croit que je parlerai de lui pour le chapeau.

Et puis je l'ai trouvé bien indulgent pour les fratricelles dont j'ai vu pas mal rôder dans les couloirs de son palais. J'ai été forcé de lui rappeler la lettre du Saint-Père contre ces franciscains égarés... je la connais d'autant mieux que c'est moi qui l'ai rédigée... qui s'attribuent le ministère de la prédication, séduisent les simples par un habit d'une humilité feinte et font des discours dangereux contre la foi et le respect dû au Saint-Siège. Je lui ai remis en mémoire qu'il avait commandement de corriger et punir ces malfaisants selon les canons, et en implorant si de besoin le secours du bras séculier, comme Innocent VI l'a fait l'autre année en laissant brûler Jean de Chastillon et François d'Arquate qui soutenaient des hérésies... « Des hérésies, des hérésies... des erreurs certes, mais il faut les comprendre. Ils n'ont pas tort en tout. Et puis les temps changent... » Voilà ce qu'il m'a répondu, Monseigneur de Bourges. Moi, je n'aime guère ces prélats qui comprennent trop les mauvais prêcheurs et plutôt que de sévir veulent se faire populaires en allant du côté où souffle le vent.

Je vous aurai donc gré, dom Calvo, de me surveiller un peu ce bonhomme-là, durant le voyage, et d'éviter qu'il n'endoctrine mes bacheliers, ou bien qu'il ne s'épanche trop auprès de Monseigneur de Limoges ou des autres évêques que nous allons prendre en chemin.

Faites-lui la route un peu dure, encore que nous n'aurons plus, les jours raccourcissant et le froid devenant plus vif, que des étapes courtes. Dix à douze lieues la journée, pas davantage. Je ne veux point qu'on chemine de nuit. C'est pourquoi, aujourd'hui, nous n'allons pas plus loin que Sancerre. Nous y aurons longue soirée. Prenez garde au vin qu'on y boit. Il est fruité et gouleyant, mais plus gaillard qu'il n'y paraît. Faites-le savoir à La Rue, et qu'il me surveille l'escorte. Je ne veux point de soûlards sous la livrée du pape... Mais vous pâlissez, Calvo. Décidément vous ne tolérez point la litière... Non, descendez, descendez vite, je vous prie.

II

·LA COLÈRE DU ROI

Donc, l'équipée d'Allemagne avait tourné court, laissant le Navarrais dans le dépit. Reparti pour Évreux, il ne manqua pas de s'y agiter. Trois mois passent ; nous arrivons à la fin mars de l'an dernier... Si, de l'an dernier, je dis bien... ou l'an présent, si vous voulez... mais Pâques étant cette année tombé le 24 avril, c'était encore l'an dernier...

Oui ; je sais, mon neveu ; c'est assez sotte coutume qui veut en France, alors que l'on fête l'an neuf le premier janvier, que pour les registres, traités et toutes choses à se remémorer, on ne change le nombre qu'à partir de Pâques. La sottise, surtout, et qui met beaucoup de confusion, c'est d'avoir aligné le début légal de l'an sur une fête mobile. De sorte que certaines années comptent deux mois de mars, alors que d'autres sont privées d'avril... Certes, il faudrait changer cela, j'en tombe bien d'accord avec vous.

Il y a déjà fort longtemps qu'on en parle, mais l'on ne s'y résout point. C'est le Saint-Père qui devrait en décider une bonne fois, pour toute la chrétienté. Et croyez bien que la pire embrouille, c'est pour nous, en Avignon ; car en Espagne, comme en Allemagne, l'an commence le jour de Noël ; à Venise, le Iᵉʳ mars ; en Angleterre, le 25. Si bien que lorsque plusieurs pays sont parties à un traité conclu au printemps, on ne sait jamais de quelle année on parle. Imaginez qu'une trêve entre la France et l'Angleterre ait pu être signée dans les jours d'avant Pâques ; pour le roi Jean, elle serait datée de l'an 1355 et pour les Anglais de 1356. Oh ! je vous le concède volontiers, c'est chose la plus bête qui soit ; mais nul ne veut revenir sur ses habitudes, même détestables, et l'on dirait que les notaires, tabellions, prévôts et toutes gens d'administration prennent plaisir à s'encroûter dans des difficultés qui égarent le commun.

Nous en arrivons, vous disais-je, à cette fin du mois de mars où le roi Jean eut une grande colère... Contre son gendre, bien sûr. Oh !

reconnaissons que les motifs de déplaisir ne lui manquaient pas. Aux États de Normandie, assemblés au Vaudreuil par-devant son fils devenu le nouveau duc, il s'était dit de rudes paroles à son endroit, comme jamais on n'en avait ouï auparavant, et c'étaient les députés de la noblesse, montés par les Évreux-Navarre, qui les avaient proférées. Les deux d'Harcourt, l'oncle et le neveu, étaient les plus violents, à ce qu'on m'a dit ; et le neveu, le gros comte Jean, s'était emporté jusqu'à crier : « Par le sang Dieu, ce roi est mauvais homme ; il n'est pas bon roi, et je me garderai de lui. » Cela était revenu, vous imaginez bien, aux oreilles de Jean II. Et puis, aux nouveaux États de Langue d'oïl, qui s'étaient tenus à la suite, les députés de Normandie n'étaient point venus. Refus de paraître, tout bonnement. Ils ne voulaient plus s'associer aux aides et subsides, ni les payer. D'ailleurs, l'assemblée eut à constater que la gabelle et l'imposition sur les ventes n'avaient point produit ce qu'on en attendait. Alors on décida d'y substituer un impôt sur le revenu vaillant, en bout d'année où l'on se trouvait.

Je vous laisse à penser comme la mesure fut bien prise, d'avoir à payer au roi une part de tout ce qu'on avait reçu, perçu ou gagné, au fil de l'an, et souvent déjà dépensé... Non, cela ne fut point appliqué au Périgord, ni nulle part en Langue d'oc. Mais je sais des personnes de chez nous qui sont passées à l'Anglais par peur, simplement, que la mesure ne leur fût étendue. Cet impôt sur le revenu vaillant, joint à l'enchérissement des vivres, provoqua de l'émeute en diverses places, et surtout Arras, où le menu peuple s'insurgea ; et le roi Jean dut envoyer son connétable, avec plusieurs compagnies de gens d'armes, pour charger ces meneurs... Non, certes, tout cela ne lui offrait guère raisons de se réjouir. Mais si gros ennuis qu'il ait, un roi doit conserver empire sur soi-même. Ce qu'il ne fit pas en l'occasion que voici.

Il était à l'abbaye de Beaupré-en-Beauvaisis pour le baptême du premier né de Monseigneur Jean d'Artois, comte d'Eu depuis qu'il a été gratifié des biens et titres de Raoul de Brienne, le connétable décapité... Oui, c'est cela même, le fils du comte Robert d'Artois, auquel il ressemble fort d'ailleurs, par la tournure. Quand on le voit, on en est saisi ; on croit voir le père, à son âge. Un géant, une tour qui marche. Les cheveux rouges, le nez bref, les joues piquées de soies de porc, et des muscles qui lui joignent d'un trait la mâchoire à l'épaule. Il lui faut, pour sa remonte, des chevaux de fardier, et lorsqu'il charge, harnaché en bataille, il vous fait des trous dans une armée. Mais là s'arrête la semblance. Pour l'esprit, c'est le contraire. Le père était astucieux, délié, rapide, malin, trop malin. Celui-là a la cervelle comme un mortier de chaux, et qui a bien pris. Le comte Robert était procédurier, comploteur, faussaire, parjure, assassin. Le comte Jean, comme s'il voulait racheter les fautes paternelles, se veut modèle d'honneur, de loyauté et de fidélité. Il a vu son père déchu et banni.

Lui-même, en son enfance, a un peu séjourné en prison, avec sa mère et ses frères. Je crois qu'il n'est point encore accoutumé au pardon qu'il a reçu, et à son retour en fortune. Il regarde le roi Jean comme le Rédempteur en personne. Et puis il est ébloui de porter le même prénom. « Mon cousin Jean... mon cousin Jean... »

Ils se balancent du cousin Jean toutes les trois paroles. Les hommes de mon âge, qui ont connu Robert d'Artois, même s'ils ont eu à souffrir de ses entreprises, ne peuvent se défendre d'un certain regret en voyant la bien pâle copie qu'il nous a laissée. Ah! c'était un autre gaillard, le comte Robert! Il a rempli son temps de ses turbulences. Quand il mourut, on eût dit que le siècle tombait dans le silence. Même la guerre semblait avoir perdu de sa rumeur. Quel âge aurait-il à présent? Voyons... bah... autour de soixante-dix ans. Oh! il avait de la force pour vivre jusque-là, si une flèche perdue ne l'avait abattu, dans le camp anglais, au siège de Vannes... Tout ce qu'on peut dire, c'est que les preuves de loyauté que multiplie le fils n'ont pas eu pour la couronne meilleur effet que les trahisons du père.

Car ce fut Jean d'Artois qui, juste avant le baptême, et comme pour remercier le roi du grand honneur de son parrainage, lui révéla le complot de Conches, ou ce qu'il croyait être un complot.

Conches... oui, je vous l'ai dit... un des châteaux autrefois confisqués à Robert d'Artois et que Monseigneur de Navarre s'est fait donner par le traité de Valognes. Mais il reste là-bas quelques vieux serviteurs des d'Artois qui leur sont toujours attachés.

De la sorte, Jean d'Artois put chuchoter au roi... un chuchotement qui s'entendait à l'autre bout du bailliage... que le roi de Navarre s'était réuni à Conches avec son frère Philippe, les deux d'Harcourt, l'évêque Le Coq, Friquet de Fricamps, plusieurs sires normands de vieille connaissance, et encore Guillaume Marcel, ou Jean... enfin l'un des neveux Marcel... et un seigneur qui arrivait de Pampelune, Miguel d'Espelette, et qu'ils auraient tous ensemble comploté d'assaillir par surprise le roi Jean, à la première fois que celui-ci se rendrait en Normandie, et de l'occire. Était-ce vrai, était-ce faux? Je pencherais à croire qu'il y avait un peu de vrai là-dedans, et que sans être allés jusqu'à mettre la conjuration sur pied, ils avaient envisagé la chose. Car elle est bien dans la manière de Charles le Mauvais qui, ayant manqué l'opération dans la grandeur en allant chercher appui auprès de l'empereur d'Allemagne, ne répugnait sans doute pas à l'accomplir dans la vilenie, en répétant le coup de la Truie-qui-file. Il faudra attendre d'être devant le tribunal de Dieu pour connaître le fond de la vérité.

Ce qui est sûr, c'est qu'on avait beaucoup discuté à Conches, pour savoir si l'on se rendrait à Rouen, dans une semaine de là, le mardi d'avant la mi-carême, au festin auquel le Dauphin, duc de Normandie, avait prié tous les plus importants chevaliers normands, pour tenter de s'accorder avec eux. Philippe de Navarre conseillait qu'on refusât; Charles au contraire était enclin à accepter. Le vieux Godefroy d'Harcourt, celui qui boite, était contre, et le disait bien fort. D'ailleurs, lui qui s'était brouillé avec feu le roi Philippe VI pour une affaire de mariage où l'on avait contrarié ses amours, ne se regardait plus tenu par aucun lien de vassalité envers la couronne. « Mon roi, c'est l'Anglais », disait-il.

Son neveu, l'obèse comte Jean, que le fumet d'un banquet eût traîné à l'autre bout du royaume, penchait pour y aller. A la fin, Charles de Navarre dit que chacun en ferait à son gré, que lui-même se rendrait à Rouen avec ceux qui le voudraient, mais qu'il approuvait autant les autres de ne point paraître chez le Dauphin, et que même c'était sagesse qu'il y en eût dans le retrait, car jamais il ne fallait mettre tous les chiens dans le même terrier.

Une chose encore fut rapportée au roi qui pouvait étayer le soupçon de complot. Charles de Navarre aurait dit que, si le roi Jean venait à mourir, aussitôt il rendrait public son traité passé avec le roi d'Angleterre, par lequel il le reconnaissait pour roi de France, et qu'il se conduirait en tout comme son lieutenant dans le royaume.

Le roi Jean ne demanda pas de preuves. Le premier soin d'un prince doit être de toujours faire vérifier la délation, et la plus plausible aussi bien que la plus incroyable. Mais notre roi manque tout à fait de cette prudence. Il gobe comme œufs frais tout ce qui nourrit ses rancunes. Un esprit plus rassis eût écouté, et puis cherché à rassembler renseignements et témoignages au sujet de ce traité secret qui venait de lui être révélé. Et si, de cette présomption, il avait pu faire vérité, il eût alors été bien fort contre son gendre.

Mais lui, dans l'instant, prit la chose pour certifiée; et c'est tout enflammé de colère qu'il entra dans l'église. Il y eut, m'a-t-on dit, une conduite étrange, n'entendant point les prières, prononçant tout de travers les répons, regardant chacun d'un air furieux et jetant sur le surplis d'un diacre la braise d'un encensoir auquel il s'était heurté. Je ne sais trop comment fut baptisé le rejeton des d'Artois; mais, avec un semblable parrain, je crois qu'il faudra bien vite faire renouveler ses vœux à ce petit chrétien-là, si l'on veut que le bon Dieu l'ait en miséricorde.

Et dès l'issue de la cérémonie, ce fut l'ouragan. Jamais les moines de Beaupré n'entendirent tant de jurons affreux, comme si le diable s'était venu loger dans la gorge du roi. Il pleuvait, mais Jean II n'en avait cure. Pendant toute une grande heure et alors qu'on avait déjà corné l'eau du dîner, il se fit saucer en arpentant le jardin des moines, battant les flaques de ses poulaines... ces ridicules chaussures que le beau Monseigneur d'Espagne et lui mirent en mode... et forçant toute sa suite, messire Nicolas Braque, son maître de l'hôtel, et messire de Lorris, et les autres chambellans, et le maréchal d'Audrehem et le grand Jean d'Artois, tout éberlué et penaud, à se tremper avec lui. Il se gâta là pour des milliers de livres de velours, de broderies et de fourrures.

« Il n'y a nul maître en France hors moi, hurlait le roi. Je ferai qu'il crève, ce mauvais, cette verminé, ce blaireau pourri qui conspire ma fin avec tous mes ennemis. Je m'en vais l'occire moi-même. Je lui arracherai le cœur de mes mains, et je partagerai son puant corps en tant de morceaux, m'entendez-vous? qu'il y en aura assez pour en pendre un à la porte de chacun des châteaux que j'ai eu la faiblesse de lui octroyer. Et qu'on ne vienne plus jamais intercéder pour lui, et qu'aucun de vous ne s'avise de me prêcher l'accommodement. D'ailleurs, il n'y aura plus lieu de plaider pour ce félon, et la Blanche et la Jeanne pourront se vider à faire couler leurs larmes ; on apprendra qu'il n'y a nul maître en France, hors moi. » Et sans cesse il revenait sur ce « nul maître en France, hors moi », comme s'il avait eu besoin de se persuader qu'il était le roi.

Il se calma à demi pour demander quand se tiendrait ce banquet que son âne de fils offrait si courtoisement à son serpent de gendre... « Le jour de la Sainte-Irène, le 5 avril »... « Le 5 avril, la Sainte-Irène », répéta-t-il comme s'il avait peine à se mettre une chose si simple dans l'esprit. Il resta un moment à secouer la tête, tel un cheval, pour égoutter ses cheveux jaunes tout collés de pluie. « Ce jour-là, j'irai chasser à Gisors », fit-il.

On était habitué à ses sautes d'humeur ; chacun pensa que la colère du roi s'était épuisée en paroles et que la chose en resterait là. Et puis advint ce qui se passa au banquet de Rouen... Oui, mais vous ne le savez pas par le menu. Je vais vous conter cela, mais demain ; car pour ce jour d'hui, l'heure avance, et nous devons être proches d'arriver.

Vous voyez, à bavarder ainsi, le chemin paraît plus court. Pour ce soir, nous n'avons qu'à souper et dormir. Demain, nous serons à Auxerre, où j'aurai des nouvelles d'Avignon et de Paris. Ah! un mot encore, Archambaud. Soyez circonspect avec Monseigneur de Bourges, qui nous accompagne, si jamais il vous entreprend. Il ne me plaît guère, et je ne sais pourquoi, j'ai dans l'idée que cet homme-là a des intelligences avec le Capocci. Lancez le nom, sans paraître y toucher, et vous me direz ce qu'il vous en semble.

III

VERS ROUEN

Le roi Jean s'en fut effectivement à Gisors, mais il n'y resta que le temps de prendre cent piquiers de la garnison. Puis il partit bien ostensiblement par la route de Chaumont et de Pontoise, afin que chacun pût croire qu'il rentrait à Paris. Il emmenait avec lui son second fils, le duc d'Anjou, et puis son frère, le duc d'Orléans, lequel paraît plutôt comme un de ses fils, car Monseigneur d'Orléans, qui a vingt ans, en compte dix-sept de différence avec le roi, et seulement deux avec le Dauphin.

Le roi s'était fait escorter du maréchal d'Audrehem, de ses seconds chambellans, Jean d'Andrisel et Guy de La Roche, parce qu'il avait expédié à Rouen, quelques jours plus tôt, Lorris et Nicolas Braque, sous le prétexte qu'il les prêtait au Dauphin pour veiller aux préparatifs de son banquet.

Qui y avait-il encore derrière le roi? Oh! Il avait bien constitué sa troupe. Il emmenait les frères d'Artois, Charles et l'autre... «mon cousin Jean»... qui lui collait à la croupe et dépassait de la tête toute la chevauchée, et encore Louis d'Harcourt, qui était en brouille avec son frère et son oncle Godefroy, et tenait à cause de cela le parti du roi. Je vous passe les écuyers de chasse et les veneurs, les Corquilleray, Huet des Ventes, et autres Maudétour. Dame! Le roi allait chasser et voulait en donner l'apparence; il montait son cheval de chasse, un napolitain vite, brave et bien embouché qu'il affectionne particulièrement. Nul ne pouvait s'étonner qu'il fût suivi des sergents de sa garde étroite, commandés par deux gaillards fameux pour la grosseur de leurs muscles, Enguerrand Lalemant et Perrinet le Buffle. Ces deux-là vous retournent un homme rien qu'en le prenant par la main... Il est bon qu'un roi ait toujours autour de lui une garde rapprochée. Le Saint-Père a la sienne. J'ai mes hommes de protection, moi aussi, qui chevauchent au plus près de ma litière, comme vous avez dû vous en aviser. Je suis tellement accoutumé à eux que je finis par ne plus les voir ; mais eux ne me quittent pas des yeux.

Ce qui eût pu surprendre, mais il aurait fallu avoir le regard bien ouvert, c'était que les valets de la chambre, sans doute Tassin et Poupart le Barbier, portaient, pendus à leur selle, le heaume, la cervellière, la grande épée, tout le harnais de bataille du roi. Et puis aussi la présence du roi des ribauds, un bonhomme qui se nomme... Guillaume... Guillaume je ne sais plus quoi... et qui non seulement veille à la police des bordels, dans les villes où le roi réside, mais est chargé de la justice directe du roi. Il y a davantage de travail dans cette charge depuis que Jean II est au trône.

Avec les écuyers des ducs, les varlets, le domestique de tous ces seigneurs et les piquiers embarqués à Gisors, cela faisait bien deux cents cavaliers, dont beaucoup hérissés de lances, un bien gros équipage pour aller buissonner le chevreuil.

Le roi avait pris la direction de Chaumont-en-Vexin mais jamais on ne le vit passer dans ce bourg. Sa troupe s'évanouit en route comme par un tour d'enchanteur. Il avait fait couper à travers la campagne pour remonter droit au nord, sur Gournay-en-Bray où il ne s'attarda guère, juste le temps de prendre le comte de Tancarville, un des rares grands seigneurs de Normandie qui soit resté de ses féaux parce qu'il est comme chien à chien avec les d'Harcourt. Un Tancarville stupéfait, car il attendait là, entouré de vingt chevaliers de sa bannière, le maréchal d'Audrehem, mais nullement le roi.

« Mon fils le Dauphin ne vous avait-il pas convié demain à Rouen, messire comte ? — Oui, Sire ; mais le mandement que j'ai reçu de messire le maréchal, qui venait inspecter les forteresses de ce pays, m'a dispensé de paraître dans une compagnie où beaucoup de visages m'auraient fort déplu. — Eh bien ! vous irez quand même à Rouen, Tancarville, et je vais vous instruire de ce que nous y allons faire. »

Sur quoi, toute la chevauchée pique vers le sud, dans la nuit tombante, une petite trotte, trois ou quatre lieues, mais qui s'ajoutent aux dix-huit parcourues depuis le matin, pour aller dormir dans un château fort bien écarté, en bordure de la forêt de Lyons.

Les espies du roi de Navarre, s'il en avait par là, devaient être bien en peine de lui dire où courait le roi de France, sur ce chemin haché, et pour y quoi faire... on a vu le roi qui partait chasser... le roi est à inspecter les forteresses...

Le roi était debout avant l'aurore, plein de hâte et de fièvre, pressant son monde, et déjà en selle pour foncer, cette fois au plus droit, à travers la forêt de Lyons. Ceux qui voulaient manger un quignon de pain et une tranche de lard durent le faire d'une main, les rênes au creux du bras, de l'autre main tenant leur lance, tout en trottant.

Elle est dense et longue, la forêt de Lyons ; elle a plus de sept lieues et pourtant en deux heures on l'a presque traversée. Le maréchal d'Audrehem pense qu'à ce train-là on va arriver sûrement trop tôt. On pourrait bien s'arrêter un moment, ne serait-ce que pour laisser pisser les chevaux. Sans compter que pour sa propre part... C'est le maréchal lui-même qui me l'a raconté. « Une envie, que Votre Éminence me pardonne, à me couper les flancs. Or, un maréchal de l'ost ne peut tout de même pas se soulager du haut de sa monture, comme le font les simples archers quand le besoin les presse, et tant pis s'ils arrosent le cuir de l'arçon. Alors je dis au roi : "Sire, rien ne sert de tant se hâter ; cela ne fait pas avancer plus vite le soleil... En plus, les chevaux ont besoin de faire de l'eau." Et le roi de me répondre : "Voici la lettre que j'écrirai au pape, pour expliquer ma justice et prévenir les mauvais récits qu'on pourra lui faire... Trop longtemps, Très Saint-Père, les mansuétudes et accommodements que j'ai consentis par douceur chrétienne à ce mauvais parent l'ont encouragé à forfaire, et à cause de lui sont venus méchefs et malheurs au royaume. Il en apprêtait un plus grand encore en me déprivant de la vie ; et c'est pour prévenir qu'il accomplisse ce nouveau crime..." »

Et pique avant sans s'apercevoir de rien, qu'il est sorti de la forêt de Lyons, qu'il a débuché en plaine, qu'il est entré dans une forêt. Audrehem m'a dit qu'il ne lui avait jamais vu tel visage, l'œil comme fou, son lourd menton trémulant sous la maigre barbe.

Soudain Tancarville pousse sa monture jusqu'à la hauteur du roi pour demander à celui-ci, bien poliment, s'il a choisi de se rendre à Pont-de-l'Arche. « Mais non, crie le roi, je vais à Rouen ! — Alors, Sire, je crains que vous n'y parveniez pas par ici. Il eût fallu prendre à droite, à la dernière patte-d'oie. » Et le roi de faire faire demi-tour sur place à son cheval napolitain, et de remonter au galop toute la colonne, en commandant à grands coups de gueule qu'on le suive, ce qui ne s'accomplit pas sans désordre, mais toujours sans pisser, pour la grand-peine du maréchal...

Dites-moi, mon neveu, ne sentez-vous rien dans notre allure ?... Eh bien, moi, si.

Brunet, holà ! Brunet ! Un de mes sommiers boite... Ne me dites pas : « Non, Monseigneur » et regardez. Celui d'arrière. Et je pense même qu'il boite de l'antérieur droit... Faites arrêter... Et alors ? Ah ! Il se déferge ? Et de quel pied... Alors, qui avait raison ? J'ai les reins plus éveillés que vous n'avez les yeux.

Allons, Archambaud, descendons. Nous ferons quelques pas tandis qu'on va changer les chevaux... L'air est frais, mais point méchant. Qu'apercevons-nous d'ici ? Le savez-vous Brunet ? Saint-Amand-en-Puisaye... C'est ainsi, Archambaud, que le roi Jean dut apercevoir Rouen, le matin du 5 avril.

IV

LE BANQUET

Vous ne connaissez pas Rouen, Archambaud, ni donc le château du Bouvreuil. Oh! c'est un gros château à six ou sept tours disposées en rond, avec une grande cour centrale. Il fut bâti voici cent et cinquante ans, par le roi Philippe Auguste, pour surveiller la ville et son port, et commander le cours extrême de la rivière de Seine. C'est une place importante que Rouen, une des ouvertures du royaume du côté de l'Angleterre, donc une fermeture aussi. La mer remonte jusqu'à son pont de pierre qui relie les deux parties du duché de Normandie.

Le donjon n'est pas au milieu du château; c'est une des tours, un peu plus haute et épaisse que les autres. Nous avons des châteaux pareils en Périgord, mais ils ont ordinairement plus de fantaisie dans l'aspect.

La fleur de la chevalerie de Normandie y était assemblée, vêtue avec autant de richesse qu'il était possible. Soixante sires étaient venus, chacun avec au moins un écuyer. Les sonneurs venaient de corner l'eau quand un écuyer de messire Godefroy d'Harcourt, tout suant d'un long galop, vint avertir le comte Jean que son oncle le mandait en hâte et le priait de quitter Rouen sur-le-champ. Le message était fort impérieux, comme si messire Godefroy avait eu vent de quelque chose. Jean d'Harcourt se mit en devoir d'obtempérer, se coulant hors de la compagnie; et il était déjà au bas de l'escalier du donjon qu'il encombrait presque tout de sa personne, tant il était gras, une vraie futaille, quand il tomba sur Robert de Lorris qui lui barra le passage de l'air le plus affable. « Messire comte, messire, vous vous en partez? Mais Monseigneur le Dauphin n'attend plus que vous pour dîner! Votre place est à sa gauche. » N'osant faire affront au Dauphin, le gros d'Harcourt se résigna à différer son départ. Il partirait après le repas. Et il remonta l'escalier, sans trop de regret. Car la table du Dauphin avait grande réputation; on savait qu'il s'y servait merveilles; et Jean d'Harcourt n'avait pas acquis tout le lard dont il était bardé à sucer seulement des brins d'herbes.

Et de fait, quel festin ! Ce n'était pas en vain que Nicolas Braque avait aidé le Dauphin à l'apprêter. Ceux qui y furent, et qui en réchappèrent, n'en ont rien oublié. Six tables, réparties dans la grande salle ronde. Aux murs, des tapisseries de verdure, si vives de couleur qu'on aurait cru dîner au milieu de la forêt. Auprès des fenêtres, des buissons de cierges, pour renforcer le jour qui venait par les ébrasements, comme le soleil à travers les arbres. Derrière chaque convive, un écuyer tranchant, soit, pour les grands seigneurs, le leur propre, et pour les autres quelqu'un de la maison du Dauphin. On usait de couteaux à manche d'ébène, dorés et émaillés aux armes de France, tout spécialement réservés pour le temps de carême. C'est la coutume de la cour de ne sortir les couteaux à manche d'ivoire qu'à partir des fêtes de Pâques.

Car on respectait le carême. Pâtés de poisson, ragoûts de poisson, carpes, brochets, tanches, brèmes, saumons et bars, plats d'œufs, volailles, gibiers de plume ; on avait vidé les viviers et les basses-cours, écumé les rivières. Les pages de cuisine, formant une chaîne continue dans l'escalier, montaient les plats d'argent et de vermeil où rôtisseurs, queux et sauciers avaient disposé, dressé, nappé les mets préparés sous les cheminées de la tour des cuisines. Six échansons versaient les vins de Beaune, de Meursault, d'Arbois et de Touraine... Ah ! vous aussi, cela vous met en appétit, Archambaud ! J'espère qu'on nous fera bonne chère, tout à l'heure, à Saint-Sauveur...

Le Dauphin, au milieu de la table d'honneur, avait Charles de Navarre à sa droite et Jean d'Harcourt à sa gauche. Il était vêtu d'un drap bleu marbré de Bruxelles et coiffé d'un chaperon de même étoffe, orné de broderies de perles disposées en forme de feuillage. Je ne vous ai jamais encore décrit Monseigneur le Dauphin... Le corps étiré, les épaules larges et maigres, il a le visage allongé, un grand nez un peu bossué en son milieu, un regard dont on ne sait s'il est attentif ou songeur, la lèvre supérieure mince, l'autre plus charnue, le menton effacé.

On dit qu'il ressemble assez, pour autant qu'on ait moyen de savoir, à son ancêtre Saint Louis, qui était comme lui très long et un peu voûté. Cette tournure-là, à côté d'hommes très sanguins et redressés, apparaît de temps à autre dans la famille de France.

Les huissiers de cuisine venaient d'un pas empesé présenter les plats l'un après l'autre ; et lui, le Dauphin, désignait la table vers laquelle ils devaient être portés, faisant ainsi honneur à chacun de ses hôtes, au comte d'Étampes, au sire de la Ferté, au maire de Rouen, accompagnant d'un sourire, avec beaucoup de dignité courtoise, le geste qu'il faisait de la main, la main gauche toujours. Car, je vous l'ai dit, je crois, sa main droite est enflée, rougeâtre et le fait souffrir ; il s'en sert le moins possible. A peine peut-il jouer à la paume, une demi-heure, et tout de suite sa main gonfle. Ah ! c'est une grande faiblesse pour un prince... Ni chasse ni guerre. Son père ne se cache pas pour l'en mépriser. Comme il devait envier, le pauvre Dauphin, tous ces seigneurs qu'il traitait, les sires de Clères, de Graville, du Bec Thomas, de Mainemares, de Braquemont, de Sainte-Beuve ou d'Houdetot, ces chevaliers solides, sûrs d'eux, tapageurs, fiers de leurs exploits aux armes. Il devait même envier le gros d'Harcourt, que son quintal de graisse n'empêchait pas de maîtriser un cheval ni d'être un redoutable tournoyeur, et surtout le sire de Biville, un fameux homme qu'on entoure beaucoup dès qu'il paraît en société et à qui l'on fait raconter son exploit... C'est celui-là même... vous voyez, son nom vous est parvenu... oui, d'un seul coup d'épée, un Turc fendu en deux, sous les yeux du roi de Chypre. A chaque récit qu'il recommence, l'entaille augmente d'un pouce. Un jour il aura aussi fendu le cheval...

Mais je reviens au Dauphin Charles. Il sait, ce garçon, à quoi sa naissance et son rang l'obligent ; il sait pourquoi Dieu l'a fait naître, la place que la Providence lui a assignée, au plus haut de l'échelle des hommes, et que, sauf à mourir avant son père, il sera roi. Il sait qu'il aura le royaume à gouverner souverainement ; il sait qu'il sera la France. Et si dans le secret de soi il s'afflige que Dieu ne lui ait pas dispensé, en même temps que la charge, la robustesse qui l'aiderait à la bien porter, il sait qu'il doit pallier les insuffisances de son corps par une bonne grâce, une attention à autrui, un contrôle de son visage et de ses propos, un air tout ensemble de bienveillance et de certitude qui jamais ne laissent oublier qui il est, et se composer de la sorte une manière de majesté. Cela n'est point chose aisée, quand on a dix-huit ans et que la barbe vous pousse à peine !

Il faut dire qu'il y a été entraîné de bonne heure. Il avait onze ans quand son grand-père le roi Philippe VI parvint enfin à racheter le Dauphiné à Humbert II de Vienne. Cela effaçait quelque peu la défaite de Crécy et la perte de Calais. Je vous ai dit après quelles négociations... Ah ! je croyais... Vous voulez donc en savoir le menu ?

Le Dauphin Humbert était aussi gonflé d'orgueil que perclus de dettes. Il désirait vendre, mais continuer à gouverner quelque partie de ce qu'il cédait, et que ses États après lui restassent indépendants. Il avait d'abord voulu traiter avec le comte de Provence, roi de Sicile ; mais il monta le prix trop haut. Il se retourna alors vers la France, et c'est là que je fus appelé à m'occuper des tractations. Dans un premier accord, il céda sa couronne mais seulement pour après sa mort... il avait perdu son unique fils... partie au comptant, cent vingt mille florins s'il vous plaît, et partie en pension viagère. Avec cela, il eût pu vivre à l'aise. Mais au lieu d'éteindre ses dettes, il dissipa tout ce qu'il avait reçu en allant chercher la gloire à combattre les Turcs. Harcelé par ses créanciers, il lui fallut alors vendre ce qui lui restait, c'est-à-dire ses droits viagers. Ce qu'il finit par accepter, pour deux cent mille florins de plus et vingt-quatre mille livres de rente, mais non sans continuer de faire le superbe. Heureusement pour nous, il n'avait plus d'amis.

C'est moi, je le dis modestement, qui trouvai l'accommodement par lequel on put satisfaire à l'honneur d'Humbert et de ses sujets. Le titre de Dauphin de Viennois ne serait pas porté par le roi de France, mais par l'aîné des petits-fils du roi Philippe VI et ensuite par son aîné fils. Ainsi les Dauphinois, jusque-là indépendants, gardaient l'illusion de conserver un prince qui ne régnait que sur eux. C'est la raison pour laquelle le jeune Charles de France, ayant reçu l'investiture à Lyon, eut à accomplir, au long de l'hiver de 1349 et du printemps de 1350, la visite de ses nouveaux États. Cortèges, réceptions, fêtes. Il n'avait, je vous le répète, que onze ans. Mais avec cette facilité qu'ont les enfants d'entrer dans leur personnage, il prit l'habitude d'être accueilli dans les villes par des vivats, d'avancer entre des fronts courbés, de s'asseoir sur un trône tandis qu'on se hâtait de lui glisser sous les pieds assez de carreaux de soie pour qu'ils ne pendissent pas dans le vide, de recevoir en ses mains l'hommage des seigneurs, d'écouter gravement les doléances des villes. Il avait surpris par sa dignité, son affabilité, le bon sens de ses questions. Les gens s'attendrissaient de son sérieux ; les larmes venaient aux yeux des vieux chevaliers et de leurs vieilles épouses lorsque cet enfant les assurait de son amour et de son amitié, les louait de leurs mérites et leur disait compter sur leur fidélité. De tout prince, la moindre parole est objet de gloses infinies par lesquelles celui qui l'a reçue se donne importance. Mais d'un si jeune garçon, d'une miniature de prince, quels récits émus ne provoquait pas la plus simple phrase ! « A cet âge, on ne peut point feindre. » Mais si, il feignait, et même il se plaisait à feindre comme tous les gamins. Feindre l'intérêt pour chacun qu'il voyait, même si on lui offrait un regard louche et une bouche édentée, feindre le contentement devant le présent qu'on lui remettait même s'il en avait déjà reçu quatre semblables, feindre l'autorité lorsqu'un conseil de ville venait se plaindre pour une affaire de péage ou quelque litige communal... « Vous serez rétabli dans votre droit, si l'on vous a fait tort. Je veux que l'on conduise enquête avec diligence. » Il avait vite compris combien prescrire une enquête d'un ton décidé produit grand effet sans engager à rien.

Il ne savait pas encore qu'il serait d'une santé si faible, bien qu'il fût tombé malade pendant plusieurs semaines, à Grenoble. Ce fut durant ce voyage qu'il apprit la mort de sa mère, puis de sa grand-mère, et bientôt après le remariage de son grand-père et celui de son père, coup sur coup, avant qu'on lui annonçât qu'il allait lui-même bientôt épouser Madame Jeanne de Bourbon, sa cousine, qui avait le même âge que lui. Ce qui s'était fait, à Tain l'Hermitage, au début d'avril, dans une grande pompe et toute une affluence d'Église et de noblesse... Il n'y a que six ans.

C'est miracle qu'il n'ait pas eu la tête tournée, ou perturbée, par toutes ces pompes. Il avait seulement révélé le penchant commun à tous les princes de sa famille pour la dépense et le luxe. Des mains percées. Avoir tout de suite tout ce qui leur plaît. Je veux ceci, je veux cela. Acheter, posséder les choses les plus belles, les plus rares, les plus curieuses, et surtout les plus coûteuses, les animaux des ménageries, les orfèvreries somptueuses, les livres enluminés, dépenser, vivre dans des chambres tendues de soie et de drap d'or de Chypre, faire coudre sur leur vêtement des fortunes en pierreries, rutiler, c'est, pour le Dauphin comme pour tous les gens de son lignage, le signe du pouvoir et la preuve, à leurs propres yeux, de la majesté. Une naïveté qui leur vient de leur aïeul, le premier Charles, le frère de Philippe le Bel, l'empereur titulaire de Constantinople, ce gros bourdon qui tant s'agita et agita l'Europe, et même un moment songea à l'empire d'Allemagne. Un dispendieux, si jamais il en fut... Tous ont cela dans le sang. Quand on se commande des souliers, dans la famille, c'est par vingt-quatre, quarante ou cinquante-cinq paires à la fois, pour le roi, pour le Dauphin, pour Monseigneur d'Orléans. Il est vrai que leurs sottes poulaines ne tiennent pas à la boue ; les longues pointes se déforment, les broderies se ternissent, et l'on abîme en trois jours ce qui a pris un mois de labeur aux meilleurs artisans qui sont dans la boutique de Guillaume Loisel, à Paris. Je le sais parce que c'est de là que je fais venir mes mules rouges ; mais moi il me suffit de huit paires à l'année. Et regardez ; ne suis-je pas toujours proprement chaussé ?

Comme la cour donne le ton, seigneurs et bourgeois se ruinent en passementerie, en fourrures, en joyaux, en dépenses de vanité. On rivalise d'ostentation. Pensez que pour orner le chaperon que portait Monseigneur le Dauphin, ce jour de Rouen que je vous conte, on avait usé un marc de grosses perles et un marc de menues, commandées chez Belhommet Thurel pour trois cents ou trois cent vingt écus ! Allez vous étonner que les coffres soient vides quand chacun dépense plus qu'il ne lui reste d'argent ?

Ah ! voilà ma litière qui revient. On a changé d'attelage. Eh bien, remontons...

Il en est un, en tout cas, à qui ces difficultés de finances profitent, et qui fait bien ses affaires sur la pénurie de la caisse royale ; c'est messire Nicolas Braque, le premier maître de l'hôtel, qui est aussi le trésorier et le gouverneur des monnaies. Il a monté une petite compagnie de banque, je devrais dire une compagnie de frime, qui rachète parfois aux deux tiers, parfois à la moitié, parfois même au tiers prix, les dettes du roi et de sa parenté. La machinerie est simple. Un fournisseur de la cour est saisi à la gorge parce que depuis deux ans ou plus on ne lui a rien versé et qu'il ne sait plus comment payer ses compagnons ou acheter ses marchandises. Il s'en vient trouver messire Braque et lui agite ses mémoires sous le nez. Il a grand air, messire Braque; il est bel homme, toujours sévèrement vêtu, et il ne prononce jamais plus de mots qu'il n'en faut. Il n'a pas son pareil pour rabattre aux gens leur caquet. Tel qui arrivait tempêtant... «cette fois, il va m'entendre; c'est que j'en ai gros à lui dire, et je ne lui mâcherai pas mes mots...» se retrouve en un tournemain balbutiant et suppliant. Messire Braque laisse tomber sur lui, comme une douche de gouttière, quelques paroles froides et roides: «Vos prix sont forcés, comme toujours sur les travaux qu'on fait pour le roi... la clientèle de la cour vous attire maintes pratiques sur lesquelles vous gagnez gros... si le roi est en difficulté de payer, c'est que tout l'argent de son Trésor passe à subvenir aux frais de la guerre... prenez-vous-en aux bourgeois, comme maître Marcel, qui rechignent à consentir les aides... puisque vous peinez tant à fournir le roi, eh bien, on vous retirera les commandes...» Et quand le doléant est bien assagi, bien marri, bien grelottant, alors Braque lui dit: «Si vraiment vous êtes dans la gêne, je veux essayer de vous venir en aide. Je puis peser sur une compagnie de change où je compte des amis pour qu'elle reprenne vos créances. Je tenterai, je dis bien, je tenterai, qu'elles vous soient rachetées pour les quatre sixièmes; et vous donnerez quittance du tout. La Compagnie se fera rembourser quand Dieu voudra regarnir le Trésor... si jamais Il le veut. Mais n'en allez point parler, sinon chacun dans le royaume m'en viendrait demander autant. C'est grande faveur que je vous fais.»

Après quoi, dès qu'il y a trois sous dans la cassette, Braque prend l'occasion de glisser au roi: «Sire, je ne voulais point, pour votre honneur et votre renom, laisser traîner cette dette criarde, d'autant que le créancier était fort monté et menaçait d'un esclandre. J'ai, pour l'amour de vous, éteint cette dette avec mes propres deniers.» Et par priorité de faveur, il se fait rembourser du tout. Comme c'est lui, d'autre part, qui ordonne la dépense du palais, il se fait arroser de beaux cadeaux pour chaque commande passée. Il gagne aux deux bouts, cet honnête homme.

Ce jour du banquet, il s'affairait moins à négocier le paiement des aides refusées par les États de Normandie qu'à traiter avec le maire de Rouen, maître Mustel, du rachat des créances des marchands rouennais. Car des mémoires qui dataient du dernier voyage du roi, et même d'avant, restaient impayés. Quant au Dauphin, depuis qu'il était lieutenant du roi en Normandie, avant même d'être duc en titre, il commandait, il commandait, mais sans jamais solder aucun de ses comptes. Et messire Braque se livrait à son trafic habituel, en assurant le maire que c'était par amitié pour lui et pour l'estime dans laquelle il tenait les bonnes gens de Rouen qu'il allait leur rafler le tiers de leurs profits. Davantage même, car il les paierait en francs à la chaise, c'est-à-dire dans une monnaie amincie, et par qui ? Par lui, qui décidait des altérations... Reconnaissons que lorsque les États se plaignent des grands officiers royaux, ils y ont quelques motifs. Quand je pense que messire Enguerrand de Marigny fut naguère pendu parce qu'on lui reprochait, dix ans après, d'avoir une fois rogné la monnaie ! Mais c'était un saint auprès des argentiers d'aujourd'hui !

Qui y avait-il encore, à Rouen, qui mérite d'être nommé, hors les serviteurs habituels, et Mitton le Fol, nain du Dauphin, qui gambadait entre les tables, portant lui aussi chaperon emperlé... des perles pour un nain, je vous le demande, est-ce bonne manière de dépenser les écus qu'on n'a pas ? Le Dauphin le fait vêtir d'un drap rayé qu'on lui tisse tout exprès, à Gand... Je désapprouve cet emploi qu'on fait des nains. On les oblige à bouffonner, on les pousse du pied, on en fait risée. Ce sont créatures de Dieu, après tout, même si l'on peut dire que Dieu ne les a pas trop réussies. Raison de plus pour témoigner un peu de charité. Mais les familles, à ce qu'il paraît, tiennent pour une bénédiction la venue d'un nain. « Ah ! il est petit. Puisse-t-il ne pas grandir. On pourra le vendre à un duc, ou peut-être au roi... »

Non, je crois vous avoir cité tous les convives d'importance, avec Friquet de Fricamps, Graville, Mainemares, oui, je les ai nommés... et puis, bien sûr, le plus important de tous, le roi de Navarre.

Le Dauphin lui réservait toute son attention. Il n'avait guère d'efforts à faire, d'ailleurs, du côté du gros d'Harcourt. Celui-là ne causait qu'avec les plats, et il était bien vain de lui adresser parole pendant qu'il engloutissait des montagnes.

Mais les deux Charles, Normandie et Navarre, les deux beaux-frères, parlaient beaucoup. Ou plutôt Navarre parlait. Ils ne s'étaient guère revus depuis leur équipée manquée d'Allemagne ; et c'était tout à fait dans la manière du Navarrais que de chercher, par flatterie, protestations de bonne amitié, souvenirs joyeux et récits plaisants à reprendre empire sur son jeune parent.

Tandis que son écuyer, Colin Doublel, déposait les mets devant lui, Navarre, rieur, charmant, plein d'entrain et de désinvolte... « c'est la fête de nos retrouvailles ; grand merci, Charles, de me permettre de te montrer l'attachement que j'ai pour toi ; je m'ennuie, depuis ton éloignement... » lui rappelait leurs fines parties de l'hiver précédent et les aimables bourgeoises qu'ils jouaient aux dés, à qui la blonde, à qui la brune ? « ... la Cassinel est grosse à présent et nul ne doute que c'est de toi... », et de là passait aux affectueux reproches... « ah ! qu'es-tu allé conter tous nos projets à ton père !... Tu en as retiré le duché de Normandie, c'est bien joué, je le reconnais. Mais avec moi, c'est tout le royaume que tu pourrais avoir à cette heure... » pour lui glisser enfin, reprenant son antienne : « Avoue que tu ferais un meilleur roi que lui ! »

Et de s'enquérir, sans avoir l'air d'y toucher, de la prochaine rencontre entre le Dauphin et le roi Jean, si la date en était arrêtée, si elle aurait lieu en Normandie... « J'ai ouï dire qu'il était à chasser du côté de Gisors. »

Or il trouvait un Dauphin plus réservé, plus secret que par le passé. Affable certes, mais sur ses gardes, et ne répondant que par sourires ou inclinaisons de tête à tant d'empressement.

Soudain, il se produisit un grand fracas de vaisselle qui domina les voix des dîneurs. Mitton le Fol, qui s'employait à singer les huissiers de cuisine en présentant un merle, tout seul, sur le plus grand plat d'argent qu'il avait pu trouver, Mitton venait de laisser tomber le plat. Et il ouvrait la bouche toute grande, en désignant la porte.

Les bons chevaliers normands, déjà fortement abreuvés, s'amusaient du tour qu'ils jugeaient fort drôle. Mais leurs rires se coincèrent aussitôt dans leur gorge.

Car de la porte surgissait le maréchal d'Audrehem, tout armé, tenant son épée droite, la pointe en l'air, et qui leur criait de sa voix de bataille : « Que nul d'entre vous ne bouge pour chose qu'il voit, s'il ne veut mourir de cette épée ».

Ah ! mais, ma litière est arrêtée... Eh oui, nous voici arrivés ; je ne m'en avisais point. Je vous dirai la suite après souper.

V

L'ARRESTATION

Grand merci, messire abbé, je suis votre obligé... Non, de rien, je vous l'assure, je n'ai plus besoin de rien... seulement que l'on me remette quelques bûches au feu... Mon neveu va me faire compagnie ; j'ai à m'entretenir avec lui. C'est cela, messire abbé, la bonne nuit. Merci des prières que vous allez dire pour le Très Saint-Père et pour mon humble personne... oui, et toute votre pieuse communauté... L'honneur est pour moi. Oui, je vous bénis ; le bon Dieu vous ait en Sa sainte garde...

Ououh ! Si je le lui avais permis, il nous aurait tenus jusqu'à la minuit, cet abbé-là ! Il a dû naître le jour de la Saint-Bavard...

Voyons, où en étions-nous ? Je ne veux point vous laisser languir. Ah oui... le maréchal, l'épée haute...

Et derrière le maréchal surgirent une douzaine d'archers qui rabattirent brutalement échansons et valets contre les murs ; et puis Lalemant et Perrinet le Buffle, et sur leurs talons le roi Jean II lui-même, tout armé, heaume en tête, et dont les yeux jetaient du feu par la ventaille levée. Il était suivi de près par Chaillouel et Crespi, deux autres sergents de sa garde étroite.

« Je suis piégé », dit Charles de Navarre.

La porte continuait de dégorger l'escorte royale dans laquelle il reconnaissait quelques-uns de ses pires ennemis, les frères d'Artois, Tancarville...

Le roi marcha droit vers la table d'honneur. Les seigneurs normands esquissèrent un vague mouvement pour lui faire révérence. D'un geste des deux mains, il leur imposa de rester assis.

Il saisit son gendre par le col fourré de son surcot, le secoua, le souleva, tout en lui criant du fond de son heaume : « Mauvais traître ! Tu n'es pas digne de t'asseoir à côté de mon fils. Par l'âme de mon père, je ne penserai jamais à boire ni à manger tant que tu vivras ! »

L'écuyer de Charles de Navarre, Colin Doublel, voyant son maître ainsi malmené, eut une folle impulsion et brandit un couteau à trancher pour en frapper le roi. Mais son geste fut prévenu par Perrinet le Buffle qui lui retourna le bras.

Le roi, pour sa part, lâcha Navarre et, perdant contenance un instant, regarda avec surprise ce simple écuyer qui avait osé lever la main sur lui. « Prenez-moi ce garçon et son maître aussi », commanda-t-il.

La suite du roi s'était portée en avant d'un seul élan, les frères d'Artois au premier rang, qui encadrèrent Navarre comme un noisetier pincé entre deux chênes. Les hommes d'armes avaient complètement investi la salle ; les tapisseries étaient comme hérissées de piques. Les huissiers de cuisine semblaient vouloir rentrer dans les murs. Le Dauphin s'était levé et disait : « Sire mon père, Sire mon père... »

Charles de Navarre tentait de s'expliquer, de se défendre. « Monseigneur, je ne puis comprendre ! Qui vous a si mal informé contre moi ? Que Dieu m'aide, mais jamais, faites-m'en grâce, je n'ai pensé trahison, ni contre vous ni contre Monseigneur votre fils ! S'il est homme au monde qui m'en veuille accuser, qu'il le fasse, devant vos pairs, et je jure que je me purgerai de ses dires et le confondrai. »

Même en si périlleuse situation, il avait la voix claire, et la parole qui coulait aisément de la bouche. Il était vraiment très petit, très fluet, au milieu de tous ces gens de guerre ; mais il gardait son assurance dans le caquet.

« Je suis roi, Monseigneur, d'un moindre royaume que le vôtre, certes, mais je mérite d'être traité en roi. — Tu es comte d'Évreux, tu es mon vassal, et tu es félon ! — Je suis votre bon cousin, je suis l'époux de Madame votre fille, et je n'ai jamais forfait. Il est vrai que j'ai fait tuer Monseigneur d'Espagne. Mais il était mon adversaire et m'avait offensé. J'en ai fait pénitence. Nous nous sommes donné la paix et vous avez accordé des lettres de rémission à tous... — En prison, traître. Tu as assez joué de menterie. Allez ! qu'on l'enferme, qu'on les enferme tous les deux ! » cria le roi en montrant Navarre et son écuyer. « Et celui-là aussi », ajouta-t-il en désignant de son gantelet Friquet de Fricamps qu'il venait de reconnaître et qu'il savait avoir monté l'attentat de la Truie-qui-file.

Alors que sergents et archers entraînaient les trois hommes vers une chambre voisine, le Dauphin se jeta aux genoux du roi. Si effrayé qu'il pût être de la grande fureur où il voyait son père, il était demeuré assez lucide pour en apercevoir les conséquences, au moins pour lui-même.

« Ah ! Sire mon père, pour Dieu merci, vous me déshonorez ! Que va-t-on dire de moi ? J'avais prié le roi de Navarre et ses barons à dîner, et vous les traitez ainsi. On dira de moi que je les ai trahis. Je vous supplie par Dieu de vous calmer et de changer d'avis. — Calmez-vous

vous-même, Charles! Vous ne savez pas ce que je sais. Ils sont mauvais traîtres, et leurs méfaits se découvriront bientôt. Non, vous ne savez pas tout ce que je sais. »

Là-dessus notre Jean II, se saisissant de la masse d'armes d'un sergent, alla en frapper le comte d'Harcourt d'un coup formidable dont tout autre, moins gras que lui, aurait eu l'épaule cassée. « Debout, traître! Passez vous aussi en prison. Vous serez bien malin si vous m'échappez. »

Et comme le gros d'Harcourt, tout éberlué, ne se levait pas assez vite, il l'empoigna par sa cotte blanche qu'il déchira, faisant craquer tout son vêtement jusqu'à la chemise.

Poussé par les archers, Jean d'Harcourt, dépoitraillé, passa devant son cadet, Louis, et lui dit quelque chose qu'on ne comprit point, mais qui était méchant, et auquel l'autre répondit d'un geste qui pouvait signifier ce qu'on voulait... je n'ai rien pu faire; je suis chambellan du roi... tu l'as cherché, tant pis pour toi...

« Sire mon père, insistait le duc de Normandie, vous faites mal de traiter ainsi ces vaillants hommes... »

Mais Jean II ne l'entendait plus. Il échangeait des regards avec Nicolas Braque et Robert de Lorris qui lui désignaient silencieusement certains convives. « Et celui-là, en prison!... Et celui-là... » ordonnait-il en bousculant le sire de Graville et en cognant du poing Maubué de Mainemares, deux chevaliers qui avaient, eux aussi, trempé dans l'assassinat de Charles d'Espagne, mais qui avaient reçu, depuis deux ans, leurs lettres de rémission, signées de la main du roi. Comme vous le voyez, c'était de la haine bien recuite.

Mitton le Fol, grimpé sur un banc de pierre, dans l'ébrasement d'une fenêtre, faisait des signes à son maître en lui montrant les plats posés sur une desserte, et puis le roi, et puis agitait ses doigts devant sa bouche... manger...

« Mon père, dit le Dauphin, voulez-vous qu'on vous serve à manger? » L'idée était heureuse; elle évita d'expédier au cachot toute la Normandie.

« Pardieu oui! C'est vrai que j'ai faim. Savez-vous, Charles, que je suis parti d'au-delà la forêt de Lyons, et que je cours depuis l'aube pour châtier ces méchants? Faites-moi servir. »

Et il appela de la main pour qu'on lui délaçât son heaume. Il apparut les cheveux collés, la face rougie; la sueur lui coulait dans la barbe. En s'asseyant à la place de son fils, il avait déjà oublié son serment de ne manger ni boire tant que son gendre serait encore en vie.

Tandis qu'on se hâtait à lui dresser un couvert, qu'on lui versait du vin, qu'on le faisait patienter avec un pâté de brochet point trop entamé, qu'on lui présentait un cygne, resté intact et encore tiède, il se fit, entre les prisonniers qu'on emmenait et les valets qui dévalaient de

nouveau vers les cuisines, un flottement dans la salle et les escaliers ;
les seigneurs normands en profitèrent pour s'échapper, tel le sire de
Clères qui comptait également parmi les meurtriers du bel Espagnol et
qui s'en tira de justesse. Le roi ne faisant plus mine d'arrêter personne,
les archers les laissaient passer.

L'escorte crevait de faim et de soif, elle aussi. Jean d'Artois,
Tancarville, les sergents louchaient vers les plats. Ils attendaient un
geste du roi les autorisant à se restaurer. Comme ce geste ne venait pas,
le maréchal d'Audrehem arracha la cuisse d'un chapon qui traînait sur
une table et se mit à manger, debout. Louis d'Orléans eut une moue
d'humeur. Son frère, vraiment, montrait trop peu de souci de ceux qui
le servaient. Il s'assit au siège que Navarre occupait un moment avant,
en disant : « Je me fais devoir de vous tenir compagnie, mon frère. »

Le roi, alors, avec une sorte de mansuétude indifférente, invita ses
parents et barons à s'asseoir. Et tous aussitôt s'attablèrent, autour des
nappes maculées, pour épuiser les reliefs de la ripaille. On ne se soucia
pas de changer les écuelles d'argent. On attrapait ce qui se présentait
au passage, le gâteau de lait avant le canard confit, l'oie grasse avant
la soupe de coquillages. On mangeait des restes de friture froide. Les
archers se bourraient de tranches de pain ou bien filaient se faire
nourrir aux cuisines. Les sergents lampaient les gobelets abandonnés.

Le roi, bottes écartées sous la table, restait enfermé dans une songerie
brutale. Sa colère n'était pas apaisée ; elle semblait même reflamber
avec la mangeaille. Pourtant il aurait dû avoir quelques motifs de
contentement. Il était dans son rôle de justicier, le bon roi ! Il venait
enfin de remporter une victoire ; il avait une belle prouesse à faire
consigner par ses clercs pour la prochaine assemblée de l'Ordre de
l'Étoile. « Comment Monseigneur le roi Jean défit les traîtres qu'il saisit
au château de Bouvreuil... » Il parut s'étonner soudain de ne plus voir
les chevaliers normands, et s'en inquiéta. Il se méfiait d'eux. S'ils
allaient lui organiser une révolte, soulever la ville, libérer les prisonniers ?... Il montrait là toute sa nature, cet habile homme. Dans un
premier temps, poussé par une fureur longuement remâchée, il se ruait,
sans réfléchir à rien ; puis il négligeait de consolider ses actes ; puis il
se faisait des imaginations, toujours à côté de la réalité, mais dont il
était difficile de l'ôter. Maintenant, il voyait Rouen en rébellion,
comme Arras l'avait été un mois auparavant. Il voulut qu'on fît venir
le maire. Plus de maître Mustel. « Mais il était là voici à peine un
moment », disait Nicolas Braque. On rattrapa le maire dans la cour du
château. Il comparut, blanc d'une digestion coupée, devant le roi
bâfrant. Il s'entendit ordonner de fermer les portes de la ville et de crier
par les rues que chacun restât chez soi. Interdiction à quiconque de
circuler, bourgeois ou manant, et pour aucune raison. C'était l'état de

siège, le couvre-feu en plein jour. Une armée ennemie enlevant la ville n'eût pas agi autrement.

Mustel eut le courage de se montrer outragé. Les Rouennais n'avaient rien fait qui justifiât de telles mesures... « Si ! Vous refusez de verser les aides, en suivant les exhortements de ces méchants que je suis venu confondre. Mais, par saint Denis, ils ne vous exhorteront plus. »

En voyant se retirer le maire, le Dauphin dut penser avec tristesse que tous ses efforts patients poursuivis depuis plusieurs mois pour se concilier les Normands étaient réduits à néant. A présent, il aurait tout le monde contre lui, noblesse et bourgeoisie. Qui pourrait croire, en effet, qu'il n'était pas complice de ce guet-apens ? En vérité, son père lui donnait un bien méchant rôle.

Et puis le roi demanda qu'on allât quérir Guillaume... ah ! Guillaume comment... le nom m'échappe, pourtant je l'ai su... enfin, son roi des ribauds. Et chacun comprit qu'il avait résolu de procéder sans plus attendre à l'exécution immédiate des prisonniers.

« Ceux qui ne savent pas garder la chevalerie, il n'y a point de raison qu'on leur garde la vie, disait le roi. — Certes, mon cousin Jean », approuvait Jean d'Artois, ce monument de sottise.

Je vous le demande, Archambaud, était-ce vraiment de la chevalerie que de se mettre en arroi de bataille pour prendre des gens désarmés, et en se servant de son fils comme appât ? Navarre, sans doute, avait d'assez beaux états de gredinerie ; mais le roi Jean, sous ses dehors superbes, a-t-il beaucoup plus d'honneur dans l'âme ?

VI

LES APPRÊTS

Guillaume à la Cauche... Voilà, je l'ai retrouvé! Le nom que je cherchais; le roi des ribauds... Curieux office que le sien qui résulte d'une institution de Philippe Auguste. Il avait organisé pour sa garde étroite un corps de sergents, tous des géants, qu'on appelait les *ribaldi regis*, les ribauds du roi. Inversion de génitif ou bien jeu de mots, le chef de cette garde est devenu le *rex ribaldorum*. Nominalement, il commande aux sergents comme Perrinet le Buffle et les autres; et c'est lui, chaque soir, à l'heure du souper, qui fait le tour de l'hôtel royal pour voir si en sont bien sorties toutes gens qui ont entrée à la cour mais ne doivent pas y coucher. Mais surtout, comme je vous l'ai dit, je crois, il a charge de surveiller les mauvais lieux dans toute ville où le roi séjourne. C'est-à-dire que, d'abord, il réglemente et inspecte les bordeaux de Paris, qui ne sont pas en petit nombre, sans parler des follieuses qui travaillent à leur compte dans les rues qui leur sont réservées. De même les maisons où l'on joue les jeux de hasard. Tous ces méchants endroits sont ceux où l'on a le plus de chance de dépister voleurs, tire-laine, faussaires et meurtriers à gages; et puis de connaître les vices des gens, parfois très haut placés, qui vous ont des mines tout à fait honorables.

Si bien que le roi des ribauds est devenu le chef d'une sorte de police fort spéciale. Il a ses espies un peu partout. Il tient et entretient toute une vermine de taverne qui le fournit en rapports et indices. Si l'on veut faire suivre un voyageur, en explorer le portemanteau ou savoir à qui il se réunit, on s'adresse à lui. Ce n'est point un homme aimé, mais c'est un homme craint. Je vous en parle pour le jour où vous serez à la cour. Il vaut mieux n'être point mal avec lui.

Il gagne gros, car sa charge est moelleuse. Surveiller les catins, inspecter les bouges, c'est de bon profit. Outre les gages en argent et avantages en nature qu'il touche dans la maison du roi, il perçoit deux sous de redevance à la semaine sur tous les logis bordeaux et toutes les femmes bordelières. Voilà un bel impôt, n'est-ce pas, et dont la rentrée fait moins de difficultés que la gabelle. Également il touche cinq sous des femmes adultères... enfin, de celles qui sont connues. Mais en même temps, c'est lui qui engage les galantes pour l'usage de la cour. On le paye pour avoir les yeux ouverts, mais on le paye souvent aussi pour les fermer. Et puis, c'est lui, quand le roi est en chevauchée, qui exécute ses sentences ou celles du tribunal des maréchaux. Il règle l'ordonnance des supplices ; et dans ce cas les dépouilles des condamnés lui reviennent, tout ce qu'ils ont sur le corps au moment de leur arrestation. Comme, ordinairement, ce n'est point le fretin du crime qui provoque la colère royale, mais de puissantes et riches gens, les vêtements et joyaux qu'il récolte sur eux ne sont pas prises négligeables.

Le jour de Rouen, c'était l'aubaine. Un roi à décoller, et cinq seigneurs d'un coup ! Jamais roi des ribauds n'avait, oh ! depuis Philippe Auguste, connu fortune pareille. Une occasion sans égale de se faire apprécier du souverain. Aussi ne ménageait-il pas sa peine. Un supplice, c'est un spectacle... Il lui avait fallu trouver, en s'adressant au maire, six charrettes, parce que le roi avait exigé une charrette par condamné, c'était ainsi. Cela ferait le cortège plus long. Elles attendaient dans la cour du château, attelées de percherons pattus. Il lui avait fallu trouver un bourreau... parce que le bourreau de la ville n'était pas là, ou bien qu'il n'y en avait pas d'appointé dans le moment. Le roi des ribauds avait tiré de la prison un méchant drôle appelé Bétrouve, Pierre Bétrouve... eh bien, ce nom-là, vous voyez, je m'en souviens, allez savoir pourquoi... qui avait quatre homicides sur la conscience, ce qui paraissait une bonne préparation au travail qu'on allait lui confier, en échange d'une lettre de rémission délivrée par le roi. Il l'échappait belle, ce Bétrouve. S'il y avait eu un bourreau en ville...

Il avait fallu aussi trouver un prêtre ; mais c'est denrée moins rare, et l'on ne s'était guère mis en peine pour le choisir... le premier capucin venu, dans le couvent le plus voisin.

Durant ces apprêts, le roi Jean tenait petit conseil dans la salle du banquet un peu nettoyée...

Décidément le temps est à la pluie. Il y en a pour la journée. Bah ! nous avons de bonnes fourrures, de la braise dans nos échauffettes, des dragées, de l'hypocras pour nous revigorer contre la mouillure ; nous avons de quoi tenir jusqu'à Auxerre. Je suis bien aise de revoir Auxerre ; cela va raviver mes souvenirs...

Donc le roi tenait conseil, un conseil où il était presque seul à parler. Son frère d'Orléans se taisait ; son fils d'Anjou également. Audrehem était sombre. Le roi lisait bien sur les visages de ses conseillers que même les plus acharnés à perdre le roi de Navarre n'approuvaient pas qu'il fût décapité ainsi, sans procès et comme à la sauvette. Cela rappelait trop l'exécution de Raoul de Brienne, l'ancien connétable, décidée de la sorte sur un coup de colère, pour des raisons jamais éclairées, et qui avait mal inauguré le règne.

Seul Robert de Lorris, le premier chambellan, semblait seconder le souverain dans son vouloir de vengeance instantanée; mais c'était platitude plutôt que conviction. Il avait connu plusieurs mois de disgrâce pour s'être, aux yeux du roi, trop avancé du côté navarrais lors du traité de Mantes. Il fallait à Lorris prouver sa fidélité.

Nicolas Braque, qui a de l'habileté et sait manœuvrer le roi, chercha diversion en parlant de Friquet de Fricamps. Il opinait pour qu'on le gardât en vie, provisoirement, afin de lui faire subir une question en bonne et due forme. Nul doute que le gouverneur de Caen, suffisamment traité, n'ait à livrer des secrets bien intéressants. Comment connaître tous les rameaux de la conspiration si l'on ne conservait aucun des prisonniers?

« Oui, c'est sagement pensé, dit le roi. Qu'on garde Friquet. »

Alors, Audrehem ouvrit une des fenêtres et cria au roi des ribauds, dans la cour: « Cinq charrettes, il suffira! », confirmant du geste, la main grande ouverte: cinq. Et l'une des charrettes fut renvoyée au maire.

« Si c'est sagesse de garder Fricamps, ce le serait plus encore de garder son maître », dit alors le Dauphin.

Le premier émoi passé, il avait repris son calme et son air réfléchi. Son honneur était engagé dans l'affaire. Il cherchait par tous moyens à sauver son beau-frère. Jean II avait demandé à Jean d'Artois de répéter, pour la gouverne de tous, ce qu'il savait du complot. Mais « mon cousin Jean » s'était montré moins assuré, devant le Conseil, que devant le roi seul. Chuchoter de bouche à oreille une délation vous a un bon air de certitude. Redite à haute voix, pour dix personnes, elle perd de la force. Après tout, il ne s'agissait que d'on-dit. Un ancien serviteur avait vu... un autre avait entendu...

Même si, dans le secret de l'âme, le duc de Normandie ne pouvait s'empêcher d'accorder crédit aux accusations portées, les présomptions ne lui semblaient pas assez établies.

« Pour mon mauvais gendre, nous en savons assez, ce me semble, dit le roi. — Non, mon père, nous ne savons guère, répondit le Dauphin.

« Charles, êtes-vous donc si obtus? dit le roi avec colère. N'avez-vous pas entendu que ce méchant parent sans foi ni aveu, cette bête nuisible, nous voulait saigner bientôt, moi puis vous? Car, vous aussi, il voulait vous occire. Croyez-vous qu'après moi vous eussiez été un grand obstacle aux entreprises de votre bon frère qui voulait naguère vous tirer en Allemagne, contre moi? C'est notre place et notre trône qu'il guigne, rien moins. Ou bien êtes-vous toujours si coiffé de lui que refusiez de rien comprendre ?»

Alors le Dauphin qui prenait de l'assurance et de la détermination : « J'ai fort bien entendu, mon père ; mais il n'y a preuve ni aveux. — Et quelle preuve voulez-vous, Charles ? La parole d'un loyal cousin ne vous suffit-elle pas ? Attendez-vous de gésir, navré dans votre sang et percé comme le fut mon pauvre Charles d'Espagne, pour fournir la preuve ?»

Le Dauphin s'obstinait. «Il y a présomptions très fortes, mon père, je ne le contredis point ; mais pour l'heure, rien de plus. Présomption n'est pas crime. — Présomption est crime pour le roi, qui a devoir de se garder, dit Jean II devenu tout rouge. Vous ne parlez pas en roi, mais comme un clerc d'université rencogné derrière ses gros livres.»

Mais le jeune Charles tenait bon. «Si devoir royal est de se garder, ne nous mettons pas à nous décapiter entre rois. Charles d'Évreux a été oint et sacré pour la Navarre. Il est votre beau-fils, félon sans doute, mais votre beau-fils. Qui respectera les personnes royales si les rois s'envoient l'un l'autre au bourreau ? — Il n'avait qu'à ne point commencer », cria le roi.

Alors le maréchal d'Audrehem intervint, pour fournir son avis. «Sire, en l'occasion, c'est vous, aux yeux du monde, qui paraîtriez commencer.»

Un maréchal, Archambaud, de même qu'un connétable, c'est toujours difficile à manier. Vous l'installez dans une autorité et puis, tout à coup, il en use pour vous contredire. Audrehem est un vieil homme de guerre... pas si vieux que cela, au fond ; il a moins d'âge que moi... mais enfin un homme qui a longtemps obéi en se taisant et vu beaucoup de sottises se commettre sans pouvoir rien dire. Alors, il se rattrapait.

«Si encore nous avions pris tous les renards dans le même piège ! continua-t-il. Mais Philippe de Navarre est libre, lui, et aussi acharné. Expédiez l'aîné, et le cadet le remplace, qui soulèvera tout aussi bien son parti, et traitera tout aussi bien avec l'Anglais, d'autant qu'il est meilleur chevalier et plus ardent à la bataille.»

Louis d'Orléans vint alors appuyer le Dauphin et le maréchal, représentant au roi qu'aussi longtemps qu'il tiendrait Navarre en prison, il garderait prise sur ses vassaux.

«Instruisez longuement procès contre lui, faites éclater sa noirceur, faites-le juger par les pairs du royaume ; alors nul ne vous reprochera votre sentence. Quand le père de notre cousin Jean commit tous les actes qu'on sait, le roi notre père ne procéda pas autrement que par jugement public et solennel. Et quand notre grand-oncle Philippe le Bel découvrit l'inconduite de ses brus, si rapide qu'ait été sa justice, elle fut établie sur interrogatoires et prononcée en grande audience.»

Tout cela ne fut point du goût du roi Jean qui s'emporta derechef : « Les beaux exemples, et bien profitables, que vous me baillez là, mon frère ! Le grand jugement de Maubuisson a mis le déshonneur et le désordre dans la famille royale. Quant à Robert d'Artois, pour l'avoir seulement banni, n'en déplaise à notre cousin Jean, au lieu de le proprement saisir et occire, il nous a ramené la guerre d'Angleterre. »

Monseigneur d'Orléans qui n'aime point trop son aîné et se plaît à lui tenir tête, aurait alors reparti... on m'a assuré que cela fut dit... « Sire, mon frère, faut-il vous rappeler que Maubuisson ne nous a pas trop desservis ? Sans Maubuisson où notre grand-père Valois, que Dieu garde, joua sa part, c'est sans doute notre cousin de Navarre qui serait au trône en cette heure, au lieu de vous. Quant à la guerre d'Angleterre, le comte Robert y poussa peut-être, mais il ne lui apporta qu'une lance, la sienne. Or, la guerre d'Angleterre dure depuis dix-huit ans... »

Il paraît que le roi fléchit sous l'estocade. Il se retourna vers le Dauphin qu'il regarda durement en disant : « C'est vrai, dix-huit ans ; juste votre âge, Charles », comme s'il lui faisait grief de cette coïncidence.

Sur quoi Audrehem bougonna : « Nous aurions plus aisé à bouter l'Anglais hors de chez nous si nous n'étions pas toujours à nous battre entre Français. »

Le roi resta muet un moment, l'air fort courroucé. Il faut être bien sûr de soi pour se maintenir dans une décision quand nul de ceux qui vous servent ne l'approuve. C'est à cela qu'on peut juger le caractère des princes. Mais le roi Jean n'est pas déterminé ; il est buté.

Nicolas Braque, qui a appris dans les conseils l'art de profiter des silences, fournit au roi une porte de retraite en ménageant tout ensemble son orgueil et sa rancune.

« Sire, n'est-ce point expier bien vite que de mourir d'un coup ? Voici deux années et plus que Monseigneur de Navarre vous fait souffrir. Et vous lui accorderiez si courte punition ? Tenu en geôle, vous pouvez faire en sorte qu'il se sente mourir tous les jours. En outre, je gage que ses partisans ne laisseront pas de monter quelque tentative pour le délivrer. Alors vous pourrez capturer ceux-là qui aujourd'hui ont nargué vos filets. Et vous aurez bon prétexte à abattre votre justice sur une rébellion si patente... »

Le roi se rallia à ce conseil, disant qu'en effet son traître beau-fils méritait d'expier plus longtemps. « Je diffère son exécution. Puissé-je n'avoir pas à m'en repentir. Mais à présent qu'on hâte le châtiment des autres. C'est assez de paroles et nous n'avons perdu que trop de temps. » Il semblait craindre qu'on ne parvînt à le dessaisir d'une autre tête.

Audrehem, de la fenêtre, héla de nouveau le roi des ribauds et lui montra quatre doigts. Et comme il n'était pas sûr que l'autre eût bien compris, il lui dépêcha un archer pour lui dire qu'il y avait une charrette de moins.

« Qu'on se hâte ! répétait le roi. Faites délivrer ces traîtres. »

Délivrer... l'étrange mot qui peut surprendre ceux qui ne sont pas familiers de cet étrange prince ! C'est sa formule habituelle, quand il ordonne une exécution. Il ne dit pas : « Qu'on me délivre de ces traîtres », ce qui ferait sens, mais « délivrez ces traîtres »... qu'est-ce que cela signifie pour lui ? Délivrez-les au bourreau ? Délivrez-les de la vie ? Ou bien est-ce simplement un lapsus dans lequel il s'obstine, parce que dans la colère sa tête confuse ne contrôle plus ses paroles ?

Je vous conte tout cela, Archambaud, comme si j'y avais été. C'est que j'en ai eu le récit fait, en juillet, à peine trois mois après, quand les mémoires étaient encore fraîches, et par Audrehem, et par Monseigneur d'Orléans, et par Monseigneur le Dauphin lui-même, et aussi par Nicolas Braque, chacun, bien sûr, se souvenant surtout de ce qu'il avait dit lui-même. De la sorte, j'ai reconstitué, assez justement je crois, et dans le menu, toute cette affaire, et j'en ai écrit au pape, auquel étaient parvenues des versions plus courtes et un peu différentes. Les détails, en ces sortes de choses, ont plus d'intérêt qu'on ne pense, parce que cela renseigne sur le caractère des gens. Lorris et Braque sont tous deux des hommes fort avides d'argent et déshonnêtes dans leur âpreté à en faire ; mais Lorris est d'assez médiocre nature, alors que Braque est un politique judicieux...

Il pleut toujours... Brunet, où sommes-nous ? Fontenoy... Ah oui, je me rappelle ; c'était dans mon diocèse. Il s'est livré là une bataille fameuse, qui a eu de grosses conséquences pour la France ; *Fontanetur* selon le nom ancien. Vers l'an 840 ou 841, Charles et Louis le Germanique y ont défait leur frère Lothaire, à la suite de quoi ils signèrent le traité de Verdun. Et c'est à partir de là que le royaume de France a été pour toujours séparé de l'Empire... Avec cette pluie, on ne voit rien. D'ailleurs, il n'y a rien à voir. De temps en temps, les manants, en labourant, trouvent une poignée de glaive, un casque tout rongé, vieux de cinq cents ans... Poursuivons, Brunet, poursuivons.

VII

LE CHAMP DU PARDON

Le roi, heaume en tête de nouveau, était seul à cheval avec le maréchal qui, lui, avait coiffé une simple cervellière de mailles. Il n'allait pas courir de si grands dangers qu'il lui fallût revêtir un arroi de bataille. Audrehem n'est pas de ces gens qui font grande ostentation guerrière quand il n'y a pas lieu. S'il plaisait au roi d'arborer son heaume à couronne pour assister à quatre décollations, c'était son affaire.

Tout le reste de la compagnie, du plus grand seigneur au dernier archer, irait à pied jusqu'au lieu du supplice. Le roi en avait décidé ainsi, car il est homme qui perd beaucoup de temps à régler lui-même les parades dans le menu, aimant à faire nouveauté de détail, au lieu de laisser agir selon l'usage de toujours.

Il n'y avait plus que trois charrettes, parce que d'ordres en contrordres mal compris, on en avait renvoyé une de trop.

Tout auprès se tenaient Guillaume... eh bien non, ce n'est pas Guillaume à la Cauche ; j'ai confondu. Guillaume à la Cauche est un valet de la chambre ; mais c'est un nom qui y ressemble... la Gauche, le Gauche, la Tanche, la Planche... Je ne sais même pas s'il se prénomme Guillaume ; c'est d'ailleurs de petite importance... Donc se tenaient auprès le roi des ribauds et le bourreau improvisé, blanc comme un navet d'avoir séjourné en cachot, un maigrelet, m'a-t-on dit, et pas du tout tel qu'on aurait attendu un mécréant coupable de quatre meurtres, et puis le capucin qui tripotait, comme ils le font toujours, sa cordelière de chanvre.

Tête nue et les mains liées derrière le dos, les condamnés sortirent du donjon. Le comte d'Harcourt venait le premier, dans son surcot blanc que le roi lui avait déchiré à l'emmanchure, la chemise avec. Il montrait son énorme épaule, rose comme couenne, et son sein gras. On finissait d'affûter les haches, sur une meule, dans un coin de la cour.

Personne ne regardait les condamnés, personne n'osait les regarder. Chacun fixait un coin de pavé ou de mur. Qui aurait osé, sous l'œil du roi, un regard d'amitié ou seulement de compassion pour ces quatre-là qui allaient périr? Ceux même qui se trouvaient à l'arrière de l'assistance gardaient le nez baissé, de peur que leurs voisins ne puissent dire qu'on avait vu sur leur figure... Nombreux ils étaient à blâmer le roi. Mais de là à le montrer... Beaucoup d'entre eux connaissaient le comte d'Harcourt de longue accointance, avaient chassé avec lui, jouté avec lui, dîné à sa table, qui était copieuse. Pour l'heure, pas un ne semblait se souvenir; les toits du château et les nuages d'avril leur étaient choses plus captivantes à contempler. Si bien que Jean d'Harcourt, tournant de tous côtés ses paupières plissées de graisse, ne trouvait pas un visage auquel accrocher son malheur. Pas même celui de son frère, surtout pas celui de son frère! Dame! une fois son gros aîné raccourci, qu'allait décider le roi de ses titres et de ses biens?

On fit monter dans la première charrette celui qui était encore pour un moment le comte d'Harcourt. Ce ne fut pas sans peine. Un quintal et demi, et les mains liées. Il fallut quatre sergents pour le pousser, le hisser. Il y avait de la paille disposée dans le fond de la charrette, et puis le billot.

Quand Jean d'Harcourt fut juché, il se tourna tout dépoitraillé vers le roi comme s'il voulait lui parler, le roi immobile sur sa selle, vêtu de mailles, couronné d'acier et d'or, le roi justicier, qui voulait bien faire apparaître que toute vie au royaume était soumise à son décret, et que le plus riche seigneur d'une province, en un instant, pouvait n'être plus rien si tel était son vouloir. Et d'Harcourt ne prononça mot.

Le sire de Graville fut mis dans la seconde charrette, et dans la troisième on fit grimper ensemble Maubué de Mainemares et Colin Doublel, l'écuyer qui avait levé sa dague sur le roi. Celui-ci paraissait dire à chacun d'eux: «Souviens-toi du meurtre de Monsieur d'Espagne; souviens-toi de l'auberge de la Truie-qui-file.» Car toute l'assistance comprenait que, sinon pour d'Harcourt, en tout cas pour les trois autres, c'était la vengeance qui commandait cette brève et bien torve justice. Punir des gens à qui l'on a donné publiquement rémission... Il faut pouvoir faire état de nouveaux griefs, et bien patents, pour agir de la sorte. Cela eût mérité remontrance du pape, et des plus sévères, si le pape n'était pas aussi faible...

Dans le donjon, on avait méchamment poussé le roi de Navarre au plus près d'une fenêtre pour qu'il ne perdît rien du spectacle.

Le Guillaume, qui n'est pas la Cauche, se tourne vers le maréchal d'Audrehem... tout est prêt. Le maréchal se tourne vers le roi... tout est prêt. Le roi fait un geste de la main. Et le cortège se met en route.

En tête, une escouade d'archers, chapeaux de fer et gambisons de cuir, le pas alourdi par leurs gros houseaux. Ensuite, le maréchal, à cheval, et visiblement sans plaisir. Des archers encore. Et puis les trois charrettes. Et derrière, le roi des ribauds, le bourreau maigrelet et le capucin crasseux.

Et puis le roi, droit sur son destrier, flanqué des sergents de sa garde étroite, et enfin toute une procession de seigneurs en chaperon ou en chapeau de chasse, manteau fourré ou cotte hardie.

La ville est silencieuse et vide. Les Rouennais ont prudemment obéi à l'ordre de se tenir dans leurs maisons. Mais leurs têtes s'agglutinent derrière leurs grosses vitres verdâtres, soufflées comme des culs de bouteilles ; leurs regards se coulent par le bord entrebâillé de leurs fenêtres quadrillées de plomb. Ils ne peuvent pas croire que c'est le comte d'Harcourt qui est dans la charrette, lui qu'ils ont vu souvent passer dans leurs rues, et ce matin encore, en superbe équipage. Pourtant son embonpoint le désigne assez... « C'est lui ; je te disons que c'est lui. » Pour le roi, dont le heaume passe presque à hauteur du premier étage des maisons, ils n'ont point de doute. Il fut longtemps leur duc... « C'est lui, c'est bien le roi... » Mais ils n'auraient pas été frappés d'une crainte plus grande s'ils avaient aperçu une tête de mort sous la ventaille du casque. Ils étaient mécontents, les Rouennais, terrifiés mais mécontents. Car le comte d'Harcourt les avait toujours soutenus et ils l'aimaient bien. Alors ils chuchotaient : « Non, ce n'est pas bonne justice. C'est nous qu'on atteint. »

Les charrettes cahotaient. La paille glissait sous les pieds des condamnés qui avaient peine à garder leur aplomb. On m'a dit que Jean d'Harcourt, pendant tout le trajet, avait la tête renversée en arrière, et que ses cheveux s'écartaient sur sa nuque qui faisait de gros plis. Que pouvait penser un homme comme lui en allant au supplice, et en regardant la coulée de ciel entre les pignons des maisons ? Je me demande toujours ce que peuvent avoir dans la tête les condamnés à mort, pendant leurs derniers moments... Est-ce qu'il se reprochait de ne pas avoir assez admiré toutes les belles choses que le bon Dieu offre à nos yeux, tous les jours ? Ou bien songeait-il à l'absurdité de ce qui nous empêche de profiter de tous Ses bienfaits ? La veille, il discutait d'impôts et de gabelle... Ou bien se disait-il qu'il y avait bien de la sottise dans son affaire ? Car il était prévenu, son oncle Godefroy l'avait fait prévenir... « Repartez-vous-en aussitôt... » Il avait tôt éventé le piège, Godefroy d'Harcourt... « Ce banquet de carême sent le guet-apens... » Si seulement son messager était parvenu un tout petit moment plus tôt, si Robert de Lorris ne s'était trouvé là, au bas de l'escalier... si... si... Mais la faute n'était pas au sort, elle était à lui-même. Il aurait suffi qu'il faussât compagnie au Dauphin, il aurait suffi qu'il ne cherchât pas de mauvaises raisons pour céder à sa gourman-dise. « Je partirai après le banquet ; ce sera la même chose... »

Les grands malheurs des gens, voyez-vous, Archambaud, leur

surviennent souvent ainsi pour de petites raisons, pour une erreur de jugement ou de décision dans une circonstance qui leur semblait sans importance, et où ils suivent la pente de leur nature... Un petit choix de rien du tout, et c'est la catastrophe.

Ah! comme ils voudraient alors avoir le droit de reprendre leurs actes, remonter en arrière, à la bifurcation mal prise. Jean d'Harcourt bouscule Robert de Lorris, lui crie: «Adieu, messire», enfourche son gros cheval, et tout est différent. Il retrouve son oncle, il retrouve son château, il retrouve sa femme et ses neuf enfants, et il se flatte, tout le reste de sa vie, d'avoir échappé au mauvais coup du roi... A moins, à moins, si c'était son jour marqué, qu'en s'en repartant il ne se soit rompu la tête en se cognant à une branche de la forêt. Allez donc pénétrer la volonté de Dieu! Et il ne faut pas oublier tout de même... ce que cette méchante justice finit par effacer... que d'Harcourt complotait vraiment contre la couronne. Eh bien, ce n'était pas le jour du roi Jean, et Dieu réservait à la France d'autres malheurs dont le roi serait l'instrument.

Le cortège monta la côte qui mène au gibet, mais s'arrêta à mi-chemin, sur une grand-place bordée de maisons basses où se tient chaque automne la foire aux chevaux et qu'on appelle le champ du Pardon. Oui, c'est là son nom. Les hommes d'armes s'alignèrent à droite et à gauche de la voie qui traversait la place, laissant entre leurs rangs un espace de trois longueurs de lances.

Le roi, toujours à cheval, se tenait bien au milieu de la chaussée, à un jet de caillou du billot que les sergents avaient roulé hors de la première charrette et pour lequel on cherchait un endroit plat.

Le maréchal d'Audrehem mit pied à terre, et la suite royale, où dominaient les têtes des deux frères d'Artois... que pouvaient-ils penser, ceux-là? C'était l'aîné qui portait la responsabilité première de ces exécutions. Oh! ils ne pensaient rien... «mon cousin Jean, mon cousin Jean»... La suite se rangea en demi-cercle. On observa Louis d'Harcourt pendant qu'on faisait descendre son frère; il ne broncha point.

Les apprêts n'en finissaient pas, de cette justice improvisée au milieu d'un champ de foire. Et il y avait des yeux aux fenêtres tout autour de la place.

Le dauphin-duc, la tête penchant sous son chaperon emperlé, piétinait en compagnie de son jeune oncle d'Orléans, faisait quelques pas, revenait, repartait comme pour chasser un malaise. Et soudain le gros comte d'Harcourt s'adresse à lui, à lui et à Audrehem, criant de toutes ses forces:

«Ah! sire duc, et vous gentil maréchal, pour Dieu, faites que je parle au roi, et je saurai bien m'excuser, et je lui dirai telles choses dont il tirera profit ainsi que son royaume.»

Nul qui l'entendit qui ne se souvienne d'avoir eu l'âme déchirée par l'accent qu'avait sa voix, un cri tout ensemble d'angoisse dernière et de malédiction.

Du même mouvement, le duc et le maréchal viennent au roi, qui l'a pu ouïr aussi bien qu'eux. Ils sont presque à toucher son cheval. « Sire mon père, pour Dieu, laissez qu'il vous parle ! — Oui, Sire, faites qu'il vous parle, et vous en serez mieux », insiste le maréchal.

Mais ce Jean II est un copiste ! En chevalerie, il copie son grand-père, Charles de Valois, ou le roi Arthur des légendes. Il a appris que Philippe le Bel, quand il avait ordonné une exécution, restait inflexible. Alors il copie, il croit copier le Roi de fer. Mais Philippe le Bel ne se mettait pas un heaume quand ce n'était pas nécessaire. Et il ne condamnait pas à tort et à travers, en fondant sa justice sur la trouble rumination d'une haine.

« Faites délivrer ces traîtres », répète Jean II par sa ventaille ouverte.

Ah ! Il doit se sentir grand, il doit se sentir vraiment tout-puissant. Le royaume et les siècles se souviendront de sa rigueur. Il vient surtout de perdre une belle occasion de réfléchir.

« Soit ! confessons-nous », dit alors le comte d'Harcourt en se tournant vers le capucin sale. Et le roi de crier : « Non, pas de confession pour les traîtres ! »

Là, il ne copie plus, il invente. Il traître le crime de... mais quel crime au fait ? le crime d'être soupçonné, le crime d'avoir prononcé de mauvaises paroles qui ont été répétées... disons le crime de lèse-majesté comme celui des hérétiques ou des relaps. Car Jean II a été oint, n'est-ce pas ? *Tu es sacerdos in æternum...* Alors il se prend pour Dieu en personne, et décide de la place des âmes après la mort. De cela aussi, le Saint-Père à mon sens aurait dû lui faire dure remontrance.

« Celui-là seulement, l'écuyer... », ajoute-t-il en désignant Colin Doublel.

Allez savoir ce qui se passe dans cette cervelle trouée comme un fromage ? Pourquoi cette discrimination ? Pourquoi accorde-t-il la confession à l'écuyer tranchant qui a levé son couteau contre lui ? Aujourd'hui encore les assistants, quand ils parlent entre eux de cette heure terrible, s'interrogent sur cette étrangeté du roi. Voulait-il établir que les degrés dans la faute suivent la hiérarchie féodale, et signifier que l'écuyer qui a forfait est moins coupable que le chevalier ? Ou bien était-ce parce que le coutelas brandi vers sa poitrine lui a fait oublier que Doublel était aussi parmi les assassins de Charles d'Espagne, comme Mainemares et Graville, Mainemares, un grand efflanqué qui se démène dans ses liens et promène des yeux furieux, Graville qui ne peut pas faire le signe de croix, mais, bien ostensiblement, murmure des prières... si Dieu veut entendre son repentir, il l'entendra bien sans intercesseur.

Le capucin, qui commençait à se demander ce qu'il faisait là, se saisit en hâte de l'âme qu'on lui laisse et chuchote du latin dans l'oreille de Colin Doublel.

Le roi des ribauds pousse le comte d'Harcourt devant le billot. « Agenouillez-vous, messire. »

Le gros homme s'affaisse, comme un bœuf. Il remue les genoux, sans doute parce qu'il y a des graviers qui le blessent. Le roi des ribauds, passant derrière lui, bande ses yeux par surprise, le privant de regarder les nœuds du bois, cette dernière chose du monde qu'il aura eue devant lui.

C'était plutôt aux autres qu'on aurait dû mettre un bandeau, pour leur épargner le spectacle qui allait suivre.

Le roi des ribauds... c'est curieux tout de même que je ne retrouve pas son nom ; je l'ai vu à plusieurs reprises auprès du roi ; et je revois très bien sa mine, un haut et fort gaillard qui porte une épaisse barbe noire... le roi des ribauds prit la tête du condamné à deux mains, comme une chose, pour la disposer ainsi qu'il fallait, et partager les cheveux pour bien dégager la nuque.

Le comte d'Harcourt continuait de remuer les genoux à cause des graviers... « Allez, taille ! » fit le roi des ribauds. Et il vit, et tout le monde vit que le bourreau tremblait. Il n'en finissait pas de soupeser sa grande hache, de déplacer ses mains sur le manche, de chercher la bonne distance avec le billot. Il avait peur. Oh ! il aurait été plus assuré avec un poignard, dans un coin d'ombre. Mais une hache, pour ce malingre, et devant le roi et tous ces seigneurs, et tous ces soldats ! Après plusieurs mois de prison, il ne devait pas se sentir les muscles bien solides, même si on lui avait servi une bonne soupe et un gobelet de vin pour lui donner des forces. Et puis on ne lui avait pas mis de cagoule, comme cela se fait d'ordinaire, parce qu'on n'en avait pas sous la main. Ainsi tout le monde saurait désormais qu'il avait été bourreau. Criminel et bourreau. De quoi faire horreur à n'importe qui. A savoir ce qui lui tournait dans la tête, à celui-là aussi, à ce Bétrouve qui allait gagner sa liberté en accomplissant le même acte que celui qui l'avait conduit en prison. Il voyait la tête qu'il avait à trancher à la place où il aurait dû avoir la sienne, un peu plus tard, si le roi n'était pas passé par Rouen. Peut-être y avait-il chez ce gredin plus de charité, plus de sentiment de communion, plus de lien avec son prochain qu'il n'y en avait chez le roi.

« Taille ! » dut répéter le roi des ribauds. Le Bétrouve leva sa hache, non pas droit au-dessus de lui comme un bourreau, mais de côté, comme un bûcheron qui va abattre un arbre et il laissa la hache retomber de son propre poids. Elle tomba mal.

Il y a des bourreaux qui vous décollent un chef en une fois, d'un seul coup bien frappé. Mais pas celui-là, ah non ! Le comte d'Harcourt devait être assommé, car il ne bougeait plus les genoux ; mais il n'était pas mort car la hache s'était amortie dans la couche de graisse qui lui tapissait la nuque.

Il fallut recommencer. Encore plus mal. Cette fois, le fer n'entama que le côté du cou. Le sang jaillit par une large plaie béante qui laissait voir l'épaisseur de la graisse jaune.

Le Bétrouve luttait avec sa hache dont le tranchant s'était fiché dans le bois du billot et qu'il ne pouvait plus en ressortir. La sueur lui coulait sur la figure.

Le roi des ribauds se tourna vers le roi avec un air d'excuse, comme s'il voulait dire : « Ce n'est pas ma faute. »

Le Bétrouve s'énerve, n'entend pas ce que les sergents lui disent, refrappe ; et l'on croirait que le fer tombe dans une motte de beurre. Et encore, et encore ! Le sang ruisselle du billot, gicle sous le fer, constelle la cotte déchirée du condamné. Des assistants se détournent, le cœur soulevé. Le Dauphin montre un visage d'horreur et de colère ; il serre les poings, ce qui lui fait la main droite toute violette. Louis d'Harcourt, blême, se contraint de rester au premier rang devant cette boucherie qu'on fait de son frère. Le maréchal déplace les pieds pour ne pas marcher dans la rigole de sang qui sinue vers lui.

Enfin, à la sixième reprise, la grosse tête du comte d'Harcourt se sépara du tronc, et, entourée de son bandeau noir, roula au bas du billot.

Le roi ne bougeait pas. Par sa fenêtre d'acier, il contemplait, sans donner marque de gêne, d'écœurement ni de malaise, cette bouillie sanglante entre les épaules énormes, juste en face de lui, et cette tête isolée, toute souillée, au milieu d'une flaque poisseuse. Si quelque chose parut sur son visage encadré de métal, ce fut un sourire. Un archer s'écroula, dans un bruit de ferraille. Seulement alors, le roi consentit à tourner les yeux. Cette mauviette ne resterait pas longtemps dans sa garde. Perrinet le Buffle se détendit en soulevant l'archer par le col de son gambison et en le giflant à toute volée. Mais la mauviette, par sa pâmoison, avait rendu service. Chacun se reprit un peu ; il y eut même des ricanements.

Trois hommes, il n'en fallut pas moins, tirèrent en arrière le corps du décapité. « Au sec, au sec », criait le roi des ribauds. Les vêtements lui revenaient de droit, n'oublions pas. Il suffisait qu'ils fussent déchirés ; si de surcroît ils étaient trop maculés, il n'en tirerait rien. Déjà, il avait deux condamnés de moins qu'il n'escomptait...

Et pour la suite, il exhortait son bourreau, tout suant et soufflant, lui prodiguait ses conseils comme à un lutteur épuisé : « Tu montes droit au-dessus de toi, et puis tu ne regardes pas ta hache, tu regardes où tu dois frapper, à mi-col. Et han ! » Et de faire mettre de la paille au pied du billot, pour sécher le sol, et de bander les yeux du sire de Graville, un bon Normand plutôt replet, de le faire agenouiller, de lui poser le visage dans la bouillie de viande. « Taille ! » Et là, d'un coup... miracle... Bétrouve lui tranche le col ; et la tête tombe en avant tandis que le corps s'écroule de côté, déversant un flot rouge dans la poussière. Et les gens se sentent comme soulagés. Pour un peu, ils féliciteraient le Bétrouve qui regarde autour de lui, stupéfait, l'air de se demander comment il a pu réussir.

Vient le tour du grand déhanché, de Maubué de Mainemares qui a un regard de défi pour le roi. « Chacun sait, chacun sait... », s'écrie-t-il. Mais comme le barbu est devant lui et lui applique le bandeau, sa parole s'étouffe, et nul ne saisit ce qu'il a voulu proférer.

Le maréchal d'Aubrehem se déplace encore parce que le sang avance vers ses bottes... « Taille ! » Un coup de hache, à nouveau, un seul, bien assené. Et cela suffit.

Le corps de Mainemares est tiré en arrière, auprès des deux autres. On délie les mains des cadavres pour pouvoir les prendre plus aisément par les quatre membres, les balancer, et hisse ! les jeter dans la première charrette qui les emmène jusqu'au gibet, pour être accrochés au charnier. On les dépouillera là-haut. Le roi des ribauds fait signe de ramasser aussi les têtes.

Bétrouve cherche son souffle, appuyé sur le manche de la hache. Il a mal aux reins ; il n'en peut plus. Et c'est de lui, pour un peu, qu'on aurait pitié. Ah ! il les aura gagnées ses lettres de rémission ! Si jusqu'à la fin de ses jours il fait de mauvais rêves et pousse des cris dans son sommeil, il ne lui faudra pas s'en étonner.

Colin Doublel, l'écuyer courageux, était nerveux quoique absous. Il eut un mouvement pour se dégager des mains qui le poussaient vers le billot ; il voulait y aller seul. Mais le bandeau est fait justement pour éviter cela, les gestes désordonnés des condamnés.

On ne put pas empêcher toutefois que Doublel ne relevât la tête au mauvais moment, et que Bétrouve... là, vraiment, ce n'était pas sa faute !... ne lui ouvrît le crâne par le travers. Allons ! encore un coup. Voilà, c'était fait.

Ah ! ils en auraient des choses à raconter, les Rouennais qui étaient aux fenêtres environnantes, des choses qui allaient vite se répéter de bourg en bourg, jusqu'au fond du duché. Et les gens allaient venir de partout contempler cette place qui avait bu tant de sang. On ne croirait pas que quatre corps d'hommes puissent en contenir autant et que cela fasse une si large marque sur le sol.

Le roi Jean regardait son monde avec une étrange satisfaction. L'horreur qu'il inspirait en cet instant, même à ses serviteurs les plus fidèles, n'était pas, semblait-il, pour lui déplaire ; il était assez fier de soi. Il regardait particulièrement son fils aîné... « Voilà, mon garçon, comment on se conduit, quand on est roi... »

Qui aurait osé lui dire qu'il avait eu tort de céder à sa nature vindicative? Pour lui aussi, ce jour était celui de la bifurcation. Le chemin de gauche ou le chemin de droite. Il avait pris le mauvais, comme le comte d'Harcourt au pied de l'escalier. Après six ans d'un règne malaisé, plein de troubles, de difficultés et de revers, il donnait au royaume, qui n'était que trop prêt à l'y suivre, l'exemple de la haine et de la violence. En moins de six mois, il allait dévaler la route des vrais malheurs, et la France avec lui.

TROISIÈME PARTIE

LE PRINTEMPS PERDU

I

LE CHIEN ET LE RENARDEAU

Ah! je suis bien aise, bien aise en vérité, d'avoir revu Auxerre. Je ne pensais pas que Dieu m'accorderait cette grâce, ni que je la goûterais autant. Revoir les places qui logèrent un moment de votre jeunesse remue toujours le cœur. Vous connaîtrez ce sentiment, Archambaud, quand les années se seront accumulées sur vous. S'il vous advient d'avoir à traverser Auxerre, lorsque vous aurez l'âge que j'ai... que Dieu veuille vous garder jusque-là... vous direz: «Je fus ici avec mon oncle le cardinal, qui y avait été évêque, son deuxième diocèse, avant de recevoir le chapeau... Je l'accompagnais vers Metz, où il allait voir l'Empereur... »

Trois ans j'ai résidé ici, trois ans... oh! n'allez pas croire que j'aie regret de ce temps-là et que j'éprouvais mieux la faveur de vivre quand j'étais évêque d'Auxerre que je ne fais aujourd'hui. J'avais même, pour vous avouer le vrai, l'impatience d'en partir. Je louchais du côté d'Avignon, tout en sachant bien que j'étais trop jeune; mais enfin je sentais que Dieu avait mis en moi le caractère et les ressources d'esprit qui pouvaient lui faire service à la cour pontificale. Afin de m'instruire à la patience, je poussai plus avant dans la science d'astrologie; et c'est justement ma perfection en cette science qui décida mon bienfaiteur Jean XXII à m'imposer le chapeau, quand je n'avais que trente ans. Mais cela, je vous l'ai déjà conté... Ah! mon neveu, avec un homme qui a beaucoup vécu, il faut s'habituer à entendre plusieurs fois les mêmes choses. Ce n'est pas que nous ayons la tête plus molle quand nous sommes vieux; mais elle est pleine de souvenirs, qui s'éveillent en toutes sortes de circonstances. La jeunesse emplit le temps à venir d'imaginations; la vieillesse refait le temps passé avec sa mémoire. Les choses sont égales... Non, je n'ai pas de regrets. Lorsque je compare ce que j'étais et ce que je suis, je n'ai que des raisons de louer le Seigneur, et un peu de me louer moi-même, en toute modeste honnêteté.

Simplement, c'est du temps qui a coulé de la main de Dieu et qui n'existera plus quand j'aurai cessé de m'en souvenir. Sauf à la Résurrection, où nous aurons tous nos moments rassemblés. Mais cela dépasse mon entendement. Je crois à la Résurrection, j'enseigne à y croire, mais je n'entreprends pas de m'en faire image, et je dis qu'ils sont bien orgueilleux ceux-là qui mettent en doute la Résurrection... mais si, mais si, plus de gens que vous ne pensez... parce qu'ils sont infirmes à se la figurer. L'homme est pareil à un aveugle qui nierait la lumière parce qu'il ne la voit pas. La lumière est un grand mystère, pour l'aveugle !

Tiens... je pourrai prêcher là-dessus dimanche, à Sens. Car je devrai prononcer l'homélie. Je suis archidiacre de la cathédrale. C'est la raison pour laquelle je m'oblige à ce détour. Nous aurions eu plus court à piquer sur Troyes, mais il me faut inspecter le chapitre de Sens.

Il n'empêche que j'aurais eu plaisir à prolonger un peu à Auxerre. Ces deux jours ont passé trop vite... Saint-Étienne, Saint-Germain, Saint-Eusèbe, toutes ces belles églises où j'ai célébré messes, mariages et communions... Vous savez qu'Auxerre, *Autissidurum*, est une des plus vieilles cités chrétiennes du royaume, qu'elle était siège d'évêché deux cents ans avant Clovis, qui d'ailleurs la ravagea presque autant que l'avait fait Attila, et qu'il s'y tint, avant l'an 600, un concile... Mon plus grand souci, tout le temps que je passai à la tête de ce diocèse, fut d'y apurer les dettes laissées par mon prédécesseur, l'évêque Pierre. Et je ne pouvais rien lui réclamer ; il venait d'être créé cardinal ! Oui, oui, un bon siège, qui fait antichambre à la curie... Mes divers bénéfices et aussi la fortune de notre famille m'aidèrent à boucher les trous. Mes successeurs trouvèrent une situation meilleure. Et celui d'aujourd'hui à présent nous accompagne. Il est fort bon prélat, ce nouveau Monseigneur d'Auxerre... Mais j'ai renvoyé Monseigneur de Bourges... à Bourges. Il venait encore me tirer par la robe pour que je lui accordasse un troisième notaire. Oh ! ce fut tôt fait. Je lui ai dit : « Monseigneur, s'il vous faut tant de tabellions, c'est que vos affaires épiscopales sont bien embrouillées. Je vous engage à retourner tout à l'heure en faire ménage vous-même. Avec ma bénédiction. » Et nous nous passerons de son office à Metz. L'évêque d'Auxerre le remplacera avantageusement... J'en ai d'ailleurs averti le Dauphin. Le chevaucheur que je lui ai dépêché hier devrait être revenu demain, au plus tard après-demain. Nous aurons donc des nouvelles de Paris avant de quitter Sens... Il ne cède pas, le Dauphin ; malgré toutes sortes de manœuvres et pressions qu'on exerce sur lui, il maintient le roi de Navarre en prison...

Ce que firent nos gens de France, après l'affaire de Rouen ? D'abord, le roi resta sur place quelques jours, habitant le donjon du Bouvreuil tandis qu'il envoyait son fils loger dans une autre tour du château et qu'il faisait garder Navarre dans une troisième. Il estimait avoir diverses affaires à diligenter. En premier lieu, soumettre Fricamps à la question. « On va fricoter le Friquet. » Cette amusaille, je crois, fut trouvée par Mitton le Fol. Il n'y eut pas à beaucoup chauffer les feux, ni à prendre les grandes tenailles. Aussitôt que Perrinet le Buffle et quatre autres sergents l'eurent entraîné dans une cave et eurent manié quelques outils devant lui, le gouverneur de Caen fit preuve d'un bon vouloir extrême. Il parla, parla, parla, retournant son sac pour en secouer jusqu'à la plus petite miette. Apparemment. Mais comment douter qu'il eût tout dit quand il claquait si bien des dents et montrait tant de zèle pour la vérité ?

Et qu'avoua-t-il en fait ? Les noms des participants au meurtre de Charles d'Espagne ? On les savait depuis beau temps, et il n'ajouta aucun coupable à ceux qui avaient reçu, après le traité de Mantes, des lettres de rémission. Mais son récit prit une matinée entière. Les tractations secrètes, en Flandre et en Avignon, entre Charles de Navarre et le duc de Lancastre ? Il n'était plus guère de cour, en Europe, qui les ignorât ; et que lui-même, Fricamps, y eût pris part ajoutait peu à leur contenu. L'assistance de guerre que les rois d'Angleterre et de Navarre s'étaient mutuellement promise ? Les gens les moins fins avaient pu s'en aviser, l'été précédent, en voyant débarquer presque en même temps Charles le Mauvais en Cotentin et le prince de Galles en Bordelais. Ah ! certes, il y avait le traité caché par lequel Navarre reconnaissait le roi Édouard pour roi de France, et dans lequel ils se faisaient partage du royaume ! Fricamps avoua bien qu'un tel accord avait été préparé, ce qui donnait corps aux accusations avancées par Jean d'Artois. Mais le traité n'avait pas été signé ; seulement des préliminaires. Le roi Jean, quand on lui rapporta cette partie de la déposition de Friquet, cria : « Le traître, le traître ! N'avais-je pas raison ? »

Le Dauphin lui fit observer : « Mon père, ce projet était antérieur au traité de Valognes, que Charles passa avec vous, et qui dit tout le contraire. Celui donc que Charles a trahi, c'est le roi d'Angleterre plutôt que vous-même. »

Et comme le roi Jean hurlait que son gendre trahissait tout le monde : « Certes, mon père, lui répondit le Dauphin, et je commence à m'en convaincre. Mais vous auriez fausse mine en l'accusant d'avoir trahi précisément à votre profit. »

Sur l'équipée d'Allemagne, que n'avaient point accomplie Navarre et le Dauphin, Friquet de Fricamps ne tarissait point. Les noms des conjurés, le lieu où ils devaient se rejoindre, et qui était allé dire à qui, et devait faire quoi... Mais tout cela le Dauphin l'avait fait connaître à son père.

Un nouveau complot machiné par Monseigneur de Navarre à

dessein de se saisir du roi de France et de l'occire ? Ah non, Friquet n'en avait pas ouï le plus petit mot ni décelé le moindre indice. Certes, le comte d'Harcourt... à charger un mort, le suspect ne risque guère ; c'est chose connue en justice... le comte d'Harcourt était fort courroucé ces derniers mois, et avait prononcé des paroles menaçantes ; mais lui seul et pour son propre compte.

Comment n'aller pas croire un homme, je vous le répète, si complaisant avec ses questionneurs, qui parlait par six heures d'affilée, sans laisser aux secrétaires le temps de tailler leurs plumes ? Un fameux madré, ce Friquet, tout à fait à l'école de son maître, noyant son monde dans une inondation de paroles et jouant les bavards pour mieux dissimuler ce qu'il lui importait de taire ! De toute manière, pour pouvoir faire usage de ses dires dans un procès, il faudrait recommencer son interrogatoire à Paris, devant une commission d'enquête dûment constituée, car celle-là ne l'était point. En somme, on avait jeté un gros filet pour ramener peu de poisson.

Dans les mêmes jours, le roi Jean s'occupait à saisir les places et biens des félons, et il dépêchait son vicomte de Rouen, Thomas Coupeverge, à mettre la main sur les possessions des d'Harcourt, tandis qu'il envoyait le maréchal d'Audrehem investir Évreux. Mais partout Coupeverge tomba sur des occupants peu amènes, et la saisie resta toute nominale. Il lui aurait fallu pouvoir laisser garnison dans chaque château ; mais il n'avait pas emmené assez de gens d'armes. En revanche, le gros corps décapité de Jean d'Harcourt ne demeura pas longtemps exposé au gibet de Rouen. La deuxième nuit, il fut dépendu secrètement par de bons Normands qui lui donnèrent sépulture chrétienne en même temps qu'ils s'offraient l'agrément de narguer le roi.

Quant à la ville d'Évreux, il fallut y mettre le siège. Mais elle n'était pas le seul fief des Évreux-Navarre. De Valognes à Meulan, de Longueville à Conches, de Pontoise à Coutances, il y avait de la menace dans les bourgs, et les haies, au long des routes, frémissaient.

Le roi Jean ne se sentait guère en sécurité à Rouen. Il était venu avec une troupe assez forte pour assaillir un banquet, non pas pour soutenir une révolte. Il évitait de sortir du château. Ses plus fidèles serviteurs, dont Jean d'Artois lui-même, lui conseillaient de s'éloigner. Sa présence excitait la colère.

Un roi qui en vient à avoir peur de son peuple est un pauvre sire dont le règne risque fort d'être abrégé.

Jean II décida donc de regagner Paris ; mais il voulut que le Dauphin l'accompagnât. « Vous ne vous soutiendrez plus, Charles, s'il y a tumulte dans votre duché. » Il craignait surtout que son fils ne se montrât trop accommodant avec le parti navarrais.

Le Dauphin se plia, réclamant seulement de voyager par l'eau. « J'ai accoutumé, mon père, d'aller de Rouen à Paris par la Seine. Si je faisais autrement, on pourrait croire que je fuis. En outre, nous éloignant lentement, les nouvelles nous joindront plus aisément, et si elles méritaient que je retourne, j'aurais plus de commodité à le faire. »

Et voilà donc le roi embarqué sur le grand lin que le duc de Normandie a commandé tout exprès pour son usage, car, ainsi que je vous l'ai dit, il n'aime guère chevaucher. Un grand bateau à fond plat, tout décoré, orné et doré, qui arbore les bannières de France, de Normandie et de Dauphiné, et qui manœuvre à voile et à rames. Le château en est aménagé comme une vraie demeure, avec une belle chambre meublée de tapis et de coffres. Le Dauphin aime d'y deviser avec ses conseillers, d'y jouer aux échecs ou aux dames, ou de contempler le pays de France qui a, le long de cette grande rivière, bien de la beauté. Mais le roi, lui, bouillait de s'en aller à ce train calme. Quelle sotte idée de suivre toutes les courbes de Seine, qui triplent la longueur du chemin, alors qu'il y a des routes qui coupent droit ! Il ne pouvait se supporter sur cet espace restreint qu'il arpentait en dictant une lettre, une seule, toujours la même qu'il reprenait et remodelait sans cesse. Et, à tout moment, de faire accoster, de patauger dans la vase des débarcadères, d'essuyer ses houseaux dans les pâquerettes, et de se faire amener son cheval, qui suivait avec l'escorte le long des berges, pour aller visiter sans raison un château aperçu entre les peupliers. « Et que la lettre soit copiée pour mon retour. » Sa lettre au pape, par laquelle il voulait expliquer les causes et raisons de l'arrestation du roi de Navarre. Y avait-il d'autres affaires au royaume ? On ne l'aurait pas cru. En tout cas aucune qui dût requérir ses soins. La mauvaise rentrée des aides, la nécessité d'affaiblir de nouveau la monnaie, la taxe sur les draps qui causait la colère du négoce, la réparation des forteresses menacées par l'Anglais ; il balayait ces soucis. N'avait-il pas un chancelier, un gouverneur des monnaies, un maître de l'hôtel royal, des maîtres des requêtes et des présidents au Parlement pour y pourvoir ? Que Nicolas Braque, qui était reparti pour Paris, Simon de Bucy ou Robert de Lorris s'emploient à leur besogne. Ils s'y employaient, en effet, grossissant leur fortune en jouant sur le cours des pièces, en étouffant le mauvais procès d'un parent, en favorisant un ami, en mécontentant à jamais telle compagnie marchande, telle ville ou tel diocèse qui jamais ne le pardonneraient au roi.

Un souverain qui tantôt prétend veiller à tout, jusqu'aux plus petits règlements de cérémonies, et tantôt ne se soucie plus de rien, fût-ce des plus grandes affaires, n'est pas homme qui conduit son peuple vers de hautes destinées.

La nef dauphine était amarrée à Pont-de-l'Arche, le second jour, quand le roi vit arriver le prévôt des marchands de Paris, maître Étienne Marcel, chevauchant à la tête d'une compagnie de cinquante à cent lances sur laquelle flottait la bannière bleu et rouge de la ville. Ces bourgeois étaient mieux équipés que beaucoup de chevaliers.

Le roi ne descendit pas du bateau et n'invita pas le prévôt à y monter. Ils se parlèrent de pont à rive, aussi surpris l'un que l'autre de se trouver ainsi face à face. Le prévôt ne s'attendait visiblement pas à rencontrer le roi en ce lieu, et le roi se demandait ce que le prévôt pouvait bien faire en Normandie avec un tel équipage. Il y avait sûrement de l'intrigue navarraise là-dessous. Était-ce une tentative pour délivrer Charles le Mauvais? La chose semblait bien prompte, une semaine seulement après l'arrestation. Mais enfin, c'était possible. Ou bien le prévôt était-il pièce du complot dénoncé par Jean d'Artois? La machination alors prenait vraisemblance.

«Nous sommes venus vous saluer, Sire», dit tout seulement le prévôt. Le roi, plutôt que de le faire parler un peu, lui répondit tout à trac d'un ton menaçant qu'il avait dû se saisir du roi de Navarre contre lequel il avait de forts griefs, et que tout serait exposé en grande lumière dans la lettre qu'il envoyait au pape. Le roi Jean dit encore qu'il entendait trouver sa ville de Paris en bon ordre, bon calme et bon travail quand il y rentrerait... «et à présent, messire prévôt, vous pouvez vous en retourner».

Longue route pour petite palabre. Étienne Marcel s'en repartit, sa touffe de barbe noire dressée sur le menton. Et le roi, dès qu'il eut vu la bannière de Paris s'éloigner entre les saules, manda son secrétaire pour modifier une fois encore la lettre au pape... Tiens, à propos... Brunet? Brunet! Brunet, appelle à mon rideau dom Calvo... oui, s'il te plaît... dictant quelque chose comme «Et encore, Très Saint-Père, j'ai preuve affirmée que Monseigneur le roi de Navarre a tenté de soulever contre moi les marchands de Paris, en s'abouchant avec leur prévôt qui s'en vint sans ordre vers le pays normand, adjoint d'une si grande compagnie d'hommes d'armes qu'on ne la pouvait point compter, afin d'aider les méchants du parti navarrais à parfaire leur félonie par saisissement de ma personne et de celle du Dauphin mon aîné fils... »

La chevauchée de Marcel allait d'ailleurs se grossir d'heure en heure dans sa tête, et bientôt elle compterait cinq cents lances.

Et puis il décida de s'éloigner aussitôt de cet amarrage et, faisant extraire Navarre et Fricamps du château de Pont-de-l'Arche, il commanda aux nautoniers de pousser vers Les Andelys. Car le roi de Navarre suivait à cheval, d'étape en étape, entouré d'une épaisse escorte de sergents qui le serraient du plus près et avaient ordre de le poignarder s'il cherchait à fuir ou si venait à se produire quelque tentative pour le délivrer. Il devait toujours rester à vue du bateau. Le soir on l'enfermait dans la tour la plus proche. On l'avait enfermé à Elbeuf, on l'avait enfermé à Pont-de-l'Arche. On allait l'enfermer à

Château-Gaillard... oui, à Château-Gaillard, là où sa grand-mère de Bourgogne avait si tôt fini ses jours... oui, à peu près au même âge.

Comment supportait-il tout cela, Monseigneur de Navarre? A vrai dire assez mal. Sans doute, à présent, s'est-il mieux accoutumé à son état de captif, en tout cas depuis qu'il sait le roi de France lui-même prisonnier du roi d'Angleterre et que de ce fait il ne craint plus pour sa vie. Mais dans les premiers temps...

Ah! vous voilà, dom Calvo. Rappelez-moi si dans l'évangile de dimanche prochain il y a le mot lumière ou quelque autre qui en rappelle l'idée... oui, deuxième dimanche de l'Avent. Ce serait bien surprenant de ne l'y pas trouver... ou dans l'épître... Celle de dimanche dernier évidemment... *Abjiciamus ergo opera tenebrarum, et induamur arma lucis...* Rejetons donc les œuvres de ténèbres et revêtons les armes de lumière... Mais c'était dimanche dernier. Vous non plus, vous ne l'avez pas en tête. Bon, vous me le direz tout à l'heure ; je vous en ai gré...

Un renardeau pris au piège, tournant tout affolé dans sa cage, les yeux ardents, le museau brouillé, le corps amaigri, et couinant, et couinant... C'est ainsi qu'il était, notre Monseigneur de Navarre. Mais il faut dire qu'on faisait tout pour l'apeurer.

Nicolas Braque avait obtenu sursis à l'exécution en disant qu'il fallait que le roi de Navarre se sentît mourir tous les jours ; ce n'était pas tombé dans oreille sourde.

Non seulement le roi Jean avait commandé qu'il fût précisément reclus dans la chambre où était morte Madame Marguerite de Bourgogne, et qu'on le lui fît bien savoir... « c'est la chiennerie de sa gueuse de grand-mère qui a produit cette mauvaise race ; il est le rejeton d'une rejetonne de catin ; il faut qu'il pense qu'il va finir comme elle... » mais encore, durant les quelques jours qu'il le tint là, il lui fit annoncer maintes fois, et même la nuit, que son trépas était imminent.

Charles de Navarre voyait entrer dans son triste séjour le roi des ribauds, ou bien le Buffle ou quelque autre sergent qui lui disait : « Préparez-vous, Monseigneur. Le roi a commandé de monter votre échafaud dans la cour du château. Nous viendrons vous chercher bientôt. » Un moment après, c'était le sergent Lalemant qui paraissait et trouvait Navarre le dos collé au mur, haletant et les yeux affolés. « Le roi a décidé de surseoir ; vous ne serez point exécuté avant demain. » Alors Navarre reprenait souffle et allait s'effondrer sur l'escabelle. Une heure ou deux passaient, puis revenait Perrinet le Buffle. « Le roi ne vous fera point décapiter, Monseigneur. Non... Il veut que vous soyez pendu. Il fait dresser la potence. » Et puis, une fois sonné le salut, c'était le tour du gouverneur du château, Gautier de Riveau. « Me venez-vous chercher, messire gouverneur? — Non, Monseigneur, je viens vous porter votre souper. — A-t-on dressé la potence? — Quelle potence?

Non, Monseigneur, on n'a point apprêté de potence. — Ni d'échafaud ?
— Non, Monseigneur, je n'ai rien vu de tel. »

A six reprises déjà, Monseigneur de Navarre avait été décollé, autant
de fois pendu ou écartelé à quatre chevaux. Le pire fut peut-être de
déposer un soir dans sa chambre un grand sac de chanvre, en lui disant
qu'on l'y enfermerait durant la nuit pour aller le jeter en Seine. Le
matin suivant, le roi des ribauds vint reprendre le sac, le retourna, vit
que Monseigneur de Navarre y avait ménagé un trou, et s'en repartit
en souriant.

Le roi Jean demandait sans cesse nouvelles du prisonnier. Cela lui
faisait prendre patience pendant qu'on ajustait la lettre au pape. Le roi
de Navarre mangeait-il ? Non, il touchait fort peu aux repas qu'on lui
portait, et son couvert redescendait souvent comme il était monté.
Sûrement il craignait le poison. « Alors, il maigrit ? Bonne chose, bonne
chose. Faites que ses mets soient amers et malodorants, pour qu'il
pense bien qu'on le veut enherber. » Dormait-il ? Mal. Dans le jour, on
le trouvait parfois affalé sur la table, la tête dans les bras, et sursautant
comme quelqu'un qu'on tire du sommeil. Mais la nuit, on l'entendait
marcher sans trêve, tournant dans la chambre ronde... « comme un
renardeau, Sire, comme un renardeau ». Sans doute redoutait-il qu'on
vînt l'étrangler, ainsi qu'on en avait fait de sa grand-mère, dans ce
même logis. Certains matins, on devinait qu'il avait pleuré. « Ah bien,
ah bien, disait le roi. Est-ce qu'il vous parle ? » Oh que certes, il parlait !
Il essayait de nouer discours avec ceux qui pénétraient chez lui. Et il
tentait d'entamer chacun par son point faible. Au roi des ribauds, il
promettait une montagne d'or s'il l'aidait à s'évader, ou seulement
consentait à lui passer des lettres à l'extérieur. Au sergent Perrinet, il
proposait de l'emmener avec lui et de le faire son roi des ribauds en
Évreux et en Navarre, car il avait remarqué que le Buffle jalousait
l'autre. Auprès du gouverneur de la forteresse, qu'il avait jugé soldat
loyal, il plaidait l'innocence et l'injustice. « Je ne sais ce qui m'est
reproché, car je jure Dieu que je n'ai nourri aucune mauvaise pensée
contre le roi, mon cher père, ni rien entrepris pour lui nuire. Il a été
abusé sur mon compte par des perfides. On m'a voulu perdre dans son
esprit ; mais je supporte toute peine qu'il lui plaît de me faire, car je sais
bien que cela ne vient point vraiment de lui. Il est maintes choses dont
je pourrais utilement l'instruire pour sa sauvegarde, maints services
que je lui peux rendre et ne lui rendrai pas, s'il me fait périr. Allez vers
lui, messire gouverneur, allez lui dire qu'il aurait grand avantage à
m'entendre. Et si Dieu veut que je rentre en fortune, soyez assuré que
j'aurai soin de la vôtre, car je vois que vous m'êtes compatissant autant
que vous avez de souci du vrai bien de votre maître. »

Tout cela, bien sûr, était rapporté au roi qui aboyait : « Voyez le
félon ! Voyez le traître ! » comme si n'était pas la règle de tout prisonnier

de chercher à apitoyer ses geôliers ou les soudoyer. Peut-être même les sergents insistaient-ils un peu sur les offres du roi de Navarre, afin de se faire assez valoir. Le roi Jean leur jetait une bourse d'or, en reconnaissance de leur loyauté. «Ce soir vous feindrez que j'ai commandé qu'on réchauffe sa geôle, et vous allumerez de la paille et du bois mouillé, en bouchant la cheminée, pour le bien enfumer.»

Oui, un renardeau piégé, le petit roi de Navarre. Mais le roi de France, lui, était comme un grand chien furieux tournant autour de la cage, un mâtin barbu, l'échine hérissée, grondant, hurlant, montrant les crocs, grattant la poussière sans pouvoir atteindre sa proie à travers les barreaux.

Et cela dura ainsi jusque vers le vingt avril, où parurent aux Andelys deux chevaliers normands, assez dignement escortés et qui arboraient à leur pennon les armes de Navarre et d'Évreux. Ils portaient au roi Jean une lettre de Philippe de Navarre, datée de Conches. Fort raide, la lettre. Philippe se disait très courroucé des grands torts et injures causés à son seigneur et frère aîné... «que vous avez emmené sans loi, droit ni raison. Mais sachez que vous n'avez nul besoin de penser à son héritage ni au nôtre, pour le faire mourir par votre cruauté, car jamais vous n'en tiendrez un pied. De ce jour nous vous défions, vous et toute votre puissance, et nous vous livrerons guerre mortelle, aussi grande que nous pourrons». Si ce ne sont point tout exactement les mots, en tout cas c'est bien le sens. Les choses y étaient marquées avec toute cette dureté ; et l'intention du défi y était. Et ce qui rendait la lettre plus roide encore, c'est qu'elle était adressée «à Jean de Valois, qui s'écrit roi de France...».

Les deux chevaliers saluèrent et, sans plus longue entrevue, tournèrent leurs chevaux et s'en allèrent comme ils étaient venus.

Bien sûr, le roi ne répondit pas à la lettre. Elle était irrecevable, de par sa suscription même. Mais la guerre était ouverte, et l'un des plus grands vassaux ne reconnaissait plus le roi Jean comme souverain légitime. Ce qui signifiait qu'il n'allait pas tarder à reconnaître l'Anglais.

On s'attendait qu'une si grosse offense mît le roi Jean dans une rage furieuse. Il surprit son monde par le rire qu'il eut. Un rire un peu forcé. Son père aussi avait ri, et de meilleur cœur, vingt ans plus tôt, quand l'évêque Burghersh, chancelier d'Angleterre, lui avait porté le défi du jeune Édouard III...

Le roi Jean commanda qu'on expédiât la lettre au pape sur-le-champ, oui, comme elle était ; d'avoir été tant de fois remaniée, elle ne faisait pas grand sens et ne prouvait rien du tout. En même temps, il ordonna de sortir son gendre de la forteresse. «Je vais le clore au Louvre.» Et, laissant le Dauphin remonter la Seine sur le grand lin doré, lui-même prit la route au galop pour regagner Paris. Où il ne fit rien de bien précieux, cependant que le clan Navarre se rendait fort actif.

Ah! Je ne m'étais pas avisé que vous étiez revenu, dom Calvo... Alors vous avez trouvé... Dans l'évangile... *Jésus leur répondit...* quoi donc? *Allez raconter à Jean ce que vous avez entendu et ce que vous avez vu.* Parlez plus fort, dom Calvo. Avec ce bruit de chevauchée... *Les aveugles voient, les boiteux marchent...* Oui, oui, j'y suis. Saint Matthieu. *Cæci vident, claudi ambulant, surdi audiunt, mortui resurgunt, et cætera...* Les aveugles voient. Ce n'est pas beaucoup, mais cela me suffira. Il s'agit d'y pouvoir accrocher mon homélie. Vous savez comment je travaille.

II

LA NATION D'ANGLETERRE

Je vous disais tout à l'heure, Archambaud, que le parti navarrais se montrait bien actif. Dès le lendemain du banquet de Rouen, des messagers étaient partis en toutes directions. D'abord vers la tante et la sœur, Mesdames Jeanne et Blanche ; le château des reines veuves se mit à bruisser comme une fabrique de tisserand. Et puis vers le beau-frère, Phœbus... Il faudra que je vous parle de lui ; c'est un prince bien particulier, mais qui n'est point négligeable. Et comme notre Périgord est après tout moins distant de son Béarn que de Paris, il ne serait pas mauvais qu'un jour... Nous en recauserons. Et puis Philippe d'Évreux, qui avait pris les choses en main et se substituait bien à son frère, expédia en Navarre l'ordre d'y lever des troupes et de les acheminer par la mer le plus tôt qu'on pourrait, cependant que Godefroy d'Harcourt organisait les gens de leur parti, en Normandie. Et surtout Philippe dépêcha en Angleterre les sires de Morbecque et de Brévand, qui avaient participé aux négociations de naguère, pour requérir de l'aide.

Le roi Édouard leur fit un accueil frais. « J'aime loyauté dans les accords, et que la conduite réponde à ce que la bouche a dit. Sans confiance entre rois qui s'allient, il n'est pas d'entreprise qui se puisse mener à bien. L'an passé, j'ai ouvert mes portes aux vassaux de Monseigneur de Navarre ; j'ai équipé des troupes, aux ordres du duc de Lancastre, qui ont appuyé les siennes. Nous étions très avancés dans la préparation d'un traité à passer entre nous ; nous devions convenir d'une alliance perpétuelle, et nous engager à ne jamais faire paix, trêve ni accord l'un sans l'autre. Et aussitôt Monseigneur de Navarre débarqué en Cotentin, il accepte de traiter avec le roi Jean, lui jure bon amour et lui rend hommage. S'il est en geôle à présent, si son beau-père l'a pris aux rêts par coup de traîtrise, la faute n'est pas mienne. Et avant que de lui porter secours, j'aimerais savoir si mes parents d'Évreux ne viennent à moi que dans la détresse, pour se tourner vers d'autres aussitôt que je les en ai tirés. »

Néanmoins, il prit ses dispositions, appela le duc de Lancastre, et fit commencer les apprêts d'une nouvelle expédition, en même temps qu'il adressait des instructions au prince de Galles, à Bordeaux. Et comme il avait appris par les envoyés navarrais que Jean II le mettait en cause dans les accusations portées contre son gendre, il adressa des lettres au Saint-Père, à l'Empereur et à divers princes chrétiens, où il niait toute connivence avec Charles de Navarre, mais où d'autre part il blâmait fort Jean II de son manque de foi et de ses agissements que «pour l'honneur de la chevalerie» il eût aimé ne jamais voir chez un roi.

Sa lettre au pape avait demandé moins de temps que celle du roi Jean, et elle était autrement troussée, veuillez m'en croire.

Nous ne nous aimons guère, le roi Édouard et moi; il me juge trop favorable, toujours, aux intérêts de la France et moi je le tiens pour trop peu respectueux de la primauté de l'Église. Chaque fois que nous nous sommes vus, nous nous sommes heurtés. Il voudrait avoir un pape anglais, ou préférablement pas de pape du tout. Mais je reconnais qu'il est pour sa nation un prince excellent, habile, prudent quand il le doit, audacieux quand il le peut. L'Angleterre lui doit gros. Et puis, bien qu'il ne compte que quarante-quatre ans, il jouit du respect qui entoure un vieux roi, quand il a été un bon roi. L'âge des souverains ne se mesure pas à la date de leur naissance, mais à la durée de leur règne.

A cet égard, le roi Édouard fait figure d'ancien parmi tous les princes d'Occident. Le pape Innocent n'est suprême pontife que depuis quatre ans; l'empereur Charles, élu il y a dix ans, n'est couronné que depuis deux. Jean de Valois a tout juste célébré... en captivité, triste célébration... le sixième anniversaire de son sacre. Édouard III, lui, occupe son trône depuis vingt-neuf ans, bientôt trente.

C'est un homme de belle stature et de grande prestance, assez corpulent. Il a de longs cheveux blonds, une barbe soyeuse et soignée, des yeux bleus un peu gros; un vrai Capétien. Il ressemble fort à Philippe le Bel, son grand-père, dont il a plus d'une qualité. Dommage que le sang de nos rois ait donné un si bon produit en Angleterre et un si piètre en France! Avec l'âge il semble de plus en plus porté au silence, comme son grand-père. Que voulez-vous! Il y a trente ans qu'il voit des hommes s'incliner devant lui. Il sait à leur démarche, à leur regard, à leur ton, ce qu'ils espèrent de lui, ce qu'ils vont en requérir, quelles ambitions les animent et ce qu'ils valent pour l'État. Il est bref en ses ordres. Comme il dit: «Moins on prononce de paroles, moins elles sont répétées et moins elles sont faussées. »

Il se sait paré, aux yeux de l'Europe, d'une grande renommée. La bataille de l'Écluse, le siège de Calais, la victoire de Crécy... Il est le premier, depuis plus d'un siècle, à avoir battu la France, ou plutôt son rival français puisqu'il n'a entrepris cette guerre, dit-il, que pour affirmer ses droits à la couronne de Saint Louis. Mais aussi pour mettre la main sur des provinces prospères.

Il ne se passe guère d'année qu'il ne débarque des troupes sur le continent, tantôt en Boulonnais, tantôt en Bretagne, ou bien qu'il ordonne, comme ces deux derniers étés, une chevauchée à partir de son duché de Guyenne.

Autrefois, il prenait lui-même la tête de ses armées, et il s'y est acquis une belle réputation de guerrier. A présent, il n'accompagne plus ses troupes. Il les fait commander par de bons capitaines qui se sont formés campagne après campagne ; mais je pense qu'il doit surtout ses succès à ce qu'il entretient une armée permanente composée pour le plus gros d'hommes de pied, et qui, toujours disponible, ne lui coûte pas finalement plus cher que ces osts pesants, que l'on convoque à grands frais, que l'on dissout, qu'il faut rappeler, qui ne s'assemblent jamais à temps, qui sont équipés à la disparate et dont les parties ne savent point s'endenter pour manœuvrer en bataille.

C'est fort beau de dire : « La patrie est en péril. Le roi nous appelle. Chacun doit y courir ! » Avec quoi ? Avec des bâtons ? Le temps vient où chaque roi prendra modèle sur celui d'Angleterre, et fera faire la guerre par gens de métier, bien assoldés, qui vont où on leur commande sans muser ni discuter.

Voyez-vous, Archambaud, il n'est point nécessaire à un royaume d'être très étendu ni très nombreux pour devenir puissant. Il faut seulement qu'il ait un peuple capable de fierté et d'effort, et qu'il soit assez longtemps conduit par un chef avisé qui sache lui proposer de grandes ambitions.

D'un pays qui comptait à peine six millions d'âmes, Galles comprises, avant la grande peste, et quatre millions seulement après le fléau, Édouard III a fait une nation prospère et redoutée qui parle d'égale à égale avec la France et avec l'Empire. Le commerce des laines, le trafic des mers, la possession de l'Irlande, une bonne exploitation de l'abondante Aquitaine, les pouvoirs royaux partout exercés et partout obéis, une armée toujours prête et toujours occupée ; c'est avec cela que l'Angleterre est si forte, et qu'elle est riche.

Le roi lui-même possède des biens immenses ; on dit qu'il ne saurait compter sa fortune, mais moi je sais bien qu'il la compte, sinon il ne l'aurait pas. Il l'a commencée il y a trente ans en trouvant pour héritage un Trésor vide et des dettes dans toute l'Europe. Aujourd'hui, c'est à lui qu'on vient emprunter. Il a rebâti Windsor ; il a embelli Westminster... oui, Westmoutiers, si vous voulez ; à force d'aller là-bas, j'ai fini par prononcer à l'anglaise, car, chose curieuse à remarquer, à mesure qu'ils s'emploient à conquérir la France, les Anglais, même à la cour, parlent de plus en plus leur langue saxonne et de moins en moins la française... En chacune de ses résidences, le roi Édouard entasse des merveilles. Il achète beaucoup aux marchands lombards et aux navigateurs chypriotes, non seulement des épices d'Orient, mais aussi toute sorte d'objets ouvragés qui fournissent des modèles à ses industries.

A propos d'épices, il faudra que je vous entretienne du poivre, mon neveu. C'est fort bon placement. Le poivre ne s'altère pas; sa valeur marchande n'a cessé de croître ces dernières années et tout permet de penser qu'elle continuera. J'en ai pour dix mille florins dans un entrepôt de Montpellier; j'ai pris ce poivre en remboursement d'une moitié de la dette d'un marchand de là-bas, qui se nomme Pierre de Rambert, et qui ne pouvait solder ses approvisionneurs à Chypre. Comme je suis chanoine de Nicosie.... sans y être allé, sans y être allé, hélas, car cette île a grande réputation de beauté... j'ai ainsi pu arranger son affaire... Mais revenons à notre Sire Édouard.

Table de roi chez lui n'est pas un vain mot et qui s'y assoit pour la première fois a le souffle retenu par la profusion d'or qui s'y étale. Un cerf d'or, presque aussi gros qu'un vrai, en décore le centre. Hanaps, aiguières, plats, cuillers, couteaux, salières, tout est en or. Les huissiers de cuisine portent à chaque service de quoi battre monnaie pour tout un comté. «Si d'aventure nous sommes dans le besoin, nous pourrons vendre tout cela», dit-il. Mais dans les moments de gêne... quel Trésor n'en connaît pas?... Édouard est toujours assuré de trouver du crédit, parce qu'on le sait posséder ces richesses. Lui-même ne paraît devant ses sujets que superbement atourné, couvert de fourrures précieuses et de vêtements brodés, étincelant de joyaux et chaussé d'éperons d'or.

Dans cet étalage de splendeurs, Dieu n'est pas oublié. La seule chapelle de Westminster est desservie par quatorze vicaires, à quoi s'ajoutent les clercs choristes et tous les servants de sacristie. Pour faire pièce au pape, qu'il dit être sous la main des Français, il multiplie les emplois d'Église et ne les veut voir conférés qu'à des Anglais, sans partage des bénéfices avec le Saint-Siège, ce sur quoi nous nous sommes toujours heurtés.

Après Dieu servi, la famille. Édouard III a dix enfants vivants. L'aîné, prince de Galles, et duc d'Aquitaine, est ce que vous savez; il a vingt-six ans. Le plus jeune, le comte de Buckingham, vient à peine de quitter le sein de sa nourrice.

A tous ses fils, le roi Édouard constitue des maisons imposantes; à ses filles, il cherche de hauts établissements qui peuvent servir ses desseins.

Je gage qu'il se serait fort ennuyé à vivre, le roi Édouard, s'il n'avait pas été désigné par la Providence pour ce qu'il était le plus apte à faire: gouverner. Oui, il aurait eu peu d'intérêt à durer, à vieillir, à regarder la mort venir s'il n'avait pas eu à arbitrer les passions des autres, et à leur désigner des buts qui les aident à s'oublier. Car les hommes ne trouvent d'honneur et de prix à vivre que s'ils vouent leurs actes et leurs pensées à quelque grande entreprise avec laquelle ils puissent se confondre.

C'est cela qui l'a inspiré quand il a créé à Calais son Ordre de la Jarretière, un Ordre qui prospère, et dont ce pauvre Jean II, avec son Étoile, n'a produit qu'une pompeuse, d'abord, et puis piteuse copie...

Et c'est encore à cette volonté de grandeur que le roi Édouard répond quand il poursuit le projet, non avoué mais visible, d'une Europe anglaise. Non pas qu'il songe à placer l'Occident directement sous sa main, ni qu'il veuille conquérir tous les royaumes et les mettre en servage. Non, il pense plutôt à un libre groupement de rois ou de gouvernements dans lequel il aurait préséance et commandement, et avec lequel non seulement il ferait régner la paix à l'intérieur de cette entente, mais encore n'aurait plus rien à redouter du côté de l'Empire, si même il ne l'englobait. Ni plus rien à devoir au Saint-Siège; je le soupçonne de nourrir secrètement cette intention-là... Il a déjà réussi avec les Flandres qu'il a détachées de la France; il intervient dans les affaires d'Espagne; il pousse des antennes en Méditerranée. Ah! s'il avait la France, vous imaginez, que ne ferait-il pas, que ne pourrait-il faire à partir d'elle! Son idée d'ailleurs n'est pas toute neuve. Le roi Philippe le Bel, son grand-père, avait eu déjà un projet de paix perpétuelle pour unir l'Europe.

Édouard se plaît à parler français avec les Français, anglais avec les Anglais. Il peut s'adresser aux Flamands dans leur langue, ce dont ils sont flattés et qui lui a valu maints succès auprès d'eux. Avec les autres, il parle latin.

Alors, me direz-vous, un roi si doué, si capable, et que la fortune accompagne, pourquoi ne pas s'accorder à lui et favoriser ses prétentions sur la France? Pourquoi tant faire afin de maintenir au trône ce niais arrogant, né sous de mauvaises étoiles, dont la Providence nous a gratifiés, sans doute pour éprouver ce malheureux royaume?

Eh! mon neveu, c'est que la belle entente à former entre les royaumes du couchant, nous la voulons bien, mais nous la voulons française, je veux dire de direction et de prééminence françaises. L'Angleterre, nous en avons conviction, s'éloignerait bien vite, si elle était trop puissante, des lois de l'Église. La France est le royaume par Dieu désigné. Et le roi Jean ne sera pas éternel.

Mais vous comprenez aussi, Archambaud, pourquoi le roi Édouard soutient avec tant de constance ce Charles le Mauvais qui l'a beaucoup trompé. C'est que la petite Navarre, et le gros comté d'Évreux, sont pièces, non seulement dans son affaire avec la France, mais dans son jeu d'assemblage de royaumes qui lui chemine en cervelle. Il faut bien que les rois aussi aient un peu à rêver !

Bientôt après l'ambassade de nos bonshommes Morbecque et Brévand, ce fut Monseigneur Philippe d'Évreux-Navarre, comte de Longueville, qui vint lui-même en Angleterre.

Blond, de belle taille et de nature fière, Philippe de Navarre est aussi loyal que son frère est fourbe ; ce qui fait que, par loyauté à ce frère, il en épouse, mais de cœur convaincu, toutes les fourberies. Il n'a pas le grand talent de parole de son aîné, mais il séduit par la chaleur de l'âme. Il plut fort à la reine Philippa, qui dit qu'il ressemblait tout à fait à son époux, au même âge. Ce n'est pas grande merveille ; ils sont cousins plusieurs fois.

Bonne reine Philippa ! Elle a été une demoiselle ronde et rose qui promettait de devenir grasse comme souvent les femmes du Hainaut. Elle a tenu promesse.

Le roi l'a aimée de bon amour. Mais il a eu, l'âge venant, d'autres entraînements du cœur, rares, mais violents. Il y eut la comtesse de Salisbury ; et à présent c'est Dame Alice Perrère, ou Perrières, une suivante de la reine. Pour calmer son dépit, Philippa mange, et elle devient de plus en plus grosse.

La reine Isabelle ? Mais si, mais si, elle vit toujours ; du moins elle vivait encore le mois dernier... A Castle Rising, un grand et triste château où son fils l'a enfermée, après qu'il eut fait exécuter son amant, Lord Mortimer, il y a vingt-huit ans. Libre, elle lui aurait causé trop de soucis. La Louve de France... Il vient la visiter une fois l'an, au temps de Noël. C'est d'elle qu'il tient ses droits sur la France. Mais c'est elle aussi qui a causé la crise dynastique en dénonçant l'adultère de Marguerite de Bourgogne, et fourni bonne raison pour écarter de la succession la descendance de Louis Hutin. Il y a de la dérision, vous l'avouerez, à voir, quarante ans après, le petit-fils de Marguerite de Bourgogne et le fils d'Isabelle faire alliance. Ah ! il suffit de vivre pour avoir tout vu !

Et voilà Édouard et Philippe de Navarre, à Windsor, remettant en chantier ce traité interrompu, et dont les premières assises avaient été posées lors des entretiens d'Avignon. Toujours traité secret. Dans les rédactions préparatoires, les noms des princes contractants ne devaient pas figurer en clair. Le roi d'Angleterre y est appelé *l'aîné* et le roi de Navarre *le cadet*. Comme si cela pouvait suffire à les masquer, et comme si la teneur des notes ne les désignait pas à l'évidence ! Ce sont là précautions de chancelleries qui n'abusent guère ceux dont on se défie. Quand on veut qu'un secret soit gardé, eh bien, il ne faut pas l'écrire, voilà tout.

Le *cadet* reconnaissait *l'aîné* pour le roi de France légitime. Toujours la même chose ; c'est le début et l'essentiel ; c'est la clef de voûte de l'accord. L'*aîné* reconnaît au *cadet* le duché de Normandie, les comtés de Champagne et de Brie, la vicomté de Chartres et tout le Languedoc avec Toulouse, Béziers, Montpellier. Il paraît qu'Édouard n'a pas cédé sur l'Angoumois... trop près de la Guyenne, ce doit être pour cela ; il ne laisserait pas Navarre, si ce traité doit avoir effet, qu'à Dieu ne plaise, prendre pied entre l'Aquitaine et le Poitou. En revanche, il aurait accordé la Bigorre, ce que Phœbus, si cela lui est venu aux oreilles, ne doit guère goûter. Comme vous voyez, tout cela additionné, cela fait un gros morceau de France, un très gros morceau. Et l'on peut se surprendre qu'un homme qui prétend à y régner en abandonne tout à un seul vassal. Mais, d'une part, cette sorte de vice-royauté qu'il confère à Navarre répond bien à cette idée d'empire nouveau qu'il caresse ; et, d'autre part, plus il accroît les possessions du prince qui le reconnaît pour roi, plus il élargit l'assise territoriale de sa légitimité. Au lieu d'avoir à gagner les ralliements, pièce à pièce, il peut soutenir qu'il est reconnu d'un coup par toutes ces provinces.

Pour le reste, partage des frais de la guerre, engagement à ne point conclure des trêves séparées, ce sont clauses habituelles et reprises du projet précédent. Mais l'alliance est énoncée «alliance perpétuelle».

Je me suis laissé dire qu'il y eut une plaisante passe entre Édouard et Philippe de Navarre parce que celui-ci demandait que fût inscrit au traité le versement des cent mille écus, jamais payés, qui figuraient sur le contrat de mariage entre Charles de Navarre et Jeanne de Valois.

Le roi Édouard s'étonna. «Pourquoi aurais-je à payer les dettes du roi Jean ? — Si fait. Vous le remplacez au trône ; vous le remplacez aussi dans ses obligations.» Le jeune Philippe ne manquait pas d'aplomb. Il faut avoir son âge pour oser de ces choses. Cela fit rire Édouard III, qui ne rit guère à son ordinaire. «Soit. Mais après que j'aurais été sacré à Reims. Pas avant le sacre.»

Et Philippe de Navarre repartit pour la Normandie. Le temps de mettre sur vélin ce dont on était convenu, d'en discuter les termes article par article, de passer les notes d'un côté à l'autre de la Manche... «*l'aîné... le cadet*», et puis aussi les soucis de la guerre, tout cela fit que le traité, toujours secret, toujours connu, au moins de ceux qui avaient intérêt à en connaître, ne devait finalement être signé qu'au début de septembre, au château de Clarendon, il y a seulement trois mois, fort peu avant la bataille de Poitiers. Signé par qui ? Par Philippe de Navarre qui fit à ce dessein un second voyage en Angleterre.

Vous comprenez à présent, Archambaud, pourquoi le Dauphin, qui s'était si fort opposé, vous l'avez vu, à l'arrestation du roi de Navarre, le maintient si obstinément en prison, alors que, commandant céans au royaume, il aurait tout loisir de le libérer, comme de maintes parts on l'en presse. Aussi longtemps que le traité n'est signé que par Philippe de Navarre, on peut le tenir pour nul. Dès lors qu'il serait ratifié par Charles, ce serait une autre affaire.

A l'heure où nous sommes, le roi de Navarre, parce que le fils du roi de France le tient prisonnier, en Picardie, ne sait pas encore... il est sans doute le seul... qu'il a reconnu le roi d'Angleterre pour roi de France, mais d'une reconnaissance sans vigueur puisqu'il ne peut la signer.

Voilà qui ajoute au beau nœud d'embrouilles, où une chatte ne reconnaîtrait pas ses petits, que nous allons tenter de défaire à Metz ! Je gage que dans quarante ans d'ici personne n'y comprendra plus rien, sauf vous peut-être, ou votre fils, parce que vous lui aurez raconté...

III

LE PAPE ET LE MONDE

Ne vous avais-je pas dit que nous aurions des nouvelles, à Sens ? Et de bonnes nouvelles. Le Dauphin, plantant là ses États généraux tout houleux où Marcel réclame la destitution du Grand Conseil et où l'évêque Le Coq, en même temps qu'il plaide pour la libération de Charles le Mauvais, s'oublie jusqu'à parler de déposer le roi Jean... si, si, mon neveu, nous en sommes là ; il a fallu que le voisin de l'évêque lui écrase le pied pour qu'il se reprenne et précise que ce n'étaient point les États qui pouvaient déposer un roi, mais le pape, à la demande des trois États... eh bien, le Dauphin, roulant son monde, s'en est parti hier lundi pour Metz, lui aussi. Avec deux mille chevaux. Il a allégué que les messages reçus de l'Empereur lui faisaient obligation de se rendre à sa diète, pour le bien du royaume. Oui... et surtout mon message. Il m'a entendu. De la sorte, les États sont dans le vide et vont se disperser sans avoir rien pu conclure. Si la ville se montrait par trop turbulente, il pourrait y revenir avec ses troupes. Il la tient sous menace...

Autre bonne nouvelle : le Capocci ne vient pas à Metz. Il refuse de me retrouver. Bienheureux refus. Il se met en tort vis-à-vis du Saint-Père, et moi je suis débarrassé de lui. J'envoie l'archevêque de Sens escorter le Dauphin, qu'accompagne déjà l'archevêque-chancelier, Pierre de La Forêt ; cela fait deux hommes sages pour le conseiller. Pour ma part, j'ai douze prélats dans ma suite. Cela suffit. C'est autant qu'aucun légat n'en eut jamais. Et pas de Capocci. Vraiment, je ne peux comprendre pourquoi le Saint-Père s'est obstiné à me l'adjoindre et s'obstine encore à ne pas le rappeler. D'abord, sans lui, je serais parti plus tôt... Vraiment, ce fut un printemps perdu.

Dès que nous sûmes l'affaire de Rouen et que nous reçûmes en Avignon les lettres du roi Jean et du roi Édouard, et puis que nous apprîmes que le duc de Lancastre équipait une nouvelle expédition, cependant que l'ost de France était convoqué pour le premier juin, je devinai que tout allait tourner au pire. Je dis au Saint-Père qu'il fallait envoyer un légat, ce dont il tomba d'accord. Il gémissait sur l'état de la chrétienté. J'étais prêt à partir dans la semaine. Il en fallut trois pour rédiger les instructions. Je lui disais: «Mais quelles instructions, *sanctissimus pater*? Il n'est que de recopier celles que vous reçûtes de votre prédécesseur, le vénéré Clément VI, pour une mission toute semblable, voici dix ans. Elles étaient fort bonnes. Mes instructions, c'est d'agir en tout pour empêcher une reprise générale de la guerre.»

Peut-être au fond de lui, sans en avoir conscience, car il est certes incapable d'une mauvaise pensée volontaire, ne souhaitait-il pas tellement que je réussisse là où il avait échoué naguère, avant Crécy. Il l'avouait du reste. «Je me suis fait rebuffer méchamment par Édouard III, et je crains qu'il ne vous en advienne de même. C'est un homme fort déterminé, Édouard III; on ne le contourne pas aisément. De plus, il croit que tous les cardinaux français ont parti pris contre lui. Je vais envoyer avec vous notre *venerabilis frater* Capocci.» C'était cela son idée.

Venerabilis frater! Chaque pape doit commettre au moins une erreur durant son pontificat, sinon il serait le bon Dieu lui-même. Eh bien, l'erreur de Clément VI, c'est d'avoir donné le chapeau à Capocci.

«Et puis, m'a dit Innocent, si l'un de vous deux venait à souffrir de quelque maladie... Notre-Seigneur vous en garde... l'autre pourrait poursuivre la mission.» Comme il se sent toujours malade, notre pauvre Saint-Père, il veut que chacun le soit aussi, et il vous ferait donner l'extrême-onction dès que vous éternuez.

M'avez-vous vu malade depuis que nous sommes en route, Archambaud? Mais le Capocci, lui, les cahots lui brisent les reins; il lui faut s'arrêter toutes les deux lieues pour pisser. Un jour, il sue de fièvre, un autre il a un flux de ventre. Il voulait me prendre mon médecin, maître Vigier, dont vous reconnaîtrez qu'il n'est pas accablé de labeur, en tout cas de mon fait. Pour moi, le bon physicien est celui qui chaque matin me palpe, m'ausculte, me regarde l'œil et la langue, examine mes urines, ne m'impose pas trop de privations ni ne me saigne plus d'une fois le mois, et qui me tient en bonne santé... Et puis, pour faire ses apprêts, le Capocci! Il est de cette sorte de gens qui intriguent et insistent pour être chargés de mission et qui, dès qu'ils l'ont obtenue, ne tarissent plus d'exigences. Un secrétaire papal, ce n'était point assez, il lui en fallait deux. Pour quel office, on se le demande, puisque toutes les lettres pour la Curie, avant que nous ne soyons séparés, c'est moi qui ai dû les dicter et les corriger... Tout cela fit que nous ne partîmes qu'au temps du solstice, le 21 juin. Trop tard. On n'arrête point les guerres quand les armées sont en route. On les arrête dans la tête des rois, lorsque la décision est encore hésitante. Je vous dis, Archambaud, un printemps perdu.

La veille du départ, le Saint-Père me reçut, seul. Peut-être se repentait-il un peu de m'avoir infligé ce compagnon inutile. Je l'allai voir à Villeneuve, où il réside. Car il refuse de loger dans le grand palais qu'ont bâti ses prédécesseurs. Trop de luxe, trop de pompe à son gré, un train d'hôtel trop nombreux. Innocent a voulu satisfaire le sentiment public qui reprochait à la papauté de vivre dans trop de faste. Le sentiment public! Quelques écrivailleurs, pour qui le fiel est l'encre naturelle; quelques prêcheurs que le Diable a envoyés dans l'Église pour y mettre la discorde. Avec ceux-ci, il suffisait d'une bonne excommunication, bien assenée; avec ceux-là, une prébende, ou un bénéfice, accompagnés de quelque préséance, car c'est l'envie souvent qui stimule leurs crachats; ce qu'ils entendent redresser dans le monde, c'est le trop peu de place, à leurs yeux, qu'ils y ont. Voyez Pétrarque, dont vous m'avez entendu parler, l'autre jour, avec Monseigneur d'Auxerre. C'est un homme de mauvais naturel, mais de grand savoir et valeur, il faut le lui reconnaître, et qui est fort écouté des deux côtés des Alpes. Il était ami de Dante Alighieri qui l'amena en Avignon; et il a été chargé de maintes missions entre les princes. Voilà quelqu'un qui écrivait qu'Avignon était la sentine des sentines, que tous les vices y prospéraient, que les aventuriers y grouillaient, que l'on y venait acheter les cardinaux, que le pape y tenait boutique de diocèses et d'abbayes, que les prélats y avaient des maîtresses et leurs maîtresses des maquereaux... Enfin, la nouvelle Babylone.

Sur moi-même, il répandait de fort méchantes choses. Comme il était personne à considérer, je l'ai vu, je l'ai écouté, ce qui lui a donné de la satisfaction, j'ai arrangé quelques-unes de ses affaires... on disait qu'il s'adonnait aux arts noirs, magie et autres choses... je lui ai fait rendre quelques bénéfices dont on l'avait privé; j'ai correspondu avec lui en lui demandant de me copier dans chacune de ses lettres quelques vers ou sentences des grands poètes anciens, qu'il possède à merveille, pour orner mes sermons, car moi, je ne m'abuse point là-dessus, j'ai un style de légiste; un moment même je l'ai proposé pour un office de secrétaire papal, et il n'a tenu qu'à lui que la chose aboutît. Eh bien, il dit beaucoup moins de mal de la cour d'Avignon, et de moi, il écrit merveilles. Je suis un astre dans le ciel de l'Église, un pouvoir derrière le trône papal; j'égale ou surpasse en savoir aucun juriste de ce temps; j'ai été béni par la nature et raffiné par l'étude; et l'on peut reconnaître en moi cette capacité d'embrasser toute chose de l'univers que Jules César attribuait à Pline l'Ancien. Oui, mon neveu; rien moins que cela! Et je n'ai nullement réduit mon appareil de maison ni mon nombreux domestique qui naguère provoquaient sa diatribe... Il est reparti pour l'Italie, mon ami Pétrarque. Quelque chose en lui fait qu'il ne peut se fixer nulle part, comme son ami Dante, sur lequel il s'est beaucoup modelé. Il s'est inventé un amour sans mesure pour une dame qui ne fut jamais sa maîtresse, et qui est morte. Avec cela, il a sa raison de sublime... Je l'aime bien, ce méchant homme. Il me manque. S'il était demeuré en Avignon, sans doute serait-il assis à votre place, en ce moment, car je l'aurais pris dans mon bagage...

Mais suivre le prétendu sentiment public, comme notre bon Innocent? C'est montrer faiblesse, donner puissance à la critique, et s'aliéner beaucoup des gens qui vous soutenaient, sans rallier aucun mécontent.

Donc, pour donner image d'humilité, notre Saint-Père s'est allé loger dans son petit palais cardinalice à Villeneuve, de l'autre côté du Rhône. Mais, même avec un train réduit, l'établissement s'est montré vraiment trop petit. Alors, il a fallu l'agrandir pour abriter les gens indispensables. La secrétairerie fonctionne mal faute de place; les clercs changent sans cesse de chambre, au fur et à mesure des travaux. Les bulles s'écrivent dans la poussière. Et comme beaucoup d'offices sont demeurés en Avignon, il faut sans cesse traverser le fleuve, en affrontant le grand vent qui souffle souvent là-bas, et qui l'hiver vous gèle jusqu'à l'os. Toutes les affaires prennent retard... En outre, comme il a été élu de préférence à Jean Birel, le général des chartreux, qui jouissait d'une réputation de sainteté parfaite... je me demande, après tout, si j'ai eu raison de l'écarter; il n'aurait pas été plus malencontreux... notre Saint-Père a fait vœu de fonder une chartreuse. On la bâtit en ce moment entre le logis pontifical et un nouvel appareil de défense, le fort Saint-André, que l'on est en train justement d'édifier. Mais là ce sont les officiers du roi qui ordonnancent les travaux. Si bien que la chrétienté pour l'heure est commandée au milieu d'un chantier.

Le Saint-Père me reçut dans sa chapelle, d'où il ne sort guère, une petite abside à cinq pans, attenante à la grande chambre d'audience... parce qu'il a besoin tout de même d'une salle d'audience; il s'en est avisé... et qu'il a fait orner par un imagier venu de Viterbe, Matteo Giova quelque chose, Giovanotto, Giovanelli, Giovannetti... c'est bleu, c'est pâle; cela conviendrait à un couvent de nonnes; moi, je n'aime guère; pas assez de rouge, pas assez d'or. Les couleurs vives ne coûtent pas plus cher que les autres... Et le bruit, mon neveu! Il paraît que c'est le séjour le plus calme de tout le palais, et que c'est pourquoi le Saint-Père s'y retire! Les scies grincent dans la pierre, les marteaux cliquettent contre les burins, les palans crissent, les charrois roulent, les madriers rebondissent, les ouvriers se hèlent et se querellent... Traiter de graves sujets dans ce vacarme, c'est le purgatoire. Je comprends qu'il souffre de la tête, le Saint-Père! « Vous voyez, mon vénérable frère, me dit-il, je dépense beaucoup d'argent et me cause beaucoup de tracas pour construire autour de moi les apparences de la pauvreté. Et puis, il me faut tout de même entretenir le grand palais d'en face. Je ne peux pas le laisser crouler... »

Il me touche le cœur, le pape Aubert, quand il se moque de lui-même, tristement, et semble reconnaître ses erreurs, pour me faire plaisir.

Il était assis sur un piètre faudesteuil dont je n'aurais pas voulu pour siège dans mon premier évêché ; comme à l'accoutumée, il s'est tenu penché tout le long de l'entretien. Un grand nez busqué, dans le prolongement du front, de grandes narines, de grands sourcils levés très haut, de grandes oreilles dont le lobe sort du bonnet blanc, les coins de la bouche abaissés dans la barbe frisée. Il est de corps puissamment charpenté, et l'on s'étonne qu'il ait une santé si fragile. Un sculpteur sur pierre travaille à fixer son image, pour son gisant. Parce qu'il ne veut pas de statue debout : ostentation... Mais il accepte, tout de même, d'avoir un tombeau.

Il était dans un jour à se complaindre. Il continua : « Chaque pape, mon frère, doit vivre, à sa manière, la passion de Notre-Seigneur Jésus-Christ. La mienne est dans l'échec de toutes mes entreprises. Depuis que la volonté de Dieu m'a hissé au sommet de l'Église, je me sens les mains clouées. Qu'ai-je accompli, qu'ai-je réussi durant ces trois années et demie ? »

La volonté de Dieu, certes, certes ; mais reconnaissons qu'elle a choisi de s'exprimer un peu à travers ma modeste personne. Ce qui me permet quelque liberté avec le Saint-Père. Mais il est des choses, malgré tout, que je ne peux pas lui dire. Je ne puis lui dire, par exemple, que les hommes qui se trouvent investis d'une autorité suprême ne doivent pas chercher à trop modifier le monde pour justifier leur élévation. Il y a chez les grands humbles une forme sournoise d'orgueil qui est souvent la cause de leurs échecs.

Les projets du pape Innocent, ses hautes entreprises, je les connais bien. Il y en a trois, qui se commandent l'une l'autre. La plus ambitieuse : réunir les Églises latine et grecque, sous l'autorité de la catholique, bien sûr ; ressouder l'Orient et l'Occident, rétablir l'unité du monde chrétien. C'est le rêve de tout pape depuis mille ans. Et j'avais, avec Clément VI, fort avancé les choses, plus loin qu'elles ne le furent jamais, et, en tout cas, qu'elles ne le sont à présent. Innocent a repris le projet à son compte et comme si l'idée lui était venue, toute neuve, par visitation du Saint-Esprit. Ne disputons point.

Pour y parvenir, seconde entreprise, et préalable à la première : réinstaller la papauté à Rome, parce que l'autorité du pape sur les chrétiens d'Orient ne saurait être acceptée que si elle s'exprime du haut du trône de saint Pierre. Constantinople, présentement en défaillance, pourrait sans perdre l'honneur s'incliner devant Rome, non devant Avignon. Là-dessus, vous le savez, je diffère tout à fait d'opinion. Le raisonnement serait juste à condition que le pape lui-même ne s'expose pas à être plus faible encore à Rome qu'il ne l'est en Provence...

Or, pour rentrer à Rome, il fallait d'abord, troisième dessein, se réconcilier avec l'Empereur. Ce qui fut entrepris, par priorité. Voyons donc où nous en sommes de ces beaux projets... On s'est hâté, contre mon conseil, de couronner l'empereur Charles, élu depuis huit ans, et sur lequel nous avions barre tant que nous lui tenions haute la dragée de son sacre. A présent, nous ne pouvons plus rien sur lui. Il nous a remerciés par sa Bulle d'Or, que nous avons dû gober, perdant notre autorité non seulement sur l'élection à l'Empire, mais encore sur les finances de l'Église dans l'Empire. Ce n'est pas une réconciliation, c'est une capitulation. Moyennant quoi, l'Empereur nous a généreusement laissé les mains libres en Italie, c'est-à-dire nous a fait la grâce de nous permettre de les poser dans un nid de frelons.

En Italie, le Saint-Père a envoyé le cardinal Alvarez d'Albornoz, qui est plus capitaine que cardinal, pour préparer le retour à Rome. Albornoz a commencé par se cheviller à Cola di Rienzi, qui domina Rome un moment. Né dans une taverne du Trastevere, ce Rienzi était un de ces hommes du peuple à visage de César comme il en surgit de temps en temps là-bas, et qui captivent les Romains en leur rappelant que leurs aïeux ont commandé à tout l'univers. D'ailleurs, il se donnait pour fils d'empereur, s'étant découvert bâtard d'Henri VII de Luxembourg, mais il resta seul de cet avis. Il avait choisi le titre de tribun, il portait toge de pourpre, et siégeait au Capitole, sur les ruines du temple de Jupiter. Mon ami Pétrarque le saluait comme le restaurateur des antiques grandeurs .de l'Italie. Ce pouvait être un pion sur notre damier, mais à avancer avec discernement, et non pas en misant tout notre jeu dessus. Il fut assassiné voici deux ans par les Colonna, parce qu'Albornoz tardait à lui envoyer secours. Maintenant tout est à reprendre ; et l'on n'a jamais été aussi loin de rentrer à Rome, où l'anarchie est pire que par le passé. Rome, il faut en rêver toujours, et n'y retourner jamais.

Quant à Constantinople... Oh ! nous sommes très avancés en paroles. L'empereur Paléologue est prêt à nous reconnaître ; il en a pris l'engagement solennel ; il viendrait jusqu'à s'agenouiller devant nous, s'il pouvait seulement sortir de son étroit empire. Il ne met qu'une seule condition : qu'on lui envoie une armée pour se délivrer de ses ennemis. Au point qu'il se trouve, il accepterait de reconnaître un curé de campagne, contre cinq cents chevaliers et mille hommes de pied...

Ah ! vous aussi, vous vous en étonnez ! Si l'unité des chrétiens, si la réunion des Églises ne tient qu'à cela, ne peut-on expédier vers la mer grecque cette petite armée ? Eh bien, non, mon bon Archambaud, on ne le peut point. Parce que nous n'avons pas de quoi l'équiper et l'aligner en solde. Parce que notre belle politique a produit ses effets ; parce que, pour désarmer nos détracteurs, nous avons résolu de nous réformer et de revenir à la pureté de l'Église des origines... Quelles

origines? Bien audacieux celui qui affirme qu'il les connaît vraiment!
Quelle pureté! Dès qu'il y eut douze apôtres, il s'y trouva un traître!

Et de commencer à supprimer les commendes et bénéfices qui ne
s'accompagnent point de la cure des âmes... «les brebis doivent être
gardées par un pasteur, non par un mercenaire»... et d'ordonner
que soient éloignés des divins mystères ceux qui amassent richesses...
«faisons-nous semblables aux pauvres»... et d'interdire tous tributs qui
proviendraient des prostituées et des jeux de dés... mais oui, nous
sommes descendus dans de tels détails... ah! c'est que les jeux de dés
poussent à proférer des blasphèmes; point d'argent impur; ne nous
engraissons pas du péché, lequel, devenant meilleur marché, ne fait que
croître et s'étaler.

Le résultat de toutes ces réformations c'est que les caisses sont vides,
car l'argent pur ne coule qu'en très minces ruisseaux; les mécontents
ont décuplé, et il y a toujours des illuminés pour prêcher que le pape
est hérétique.

Ah! s'il est vrai que l'enfer est pavé de bonnes intentions, le cher
Saint-Père en aura dallé un bon bout de chemin!

«Mon vénérable frère, ouvrez-moi toute votre pensée; ne me cachez
rien, même si ce sont reproches que vous avez à formuler à mon
endroit.»

Puis-je lui dire que s'il lisait un peu plus attentivement ce que le
Créateur écrit pour nous dans le ciel, il verrait alors que les astres
forment de mauvaises conjonctions et de tristes quadrats sur presque
tous les trônes, y compris le sien, sur lequel il n'est assis que, tout
précisément, parce que la configuration est néfaste, car si elle était
bonne ce serait sans doute moi qui m'y trouverais? Puis-je lui dire que
lorsqu'on est en si piètre position sidérale, ce n'est point le temps
d'entreprendre de renouveler la maison de fond en comble, mais
seulement de la soutenir du mieux qu'on peut, telle qu'elle nous a été
léguée, et qu'il ne suffit pas d'arriver du village de Pompadour en
Limousin, avec des simplicités de paysan, pour être entendu des rois
et réparer les injustices du monde? Le malheur du temps veut que les
plus grands trônes ne sont point occupés par des hommes aussi grands
que leur charge. Ah! les successeurs n'auront pas la tâche facile!

Il me dit encore, en cette veille de départ: «Serais-je donc le pape qui
aurait pu faire l'unité des chrétiens et qui l'aura manquée? J'apprends
que le roi d'Angleterre assemble à Southampton cinquante bâtiments
pour passer près de quatre cents chevaliers et archers et plus de mille
chevaux sur le continent.» Je pense bien qu'il avait appris; c'était moi
qui lui avais fait donner la nouvelle. «C'est la moitié de ce qu'il me
faudrait pour satisfaire l'empereur Paléologue. Ne pourriez-vous avec
l'aide de notre frère le cardinal Capocci, dont je sais bien qu'il n'a pas
tous vos mérites et que je ne parviens pas à aimer autant que je vous

aime... » Farine, farine, pour m'endormir... « mais qui n'est pas sans crédit auprès du roi Édouard, ne pourriez-vous convaincre celui-ci, au lieu d'employer cette expédition contre la France... Oui, je vois bien ce que vous pensez... Le roi Jean, lui aussi, a convoqué son ost ; mais il est accessible aux sentiments d'honneur chevaleresque et chrétien. Vous avez du pouvoir sur lui. Si les deux rois renonçaient à se combattre pour dépêcher ensemble partie de leurs forces vers Constantinople afin qu'elle puisse rallier le giron de la seule Église, quelle gloire n'en retireraient-ils pas ? Tentez de leur représenter cela, mon vénérable frère ; montrez-leur qu'au lieu d'ensanglanter leurs royaumes, et d'amasser les souffrances sur leurs peuples chrétiens, ils se rendraient dignes des preux et des saints... »

Je répondis : « Très Saint-Père, la chose que vous souhaitez sera la plus aisée du monde, aussitôt que deux conditions auront été remplies : pour le roi Édouard, qu'il ait été reconnu roi de France et sacré à Reims ; pour le roi Jean, que le roi Édouard ait renoncé à ses prétentions et qu'il lui ait rendu l'hommage. Ces deux choses accomplies, je ne vois plus d'obstacles... — Vous vous moquez de moi, mon frère ; vous n'avez pas la foi. — J'ai la foi, Très Saint-Père, mais je ne me sens pas capable de faire briller le soleil la nuit. Cela dit, je crois de toute ma foi que si Dieu veut un miracle, il pourra l'accomplir sans nous. »

Nous restâmes un moment sans parler, parce qu'on déversait un chariot de moellons dans une cour voisine et qu'une équipe de charpentiers s'était prise de bec avec les rouliers. Le pape abaissait son grand nez, ses grandes narines, sa grande barbe. Enfin, il me dit : « Au moins, obtenez d'eux qu'ils signent une nouvelle trêve. Dites-leur bien que je leur interdis de reprendre les hostilités entre eux. Si aucun prélat ou clerc s'oppose à vos efforts de paix, vous le privez de tous ses bénéfices ecclésiastiques. Et rappelez-vous que si les deux rois persistent à se faire la guerre, vous pouvez aller jusqu'à l'excommunication ; cela est écrit dans vos instructions. L'excommunication et l'interdit. »

Après ce rappel de mes pouvoirs, j'avais bien besoin de la bénédiction qu'il me donna. Car vous me voyez, Archambaud, dans l'état où est l'Europe, excommunier les rois de France et d'Angleterre ? Édouard aurait aussitôt libéré son Église de toute obédience au Saint-Siège, et Jean aurait envoyé son connétable assiéger Avignon. Et Innocent, qu'aurait-il fait, à votre avis ? Je vais vous le dire. Il m'aurait désavoué, et levé les excommunications. Tout cela, ce n'étaient que paroles.

Le lendemain donc, nous partîmes.

Trois jours plus tôt, le 18 juin, les troupes du duc de Lancastre avaient débarqué à La Hague.

QUATRIÈME PARTIE

L'ÉTÉ DES DÉSASTRES

I

LA CHEVAUCHÉE NORMANDE

Tout ne peut être tout le temps néfaste... Ah! vous avez noté, Archambaud, que c'était l'une de mes sentences favorites... Eh! oui, au sein de tous les revers, de toutes les peines, de tous les mécomptes, nous sommes toujours gratifiés de quelque bien qui nous vient réconforter. Il suffit seulement de le savoir apprécier. Dieu n'attend que notre gratitude pour nous prouver davantage sa mansuétude.

Voyez, après cet été calamiteux pour la France, et bien décevant, je le confesse, pour mon ambassade, voyez comme nous sommes favorisés par la saison, et le beau temps que nous avons pour continuer notre voyage! C'est un encouragement du ciel.

Je craignais, après les pluies que nous eûmes en Berry, de rencontrer l'intempérie, la bourrasque et la froidure à mesure que nous avancerions vers le nord. Aussi m'apprêtais-je à me calfeutrer dans ma litière, à m'emmitoufler de fourrures et à nous soutenir de vin chaud. Or voici tout le contraire; l'air s'est adouci, le soleil brille, et ce décembre est comme un printemps. Cela se voit parfois en Provence; mais je n'attendais pas pareille lumière qui ensoleille la campagne, pareille tiédeur qui fait suer les chevaux sous les housses, pour nous accueillir à notre entrée en Champagne.

Il faisait presque moins chaud, je vous assure, quand j'arrivai à Breteuil en Normandie, au début de juillet, pour y trouver le roi.

Car, parti d'Avignon le 21 du mois de juin, j'étais le 12 juillet... ah! bon, vous vous souvenez; je vous l'ai déjà dit... et le Capocci était malade... c'est cela... du train auquel je l'avais mené...

Ce que le roi Jean faisait à Breteuil? Le siège, le siège du château, au terme d'une courte chevauchée normande qui n'avait pas été pour lui un gros triomphe, c'est le moins qu'on puisse dire.

Le duc de Lancastre, je vous le rappelle, débarque en Cotentin le 18 juin. Soyez attentif aux dates; elles ont de l'importance, en l'occurrence... Les astres ? Ah, non, je n'ai pas étudié particulièrement les astres de ce jour-là. Ce que je voulais dire, c'est qu'à la guerre, le temps et la rapidité comptent autant et parfois plus que le nombre des troupes.

Dans les trois jours, il fait sa jonction, à l'abbaye de Montebourg, avec les détachements du continent, celui que Robert Knolles, un bon capitaine, amène de Bretagne, et celui qu'a levé Philippe de Navarre. Qu'alignent-ils à eux trois ? Philippe de Navarre et Godefroy d'Harcourt n'ont guère avec eux plus d'une centaine de chevaliers. Knolles fournit le plus fort contingent : trois cents hommes d'armes, cinq cents archers, pas tous anglais d'ailleurs ; il y a là des Bretons qui viennent avec Jean de Montfort, prétendant au duché contre le comte de Blois qui est l'homme des Valois. Enfin, Lancastre compte à peine cent cinquante armures et deux cents archers, mais il a une grosse remonte de chevaux.

Lorsque le roi Jean II connut ces chiffres, il eut un grand rire qui le secoua de la panse aux cheveux. Pensait-on l'effrayer avec cette piteuse armée ? Si c'était là tout ce que son cousin d'Angleterre pouvait réunir, il n'y avait pas de quoi s'inquiéter grandement. « J'avais bien raison, vous voyez, Charles, mon fils, vous voyez, Audrehem, de ne pas craindre de mettre mon gendre en geôle ; oui, j'avais bien raison de me moquer des défis de ces petits Navarre, puisqu'ils ne peuvent produire que si maigres alliés. »

Et il se donnait gloire d'avoir, dès le début du mois, appelé l'ost à Chartres. « N'était-ce pas bonne prévoyance, qu'en dites-vous, Audrehem, qu'en dites-vous, Charles, mon fils ? Et vous voyez qu'il suffisait de convoquer le ban, et non l'arrière-ban. Qu'ils courent, ces bons Anglais, qu'ils s'enfoncent dans le pays. Nous allons fondre sur eux et les jeter dans la bouche de Seine. »

On l'avait rarement vu si joyeux, m'a-t-on dit, et je le veux bien croire. Car ce perpétuel battu aime la guerre, au moins en rêve. Partir, donner des ordres du haut de son destrier, être obéi, enfin ! car à la guerre les gens obéissent... en tout cas au départ ; laisser les soucis de finance ou de gouvernement à Nicolas Braque, à Lorris, à Bucy et aux autres ; vivre entre hommes, plus de femmes dans l'entourage ; bouger, bouger sans cesse, manger en selle, à grosses bouchées, ou bien sur un talus de route, à l'abri d'un arbre déjà chargé de petits fruits verts, recevoir le rapport des éclaireurs, prononcer de grandes paroles que chacun ira répétant... « si l'ennemi a soif, il boira son sang »... poser la main sur l'épaule d'un chevalier qui en rougit d'aise... « jamais las, Boucicaut... ta bonne épée fourmille, noble Coucy ! »...

Et pourtant, a-t-il remporté une seule victoire ? Jamais. A vingt-deux ans, désigné par son père comme chef de guerre en Hainaut... ah ! la belle appellation : chef de guerre !... il s'est remarquablement fait découdre par les Anglais. A vingt-cinq ans, avec un plus beau titre encore, à croire qu'il les invente: seigneur de la conquête... il a coûté fort cher aux populations du Languedoc, sans réussir, en quatre mois de siège, à s'emparer d'Aiguillon, au confluent du Lot et de la Garonne. Mais à l'entendre, tous ses combats furent prouesses, quelque triste issue ils aient eue. Jamais homme ne s'est acquis tant d'assurance dans l'expérience de la défaite.

Cette fois, il faisait durer son plaisir.

Le temps, pour lui, d'aller prendre l'oriflamme à Saint-Denis et, sans se presser, de gagner Chartres, déjà le duc de Lancastre, passé au sud de Caen, franchissait la Dives et s'en venait dormir à Lisieux. Le souvenir de la chevauchée d'Édouard III, dix ans plus tôt, et surtout du sac de Caen, n'était pas effacé. Des centaines de bourgeois occis dans les rues, quarante mille pièces de drap raflées, tous les objets précieux enlevés pour l'outre-Manche, et l'incendie de la ville évité de justesse... certes non, la population normande n'avait pas oublié et elle montrait plutôt de l'empressement à laisser passer les archers anglais. D'autant plus que Philippe d'Évreux-Navarre et messire Godefroy d'Harcourt faisaient bien savoir que ces Anglais étaient des amis. Le beurre, le lait et les fromages étaient abondants, le cidre gouleyant; les chevaux dans ces prés gras ne manquaient pas de fourrage. Après tout, nourrir mille Anglais, un soir, coûtait moins cher que payer au roi, toute l'année ronde, sa gabelle, son fouage, et son impôt de huit deniers à la livre sur les marchandises.

A Chartres, Jean II trouva son ost moins rassemblé et moins prêt qu'il ne le croyait. Il comptait sur une armée de quarante mille hommes. A peine en dénombrait-on le tiers. Mais n'était-ce pas assez, n'était-ce pas déjà trop en regard de l'adversaire qu'il devait affronter? « Eh, je ne paierai point ceux qui ne se sont pas présentés; ce sera tout avantage. Mais je veux qu'on leur adresse remontrances. »

Le temps de s'installer dans son tref fleurdelisé et d'expédier ces remontrances... « quand le roi veut, chevalier doit »... le duc de Lancastre, lui, était à Pont-Audemer, un fief du roi de Navarre. Il délivrait le château, qu'un parti français assiégeait vainement depuis plusieurs semaines, et renforçait un peu la garnison navarraise, à laquelle il laissait du ravitaillement pour un an; puis, piquant au sud, il allait piller l'abbaye du Bec-Hellouin.

Le temps, pour le connétable, duc d'Athènes, de mettre un peu d'ordre dans la cohue de Chartres... car ceux qui s'étaient présentés piétinaient les blés nouveaux depuis trois semaines et commençaient à s'impatienter... le temps surtout d'apaiser les discordes entre les deux maréchaux, Audrehem et Jean de Clermont, qui se haïssaient de bon cœur, et Lancastre déjà était sous les murs du château de Conches dont il délogea les gens qui l'occupaient au nom du roi. Et puis il y mit le feu. Ainsi les souvenirs de Robert d'Artois et ceux, plus frais, de Charles le Mauvais s'en allèrent en fumée. Il ne porte pas bonheur, ce château-là... Et Lancastre se dirigea sur Breteuil. A part Évreux, toutes les places que le roi avait voulu saisir dans le fief de son gendre étaient reprises l'une après l'autre.

« Nous écraserons ces méchants à Breteuil », dit fièrement Jean II quand son armée put enfin s'ébranler. De Chartres à Breteuil, il y a dix-sept lieues. Le roi voulut qu'on les couvrît en une seule étape. Dès midi, il paraît qu'on commença d'égrener des traînards. Quand les hommes parvinrent, fourbus, à Breteuil, Lancastre n'y était plus. Il avait enlevé la citadelle, pris la garnison française et installé en sa place une troupe solide, commandée par un bon chef navarrais, Sanche Lopez, auquel il laissait, là aussi, du ravitaillement pour un an.

Prompt à se consoler, le roi Jean s'écria : « Nous les taillerons à Verneuil ; n'est-ce pas mes fils ? » Le Dauphin n'osait dire ce qu'il m'a confié ensuite, à savoir qu'il lui semblait absurde de poursuivre mille hommes avec près de quinze mille. Il ne voulait point paraître moins assuré que ses frères cadets qui tous se modelaient sur leur père et faisaient les ardents, y compris le plus jeune, Philippe, qui n'a que quatorze ans.

Verneuil au bord de l'Avre ; l'une des portes de la Normandie. La chevauchée anglaise y était passée la veille, tel un torrent ravageur. Les habitants virent arriver l'armée française comme un fleuve en crue.

Messire de Lancastre sachant ce qui déferlait vers lui, se garda bien de pousser vers Paris. Emmenant le gros butin qu'il avait fait en chemin, ainsi qu'un beau nombre de prisonniers, il reprit prudemment la route de l'ouest... « Sur Laigle, sur Laigle, ils sont partis sur Laigle », indiquèrent les vilains. Entendant cela, le roi Jean se sentit marqué par l'attention divine. Vous voyez bien pourquoi... Mais non, Archambaud, pas à cause de l'oiseau... Ah ! vous y êtes... A cause de la Truie-qui-file... le meurtre de Monsieur d'Espagne... Là où avait été perpétré le crime, là même le roi arrivait pour accomplir le châtiment. Il ne permit pas à son armée de dormir plus de quatre heures. A Laigle, il allait rejoindre les Anglais et Navarrais, et ce serait l'heure, enfin, de sa vengeance.

Ainsi, le neuf juillet, ayant fait halte devant le seuil de la Truie-qui-file, le temps d'y ployer sa genouillère de fer... étrange spectacle pour l'armée que celui d'un roi en prière et en pleurs sur une porte d'auberge !... il apercevait enfin les lances de Lancastre, à deux lieues de Laigle, en lisière de la forêt de Tubœuf... Tout cela, mon neveu, venait de se passer quand on me le conta, trois jours après.

« Lacez heaumes, formez batailles », cria le roi.

Alors, pour une fois d'accord, le connétable et les deux maréchaux s'interposèrent. « Sire, déclara rudement Audrehem, vous m'avez toujours vu ardent à vous servir... — Et moi aussi, dit Clermont. — ... mais ce serait folie de nous engager sur-le-champ. Il ne faut plus demander un seul pas à vos troupes. Depuis quatre jours vous ne leur donnez point de répit, et ce jour même vous les avez menées avec plus grande hâte que jamais. Les hommes sont hors de souffle, voyez-les donc ; les archers ont les pieds en sang et s'ils n'avaient leur pique pour se soutenir, ils s'écrouleraient sur le chemin même. — Ah ! cette pétaille, toujours, qui ralentit tout ! » dit Jean II irrité. « Ceux qui chevauchent ne valent pas mieux, lui répliqua Audrehem. Maintes montures sont blessées au garrot par leur charge, et maintes autres boitent, qu'on n'a pu referger. Les hommes d'armure, à tant aller par la chaleur qu'il fait, ont le cul saignant. N'attendez rien de vos bannières, avant qu'elles n'aient pris repos. — Outre quoi, Sire, renchérit Clermont, voyez en quel territoire nous irions attaquer. Nous avons devant nous une forêt dense, où Messire de Lancastre s'est retrait. Il aura toute aisance de faire échapper son parti, cependant que nos archers vont s'empêtrer en taillis et nos lances charger les troncs d'arbres. »

Le roi Jean eut un moment d'humeur méchante, pestant contre les hommes et les circonstances qui faisaient échec à sa volonté. Puis il prit une de ces décisions surprenantes pour lesquelles ses courtisans l'appellent le Bon, afin que leur flatterie lui soit répétée.

Il envoya ses deux premiers écuyers, Pluyan du Val et Jean de Corquilleray, vers le duc de Lancastre pour lui porter défi et lui demander bataille. Lancastre se tenait dans une clairière, ses archers disposés devant lui, tandis que des éclaireurs, partout, observaient l'armée française et repéraient des chemins de repli. Le duc aux yeux bleus vit donc arriver devers lui, escortés de quelques gens d'armes, les deux écuyers royaux qui arboraient pennon fleurdelisé à la hampe de leur lance, et qui soufflaient en cornet comme des hérauts de tournoi. Entouré de Philippe de Navarre, de Jean de Montfort et de Godefroy d'Harcourt, il écouta le discours suivant, que lui tint Pluyan du Val.

Le roi de France arrivait à la tête d'une immense armée, alors que le duc n'en avait qu'une petite. Aussi proposait-il audit duc de s'affronter le lendemain, avec un même nombre de chevaliers de part et d'autre, cent, ou cinquante, ou même trente, dans un lieu à convenir, et selon toutes les règles de l'honneur.

Lancastre reçut courtoisement les propositions du roi « qui se disait de France », mais n'en était pas moins partout réputé pour sa chevalerie. Il assura qu'il envisagerait la chose avec ses alliés, qu'il désignait de la main, car elle était trop sérieuse pour en décider seul. Les deux écuyers crurent pouvoir déduire de ces paroles que Lancastre donnerait réponse le lendemain.

C'est sur cette assurance que le roi Jean commanda de dresser son tref et plongea dans le sommeil. Et la nuit des Français fut celle d'une armée ronflante.

Au matin, la forêt de Tubœuf était vide. On y voyait des traces de passage, mais plus d'Anglais ni de Navarrais. Lancastre avait prudemment replié son monde vers Argentan.

Le roi Jean II laissa éclater son mépris pour ces ennemis sans loyauté, seulement bons au pillage quand ils n'avaient personne devant eux, mais qui s'éclipsaient dès qu'on leur offrait combat. « Nous portons l'Étoile sur le cœur, tandis que la Jarretière leur bat le mollet. Voilà ce qui nous distingue. Ce sont les chevaliers de la fuite. »

Mais songea-t-il à les prendre en chasse ? Les maréchaux proposaient de jeter les bannières les plus fraîches sur la voie de Lancastre ; à leur surprise, Jean II repoussa l'idée. On eût dit qu'il considérait la bataille gagnée dès lors que l'adversaire n'avait pas relevé son défi.

Il décida donc de revenir vers Chartres pour y dissoudre l'ost. Au passage, il reprendrait Breteuil.

Audrehem lui remontra que la garnison laissée à Breteuil par Lancastre était nombreuse, bien commandée et bien retranchée. « Je connais la place, Sire ; on ne l'enlève pas facilement. — Alors pourquoi les nôtres s'en sont-ils laissé déloger ? lui répondit le roi Jean. Je conduirai le siège moi-même. »

Et c'est là, mon neveu, que je le rejoignis, en compagnie de Capocci, le 12 juillet.

II

LE SIÈGE DE BRETEUIL

Le roi Jean nous reçut armé en guerre, comme s'il allait lancer l'assaut dans la demi-heure. Il nous baisa l'anneau, nous demanda nouvelles du Saint-Père, et, sans écouter la réponse un peu longue, dissertante et fleurie, dans laquelle Niccola Capocci s'était engagé, il me dit : « Monseigneur de Périgord, vous arrivez à point pour assister à un beau siège. Je sais la vaillance qu'on a dans votre famille, et qu'on y est expert aux arts de la guerre. Les vôtres toujours ont très hautement servi le royaume, et si vous n'étiez prince d'Église, vous seriez sans doute maréchal à mon ost. Je gage qu'ici vous allez prendre plaisir. »

Cette manière de ne s'adresser qu'à moi, et pour me complimenter sur ma parentèle, déplut au Capocci, qui n'est pas de très haut lignage, et qui crut bon de dire que nous n'étions pas là pour nous émerveiller de prouesses de guerre, mais pour parler de paix chrétienne.

Je sus aussitôt que les choses n'iraient guère entre mon colégat et le roi de France, surtout quand ce dernier eut vu mon neveu Robert de Durazzo auquel il fit force amitiés, le questionnant sur la cour de Naples et sur sa tante la reine Jeanne. Il faut dire qu'il était très beau, mon Robert, tournure superbe, visage rose, cheveux soyeux... la grâce et la force tout ensemble. Et je vis poindre dans l'œil du roi cette étincelle qui ordinairement luit au regard des hommes quand passe une belle femme. « Où prendrez-vous vos quartiers ? » demanda-t-il. Je lui dis que nous nous accommoderions dans une abbaye voisine.

Je l'observai bien, et le trouvai assez envieilli, épaissi, alourdi, le menton plus pesant sous la barbe peu fournie, d'un jaune pisseux. Et il avait pris l'habitude de balancer la tête, comme s'il était gêné au col ou à l'épaule par quelque limaille dans sa chemise d'acier.

Il voulut nous montrer le camp, où notre arrivée avait produit quelque remous de curiosité. « Voici Sa Sainte Éminence Monseigneur de Périgord qui nous est venu visiter », disait-il à ses bannerets, comme si nous étions venus tout exprès pour lui porter l'aide du ciel. Je distribuai les bénédictions. Le nez de Capocci s'allongeait de plus en plus.

Le roi tenait beaucoup à me faire connaître le chef de son engeignerie auquel il semblait accorder plus d'importance qu'à ses maréchaux ou même son connétable. « Où est l'Archiprêtre?... A-t-on vu l'Archiprêtre?... Bourbon, faites appeler l'Archiprêtre... » Et je me demandais ce qui pouvait bien valoir le surnom d'archiprêtre au capitaine qui commandait les machines, mines et artillerie à poudre.

Étrange bonhomme que celui qui vint à nous, monté sur de longues pattes arquées prises dans des jambières et des cuissots d'acier ; il avait l'air de marcher sur des éclairs. Sa ceinture, très serrée sur le surcot de cuir, lui donnait une tournure de guêpe. De grandes mains aux ongles noirs et qu'il tenait écartées du corps, à cause des cubitières de métal qui lui protégeaient les bras. Une gueule assez louche, maigre, aux pommettes saillantes, aux yeux étirés, et l'expression goguenarde de quelqu'un qui est toujours prêt à s'offrir pour un quart de sol la figure d'autrui. Et pour coiffer le tout, un chapeau de Montauban, à larges bords, tout en fer, avançant en pointe au-dessus du nez, avec deux fentes pour pouvoir regarder à travers quand il baissait la tête. « Où étais-tu l'Archiprêtre? On te cherchait », dit le roi qui précise à mon intention : « Arnaud de Cervole, sire de Vélines. — Archiprêtre, pour vous servir... Monseigneur cardinal... », ajoute l'autre d'un ton moqueur qui ne me plaît guère.

Et soudain, je me rappelle... Vélines, c'est de chez nous, Archambaud... bien sûr, près de Sainte-Foy-la-Grande, aux limites du Périgord et de la Guyenne. Et le bonhomme avait bel et bien été archiprêtre, un archiprêtre sans latin ni tonsure, certes, mais archiprêtre quand même. Et d'où cela? Mais tout naturellement de Vélines, son petit fief, dont il s'était fait attribuer la cure, touchant ainsi à la fois les redevances seigneuriales et les revenus ecclésiastiques. Il ne lui en coûtait que de payer un vrai clerc, au rabais, pour assurer le travail d'Église... jusqu'à ce que le pape Innocent lui supprime son bénéfice, comme toutes autres commendes de cette nature, au début du pontificat. « Les brebis doivent être gardées par un pasteur... » ; ce que je vous contais l'autre jour. Alors, envolée l'archiprêtrise de Vélines ! J'avais eu à connaître de l'affaire entre cent de même sorte, et je savais que le gaillard ne portait pas la cour d'Avignon au plus haut de son cœur. Pour une fois, je dois dire, je donnais pleine raison au Saint-Père. Et je devinai que ce Cervole n'allait pas, lui non plus, me faciliter les choses.

« L'Archiprêtre m'a fait un fier travail à Évreux, et la ville est redevenue nôtre », me dit le roi pour mettre en valeur son artificier. « C'est même la seule que vous ayez reprise au Navarrais, Sire », lui répondit Cervole avec un bel aplomb. « Nous en ferons autant de

Breteuil. Je veux un beau siège, comme celui d'Aiguillon. — A ceci près que vous n'avez jamais pris Aiguillon, Sire. »

Diantre, me dis-je, l'homme est bien en cour, pour parler avec cette franchise.

« C'est qu'on ne m'en a point, hélas, laissé le temps », dit tristement le roi.

Il fallait être l'Archiprêtre... je me suis mis moi aussi à l'appeler l'Archiprêtre, puisque tout le monde le nommait ainsi... il fallait être cet homme-là pour balancer son chapeau de fer et murmurer, devant son souverain : « Le temps, le temps... six mois... »

Et il fallait être le roi Jean pour s'obstiner à croire que le siège d'Aiguillon, qu'il avait conduit dans l'année même où son père se faisait écraser à Crécy, représentait un modèle de l'art militaire. Une entreprise ruineuse, interminable. Un pont qu'il avait ordonné de construire pour approcher la forteresse, et dans un si bon emplacement que les assiégés l'avaient détruit six fois. Des machines compliquées qu'on avait dû acheminer à grands frais et grande lenteur, depuis Toulouse... et pour un résultat parfaitement nul.

Eh bien ! c'était là-dessus que le roi Jean fondait sa gloire et qu'il autorisait son expérience. En vérité, acharné comme il est à régler ses rancunes envers le destin, il voulait prendre, à dix ans de distance, sa revanche d'Aiguillon, et prouver que ses méthodes étaient les bonnes ; il voulait laisser dans la mémoire des nations le souvenir d'un grand siège.

Et c'était pour cela que, négligeant de poursuivre un ennemi qu'il aurait pu battre sans beaucoup de peine, il venait de planter son tref devant Breteuil. Encore, s'adressant à l'Archiprêtre, fort versé dans le nouvel usage des destructions par la poudre, on eût pu croire qu'il avait résolu de miner les murailles du château, comme on avait fait à Évreux. Mais non. Ce qu'il demandait à son maître de l'engeignerie, c'était d'élever des constructions d'assaut qui permettraient de passer par-dessus les murs. Et les maréchaux et les capitaines écoutaient, pleins de respect, les ordres du roi et s'affairaient à les accomplir. Aussi longtemps qu'un homme commande, fût-ce le pire imbécile, il y a des gens pour croire qu'il commande bien.

Quant à l'Archiprêtre... j'eus l'impression que l'Archiprêtre se moquait de tout. Le roi voulait des rampes, des échafaudages, des beffrois ; eh bien, on lui en construirait, et l'on demanderait paiement en conséquence. Si ces appareils d'autrefois, ces machineries d'avant les pièces à feu n'apportaient pas le résultat escompté, le roi n'aurait à s'en prendre qu'à lui-même. Et l'Archiprêtre ne laisserait à personne le soin de le lui dire ; il avait sur le roi Jean cet ascendant qu'ont parfois les soudards sur les princes, et il ne se gênait pas pour en user, une fois que le trésorier lui avait aligné sa solde et celle de ses compagnons.

La petite ville normande se transforma en un immense chantier. On creusait des retranchements autour du château. La terre retirée des fossés servait à établir des plates-formes et des pentes d'assaut. Ce n'était que bruits de pelles et de charrois, grincements d'essieux, claquements de fouets et jurons. Je me serais cru revenu à Villeneuve.

Les haches retentissaient dans les forêts avoisinantes. Certains villageois des parages faisaient leurs affaires, s'ils vendaient de la boisson. D'autres avaient la mauvaise surprise de voir soudain six goujats démolir leur grange pour en emporter les poutres. «Service du roi!» C'était vite dit. Et les pioches de s'attaquer aux murs de torchis, et les cordes de tirer sur les bois de colombages, et bientôt, dans un grand craquement, tout s'écroulait. «Il aurait bien pu aller se planter ailleurs, le roi, plutôt que de nous envoyer ces malfaisants qui nous ôtent nos toits de dessus la tête», disaient les manants. Ils commençaient à trouver que le roi de Navarre était un meilleur maître, et que même la présence des Anglais pesait moins lourd que celle du roi de France.

Je restai donc à Breteuil un morceau de juillet, au grand dam de Capocci qui aurait préféré le séjour de Paris... moi aussi je l'eusse préféré!... et qui envoyait en Avignon des missives pleines d'acrimonie où il laissait entendre fielleusement que je me plaisais plus à contempler la guerre qu'à faire avancer la paix. Or comment, je vous le demande, pouvais-je faire avancer la paix sinon en parlant au roi, et où pouvais-je lui parler, sinon au siège dont il ne paraissait pas vouloir s'éloigner?

Il passait ses journées à tourner autour des travaux en compagnie de l'Archiprêtre; il usait son temps à vérifier un angle d'attaque, à s'inquiéter d'un épaulement, et surtout à regarder monter la tour de bois, un extraordinaire beffroi sur roues où l'on pourrait loger force archers, avec tout un armement d'arbalètes et de traits à feu, une machine comme on n'en avait point vu depuis les temps antiques. Il ne suffisait pas d'en bâtir les étages; il fallait encore trouver assez de peaux de bœufs pour revêtir cet énorme échafaud; et puis construire un chemin dur et plat, pour pouvoir l'y pousser. Mais quand elle serait prête, la tour, on verrait des choses étonnantes!

Le roi me conviait souvent à souper, et là je pouvais l'entretenir.

«La paix? me disait-il. Mais c'est tout mon désir. Voyez, je suis en train de dissoudre mon ost, gardant juste avec moi ce qu'il me faut pour ce siège. Attendez que j'aie pris Breteuil, et aussitôt après je veux bien faire la paix, pour complaire au Saint-Père. Que mes ennemis me soumettent leurs propositions. — Sire, disais-je, il faudrait savoir quelles propositions vous seriez prêt à considérer... — Celles qui ne seront pas contraires à mon honneur.» Ah! ce n'était pas tâche facile! Ce fut moi, hélas, qui eus à lui apprendre, car j'étais mieux informé que lui, que le prince de Galles rassemblait des troupes à Libourne et à La Réole pour une nouvelle chevauchée.

« Et vous me parlez de paix, Monseigneur de Périgord? — Précisément, Sire, afin d'éviter que de nouveaux malheurs... — Cette fois, je ne permettrai pas que le prince d'Angleterre s'ébatte en Languedoc comme il le fit l'an passé. Je vais convoquer l'ost de nouveau, pour le Ier août, à Chartres. »

Je m'étonnai qu'il laissât partir ses bannières pour les rappeler, une semaine plus tard. Je m'en ouvris, discrètement, au duc d'Athènes, à Audrehem, car tout ce monde venait me voir et se confiait à moi. Non, le roi s'obstinait, par un souci d'économie qui ne lui ressemblait guère, à renvoyer d'abord le ban, qu'il avait appelé le mois précédent, pour le rappeler, avec l'arrière-ban. Quelqu'un avait dû lui dire, Jean d'Artois peut-être ou une aussi fine cervelle, qu'il épargnerait ainsi quelques jours de solde. Mais il aurait pris un mois de retard sur le prince de Galles. Oh! oui, il lui fallait faire la paix; et plus il attendrait, moins elle serait négociable à sa satisfaction.

Je connus mieux l'Archiprêtre, et je dois dire que le bonhomme m'amusa. Le Périgord le rapprochait de moi; il vint me demander de lui faire rendre son bénéfice. Et en quels termes! « Votre Innocent... — Le Saint-Père, mon ami, le Saint-Père... lui disais-je. — Bon, le Saint-Père, si vous voulez, m'a supprimé ma commende pour le bon ordre de l'Église... ah! c'est ce que l'évêque m'a dit. Eh quoi? Croit-il donc qu'il n'y avait pas d'ordre à Vélines, avant lui? La cure des âmes, messire cardinal, vous pensez que je ne l'exerçais point? Il aurait fait beau voir qu'un agonisant trépassât sans les sacrements. A la moindre maladie, j'envoyais le tonsuré. Ça se paye, les sacrements. Et les gens qui passaient devant ma justice : amende. Ensuite, à confesse; et la taxe de pénitence. Les adultères, la même chose. Je sais comment ça se mène, moi, les bons chrétiens. » Je lui disais : « L'Église a perdu un archiprêtre, mais le roi a gagné un bon chevalier. » Car Jean II l'avait armé chevalier, l'an passé.

Tout n'est pas mauvais, dans ce Cervole. Il a, pour parler des bords de notre Dordogne, des accents tendres qui surprennent. L'eau verte de la vaste rivière où se reflètent nos manoirs, le soir, entre les peupliers et les frênes; les prairies grasses au printemps, la chaleur sèche des étés qui fait mûrir les orges jaunes; les soirs qui sentent la menthe; les raisins de septembre où nous mordions, enfants, dans des grappes chaudes... Si tous les hommes de France aimaient leur terre autant que l'aime cet homme-là, le royaume serait mieux défendu.

Je finis par comprendre les raisons de la faveur donc il jouissait. D'abord, il avait rejoint le roi dans la chevauchée de Saintonge, en 51, une petite équipée, mais qui avait permis à Jean II de croire qu'il serait un roi victorieux. L'Archiprêtre lui avait amené sa troupe, vingt armures et soixante sergents de pied. Comment les avait-il pu rassembler, à Vélines? Toujours est-il que cela formait une compagnie. Mille écus d'or, réglés par le trésorier des guerres, pour le service d'une année... Cela permettait au roi de dire: «Nous sommes compagnons de longtemps, n'est-ce pas vrai, l'Archiprêtre?»

Ensuite, il avait servi sous Monsieur d'Espagne, et, malin, ne manquait jamais de le rappeler devant le roi. C'était même sous les ordres de Charles d'Espagne, dans la campagne de 53, qu'il avait chassé les Anglais de son propre château de Vélines et des terres avoisinantes, Montcarret, Montaigne, Montravel... Les Anglais tenaient Libourne et y avaient grosse garnison d'archers. Mais lui, Arnaud de Cervole, tenait Sainte-Foy et n'était pas disposé à se la laisser enlever... « Je suis contre le pape parce qu'il m'a ôté mon archiprêtrise; je suis contre l'Anglais parce qu'il a ravagé mon château; je suis contre le Navarrais parce qu'il a occis mon connétable. Ah! que n'ai-je été à Laigle, auprès de lui, pour le défendre! »... C'était baume pour les oreilles du roi.

Et puis, enfin, l'Archiprêtre excelle aux nouveaux engins à feu. Il les aime, il les apprivoise, il s'en amuse. Rien ne lui plaît tant, il me l'a dit, que d'allumer une mèche, après de souterraines préparations, et de voir une tour de château s'ouvrir comme une fleur, comme un bouquet, projetant en l'air hommes et pierres, piques et tuiles. A cause de cela, il est entouré, sinon d'estime, du moins d'un certain respect; car beaucoup, parmi les plus hardis chevaliers, répugnent à s'approcher de ces armes du diable que lui manie comme en se jouant. Il y a des gens ainsi, chaque fois qu'apparaissent de nouveaux procédés de guerre, qui en ont le sens immédiat et se font une réputation de leur emploi. Alors que les valets d'armes, les mains sur les oreilles, courent à mettre à l'abri, et que même les barons et les maréchaux reculent prudemment, Cervole, une lumière amusée dans l'œil, regarde rouler les barils de poudre, donne des ordres nets, enjambe les fougasses, se coule dans les sapes en rampant sur ses cubitières, ressort, bat tranquillement le briquet, prend son temps pour gagner un angle mort ou s'accroupir derrière un muret, tandis que part le tonnerre, que la terre tremble et que les murs s'entrouvrent.

Pareilles tâches exigent des équipes solides. Cervole a formé la sienne; des brutes habiles, des amateurs de massacre, ravis de répandre la terreur, de briser, de détruire. Il les paye bien; car le risque vaut salaire. Et il va flanqué de ses deux lieutenants qu'on croirait choisis pour leurs noms: Gaston de la Parade et Bernard d'Orgueil. Entre nous, le roi Jean aurait mieux employé ces trois artificiers-là, Breteuil serait tombé en une semaine. Mais non; il voulait son beffroi roulant.

Cependant que la grande tour s'élevait, don Sanche Lopez, ses Navarrais et ses Anglais, enfermés dans le château, n'avaient pas l'air autrement émus. Les gardes se relayaient, à heures fixes, sur les chemins de ronde. Les assiégés, bien pourvus de vivres, avaient la mine grasse. De temps en temps, ils envoyaient une volée de flèches sur les terrassiers, mais avec parcimonie, pour ne pas user inutilement leurs munitions. Ces tirs, qui se produisaient parfois au passage du roi, lui procuraient des illusions d'exploit... « Avez-vous vu ? Tout un vol de flèches est arrivé sur lui, et point n'a bronché notre Sire ; ah ! le bon roi... » et permettaient à l'Archiprêtre, à l'Orgueil, à la Parade de lui crier : « Gardez-vous, Sire, on vous ajuste ! »... en lui faisant rempart de leur corps contre des traits qui venaient finir dans l'herbe, à leurs pieds.

Il ne sentait pas bon, l'Archiprêtre. Mais il faut convenir que tout le monde puait, que tout le camp puait, et que c'était surtout par l'odeur que Breteuil était assiégée ! La brise charriait des senteurs d'excréments, car tous ces hommes qui pelletaient, charroyaient, sciaient, clouaient, se soulageaient au plus près de leur labeur. On ne se lavait guère, et le roi lui-même, constamment en cuirasse...

Usant d'autant de parfums et d'essences que je pouvais, j'eus le temps de bien observer les faiblesses du roi Jean. Ah ! c'est merveille que tant d'inconscience !

Il avait là deux cardinaux mandés par le Saint-Père pour tenter une grande paix générale ; il recevait des courriers de tous les princes d'Europe qui blâmaient sa conduite envers le roi de Navarre et lui donnaient conseil de le libérer ; il apprenait que les aides, partout, rentraient mal, et que non seulement en Normandie, non seulement à Paris, mais dans le royaume entier, l'humeur des gens était mauvaise et toute prête à la révolte ; il savait, surtout, que deux armées anglaises s'apprêtaient contre lui, celle de Lancastre en Cotentin, qui recevait renforts, et celle d'Aquitaine... Mais rien n'avait d'importance, à ses yeux, que le siège d'une petite place normande, et rien ne l'en pouvait distraire. S'obstiner sur le détail sans plus apercevoir l'ensemble est un grand vice de nature, chez un prince.

Durant tout un mois, Jean II n'alla qu'une fois à Paris, quatre jours, et pour y commettre la sottise que je vous dirai. Et le seul édit dont il n'ait pas alors laissé le soin à ses conseillers fut pour faire crier dans les bourgs et bailliages, à six lieues autour de Breteuil, que toutes manières de maçons, charpentiers, foueurs, mineurs, houeurs, coupeurs de bois et autres manœuvriers vinssent devers lui, de jour comme de nuit, portant les instruments et outils nécessaires à leurs métiers, afin de travailler aux pièces de siège.

La vue de son grand beffroi mobile, son atournement d'assaut comme il l'appelait, l'emplissait de satisfaction. Trois étages ; chaque plate-forme assez large pour que deux cents hommes y puissent tenir et combattre. Cela ferait donc six cents soldats au total qui occuperaient cette machine extraordinaire, quand on aurait apporté assez de fagots et fascines, charrié assez de pierres et tassé de terre pour lui former le chemin où elle roulerait sur ses quatres roues énormes.

Le roi Jean était si fier de son beffroi qu'il avait invité à le voir monter et mettre en œuvre. Ainsi s'en étaient venus le bâtard de Castille, Henri de Trastamare, ainsi que le comte de Douglas.

«Messire Édouard a son Navarrais, mais moi j'ai mon Écossais», disait joliment le roi. A la différence près que Philippe de Navarre apportait aux Anglais la moitié de la Normandie, tandis que messire de Douglas n'apportait rien d'autre au roi de France que sa vaillante épée.

J'entends encore le roi nous expliquer: «Voyez, messeigneurs: cet atournement peut être poussé au point que l'on veut des remparts, les surplomber, permettre aux assaillants de jeter dans la place toutes sortes de carreaux et projectiles, d'attaquer à hauteur même des chemins de ronde. Les cuirs qu'on cloue dessus ont pour objet d'amortir les flèches.» Et moi qui m'obstinais à lui parler des conditions de la paix!

L'Espagnol et l'Écossais n'étaient pas seuls à contempler l'énorme tour de bois. Les gens de messire Sanche Lopez la regardaient aussi, avec prudence, car l'Archiprêtre avait monté d'autres machines qui arrosaient copieusement la garnison de balles de pierre et de traits à poudre. Le château était pour ainsi dire décoiffé. Mais les gens de Lopez n'avaient pas l'air tellement effrayés. Ils ménageaient des trous dans leurs propres murailles, à mi-hauteur. «Pour mieux pouvoir fuir», disait le roi.

Enfin le grand jour arriva. J'y fus, un peu en retrait sur une petite butte, car la chose m'intéressait. Le Saint-Siège a des troupes, et des villes qu'il nous faut pouvoir défendre... Le roi Jean II paraît, coiffé de son heaume couronné de fleurs d'or. De son épée flamboyante, il donne le signe de l'attaque, tandis que les trompes sonnent. Au sommet de la tour tendue de cuir flotte la bannière aux fleurs de lis, et, au-dessous, les bannières des troupes qui occupent les trois étages. C'est un bouquet d'étendards que ce beffroi! Et voilà qu'il se meut. Hommes et chevaux lui sont attelés, par grappes, et l'Archiprêtre scande l'effort à grands coups de gueule... On m'a dit avoir employé pour mille livres de cordes de chanvre. L'engin progresse, très lentement avec des gémissements de bois et quelques oscillations, mais il progresse. De le voir ainsi avancer, se balançant un peu et tout hérissé de drapeaux, on dirait un navire qui va à l'abordage. Et il aborde, en effet, dans un grand tumulte. Déjà, on se bat sur les créneaux, à hauteur de la troisième plate-forme. Les épées se croisent, les flèches partent en vols serrés. L'armée qui enserre le château, tout entière tête levée, a le souffle suspendu. Là-haut se font de beaux exploits. Le roi, la ventaille ouverte, assiste, superbe, à ce combat dans les airs.

Et puis soudain, un énorme fracas fait sursauter les troupes, et un jet de fumée enveloppe les bannières, au sommet du beffroi.

Messire de Lancastre avait laissé des bouches de canon à don Sanche Lopez, que celui-ci s'était bien gardé d'utiliser jusqu'à présent. Et voilà que ces bouches, par les trous ménagés dans la muraille, tirent à bout portant dans la tour roulante, crevant les peaux de bœufs qui la recouvrent, fauchant des rangées d'hommes sur les plates-formes, brisant les pièces de charpente.

Les balistes et les catapultes de l'Archiprêtre ont beau se mettre de la partie, elles ne peuvent empêcher qu'une deuxième salve ne soit tirée, puis une troisième. Ce ne sont plus seulement des boulets de fonte, mais aussi des pots enflammés, des sortes de feux grégeois qui viennent frapper le beffroi. Les hommes tombent, en hurlant, ou se ruent à dévaler les échelles, ou même se lancent dans le vide, affreusement brûlés. Les flammes commencent à jaillir du toit de la belle machine. Et puis, dans un craquement d'enfer, le plus haut étage s'effondre, écrasant ses occupants sous un brasier... De ma vie, Archambaud, je n'ai entendu plus effroyable clameur de souffrance ; et encore je n'étais pas au plus près. Les archers étaient pris dans un enchevêtrement de poutres incandescentes. Poitrines défoncées, leurs jambes, leurs bras cramaient. Les peaux de bœufs, en brûlant, répandaient une odeur atroce. La tour se mit à pencher, à pencher, et alors qu'on croyait qu'elle allait s'écrouler, elle s'immobilisa, inclinée, flambant toujours. On y jeta de l'eau comme on put, on s'affaira à en retirer les corps écrasés ou brûlés, tandis que les défenseurs du château dansaient de joie sur les murailles en criant : « Saint Georges loyauté ! Navarre loyauté ! »

Le roi Jean, devant ce désastre, semblait chercher autour de lui un coupable, alors qu'il n'y en avait d'autre que lui-même. Mais l'Archiprêtre était là, sous son chapeau de fer, et la grande colère qui allait éclater resta dans le heaume royal. Car Cervole était sans doute le seul homme de toute l'armée qui n'eût pas hésité à dire au roi : « Voyez votre ânerie, Sire. Je vous avais conseillé de creuser des mines, plutôt que de bâtir ces grands échafauds qui ne sont plus d'usage depuis bientôt cinquante ans. On n'est plus au temps des Templiers, et Breteuil n'est pas Jérusalem. »

Le roi demanda simplement : « Cet atournement peut-il être réparé ? — Non, Sire. — Alors cassez ce qu'il en reste. Cela servira à combler les fossés. »

Ce soir-là, je pensai opportun de l'entreprendre sérieusement sur les approches d'un traité de paix. Les revers ordinairement ouvrent l'oreille des rois à l'entendement de la sagesse. L'horreur dont nous venions d'être témoins me permettait d'en appeler à ses sentiments chrétiens. Et si son ardeur chevaleresque était avide de prouesses, le pape lui en offrait, à lui et aux princes d'Europe, de bien plus méritoires et plus glorieuses du côté de Constantinople. Je me fis rebuffer, ce qui remplit d'aise Capocci.

« J'ai deux chevauchées anglaises qui me menacent en mon royaume et ne puis différer de m'apprêter à leur courir sus. C'est là tout mon souci pour le présent. Nous reparlerons à Chartres, s'il vous plaît. »

Les dangers qu'il ignorait la veille lui paraissaient soudain d'urgence première.

Et Breteuil? Qu'allait-il décider pour Breteuil? Préparer un nouvel assaut demanderait un autre mois aux assiégeants. Les assiégés, pour leur part, s'ils n'avaient épuisé ni leurs vivres ni leurs munitions, avaient été pas mal éprouvés. Ils avaient des blessés, leurs tours étaient décoiffées. Quelqu'un parla de négocier, d'offrir à la garnison une reddition honorable. Le roi se tourna vers moi. « Eh bien, Monseigneur cardinal... »

Ce fut mon tour de lui marquer hauteur. J'étais venu d'Avignon pour œuvrer à une paix générale, non pour m'entremettre dans une quelconque livraison de forteresse. Il comprit son erreur, et se donna contenance par ce qu'il crut être une repartie plaisante. « Si cardinal est empêché, archiprêtre peut faire office. »

Et le lendemain, tandis que la tour de bois fumait encore et que les terrassiers s'étaient remis à l'œuvre, mais cette fois pour enterrer les morts, notre sire de Vélines, monté sur ses guêtres d'acier, et précédé de trompes sonnantes, s'en alla conférer avec don Sanche Lopez. Ils marchèrent un long moment devant le pont-levis du château, regardés par les soldats des deux camps.

Ils étaient l'un comme l'autre hommes de métier et ne pouvaient s'en faire accroire... « Si je vous avais attaqué avec des mines à poudre, sous vos murs, messire? — Ah! messire, je pense que vous seriez venu à bout de nous. — Combien de temps pouvez-vous tenir encore? — Moins longtemps que nous le souhaiterions, mais plus que vous ne l'espérez. Nous avons suffisance d'eau, de victuailles, de flèches et de boulets. »

Au bout d'une heure l'Archiprêtre s'en revint vers le roi. « Don Sanche Lopez consent à vous remettre le château, si vous lui laissez libre départ et si vous lui donnez de l'argent. — Soit, qu'on lui en donne et qu'on en finisse! »

Deux jours plus tard, les gens de la garnison, têtes hautes et bourses pleines, sortaient pour s'en aller rejoindre Monseigneur de Lancastre. Le roi Jean devrait réparer Breteuil à ses frais. Ainsi se terminait ce siège qu'il avait voulu mémorable. Encore eut-il le front de nous soutenir que sans son beffroi d'assaut la place serait venue moins vite à composition.

III

L'HOMMAGE DE PHŒBUS

Vous regardez s'éloigner Troyes? Belle cité, n'est-ce pas, mon neveu, surtout par ce matin tout éclairé de soleil. Ah! c'est une grande chance pour une ville que d'avoir donné naissance à un pape. Car les beaux hôtels et palais que vous avez vus autour de la Maison de Ville, et l'église Saint-Urbain qui dans l'art nouveau est un joyau, avec sa foison de vitraux, et bien d'autres bâtiments encore dont vous avez admiré l'ordonnance, tout cela est dû au fait que Urbain IV, qui occupa le trône de saint Pierre voici tout près d'un siècle, et pour trois ans seulement, avait vu le jour à Troyes, dans une boutique, là même où s'élève à présent son église. C'est ce qui a donné de la gloire à la ville, et comme un élan de prospérité. Ah! si pareille fortune avait pu échoir à notre cher Périgueux... Enfin, je ne veux plus parler de cela, car vous croiriez que je n'ai rien d'autre en tête...

A présent, je connais le chemin du Dauphin. Il nous suit. Il sera demain à Troyes. Mais il gagnera Metz par Saint-Dizier et Saint-Mihiel, tandis que nous passerons par Châlons et Verdun. D'abord, parce que j'ai affaire à Verdun... je suis chanoine de la cathédrale... et puis parce que je ne veux point paraître me joindre avec le Dauphin. Mais rapprochés comme nous sommes, nous pourrons à tout moment échanger messagers, dans la journée ou presque; et puis nos liaisons deviennent plus aisées et rapides, avec Avignon...

Quoi donc? Qu'avais-je promis de vous conter et que j'ai oublié? Ah... ce que fit le roi Jean à Paris, pendant les quatre jours qu'il s'absenta du siège de Breteuil?...

Il allait recevoir l'hommage de Gaston Phœbus. Un succès, un triomphe pour le roi Jean, ou plutôt pour le chancelier Pierre de La Forêt qui avait, patiemment, habilement, préparé la chose. Car Phœbus est beau-frère du roi de Navarre et leurs domaines tout voisins, au seuil des Pyrénées. Or, cet hommage traînait depuis le début du règne. L'obtenir au moment où Charles de Navarre était en prison, voilà qui pouvait changer les choses, et modifier le jugement de plusieurs cours d'Europe.

Bien sûr, la réputation de Phœbus est venue jusqu'à vous... Oh! pas seulement un grand veneur, mais aussi un grand jouteur, un grand liseur, un grand bâtisseur et, de surcroît, un grand séducteur. Je dirais : un grand prince dont la peine est de n'avoir qu'un petit État. On assure qu'il est le plus bel homme de ce temps, et j'y souscris volontiers. Très haut, et d'une force à se battre avec les ours... au propre, mon neveu, avec un ours, il l'a fait!... il a la jambe bien fendue, la hanche mince, l'épaule large, le visage lumineux, la dent très blanche sous le sourire. Et puis surtout il a cette masse de cheveux d'un or cuivré, cette toison radieuse, ondulée, arrondie jusqu'au bas du col, cette couronne naturelle, flamboyante, qui lui a fait prendre le soleil pour emblème, ainsi que son surnom de Phœbus, qu'il écrit d'ailleurs avec un F et un é... Fébus... parce qu'il a dû le choisir avant d'avoir un peu de grec. Il ne porte jamais de chaperon et va toujours nu-tête comme les anciens Romains, ce qui est unique dans nos usages.

Je fus chez lui, naguère. Car il a fait si bien que tout ce qui compte dans le monde chrétien passe par sa petite cour d'Orthez dont il est arrivé à ce qu'elle soit une grande cour. Quand je m'y trouvais, j'y rencontrai un comte palatin, un prélat du roi Édouard, un premier chambellan du roi de Castille, sans compter des physiciens réputés, un célèbre imagier, et de grands docteurs ès lois. Tout ce monde splendidement traité.

Je ne sais que le roi Lusignan de Chypre qui ait si rayonnante et si influente cour, sur un si étroit territoire ; mais il dispose de beaucoup plus de moyens, de par les profits du commerce.

Phœbus a une rapide et plaisante façon de vous montrer ce qui lui appartient : «Voici mes chiens de meute... mes chevaux... voici ma maîtresse... voici mes bâtards... Madame de Foix se porte bien, Dieu soit loué. Vous la verrez ce soir. »

Le soir, dans la longue galerie qu'il a fait ouvrir au flanc de son château, et d'où l'on domine un horizon montueux, toute la cour se réunit et déambule, pendant un grand moment, en atours superbes, tandis qu'une ombre bleue tombe sur le Béarn. De place en place sont d'immenses cheminées qui flambent et, entre les cheminées, le mur est peint à fresque de scènes de chasse qui sont travail d'artistes venus d'Italie. L'invité qui n'a pas apporté tous ses joyaux et ses meilleures robes, croyant à un séjour dans un petit château de montagne, fait fort mauvaise figure. Je vous en avertis, s'il vous advient un jour d'y aller... Madame Agnès de Foix, qui est Navarre, la sœur de la reine Blanche et presque aussi belle qu'elle, est toute cousue d'or et de perles. Elle parle peu, ou plutôt, on le devine, elle craint de parler. Elle écoute les ménestrels qui chantent *Aqueres mountanes* que son époux a composé, et que les Béarnais aiment à reprendre en chœur.

Phœbus, lui, va de groupe en groupe, salue l'un, salue l'autre, accueille un seigneur, complimente un poète, s'entretient avec un ambassadeur, s'informe en marchant des affaires du monde, laisse tomber un avis, donne un ordre à mi-voix et gouverne en causant. Jusqu'à ce que douze grands flambeaux portés par des valets à sa livrée le viennent quérir pour passer à souper, avec tous ses hôtes. Parfois il ne se met à table qu'à la minuit.

Un soir je l'ai surpris, appuyé contre une arche de la galerie ouverte, à soupirer devant son gave argenté et son horizon de montagnes bleues : « Trop petit, trop petit... On dirait, Monseigneur, que la Providence prend un plaisir malin, en faisant rouler les dés, à les apparier à l'envers... »

Nous venions de parler de la France, du roi de France, et je compris ce qu'il voulait me donner à entendre. Grand homme souvent ne reçoit à gouverner que petite terre, alors qu'à l'homme faible échoit le grand royaume. Et il ajouta : « Mais si petit que soit mon Béarn, j'entends qu'il n'appartienne à personne qu'à lui-même. »

Ses lettres sont merveille. Il ne manque à y inscrire aucun de ses titres : « Nous, Gaston III, comte de Foix, vicomte de Béarn, vicomte de Lautrec, de Marsan et de Castillon... » et quoi donc encore... ah, oui : « seigneur de Montesquieu et de Montpezat... » et puis, et puis, entendez comme cela sonne : « viguier d'Andorre et de Capsire... » et il signe seulement « Fébus »... avec son F et son é, bien sûr, peut-être pour se distinguer même d'Apollon... tout comme sur les châteaux et monuments qu'il construit ou embellit, on voit gravé en hautes lettres : « Fébus l'a fait. »

Il y a de l'outrance, certes, en son personnage ; mais il faut se rappeler qu'il n'a que vingt-cinq ans. Pour son âge, il a déjà montré beaucoup d'habileté. De même qu'il a montré son courage ; il fut des plus vaillants à Crécy. Il avait quinze ans. Ah ! j'omets de vous dire, si vous ne le savez : il est petit-neveu de Robert d'Artois. Son grand-père épousa Jeanne d'Artois, la propre sœur de Robert, laquelle, aussitôt après son veuvage, a marqué tant d'appétit pour les hommes, mené vie si scandaleuse, causé tant d'embrouilles... et pourrait tant en causer encore... mais si, elle vit toujours ; un peu plus de soixante ans, et une belle santé... que son petit-fils, notre Phœbus, a dû la cloîtrer dans une tour du château de Foix où il la fait garder bien étroitement. Ah ! c'est un sang lourd que celui des d'Artois !

Et voilà l'homme dont La Forêt, l'archevêque-chancelier, alors que tout devient contraire au roi Jean, obtient qu'il vienne rendre l'hommage. Oh ! ne vous méprenez point. Phœbus a bien réfléchi sa décision, et il n'agit, précisément, que pour protéger l'indépendance de son petit Béarn. L'Aquitaine touchant à la Navarre, et lui-même touchant aux deux, leur alliance, à présent patente, ne lui sourit guère ; cela menace d'une grosse pesée ses courtes frontières. Il aimerait bien se garantir du côté du Languedoc où il a eu maille à partir avec le comte d'Armagnac, gouverneur du roi. Alors, rapprochons-nous de la France, finissons-en de cette mésentente, et dans ce dessein, rendons l'hommage dû pour notre comté de Foix. Bien sûr, Phœbus plaidera la libération de son beau-frère Navarre, on en est convenu, mais pour la forme, pour la forme seulement, comme si c'était le prétexte au rapprochement. Le jeu est fin. Phœbus pourra toujours dire aux Navarre : « Je n'ai rendu l'hommage que dans l'intention de vous servir. »

En une semaine, Gaston Phœbus séduisit Paris. Il était arrivé avec une nombreuse escorte de gentilshommes, des serviteurs à foison, vingt chars pour transporter sa garde-robe et son mobilier, une meute splendide et une partie de sa ménagerie de bêtes fauves. Tout ce cortège s'étirait sur un quart de lieue. Le moindre varlet était splendidement vêtu, arborant la livrée de Béarn ; les chevaux étaient caparaçonnés de velours de soie, comme les miens. Lourde dépense à coup sûr, mais faite pour frapper les foules. Phœbus y avait réussi.

Les grands seigneurs se disputaient l'honneur de le recevoir. Tout ce qui était notoire dans la ville, gens de Parlement, d'université, de finance, et même gens d'Église, prenaient quelque raison de le venir saluer dans l'hôtel que sa sœur Blanche, la reine-veuve, lui avait ouvert pour le temps de son séjour. Les femmes voulaient le contempler, entendre sa voix, lui toucher la main. Lorsqu'il se déplaçait dans la ville, les badauds le reconnaissaient à sa chevelure d'or et s'agglutinaient aux portes des boutiques d'argentiers ou de drapiers dans lesquelles il entrait. On reconnaissait aussi l'écuyer qui l'accompagnait toujours, un géant du nom d'Ernauton d'Espagne, peut-être son demi-frère adultérin ; de même qu'on reconnaissait les deux énormes chiens pyrénéens dont il se faisait suivre, tenus en laisse par un varlet. Sur le dos d'un des chiens, un petit singe se tenait assis... Un grand seigneur inhabituel, plus fastueux que les plus fastueux, était dans la capitale, et chacun en parlait.

Je vous conte cela par le menu ; mais en ce mauvais juillet, nous étions sur l'escalier des drames ; et chaque marche importe.

Vous aurez à gouverner un gros comté, Archambaud, et dans des temps, je gage bien, qui ne seront pas plus aisés que celui-ci ; on ne se relève point en quelques années de la chute où nous voilà.

Gardez bien ceci en mémoire : dès lors qu'un prince est médiocre de nature, ou bien affaibli par l'âge ou par la maladie, il ne peut plus maintenir l'unité de ses conseillers. Son entourage se partage, se divise, car chacun en vient à s'approprier les morceaux d'une autorité qui ne s'exerce plus, ou s'exerce mal; chacun parle au nom d'un maître qui ne commande plus; chacun échafaude pour soi, l'œil sur l'avenir. Alors les coteries se forment, selon les affinités d'ambition ou de tempérament. Les rivalités s'exaspèrent. Les loyaux se groupent d'un côté, et de l'autre les traîtres, qui se croient loyaux à leur manière.

Moi, j'appelle traîtres ceux qui trahissent l'intérêt supérieur du royaume. Souvent, c'est qu'ils sont incapables de l'apercevoir; ils ne voient que l'intérêt des personnes; or, ce sont eux, hélas, qui généralement l'emportent.

Autour du roi Jean, deux partis existaient comme ils existent aujourd'hui autour du Dauphin, puisque les mêmes hommes sont en place.

D'un côté, le parti du chancelier Pierre de La Forêt, l'archevêque de Rouen, que seconde Enguerrand du Petit-Cellier; ce sont hommes que je tiens pour les plus avertis et les plus soucieux du bien du royaume. Et puis de l'autre Nicolas Braque, Lorris, et surtout, surtout, Simon de Bucy.

Peut-être l'allez-vous voir à Metz. Ah! défiez-vous toujours de lui et des gens qui lui ressemblent... Un homme à tête trop grande sur un corps trop court, déjà c'est mauvais signe, redressé comme un coq, assez malappris et violent dès qu'il cesse d'être taciturne, et plein d'un immense orgueil, mais dissimulé. Il savoure le pouvoir exercé dans l'ombre, et n'aime rien tant qu'humilier, sinon perdre, tous ceux qu'il voit prendre trop d'importance à la cour ou trop d'influence sur le prince. Il imagine que gouverner, c'est seulement ruser, mentir, échafauder des machines. Il n'a point de grande idée, seulement de médiocres desseins, toujours noirs, et qu'il poursuit avec beaucoup d'obstination. Petit clerc du roi Philippe, il a grimpé jusqu'où il est... premier président au Parlement et membre du Grand Conseil... en s'acquérant réputation de fidélité, parce qu'il est autoritaire et brutal. On a vu cet homme, rendant la justice, obliger des plaideurs mécontents à s'agenouiller en plein prétoire pour lui demander pardon, ou bien faire exécuter d'un coup vingt-trois bourgeois de Rouen; mais il prononce aussi bien des acquittements arbitraires ou renvoie indéfiniment de graves affaires, pour pouvoir tenir les gens à sa discrétion. Il sait ne pas négliger sa fortune; il a obtenu de l'abbé de Saint-Germain-des-Prés l'octroi de la porte Saint-Germain, aussitôt nommée porte de Bucy, et par là il touche péage sur une bonne part de tout ce qui roule dans Paris.

Dès lors que La Forêt avait négocié l'hommage de Phœbus, Bucy y était opposé et bien résolu à faire échouer l'accord. C'est lui qui alla au-devant du roi, venant de Breteuil, et lui glissa: «Phœbus vous nargue dans Paris par un grand étalage de richesse... Phœbus a reçu à deux reprises le prévôt Marcel... J'ai soupçon que Phœbus complote,

avec sa femme et la reine Blanche, l'évasion de Charles le Mauvais...
Il faut exiger de Phœbus l'hommage pour le Béarn... Phœbus ne tient
pas de bons propos sur vous... Prenez garde, en accueillant trop
gracieusement Phœbus, de blesser le comte d'Armagnac, dont vous
avez grand besoin en Languedoc. Certes, le chancelier La Forêt a cru
bien faire; mais La Forêt est trop coulant avec les amis de vos
ennemis... Et puis a-t-on idée de s'appeler Phœbus? » Et afin de mettre
le roi vraiment en méchante humeur, il lui bailla une mauvaise
nouvelle. Friquet de Fricamps s'était évadé du Châtelet grâce à
l'ingéniosité de deux de ses domestiques. Les Navarrais narguaient le
pouvoir royal et retrouvaient un homme bien habile et bien dangereux...

Cela fit qu'au souper qu'il offrit la veille de l'hommage, le roi Jean
se montra rogue et agressif, appelant Phœbus: « Messire mon vassal »
et lui demandant: « Reste-t-il quelques hommes dans vos fiefs, après
tous ceux qui vous escortent dans ma ville? »

Et encore il lui dit: « J'aimerais que vos troupes n'entrassent plus
dans les terres où commande Monseigneur d'Armagnac. »

Fort surpris, car il était convenu avec Pierre de La Forêt qu'on
regarderait ces incidents comme effacés, Phœbus répliqua: « Mes
bannières, Sire mon cousin, n'auraient pas eu à pénétrer en Armagnac
si ce n'avait été pour y repousser celles qui venaient attaquer chez moi.
Mais dès lors que vous avez donné ordre que cessent les incursions des
hommes qui sont à Monseigneur d'Armagnac, mes chevaliers se
tiendront heureux sur leurs frontières. » Sur quoi le roi enchaîna: « Je
souhaiterais qu'ils se tinssent un peu plus près de moi. J'ai convoqué
l'ost à Chartres, pour marcher à l'Anglais. Je compte que vous serez
bien exact à le rejoindre avec les bannières de Foix et de Béarn. — Les
bannières de Foix, répondit Phœbus, seront levées ainsi que vassal le
doit, aussitôt que je vous aurai rendu l'hommage, Sire mon cousin. Et
celles de Béarn suivront, s'il me plaît. »

Pour un souper d'accordement, c'était réussi! L'archevêque-chancelier, surpris et mécontent, s'employait vainement à mettre un peu de
beaume. Bucy montrait visage de bois. Mais dans le fond de soi, il
triomphait. Il se sentait le vrai maître.

Du roi de Navarre, le nom ne fut même pas prononcé, bien que la
reine Jeanne et la reine Blanche fussent présentes.

En sortant du palais, Ernauton d'Espagne, l'écuyer géant, dit au
comte de Foix... je n'étais pas dans leurs bottes, mais c'est le sens de
ce qui me fut rapporté: « J'ai bien admiré votre patience. Si j'étais
Phœbus, je n'attendrais point un nouvel outrage, et je m'en repartirais
sur-le-champ pour mon Béarn. » A cela Phœbus répondit: « Et si j'étais
Ernauton, c'est tout exactement le conseil que je donnerais à Phœbus.
Mais je suis Phœbus, et dois regarder avant tout l'avenir de mes sujets.

Je ne veux pas être celui qui rompt et paraître en mon tort. J'épuiserai toutes chances d'accord, jusqu'aux limites de l'honneur. Mais La Forêt, je le crains bien, m'a mené dans une embûche. A moins qu'un fait que j'ignore, et qu'il ignore, ait retourné le roi. Nous verrons demain. »

Et le lendemain, après messe, Phœbus pénétra dans la grand-salle du palais. Six écuyers soutenaient la traîne de son manteau, et pour une rare fois, il n'allait pas tête nue. C'est qu'il portait couronne, or sur or. La chambre était tout emplie de chambellans, conseillers, prélats, chapelains, maîtres du Parlement et grands officiers. Mais le premier que remarqua Phœbus, ce fut le comte d'Armagnac, Jean de Forez, debout au plus près du roi et comme appuyé au trône, faisant figure bien arrogante. De l'autre côté, Bucy feignait de mettre ordre dans ses rôles de parchemin. Il en prit un et lut, comme si c'eût été un tout ordinaire arrêt : « Messire, le roi de France, mon seigneur, vous reçoit pour la comté de Foix et la vicomté de Béarn que vous tenez de lui, et vous devenez son homme comme comte de Foix et vicomte de Béarn selon les formes faites entre ses devanciers, rois de France, et les vôtres. Agenouillez-vous. »

Il y eut un temps de silence. Puis Phœbus répondit d'une voix fort nette : « Je ne puis. »

L'assistance marqua de la surprise, sincère chez la plupart, feinte chez d'autres, avec un rien de plaisir. Ce n'est pas si souvent qu'un incident survient dans une cérémonie d'hommage.

Phœbus répéta : « Je ne puis. » Et il ajouta bien clairement : « J'ai un genou qui ploie : celui de Foix. Mais celui de Béarn ne peut ployer. »

Alors le roi Jean parla, et sa voix avait un ton de colère. « Je vous reçois et pour Foix et pour Béarn. » L'audience frémit de curiosité. Et le débat donna ceci, pour le plus gros... Phœbus : « Sire, Béarn est terre de franc-alleu, et vous ne pouvez point me recevoir pour ce qui n'est pas de votre suzeraineté. » Le roi : « C'est fausseté que vous alléguez là, et qui a été pour trop d'années sujet de disputes entre vos parents et les miens. » Phœbus : « C'est vérité, Sire, et qui ne restera sujet à discorde que si vous le voulez. Je suis votre sujet fidèle et loyal pour Foix, selon ce que mes pères ont toujours protesté, mais je ne puis me déclarer votre homme pour ce que je ne tiens que de Dieu. » Le roi : « Mauvais vassal ! Vous vous ménagez de fourbes chemins pour vous soustraire au service que vous me devez. L'an dernier vous n'avez point amené vos bannières au comte d'Armagnac, mon lieutenant en Languedoc que voici, et qui, à cause de votre défection, n'a pu repousser la chevauchée anglaise ! » Phœbus dit alors, superbement : « Si de mon seul concours dépend le sort du Languedoc, et que Messire d'Armagnac est impuissant à vous garder cette province, alors ce n'est pas lui qu'il faut en remettre la lieutenance, Sire, mais à moi. »

Le roi était monté en fureur, et son menton tremblait. «Vous me narguez, beau sire, mais ne le ferez pas longtemps. Agenouillez-vous! — Otez Béarn de l'hommage, et je ploie le genou aussitôt. — Vous le ploierez en prison, mauvais traître! cria le roi. Qu'on s'en saisisse!»

La pièce était montée, prévue, organisée, au moins par Bucy qui n'eut qu'un geste à faire pour que Perrinet le Buffle et six autres sergents de la garde surgissent autour de Phœbus. Ils savaient déjà qu'ils devaient le conduire au Louvre.

Le même jour, le prévôt Marcel s'en allait disant dans la ville: «Il ne restait plus au roi Jean qu'un seul ennemi à se faire; c'est chose accomplie. Si tous les larrons qui entourent le roi demeurent en place, il n'y aura bientôt plus un seul honnête qui pourra respirer hors de geôle.»

IV

LE CAMP DE CHARTRES

La plus belle, mon neveu, la plus belle! Savez ce que m'écrit le pape dans une lettre du 28 novembre, mais dont l'expédition a dû être quelque peu différée, ou bien dont le chevaucheur qui me la portait est allé me chercher où je n'étais pas, puisqu'elle ne m'est parvenue qu'hier soir, à Arcis? Devinez... Eh bien, le Saint-Père, déplorant le désaccord que j'ai avec Niccola Capocci, me fait reproche «du manque de charité qui est entre nous». Je voudrais bien savoir comment je pourrais lui témoigner charité, à Capocci? Je ne l'ai point revu depuis Breteuil, où il m'a brusquement faussé compagnie pour aller s'installer à Paris. Et qui donc est fautif du désaccord, sinon celui qui, à toute force, a voulu m'adjoindre ce prélat égoïste, borné, uniquement soucieux de ses aises, et dont les démarches n'ont d'autre dessein que de contrecarrer les miennes? La paix générale, il n'en a cure. Tout ce qui lui importe, c'est que ce ne soit pas moi qui y parvienne. Manque de charité, la belle chose! Manque de charité... J'ai bonnes raisons de penser que Capocci fricote avec Simon de Bucy, et qu'il fut pour quelque chose dans l'emprisonnement de Phœbus, lequel, je vous rassure, oui, vous le saviez... fut relâché en août; et grâce à qui? A moi; ça, vous ne le saviez pas... sous la promesse qu'il rejoindrait l'ost du roi.

Enfin, le Saint-Père veut bien m'assurer qu'on me loue pour mes efforts et que mes activités sont approuvées non seulement par lui-même, mais par tout le collège des cardinaux. Je pense qu'il n'en écrit pas autant à l'autre... Mais il revient, comme il l'a déjà fait en octobre, sur son conseil d'inclure Charles de Navarre dans la paix générale. Je devine aisément qui lui souffle cela...

C'est après l'évasion de Friquet de Fricamps que le roi Jean décida de transférer son gendre à Arleux, une forteresse de Picardie où tout autour sont des gens fort dévoués aux d'Artois. Il craignait que Charles de Navarre, à Paris, ne bénéficiât de trop de complicités. Il ne voulait pas laisser Phœbus et lui dans la même prison, voire la même ville...

Et puis, ayant bradé l'affaire de Breteuil comme je vous le contais hier, il revint à Chartres. Il m'avait dit : « Nous parlerons à Chartres. » J'y fus, moi, tandis que Capocci faisait le vaniteux à Paris...

Où sommes-nous ici ? Brunet !... le nom de ce bourg ?... Et Poivres, avons-nous passé Poivres ? Ah ! bon, c'est en avant. On m'a dit que l'église en était digne d'être regardée. D'ailleurs, toutes ces églises de Champagne sont fort belles. C'est un pays de foi...

Oh ! je ne regrette pas d'avoir vu le camp de Chartres, et j'eusse voulu que vous le vissiez aussi... Je sais ; vous avez été dispensé de l'ost afin de suppléer votre père, malade, pour contenir les Anglais, vaille que vaille, hors de Périgord... Cela vous a peut-être sauvé d'être aujourd'hui couché sous une dalle, dans un couvent de Poitiers. Peut-on savoir ? La Providence décide.

Alors, imaginez Chartres : soixante mille hommes, au bas mot, campant dans la vaste plaine que dominent les flèches de la cathédrale. L'une des plus grandes armées, sinon la plus grande, jamais réunies au royaume. Mais séparée en deux parts bien distinctes.

D'un côté, alignées en belles files par centaines et centaines, les tentes de soie ou de toile teinte des bannerets et des chevaliers. Le mouvement des hommes, des chevaux, des chariots produisait là un grand fourmillement de couleurs et d'acier, sous le soleil, à perte de vue ; et c'était de ce côté que venaient installer leurs éventaires roulants les marchands d'armes, de harnais, de vin, de mangeaille, ainsi que les bordeliers amenant de pleins chariots de filles, sous la surveillance du roi des ribauds... dont je n'ai toujours pas retrouvé le nom.

Et puis, à bonne distance, bien séparés, comme dans les images du Jugement dernier... d'un côté le paradis, de l'autre l'enfer... les piétons, sans autre abri, sur les blés coupés, qu'une toile soutenue par un piquet, quand encore ils avaient pris le soin de s'en munir ; une immense plèbe au hasard répandue, lasse, sale, désœuvrée, qui se groupait par terroir et obéissait mal à des chefs improvisés. D'ailleurs à quoi eût-elle obéi ? On ne lui donnait guère de tâches, on ne lui commandait aucune manœuvre. Toute l'occupation de ces gens, c'était la recherche de la nourriture. Les plus malins s'en allaient chaparder du côté des chevaliers, ou bien piller les basses-cours des hameaux voisins, ou bien braconner. Derrière chaque talus on voyait trois gueux assis sur leurs talons, autour d'un lapin en train de rôtir. Il y avait de soudaines ruées vers les chariots qui distribuaient du pain d'orge, à des heures irrégulières. Ce qui était régulier, c'était le passage du roi, chaque jour, dans les rangs des piétons. Il inspectait les derniers arrivés, un jour ceux de Beauvais, le lendemain ceux de Soissons, le surlendemain ceux d'Orléans et de Jargeau.

Il se faisait accompagner, entendez bien, de ses quatre fils, de son frère, du connétable, des deux maréchaux, de Jean d'Artois, de Tancarville, qui sais-je encore... d'une nuée d'écuyers.

Une fois, qui se trouva être la dernière, vous allez voir pourquoi... il me convia comme s'il me rendait grand honneur. « Monseigneur de Périgord, demain, s'il vous plaît de me suivre, je vous emmène à la montrée.» Moi, j'attendais toujours de m'accorder avec lui sur quelques propositions, si vagues fussent-elles, à transmettre aux Anglais, pour pouvoir accrocher un commencement de négociation. J'avais proposé que les deux rois commissent des députés pour dresser la liste de tous les litiges entre les deux royaumes. Rien qu'avec cela, on pouvait discuter pendant quatre ans.

Ou bien, je cherchais un autre abord, tout différent. On feignait d'ignorer les litiges et l'on engageait les préliminaires sur les préparatifs d'une expédition commune vers Constantinople. L'important, c'était de commencer à parler...

J'allai donc traîner ma robe rouge dans cette vaste pouillerie qui campait sur la Beauce. Je dis fort bien : pouillerie, car au retour Brunet dut me chercher les poux. Je ne pouvais tout de même pas repousser ces pauvres hères qui venaient baiser le bas de ma robe ! L'odeur était encore plus incommodante qu'à Breteuil. La nuit précédente un gros orage avait crevé, et les piétons avaient dormi à même le sol détrempé. Leurs guenilles fumaient sous le soleil du matin, et ils puaient ferme. L'Archiprêtre, qui marchait devant le roi, s'arrêta. Décidément, il tenait grande place, l'Archiprêtre ! Et le roi s'arrêta, et toute sa compagnie.

« Sire, voici ceux de la prévôté de Bracieux dans le bailliage de Blois, qui sont arrivés d'hier. Ils sont piteux... » De sa masse d'armes, l'Archiprêtre désignait une quarantaine de gueux dépenaillés, boueux, hirsutes. Ils n'étaient point rasés depuis dix jours ; lavés, n'en parlons pas. La disparité de leurs vêtements se fondait dans une couleur grisâtre de crasse et de terre. Quelques-uns portaient des souliers crevés ; d'autres avaient les jambes entourées seulement de mauvaises toiles, d'autres allaient pieds nus. Ils se redressaient pour faire bonne figure ; mais leurs regards étaient inquiets. Dame, ils n'attendaient pas de voir surgir devant eux le roi en personne, entouré de sa rutilante escorte. Et les gueux de Bracieux se tassaient les uns contre les autres. Les lames courbes et les piques à crocs de quelques vouges ou gaudendarts pointaient au-dessus d'eux comme des épines hors d'un fagot fangeux.

« Sire, reprit l'Archiprêtre, ils sont trente-neuf, alors qu'ils devraient se trouver cinquante. Huit ont des gaudendarts, neuf sont pourvus d'une épée, dont une très mauvaise. Un seul possède ensemble une épée et un gaudendart. L'un d'eux a une hache, trois ont des bâtons ferrés et un autre n'est armé que d'un couteau à pointe ; les autres n'ont rien du tout. »

J'aurais eu envie de rire, si je ne m'étais demandé ce qui poussait le roi à perdre ainsi son temps et celui de ses maréchaux à compter des épées rouillées. Qu'il se fît voir une fois, soit, c'était bonne chose. Mais chaque jour, chaque matin ? Et pourquoi m'avoir convié à cette piètre montrée ?

J'eus surprise alors d'entendre son plus jeune fils, Philippe, s'écrier du ton faux qu'ont les jouvenceaux quand ils veulent se poser en hommes mûris : « Ce n'est certes point avec de telles levées que nous emporterons de grandes batailles. » Il n'a que quatorze ans ; sa voix muait et il n'emplissait pas tout à fait sa chemise de mailles. Son père lui caressa le front, comme s'il se félicitait d'avoir donné naissance à un guerrier si avisé. Puis, s'adressant aux hommes de Bracieux, il demanda : « Pourquoi n'êtes-vous pas mieux pourvus d'armes ? Allons, pourquoi ? Est-ce ainsi qu'on se présente à mon ost ? N'avez-vous pas reçu d'ordres de votre prévôt ? »

Alors, un gaillard un peu moins tremblant que les autres, peut-être bien celui qui portait la seule hache, s'avança pour répondre : « Sire notre maître, le prévôt nous a commandé de nous armer chacun selon notre état. On s'est pourvu comme on a pu. Ceux qui n'ont rien, c'est que leur état ne leur permet pas mieux. »

Le roi Jean se retourna vers le connétable et les maréchaux, arborant cet air des gens qui sont satisfaits quand, même à leur détriment, les choses leur donnent raison. « Encore un prévôt qui n'a pas fait son devoir... Renvoyez-les, comme ceux de Saint-Fargeau, comme ceux de Soissons. Ils paieront l'amende. Lorris, vous notez... »

Car, ainsi qu'il me l'expliqua un moment après, ceux qui ne se présentait pas à la montrée, ou y venaient sans armes et ne pouvaient combattre, étaient tenus de payer rachat. « Ce sont les amendes dues par tous ces piétons qui me fourniront le nécessaire pour solder mes chevaliers. »

Une belle idée qui avait dû lui être glissée par Simon de Bucy, et qu'il avait faite sienne. Voilà pourquoi il avait convoqué l'arrière-ban, et voilà pourquoi il comptait avec une sorte de rapacité les détachements qu'il renvoyait dans leurs foyers. « Quel emploi aurions-nous de cette piétaille ? me dit-il encore. C'est à cause de ses troupes de pied que mon père a été battu à Crécy. La piétaille ralentit tout et empêche de chevaucher comme il convient. »

Et chacun l'approuvait, sauf, je dois dire, le Dauphin, qui semblait avoir une réflexion sur le bout des lèvres mais la garda pour lui.

Était-ce à dire que de l'autre côté du camp, du côté des bannières, des chevaux et des armures, tout allait à merveille ? En dépit des convocations répétées, et malgré les beaux règlements qui prescrivaient aux bannerets et capitaines d'inspecter deux fois le mois, à l'improviste, leurs hommes, armes et montures afin d'être toujours prêts à faire mouvement, et qui interdisaient de changer de chef ou de se retirer sans permission, «à peine de perdre ses gages et d'être punis sans épargne», malgré tout cela, un bon tiers des chevaliers n'avaient pas rejoint. D'autres, astreints à équiper une route ou compagnie d'au moins vingt-cinq lances, n'en présentaient que dix. Chemises de mailles rompues, chapeaux de fer bosselés, harnachements trop secs qui craquaient à tout moment... «Eh! messire, comment pourrais-je y pourvoir? Je n'ai point été aligné en solde, et j'ai assez d'entretenir ma propre armure... » On se battait pour reforger les chevaux. Des chefs erraient dans le camp à la recherche de leur troupe égarée, et des traînards à la recherche, plus ou moins, de leurs chefs. D'une troupe à l'autre on se chapardait la pièce de bois, le bout de cuir, l'alène ou le marteau dont on avait besoin. Les maréchaux étaient assiégés de réclamations, et leurs têtes résonnaient des rudes paroles qu'échangeaient les bannerets coléreux. Le roi Jean n'en voulait rien savoir. Il comptait les piétons qui paieraient rachat...

Il se dirigeait vers la montrée de ceux de Saint-Aignan quand arrivèrent, au grand trot à travers le camp, six hommes d'armes, leurs chevaux blancs d'écume, eux-mêmes la face ruisselante et l'armure poudreuse. L'un d'eux mit pied à terre, lourdement, demanda à parler au connétable, et s'en étant approché lui dit: «Je suis à messire de Boucicaut dont je vous apporte nouvelles. »

Le duc d'Athènes, d'un signe, invita le messager à faire son rapport au roi. Le messager esquissa le geste de mettre genou en terre, mais ses pièces d'armure le gênaient; le roi le dispensa de toute cérémonie et le pressa de parler.

«Sire, messire de Boucicaut est enfermé dans Romorantin. »

Romorantin! L'escorte royale resta un moment toute muette de surprise, et comme étonnée de la foudre. Romorantin, à trente lieues seulement de Chartres, de l'autre côté de Blois! On n'imaginait pas que les Anglais pussent être si près.

Car, durant que s'achevait le siège de Breteuil, que l'on envoyait Gaston Phœbus en geôle, que le ban et l'arrière-ban, lentement, se rassemblaient à Chartres, le prince de Galles... comme vous le savez mieux que personne, Archambaud, puisque vous étiez à protéger Périgueux... avait entrepris sa chevauchée à partir de Sainte-Foy et Bergerac, où il entrait en territoire royal, et continué vers le nord par le chemin que nous avons suivi, Château-l'Évêque, Brantôme, Roche-chouart, La Péruse, y produisant toutes ces dévastations que nous avons vues. On était informé de son progrès, et je dois dire que je n'étais pas sans surprise de voir le roi se complaire à Chartres, tandis que le prince Édouard ravageait le pays. On croyait celui-ci, aux dernières nouvelles reçues, quelque part encore entre La Châtre et Bourges. On pensait qu'il allait continuer sur Orléans et c'était là que le roi se disait certain de lui livrer bataille, lui coupant la route de Paris. En vue de quoi le connétable, tout de même inspiré par la prudence, avait envoyé un parti de trois cents lances, aux ordres de messires de Boucicaut, de Craon et de Caumont, en longue reconnaissance de l'autre côté de la Loire, pour lui chercher les renseignements. Il n'en avait d'ailleurs reçu que bien peu. Et puis, soudain, Romorantin! Le prince de Galles avait donc obliqué vers l'ouest...

Le roi engagea le messager à poursuivre.

« D'abord, Sire, messire de Chambly, que messire de Boucicaut avait détaché à l'éclairer, s'est fait prendre du côté d'Aubigny-sur-Nère... — Ah! Gris-Mouton est pris... », dit le roi, car c'est ainsi qu'on surnomme messire de Chambly.

Le messager de Boucicaut reprit : « Mais messire de Boucicaut ne l'a point su assez tôt, et c'est ainsi que nous avons donné soudain dans l'avant-garde des Anglais. Nous les avons attaqués si roidement qu'ils se sont jetés en retraite... — Comme à leur ordinaire, dit le roi Jean. —... mais ils se sont rabattus sur leurs renforts qui étaient grandement plus nombreux que nous, et ils nous ont assaillis de toutes parts, au point que messires de Boucicaut, de Craon et de Caumont nous ont menés rapidement sur Romorantin, où ils se sont enfermés, poursuivis par toute l'armée du prince Édouard qui, à l'heure où messire de Boucicaut m'a dépêché, commençait leur siège. Voilà, Sire, ce que je dois vous dire. »

Il se fit silence de nouveau. Puis le maréchal de Clermont eut un mouvement de colère. « Pourquoi diable avoir attaqué? Ce n'était point ce qu'on leur avait commandé. — Leur faites-vous reproche de leur vaillance? lui répondit le maréchal d'Audrehem. Ils avaient débusqué l'ennemi, ils l'ont chargé. — Belle vaillance, dit Clermont. Ils étaient trois cents lances, ils en aperçoivent vingt, et courent dessus sans plus attendre, en croyant que c'est grande prouesse. Et puis, il en surgit mille, et les voilà fuyant à leur tour, et courant se mucher au premier château. Maintenant, ils ne nous servent plus de rien. Ce n'est point de la vaillance, c'est de la sottise. »

Les deux maréchaux se prenaient de bec, comme à l'accoutumée, et le connétable les laissait dire. Il n'aimait pas prendre parti, le connétable. C'était un homme plus courageux de corps que d'âme. Il préférait se faire appeler Athènes que Brienne, à cause de l'ancien connétable, son cousin décapité. Or, Brienne, c'était son fief, alors qu'Athènes ce n'était qu'un vieux souvenir de famille, sans plus de réalité aucune, à moins d'une croisade... Ou peut-être, simplement, il était devenu indifférent, avec l'âge. Il avait longtemps commandé, et fort bien, les armées du roi de Naples. Il regrettait l'Italie, parce qu'il regrettait sa jeunesse. L'Archiprêtre, un peu en retrait, observait d'un air goguenard l'empoignade des maréchaux. Ce fut le roi qui mit fin à leur débat.

« Et moi, je pense, dit-il, que leur revers nous sert. Car voici l'Anglais fixé par un siège. Et nous savons à présent où courir à lui, tandis qu'il y est retenu. » Il s'adressa alors au connétable. « Gautier, mettez l'ost en route demain, à l'aurore. Séparez-le en plusieurs batailles qui passeront la Loire en divers points, là où sont les ponts, pour ne point nous ralentir, mais en gardant liaison étroite entre les batailles afin de les réunir à lieu nommé, par-delà le fleuve. Pour moi, je passerai à Blois. Et nous irons attaquer l'armée anglaise par revers à Romorantin, ou bien si elle s'avise d'en partir, nous lui couperons toutes routes devant elle. Faites garder la Loire très loin après Tours, jusques à Angers, pour que jamais le duc de Lancastre, qui vient du pays normand, ne puisse se joindre au prince de Galles. »

Il surprenait son monde, Jean II ! Soudain calme et maître de soi, le voici qui donnait des ordres clairs et fixait des chemins à son armée, comme s'il voyait toute la France devant lui. Interdire la Loire du côté de l'Anjou, la franchir en Touraine, être prêt soit à descendre vers le Berry, soit à couper la route du Poitou et de l'Angoumois... et au bout de tout cela, aller reprendre Bordeaux et l'Aquitaine. « Et que la promptitude soit notre affaire, que la surprise joue à notre avantage. » Chacun se redressait, prêt à l'action. Une belle chevauchée qui s'annonçait.

« Et qu'on renvoie toute la piétaille, ordonna encore Jean II. N'allons pas à un autre Crécy. Rien qu'en hommes d'armes, nous serons encore cinq fois plus nombreux que ces méchants Anglais. »

Ainsi, parce que voilà dix ans les archers et arbalétriers, engagés mal à propos, ont gêné les mouvements de la chevalerie et fait perdre une bataille, le roi Jean renonçait à avoir cette fois aucune infanterie. Et ses chefs de bannière l'approuvaient car tous avaient été à Crécy et ils en restaient tout meurtris. Ne pas commettre la même erreur, c'était leur grand souci.

Seul, le Dauphin s'enhardit à dire : « Ainsi, mon père, nous n'aurons point d'archers du tout... »

Le roi ne daigna même pas lui répondre. Et le Dauphin, qui se trouvait rapproché de moi, me dit, comme s'il cherchait appui, ou bien voulait que je ne le prisse pas pour un niais : « Les Anglais, eux, mettent leurs archers à cheval. Mais nul ne consentirait, chez nous, à ce qu'on donnât chevaux à des gens du commun peuple. »

Tiens, cela me rappelle... Brunet !... Si le temps demain se maintient dans la douceur qu'il a, je ferai l'étape, qui sera fort courte, sur mon palefroi. Il faut me remettre un peu dans ma selle, avant Metz. Et puis je veux montrer aux gens de Châlons, en entrant dans leur ville, que je puis tout aussi bien chevaucher que leur fol évêque Chauveau... qui n'a toujours pas été remplacé.

V

LE PRINCE D'AQUITAINE

Ah! vous me retrouvez bien courroucé, Archambaud, pour ce bout de route qui va nous mener jusqu'à Sainte-Menehoud. Il est dit que je ne m'arrêterai point dans une grande ville sans y trouver quelque nouvelle qui me fasse bouillir le sang. A Troyes, c'était la lettre du pape. A Châlons, ce fut le courrier de Paris. Qu'ai-je appris ? Que le Dauphin, près d'une quinzaine avant de se mettre en route, a signé un mandement pour altérer une fois encore le cours des monnaies, dans le sens de l'affaiblissement, bien sûr. Mais par crainte que la chose ne soit mal accueillie... ça, il n'y avait pas besoin d'être grand devin pour le prévoir... il en a repoussé la promulgation jusqu'après son départ, quand il serait assez loin, à cinq jours de chemin, et c'est seulement le 10 de ce mois que l'ordonnance a été publiée. En somme, il a craint d'affronter ses bourgeois, et s'est forlongé comme un cerf. Vraiment, la fuite est trop souvent sa ressource ! Je ne sais qui lui a inspiré cette peu honorable ruse, si c'est Braque ou Bucy ; mais les fruits en ont vite mûri. Le prévôt Marcel et les plus gros marchands s'en sont allés tout en colère chanter matines au duc d'Anjou, que le Dauphin a installé au Louvre en sa place ; et le second fils du roi, qui n'a que dix-huit ans et pas beaucoup de jugeote, s'est laissé arracher, pour éviter l'émeute dont on le menaçait, de suspendre l'ordonnance jusqu'au retour du Dauphin. Ou il ne fallait pas prendre la mesure, ce pour quoi j'aurais penché, car elle n'est une fois de plus qu'un mauvais expédient, ou il fallait la prendre et l'imposer tout immédiatement. Il arrive bien renforcé devant son oncle l'Empereur, notre Dauphin Charles, avec une capitale où le conseil de ville refuse d'obéir aux ordonnances royales !

Qui donc, aujourd'hui, commande au royaume de France ? On est en droit de se le demander. La chose, ne nous y trompons pas, aura des suites graves. Car voilà le Marcel devenu sûr de lui, sachant qu'il a fait ployer la volonté de la couronne, et soutenu forcément par la populace des bourgeois, puisqu'il défend leur bourse. Le Dauphin avait bien joué ses États généraux, les laissant désemparés par son départ; avec ce coup-là, il perd tout son avantage. Avouez que c'est décevant, vraiment, de se donner tant de soins et de courir les routes, comme je le fais depuis une demi-année, pour tenter d'améliorer le sort de princes si obstinés à se nuire à eux-mêmes!

Adieu, Châlons... Oh non, oh non! je ne veux point me mêler de la désignation d'un nouvel évêque. Le comte-évêque de Châlons est l'un des six pairs ecclésiastiques. C'est l'affaire du roi Jean, ou du Dauphin. Qu'ils la règlent directement avec le Saint-Père... ou bien qu'ils en donnent la fatigue à Niccola Capocci; il s'emploiera à quelque chose, pour une fois...

Il ne faut tout de même pas trop accabler le Dauphin; il n'a point tâche facile. Le grand fautif, c'est le roi Jean; et jamais le fils ne pourra commettre autant d'erreurs que le père en a additionné.

Pour me désencolérer, ou peut-être m'encolérer davantage... Dieu me pardonne de pécher... je vais vous conter son équipée, au roi Jean. Et vous allez voir comment un roi perd la France!

A Chartres, ainsi que je vous le disais, il s'était repris. Il avait cessé de parler chevalerie quand il eût fallu parler finances, de s'occuper de finances quand il eût dû s'occuper de la guerre, et de se soucier de vétilles quand se jouait le sort du royaume. Pour une fois, il semblait sorti de sa confusion intérieure et de sa funeste inclination au contretemps; pour une fois, il paraissait coïncider avec l'heure. Il avait adopté de vraies dispositions de campagne. Et comme l'humeur du chef est chose contagieuse, ces dispositions furent mises en œuvre avec exactitude et rapidité.

D'abord, interdire aux Anglais le franchissement de la Loire. De forts détachements, commandés par des capitaines auxquels ces pays étaient familiers, furent envoyés pour tenir tous les ponts et passages entre Orléans et Angers. Ordre aux chefs d'avoir toujours lien avec leurs voisins, et d'envoyer fréquemment messagers à l'armée du roi. Empêcher à tout prix la chevauchée du prince de Galles, qui vient de Sologne, et celle du duc de Lancastre, qui arrive de Bretagne, de se joindre. On les battra séparément. Et d'abord, le prince de Galles. L'armée, divisée en quatre colonnes pour en faciliter l'écoulement, franchira le fleuve par les ponts de Meung, de Blois, d'Amboise et de Tours. Éviter les engagements, quelles que soient les occasions qui s'en puissent offrir, avant que tous les corps de bataille ne soient rassemblés outre-Loire. Pas de prouesses individuelles, si tentantes qu'elles puissent paraître. La prouesse, ce sera d'écraser l'Anglais tous ensemble, et de purger le royaume de France de la misère et de la honte qu'il subit depuis de trop longues années. Telles étaient les instructions que le connétable duc d'Athènes donna aux chefs de bannières réunis avant le départ. «Allez, messires, et que chacun soit à son devoir. Le roi a les yeux sur vous. »

Le ciel était encombré de gros nuages noirs qui crevèrent soudain, traversés d'éclairs. Toutes ces journées, le Vendômois et la Touraine furent battus de pluies d'orage, brèves mais drues, qui trempaient les cottes d'armes et les harnachements, traversaient les chemises de mailles, alourdissaient les cuirs. On eût dit que la foudre était attirée par tout cet acier qui défilait; trois hommes d'armes, qui s'étaient abrités sous un grand arbre, en furent frappés. Mais l'armée, dans l'ensemble, supportait bien les intempéries, souvent encouragée par un peuple en clameur. Car bourgeois des petites villes et manants des campagnes s'inquiétaient fort de l'avance du prince d'Aquitaine dont on disait choses effrayantes. Ce long défilé d'armures qui se hâtaient, quatre de front, les rassurait dès qu'ils comprenaient que les combats ne se livreraient pas dans leurs parages. «Vivre notre bon roi! Rossez bien ses ennemis! Dieu vous protège, vaillants seigneurs! » Ce qui voulait dire: «Dieu nous garde, grâce à vous... dont beaucoup vont tomber raides quelque part... de voir nos maisons et nos pauvres hardes brûlées, nos troupeaux dispersés, nos récoltes perdues, nos filles malmenées. Dieu nous garde de la guerre que vous allez faire ailleurs. » Et ils n'étaient pas chiches de leur vin qui est frais et doré. Ils le tendaient aux chevaliers qui le buvaient, cruche levée, sans arrêter leur monture.

J'ai vu tout cela, car j'avais pris résolution de suivre le roi et d'aller comme lui à Blois. Il se hâtait à la guerre mais, moi, j'avais mission de faire la paix. Je m'obstinais. J'avais mon plan, moi aussi. Et ma litière avançait, derrière le gros de l'armée, mais suivie de détachements qui avaient manqué de rejoindre à temps le camp de Chartres. Il en arriverait pendant plusieurs jours encore, tels les comtes de Joigny, d'Auxerre et de Châtillon, trois fiers compères qui s'en allaient sans se presser, suivis de toutes les lances de leurs comtés, et prenaient la guerre par son côté joyeux. «Bonnes gens, avez-vous vu passer l'armée du roi? — L'armée? On l'a vue passer le jour d'avant-hier, qu'il y en avait, qu'il y en avait! Cela a duré plus d'une couple d'heures. Et d'autres encore ont passé ce matin. Si vous trouvez l'Anglais, ne lui faites point quartier. — Pour sûr, bonnes gens, pour sûr... et si nous prenons le prince Édouard, nous nous rappellerons de vous en envoyer un morceau. »

Et le prince Édouard, pendant ce temps, allez-vous me demander... Le prince avait été retardé devant Romorantin. Moins longtemps que ne l'escomptait le roi Jean, mais assez toutefois pour lui laisser développer sa manœuvre. Cinq journées, car les sires de Boucicaut, de Craon et de Caumont s'étaient furieusement défendus. Dans la seule journée du 31 août, l'assaut leur fut donné trois fois, qu'ils repoussèrent. Et ce fut seulement le 3 septembre que la place tomba. Le prince la fit incendier, comme à l'accoutumée ; mais le lendemain, qui était un dimanche, il lui fallut laisser reposer sa troupe. Les archers, qui avaient perdu nombre des leurs, étaient fatigués. C'était la première rencontre un peu sérieuse depuis le début de la campagne. Et le prince, moins souriant qu'à son ordinaire, ayant appris par ses espies... car il avait toujours des intelligences très en avant... que le roi de France avec tout son ost se dispose à descendre sur lui, le prince se demande s'il n'a pas eu tort de s'obstiner contre la forteresse, et s'il n'aurait pas mieux fait de laisser les trois cents lances de Boucicaut enfermées dans Romorantin.

Il ne connaît pas exactement le nombre de l'armée du roi Jean ; mais il la sait plus forte que la sienne, et de beaucoup, cette armée qui va chercher passage sur quatre ponts à la fois... S'il ne veut pas souffrir d'une disparité trop écrasante, il lui faut à tout prix opérer sa jonction avec le duc de Lancastre. Finie la chevauchée plaisante, fini de s'amuser des vilains fuyant dans les bois et des toits de monastères qui flambent. Messires de Chandos et de Grailly, ses meilleurs capitaines, ne sont pas moins inquiets, et même ce sont eux, vieux routiers rompus à la fortune des guerres, qui l'invitent à la hâte. Il descend la vallée du Cher, traversant Saint-Aignan, Thésée, Montrichard sans s'arrêter à trop les piller, sans même regarder la belle rivière aux eaux tranquilles, ni ses îles plantées de peupliers que le soleil traverse, ni les côteaux crayeux où mûrissent, sous la chaleur, les prochaines vendanges. Il tend vers l'ouest, vers le secours et le renfort.

Le 7 septembre, il atteint Montlouis pour apprendre qu'un gros corps de bataille, que commandent le comte de Poitiers, troisième fils du roi, et le maréchal de Clermont, est à Tours.

Alors, il balance. Quatre jours il attend, sur les hauteurs de Montlouis, que Lancastre arrive, ayant passé le fleuve ; le miracle, en somme. Et si le miracle ne se produit pas, en tout cas sa position est bonne. Quatre jours il attend que les Français, qui savent le lieu où il est, lui livrent bataille. Contre le corps Poitiers-Clermont, le prince de Galles pense qu'il peut tenir et même l'emporter. Il a choisi son emplacement de combat, sur un terrain coupé par d'épais buissons d'épines. Il occupe ses archers à terrasser leurs retranchements. Lui-même, ses maréchaux et ses écuyers campent dans des maisonnettes avoisinantes.

Quatre jours, dès l'aurore, il scrute l'horizon, du côté de Tours. Le matin dépose dans l'immense vallée des brumes dorées ; le fleuve, grossi par les récentes pluies, roule de l'ocre entre ses berges vertes. Les archers continuent à façonner des talus.

Quatre nuits, regardant le ciel, le prince s'interroge sur ce que l'aube suivante lui réserve. Les nuits furent très belles dans ce moment-là, et Jupiter y brillait bien, plus gros que tous les autres astres.

« Que vont faire les Français ? se demandait le prince. Que vont-ils faire ? »

Or, les Français, respectant pour une fois l'ordre qui leur avait été donné, n'attaquent point. Le 10 de septembre, le roi Jean est à Blois avec son corps de bataille bien rassemblé. Le 11, il se meut vers la jolie cité d'Amboise, autant dire à toucher Montlouis. Adieu renforts, adieu Lancastre ; il faut au prince de Galles retraiter sur l'Aquitaine, au plus rapide, s'il veut éviter que, entre Tours et Amboise, la nasse ne se referme ; à deux corps de bataille, il ne peut opposer front. Le même jour, il déloge de Montlouis pour aller dormir à Montbazon.

Et là, au matin du 12, que voit-il arriver ? Deux cents lances, précédées d'une bannière jaune et blanche, et au milieu des lances une grande litière rouge d'où sort un cardinal... J'ai accoutumé mes sergents et valets, vous l'avez vu, à mettre genou en terre quand je descends. Cela fait toujours impression sur ceux chez qui je parviens. Beaucoup aussitôt s'agenouillent de même, et se signent. Mon apparition mit de l'émotion, je vous le donne à croire, dans le camp anglais.

J'avais la veille quitté le roi Jean à Amboise. Je savais qu'il n'attaquerait pas encore, mais que le moment ne pouvait plus être éloigné. Alors, à moi d'engager mon affaire. J'étais passé par Bléré, où j'avais pris peu de sommeil. Flanqué des armures de mon neveu de Durazzo et de messire de Hérédia, et suivi des robes de mes prélats et clercs, j'allai au Prince et lui demandai de s'entretenir avec moi, seul à seul.

Il me parut pressé, me disant qu'il levait le camp dans l'heure. Je lui assurai qu'il avait un moment, et que mon propos, qui était celui de notre saint-père le pape, méritait qu'il l'entendît. De savoir, comme je m'en portais certain, qu'il ne serait pas attaqué ce jour lui donna certainement du répit ; mais tout le temps que nous parlâmes, bien qu'il voulût se montrer sûr de soi, il continua de marquer de la hâte, ce que je trouvai bon.

Il a de la hauteur dans le naturel, ce prince, et comme j'en ai aussi, cela ne pouvait pas nous faire le début facile. Mais moi, j'ai l'âge, qui me sert...

Bel homme, belle taille... En effet, en effet, il est vrai, mon neveu, que je ne vous ai point encore décrit le prince de Galles !... Vingt-six ans. C'est l'âge d'ailleurs de toute la nouvelle génération qui devient maîtresse des affaires. Le roi de Navarre a vingt-cinq ans, et Phœbus de même ; seul le Dauphin est plus jeune... Galles a un sourire avenant qu'aucune dent gâtée ne dépare encore. Pour le bas du visage et pour la carnation, il tient du côté de sa mère, la reine Philippa. Il en a les manières enjouées, et il grossira comme elle. Pour le haut du visage, il tirerait plutôt vers son arrière grand-père, Philippe le Bel. Un front lisse, des yeux bleus, écartés et grands, d'une froideur de fer. Il vous regarde fixement, d'une façon qui dément l'aménité du sourire. Les deux parties de cette figure, d'expressions si différentes, sont séparées par de belles moustaches blondes, à la saxonne, qui lui encadrent la lèvre et le menton... Le fond de sa nature est d'un dominateur. Il ne voit le monde que du haut d'un cheval.

Vous connaissez ses titres? Édouard de Woodstock, prince de Galles, prince d'Aquitaine, duc de Cornouailles, comte de Chester, seigneur de Biscaye... Le pape et les rois couronnés sont les seuls hommes qu'il ait à regarder pour supérieurs. Toutes les autres créatures, à ses yeux, n'ont que des degrés dans l'infériorité. Il a le don de commander, c'est certain, et le mépris du risque. Il est endurant; il garde tête claire dans le danger. Il est fastueux dans le succès et couvre de dons ses amis.

Il a déjà un surnom, le Prince Noir, qu'il doit à l'armure d'acier bruni qu'il affectionne et qui le rend très remarquable, surtout avec les trois plumes blanches de son heaume, parmi les chemises de mailles toutes brillantes et les cottes d'armes multicolores des chevaliers qui l'entourent. Il a commencé de bonne heure dans la gloire. A Crécy, il avait donc seize ans, son père lui confia toute une bataille à commander, celle des archers gallois, en l'entourant, bien sûr, de capitaines éprouvés qui avaient à le conseiller et même à le diriger. Or, cette bataille fut si durement attaquée par les chevaliers français qu'un moment, jugeant le prince en péril, ceux-là qui avaient charge de le seconder dépêchèrent vers le roi pour lui demander de se porter au secours de son fils. Le roi Édouard III, qui observait le combat depuis la butte d'un moulin, répondit au messager: «Mon fils est-il mort, atterré ou si blessé qu'il ne se puisse aider lui-même? Non?... Alors, retournez vers lui, ou vers ceux qui vous ont envoyé, et dites-leur qu'ils ne viennent me requérir, quelque aventure qu'il lui advienne, tant qu'il sera en vie. J'ordonne qu'ils laissent à l'enfant gagner ses éperons; car je veux, si Dieu l'a ordonné, que la journée soit sienne et que l'honneur lui en demeure.»

Voilà le jeune homme donc devant lequel je me trouvais, pour la première fois.

Je lui dis que le roi de France... «Devant moi, il n'est pas le roi de France», fit le prince. — Devant la Sainte Église, il est le roi oint et couronné», lui renvoyai-je; vous jugez du ton... que le roi de France donc venait à lui avec son ost qui comptait près de trente mille hommes. Je forçais un peu, à dessein; et pour être cru, j'ajoutais: «D'autres vous parleraient de soixante mille. Moi, je vous dis le vrai. C'est que je n'inclus pas la piétaille qui est demeurée en arrière.» J'évitai de lui dire qu'elle avait été renvoyée; j'eus le sentiment qu'il le savait déjà.

Mais n'importe; soixante ou trente, ou même vingt-cinq mille, chiffre qui s'approchait plus du vrai : le prince n'avait que six mille hommes avec lui, tous archers et coutilliers compris. Je lui représentai que, dès lors, ce n'était plus question de vaillance, mais de nombre.

Il me dit qu'il allait être rejoint d'un moment à l'autre par l'armée de Lancastre. Je lui répondis que je le lui souhaitais de tout mon cœur, pour son salut.

Il vit qu'à jouer l'assurance, il ne serait pas mon maître, et, après avoir marqué un court silence, il me dit tout à trac qu'il me savait plus favorable au roi Jean... à présent, il lui rendait son titre de roi... que je ne l'étais à son père. « Je ne suis favorable qu'à la paix entre les deux royaumes, lui répondis-je, et c'est elle que je viens vous proposer. »

Alors il commença avec beaucoup de grandeur à me représenter que l'an précédent il avait traversé tout le Languedoc et mené ses chevaliers jusqu'à la mer latine sans que le roi s'y pût opposer ; que cette saison même, il venait de faire chevauchée de la Guyenne jusqu'à la Loire ; que la Bretagne était quasiment sous la loi anglaise ; que bonne part de la Normandie, amenée par Monseigneur Philippe de Navarre, était tout près d'y passer ; que moult seigneurs d'Angoumois, du Poitou, de Saintonge, et même du Limousin lui étaient ralliés... il eut le bon goût de ne point mentionner le Périgord... et en même temps, il regardait la hauteur du soleil par la fenêtre... pour enfin me lâcher : « Après tant de succès pour nos armes, et toutes les emprises que nous avons, de droit et de fait, dans le royaume de France, quelles seraient les offres que nous ferait le roi Jean pour la paix ? »

Ah ! si le roi avait bien voulu m'entendre à Breteuil, à Chartres... Que pouvais-je répondre, qu'avais-je dans les mains ? Je dis au prince que je ne lui apportais aucune offre du roi de France car ce dernier, fort comme il l'était, ne pouvait songer à la paix avant d'emporter la victoire qu'il escomptait ; mais que je lui portais le commandement du pape, qui voulait qu'on cessât d'ensanglanter les royaumes d'Occident, et qui priait impérieusement les rois, insistai-je, de s'accorder afin de se porter au secours de nos frères de Constantinople. Et je lui demandai à quelles conditions l'Angleterre...

Il regardait toujours monter le soleil, et rompit l'entretien en disant : « Il revient au roi mon père, non à moi, de décider de la paix. Je n'ai point d'ordre de lui qui m'autorise à traiter. » Puis il souhaita que je voulusse bien l'excuser s'il me précédait sur la route. Il n'avait en tête que de mettre distance avec l'armée poursuivante. « Laissez-moi vous bénir, Monseigneur, lui dis-je. Et je resterai proche, s'il vous advenait d'avoir besoin de moi. »

Vous me direz, mon neveu, que j'emportais petite pêche dans mon filet, en m'en repartant de Montbazon derrière l'armée anglaise. Mais je n'étais point aussi mécontent que vous le pourriez croire. La situation étant ce que je la voyais, j'avais ferré le poisson et lui laissais du fil. Cela dépendait des remous de la rivière. Il me fallait seulement ne pas m'éloigner du bord.

Le prince avait piqué vers le sud, vers Châtellerault. Les chemins de la Touraine et du Poitou, ces journées-là, virent passer d'étonnants cortèges. D'abord, l'armée du prince de Galles, compacte, rapide, six mille hommes, toujours en bon ordre, mais tout de même un peu essoufflés et qui ne musent plus à brûler les granges. C'est plutôt la terre qui semble brûler les sabots de leurs montures. A un jour de marche, lancée à leur poursuite, l'armée formidable du roi Jean, lequel a regroupé, comme il le voulait, toutes ses bannières, ou presque, vingt-cinq mille hommes, mais qu'il presse trop, qu'il fatigue et qui commencent à moins bien s'articuler et à laisser des traînards.

Et puis, entre Anglais et Français, suivant les premiers, précédant les seconds, mon petit cortège qui met un point de pourpre et d'or dans la campagne. Un cardinal entre deux armées, cela ne s'est pas vu souvent ! Toutes les bannières se hâtent à la guerre, et moi, avec ma petite escorte, je m'obstine à la paix. Mon neveu de Durazzo trépigne ; je sens qu'il a comme de la honte à escorter quelqu'un dont toute la prouesse serait de faire qu'on ne combattît point. Et mes autres chevaliers, Heredia, La Rue, tous pensent de même. Durazzo me dit : « Laissez donc le roi Jean rosser les Anglais, et qu'on en finisse. D'ailleurs qu'espérez-vous empêcher ? »

Je suis au fond de moi assez de leur avis, mais je ne veux point lâcher. Je vois bien que si le roi Jean rattrape le prince Édouard, et il va le rattraper, il ne peut que l'écraser. Si ce n'est en Poitou, ce sera en Angoumois.

Tout, apparemment, donne Jean pour vainqueur. Mais ces journées-ci, ses astres sont mauvais, très mauvais, je le sais. Et je me demande comment, dans une situation qui l'avantage si fort, il va essuyer un si funeste aspect. Je me dis qu'il va peut-être livrer une bataille victorieuse, mais qu'il y sera tué. Ou bien qu'une maladie va le saisir en chemin...

Sur les mêmes routes avancent aussi les chevauchées des retardataires, les comtes de Joigny, d'Auxerre et de Châtillon, les bons compères, toujours joyeux et prenant leurs aises, mais comblant petit à petit leur écart avec le gros de l'armée de France. « Bonnes gens, avez-vous vu le roi ? » Le roi ? Il est parti le matin de La Haye. Et l'Anglais ? Il y a dormi la veille...

Jean II, puisqu'il suit son cousin anglais, est renseigné fort exactement sur les routes de son adversaire. Ce dernier, se sentant talonné, gagne Châtellerault, et là, pour s'alléger et dégager le pont, il fait passer la Vienne, de nuit, à son convoi personnel, tous les chariots qui portent ses meubles, ses harnachements de parade, ainsi que tout son butin, les soieries, les vaisselles d'argent, les objets d'ivoire, les trésors d'églises qu'il a raflés au cours de sa chevauchée. Et fouette vers Poitiers. Lui-même, ses hommes d'armes et ses archers, dès le petit matin, prennent un moment la même route; puis, pour plus de prudence, il jette son monde dans des voies de traverse. Il a un calcul en tête: contourner par l'est Poitiers, où le roi sera bien forcé de laisser reposer sa lourde armée, ne serait-ce que quelques heures, et ainsi augmenter son avance.

Ce qu'il ignore, c'est que le roi n'a pas pris le chemin de Châtellerault. Avec toute sa chevalerie qu'il emmène à un train de chasse, il a piqué sur Chauvigny, encore plus au levant, pour tenter de déborder son ennemi et lui couper la retraite. Il va en tête, droit sur sa selle, le menton en avant, sans prendre garde à rien, comme il est allé au banquet de Rouen. Une étape de plus de douze lieues, d'un trait.

Toujours courant à sa suite, les trois seigneurs bourguignons, Joigny, Auxerre et Châtillon. « Le roi?... — Sur Chauvigny. — Va donc pour Chauvigny ! » Ils sont contents; ils ont presque rejoint l'ost; ils seront là pour l'hallali.

Ils parviennent donc à Chauvigny, que surmonte son gros château dans une courbe de la Vienne. Il y a là, dans le soir qui tombe, un énorme rassemblement de troupes, un encombrement sans pareil de chariots et de cuirasses. Joigny, Auxerre et Châtillon aiment leurs aises. Ils ne vont pas se jeter, après une dure étape, dans une telle cohue. A quoi bon se presser? Prenons plutôt un bon dîner, tandis que nos varlets panseront les montures. Cervellière ôtée, jambières délacées, les voilà qui s'étirent, se frottent les reins et les mollets, et puis s'attablent dans une auberge non loin de la rivière. Leurs écuyers, qui les savent gourmands, leur ont trouvé du poisson, puisqu'on est vendredi. Ensuite, ils vont dormir... tout cela me fut conté après, par le menu... et le matin suivant s'éveillent tard, dans un bourg vide et silencieux. « Bonnes gens... le roi? » On leur désigne la direction de Poitiers. « Le plus court? — Par la Chaboterie. »

Voilà donc Châtillon, Joigny et Auxerre, leurs lances à leur suite, qui s'en vont à bonne allure dans les chemins de bruyères. Joli matin; le soleil perce les branches, mais sans trop darder. Trois lieues sont franchies sans peine. On sera rendu à Poitiers dans moins d'une demi-heure. Et soudain, au croisement de deux layons, ils tombent nez à nez avec une soixantaine d'éclaireurs anglais. Ils sont plus de trois cents. C'est l'aubaine. Fermons nos ventailles, abaissons nos lances. Les éclaireurs anglais, qui sont d'ailleurs gens du Hainaut que commandent messires de Ghistelles et d'Auberchicourt, font demi-tour et prennent le galop. « Ah! les lâches, ah! les couards! A la poursuite, à la poursuite ! »

La poursuite ne dure guère car, la première futaie franchie, Joigny, Auxerre et Châtillon s'en vont donner dans le gros de la colonne anglaise qui se referme sur eux. Les épées et les lances s'entrechoquent un moment. Ils se battent bien les Bourguignons! Mais le nombre les étouffe. «Courez au roi, courez au roi, si vous pouvez!» lancent Auxerre et Joigny à leurs écuyers, avant d'être démontés et de devoir se rendre.

Le roi Jean était déjà dans les faubourgs de Poitiers lorsque quelques hommes du comte de Joigny, qui avaient pu échapper à une furieuse chasse, s'en vinrent, hors d'haleine, lui conter l'affaire. Il les félicita fort. Il était tout joyeux. D'avoir perdu trois grands barons et leurs bannières? Non, certes; mais le prix n'était pas lourd pour la bonne nouvelle. Le prince de Galles, qu'il croyait encore devant lui, était derrière. Il avait réussi; il lui avait coupé la route. Demi-tour vers la Chaboterie. Conduisez-moi, mes braves! L'hallali, l'hallali... Il venait de vivre sa bonne journée, le roi Jean.

Moi-même, mon neveu? Ah! J'avais suivi la route venant de Châtellerault. J'arrivais à Poitiers, pour y loger à l'évêché, où je fus, dans la soirée, informé de tout.

VI

LES DÉMARCHES DU CARDINAL

Ne vous surprenez pas, à Metz, Archambaud, de voir le Dauphin rendre l'hommage à son oncle l'Empereur. Eh bien oui, pour le Dauphiné, qui est dans la mouvance impériale... Non, non, je l'y ai fort engagé ; c'est même un des prétextes au voyage ! Cela ne diminue point la France, au contraire ; cela lui établit des droits sur le royaume d'Arles, si l'on venait à le reconstituer, puisque le Viennois jadis s'y trouvait inclus. Et puis c'est de bon exemple, pour les Anglais, de leur montrer que roi ou fils de roi, sans s'abaisser, peut consentir l'hommage à un autre souverain, quand des parties de ses États relèvent de l'antique suzeraineté de l'autre...

C'est la première fois, depuis bien longtemps, que l'Empereur paraît résolu à pencher un peu du côté de la France. Car jusqu'ici, et bien que sa sœur Madame Bonne ait été la première épouse du roi Jean, il était plutôt favorable aux Anglais. N'avait-il pas nommé le roi Édouard, qui s'était montré bien habile avec lui, vicaire impérial ? Les grandes victoires de l'Angleterre, et l'abaissement de la France ont dû le conduire à réfléchir. Un empire anglais à côté de l'Empire ne lui sourirait guère. Il en va toujours ainsi avec les princes allemands ; ils s'emploient autant qu'ils peuvent à diminuer la France et, ensuite, ils s'aperçoivent que cela ne leur a rien rapporté, au contraire...

Je vous conseille, quand nous serons devant l'Empereur, et si l'on vient à parler de Crécy, de ne point trop insister sur cette bataille. En tout cas, n'en prononcez pas le nom le premier. Car, tout à la différence de son père Jean l'Aveugle, l'Empereur, qui n'était pas encore empereur, n'y a pas fait trop belle figure... Il a fui, tout bonnement, ne mâchons pas les mots... Mais ne parlez pas trop de Poitiers non plus, que tout le monde forcément a en tête, et ne croyez point nécessaire d'exalter le courage malheureux des chevaliers français, cela par égard pour le Dauphin... car lui non plus ne s'est pas distingué par un excès de vaillance. C'est une des raisons pour lesquelles il a quelque peine à asseoir son autorité. Ah non! ce ne sera pas une réunion de héros... Enfin, il a des excuses, le Dauphin; et s'il n'est pas homme de guerre, ce n'est pas lui qui aurait manqué de saisir la chance que j'offris à son père...

Je vous reprends le récit de Poitiers, que nul ne pourrait vous faire plus complètement que moi, vous allez comprendre pourquoi. Nous en étions donc au samedi soir, lorsque les deux armées se savent toutes voisines l'une de l'autre, presque à se toucher, et que le prince de Galles comprend qu'il ne peut plus bouger...

Le dimanche, tôt le matin, le roi entend messe, en plein champ. Une messe de guerre. Celui qui officie porte mitre et chasuble par-dessus sa cotte de mailles; c'est Regnault Chauveau, le comte-évêque de Châlons, un de ces prélats qui conviendraient mieux à l'ordre militaire qu'aux ordres religieux... Je vous vois sourire, mon neveu... oui, vous vous dites que j'appartiens à l'espèce; mais moi, j'ai appris à me contraindre, puisque Dieu m'a désigné mon chemin.

Pour Chauveau, cette armée agenouillée dans les prés mouillés de rosée, en avant du bourg de Nouaillé, doit lui offrir la vision des légions célestes. Les cloches de l'abbaye de Maupertuis sonnent dans leur gros clocher carré. Et les Anglais, sur la hauteur, derrière les boqueteaux qui les dissimulent, entendent le formidable *Gloria* que poussent les chevaliers de France.

Le roi communie entouré de ses quatre fils et de son frère d'Orléans, tous en arroi de combat. Les maréchaux regardent avec quelque perplexité les jeunes princes auxquels il leur a fallu donner des commandements bien qu'ils n'aient aucune expérience de la guerre. Oui, les princes leur sont un souci. N'a-t-on pas amené jusqu'aux enfants, le jeune Philippe, le fils préféré du roi, et son cousin Charles d'Alençon? Quatorze ans, treize ans; quel embarras que ces cuirasses naines! Le jeune Philippe restera auprès de son père, qui tient à le veiller lui-même; et l'on a commis l'Archiprêtre à la protection du petit Alençon.

Le connétable a réparti l'armée en trois grosses batailles. La première, trente-deux bannières, est aux ordres du duc d'Orléans. La deuxième aux ordres du Dauphin, duc de Normandie, secondé de ses frères, Louis d'Anjou et Jean de Berry. Mais en vérité, le commandement est à Jean de Landas, à Thibaut de Vodenay et au sire de Saint-Venant, trois hommes de guerre qui ont charge de serrer étroitement l'héritier du trône et de le gouverner. Le roi prendrait la tête de la troisième bataille.

On le hisse en selle, sur son grand destrier blanc. Du regard, il parcourt son armée et s'émerveille de la voir si nombreuse et si belle. Que de heaumes, que de lances côte à côte, sur des rangs profonds! Que de lourds chevaux qui encensent de la tête et font cliqueter leurs mors! Aux selles pendent les épées, les masses d'armes, les haches à deux tranchants. Aux lances flottent les pennons et les banderoles. Que de couleurs vives peintes sur les écus et les targes, brodées sur les cottes des chevaliers et sur les housses de leur monture! Tout cela poudroie, luit, scintille, éclate sous le soleil du matin.

Le roi s'avance alors et s'écrie: «Mes beaux sires, quand vous étiez entre vous à Paris, à Chartres, à Rouen ou à Orléans, vous menaciez les Anglais et vous souhaitiez être le bassinet en tête devant eux; or, vous y êtes à présent; je vous les montre. Aussi veuillez leur montrer vos talents et venger les ennuis et dépits qu'ils nous ont faits, car, sans faute, nous les battrons!» Et puis après l'énorme: «Dieu y ait part. Nous le verrons!» qui lui répond, il attend. Il attend, pour donner l'ordre d'attaquer, que soit revenu Eustache de Ribemont, le bailli de Lille et de Douai, qu'il a envoyé avec un petit détachement reconnaître exactement la position anglaise.

Et toute l'armée attend, dans un grand silence. Moment difficile que celui où l'on va charger et où l'ordre tarde. Car chacun alors se dit: «Ce sera peut-être mon tour aujourd'hui... Je vois peut-être la terre pour la dernière fois.» Et toutes les gorges sont nouées, sous la mentonnière d'acier; et chacun se recommande à Dieu plus vivement encore que pendant la messe. Le jeu de la guerre devient tout à coup solennel et terrible.

Messire Geoffroy de Charny portait l'oriflamme de France que le roi lui avait fait l'honneur de lui confier, et l'on m'a dit qu'il avait l'air tout transfiguré.

Le duc d'Athènes semblait des plus tranquilles. Il savait d'expérience que, le plus gros de son travail de connétable, il l'avait assuré auparavant. Dès que le combat serait engagé, il ne verrait guère à plus de deux cents pas ni ne se ferait entendre à plus de cinquante; on lui dépêcherait des divers points du champ de bataille des écuyers qui arriveraient ou n'arriveraient pas; et, à ceux qui parviendraient à lui, il crierait un ordre qui serait ou ne serait pas exécuté. Qu'il soit là, qu'on puisse dépêcher à lui, qu'il fasse un geste, qu'il crie une approbation, rassurerait. Peut-être une décision à prendre dans un moment difficile... Mais dans cette grande confusion de chocs et de clameurs, ce ne serait plus lui, vraiment, qui commanderait, mais la volonté de Dieu. Et vu le nombre des Français, il semblait bien que Dieu se fût déjà prononcé.

Le roi Jean, lui, commençait à s'irriter parce que Eustache de Ribemont ne revenait pas. Aurait-il été pris, comme hier Auxerre et Joigny? La sagesse serait d'envoyer une seconde reconnaissance. Mais le roi Jean ne supporte point l'attente. Il est saisi de cette coléreuse impatience qui monte en lui chaque fois que l'événement n'obéit pas tout de suite à sa volonté, et qui le rend impuissant à juger sainement des choses. Il est au bord de donner l'ordre d'attaque... tant pis, on verra bien... quand reviennent enfin messire de Ribemont et ses patrouilleurs.

« Alors, Eustache, quelles nouvelles? — Fort bonnes, Sire; vous aurez, s'il plaît à Dieu, bonne victoire sur vos ennemis. — Combien sont-ils? — Sire, nous les avons vus et considérés. A l'estimation, les Anglais peuvent être deux mille hommes d'armes, quatre mille archers et quinze cents ribauds. »

Le roi, sur son destrier blanc, a un sourire vainqueur. Il regarde les vingt-cinq mille hommes, ou presque, rangés autour de lui. « Et comment est leur gîte? — Ah! Sire, ils occupent un fort lieu. On peut tenir pour sûr qu'ils n'ont pas plus d'une bataille, et petite, à opposer aux nôtres, mais ils l'ont bien ordonnée. »

Et de décrire comment les Anglais sont installés, sur la hauteur, de part et d'autre d'un chemin montant, bordé de haies touffues et de buissons derrière lesquels ils ont aligné leurs archers. Pour les attaquer, il n'est d'autre voie que ce chemin, où quatre chevaux seulement pourront aller de front. De tous autres côtés, ce sont seulement vignes et bois de pins où l'on ne saurait chevaucher. Les hommes d'armes anglais, leurs montures gardées à l'écart, sont tous à pied, derrière les archers qui leur font une manière de herse. Et ces archers ne seront pas légers à déconfire.

« Et comment, messire Eustache, conseillez-vous de nous y rendre? »

Toute l'armée avait les yeux tournés vers le conciliabule qui réunissait, autour du roi, le connétable, les maréchaux et les principaux chefs de bannière. Et aussi le comte de Douglas, qui n'avait pas quitté le roi depuis Breteuil. Il y a des invités, parfois, qui coûtent cher. Guillaume de Douglas dit: « Nous, les Escots, c'est toujours à pied que nous avons battu les Anglais... » Et Ribemont renchérit, en parlant des milices flamandes. Et voici qu'à l'heure d'engager combat, on se met à disserter d'art militaire. Ribemont a une proposition à faire, pour la disposition d'attaque. Et Guillaume de Douglas l'approuve. Et le roi invite à les écouter, puisque Ribemont est le seul qui ait exploré le terrain, et parce que Douglas est l'invité qui a si bonne connaissance des Anglais.

Soudain un ordre est lancé, transmis, répété. « Pied à terre! » Quoi? Après ce grand moment de tension et d'anxiété, où chacun s'est préparé au fond de soi à affronter la mort, on ne va pas combattre? Il se fait comme un flottement de déception. Mais si, mais si; on va combattre, oui, mais à pied. Ne resteront à cheval que trois cents armures, qui iront, emmenées par les deux maréchaux, percer une brèche dans les lignes des archers anglais. Et, par cette brèche, les hommes d'armes s'engouffreront aussitôt, pour combattre, main à main, les hommes du prince de Galles. Les chevaux sont gardés à toute proximité, pour la poursuite.

Déjà Audrehem et Clermont parcourent le front des bannières pour choisir les trois cents chevaliers les plus forts, les plus hardis et les plus lourdement armés qui formeront la charge.

Ils n'ont pas l'air content, les maréchaux, car ils n'ont même pas été conviés à donner leur avis. Clermont a bien tenté de se faire entendre et demandé qu'on réfléchisse un instant. Le roi l'a rabroué. « Messire Eustache a vu, et messire de Douglas sait. Que nous apporterait de plus votre discours ? » Le plan de l'éclaireur et de l'invité devient le plan du roi. « Il n'y a qu'à nommer Ribemont maréchal et Douglas connétable », grommelle Audrehem.

Pour tous ceux qui ne sont pas de la charge, pied à terre, pied à terre... « Otez vos éperons, et taillez vos lances à la longueur de cinq pieds ! »

Humeur et grogne dans les rangs. Ce n'était pas pour cela qu'on était venu. Et pourquoi alors avoir licencié la piétaille à Chartres, si l'on devait à présent en faire le travail ? Et puis raccourcir les lances, cela leur brisait le cœur, aux chevaliers. De belles hampes de frêne, choisies avec soin pour être tenues horizontales, coincées contre la targe, et va le galop ! Maintenant ils allaient se promener, alourdis de fer, avec des bâtons. « N'oublions point qu'à Crécy... » disaient ceux qui voulaient malgré tout donner raison au roi. « Crécy, toujours Crécy », répondaient les autres.

Ces hommes qui, la demi-heure d'avant, avaient l'âme tout exaltée d'honneur bougonnaient comme des paysans qui ont cassé un essieu de chariot. Mais le roi lui-même, pour donner l'exemple, avait renvoyé son destrier blanc et piétinait l'herbe, les talons sans éperons, faisant sauter sa masse d'armes d'une main dans l'autre.

C'est au milieu de cette armée occupée à couper ses lances à coups de hache d'arçon que, arrivant de Poitiers, je dévalai au galop, couvert par la bannière du Saint-Siège, et escorté seulement de mes chevaliers et de mes meilleurs bacheliers, Guillermis, Cunhac, Élie d'Aimery, Hélie de Raymond, ceux-là avec lesquels nous voyageons. Ils ne sont pas près d'oublier ! Ils vous ont conté... non ?

Je descends de cheval en lançant mes rênes à La Rue ; je recoiffe mon chapeau que la course m'avait rabattu dans le dos ; Brunet défroisse ma robe, j'avance vers le roi les gants joints. Je lui dis d'entrée, avec autant de fermeté que de révérence : « Sire, je vous prie et vous supplie, au nom de la foi, de surseoir un moment au combat. Je viens m'adresser à vous d'ordre et de la volonté de notre Saint-Père. Vous plaira-t-il de m'écouter ? »

Si surpris qu'il fût par l'arrivée, en un tel instant, de ce gêneur d'Église, que pouvait-il faire, le roi Jean, sinon me répondre, du même ton de cérémonie : « Volontiers, Monseigneur cardinal. Que vous plaît-il de me dire ? »

Je restai un moment les yeux levés vers le ciel, comme si je le priais de m'inspirer. Et je priais, en effet ; mais aussi j'attendais que le duc d'Athènes, les maréchaux, le duc de Bourbon, l'évêque Chauveau en qui je pensais trouver un allié, Jean de Landas, Saint-Venant, Tancarville et quelques autres, dont l'Archiprêtre, se fussent rapprochés. Car ce n'étaient plus à présent paroles seul à seul ou entretiens de dîner, comme à Breteuil ou Chartres. Je voulais être entendu, non seulement du roi, mais des plus hauts hommes de France, et qu'ils soient bien témoins de ma démarche.

« Très cher Sire, repris-je, vous avez ici la fleur de la chevalerie de votre royaume, en multitude, contre une poignée de gens que sont les Anglais au regard de vous. Ils ne peuvent tenir contre votre force ; et il serait plus honorable pour vous qu'ils se missent à votre merci sans bataille, plutôt que d'aventurer toute cette chevalerie, et de faire périr de bons chrétiens de part et d'autre. Je vous dis ceci sur l'ordonnance de notre très saint-père le pape, qui m'a mandé comme son nonce, avec toute son autorité, afin d'aider à la paix, selon le commandement de Dieu qui la veut entre les peuples chrétiens. Aussi je vous prie de souffrir, au nom du Seigneur, que je chevauche vers le prince de Galles, pour lui remontrer en quel danger vous le tenez, et lui parler raison. »

S'il avait pu me mordre, le roi Jean, je crois qu'il l'aurait fait. Mais un cardinal sur un champ de bataille cela ne laisse pas d'impressionner. Et le duc d'Athènes hochait le front, et le maréchal de Clermont, et Monseigneur de Bourbon. J'ajoutai : « Très cher Sire, nous sommes dimanche, jour du Seigneur, et vous venez d'entendre messe. Vous plairait-il de surseoir au travail de mort le jour consacré au Seigneur ? Laissez au moins que j'aille parler au prince. »

Le roi Jean regarda ses seigneurs autour de lui, et comprit que lui, le roi très chrétien, ne pouvait point ne pas déférer à ma demande. Si jamais quelque accident funeste survenait, on l'en tiendrait pour coupable et l'on y verrait le châtiment de Dieu.

« Soit, Monseigneur, me dit-il. Il nous plaît de nous accorder à votre souhait. Mais revenez sans tarder. »

J'eus alors une bouffée d'orgueil... le bon Dieu m'en pardonne... Je connus la suprématie de l'homme d'Église, du prince de Dieu, sur les rois temporels. Eussé-je été comte de Périgord, au lieu de votre père, jamais je n'aurais été investi de cette puissance-là. Et je pensai que j'accomplissais la tâche de ma vie.

Toujours escorté de mes quelques lances, toujours signalé par la bannière de la papauté, je piquai vers la hauteur, par le chemin qu'avait éclairé Ribemont, en direction du petit bois où campait le prince de Galles.

« Prince, mon beau fils... » car cette fois, quand je fus devant lui, je ne lui donnai plus du Monseigneur, pour mieux lui laisser sentir sa faiblesse... « si vous aviez justement considéré la puissance du roi de France comme je viens de le faire, vous me laisseriez tenter une convention entre vous, et de vous accorder, si je le puis. » Et je lui dénombrai l'armée de France que j'avais pu contempler devant le bourg de Nouaillé. « Voyez où vous êtes, et combien vous êtes... Croyez-vous donc que vous pourrez tenir longtemps ? »

Eh non, il ne pourrait longtemps tenir, et il le savait bien. Son seul avantage, c'était le terrain ; son retranchement était vraiment le meilleur qu'on pût trouver. Mais ses hommes déjà commençaient à souffrir de la soif, car il n'y avait pas d'eau sur cette colline ; il eût fallu pouvoir aller en puiser au ruisseau, le Miosson, qui coulait en bas ; or les Français le tenaient. Des vivres, il n'en était guère pourvu que pour une journée. Il avait perdu son beau rire blanc sous ses moustaches à la saxonne, le prince ravageur ! S'il n'avait pas été qui il était, au milieu de ses chevaliers, Chandos, Grailly, Warwick, Suffolk, qui l'observaient, il serait convenu de ce qu'eux-mêmes pensaient, que leur situation ne permettait plus d'espérance. A moins d'un miracle... et le miracle, c'était peut-être moi qui le lui apportais. Néanmoins, par souci de grandeur, il discuta un peu : « Je vous l'ai dit à Montbazon, Monseigneur de Périgord, je ne saurais traiter sans l'ordre du roi mon père... — Beau prince, au-dessus de l'ordre des rois, il y a l'ordre de Dieu. Ni votre père le roi Édouard, sur son trône de Londres, ni Dieu sur le trône du ciel ne vous pardonneraient de faire perdre la vie à tant de bonnes et braves gens remis à votre protection, si vous pouvez agir autrement. Acceptez-vous que je discute les conditions où vous pourriez, sans perdre l'honneur, épargner un combat bien cruel et bien douteux ? »

Armure noire et robe rouge face à face. Le heaume aux trois plumes blanches interrogeait mon chapeau rouge et semblait en compter les glands de soie. Enfin le heaume fit un signe d'acquiescement.

Le chemin d'Eustache dévalé, où j'aperçus les archers anglais en rangs tassés, derrière les palissades de pieux qu'ils avaient plantés, et me voici revenu devant le roi Jean. Je tombai en pleine palabre ; et je compris, à certains regards qui m'accueillirent, que tout le monde n'avait pas dit du bien de moi. L'Archiprêtre se balançait, efflanqué, goguenard, sous son chapeau de Montauban.

« Sire, dis-je, j'ai bien vu les Anglais. Vous n'avez point à vous hâter de les combattre, et vous ne perdez rien à vous reposer un peu. Car, placés comme ils sont, ils ne peuvent vous fuir, ni vous échapper. Je pense en vérité que vous les pourrez avoir sans coup férir. Aussi je vous prie que vous leur accordiez répit jusques à demain, au soleil levant. »

Sans coup férir... J'en vis plusieurs, comme le comte Jean d'Artois,

Douglas, Tancarville lui-même, qui bronchèrent sous le mot et secouèrent le col. Ils avaient envie de férir. J'insistai: « Sire, n'accordez rien si vous le voulez à votre ennemi, mais accordez son jour à Dieu. »

Le connétable et le maréchal de Clermont penchaient pour cette suspension d'armes... « Attendons de savoir, Sire, ce que l'Anglais propose et ce que nous en pouvons exiger; nous n'y risquons rien... » En revanche, Audrehem, oh! simplement parce que, Clermont étant d'un avis, il était de l'autre... disait assez haut pour que je l'entendisse: « Sommes-nous donc là pour batailler ou pour écouter prêche? » Eustache de Ribemont, parce que sa disposition de combat avait été adoptée par le roi, et qu'il était tout énervé de la voir en œuvre, poussait à l'engagement immédiat.

Et Chauveau, le comte-évêque de Châlons qui portait heaume en forme de mitre, peint en violet, le voilà soudain qui s'agite et presque s'emporte.

« Est-ce le devoir de l'Église, messire cardinal, que de laisser des pillards et des parjures s'en repartir sans châtiment? » Là, je me fâche un peu. « Est-ce le devoir d'un serviteur de l'Église, messire évêque, que de refuser la trêve à Dieu? Veuillez apprendre, si vous ne le savez pas, que j'ai pouvoir d'ôter office et bénéfices à tout ecclésiastique qui voudrait entraver mes efforts de paix... La Providence punit les présomptueux, messire. Laissez donc au roi l'honneur de montrer sa grandeur, s'il le veut... Sire, vous tenez tout en vos mains; Dieu décide à travers vous. »

Le compliment avait porté. Le roi tergiversa quelque temps encore, tandis que je continuais de plaider, assaisonnant mon propos de compliments gros comme les Alpes. Quel prince, depuis Saint Louis, avait montré tel exemple que celui qu'il pouvait donner? Toute la chrétienté allait admirer un geste de preux, et viendrait désormais demander arbitrage à sa sagesse ou secours à sa puissance!

« Faites dresser mon pavillon, dit le roi à ses écuyers. Soit, Monseigneur cardinal; je me tiendrai ici jusqu'à demain, au soleil levant, pour l'amour de vous. — Pour l'amour de Dieu, Sire; seulement pour l'amour de Dieu. »

Et je repars. Six fois au long de la journée, je devais faire la navette, allant suggérer à l'un les conditions d'un accord, venant les rapporter à l'autre; et chaque fois, passant entre les haies des archers gallois vêtus de leur livrée mi-partie blanche et verte, je me disais que si quelques-uns, se méprenant, me lançaient une volée de flèches, je serais bien assaisonné.

Le roi Jean jouait aux dés, pour passer le temps, sous son pavillon de drap vermeil. Tout à l'alentour, l'armée s'interrogeait. Bataille ou pas bataille? Et l'on en disputait ferme jusque devant le roi. Il y avait les sages, il y avait les bravaches, il y avait les timorés, il y avait les coléreux... Chacun s'autorisait à donner un avis. En vérité, le roi Jean restait indécis. Je ne pense pas qu'il se posa un seul moment la question du bien général. Il ne se posait que la question de sa gloire personnelle qu'il confondait avec le bien de son peuple. Après nombre de revers et de déboires, qu'est-ce donc qui grandirait le plus sa figure, une victoire par les armes ou par la négociation? Car l'idée d'une défaite bien sûr ne le pouvait effleurer, non plus qu'aucun de ses conseillers.

Or les offres que je lui portais, voyage après voyage, n'étaient point négligeables. Au premier, le prince de Galles consentait à rendre tout le butin qu'il avait fait au cours de sa chevauchée, ainsi que tous les prisonniers, sans demander rançon. Au second, il acceptait de remettre toutes les places et châteaux conquis, et tenait pour nuls les hommages et ralliements. A la troisième navette, c'était une somme d'or, en réparation de ce qu'il avait détruit, non seulement pendant l'été, mais encore dans les terres de Languedoc l'année précédente. Autant dire que de ses deux expéditions, le prince Édouard ne conservait aucun profit.

Le roi Jean exigeait plus encore? Soit. J'obtins du prince le retrait de toutes garnisons placées en dehors de l'Aquitaine... c'était un succès de belle taille... et l'engagement de ne jamais traiter dans l'avenir ni avec le comte de Foix... à ce propos, Phœbus était dans l'armée du roi, mais je ne le vis pas; il se tenait fort à l'écart... ni avec aucun parent du roi, ce qui visait précisément Navarre. Le prince cédait beaucoup; il cédait plus que je n'aurais cru. Et pourtant je devinais qu'au fond de lui il ne pensait pas qu'il serait dispensé de combattre.

Trêve n'interdit pas de travailler. Aussi tout le jour il employa ses hommes à fortifier leur position. Les archers doublaient les haies de pieux épointés aux deux bouts, pour se faire des herses de défense. Ils abattaient des arbres qu'ils tiraient en travers des passages que pourrait emprunter l'adversaire. Le comte de Suffolk, maréchal de l'ost anglais, inspectait chaque troupe l'une après l'autre. Les comtes de Warwick et de Salisbury, le sire d'Audley participaient à nos entrevues et m'escortaient à travers le camp.

Le jour baissait quand j'apportai au roi Jean une ultime proposition que j'avais moi-même avancée. Le prince était prêt à jurer et signer que, pendant sept ans entiers, il ne s'armerait pas ni n'entreprendrait rien contre le royaume de France. Nous étions donc tout au bord de la paix générale.

«Oh! on connaît les Anglais, dit l'évêque Chauveau. Ils jurent, et puis renient leur parole.»

Je répliquai qu'ils auraient peine à renier un engagement pris par-devant le légat papal; je serais signataire à la convention.

«Je vous donnerai réponse au soleil levant», dit le roi.

Et je m'en allai loger à l'abbaye de Maupertuis. Jamais je n'avais tant chevauché dans une même journée, ni tant discuté. Si recru de fatigue que je fusse, je pris le temps de bien prier, de tout mon cœur. Je me fis éveiller à la pointe du jour. Le soleil commençait juste à jaillir quand je me présentai derechef devant le tref du roi Jean. Au soleil levant, avait-il dit. On ne pouvait être plus exact que moi. J'eus une mauvaise impression. Toute l'armée de France était sous les armes, en ordre de bataille, à pied, sauf les trois cents désignés pour la charge, et n'attendant que le signal d'attaquer.

« Monseigneur cardinal, me déclare brièvement le roi, je n'accepterai de renoncer au combat que si le prince Édouard et cent de ses chevaliers, à mon choix, se viennent mettre en ma prison. — Sire, c'est là demande trop grosse et contraire à l'honneur ; elle rend inutiles tous nos pourparlers d'hier. J'ai pris suffisante connaissance du prince de Galles pour savoir qu'il ne la considérera même pas. Il n'est pas homme à capituler sans combattre, et à venir se livrer en vos mains avec la fleur de la chevalerie anglaise, dût ce jour être pour lui le dernier. Le feriez-vous, ou aucun de vos chevaliers de l'Étoile, si vous en étiez en sa place ? — Certes non ! — Alors, Sire, il me paraît vain que j'aille porter une requête avancée seulement pour qu'elle soit repoussée. — Monseigneur cardinal, je vous sais gré de vos offices ; mais le soleil est levé. Veuillez vous retirer du champ. »

Derrière le roi, ils se regardaient par leur ventaille, et échangeaient sourires et clins d'œil, l'évêque Chauveau, Jean d'Artois, Douglas, Eustache de Ribemont et même Audrehem et bien sûr l'Archiprêtre, aussi contents, semblait-il, d'avoir fait échec au légat du pape qu'ils le seraient d'aplatir les Anglais.

Un instant, je balançai, tant la colère me montait au nez, à lâcher que j'avais pouvoir d'excommunication. Mais quoi ? Quel effet cela aurait-il eu ? Les Français seraient tout de même partis à l'attaque, et je n'aurais gagné que de mettre en plus grande évidence l'impuissance de l'Église. J'ajoutai seulement : « Dieu jugera, Sire, lequel de vous deux se sera montré le meilleur chrétien. »

Et je remontai, pour la dernière fois, vers les boqueteaux. J'enrageais. « Qu'ils crèvent tous, ces fous ! me disais-je en galopant. Le Seigneur n'aura pas besoin de les trier ; ils sont tous bons pour sa fournaise. »

Arrivé devant le prince de Galles, je lui dis : « Beau fils, faites ce que vous pourrez ; il vous faut combattre. Je n'ai pu trouver nulle grâce d'accord avec le roi de France. — Nous battre est bien notre intention, me répondit le prince. Que Dieu m'aide ! »

Là-dessus, je m'en repartis, fort amer et dépité, vers Poitiers. Or ce fut le moment que choisit mon neveu de Durazzo pour me dire : « Je vous prie de me relever de mon service, mon oncle. Je veux aller combattre. — Et avec qui ? lui criai-je. — Avec les Français, bien sûr !

— Tu ne les trouves donc pas assez nombreux? — Mon oncle, comprenez qu'il va y avoir bataille, et il n'est pas digne d'un chevalier de n'y pas prendre part. Et messire de Heredia vous en prie aussi... »

J'aurais dû le tancer bien fort, lui dire qu'il était requis par le Saint-Siège pour m'escorter dans ma mission de paix, et que, tout au contraire d'acte de noblesse, ce pourrait être regardé comme une forfaiture d'avoir rejoint l'un des deux partis. J'aurais dû lui ordonner, simplement, de rester... Mais j'étais las, j'étais irrité. Et d'une certaine façon, je le comprenais. J'aurais eu envie de prendre une lance, moi aussi et de charger je ne sais trop qui, l'évêque Chauveau... Alors je lui criai : « Allez au Diable, tous les deux ! Et grand bien vous fasse ! » C'est la dernière parole que j'adressai à mon neveu Robert. Je me la reproche, je me la reproche bien fort...

VII

LA MAIN DE DIEU

C'est chose bien malaisée, quand on n'y fut pas, que de reconstituer une bataille, et même quand on y fut. Surtout lorsqu'elle se déroule aussi confusément que celle de Maupertuis... Elle me fut contée, quelques heures après, de vingt façons différentes, chacun ne la jugeant que de sa place et ne prenant pour important que ce qu'il avait fait. Particulièrement les battus qui, à les entendre, ne l'eussent jamais été sans la faute de leurs voisins, lesquels en disaient tout autant.

Ce qui ne peut être mis en doute, c'est que, aussitôt après mon départ du camp français, les deux maréchaux se prirent de bec. Le connétable, duc d'Athènes, ayant demandé au roi s'il lui plaisait d'ouïr son conseil, lui dit à peu près ceci : « Sire, si vous voulez vraiment que les Anglais se rendent à votre merci, que ne les laissez-vous s'épuiser par défaut de vivres ? Car leur position est forte, mais ils ne la soutiendront guère quand ils auront le corps faible. Ils sont de toute part encerclés, et s'ils tentent sortie par la seule issue où nous pouvons nous-mêmes les forcer, nous les écraserons sans peine. Puisque nous avons attendu une journée, que ne pouvons-nous attendre encore une ou deux autres, d'autant qu'à chaque moment nous nous grossissons des retardataires qui rejoignent ? » Et le maréchal de Clermont d'appuyer : « Le connétable dit bien. Un peu d'attente nous donne tout à gagner, et rien à perdre. »

C'est alors que le maréchal d'Audrehem s'emporta. Atermoyer, toujours atermoyer ! On devrait en avoir terminé depuis la veille au soir. « Vous ferez tant que vous finirez par les laisser échapper, comme souvent il advint. Regardez-les qui bougent. Ils descendent vers nous pour se fortifier plus bas et se ménager refuite. On dirait, Clermont, que vous n'avez pas grand-hâte de vous battre, et qu'il vous peine de voir les Anglais de si près. »

La querelle des maréchaux, il fallait bien qu'elle éclatât. Mais était-ce le moment le mieux choisi ? Clermont n'était pas homme à prendre si gros outrage en plein visage. Il renvoya, comme à la paume : « Vous ne serez point si hardi aujourd'hui, Audrehem, que vous mettiez le museau de votre cheval au cul du mien. »

Là-dessus il rejoint les chevaliers qu'il doit entraîner à l'assaut, se fait hisser en selle, et donne de lui-même l'ordre d'attaquer. Audrehem l'imite aussitôt, et avant que le roi n'ait rien dit, ni le connétable rien commandé, voici la charge lancée, non point groupée comme il en avait été décidé, mais en deux escadrons séparés qui semblent moins se soucier de rompre l'ennemi que de se distancer ou de se poursuivre. Le connétable à son tour demande son destrier et s'élance, cherchant à les rameuter.

Alors le roi fait crier l'attaque pour toutes les bannières ; et tous les hommes d'armes, à pied, patauds, alourdis des cinquante ou soixante livres de fer qu'ils ont sur le dos, commencent à s'avancer dans les champs vers le chemin pentu où déjà la cavalerie s'engouffre. Cinq cents pas à franchir...

Là-haut, le prince de Galles, quand il a vu la charge française s'ébranler, s'est écrié : « Mes beaux seigneurs, nous sommes petit nombre, mais ne vous en effrayez pas. La vertu ni la victoire ne vont forcément à grand peuple, mais là où Dieu veut les envoyer. Si nous sommes déconfits, nous n'en aurons point de blâme, et si la journée est pour nous, nous serons les plus honorés du monde. »

Déjà la terre tremblait au pied de la colline ; les archers gallois se tenaient genou en terre derrière leurs pieux pointus. et les premières flèches se mirent à siffler...

Tout d'abord le maréchal de Clermont fonça sur la bannière de Salisbury, se ruant dans la haie pour s'y faire brèche. Une pluie de flèches brisa sa charge. Ce fut une tombée atroce, au dire de ceux qui en ont réchappé. Les chevaux qui n'avaient pas été atteints allaient s'empaler sur les pieux pointus des archers gallois. De derrière la palissade, les coutilliers et bidaux surgissaient avec leurs gaudendarts, ces terribles armes à trois fins dont le croc saisit le chevalier par la chemise de mailles, et parfois par la chair, pour le jeter à bas de sa monture... dont la pointe disjoint la cuirasse à l'aîne ou à l'aisselle quand l'homme est à terre, dont le croissant enfin sert à fendre le heaume... Le maréchal de Clermont fut des premiers tués, et presque personne d'entre les siens ne put vraiment entamer la position anglaise. Tous défaits dans le passage conseillé par Eustache de Ribemont.

Au lieu de se porter au secours de Clermont, Audrehem avait voulu le distancer en suivant le cours du Miosson pour tourner les Anglais. Il était venu donner sur les troupes du comte de Warwick dont les archers ne lui firent pas meilleur parti. On devait vite apprendre que Audrehem était blessé, et prisonnier. Du duc d'Athènes, on ne savait rien. Il avait disparu dans la mêlée. L'armée avait, en quelques moments, vu disparaître ses trois chefs. Mauvais début. Mais cela ne faisait que trois cents hommes tués ou repoussés, sur vingt-cinq mille qui avançaient, pas à pas. Le roi était remonté à cheval pour dominer ce champ d'armures qui marchait, lentement.

Alors se produisit un étrange remous. Les rescapés de la charge Clermont, déboulant d'entre les deux haies meurtrières, leurs chevaux emportés, eux-mêmes hors de sens et incapables de freiner leurs montures, vinrent donner dans la première bataille, celle du duc d'Orléans, renversant comme des pièces d'échec leurs compagnons qui s'en venaient à pied, péniblement. Oh! ils n'en renversèrent pas beaucoup: trente ou cinquante peut-être, mais qui dans leur chute en chavirèrent le double.

Du coup, voici la panique dans la bannière d'Orléans. Les premiers rangs, voulant se garer des chocs, reculent en désordre; ceux de derrière ne savent pas pourquoi les premiers refluent ni sous quelle poussée; et la déroute s'empare en quelques moments d'une bataille de près de six mille hommes. Combattre à pied n'est pas leur habitude, sinon en champ clos, un contre un. Là, pesants comme ils sont, peinant à se déplacer, la vue rétrécie sous leurs bassinets, ils s'imaginent déjà perdus sans recours. Et tous se jettent à fuir alors qu'ils sont encore bien loin de portée du premier ennemi. C'est une chose merveilleuse qu'une armée qui se repousse elle-même!

Les troupes du duc d'Orléans et le duc lui-même cédèrent ainsi un terrain que nul ne leur disputait, quelques bataillons allant chercher refuge derrière la bataille du roi, mais la plupart courant droit, si l'on peut dire courir, aux chevaux tenus par les varlets, alors que rien d'autre en vérité ne talonnait tous ces fiers hommes que la peur qu'ils s'inspiraient à eux-mêmes.

Et de se faire hisser en selle pour détaler aussitôt, certains partant pliés comme des tapis en travers de leurs montures qu'ils n'étaient pas parvenus à enfourcher. Et disparaissant à travers le pays... La main de Dieu, ne peut-on s'empêcher de penser... n'est-ce pas, Archambaud?... Et seuls les mécréants oseraient en sourire.

La bataille du Dauphin, elle aussi, s'était portée en avant... «Montjoie Saint-Denis!»... et n'ayant reçu aucun retour ni reflux, poursuivit son progrès. Les premiers rangs, haletants déjà de leur marche, s'engagèrent entre les mêmes haies qui avaient été funestes à Clermont, butant sur les chevaux et les hommes abattus là, un petit moment fait. Ils furent accueillis par de mêmes nuées de flèches, tirées de derrière les palissades. Il y eut grand bruit de glaives heurtés, et de cris de fureur ou de douleur. Le goulot étant fort étroit, très peu se trouvaient au choc, tous les autres derrière eux pressés et ne se pouvant plus mouvoir. Jean de Landas, Voudenay, le sire Guichard aussi se tenaient, comme ils en avaient l'ordre, autour du Dauphin lequel aurait été bien en peine, et ses frères de Poitiers et de Berry comme lui, de bouger ou de commander aucun mouvement. Et puis, encore une fois, à travers les fentes d'un heaume, quand on est à pied, avec plusieurs centaines de cuirasses devant soi, le regard n'a guère de champ. A peine le Dauphin voyait-il plus loin que sa bannière, tenue par le chevalier Tristan de Meignelay. Quand les chevaliers du comte de Warwick, ceux-là qui avaient fait Audrehem prisonnier, fondirent à cheval sur le flanc de la bataille du Dauphin, il fut trop tard pour se disposer à soutenir charge.

C'était bien le comble! Ces Anglais, qui si volontiers se battaient à pied et en avaient tiré leur renommée, s'étaient remis en selle dès lors qu'ils avaient vu leurs ennemis venant à l'attaque démontés. Sans avoir à être bien nombreux, ils produisirent la même carambole, mais plus durement, dans le corps de bataille du Dauphin, que celle qui s'était faite toute seule parmi les gens du duc d'Orléans. Et avec plus de confusion encore. «Gardez-vous, gardez-vous», criait-on aux trois fils du roi. Les chevaliers de Warwick poussaient vers la bannière du Dauphin, lequel Dauphin avait laissé choir sa courte lance et peinait, bousculé par les siens, à seulement soutenir son épée.

Ce fut Voudenay, ou bien Guichard, on ne sait pas trop, qui le tira par le bras en lui hurlant: «Suivez-nous; vous devez vous retraire, Monseigneur!» Encore fallait-il pouvoir... Le Dauphin vit le pauvre Tristan de Meignelay navré au sol, le sang lui fuyant de la gorgière comme d'un pot fêlé et coulant sur la bannière aux armes de Normandie et du Dauphiné. Et cela, je le crains, lui donna de l'ardeur à filer. Landas et Voudenay lui ouvraient chemin dans leurs propres rangs. Ses deux frères le suivaient, pressés par Saint-Venant.

Qu'il se soit tiré de ce mauvais pas, il n'y a là rien à redire, et l'on ne doit que louer ceux qui l'y ont aidé. Ils avaient mission de le conduire et protéger. Ils ne pouvaient laisser les fils de France, et surtout le premier, aux mains de l'ennemi. Tout cela est bon. Que le Dauphin soit allé aux chevaux, ou qu'on ait appelé son cheval à lui, et qu'il y soit remonté, et que ses compagnons en aient fait de même, cela est juste encore, puisqu'ils venaient d'être bousculés par gens à cheval.

Mais que le Dauphin alors, sans regarder en arrière, s'en soit en allé d'un roide galop, quittant le champ du combat, tout comme son oncle d'Orléans un moment auparavant, il sera malaisé de jamais faire tenir cela pour une conduite honorable. Ah! les chevaliers de l'Étoile, ce n'était pas leur journée!

Saint-Venant, qui est vieux et dévoué serviteur de la couronne, assurera toujours que ce fut lui qui prit la décision d'éloigner le Dauphin, qu'il avait déjà pu juger que la bataille du roi était mal en point, que l'héritier du trône commis à sa garde devait coûte que coûte être sauvé, et qu'il lui fallut insister fortement et presque ordonner au Dauphin d'avoir à partir, et il soutiendra cela au Dauphin lui-même... brave Saint-Venant! D'autres, hélas, ont la langue moins discrète.

Les hommes de la bataille du Dauphin, voyant celui-ci s'éloigner, ne furent pas longs à se débander et s'en furent à leurs chevaux eux aussi, criant à la retraite générale.

Le Dauphin courut une grande lieue, comme il était parti. Alors, le jugeant assez en sécurité, Voudenay, Landas et Guichard lui annoncèrent qu'ils s'en retournaient se battre. Il ne leur répondit rien. Et que leur aurait-il dit? «Vous repartez à l'engagement, moi je m'en écarte; je vous fais mon compliment et mon salut»?... Saint-Venant voulait également s'en retourner. Mais il fallait bien que quelqu'un restât avec le Dauphin, et les autres lui en firent obligation, comme au plus vieux et au plus sage. Ainsi Saint-Venant, avec une petite escorte qui se grossit vite, d'ailleurs, de fuyards tout affolés qu'ils rencontraient, conduisit le Dauphin s'enfermer dans le gros château de Chauvigny. Et là, paraît-il, quand ils furent arrivés, le Dauphin eut peine à retirer son gantelet, tant sa main droite était gonflée, toute violette. Et on le vit pleurer.

VIII

LA BATAILLE DU ROI

Restait la bataille du roi... Ressers-nous un peu de ce vin mosellan, Brunet... Qui donc? l'Archiprêtre?... Ah bon, celui de Verdun! Je le verrai demain, ce sera bien assez tôt. Nous sommes ici pour trois jours, tant nous nous sommes avancés par ce temps de printemps qui continue, au point que les arbres ont des bourgeons, en décembre...

Oui, restait le roi Jean, sur le champ de Maupertuis... Maupertuis... tiens, je n'y avais pas songé. Les noms, on les répète, on ne s'avise plus de leur sens... Mauvaise issue, mauvais passage... On devrait se méfier de livrer combat dans un lieu ainsi appelé.

D'abord le roi avait vu fuir en désordre, avant même l'abord de l'ennemi, les bannières que commandait son frère. Puis se défaire et disparaître, à peine engagées, les bannières de son fils. Certes, il en avait éprouvé dépit, mais sans penser que rien fût perdu pour autant. Sa seule bataille était encore plus nombreuse que tous les Anglais réunis.

Un meilleur capitaine eût sans doute compris le danger et modifié aussitôt sa manœuvre. Or, le roi Jean laissa aux chevaliers d'Angleterre tout le temps de répéter à son encontre la charge qui venait de si bien leur réussir. Ils ont déboulé sur lui, lances basses, et ils ont rompu son front de bataille.

Pauvre Jean II! Son père, le roi Philippe, avait été déconfit à Crécy pour avoir lancé sa chevalerie contre la piétaille, et lui se faisait étriller, à Poitiers, tout précisément pour la raison inverse.

«Que faut-il faire quand on affronte des gens sans honneur qui toujours emploient des armes autres que les vôtres?» C'est ce qu'il m'a dit ensuite, quand je l'ai revu. Du moment qu'il s'avançait à pied, les Anglais auraient dû, s'ils avaient été de preux hommes, rester à pied de même. Oh! il n'est pas le seul prince qui rejette la faute de ses échecs sur un adversaire qui n'a pas joué la règle du jeu choisie par lui!

Il m'a dit aussi que la grande colère où ceci l'avait mis lui renforçait les membres. Il ne sentait plus le poids de son armure. Il avait rompu sa masse de fer, mais auparavant il avait assommé plus d'un assaillant. Il aimait mieux, d'ailleurs, assommer que pourfendre ; mais puisqu'il ne lui restait plus que sa hache d'armes à deux tranchants, il la brandissait, il la faisait tournoyer, il l'abattait. On eût dit un bûcheron fou dans une forêt d'acier. De plus furieux que lui sur un champ de bataille, on n'en a guère connu. Il ne sentait rien, ni fatigue ni effroi, seulement la rage qui l'aveuglait, plus encore que le sang qui lui coulait sur la paupière gauche.

Il était si sûr de gagner, tout à l'heure ; il avait la victoire dans la main ! Et tout s'est écroulé. A cause de quoi, à cause de qui ? A cause de Clermont, à cause d'Audrehem, ses méchants maréchaux trop tôt partis, à cause de son connétable, un âne ! Qu'ils crèvent, qu'ils crèvent tous ! Là-dessus, il peut se rassurer, le bon roi ; ce vœu-là au moins est exaucé. Le duc d'Athènes est mort ; on le retrouvera tout à l'heure contre un buisson, le corps ouvert par un coup de vouge et piétiné par une charge. Le maréchal de Clermont est mort ; il a reçu tant de flèches que son cadavre ressemble à une roue de dindon. Audrehem est prisonnier, la cuisse traversée.

Rage et fureur. Tout est perdu, mais le roi Jean ne cherche qu'à tuer, tuer, tuer tout ce qui est devant lui. Et puis tant pis, mourir, le cœur éclaté ! Sa cotte d'armes bleue brodée des lis de France est en lambeaux. Il a vu tomber l'oriflamme, que le brave Geoffroy de Charny serrait contre sa poitrine ; cinq coutilliers étaient sur lui ; un bidau gallois ou un goujat irlandais, armé d'un mauvais couteau de boucher, a emporté la bannière de France.

Le roi appelle les siens. « A moi, Artois ! à moi, Bourbon ! » Ils étaient là il n'y a qu'un moment. Eh oui ! Mais à présent, le fils du comte Robert, le dénonciateur du roi de Navarre, le géant à petite cervelle... « mon cousin Jean, mon cousin Jean »... est prisonnier, et son frère Charles d'Artois aussi, et Monseigneur de Bourbon, le père de la Dauphine.

« A moi, Regnault, à moi l'évêque ! Fais-toi entendre de Dieu ! » Si Regnault Chauveau parlait à Dieu en ce moment-là, c'était face à face. Le corps de l'évêque de Châlons gisait quelque part, les yeux clos sous la mitre de fer. Personne ne répondait plus au roi qu'une voix en mue qui lui criait : « Père, père, gardez-vous ! A droite, père, gardez-vous ! »

Le roi a eu un moment d'espoir en voyant Landas, Voudenay et Guichard reparaître dans la bataille, à cheval. Les fuyards s'étaient-ils repris ? Les bannières des princes revenaient-elles, au galop, pour le dégager ? « Où sont mes fils ? — A l'abri, Sire ! »

Landas et Voudenay avaient chargé. Seuls. Le roi saurait plus tard qu'ils étaient morts, morts d'être retournés au combat pour qu'on ne les crût pas lâches, après avoir sauvé les princes de France. Un seul de ses fils reste au roi, le plus jeune, son préféré, Philippe, qui continue de lui crier: «A gauche, père, gardez-vous! Père, père, gardez-vous à droite...» et qui le gêne, disons bien, autant qu'il ne l'aide. Car l'épée est un peu lourde dans les mains de l'enfant pour être bien offensive, et il faut au roi Jean écarter parfois de sa longue hache cette lame inutile, afin de pouvoir porter des coups d'arrêt à ses assaillants. Mais au moins il n'a pas fui, le petit Philippe!

Soudain, Jean II se voit entouré de vingt adversaires, à pied, si pressés qu'ils se gênent les uns les autres. Il les entend crier: «C'est le roi, c'est le roi, sus au roi!»

Pas une cotte d'armes française dans ce cercle terrible. Sur les targes et les écus, rien que des devises anglaises ou gasconnes. «Rendez-vous, rendez-vous, sinon vous êtes mort», lui crie-t-on.

Mais le roi fou n'entend rien. Il continue de fendre l'air avec sa hache. Comme on l'a reconnu, on se tient à distance; dame, on veut le prendre vivant! Et il tranche le vent à droite, à gauche, à droite surtout parce qu'à gauche il a l'œil collé par le sang... «Père, gardez-vous...» Un coup atteint le roi à l'épaule. Un énorme chevalier alors traverse la presse, fait brèche de son corps dans le mur d'acier, joue des cubitières, et parvient devant le roi haletant qui toujours mouline l'air. Non, ce n'est pas Jean d'Artois; je vous l'ai dit, il est prisonnier. D'une forte voix française, le chevalier crie: «Sire, Sire, rendez-vous.»

Le roi Jean alors s'arrête de frapper contre rien, contemple ceux qui l'entourent, qui l'enferment, et répond au chevalier: «A qui me rendrais-je, à qui? Où est mon cousin le prince de Galles? C'est à lui que je parlerai. — Sire, il n'est pas ici; mais rendez-vous à moi, et je vous mènerai devers lui, répond le géant. — Qui êtes-vous? — Je suis Denis de Morbecque, chevalier, mais depuis cinq ans au royaume d'Angleterre, puisque je ne puis demeurer au vôtre.»

Morbecque, condamné pour homicide et délit de guerre privée, le frère de ce Jean de Morbecque qui travaille si bien pour les Navarre, qui a négocié le traité entre Philippe d'Évreux et Édouard III. Ah! le sort faisait bien les choses et mettait des épices dans l'infortune pour la rendre plus amère.

«Je me rends à vous», dit le roi.

Il jeta sa hache d'armes dans l'herbe, ôta son gantelet et le tendit au gros chevalier. Et puis, un instant immobile, l'œil clos, il laissa la défaite descendre en lui.

Mais voilà qu'à son entour le hourvari reprenait, qu'il était bousculé, tiré, pressé, secoué, étouffé. Les vingt gaillards criaient tous ensemble: «Je l'ai pris, je l'ai pris, c'est moi qui l'ai pris!» Plus fort que tous, un Gascon gueulait: «Il est à moi. J'étais le premier à l'assaillir. Et vous venez, Morbecque, quand la besogne est faite.» Et Morbecque de répondre: «Que clamez-vous, Troy? Il s'est rendu à moi, pas à vous.»

C'est qu'elle allait rapporter gros, et d'honneur et d'argent, la prise du roi de France ! Et chacun cherchait à l'agripper pour assurer son droit. Saisi au bras par Bertrand de Troy, au col par un autre, le roi finit par être renversé dans son armure. Ils l'eussent séparé en quartiers.

« Seigneurs, seigneurs ! criait-il, menez-moi courtoisement, voulez-vous, et mon fils aussi, devers le prince mon cousin. Ne vous battez plus de ma prise. Je suis assez grand pour tous vous faire riches. »

Mais ils n'écoutaient rien. Ils continuaient de hurler : « C'est moi qui l'ai pris. Il est mien ! »

Et ils se battaient entre eux, ces chevaliers, gueules rogues et griffes de fer levées, ils se battaient pour un roi comme des chiens pour un os.

Passons à présent du côté du prince de Galles. Son bon capitaine, Jean Chandos, venait de le rejoindre sur un tertre qui dominait une grande partie du champ de bataille, et ils s'y étaient arrêtés. Leurs chevaux, les naseaux injectés de sang, le mors enveloppé de bave mousseuse, étaient couverts d'écume. Eux-mêmes haletaient. « Nous nous entendions l'un l'autre prendre de grandes goulées d'air », m'a raconté Chandos. La face du prince ruisselait et son camail d'acier, fixé au casque, qui enfermait le visage et les épaules, se soulevait à chaque prise d'haleine.

Devant eux, ce n'étaient que haies éventrées, arbrisseaux cassés, vignes ravagées. Partout des montures et des hommes abattus. Ici un cheval n'en finissait pas de mourir, battant des fers. Là, une cuirasse rampait. Ailleurs, trois écuyers portaient au pied d'un arbre le corps d'un chevalier expirant. Partout, archers gallois et coutilliers irlandais dépouillaient les cadavres. On entendait encore dans quelques coins des cliquetis de combat. Des chevaliers anglais passaient dans la plaine serrant un des derniers Français qui cherchait sa retraite.

Chandos dit : « Dieu merci, la journée est vôtre, Monseigneur. — Eh oui, par Dieu, elle l'est. Nous l'avons emporté ! » lui répondit le prince. Et Chandos reprit : « Il serait bon, je crois, que vous vous arrêtiez ici, et fassiez mettre votre bannière sur ce haut buisson. Ainsi se rallieront vers vous vos gens, qui sont fort épars. Et vous-même pourrez vous rafraîchir un petit, car je vous vois fort échauffé. Il n'y a plus à poursuivre. — Je pense ainsi », dit le prince.

Et tandis que la bannière aux lions et aux lis était plantée sur un buisson et que les sonneurs cornaient, cornaient dans leur trompe le rappel au prince, Édouard se fit ôter son bassinet, secoua ses cheveux blonds, essuya, sa moustache trempée.

Quelle journée ! Il faut bien reconnaître qu'il avait vraiment payé de sa personne, galopant sans relâche, pour se montrer à chaque troupe, encourageant ses archers, exhortant ses chevaliers, décidant des points où pousser des renforts... enfin, c'est surtout Warwick et Suffolk, ses maréchaux, qui décidaient ; mais il était toujours là pour leur dire :

« Allez, vous faites bien... » Au vrai, il n'avait pris de lui-même qu'une seule décision, mais capitale, et qui lui méritait vraiment la gloire de toute la journée. Lorsqu'il avait vu le désordre causé dans la bannière d'Orléans par le seul reflux de la charge française, il avait aussitôt remis en selle une partie de son monde pour aller produire semblable effet dans la bataille du duc de Normandie. Lui-même était entré dans la mêlée à dix reprises. On avait eu l'impression qu'il était partout. Et chacun qui ralliait venait le lui dire. « La journée est vôtre. La journée est vôtre... C'est grande date, dont les peuples garderont mémoire. La journée est vôtre, vous avez fait merveille. »

Ses gentilshommes du corps et de la chambre se hâtèrent à lui dresser son pavillon, sur place, et à faire avancer le chariot, soigneusement garé, qui contenait tout le nécessaire de son repas, sièges, tables, couverts, vins.

Il ne pouvait pas se décider à descendre de cheval, comme si la victoire n'était pas vraiment acquise.

« Où est le roi de France, l'a-t-on vu ? » demandait-il à ses écuyers.

Il était grisé d'action. Il parcourait le tertre, prêt à quelque lutte suprême.

Et soudain il aperçut, renversée dans les bruyères, une cuirasse immobile. Le chevalier était mort, abandonné de ses écuyers, sauf d'un vieux serviteur blessé, qui se cachait dans un taillis. Auprès du chevalier, son pennon : armes de France au sautoir de gueules. Le prince fit ôter le bassinet du mort. Eh ! oui, Archambaud... c'est bien ce que vous pensez ; c'était mon neveu... c'était Robert de Durazzo.

Je n'ai pas honte de mes larmes... Certes, son honneur propre l'avait poussé à une action que l'honneur de l'Église, et le mien, auraient dû lui défendre. Mais je le comprends. Et puis, il fut vaillant... Il n'est pas de jour où je ne prie Dieu de lui faire pardon.

Le prince commanda à ses écuyers : « Mettez ce chevalier sur une targe, portez-le à Poitiers et présentez-le pour moi au cardinal de Périgord, et dites-lui que je le salue. »

Et c'est de la sorte, oui, que j'appris que la victoire était aux Anglais. Dire que, le matin, le prince était prêt à traiter, à tout rendre de ses prises, à suspendre les armes, pour sept ans ! Il m'en fit beau reproche, le lendemain, quand nous nous revîmes à Poitiers. Ah ! il ne mâcha pas ses paroles. J'avais voulu servir les Français, je l'avais trompé sur leur force, j'avais mis tout le poids de l'Église dans la balance pour l'amener à composition. Je ne pus que lui répondre : « Beau prince, vous avez épuisé les moyens de la paix, par amour de Dieu. Et la volonté de Dieu s'est fait connaître. » Voilà ce que je lui dis...

Mais Warwick et Suffolk étaient arrivés sur le tertre, et avec eux Lord Cobham. « Avez-vous nouvelles du roi Jean ? leur demanda le prince.

— Non, pas de notre vue, mais nous croyons bien qu'il est mort ou pris, car il n'est point parti avec ses batailles. »

Alors le prince leur dit : « Je vous prie, partez et chevauchez pour m'en dire la vérité. Trouvez le roi Jean. »

Les Anglais étaient épars, répandus sur près de deux lieues rondes, chassant l'homme, poursuivant et ferraillant. A présent que la journée était gagnée, chacun traquait pour son profit. Dame ! Tout ce que porte sur lui un chevalier pris, armes et joyaux, appartient à son vainqueur. Et ils étaient bellement adornés, les barons du roi Jean. Beaucoup avaient des ceintures d'or. Sans parler des rançons, bien sûr, qui se discuteraient et seraient fixées selon le rang du prisonnier. Les Français sont assez vaniteux pour qu'on les laisse eux-mêmes fixer le prix auquel ils s'estiment. On pouvait bien se fier à leur gloriole. Alors, à chacun sa chance ! Ceux-là qui avaient eu la bonne fortune de mettre la main sur Jean d'Artois, ou le comte de Vendôme, ou le comte de Tancarville, étaient en droit de songer à se faire bâtir château. Ceux qui ne s'étaient saisis que d'un petit banneret, ou d'un simple bachelier, pourraient seulement changer le meuble de leur grand-salle et offrir quelques robes à leur dame. Et puis il y aurait les dons du prince, pour les plus hauts faits et belles prouesses.

« Nos hommes sont à chasser la déconfiture jusques aux portes de Poitiers », vint annoncer Jean de Grailly, captal de Buch. Un homme de sa bannière qui revenait de là-bas avec quatre grosses prises, n'en pouvant conduire plus, lui avait appris qu'il s'y faisait grand abattis de gens, parce que les bourgeois de Poitiers avaient fermé leurs portes ; devant celles-ci, sur la chaussée, on s'était occis horriblement, et maintenant les Français se rendaient d'aussi loin qu'ils apercevaient un Anglais. De très ordinaires archers avaient jusqu'à cinq et six prisonniers. Jamais on n'avait ouï telle méchéance.

« Le roi Jean y est-il ? demanda le prince. — Certes non. On me l'aurait dit. »

Et puis, au bas du tertre, Warwick et Cobham reparurent, allant à pied, la bride de leur cheval au bras, et cherchant à mettre paix parmi une vingtaine de chevaliers et écuyers qui leur faisaient escorte. En anglais, en français, en gascon, ces gens disputaient avec des grands gestes, mimant des mouvements de combat. Et devant eux, tirant ses pas, allait un homme épuisé, un peu titubant, qui, de sa main nue, tenait par le gantelet un enfant en armure. Un père et un fils qui marchaient côte à côte, tous deux portant sur la poitrine des lis de soie tailladés.

« Arrière ; que nul n'approche le roi, s'il n'en est requis », criait Warwick aux disputeurs.

Et là seulement Édouard de Galles, prince d'Aquitaine, duc de Cornouailles, connut, comprit, embrassa l'immensité de sa victoire. Le roi, le roi Jean, le chef du plus nombreux et plus puissant royaume d'Europe... L'homme et l'enfant marchaient vers lui très lentement... Ah! cet instant qui demeurerait toujours dans la mémoire des hommes!... Le prince eut l'impression qu'il était regardé de toute la terre.

Il fit un signe à ses gentilshommes, pour qu'on l'aidât à descendre de cheval. Il se sentait les cuisses raides et les reins aussi.

Il se tint sur la porte de son pavillon. Le soleil, qui inclinait, traversait le boqueteau de rayons d'or. On les aurait bien surpris, tous ces hommes, en leur disant que l'heure de Vêpres était déjà passée.

Édouard tendit les mains au présent que lui amenaient Warwick et Cobham, au présent de la Providence. Jean de France, même courbé par le destin adverse, est de plus grande taille que lui. Il répondit au geste de son vainqueur. Et ses deux mains aussi se tendirent, l'une gantée, l'autre nue. Ils restèrent un moment ainsi, non pas s'accolant, simplement s'étreignant les mains. Et puis Édouard eut un geste qui allait toucher le cœur de tous les chevaliers. Il était fils de roi; son prisonnier était roi couronné. Alors, toujours le tenant par les mains, il inclina profondément la tête, et il esquissa une pliure du genou. Honneur à la vaillance malheureuse... Tout ce qui grandit notre vaincu grandit notre victoire. Il y eut des gorges qui se serrèrent chez ces rudes hommes.

« Prenez place, Sire mon cousin, dit Édouard en invitant le roi Jean à entrer dans le pavillon. Laissez-moi vous servir le vin et les épices. Et pardonnez que, pour le souper, je vous fasse faire bien simple chère. Nous passerons à table tout à l'heure. »

Car on s'affairait à dresser une grande tente sur le tertre. Les gentilshommes du prince connaissaient leur devoir. Et les cuisiniers ont toujours quelques pâtés et viandes dans leurs coffres. Ce qui manquait, on alla le chercher au garde-manger des moines de Maupertuis. Le prince dit encore : « Vos parents et barons auront plaisir à se joindre à vous. Je les fais appeler. Et souffrez qu'on panse cette blessure au front qui montre votre grand courage. »

IX

LE SOUPER DU PRINCE

C'est chose qui fait songer au destin des nations, que de vous conter tout cela, qui vient de survenir... et qui marque un grand changement, un grand tournement pour le royaume... justement ici entre toutes places, justement à Verdun... Pourquoi? Eh! mon neveu, parce que le royaume y est né, parce que ce qu'on peut nommer le royaume de France est issu du traité signé ici-même après la bataille de Fontenoy, alors *Fontanetum*... vous savez bien, où nous sommes passés... entre les trois fils de Louis le Pieux. La part de Charles le Chauve y fut pauvrement découpée, d'ailleurs sans regarder les vérités du sol. Les Alpes, le Rhin eussent dû être frontières naturelles à la France, et il n'est pas de bon sens que Verdun et Metz soient terres d'Empire. Or, que va-t-il en être de la France, demain? Comment va-t-on la découper? Peut-être n'y aura-t-il plus de France du tout, dans dix ou vingt ans, certains se le demandent sérieusement. Ils voient un gros morceau anglais, et un morceau navarrais allant d'une mer à l'autre avec toute la Langue d'oc, et un royaume d'Arles rebâti dans la mouvance de l'Empire, avec la Bourgogne en sus... Chacun rêve de dépecer la faiblesse.

Pour vous dire mon sentiment, je n'y crois guère, parce que l'Église, tant que je vivrai et que vivront quelques autres de ma sorte, ne permettra point cet écartèlement. Et puis le peuple a trop le souvenir et l'habitude d'une France qui fut une et grande. Les Français verront vite qu'ils ne sont rien s'ils ne sont plus du royaume, s'ils ne sont plus rassemblés dans un seul État. Mais il y aura des gués difficiles à traverser. Peut-être serez-vous mis devant des choix pénibles. Choisissez toujours, Archambaud, dans le sens du royaume, même s'il est commandé par un mauvais roi... parce que le roi peut mourir, ou être déchassé, ou tenu en captivité, mais le royaume dure.

La grandeur de la France, elle apparaissait, au soir de Poitiers, dans les égards mêmes que le vainqueur, ébloui de sa fortune et presque n'y croyant pas, prodiguait au vaincu. Étrange tablée que celle qui s'installa, après la bataille, au milieu d'un bois du Poitou, entre des murs de drap rouge. Aux places d'honneur, éclairés par des cierges, le roi de France, son fils Philippe, Monseigneur Jacques de Bourbon, qui devenait duc puisque son père avait été tué dans la journée, le comte Jean d'Artois, les comtes de Tancarville, d'Étampes, de Dammartin, et aussi les sires de Joinville et de Parthenay, servis dans des couverts d'argent ; et répartis aux autres tables, entre des chevaliers anglais et gascons, les plus puissants et les plus riches des autres prisonniers.

Le prince de Galles affectait de se lever pour servir lui-même le roi de France et lui verser le vin en abondance.

« Mangez, cher Sire, je vous en prie. N'ayez point regret à le faire. Car si Dieu n'a pas consenti à votre vouloir et si la besogne n'a pas tourné de votre côté, vous avez aujourd'hui conquis haut renom de prouesse, et vos hauts faits ont passé les plus grands. Certainement Monseigneur mon père vous fera tout l'honneur qu'il pourra, et s'accordera à vous si raisonnablement que vous demeurerez bons amis ensemble. Au vrai, chacun ici vous reconnaît le prix de bravoure, car en cela vous l'avez emporté sur tous. »

Le ton était donné. Le roi Jean se détendait. L'œil gauche tout bleu, et une entaille dans son front bas, il répondait aux politesses de son hôte. Roi-chevalier, il lui importait de se montrer tel dans la défaite. Aux autres tables, les voix montaient de timbre. Après qu'ils s'étaient durement heurtés à l'épée ou à la hache, les seigneurs des deux partis, à présent, faisaient assaut de compliments.

On commentait haut les péripéties de la bataille. On ne tarissait pas de louanges sur la hardiesse du jeune prince Philippe qui, lourd de mangeaille après cette dure journée, dodelinait sur son siège et glissait au sommeil.

Et l'on commençait à faire les comptes. Outre les grands seigneurs, ducs, comtes et vicomtes qui étaient une vingtaine, on avait déjà pu dénombrer parmi les prisonniers plus de soixante barons et bannerets ; les simples chevaliers, écuyers et bacheliers ne pouvaient être recensés. Plus d'un double millier assurément ; on ne saurait vraiment le total que le lendemain...

Les morts ? Il fallait les estimer en même quantité. Le prince ordonna que ceux déjà ramassés fussent portés, dès l'aurore suivante, au couvent des frères mineurs de Poitiers, en tête les corps du duc d'Athènes, du duc de Bourbon, du comte-évêque de Châlons, pour y être enterrés avec toute la pompe et l'honneur qu'ils méritaient. Quelle procession ! Jamais couvent n'aurait vu tant de hauts hommes et de si riches lui arriver en un seul jour. Quelle fortune, en messes et dons, allait s'abattre sur les Frères Mineurs ! Et autant sur les Frères Prêcheurs.

Je vous dis tout de suite qu'il fallut dépaver la nef et le cloître de deux couvents pour mettre dessous, sur deux étages, les Geoffroy de Charny, les Rochechouart, les Eustache de Ribemont, les Dance de Melon, les Jean de Montmorillon, les Seguin de Cloux, les La Fayette, les La Rochedragon, les La Rochefoucault, les La Roche Pierre de Bras, les Olivier de Saint-Georges, les Imbert de Saint-Saturnin, et je pourrais encore vous en citer par vingtaines.

« Sait-on ce qu'il est advenu de l'Archiprêtre? » demandait le roi.

L'Archiprêtre était blessé, prisonnier d'un chevalier anglais. Combien valait l'Archiprêtre? Avait-il gros château, grandes terres? Son vainqueur s'informait sans vergogne. Non. Un petit manoir à Vélines. Mais que le roi l'ait nommé haussait son prix.

« Je le rachèterai », dit Jean II qui, sans savoir encore ce qu'il allait coûter lui-même à la France, recommençait à faire le grandiose.

Alors le prince Édouard de répondre: « Pour l'amour de vous, Sire mon cousin, je rachèterai moi-même cet archiprêtre, et lui rendrai la liberté, si vous le souhaitez. »

Le ton montait autour des tables. Le vin et les viandes, goulûment avalés, portaient à la tête de ces hommes fatigués, qui n'avaient rien mangé depuis le matin. Leur assemblée tenait à la fois du repas de cour après les grands tournois et de la foire aux bestiaux.

Morbecque et Bertrand de Troy n'avaient pas fini de se disputer quant à la prise du roi. « C'est moi, vous dis-je! — Que non; j'étais sur lui, vous m'avez écarté! — A qui a-t-il remis son gant? »

De toute manière, ce ne serait pas à eux qu'irait la rançon, énorme à coup sûr, mais au roi d'Angleterre. Prise de roi est au roi. Ce dont ils débattaient, c'était de savoir qui toucherait la pension que le roi Édouard ne manquerait pas d'accorder. A se demander s'ils n'auraient pas eu plus de profit, sinon d'honneur, à prendre un riche baron qu'ils se seraient partagé. Car on faisait des partages, si l'on avait été à deux ou trois sur le même prisonnier. Ou bien des échanges. « Donnez-moi le sire de La Tour; je le connais, il est parent à ma bonne épouse. Je vous remettrai Mauvinet, que j'ai pris. Vous y gagnez; il est sénéchal de Touraine. »

Et le roi Jean soudain frappa du plat de la main sur la table.

« Mes sires, mes bons seigneurs, j'entends que tout se fasse entre vous et ceux qui nous ont pris selon l'honneur et la noblesse. Dieu a voulu que nous soyons déconfits, mais vous voyez les égards qu'on nous prouve. Nous devons garder la chevalerie. Que nul ne s'avise de fuir ou de forfaire à la parole donnée, car je le honnirai. »

On eût dit qu'il commandait, cet écrasé, et il prenait toute sa hauteur pour inviter ses barons à être bien exacts dans la captivité.

Le prince de Galles qui lui versait le vin de Saint-Émilion l'en remercia. Le roi Jean le trouvait aimable, ce jeune homme. Comme il était attentif, comme il avait de belles façons. Le roi Jean eût aimé que ses fils lui ressemblassent! Il ne résista pas, la boisson et la fatigue aidant, à lui dire : « N'avez-vous point connu Monsieur d'Espagne ? — Non, cher Sire ; je l'ai seulement affronté sur mer... » Il était courtois, le prince ; il aurait pu dire : « Je l'ai défait... » « C'était un bon ami. Vous m'en rappelez la mine et la tournure... » Et puis soudain, avec de la méchanceté dans la voix : « Ne me demandez point de rendre la liberté à mon gendre de Navarre ; cela, contre ma vie, je ne le ferai point. »

Le roi Jean II, un moment, avait été grand, vraiment, un très bref moment, dans l'instant qui avait suivi sa capture. Il avait eu la grandeur de l'extrême malheur. Et voici qu'il revenait à sa nature : des manières répondant à l'image exagérée qu'il se faisait de soi, un jugement faible, des soucis futiles, des passions honteuses, des impulsions absurdes et des haines tenaces.

La captivité, d'une certaine façon, n'allait pas lui déplaire, une captivité dorée, s'entend, une captivité royale. Ce faux glorieux avait rejoint son vrai destin, qui était d'être battu. Finis, pour un temps, les soucis du gouvernement, la lutte contre toutes choses adverses en son royaume, l'ennui de donner des ordres qui ne sont point suivis. A présent, il est en paix ; il peut prendre à témoin ce ciel qui lui a été contraire, se draper dans son infortune, et feindre de supporter avec noblesse la douleur d'un sort qui lui convient si bien. A d'autres le fardeau de conduire un peuple rétif ! On verra s'ils parviennent à faire mieux...

« Où m'emmenez-vous, mon cousin ? demanda-t-il. — A Bordeaux, cher Sire, où je vous donnerai bel hôtel, pourvoyance, et fêtes pour vous réjouir, jusqu'à ce que vous vous accommodiez avec le roi mon père. — Est-il joie pour un roi captif ? » répondit Jean II déjà tout attentif à son personnage.

Ah ! que n'avait-il accepté, au début de cette journée de Poitiers, les conditions que je lui portais ? Vit-on jamais pareil roi, en position de tout gagner le matin, sans avoir à tirer l'épée, qui peut rétablir sa loi sur le quart de son royaume, seulement en posant son seing et son sceau sur le traité que son ennemi traqué lui offre, et qui refuse... et le soir se retrouve prisonnier !

Un oui au lieu d'un non. L'acte irrattrapable. Comme celui du comte d'Harcourt, remontant l'escalier de Rouen au lieu de sortir du château. Jean d'Harcourt y a laissé la tête ; là, c'est la France entière qui risque d'en connaître agonie.

Le plus surprenant, et l'injuste, c'est que ce roi absurde, obstiné seulement à gâcher ses chances, et qu'on n'aimait guère avant Poitiers, est bientôt devenu, parce qu'il est vaincu, parce qu'il est captif, objet d'admiration, de pitié et d'amour pour son peuple, pour une partie de son peuple. Jean le Brave, Jean le Bon...

Et cela commença dès le souper du prince. Alors qu'ils avaient tout à reprocher à ce roi qui les avait menés au malheur, les barons et chevaliers prisonniers exaltaient son courage, sa magnanimité, que sais-je? Ils se donnaient, les vaincus, bonne conscience et bel aspect. Quand ils rentreront, leurs familles s'étant saignées et ayant saigné leurs manants pour payer leurs rançons, ils diront, soyez-en sûr, avec superbe: «Vous ne fûtes pas comme moi auprès de notre roi Jean...» Ah! ils la raconteront, la journée de Poitiers!

A Chauvigny, le Dauphin, qui prenait un repas triste en compagnie de ses frères et entouré seulement de quelques serviteurs, fut averti que son père était vivant, mais captif. «A vous de gouverner, à présent, Monseigneur», lui dit Saint-Venant.

Il n'y a guère dans le passé, à mon savoir, princes de dix-huit ans qui aient eu à prendre le gouvernail dans une situation aussi piteuse. Un père prisonnier, une noblesse diminuée par la défaite, deux armées ennemies campant dans le pays, car il y a toujours Lancastre au-dessus de la Loire... plusieurs provinces ravagées, point de finances, des conseillers cupides, divisés et haïs, un beau-frère en forteresse mais dont les partisans bien actifs relèvent la tête plus que jamais, une capitale frémissante qu'une poignée de bourgeois ambitieux incite à l'émeute... Ajoutez à cela que le jeune homme est de chétive santé, et que sa conduite en bataille n'a pas fait grandir sa réputation.

A Chauvigny, toujours ce même soir, comme il avait décidé de rentrer à Paris par le plus court, Saint-Venant lui demanda: «Quelle qualité, Monseigneur, devront donner à votre personne ceux qui parleront en son nom?» Et le Dauphin répondit: «Celle que j'ai, Saint-Venant, celle que Dieu me désigne: lieutenant général du royaume.» Ce qui était parole sage...

Il y a trois mois de cela. Rien n'est tout à fait perdu, mais rien non plus ne donne signe d'amélioration, tout au contraire. La France se défait. Et nous allons dans moins d'une semaine nous retrouver à Metz, d'où je ne vois pas trop, je vous l'avoue, quel grand bien en pourrait sortir, sauf pour l'Empereur, ni quelle grande œuvre s'y pourrait faire, entre un lieutenant du royaume, mais qui n'est pas le roi, et un légat pontifical, mais qui n'est pas le pape.

Savez-vous ce qui vient de m'être dit? La saison est si belle, et les journées sont si chaudes à Metz, où l'on attend plus de trois mille princes, prélats et seigneurs, que l'Empereur, si cette douceur se maintient, a décidé qu'il donnerait le festin de Noël au grand air, dans un jardin clos.

Dîner dehors à Noël, en Lorraine, encore une chose que l'on n'avait jamais vue!

NOTES HISTORIQUES

1. — C'est vers l'âge de soixante-quinze ans que le sénéchal de Joinville entreprit son *Histoire de Saint Louis*, à la demande de la reine Jeanne de Navarre, femme de Philippe. le Bel, qui voulait avoir un livre des « saintes paroles et des bons faits » du roi croisé.

La rédaction prit à Joinville une dizaine d'années. La reine Jeanne étant morte dans l'intervalle, ce fut à son fils, Louis de Navarre, futur Louis X Hutin, que l'auteur fit la dédicace de son ouvrage « A son bon seigneur Loois, fils du roy de France », et le lui présenta, comme en fait foi une miniature du temps.

2. — Élu pape dans les étranges circonstances que l'on verra décrites au cours de ce volume — et que nous avons romancées mais non point inventées — Jacques Duèze (Jean XXII) devait vers le milieu de son pontificat soutenir en divers sermons et études sa thèse sur la vision béatifique.

3. — Les principales étoffes de soie utilisées dans le vêtement étaient : le *samit*, qui se rapprochait de notre satin, le *sandal* et le *camocas*, assez semblables aux taffetas, et les draps d'or ou d'argent, lourds brocarts à trame de soie.

Parmi les étoffes de laine, on employait beaucoup les *marbrés*, draps tissés de diverses couleurs, les *rayés*, le *camelin*, c'est-à-dire le tissu de poil de chameau ou ses imitations, et surtout les *écarlates*. Ces derniers étaient les draps les plus riches et les plus estimés dont on se parait dans les occasions solennelles. Les meilleurs étaient fabriqués en Flandre et en Angleterre. La matière colorante était fournie par le kermès, petit insecte qu'on trouvait dans le Languedoc et qui se vendait desséché. Il y avait plusieurs nuances d'*écarlate* : vermeille, rosée, violette, sanguine.

4. — La plupart des auteurs donnent le chiffre de vingt-trois

cardinaux pour le conclave de 1314-1316. Nous en avons relevé vingt-quatre.

Le parti des « romains » comptait six Italiens : Jacques Colonna, Pierre Colonna, Napoléon Orsini, François Caëtani, Jacques-Stefaneschi-Caëtani, Nicolas Alberti (ou Albertini) de Prato ; un Angevin de Naples, Guillaume de Longis, et enfin un Espagnol, Lucas de Flisco (appelé parfois Fieschi), consanguin du roi d'Aragon. Ces cardinaux étaient de créations antérieures au pontificat de Clément V et à l'installation de la papauté en Avignon ; le chapeau leur avait été conféré entre 1278 et 1303, pendant les règnes de Nicolas III, Nicolas IV, Célestin V, Boniface VIII et Benoît XI.

Tous les autres cardinaux avaient été créés par Clément V. Le parti dit « provençal » comprenait : Guillaume de Mandagout, Bérenger Frédol l'aîné, Bérenger Frédol le cadet, le Cadurcien Jacques Duèze et les Normands Nicolas de Fréauville et Michel du Bec.

Enfin les Gascons, au nombre de dix, étaient Arnaud de Pélagrue, Arnaud de Fougères, Arnaud Nouvel, Arnaud d'Auch, Raymond-Guillaume de Farges, Bernard de Garves, Guillaume-Pierre Godin, Raymond de Goth, Vital du Four et Guillaume Teste.

5. — Jusqu'au milieu du XIIe siècle, la ville de Lyon était au pouvoir des comtes de Forez et de Roannez, sous la souveraineté purement nominale de l'empereur d'Allemagne.

A partir de 1173, l'empereur ayant reconnu à l'archevêque de Lyon, primat des Gaules, des droits souverains, le Lyonnais fut séparé du Forez, et le pouvoir ecclésiastique gouverna la ville, avec droit de justice, de battre monnaie et de lever des troupes.

Ce régime déplut à la puissante commune de Lyon, uniquement composée de bourgeois et de marchands, lesquels pendant plus d'un siècle luttèrent pour s'émanciper. Après plusieurs révoltes malheureuses, ils firent appel au roi Philippe le Bel qui, en 1292, prit Lyon sous sa protection.

Vingt ans plus tard, le 10 avril 1312, un traité, conclu entre la commune, l'archevêché et le roi, réunit définitivement Lyon au royaume de France.

En dépit des revendications de Jean de Marigny, archevêque de Sens et qui contrôlait le diocèse de Paris, l'archevêque de Lyon parvint à garder le primatiat des Gaules, seule prérogative qui lui fût maintenue.

A la fin du Moyen Age, Lyon comptait 24 taverniers, 32 barbiers, 48 tisserands, 56 couturiers, 44 poissonniers, 36 bouchers, épiciers et charcutiers, 57 escoffiers (chausseurs), 36 panetiers et boulangers, 25 albergeurs, 15 orfèvres ou doriers, 20 drapiers, et 87 « notaires ».

La ville était administrée par la « commune », constituée des bourgeois commerçants qui nommaient, chaque 21 décembre, douze consuls, toujours notables et choisis parmi les familles riches ; ce corps consulaire s'appelait le « syndical ».

L'une des plus anciennes familles consulaires était celle des Varay, drapiers et changeurs. Trente et un de ses membres portèrent le titre de consul ; certains furent souvent réélus, et l'un d'eux jusqu'à dix fois. On comptait huit Varay parmi les cinquante citoyens que les Lyonnais se donnèrent pour chefs, en 1285, afin de mener la lutte contre l'archevêque et d'obtenir l'annexion à la France.

6. — L'Église romaine n'a jamais, comme ses adversaires l'ont souvent prétendu, vendu d'absolution. Mais elle a, ce qui est tout différent, fait payer aux coupables le prix des bulles qui leur étaient délivrées pour attester qu'ils avaient reçu l'absolution de leur faute.

Ces bulles étaient nécessaires lorsque, le délit ou le crime ayant été publics, il fallait fournir preuve d'avoir été absous pour être de nouveau admis aux sacrements.

Le même principe était appliqué en droit civil pour les lettres de grâce et de rémission accordées par le roi et dont l'inscription aux registres donnait lieu à la perception d'une taxe. La coutume en remontait aux Francs, avant même leur conversion au christianisme.

Jacques Duèze (Jean XXII), par son livre des taxes et par l'institution de la Sainte Pénitencerie, devait codifier et généraliser cet usage pour l'Église, dont il restaura de la sorte les finances.

Les membres du clergé n'étaient pas seuls astreints à ces bulles ; des taxes étaient également prévues pour les laïcs. Les tarifs étaient calculés en « gros », monnaie qui valait environ six livres.

Ainsi le parricide, le fratricide ou le meurtre d'un parent, entre laïcs, étaient taxés entre cinq et sept gros, de même que l'inceste, le viol d'une vierge, ou le vol d'objets sacrés. Le mari qui avait battu sa femme ou l'avait fait avorter était astreint à verser six gros, et sept si l'épouse avait eu les cheveux arrachés. La plus forte amende, soit vingt-sept gros, frappait la falsification des lettres apostoliques, c'est-à-dire de la signature du pape.

Les taux montèrent avec le temps, parallèlement à la dévaluation de la monnaie.

Mais encore une fois, il ne s'agissait pas de l'achat de l'absolution ; il s'agissait d'un droit d'enregistrement pour la fourniture de preuves authentiques.

Les innombrables pamphlets consacrés à cette question et qui circulèrent à partir de la Réforme, pour discréditer l'Église romaine, se sont tous appuyés sur cette confusion volontaire.

7. — Les *Frères Prêcheurs*, ou *Dominicains*, étaient également appelés *Jacobins*, à cause de l'église Saint-Jacques qu'on leur avait

donnée, à Paris, et autour de laquelle ils avaient installé leur communauté.

Le couvent de Lyon où se tint le conclave de 1316 avait été édifié en 1236 sur des terrains situés derrière la maison des Templiers. L'ensemble du monastère s'étendait de l'actuelle place des Jacobins jusqu'à la place Bellecour.

8. — On oublie généralement le caractère primitivement électif de la monarchie capétienne qui précéda son caractère héréditaire, ou tout au moins coexista avec lui.

A la mort accidentelle du dernier carolingien, Louis V le Fainéant, disparu à vingt ans après un règne de quelques mois, Hugues Capet, duc de France et fils de Hugues le Grand, fut désigné par élection.

Hugues Capet associa immédiatement au trône son fils Robert II en le faisant élire comme successeur et sacrer dans l'année même de son propre sacre. Il en fut ainsi pendant les règnes suivants. Aussitôt le fils aîné du roi désigné comme héritier présomptif, les pairs avaient à ratifier ce choix, et le nouvel élu était sacré du vivant de son père.

Ce fut Philippe Auguste qui le premier renonça à la tradition de l'élection préalable. Il montrait peu d'estime pour les aptitudes de son fils, et sans doute n'était-il guère désireux de l'associer au gouvernement. Louis VIII recueillit la couronne de France à la mort de Philippe Auguste, le 14 juillet 1223, exactement comme il eût recueilli l'héritage d'un fief. Ce fut ce 14 juillet-là que la monarchie française devint véritablement héréditaire.

9. — Les généalogies donnent souvent le prénom de Louis au fils de Philippe V, né en juillet 1316. Or, dans les comptes de Geoffroy de Fleury, argentier de Philippe le Long et qui commença la rédaction de ses livres cette année-là en prenant ses fonctions le 12 juillet, l'enfant est désigné sous le nom de Philippe.

D'autres généalogies mentionnent deux fils dont l'un serait né en 1315, et donc aurait été conçu pendant que Jeanne de Bourgogne était prisonnière à Dourdan ; ceci paraît bien incroyable quand on sait les efforts que Mahaut déploya pour réconcilier sa fille et son gendre. L'enfant qui fut le fruit de cette réconciliation reçut probablement, et comme il était d'usage, au moins deux des prénoms habituellement portés dans la famille.

10. — La prise du pouvoir par Blanche de Castille n'alla pas d'ailleurs sans difficultés. Bien que désignée par un acte du roi Louis VIII, son époux, comme tutrice et régente, Blanche se heurta à une hostilité violente des grands vassaux.

Bien est France abâtardie,
Seigneurs barons entendez,
Quand à femme on l'a baillie,

écrivit Hugues de la Ferté.

Mais Blanche de Castille était d'une autre trempe que Clémence de Hongrie. En outre, elle était reine depuis dix ans et avait donné le jour à douze enfants. Elle triompha des barons grâce à l'appui du comte Thibaud de Champagne qu'on lui prêta pour amant.

11. — On constate une frappante similitude entre la folie de Robert de Clermont et celle de Charles VI, deux fois son arrière-neveu, à la cinquième génération par les hommes et à la quatrième par les femmes.

Dans les deux cas, la démence débute par un choc d'armes, avec traumatisme crânien chez Clermont, sans traumatisme chez Charles VI, mais qui déclenche une manie furieuse chez l'un comme chez l'autre : mêmes périodes de crises frénétiques suivies de longues rémissions où le sujet reprenait un comportement en apparence normal ; même goût obsessionnel des tournois qu'on ne pouvait les empêcher d'organiser et auxquels ils paraissaient, bien que parfois en état de délire. Clermont, tout dément et dangereux qu'il était, avait autorisation de chasser dans l'ensemble du domaine royal. Il se présenta même à l'ost de Philippe le Bel, pendant l'une des campagnes de Flandre, tout ainsi que Charles VI, fou depuis vingt ans, assista au siège de Bourges et aux combats contre le duc de Berry.

12. — Cris réglementaires qui marquaient le début du tournoi.

13. — Les jouets et jeux d'enfants n'ont pratiquement pas varié depuis le Moyen Age jusqu'à nos jours. C'étaient déjà balles et ballons faits de cuir ou d'étoffe, cerceaux, toupies, poupées, chevaux de bois et palets. On jouait à colin-maillard, aux barres, à la courte-paille, à chat perché, à la main chaude, à cache-cache et à saute-mouton, ainsi qu'aux marionnettes. Les petits garçons, dans les familles riches, possédaient des imitations d'armements faits à leurs mesures : heaumes de fer léger, robes de mailles, épées sans tranchant, ancêtres des modernes panoplies de général ou de cow-boy.

14. — La dernière fille d'Agnès de Bourgogne, Jeanne, mariée à Philippe de Valois, futur Philippe VI, était boiteuse tout comme son cousin germain Louis Ier de Bourbon, fils de Robert de Clermont.

La boiterie existait également dans la branche collatérale des Anjou, puisque le roi Charles II, grand-père de Clémence de Hongrie, avait le surnom de *Boiteux*. Une tradition, reprise d'ailleurs par Mistral dans les *Iles d'or*, veut que, lorsque l'ambassadeur du roi de France, donc le comte de Bouville, vint demander Clémence en mariage pour son maître, il exigea que la princesse se dévêtît devant lui afin de s'assurer qu'elle avait les jambes droites.

15. — La *broigne* était un vêtement de peau, de toile ou de velours, sur lequel étaient cousus des maillons de fer, et qui avait remplacé la cotte de mailles proprement dite. Par-dessus cette broigne, et pour la renforcer, commençaient d'apparaître des éléments dits « plates » — d'où le nom d'armure de plates — qui étaient des parties de métal plein, forgées à la forme du corps et articulées à la façon des queues d'écrevisses.

16. — Mahaut dressa un état minutieux des vols et dégâts commis en son château de Hesdin, état qui ne comprenait pas moins de cent vingt-neuf articles. Elle intenta un procès devant le parlement de Paris pour obtenir remboursement, ce qui lui fut partiellement accordé par arrêt du 9 mai 1321.

17. — On disait « borgne » pour « myope ». Philippe V fut appelé le Long, le Grand ou le Borgne.

18. — Il était d'usage alors, dans les familles royales ou princières, de donner aux enfants plusieurs parrains et marraines, parfois jusqu'à huit. Ainsi Charles de Valois et Gaucher de Châtillon se trouvaient tous deux parrains de Charles de la Marche, le troisième fils de Philippe le Bel. Mahaut était marraine de ce prince, comme elle l'était de nombreux autres enfants de la famille. Sa désignation pour porter sur les fonts l'enfant posthume de Louis X n'avait donc rien qui pût surprendre : ne pas la choisir eût paru, au contraire, une disgrâce.

19. — Le baptême, à cette époque, était toujours donné le lendemain de la naissance.

L'ablution par immersion totale en eau froide fut pratiquée jusqu'au début du XIVe siècle. Un synode, tenu à Ravenne en 1313, décida pour la première fois que le baptême pouvait être également donné par aspersion, s'il y avait pénurie d'eau bénite ou si l'on craignait que l'immersion complète ne compromît la santé de l'enfant. Mais ce ne fut vraiment qu'au XVe siècle que la pratique de l'immersion disparut.

20. — Lorsqu'un nouveau-né présentait des signes de maladie, ce n'était pas à lui qu'on faisait absorber les remèdes mais à la nourrice.

21. — Les *chevaliers poursuivants*, création de Philippe V au début de son règne, étaient nommés par le roi pour l'accompagner et le conseiller ; ils devaient être auprès de lui en tous ses déplacements, mais non pas tous ensemble.

On trouve parmi eux de proches parents du roi comme le comte de Valois, le comte d'Évreux, le comte de la Marche, le comte de Clermont, de grands seigneurs comme les comtes de Forez, de Boulogne, de Savoie, de Saint-Pol, de Sully, d'Harcourt et de Comminges ; de grands officiers de la couronne tels que le conné-table, les maréchaux, le maître des arbalétriers, ainsi que d'autres personnages, membres du Conseil secret ou du « conseil qui gouverne », légistes, administrateurs du Trésor, bourgeois anoblis et amis personnels du roi. On y relève les noms de Miles de Noyers, Giraud Guette, Guy Florent, Guillaume Flotte, Guillaume Courteheuse, Martin des Essarts, Anseau de Joinville.

Ces chevaliers furent une préfiguration des *gentilshommes de la Chambre* institués par Henri III et qui subsistèrent jusque sous Charles X.

22. — La soudaine prodigalité de la reine Clémence après son tragique accouchement, et qui semble le signe d'une altération mentale, devait aller s'accentuant. Le pape Jean XXII, qui avait toujours protégé Clémence puisqu'elle était princesse d'Anjou, était forcé, dès le mois de mai suivant, de sermonner par lettre la jeune veuve, l'engageant à vivre dans l'effacement, la chasteté, l'humilité, d'être sobre en sa table, modeste en ses paroles comme en ses vêtements, et à ne pas se montrer seulement en compagnie de jeunes gens. En même temps, il intervenait auprès de Philippe V pour la fixation du douaire de Clémence, ce qui n'alla pas sans difficulté.

Le pape, à plusieurs reprises, écrivit encore à Clémence pour l'exhorter à réduire ses dépenses excessives et la prier fermement de régler ses dettes, en particulier aux Bardi de Florence. Finalement, en 1318, elle dut faire retraite pour quelques années au couvent de Sainte-Marie de Nazareth, près d'Aix-en-Provence. Mais, avant d'y entrer, elle fut obligée, pour satisfaire aux exigences de ses créanciers, de déposer tous ses bijoux en gage.

23. — On appelait *bourses à cul-de-vilain* les bourses à panses rondes et étroites du col. Il en était de fort décorées et les seigneurs y portaient souvent leur sceau en même temps que leur monnaie.

24. — On entendait par *robe*, en terme de trousseau, un habillement complet composé de plusieurs pièces appelées « garnements » et toutes de même tissu. La robe de parade comprenait : deux surcots, l'un clos et l'autre ouvert, une housse, une garnache, un chaperon et un manteau à parer.

25. — Après l'élection de Hugues Capet, les six plus grands seigneurs du royaume, trois ducs et trois comtes, désignés pour remettre la couronne à l'élu lors de son sacre, avaient été : le duc de Bourgogne, le duc de Normandie, le duc de Guyenne, le comte de Champagne, le comte de Flandre, le comte de Toulouse. Ils étaient considérés comme les pairs du roi, c'est-à-dire ses égaux. Il y avait à côté d'eux six pairs ecclésiastiques dont trois ducs-archevêques et trois comtes-évêques.

26. — Cinq siècles plus tard, dans son discours du 21 mars 1817 devant la Chambre des Pairs, et relatif à une loi de finances, Chateaubriand tira argument de cette ordonnance de Philippe le Long, promulguée en 1318, par laquelle le domaine de la couronne avait été déclaré inaliénable.

RÉPERTOIRE BIOGRAPHIQUE

Les souverains apparaissent dans ce répertoire au nom sous lequel ils ont régné ; les autres personnages à leur nom de famille ou de fief principal. Nous n'avons pas fait mention de certains personnages épisodiques, lorsque les documents historiques ne conservent de leur existence d'autre trace que l'action précise pour laquelle ils figurent dans notre récit.

Alençon (Charles de Valois, comte d') (1294-1346).
Second fils de Charles de Valois et de Marguerite d'Anjou-Sicile. Tué à Crécy.

Andronic II Paléologue (1258-1322).
Empereur de Constantinople. Couronné en 1282. Détrôné par son petit-fils Andronic III en 1328.

Anjou (saint Louis d') (1275-1299).
Deuxième fils de Charles II d'Anjou, dit le Boiteux, roi de Sicile, et de Marie de Hongrie. Renonça au trône de Naples pour entrer dans les ordres. Évêque de Toulouse. Canonisé sous Jean XXII en 1317.

Anjou-Sicile (Marguerite d'), comtesse de Valois (vers 1270-31 décembre 1299).
Fille de Charles II d'Anjou, dit le Boiteux, roi de Sicile, et de Marie de Hongrie. Première épouse de Charles de Valois. Mère du futur Philippe VI, roi de France.

Artevelde (Jakob Van) (vers 1285-1345).
Marchand drapier de Gand. Joua un rôle capital dans les affaires de Flandre. Assassiné au cours d'une révolte de tisserands.

Artois (Jean d'), comte d'Eu (1321-6 avril 1386).

Fils de Robert d'Artois et de Jeanne de Valois, fut emprisonné avec sa mère et ses frères après le bannissement de Robert. Libérés en 1347. Chevalier (1350). Reçut en donation le comté d'Eu après l'exécution de Raoul de Brienne. Fait prisonnier à Poitiers (1356). Il avait épousé Isabelle de Melun dont il eut six enfants.

Artois (Mahaut, comtesse de Bourgogne puis d') (?-27 novembre 1329).
Fille de Robert II d'Artois. Épousa (1291) le comte palatin de Bourgogne, Othon IV (mort en 1303). Comtesse-pair d'Artois par jugement royal (1309). Mère de Jeanne de Bourgogne, épouse de Philippe de Poitiers, futur Philippe V, et de Blanche de Bourgogne, épouse de Charles de France, comte de la Marche, futur Charles IV.

Artois (Robert III d') (1287-1342).
Fils de Philippe d'Artois et petit-fils de Robert II d'Artois. Comte de Beaumont-le-Roger et seigneur de Conches (1309). Épousa Jeanne de Valois, fille de Charles de Valois et de Catherine de Courtenay (1318). Pair du royaume par son comté de Beaumont-le-Roger (1328). Banni du royaume (1322), se réfugia à la Cour d'Édouard III d'Angleterre. Blessé mortellement à Vannes. Enterré à Saint-Paul de Londres.

Arundel (Edmond Fitzalan, comte d') (1285-1326).
Fils de Richard Ier, comte d'Arundel. Épouse Alice, sœur de John, comte de Warenne, dont il eut un fils, Richard, qui épousa la fille de Hugh Le Despenser le Jeune. Grand Juge du Pays de Galles (1323-1326). Décapité à Hereford.

Asnières (Jean d').
Avocat au Parlement de Paris. Prononça l'acte d'accusation d'Enguerrand de Marigny.

Aubert (Étienne) (voir Innocent VI, pape).

Auch (Arnaud d') (?-1320).
Évêque de Poitiers (1306). Créé cardinal-évêque d'Albano par Clément V en 1312. Légat du pape à Paris en 1314. Camérier du pape jusqu'en 1319. Mort en Avignon.

Aunay (Gautier d') (?-1314).
Fils aîné de Gautier d'Aunay, seigneur de Moucy-le-Neuf, du

Mesnil et de Grand-Moulin. Bachelier du comte de Poitiers, second fils de Philippe le Bel. Convaincu d'adultère (affaire de la tour de Nesle) avec Blanche de Bourgogne, il fut exécuté à Pontoise. Il avait épousé Agnès de Montmorency.

Aunay (Philippe d') (?-1314).
Frère cadet du précédent. Écuyer du comte de Valois. Convaincu d'adultère avec Marguerite de Bourgogne, épouse de Louis, dit Hutin, roi de Navarre puis de France. Exécuté en même temps que son frère à Pontoise.

Auxois (Jean d').
Évêque de Troyes, puis d'Auxerre (de 1353 à 1359).

Baglioni (Guccio) (vers 1295-1340).
Banquier siennois apparenté à la famille des Tolomei. Tenait, en 1315, comptoir de banque à Neauphle-le-Vieux. Épousa secrètement Marie de Cressay dont il eut un fils, Giannino (1316), échangé au berceau avec Jean Ier le Posthume. Mort en Campagnie.

Baldock (Robert de) (?-1327).
Archidiacre du Middlesex (1314). Lord du sceau privé (1320). Mort à Londres.

Bar (Édouard, comte de) (1285-?).
Fils d'Henri III, comte de Bar (mort en 1302). Épousa en 1310 Marie de Bourgogne, sœur de Marguerite. Beau-frère de Louis X, d'Eudes de Bourgogne et de Philippe de Valois.

Barbette (Étienne) (vers 1250-19 décembre 1321).
Bourgeois de Paris, appartenant à une des plus vieilles familles de notables. Voyer de Paris (1275), échevin (1296), prévôt des marchands (1296 et 1314), maître de la Monnaie de Paris et argentier du roi. Sa demeure, la courtille Barbette, fut pillée lors des émeutes de 1306.

Béatrice de Hongrie (vers 1294-?).
Fille de Charles-Martel d'Anjou. Sœur de Charobert, roi de Hongrie, et de Clémence, reine de France. Épouse du dauphin de Viennois, Jean II de La Tour du Pin, et mère de Guigues VIII et Humbert II, derniers dauphins de Viennois.

Beaumont (Jean de), dit le Déramé, seigneur de Clichy et de

Courcelles-la-Garenne (?-1318).
Succéda en 1315 à Miles de Noyers dans la charge de maréchal de France.

Bec-Crespin (Michel du) (?-1318).
Dizenier de Saint-Quentin en Vermandois. Créé cardinal par Clément V le 24 décembre 1312.

Benoît XII (Jacques Nouvel-Fournier) (vers 1285-avril 1342).
Cistercien. Abbé de Fontfroide. Évêque de Pamiers (1317), puis de Mirepoix (1326). Créé cardinal en décembre 1327 par Jean XXII auquel il succéda en 1334.

Berkeley (Thomas, baron de) (1292-1361).
Chevalier (1322). Fait prisonnier à Shrewsbury et libéré en 1326. Gardien du roi Édouard II en son château de Berlekey (1327). Maréchal de l'armée en 1340, commanda les forces anglaises à Crécy. Marié à Marguerite, fille de Roger Mortimer.

Bersumée (Robert).
Capitaine de la forteresse de Château-Gaillard, il fut le premier gardien de Marguerite et Blanche de Bourgogne. Il fut remplacé, après 1316, par Jean de Croisy, puis André Thiart.

Bertrand (Robert de) (?-1348).
Baron de Briquebec, vicomte de Roncheville. Lieutenant du roi en Guyenne, Saintonge, Normandie et Flandre. Maréchal de France (1325). Il avait épousé Marie de Sully, fille d'Henri, grand bouteiller de France.

Boccacio da Chellino ou Boccace.
Banquier florentin, voyageur de la compagnie des Bardi. Eut d'une maîtresse française un fils adultérin (1313) qui fut l'illustre poète Boccace, auteur du *Décaméron*.

Bohême (Jean de Luxembourg, roi de) (1296-1346).
Fils d'Henri VII, empereur d'Allemagne. Frère de Marie de Luxembourg, deuxième épouse (1322) de Charles IV, roi de France. Épousa (1310) Élisabeth de Bohême, dont il eut une fille, Bonne, qui épousa en 1332 Jean, duc de Normandie, futur Jean II, roi de France. Tué à Crécy.

Boniface VIII (Benoît Caëtani), pape (vers 1215-11 octobre 1303).
D'abord chanoine de Todi, avocat consistorial et notaire apostoli-

que. Cardinal en 1281. Fut élu pape le 24 décembre 1294 après l'abdication de Célestin V. Victime de l'« attentat » d'Anagni, il mourut à Rome un mois plus tard.

Bourbon (Louis, sire, puis premier duc de) (vers 1280-1342).
Fils aîné de Robert, comte de Clermont (1256-1318), et de Béatrice de Bourgogne, fille de Jean, sire de Bourbon. Petit-fils de Saint Louis. Grand chambrier de France à partir de 1312. Comte de la Marche (1322). Duc et pair en septembre 1327.

Bourdenai (Michel de).
Légiste et conseiller de Philippe le Bel. Fut emprisonné et eut ses biens confisqués sous le règne de Louis X, mais retrouva biens et dignités sous Philippe V.

Bourgogne (Agnès de France, duchesse de) (vers 1268-vers 1325).
Dernière des onze enfants de Saint Louis. Mariée en 1273 à Robert II de Bourgogne. Mère de Hugues V et d'Eudes IV, ducs de Bourgogne, de Marguerite, épouse de Louis X Hutin, roi de Navarre puis de France, et de Jeanne, dite la Boiteuse, épouse de Philippe VI de Valois.

Bourgogne (Blanche de) (vers 1296-1326).
Fille cadette d'Othon VI, comte palatin de Bourgogne, et de Mahaut d'Artois. Mariée en 1307 à Charles de France, troisième fils de Philippe le Bel. Convaincue d'adultère (1314), en même temps que Marguerite de Bourgogne, fut enfermée à Château-Gaillard, puis au château de Gournay, près de Coutances. Après l'annulation de son mariage (1322), elle prit le voile à l'abbaye de Maubuisson où elle mourut.

Bourgogne (Eudes IV, duc de) (vers 1294-1350).
Fils de Robert II, duc de Bourgogne, et d'Agnès de France, fille de Saint Louis. Succéda en mai 1315 à son frère Hugues V. Frère de Marguerite, épouse de Louis X Hutin, de Jeanne, épouse de Philippe de Valois, futur Philippe VI, de Marie, épouse du comte de Bar, et de Blanche, épouse du comte Édouard de Savoie. Marié le 18 juin 1318 à Jeanne, fille aînée de Philippe V (morte en 1347).

Bourgogne (Jeanne de France, duchesse de) (1308-1347).
Fille aînée de Philippe V et de Jeanne de Bourgogne. Fiancée en juillet 1316 à Eudes VI, duc de Bourgogne ; mariée en juin 1318.

Bouville (Hugues III, comte de) (?-1331).
Fils de Hugues II de Bouville et de Marie de Chambly. Chambellan de Philippe le Bel. Il épousa (1293) Marguerite des Barres dont il eut un fils, Charles, qui fut chambellan de Charles V et gouverneur du Dauphiné.

Bretagne (Jean III, dit le Bon, duc de) (1286-1341).
Fils d'Arthur II, duc de Bretagne, auquel il succède en 1312. Marié trois fois, mort sans enfants.

Briançon (Geoffroy de).
Conseiller de Philippe le Bel et l'un de ses trésoriers. Fut emprisonné en même temps que Marigny sous le règne de Louis X, mais fut rétabli par Philippe V dans ses possessions et dignités.

Brienne (Raoul de) (?-1345).
Comte d'Eu et de Guines. Connétable de France (1330). Lieutenant du roi en Hainaut (1331), en Languedoc et Guyenne (1334). Mort en tournoi.

Brienne (Raoul de) (?-novembre 1350).
Comte d'Eu et de Guines. Fils du précédent, lui succéda dans la charge de connétable. Prisonnier en Angleterre et libéré sur parole par Édouard III, fut décapité sans jugement, par ordre de Jean II, le lendemain de son retour.

Burghersh (Henry de) (1282-1340).
Évêque de Lincoln (1320). Recueillit, avec Orleton, l'abdication d'Édouard II (1327). Négocia la paix avec les Écossais (1328). Succéda à Orleton dans la charge de trésorier (mars 1328). Accompagna Édouard III à Amiens pour l'hommage (1328) en qualité de chancelier. A nouveau trésorier de 1334 à 1337. Accomplit de nombreuses missions diplomatiques en France.

Bucy (Simon de).
Ancien chancelier du duc de Normandie. Premier président du Parlement de Paris à partir de 1345.

Caëtani (Francesco) (?-mars 1317).
Neveu de Boniface VIII et créé cardinal par lui en 1295. Impliqué dans une tentative d'envoûtement du roi de France (1316). Mort en Avignon.

Capocci (Nicola, cardinal) (?-1368).
Romain. Petit-neveu d'Honoré IV (pape) par sa mère. Docteur en droit. Évêque d'Urgel. Cardinal (1350). Envoyé en mission de négociation entre le roi de France et le roi d'Angleterre par le pape Innocent VI (1356). Mourut à Monte-Falcone le 26 juillet 1368 et fut enterré à Sainte-Marie Majeure.

Caumont.
Membre de la ligue d'Artois en révolte contre la comtesse Mahaut.

Cervole (Arnaud de), seigneur de Vélines en Périgord (?-1366).
Laïc, se fit attribuer le titre honorifique d'archiprêtre qu'il dut abandonner en 1352. Au service de Jean II à partir de 1351. Promu chevalier en 1355. Blessé à la bataille de Poitiers. Mena ensuite, avec des compagnies de routiers, des chevauchées en Provence, en Nivernais, en Lorraine, et fut tué par un de ses cavaliers en mai 1366.

Chambly (Égidius de) (?-janvier 1326).
Dit également Égidius de Pontoise. Cinquantième abbé de Saint-Denis.

Charles IV, empereur d'Allemagne (1316-1378).
Fils de Jean de Luxembourg, roi de Bohême, dit l'Aveugle, et petit-fils de l'empereur Henri VII. Élevé à la cour de France. Épouse (1329) Blanche de Valois, demi-sœur de Philippe VI. Couronné roi de Bohême en 1346 et empereur l'année suivante. Blessé à la bataille de Crécy. Publie (1356) la Bulle d'Or.

Charles IV, roi de France (1294-1er février 1328).
Troisième fils de Philippe IV le Bel et de Jeanne de Champagne. Comte apanagiste de la Marche (1315). Succéda à son frère Philippe V (1322). Marié successivement à Blanche de Bourgogne (1307), Marie de Luxembourg (1322), et Jeanne d'Évreux (1325). Mourut à Vincennes, sans héritier mâle, dernier roi de la lignée des Capétiens directs.

Charles V, roi de France (21 janvier 1338-16 septembre 1380).
Fils aîné de Jean II et de Bonne de Luxembourg. Né à Vincennes. Reçoit le titre de Dauphin (1349) après la cession du Dauphiné à la France. Marié (1350) à Jeanne de Bourbon. Chevalier la même année. Lieutenant du roi en Normandie (1355), puis duc de Normandie. Participa à la bataille de Poitiers (1356) et assuma le gouvernement du royaume pendant la captivité de Jean II.

Devint roi sous le nom de Charles V à la mort de Jean II (1364). Mort le 16 septembre 1380. Inhumé à Saint-Denis.

Charles II, roi de Navarre, dit le Mauvais (1332-1387).
Fils de Philippe d'Évreux et de Jeanne de France, reine de Navarre. Roi à la mort de sa mère. Sacré à Pampelune le 27 juin 1350. Frère de Blanche, deuxième épouse de Philippe VI, et d'Agnès, épouse de Gaston Phoebus, comte de Foix. Marié (1352) à Jeanne de Valois, fille aînée de Jean II. En 1351, nommé par Jean II lieutenant général en Languedoc, charge qui lui fut retirée au profit de Charles d'Espagne qu'il fit assassiner (1354). Mort le 1er janvier 1387.

Charles-Martel ou Carlo-Martello, roi titulaire de Hongrie (vers 1273-1296).
Fils aîné de Charles II d'Anjou, dit le Boiteux, roi de Sicile, et de Marie de Hongrie. Neveu de Ladislas IV, roi de Hongrie, et prétendant à sa succession. Roi titulaire de Hongrie de 1291 à sa mort. Père de Clémence de Hongrie, seconde épouse de Louis X, roi de France.

Charles-Robert, ou Charobert, ou Caroberto, roi de Hongrie (vers 1290-1342).
Fils du précédent et de Clémence de Habsbourg. Frère de Clémence de Hongrie. Prétendant au trône de Hongrie à la mort de son père (1296), il ne fut reconnu roi qu'en août 1310.

Charnay (Geoffroy de) (?-18 mars 1314).
Précepteur de Normandie dans l'Ordre des chevaliers du Temple. Arrêté le 13 octobre 1307, fut condamné et brûlé à Paris.

Châtillon (Gaucher V de), comte de Porcien (vers 1250-1329).
Connétable de Champagne (1284), puis de France après Courtrai (1302). Fils de Gaucher IV et d'Isabeau de Villehardouin, dite de Lizines. Assura la victoire de Mons-en-Pévèle. Fit couronner Louis Hutin roi de Navarre à Pampelune (1307). Successivement exécuteur testamentaire de Louis X., Philippe V et Charles IV. Participa à la bataille de Cassel (1328), et mourut l'année suivante ayant occupé la charge de connétable de France sous cinq rois. Il avait épousé Isabelle de Dreux, puis Mélisinde de Vergy, puis Isabeau de Rumigny.

Châtillon (Guy V de), comte de Saint-Pol (?-6 avril 1317).
Second fils de Guy IV et de Mahaut de Brabant, veuve de

Robert Ier d'Artois. Grand bouteiller de France de 1296 à sa mort. Épousa (1292) Marie de Bretagne, fille du duc Jean II et de Béatrice d'Angleterre, dont il eut cinq enfants. L'aînée de ses filles, Mahaut, fut la troisième épouse de Charles de Valois.

Châtillon (Guy de), comte de Blois (?-1342).
Fils de Hugues VI de Châtillon, comte de Saint-Pol, et de Béatrix de Dampierre, fille du comte de Flandre. Épouse (1311) Marguerite, fille de Charles de Valois et de Marguerite d'Anjou-Sicile, sœur de Philippe VI, roi de France. Leur fils, Charles, fut prétendant à la succession de Bretagne à la mort du duc Jean III.

Châtillon-Saint-Pol (Mahaut de), comtesse de Valois (vers 1293-1358).
Fille de Guy de Châtillon-Saint-Pol, grand bouteiller de France et de Marie de Bretagne. Troisième épouse de Charles de Valois (1308).

Cherchemont (Jean de) (?-1328).
Seigneur de Venours en Poitou. Clerc du roi (1318). Chanoine de Notre-Dame de Paris. Chancelier de France de 1320 à la fin du règne de Philippe V. Réintégré dans ces fonctions à partir de novembre 1323.

Clémence de Hongrie, reine de France (vers 1293-12 octobre 1328).
Fille de Charles-Martel d'Anjou, roi titulaire de Hongrie, et de Clémence de Habsbourg. Nièce de Charles de Valois par sa première épouse, Marguerite d'Anjou-Sicile. Sœur de Charles-Robert, ou Charobert, roi de Hongrie, et de Béatrice, épouse du dauphin de Viennois, Jean II. Épousa Louis X Hutin, roi de France et de Navarre, le 13 août 1315, et fut couronnée avec lui à Reims. Veuve en juin 1316, elle mit au monde en novembre 1316 un fils, Jean Ier. Mourut au Temple.

Clément V (Bertrand de Got ou Goth), pape (?-20 avril 1314).
Né à Villandraut (Gironde). Fils du chevalier Arnaud Garsias de Got. Archevêque de Bordeaux (1300). Élu pape (1305) pour succéder à Benoît XI. Couronné à Lyon, il fut le premier des papes d'Avignon.

Clément VI (Pierre Roger) (1292-1352).
Natif du Limousin. Bénédictin, puis archevêque de Rouen et de Bordeaux. Chancelier de Philippe VI. Cardinal (1337). Élu pape

en 1342. Acheta à la reine Jeanne de Naples la propriété d'Avignon (1348).

Clermont Robert, comte de) (1256-1318).
Dernier fils de Saint Louis et de Marguerite de Provence. Marié, vers 1279, avec Béatrice, fille unique et héritière de Jean, sire de Bourbon. Reconnu sire de Bourbon en 1283.

Colonna (Jacques) (?-1318).
Membre de la célèbre famille romaine des Colonna. Créé cardinal en 1278 par Nicolas III. Principal conseiller de la cour romaine sous Nicolas IV. Excommunié par Boniface VIII en 1297 et rétabli dans sa dignité de cardinal en 1306.

Colonna (Pierre).
Neveu du cardinal Jacques Colonna. Créé cardinal par Nicolas IV en 1288. Excommunié par Boniface VIII en 1297 et rétabli dans sa dignité de cardinal en 1306.

Colonna (Sciarra).
Frère de Jacques Colonna. Homme de guerre. Un des chefs du parti gibelin. Ennemi du pape Boniface VIII, gifla celui-ci au cours de l'attentat d'Anagni.

Conflans (Hugues de).
Maréchal de Champagne, nommé par Louis X, le 15 mai 1316, au gouvernement de l'Artois.

Corbeil (Jean de), dit de Grez (?-1318).
Seigneur de Grez en Brie et de Jalemain. Maréchal de France à partir de 1308.

Cornillot.
Sergent de la comtesse Mahaut d'Artois, arrêté en compagnie de Denis d'Hirson par les « alliés » d'Artois le 27 septembre 1315, et exécuté le jour même.

Courtenay (Catherine de), comtesse de Valois, impératrice titulaire de Constantinople (?-1307).
Seconde épouse de Charles de Valois, frère de Philippe le Bel. Petite-fille et héritière de Baudoin, dernier empereur latin de Constantinople (1261). A sa mort, ses droits passèrent à sa fille aînée, Catherine de Valois, épouse de Philippe d'Anjou, prince d'Achaïe et de Tarente.

Courtenay (Robert de) (?-1324).
   Archevêque de Reims de 1299 à sa mort.

Cressay (dame Éliabel de).
   Châtelaine de Cressay, près de Neauphle-le-Vieux, dans la prévôté de Montfort-l'Amaury. Veuve du sire Jean de Cressay, chevalier. Mère de Jean, Pierre et Marie de Cressay.

Cressay (Jean de) et Cressay (Pierre de).
   Fils de la précédente. Furent tous deux armés chevaliers par Philippe VI de Valois lors de la bataille de Crécy (1346).

Cressay (Marie de) (vers 1298-1345).
   Fille de dame Éliabel et du sire Jean de Cressay, chevalier. Secrètement mariée à Guccio Baglioni, et mère (1316) d'un enfant échangé au berceau avec Jean Ier le Posthume dont elle était la nourrice. Fut enterrée au couvent des Augustins, près de Cressay.

Despenser (Hugh Le), dit le Vieux (1267-27 octobre 1326).
   Fils de Hugh le Despenser, Grand Justicier d'Angleterre. Baron, membre du Parlement (1295). Principal conseiller d'Édouard II à partir de 1312. Comte de Winchester (1322). Chassé du pouvoir par la révolte baronniale de 1326, il mourut pendu à Bristol.

Despenser (Hugh Le), dit le Jeune (vers 1290-24 novembre 1326).
   Fils du précédent. Chevalier (1306). Chambellan et favori d'Édouard II à partir de 1312. Marié à Eleanor de Clare, fille du comte de Gloucester (vers 1309). Ses abus de pouvoir amenèrent la révolte baronniale de 1326. Pendu à Hereford.

Despenser (Lady Eleanor Le), née de Clare (?-1337).
   Fille du comte de Gloucester et nièce d'Édouard II. Épouse de Hugh Le Despenser le Jeune, dont elle eut deux fils.

Divion (Jeanne de) (?-6 octobre 1331).
   Fille d'un gentilhomme de la châtellenie de Béhune. Inculpée de fabrication de faux dans le procès d'Artois, fut brûlée vive.

Dubois (Guillaume).
   Légiste et trésorier de Philippe le Bel. Emprisonné sous le règne de Louis X, mais rétabli dans ses biens et dignités par Philippe V.

Duèze (Gaucelin) (?-1348).

Neveu du pape Jean XXII. Créé cardinal en décembre 1316. Évêque d'Albano, puis Grand pénitencier.

Duèze (Jacques), voir Jean XXII, pape.

Durfort-Duras (Guillaume de) (?-1330).
Évêque de Langres (1306), puis de Rouen (1319), jusqu'à sa mort.

Édouard II Plantagenêt, roi d'Angleterre (1284-21 septembre 1327).
Né à Carnarvon. Fils d'Édouard Iᵉʳ et d'Éléonore de Castille. Premier prince de Galles et comte de Chester (1301). Duc d'Aquitaine et comte de Ponthieu (1303). Armé chevalier à Westminster (1306). Roi en 1307. Épousa à Boulogne-sur-Mer, le 22 janvier 1308, Isabelle de France, fille de Philippe le Bel. Couronné à Westminster le 25 février 1308. Détrôné (1326) par une révolte baronniale conduite par sa femme, fut emprisonné et mourut assassiné au château de Berkeley.

Édouard III Plantagenêt, roi d'Angleterre (13 novembre 1312-1377).
Fils du précédent et d'Isabelle de France. Né à Windsor. Comte de Chester (1320). Duc d'Aquitaine et comte de Ponthieu (1325). Chevalier (1327). Couronné à Westminster (janvier 1327), après la déposition de son père. Épousa (1328) Philippa de Hainaut, fille de Guillaume, comte de Hainaut, de Hollande et de Zélande, et de Jeanne de Valois, dont il eut douze enfants. Ses prétentions au trône de France, à la mort de Charles IV, sont à l'origine de la guerre de Cent Ans.

Édouard de Woodstock, prince de Galles, duc de Cornouailles, comte de Chester, dit le Prince Noir (15 juin 1330-8 juin 1376).
Fils aîné d'Édouard III d'Angleterre et Philippa de Hainaut. Participa à la bataille de Crécy (1346). Nommé lieutenant général d'Aquitaine (1355). Vainqueur de Jean II à Poitiers (1356). Épousa (1361) Jeanne de Kent, fille d'Edmond de Kent. Père du futur Richard II d'Angleterre.

Eudeline, fille naturelle de Louis X (vers 1305-?).
Religieuse au couvent du faubourg Saint-Marcel, puis abbesse des Clarisses.

Évrard.
Ancien Templier. Clerc de Bar-sur-Aube. Impliqué en 1316 dans

une affaire de sorcellerie ; complice du cardinal Caëtani dans une tentative d'envoûtement du roi de France.

Évreux (Louis de France, comte d') (1276-mai 1319).
Fils de Philippe III le Hardi et de Marie de Brabant. Demi-frère de Philippe le Bel et de Charles de Valois. Comte d'Évreux (1298). Épousa Marguerite d'Artois, sœur de Robert III d'Artois, dont il eut Jeanne, troisième épouse de Charles VI le Bel, et Philippe, époux de Jeanne, reine de Navarre.

Évreux (Philippe d') (?-1343).
Fils de Louis d'Évreux, demi-frère de Philippe le Bel, et de Marguerite d'Artois. Épousa (1318) Jeanne de France, fille de Louis X Hutin et de Marguerite de Bourgogne, héritière de la Navarre (morte en 1349). Père de Charles le Mauvais, roi de Navarre, de Blanche, seconde épouse de Philippe VI de Valois, roi de France. Tué en Castille dans un combat contre les Maures.

Fériennes (Isabelle de) (?-1317).
Magicienne. Témoigna contre Mahaut lors du procès intenté à cette dernière après la mort de Louis X. Fut brûlée vive ainsi que son fils après l'acquittement de Mahaut, le 9 octobre 1317.

Fiennes (Jean, baron de Ringry, seigneur de Ruminghen, châtelain de Bourbourg, baron de).
Élu chef de la noblesse rebelle d'Artois et l'un des derniers à se soumettre (1320). Il avait épousé Isabelle, sixième fille de Guy de Dampierre, comte de Flandre, dont il eut un fils, Robert, connétable de France en 1356.

Flandre (Louis, seigneur de Crécy, comte de Nevers et de) (?-1346).
Fils de Louis de Nevers. Succéda à son grand-père, Robert de Béthune, comme comte de Flandre en 1322. Marié en 1320 à Marguerite, seconde fille de Philippe V et de Jeanne de Bourgogne. Tué à Calais.

Flandre (Robert, dit de Béthune, comte de Nevers et de) (?-1322).
Fils de Guy de Dampierre, comte de Flandre (mort en 1305) et d'Isabelle de Luxembourg. Épousa Yolande de Bourgogne, comtesse de Nevers. Père de Louis de Nevers.

Fleury (Geoffroy de).
Entré en fonctions le 12 juillet 1316, fut le premier officiel de

l'hôtel à porter le titre d'argentier du roi. Anobli par Philippe V en 1320.

Flisco (Luca de) (?-1336).
Consanguin du roi Jacques II d'Aragon. Créé cardinal par Boniface VIII le 2 mars 1300.

Flotte (Guillaume de) (?-après 1350).
Seigneur de Revel et d'Escot. Fils de Pierre Flotte, chancelier de France, tué à Courtrai.

Forez (Jean Iᵉʳ d'Albon, comte de) (?-avant 1333).
Ambassadeur de Philippe le Bel et de Louis X à la cour papale. Gardien du conclave de Lyon de 1316. Marié (1295) à Alix de Viennois, fille de Humbert de La Tour du Pin.

Fougères (Arnaud de) (?-1317).
Archevêque d'Arles (1308). Créé cardinal par Clément V le 19 décembre 1310.

Fournier (Jacques-Nouvel), voir Benoît XII, pape.

Fréauville (Nicolas de) (?-1323).
Dominicain. Confesseur de Philippe le Bel. Créé cardinal par Clément V le 15 décembre 1305.

Frédol (Bérenger), dit l'Aîné, ou l'Ancien (vers 1250-juin 1323).
Évêque de Béziers (1294). Créé cardinal par Clément V le 15 décembre 1305.

Frédol (Bérenger), dit le Jeune (?-1323).
Neveu du précédent, Évêque de Béziers (1309). Créé cardinal par Clément V le 24 décembre 1312.

Galard (Pierre de).
Grand maître des arbalétriers de France à partir de 1310. Gouverneur de Flandre (1319).

Gaveston ou Gabaston (Pierre de) (vers 1284-juin 1312).
Chevalier béarnais, favori d'Édouard II. Fait comte de Cornouailles à l'avènement d'Édouard II (1307) et marié la même année à Marguerite de Clare, fille du comte de Gloucester. Régent du royaume, vice-roi d'Irlande (1308). Excommunié (1312). Assassiné

par une coalition baronniale. En 1315, Édouard II fit transférer ses restes d'Oxford au château de Langley (Hertfordshire).

Got ou Goth (Bertrand de).
Vicomte de Lomagne et d'Auvillars. Marquis d'Ancône. Neveu et homonyme du pape Clément V. Intervint à diverses reprises dans le conclave de 1314-1316.

Gournay (Thomas de) (?-1333).
Un des gardiens d'Édouard II au château de Berkeley. Déclaré (1330) responsable de la mort du roi, il fut arrêté en Espagne, puis à Naples où il avait fui, et tué par ceux qui l'avaient arrêté.

Guigues, dauphiniet de Viennois, futur dauphin Guigues VIII (1310-1333).
Fils de Jean II de La Tour du Pin, dauphin de Viennois, et de Béatrice de Hongrie. Neveu de la reine Clémence. Fiancé en juin 1316 à Isabelle de France, troisième fille de Philippe V, et marié en mai 1323. Mort sans héritier ; son frère lui succéda.

Hainaut (Guillaume d'Avesnes, dit le Bon, comte de Hollande, de Zélande et de) (?-1337).
Fils de Jean II d'Avesnes, comte de Hainaut, et de Philippine de Luxembourg. Succéda à son père en 1304. Épousa en 1305 Jeanne de Valois, fille de Charles de Valois et de Marguerite d'Anjou-Sicile. Père de Philippa, reine d'Angleterre.

Hainaut (Jean de) sire de Beaumont (?-1356).
Frère du précédent. Participa à plusieurs opérations en Angleterre et en Flandre.

Harcourt (Jean V d'), comte d'Harcourt et d'Aumale, vicomte de Châtellerault, seigneur d'Elbeuf (?-5 avril 1356).
Fils de Jean IV, tué à Crécy. Épouse (1340) Blanche de Ponthieu dont il eut neuf enfants. Décapité à Rouen.

Harcourt (Godefroy d'), dit le Boiteux (vers 1310-novembre 1356).
Oncle du précédent. Chevalier, seigneur de Saint-Sauveur-le-Vicomte. Banni en 1343, prit le partir d'Édouard III et se battit contre les Français à Crécy et à Poitiers. Tué en combat, près de Coutances.

Héron (Adam).

Bachelier, puis chambellan de Philippe, comte de Poitiers, futur Philippe V.

Hirson, ou Hireçon (Thierry Larchier d') (vers 1270-17 novembre 1328).
D'abord petit clerc de Robert II d'Artois, il accompagna Nogaret à Anagni et fut utilisé par Philippe le Bel pour plusieurs missions. Chanoine d'Arras (1299). Chancelier de Mahaut d'Artois (1303). Évêque d'Arras (avril 1328).

Hirson, ou Hireçon (Denis Larchier d').
Frère du précédent. Trésorier de la comtesse Mahaut d'Artois.

Hirson, ou Hireçon (Béatrice d').
Nièce des précédents. Demoiselle de parage de la comtesse Mahaut d'Artois.

Humbert II, dernier dauphin de Viennois (1312-1355).
Fils de Jean, succéda à son frère Guigues VIII en 1333. Vendit le Dauphiné à Philippe VI (1349). Après son abdication, prit l'habit religieux chez les dominicains.

Innocent VI (Étienne Aubert), pape (vers 1300-1362).
Né près de Pompadour, en Limousin. Études de droit à Toulouse. Évêque de Noyon (1338), de Clermont (1340). Cardinal (1342), puis Grand pénitencier. Élu pape en 1352 à la mort de Clément VI.

Isabelle de France, reine d'Angleterre (1292-13 août 1358).
Fille de Philippe IV le Bel et de Jeanne de Champagne. Sœur des rois Louis X, Philippe V et Charles IV. Épousa Édouard II d'Anglererre (1308). Prit la tête (1325) avec Roger Mortimer de la révolte des barons anglais qui amena la déposition de son mari. Surnommée « la Louve de France », gouverna de 1326 à 1328 au nom de son fils Édouard III. Exilée de la cour (1330). Morte au château de Hertford.

Isabelle de France (vers 1311-après 1345).
Fille cadette de Philippe V et de Jeanne de Bourgogne. Fiancée en juin 1316 à Guigues, dauphinet de Viennois, futur Guigues VIII ; mariée le 17 mai 1323.

Jean, duc de Normandie, puis Jean II, roi de France (1319-8 avril 1364).
Fils de Philippe VI et de Jeanne de Bourgogne, dite la Boiteuse.

Roi en 1350. Marié à Bonne de Luxembourg, fille du roi de Bohême (1332). Veuf en 1349, remarié en 1350 à Jeanne de Boulogne. De son premier mariage il eut quatre fils (dont le futur roi Charles V) et cinq filles. Mort à Londres.

Jean XXII (Jacques Duèze), pape (1244-décembre 1334).
Fils d'un bourgeois de Cahors. Fit ses études à Cahors et Montpellier. Archiprêtre de Saint-André de Cahors. Chanoine de Saint-Front de Périgueux et d'Albi. Archiprêtre de Sarlat. En 1289, il partit pour Naples où il devint rapidement familier du roi Charles II d'Anjou qui en fit le secrétaire des conseils secrets, puis son chancelier. Évêque de Fréjus (1300), puis d'Avignon (1310). Secrétaire du concile de Vienne (1311). Cardinal évêque de Porto (1312). Élu pape en août 1316. Couronné à Lyon en septembre 1316. Mort en Avignon.

Jean II de La Tour du Pin, dauphin de Viennois (vers 1280-1319).
Fils d'Humbert Ier de La Tour du Pin, dauphin de Viennois, auquel il succède en 1307. Épousa Béatrice de Hongrie dont il eut deux fils, Guigues et Humbert, derniers dauphins de Viennois.

Jeanne de Bourgogne, comtesse de Poitiers, puis reine de France (vers 1293-21 janvier 1330).
Fille aînée d'Othon IV, comte palatin de Bourgogne, et de Mahaut d'Artois. Sœur de Blanche, épouse de Charles de France, futur Charles IV. Mariée en 1307 à Philippe de Poitiers, second fils de Philippe le Bel. Convaincue de complicité dans les adultères de sa sœur et de sa belle-sœur (1314), elle fut enfermée à Dourdan, puis libérée en 1315. Mère de trois filles, Jeanne, Marguerite et Isabelle, qui épousèrent respectivement le duc de Bourgogne, le comte de Flandre et le dauphin de Viennois.

Jeanne de Bourgogne, dite la Boiteuse, comtesse de Valois, puis reine de France (vers 1296-1348).
Fille de Robert II, duc de Bourgogne, et d'Agnès de France. Sœur d'Eudes IV, duc de Bourgogne, et de Marguerite, épouse de Louis X Hutin. Épouse (1313) Philippe de Valois, futur Philippe VI. Mère de Jean II, roi de France. Morte de la peste.

Jeanne de Champagne, reine de France et de Navarre (vers 1270-avril 1305).
Fille unique et héritière d'Henri Ier de Navarre, comte de Champagne et de Brie (mort en 1274), et de Blanche d'Artois. Mariée en

1284 au futur Philippe IV le Bel. Mère des rois Louis X, Philippe V et Charles IV, et d'Isabelle, reine d'Angleterre.

Jeanne de France, reine de Navarre (vers 1311-8 octobre 1349).
Fille de Louis de Navarre, futur Louis X Hutin, et de Marguerite de Bourgogne. Présumée bâtarde. Écartée de la succession au trône de France, elle hérita la Navarre. Mariée (1318) à Philippe, comte d'Évreux. Mère de Charles le Mauvais, roi de Navarre, de Blanche, seconde épouse de Philippe VI de Valois, roi de France, et d'Agnès, épouse de Gaston Phoebus. Morte de la peste.

Jeanne d'Évreux, reine de France (?-mars 1371).
Fille de Louis de France, comte d'Évreux, et de Marguerite d'Artois. Sœur de Philippe, comte d'Évreux, plus tard roi de Navarre. Troisième épouse de Charles IV le Bel (1325) dont elle eut trois filles : Jeanne, Marie et Blanche, née posthume le 1er avril 1328.

Jeanne de France, duchesse de Bourgogne (1308-1347).
Fille aînée de Philippe V et de Jeanne de Bourgogne. Fiancée en juillet 1316 à Eudes IV, duc de Bourgogne ; mariée en juin 1318.

Jeanne de France, reine de Navarre (vers 1311-octobre 1349).
Fille de Louis de Navarre, futur Louis X Hutin, et de Marguerite de Bourgogne. Présumée bâtarde. Écartée de la succession au trône de France, elle hérita la Navarre. Mariée à Philippe, comte d'Évreux. Mère de Charles le Mauvais, roi de Navarre, et de Blanche, seconde épouse de Philippe VI de Valois, roi de France.

Joinville (Jean, sire de) (1224-24 décembre 1317).
Sénéchal héréditaire de Champagne. Accompagna Louis IX à la septième croisade et partagea sa captivité. Rédigea à quatre-vingts ans son *Histoire de Saint Louis* pour laquelle il demeure parmi les grands chroniqueurs.

Joinville (Anseau ou Ansel de).
Fils aîné du précédent. Sénéchal héréditaire de Champagne. Membre du Grand Conseil de Philippe V, et maréchal de France.

Kent (Edmond de Woodstock, comte de) (1301-1329).
Fils d'Édouard Ier, roi d'Angleterre, et de sa seconde épouse, Marguerite de France, sœur de Philippe le Bel. Demi-frère d'Édouard II, roi d'Angleterre. En 1321, nommé gouverneur du château de Douvres, gardien des Cinq Ports, et créé comte de

Kent. Lieutenant d'Édouard II en Aquitaine en 1324. Décapité à Londres.

Kiérez (Gérard).
Représentant de la noblesse révoltée d'Artois auprès du roi Louis X Hutin.

La Cerda (Charles), dit Monsieur d'Espagne (?-1354).
Fils d'Alphonse de Castille, le déshérité. Favori de Jean II. Lieutenant général en Languedoc. Connétable de France (1350). Charles de Navarre le fit assassiner (1354).

La Forêt (Pierre de).
Ancien avocat au Parlement de Paris, archevêque de Rouen, chancelier de Normandie (1347), chancelier de France (1349).

La Madelaine (Guillaume de).
Prévôt de Paris du 31 mars 1316 à fin août 1316.

Lancastre (Henry, comte de Leicester et de), dit Tors-Col (vers 1281-1345).
Fils d'Edmond, comte de Lancastre, et petit-fils d'Henry III, roi d'Angleterre. Participa à la révolte contre Édouard II. Arma chevalier Édouard III le jour de son couronnement, et fut nommé chef du Conseil de régence. Passa ensuite dans l'opposition à Mortimer.

Latille (Pierre de) (?-15 mars 1328).
Évêque de Châlons (1313). Membre de la Chambre aux Comptes. Garde du sceau royal à la mort de Nogaret. Incarcéré par Louis X (1315) et libéré par Philippe V (1317), il revint à l'évêché de Châlons.

Le Coq (Robert), évêque de Laon (vers 1300-1372).
Né à Montdidier. Études de droit. Avocat au Parlement de Paris (1340). Maître des requêtes sous Jean II (1350). Évêque de Laon (1351) avec rang de duc et pair. Prit le parti de Charles de Navarre puis soutint la révolte d'Étienne Marcel. Fut banni du royaume et mourut en Espagne.

Le Loquetier (Nicole).
Légiste et conseiller de Philippe le Bel ; emprisonné par Louis X, rétabli dans ses biens et dignités par Philippe V.

Le Roux (Raymond) (?-1325).
Neveu du pape Jean XXII et créé cardinal par lui en décembre 1325.

Licques (baron de).
Membre de la ligue d'Artois, tenant d'une baronnie du comté de Guines en Picardie.

Longis (Guillaume de), dit de Pergame (?-avril 1319).
Chancelier du roi Charles II de Sicile. Créé cardinal par Célestin V le 18 septembre 1294. Mort en Avignon.

Longwy (Jean de).
Parent du grand-maître Jacques de Moley. Membre de la ligue féodale de Bourgogne constituée en 1314.

Loos.
Membre de la ligue d'Artois, d'une famille originaire du pays de Liège.

Lorris (Robert de).
Fils d'un paysan du Gâtinais. Ascension rapide. Clerc, maître des requêtes, maître des comptes, chevalier, membre du grand et secret Conseil, chambellan du roi. Beau-frère d'Étienne Marcel. Entra en conflit avec lui. Sa destitution fut demandée par les États (octobre 1356).

Louis IX, ou Saint Louis, roi de France (1215-25 août 1270).
Né à Poissy. Fils de Louis VIII et de Blanche de Castille. Roi en 1226, il ne régna effectivement qu'à partir de 1236. Épousa (1234) Marguerite de Provence dont il eut six fils et cinq filles. Conduisit la septième croisade (1248-1254). Mourut à Tunis au cours de la huitième croisade. Canonisé en 1296 sous le pontificat de Boniface VIII.

Louis X, dit Hutin, roi de France et de Navarre (octobre 1289-5 juin 1316).
Fils de Philippe IV le Bel et de Jeanne de Champagne. Frère des rois Philippe V et Charles IV, et d'Isabelle, reine d'Angleterre. Roi de Navarre (1307). Roi de France (1314). Épousa (1305) Marguerite de Bourgogne dont il eut une fille, Jeanne, née vers 1311. Après le scandale de la tour de Nesle et la mort de Marguerite, se remaria (août 1315) à Clémence de Hongrie.

Couronné à Reims (août 1315). Mort à Vincennes. Son fils, Jean Ier le Posthume, naquit cinq mois plus tard (novembre 1316).

Luxembourg (Bonne de) (vers 1315-11 septembre 1349).
Fille de Jean de Luxembourg, roi de Bohême, dit l'Aveugle, et petite-fille de l'empereur d'Allemagne, Henri VII. Épousa en 1332 Jean, duc de Normandie, fils aîné de Philippe VI, dont elle eut neuf enfants. Morte de la peste.

Luxembourg (Jean de), dit l'Aveugle, roi de Bohême (1295-1346).
Fils de l'empereur Henri VII d'Allemagne. Roi de Bohême (1310). Père de Bonne, épouse de Jean de Normandie, futur Jean II de France, et de Charles IV, empereur d'Allemagne. Tué à Crécy (1346).

Maltravers (John, baron) (1290-1365).
Chevalier (1306). Gardien du roi Édouard II à Berkeley (1327). Sénéchal (1329). Maître de la maison du roi (1330). Après la chute de Mortimer, condamné à mort comme responsable de la mort d'Édouard II, il fuit sur le continent. Autorisé à rentrer en Angleterre en 1345 et réhabilité en 1353.

Mandagout (Guillaume de) (?-septembre 1321).
Évêque d'Embrun (1295), puis d'Aix (1311). Créé cardinal-évêque de Palestrina par Clément V le 24 décembre 1312.

Marcel (Étienne) (vers 1310-31 juillet 1358).
Né dans une famille de grande bourgeoisie commerçante. Prévôt des marchands de Paris. Beau-frère de Robert de Lorris, chambellan de Jean II. Pendant la captivité du roi, après Poitiers, souleva le peuple contre l'autorité du Dauphin (futur Charles V) et soutint Charles de Navarre. Mourut assassiné à coups de hache.

Marguerite de Bourgogne, reine de Navarre (vers 1293-1315).
Fille de Robert II, duc de Bourgogne, et d'Agnès de France. Mariée (1305) à Louis, roi de Navarre, fils aîné de Philippe le Bel, futur Louis X, dont elle eut une fille, Jeanne. Convaincue d'adultère (affaire de la tour de Nesle), 1314, elle fut enfermée à Château-Gaillard où elle mourut assassinée.

Marie de Hongrie, reine de Naples (vers 1245-1325).
Fille d'Étienne, roi de Hongrie, sœur et héritière de Ladislas IV, roi de Hongrie. Épousa Charles II d'Anjou, dit le Boiteux, roi de Naples et Sicile, dont elle eut treize enfants.

Marie de Luxembourg, reine de France (vers 1306-mars 1324).
Fille d'Henri VII, empereur d'Allemagne, comte de Luxembourg, et de Marguerite de Brabant. Sœur de Jean de Luxembourg, roi de Bohême. Seconde épouse de Charles IV (1322). Couronnée en mai 1323.

Marigny (Enguerrand Le Portier de) (vers 1265-30 avril 1315).
Né à Lyons-la-Forêt. Marié en premières noces à Jeanne de Saint-Martin, en secondes noces à Alips de Mons. D'abord écuyer du comte de Bouville, puis attaché à la maison de la reine Jeanne, épouse de Philippe le Bel, et successivement garde du château d'Issoudun (1298), chambellan (1304) ; fait chevalier et comte de Longueville, intendant des finances et des bâtiments, capitaine du Louvre, coadjuteur au gouvernement et recteur du royaume pendant la dernière partie du règne de Philippe le Bel. Après la mort de ce dernier, il fut accusé de détournements, condamné, et pendu à Montfaucon. Réhabilité en 1317 par Philippe V et enterré dans l'église des Chartreux, puis transféré à la collégiale d'Écouis qu'il avait fondée.

Marigny (Jean, ou Philippe, ou Guillaume de) (?-1325).
Frère cadet du précédent. Secrétaire du roi en 1301. Archevêque de Sens (1309). Fit partie du tribunal qui condamna à mort son frère Enguerrand.

Marigny (Jean de) (?-1350).
Dernier des trois frères Marigny. Chanoine de Notre-Dame de Paris, puis évêque de Beauvais (1312). Fit partie, lui aussi, du tribunal qui condamna à mort son frère Enguerrand. Chancelier (1329). Lieutenant du roi en Gascogne (1342). Archevêque de Rouen (1347).

Marigny (Louis de).
Seigneur de Mainneville et de Boisroger. Fils aîné d'Enguerrand de Marigny. Marié en 1309 à Roberte de Beaumetz.

Mauny (Guillaume de) (?-1372).
Né en Hainaut, et passé en Angleterre dans la suite de Philippa, épouse d'Édouard III. Chevalier (1331). Participa à toutes les campagnes d'Édouard III dont il fut un des grands capitaines. Il avait épousé Marguerite, fille de Thomas de Brotherton, comte de Norfolk, oncle d'Édouard III.

Mello (Guillaume de) (?-vers 1328).
Seigneur d'Époisses et de Givry. Conseiller du duc de Bourgogne.

Melton (William de) (?-1340).
 Familier d'Édouard II dès son enfance. Clerc du roi, puis gardien du sceau privé (1307). Secrétaire du roi (1310). Archevêque d'York (1316). Trésorier d'Angleterre (1325-1327). A nouveau trésorier en 1330-1331 et gardien du grand sceau en 1333-1334.

Mercœur (Béraud X, sire de).
 Seigneur du Gévaudan. Fils de Béraud IX et de Blanche de Châlons. Épouse (1290) Isabelle de Forez, fille de Guy, comte de Forez. Ambassadeur de Philippe le Bel auprès de Benoît XI en 1304. Se brouilla avec le roi qui ordonna une enquête de police sur ses terres (1309). Entré au conseil royal à l'avènement de Louis X, en 1314, en fut éliminé par Philippe V en 1318.

Meudon (Henriet de).
 Maître de la vénerie de Louis X en 1313 et 1315. Reçut une partie des biens de Marigny après la condamnation de ce dernier.

Molay (Jacques de) (vers 1244-18 mars 1314).
 Né à Molay (Haute-Saône). Entra dans l'Ordre des Templiers à Beaune (1265). Partit pour la Terre sainte. Élu grand-maître de l'Ordre (1295). Arrêté en octobre 1307, fut condamné et brûlé.

Montaigu, ou Montacute (Guillaume de) (1301-1344).
 Fils aîné de Guillaume, deuxième baron Montacute, auquel il succède en 1319. Armé chevalier en 1325. Gouverneur des îles de la Manche et connétable de la Tour (1333). Comte de Salisbury (1337). Maréchal d'Angleterre (1338). Mort des suites de blessures reçues en tournoi à Windsor.

Mornay (Étienne de) (?-31 août 1332).
 Neveu de Pierre de Mornay, évêque d'Orléans et d'Auxerre. Chancelier de Charles de Valois, puis chancelier de France à partir de janvier 1315. Éloigné du gouvernement sous le règne de Philippe V, il entra à la Chambre des Comptes et au Parlement sous Charles IV.

Mortimer (Lady Jeanne), née Joinville (1286-1356).
 Fille de Pierre de Joinville, petite-nièce du sénéchal compagnon de Saint Louis. Épousa sir Roger Mortimer, baron de Wigmore, vers 1305, et eut de lui onze enfants.

Mortimer (Roger), baron de Chirk (vers 1256-1326).
 Lieutenant du roi Édouard II et grand juge du Pays de Galles

(1307-1321). Fait prisonnier à Shrewsbury (1322). Mort à la tour de Londres.

Mortimer (Roger) (1287-29 novembre 1330).

Fils aîné d'Edmond Mortimer, baron de Wigmore, et de Marguerite de Fiennes. Huitième baron de Wigmore. Lieutenant du roi Édouard II et Grand Juge d'Irlande (1316-1321). Chef de la révolte qui amena la déposition d'Édouard II. Gouverna de fait l'Angleterre, comme Lord protecteur, avec la reine Isabelle, pendant la minorité d'Édouard III. Premier comte de March (1328). Arrêté par Édouard III et condamné par le Parlement, il fut pendu au gibet de Tyburn, à Londres.

Navarre (Blanche de) (1333-1398).

Fille de Philippe d'Évreux et de Jeanne de France, reine de Navarre. Mariée le 29 janvier 1349 à Philippe VI de Valois dont elle eut une fille posthume. Morte à Neauphle-le-Château.

Navarre (Philippe de) (vers 1335-1363).

Frère de Charles le Mauvais. Participa à l'assassinat de Charles d'Espagne. En 1356, reconnut Édouard III comme roi de France et duc de Normandie.

Nédonchel (Gilles de) (vers 1283-vers 1336).

Fils de Guy Nédonchel et d'Alix de Créquy. Membre de la ligue d'Artois. Devint conseiller du roi et grand chambellan du duc de Bourbon.

Nevers (Louis de) (?-1322).

Fils de Robert de Béthume, comte de Flandre, et de Yolande de Bourgogne. Comte de Nevers (1280). Comte de Rethel par son mariage avec Jeanne de Rethel.

Nogaret (Guillaume de) (vers 1265-mai 1314).

Né à Saint-Félix de Caraman, dans le diocèse de Toulouse. Élève de Pierre Flotte et de Gilles Aycelin. Enseigna le droit à Montpellier (1291) ; juge royal de la sénéchaussée de Beaucaire (1295) ; chevalier (1299). Se rendit célèbre par son action dans les différends entre la couronne de France et le Saint-Siège. Conduisit l'expédition d'Anagni contre Boniface VIII (1303). Garde des Sceaux de septembre 1307 à sa mort, il instruisit le procès des Templiers.

Norfolk (Thomas de Brotherton, comte de) (1300-1338).

Fils aîné du second mariage d'Édouard Ier, roi d'Angleterre, avec Marguerite de France. Demi-frère d'Édouard II, et frère d'Edmond de Kent. Créé duc de Norfolk en décembre 1312 et maréchal d'Angleterre en février 1316. Rallia le parti Mortimer, dont son fils épousa une des filles.

Nouvel (Arnaud) (?-août 1317).
Abbé de l'abbaye cistercienne de Fontfroide (Aude). Créé cardinal par Clément V en 1310. Légat du pape en Angleterre.

Noyers (Miles IV de), seigneur de Vandœuvre (?-1350).
Maréchal de France (1303-1315). Négocia la paix en Flandre avec Louis de Nevers pour le compte de Louis X. Successivement conseiller de Philippe V, Charles IV et Philippe VI, joua un rôle d'exceptionnelle importance sous ces trois règnes. Grand bouteiller de France (1336).

Oderisi (Roberto).
Peintre napolitain. Élève de Giotto pendant le séjour de celui-ci à Naples, subit également l'influence de Simone de Martino. Chef de l'école napolitaine de la seconde moitié du XIVe siècle. Son œuvre la plus importante : les fresques de l'Incoronata, à Naples.

Orleton (Adam) (?-1345).
Évêque de Hereford (1317), de Worcester (1328) et de Winchester (1334). Un des maître de la conspiration contre Édouard II. Trésorier d'Angleterre (1327). Accomplit de nombreuses missions et ambassades à la cour de France et en Avignon.

Orsini (Napoléon), dit des Ursins (?-1342).
Créé cardinal par Nicolas IV en 1288.

Pareilles (Alain de).
Capitaine des archers sous Philippe le Bel.

Payraud (Hugues de).
Visiteur de France dans l'Ordre des chevaliers du Temple. Arrêté le 13 octobre 1307, condamné à l'emprisonnement à vie en mars 1314.

Pélagrue (Arnaud de) (?-août 1331).
Archidiacre de Chartres. Créé cardinal par Clément V le 15 décembre 1305.

Périgord (Hélie de Talleyrand, cardinal de) (1301-1364).
Fils d'Hélie VII de Talleyrand, comte de Périgord, et de Brunissande de Foix. Reçut les ordres à Saint-Front de Périgueux. Archidiacre de Périgueux, abbé de Chancelade. Primat de l'église de Metz et archidiacre de Londres. Évêque de Limoges à vingt-trois ans (1324). Évêque d'Auxerre (1328). Cardinal le 24 mai 1331. Ami de Pétrarque. Le pape Innocent VI le chargea de négocier la paix entre Jean II et Édouard III. Après la bataille de Poitiers, partit pour Metz pour rencontrer l'empereur Charles IV. Mort en janvier 1364, il fut, sur sa demande, inhumé à Saint-Front de Périgueux.

Philippa de Hainaut, reine d'Angleterre (1314 ?-1369).
Fille de Guillaume de Hainaut et de Jeanne de Valois. Mariée le 30 janvier 1328 à Édouard III d'Angleterre, dont elle eut douze enfants. Couronnée en 1330.

Philippe III, dit le Hardi, roi de France (3 avril 1245-5 octobre 1285).
Fils de Saint Louis et de Marguerite de Provence. Épousa Isabelle d'Aragon (1262). Père de Philippe IV le Bel et de Charles, comte de Valois. Accompagna son père à la huitième croisade et fut reconnu roi à Tunis (1270). Veuf en 1271, il se remaria à Marie de Brabant dont il eut Louis, comte d'Évreux. Il mourut à Perpignan au retour d'une expédition faite pour soutenir les droits de son second fils au trône d'Aragon.

Philippe IV, dit le Bel, roi de France (1268-29 novembre 1314).
Né à Fontainebleau. Fils de Philippe III le Hardi et d'Isabelle d'Aragon. Épousa (1284) Jeanne de Champagne, reine de Navarre. Père des rois Louis X, Philippe V et Charles IV, et d'Isabelle de France, reine d'Angleterre. Reconnu roi à Perpignan (1285) et couronné à Reims (6 février 1286). Mort à Fontainebleau et enterré à Saint-Denis.

Philippe V, dit le Long, roi de France (1291-3 janvier 1322).
Fils de Philippe IV le Bel et de Jeanne de Champagne. Frère des rois Louis X, Charles IV, et d'Isabelle d'Angleterre. Comte palatin de Bourgogne, sire de Salins par son mariage (1307) avec Jeanne de Bourgogne. Comte apanagiste de Poitiers (1311). Pair de France (1315). Régent à la mort de Louis X, puis roi à la mort du fils posthume de celui-ci (novembre 1316). Mort à Longchamp, sans héritier mâle. Enterré à Saint-Denis.

Philippe VI, roi de France (1293-22 août 1350).
Fils aîné de Charles de Valois et de sa première épouse Marguerite d'Anjou-Sicile. Neveu de Philippe IV le Bel et cousin germain des rois Louis X, Philippe V et Charles IV. Comte de Valois (1325). Devint régent du royaume à la mort de Charles IV le Bel, puis roi à la naissance de la fille posthume de ce dernier (avril 1328). Sacré à Reims le 29 mai 1328. Son accession au trône, contestée par l'Angleterre, fut à l'origine de la seconde guerre de Cent Ans. Épousa en premières noces (1313) Jeanne de Bourgogne, dite la Boiteuse, sœur de Marguerite, et qui mourut en 1348 : en secondes noces (1349), Blanche de Navarre, petite-fille de Louis X et de Marguerite.

Philippe Le Convers.
Chanoine de Notre-Dame de Paris. Membre du Conseil de Philippe V pendant toute la durée de son règne.

Phoebus (Gaston III, dit), comte de Foix et de Béarn (1331-octobre 1391).
Fils de Gaston II et d'Éléonore de Comminges. Petit-fils de Jeanne d'Artois, sœur de Robert. Couronné à la mort de son père (1344). Participe à la bataille de Crécy. Nommé par Philippe VI co-lieutenant en Languedoc (1347). Épouse (1349) Agnès d'Évreux-Navarre, sœur de Charles le Mauvais. Tenait une cour fastueuse à Orthez. En 1382, frappe mortellement son fils unique. A sa mort, en 1391, ses terres reviennent à la couronne de France.

Ployebouche (Jean).
Prévôt de Paris de 1309 à fin mars 1316.

Pouget ou Poyet (Bertrand de) (?-1352).
Neveu du pape Jean XXII et créé cardinal par lui en décembre 1316.

Prato (Nicolas Alberti de) (?-avril 1321).
Évêque de Spolète, puis d'Ostie (1303). Créé cardinal par Benoît XI le 18 décembre 1303. Mort en Avignon.

Pré (Jehan du).
Ancien Templier ; s'employait comme domestique à Valence en 1316. Fut impliqué avec le clerc et ancien Templier Évrard dans la tentative d'envoûtement du roi Louis X par le cardinal Caëtani.

Presles (Raoul Ier de) ou de Prayères (?-1331).

Seigneur de Lizy-sur-Ourcq. Avocat. Secrétaire de Philippe le Bel (1311). Emprisonné à la mort de ce dernier, mais rentré en grâce dès la fin du règne de Louis X. Gardien du conclave de Lyon en 1316. Anobli par Philippe V, chevalier poursuivant de ce roi et membre de son Conseil. Fonda le collège de Presles.

Reynolds (Walter) (?-1327).

Trésorier (1307). Évêque de Worcester (1307). Gardien du sceau (1310-1314). Un des principaux conseillers d'Édouard II, il prit le parti d'Isabelle en 1326. Couronna Édouard III, dont il était parrain.

Robert, roi de Naples (vers 1278-1344).

Troisième fils de Charles II d'Anjou, dit le Boiteux, et de Marie de Hongrie. Duc de Calabre en 1296. Vicaire général du royaume de Sicile (1296). Désigné comme héritier du royaume de Naples (1297). Prince de Salerne (1304). Roi en 1309. Couronné en Avignon par le pape Clément V. Prince érudit, poète et astrologue, il épousa en premières noces Yolande (ou Violante) d'Aragon, morte en 1302 ; puis Sacia, fille du roi de Majorque (1304).

Roger (Pierre) (voir Clément VI, pape).

Saint-Pol (Guy de Châtillon, comte de) (?-avril 1317).

Fils de Guy IV et de Mahaut de Brabant. Épousa Marie de Bretagne (1292), fille du duc Jean II et de Béatrice d'Angleterre. Grand bouteiller (1296). Exécuteur testamentaire de Louis X et membre du conseil de régence. Père de Mahaut, troisième épouse de Charles de Valois.

Saisset (Bernard de).

Abbé de Saint-Antoine de Pamiers. Boniface VIII créa pour lui l'évêché de Pamiers (1295). En conflit avec la couronne, il fut arrêté et comparut à Senlis, en octobre 1301. Son procès amena la rupture entre Philippe IV et le pape Boniface VIII.

Savoie (Amédée V, dit le Grand, comte de) (1249-octobre 1323).

Deuxième fils de Thomas II de Savoie, comte de Maurienne (mort en 1259), et de sa deuxième épouse Béatrice de Fiesque. Succède en 1283 à son oncle Philippe. Épouse en premières noces Sibylle de Baugé (morte en 1294), et se remarie en 1304 à Marie de Brabant. En 1307, son fils Édouard épouse Blanche de Bourgogne, sœur de Marguerite et d'Eudes IV.

Savoie (Pierre de) (?-1332).
  Archevêque de Lyon (1308). Entré en lutte avec Philippe le Bel et emmené en captivité par celui-ci en 1310. Consentit à la réunion du Lyonnais à la couronne en 1312, et retrouva son siège archiépiscopal.

Seagrave (Stephen) (?-1325).
  Constable de la Tour de Londres. Emprisonné après l'évasion de Mortimer et libéré en juin 1324.

Souastre.
  Membre de la ligue féodale d'Artois en révolte contre la comtesse Mahaut.

Stapledon (Walter) (1261-1326).
  Professeur de droit canon à Oxford. Évêque d'Exeter (1307). Trésorier d'Angleterre (1320). Assassiné à Londres.

Stefaneschi (Jacques Caëtani de) (?-juin 1341).
  Créé cardinal par Boniface VIII le 17 décembre 1295.

Sully (Henri de) (?-vers 1336).
  Fils d'Henri III, sire de Sully (mort en 1285) et de Marguerite de Beaumetz. Époux de Jeanne de Vendôme. Grand bouteiller de France à partir de 1317.

Talleyrand (Archambaud de), comte de Périgord (?-1397).
  Fils de Roger-Bernard et d'Éléonore de Vendôme. Succéda à son père en 1361. Étant passé au service de l'Angleterre, fut banni et ses biens rattachés au domaine royal.

Tolomei (Spinelllo).
  Chef en France de la Compagnie siennoise des Tolomei, fondée au XIIe siècle par Tolomeo Tolomei et rapidement enrichie par le commerce international et le contrôle des mines d'argent en Toscane. Il existe toujours à Sienne un palais Tolomei.

Trye (Mathieu de).
  Seigneur de Fontenay et de Plainville-en-Vexin. Grand panetier (1298) puis chambellan de Louis Hutin, et grand chambellan de France à partir de 1314.

Trye (Mathieu de) (?-1344).

Neveu du précédent. Seigneur d'Araines et de Vaumain. Maréchal de France vers 1320. Lieutenant général en Flandre (1342).

Valois (Charles de) (12 mars 1270-décembre 1325).
Fils de Philippe III le Hardi et de sa première épouse, Isabelle d'Aragon. Frère de Philippe IV le Bel. Armé chevalier à quatorze ans. Investi du royaume d'Aragon par le légat du pape, la même année, il n'en put jamais occuper le trône et renonça au titre en 1295. Comte apanagiste d'Anjou, du Maine et du Perche (mars 1290) par son premier mariage avec Marguerite d'Anjou-Sicile ; empereur titulaire de Constantinople par son second mariage (janvier 1301) avec Catherine de Courtenay, fut créé comte de Romagne par le pape Boniface VIII. Épousa en troisièmes noces (1308) Mahaut de Châtillon-Saint-Pol. De ses trois mariages, il eut de très nombreux enfants ; son fils aîné fut Philippe VI, premier roi de la lignée Valois. Il mena campagne en Italie pour le compte du pape en 1301, commanda deux expéditions en Aquitaine (1297 et 1324) et fut candidat à l'empire d'Allemagne. Mort à Nogent-le-Roi et enterré à l'église des Jacobins à Paris.

Valois (Jeanne de), comtesse de Beaumont (vers 1304-1363).
Fille du précédent et de sa seconde épouse, Catherine de Courtenay. Demi-sœur de Philippe VI, roi de France, Épouse de Robert d'Artois, comte de Beaumont-le-Roger (1318). Enfermée, avec ses trois fils, à Château-Gaillard après le bannissement de Robert, puis rentrée en grâce.

Valois (Jeanne de), comtesse de Hainaut (vers 1295-1352).
Fille de Charles de Valois et de sa première épouse, Marguerite d'Anjou-Sicile. Sœur de Philippe VI, roi de France, Épouse (1305) de Guillaume, comte de Hainaut, de Hollande et de Zélande, et mère de Philippa, reine d'Angleterre.

Via (Arnaud de) (?-1335).
Évêque d'Avignon (1317). Créé cardinal par Jean XXII en juin 1317.

Warenne (John de) (1286-1344).
Comte de Surrey et de Sussex. Beau-frère de John Fitzalan, comte d'Arundel. Chevalier et membre du Parlement dès 1306. Resté fidèle au roi Édouard II, il fut cependant membre du Conseil de régence d'Édouard III.

Watriquet Brasseniex, dit de Couvin.

Originaire de Couvin, en Hainaut, village proche de Namur. Ménestrel attaché aux grandes maisons de la famille Valois, acquit une réelle célébrité pour ses lais composés entre 1319 et 1329. Ses œuvres furent conservées dans de jolis manuscrits enluminés, exécutés sous sa direction pour les princesses de son temps.

TABLE DES MATIÈRES

I

LE ROI DE FER

PREMIÈRE PARTIE

LA MALÉDICTION

II

LA REINE ÉTRANGLÉE

Troisième Partie

LE PRINTEMPS DES CRIMES

III

LES POISONS DE LA COURONNE

PREMIÈRE PARTIE

LA FRANCE ATTEND UNE REINE

DEUXIÈME PARTIE

APRÈS LA FLANDRE, L'ARTOIS...

Troisième Partie

LE TEMPS DE LA COMÈTE

IV

LA LOI DES MÂLES

PREMIÈRE PARTIE

PHILIPPE PORTES-CLOSES

DEUXIÈME PARTIE

L'ARTOIS ET LE CONCLAVE

TROISIÈME PARTIE

DE DEUIL EN SACRE

V

LA LOUVE DE FRANCE

Première Partie

DE LA TAMISE A LA GARONNE

Deuxième Partie

ISABELLE AUX AMOURS

TROISIÈME PARTIE

LE ROI VOLÉ

QUATRIÈME PARTIE

LA CHEVAUCHÉE CRUELLE

VI

LE LIS ET LE LION

TROISIÈME PARTIE

LES DÉCHÉANCES

QUATRIÈME PARTIE

LE BOUTE-GUERRE

ÉPILOGUE

JEAN Ier L'INCONNU

VII

QUAND UN ROI PERD LA FRANCE

DEUXIÈME PARTIE

LE BANQUET DE ROUEN

TROISIÈME PARTIE

LE PRINTEMPS PERDU

QUATRIÈME PARTIE

L'ÉTÉ DES DÉSASTRES

Maurice DRUON
de l'Académie française

Notice biographique

Né le 23 avril 1918 à Paris, Maurice Druon dont les origines familiales se partagent entre le Languedoc, les Flandres, le Brésil et la Russie, est marqué par une solide hérédité littéraire ; puisqu'il est arrière-neveu du poète Charles Cros et neveu de Joseph Kessel.

Enfance en Normandie ; études secondaires au lycée Michelet ; lauréat du Concours général. Puis École des sciences politiques. Dès l'âge de dix-huit ans, il publie dans des revues et journaux littéraires.

Sorti aspirant de l'École de cavalerie de Saumur, au début de 1940, il prend part à la bataille de France. Démobilisé après l'armistice, il se replie en zone libre, où il fait représenter sa première pièce, *Mégarée*. C'est à cette époque qu'il entre en contact avec la Résistance. Il s'évadera de France, en 1942, traversant clandestinement l'Espagne et le Portugal, pour rejoindre les Forces Françaises Libres du général de Gaulle, à Londres. Aide de camp du général d'Astier de La Vigerie, puis animateur du poste Honneur et Patrie et attaché au commissariat à l'Intérieur, il compose alors, avec son oncle Joseph Kessel, les paroles du *Chant des Partisans*, qui sera l'hymne de la Résistance. Dans le même temps, il écrit son premier essai : les *Lettres d'un Européen*, qui font de lui l'un des devanciers de l'Union européenne. Correspondant de guerre auprès des armées alliées jusqu'à la fin des hostilités.

A partir de 1946, il se consacre à la littérature, sans toutefois cesser de s'intéresser aux affaires publiques. Prix Goncourt en 1948, pour *Les Grandes Familles*, puis Prix Prince Pierre de Monaco pour l'ensemble de son œuvre après le succès des *Rois maudits*, il est élu à quarante-huit ans, en 1966, à l'Académie française où il succède à Georges Duhamel.

Sa fidélité à la morale gaulliste l'amènera à assumer les fonctions de ministre des Affaires culturelles de 1973 à 1974, puis de député de Paris de 1978 à 1981, en même temps que celles de représentant de la France au Conseil de l'Europe et de député au Parlement européen.

Depuis novembre 1985, Maurice Druon est Secrétaire perpétuel de l'Académie française, où son action soutient l'essor de la Francophonie.

Il est également membre de l'Académie du Royaume du Maroc, de l'Académie d'Athènes et de l'Académie des Sciences de Lisbonne.